中国古典诗词曲赋鉴赏系列工具书

元明清
诗歌鉴赏辞典

YUAN MING QING
SHIGE JIANSHANG CIDIAN

主编◎周啸天

商务印书馆国际有限公司

《元明清诗歌鉴赏辞典》

主编：周啸天

撰稿人（以姓氏笔画为序）：

丁赋生　丁稚鸿　于淑月　马卫中　马建新　方　牧　方伯荣　文伯伦
王志民　王许林　王英志　王明居　王锡九　王锡荣　王德邻　毛远明
邓德谦　冯杏实　冯保善　叶　红　刘　诚　刘文刚　刘学锴　刘真伦
刘新生　刘锋晋　田守真　田耕宇　卢烈红　余恕诚　汤高才　汤华泉
汤贵仁　许　恒　吉明周　朱吉余　孙丕文　孙琴安　阮堂明　沈时蓉
宋万学　宋子俊　宋谋玚　杨　树　杨希武　杨胜宽　李元洛　李坤栋
吴丹雨　吴明贤　吴劭文　迟乃鹏　张　中　张小青　张文潜　张相儒
张新科　张修龄　张振兴　张晓春　何艳玲　何尊沛　邵定胜　陈志明
陈定康　陈春平　陈曼平　陈维国　陈祥耀　陆三强　宗小荣　郑临川
严迪昌　尚永亮　林心治　罗　漫　别廷峰　金性尧　周　秦　周　甦
周本淳　周子瑜　周振甫　周爱武　周啸天　姜光斗　赵庆元　赵永纪
赵杏根　赵其钧　赵祖堃　赵望秦　赵晓兰　赵逵夫　姚　申　姚益心
欧阳少鸣　郭长庚　高海夫　唐富龄　秦　勤　秦岭梅　贾三强
顾　启　赁常彬　徐应佩　徐培均　徐植农　陶道恕　黄　琳　黄永年
黄秉泽　黄淑珍　曹　旭　曹方林　曹宝麟　谢丹月　谢守清　韩　石
韩云波　赖汉屏　蒋先伟　董田语　傅经顺　傅秋爽　傅绍良　蓉　生
雷　敏　蒲友俊　蒲继能　蒲健夫　詹杭伦　廖文俊　熊　笃　熊盛元
管遗瑞　潘啸龙　黎孟德　薛新力　戴炜群　魏耕原　魏填平

总　目

凡　例

一、本辞典共收金、元、明、清、近代340余位诗人的诗作1200多首。

二、正文中诗人排列一般以时代先后为序;同一诗人作品,依别集或总集编次,异文择善而从,不更作校勘说明。

三、使用规范简体字,在可能产生歧义时,酌用繁体字、异体字。

四、诗中疑难词语,一般随文解释。

五、一般采用传统纪年,括注公元纪年,“年”字从略。

六、附元明清诗歌书目,以供研究者参考。

前　言

周啸天

我愧虽无李白才，料应月不嫌我丑。

——唐寅《把酒对月歌》

江山代有才人出，各领风骚数百年。

——赵翼《论诗》

我国古代诗歌源远流长，未尝间断。除却风骚两大源头不论，自两汉以来，代有其诗。如果将这部诗史作两期划分，则无妨以宋断限。在文学史上已有定评的八代唐宋，可为前期；而宋以后的元明清，则为后期。文学史家对元明清诗歌的评价向有争议。誉之者认为它亦可祖述风骚，接轨唐宋。毁之者则以为诗歌发展到北宋实际就完了，此后是小说戏剧的时代，“唐以后诗，但以参考史事存之可也，其语则不足诵”（章太炎）。对这个问题，需要作实事求是的具体分析，而不宜简单断言。

在宋以前，我国古代诗歌已得到长足发展，照理说后来作者更应驾轻就熟，因利乘便。然而优越条件本身又是一种天然的桎梏。传统的力量太强大了，唐才子们骋其才思似乎“已将好诗做完”（鲁迅），到宋代做诗已成为一种艰巨的事业。似唐则厌熟，不似又嫌生，动辄得咎。宋人以后，指责又不免落到元明清诗人的头上。较之唐诗，元明清诗至少有四不如。自宋以还，诗歌雄踞文坛的地位已逐渐为后起的文学样式取代。元代戏曲、明清小说，各自成为当代最引人注目的文学样式。就这个意义而言，王国维“一代有一代之文学”的命题并非倡言高论，而是文学史上明摆着的事实。每一代都有自己引为骄傲的创牌的“名优产品”。而文学样式逐代繁衍,诗歌这种老牌的文学样式,也就经常受到新起的文学样式的挑战,最后失去独尊的光荣。此其一。唐诗人生活在一个“拿来”的时代,具有兼收并蓄的气概。许多从异域和民间新兴的诗歌,都成为唐诗的源头活水。七绝与歌行的突飞猛进的发展,皆有赖于此因。而宋以后,诗体是太尊严了。诗人宗唐宗宋,学李学杜,十分热闹;却没有以向词曲学习相号召者。倒是地位较卑的词体,敢于以诗入词、以文入词,从而获得大片疆土,蔚为大观。此其二。语言形式的作用从来不是消极的。八代唐宋诗之所以取得划时代的成就,不仅在于它们深刻地反映了时代生活,表现了时代精神;而且在于产生了与之相适应的新的诗歌形式。建安风骨与五言诗的诞生,盛唐气象与近体诗的定型和歌行体的丕变,都有如此深刻的联系。而宋代以后,五、七言,古、近体诗已成不易之体,直到新诗诞生之前的诗界革命健将,仍是“熔铸新理想以入旧风格”(梁启超)。旧瓶新酒,当然没有新瓶新酒那样让人刮目相看。这就是元明清诗总体成就并不低于词曲,而反不如后者引人注目的一大原因。此其三。八代唐宋诗风不仅风格与体裁大备,而且产生了陶潜、李白、杜甫,以及白居易、李商隐、苏轼、陆游那样伟大的具有国际声誉的诗人,和指不胜屈的优秀作家。元明清虽有超过八代唐宋的巨大作家群,和同样指不胜屈的优秀作家,然若求其逾越苏、陆而与李、杜并肩的大家,则无有也。此其四。从宏观的角度看,元明清诗的成就和地位,不能与八代唐宋诗比肩,乃是不容置辩的事实。

然而也不能忽略另外一个事实。那就是生活之树常青。“满眼生机转化钧,天公人巧日争新。预支五百年新意,到了千年又觉陈。”(赵翼)新意无法提前预支,生机有待时人抒写。元明清时代,中国封建社会已经发展到新的阶段,产生了一系列重大的历史性社会变革。不少生活内容、精神境界,是前人无从梦见的。这些都给元明清诗人提供了丰富的创作源泉。同时,五、七言,古、近体作为成熟的诗歌体裁,仍然具有强大的生命力。诗人们运用这些体裁去反映和表现自然、社会和人生之真伪、善恶、美丑,仍然佳作累累,美不胜收。“我愧虽无李白才,料应月不嫌我丑。”(唐寅)面对前代伟人,元明清诗人其实是无须惭愧的。生在八代唐宋诗人之后,使他们更有条件对诗歌创作的规律和经验加以理论总结，并自觉运用于创作实践。因此在诗学著述的数量和质量方面，胜过宋人，无论唐代了。如《怀麓堂诗话》《谈艺录》《四溟诗话》《艺苑卮言》《诗薮》《唐音癸签》《姜斋诗话》《原诗》《带经堂诗话》《说诗晬语》《随园诗话》《瓯北诗话》等等，在总结评论前人得失的同时，提出了不少有价值的诗歌主张和见解，虽然仍是习惯于直觉判断而不惯于推理论证，虽然其间存在一些理论上的偏颇，然而思想的火花，随处可见。这些诗话的作者，如李东阳、徐祯卿、谢榛、王世贞、王夫之、王士禛、沈德潜、袁枚、赵翼等，多为卓有成就的诗人。

综观元明清诗坛，其间虽然没有产生戏剧家关汉卿、小说家曹雪芹那样的巨擘，然亦可谓名家辈出，山峦竞秀。如元好问、刘因、高启、钱谦益、吴伟业、王士禛、查慎行、黄景仁、龚自珍、黄遵宪卓荦(luò)十余家，亦可谓“江山代有才人出，各领风骚数百年”了。纵然没有李、杜那样经天的日月，这星汉灿烂的长空也别样美丽。

本书所录诗，上采金元，下迄近代。以下按金元、明代、清代、近代的顺序，对这段诗史予以概述。以便读者对此有一个全局的印象。

金元两朝，皆于马上得天下。金为割据之邦而元代享国较短，又都是北方比较落后的游牧民族入主中原，其诗坛皆借才于异代，而文士多有屈才之感。所以，金元文化不可能出现唐代那样的南北文化汇流的汪洋局面。金初由来自辽宋的文士竞胜于诗坛，明昌以后，新一代文士成长起来，创作领域有所开拓。金室南渡后，赵秉文、杨云翼等诗人名望日崇，稍后则有李俊民、王若虚、段克己等，作品多以艰难时世、民生涂炭为题材。此期诗坛的荣光，是诞生于金元易代之际、编《中州集》、作《论诗绝句三十首》、品评臧否建安以来诗派诗人诗作、以“诗中疏凿手”自命的元好问。他有杜甫般的襟抱阅历，苏轼般的才情，为诗题材广博，众体皆工。“野蔓有情萦战骨，残阳何意照空城”(《岐阳》)，反映国破家亡现实的作品，奠定了元好问在诗史上的地位。“国家不幸诗家幸，赋到沧桑句便工”，便是赵翼对他的赞语。“一代天骄，成吉思汗，只识弯弓射大雕”(毛泽东)，可惜的是，蒙古人并没有能把马上杀伐之声带进诗坛。由于宋诗之弊在粗硬质直，元代的汉族和汉化的文士，转而宗唐，诗以绮丽秀淡见长，而骨瘦肌丰，气体伤弱。初期只有刘因诗笔雄健，各体兼可观。咏史如“谁知万古中天月，只办南楼一夜凉”（《宋理宗南楼风月横批》），万取一收，气可凌云。中叶诗人有并称四大家的虞（集）、杨（载）、范（梈）、揭（傒斯），其中虞集诗风严峻、声情婉转，成就较高。而清犷有致，风情跌宕，擅长北方风物描写的萨都剌，最能代表元诗风格。元末描写黑暗的作品增多，张翥、王冕皆佼佼者。王冕不与当局合作，是诗人，也是画家。他的咏梅绝句极佳，开了明清文徵明、唐寅、徐渭、郑燮等题画绝句之先河。元末名气最大的诗人为杨维桢，“掇锦囊（李贺）之逸藻，嗣玉溪之芳润”，以为乐府，诗多奇诡而失之佻滑。他的《海乡竹枝歌》与杨允孚《滦京杂咏》，皆能嗣响刘禹锡而广其疆域。

明初成就较大的诗人是经过元末社会动荡的刘基和高启。刘基以雄浑奔放见长，而稍欠新意。高启取材广而天资高，遍学汉魏晋唐诸体而以爽朗清逸取胜。作品内容充实而初步形成个人风格。以盛年见杀于朱元璋，实未尽才。由于明代开国即诏复衣冠如唐制，为表现博大昌明的汉宫威仪，盛唐气象遂为文士憧憬。闽中诗人林鸿等以盛唐相号召，高启编选了卓有影响的唐诗选本《唐诗品汇》，按时代体裁细分正始、正宗、大家、名家、羽翼、接武、正变、余响、旁流等九格，悬为诗歌范式。这就决定了明诗继续元诗宗唐的大方向。永乐、天顺间出现台阁重臣三杨（士奇、荣、溥）为代表的“台阁体”，其于明诗，如唐有宫廷诗、宋有西昆体，表面雍容华贵，内容却贫乏空洞。少数经历“土木堡之变”的志士，如于谦、郭登等不为所限，写下了爱国忧民的光辉篇章。“台阁体”诗只是过眼云烟，而后“杂体”诗兴，颇有出色之作。茶陵诗派领袖李东阳，虽亦有“台阁体”的影响，然又与“杂体”相通，诗以拟古乐府著称，风格苍健，是上承台阁、下启前后七子的过渡人物。“台阁体”、茶陵派主要以其领袖官居极品而产生影响，而前后七子以其理论主张和创作实践，使“一时云从景合，名家不下数十”（《诗薮》）。弘治、正德时的“前七子”以李梦阳、何景明为代表，嘉靖、万历时的“后七子”以李攀龙、王世贞为代表，发起复古运动，主张“文必秦汉，诗必盛唐”（李梦阳）。他们反对“台阁体”文风，有意纠补宋元以来诗歌创作中平庸纤巧之偏弊，起到了一定作用。但“视古修辞，宁失诸理”（李攀龙）的理论偏颇，限制了他们的创作成就。如七律多取法杜诗音情字面，初读若“高华杰起”，然不耐读，“人但见黄金、紫气、青山、万里，则以于鳞体”（《诗薮》）。与前七子同时,江南有一批诗画兼长的才子,如沈周、唐寅、文徵明、祝允明,作诗不事雕琢,纯任天真。其优长与缺失均暗合后来的性灵派诗人。蜀人杨慎诗学六朝,兼采晚唐,亦独树一帜。与后七子同时,徐渭、李贽等反对模拟,李之童心说为公安派主张奠定了基础。一批反映抗倭御侮的诗作引人注目,“一年三百六十日,都是横戈马上行”(戚继光)、“穷巷短兵相接处,杀人如草不闻声”(沈明臣),直开唐边塞绝句未有之意境。公安三袁(宗道、宏道、中道)提出独抒性灵,反对剿袭的诗歌理论,创作上则以清新的诗风见长,然涵咏锤炼不足,诗境失之浅露。竟陵派应运而生,欲以幽深孤峭矫枉,而未能治本,诗境失之狭小。公安、竟陵派开不出治本之方,而药石乃在诗外。明末农民起义的风暴骤起,清兵入关,巨大的社会变动使得诗人面对惨痛的现实。复社和几社的诗人,尤其是陈子龙、夏完淳师徒,将忧愤时乱的诗歌倾注了沉重的感情,显得苍劲悲凉。他们的诗作与史可法、张煌言等英雄之作,完全可以和宋末文天祥、汪元量等人媲美。而清初彪炳诗坛之诸老,亦皆为明代的遗民和后来仕清的所谓“贰臣”。仍然应了“赋到沧桑句便工”的名言。

明人喜结社,而诗歌流派众多。有清一代诗家蜂起,诗派林立有逾明时。清代诗人惩于元诗绮靡、而明诗恋旧及诗境浅狭的流弊,转益多师,取径较广,在继承的基础上不断创新,而现实主义始终为诗坛之主流。故诗歌出现了百花竞艳的复兴局面,成就超过元明。清初的诗坛盟主是“江左三大家”中的钱谦益和吴伟业。钱谦益时望甚崇而才华富赡,有一套诗歌主张(即“诗贵有本有物”“不名一家,一拘一格”),兼喜奖拔后进;转益多师尤得力于杜甫,形成情辞苍郁、辞藻丰富的诗风。《投笔集》次《秋兴》韵达十三叠一百零四首之多,如此大型的史诗式七律组诗,实前所未有。而吴伟业别开生面,创作成就更为斐然可观。他饱经沧桑,而善取重大主题作叙事长诗。如《圆圆曲》《楚两生行》等数十篇,取易传之事为绝妙之辞,“格律本乎四杰,而情韵为深;叙述类乎香山,而风华为胜”(《四库总目提要》),时称“梅村体”,实足以颉颃元白。清初坚持民族气节、义不仕清的明代遗民中,产生了顾炎武、王夫之、屈大均等,其诗多抚时感事、吊古伤今、缅怀故国、忧念生灵,诗风沉雄悲壮,时见瑰丽,有补天填海的感召力。康熙、雍正年间,社会已趋稳定。“南施(闰章)北宋(琬)”之外,遂有王士禛远绍严羽,高倡"神韵说",以七言绝律擅长,古淡自然,清新圆润,为一时景从。盛唐风调,复睹于斯。学者朱彝尊为著名词家,而其诗亦与王士禛齐名,才力宏富,而创新不如王氏。王士禛甥婿赵执信《谈龙录》,对"神韵说"不满,为诗多面向现实,有一定影响。其间查慎行,创作成就有愈王氏。他出入苏、陆而兼采唐音,"故梅村后,欲举一家列唐宋诸公之后者,实难其人。唯查初白才气开展,工力纯熟""继诸贤之后"(《瓯北诗话》)。辑撰《宋诗纪事》的厉鹗诗亦学宋,称浙派领袖。乾隆朝沈德潜倡"格调说",诗宗汉魏盛唐,其诗平正朴实,成就不及他们的诗歌评论。翁方纲主"肌理说",以考据入诗,成就又在沈下。号称三大家的是袁枚、赵翼、蒋士铨。袁枚著《随园诗话》,继明公安之后提倡抒写性灵,诗作从内容到形式都很新,但情趣偏小,建树不高。赵翼主张略近于袁,而学识博通,以议论见长。三家之外,扬州八怪中的郑燮,诗书画称"三绝",他是关心民间疾苦而特具个性的诗人,发扬了乐府诗的优良传统,题画绝句尤多名章隽语。此时的诗坛出现了一颗巨大的彗星,那就是早熟而短命的诗人黄景仁。他的诗才甚高,善写社会不平和个人遭遇的不幸,表现出一种力透纸背的孤独感,如"悄立市桥人不识,一星如月看多时"(《癸巳除夕偶成》)"全家都在风声里,九月衣裳未剪裁"(《都门秋思》)。乾嘉两代著名诗人还有不少,如张问陶、舒位、严遂成、黎简、宋湘、洪亮吉等等,然要"求一些话语沉痛,字字辛酸的真正具有诗人气质的诗,自然非黄仲则莫属"(郁达夫)。

鸦片战争的洋枪洋炮打开了中国的大门,随后太平天国革命风起云涌,中国社会性质发生了重大变化,诗坛也发生了重大变革。在时代风暴到来前夕,被誉为"三百年来第一流"(柳亚子)的龚自珍,以启蒙思想家特有的敏感,忧念时局,呼唤风雷。"我劝天公重抖擞,不拘一格降人才!"(《己亥杂诗》)其诗驰骋想象,冲决常规,语言瑰奇,富于暗示,在万马齐喑中具有振聋发聩的力量。屈原、李白之后,得未曾有。《己亥杂诗》是由 315 首七绝构成的大型组诗,上继唐人、下启来者,其独创性表现在叙事抒情结合的格局,成功塑造了一个冲绝网罗、呼唤风雷的诗人自我形象。鸦片战争这一重大主题进入诗歌创作领域,产生了富于时代感的新型叙事诗。贝青乔《咄咄吟》由 127 首组成,以诗记史,就诗作注,显然取法了说唱文学的某些特点,很有特色。张维屏《三元里》、金和《围城纪事六咏》皆为出色之作，格调上也有创新。晚清诗坛有一些远离社会现实的旧派，与诗坛新风对垒。如崇尚汉魏六朝盛唐的湘湖派，崇尚宋诗的“同光体”等，就诗论诗，亦各有偏长独至，不宜一概抹杀。然处在那样一个不平静的、国步维艰、新思潮泛滥的时代，也不免给人以抱残守缺之感。太平天国革命失败，资产阶级改良主义政治运动兴起，上层社会内部发生激烈的守旧与革新的冲突，西方声光化电科技知识的传入，引起了一场“诗界革命”。黄遵宪、梁启超最称翘楚。黄遵宪以改良主义思想为武器，广泛借鉴古人和学习民歌，大胆使用新名词和流俗语，创为“新派诗”。“能熔铸新理想以入旧风格”“元气淋漓，卓然为大家”（梁启超）。康有为亦倡言“意境几于无李杜，目中何处着元明”（《与菽园论诗》）。梁启超还求新声于域外，主张译介拜伦、莎士比亚、弥尔顿等人作品以为楷模。这时诗人尽管仍沿用五七言古近体的形式，然实已出现形式为内容突破的趋势。当其唱出“倘若乘槎中有客，回头望我地球圆”（黄遵宪《海行杂感》）时，离新诗的诞生已为期不远。晚清的掘墓人，从太平天国革命领袖到辛亥革命的志士仁人，皆以诗歌作为革命宣传和战斗的武器，起到鼓舞唤醒民众的作用，以洋溢的豪情震撼人心。这些诗固然有较强的社会功利目的，其审美价值亦当别论。

从以上粗陈梗概、挂一漏万的叙述中，读者也会感到元明清诗堂庑深广，确有可观。综观这半部诗史，第一流诗人大多产生于发生重大社会变革之际。诗歌一直肩负着重大历史使命，反映着时代的面貌，表现了时代的精神。爱国诗人，关心民瘼的诗人比比皆是。以《诗经》、乐府诗、杜甫、白居易为代表的现实主义诗歌传统得到充分发扬光大。“以诗歌叙说时政、反映现实成为有清诗坛总的风气。十朝大事往往在诗中得到表现。作品之多、题材之广、篇制之巨，都达到前所未有的水平。”（钱仲联《清诗纪事·前言》）元明清诗歌流派众多，异彩纷呈。有两种大体对立的艺术主张。一类以复古相标榜，从明代前后七子到晚清的湘湖派、“同光体”，崇尚对象不同，而本质上没有差异。一类以性灵相号召，从明代到三袁到清代的袁枚，一脉相承。这两种主张均偏重于艺术形式的探讨和追求，而在对生活底蕴的发掘上用力不够，又可谓殊途同归。而诗坛巨子，大都崛起于两者之外，皆深深扎根于时代、社会生活，不以门户相标榜，艺术上有继承有创新，独得“乾坤绝妙辞”，如元好问、吴伟业、龚自珍、黄遵宪等，皆足以雄视一代。

由于对金元明清诗歌的研究与介绍，在一段时期内未受到应有的重视，其中精华，亦远不如唐宋诗普及。为了使古代诗歌爱好者从审美角度，对我国诗史有一个完整的了解。我们编写了这本《元明清诗歌鉴赏辞典》，遴选元明清时期千余首佳作，逐篇赏析，以飨读者。望海内贤达，不吝赐教。

篇目

金·元诗歌

明代诗歌

清代诗歌

近代诗歌

金·元诗歌

在金日作

宇文虚中*

遥夜沉沉满幕霜，有时归梦到家乡。
传闻已筑西河馆，自许能肥北海羊。
回首两朝俱草莽，驰心万里绝农桑。
人生一死浑闲事，裂眦穿胸不汝忘。

作者

*宇文虚中(1079－1146)，字叔通，成都华阳人。宋徽宗大观三年(1109)进士，累官至中书舍人。高宗建炎二年(1128)使金被留。在金屡迁至礼部尚书，翰林学士承旨。因谋归宋被杀。有集行世，今不传。

鉴赏

宇文虚中本宋朝文士，高宗建炎初使金被羁留，为翰林学士。金熙宗皇统六年(1146)，他密谋劫持金帝，挟宋钦宗南归，事败被杀。这首七律是他留金初期的作品，其心志已俱见诗中。

由于南宋政权从一开始就实行了妥协求和的对金政策，大大助长了金人气焰，所以出使金国注定成为屈辱的使命。加之作者北上后又被羁留，无法南归，故其内心的愤慨是难以言传的。时令不过深秋，北方的气候已经十分寒冷。身在毡乡，尤觉长夜难消，“遥夜沉沉满幕霜”写的就是这种情景。“沉沉”是长夜的深沉，也是沉重的心理感受。严霜本来布满帐外，而寒气逼人，令人觉得它已经充斥帐幕。“有时归梦到家乡”有两重意味，须反面会意。一是暗示身被软禁，欲南归家乡已不自由；二是暗示更多时候不能成梦，或梦不到家乡。故“有时”一句流露出一种似喜实悲、喜过生悲的凄凉。

在春秋时的平丘之盟时，晋人执鲁国季孙意如，晋国的叔鱼和季孙意如说："鲋（叔鱼）也闻诸吏将为子除馆于西河。"（《左传·昭公十三年》）诗人借用这个典故来譬喻金人对自己的招降。"传闻已筑西河馆"，既是"传闻"，也就还未成为事实，但后来的情况证实了这传闻的可靠性。筑馆招降，"礼遇"有加，而背后还有威逼。这对于被招降者，不只是荣辱的选择，简直是生死的考验！诗人的抉择十分明确，表达却很委婉："自许能肥北海羊"。运用苏武牧羊的故事（《汉书·苏武传》），意谓别的事我做不了，但自信还能够养肥北海的羊群。换言之，即金帝也别费心啦，要安排我官职的话，就让我到北海去当放羊倌吧，在这上面我还有点信心。其诗味全在潜在的幽默感。在生死关头还能幽默的人，往往都有大智大勇。虽然后来宇文虚中并没有牧羊北海，却仍然以一种曲线方式，实践了自己的诺言，成全了民族大节。"自许"一句至今使人感到意味深长。

诗人冷冷地一笑之后，立刻恢复了阴沉的面容。因为他时时未忘国难国耻。一是靖康之乱，徽、钦被虏，六宫北辕："回首两朝俱草莽。"二是山河破碎，河洛腥膻，农业生产遭到惨重破坏："驰心万里绝农桑。"这两句忧君忧民，唯独没有提到个人休戚，分量是很重的，非等闲对仗可比。可以说字字血，声声泪。它实际上说明了立志"自许能肥北海羊"的原因或动机。

结尾处诗人再次明确表示他早已置个人生死于度外，而以国家民族大仇为重的态度："人生一死浑闲事，裂眦穿胸不汝忘。"这里的"汝"指金人；"裂眦穿胸"极言愤怒，逾于"痛心疾首"。后一句以传统诗教衡之，于含蓄沉着略有欠焉，比起文文山"人生自古谁无死，留取丹心照汗青"，也许算不得名句。然而，它们表达的意念，却是完全一致的。"愤怒出诗人""诗可以怨"，而诗到愤极怨极，只一真字动人，原是难以寻常工拙相计较的。

（周啸天）

奉使行高邮道中

党怀英*

野云来无际，风樯岸转迷。潮吞淮泽小，云抱楚天低。
蹚踏船鸣浪，联翩路牵泥。林鸟亦惊起，夜半傍人啼。

作者

*党怀英（1134－1211），字世杰，号竹溪，泰安人。与辛弃疾同学。金世宗大定十年（1170）擢进士甲科。章宗明昌、承安间自国子祭酒累擢至翰林学士承旨。致仕，卒，谥文献。有《竹溪集》，今不传。

鉴赏

党怀英的《奉使行高邮道中》原题二首，这是第一首。高邮，今属江苏，南宋时为淮南东路高邮军治所，隔楚州与金朝之山东东路、山东西路相望。诗人奉使南宋一事，《金史》本传，《大金国志·文学翰苑下》，赵秉文《中大夫翰林学士承旨党公神道碑》，元好问《中州集》小传均失载。而从其诗中看，诗人的确曾出使南宋，除本诗之外，其《宿宣湾》诗亦有"夜凉淮浦月，寂寞照边心"之句，当为同时之作。所谓"诗能补史之阙"，此之谓也！诗人为金代明昌年间文坛主盟，他的这首诗以描写奉使出行高邮道中的景物为主，显示出诗人杰出的描写才能。

因为是乘舟出行，航行水上，所以诗人眼中的景物都染上了流动的色彩。"野云来无际，风樯岸转迷。"首联写天空飘浮着来去自如、了无边际的云彩：河风鼓动着征帆，船行驶得非常快，岸上的景物也渐渐变得迷离难辨。云，用"野"字来形容，便见出其活泼放肆，无拘无束。联系诗人的生活，这句诗恐怕还不是单纯的写景。诗人长期在朝廷翰林院供职，成天缠身于公文书牍之中，一旦奉使出访,那心情自然格外快适。这“野云”的意象,实在可以看成是诗人快适心境的象征。元好问评党诗“寄兴高妙”,于此正可见出端倪。“风樯”,正是同题第二首所写的“牵闲时掠水,帆饱不依桅”。它不仅写了顺风逆水行舟的情形,而且交代出诗人的观察点是在船上。“岸转迷”与首句“野云来”所造成的天色转暗有关,同时是暗示出时间——天色已晚。这不仅暗示出诗人挺立船头,观赏岸景由明转暗时间之长,而且为末句的“夜半”埋下了伏笔,从时间上抛出了结构全篇的经线。首联虽然信息载荷颇大,读来却流畅自如,可谓疏而不漏,足以涵盖全篇。

次联“潮吞淮泽小,云抱楚天低”,是金诗中写景的名句。这联的好处:一在切合地理。“淮泽”,这里指淮水和高邮湖。据《读史方舆纪要·河南·淮水》记载,宋绍熙五年(金明昌五年,1194),黄河夺淮,淮水自洪泽湖以下主流合于运河,经高邮湖江都县进入长江。“潮吞淮泽小”五字,便简明精当地概括了这段地理变迁的事实。二在写出了诗人由北入南的第一印象:“云抱楚天低”。“楚天”,本指长江中下游一带,在这里泛指南方的天空。这句的“云”是承接首句的“野云”而来,云合天低,不仅写出了南方天空的特有景观,而且包含着诗人初入南国的心理感受。正如初到北方的蜀中诗人杨锐所写的北地风光是“日高尘过马,天旷树犹人”一样,初到南方的诗人写出了对南方天空的独特感受,使读者产生身临其境的感觉,令人感慨不已。三在气魄宏大,骨力坚挺。以淮泽为“小”,以楚天为“低”,显示了身为大金国重臣的诗人,雄视江南的豪迈气度。形成诗歌境界阔大的内在原因,在于诗人的阔大胸襟。这两句诗所展示的气魄和力度,我们曾经在唐诗中领略过,但在宋诗中已鲜见其迹,这正是金诗有别于宋诗的特色所在。

如果说次联尚在虚写诗人初入南国之印象的话,那么,三联“蹚踏船鸣浪,联翩路牵泥”,则是实写使船在高邮水道中破浪前行的情形。“蹚踏”是浪击船头发出的声音,“联翩”描写纤夫拉船的阵形。诗人在同题第二首诗中写道:“细雪吹仍急,凝云冻未开。”可见此时天空正飘着细雪,这是造成“路牵泥”的原因。纤夫们冒着细雪戮力拉船,使船乘风破浪奋勇前行。以这幅画面为背景,我们仿佛看到作为使节的诗人,正挺立船头,率船前进。

前面六句已将“奉使行高邮道中”的题面写足、写尽,尾联本难着笔,但诗人却收煞得异常巧妙。“林鸟亦惊起,夜半傍人啼。”诗人以使船惊动林鸟,点明使船在昼夜兼程，并以林鸟夜啼来映衬诗人奉使出行、深入异国时的警悚心情。“夜半”又与首联的天色“转迷”遥相呼应，形成首尾圆合的严谨格局，体现出诗人在结构上的独运匠心。

据《归潜志》卷八记载，党怀英曾向赵秉文传授诗法说：“律诗最难工，须要工巧周圆。五十六字皆如圣贤，中有一字不经炉锤，便若一屠沽子厕其间也。”这首五言律便可看做是其“工巧周圆”理论的实践了。

（沈时蓉）

济 源

赵秉文*

歌管年年乐太平，而今钲鼓替欢声。
裴公祠下无穷水，好乞余波为洗兵。

作者

*赵秉文(1159－1232)，字周臣，号闲闲老人，磁州滏阳(今河北磁县)人。金世宗大定二十五年(1185)进士。宣宗兴定间为礼部尚书。哀宗即位，改翰林学士，封天水郡侯，卒。著有《滏水集》。

鉴赏

金代在大定明昌年间达到极盛，在此期，人民较少受到战乱骚扰，相对安居乐业；统治阶级也习惯于醉生梦死、歌舞升平的生活。但好景不常在，好花不常开，自卫昭王即位以后，蒙古成吉思汗崛起于朔漠，年复一年大举侵金。蒙军的铁骑踏破了金人歌舞升平的梦幻生涯，代之而起的是战乱频仍、满目疮痍的社会现实。金代后期主持文盟的诗人赵秉文的这首绝句，反映的就是这段史实。

济源，今属河南，在金代属河东南路孟州。赵秉文在大安二年(1210)任平定州(今属山西)刺史。大安三年(1211)，朝廷召秉文论边策。这首诗当是他赴南京(今开封)途中，路过济源时所作。

前两句写时局的变换："歌管年年乐太平，而今钲鼓替欢声。"钲鼓是古代行军时所用的两种乐器，行军时钲以静之，鼓以动之。行军打仗的钲鼓之声，代替了年年乐太平的歌管之声，这一时局的变化多么巨大！两句诗中，既饱含着诗人对时局的深沉感慨，又暗含着诗人对朝廷只顾享乐、不修边备的深刻斥责。所以诗句语调虽然平缓，感情却极其沉痛。在赵秉文之前不久，诗人师拓的《游同乐园》诗写道:“可怜欢乐极,钲鼓散云和!”与赵诗的感慨如出一辙。可见对这种今昔巨变的感慨,代表了当时士人的普遍感受。然而,面对血雨腥风的社会现实,士人们应当何去何从呢?是依附求荣,还是隐遁全身?作为一位正直爱国的士大夫,赵秉文作出了自己坚定的回答。

后两句表明了诗人所采取的政治态度:“裴公祠下无穷水,好乞余波为洗兵。”济源是唐代名臣裴休的家乡,裴公祠是济源的名胜之一。诗人在瞻仰这位先贤的祠堂之时,并未引发思古之幽情,整个身心仍然沉浸在对现实深深的忧患之中。据《金史·地理志》记载,济源有济水、澳水、沁水,水资源十分丰富。当诗人注视着裴公祠下流淌着的汤汤河水时,突然萌生出一个奇妙的想法:最好是乞求天公扬起济水的余波,为抵抗蒙军出征的将士们洗去满身的征尘!“洗兵”的典故出自《说苑·权谋》,据说武王伐纣之师遇天降大雨,有人以为不祥,武王却坚定地说:“非也,天洗兵也!”最终排除万难,在牧野战胜了纣王。诗人引用这一典故,并且坚信,正义之师必将战胜野蛮的侵略者。

诗人是一位言行一致的爱国者,据《金史》本传记载,赵秉文曾向皇帝上书,表示“愿为国家守残破一州”,并且对皇帝说:“陛下勿谓书生不知兵,颜真卿、张巡、许远辈以身许国,亦书生也。”又说:“使臣死而有益于国,犹胜坐糜廪禄为无用之人。”这首诗与他的上书可以互相印证,共同表明了一位爱国诗人的炽热心肠。

(詹杭伦)

姚子昂画马

李俊民*

雄姿卓立开天骨，腾踏万里如神速。
可怜不遇九方皋，空使时人指为鹿。
自从大奴守天育，无由更聘追风足。
中原一战收乾坤，白发将军髀生肉。

作者

＊李俊民(1176－1260)，字用章，号鹤鸣老人，泽州晋城(今属山西)人。金章宗承安五年(1200)，以经义举进士第一，应奉翰林文字。未几，弃官教授乡里。宣宗贞祐二年(1214)南迁后，隐居嵩山、首阳山等地。金亡，忽必烈即位，赐谥庄靖先生。有《庄靖集》。

鉴赏

这是一首题画诗。画者姚子昂事迹未详(查宋、金、元诸传记资料索引，均未见其名)，但并不影响对本诗的欣赏。这首诗的字句多从杜甫的咏马诗(如《房兵曹胡马》《天育骠骑歌》等)中化出，也深得杜诗的咏物题画之法。这里，仅着重分析本诗继承杜诗传神写照、用典使事、比兴寄托等三个主要特色。

其一，传神写照。元人赵汸曾分析杜甫的《房兵曹胡马》诗说："公此诗，前言胡马骨相之异，后言其骁腾无比，而词语矫健豪纵，飞行万里之势，如在目中，所谓索之于骊黄牝牡之外者。区区摹写体贴以为物者，何足语此?"(《杜律五言选注》卷三)我们看本诗的起首两句"雄姿卓立开天骨，腾踏万里如神速"也同样如此。首句逼真地刻画出马的雄姿天骨，次句传神地反映出马的骁腾神采,既图形肖貌,又传神写意,将一匹活泼矫健的天马,形象地置诸读者眼前。

其二,用典使事。杜甫的咏马诗非常讲究用典使事,这是由于运用那些经过精心选择的典故史实,能够更准确地表达出某些难于表达的思想感情,从而起到刘勰所说的"寸辖制轮,尺枢运关"(《文心雕龙·事类》)的作用。如赵次公评杜甫《病马》诗说:"此篇暗使田子方事之意。"《韩诗外传》卷八载"田子方出游于野,见病马焉。向之御者,对曰:此故公家畜也,罢而不为用,故出放之。曰少尽其力,而老弃其身,仁者不为也。命耒帛赎之。"(《新定杜工部古诗近体诗先后解》)杜甫正是借田子方的故事,概括封建社会在用人上,"少尽其力,而老弃其身"的典型事例,通过病马委婉地传达出他的心曲,使事十分巧妙。本诗三、四两句"可怜不遇九方皋,空使时人指为鹿"也是如此。九方皋相马的典故,出自《列子·说符篇》。指鹿为马的典故,出自《史记·秦始皇本纪》。诗人将两个典故合用,并将指鹿为马改造成指马为鹿,概括了封建社会中不能知人善任、贤才被埋没的社会现象,使事十分巧妙。这两句对世无九方皋的慨叹与上两句对天马的盛赞形成大起大落的鲜明对照,给读者留下深刻的印象。

其三,比兴寄托。宋人尹洙尝论:"子美作诗,深音,格高,思深,凡咏物寄赠,率皆托意于物。"(陈应行《吟窗杂录》卷二十三引)诗的寄托要求物我打成一片,在表面意义之外蕴藏着另一层意思。如杜甫的《天育骠骑歌》,仇兆鳌注说:"盖伤知马者难逢,而自慨不遇也。"(《杜诗详注》卷四)知马者难逢,为诗的表层含义;自慨不遇,则是诗的深层寄托。本诗的五、六两句也是如此。"自从大奴守天育,无由更驰追风足。"表面意思是自从天子命令家奴看守马厩以来,千里马受到束缚,就不能自由奔驰了。其深层寄托则是:皇帝任用近侍,使将帅受到牵制,无从施展才能。据刘祁《归潜志》卷七说:"金人南渡之后,近侍之权尤重。盖宣宗喜用其人以为耳目,伺察百官,故奉御辈采访民间,号行路御史,或得一二事即入奏之,上因以责台官漏泄,皆抵罪。又方面之柄,虽委将帅,又差一奉御在军中,号曰监战,每临机制变多为所牵制,遇敌则先奔,故师多丧败。"这些天子的近侍牵制将帅的行为,难道同"大奴守天育"有什么两样吗?

由上可见,本诗继承杜诗的咏物题画技法方面,是相当成功的。更为可贵的是,本诗在继承的基础上又有所发展创新，这突出表现在结尾两句上："中原一战收乾坤，白发将军髀生肉。"这两句诗已完全跳出了题画的窠臼，转而对马的主人——将军，进行直接议论。"中原一战"当指蒙、宋联军攻破蔡州的战役。看来这位将军在攻蔡战事中，曾乘骑骏马立下了赫赫战功，但天下大定之后，便被弃置闲散，无怪乎他要像困居荆州的刘备一样，发出髀里肉生(髀生肉之典出《三国志·蜀书·先主传》注)的慨叹了。这两句画外之话，深刻指明了无论是金朝还是元朝，弃置贤才都是一个老大难的社会问题，从而有效地增加了本诗的时间跨度，提高了本诗的思想深度。

(沈时蓉)

酬元遗山

白君举*

梦里《薰风》《湛露》歌，花开汉苑旧经过。
拾遗老去青春暮，司马归来白发多。
横槊赋诗吾岂敢，短衣扣角夜如何。
相逢未尽相思话，草色连云水碧波。

作者

*白君举，生卒年不详，号寓斋，隩州人。以进士官岐山令，与元好问齐名，称元白。

鉴赏

陈衍《元诗纪事》谓白君举"登金泰和词赋进士第，北渡后卜筑于滹阳，与元遗山齐名，称元白"。元好问于金宣宗兴定五年（1221）进士及第。就年龄而论，君举比遗山略长，但他们都同样经历了金亡的社会大变故。诗为奉和之作。写作的社会背景当是金王朝行将灭亡或已经灭亡之时。

首联写梦中回味昔日相见之欢，同游之乐。既慨叹昔日的安宁和悦不可再得，又意在说明诗人对朋友的深挚之情。尤其饱经动荡和不幸之后，昔日的安宁与友情更加珍贵。《薰风》，亦即传说虞舜操五弦琴所歌之《南风》，其歌辞云："南风之薰兮，可以解吾民之愠兮。"王肃谓："《南风》，育养民之诗也。"（《史记·乐书》集解）大约谓君主御民，应体恤民情，解救疾苦，使百姓生得其养，欢乐和善，犹如南风吹拂禾苗茁壮成长一样。《湛露》是《诗经·小雅》的一篇，公卿大夫盛宴夜饮，其乐融融，互以"显允君子，莫不令德"相祝颂。诗人在这里借往古"治世之音"来追忆当初战祸未作,举国承平,诗友相会,其乐融融。而“梦里”二字,既寄托治世难再的悲慨,又表现思念太平、重温友情的执拗。次句接忆往昔携手游历、逍遥悠然的高雅生活。“旧”字与“梦”字相呼应,谓往日繁华悠闲已成历史陈迹,不可重现,最多只能在温馨的梦中聊作补偿。

颔联用杜甫、白居易生平不幸遭遇事,上句谓杜甫逢安史之乱的时代灾难,弃官漂泊流荡,老境凄苦,饥病交加而终,下句谓白居易忠而被贬,落魄于江州卑湿之地,心中愤懑,环境僻荒,还京已白发纷披矣。二句意谓诗人自动乱以来历尽坎坷,生活无定,心情抑郁,对世事生平几多感慨,瞻顾老境,前途黯然,故以杜白之不幸为喻。

颈联上句盖遗山称赞君举诗有幽燕老将的遗风,感慨深沉,骨力铮铮,有曹孟德横槊赋诗之概。遗山《论诗绝句》评西晋刘琨诗云:“曹刘坐啸虎生风,四海无人角两雄。可怜并州刘越石,不教横槊建安中。”郝经《遗山先生墓志》称其“天才靖瞻,邃深高古,沉郁太和,力出意外”“看花把酒,歌谣跌宕,挟幽、并之气,高视一世”。遗山称君举诗有“横槊赋诗”之雄风,正所以夫子自道耳。王逢《悟溪集》载李冶评君举诗“龙韬雷厉于纷拿之顷,玉唾川流于谈笑之余”。亦谓其诗慷慨多气,风骨朗练。然君举自谦酬答,谓横槊赋诗之誉不敢当,唯短衣扣角,时以家国为念,长夜喟叹,意有难平。君举为金北陲奥州人,故有“短衣”之语。沈括《梦溪笔谈》:“中国衣冠,自北齐以来,乃全用胡服。窄袖,绯绿短衣,长靿靴,有鞢䩞带,皆胡服也。”“角”即吹角,亦北方健儿之物。元胡元游《送李德仁任祁阳和平巡检》:“健儿提酒酌大斗,短角细吹梅花筒。”这里的“短衣扣角”,意谓自己是北方胡儿,有幽并的生活习惯,诗有遗山所许的“横槊赋诗”之概,亦幽并游侠遗风之沾溉。

尾联言诗友相逢叙怀之短促,及别后如草色般凄迷,如云雾般浓重,如碧波般深邃的怀念之情。历尽人世沧桑,意外之际一相逢,若干坎坷遭遇,若干思念之情,本诗从容倾诉、抵掌晤谈,怎奈仓促之间,相逢却成相别苦,乱离之世,何由再会!抚今追昔,更增添了别离的难舍与怅然。这种情怀恰如遗山《秋夜》诗所叹:“济水有情添别泪,吴云无梦寄归魂。百年世事兼身事,尊酒何人与细论。”

(杨胜宽)

空村谣

杨弘道*

凄风羊角转,旷野埃尘腥。膏血夜为火,望际光青荧。
颓垣俯积灰,破屋仰见星。蓬蒿塞前路,瓦砾堆中庭。
杀戮余稚老,疲羸行欲倾。居空村问汝,“何以供朝昏?”
气息仅相属,致词难遽言:“往时百余家,今日数人存。
顷筐长镵随日出,树木有皮草有根。
舂磨沃饥火,水土仍君恩。
但恨诛求尽地底,官使有时还到门!”

作者

*杨弘道(1189-?),字叔能,号素庵,淄川(今属山东)人。金哀宗时曾监麟游酒税。后又仕赵宋宁宗、理宗,端平元年(1234)为襄阳学府教谕,摄唐州司户。不久,唐州为蒙古攻克,北迁,寓家济源。工诗。与元好问等称为北方巨擘。有《小亨集》六卷。

鉴赏

此诗是作者描写金末战乱给农村造成惨重灾难的作品,是杨弘道的早期之作。元好问《中州集》:“张介尝赠诗杨叔能,末章云:‘我贫自救如沃焦,君来过我亦何聊。为君欲写《贫士叹》,才思殊减《荒村谣》。’杨初以《荒村谣》得名,故云。”《遗山集》亦言:“叔能与余会于京师,遂见礼部闲闲公及杨吏部。二公见其《幽怀久不写》及《甘罗庙》诗,啧啧称叹不已。”可见第一,杨弘道的年龄大约与元好问相当,且二人交情甚厚,都经历了金末的动乱。第二,杨弘道早期诗作比较真实地反映了金末的悲惨时世，其代表作《空村谣》《幽怀久不写》《甘罗庙》等驰名于政界词林，很受好评。第三，杨氏避金乱，南走襄汉，在南宋做过唐州司户，其后弃官而去，盖求避祸而深居简出，不问世事，其早年忧时叹世的沉郁幽怀不复再现，“所作淡不可读”（《困学斋杂录》）。

全诗二十二句，前半部分作者所写空村之破败荒芜和后半部分空村人致词形成两个部分。前部分十句，将所见种种残破景象作客观描写，围绕“空村”着眼，突出村之空非原本如此，实乃战祸严重破坏所致：尸骨横陈，颓垣残壁，令人毛骨悚然与惊惧喟叹的破败，阴气袭人。后部分十二句，以空村幸存者的血泪控诉作主体，作者的愤慨、哀叹、同情等种种复杂感情，即寄托在这长歌当哭的字里行间，故诗名为“空村谣”。《尔雅》：“徒歌谓之谣。”《韩诗章句》：“有章曲谓之歌，无章曲谓之谣。”明徐师曾《文体明辨序说》云：“歌谣者，朝野咏歌之辞也。”历代文人反映民间疾苦及社会灾难之作，多以歌、谣、讴、叹、词等为名，既包含有取自闾里风吟之意，又包含有为民请命、下情上达、不平则鸣之意。如果说诗的前幅通过客观描写已把空村写得惨不忍睹，为空村的死者和幸存者一掬同情之泪，那么后幅通过奄奄待毙的空村人之口，就揭露了一个令人扼腕的残酷事实：创伤累累、饥无可食的幸存者，不仅没有引起官府的丁点帮助和同情，官府反而乘人之危，时时到空村中催收租赋！这就是为民“衣食父母”的所作所为。诗人把自己的愤怒与同情，寄托在了空村人的血泪控诉之中。致词既毕，戛然而止，并无一字多余的评议或褒贬，使空村风谣在全诗中占有突出的地位，作者的是非态度与情感倾斜，既已于前幅的细致描写见之，又能从后幅的引述中领略。

首先，此诗不仅精心处理了前后两部分在描写和叙述上的方式、重点、详略、人事、景物和过渡等的艺术技巧问题，而且在两部分内部的承接、呼应、程序、角度等细部上也作了巧妙的设计，使全诗成为一个描写与叙述，情景与事实，诗人与空村人等关系适当搭配构成的整体，它像一粒玲珑剔透的弹丸，圆转自如又自成体段，表现了诗人高度的艺术构思才能，难怪屡得当时一流诗人们的赞誉。

其次，诗人从所见角度所作的描写和引述空村幸存者的致词，在文采和口气上也有明显的区别。前幅是诗人直写所见，故正面用笔，全用描绘性语言，并且是具有文化素养的诗人语言；后幅是战时战后生活经历者的口述，叙述给一个未曾见未曾经历的陌生人听，故多用比较之法和比喻之法，尤其是“沃饥火”和“诛求尽地底”的比喻，既形象贴切，又与述者的身份、口气相符。后幅用语的口语气息与前幅的较有文采规矩的用语相比，其差异是显而易见的。

再次，诗用“致词”作结，既突出了题目“空村谣”的意味，又起到了印证、加强前幅所描写的“空村”景象、色调的效果，还使诗的结尾具有含蓄深沉的情感效果，增强了控诉的真实性和同情的倾向性。《空村谣》是一篇内容与形式结合比较完美的佳作。

（杨胜宽）

论　诗(录六首)

元好问*

一语天然万古新,豪华落尽见真淳。
南窗白日羲皇上,未害渊明是晋人。

作者

*元好问(1190－1257),字裕之,因曾在山西遗山读书,自号遗山山人,世称元遗山,太原秀容(今山西忻县)人。七岁学诗,聪颖过人,有神童之称。后从郝天挺学。金宣宗兴定五年(1221)进士。官镇平、内乡、南阳等县县令。后入朝,历尚书省左司员外郎,入翰林,知制诰。金亡,不仕。其诗、词、曲、文并工,尤以诗的成就最高。多反映时艰,有慷慨悲愤之音。构思奇特,写景述怀,境界开阔。七律最见功力。词学苏、辛一派,风格豪放,气势纵横。针对时弊,论诗主张建安以来的刚健朴质之风。反对雕琢浮艳,反对模拟,提倡创新。其《论诗绝句三十首》集中体现了他的主张,对后世影响很大。著有《遗山先生文集》四十卷,又编金人诗为《中州集》十一卷。

鉴赏

以连章七绝论诗,杜甫《戏为六绝句》首开其端,此后制作者代不乏人。金代元好问的《论诗绝句三十首》则是这一七绝论诗系列中最杰出的篇什。它选择汉魏迄宋末若干有代表性的诗家及其诗作加以评论,相当系统地表述了其诗歌主张及美学观点,篇幅与内容都较杜甫《戏为六绝句》更为宏富。而且在运用七绝这种体制来论诗方面,更为驾驭从容,潇洒自如,具有诗的情韵和诗人的特有气度。既是卓越的诗论,又是高妙的诗章。据诗人自注,这组诗作于金宣宗兴定元年(1217),当时他住在三乡(今属河南洛宁)。本篇是其中的第四首,专论陶诗，借以表达其崇尚自然的诗歌主张。

自然，是陶诗最突出的美学特质。这种特质首先体现在诗歌语言上。在陶诗中，那种仿佛脱口而出、不假雕琢、而又情味隽永的诗句几乎比比皆是。像"有风自南，翼彼新苗""相见无杂言，但道桑麻长"，"采菊东篱下，悠然见南山""及时当勉励，岁月不待人"等诗句，都达到了一种"胸中自然流出"的境界。元好问用"一语天然万古新"这句诗，高度概括并热情赞美了陶诗语言这种妙绝万古的"天然"美学特征。"天然"，即自然生成，与人工造作、雕琢斧凿相对。但陶诗的"天然"，却非单纯的肆口而出，而是在朴素自然的诗句中蕴蓄着浓郁的诗情和理趣，经得起反复咀味，久而弥新，因此说"万古新"。"一语"与"万古"的对照，"天然"与"新"的映衬，既显示了陶诗之"天然"的高度美学价值，又表露了作者的欣赏赞美之情。

次句由表及里，进一步揭示出"天然"诗风的内在本质。豪华，此处特指华丽的辞藻，自然也包括刻意雕镂文饰的手段。真与淳，不只是指诗歌内容(思想感情)的真率、淳厚，更是指它所包含与体现的陶渊明的人格理想和社会理想。陶渊明强调自己"质性自然"，崇尚抱朴含真，他说："羲农去我久，举世少复真。汲汲鲁中叟，弥缝使其淳。"可见所谓"真淳"，正是指一种类似上古时代的合乎自然的淳朴真率的人性。陶诗的内在审美价值，正是表现了这种真淳的人性之美。元好问认为，要表现"真淳"的人性美，靠"豪华"的辞藻和雕琢的手段只能是南辕北辙。雕琢伤真，华侈失淳。只有"落尽""豪华"，方能显现出人的"自然"质性——真淳。这里所表述的，正是"天然"诗语与"真淳"质性和谐统一的观点。

陶渊明一方面慨叹"羲农去我久""真风告逝，大伪斯兴"，另一方面又仍然在追求那种似乎可望而不可即的上古之民的"傲然自足"境界。他在《与子俨等疏》中充满诗情地宣称："五六月中，北窗下卧，遇凉风暂至，自谓是羲皇上人。"《归去来辞》也说："倚南窗以寄傲。"这是他所追求的生活情趣，也体现了一种生活理想与社会理想。元好问化用陶句，赞美陶潜，说陶潜高卧南窗，追踪羲皇上人的境界，并不妨碍他是晋代的人。这里颇有弦外之音。在某些人看来，那种自然质朴的诗风及其所体现的"真淳"人性，似乎只能产生在远古的羲皇之世，到了后世，风俗大变，诗也踵事增华，不可能再出现那种诗风。元好问则认为关键在于诗人是否有高逸的生活理想与情趣。陶渊明虽然生活在"大伪斯兴"，举世少真的晋代，却并不妨碍其追求抱朴含真、傲然自足的精神境界。有此境界，方能有“天然”“真淳”之诗。如果说，第二句揭示了“天然”诗风的内在本质，那么三、四两句则进一步揭示了这种诗风形成的原因。这里所显示的，正是诗风、人格和精神追求的统一。

论诗崇尚自然，是元好问诗论的一个重要观点。除本篇外，他在这组诗的第七、第二十九首也都有类似的表述：“慷慨歌谣绝不传，穹庐一曲本天然”“池塘春草谢家春，万古千秋五字新”。值得注意的是，那两首都单纯从语言风格与表现手法着眼，而本篇却由表及里，穷本溯源，从语言风格到人格、精神境界，真正揭示了陶诗美学特质的底蕴，可以说是一曲真正的陶渊明的知音之歌。

（刘学锴）

慷慨歌谣绝不传，穹庐一曲本天然。
中州万古英雄气，也到阴山敕勒川。

鉴赏

《论诗绝句三十首》以评论作家作品为主，间或也发表诗歌主张。总的看来，元好问赞成刚健、自然的风格。这从他高声赞美曹植、刘桢为“四海无人角两雄”、陶潜的“一语天然万古新”、韩愈的“合在元龙百尺楼”，皆可以证明。特别值得注目的，是他以突出地位标榜一首北国民歌，那就是以“天苍苍，野茫茫，风吹草低见牛羊”的歌唱蜚声百代的《敕勒歌》。

“歌谣数百种，子夜最可怜。慷慨吐清者，明转出天然。”（《大子夜歌》）这是南朝歌手夸耀南方民歌的一首比老杜更早的论诗绝句。民歌从来言为心声，不假雕琢，所以具有“慷慨”“天然”的本色。不过，“宫商发越”的南朝民歌，同“重乎气质”的北朝民歌一比较，又要旖旎得多。换言之，“慷慨”与“天然”的评语，似乎更适用于北歌。但北方文化毕竟落后于南方，歌谣的记录和整理远未受到重视，任其自生自灭，湮没不少。《敕勒歌》这首本出于鲜卑语的民谣，居然通过汉译而流传下来（据《乐府诗集》引《乐府广题》），不能不说是一大奇迹。明乎以上道理，此诗上一联“慷慨歌谣绝不传，穹庐一曲本天然”方有确解。两句起码含有三层意思，一是为北方民歌未受到应有的重视而慨叹惋惜（“绝不传”啊）；二是说《敕勒歌》的流传弥足珍贵，因其诗有“天似穹庐”之句，故以“穹庐一曲”呼之；

三是说北国民歌才是“慷慨”“天然”的典范,《敕勒歌》则是典范的典范。

显然,元好问的意思又绝不是说“慷慨”“天然”之作非此莫属。如果这样理解,我们就无法解释他对刘琨、老阮以及前面提到的那些作家的由衷欣赏。遗山似乎正是为了消除这种误会和可能导致的指责,从而写出了既豪迈又更有分寸的下一联:“中州万古英雄气,也到阴山敕勒川。”这里的“英雄气”,乃指汉魏杰出诗人“鞍马间为文”的气概。以“英雄”名其气,是由其诗慷慨的特色着想,也是一种高度评价。“也到阴山敕勒川”,则给《敕勒歌》以同样高度的评价。将一首短小民歌与诗人杰作相提并论,在当时不能不说是一种新见和高见。前二句曾将《敕勒歌》称为“穹庐一曲”,这里又据歌的首句(“敕勒川,阴山下”),以“阴山敕勒川”相代指,“中州”和“阴山敕勒川”本是两个地理概念,在诗中则分别指代中原诗歌和北方民歌。说此处风气也到彼处,就与“春风不度玉门关”那样的说法恰恰相反,令人感到很新鲜、很有意味。

作为北魏拓跋氏的后裔,元遗山唱出“中州万古英雄气,也到阴山敕勒川”,显然是充满自豪之情的,其意蕴超出了就诗论诗之本身。虽然并非汉族人,然而在诗歌理论上,他继承了杜甫、陈子昂,自成大宗,诗歌创作上则“气旺神行,平芜一望时,常得峰峦高插,动地澜翻之概,又东坡后一作手”(《说诗晬语》)。他是可以以中原文化的传人自许的。因而“中州万古英雄气,也到阴山敕勒川”二句,似乎还传出了由于文化联系促进民族融合的亲切消息。“江山代有才人出,各领风骚数百年”(赵翼)的豪情,在这里从另一个角度,另一种意义上,得到抒发。

(周啸天)

望帝春心托杜鹃,佳人锦瑟怨华年。
诗家总爱西昆好,独恨无人作郑笺。

鉴赏

正像李商隐的诗长期以来难得确解一样,元遗山这首评论李商隐诗的绝句,其真意也长期没有为人们所理解。

李商隐《锦瑟》诗云:“锦瑟无端五十弦,一弦一柱思华年。庄生晓梦迷蝴蝶,望帝春心托杜鹃。沧海月明珠有泪,蓝田日暖玉生烟。此情可待成追忆,只是当时已惘然。”由于元诗首句与李诗第四句字面全同,次句也明显化用李诗首联,因此人们很容易把元诗前两句看成对《锦瑟》诗的撮述。第三句中的“西昆”,本指宋初标榜学李商隐的“西昆体”作者杨亿、刘筠、钱惟演等人的酬唱之作(有《西昆酬唱集》),这里实际上指李商隐的诗。第四句中“郑笺”本指汉代经学大师郑玄为《诗经》作的笺注,这里泛指精确的笺注解说。从字面看,后两句的意思是:诗人们虽然都喜爱李商隐的诗歌,只可惜没有人为它作精确的笺解。

如果这首诗的内容仅仅是慨叹义山诗虽好而难解,那就很难称得上是“论”诗之作,而且与《论诗绝句三十首》其他各首迥然不同。试看其评刘琨:“可惜并州刘越石,不教横槊建安中”;论陶潜:“一语天然万古新,豪华落尽见真淳”。都能用精练的语言从总体上揭示出其诗歌风貌特征,为什么在论及义山诗时却只能徒叹缺乏解人呢?联系《锦瑟》诗和义山整个诗歌创作来考察,就会豁然开朗,明白遗山此诗实际上是巧妙地借用义山诗语来评论其诗歌创作,表现了他对义山诗整体风貌的切实把握。

义山诗的基本特征,是多寓托身世之感、伤时之情,渗透浓重感伤情调。而《锦瑟》正是用概括、象征的手段集中抒写华年身世之感的典型诗例。它的首、尾两联点出这首诗是闻瑟而追忆华年,不胜惘然之作,颔、腹两联则推出四幅象征性图像来形况瑟的各种音乐境界和诗人华年所经历的各种令人惘然的人生境界与心灵境界。而“望帝春心托杜鹃”一句,正是通过望帝魂化杜鹃,泣血悲啼,寄托不泯的春心春恨这一象征性图景,来表达哀怨凄迷的瑟声和诗人的心声,像喻自己的春心春恨(美好的愿望与伤时忧国,感伤身世之情)都“托”之于如杜鹃啼血般哀怨凄楚的诗歌。那倾诉春心春恨的望帝之魂——杜鹃,不妨视为作者的诗魂。明乎此,就不难明白,元好问于《锦瑟》诗中首拈此句,正是要借此概括义山诗的基本特征,连下句实际意思是:李商隐这位“佳人”(即才人),正是要借“锦瑟”(可以包括《锦瑟》这首诗,但在这里已经泛化为整个诗歌创作)来抒写华年身世的悲怨,他的满腔春心春恨都寄托在杜鹃啼血般的诗歌中了。这里不仅概括揭示了其诗歌内容的基本特征——怨华年,而且显示了其情调的感伤哀怨和工于寄托。妙在这种概括与揭示,完全是就地取材,利用现成的义山诗句与诗语,而且连带着运用了原句中的象征手法。因此显得妙合天然,毫不费力。这种即以其人之诗,评论其人诗风的高妙手段,在论秦观诗的那首论诗绝句中也有出色的表现："有情芍药含春泪，无力蔷薇卧晚枝。拈出退之《山石》句，始知渠是女郎诗。"以后的诗评家、词论家也每多采用这种手段。

理解了前两句，后两句的弦外之音也就不难听出。诗人实际上是慨叹许多爱好义山诗的诗人们并没有真正懂得它的底蕴，而自己独得其秘的含意也就隐现言外。元好问已经为李商隐的诗（包括《锦瑟》在内）作了"郑笺"。只不过它并非是对义山诗的具体解说，而是对义山诗整体风貌的宏观把握，根据这种宏观把握，笺注家当然还可以作出许多切实具体的微观解说。可惜这首诗的真意没有得到人们的理解，以致这位李商隐诗的真知音的真知灼见被历史尘封了七百多年。

（刘学锴）

东野穷愁死不休，高天厚地一诗囚。
江山万古潮阳笔，合在元龙百尺楼。

鉴赏

同时齐名的两位作家，随着时间的推移，往往也会分出高低，一般认为是品评孟郊的这首诗，实际上是一篇"韩孟优劣论"。

孟郊字东野，中唐著名诗人，与韩愈齐名。他性格孤直，一生贫困，与贾岛一样以"苦吟"著名。韩愈形容他"刿目鉥心，刃迎缕解，钩章棘句，掐擢胃肾"（《贞曜先生墓志》）；又给他的诗以相当高的评价："有穷者孟郊，受才实雄骜，冥观洞古今，象外逐幽好。横空盘硬语，妥帖力排奡。"（《荐士》）不过，韩愈说孟郊可上继李杜，就不免有私阿之嫌。襟抱旷达的苏东坡是尊韩的，但不甚喜孟郊诗，以"郊寒岛瘦"并列而不赞成韩孟并称："夜读孟郊诗，细字如牛毛，寒灯照昏花，佳处时一遭。……要当斗僧（指贾岛）清，未足当韩豪。"但有时也表示欣赏："我憎孟郊诗，复作孟郊语。"（《读孟郊诗二首》）而推崇苏轼的元好问对韩孟诗亦作如是观。

《六一诗话》说："孟郊贾岛，皆以诗穷至死，而平生尤喜为穷苦之句。"大体符合事实。此即首句"东野穷愁死不休"的最好注脚。《诗经·小雅·正月》云："谓天盖高，不敢不局；谓地盖厚，不敢不蹐。"而孟郊诗曰："食荠肠亦苦，强歌声无欢。出门即有碍，谁谓天地宽！"（《赠崔纯亮》）元好问就概括这些诗意来作为孟郊及其诗的形象性评语："高天厚地一诗囚。""诗囚"

这个称号，恰当地概括了孟郊诗穷愁的主要特征及作者本人的主观看法，虽不如“诗仙”“诗圣”“诗豪”“诗鬼”那样被普遍地认可，要亦有充足理由。另一首《放言》中他干脆把贾岛也圈进来：“郊岛两诗囚。”“诗囚”这个称呼在这里显然是带有贬义的，在这一抑之后，诗人用韩愈作对比，对后者给以很高评价：“江山万古潮阳笔，合在元龙百尺楼。”韩愈曾被贬为潮州（即潮阳）刺史，故诗中以“潮阳笔”代指韩愈诗文，以“江山万古”予以标榜，则暗用杜诗“不废江河万古流”（《戏为六绝句》），意言其足以不朽。末句用《三国志·魏书·陈登传》的著名典故，陈登（字元龙）因不满于许汜碌碌无为，令其睡下床而自卧上床，许汜一直怀恨，刘备知道了却说，如换了他，则“欲卧百尺楼上，卧君于地，何但上下床之间邪！”元好问把陈登事刘备语精要地铸为“元龙百尺楼”一语，说韩孟诗的比较岂止上下床之别而已。联系到韩愈“低头拜东野……吾愿身为云，东野变为龙”（《醉留东野》）等诗句，这里言下之意也有“退之正不必自谦”之意。

如果仅仅是扬韩抑孟，也只不过揭示出中唐诗中奇险一派两大诗人孰优孰劣的事实。但此诗的用心不限于此，它包含着更丰富的意味。元好问其实并不鄙薄孟郊，倒常常引孟郊自喻：“苦心亦有孟东野，真赏谁如高蜀州。”（《别周卿弟》）“孟郊老作枯柴立，可待吟诗哭杏殇。”（《清明日改葬阿辛》）就作诗的苦心孤诣，情感真挚，不尚辞藻，不求声律而言，他与孟郊也有一致之处。然而正如苏东坡爱白居易，而又批评“白俗”一样。由于知深爱切，反戈一击，反容易命中要害。元好问对孟郊的批评，实际上也是爱而知其丑。赵翼《题遗山诗》有句云：“国家不幸诗家幸，赋到沧桑句便工。”像元好问这样以国事为念的诗人，当然不会十分推崇孟郊那样言不出个人身世的作家。对于雄健奇创、有大家风度的韩愈，也就更为低首下心。在《论诗》中他曾两次通过对比表扬韩愈诗风，实有“高山仰止”的诚意。

元好问《论诗》系效法杜甫《戏为六绝句》而又有所发展。杜诗数首于作家只及四杰，而元诗常在一诗中比较两家，就是一种出新。此诗在写作上很注意形象性，因而说理议论中颇具情采，“江山万古潮阳笔，合在元龙百尺楼”比“未足当韩豪”那种概念化抽象的诗句，也就更有韵味、更易传诵。

（周啸天）

有情芍药含春泪，无力蔷薇卧晚枝。
拈出退之《山石》句，始知渠是女郎诗。

鉴赏

研究或欣赏文学作品，人们常常有这样的体会，即单独品味某家作品，想准确地抓住它的风貌特征，或许觉得不易。而如果能够找出有关作家，加以对照比较，则他们的特征，就可能被看得清楚一些。这首论诗绝句，运用的正是比较法。秦观《春日》诗："一夕轻雷落万丝，霁光浮瓦碧参差。有情芍药含春泪，无力蔷薇卧晚枝。"虽然是轻雷细雨，但芍药和蔷薇已感承受不了。诗人把春天的花写得非常娇柔，而他自己惜花的心情也显得非常纤巧细腻。这首《春日》在秦观小诗中很有代表性，取样评诗取出这首来是不错的，但怎样才能把这种风格讲清楚，给人留下突出印象，仍然不是轻而易举的。"拈出退之《山石》句，始知渠是女郎诗。"这里，品评鉴赏的功夫，更突出地表现在拈得了一个足资参照的对象。韩愈的诗，雄杰奇横，阳刚之气最为充足，而《山石》一诗，除诗题本身就有重、拙、大的特征外，其中写雨后的句子是"芭蕉叶大栀子肥"，对照之下，送给秦观之作以"女郎诗"的雅号，真是既用得准而又善于调侃。

四句诗评论了两个诗人，由于材料典型，形象生动，对比鲜明，有让人豁然领悟的效果。再加上富有情韵和风趣幽默，又让人感到诗意深长，极耐寻味。

以绝句论诗，当然也有它的局限。诗歌短小，又为韵语所限，不能畅所欲言，面面俱到，因此，元好问这首诗，也遭到后人种种批评。如袁枚在《随园诗话》中说："诗题各有境界，各有宜称。杜少陵诗光焰万丈，然而'香雾云鬟湿，清辉玉臂寒''分飞蛱蝶原相逐，并蒂芙蓉本是双'。韩退之诗，横空盘硬语，然'银烛未销窗送曙，金钗半醉坐添香'，又何尝不是女郎诗耶？"袁枚似乎有点强辩，元好问论的是诗人整体风格，秦观之作也有不属于女郎诗的，杜、韩也偶尔有几联绮丽的，但并不因此就泯灭了杜、韩和秦观之间刚健遒劲和柔媚婉弱的总体区别。元好问以秦观名句标举其诗，是承认他和韩愈"各有境界"的，但境界有品级之分。元好问对于韩、秦二家的诗，应该说是既看到了他们各有境界，又看到他们属于不同的品级。"《山石》拈来压晚枝"，自有它一定的道理。

（余恕诚）

晕碧裁红点缀匀，一回拈出一回新。
鸳鸯绣了从教看，莫把金针度与人。

鉴赏

这首论诗绝句最别致之处，就在于它的隐喻性，诗本身给我们刻画展示的，是闺房女红(gōng)。诗人虚构情节，也有一点凭借，那就是《桂苑丛谈》的一段故事："郑侃女采娘，七夕陈香筵，祈于织女曰：'愿乞巧。'织女乃遗一金针，长寸余，缀于纸上，置裙带中，令三日勿语，汝当奇巧。"后来人们就用"金针度人"代指传授秘诀。"晕碧裁红"，是女红剪裁之事，犹言"量碧裁红"；但"晕"有染色之义，亦是做衣绣花的一环。"点缀匀"指略加衬托装饰，使成品更完美。"一回拈出一回新"，则是说采娘得了织女秘传，遂能得心应手，花样翻新。这两句完全是元好问的创造，根据在"汝当奇巧"一句话。后两句则转折到故事的要义上来，就是采娘对织女有所承诺，即不泄露天机。所以对于别的女伴只能是"鸳鸯绣了从教看，莫把金针度与人"。诗人在叙事中，略去了原型的神话成分，而更多地描绘了一种生活情景，生活中不是就有这样的能干而矜持的巧妇吗？所以元诗实是一种再创造。其手法大致与唐人朱庆余《近试上张水部》(洞房昨夜停红烛)相近，二诗可谓异曲同工。

元好问运用古代传说的目的乃在论诗，从这个角度看，此诗又有深刻的哲理。《桂苑丛谈》故事本身就包含一个生活哲理，那就是创作能力是不能像技术一样传授的。虽然它采用了神话的外衣，类乎天方夜谭，但剥去这层玄虚的外壳，就能看到闪光的内核。《庄子》中"轮扁斫轮"的故事说匠人可以教人方圆规矩，但不能把修习的造诣传给人，哪怕这人是他的儿子。这个不能传人的造诣，在《桂苑丛谈》中就形象化地变成"金针"，看来"鸳鸯绣了从教看，莫把金针度与人"，并非不把金针度人，而是无法金针度人。大抵圣于诗者，早已到了得鱼忘筌的境界，你要向他要筌，筌早已不知哪里去了，他只能示人以诗。元好问形象地告诫人们，要写出好诗，就要加强自身的修养(不外思想、生活、艺术三个方面)，修养到家，自然会"得之于手而应于心，口不能言，有数存焉于其间"(《庄子》)，所谓"眼处心生句自神"，如果一味贪走捷径，最多只能得到"古人之糟粕"，正是"纵横正有凌云笔，俯仰随人亦可怜！"

朱熹说："子静说话，常是两头

明,中间暗,其所以不说破,便是禅。所谓'鸳鸯绣了从教看,莫把金针度与人',他禅家自爱如此。"(《元诗纪事》引《月山诗话》)这并非元好问诗句的原意,但由此也可以看出"鸳鸯"两句富于机锋或理趣,可以给人多方面的启发。

(周啸天)

秋　怀

元好问

凉叶萧萧散雨声,虚堂淅淅掩霜清。
黄花自与西风约,白发先从远客生。
吟似候虫秋更苦,梦和寒鹊夜频惊。
何时石岭关头路,一望家山眼暂明。

鉴赏

诗作于金宣宗兴定二年(1218)元好问寓居河南登封期间。早在贞祐元年(1213),蒙古军即南侵河东(今山西),元好问故乡忻县也被波及。翌年三月忻县陷落并遭屠城,元好问的哥哥好古遇难。诗人流寓三乡(今属河南宜阳)。兴定二年(1218)又移居登封,是岁之秋,蒙古军占领山西全境。这个坏消息,使诗人心情十分沉痛,在县北十里的嵩山中,他写下了这首悲秋怀乡之作。

诗一开始就展现了一派"秋风秋雨愁杀人"的情景。"凉叶萧萧散雨声"使人联想到唐人"听雨寒更尽,开门落叶深"(无可《秋寄从兄岛》)的诗句。也许只是风吹落叶萧萧有声,但人误将其听作雨声。也许是叶也萧萧,雨也萧萧,加之空堂之上淅淅风声,响成一片,胜似霜威逼人,让人感到不胜清寒,于是生出无比哀怨:"黄花自与秋风约,白发先从远客生。"深秋菊花盛开,是自然界物候现象。不过,上句著一"约"字,便有拟人化色彩;著一"自"字,更多一重怨思,似乎是说黄花约来西风,得到了繁荣,却将寒冷带给人间,真不像话。愁多添人白发,是一种生理现象。而下句著一"先"字,又似反驳"公道世间唯白发"的古诗人语,怨白发欺生,专侵"远客"。二句之妙在主观色彩甚强,无理之至而表情极真。正是:黄花自与西风约,关人何事?白发先从远客生,并不公道!

“吟似候虫秋更苦,梦和寒鹊夜频惊。”二句写夜不安寝,愁而赋诗。用了两个比喻,其表达的意思或许本是“秋吟更苦似候虫,夜梦频惊如寒鹊”,为了适合格律而作了词语的倒装,然而这种句式读起来反而多了一层意味即:“吟似候虫——秋更苦,梦和寒鹊——夜频惊”。像候虫一样,我的吟声本苦,而秋来更苦;和寒鹊一样,我的梦不安稳,半夜特易惊醒。中国古典诗歌语言的灵活微妙,于此可见一斑。

以上三联都运用了对仗,层层渲染悲苦的“秋怀”。然而,这一切真是因为秋气袭人的缘故吗?表面上是这样,骨子里却是因为乡愁。这乡愁又不是一般的乡愁,而是“感时花溅泪,恨别鸟惊心”(杜甫《春望》)那样的有家难归的悲痛。这使人想到杜甫的一首《恨别》:“洛城一别四千里,胡骑长驱五六年。草木变衰行剑外,兵戈阻绝老江边。思家步月清宵立,忆弟看云白日眠。闻道河阳近乘胜,司徒急为破幽燕。”两位诗人心情是接近的,两首诗在表现手法上是不一样的。杜诗基本上是直抒胸臆,而元诗则只写“秋怀”,而“恨别”之意表现得十分含蓄。石岭关是太原到忻县间的要冲,是从登封返忻的必经之路。诗人早先有过《石岭关书所见》写当时的战乱景象:“轧轧旃车转石槽,故关犹复戍弓刀。连营突骑红尘暗,微服行人细路高。已化虫沙休自叹,厌逢豺虎欲安逃?”由此可见,“何时石岭关头路,一望家山眼暂明”的结句是含有盼望朝廷收复失地之意的,与杜诗结句内容略同而表现较隐约不露。

(周啸天)

横　波　亭(为青口帅赋)

元好问

孤亭突兀插飞流,气压元龙百尺楼。
万里风涛接瀛海,千年豪杰壮山丘。
疏星澹月鱼龙夜,老木清霜鸿雁秋。
倚剑长歌一杯酒,浮云西北是神州。

鉴赏

横波亭在江苏赣榆县的河边，金时属青口辖区。金将移剌粘合驻防其地，“杨叔能，元裕之皆游其门，一时士望甚重。为将镇静，守边不扰，军民便之”（刘祁《归潜志》）。当时蒙古崛起北方并已南侵，破中都燕京，入潼关。曾经为宋人饱尝的民族耻辱，金人同样地尝到了；曾经为宋人抒发过的民族忧患与义愤，也出现在金邦的爱国志士笔下。青年元好问登上横波亭，感时的激情澎湃胸中，不能自已，因对青口统帅移剌粘合有所寄托，为他写下了这首气概不凡的七律。

笔立在河上的高亭，本给人以孤危之感；登楼远望，则会自然地引起一种古今茫茫百感交集的情怀。诗人首先就抓住这种深刻感受，写出豪迈的诗句：“孤亭突兀插飞流，气压元龙百尺楼。”注意“插飞流”这个说法，似乎本应写楼高插天，然而“突兀”二字已有横空出世之意，因而诗人还要多写一重险要，即横波亭的下临飞流，从而也暗点“横波”亭名之来由。第二句是对横波亭气势的比拟夸张。“百尺楼”本出自刘备对许汜说的一句盛气凌人的话，因为牵涉到陈元龙事（详前《论诗》析文），所以元好问熔铸为“元龙百尺楼”一语，辞采雄壮。大概是因其事本豪，而“元龙”这个字号也很大气的缘故，总之这一词语颇使诗人惬意，所以一再用到。但“元龙百尺楼”毕竟是子虚乌有的楼，所以说“气压元龙百尺楼”就格外有味。似乎天下临水之楼，竟无一可与横波亭比拟，只能拟之于想象中的“元龙百尺楼”。同时也暗用刘备语意，谓移剌粘合远非别的将帅可比。正是“玉帐牙旗得上游，安危须共主君忧”（李商隐），期许之意贯彻篇终。

青口去大海很近，诗人面对“飞流”，很自然地想到这一点，同时在诗中将大海揽入，也更有气势。“万里风涛接瀛海”句出杜诗“万里风烟接素秋”（《秋兴》），而将时间范畴换为空间范畴。“接瀛海”点出江流去脉，而“万里”还兼关江流来龙，此句包括之大亦非杜莫比。紧接便是抚今怀古：“千年豪杰壮山丘。”无论是就时局还是登临题材本身而言，怀古似乎都是应有之义，这使读者联想到辛弃疾在京口北固亭写下的“千古江山，英雄无觅孙仲谋处”（《永遇乐》）。不同的是，辛词叹国中无人，而元好问诗庆金邦得士，那移剌粘合大将，是被包括在“千年豪杰”之内的。诗人这样推重其人，当然是有所期待的。

接下去似乎应该写写形势才对，然而诗人却用苍劲之笔画出一派江景，酷肖杜甫的《秋兴》：“疏星澹月鱼龙夜,老木清霜鸿雁秋。”句中平列六个名词和“秋”“夜”这一时间概念,疏星、澹月、老木、清霜形成一派清寒江景,雁唳长空,鱼潜水底,更增加画面的清寥。而在这一派苍凉惨淡肃杀的秋夜景色中,读者隐约可以感觉到时局艰危在诗人心中引起的忧患意识,它已不自觉地渗透在景物之中,“如空中之音,相中之色,水中之月,镜中之象,言有尽而意无穷”(《沧浪诗话》)。《秋兴》有“鱼龙寂寞秋江冷”之句,为遗山诗所本。而此诗不言“寂寞”,“寂寞”与“冷”意转深。

诗的结尾进而化用《古诗》“西北有高楼,上与浮云齐”,抒发作者报国热情并以收复失地期许对方:“倚剑长歌一杯酒,浮云西北是神州。”其时金邦立足中原已久,作者以神州儿女自居是无可非议的,就像在南边唱着“何处望神州”的辛弃疾以神州儿女自居一样无可非议。爱国主义是中华各民族共有的精神财富,对汉人是如此,对女真人同样如此。令我们十分惊异的是,遗山此诗与辛弃疾在南方“过南剑双溪楼”写的《水龙吟》,从立意造境遣词用典上都十分神合。辛词就像是倒说过去的:

举头西北浮云,倚天万里须长剑。人言此地,夜深长见,斗牛光焰。我觉山高,潭空水冷,月明星淡。待燃犀下看,凭栏却怕,风雷怒,鱼龙惨。

峡束苍江对起,过危楼,欲飞还敛。元龙老矣!不妨高卧,冰壶凉簟。千古兴亡,百年悲笑,一时登览。问何人又卸,片帆沙岸,系斜阳缆。

略为不同的是,辛词悲壮,元作豪壮。而强烈的爱国意识则并无二致。除了在行政地域上的敌对,可以说,两位作家在文化心理结构上已没有什么差异。由于政治上的对峙和时间上的接近,元好问似乎不大可能读到这首辛词。它们之间的神似,只能说是英雄同感,不谋而合。

(周啸天)

李屏山挽章

元好问

世法拘人虱处裈,忽惊龙跳九天门。
牧之宏放见文笔,白也风流余酒尊。
落落久知难合在,堂堂元有不亡存。
中州豪杰今谁望?拟唤巫阳起醉魂。

鉴赏

李屏山即李纯甫。据《中州集》载:“纯甫,字之纯,弘州人。承安年间进士,仕至尚书右司都事。”《归潜志》称他“喜谈兵,慨然有经世志”“中年度其道不行,益纵酒自放”“唯以文酒为事,啸歌袒裼,出礼法外”。元好问在汴京期间,曾与他诗酒唱和,表现了同声相应、切磋与共的深厚友谊。正大八年(1131),李纯甫四十七岁,卒于汴京。听到这个噩耗,元好问抑制不住内心的悲恸,接连写了两首七律表示深切的悼念。这一首尤其苍凉豪壮、慷慨悲愤,是元好问诗歌中最为优秀的代表作之一。

一般说来,挽诗容易写得凄凄惨惨、悲悲切切,使人落泪,而不大能够做到豪壮慷慨,催人奋起,而元好问此诗,却表现了独特的艺术风格。

首联如风雨骤至,破空而来:“世法拘人虱处裈,忽惊龙跳九天门。”表现了诗人初闻噩耗时极端悲愤的心情。“世法”,指世上庸俗的礼教、法规。“裈”,即裤裆。“虱处裈”,典出阮籍《大人先生传》:“独不见群虱之处裈中,逃乎深缝,匿乎坏絮,自以为吉宅也……然炎丘火流,焦邑灭都,群虱处于裈中而不能出也。君子之处域内,何异乎虱之处裈中乎?”这里是借用阮籍的话,来比喻当时腐败社会对性格豪放的杰出人才的拘囿和压抑,诗中充满了对李纯甫生前的坎坷境遇的深切同情。“龙跳九天门”,用袁昂《古今书评》中语意:“萧思话书若龙跳天门,虎卧凤阙。”比喻李纯甫的死,犹如夭矫不群的龙,一下子从世法的拘囚中冲决出来,腾跃而到九天之上。这意思表面是说李纯甫死了,从此便脱离了拘人的世法,到了自由自在的世界里,似有庆幸之意,而其实却是愤激的反语。人生而为虱,死则为龙,生不如死,这是怎样的一个社会呢?把对李的痛悼与对整个社会的抨击紧密联系起来,拓宽了诗的境界,显得感慨沉痛,忧愤深广。

中间两联,作者在痛定之后,以豪健的笔调,对李纯甫作了深情的追念。“牧之宏放见文笔,白也风流余酒尊。”意思是说,李纯甫像杜牧那样气魄宏阔开放,都表现在他的诗文里;他又像李白那样,文采风流跌宕,但只好终日借酒消愁。这是借用历史上的著名人物作比,来赞叹李纯甫的豪放性格和杰出才能。“牧之”,杜牧的字。“白也”,指李白,出杜甫《春日忆李白》诗:“白也诗无敌,飘然思不群。”作者选用这两个历史人物作比,十分贴切。一是性格极为相似,都豪放不羁；二是文学上工于诗文，都有建树；三是都生于国家多难之秋，且有匡时济国的宏伟抱负；四是一生都不得志，历尽人生的坎坷。通过这种精心选择的贴切的比拟，李纯甫的形象立即活跃在读者心中，真是呼之欲出。以"白也"对"牧之"，十分工整巧妙，表现了作者纯熟的技巧。

在比拟的基础上，到第三联，作者以满腔激情，对李纯甫的卓尔不群的处世态度和光明磊落的可贵精神，给予了高度的肯定。"落落久知难合在，堂堂元有不亡存。"落落难合，即高傲孤独，不合群。语出《后汉书·耿弇传》："帝谓曰：'将军前在南阳，建此大业。常以为落落难合，有志者事竟成也'。"堂堂，即光明正大。据李纯甫《自赞》："躯干短小而芥视九州，形容寝陋而蚁虱公侯。"又曰："宁为时所弃，不为时所囚。"他这种孤傲而不随流俗的性格，鄙视王公大人而光明正大的精神，确实是永垂不朽的。如果说，作者在第二联中是侧重赞他的才能，那么第三联则又进了一步，充分肯定了李纯甫的难能可贵的品德和精神。作者在两联中反复咏叹，不仅表现了对李纯甫的深挚的缅怀之情，同时，也用弦外之音，对当时庸庸碌碌、苟且度日的末世颓风，表示了强烈的不满，字句之间，仍然隐含着一腔难以排遣的愤激之情。

"中州豪杰今谁望？拟唤巫阳起醉魂。"作者的愤慨情绪几经酝酿，波澜起伏，于此达到了顶点。他回顾了李纯甫的生平，再看当今时事，形势一败涂地，不禁忧愤丛生。当此四郊多垒、举步艰难之日，还有谁是豪杰，能做中流砥柱，力挽狂澜呢？"中州豪杰今谁望"，这一饱含激情的问句，已经不是吟唱，简直是情不自禁、无法遏制的呼喊了！作者对人才的损折，对国家多难的命运，殷忧难已。"拟唤巫阳起醉魂"，点明了题中的"挽章"二字，也充分表明了他的痛惜之意。"巫阳"，古代传说中的神巫。《楚辞·招魂》："帝告巫阳曰，有人在下，我欲辅之，魂魄离散，汝筮予之。"从诗句的强烈感情中，我们仿佛听到了"魂兮归来"的招魂之声。这里要招的"醉魂"，当然不是醉意朦胧、沉迷不醒之魂，而是借酒浇愁的那种忧国忧民之魂。而且，欲起"醉魂"，与其说是希望李纯甫的复生，倒不如说是希望李纯甫那种不附流俗、堂堂正正、关心国事的精神，能够在现实中长存，并且发扬光大，从而使国家走上振兴之路。这里，作者对李纯甫的痛悼，对现实的愤慨，对国家、民族的一片赤子之心，完全交融在一起，使得整首诗忧思广远，感人至深。

（管遗瑞）

被檄夜赴邓州幕府

元好问

幕府文书鸟羽轻，敝裘羸马月三更。
未能免俗私自笑，岂不怀归官有程。
十里陂塘春鸭闹，一川桑柘晚烟平。
此生只合田间老，谁遣春官识姓名？

鉴赏

正大五年(1228)十月，元好问的母亲逝世，按当时礼俗，元好问从河南内乡县令的任上，辞官服丧，家居内乡白鹿原，当时三十九岁。这种闲居生活一直过了一年半，到正大七年(1230)春天，金国北面的蒙古军加紧进逼。地处南北交通孔道的邓州(治所在今河南邓县)，也受到南宋的不断袭扰。为了加强防务，邓州守将移剌瑗聘请他出来担任幕职。元好问有感于家国之难，接到文书后，星夜兼程，向邓州进发。邓州在内乡南面，路途并不远，大约朝发可以夕至，本诗即作于赴邓途中。

这首诗的明显特点，是在结构上的深折顿挫，开合变化，而又文气跌宕，流转自然。首句"幕府文书鸟羽轻"，单刀直入，叙述赴邓原因，起势极为迅捷。"幕府"，古时军队出征，使用帐幕，因而把军政大吏的府署称为幕府，这里是指邓州州府。"鸟羽轻"，意义双关：一是指征召文书上插有鸟羽，类似后来的"鸡毛信"，表示紧急；二是指传送之快，如同飞鸟一般的迅疾。这三个字，把征召的紧急情态，生动形象地表现了出来，已经暗含不得不急赴之意。第二句紧承首句，扣紧题目中的"夜赴"，具体描写了连夜赶赴邓州的情景。"敝裘羸马月三更"，诗人穿着破皮袄，骑着瘦马，半夜里在月光下赶路。这一句用了三个名词性的词组，而不用关联词，巧妙地构成了一幅清冷而略带凄凉的图画，不仅表现了赶路之早，而且隐含着国家时局的艰难和个人心境的伤感。诗句中的自然意象和人事意象，显然都是经过精心挑选的，它们的自然融合，展现了耐人寻味的艺术境界。

接着，作者把笔锋收回，第二联进行内心的自我省察："未能免俗私自笑，岂不怀归官有程。”“未能免俗”，是借用古人成语。据《世说新语·任诞》载，阮咸家贫，七月七日，富人在庭中晒衣，皆纱罗锦绮，阮咸以竿挂大布犊鼻裈于中庭，人或怪之，答曰：“未能免俗，聊复尔耳。”这里，诗人用此，有自我解嘲之意。全句意思是说：我未能免俗，所以应聘出来做官；但是，自己对此也感到可笑啊。“岂不怀归”，是用《诗经·小雅·出车》中的诗句：“岂不怀归，畏此简书。”十分贴切。全句意思是说：我并不是不想家啊，但因为官府征召有期限，不得不这样急急忙忙赶路。看来，当时元好问应聘到邓州，从个人角度说，是并不很情愿的，但由于官府催得很紧，国家又有急难，不得不立即动身，这表现了他以国事为重的可贵精神。为了表现这种复杂的内心世界，两句中各自有一次转折，而出句与对句之间，又用“未能”“岂不”两对虚词作为转接，使人如行山中，路转峰回，景象无穷，极尽曲折变化之妙。

第三联写景，“十里陂塘春鸭闹，一川桑柘晚烟平”。十里池塘中，一群群鸭子正在拍水嬉戏，高声鸣叫，一片热闹景象。整个川原中种植的桑树和柘树，平展在晚烟之中，仍然是一派美好景色。这当中，一方面表现出作者对自然美景的欣赏，但另一方面，在行进中不知不觉薄暮来临，看到田间的农夫已纷纷归家，而自己还仆仆道途，也流露出了对田园生活的留恋之情。

这样，从第三联的意思中，就自然而然地引出了最后一联：“此生只合田间老，谁遣春官识姓名?”意谓，我此生只应终老田间，是谁叫朝廷的春官识得我的姓名呢?“春官”，《周礼》：“春官宗伯。”春官为礼官，掌典礼，后世因以春官为礼部的通称。礼部掌贡举之职，故诗云“春官识姓名”，即谓有人举荐自己。这最后一联与前面相呼应，补足了第二联的意思，明白地道出了自己希望终老田园，不愿出来做官的想法。然而，作者又在马不停蹄地向前赶路，并非真的要息隐田园，他的以国家为念的思想，其实是战胜了个人意愿的，只是有些矛盾罢了。全诗围绕这种矛盾的复杂心情，层层推进，步步加深，虽转折变化而又一气流转，把感情表现得淋漓尽致。

陈沚斋先生在《元好问诗选》中说这首“诗歌的风格颇似北宋之作”，极为中肯。元好问的诗主要是学杜甫，但受北宋苏轼、黄庭坚的影响也较深。宋诗不仅继承唐诗传统，并且自出机杼，有所发展。首先在谋篇布局的法度上，更为严密。本诗的曲折变化，已如前所述。另外，第一、三联叙事写景，是实写，第二、四联是说理抒情，是虚写，虚实相生，疏密有致，波澜层出，体现了作者的艺术匠心。其次,宋诗在用典、对偶、炼字等方面,更趋于精严。本诗用了不少典故,而且都用得不着痕迹,十分自然,收到了言简意丰、含蕴深厚、耐人寻味的艺术效果。其中第二联,诚如陈沚斋先生所说:"两句多用虚字,乍看来不似对句,而其实则字字精切,这种散文化的句法,极见作者的功力。须仔细寻味,不可轻轻放过。"诗中一些形容词、动词的使用,也都经过了精心锤炼,如"轻""闹""平"等字,用得准确而又生动。总之,本诗在学习宋诗风格方面,收到了很好的效果,显得峻峭而不硬涩,颇具流转自然的特色,深折而不晦暗,富有清新明朗的气息。元好问学习宋诗,能入能出,体现了大家风度和创新精神。

(管遗瑞)

雨后丹凤门登眺

元好问

绛阙遥天霁景开,金明高树晚风回。
长虹下饮海欲竭,老雁叫群秋更哀。
劫火有时归变灭,神嵩何计得飞来?
穷途自觉无多泪,莫傍残阳望吹台!

鉴赏

天兴元年(1232)秋天,元好问在汴京任尚书都尚掾。这年三月,蒙古军围攻汴京,形势十分吃紧。四月,因为金哀宗派遣户部杨居仁乞和,蒙古军才撤离汴京,退到河洛一带,但仍然虎视眈眈,汴京随时都有被蒙古军攻陷的危险,人们在惊恐中度日如年。秋季的一天傍晚,元好问难以抑制自己的苦闷心情,登上汴京的丹凤门城楼,望着兵燹之后的汴京内外,一片苍凉,想到国家可能灭亡的命运,心中更是哀痛欲绝,表现了对国事的深情关切。

起联"绛阙遥天霁景开,金明高树晚风回",点明了登眺的地点是在绛红色的宫阙上,时间是在刚刚下过雨的傍晚。"霁景开",即雨后云开放晴。"金明",即金明池,是汴京宫苑中的小湖,为帝王渔射游乐之所。前一句从远处、大处落笔,把读者的视线引上广远的天空,去领略那苍茫寥落的情味;后一句从近处、细处描写，让人们从在晚风中摇动着的树木上，去体味京城中的一片凄凉之意。两句一开一合，极见擒纵变化之妙。值得注意的是，这两句具有丰富的内涵，它既是对自然景色的描写，是作者当时眼中所见；同时又赋中含比，象中有兴，高度而形象地概括了当时的军事形势和政治形势，是作者心中所感。“绛阙遥天霁景开”，暗喻汴京城外的战争刚刚暂时平息；“金明高树晚风回”，则是朝廷已处于风雨飘摇的境地、国家正走向末日的象征。一片凄凉的秋意，隐含着对国运衰微而又无可奈何的深沉的悲痛。

颔联分承第一、二句，继续描写望中所见。“长虹下饮海欲竭”，承“霁景开”，是说那横跨天边的长虹，像一条怪物一样把两个头伸进水中，连大海都快被喝干了。这既是雨后的真实景象，也是用以比喻蒙古军，因为古人认为虹霓是一种两头怪物，它的出现是不祥之兆。从“海欲竭”三字中，我们可以想象到蒙古军围攻汴京时战争的激烈和残酷，以及今后战争风云的险恶。“老雁叫群秋更哀”，承“晚风回”，是说在寒秋的晚风中，时时传来南飞的老雁呼唤伴侣的声音，让人觉得更加悲哀。“老雁”具有双重象征意义：一是比喻中原人民在战争中流离失所，奔走呼号，如杜牧《早雁》诗：“金河秋半虏弦开，云外惊飞四散哀。”二是作者孤独形象的写照，表现了登眺时无处吐露的内心深藏的痛苦。这四句中，雨霁云开，晚风摇树，长虹横天，老雁孤飞，组成了一幅意境苍凉悲壮的图画，正与战乱的情调一致。作者在描写中，重点在写所见，但又使情与景高度融合，“一箭双雕”，表现出高超的艺术技巧。

“劫火有时归变灭，神嵩何计得飞来？”颈联笔锋一掉，直发议论。意谓，即使是毁灭人间的劫火，有时也是会变化熄灭的；而险峻的嵩山，用什么办法才能使它飞来眼前，障护汴京呢？武则天改嵩山为“神岳”，故名神嵩。前一句表现出作者希望蒙古军燃起的毁灭金国的“劫火”能够熄灭，使国家得以保存下来，避免灭亡的命运。后一句则表现出希望金国加强防卫，以抵御侵略，使国家安然无恙。两句均表现出对国运的深切关心，但后一句用设问语气说出，又暗含着眼见国家即将败亡，自己无计可施的悲哀。这两句是在前四句写景的基础上，进行自然的引申和转折。作者驰骋想象，用丰富的联想，驾驭历史，指麾山川，把宏大的议论寓于其中，雄浑中夹杂着深沉的悲凉，笔力十分雄健。

作者在登眺之时，经过反复思索，已经意识到国家可能遭受难以挽回的厄运，心情愈加沉痛，尾联情不自禁地唱出了更为凄切的悲歌：“穷途自觉无多泪，莫傍残阳望吹台!”在面临穷途末路之时,作者以晋朝的阮籍自比,但阮籍尚能“恸哭而反”,而自己却已经哭不出了。此刻,作者触目皆愁,望着昔日曾经咏歌游乐过的吹台,被夕阳涂上一层黯淡的色彩,过去的欢乐与今日的悲伤恰成对比,心情愈加沉重,真不忍心再看下去。委婉深折的措辞中,亦可见作者悲愤之深沉。“残阳”回应了起联的“霁景”和“晚风”,不仅使得全诗首尾贯通,结构谨严,而且使诗境始终处在日暮天晚、夕阳黯淡的氛围之中,更好地烘托、渲染了全诗的基调,在所见所感中,把忧伤国事、悲痛欲绝的情怀,表现得十分深刻,震撼人心。

(管遗瑞)

癸巳四月二十九日出京

元好问

塞外初捐宴赐金,当时南牧已骎骎。
只知灞上真儿戏,谁谓神州遂陆沉!
华表鹤来应有语,铜盘人去亦何心?
兴亡谁识天公意,留着青城阅古今。

鉴赏

元好问的诗,以汴京陷落为一个重要转折点,大抵前一时期多慷慨激昂,而后一时期,国家大势已去,自己也被蒙古军队拘管,则多幽怨低回、悲伤凄凉之意。

这首《癸巳四月二十九日出京》,作于金哀宗天兴二年(1233)四月。此时,金国都城汴京经过蒙古军两个年头的围攻,已经力不能支,金哀宗出逃后,汴京守将西面元帅崔立,即以城降于蒙古。四月二十日,聚皇族男女五百余人送往蒙古军中,再押解至离汴京五里的小城——青城。四月二十九日,复以金国旧官员拘管山东聊城。这一天,元好问与被俘其他官员一起离开汴京,向聊城东去。在离开汴京的时刻,回顾了金朝衰亡的全过程,写诗抒发哀怨,寄托了悼念亡国的沉哀深痛。

诗的前四句,作者以极其沉痛的心情,总结了金朝败亡的教训。“塞外初捐宴赐金,当时南牧已骎(qīn)骎。”“捐”,拿出财物。“宴赐”，金国为了在边境加强守备，自海陵王正隆年间(1156—1161)，即向北方边境各部赐给宴会用的金钱；从金章宗明昌二年(1191)起，又规定每五年宴赐一次，派遣官吏前往主持其事。“南牧”，语出贾谊《过秦论》中“胡人不敢南下而牧马”，北方游牧民族向南扩展势力，故“南牧”实含有侵略的意味。“骎骎”，马走得很快的样子。这两句指出朝廷在最初付给边境各部的赐宴金时，蒙古就已经南下牧马，迅速发展其势力，向南方侵略了。“只知灞上真儿戏，谁谓神州遂陆沉！”“灞上”即霸上，在长安东郊。据《史记·绛侯周勃世家》载：汉文帝到霸上和棘门视察驻军营地，直驰而入，将军以下的将官都出来迎送。接着来到周亚夫的营地，不得入，军士皆全副武装，做好战斗准备。文帝曰：“嗟夫，此真将军矣！曩者霸上、棘门军，若儿戏耳，其将固可袭而虏也。”“陆沉”，比喻国土因丧乱而沉沦。这两句是说，我只知道金国的军队像汉朝的霸上军那样如同儿戏，不堪一击，哪里会料到大好神州居然就这样沦亡了呢！

这两联，采用了对比手法。首联起句从金朝当初的守备写入，而重点却是在后一句，说明蒙古南下侵略之意由来已久。“骎骎”二字，用比喻手法，十分生动形象地表明了蒙古南下之快而猛，其势咄咄逼人，如闻马蹄疾驰之声。颔联从金国方面着笔，写出金国的军队缺乏训练，没有警惕，武备松弛。这就形成了强烈的对比：一方面虎视眈眈，锐不可当，另一方面却麻痹大意，军无斗志，它的必然结果，就只能是金国的节节败退，以致中原沦陷，祖国陆沉，自己也不得不“出京”了。这里面，充满着作者对金朝当权误国者的强烈愤慨，满怀着对国家沦亡的痛惜。在这两联中，作者巧妙地使用了几个虚字、虚词，如“初”“已”“只知”“谁谓”，在语气上起了承接、转折的作用，使得诗句读来自然流畅，一气直下，有如江河奔流，一泻千里。

诗的后四句，具体描写了“出京”的情景，对天下大势的剧变和国家的兴亡，表示了更为深沉的叹惋。颈联“华表鹤来应有语，铜盘人去亦何心？”借用两个典故，来描写自己“出京”时的凄苦心情。“华表鹤来”，用《搜神后记》中故事：辽东人丁令威学道成仙，千年后化鹤回到故乡，停在城东门的华表上，作歌曰：“有鸟有鸟丁令威，去家千年今始归。城郭如故人非昔，何不学仙冢累累！”“铜盘人去”，用《汉晋春秋》故事：汉武帝在京城长安造金铜仙人，上有承露盘。魏明帝景初元年，“帝徙盘，盘拆，声闻数十里，金狄(即铜人)或泣，因留霸城。”这两个典故与当时的情形十分贴切。诗人想到，如今京城沦陷，我又北去，将来再回来时，一定会像丁令威那样发出"城郭如故人非昔"的慨叹了。再看到蒙古军在汴京大肆掳掠（作者五月三日有《北渡》三首，从"掳掠几何君莫问，大船浑载汴京来"的诗句中，可见蒙古军劫掠之凶残），即使是没有知觉的铜人也该落泪，何况我这个多情的人，该是什么心情呢？两句婉转曲折，而又一往情深，把对故都的思念，表现得十分深切。

最后，作者茫然地望着天空，发出了更加凄凉的感叹："兴亡谁识天公意，留着青城阅古今。"作者在诗下自注道："国初取宋，于青城受降。"据《宋史·钦宗本纪》载："靖康元年(1126)十一月辛酉，帝令孙觌撰降表如青城。"又《金史·哀宗本纪》："天兴二年(1233)四月癸巳，崔立以梁王从恪，荆王守纯，及诸宗室男女五百余人至青城，皆及于难。"原来，历史竟有这样惊人的相似之处，一百年前，就在汴京城外的青城，金国接受宋钦宗的投降，灭掉了北宋；而一百年之后，金国却又在这里向蒙古军投降，这难道是天公有意安排的吗？"谁识天公意"，是说对天公的意志捉摸不定。表面看来，作者似乎把兴亡归之于天，其实，这里面大有深意。联系前四句中对历史教训的总结，这里的潜台词分明是：无论北宋也罢，还是金国也罢，任何朝代和国家，如不加强军备，都只能落得如此败亡的下场。因此，最后点出"留着青城阅古今"，是说自己已经身为俘虏，无能为力了，还是让青城去作为古今的见证人，对是非得失作出公正的裁决吧！在悲凉凄苦的情调中，作者冷静地总结了历史的经验教训，从而把本诗的思想意义，提到了一个新的高度，表明了作者在政治上的远见卓识。

（管遗瑞）

得纬文兄书

元好问

鹊语喜复喜，山城谁与娱？青灯一杯酒，千里故人书。

鉴赏

诗人很善于渲染气氛："鹊语喜复喜"，重复两个"喜"字，把喜鹊在门前叽叽喳喳地叫个不停、惹人注意的那种欢闹的气氛，迎面推了过来。这种气氛让人对喜事几乎不容置疑。所弄不清的,似乎只是喜从何来——“山城谁与娱”的问题了。第三句“青灯一杯酒”,气氛感也是很强的。书房中青灯一盏,清酒一杯。这种气氛,好像是在准备闷闷独酌了。但突然得到千里之外的故人书信,拆开来坐于灯下,一边斟酒,一边细读,这又是何种滋味!因此,虽是一封普通书信,但通过书信到来之前的鹊叫,以及开缄阅览前后的气氛渲染,让人充分感到,在那特定的环境下,这一封故人书信,给诗人带来多大的喜悦和慰藉。

诗的另一特点,是善于在转折跌宕中取得艺术效果。“鹊语喜复喜”,反复渲染喜。但第二句“山城谁与娱”,轻轻一问,波澜顿起。是呀,在孤独的山城中,喜事从何而来呢?从而设下了悬念。第三句“青灯一杯酒”,这种环境,本来很容易诱发羁旅孤独之感,但第四句“千里故人书”,却使气氛立刻回转过来,它在经过几层转折之后,解开了悬念并与开头照应,让人感受到一种更深刻的沁人心脾的喜。

作者注意气氛渲染和转折,但诗却不是硬做出来的,它以真切的感受做基础,情真意真,景真事真。再加上艺术的提炼,因此深刻动人。

(余恕诚)

甲午除夜

元好问

暗中人事忽推迁,坐守寒灰望复燃。
已恨太官余曲饼,争教汉水入胶船?
神功圣德三千牍,大定明昌五十年。
甲子两周今日尽,空将衰泪洒吴天。

鉴赏

甲午,为蒙古太宗六年,即金天兴三年(1234)。这年一月十日,原从归德逃往蔡州(今河南省汝南县)苟延残喘的哀宗,在蒙古与南宋的夹击之下,走投无路,自缢身死。除夕之夜,被蒙古军拘管于山东聊城的元好问,独坐斗室之中,写下了他的亡国之痛。

“暗中人事忽推迁，坐守寒灰望复燃。”起句中满含凄苦之味，感伤无尽，情绪低抑。次句用《史记·韩长孺传》故事：汉大臣韩安国被捕入狱，“狱吏田甲辱安国，安国曰：‘死灰独不复燃乎？’”表明自己曾经对时局还抱着一丝幻想。“暗中”“坐守”，切合作者被拘管的处境。身不由己，无能为力，只有“望”而已。

“已恨太官余曲饼，争教汉水入胶船？”“太官”，掌管皇帝饮食的官。“曲饼”，酒糟压成的饼。《晋书·愍（mǐn）帝纪》：“京师饥甚，太仓有曲数十饼，曲允屑为粥以供帝。”“胶船”，传说周昭王南攻楚国，准备渡过汉水，当地人以胶粘船以进，至中流，胶溶船解，周昭王遂溺于水中而死。这联用两个典故，以晋愍帝和周昭王比喻哀宗。在两个典故之间，用虚词“已恨”“争教”，来巧妙地联系和递进，十分流利畅达，同时反复表明了自己对哀宗的一片赤心，一层深似一层，痛切之感，溢于言外。

“神功圣德三千牍，大定明昌五十年。”两句回顾了金朝的全盛时期。侯外庐、冒怀辛两先生在《元好问诗词集序》中说：“他的《甲午除夜》诗中有‘神功圣德三千牍，大定明昌五十年’这句。据《金史·刑志》有《大定重修制条》十二卷，又有《明昌律义》，系采前代刑书宜于今者以补遗缺。于此可见当时推行法治，有一定的规模。当时史料记载：‘当此之时，群臣守职，上下相安，家给人足，仓廪有余，号称小尧舜。’历史资料不可尽信，有夸张也有失实之处，然而从元好问诗词中，可以看出在金世宗、宣宗（大定、明昌）时有一个相对稳定的阶段。”两句中，元好问对过去的繁荣，表现了深深的怀念之情；对得之不易的全盛毁于一旦，字里行间又充满着无限的痛惜之心。故明代瞿佑在《归田诗话》中说，元遗山“‘神功圣德三千牍，大定明昌五十年’，不忘前朝之盛，亦可念也。”

“甲子两周今日尽，空将衰泪洒昊天。”两句总结全诗，作了水到渠成的结束。“甲子”句，明确点题，并与首联相照应。“尽”，既是一年之尽，又是国家之尽，词意双关。“甲子两周”，指自金太祖完颜阿骨打收国元年（1115）至金哀宗天兴三年（1234），恰好为一百二十年。在一年已尽之时，来怀念故国的灭亡，倍感神伤，作者将凄苦的老年之泪，洒向南天，来纪念金国的灭亡和哀宗的蒙难。“空将”二字，透露了作者眼见寒灰已不可复燃，内心充满的无限怅惘之情。随着衰泪的抛洒，在哀伤幽怨的情绪中，如闻呜咽之声，给读者留下了无尽的故国之思。

（管遗瑞）

眼　中

元好问

眼中时事益纷然，拥被寒窗夜不眠。
骨肉他乡各异县，衣冠今日是何年？
枯槐聚蚁无多地，秋水鸣蛙自一天。
何处青山隔尘土？一庵吾欲送华颠。

鉴赏

此诗情绪感伤凄凉，且末尾明言归隐愿望，当为金亡国以后，诗人晚年之作。诗以《眼中》为题，是“首章标其目”，其实，此诗重点不是写眼中所见，而是写心中所感。

诗从对往事的如烟如梦的回溯写起，一开始就给人以无限怅惘之感。“眼中时事益纷然，拥被寒窗夜不眠”两句晓畅明白，流利自然。“纷然”，说明眼中所见时事之多而且杂，再加“益”字，则更进一步，有愈来愈“纷然”之意。正因为有如此“纷然”的“时事”萦怀胸中，所以诗人直到深夜还不能入睡，拥被坐在寒窗之下，苦苦思索。这两句互为因果：因眼中所见“时事”“纷然”，因而心乱如麻，夜不成眠；又因夜不成眠，思前想后，各种思虑就更加纷至沓来。这一联，不仅活画出一位饱经忧患的老人深夜苦思的形象，而且有提纲挈领、总括全篇的作用。

这位沧桑老人究竟在思索什么呢？首先，“骨肉他乡各异县”。自从金宣宗贞祐二年(1214)三月，蒙古军攻破诗人的家乡山西忻州、长兄元好古被害以后，他就转徙流离到河南福昌、登封、南阳一带，以后汴京陷落，他又被蒙古军拘管于山东聊城。诗人在不停的漂泊中，骨肉离散，如今深夜不眠，孤苦伶仃，更加想念自己的亲人。这种不幸，当然是由于战争造成的，作者对蒙古军发动的侵略战争的痛恶，也自在言外。

其次，“衣冠今日是何年”，沉痛地诉说了自己当前的屈辱处境。“衣冠”，古时士以上戴冠，亦指世族、士绅。诗人本为北魏鲜卑族拓跋氏的后裔，年轻时入陵川学者郝天挺的门下，致力于古典经籍的学习。以后，又在金朝任过县令、尚书都省掾、左司都事等职,当然是衣冠之士。但是,汴京陷落后,作者被拘管,此后就一直过着亡国遗臣的辛酸生活。想到这些,他不禁发出浩叹:衣冠之士生活在今天,这究竟是怎样的年头啊!这一句,是对蒙古新政权的悲愤的抗议。

再次,"枯槐聚蚁无多地",是自叹浮生若梦和生活天地的狭窄。"枯槐聚蚁",用李公佐《南柯记》故事:淳于棼梦到大槐安国,娶公主,为南柯太守,后梦醒,始知其国为庭前老槐树下的蚁穴。诗人使用这个故事,一则比喻世事变迁如梦,再则也诉说自己所处的实境。"无多地",是说自己像枯槐上的蚂蚁一样,所居之地极为有限。他在聊城被拘管两年后,由于离聊城不远的冠氏县县令赵天锡的帮助,才建了房子,从此开始过着遗民生活,以后虽几经迁徙,但生活仍然贫困窘迫。他在《白屋》诗中,曾有"地尽更无锥可置,灶闲惟觉井常勤"之句,可见当时处境。

复次,"秋水鸣蛙共一天",是自伤孤独之意。《庄子·秋水》中有井蛙与东海鳖的对话,《荀子·正论》亦有"坎井之蛙,不可语东海之乐"的语句,诗中活用两书典故。一方面,是写当时实景,在秋夜水塘中,蛙鸣阁阁,不眠者倍感凄清;另一方面,亦是自嘲式的自比,在战乱之后,亲朋云散,知音零落,相与交接者甚少,自己也变成坎井之蛙了,语虽达观,而仔细咀嚼,却沉痛无比。

于是诗人想到避世隐居。"何处青山隔尘土?一庵吾欲送华颠。"哪里有远隔尘世的青山呢?我想修一个小庵,好送却我的残年啊!这一联似乎是不经意地道出,显得轻松自如。然而,隐含其中的哀痛,直欲催人泪下。可以看出,作者对这个充满"尘土"的污浊的社会,已经深恶痛绝。他要与之决裂,然而,他能够做到的,也只有遁世避让,在无可奈何的凄苦中,了此残生。这是怎样的哀痛啊!我们好像看到诗人在这凄清的夜晚,老泪纵横,泣不成声。这一联,不仅对中间两联作了很好的概括,也把第一联的形象表现得更为丰满,并且在含蓄曲折的笔致中,留下了悠远的意味,启人深思无尽。

元好问在《陶然集诗序》中说"诗家圣处不离文字,不在文字",要"荡元气于笔端,寄妙理于言外"。此诗浑融深蕴,哀怨苍凉,但却以枯淡之语出之,语语沉挚质朴,无叫嚣直率之病,却把沉痛入骨的亡国之恨表现得入木三分。从这些地方,体现出他在晚年老成之时,诗歌又达到了一个新的境界。

(管遗瑞)

游天坛杂诗

元好问

湍声汹汹落悬崖，见说蛟龙擘石开。
安得天瓢一翻倒，蹑云平下看风雷。

鉴赏

天坛山是王屋山北峰绝顶，在今河南济源。元好问于元太宗十年(1238)八月游天坛，作七绝组诗，此系第八首，咏山中飞瀑。

天坛山的瀑布从很高的悬崖上飞落，坠于涧中响声雷鸣，很远便能听到。“湍气汹汹落悬崖”是瀑布的写真，读者不但能据此想象“飞流直下三千尺”的情景，还能够想象瀑水在涧中化成湍流奔驰的情景。第二句从眼前实景写到传说，“见说蛟龙擘石开”，飞瀑自天而降和长流不息，都容易引起古人对龙的联想，民间关于龙的神话传说很多，看来天坛当地也流传着这样一个。诗人将传说揉进诗中，使瀑布具有了几分神奇的色彩，为诗人进一步展开想象提供了依据。

既然飞瀑是蛟龙擘石造成的景观，那么水的来源就该是天池了。于是诗人就立刻将它与当时的旱情联系起来(原注“时旱甚”)，从而生出一个奇想：“安得天瓢一翻倒，蹑云平下看风雷。”如果单从字面看，诗人似乎嫌瀑布还不够壮观，恨不得倒倾天池，化作滂沱大雨，那时他将站在山顶云头，平视山下风雷交加的奇观。这是何等奇特瑰丽的景象，它简直可以与苏东坡《有美堂暴雨》“游人脚底一声雷，满座顽云拨不开”的诗句比美。然而诗人的用意还不仅在赏景，他的动机主要还在抗旱救旱，字里行间洋溢着一种民胞物与的情怀。当然，如果真有这样一场好雨，他也会站在天坛山尽兴观赏的。

元好问一生推崇师法的唐宋诗人，最推杜甫与苏轼。就在这样一首小诗中，我们也能感觉到杜甫情怀和苏轼格调所产生的影响。

(周啸天)

外家南寺

元好问

郁郁秋梧动晚烟，一庭风露觉秋偏。
眼中高岸移深谷，愁里残阳更乱蝉。
去国衣冠有今日，外家梨栗记当年。
白头来往人间遍，依旧僧窗借榻眠。

鉴赏

关于诗题，诗人自注："在至孝社，予儿时读书处也。"元好问的外祖父家姓张，南寺在其附近。这首诗大约作于蒙古太宗十一年(1239)，诗人饱经丧乱，回到故乡，因眼前景物，勾起儿时回忆，抚今追昔，无限伤感。

诗的前四句写景。"郁郁秋梧动晚烟，一庭风露觉秋偏。"枝叶茂密的秋梧，在晚烟中摇动，满庭寒凉的风露，让人觉得秋气已经很深了。这梧桐庭院，也许还跟儿时相似，但晚烟风露、日暮秋寒的况味，无疑是当下才突出地感受到的。"眼中高岸移深谷，愁里残阳更乱蝉。"眺望南寺周围，眼见高高的河岸变成了深谷；愁闷之中，残阳暧暧，又加上乱噪的蝉声，真是难以为怀。高岸为谷，残阳乱蝉，固然是自然环境，但同时又有比喻象征意义。从中不难领会到作者在吟望之间那种世事沧桑、时代丧乱之感。有这一层意思，诗也就由写景很自然地过渡到了人事方面。故后四句侧重叙事。"去国衣冠有今日，外家梨栗记当年。"元好问于金宣宗贞祐四年(1216)为避蒙古兵而南行逃难，遂应试入仕。历经丧乱，二十多年后，才以遗民身份返回故乡。作为一个衣冠之士，离开故乡，本希望能够实现自己的抱负，拯救国家和人民的危难，却未想到竟落得今日这种结局。年老了，疲惫了，回到故乡，特别是来到外家，还能想起些什么呢？只有儿时寻觅梨栗之类的事情，在记忆的荧光屏上，出现得最为频繁而清晰。两句抚今忆昔，一方面沉痛中有甜蜜的回忆作为调剂。另一方面与寻栗觅梨的儿时欢乐相对照，离乡去国那种种磨难，又不免更显得难堪。"白头来往人间遍，依旧僧窗借榻眠。”来来往往，跑遍了人间。到了白头之时，寂寞归来，依旧在儿时读书之地，于僧窗下借榻而眠。这真有点像唐人传奇那样，历经各种事情，最后仍睡在老地方。只不过一是梦幻，一是亲历；一是享受荣华，一是颇多磨难；一是悟人世虚幻，一是着着实实感受人生艰辛、世事沧桑。诗的最后四句，在表达方式上是回环的，第七句生于第五句，第八句生于第六句，通过这种回环，表达出一种感慨不尽的情味。

这首诗所抒写的主要是一种身世之感，但由于作者遭遇与金的亡国有密切关系，诗中把个人身世，放在世事沧桑的大背景下展开，显得深沉广阔，而不是一般的忧生叹老。为了表现情绪复杂的世事感慨和人生感慨，诗人把种种景物、人事组织在一起，通过时间和空间的变化转换展开对照。如颔联空间景物变化中有时间推移，颈联用逆挽法展开今昔对照，尾联用“僧窗借榻眠”联系自己童年与老年两个时代。而同一地方、同一种方式的借眠，内中的生活滋味又是何等不同。这些对照，都使诗人的感慨得到了强化与深化。

（余恕诚）

乙巳九月二十八日作

元好问

关山小雪后，絮帽北风前。残月如新月，今年老去年。

鉴赏

诗的前两句写出这样一幅画面：一场小雪给关山披上一层薄薄的银装。而人则戴着絮帽，迎着雪后的北风站立着。时间呢？据诗题，是旧历九月二十八日。虽在北国，这场雪也属于来得比较早的。也许，它是这一年的第一场雪呢。晚秋，一场雪使山河大地容颜顿改，把季节明显地推向初冬，所给人的感受和引发的思绪应该是多方面的。但作者并没有写这些，很可能是种种意绪错综复杂，连他自己也难以说清吧。而对于读者来说，“絮帽北风前”下面恰好留下一个空间，这空间是能够诱发人想象的。“残月如新月，今年老去年。”诗人经过一段心绪浩茫的感触后，视线集中在月亮上。雪后放晴，蓝天上出现了月亮，得雪色的映照，增加了亮度，尽管是月底的下弦月，却好似新月一样。“残月如新月”本属联想，但从联想中透露出诗人对于新月有特殊的感情。宇宙间残月和新月可以周而复始地转化，而人却未见如此。“今年老去年”，“老”不能再转回少年。人老于去年，有何感慨呢？这下面又留下一层空间。

单纯看末句，诗人似乎在叹老。但叹老也有多种多样。如果认为叹老必然伤感，难免消极，便与这首诗的基调不合。北国晴雪之后，空气是寒冽的。人则絮帽一顶，迎风而立。面对关山积雪，不见有瑟缩之意，便显示了一股刚气。月，是残月而似新月，用心中的新月来比照眼前的残月，情感的趋向更是积极的。而慨叹人之老于去年，固然在时间流逝面前有一种悲感，但由上而下的感情流向，使这种悲更多地表现为对人生的执著。“日月掷人去，有志不获骋。”伤叹时光流逝，就有一种时不我待、担心虚老此生的意味在里面。因此，这首诗主要是从积极的方面感叹岁月催人，时光流逝。

诗写得很含蓄，但他所提供的画面却是很鲜明的。关山小雪，下弦月倚着蓝天。而容颜老于去年的诗人，则头戴絮帽，临风而立。这，很像是一首自题小像之作。正是这种自题小像式的写法，我们读起来感到它既有画面的表层意思，又有画中人心理的深层意思。使诗的内容丰富含蓄，耐人寻味。

（余恕诚）

人日有怀愚斋张兄纬文

元好问

书来聊得慰怀思，清镜平明见白髭。
明月高楼燕市酒，梅花人日草堂诗。
风光流转何多态，儿女青红又一时。
涧底孤松二千尺，殷勤留看岁寒枝。

鉴赏

题中的张纬文，名纬，字纬文，号愚斋，早年曾从元好问读书，金亡后仕蒙古。这首诗是元好问后期闲居故乡，某年人日有怀张纬而作。

“书来聊得慰怀思”，说对方来信，使自己“聊得”宽慰。话说得很有分寸，不再有早先《得纬文兄书》那种“鹊语喜复喜”“千里故人书”的气氛。所以如此，一是作为遗民的元好问心境消沉，难以热得起来；再则张纬此时仕于蒙古，元张之间情谊想必也减于往日。“清镜平明见白髭”，张纬的书信，大概使他感触颇多，特别是那种今昔之感、老大之叹一定比平日更加强烈。所以次句特地点出早晨揽镜自照，见到髭须花白，容颜衰老。张纬在燕京，书信中可能提到燕京的生活。“明月高楼燕市酒”，显然是针对张纬而言。但除此一层意思外，元好问曾于蒙古乃马真后二年(1234)赴燕京，与张纬有过聚会，因之“燕市酒”也有追忆那次聚会的意思。“梅花人日草堂诗”，则落到自己，用杜甫曾在元日追和高适寄诗的事，来指今日自己有怀张纬而作诗。这两句有张纬与自己不同生活处境的对照，也有昔日聚会与今日独处的对照。而由这种对照再推进一步，则是对于时世变迁的感慨。“风光流转何多态，儿女青红又一时。”节候推移，风光变化。送走了旧年，转眼又是新春人日(正月初七)，自然界的景物，千姿百态，花样何其之多，人间男男女女，像随时节而呈现的春芳秋艳，黛青脂红地又点缀着一时风光。两句用流水对，写时节流转，世间青红变化，写得热热闹闹，极其富有动态感。但作者在对这种风光流转打量一番之后，却把目光移向另一面去了：“涧底孤松二千尺，殷勤留看岁寒枝。”在时序更迭，百草千花不断变化的同时，世间还有不追随这种变化的孤松。它生在涧底，但高过千尺，它不与春芳秋艳争时，但岁寒而不凋。诗人对孤松怀着敬意，要殷勤地看它那战风霜、斗严寒的苍劲枝条。赞美青松，对风光流转，儿女青红的不以为然，便意在不言之中。这最后一联，固然给人以陡起壁立、悬岩万仞的感觉，但细细寻绎上面的诗句，不难发现：“梅花人日草堂诗”和它气息相通，古人以梅花和松竹为岁寒三友，无论是次联的梅花和末联的孤松，都有自况的意味，用以比喻他作为金朝遗民的气节。

这首诗由怀朋友而作，但不是一般地抒写友情。针对张纬这样一位特殊的对象，“怀”的内容是复杂的。诗人对新朝和旧朝交替时的人情世态，所谓“儿女青红又一时”，在态度上有保留，甚至是有讽刺的。末联赞美孤松，对于张纬，也显然有劝勉的意思。与此同时，诗人似乎更多地抒发一种阅世的深沉感慨。就诗的内在精神而言，是凝重的，但就意象和词采看，却显得丰缛华美。

(余恕诚)

湘夫人咏

元好问

木兰芙蓉满芳洲，白云飞来北渚游。
千秋万岁帝乡远，云来云去空悠悠。
秋月秋风沅江渡，波上寒烟引轻素。
九嶷山高猿夜啼，竹枝无声堕残露。

鉴赏

中国古典诗歌的意象经营中，有一种重要的方法是“意象并列”，它大致相当于现代电影中并列式蒙太奇镜头。诗人们把几个可以单独存在的艺术图景并列在一起，通过诗的主题将其组合成一个有机的艺术整体，不加议论，不作外加的说明，而让读者去领略意象之内的意蕴。李白的“床前明月光，疑是地上霜。举头望明月，低头思故乡”（《静夜思》），柳宗元的“千山鸟飞绝，万径人踪灭。孤舟蓑笠翁，独钓寒江雪”（《江雪》），就是如此。名冠金、元的诗人元好问的《湘夫人咏》，也是运用意象并列的技巧而结撰成章。

自屈原《九歌·湘夫人》之后，历代不知有多少诗人抒写过湘夫人这一远古的瑰奇幽怨的传说。然而，元好问写来却深得屈子的遗意，而又焕发出新的光彩。屈原的《湘夫人》共四十句，元好问采用的是七言古诗的形式，只有八句。八句诗，四个飞动的镜头，四组并列的意象，意象之间有着大幅度的飞跃，留下了大片空白，让读者去联想和想象。

第一个镜头：以写空间的芳洲为主，兼写时间。芳洲北渚，白云飞来，这里所说的“白云”一语双关，既是天上的云彩，也是屈原诗中所描绘的“帝子降兮北渚”（洞庭湖北岸的小洲）的湘夫人，而木兰和芙蓉，则为人物烘染了一个奇芳异秀的环境。

第二个镜头：以写时间为主，兼写空间。“千秋万岁”，说明过去的时光年代久远，已飞逝了不知多少岁月，未来的日子也不见尽头，追随舜帝而南来的娥皇女英（湘夫人），与舜帝死生契阔，会合无缘，就像千年万载空悠悠的白云而已。

第三个镜头:时空夹写。“沛吾乘兮桂舟,令沅湘兮无波”“沅有芷兮澧有兰,思公子兮未敢言”。元好问该是从《湘君》与《湘夫人》受到启示吧。他写秋风摇落,秋月凄清,秋夜的沅江上呈现出一派迷离怅惘的氛围。

第四个镜头:以写九嶷山景为主,兼写时间。九嶷山上不仅夜深时分有悲切的猿啼,而且枝上也有湘夫人的泪痕。“苍梧山崩湘水绝,竹上之泪乃可灭!”(李白),全诗像一阕悲怆幽怨的四重奏,在这里留下的是此恨绵绵无绝期的余音。

意象并列,是突出典型场景的描绘而省略事物发展过程的叙述的结果。《湘夫人咏》就是这样通过四组意象的并列组接,再现了这个芬芳悱恻的古代神话传说,它赞颂了坚贞不渝的爱情,表达了对幸福生活的向往,不同的读者可以联想到各不相同的内容。它不加评议而意在象外,比那种拘泥的实事实写的诗高明得多。

(李元洛)

出　都

元好问

汉宫曾动伯鸾歌,事去英雄不奈何!
但见觚棱上金爵,岂知荆棘卧铜驼!
神仙不到秋风客,富贵空悲春梦婆。
行过芦沟重回首,凤城平日五云多。

鉴赏

元好问于乃马真氏三年(1245)秋天,出雁门到燕都,这年冬天离开。诗中抒发了诗人故国河山之思,感情极为沉痛。

首联说:“汉宫曾动怕鸾歌,事去英雄不奈何!”这是借用梁鸿之典来写亡国之思。后汉的梁鸿,字伯鸾,平陵人。他出关过洛阳时,曾作《五噫歌》表示对帝京豪奢的震惊和感慨:“陟彼北邙兮,噫!顾瞻帝京兮,噫!宫室崔巍兮,噫!民之劬劳兮,噫!辽辽未央兮,噫!”这诗显然是揭露统治者的诸多豪奢,嗟叹人民的劬劳之悲,每句用一“噫”字,表示心灵的强烈震撼。诗中以“汉”代“金”,指出金代的统治者,奢华不知自振，曾引起有识之士的共鸣。因而下句慨叹大势已去，即使是再多的保国英雄，也都无可奈何了。此联的优点是用典灵活，寓意深邃而又自然。

颔联"但见觚棱上金爵，岂知荆棘卧铜驼！"上句用班固《西都赋》之句"上觚棱而栖金爵"，"觚"，即棱角。"爵"，同雀。下句用《晋书·索靖传》之典。史载，索靖料事如神，颇有灼见先知，他预测天下必将大乱，因而指着洛阳宫门的铜驼悲叹道："会见汝在荆棘中耳。"后来果然国家灭亡，雄壮巍峨的宫殿也变成了荆棘丛生的废墟。此二句是说，金代的统治者只知道修建巍峨耸立、装饰华奢、金光闪闪的金雀殿堂，他们哪里懂得不修明政治、不加强武备而带来社稷倾覆、山河破碎、宫殿为墟、一片凄惨败亡的景象呢？此联用典恰切，对仗工稳而又感慨沉痛。

如果说颔联还只是从表面上揭示统治者的奢华，那么颈联就更深入到了统治者的腐朽本质和亡国原因了："神仙不到秋风客，富贵空悲春梦婆。""秋风客"即汉武帝，他本人佞佛求仙，总是梦想长生不老，又曾作《秋风辞》，他死后，人们讥其求仙而未逃脱"秋风过客"的结局。唐诗人李贺曾作《金铜仙人辞汉歌》，首句便是"茂陵刘郎秋风客"。下句用苏轼被贬的一个故事。苏轼被远谪昌化（今广东旧昌江东南），负大瓢，歌行田间，有一古稀老妪叹曰："内翰昔日富贵，一场春梦。"上下句合观，意谓做了至尊的皇帝，还妄想成为神仙；得到富贵的高官，还妄想永生富贵。朝中君臣，只图永世安逸享乐，全无以生命保社稷之赤诚。其结果是，奢望做神仙的变成了秋风中的匆匆过客，想得永生"富贵"的人也只能悲叹"春梦"一场。上下句以"不到""空悲"为互文，用典颇带调侃讥讽意味，充分揭示了社稷不在天命，而在人治的真理，从而又为尾联的抒情张本。

尾联写"出都"感慨："行过芦沟重回首，凤城平日五云多。""凤城"，即禁城、皇宫。出京南行，走过卢沟桥回首而望，只见京城上空"五云"如织，因而感慨地说，人们都说五彩祥云是帝王的瑞气所致，但"凤城"平日就有五彩之云如绘，哪里是什么帝王瑞气呢？言下之意，王朝的兴亡，全在人治而非天命。尾联表现了诗人朴素的唯物历史观。

此诗用典颇多，而典故又用得灵活而恰当，因而拓宽和加深了诗的内容含量，能于精练中见出思想的深厚度，读来韵味深沉绵长。

（傅经顺）

少室南原

元好问

地僻人烟断，山深鸟语哗。清溪鸣石齿，暖日长滕芽。
绿映高低树，红迷远近花。林间见鸡犬，直拟是仙家。

鉴赏

此诗为元好问晚期之作。是时，他已过起了遗民的生活，编纂诗集，撰写金史。在访诗和收集史料的过程中，往来于晋、豫、鲁、冀等地，有机会游访名山大川。创作倾向有了较为明显的变化。此时，描绘歌咏山水风光的作品增多。"少室山"在河南登封县西北，颍水发源于此。在这首诗中，作者借描绘少室南原的优美静谧，隐隐地反衬出在元朝统治下，广大国土的荒芜凋敝，透露出绵绵的亡国之痛。

"地僻人烟断，山深鸟语哗"，首先交代地点。这少室山南原乃在地僻山深之处，由于人烟罕至，寂静异常，所以只听得见鸟儿的阵阵喧哗。只此二句，便概括地描绘出他对此地的总体印象。

颔颈二联是他对此地特有风光的描绘。这里，首先应说几句题外的话：元好问艺术修养很高，这是他能够写出许多优秀题画诗的一个重要原因，而且直接影响到他田园风光诗的创作，使他观察细致，下笔传神，写出了逼真如画的诗章佳句。请看诗人是如何具体描写这里的风光："清溪鸣石齿，暖日长藤芽。绿映高低树，红迷远近花。"清澈的溪水在高低不平的石间流淌，激出哗哗啦啦的清脆响声；在温暖的阳光照耀下，绿色的植物抽出柔蔓的枝条、青翠的新芽。这是一派"物欣欣而向荣，泉涓涓而始流"的春光景象，到处都充满了山野的勃勃生机。在这远山近岭之间，披上新绿的林木郁郁葱葱，高低参差浓淡相映；竞相开放的山花，深浅疏密，点点丛丛，步入其间，宛如步入画境。这是一幅多么清新明丽的图画啊！它红绿映衬，色彩和谐；鲜艳明媚，高低远近有别，景深幽长而层次分明。

在这充满野趣、鲜有人踪的地方，山回路转，诗人眼前忽然一亮，发现了一个新的诗境:"林间见鸡犬,直拟是仙家。"在山间浓密的林中,诗人正且走且惊独自徜徉赏景,眼前忽然映现出了农家鸡犬的身影。噢,原来在绿树掩映之中,还藏着三两间小小农舍。在诗人看来,这简直就是世外桃源、人间仙境了。这极为普通的一景,他何以惊奇如此呢?原来,金元长期战乱,血染川原,加之统治者残酷剥削和天灾人祸,民不聊生,竟是一片"白骨露于野,千里无鸡鸣"的凄凉景象。因而,在这深山老林中,当诗人看到这久久难见的鸡鸣狗吠情景时,竟然激动不已,呼之为"仙家"了。这看似轻快的诗句背后,隐含着诗人多少难以言传的悲哀与辛酸!这深沉的忧患意识,在尾联以佳景衬哀情,使人长叹不已。

元好问主张广泛学习和继承传统,是一个"转益多师"的集大成者。他善于从各个方面各种角度学习古人。如这首《少室南原》,那诗中有画、恬淡静谧、景中有情的意境就吸收了王维山水诗的精髓;颔颈两联,对仗工稳,描摹传神,又得力于学习了杜甫;而"一语天然万古新,豪华落尽见真淳"(元好问《论诗绝句三十首》)的质朴语言和借美景揭露丑恶现实的笔法,却又酷似陶渊明诗的意趣。

(傅秋爽)

杨　柳

元好问

杨柳青青沟水流,莺儿调舌弄娇柔。
桃花记得题诗客,斜倚春风笑不休。

鉴赏

这首诗写春日美景和观景中的欢快心情。但诗人不说出自己的欢快,而是将其寄托于景色音响:读之清新自然,风光如画;聆之妙音在耳,缭绕回荡。而诗人的欢欣,自从这画面音响中透出。

"杨柳青青沟水流,莺儿调舌弄娇柔",首二句为我们展现出这样的画面与音响:目中所见,风和日丽,杨柳青青,澄澈的沟水潺潺地流荡着;耳听那杨柳上的黄莺,宛如训练有素的少女,调音歌唱,那美妙的声音清脆、柔和、婉转。"弄娇柔"三字,传神地写出了音色之流美,韵调之和谐，情致之娇柔。只此二句，便把我们带入了一派生机盎然、美不胜收的阳春境界里了。

兴致所至，看到那盛开的桃李，突然想起了唐代青年诗人游春而遇佳丽的故事，于是吟出“桃花记得题诗客，斜倚春风笑不休”。“题诗客”即指崔护。《本事诗》载：“崔护于清明日独游长安城南，见一庄园。花木丛萃，而寂若无人。护口渴，扣门求饮，有女子以杯水至，开门设床命坐，独倚小桃斜柯而立，意属殊厚。久之，护辞去，女送至门，如不胜情而入；崔亦睠盼而归。来岁清明，护复往寻之，门墙如故，而已锁扃，因题诗于左扉：去年今日此门中，人面桃花相映红。人面祇今何处去，桃花依旧笑春风。”诗人化用此典，说那盛开的桃花，好像还都记得那风度翩翩而又多情守信的崔护，她们斜倚着春风，笑得是那样美，那样诱人，而且长笑不止。这不仅把“桃花”人格化了，而且化得是那样天真烂漫，一如少女风姿。

这首诗的主要特点在拟人和用典上，黄莺的叫声，的确优美婉转，但这本是此鸟属性；言其“调舌弄娇柔”，就将“莺”赋予了人的品格，她们不是在自由鸣唱，而是在有意唱春颂春，并以娇柔的歌喉来吸引游人。“桃花”艳美，也是事实，但自然的桃花，何曾懂得人间世事？一个“桃花记得题诗客，斜倚春风笑不休”的妙想，便将用典和拟人融成了一体；这些人格化了的桃花，不仅知道唐诗人崔护游春求渴的优美故事，而且故意学着那故事中少女的“独倚小桃斜柯”的姿态，嘻嘻哈哈地笑个没完。她们简直都变成了既顽皮而又讨人喜爱的少女。而诗人游春的愉悦，也正从这优美的画面中透出。

（傅经顺）

长寿山居元夕

元好问

微茫灯火共荒村，黄叶漫山雪拥门。
三十九年何限事，只留孤影伴黄昏。

鉴赏

这首诗作于金哀宗正大五年（1228）。正大四年，诗人由河南镇平令政任河南内乡令,不久,老母病逝,诗人丁母忧居丧于此县境内的长寿山白鹿原乡,此诗写于次年元夕。

正当元夕时节,下了一场大雪。俗有谓"瑞雪兆丰年",照道理本应心情欢畅,作为久盼人民得温饱的父母官,更应该举酒而预祝来年丰瑞。然而,由于诗人几经避乱流亡,亲眼看到蒙古军的屠城杀戮,目睹了"乱余村落不见人"(《高门关》)的惨状,亲自体会到"六年河朔州,动辄得谤讪"(《别李周卿》)的坎坷与苦衷,因而心情特别沮丧;现在又因母亡居丧,就更是意绪难振了。诗中的暗淡寂苦虽然都是荒村实景,实际也与诗人此刻意绪相关。

"微茫灯火共荒村,黄叶漫山雪拥门。"这是诗人居丧处的山村实景。虽为正当年节时刻,但由于山村贫瘠,山农们家家都不过是"微茫"的灯火,全不见敬神时那种灯火辉煌的景象。"共荒村"三字,写出了处处贫寒,一无例外。次句由"黄叶漫山"和"雪拥门"两幅画面组成,这既是山村年关时忽降大雪的自然实景,也说明了此地人民的寒苦,既听不到贺新年的爆竹之声,也看不到祝福新岁的喜庆场景。

"三十九年何限事",感慨邃深。在这三十九年当中,金统治者日趋腐败,蒙古军入侵,仅其家乡忻州,入侵者一次屠城,就杀死人民十余万(《中州集·王万锤传》),幸存的人民,也都过着"军租星火急……鞭朴伤汝肌"(《宿菊潭》)的痛苦生活。所到之处,看到的多是"并府虚荒久,大城如废村"(《娄生北上》)的荒惨景象,这种情况何日可了?他作为县令,想帮助人民"努力避饥寒"又何曾做得到!在外民族入侵的情况下,人民处在了"想为奴隶而不可"的时代,而诗人自己,也是事事难为,一事无成!这"何限事"寄托了诗人多少深沉的慨叹!而"只留孤灯伴黄昏"正表现了诗人痛苦、孤寂而又无可奈何的心境。

本诗纯系白描,质朴无华,而这种笔调,也正适合表现国难居丧而又忧国忧民的思想心绪。

(傅经顺)

山　居

元好问

斜阳高树挂晴虹,肃肃微凉雨气中。
一道鹭莺花不断,密香吹满马头风。

鉴赏

这首小诗描绘了山中雨后的景色和游兴，表现了诗人对山川风光的热爱之情。

首句，写山雨初霁的天空。太阳已经西斜，雨过天晴，空山新雨，空气异常清爽，艳阳放射出柔和的光芒；雨水洗过的山野，绿色的嫩叶闪动着生命的光泽，高高的树头山巅之上，飞驾起一弯七色绚烂的长虹。这是一幅多么赏心悦目的新美的图画。这里无论是“斜阳”“高树”“晴虹”，都给人以异常高爽之感，让人犹如置身其境，心胸豁然而舒畅。

次句描绘清新的空气。山雨初霁，翠峰如簇，清风裹挟着雨后的湿润，轻轻摇曳着林木山花，人行其中，有“肃肃微凉雨气中”之感，清风时而肃肃轻轻吹起，掀动人的衣衫，带来微微凉意。行于这清凉明彻之中，不仅使人感到周身清洁，更感到头脑清醒、心灵明净。我们可以想见，此时诗人的步履该是多么轻松而愉快。

第三句写途中观赏所得。这“一道鹭莺花不断”的“一道”和“不断”贯穿了“鹭莺”与“花”。“鹭莺”，水鸟名，生活于水域，以捕鱼为食，因而写鹭莺实际也就写出了有水、有鱼；“不断”二字，写出了鸥鹭处处有，山花遍山野。水绕山行，路随山转。一路上诗人边走边看，但见涧水奔流，鸥鹭起落，涧边崖畔，鲜花烂漫。在这有山有水，有鸟有鱼，充满生气的大自然里，鸥鹭在戏水捕鱼，黄鹂在树头花间娇啼。它组成了一幅优美和谐的画卷，形成了一组动听的乐章。不言“山居”之乐，其乐自在其中。

最后一句，作者将自己直接置于画幅之中。如果说前头还是从视觉、感觉、听觉来写，那么，这“密香吹满马头风”，则又是侧重来写嗅觉了。他骑在坐骑之上，马蹄轻快，游兴酣浓，山间的轻风吹来，夹带着鲜花的阵阵芬芳。一个“密”字，写出了各种鲜花之繁盛，香味之扑鼻；一个“满”字则写出了芳洁之气沁人心脾，应接不暇之境。

这首诗虽然仅四句，但是由于笔笔洗练，字字准确，角度变换，分别从视觉、感觉、听觉、嗅觉等不同的方位进行描绘，因而写得有声有色，能给人具体而新美的感受。因为在描绘的具体景物中，都注入了由衷而充沛的情感，因而，能使人处处感受到无比的欢愉。这也正是作品的主旨所在。

（傅秋爽）

西楼曲

元好问

游丝落絮春漫漫，西楼晓晴花作团。
楼中少妇弄瑶瑟，一曲未终坐长叹。
去年与郎西入关，春风浩荡随金鞍。
今年匹马妾东还，零落芙蓉秋水寒。
并刀不剪东流水，湘竹年年泪痕紫。
海枯石烂两鸳鸯，只合双飞便双死。
重城车马红尘起，乾鹊无端为谁喜。
镜中独语人不知，欲插花枝泪如洗。

鉴赏

这是一首春闺怀远之作。它描绘了一个少妇对在外为官的丈夫的深切思念。

全诗十六句，四句写一层意思。

首四句描绘自然景色，引出抒情主人公。"游丝落絮春漫漫，西楼晓晴花作团。"时近暮春，和煦的阳光，温柔的春风，闪亮的蛛网游丝慵懒地轻轻飘荡。杨花和柳絮，漫天飞舞。此刻，飞檐凌翘的西楼，在晨光的照耀下，如新浴红妆的少女，在雕栏玉砌的花坛中，亭亭玉立。楼前楼后，花团锦簇，竞相开放，争奇斗艳。接着，诗人将镜头焦点由楼外自然景色转向女主人公："楼中少妇弄瑶瑟，一曲未终坐长叹。"静静的高楼，清雅的闺房，少妇在独自拨弄着琴弦。然而一曲未终，却罢手停弦，忽然长吁短叹起来。她有何心事？这里暂时没有明说，但我们从那"游丝"二句的描绘中似乎已可略窥其心绪了。满园花开，姹紫嫣红，红楼耸立，美若仙僮。这如诗如画的良辰美景，正该是情侣相携、柳下细语、花前欢歌谈笑的时刻。然而，女主人公却独自躲在寂寞深闺之中。她大约正是怕见花落泪，闻鸟惊心吧。那游丝就像她那飘忽不定的心绪，那漫漫飞絮就如她那挥之不去的愁情。

次四句，是女主人公的内心独白："去年与郎西入关，春风浩荡随金鞍。今年匹马妾东还,零落芙蓉秋水寒。”去年的春天,自己与为官显赫的丈夫相携西入关,是何等的欢快惬意;今年,自己却独自一人东还,是何等的孤独寂寞。这里“春风浩荡”既是自然的描绘,更是心理情绪的写照。它写出了丈夫的仕途顺利,春风得意;写出了夫妇相亲相爱充满了柔情蜜意的深厚爱恋。“零落芙蓉秋水寒”一句,初看不通。今年正当春光明媚,何以能有秋水之寒?若是秋水,那又必是去年了。其实,读诗大可不必过于拘泥。此句与其说是景色的描绘,倒毋如说是纯然的心境写照,她形单影孤,怎会不生心绪寒凉之悲?“去年”与“今年”相互对比映衬,更觉眼前境况的难堪。她此时大约从心底也会自然而然地生发出“悔教夫婿觅封侯”之慨吧。

怨归怨,悔归悔,但夫妻的爱恋却心心相印,山水难以隔断。时光越流逝,恩爱越深挚:“并刀不剪东流水,湘竹年年泪痕紫。海枯石烂两鸳鸯,只合双飞便双死。”并州的剪刀,锋利无比,天下闻名,但却剪不断那向东流淌的江水;娥皇女英,万里寻夫,至湘江惊闻舜噩耗,顿时玉泪如倾。至今湘竹之上,仍留有她们的斑斑泪痕,年年生新竹,泪痕万古存。海可枯,石可烂,与夫君的深情永不变啊!她早就下了决心,在天便为比翼鸟,在地愿为连理枝,生生死死志不渝。这四句,连用几个形象生动的比喻和古代关于爱情忠贞的典故,表达出了女主人公对丈夫的一片炽热深情,带有浓郁的民歌风味,语言朴实,感情真挚,抒发自然。

最后四句,描绘了春闺思夫中的一个小场面:“重城车马红尘起,乾鹊无端为谁喜?镜中独语人不知,欲插花枝泪如洗。”叠关重城处忽有高轩奔驰而来,远望腾起了团团尘埃。听到喜鹊的叫声,她想到“乾鹊噪而行人至”(《西京杂记》三)的谚语。于是急忙揽镜自照,喃喃独语:“大概是夫君今天回来吧!”于是整妆簪花,不自主地涌出了滚滚的热泪。这四句,写少妇的动作,纯用白描手法,但却极为传神地刻画出了她那精微细腻的心理活动。“重城”离“西楼”一定不会太近,否则就不会只见车马不见人了。见重城滚起红尘,不禁激动不已,可知少妇绝非偶尔抬头放眼,而是整日登楼极目,盼望着丈夫早日归来,因而见重城红尘而垂泪。“乾鹊无端为谁喜?”内涵丰富,感情复杂,既是设问,又是反问。由此可知,她看到“重城车马红尘起”的情景已经不止一次,但是“千车过尽皆不是”,经历了一次又一次的失望,因而,今天对于那重城车马是否是丈夫真的归来并无完全的自信与把握。但她又是多么盼望这次确实是丈夫真的归来啊。因而她以半猜度半渴盼的语气发问:如果不是夫君归来,那喜鹊哪里会平白无故地登枝报喜呢?她对喜鹊的叫声那样重视,那样敏感,不也恰恰说明了她每时每刻都在渴盼着夫君的早归吗?“镜中独语”写出了她激动难以控制的情态。独语而“人不知”——别人不知她在喃喃地说些什么。实际上,恐怕连她自己也难以说清她在说些什么,用什么样的语言来形容此时此刻的复杂心境。对如愿的渴望,对失望的恐惧,交织在一起,悲喜交加,于是为迎接丈夫而来的鲜花还未簪上发鬓,已是涕泗横流了。

此诗意境新美,语言平易,有民歌风味,而又比一般民歌技高一筹。其好处全在不把意境写尽、情思吐完,这样就能给读者留下更多回味的余地。

(傅秋爽)

乙巳清明游青阳峡

段克己*

东山气象太猛悍，万马骎骎来楚甸；
中分不肯割鸿沟，锻砺戈矛期一战。
西山折北如西汉，独余绛灌奔而殿；
谁为刘项决雌雄，赖有韩彭力相援。
卢沟直下两水合，泯泯暗流通一线；
突为瀑布出山口，流沫成轮浪成旋。
前逾百步落石瓮，黛蓄膏渟哪敢眄；
沈沈南去若白虹，为屿为泜互隐现。
凿开混沌几千秋，世俗虽见如不见；
今人虽有笔如椽，为写佳名传宇县。
人间佳节重清明，呼儿折简招诸彦；
一生能著几两屐，佳处每欲经行遍。
山灵着意劝游人，吞吐烟霞生万变；
山阿玉女跪焚香，岩畔仙人一笑倩。
居者俨若帝王尊，剑佩雍容侍闲宴；
植者磊落如钜人，聚立广庭议封禅；
拱者矫矫如勇夫，执戈夹陀著綦弁。
平滩浅濑乍可揭，溪路曲随峰势转；
葛屦偏宜苔藓滑，行襟时被蔷薇罥。
当面烟岚舞翠蛟，山岫闲云飘素练；
群行不复事拘检，眼正明时脚还倦。

班荆共坐溪上石，粔籹浊醪具时馔；
良辰无奈夕阳催，羽觞正要清歌荐。
醒心况复有寒泉，玉池遍返成三咽；
三分春色二分休，风外飞花时一片。
古人行乐欲及时，半百之年犹掣电；
惟有爱山缘未断，梦寐孱颜添健羡。
一穷到骨不自治，虚负胸中书万卷；
漫向山村老却人，生来不识荆州面。
肝胆槎牙须酒浇，顾我非狂亦非狷；
纷纷世无真是非，弃置从渠如秋扇。
归来新月偃林梢，寂寞衡门掩深院。

作者

＊段克己（1196－1279），字复之，号道庵，又号菊庄，稷山（今山西稷山）人。早年与弟成己并负才名，赵秉文谓之为“二妙”，大书“双飞”二字名其故里。金末举进士，入元不仕，隐居龙门山中，人称遁庵先生。工诗词，与成己诗合刻，名为《二妙集》。

鉴赏

金朝灭亡之后，遗民诗人段克己隐居龙门山中，终身不仕，以诗自娱，成为“河汾诸老诗派”的杰出代表。由于诗人生活在金、元易代的征伐战乱之世，深切体验了“念昔始读书，志本期王佐。时哉不我与，触事多坎坷”（《赠答封仲坚》）的苦况，于是在“藉草便成席，酌泉聊代壶”（《野步仍用韵赠封张二子》）的隐居生活中，“几若淡然与世相忘者”（吴澄《二妙集序》）；但是“四海干戈战血腥”（《排遣》）的严峻现实使他难于超然物外，于是其作品便形成了“陶之达、杜之忧盖兼而有之”（《二妙集序》）的特点。乙巳（1245）年，诗人五十岁，这首在清明节所写的《游青阳峡》诗，就是其达、忧双兼风格的代表作。

这是一首七言古诗，全诗共六十六句。前四十二句着重描写青阳峡雄奇瑰丽的自然景观，后二十四句写小憩宴饮并抒发平生感慨。

章法的错综变换，是这首长诗的首要特色，诗中“人间佳节重清明，呼儿折简招诸彦；一生能著几两屐，佳处每欲经行遍”是交代游山的时节，出门前写信约友的准备，及其游山的兴致决心。按照时间的自然顺序，这一段本应置诸篇首；但诗人却打破常规，独出心裁，开篇即描写青阳峡的山形水势，以造成先声夺人的宏伟气势。在诗人丰富的想象中，青阳峡的山峰之间，仿佛摆开了楚汉相争的战场，你看：东山就像威震天下的西楚霸王项羽，它率领着群山就像霸王率领着来自楚地的千军万马，它不肯与西山分而治之，一味地摩拳擦掌，锻戈砺矛，势必与西山大战一场，以分高低。再看：西山折头向北，就像狡诈的汉王刘邦；它留下了两座小山峰，就像刘邦留下两员大将绛、灌（周勃与灌夫），直赴项羽的宫殿。谁为东山、西山一决雌雄呢？还有两座山峰，就像刘邦麾下智勇双全的大将韩信、彭越，作为西山的坚强后盾，为西山的后来居上，奠定了坚实的基础。在东山、西山夹击下的是险要狭窄的卢沟。卢沟之水由两条溪流汇合而成，它悄悄地通过号称“一线天”的峡谷，暗暗积聚着力量，一旦突出山口，便迸发为百丈瀑布倾泻而下，它激起的水沫如车轮翻转，它溅起的浪花如旋涡回旋，这气势多么惊心动魄，令人神悚！然而，激动人心的热闹场面过后往往出现弛人心神的宁静平和；果然瀑布的下方百步处，是一方深邃清澈的石潭。这方石瓮，很容易令人联想起柳宗元《永州八记》中所描写的那方小石潭，只是更为清幽深邃罢了。“黛蓄”体现出水之深，“膏”体现出水之洁，令人不敢逼视。由潭中溢出的溪流沉沉南去，组成青阳峡的溪流景观，同时也预示了诗人一行继续游览的历程。

以上所写的东山、西山、峡谷、瀑布、石瓮、溪流，构成一幅立体的、活泼生动的天然图画。在这幅绝妙的天然图画面前，诗人不禁萌发出天地“久怀此宝，不遇识者”的感叹。开天辟地以来，青阳峡早就存在了，但世俗之人却从未发现她的美妙所在。这层意思，唐人柳宗元早就说过：“美不自美，因人而彰。”诗人再次发出这种感叹，可谓“古今同慨！”“今人虽有笔如椽”的“虽有”二字作“只有”解，诗人感叹自己已经“一穷到骨”，什么都没有了，只有手中这支如椽之笔，定要表彰青阳峡，让其嘉名传遍天下。

笔调的虚实交替，是这首长诗的又一特色。如果说以上虽然引用了历史故事，仍然在着力实写青阳峡的雄伟的话，那么，诗人在插入游山前的准备之后，笔调即陡然一转，进而着力虚写青阳峡的神奇。宋代画家有云：“山之精神写不出，以烟霞写之。”诗人也深谙绘画之法，为了表现青阳峡的神奇秀美，诗人采用游仙的笔调描绘烟霞幻成的奇观；山神似乎有意奖赏游人，他吞吐的烟霞幻化成一幅众仙聚会的神奇场面。玉女跪地焚香，仙人捋须微笑。居中坐者若帝王般尊严，两旁侍者佩带宝剑，雍容大度，威风凛凛。站在庭中的，如巨人般磊落不凡，他们聚在一起，似乎正在议论封禅祭祀之事。环立两阶堂下者，手持明晃晃的戈戟，身着青黑色的皮冠，正如一群矫健勇猛的卫士。

在描绘神奇的烟霞之后，诗人又换用移步换形的手法，描写沿溪前行的景色及其游人行进间的感受。与前两段写山势的雄伟、烟霞的神奇不同，这一段的笔调，一变为轻快流畅，清新活泼。诗人一行沿着弯弯曲曲的溪路前行，穿着葛布制成的鞋，特别适宜在苔藓铺满的山路上行走；路上蔷薇的刺藤就像顽皮的小孩儿，时时牵挂着行人的衣襟。当面的烟岚仿佛翠色的蛟龙在飞舞，出岫的闲云仿佛素洁的白绸在飘荡。年及半百的诗人置身人群中只顾观山景，顾不得脚下跌跌绊绊，不提防正在大饱眼福之时，脚力却已感到疲倦。于是诗人招呼同伴坐下歇息，诗意也就由写景转入下半部的小憩和抒怀。游伴们铺上荆条一齐坐在溪边的大石上，摆开携带的酒食，开怀饮食。良辰美酒，清歌劝觞，此乐何极！无奈夕阳西下，晚风袭来，飞花一片，春色顿减。青阳峡的景色渐转凄迷，诗人心中也顿生凄凉之感，平生心事感慨一齐涌上心头，不由得生发出一段议论。诗人自幼饱读诗书，素有“期王佐”的宏图大志，性格又既非狂人，亦非狷客，在升平治世里，按照正常渠道，早应该登庸历试，显亲扬名了；然而现实情况却是，年已半百，万事蹉跎，一穷到骨，虚负平生所学，此情何堪？昔日李太白有云：“生不用封万户侯，但愿一识韩荆州！”如今韩荆州之流，其人安在？诗人虚负所学，抱负难伸，亦犹青阳峡空怀绝世之姿，而不遇识者。然而，当时即使有赏识援引之人，诗人又能否出仕？答案也只能是否定的。“纷纷世无真是非”，道出了诗人不得已而隐居终老的真正原因所在。诗人的悲剧是时代的悲剧，在金、元易代之际的复杂政治环境中，诗人为了保持清白操守，必须克制功名之心，除了“爱山缘未断”之外，其他的一切，统统“弃置从渠如秋扇”了！这一段酣畅淋漓的议论，不仅剖白了诗人忧患而旷达的心迹，而且表明了金代遗民作家的共同心态，可谓掷地有声！议论的独到深刻，是本诗的第三个特色。

末句“归来新月偃林梢，寂寞衡门掩深院”，以景结情，推出一幅静止寂寥的山居画面，与前写青阳峡的壮观神奇形成鲜明的对照。这显然不仅是写游山归来时的情形，而且是金代隐居逸民平素寂寞生涯的写照。诗人平常的生活、心境是这般寂寞无聊，无怪乎其游青阳峡时，是那般兴致高涨，乐以忘忧了。

（詹杭伦）

观梅有感

刘 因*

东风吹落战尘沙，梦想西湖处士家。
只恐江南春意减，此心元不为梅花。

作者

*刘因(1249－1293)，字梦吉，号静修。保定容城(今河北容城)人。天资过人，六岁能诗。长而好学，对程、朱理学有研究。元世祖至元十九年(1282)，以其才学荐于朝，拜承德郎，右赞善大夫。不久因母疾辞归。后再以集贤学士征召，以病辞。仁宗延祐年中追赠翰林学士、容城郡公，谥文清。他以诗文名于世。七古歌行，风格豪迈；五古自然清新。有《静修先生文集》流传于世。

鉴赏

前人咏梅佳作很多，或着力刻画梅的幽姿神韵，如林逋《山园小梅》："疏影横斜水清浅，暗香浮动月黄昏。"或以梅寄托诗人高标绝俗之志，如陆游《梅花绝句》："何方可化身千亿，一树梅前一放翁。"亦有借梅花以讽时政者，如刘克庄《落梅》："东风谬掌花权柄，却忌孤高不主张。"刘因在前贤英华累累的情况下，却能另辟蹊径，不落窠臼，借观梅而感兴亡离乱，令人耳目一新。

此诗大约作于南宋灭亡前后。首句"东风吹落战尘沙"，即紧扣这一时事。诗人因观梅而兴感，首先想到"东风"，因为东风执掌着花开花落的命运；它既可以吹开冰封雪压中的寒梅，使之破蕊怒放，给人间带来融融春色，勃勃生机；它也可以无情地吹落群英花瓣，使之零落殆尽，化作尘埃。诗人显然写的是后一种情况，但却不明说吹落梅花，却只说东风吹下了漫天的硝烟烽火，战争尘沙，不用说报春的梅花也同战尘一起被吹得零落萎谢了。这样写既出人意表,又曲折含蓄。直言之,此句意谓战争破坏了人间始初的春色。

第二句“梦想西湖处士家”中“西湖处士”指宋初隐士林逋(967—1028),他一生痴爱梅花,有“梅妻鹤子”之称,隐居在杭州孤山,其庐舍遗址和祠堂素为游人瞻仰。刘因身处幽燕,由北地观梅,自然联想到“梅妻鹤子”的林逋;由烽烟迷漫的“战尘”,自然联想到地受其患的“西湖”。日有所思,夜有所梦,“梦想西湖”,可谓“精骛八极,心游万仞”。“枕上片时春梦中,行尽江南数千里”(岑参《春梦》)说明诗人忧虑由来之久,积淀之深;且使空间拓展万里,意象也顿显恢宏。故此句妙在通过时间的深度和空间的广度来加强诗人忧患感情的浓度。1276年3月,元蒙统帅伯颜兵临杭州,南宋宣布投降。位于西湖之滨的孤山林逋祠,自然也因兵燹而萧条冷落。诗人关心江南,轸念南宋之情,于此委婉可见。以上二句写景,但景中寓情,虚中有实。

第三句“只恐江南春意减”,由“梦想”回到现实,由写景转入抒情。兵燹战尘,不仅使西湖梅花凋零萎落,整个江南的春意也将锐减而变得萧条暗淡。“只恐”,突出了诗人对“春意”的拳拳之心,钟爱之情。“江南”,则由上句“西湖”再推而广之,拓展到整个南方。西湖所在的首都杭州是江南的政治文化中心,首都的兴衰自然会影响整个江南全局;梅花是报春花,既然报春花都被“东风战尘”摧残零落殆尽,那么象征春意的百花岂不也要连类而及,锐意消减吗?可见诗人区区系念的不仅是南宋朝廷的命运,尤其在于江南广大苍生所罹战祸的厄运。“春意减”内涵深广,举凡江南山河破碎的种种凄凉和人民国破家亡之后的种种苦难忧患、流离失所,甚或被血洗屠戮,被籍没为奴等等惨状,不都是“春意减”的表现吗?诗人的忧患情怀,真是博大无涯、涵盖深广啊!

第四句“此心元不为梅花”,出人意表地陡然一转,却在这陡转中一笔挽回,戛然而止,言已尽而意未止,给读者留下了去寻绎、去深思的广阔余地,如余音绕梁,悠然不绝。诗人之心“不为梅花”,是为什么呢?它启发读者去探索上文的弦外之音、言外之意,没有这一句,读者就可能把“战尘”“西湖”“江南春意减”这些线索中暗藏的底蕴轻易放过而不易发现;有了这一句,犹如洗相中的显影液一般,使前面埋下的那些隐微的意脉,都一一显现出它们底蕴的真相。如果说第三句“江南春意减”是《观梅有感》的诗眼所在(杨载《诗法家数》云:绝句“宛转变化工夫,全在第三句”),那么第四句则是指示寻觅诗眼的路标。

这首咏梅诗,实则并未咏梅,而

是侧重在“有感”,梅花不过是触发感想的媒介和贯穿思绪的线索,所以它能脱去前人摹写梅花幽姿神韵的窠臼而别具一格。且“有感”又片言不涉诗人自身的人格遭际,而只借观梅来感发那博大的伤时忧乱的情怀。凡此皆确立了此诗的“独创”价值。其次,四句在章法、意脉上句句顿挫,首写观梅兴感,次写因感而梦,三写梦回忧甚,结点忧不在梅,极尽盘曲婉转之致。至其时空拓展、虚实变换、情景交融,则不待赘言了。

(熊 笃)

书 事(录二)

刘 因

当年一线魏瓠穿,直到横流破国年。
草满金陵谁种下,天津桥畔听啼鹃。

唱彻芙蓉花正开,新声又听采茶哀。
秋风叶落踏歌起,已觉江南席卷来。

鉴 赏

这一组诗包括五首绝句,总名“书事”,即书写时事之意,约作于至元十三年(1276)元兵攻陷临安,南宋投降后不久。诗中表现了诗人对宋朝沉痛的兴亡感慨和深刻的历史反思,这里选的是其一、其五两首。

第一首回顾两宋兴亡,含蓄指出其亡国根源早在立国之初就已经埋下,王安石变法之后更加剧了矛盾。“魏瓠”典出《庄子·逍遥游》:“惠子谓庄子曰:‘魏王贻我大瓠之种,我树之成而实五石。以盛水浆,其坚不能自举也。剖之以为瓢,则瓠落无所容。非不呺然大也,吾为其无用而掊之。’”后人遂以“魏王瓠”比喻大而无用。诗人用此典故,含意颇深。其一,魏王即战国时魏惠王,曾徙都大梁(今开封),故称梁惠王。而赵匡胤夺取后周政权亦定都大梁,故以魏比宋。其二,瓠瓜虽大,但因虚脆不坚,不足以盛水;剖之为瓢,又因平浅不足以容物,故而大而无用。北宋立国之后,南灭后蜀、南汉、吴越、南唐,北吞北汉,虽比五代十国版图都大,但因消极接受唐末藩镇割据教训,采取“守内虚外”和“更戍法”等政策,使“兵不知将,将不知兵”,皇帝猜忌边将,或委派宦官监军,或自画阵图遥控,结果使军队战斗力大大削弱,以致对辽、金、西夏作战中总是丧师失地,割地赔款,积贫积弱,妥协投降,最终导致靖康之难。这正如"魏王瓠"的大而无用。自周世宗疏浚汴水、五丈河,开掘汴口,使运河为中心连接黄河、泗水、淮河之后,水路交通已基本统一。北宋继承后周,又先后疏浚二股、五股河,使运河更有效地成为贯穿黄、淮、长江,联络南北的大动脉,故曰"一线穿",以此来突出北宋开国时的貌似强大。"横流",本意指河水不按原道流走而致泛滥,引申为局势动荡和大乱。开封在北宋灭亡之后,金国先后在此扶植了张邦昌、刘豫两个短命傀儡。而宋高宗称帝后,放弃中原,苟安江左,一味妥协投降,直至亡国。这接连不断的兵燹战祸,兴亡变迁,恰如黄河泛滥、九州横流一般,始终伴随着两宋岌岌可危的政权,直到投降亡国为止。诗人思接千载,视通万里,回顾这三百多年兴亡历史,却只用"当年""直到"两词加以贯通,语极精练概括;而"魏瓠"与"横流"所构成的因果渊源,又可窥见诗人卓异不凡的历史眼光,与他在《白沟》诗中评北宋灭亡原因:"白沟移向江淮去,止罪宣和恐未公"的见解是一致的。"草满金陵谁种下,天津桥畔听啼鹃。"金陵(南京)曾是南朝故都,宋高宗南逃称帝曾驻跸于此,建有行宫,故此处代指南宋。"草满金陵",语含黍离麦秀之悲,铜驼荆棘之叹,喻指南宋亡国后的荒凉。但这个亡国根源是谁种下的呢?诗人认为咎在王安石变法。"天津桥",在洛阳西南。《邵氏见闻录》载:邵雍在嘉祐末年行到此桥,忽闻杜鹃之声,惊叹道:"不及十年,其有江南人以文字乱天下者乎。"指的就是王安石变法。又说:"天下将治,地势自北而南;将乱,自南而北。今南方地气至矣,禽鸟飞类得地气之先者也。"刘因这种错误观点,大抵继承了南宋人的说法,他们一直把北宋亡国责任归咎于王安石,直到元朝脱脱主持修《宋史》,在《王安石传》后面还引用朱熹的一大段评王的话作为史论:"汲汲以财利兵革为先务,引用凶邪,排摈忠直,躁迫强戾……卒之群奸嗣虐,流毒四海,至于崇宁、宣和之际,而祸乱极矣。"《宋史》认为:"此天下之公言也。"足见这种看法在元初仍占主导地位。刘因是理学家,沿袭朱熹观点不足为怪。虽然不免偏颇,但王安石在用人上(如吕惠卿、曾布、章惇、蔡京等)造成后来新法派变质,党祸剧烈,确也与北宋政权的瓦解有一定关系。

后一首讽南宋君臣沉醉于笙歌晏安,直到亡国到来。"唱彻"犹言唱完了。"芙蓉"指西湖的荷花,又双关江南的采莲歌。"唱彻芙蓉花正开",是形容杭州沉醉在歌舞升平的享乐之中。汪元量《越州歌》:"内湖三月赏新荷,锦缆龙舟缓缓拖。醉里君王宣乐部,隔花教唱采莲歌。”林升《题临安邸》:“山外青山楼外楼,西湖歌舞几时休?暖风熏得游人醉,直把杭州作汴州。”均可移作此句的注脚。“新声”,新的歌曲,暗示已改朝换代。“采茶”,即采茶歌,亦紧扣杭州盛产茶叶而言,寓意隐微。汪元量《湖州歌》写元军入杭游湖时:“北客醉中齐拍手,隔船又唱采茶歌。”殆为此句所本。云“采茶哀”,含“亡国之音哀以思”之意。从“唱彻”到“新声”,概括了南宋由苟安到灭亡的过程,从另一侧面揭示出其亡国根源在逸豫。“踏歌”指连手而歌,以足踏地为节奏。据《宣和书谱》载:“南方风俗,中秋节妇人相持踏歌,婆娑月影中,最为盛集。”又周密《南渡典仪》:“圣节上寿第三盏,歌板唱踏歌,供进肉鲊。”可见无论民俗还是皇帝生日均兴唱踏歌。“秋风叶落”之声,本来就“如赴敌之兵衔枚疾走”(《秋声赋》)一样,再伴和着“踏歌声”,就足以构成一种萧瑟肃杀的,“如波涛夜惊,风雨骤至”的音响气氛,使人预感到蒙古千军万马的铁蹄,似乎已席卷江南大地而来。贾谊《过秦论》说秦孝公“有席卷天下,包举宇内,囊括四海之意,并吞八荒之心”。此处“江南席卷”即“席卷江南”之意,正符合元朝几路大军挥戈江南,所向披靡的声势,同时也生动描绘出亡国之民风声鹤唳的惊悸心态。

诗均写宋亡时事,事真情真,堪称诗史。每首各有侧重,从不同侧面表现了诗人的兴亡之感及历史反思。诗多使事用典,新奇含蓄,而又高度概括,发人深省,耐人咀嚼。

(熊　笃)

白雁行

刘　因

北风初起易水寒,北风再起吹江干。
北风三起白雁来,寒气直薄朱厓山。
乾坤噫气三百年,一风扫地无留残。
万里江湖想潇洒,伫看春水雁来还。

鉴赏

据《西湖志余》载:“先是,临安有谣云:‘江南若破,白雁来过。’盖伯颜之谶也。刘静修《白雁》云云，盖寓言也。”据此，诗中“白雁”是谐言双关语，指灭南宋的元军统帅伯颜。此诗当作于1279年2月元军消灭南宋厓山据点的前后。

诗的前三句吸用古代民歌复沓句法，连用三个“北风”，一气贯注，语调急促递进，“初起”“再起”“三起”“直薄”，分别指四个时间阶段，言浅而意深，含蓄而又高度概括了元灭南宋四十年的全过程，有步步紧逼的节奏感。“北风”借喻来自漠北的元蒙军事力量。刘因在《渡江赋》中描写蒙古军队说：“吾想夫阴山之虎士，茹毛饮血，状若神鬼，气傲霜雪。”可见其凶悍。“北风初起易水寒”借喻蒙古开始起兵南侵，有寒气逼人、席卷万里之势。蒙古灭金的翌年(1235)，窝阔台汗即调集两路军队大举南侵，一路入侵四川，另一路入侵襄汉，到1241年窝阔台病死才告一段落。其间取宋川北三路二十余州，和东南光、蕲、随、寿、泗等州。次句“北风再起吹江干”，约喻指1258年蒙哥汗发动的三路大军南侵。蒙哥亲率主力入川，攻陷成都等地，沿嘉陵江打到合州；忽必烈率军到长江边围攻鄂州，侵入云南的兀良哈台攻潭州，以期北上与忽必烈长江会师，故曰“吹江干(江边)”。结果因1259年7月蒙哥在合州钓鱼城战死，忽必烈又忙于北上争夺帝位，故允许南宋贾似道的乞和：以长江为界，宋岁贡银绢二十万两匹。第三句“北风三起白雁来”，则指灭宋的第三阶段，1274年，元世祖派左丞相伯颜总领二十万大军，一路由襄阳入汉水渡江，另一路由陆路取扬州。元军所向披靡，南宋大将吕文焕、范文虎、程鹏飞、高达等先后叛降，左右丞相留梦炎、陈宜中也先后逃跑。1276年3月，伯颜军入临安，谢太后及恭帝投降，南宋灭亡。第四句“寒气直薄朱厓山”。“薄”，迫近。“朱厓山”即珠厓山，在广东新惠县南海中。1276年1月临安危急之时，南宋六岁的广王赵昺和九岁的益王赵昰被护送逃到温州、福州。临安沦陷后，陆秀夫、张世杰等拥立赵昰称帝，流亡海上，继续抗元。1278年3月，帝昰病死赵昺被立，迁到厓山。同年年底，元军统帅张弘范进兵广东，文天祥兵败被俘。次年2月，元军进攻厓山，陆秀夫负帝昺沉海，张世杰突围中遇大风随战船沉没。至此，南宋最后一个据点也被消灭。

五、六两句总绾，写“北风”“寒气”所造成的结果。“乾坤”指天地，这里代指宋朝天下。“噫气”犹言风气。《庄子·齐物论》：“夫大块噫气，其名为风。”这两句感叹宋朝三百年的乾坤风气(物质、精神文明)，均被一阵猛烈的北风(元朝军事力量)席卷扫荡得干干净净了。南宋灭亡时，元朝籍没了其礼乐、祭器、册宝、仪仗、图书及各种珍宝古玩，俘虏了谢太后、全太后、帝㬎、诸王、百官、宫人、三学之士凡数千人押解上都。元朝灭宋,得37府、128州、733县。后来杭州、绍兴的宋帝陵墓都被江南释教总统杨琏真伽发掘,宋帝尸骨暴撒荒野,陵中珍宝洗劫一空。确实是"一风扫地无留残"。

七、八两句写诗人的遐想和忧虑:江南广阔万里的江湖水乡,经过"北风""寒气"的侵袭,想必都变得一片凄清冷落(潇洒,此处是凄清、凄凉之意)了,隐喻江南遭受兵燹洗劫之后的悲凉情境。于是诗人久立怅望(伫看),等待春水上涨,天气暖和,北雁(谐伯颜,泛代元军)南还,以期江南早日恢复和平安宁,黎民免受更多的战祸,用语曲折,诗意隐微。不过,诗人这一良好的悲悯愿望并未完全实现,元灭南宋后,又屡次兴舟师征日本、安南、占城、缅甸等四夷,穷兵黩武,劳民伤财,以致不断激起江南人民反抗,多达二百余起,元朝又不断派兵先后镇压下去。

刘因对元朝灭宋的态度是矛盾的:一方面他对南宋特别是广大人民惨遭兵祸以及汉族文化受到摧残,抱有深切的同情哀悯(苏天爵《滋溪文稿》评刘因《渡江赋》),但另一方面,他对南宋的腐败,感到不满。特别对南宋无理扣留元朝大使郝经,更深感气愤:"彼留我奉使,仇我大都,使天下英雄请缨破浪,虎视长江,亦有年矣。"(《渡江赋》)郝经是刘因的朋友,字伯常,1260年奉使南宋告世祖即位,并商议和议,被贾似道扣留真州长达16年。这从道义上和私人友谊上都使刘因深感气愤。他在《忆郝伯常》诗中甚至说:"飞书寄与平南将,早放楼船下益州。"不过刘因一般是不主张武力征服的,特别是宋亡之后,他更是同情怀念多于谴责。这首诗的感情倾向正是这样。

此诗通篇都用比兴象征手法隐写时事,不仅风格含蓄深沉,而且内容涵盖深广。语言上因吸用民歌句法和双关比兴,故辞意虽含蓄却又毫不晦涩,音调虽畅适而又苍凉急促。

(熊　笃)

过镇州

刘　因

太行迎马郁苍苍,两岸滩声带夕阳。
霜与秋容增古淡,树因烟景恣微茫。
阅人岁月真无谓,得意江山差自强。
曾记城南旧时路,十年回首尽堪伤。

唐代镇州，宋改为真定府，元改为真定路，即今河北正定县。《元史·刘因传》云："甫弱冠……国子司业砚弥坚教授真定，因从之游，同舍生皆不能及。"这首诗当是诗人十年之后再过镇州旧地重游时所作，时当三十来岁。

刘因故乡是容城（今属保定市辖县），到镇州正好沿着太行山东麓南行。诗人策马而行，太行山上茂盛苍翠的树木扑面而来，映入眼帘，像一道绿色长城从诗人侧面掠过，故曰"迎马"。"滩声"，当指滹沱河滩的流水声，它发源于山西泰戏山，穿割太行山，经镇州向东入河北平原。这句写滹沱河水冲刷着两岸沙滩，在夕阳的映带下发出哗哗的声响。镇州背靠太行山，面临滹沱河。诗的上句写山，下句写水，恰好抓住了镇州依山傍水这一地势形胜的特点，而且切合驱马所见的动态；山势由远而近，仿佛迎着马头向我扑面而来；水声由近而远，映带着夕阳向天边奔流而去。一幅雄浑高远而又有声有色的苍山流水夕照图便浮现在眼前。严羽谓"对句好可得，结句好难得，发句好尤难得"（《沧浪诗话》），今观此首二句，是难得的发端。

"霜与秋容增古淡，树因烟景恣微茫。"如果说首联是总写镇州的山川形胜，那么颔联则是单写镇州的古城秋色了。"与"，有"使""助"之意。"秋容"，秋色容颜。欧阳修《秋声赋》："盖夫秋之为状也，其色惨淡，烟飞云敛；其容清明，天高日晶。""恣"，这里是纵使、愈加之意。"微茫"，依稀模糊貌。这两句描绘大地严霜降临，万物红衰翠减，使秋色容颜增添了古雅清淡的韵致；夕阳映照下的树木，因为笼罩着淡烟暮霭，因而愈更变得依稀模糊了。上句色调清淡却并不凄厉，下句境界凄迷而略见惆怅。这种淡淡的感伤美和凄迷感，最得"温柔敦厚""中和为美"之旨。

颈联转入抒情感慨，表现诗人厌倦尘俗、追求山水的情志。陆机《叹逝赋》："川阅水以成川，水滔滔而日度；世阅人以为世，人冉冉而暮行。"诗人认为这种混迹尘俗人海的岁月真是没什么意义，只有陶情于自然山水之中，才能如愿以偿，感到赏心悦目，才略微（差）可以激励心神而自强不息。刘因为人"性不苟合，不妄交接，家虽甚贫，非其义一介不取。""公卿过保定者，众闻因名，往往来谒，因多逊避不予相见。"元朝征其为右赞善大夫，他到任后很快就"以母疾辞归"，后来又多次征诏，他皆"以疾固辞"（《元史·刘因传》）。这两句诗正是他厌倦世俗官场,坚持"天下无道则隐"的真情流露,所以他表所居曰"静修",自号"雷溪真隐",其意亦在于此。

"曾记城南旧时路,十年回首尽堪伤。"诗人十年以前曾在此从砚弥坚游学,而今旧地重游,走在城南路上,往昔之情历历在目,记忆犹新。当时"年甫弱冠",阅历又少,当然是胸怀兼济的宏愿,然而,以武力征服和民族压迫著称的元蒙王朝,是一个"道义无轲丘"的时代,刘因生不逢时,道不能行,怎能不使他回首十年历程而深自感伤呢！结联倒笔追忆,优游不竭之意见于言外。

这首七律描写过镇州的瞬间观感,但却抚今追昔,包前孕后,凝聚着十多年的人事悲欢,用舍行藏的感慨,于优游不迫中略见沉郁苍凉,风格极似元好问。诗的前半写景,后半抒情,从城外马上见闻写到入城访旧忆昔,层次井然,接转顿挫有致。全诗未用典故,不加藻饰,纯以白描写景,直抒胸臆,但句中字眼如"迎""带""增""恣"等,均极锤炼传神,而不落陈俗窠臼。

（熊　笃）

入　山

刘　因

草露蛛丝晴日明,乱虫秋意有先声。
屈盘未转坡陀尽,苍翠忽从怀抱生。
一径峰回失南北,两山云近异阴晴。
天公若会登临意,可信伤心画得成?

鉴赏

苏天爵《滋溪文稿》说刘因"独好长啸,尝游西山,当秋风木落时,作一曲而感慨系之"。又说他"尝游郎山,号雷溪真隐"。据刘因《送翟判官序》中述翟良佐征南宋"自江淮抵闽粤……及还……后二年,予居山中……"等语,则其隐居山中,时当1279年攻陷厓山之后不久。这首七律描写的就是诗人入山之始所见的初秋山色,含蓄地表达了他那忧时避乱的感伤情怀。

首联写入山之始的视听,并点明气候、季节。诗人在一个晴朗的初秋日子,踏着野草的露水,披开缕缕蛛丝进入山中。那晶莹的露珠,袅袅的游丝,在明媚的阳光下闪闪发光，清晰可辨，轻烟淡雾渐渐疏散；草丛中乱爬的各种昆虫，敏感地领略到初秋气候的变化，发出唧唧的叫声，似乎在向行人预报秋天来临的先兆。上句写所见，下句写所闻，有色有声，渲染出山中特有的秋意；草露蛛丝，暗示出山中寥无人迹；乱虫先声，又打破了山中的寂静，有"鸟鸣山更幽"的反衬效果。两句不仅突出了秋山的幽静，也透视出诗人体物入微的视觉和听觉。古人有"以鸟鸣春，以雷鸣夏，以虫鸣秋，以风鸣冬"之说（韩愈《送孟东野序》），诗人听虫鸣而辨秋意，正说明他那一叶知秋、见微知著的幽人情致。

颔联写山路的曲折坎坷和景观蓦然闪现时的惊喜。曲绕盘旋的斜坡，还未转过弯就到了尽头；一片青苍翠绿的茂盛树林忽然扑面而来闪现在眼前，仿佛是从诗人怀抱中突然产生似的。这两句之警策耸观，与王安石《江上》"青山缭绕疑无路，忽见千帆隐映来"，以及陆游《游山西村》"山重水复疑无路，柳暗花明又一村"的境界，有异曲同工之妙。都是用欲擒故纵手法，以上句蓄势衬垫下句，写蓦然发现意外景观的瞬间惊喜感受。但刘因用"忽从怀抱生"这一夸张手法，使物我距离更近，因而大大增强了"惊奇欣喜"的程度，也更富于幻觉感和亲切感，这是在前人名句启示下的独创。

颈联写诗人迷失方向和山色阴晴明暗的变幻。诗人沿着一条小路行走，山峰回环，小路也随之转折，忽然前边没有路了；诗人迷失了方向，辨不清东西南北。他放眼四望，但见两山之间云雾迷漫，飘过来，荡过去，距离很近；但因朝阳和背阴的缘故，故两山光色的明暗深浅，却大异其趣，呈现出斑驳陆离、姿态万千的动人景象。它令人想起了王维《终南山》中"分野中峰变，阴晴众壑殊"的境界。显然，诗人已经登上了山顶，才出现了如此奇观。

尾联抒情，表明诗人入山登临的忧时伤感情怀。"天公"，以天拟人，仿佛老天有情亦解人意，此处正表明诗人与世乖违，恨无知音，故将一腔心曲欲向"天公"倾诉，但这只是感情的一面；而在理智上，他明知"天公"是不解人意的，故用"若会"表明这种情与理的矛盾，颇见顿挫之致。这句似从李贺"天若有情天亦老"变化而来，说"天公若会登临意"，哪能相信世间丹青妙手描画得出我这一片忧伤之情来呢？高蟾《金陵晚望》说："世间无限丹青手，一片伤心画不成。"王安石也说"意态由来画不成"（《明妃曲》）。此用其意而作反问语气。诗人伤心并未具体明言，这就为读者留下了充分的想象余地：也许是伤连年干戈不息而民生多艰；也许是伤金、宋皆亡，几千年华夏文明礼乐皆被毁弃；或许是由于用舍行藏的矛盾折磨而彷徨苦闷……总之，诗人引而不发，造成模糊悬念，却大大丰富了诗歌的意蕴。

此诗前六句写景,末二句抒情。写景移步换形,由浅入深,从微观到宏观,层层深入,都紧扣"入山"这个"入"字。尾联抒情,"含不尽之意见于言外"(梅尧臣语)。表面看似觉突然,实则前六句写景中的"乱虫秋意""屈盘坡陀""失南北""异阴晴"等意象,已微露出诗人那内心的纷扰郁结、九曲回肠、迷茫惆怅的忧思端倪,可谓景中有情;故结句的"伤心",正是这种忧思积淀的溢于言外和必然爆发。诗中有哀景(如蛛丝、乱虫等),有乐景(如晴日、苍翠等)则从正反两方面衬托了"伤心"之情,因而"一倍增其哀乐"(《薑斋诗话》)。

(熊　笃)

宋理宗南楼风月横披

刘　因

物理兴衰不可常,每从气韵见文章。
谁知万古中天月,只办南楼一夜凉。

鉴赏

这首七绝是作者观看宋理宗一幅书法作品,而抒发对宋代兴亡感喟的诗作。理宗是南宋后期的皇帝。"南楼风月",是他生前书写的一幅横披(字画横幅)。

诗的第一句似乎有些头巾气:"物理兴衰不可常"说世间万事万物(当然也包括朝代的兴衰,人世的沧桑)变化无常,这算什么诗呢?然而接下去从无常中翻出有常,就有些意思了,"每从气韵见文章"。既然"每从",可见有常。这个有常(即有规律性)的事体,便是文章关乎气韵:一个人的气质决定其文章的优劣;一个人的文章气象又往往预兆着他的前途命运。"诗谶"这个说法,多少有些道理。"往事只堪哀",不是汉高祖诗;"大风起兮云飞扬",不是李后主词。写"大鹏一日同风起"的,后来青云直上;写"岁岁年年人不同"的,不幸英年早逝。这其间难道没有必然性吗?只要不把问题绝对化,那正是"每从气韵见文章"!

前两句偏于说理,偏于抽象,那好处是很有限的。此诗之妙在于紧接便有后二句将说理变作感叹,将抽象变作具体,读者首先看到了两种"风月"的对比,一是"万古中天月”，二是“南楼一夜凉”。前者系隐括宋太祖《秋月》诗：“未离海底千山墨，才到中天万国明”，那气象恢宏开阔，十足地表现出一个开国皇帝的气魄。而后者系取自黄庭坚《鄂州南楼书事》末句“并作南楼一夜凉”，暗示了宋理宗前途的暗淡，说明了“每从气韵见文章”之不失为名言。而两种对照的情景，通过“谁知”“只办”的勾勒，又连成一气。就境而言，仿佛画出一轮朗月高照南楼，可惜南楼上没有不负月色的风吹龙吟、欢歌笑语，而只有“一夜凉”！就意而言，这是形象地讽刺理宗无能，不能继承太祖的雄才大略；又是惋惜太祖一脉龙种，何以会退化为跳蚤。“谁知万古中天月，只办南楼一夜凉”，语妙、情妙、境妙、意妙。

（周啸天）

白　沟

刘　因

宝符藏山自可攻，儿孙谁是出群雄。
幽燕不照中天月，丰沛空歌海内风。
赵普元无四方志，澶渊堪笑百年功。
白沟移向江淮去，止罪宣和恐未公。

鉴赏

“白沟”指巨马河西东流向，经河北定兴、霸县到天津这一段。五代晋开运二年(945)，契丹南侵，败于阳城，逾白沟而去。宋辽时即以此为国界，宋金时因之，故亦称界河。刘因是容城（今保定）人，离此不远；他写了好几首《渡白沟》，足见其对此感触良深。这首以“白沟”为题的咏史七律，就是通过对历史的反思，指出北宋诸帝不能继承宋太祖收取幽燕的遗志，导致靖康南渡、偏安江左的后果，表现了诗人卓异流俗的历史见解和深沉含蓄的兴亡感慨。

首句运用春秋时赵简子鼓励儿子们去攻取代地的典故，以喻宋太祖曾图谋收取幽燕。《史记·赵世家》载：晋卿赵简子听人说，继承君主事业的儿子必须据有代地这块地盘。他回家便对儿子们说：“吾藏宝符于常山（今山西浑源县东），先得者赏。”诸子驰往常山寻找，皆无所得；唯庶生子毋恤回报宝符已找到。

简子询之,毋恤说:"常山居高临代,代可攻取。"简子知其贤,便废太子伯鲁而立毋恤为太子。后来毋恤果然攻取了代地。此诗后文明写的是宋朝,这里通过用典,先造成读者产生类比的联想:代之于赵的重要性,恰如幽燕之于宋的重要性,赵简子鼓励儿子取代,恰如宋太祖图谋取幽燕;"宝符"本指代表天命的符节(称帝的凭证印玺),恰如立国封疆的重镇一样重要;简子姓赵,宋太祖亦姓赵……凡此,皆用典隐喻,不仅形成历史的类比,丰富了意象内涵,而且比直说更为精练、含蓄。用典如此贴切,实属不易。下句突转,与上句形成隐显、褒贬的鲜明对比。本来幽燕"自可攻",可惜儿孙无能终未能攻取。史载宋太祖登基时曾赋《咏初日》诗,有"一轮顷刻上天衢,逐退群星与残月"之句,他也确实用了十三年时间芟刈南方诸国:平荆湖、灭后蜀、克南汉、夷南唐、致吴越入朝,使泉州归附,气魄不谓不大;但他在攻北汉时,遭辽援阻,统一大业未竟而身先死。太宗即位后,先后两次征辽皆不幸败绩,从此转取守势,幽燕竟未收复。太宗以降,更是代代承平苟安,对外皆庸懦无能,再无一个出类拔萃的雄才,不仅有负太祖遗志,且已预伏下亡国的祸根了。一个反问,真是力重千钧,发人深省。

颔联紧承首联,进一步感喟宋太祖统一大志的落空,坐视儿孙无能。"幽燕",指五代石敬瑭为换取"儿皇帝"宝座,割给契丹的幽云十六州,后汉、后周及宋朝皆未能收复。"不照中天月",即以中国的月亮(天之正中)照不到幽燕,借喻宋朝的势力不能达到幽燕,使之同被王化。下句用汉高祖刘邦《大风歌》的典故:刘邦是沛县丰邑人,登基后曾回故乡,置酒宴父老,唱《大风歌》:"大风起兮云飞扬,威加海内兮归故乡,安得猛士兮守四方。"(《史记·高祖本纪》)"海内风",即指此歌。诗人有感北宋"重内虚外",而致边防空虚,缺乏"猛士"镇守边关御敌,导致外患日剧,直至亡国的教训,故以此典故隐喻宋太祖《咏初日》,虽与汉高祖《大风歌》一样充满一统天下的豪情壮志,然而儿孙无能,他只是白唱了,一个"空"字,感情深沉而语含微讽。本联上句以景为喻,下句以典为喻,不仅对仗工稳,静动交错,而且气象雄浑,意象生动。

颈联转为直抒胸臆,举出两个典型事例,写尽北宋君臣的庸懦无能。赵普乃北宋开国元勋,历相太祖、太宗两朝,有"半部《论语》治天下"之名。但是在诗人看来,他不过徒有虚名,原无统一天下、展土拓疆的雄才壮志。史载太宗两次伐辽失败,赵普上疏认为征辽是受"邪谄"蒙蔽,"致兴不急之兵,颇涉无名之议"。在他的带动下,李昉、赵孚一批大臣也上疏附和,主张学唐高祖"降礼于突厥",对辽屈辱求和,实开两宋投降路线之端,故诗人的指责实未过分。开国名相尚且如此，其余自不待言了。下句举“澶渊之盟”以成人事之对举。真宗景德元年(1004)，辽萧太后与圣宗亲率大军南侵，深入宋境。宋宰相寇准力劝真宗亲征，宋军小胜后即与辽在澶渊(今河南濮阳县西南)议和，由宋每年输辽银十万两、绢二十万匹，史称“澶渊之盟”。虽然从此换取了宋辽百年相安无事，但这是以屈辱赔款的条件换来的暂时和平，它加重了人民的负担，又助长了统治者苟安积习，其功安在？故曰“堪笑”。仅举人、事二例，则北宋皇帝、宰相的软弱无能即可管窥一斑了。“元无”“堪笑”，论断肯定，不容置疑，语含嘲讽，一扫陈见，表现出卓异的独到见解。

尾联是总结性结论。针对一般史家把北宋灭亡的责任仅仅归罪于宋徽宗(“宣和”是其年号)的过失，诗人高瞻远瞩地指出：南渡偏安，宋与辽、金的国界从白沟内移到江淮，亡国天子徽宗固难辞其咎，然而仅仅归罪于他，未免近视而不公允。因为追本溯源，亡国祸胎早已种下，太宗以降的整个北宋王朝一贯奉行对外妥协投降，苟安积习已深，必然早晚要亡国的。这就与首联“儿孙谁是出群雄”构成首尾呼应。这一深刻的历史见解，可谓发前人之所未发，因而使人有耳目一新、惊世骇俗之感；但因三、四两联的铺排，则又觉结论似有水到渠成之妙。

作为咏史诗，本篇不仅见解卓异不凡，新颖独到，而且在艺术表现上亦颇具特色：诗中有深沉警拔的反问，有形象生动的借喻，有冷峻辛辣的嘲讽，有严正犀利的论断；时而用典类比，时而直抒胸臆，通篇风格豪健雄浑。尤以“自可”“谁是”“不照”“空歌”“元无”“堪笑”等含有虚字的词语，两两对举，构成一种慷慨纵横、傲睨一世的气概和愤而含讽、庄而微谐的语气。前人谓刘因“律诗直溯盛唐”(《林泉随笔》)，信非泛沦。

(熊　笃)

渡白沟

刘　因

蓟门霜落水天愁，匹马冲寒渡白沟。
燕赵山河分上镇，辽金风物异中州。
黄云古戍孤城晚，落日西风一雁秋。
四海知名半凋落，天涯孤剑独谁投？

鉴赏

此诗是诗人途经白沟时感慨而作。

开头两句点明了季节、地点和旅途路线。诗人由蓟门返乡，只身单骑渡过白沟，正值寒冷的落霜季节。蓟门即蓟丘，在当时大都(今北京市内)，古代不少诗人，如陈子昂、高适等都曾在此慷慨悲歌，怀古吊今。刘因由蓟门返家，由于白沟所包含的特殊历史问题，自然很容易触发起诗人对历史和现实的无边遐想：兴衰、治乱、荣辱、兴亡、华夷之别……使诗人怀古伤今，心潮滚滚，悲愤难平。寥廓萧瑟的霜天，寒碧呜咽的河水，仿佛也带着历史耻辱的印记，与诗人一起产生了悲愁满腔的共鸣。在这苍茫的秋水长天，寒凝大地的虚空中，羁旅行役、匹马风尘的诗人，是何等的孤独寂寞！“蓟门”“白沟”“霜落”“水天愁”“匹马”等意象，构成了一种苍凉肃杀的境界、凝重压抑的氛围。

“燕赵山河分上镇，辽金风物异中州。”唐时所设军事地理单位，以驻守人员之多寡分为上、中、下三镇，这里以上镇泛指边界，中州泛指中原。这两句极为含蓄，但又高度概括地透露出“水天愁”的原因所在：这里从战国时的燕赵，到唐宋盛世，一直是北方军事重镇。汉代李广，晋代刘琨，唐代张守珪，后周郭荣等人，都曾在这一带抗击匈奴、奚、契丹等外族的入侵，为华夏民族建立了保卫边疆的不朽功勋。自宋代与辽金对峙，这里既是两国的边界，又是华夏汉族与辽金夷族在风俗文化方面的分水岭。一个“异”字，含蓄地表露了诗人华夷之别的思想。可现在，华夏沦丧，蒙古人主中原，这里已成为元朝的畿辅腹地，华夷之大防不复存在了，岂不令诗人觉“水天愁”！

“黄云古戍孤城晚，落日西风一雁秋”和首两句一样，是“以我观物，故物皆着我之色彩”。黄云滚滚弥漫天空，笼罩着古代边戍之地，孤零零的城堡、落日残照、西风萧索、孤雁南飞，茫茫旷古之思，秋容古淡之景，诗人孤身独骑，遐思渺渺，羁旅风尘，恨无知音，恰似孤雁飘零，何处归宿！表现了诗人无限的孤独惆怅。所以结尾两句顺承此意：“四海知名半凋落，天涯孤剑独谁投？”天下有名于时，与自己相知及交游的朋友，或逝或隐，多已离去，自己孑然一身，书剑飘零天涯，纵然满怀幽思忠愤，亦无处倾诉，无人知晓自己的心曲了。“凋落”“孤独”尽发悲凉凄怆之情，颇有陈子昂“前不见古人，后不见来者，念天地之悠悠，独怆然而涕下”的胸臆。

刘因出于对中原文明的留恋，对宋亡一直哀痛不绝，系念于心。他的另一首《渡白沟》(“东北天高连海屿”)以歌行体的形式，婉转深情地揭露了北宋亡国的惨痛教训和诗人心中的悲痛，感人至深。相比之下，本篇这种哀愤的情绪显然淡化而又更含蓄了。然而在这深沉的低吟中，我们仍可窥见诗人那郁愤不平的心情。

整首诗将怀古伤今与个人的身世之感自然地联结在一起，既有历史的深远感，又有现实的寂寥感。首联和颈联皆写景，但景中寓情，颔联和尾联抒情，前者抒国家民族之情，故含蓄幽远；后者写个人身世之情，故淋漓酣畅。而国家民族与个人身世，又有因果内在联系，很好地烘托了诗人的内心世界。刘因诗学唐，诗句凝练，颇有杜诗的沉郁苍劲之风。这首诗颇能体现这一特征，给人一种悲壮之美。

(黄　琳)

燕歌行

刘　因

蓟门来悲风，易水生寒波。云物何改色，游子唱燕歌。
燕歌在何处？盘郁西山阿。武阳燕下都，岁晚独经过。
青丘遥相连，风雨堕嵯峨。七十齐郡邑，百二秦山河。
学术有管乐，道义无丘轲。蚩蚩鱼肉民，谁与休干戈。
往事已如此，后来复如何。割地更石郎，曲终哀思多。

鉴赏

《燕歌行》是古乐府平调曲名，燕地自古为北方边疆，征戍不绝，故该调多写征人思妇离别之情，现存最早的曹丕的《燕歌行》以及唐代高适的《燕歌行》皆如此。刘因此诗虽沿用乐府古题，但内容上却不是写离别，而是借燕地怀古发伤时忧乱之思；形式上亦不沿用七言旧制而改用五言。

战国时的燕国下都在今河北易县，诗人在一次岁暮时经过此地，有感于燕赵多慷慨悲歌、干戈征伐之事，遂情景相生，写下了这篇伤时忧乱的悲歌。

开篇伊始，诗人即运笔生风，由远而近，渲染出一种悲壮苍凉的氛围,笼罩全篇:从北方蓟门吹来阵阵寒气逼人的悲风,使平静的易水寒波顿起,汹涌澎湃。四周山川草木仿佛愀然变色,旅行在外的游子也情不自禁地唱起了悲壮凄怆的燕歌。“蓟门”遗址在今北京西直门北。明人蒋一葵《长安客话》:“今德胜门外有土城关,相传古蓟门遗址,亦曰蓟丘。”蓟门自古为北方侵略者入侵的大门,唐代诗人陈子昂随军征契丹时曾登蓟丘怀古,高适也曾送兵到此。那么从蓟门吹来的“悲风”也就是从元朝首都刮来的“悲风”,它使人联想到又将策动南侵战争的某种象征,与诗人《白雁行》中“北风初起易水寒”的比兴意义应当相近。“易水”是战国时燕赵的分界线,燕太子丹为免于被强秦所吞,特派荆轲去刺秦王,曾在此饯别。荆轲那首“风萧萧兮易水寒,壮士一去兮不复还”的悲歌,或许犹在诗人耳畔回响。刘因生逢元初干戈四起、满目疮痍、改朝换代、礼乐废弛的年代,身临燕下都之时,怎能不感慨万端,悲从中来呢?故笔端之景:“悲风”“寒波”无不染上悲凉意味。而燕歌(燕地之歌)自来其声悲壮,故庾信《哀江南赋序》有“燕歌远别,悲不自胜”之句。风波云物,游子燕歌,可谓情景相生,交互感应的意象。虽然首二句似从曹植《野田黄雀行》中“高树多悲风,海水扬其波”蜕化而来,但其内涵和韵味有别。“燕歌在何处”以下四句点明了诗人身临其境的时间、地点,在意脉上形成了以燕下都为中心的纵横开阖,在手法上用这几句叙事作一跌宕,成为承上写景、启下抒情的枢纽,从而将景、事、情、理融为一体。“盘郁”,意谓曲折盛美。“山阿”指山中曲折之处。“武阳”是郡名,隋改魏州为武阳郡,治贵乡(今河北大名北)。“岁晚”,即将近年底。以上八句为第一层,写诗人经过燕下都时的悲凉气氛。

从“青丘”句到篇末为第二层,抒发诗人感慨古今、伤时忧乱之情。“青丘”,在山东乐安(今惠民)县北,相传齐景公常畋猎于此(见《读史方舆纪要》)。那里有清水泊,即古之青丘,一名青丘泺(清《一统志》)。司马相如《子虚赋》有“秋田乎青丘”,盖亦指此。诗人面对眼前迤逦东去的燕山,目光和思绪自然顺着山的走向直抵东边海岸,想到古代燕齐国土遥相连接,而古往今来这巍峨绵亘的燕山经历了多少次战争的风风雨雨!当年燕国名将乐毅率兵伐齐,一连攻下齐国七十余城,皆属于燕国的郡县(见《史记·乐毅列传》);后来秦国“带河山之险,悬隔千里,持戟百万,秦得百二焉”(《史记·高祖本纪》)。“百二秦山河”形容其边防牢固,国力强盛。诗人回顾了从东周列国纷争到强秦统一,其间干戈争夺何曾间断?然后笔锋一转,遗憾地喟叹说:在学问道术上虽然产生了像管仲、乐毅那样辅佐齐、燕国君称霸的将相，但却放弃了孔孟（丘、轲）所提倡的仁义礼乐的文明王道，致使敦厚淳朴的人民，如俎上鱼肉般地任人宰割，而统治者们只知道争权夺利以建霸业，谁能想到停止战争与民休养生息呢？往事如烟已然如此，后来的形势又能如何呢？言外之意，窥古而知今，举一而反三，后代统治者崇尚霸道掠夺决不会逊于前代。刘因是理学家，主张仁义王道，自然认为"威天下不以兵革之利"。对于元初以武力征服南宋，又连年用兵于四夷（如屡征日本、缅甸、安南、占城等）的穷兵黩武、劳民伤财的做法，当然是反感的。他之所以自号"雷溪真隐"，再三辞绝元朝征辟，盖认为天下无道，不足与为。但他又不便直说明言，故只以"往事"而讽"后事"，含意隐微，用心良苦。结尾二句斥后唐明宗女婿石敬瑭为了做"儿皇帝"，甚至引契丹兵来灭后唐，以割让燕云十六州与契丹、并岁贡帛三十万匹为代价（见《旧五代史·晋高祖纪》），可谓丧权辱国的无耻之尤！作为诗人家乡的燕云十六州从此沦丧敌手，有宋一代懦弱无能也未能收复，其后金元更代易手，燕齐又屡遭兵燹，生灵涂炭……缅怀古今，世事沧桑，那苍凉的燕山留下了多少征服者铁蹄的印迹，古老的易水流淌过多少黎民的血泪啊！诗人一腔绵绵的哀思难尽，故以"曲终哀思多"戛然而止，回应首句"悲风"，把言外的"伤今"之意，留给读者联想、填补。

此诗用兵府旧题，却突破写思妇离别的传统，而写干戈兴亡的重大主题，且又是燕地诗人在燕下都吟唱的"燕歌行"，故不仅贵在内容创新，而且感受尤为真切动人。诗中但以咏史怀古来影射现实，"伤今"亦只用景物渲染比兴，点到即止，堪称隐微含蓄，用意深沉。全诗感情凄怆激楚，始写景，中叙事，再抒情议论，无不沉郁顿挫，荡气回肠，构成苍凉悲壮的风格。

（熊　笃）

晚上易台

刘　因

遗台连废垒，落日展遥岑。海岳天东北，燕辽世古今。
每当多感慨，直欲罢登临。莫更留尘迹，千年不易禁。

鉴赏

易台，指战国燕下都故城遗留的土台，在今河北易县南五里。这首诗是诗人傍晚登临怀古之作。

首联写登临所见。“遗台连废垒”，燕下都故城叫燕城，东西内外，皆有遗留的土台，如分布在武阳台东北的小平台，东南的路家台和西南的老爷庙台，西北墓葬区的九女台等，至今犹存。“废垒”，荒废了的军营墙壁，壕堑或其他防御工事。“遥岑”，远处的山峰；小而高的山曰岑。上句俯视古城废墟，从荒凉中透视出燕城的历史悠久，令人遥想昔日的繁华和战争；下句遥望地平线的天际，夕阳把它那黯淡的余晖铺展到远处的山峰上。一个“展”字，形象地描绘出浑圆的落日渐渐延伸铺展成一大片晚霞这一动态变化的过程，令人产生出“夕阳无限好，只是近黄昏”那种空旷、怅惘的意味。遗台、废垒、落日、遥岑这四种景物，通过动词“连”“展”的聚合、伸张，不仅首联即对仗工整，而且构成了一幅远景与近景、时间与空间、历史与自然交相融会的广阔图画，从而诱发出诗人放眼天地，纵横古今的种种感慨。所以颈联“海岳天东北，燕辽世古今”两句，就紧相承接，显得意脉十分连贯，顺理成章。“海岳”，四海五岳。这里指渤海、辽东海滨及逶迤数百里直达海岸的燕山，它们都在燕下都的东北方向，故曰“天东北”。“海岳”又是连接燕辽两地的天然屏障，燕山是古代华夷之分界处，故苏轼有“燕山如长蛇，千里限夷汉”之句；西北的紫荆关，是内长城的重要关口之一，“控扼西山之险……山谷崎岖，易于戍守”。“有一夫当关，万夫莫开”(《畿辅通志》)之险。辽东郡(今辽河以东)亦属战国燕地，辽海又成为后来华夷之天然分界。上句“天东北”侧重空间之辽阔，下句“世古今”侧重时间之悠长。两句十字，可谓“观古今于须臾，抚四海于一瞬”(《文赋》)。包容万象，令人遐思不尽。

颈联由写景转入抒情：“每当多感慨，直欲罢登临。”诗人虽未具体明言是何种感慨，使他如此伤感，以至直想马上离开，停止登临了；但我们只要回顾燕城的历史，就不难发现其中的底蕴。这里有燕昭王招贤纳士的黄金台，可而今“丘陵尽乔木，昭王安在哉!”(陈子昂《燕昭王》)这里又是燕太子丹礼遇田光、饯送荆轲之地，可而今却是“遗台古树空崖嵬，平芜落日寒烟堆”(刘因《登荆轲山》)的凄凉景象。这里又是历代军阀混战、生灵涂炭之地：汉末公孙瓒曾在此修营垒楼观，谓之易京，后为袁绍所破，恶战于此；晋代幽州都督王浚率领鲜卑人在此抢掠妇女,又沉于易水八千人;唐代安史之乱,幽燕之地长期饱受战乱,直到光化三年(900),汴张存敬攻定州,还在易水杀获甚众;五代时幽燕更是群雄逐鹿之所,后又被石敬瑭割让给契丹换取儿皇帝;金崇庆至贞祐初,蒙古入侵,宣宗南迁,从此"河朔大乱凡二十余年,千里间人民杀戮几尽,其存者以户口计,千百不一余"(刘因《武强尉孙君墓铭》)。这一切,怎能不使崇尚仁义、热爱故乡的诗人感慨万千、悲从中来呢?难怪他在另一首《望易京》中直抒金刚怒目式的愤怒:"谁教神器归群盗,只见今人泣本朝。莫怪风雷有余怒,田畴英烈未全消。"

尾联更进一层:"莫更留尘迹,千年不易禁。"告诫自己从此不要再上易台留下这尘世的足迹吧,因为千年以来的往事不堪回首,实在使我禁受不住这份巨大的悲伤啊!一腔血泪,悲不胜言,至此饱和到极点,在欲说还休中沉痛终止。但其丰富的言外之意,却引发读者不得不去反思千年的血泪历史,人世沧桑……

这首五律短短四十字,前四句写景,纵横古今,海岳天地,气象极其宏大;后四句抒情,欲吞还吐,极尽沉郁顿挫之致。全诗未用典故,亦无比兴,语言朴实自然,风格苍凉悲壮而又深沉含蓄。

(熊　笃)

悯　旱

刘　因

农父看云泪亦干,灵湫谁信欲生烟。
万金良药汗犹出,一寸丹心天可旋。
未便无食思乐土,不禁忧国愿丰年。
为占河汉中宵起,独对残灯理断编。

鉴赏

这首七律写大旱不雨的严重灾情,表现了诗人悲悯民瘼和彻夜不眠的忧虑、焦灼之情。

首联写大旱之下农民的痛苦。"农父看云泪亦干",描绘出农民翘首仰望天空云气,殷切盼望天降甘霖以活禾稼的焦急情状和望眼欲穿、眼枯泪干的生动形象。透过这一雨未降而泪流干的外部动作的对比,自不难想见农夫那焦灼祈祷到痛哭绝望的内心波澜。“灵湫”，意谓藏有神灵异物、终年不涸的深潭。杜甫《乾元中寓居同谷县作》云“南有龙兮在山湫”，即其例。这句写诗人和农夫都痛感旱情严重的沉重心情；谁能相信由神灵异物破山而成的深潭如今也干涸发裂，将冒青烟呢？但言灵湫生烟，则沟渠早涸，田亩干裂，庄稼枯死之状，千家万户嗷嗷待哺之情，自不待言而可想见了。写“灵湫”，可谓抓住典型事物，有举一反三，包前孕后之效。

颔联写诗人闷热流汗，虔诚祈雨之情。“万金良药”，典出《汉书·灌夫传》：“夫身中大创十余处，适有万金良药，故得无死。”此句意谓即使服下价值万金的昂贵良药，也止不住汗流浃背，用反衬法来形容暑气熏蒸之烈、大汗淋漓之苦。下句“一片丹心天可旋”，言寸心虽小，但我以一片赤诚之心哀哀祈雨，冀能感天动地，旋乾转坤，以早降甘霖，活我生灵。杜甫《郑驸马池台喜遇郑广文同饮》有“白发千茎雪，丹心一寸灰”。此反用其意。古人认为天人感应，“天地之气，无感不应”，故应“因变而克自修省”（《元史·五行志》），以求转灾呈祥，当然这只是诗人的主观良好愿望，但其中希望人力回天的思想，亦足可取。

颈联写大旱中诗人的忧国忧民之思：虽然不便因天灾缺粮就想到安乐之地，但值此久旱不雨、田园焦土、饥民成群、饿殍遍野之时，怎能不令人忧国忧民，情不自禁地希望有个风调雨顺的丰收年景呢！“思乐土”，隐含出仕谋生或逃荒外地之意，这对于热爱故乡、不愿仕进、主张安贫乐道的诗人来说，当然是不情愿的，故曰“未便”；而忧国忧民，却是儒家提倡的兼济精神，刘因推崇理学，当然希望国泰民安，故曰“不禁”。

尾联写诗人中宵观天，考察灾祥的生动细节。“占(zhān)河汉”：意谓视银河天象以测气象。《周易·系辞上》：“天垂象，见吉凶，圣人象之。”故古人常根据日月之食、五星凌犯及星变之异等天象以测水旱风雹等灾情。“中宵”即半夜，说明诗人为灾情严重而忧心如焚，半夜不寐，起来观星河天象以测灾祥。或许，诗人真恨不能引银河之水以洒人间哩。“独对残灯理断编”中的“理”，作温习解。《颜氏家训·勉学》：“吾七岁时，诵《鲁灵光殿赋》，至于今日，十年一理，犹不遗忘。”“残编”，原意是残缺不全的书籍，这里当指史书中《天文志》《五行志》之类的书。诗人观察天象之后，又独对残灯翻检对照史书中有关灾祥的记载，以便考察判断眼下灾情的发展变化。为“占”而“起”，独“对”而“理”，四个动词一气贯穿，一个彻夜不寐、胸怀民胞物与之情的诗人自我形象，至此呼之欲出。

此诗没有纯粹写景之句，以叙

事起,以叙事结,但能精选典型片断和生动细节,如农夫之泪,灵湫之烟,占天中宵起,对灯理残编。章法上由农父而自己,从白昼到中宵,因而既有叙事的完整性,又富于生动的画面感。中间两联抒情,对仗工稳,感情深沉凝重,而气象博大健朗。前人评刘因:“古、选不减陶、柳,其歌行、律诗直溯盛唐。其为文章……皆正大光明。”(《林泉随笔》)读这首律诗,确有盛唐的流风遗韵,亦如其文之“正大光明”。

(熊　笃)

怀　亲(二首)

耶律楚材*

黄犬不来愁耿耿，白云望断思依依。
欲凭鳞羽传音信，海水西流雁北飞。

黄沙三万里，白发一孀亲。肠断边城月，徘徊照旅人。

作者

* 耶律楚材(1190－1244)，字晋卿，契丹族。金宣宗贞祐初年，辟左右司员外郎。元太祖铁木真(成吉思汗)克燕后，被召用，颇受信任。太宗朝，官至中书令。卒后追封广宁王，谥文正。他学识广博，对天文地理、医卜数术都有研究。工诗，以自然为本色，不求雕琢，也能词。有《湛然居士集》十四卷行于世。

鉴赏

赵著在《双溪醉隐集》序文里讲，他曾经在"贞祐季年"读到过这两首诗，评曰"所以见哀思之情极矣"(陈衍《元诗纪事》卷三所引)。贞祐为金宣宗年号，则诗最晚也当作于1217年前，耶律楚材正当二十五六岁左右。

据《元史·耶律楚材传》记载，"楚材生三岁而孤，母杨氏教之学"，使他最终成长为一位博学多能的杰出人物。也就是说，耶律楚材的母亲不仅赐给他血肉之躯，而且还润泽了一个慧美的灵魂，他自然要敬爱他的母亲，感激他的母亲，时时怀念他的母亲了。

诗写来本色真挚，语淡而情浓。

第一首状悬望之切。起联属对工稳，用了两个典故。黄犬即黄耳，乃陆机所养犬名。陆机在洛阳做官，久未跟家里通音问，遂作书系犬颈，使走吴取家报以返。坡翁所谓"附书未免烦黄耳"(《过新息留示乡人任师中》)者,即用此事。具见任昉《述异记》和《晋书》陆机本传。“白云”用狄仁杰事。《新唐书·狄仁杰传》云:仁杰受到阎立本荐举,出任并州法曹,而其亲在河阳别业,赴任途中登太行山南望白云孤飞,因对左右说道:“吾亲所居,近此云下!”不禁悲咽掉泪,伫立之,俟白云飘去才继续上路。(《大唐新语·举贤》六亦载此事)起句反用陆机事,说黄耳一去无消息,自不免愁从中来,烦躁不安,引出对句的“望”字。“思”,这儿读去声,否则即犯三平调。“依依”极言思念之不绝,申足了文意,强化了情感。用典一反一正,自然、贴切,无合掌之嫌。也正因为有此一笔,遂逼出第三句来,打算再借助于鳞羽传书,聊慰亲情。然而,海水西流,鸿雁北飞,终归是徒然。“海水”从“鳞”字生出,“雁”字照应“羽”,全诗于陡折处作结,翻出无限的波潮。

比较起来,第二首写思亲之苦,则以开阔而深挚为特点。无边无际的黄沙,明亮却未免清冷的边月,把随军远征的男儿的全部思念和无限温情统统调动起来了,让它们聚光在“白发一孀亲”上。这忆念中的“白发一孀亲”,她超越了万里地域的间阻,用温馨代替了清寂,反复地、细细地抚慰着边城游子的心灵。于是,“徘徊”云云,便被赋予了无穷的意蕴。杜甫《宿府》有句云:“永夜角声悲自语,中天月色好谁看?”晋卿此等处正是从老杜诗化出,却有着自己的韵味。

耶律楚材原本是个儒者,但他的《怀亲》诗却不在什么“孝”呀、“道”呀上面做文章,不矫饰、不卖弄,让一派亲情自然流露,因而让人感到亲切和真挚。

(蒲健夫)

西域河中十咏

耶律楚材

寂寞河中府,生民屡有灾。避兵开邃穴,防水筑高台。
六月常无雨,三冬却有雷。偶思禅伯语,不觉笑颜开。

鉴赏

耶律楚材以英年受知,随成吉思汗西征,于襄赞戎幕之暇发为歌诗,每臻佳妙。组诗《西域河中十咏》便是一个有名的例子。这里且说第四首。

河中府原属晋宁路，领河东、万泉、猗氏、荥河、临晋、河津六县（《元史·地理志》），相当于今天的山西临汾地区。黄河流经山西境内，由北而南，刚好把这一地带摆于它的东边，高台防水主要就是防的黄河水。山西地处要冲，为兵家所必争，在宋、金、元扰攘之秋，一般的中原人早就把它视为“边地”了，例如元好问就写出过这样的诗句：“平野风埃接戍楼，边城三月似穷秋。”（《过应州》）此诗题面上有“西域”字样，因为山西在中原的西边，又是所谓的边远之区，故云。

这是一首五律，诗人用大笔勾勒出河中地区的民俗特征，然后轻轻一宕，于“笑颜开”中结出自我解脱的人生态度，颇值得玩味。

关于河中的民俗特征，诗人一共写出了四项：兵燹、水患、住土窑、气候恶劣。由于这四者的交互作用，当地的老百姓因而经常遭受灾厄，整个河中府也就显得“寂寞”了。这儿的“寂寞”，意为冷清、荒凉、毫无生机，讲的是诗人的总体感受。

面对眼前的苦况，诗人的人生体验受到触发，原来所谓人生者，也不过就是一个苦难的过程。杜牧不是说“尘世难逢开口笑”（《九日齐山登高》）吗？其实笑也还是可以笑得起来的，只要能做到心无所往，苦难就把你毫无办法。“禅伯”即禅师，此指万松。耶律楚材十七岁时（四部丛刊影元本《湛然居士文集》作“二十有七”）受显诀（佛有显、密二教，能用语言文字表明佛教教义者叫显教，如天台、华严诸宗）于他，学“忘死生，外身世”之法，颇有得，和友人诗有句云：“但能生死荣辱哀乐不能羁，存亡进退尽是无生路。”（陈衍《元诗纪事》卷三引万松野老行秀序）也就是说，一个人只要能把生死欲念情感统统置之度外，则主观之心一点不受拘牵，进入到一种忘机、无我、不制于物的境界，那么，你自然就会笑口常开了。

值得注意的是，耶律楚材当时深受元世祖的倚重，他是以胜利者的身份途经河中府的，然而河中地区的苦难竟是那样深重，致使这位呼吸通帝座的大人物也感到承受不起，不得不转而乞灵于佛梵以寻求心灵上的解脱。既然如此，那么那些困于社会底层的“生民”们，其处境之糟，难道不是非常明白的事实吗？

诗似浅而深，不假粉黛而风韵天然，确乎是名家风范。

（蒲健夫）

庚辰西域清明

耶律楚材

清明时节过边城，远客临风几许情。
野鸟间关难解语，山花烂漫不知名。
蒲萄酒熟愁肠乱，玛瑙杯寒醉眼明。
遥想故园今好在，梨花深院鹧鸪声。

鉴赏

庚辰年（1220），三十岁的耶律楚材正随成吉思汗远征西域。西域所处纬度比中原低，春温季节来得要晚些，虽然节气已届清明，可这儿才呈现出一派撩人的春光，入耳的是那间关的野鸟，照眼的是那烂漫的山花。良辰美景，把酒临风，禁不住乡愁如乱山横，自然要涌动起“故园”之“想”了。

去国怀乡，可以说这是我国古代诗歌的一个传统题材，名篇佳句，历来举不胜举。不过，无论是“云横秦岭家何在，雪拥蓝关马不前”的苍郁也好，或者是“蝴蝶梦中家万里，杜鹃枝上月三更”的清丽也好，关键在于一要真挚，二要有特色，三要美，才能够给人以强烈的艺术感染。耶律楚材的《庚辰西域清明》之所以能深深地触动我们，原因就在这里。

此诗开门见山，一破题就立即用“远客临风几许情”一句带起满纸波澜。接下，“野鸟”“山花”本是泛用，算不得什么高明，但缀以“难解语”和“不知名”，可就要算是耶律楚材自己的面目了。也就是说，这一切跟故乡的既如此相似，又那样不同，故云“难解语”“不知名”，这就准确地道出了“远客”的那种陌生感。至如“蒲萄酒”“玛瑙杯”，这些固然是西域的东西，是承“边城”来的，用以入诗其实也算不得什么本事，倒是“愁肠乱”“醉眼明”才真实地刻画出了这位流寓者的特殊体验。“乱”，烦乱也。剪之不断，挥之不去，忘不了，丢不开，越是酒入愁肠越是心烦意乱。“明”，发亮也。愈喝酒愈是愁烦，愈愁烦愈是思念，愈思念愈是亢奋，愈亢奋眼睛愈是发亮。一个“乱”，一个“明”，状“远客”之“情”，可谓真切之至。有了这番铺陈，结句以“遥思”之笔跃入“梨花深院”的忆念中，也就是情之自然了。

耶律楚材写诗，往往不假雕琢、不矫情，以本色胜。这首诗仍然保持着这个特点。此诗语言自然，属对工整，自有其天然的韵致。宋李淦曾经说过："文章不难于巧而难于拙，不难于曲而难于直，不难于细而难于粗，不难于华而难于质：可与智者道难与俗人言也。"（《文则精义》二一）他所谓的"直"和"质"，无非艺术创作的平实无华，用以衡量耶律楚材的这首诗，我们认为还是有道理的。

（蒲健夫）

过夏国新安县

耶律楚材

昔年今日渡松关，车马崎岖行路难。
瀚海潮喷千浪白，天山风吼万林丹。
气当霜降十分爽，月比中秋一倍寒。
回首三秋如一梦，梦中不觉到新安。

鉴赏

原诗题注云："时丁亥九月望也。"丁亥为公元1227年，诗人三十七岁。又，"千浪白"一作"千里雪"，似不如千浪白。

耶律楚材的这首七律，让天山的景物风光从记忆之泉款款流出，用语自然清新，造境清远迷蒙，很好地传达了一种忘我的内心体验。

此诗有两个特点：一是粘题，二是逆叙。

先说第一点。所谓粘题，指的是整首诗所抒写的内容跟它的题目虽然有关系，但关系并不多，也不紧密，颇类乎古文家们讲的搭题文章。诗题叫做"过夏国新安县"，按夏国或即夏州，汉为奢延县地，晋为夏王赫连勃勃建都的统万城，宋为西夏故地，旧城在今天的陕西横山县西边。新安则在河南境内，是历史上项羽坑秦降卒十万的地方，但从未被西夏管领过。因此，将新安题为夏国的属地，于史殊无可稽。这里，恐怕夺了一个"至"字，题的全文应为"过夏国至新安县"，于诗意正好吻合。诗的前七句都跟夏国、新安无涉，只是结句才点出"到新安"，可见诗人用笔的重点完全是在"昔年"经过西域松关的回忆上面，他是有意要让现实中的夏国和新安成为空白，以便形成今昔映照的格局。

诗起笔于“昔年”的“今日”，绾合于“回首三秋”，中间描述天山辽远而清澈的景象，全从逆叙中得来，带着强烈的主观色彩。颈联与腹联尤妙。瀚海之与天山，在对比中互相生发，境界雄浑生动。西域在诗人的忆念里，“白”与“丹”不仅明丽照眼，而且是“潮喷”，是“风吼”，简直成了生命力十分顽强而又气象万千的理想世界。有此饱满的一笔，再补之以“霜降”和“中秋”的晕染，于是乎一个静幽清远的西域同一个雄浑辽阔的西域便完整地凸现在我们的面前了。自然，这样的西域是令人陶醉的，故全诗结于一个“梦”字——一种迷迷蒙蒙的感觉。

如此看来，夏国究竟如何，新安又有什么地方值得注意，诗人是完全可以“不觉”的，因为他被西域整个儿吸引住了。

当然，耶律楚材能写出这样新奇壮丽的诗篇，决非仅仅一个技巧问题。刘勰说：“诗人感物，联类不穷。流连万象之际，沉吟视听之区；写气图貌，既随物以宛转；属采附声，亦与心而徘徊。”（《文心雕龙·物色》）他对西域有深刻的体验，有真的感情，所以，出现在他笔下的西域才这么动人。

（蒲健夫）

己丑对鸡鸣山

耶律楚材

三年四度过鸡鸣，我仆徘徊马倦登。
寂寞柴门空有舍，萧条山寺静无僧。
残花溅泪千程别，啼鸟伤心百感生。
今古兴亡都莫问，穹庐高卧醉腾腾。

鉴赏

鸡鸣山又叫做摩笄山，在河北张家口市的东南面，古为燕辽间的一条要道。传说战国时赵襄子杀代王迎其夫人至此山，而夫人本是襄子的姐姐，她不堪其暴，乃于摩笄山自杀。代人为了凭吊这位刚烈的女子，遂立祠祭享，寄托哀思（参见《水经注》十三《漯水》）。己丑年（1229）冬天，忽必烈经过激烈的内部斗争确立了自己的绝对优势，眼看取得帝位已成定局。据《元史·耶律楚材传》记载,楚材甚得太祖铁木真的宠信,是亲自托付给忽必烈的重臣。那么,在这场上层权力再分配的斗争中,他自然要站在忽必烈一边。或许正是为了这类事情吧,奔走王事,君子于役,这一年四过鸡鸣,他已经是一个饱经沧桑的中年人了。

粗粗一看,此诗相当感伤,流露出一种消极的人生态度。其实这是表面现象,它骨子里包含着对最高统治集团内部倾轧的强烈不满。诗人的心,与其说是消沉的,不如说是痛楚的。

此诗包含着四个层次。一是吊古。鸡鸣山作为特定事件的空间表征,身临其境,自然要想起那位权欲狂赵襄子来,此公六亲不认,而今安在?二是伤今。历史确实有其惊人的相似之处,今天的襄子们,不是又在扮演着"兴亡"之剧吗?不过在诗里,这两层意蕴都非常隐蔽,仅在"今古兴亡"句点了一下,这是意到笔不到的写法。三是描景。描景是正面用笔。颔联写山寺的荒寂,从心境上透出对那些争权夺位争夺得那般"热闹"者的否定情绪。颈联借用"感时花溅泪,恨别鸟惊心"(杜甫《春望》)的境界,坐实在"百感生"上。四是情绪。全诗于"倦""都莫问""醉腾腾"等处,把诗人那种拒斥性心态渗透到各个方面,流露出自身的酸苦。"腾腾",迅疾刚健貌。唐罗隐有句云:"不知何处是前程,合掌腾腾信马行。"(《途中寄怀》)这里是写酒后亢奋之状。已翻过鸡鸣山了,栖息在帐篷里,本欲借酒浇愁,偏偏酒不消愁,"醉腾腾"不正是心之所非却无可奈何的准确写照吗?

他是不满的,但又不得不卷入残酷的内部斗争,痛苦于是从这里产生。

诗流转自然,内蕴丰富,于眼前景中含意不尽,耶律楚材所启示给我们的艺术境界就是这样。

(蒲健夫)

读韩信传

张弘范*

一怒燕齐楚赵收，将军今古果谁俦？
后来肯为陈豨计，先日何辞蒯彻谋。
自是多能惭哙等，何能轻举学留侯。
可怜一片肝肠铁，却使终遗万古羞！

作者

*张弘范(1238－1280)，字仲畴，易州定兴(今河北定兴)人。元世祖忽必烈中统初年，授行军司马。由于战功卓著，累官至蒙古汉元都元帅。率师攻陷厓山(今广东新会南)，南宋因以亡。卒后赠银青光禄大夫平章政事，谥武略。能文歌诗，亦能散曲。有《淮阳集》《淮阳乐府》。

鉴赏

此诗旨在鉴古，以卓识胜。

对于韩信其人，张弘范并不在枝叶上用功夫，而是审时度势地高度集中笔力评析他的成败得失，自是独具慧眼。

韩信是有相当政治头脑的军事家，为创立汉帝国做出过卓越的贡献，但以晚节不好，贻笑千古，成了一位后人聚讼纷纭的历史人物。该怎样认识韩信呢？比如在一些元曲作家的笔下，他就是作为笨伯而受到嘲弄的。清人沈绍姬也写到过韩信，其《淮阴侯》诗云："鼎足才堪角两雄，当年应悔灭重瞳。分羡父子恩犹薄，推食君臣谊岂终。独有千金酬漂母，曾无一语感滕公。名成自古身当退，没齿休论战伐功。"尽管沈归愚谓秀岸此诗写"报一饭之漂母而不报救死之滕公""此意无人道及"(见《清诗别裁集》卷二十一)，然而作者在批评韩信不知功成身退的时候，连同他赫赫的战功也一概抹杀掉,终不免失之偏颇。

在张弘范看来,韩信是一个集合着伟大与渺小、英雄与小丑的复合体。他既是古今难与比俦的英雄,创建过伟大的功业,又是个"终遗万古羞"的小丑,在历史长廊里总显得那么渺小。如此尖锐对立着的两种特性竟奇妙地统一在韩信身上,诗即从这儿切入,生发出绝妙的议论。

按诸《史记·淮阴侯列传》,韩信本布衣,贫而无行,抱负却不小,可是项羽、刘邦最初并不把他看在眼里,甚至一度"坐法当斩",幸亏滕公夏侯婴救了他的命。此后萧何以"国士无双"向刘邦推荐,他才得到机遇施展抱负,成为"有震主之威,名高天下"的齐王,在楚汉之间处于举足轻重的地位。这时齐人蒯通(即蒯彻,汉人避武帝讳,故改称通)向他纵论天下大势及自身处境,反复劝说他"三分天下,鼎足而居",殊不知这位曾经指斥楚霸王为"妇人之仁""匹夫之勇"的人,此刻乃谬托知己,认定汉王待之"甚厚",表示不愿意"向利背义",起来造刘邦的反。然而刘邦却早在疑忌他了,待到天下初定,立即就腾出手来收拾他,终因证据不充分才没杀掉他,仅徙为淮阴侯,使之抱着满腔委屈与樊哙等辈为伍。一场剧烈冲突实际上已不可避免。汉十一年(前196)陈豨按照事先同韩信的策划从钜鹿(河北平乡、任县、晋县一带)起兵叛汉,韩信为内应,事泄,被吕后斩于长乐钟室。张弘范诗所议论的重点就是叛汉这桩公案。他明白指出韩信犯有两大失误:一是选择人生道路上的不一贯,先前既拒绝了蒯彻的劝说,后来就不该串通陈豨作乱,前后异轨,善始而不能善终;二是地位变化就心气浮躁,轻举妄动,颇类乎张良年轻时之刺击秦始皇。这两大失误突出地反映了韩信的小丑特性。作为一个复杂的人,当其能审时度势的时候,韩信的英雄特性就占上风,就能够创立大功业;反之,则功败垂成,身首异处。叛汉固然有不得已而然的因素("可怜一片肝肠铁"),但他毕竟扮演了一位丑角。诗起笔褒中带贬,中间两联议论生风,以"轻举"遥应"一怒",至尾联方结出许多感慨,你看,主旨岂不是非常明白吗?

张弘范"善马槊,颇能为歌诗"。他写这首诗显然是要从韩信身上汲取教训,有以古为镜的意思。他是蔡国公张柔的九公子,一直生活在蒙汉上层统治集团,对他来讲,如何做到既保全自己又建功立业,自然是一个非常实际的问题,于是他想到了韩信。考其一生行藏,可以看出他是一位颇具政治眼光的军事家。元至元二年(1265)移守大名(河北大名县),遇上涝灾,他下令免掉当年的租税,被朝廷责以"专擅"。为此他去向元世祖说,免掉租税让老百姓存活下来,使国家有"恒收",

此乃“陛下之大仓”,远比“朝廷储小仓”要强得多。元世祖认为“知体”,遂不加追究。至元十五年(1278)元世祖任命张弘范为蒙古汉兵都元帅去攻打赵昺、张世杰,他却坚不受命,理由是“汉人无统蒙古军者,乞以蒙古信臣为首帅”。元世祖向他剖白心迹仍不奉旨,最后命其自择剑甲,对不听令的副手有斩杀权,他才领命出征(《元史·张弘范传》)。卒谥文略,赠太师。诸如此类,较之韩信之请封齐王,羞与樊哙辈为伍来看,他在审时度势方面到底要略胜一筹。因此,其《读韩信传》《读李广传》诸诗,许从宜评以“英气伟论,卓荦发扬”(陈衍《元诗纪事》卷四引《淮阳集》序),也就不是溢美之词了。

(蒲健夫)

过嵇侍中庙

王　磐*

十载家艰恨未消，又持手版事昏朝。
已知定乱功难就，犹幸临危节可要。
忠血数斑沾藻火，英名千古迫云霄。
一杯欲酹祠前土，野鹤昂藏未易招。

作者

*王磐(1202－1293)，字文炳，广平永年(今河北永年)人。金哀宗正大四年(1227)进士。元世祖(忽必烈)中统初年，擢益都等路宣抚副使，迁翰林直学士。出为真定宣慰使。复召入翰林学士，迁太常少卿。进拜承旨，颇得恩宠。卒后谥文忠。工诗，豪迈闲逸，不拘一格。有《鹿庵集》行于世。

鉴赏

此诗可能为王磐晚期所作，平实中有寄托。

嵇侍中庙在荡阴(河南汤阴)西南浣衣里，祀主嵇绍，也就是文天祥《正气歌》所谓"为嵇侍中血"者。

绍字延祖，是魏中散大夫嵇康的独生子。嵇康一生主要是在司马氏集团与曹氏集团的激烈斗争中度过的，他因为跟魏宗室联姻的关系，自明帝以后大权落在司马氏手里，就一直受到猜忌，遂隐居山阳(河南焦作市附近)，与阮籍、山涛、王戎等名士作竹林之游，被称为"竹林七贤"。他倡言"越名教而任自然"(《嵇康集·养生论》)，抱定坚决不同司马氏合作的态度，结果被诬陷为"欲助毋丘俭"叛乱，在景元三年(262)被杀。嵇康被杀的时候，嵇绍才刚刚十岁。他由母亲教养成人，后经山涛的推举，于晋武帝时征为秘书丞，累迁汝阴太守、尚书左仆射，有政声，深受裴頠等人的器重。

永兴元年(304)八王之乱,东海王司马越等带着惠帝出兵攻打成都王司马颖,兵败于荡阴,“百官及侍卫莫不散溃,惟绍俨然端冕,以身捍卫,兵交御辇,飞箭雨集”“血溅御服”,最后献出了他的生命。待到事态平息,左右欲洗帝衣,惠帝说道:“此嵇侍中血,勿去!”(《晋书·嵇绍传》)

王磐诗即根据这些史实点染而成,写出了一个有血有肉的嵇绍,因而具有自己的特点。

在王磐的心目中,嵇绍只能在“家恨”与“世乱”面前被动接受命运的安排,但他却是一个能够于紧要关头主动把握命运的英雄。诗起笔叙中带论,准确地揭示了嵇绍怀着剧痛被迫做官的隐衷。然而更糟糕的还是政治的黑暗和官场的腐败,使他清醒地意识到自己不仅不可能为定乱安邦有所建树,而且总有一天局势将不可收拾,将强迫人们做出最后的选择。那么自己的选择是什么呢?“犹幸临危节可要”。他勇敢地选择了人最可宝贵的东西:气节。要节,即立节,语本《荀子·礼论》“孰知夫出死要节之所以养生也”,“要”,读平声。“犹幸”描摹心态转换。“可”陈述理性判断,有此一笔,嵇绍的精神境界遂得到定格。也就是说,正因为有如此足够的精神准备,故能处乱若定,临危见节。据《晋书·嵇绍传》记载,当其奔赴荡阴救驾之际,秦准曾经提醒他:“今日向难,卿有佳马否?”他正色道:“若使皇舆失守,臣节有在,骏马何为!”可见他早已抱定死节的决心,要用“忠血”赢得“千古”的“英名”。古代以水藻、火焰形图案作为服饰(《尚书·益稷》),诗谓“藻火”者,指的是惠帝的衣服。诗至尾联方一笔关合住。据说嵇绍跟他父亲一样,仪表、风度均十分出众,刚到洛阳,在稠人之中竟视为“昂昂然如野鹤之在鸡群”。由敬其忠节而仰其风仪,敷写外形,使嵇绍的形象显得丰满,又把诗人的仰慕之情寄托其中,可谓收得神完气足。

大凡咏史之作,要在能出能入,不泥不泛,有新意,主风神。这首诗的可贵之处也就在这里。作者并没有把古人简单化,用道德标签贴在史料上就算完事,相反,是在不得不作出的人生抉择中洞幽烛微,融入自己的体验。王磐本农家出身,在金、宋、元的争战中度过青少年时期,二十六岁时曾经考上金朝的进士,不久金亡,只好于元中统元年(1260)出任益都等路宣抚副使,尽管后来官至翰林直学士,同修国史,但时代所赐予的滋味却是苦涩的。时代选择着人,人却不能选择时代,有啥法!他于是确立了乱世立节的人生态度。节,就是气节,既要有所当为,又要有所不为。李璮一直器重他,可是一旦发现李璮准备以济南为依托发动叛乱,他便立即向元世祖举报,这正是他所当为的地方。权倾朝野的阿合马慕其文名,“致重币求文”,却遭到了他的拒绝,这便是他以为所不当为的地方。王磐就是这样的一位“古直”之士(《元史·王磐传》)。持这样的态度来直面人生,他当然会感到寂寞乃至某种痛苦,因而引嵇绍以为异代相知,也就是十分自然的事情了。因此,在这首诗里,他不但能够娴熟地驾驭史料,做到句句有来历,而且还能够跳出史料的拘牵,做到推己及人,挖掘出嵇绍独特的心态,那就是由“恨”而“事”,因“事”而“难”,由“难”到“幸”的发展过程,使我们觉得这才是一个真实可信的嵇绍。

其实,祭起古代的亡灵只不过是为着现实的需要,嵇绍的心态实际上乃是王磐心态的投影。看起来,王磐真是生活得太沉重了!

(蒲健夫)

老马

郝经*

百战归来力不任，消磨神骏老骎骎。
垂头自惜千金骨，伏枥仍存万里心。
岁月淹延官路杳，风尘荏苒塞垣深。
短歌声断银壶缺，常记当年烈士吟。

作者

*郝经（1223－1275），字伯常，祖籍陵川（今属山西），幼徙顺天（今北京）。世祖忽必烈朝，以翰林侍读学士充国信使入宋，被留十六年。后还，至燕京卒，谥文忠。他学识广博，著述宏富，文章雅健雄浑，诗风挺拔奇崛。有《陵川集》三十卷行于世。

鉴赏

这首诗当为郝经北还之时所作。公元1260年，郝经以翰林侍读学士使宋，被贾似道扣留于真州（今江苏仪征），直到公元1275年伯颜南伐，才得归。这一年，郝经已五十三岁。此前，他曾为江淮荆湖南北等路宣抚副使，受命南征，并随元世祖忽必烈攻鄂州，继而充国信史使宋，所以诗中有“百战归来”“风尘荏苒塞垣深”句。

这首诗与曹操的《龟虽寿》显然是声气相通的，但情绪却更为复杂一些。郝经早年便胸有抱负，曾多次上书蒙哥、忽必烈等，陈述图天下之道，且向为忽必烈所重。但不想正待施展才华之时，却被扣真州十六年，使得神骏消磨，有志难酬，所以其真州诗作无不凄婉，思归之切更可想见。一旦北还，自然跃跃欲试，不能自已。但十六年的压抑生活，使他身心都受到一定摧残，所以一方面是“壮心不已”，另一方面却自感已力不从心，全诗于一起一伏之间明显地透出了这种矛盾复杂的心情。

“百战归来力不任”的慨叹之后，尽管十六年“消磨神骏”，但老马骎骎，仍不肯缓蹄。继而用郭隗所述“千金买骨”的故事自比有千里马之才，但未得施展，所以“垂头自惜”；但接着一转，雄心未失，“伏枥仍存万里心”。接着又一沉，岁月流逝，官路淹滞，要升迁到能施展自己抱负的位置已希望不大，于是更感慨于自己当年为施展抱负而奔驰于边塞战垣的戎马生涯。但接着情绪又为之一振，尽管“去日苦多”，但自己并没有一味“对酒当歌，人生几何”，而是“常记当年烈士吟”。

所以，尽管郝经跟曹操一样有着雄心壮志，也有着同样的戎马生涯，但他更有一段南冠楚囚的压抑生活，因此晚年北还时的这首诗，在“烈士暮年，壮心不已”的慷慨激昂之声中，夹杂着几分深沉的感伤，这种感伤也不同于曹操《短歌行》中时光易逝、功业未就的苦闷情绪，而主要是力不从心的慨叹和恐不能及时施展抱负的预感（“岁月淹延官路杳”）。这种预感不幸应验，也就在北还这一年，郝经病死于燕京。

（薛新力）

落　花

郝　经

彩云红雨暗长门，翡翠枝余萼绿痕。
桃李东风蝴蝶梦，关山明月杜鹃魂。
玉阑烟冷空千树，金谷香销谩一尊。
狼藉满庭君莫扫，且留春色到黄昏。

鉴赏

这首诗绝非一般的春日落花感伤之作。表面看，从开首的春日落花，长门情伤，到“玉阑烟冷空千树”的冷寂索寞，最后紧扣“且留春色”，似为伤春惜春之作，但逐句细细品来却别有深意。

从公元1260年到1275年，郝经使宋，被扣真州（今江苏仪征）十六年，在这漫长的岁月里，他时时不忘北归事主，一展抱负。“元人高其节，以比苏子卿焉。”（《元诗选》初集乙集《陵川集》）这首诗就是他被扣真州时所作。首句用陈皇后失宠居长门之典暗喻自己身处异国,难承圣恩,一腔忠义,世祖是否有知的复杂心情。这从他后来的放雁之举及诗句"穷海孤臣有帛书"亦可看出。他既不忘北归事主,也希望世祖不要忘了他这个"穷海孤臣"的一片忠节,否则他就真入"长门"了。接下来便用绿萼梅以示高洁。"萼绿",指绿色萼片的梅花。宋范成大《范村梅谱》说:"绿萼梅,凡梅花跗蒂,皆绛紫色,惟此常绿,枝梗亦青,特为清高。"写春日落花而取经冬绿梅,清气傲骨,用意颇深。颈联一出,其意愈显。"蝴蝶梦"原出庄子《齐物论》,记庄子梦为蝴蝶,后因称梦为蝴蝶梦,含有梦幻非真之意。"杜鹃魂"显系思归之心。这两句很自然地使人联想到唐齐已的诗句"客思莫牵蝴蝶梦,乡心有自鹧鸪声"。"桃李东风"日思及北国故土之春,但却梦幻非真;"关山明月"时更添思归之情。梦幻不能成真,只好回到"玉阑烟冷空千树"的现实。"金谷"即金谷涧,在河南洛阳市西北。晋太康中石崇筑园于此,即世传之金谷园,达官显贵游者甚众。在这落花时节,只要身在异乡,即使是金谷那样的天下名园,也难改变我这冷漠孤寂的心境。结句最妙,怕见落花,却道"莫扫",要"且留春色"。表面看,似乎紧扣首句的"长门"之典,言空闺春色易退,抒无限惜春之情,实则忧岁月虚度,光阴流逝,壮岁而不能施展抱负。《元史》上说郝经"及被留,思托言垂后,撰《续后汉书》《易春秋外传》《太极演》《原古录》《通鉴书法》《玉衡贞观》等书及文集,凡数百卷"。可见他虽囿于宋,却不愿光阴虚掷,思有所作为。同时,结句还直追"关山明月杜鹃魂",明月黄昏,乡愁更苦。归心欲碎,即使那不能成真的"蝴蝶梦",多少总能带给人一些慰藉,所以要"且留春色到黄昏"。在此,题旨全出,但层层道来却委婉曲致。从怕见落花到更怕见关山明月,把一个归心欲碎的"穷海孤臣"之愁苦,抒写得淋漓尽致;从伤春惜春到更伤感于岁月虚掷,把一个壮志未伸的南冠楚囚之遗恨表现得凄婉哀绝。全诗形象轻盈灵秀,感情厚重深沉。《四库全书总目》说郝经诗"神思深秀,天骨挺拔"(《四库全书总目》卷一六六集部别集卷一九),观以此诗,堪称的论。

(薛新力)

辞召命作

许 衡*

一天雷雨诚堪畏，千载风云漫企思。
留取闲身卧田舍，静看蝴蝶挂柳丝。

作者

*许衡（1209－1281），字仲平，河内（今河南沁阳）人。少有奇志，长大后嗜学如饥渴。凡经史子集，礼乐名物，星历兵刑，无不毕究。元世祖朝，召为国子祭酒，迁中书左丞，集贤大学士等。后疾卒。赠司徒，谥文正。武宗至大二年（1309）加赠太傅开府仪同三司、魏国公。仁宗皇庆二年（1313），诏从祀孔庙，学者称鲁斋先生。能诗、词、文。有《鲁斋遗书》八卷传于后世。

鉴赏

诗人在仕隐之间矛盾着，心是痛苦的。

许衡为元初的一位著名理学家，笃信程朱理学，居苏门时与姚枢、窦默“相讲习”，“慨然以道为己任”。苏门是太行山的支脉，在河南辉县西北，古所谓“苏门啸”者以此。他的本意是要做官的，但并不随便做官，更不滥做官，只不过是把做官当做“行道”的必要手段而已。至元二年（公元1265）元世祖忽必烈第八次召命他赴朝佐命，他上疏说道：“孟子以‘责难于君谓之恭，陈善闭邪谓之敬’；孔子谓‘以道事君，不可则止’，臣之所守，大意盖如此也。”守即坚持。即使君臣际遇，许衡的前提仍然是要不悖于“道”。按照他的信条，端人雅士们“重于进而轻于退”的原则只能是“道”，而不可能是别的什么。

然而问题与痛苦也就从这里冒出来了。其一是时变世异，殊难苟合。许衡心目中的“道”，说到底无非是要求蒙古最高统治者全面推行儒化亦即汉化政策,用他的话来讲,“北方之有中夏者,必行汉法乃可长久”“今日之治,非此奚宜?”这就势必招致蒙古贵族顽固派的拼命反对与破坏。仅仅凭着一个书呆子的身份,在当时的情况下,种族偏见和压迫本来就严重地存在着,他竟然高标异议,岂不是自讨苦吃吗?其二,人君由于所处地位不同,往往“务快己之心,而不务快民之心”。这就势必造成君臣间的矛盾。矛盾一旦产生,就做人臣者来说,自然是处于很不利的地位。其三,由于政见分歧,忠奸异轨,奸邪小人必然“多方以陷之”,因而“将见罪戾之不免”。这样一来,哪里还谈得上什么“行道”呢?所以,他把这种态势概括为“其势恒难合”(《元史·许衡传》)。明明知道行不通,偏偏又要坚守不变,可以想见那心境自然不会轻松。

这里,“势恒难合”云云,正是此诗头两句的绝好注脚。“雷雨”喻人君之怒,语本《韩非子·主道》:“(是故明君)其行罚也,威(畏)乎如雷霆,神圣不能解也。”“风云”言际遇。《周易·乾》:“云从龙,风从虎,圣人作而万物睹。”意谓人君很难侍奉,干脆就不要希求那千载难得的君臣际遇吧。说是不希求,实则“势恒难合”,言外自有无限痛楚。因取眼前物象以求心理平衡。彩蝶翩翩,其乐何如,终归成了蜘蛛的俘虏,汉焦延寿云:“蜘蛛作网,以伺行旅。”(《易林》十六《未济》)宋黄山谷亦有句云:“园客茧丝抽万绪,蛛螯网面罩群飞。”(《次韵雨丝云鹤二首》之一)诗人于是从“物情”中悟出:“花为可观遭夭折,草因无用得欣荣。世间巧拙俱相半,不许区区智力争。”(《病中杂言五首》之一)他只好选择退隐。这便是时代的风涛在许衡心壁上所撞击的回音。

官是不可不做的,但无法做;隐是不甘心的,却只好隐。全诗用词平直,用色淡,却蕴涵着深层的痛苦——一个正直知识分子灵魂的战栗。

(蒲健夫)

三十年前好用工

吴　澄*

三十年前好用工，男儿何者为英雄？
世间有事皆当做，天下无坚不可攻。
万里行方由足下，一毫非莫入胸中。
拳拳相勉无他意，三十年前好用工。

作者

*吴澄(1249－1331)，字幼清，江西崇仁人。元初学者。弟子甚多，从学者不下数千百人，有文集一百卷。平时结草庐而居，人称草庐先生。

鉴赏

吴澄是元代初年的学者，当时很有名气，跟他从学的人很多。他写过四首劝学的组诗，题目叫《三十年前好用功》，每首诗的首句和尾句，都用题目作起结。这里选录第一首。

诗题的来源，是孔子说过的话："三十而立"。意思说，人学习到三十岁，思想开始成熟，已具有独立的见识与应世能力。作者运用这一概念写诗，教育他的学生在三十岁以前要发愤攻读，作好创造英雄事业的准备。

"三十年前好用工，男儿何者为英雄？"首联首先提出全诗的中心思想，并用提问的句式启发读者深思。在三十岁之前一定得好好用工，因为未来的英雄事业等待着有志男儿去创造啊！那么什么是英雄事业创造者的条件呢？中间两联便作了明确的回答。次联道："世间有事皆当做，天下无坚不可攻。"这是说，作为一个英雄气概的男儿，他必须对国家社会具有强烈的责任感和献身精神，所以说"有事皆当做"，有了这种献身精神，还有什么困难不能克服。自然会“无坚不可攻”了。责任感和不畏难两者是紧密相关的,没有深厚的文化素养能产生这种高度的觉悟吗?三联进一步指出:“万里行方由足下,一毫非莫入胸中。”说明仅有觉悟和勇气还不够,更需要有踏实认真、耐心探索的精神,稳步向前,决不可好大喜功,急躁冒进,正如行万里路要从脚底下起步一样。上句是对老子“千里之行,始于足下”哲学语言的简化使用,下句尤其强调思想品质对英雄事业的重要性。古今多少英雄功败垂成,或有始无终,都是因为不能克制自己私心的弱点。路是一步一步往前走,私心也是逐渐地成年累月在发展。因此,“一毫非莫入胸中”是值得深自警惕啊!这一句同样是从前人“勿以恶小而为之”的格言变化来的。两句在语法结构上改变七言诗上四下三的程式为“上三下四”,完全是为了说理需要的缘故。总之,中间两联提到的思想境界和道德修养,没有长期培育积累的学问根底,是绝难办到的。由此得出尾联的结论:“拳拳相勉无他意,三十年前好用工。”“拳拳”,恳切的意思。“拳拳相勉”,恳切地再三劝告,千言万语只有一句:“三十年前好用工。”全诗表现出老师对学生殷勤勖(xù)勉的深情,而以重复首句作结,也让人更加深入了解全诗的中心思想,并牢固地掌握实践它。

这是一首劝学的说理诗。从“何者为英雄”说到作为男儿英雄应有的气概与品质,从而显示及时用功学习的必要性。用平实真挚的语言,表达治学与做人的道理,说理不流于空疏生硬,态度亦和蔼可亲,使训诲开导的热情与切合事实的理论相结合,有情理相结合的特点,故不难令人感动、接受。

(郑临川)

舟行青溪道中入歙

方　回*

蕨拳欲动茗抽芽，节近清明路近家。
五日缓行三百里，夹溪随处有桃花。

作者

*方回(1227－1307)，字万里，号虚谷，徽州歙县(今安徽歙县)人。宋理宗景定三年(1262)登第。累官知严州。元兵至，出降。任建德路总管，不久罢去。诗主江西派，撰有《桐江集》八卷，《桐江续集》三十七卷。又曾评选唐宋以来律诗，编为《瀛奎律髓》。

鉴赏

青溪，位于安徽宣城县南，是江南名胜。歙州，是方回的家乡，与青溪相邻。此诗正是诗人乘舟还乡途经青溪时所作。

"蕨拳欲动茗抽芽"，首句描写初春百草萌发的美景。"蕨"，菜名，嫩叶可食，初生时形状像小儿拳，故又名蕨拳。李白有"初拳几只蕨"(《忆秋浦桃花旧游，时窜夜郎》)，黄庭坚有"蕨芽已作小儿拳"(《观化十五首》之十一)之句，皆为方回所本。此句之妙在"欲动"二字，"蕨拳"本身就是一种拟人的写法，而"欲动"则借以进一步拟人化，将蕨芽欲发未发，含苞待放的形状描绘出来，使蕨芽充满了生命的活力。同时作者还巧妙地进行了颜色上的对比。蕨芽和茗芽的茎都是紫色。这种嫩紫色的春草投映在碧绿的溪水中，给人一种清新而鲜艳的美感。

"节近清明路近家"，承接前句之春景，点明还乡的季节。"清明"，是一个令人怀归的节日，多少游子在此时都要唱出忧伤的思乡曲。而诗人此时正好踏上了归途，在美丽的清溪道中悠然行舟。"路近家"三字,透露了诗人摆脱羁旅之苦,即将回到家园时的欣慰和轻松之情,转启三、四句之意。

"五日缓行三百里,夹溪随处有桃花。"这两句用倒装的句法,意思是说,因为沿途桃花夹岸,风景优美,所以才荡舟缓行,细细观赏。"缓行"二字,不仅体现了诗人沉醉于青溪美景的闲逸之态,而且还蕴含了诗人在"路近家"时坦然舒畅的情怀。末句之"夹岸桃花",并不是单纯写景,诗中暗用了陶渊明《桃花源记》之典。武陵渔人沿着桃花夹岸的溪水,发现了世外仙境桃花源。此时的诗人在青溪美景中,伴着夹岸的桃花悠然荡舟,那桃花的尽头不就是他那仙境般的家乡吗?"桃花"一景,饱含着诗人对故乡的赞美和向往,富有炽烈的亲切感。

(傅绍良)

春半久雨走笔

方　回

万事心空口亦箝,如何感事气犹炎。
落花满砚慵磨墨,乳燕归梁急卷帘。
诗句妄希敲月贾,郡符深愧钓滩严。
千愁万恨都消处,笑指邻楼一酒帘。

鉴赏

方回在南宋时曾官知严州。降元后,复为建德路总管,旋即辞官,以研习道学为业。此诗殆作于诗人即将辞官学道之时。

诗人由宋入元,虽能苟且偷安,但终觉心绪茫然,忧思重重。加之时道纷乱,难遣愁怀,因而只得箝口沉默,独自伤感。"万事心空",是诗人看破世道之后的心灵感悟,次句"如何感事气犹炎",则是诗人感悟之后的处世态度,它们互为因果。"感事",即有感于时事的变迁。"气犹炎",即因心里不平而感情冲动,任性使气。这句诗用反问的语气,表现了诗人经历时代动乱,社会变迁之后,心思空茫,感情低沉的心境。

苦闷之极,若有些花鸟草木也能使诗人得到暂时的回避,无奈春已过半,久雨不晴,诗人只得独坐窗前,忍看风雨摧花,四处飘落。"落花满砚慵磨墨",正好体现了诗人惜时怜花的情感。诗人又有《惜砚中花》:“朝来不忍轻磨墨,落砚香粘数点红。”与此同意。“慵磨墨”同下句之“急卷帘”形成鲜明的对比。落红数点,惹发了诗人无限的感伤,万事心空之时对着这无言的落花,更使人愁眉难展,神情黯然。只有那衔泥归梁的乳燕还能给诗人带来一点春的气息。因此诗人对它如迎嘉宾,卷帘相接。而无心的燕子却并不能使诗人摆脱苦闷的心境,诗人由对“春半”的感伤进而转向对自己身世的感伤。

“诗句妄希敲月贾,郡符深愧钓滩严。”这两句正是从文章功名方面感叹自己一无所成。“敲月贾”,用唐贾岛“鸟宿池边树,僧敲月下门”之典,意谓自己作诗虽然想学贾岛,但却远不如他的工稳精妙;“钓滩严”,用东汉严光不受封赏,垂钓严陵滩之事。因为严陵滩正好在方回所辖的严州,所以他深感严光的超逸洒脱,为自己仍然拘于世事而惭愧不已。生平的坎坷、思想的苦闷,使“万事心空”的诗人更觉惶惑无聊,万千愁绪涌上心头。何以解愁呢——“千愁万恨都消处,笑指邻楼一酒帘”。这就是他消愁解恨的地方。“笑指”,是诗人强作超逸之态,以笑来掩饰他内心的郁闷。“邻楼”一词用得颇有情趣。舍邻酒楼,饮酒自然方便,愁闷一起,即造楼酣饮。所以,“笑指”一词又暗含了诗人与酒楼关系之亲密,一笑之中,蕴蓄着一种轻松和快慰,与首句的“万事心空”之情相对应,感慨至深。

(傅绍良)

雨夜雪意

方　回

汹涌风如战,萧骚雨欲残。遥峰应有雪,半夜不胜寒。
吾道孤灯在,人寰几枕安?何当眩银海,清晓倚楼看。

鉴赏

此诗着意刻画诗人在风雨交加的寒夜里的感情活动。

首联“汹涌风如战,萧骚雨欲残”。描写雨歇风啸的夜景。“萧骚”,象声词,形容雨声。唐罗隐《经耒阳杜工部墓诗》有“紫菊馨香覆楚醪,奠君江畔雨萧骚”之句,此处与“汹涌”相对应,形容雨声之大。这两句意思是说：凛冽的寒风依然汹涌呼啸，如激烈的战场上的阵阵呐喊；喧杂的暴雨声已渐渐歇息，只有淅沥的残雨，随风飞洒。这两句虽以写景为主，但“如”“欲”这两个带有主观色彩的虚词又包含了诗人的心理活动。寒夜里，大雨虽然已经停息了，但狂风呼呼，却依然会给人带来几分烦躁和不安，冬夜的寒气使诗人想起了大雪。

“遥峰应有雪，半夜不胜寒。”诗人猜想，那远处的山峰上也许有雪吧，不然这风雨之夜怎么如此寒冷难熬呢？这两句似从唐人祖咏“林表明霁色，城中增暮寒”化出，但是一个倒装结构，诗人有意将“有雪”前置，强调自己的心理感受，照应标题之“雪意”。“半夜不胜寒”则由景写到人，开启下联：“吾道孤灯在，人寰几枕安？”诗人在寒冷的冬夜里煎熬着，无人相伴，只有一盏“孤灯”在寒风中摇曳。在昏暗的灯光中，诗人翻来覆去，辗转难眠。“何当眩银海，清晓倚楼看。”“银海”，形容满地白雪，犹如以银为海，诗人希望自己清晓起来，看到不再是凄风苦雨，而是一派风停雨歇，银装素裹的壮丽美景：到处是如银的房子，如银的树木，还有那银山般的“遥峰”。诗人在幻想中构造了这样一个清旷而素洁的意境。“雪意”洗净了诗人心中的烦躁和不安，而且还淡化了他在寒夜中的痛苦。

全诗由诗人的心理活动带动景物描写，首先从雨夜的狂风细雨起笔，然后转写自己内心的苦闷，最后抒发自己对纯净的雪景的向往，情景交融，含蓄深厚。

（傅绍良）

感旧歌者

戴表元*

牡丹红豆艳春天，檀板朱丝锦色笺。
头白江南一尊酒，无人知是李龟年。

作者

*戴表元(1244－1310)，字帅初，一字曾伯，庆元奉化(今浙江奉化)人。宋度宗咸淳进士，官临安教授。元成宗大德八年(1304)起用为信州教授。以疾辞归，卒于家。他以文章大家名重一时。诗多伤时悯乱，有感而发。有《剡源集》三十卷行于世。

鉴赏

这是戴表元由宋入元后作的一首极为深沉，极富情韵的绝句。《西湖志余》谓："戴帅初(作者的字)湖上赠歌者一绝，有故国之思焉。"准确地道出了此诗的题旨。

首句点时兼写情。"牡丹""红豆"皆阳春季节的景物，而"红豆"又是有名的引人相思之物，它产于南国，晶莹鲜艳，据说古代一女子因丈夫死于边地，遂于树下痛哭殒命，化为红豆，故此物又有"相思子"之称。然而，作者这里使用"红豆"，并非表达一般的相思之情，而是寓有更深含义的。王维《江上赠李龟年》(一名《相思》)云："红豆生南国，春来发几枝？愿君多采撷，此物最相思。"李龟年是唐开元年间的著名歌唱家，安史之乱后流落江南，据说常为人演唱王维此诗，以寄托对故人乃至故都的思念之情，使得听者为之动容。由此看来，戴诗于此着一"红豆"，无疑与宋的败亡和现实遭遇紧相关联，也就是说，它既寓有深沉的故国之思，又暗合"感旧歌者"的题面，为末句之"无人知是李龟年"先作张本。同时，还以红豆产地遥启第三句之"江南"，从而生出言近旨远、语少情长的艺术效果。

次句一笔双写，既有歌者，又有自己。“檀板”，檀木制成的绰板，亦称拍板，演奏音乐时打拍子用。“朱丝”，指红色的琴弦。二物表明对方的歌者身份。“锦色笺”，即锦（有彩色花纹的丝织品）一般的精美纸张。从前后诗意看，这“锦色笺”可能是由歌者递于作者以求题词的，也可能是作者与故人江南重逢，把酒话旧之际，抽笺命笔而题诗相赠的。但不管是哪种情形，在这样的时候（国破家亡而春色依然），这样的地点（姑定其为江南的一家小酒店），这样的气氛（故旧重逢而悲喜交集）中，题诗相赠都会使人思绪翻卷，难以为怀，何况此时双方皆已经“头白”！旧时相识，头白重逢，而世间的一切都已面目全非，这怎能不使诗人为之感慨，为之悲叹呢？杜甫《江南逢李龟年》云：“岐王宅里寻常见，崔九堂前几度闻。正是江南好风景，落花时节又逢君。”短短四句诗，在今昔对比中，将安史之乱前后的时代沧桑、人生巨变和身世浮沉囊括净尽。如果说，杜甫此诗虽极悲凉，但还不至于绝望的话，那么，戴表元这首《感旧歌者》便不仅再现了杜诗的悲凉，而且还充溢着一种更为深刻的、无法排解的黍离之痛。

不过，这沉重无比的黍离之痛，作者并未明确道出，而是寓情于事，借“头白江南一尊酒，无人知是李龟年”轻笔一点，自然含蓄地流露出来的。“无人知”，表明因世事的巨大变迁和人物容颜，身世的巨大变化，当初这位李龟年式的有名歌手，现在已经无人知晓了；既已无人知晓，则歌者境遇之孤独、之凄凉可想而知；既然这位歌者的境遇已极孤独凄凉，那么作者对他的无限同情和怜悯，不也就在不言之中了吗？同时，“李龟年”三字不仅暗示了这位歌者昔日的声望，而且更于历史相似性的关联中，大大拓展了诗的内涵，从而使人通过对杜甫与李龟年、戴表元与“旧歌者”之关系的再度观照，生发出心灵的深深战栗，并由此深一层地去体味诗中那隐而未发的内在意蕴。

（尚永亮）

己卯岁初葺剡居

戴表元

休言声迹转沉沦，百折江湖乱后身。
穷未卖书留教子，饥宁食粥省求人。
坐来齿避樵苏长，往处踪迷木石邻。
翻笑古来逃世者，标名先制隐衣巾。

鉴赏

己卯岁即公元1279年。是年赵宋王朝覆亡,改国号为元。这是一场触目惊心的历史事变,面对这种历史事变,戴表元怀着无限的亡国之痛,修葺剡居,决计归隐,以表示他对元蒙统治者无言的反抗。这首诗便是他归隐之初写下的,字里行间,充溢着一股夹杂着悲凉的刚直之气。

首联极写身世遭际。"声迹转沉沦",乃作者现实境遇,而一个"休言",深深道出了他内心那难以言说的苦闷。联系到当时时局来看,在异族侵略者的步步进逼下,南宋王朝大势已去,江河日下,当此干戈扰攘、社稷板荡之际,汉族士大夫很少有不经历过流离转徙、艰难曲折之战乱生活者,所谓"百折江湖乱后身",便是此种生活之真实写照。既然此身已屡经艰难坎坷,江湖丧乱,既然此心已饱尝世态炎凉、痛苦侵袭,那么,眼前这区区的"声迹转沉沦"还有什么好说的呢?"而今识尽愁滋味,欲说还休,欲说还休,却道天凉好个秋!"(辛弃疾《丑奴儿》)在这里,作者并非不能说,而是苦闷多得不愿说,没心思说。

由于苦闷极重,又无可言说、不欲言说,更不甘心做异族统治下的顺民,所以作者毅然决然地回到了故居,准备销声匿迹,了此残生。

"穷未卖书留教子,饥宁食粥省求人。坐来齿避樵苏长,往处踪迷木石邻。"中间两联转写归隐后的生活和行迹。一"穷"一"饥",看出作者生活之困顿,但纵使困顿,也无意出仕,向人低头。"齿避"(意即回避)、"踪迷",看出作者行迹之杳然,唯其行迹杳然,才愈发显示了精神苦闷之沉重。若非苦闷沉重,作者何以连打柴的樵夫都不愿碰到,何以独自与自然木石为邻?表面看来,这里写的是作者对世事的逃避,但透过这逃世的表层现象,便会深深感触到一位汉族士人在国破家亡之后那沉痛的心境,凛然的节操。

"翻笑古来逃世者,标名先制隐衣巾。"尾联总绾诗意,着一"翻笑",表明自己的逃世与"古来逃世者"不同;古之隐者未隐而先制隐者的衣饰,造成声势,以捞取声名和资本,相比之下,自己的归隐却实在是出于对世事的愤懑,不得已而为之的。既是不得已而为之,那就自然无须"标名",更没有必要去制作什么"隐衣巾"了。

这首诗格调沉重而不失坚忍,表现归隐而不流于颓靡,极自然真挚,而又含蕴无限,在元诗中,堪称上乘之作。

(尚永亮)

岳鄂王墓

赵孟頫*

鄂王墓上草离离，秋日荒凉石兽危。
南渡君臣轻社稷，中原父老望旌旗。
英雄已死嗟何及，天下中分遂不支。
莫向西湖歌此曲，水光山色不胜悲。

作者

*赵孟頫(1254－1322)，字子昂，自号松雪道人。宋太祖子秦王德芳之后。因赐第湖州，遂为湖州(今属浙江)人。宋亡，家居力学。入元，以侍御使程钜夫荐，入朝为兵部郎中，迁集贤直学士。出同知济南总管府，历江浙等处儒学提举，官至翰林学士承旨。卒后封魏国公，谥文敏。书法称雄一世为"赵体"；画堪称神品；诗清逸和婉。仁宗曾把他比作李白、苏轼。有《松雪斋集》十卷、《外集》一卷行于世。

鉴赏

这是一首凭吊杭州西湖岳坟的诗，南宋民族英雄岳飞遭"莫须有"的罪名被害于宋高宗绍兴十一年(1141)，孝宗时恢复名誉，改葬西湖栖霞岭；宁宗时追封鄂王。故诗称岳坟为"鄂王墓"。这位伟大历史人物的遗迹，曾引起过后世无数的凭吊和歌吟，作为宋朝王孙入仕元朝的赵孟頫所写的这首悼词，就是一首沉痛至深之作。

宋亡之后，山河改色，岳坟也一度冷落。诗发端二句就描画了当时岳庙杂草丛生，破败荒凉的情景："鄂王墓上草离离，秋日荒凉石兽危。"一片野草，笼罩在秋日惨淡的余光下，是何等悲凉的情境！而"石兽"，本来是护陵神物，而它们在风雨侵蚀、野草肆虐之下，仿佛自身难保,一“危”字下得警策。

“鄂王墓”毕竟没有从战火中消失,它仍然屹立在西湖一畔,作为历史的见证,仿佛要告诉后人一段痛史。遥想南渡之初,宋朝军民抗金的热情高亢,曾经迎来恢复大业最有希望的年代。岳家军大举北上,连挫敌锋,直捣黄龙指日可待。谁知高宗、秦桧等人一心求和,强令退兵,致使复国大计化为泡影。中原父老濒于绝望。“南渡君臣轻社稷,中原父老望旌旗”一联,以十分凝练的笔墨概括了这段痛史。“南渡君臣”与“中原父老”形成对照,后者望穿秋水(范成大《州桥》:“州桥南北是天街,父老年年等驾回。忍泪失声询使者,几时真有六军来?”陆游《秋夜将晓出篱门迎凉有感》:“遗民泪尽胡尘里,南望王师又一年。”皆此句所本)前者麻木不仁,一冷一热的对比中,词婉意严,对高宗、秦桧误国的批判冷峻无情。“轻社稷”的“轻”字,可谓一字褒贬,鞭辟入里,狡兔未死,良弓先藏,此非轻社稷而何?

长城自坏,时机已失,虽然在孝宗淳熙年间,宁宗开禧年间也曾组织过北伐,然而均因将帅未得其人,准备草率仓促而失利了。那时人们怀念岳飞,真的是“英雄已死嗟何及”,而“天下中分”,南北对峙既久,复有“一代天骄,成吉思汗”崛起金人之侧,雀啄螳螂,蝉亦不免,虽有文天祥等共赴国难,终因大厦将倾,独木难支。赵宋二百余年基业毁于一旦,究其祸根,实种于“风波亭”特大冤案。无怪乎诗人要对坟一哭:“英雄已死嗟何及,天下中分遂不支!”

诗人谱写了这支悲歌,然而向哪里去唱呢?“莫向西湖歌此曲,水光山色不胜悲。”明明是诗人自己悲不自胜,偏偏说“水光山色”经不起更多的感伤刺激,便有纡曲婉转之妙。

这首七律在写法上很特别,既没有藻绘,也没有典故,五、六句几乎不成对仗,篇末以“莫向”作呼告,大有绝句或古风的味道。写景纯属白描,咏史纯属直叙。议论抒情,无不唱叹出之。可以说,它的艺术魅力主要来自诗人以前代王孙的特殊身份,痛定思痛,由衷不绝的一片伤心。正是诗到真处,丝毫不容假借。诗人选用“支微”韵部,其声细微低抑也有助于抒情。难怪陶宗仪称赞说:“岳王墓诗不下数十百篇,其脍炙人口者,莫如赵魏公作。”

(周啸天)

钱塘怀古

赵孟頫

东南都会帝王州，三月莺花非旧游。
故园金人泣辞汉，当年玉马去朝周。
湖山靡靡今犹在，江水悠悠只自流。
千古兴亡尽如此，春风麦秀使人愁。

鉴赏

钱塘即南宋都城临安，今名杭州。作者在宋亡之后再到临安，江山依旧，而物是人非，黍离之悲，油然而生。所谓怀古，实乃伤今。

首句点钱塘地理方域及历史地位。钱塘在宋代是十分繁华的大城市，号称“参差十万人家”。柳永《望海潮》称之为“东南形胜，三吴都会”。“东南都会”即从此出。丘迟《与陈伯之书》：“暮春三月，江南草长，杂花生树，群莺乱飞。”“三月莺花”即化用其句。但“三月莺花”，尽管年年依旧，而此刻的江南，却已不再是“帝王都会”了。“非旧游”三个字，表面上只写时光流逝，今游已非昔游。实质上暗指星移斗转，国祚已移，暗藏着无限感伤情绪。

次联承上，明写亡国的哀痛。“金人辞汉”，用汉魏故事。汉武帝在建章宫前造神明台，上铸铜仙人，手托承露盘以储甘露，然后取之以和玉屑，服之以求长生。到魏明帝景初元年，乃下令拆移铜人，自长安运往洛阳。相传铜人被拆时，曾目中流泪。后人常用此，以表达眷恋故国的哀思。“玉马朝周”，用殷商箕子事。据《史记·宋微子世家》：“箕子朝周，过故殷墟，感宫室毁坏生黍，乃作麦秀之诗。”所以，“朝周”二字，也就隐括了箕子在殷商亡国后的哀痛之情。箕子以殷商王孙而哀商亡，子昂以赵宋王孙而哀宋亡，身份恰好相合。箕子在商亡之后，被封于朝鲜，接受了周朝的封爵。子昂在宋亡之后，也出仕于元。“当年”“朝周”的经历，二人也颇为相似。二句相连，则“辞汉”“朝周”，重在写自己当年告别江南北上京师时的沉痛心情。此刻重回江南，再到钱塘，当年情事，自然涌上心头。所以诗题的怀古，只是掩护，实质上的内容，应该是伤今怀旧。不过他利用自己和箕子身份相合，以怀古抒发对现实的感慨，倒也十分巧妙。

第三联由怀古转回目前，湖山依旧，江水自流，一切都和过去一样。言外则隐含“山川风景元无异，城郭人民半已非”（文天祥《金陵驿》）的感慨。不过这里的感慨，要结合前文的“非旧游”才能有所领会。“犹在”“自流”，是说一切依旧；“非旧游”，是说一切都变了。二者表面上似乎矛盾，实际上却准确地表达了物是人非、江山易主的悲哀。“犹”“自”二字，有浓厚的抒情色彩。试想国破家亡，而“湖山”“江水”，却仍然无动于衷，依然自流，真是无情至极。指责湖山江水，应该说是没有道理的，而这无理之中，却深藏着作者的满腹深情。类似的手法，在古人作品中常常可以见到，有人曾概括为“无理有情”四个字，很能道出其中滋味。

江水自流，千古如一，丝毫不管人世间的改朝换代、治乱兴衰。这就给作者的兴亡之感，添上了一层历史的悲剧色彩。所以第四联很自然地导出全文的题旨：“千古兴亡尽如此，春风麦秀使人愁。”麦秀双关，既关合春景，上应“三月莺花”，同时又暗用箕子《麦秀歌》。《黍离》《麦秀》，历来是诗人哀悼故国的常用典故。作者重到江南，有感于江南风光依然，而宋国已破，亡国之思，感慨悲恻，自有动人的力量。无论作者本人的政治态度如何，但他在这首诗中所表达的感情，是深切动人的。

（刘真伦）

次韵刚父即事绝句

赵孟頫

溪头月色白如沙，近水楼台一万家。
谁向夜深吹玉笛，伤心莫听后庭花。

鉴赏

张复亨，字刚父，湖州乌程人，为作者同乡好友。本篇次刚父之韵而作。诗题为“即事”，实际上只是深夜闻笛而兴起的兴亡之感，并没有详密的叙事成分。闻笛伤心，可以算即事抒情之作。诗歌所步拟的刚父之韵，也就是杜牧《泊秦淮》一诗用韵，全诗内容、情调，也与杜诗相关。所不同的是，杜牧生活在唐朝国运衰颓、已有亡国征兆的时代。而赵子昂则生活在宋王朝已亡的元代。要比较亡国之痛，后者更为伤心惨戚。

首句写景，在清冷的月色之下，溪头沙滩，到处是一片银白。溪水，白沙，月色，天光，整个世界通过一个“白”字连为一体，显得那么清冷，那么萧瑟，那么静谧。你或许要以为，这般阒寂无人的静境，一定是荒无人烟的旷野吧。读过下一句，才知道并非如此。就在这溪水旁边，还居住着上万人家，置身在万户人家的城镇之旁，却感觉不出丝毫的喧闹繁华。诗人的满目清冷，是从哪里来的呢？

原来，令诗人满目悲凉的原因，是深夜传来给人以凄厉之感的一阵笛声，而这笛声所吹奏的，又是《玉树后庭花》那样的靡靡之音，可以想见，此时诗人内心的震荡。《玉树后庭花》一曲，为陈后主所制，其辞曲华艳绮靡。相传隋师围城，后主尚与宠妃张丽华携狎客演奏《后庭花》，所以后人常用此曲代指亡国之音。李白有《月夜金陵怀古》：“一闻歌玉树，萧瑟后庭秋。”刘禹锡《金陵怀古》：“后庭花一曲，幽怨不堪听。”至于杜牧《泊秦淮》：“商女不知亡国恨，隔江犹唱后庭花。”李、刘二诗，从金陵盛衰、六朝兴亡立意，以怀古的形式，而寓以深刻的历史教训。杜诗则有感于晚唐国运的衰微，从《玉树后庭花》的淫靡之音中，看到了国亡无日的危险。至于本篇的创作，已在宋亡之后，赵孟頫作为宋室皇族子孙，内心的亡国之痛，远比上述诗人更为现实，更为惨痛。“伤心”二字，自非虚饰，“莫听”二字，更写出了作者不堪忍受的巨大痛苦。回过头去再看前文，我们才恍然明白，作者何以在灯火万家的市井之旁，却产生了如此萧瑟清冷的意象。“不是风动，不是幡动，仁者心动。”（《坛经》）诗中意境的塑造，实质上是作者感情的外化。从创作手法的角度讲，我们可以称之为缘情造境、景随情迁。无论是景象的选择和意象的渲染，都是作者主观情志的体现。从这一角度讲，本篇所“即”之“事”，也不过就是一次深夜闻笛的经历。所闻笛声是否真是《玉树后庭花》一类曲子，实际上已经无关宏旨。而作者借着这笛声所要表达宣泄的，确实是亡国的哀思。这一点，看来是不会有疑问的。

（刘真伦）

登飞英塔

赵孟頫

梯飚直上几百尺，俯视层空鸟背过。
千里湖山秋色净，万家烟火夕阳多。
鱼龙衮衮危舟楫，鸿雁冥冥避网罗。
谁种山中千树桔，侧身东望洞庭波。

鉴赏

在作者家乡湖州飞英寺中有塔名飞英塔，高大巍峨。南接府治，北眺太湖，为湖州胜景之一。历来名人来游，题诗甚多。苏轼曾有诗云："忽登最高塔，眼界穷大千。"(《端午遍游诸寺得禅字》)本篇即为作者登临览胜的纪游之作。其摹写太湖风光，笔力高绝。而由太湖波涛之险联想到人生的艰险，世事的倾危，隐居避祸，苟全性命于乱世的想法，不禁油然而生。

首联叙事，极为夸张塔的高峻。登上塔顶，居高临下，只看见飞鸟的脊背一掠而过。语本宋孔平仲《曹亭独登》诗："落日更凭栏，下看飞鸟背。"

次联写远眺。登上高塔，千里湖山，一收眼底。一望无际的太湖风光，水天相接。水平如镜，地平如砥，湖山一体，茫茫千里。"秋色净"三字，刻画晴朗凉爽的秋气，又不限于望中的"千里湖山"了。可以说，整个宇宙，似乎都笼罩在诗人所渲染的明净的秋色之中。这就给诗歌意境所展现的无限的空间世界，增添了新的一维：永恒的时间的标记。"烟火"一句，写市井的繁华。夕阳时分，家家炊烟，户户灯火，登塔而望，星星点点。足见人烟稠密。这两句表面上仅仅摹写眼前实景，实际上却有严格的选择。秋高气爽、湖山明净、缕缕炊烟、点点灯火，渲染出平居生活的和平宁静。

第三联一转，从眼前太湖的万顷波涛，联想到人生的艰险。茫茫湖面，如果波澜不惊，一碧万顷，那秋色明净的千里湖山，足以让人心旷神怡，而一旦风起水涌，这千里湖面，就成了倾樯摧楫的葬身之所了。"鱼龙"一句从眼前实景联想生发，一语双关，既指湖面风云的莫测，又指人生道路的艰危。"鸿雁"一句，虽然关合秋令，却以想象为主，表达其避祸全身，远离官场的想法。《南史·

任昉传》:“张罗沮泽,不睹鸿雁高飞。”本句即用其意。张九龄《感遇》:“我今游冥冥,弋者何所慕。”说的都是远离名利是非之所,明哲保身的意思。作者有感于当时政局的纷争、官场的险恶,所以产生了远离祸枢的想法,是可以理解的。

末联关合全文,点明主旨。湖山既是那么可爱,官场又是那么险恶,明智的选择,就是隐居江湖,自食其力,终生自由自在,又何必轻生犯险,介入名利网罗之中呢?《襄阳耆旧传》记载:“李衡作宅于武陵龙阳汎洲上,种橘千株。敕其子曰:‘吾有千头木奴,不责汝衣食。岁上一匹绢,可以不贫矣’。”自耕自食,自得其乐,什么时事风云,官场网罗,又岂能危害他半分呢?太湖也有东西洞庭山,不是同样可以种橘吗?虽然不指望以此致富,如《史记·货殖列传》所载:“蜀汉江陵千树桔,其人皆与千户侯等。”但学李衡那样,得免贫苦,聊以度日,总是可以的吧?何况还有如此美好的千里湖山可供赏心悦目呢!所以,在对比了江湖之宁静与仕途之风波以后,作者最后倾向于高蹈遁世、避祸全身的道路,也就是很自然的了。

诗中流露的思想,带有明显的时代标记,在元初知识分子中,具有相当的普遍性。当时,蒙古人入主中原,实行了严酷的民族压迫政策,知识分子的处境尤其艰危。所以,宋室遗民绝大多数采取了不合作态度,拒绝接受朝廷的罗致。作者早年隐居湖州,具有这样的思想是不奇怪的。从这一意义上讲,诗中表现的退避思想,就不能简单地批评为消极避世。本篇在子昂作品中,是流传一时的名篇。当然,除了思想内容上的代表性典型性之外,这篇作品能够成为传世之作,还和它高超的艺术造诣有关。尤其是“千里湖山”一联,摹写江南湖山秋色,意境壮阔,色泽清丽,富于生活情趣。《诗薮》评价此联:“句格庄严,词藻瑰丽。上接大历元和之轨,下开正德嘉靖之途。”除警句之外,全篇也与之相称,起承转合,章法井然,颈联虽大开大合,却一脉贯注,意完神足。《诗薮》赞其“全篇整丽,首尾匀和”,确实不是虚誉。

(刘真伦)

绝 句(二首)

赵孟頫

轻轻踏破白云堆,半为寻僧半探梅。
僧不逢兮梅未放,野猿笑我却空回。

春寒恻恻掩重门，金鸭香残火尚温。
燕子不来花又落，一庭风雨自黄昏。

鉴赏

第一首的首句写作者踏雪访友的情景。茫茫大地，一片银白。用"白云堆"来形容遍地积雪，新奇有趣，颇有以俗为雅的功效。"踏破"二字，尤其生动贴切，非积雪不足以当之。"轻轻"，写作者在皎洁的雪地上移动脚步时小心翼翼的神态。似乎每下一步，都在担心破坏了雪野的完美与高洁。

古代的高僧，一般都有相当的道德修养和聪明才智。和官场中人不同，他们远离名利是非之所，清心寡欲，与世无争。所以，诗人忙里偷闲，想借清谈禅悟的机会荡涤胸中的龌龊烦恼。梅花高标逸韵，傲雪凌霜，所以诗人也想顺便探梅。

第三句一转，作者乘兴而来，却大失所望："僧不逢兮梅未放。"贾岛《寻隐者不遇》之后，还找到了一个童子："松下问童子，言师采药去。"诗人似乎没有这机遇，于是将此时长啸的野猿，想象为他心目中的对话者："野猿笑我却空回。"野猿的"笑"，是笑他寻僧探梅两不遂意，白白地辛苦一趟。是善意的笑谑，是风趣的嘲弄。

全诗至此戛然而止，给人留下了无限的回味的余地。《世说新语》曾记载过一个有趣的故事：王子猷乘雪往访戴安道，及门不入而返。人问其故，王答曰："吾本乘兴而行，兴尽而返，何必见戴。"本篇实际上暗用其事。寻僧访梅，本来就是文人风韵，并无功利的目的。"寻"过，"探"过，于兴已足。何况轻踏雪野，猿啸空山，使人心领神会，自觉不虚此行。所以全诗的情调，在寻人不遇之后，仍然有得意忘言之态。

第二首是一首低吟春愁的小诗。作品寓情于景，通过一系列清冷寂寞的环境景物描写，从中自然流露出作者心境的孤寂与凄恻。作品虽然以抒情为目的，却丝毫也不涉及心理的倾诉或客观的议论。作者的全部情绪，都通过景物的选择与渲染表现出来。情在景中，景即是情，景随情生，情景交融，具有相当的感染力。

首句交代大环境。北国之春，寒意袭人，不仅点明节令，也暗示作者心头的清寒与凄冷。"恻恻"二字双关，既强化春寒的料峭，又暗指作者心绪的凄恻。门虽设而常关，既写环境的幽静，同时也写作者无人过往的孤独的处境，进一步流露出其内心的孤寂之感。

次句写“重门”之内室中的景象。香炉尚有余温，却已不再有袅袅香烟萦绕。室外既冷寂凄清，室中也没有了生机活力，到处都是一片死寂。香炉既有余温，室中当然尚有人活动，并不是无人居住的空房。但“香残”而无人续添，可见主人公心绪的慵懒。诗意至此，暗点出主人公的存在，以及他处境尤其是心境的寂寞，含蓄委婉，用笔至为曲折。

“燕子”一句，由室内的孤寂引出联想。往年的春天，这里也是这般寂寞，不过，秋去春还的燕子，也还能给孤独的居室增添一点生趣。而现在，连燕子也不再归来，一切都静到了极点，没有丝毫的生命的痕迹。只有落红片片，表明春光逝去，还和往年一样。这一句，从晏殊《浣溪沙》：“无可奈何花落去，似曾相识燕归来”化出。晏殊的词，从年复一年燕来花落的自然循环中，感受到年华易老，人生短暂。本篇暗用晏词而更寥落。

春光已经凋残，连燕子也不再回来，一切都陷入一片寂静凄凉，死气沉沉。只有庭外的风雨，还在淅淅沥沥，送走了难熬的白昼，迎来又一个黄昏。不过，风自风，雨自雨，似乎没有在主人公的心上掀起一丝波澜。一个“自”字，极写主人公情绪的消沉低落。“听风听雨过清明”“梧桐树，三更雨，不道离愁正苦，一叶叶，一声声，空阶滴到阴。”“梧桐更兼细雨，到黄昏，点点滴滴。”前人往往爱以独对凄风苦雨的镜头，形容人的孤独寂寞与百无聊赖。本篇却反其意而用之，连庭外的风雨，也无心理睬。真正是心如死灰，万念俱灰了。全篇虽然没写一个“愁”字，而无边的春愁，却早已弥漫到整个世界，并自然浸透到读者的心间。

（刘真伦）

和姚子敬秋怀

赵孟頫

搔首风尘双短鬓，侧身天地一儒冠。
中原人物思王猛，江左功名愧谢安。
苜蓿秋高戎马健，江湖日短白鸥寒。
金尊绿酒无钱共，安得愁中却暂欢。

鉴赏

秋怀五首，是作者早年的作品。全诗五首一组，模仿杜甫《秋兴八首》，连章抒怀，章法井然有序。诗中意境乃至用语，也得自杜诗为多。约作于宋亡以后，出仕之前，即至元十六年至二十三年（1279—1286）之间。本篇系组诗的第三首。

首联回首自己的身世。“儒冠”，儒门子弟所戴的帽子，代指儒士身份。“天地”之大与一介寒儒之渺小，形成鲜明的对照，显示出作者内心的孤独。杜甫曾有诗云：“纨绔不饿死，儒冠多误身。”（《奉赠韦左丈二十二韵》）此处化用其意。“搔首”一句也化用杜句“白头搔更短，浑欲不胜簪”（《春望》）。作者自伤流落江湖，无补国事，而岁月不居，年齿日增，二毛渐生，于是产生了叹老嗟卑的迟暮之感。以“搔首”写国难当头作者焦虑不安、忧心如焚的情景，以“侧身”写作者卑微的处境，都生动形象，颇为传神。

颔联写自己的生平志向。王猛辅佐前秦苻坚，平定中原，在北部中国建立了霸业。谢安为东晋名臣，其当政期间取得淝水之战的胜利，安定了南部中国。作者在中原人物中，推重王猛，在江南人物中称颂谢安。可见其理想志向，非同小可。“思”“愧”二字互文，写出自己功业未立的惭愧焦虑。作者身当南宋灭亡之世，和淝水一战挽救了南朝的谢安相比，惭愧是可以理解的。

颈联从上文对理想的追求急转直下，写自己风尘江湖、流落飘零的现实处境。秋高马肥，正是游牧民族“南下牧马”的季节。也就是说，正是北兵南下，铁蹄纵横江南，男子汉立功报国的时节。作者却只能悠游江湖，与寒鸥为侣。“短”“寒”二字，既摹写了高秋风色，也暗示了作者的心理状态。“日短”，写出作者急于建功立业的焦虑。“寒”，则包含了世事已无可为的悲凉失望情绪。

结联从上文杂乱的思绪中摆脱出来，以借酒浇愁，却无钱打酒的事实，揭示作者困窘的处境。那么，怎么才能寻得暂时的欢乐，以排遣这满腹愁思呢？“安得”二字一问，将这无法解脱的矛盾呈现在读者面前，让人思索，摇头，叹息不已。

（刘真伦）

题　画

管道升*

春晴今日又逢晴，闲与儿曹竹下行。
春意近来浓几许？森森稚子石边生。

作者

*管道升，字仲姬，一字瑶姬，吴兴（今浙江湖州）人。赵孟𫖯之妻。工书画，擅长诗词。但传甚少，今存四首，见《清河书画舫》卷十。

鉴赏

道升，字仲姬，吴兴人，元代大书画家赵孟𫖯之妻。据孟𫖯《松雪斋集》记载，她曾受元朝皇帝之命书写《千字文》，送秘书监装裱收藏；又尝画《墨竹》、设色《竹图》以进。又据伊世珍《嫏嬛记》称："管夫人性嗜兰梅，下笔精妙，不让水仙。有时对庭中修竹，亦自兴至不能自休。"可见她是一位诗、书、画俱精的女才人。

这首题画诗，是诗人自题画竹之作。据曾目睹此画的清人孙承泽说："管夫人画竹，风格胜子昂。此帧凡三竿，极其苍秀。"（《庚子销夏记》）诗也写得明朗开豁，生趣盎然，在众多题竹诗中独具一格。

开头一句"春晴今日又逢晴"，点出季节，为后文写竹笋做铺垫。一连用了两个"晴"字，见出画面设色一定是十分明快，使读者心情也不禁随之开豁兴奋。接下，"闲与儿曹竹下行"一句，可能是实写，也可能是虚写。所谓实写，即画面上画一淡妆妇人，携一小儿，悠闲地在竹下观赏信步。所谓虚写，则画中并无人物存在，这句诗只不过是带出创作时的背景，说明作者作画前或者曾有携儿观竹之举，或者为了适应画面需要而虚拟其辞。诗与画配合不一定呆板对号，这种例子在题画诗中屡见不鲜。从上面《庚子销夏记》只提到竹而没有提到人物来看，似以后一种可能性为大。

第三、四句，用自问自答语气写出，句式灵活。“春意近来浓几许？森森稚子石边生。”“春意”二字与首句“春晴”二字绾合，构成前后呼应之势。春是大自然的时序，本无“意”可言，所谓“春意”只不过是说春天的气氛。春来万物俱有生气，万紫千红，众彩纷呈。春天的气氛可从花鸟虫鱼等数不清的自然物中体现出来。诗人把这些统统舍弃掉，而专取“稚子”来表现春意，目的在于紧扣画面：在那挺拔的竹下与嶙峋瘦石的周围，有一簇簇可爱的幼笋丛生。《竹谱》：“笋，世呼为稚子，又曰稚龙，曰箨龙，曰龙孙。”

这首诗的前两句写人，后两句写竹，而人与竹又长幼老小两两相衬，别具风姿。从这首诗中，读者可以体味到诗人对新生命的无限爱抚之情。本来，竹笋就逗人喜欢，不然人们不会亲切地称呼它为“稚子”。“箨龙正称冤，莫杀入汝口”（卢仝《寄男抱孙》），“汉川修竹贱如蓬，斧斤何曾赦箨龙”（苏轼《筼筜谷》）。历代诗人不断为它的被斫食喊冤叫屈，都说明人们对竹笋的深深爱惜之情。

题画诗可以选择画物多种属性的某一侧面来抒写性灵，尤以题画竹诗更可从众多角度来作这种选择。如画竹大家郑板桥就颂扬过竹子的倔犟、虚心、放逸、恬淡、清洁、高雅、雄伟……借以抒写性灵。而管道升作为一位具有慈母胸襟的女性，在诗中发出对幼小生命的无限怜惜爱抚之情，不也是很自然的吗？

（王锡荣）

泥　　人

管道升

泥人儿，好一似咱两个。
捻一个你，塑一个我，看两下里如何。
将他来揉合了重新做，重捻一个你，重塑一个我。
我身上有你也，你身上有了我。

鉴赏

抄自《挂枝儿》,原创是管夫人。据明人蒋一葵《尧山堂外纪》等书载,赵孟頫欲纳妾,谋于夫人管道升。管夫人便做了一首《我侬词》给他看:“我侬两个,忒煞情多。情多处,热似火。把一块泥,捻一个尔,塑一个我。将咱两个,一齐打破,用水调和。再捻一个尔,再塑一个我。我泥中有尔,尔泥中有我。我与尔生同一个衾,死同一个椁。”《挂枝儿》中的《泥人》显系《我侬词》的改编,较原作更凝练。故取之。

“恋爱的男女结合的极致,一定是人格的合一”(刘大白),这“人格”应包含精神到肉体双重意义。所以有人判别友谊与爱情的区分是:“友谊者两体一心,爱情者两心一体。”古希腊神话用象征寓言的方式深刻揭示了这一意义:人本来是八肢圆球体怪物,头上正反两张面孔。宙斯遂强行将之剖为两半,剖开的两半都痛苦极了,拼命地缠在一起,要重新结合为一体。这神话不仅暗示着男女合欢的关系,而且暗示着爱到极致是不分彼此的。

诗的取材源于民间生活,故特别新鲜而富于生气。盖民间就有专捏泥人儿的技艺,而小孩儿们大都玩过这种游戏。一块粘泥可以任人塑捏,可掰开,也可合拢;捏了还可合,合了还可以捏,真是奇妙得很。作者从这里想到男女情爱关系,真可谓心有灵犀了。她想象男女都来自同一本原泥土:“泥人儿,好一似咱两个,捻一个你,塑一个我”,简直就沟通了一个古代神话,即女娲抟土造人的故事。(《圣经》所谓夏娃原是亚当的一根肋骨造成的,其象征意蕴也相同。)正因为这样,双方有合一即恋爱的基础,紧接着来的“将他来揉合了重新做”取象喻意更妙,“揉合”便是共坠爱河,重新做便是从少男少女成为了男人和女人。这时候“我身上有你也,你身上有了我。”现在由一体又成二体,但你中有我,我中有你,是更高层次的一体,是精神上更高的契合。由这首诗读者可得到启迪,从而更深理解郭沫若《凤凰涅槃》那首奇作中的“凤凰和鸣”:“我们更生了,我们更生了。……我中也有你,你中也有我。我便是你,你便是我。火便是凰,凤便是火。翱翔!翱翔!欢唱!欢唱!”

这首诗与相传卓文君《白头吟》写作缘起相似,但“《白头吟》一味怨,这却不但毫无怨意,只是以深情动人,即论手段的高超,也何啻过卓文君万倍!”“即使推为中国文学史上女性抒情诗第一首,也不能算是过誉。”(刘大白)

(周啸天)

思 归

赵 雍*

枭枭秋风动客怀,啾啾猿鹤苦相催。
鲁侯不遇关天意,臧氏焉能沮我才。
万里驱驰离乡国,十年奔走在尘埃。
吴兴山水何清远,一棹扁舟归去来!

作者

*赵雍(1289-?),字仲穆,吴兴人。赵孟頫之子。官至集贤待制,同知湖州路总管府事。能诗,又以书画知名。有《赵仲穆遗稿》一卷行于世。

鉴赏

公元1271年,蒙古族统一中国,建立了元王朝。宋宗室后裔赵孟頫次子雍,"以荫守海宁、昌国二州,历官翰林院待制"(顾嗣立《元诗选》)。但此时元朝民族政策的基本方针,已由建国前对汉人放手信任转变为提防控制。尤其是身为南人而兼宋宗室后裔赵氏一家,更时时为元朝统治集团所猜忌防范,所以,赵雍仕途并不很得意。

这首《思归》就是诗人抒发仕途郁闷的思乡之作。赵雍诗作传世不多,《元诗选》共收十五首,是据其遗墨《赵仲穆遗稿》搜存。《赵仲穆遗稿》后记说:"延祐六年(1319)春正月,寄呈德琏姐丈一观,冀改抹,幸甚。"后面落款:"书于大都咸宜里之寓舍。"可见这首诗作于1319年春以前,赵雍在大都做京官的时期。

诗开头两句即点出"思归"题意。前一句指明思归的季节,正是秋风枭枭,最易引动旅客愁怀的时候。一个"动"字,恰切地表达了诗人内心情绪的不安。后句"猿鹤相催”,是说家乡山水在召唤他归去。此用孔稚圭《北山移文》讽刺假隐士周颙的典故(“蕙帐空兮夜鹤鸣,山人去兮晓猿惊”),以与“猿鹤”为俦侣,表示归隐。诗此处用一个“苦”字,加强“相催”的程度,表明诗人思归心情极其迫切。这两句诗袭用历代文人墨客羁旅悲秋的故事,渲染了气氛,给全诗涂抹上一层悠悠怅惘的基本色调。

第三、四句,直承开首两句,紧密围绕诗题,揭示了思归的原因。“鲁侯不遇关天意,臧氏焉能沮我才”,是用战国时孟轲不遇鲁平公的故事。臧仓,鲁平公嬖人。平公将见孟子,仓沮之,乐正子以告。孟子曰:“吾之不遇鲁侯,天也。臧氏之子焉能使予不遇哉!”(《孟子·梁惠王下》)后世遂将进谗者称“臧仓小人”。作者用这一典故,蕴意很深。它一方面是对元朝政府歧视汉人政策表示不满,骂执行这一政策的人是“臧仓小人”;另一方面,确实感到赵宋灭亡是不可挽回的“天意”,汉人的受歧视是“天意”所造成,非某个人所能使然。实际上这里面深隐着诗人沉重的家国之恸。在一首《古诗》里诗人曾写道:“富贵不可期,人生难忖量。乾坤本无私,江山叹兴亡。”这后两句不正是本诗“关天意”三字的确切注脚吗?许初《赵待制稿跋》说:“所书艳词特多,或偶兴尔。间如《古诗》二篇、《思归》一律,颇以孤忠自许,纷华尽落,而兴亡骨肉之感,默寓其中。意其父子之仕,当时亦有不得已者。良可悲矣!”所析极是。

第五、六两句,“万里”状空间之遥,“十年”写时间之久。诗人家住浙江太湖南岸的吴兴,此时在京城大都(今北京)为官,从空间看是够远的了。诗人大约在至大初年(1308)前后入京做官,到延祐五年(1318),从时间上看也是够久的了。这两句诗从表面看转得平淡无奇,实际是厌腻了长久离家在外疲于奔命的生活,进一步表现仕途的无聊,从心理因素上深化了“思归”的主题。其中“驱驰”“奔走”二词,包含着多少经风霜,淋雨露,奔波劳碌,茹苦含辛,以及旅途、官场、人生的酸甜苦辣在里边啊!文字虽简而容量极大,概括力极强。“乡国”“尘埃”二词,一褒一贬,愈见家乡之可恋与官场之可弃。

最后两句,是在前六句的基础上,自然而然得出的结论,点明思归之处是很有诱惑力的江南山水胜地——吴兴。“归去来”就是归去的意思,本于陶渊明的《归去来兮辞》,后世多用为辞官归隐的代语。归去做什么呢?是要驾一叶扁舟,纵情游荡于烟波浩渺的太湖之上,以了此余生。从诗的结构上看,尾联与首联相呼应,颔、颈二联承转自然得体,使诗歌显得十分紧凑。

这首诗是作者积十数年为官

作宦的体验写成。在短短八句五十六个字中，蓄蕴凝聚着诗人对元朝民族歧视政策的愤愤不平，对社会人生艰难辛酸的深深慨叹，对挣脱羁绊自由自在生活的热烈向往。所以，诗虽短却有很重的分量。在赵雍仅存的十五首诗中，表现思乡主题的还有《古诗》《秋声》诸作。这首《思归》颇具代表性。

（王锡荣）

枕　易(越中诗社试题都魁)

黄　庚*

古鼎烟销倦点朱，翛然高卧夜寒初。
四檐寂寂半床梦，两鬓萧萧一卷书。
日月冥心知代谢，阴阳回首验盈虚。
起来万象皆吾有，收拾乾坤在草庐。

作者

*黄庚，字星甫，生卒年不详，约1302年前后在世，天台(今属浙江)人。少时习举子业，然科举失意，于是脱屣场屋，放浪江湖。诗宗晚唐，婉约清淡。有《月屋漫稿》一卷行于世。

鉴赏

元朝初年曾一度废科举，朝廷虽下令搜求宋遗贤，然挂一漏万，大批知识分子仕途仍被堵塞。“遗民故老，无所寄兴，往往发之于吟咏间。”(顾嗣立《元诗选·黄庚小传》)于是，诗社如雨后春笋纷纷出现，成为文人墨客互相标榜扬名的重要渠道。黄庚就是因在越中诗社试《枕易》诗，推第一，而名盛词场的。

黄庚，字星甫，浙江天台人，自幼习举子业，入元后“放浪江湖，凡平生豪放之气，尽发而为诗”(同前)。不过《枕易》这首诗写的并非江湖山水，而是读《周易》的体会，表现了诗人体道自乐的心境。诗题《枕易》，是以《周易》卷为枕而眠的意思，说明耽读嗜好之深。

首联两句破题。“古鼎烟销倦点朱”，是说室内香炉已不再生烟，同时诗人手中书卷也因疲劳而辍读。“点朱”，就是读书，古书没有标点，要边读边用朱笔把它点断，故云。一个“倦”字，说明书不再读下去，同时也带出“古鼎烟销”的原因。这句诗先用“倦点朱”三字，把《周易》提领出来。“翛然高卧夜寒初”一句，进一步交代“倦点朱”乃是由于夜深该眠的缘故。这就给枕《周易》做好了铺垫。这里用“翛然高卧”四字，值得注意。“翛然”，是自由自在，无拘无束的样子，词源《庄子·大宗师》。“高卧”，是安卧，也有隐居不仕的意思，典出《晋书·陶潜传》。此乃思想境界彻底摆脱俗累的高人行径，只有这样的人才配枕《周易》。诗人这样描写自己，用意颇深。

颔联，“四檐寂寂半床梦，两鬓萧萧一卷书”，正面点题。进一步刻画了枕《周易》者的自我形象：一位两鬓花白稀疏的老书生，头枕《周易》卷偃卧在寂寞的茅屋之中。这两句诗着力渲染了作者贫与老的氛围。“寂寂”，写其贫；“萧萧”，状其老。“半床梦”“一卷书”，指诗人检讨平生宛如一梦，事业空空，只落得个终日矻矻、皓首穷经。虽然如此，联系首句“翛然高卧”的姿态，可以看出作者是一位儒家所推崇的安贫乐道的人物。

“道通天地有形外，思入风云变态中。富贵不淫贫贱乐，男儿到此是豪雄”（程颢《偶成》），这是封建社会道学家所标榜的完人。如果说《枕易》前四句写出了“贫贱乐”的人生态度，那么下面四句就是写“道通天地”“思入风云”的精神境界。

颈联“日月冥心知代谢，阴阳回首验盈虚”两句，是说对宇宙（包举自然与社会）的变化，会之于心，验之于物，无不豁然贯通。这里用“日月”“阴阳”代表天地之间万事万物。《周易传》：“一阴一阳之谓道。”古人把阴阳的对立统一看成宇宙的根本规律，即所谓道。“代谢”与“盈虚”指发展变化而言，“冥心”谓深思极虑，“回首”谓观察体验，两者是诗人对道的发展变化体认的方法与过程。这两句诗极概括地写出了诗人对《周易》理解的心得体会。

尾联“起来万象皆吾有，收拾乾坤在草庐”，是写体道者的胸襟。诗人一觉醒来内心感到格外充实，仿佛宇宙间一切事物或现象都包纳于自己灵府之中，从而使得天地之内一切风云变幻、人事更迭都可以不出草庐来加以揣摩、料理。诗人这种感受未免带有几分唯心色彩。旧时的知识分子都在不同程度上轻视社会实践，仿佛读通了几部圣贤经典，就可通达一切，运天下于掌上，这是他们的局限。

但是，本诗作为表现诗人内在高洁旷远的精神气质，以与当时上层社会俯首帖耳、龌龊猥琐的思想状态相抗衡，仍有可取之处。而且在写作上，《枕易》一类题目，不涉风云雨露、江山花鸟，颇不易作好。诗社考官李应祈评这首诗说：“此诗起句‘倦’字，便含睡意。颔联气象优游，殊不费力，曲尽枕《周易》之妙。

颈联'冥心''回首'四字,极其精到。结句如万马横奔,势不可遏,且有力量。"又说:"自非作家大手笔,讵能摹写。"(见《元诗选·月屋漫稿》)这首诗能于诗社试题夺魁,不是没有道理的。

(王锡荣)

秋　色(山阴诗社中选)

黄　庚

凭高望不及,望断动愁情。落日凄凉处,西风点染成。
丹枫明野驿,白水浸江城。马上人回首,戎戎暗客程。

鉴赏

宋朝被元灭亡以后,文人诗社大行。这首《秋色》就是写于山阴(今绍兴)诗社而被选中的一首诗。黄庚入元以后,浪迹江湖,流连山水。山阴景色绝胜,是诗人长久羁留之地。其《月屋漫稿》说:"江湖十年客,两度到西州"(《书山阴驿》),"西州旧游地,十载此淹留"(《西州即事》)。西州即山阴,因在诗人故乡天台西北,故称。这首诗通过写山阴秋色,抒发了诗人的客旅羁愁。这首诗风致清远,用意推敲,不失为一首抒情佳作。

古人似乎有这样一种习惯,每当思念家乡、远人,往往凭高远眺,以解愁怀。如《诗经》中的《陟岵》、王维《九月九日忆山东兄弟》等,就是有名的登高怀远之作。本诗首二句开门见山,写的就是这种羁旅情怀。"凭高望不及"的"不及",一作"不极",不如作"不及"好。这首诗的题目作《秋色》,所以从表面上看,这"不及"二字好像指远处的景物。然这并非诗人隐怀,诗人真意当指远在故乡的亲人。诗接下去说:"望断动愁情。"在望不到尽头之时,引动起诗人一丝悲愁怅惘的乡情。那么,这"不及"所指为何,也就不言而喻了。

诗颔、颈二联全是写的"秋色",都是诗人望中之景。诗人把思乡思人的"愁情"射入外物,使外物仿佛也染上一层淡淡的忧伤的色彩。颔联"落日凄凉处,西风点染成",是写望中极远之处。落日不管是衔山或没入地平线,都是人们极目所在。但见此时除阵阵寒意使人毛骨悚然外,秋风把眼前一切有生机之物都涤荡得干干净净。草儿枯黄,树木萧疏,大自然显得一片凄清肃爽。这里"点染"二字用得很妙,把西风拟人化,好像一位冷酷无情的老画师,偏喜绘制牵动愁肠、令人不悦的画图。颈联"丹枫明野驿,白水浸江城"二句,为诗人刻意之笔,如果用摄影作比喻,颔联是远镜头的全景,那么这两句则焦距缩短,落到具体景物之上。两句仍紧扣秋色来写,"丹枫"是最具秋天特色的自然物,"白水"也不例外,如果是春夏季节应该说"绿水",而秋使大地绿色消失,河水也就变得发白了,"白水"往往使人感到有一股浸骨的凉意。诗这里用"野驿"与"江城"分别作为"丹枫"与"白水"的衬景,使画面更加宽绰开豁,又切首联"凭高"骋目之意。"明""浸"两个动词用得亦佳,于昏、静的大背景中,给画面增加了一点亮度和动意,有画龙点睛之妙。这两句诗属对精工,设色鲜艳,看得出诗人在字词斟酌上的硬功夫。

尾联"马上人回首,戎戎暗客程"。"戎戎",即茸茸,多用来形容草木柔密丛生,形容暮色苍茫之貌。这里写的是近景,类乎摄影的特写。诗人登高眺望,远近景物尽收眼底,目光由远及近,看到马上征人回首的细微动作。但值此夕阳西下之时,斜曛微照,路径已昏,征夫游子,背井离乡,一日辛劳,也该寻个旅店歇脚了罢。

这首诗写的虽是秋色,但诗人长久羁留他乡,常有"自怜身是客"(《送别胡汲古》)之慨,故对与羁旅相关的事物异常敏感。诗所捕捉的形象,如"野驿""马上人""客程"等,都与羁旅有关,这就更增强了本诗旅愁的色彩。

(王锡荣)

踏水车行

马祖常*

松槽长长栎木轴，龙骨翻翻声陆续。
老父踏车足生茧，日中无饭倚车哭。
乾田荦确稚禾槁，高天有雨不肯下。
富家操金射民田，但喜市头添米价。
人生莫作耕田夫，好去公门为小胥。
日日得钱歌饮酒，朝朝买绢与豪奴。
识字农夫年四十，脚欲踏车脚失力。
宛转长谣卧陇间，谁能听此无凄恻！

作者

*马祖常(1279－1338)，字伯庸，世为雍古部人，居天山(今新疆)。高祖在金末为凤翔兵马判官，子孙因以马为姓。后徙光州(今河南潢川)。仁宗延祐初(1314)乡贡、会试皆第一，廷试第二。授应奉翰林文字，擢监察御史，翰林待制。惠宗元统初(1333)拜御史中丞，转枢密副使。卒赠河南省右丞、魏郡公，谥文贞。工诗文，尤以诗名。有《石田集》十五卷。

鉴赏

这是一首乐府歌行体诗。乐府诗兴于汉，盛于魏晋南北朝，至唐而变，产生新乐府运动。新乐府的特点是即事拟题，不拘旧格，给后人开一条创新之路。马祖常这首《踏水车行》与他的《缫丝行》，都是新乐府诗。无论新旧乐府都继承了《诗经》开创的“饥者歌其食，劳者歌其事”的现实主义传统，敏锐反映现实，大胆干预生活，“感于哀乐，缘事而发”，是它们的共同特点。

《踏水车行》是诗人泰定初为避权奸铁木迭儿陷害，退居光州（今河南潢川）时作。诗中“识字农夫年四十”，系作者自指。据《元史·马祖常传》，泰定元年甲子，诗人适年四十。诗中“乾田荦确稚禾槁，高天有雨不肯下”，也与作者《石田山居八首》之一的“甲子人愁雨”句相吻合。诗通过农家老父踏水车灌田，描绘了荒年农民所受的涂炭，控诉了富家胥吏花天酒地、鱼肉乡民的罪恶，并抒写了诗人的切身感受与不平。

全诗共十六句，每四句一段。“松槽长长栎木轴，龙骨翻翻声陆续”两句，写车水的状态。古时水车有两种，一种称龙骨水车。龙骨本是木船底部纵梁之称，因水车上水斗的纵向底木与之相像，故亦称龙骨，这里即指水斗。“声陆续”，说明踏车人不间断地劳作着。诗一起头即进入车水描写，开门见山，省却不少冗笔。“老父踏车足生茧，日中无饭倚车哭”，紧接着点明车水人原来是一位老农父。读了前句，一位花发蓬乱，满脸汗渍，赤足袒背，踏车不止的老农形象即展现在读者眼前。“足生茧”，说明踏车之久，劳作之苦。只此一句就足以唤起读者的极大同情。诗下句更进一步状写农父的苦处。“日中”，即中午，这时农父已劳作半日，精疲力竭，饥肠辘辘，却没有饭吃。人们不难想象这位老农父家境举步维艰的情况，或者为节省一餐饭来养活全家，而自己只好忍饥挨饿。“倚车哭”三字，暗示农父心中有无限悲伤之事，绝非仅止饿饭使然。诗没有明确交代，只是先安下一伏笔，这里，读者仿佛看到作者和泪写出。

第二段四句，宕开一笔来写。“乾田荦确稚禾槁，高天有雨不肯下”，天时大旱，田土龟裂，幼苗都已枯死。“荦（luò）确”，本为山多石貌，这里形容土地干裂不整的样子。“富家操金射民田，但喜市头添米价”，值此荒旱之年，贫苦农家濒于破产，正是富豪渔利之时。他们手中多有金钱，可以大量收买民田，而粮商乘机抬高米价，迫使农民为了吃饭，不得不忍痛割爱把田地低价出卖。富家所喜，正是贫苦农民所悲。诗着一“射”字，使读者很自然联想到猎者伺机射中猎物的情景，豪富攫取民田之态全出。这段虽只描写灾荒之年富家巧取豪夺之事，但读此却更清楚地看到广大贫苦农民所受的灾殃。同时，这四句也更深化了本诗主题。人们完全有理由推定，这位车水老父就是富家攫夺的直接受害者之一。诗到此始点明老父“倚车哭”的更深一层原因。

第三段四句，是作者感发的议论：做农夫不如做小吏。公门小胥（衙门差役）虽然饥荒之年，仍过着花天酒地的生活,与“耕田夫”存在天壤之别。“日日得钱歌饮酒,朝朝买绢与豪奴”,小胥之日日得钱,无疑是从老百姓那里勒索来的。旧社会衙役经常下乡骚扰百姓,索取钱财。如作者在《缫丝行》里所写的“驺奴”以做马鞭为借口,强行夺走农家丝线之类。他们勒索钱财都挥霍在酒楼妓馆,经常用绢绸之物赏赐给歌妓舞女。晏殊《山亭柳》(赠歌者)就曾写一歌妓因一曲高歌而得到“蜀锦缠头无数”的报酬。小胥买绢与豪奴,当也是这种行为。这里,“豪奴”的“豪”疑为“爱”字的形讹,系歌妓的泛称。这段写公门小胥的生活,是从另一角度与踏水车老父作对比。诗中的“耕田夫”实指此老父,而此老父又是广大贫苦农民的典型写照。

最后一段四句,是作者自述,对前面叙述加以收拢,复归本题。诗人在泰定初为躲避权奸,退居光州家乡石田。一个知识分子,此前又做了将近十年的官,手无缚鸡之力,目不识麦韭之别,当然于农活一窍不通。“脚欲踏车脚失力”,作者出于对踏水车老父的同情,想要帮帮忙,但水车却不听他的使唤,有劲用不上,活画出一个在农业劳动中显得十分笨拙的书生形象。“宛转长谣卧陇间,谁能听此无凄恻”,是说作者只能用诗歌来为受苦的踏水车老父鸣一下不平,以唤起更多人的同情,当然也包括对当政者的讽刺。“宛转”二字,形容诗歌的内容委婉、声调曲折,说明作者颇动心用情。

这首新乐府从踏水车老父生发开去,写到富人、小胥,还写到作者本人,而后三者都是作为前者的陪衬。中间八句宕开写,目的是为了从更广泛的社会层面与车水人相对照,来控诉世道的不公,表现广大贫苦农民的不幸。这种从多面映衬的写法,使诗歌显得活而不僵,腴而不瘦,收到更好的艺术效果。

(王锡荣)

石田山居

马祖常

甲子人愁雨,河田麦已丹。岁凶捐瘠众,天远祷祠难。
贾客还沽酒,王孙自饱餐。更怜黎面黑,征戍出桑干。

鉴赏

马祖常原籍靖州天山，父润为潭州路总管府同知，遂家于光州（今河南潢川）。祖常延祐初拜监察御史，与同列奏劾奸相铁木迭儿十罪，后权奸复相，被左迁开平县尹，为避其中伤，遂退居光州。石田是祖常所居地名，近山，所以他的书斋即名石田山房，这首诗即作于此间。此为八首录一，概括了天灾人祸给劳苦大众造成的苦难，表达了诗人深切的同情。一字字、一句句都饱含着血和泪。

首联二句"甲子人愁雨，河田麦已丹"，叙述了久旱不雨的严峻情况。前一句中的"甲子"，指元泰定元年（1324）甲子岁。这时权奸铁木迭儿复相已三年，适为祖常退居光州石田时期。这句点明了"人愁雨"的具体时间。一个"愁"字，说明不雨既久，令人十分担忧。后一句，说麦子都已经枯死了，正面回答了前句"愁雨"的原因。"河田"是指靠河的田地（石田地近潢水），河边种麦便于灌溉。连这里的麦子都已枯黄，说明河水也已经干涸，那么离水源较远的庄稼就可想而知了。这两句诗，前句用一"愁"字，后句用"麦已丹"三字，构成呼应之势。

颔联"岁凶捐瘠众，天远祷祠难"二句，紧承上联，诗人对劳苦大众荒年的悲惨遭遇表示深切同情。"捐瘠"，谓相弃捐而瘦病。饥馑之年亲人骨肉亦难互相照顾，以致彼此遗弃，饥饿使人形销骨立。如果说王粲《七哀》"路有饥妇人，抱子弃草间"，是摄取荒年劳苦大众遭际的一个典型镜头，那么这里则是从更广视角概括了人们的普遍遭遇。人们在遭受灾难的时候往往要呼告上天，以求得解救。古人认为天是最仁慈博爱、聪明睿智、公正无私的，而如今虽然发生了如此严重的灾难，人们竭诚地进行祷告，上天却装聋作哑、不闻不问。诗人用"天远祷祠难"一句，指责上天的冥顽不灵，实际有批评朝廷不关心民瘼之意。"天远"二字，可以看出作者是含有怨愤之情和指责之意的。

颈联二句一转，写出荒旱之年富人的生活。"贾客还沽酒，王孙自饱餐"是互文，沽酒者不只贾客还有王孙，饱餐者不仅王孙更有贾客。这些商人富豪在荒年凶岁还过着如此优裕的生活，与颔联"捐瘠"之众形成鲜明的对照。诗人难能可贵之处，在于真实地写出了社会贫富两个阶层在凶岁的不同生活状况，从而指控了阶级社会的严重不公。诗只轻轻拈出"还""自"二字，就明显地表露出对贾客、王孙的不满，真是驾驭文字的高手。

在阶级社会里，劳苦大众的灾

难往往是多方面的，所谓“福无双至，祸不单行”。诗尾联“更怜黎面黑，征戍出桑干”二句，就血淋淋地揭露了这种事实。元朝统治九十年间，在残酷的民族压迫和尖锐的阶级矛盾下，人民不断起义，元世祖虽然采取了一些缓和矛盾的措施，并力图恢复农业生产，但为了维护与巩固其长远统治，更加强了军事设置，在全国普遍驻军。世祖死后，戍役调遣有增无减。所以，劳苦大众虽然遭受旱魃的严重袭击，仍是甩不掉征戍徭役之苦。桑干是永定河上游，在今河北省西北部和山西省北部，在元属边疆地区，如果从地处淮水南岸的光州来看，亦算得上是天涯海角了。“黎面黑”，指劳动人民，因常年饱受风吹日晒，而今又遭饥饿，所以颜面更显得漆黑。正是这些受苦受难的劳动者，如今又要被征调到极远的地方去戍守。真是悲苦之外更加悲苦，劫难之上又加劫难，怎能使具有良心的诗人不痛彻肺肝呢？诗结尾收得奇警有力。

《石田山居》八首非作于一时，其中可能有诗人十几年后最终致仕之作。诗人身为官员，而且致仕时竟至高位（御史中丞、枢密副使），与劳苦大众无论从思想上和生活上都存在着较大的距离。这从八首其他一些诗（如其三、其六、其七、其八）中亦可以看得出。但是诗人对待社会人生的态度毕竟是严肃的，又何况他的主观并不是没有缩短这种距离的祈求呢！

（王锡荣）

博浪沙

陈　孚*

一击军中胆气豪，祖龙社稷已惊摇。
如何十二金人外，犹有人间铁未销？

作者

*陈孚（1240－1303），字刚中，号笏斋，台州临海（今浙江临海）人。颖悟过人，任侠不羁。至元中，以布衣上《大一统赋》，署为上蔡书院山长。后调翰林国史院编修官，摄礼部郎中。曾奉使安南。还，除翰林待制。大德年中，历台州路总管府治中。卒追封海陵郡公，谥文惠，所为诗文，大抵自然真切。有《观光稿》一卷，《交州稿》一卷，《附录》一卷。

鉴赏

博浪沙，在河南原阳县东南，秦代为阳武县。张良年轻时为韩报亡国之仇，曾雇大力士铁椎狙击秦始皇于此。误中副车，没有成功。

这是一首咏史诗，以咏赞张良狙击秦始皇事件为主题，嘲弄暴君的独裁统治，难敌千夫所指的怨恨，终于受到意外的打击。

"一击军中胆气豪"，为报亡国之仇，敢于独自向权倾天下的独裁者挑战，对他进行狙击，这位年轻张公子的胆气的确是豪迈超群的。首句的赞赏，令人想见年轻的张良智勇过人的气概。虽然狙击失败了，可是对迷信暴力万能的独裁者来说，这是有力的一击。"祖龙社稷已惊摇"中"祖龙"，指秦始皇。祖，是他自命为万代统治的始祖；龙，古代代表帝王的身份。当时人民使用宗教迷信的手法派人在路上这样称他，并预告他次年当死，可见人民对他结怨之深。"社稷"，指代政权。次句说博浪沙这一铁椎沉重打击了独裁政权的威信，表示人民并没有被他残酷的暴政所屈服，而是给以有力的还击。果然秦始皇在受狙击的次年，死在巡视的途中了。首联两句是对博浪沙狙击史事的概述和赞扬。次联接着便发表讽刺性的议论：“如何十二金人外，犹有人间铁未销？”“金人”，据历史记载，秦始皇消灭六国以后，尽收天下金属器皿（包括兵器），铸成十二个大的铜人放在咸阳宫外，显示无比的威慑力量。诗人用嘲笑的语气向独裁者反问，你以为天下的铁器全被收尽，可以万无一失，可是为什么还有人铁椎在握，在博浪沙要取你的老命呢？这事实和诗人的嘲问，分明是对独裁者狠狠的一记耳光。嘲笑秦始皇专制独裁的议论，实际上是阐明一条历史规律，凡是迷信暴力、进行专制独裁的统治者，个人的心计毕竟敌不过众人的智慧，他们无不在人民铁拳的痛击下头破血流、粉身碎骨。

此诗写得很有气势，和所咏的主题事件相称。前半叙事，突出“一击”的重点，显得虎虎有生气，后半的议论，用诙谐调侃的语调，寓庄于谐，更能加重讽刺的力量。自来咏秦始皇，议论多在焚书坑儒方面，如唐章碣的“坑灰未冷山东乱，刘项原来不读书。”（《焚书坑》）清陈恭尹的“夜半桥边呼孺子，人间犹有未烧书。”（《读秦记》）此诗独于博浪沙狙击史事着眼，表现了民不可侮以武力抗暴的针锋相对斗争，尤足以打击暴君的狂妄淫威，大长人民的志气。

（郑临川）

题和靖墓

陈　孚

北邙翁仲拱朱门，玉碗时惊古帝魂。
争似孤山一抔土，梅花依旧月黄昏。

鉴赏

北宋诗人林逋字君复，钱塘（今杭州）人，早年放浪江淮，后隐居孤山，种梅养鹤，不婚不仕，人称其“梅妻鹤子”。平时徜徉湖山，吟诗作画，其《山园小梅》（众芳摇落独暄妍）一首，被誉为咏梅绝唱。死后即葬孤山，仁宗谥号和靖先生。

林逋的洁志高行受到历代文人的崇敬,赞辞累世不穷。如北宋苏轼《书林逋诗后》,南宋吴锡畴《林和靖墓》,明吴鼎芳《和靖祠前晚望》诸作,都较有名。诗人众作虽有参差高下之分,然所引用故事往往大同小异。唯陈孚这首《题和靖墓》别开生面,独树一帜。明徐𤊹《笔精》云:“古今题和靖先生墓者不下百篇,悉梅、鹤、封禅故事而已,陈刚中一绝云云,亦可掩诸作者也。”

陈孚这首诗专就“墓”字着眼。开头两句,从古帝王墓落笔,起势突兀。首句“北邙翁仲拱朱门”,是夸饰古代帝王坟墓的雄伟壮观。“北邙”,即洛阳北面的邙(亦作芒)山,因东汉及北魏王公贵人死后多葬于此,所以成为墓地的代称,这里指帝王的陵寝。“翁仲”,是墓前石像。“拱”,是执笏拱手而立。“朱门”,指墓门。次句,“玉碗时惊古帝魂”,写帝王陵墓被盗。据《太平御览》卷十三引《汉武故事》,汉武帝茂陵有玉碗,曾被人盗卖。《南史·沈炯传》亦称:“茂陵玉碗,遂出人间。”玉碗,后讹作“金碗”。杜甫《诸将五首》之一:“汉朝陵墓对南山,胡虏千秋尚入关。昨日玉鱼蒙葬地,早时金碗出人间。”杜诗将“玉”改“金”,可能为了变文避复,后来戴叔伦《赠徐山人诗》径作“汉陵帝子黄金碗”,就是不经意的讹误了。不管玉碗也好,金碗也好,都说明帝王陪葬物的弥足珍贵。那么,随着陵寝的被发掘,这些王公贵人露尸暴骨,身虽死灵魂亦不得安生。

后两句,用急转的笔锋,一下落到和靖墓上:“争似孤山一抔土,梅花依旧月黄昏。”“争似”,谓不如。“一抔土”,指林逋墓。“翁仲朱门”与“一抔土”,贵贱高低相去何远!然而结局却迥然相反:一个被盗发,一个却安然无恙。结句遥应林逋《山园小梅》“暗香浮动月黄昏”句,是说林逋死后近三百年间,梅花静绕孤坟,依然与他生前所描绘的情景一模一样。他在九泉之下,灵魂仍然安享着梅花香气给他的慰藉。这与那些珠襦裹体的古代帝王露尸暴骨,形成何等鲜明的对照!这不能不发人深思。然而诗人对其缘由并未作正面回答,却留给读者去思索。读者不难发现,诗人正是通过帝王陵寝与和靖墓对比,说明帝王生前作威作福,死后大势已去,故得发其财物,暴其尸骨,而林和靖生前虽贱,死后却赢得人们的尊敬,保护着其简陋的坟茔,从而抒发了诗人蔑视权贵,颂扬不慕荣利的思想感情。

但是,“世事茫茫难自料”(韦应物《答李儋》),必然中亦存在偶然。大约在陈孚作此诗后不久,元世祖至元十五年戊寅(公元1278年,时孚39岁),“杨髡毁掘江南诸坟,即林和靖孤山之骨,不免发露”(明李日华《六研斋笔记》)。虽然如此,和靖墓后来毕竟得到修复,明高攀龙《武林游记》即载其目睹林处士墓之事,这说明,无论发生任何情况,人们是不会减弱对这位品德高尚的诗人的崇敬怀念之情的。

(王锡荣)

远浦归帆(潇湘八景之一)

陈 孚

日落牛羊归,渡头动津鼓。烟昏不见人,隐隐数声橹。
水波忽惊摇,大鱼乱跳舞。北风一何劲,帆飞过南浦。

鉴赏

描写潇湘八景的诗歌,始于宋洪觉范(惠洪)。这组诗歌共八首:《潇湘夜雨》《山市晴岚》《渔村夕照》《烟寺晚钟》《远浦归帆》《平沙落雁》《洞庭秋月》《江天暮雪》。后代诗人世有赓和,如马致远《落梅风》,鲜于必仁《普天乐》小令,郑板桥《浪淘沙》词,均有八景之作。这组诗的题旨,由于历代诗人的创作动机不同,有的羡慕渔樵,有的警告世俗,有的伤怀往事,有的乐赏烟霞。陈孚这首《远浦归帆》,是他所写《潇湘八景》五律之一,也是《八景》合唱中的佼佼者,其题旨偏于赏景。

诗前六句写近景,后两句写远景并点题,远近动静,浑然一体,仿佛丹青妙手,寥寥数笔,点染成一幅有声有色的绝妙的秋江晚景图。

开首二句,先从渡头附近写起:日落之时,牛羊成群结队地归来;渡口催渡的鼓已经敲响,提醒人们不要耽搁搭渡。这里诗人视角的基点,应该是渡头附近的岸边。开头“日落”二字点明晚暮之时,给整个画面涂上一层暗色,不过近处田蹊野径牛羊归圈的大轮廓还依稀可辨,或者虽看不十分清楚,而凭诗人的听觉经验也能感知出来。

下两句,由陆地转到水面:“烟昏不见人,隐隐数声橹。”这就完全诉诸听觉了。河面由于凝结一层茫茫的水汽,在日落之时变成雾霭烟障,遮挡住人们的视线。所以,向对岸驶去的渡船轮廓已辨认不清,只听得橹桨拨水发出的声响,向人们告知它的存在。“隐隐”,形容橹声已不甚分明,船离渡口已经很远了。

第五、六两句,还是写水面:“水波忽惊摇,大鱼乱跳舞。”在诗人注意搜寻渡船的当儿,近岸的水中突然发出噼里啪啦的音响。于是目光急速转移,只见水波摇荡,大鱼此起彼落,纷纷跃出水面。两句诗,使黄昏本属幽静的江面一下子呈现出喧闹的气氛,也把前四句比较平淡的描写提携起来,使景物刻画颇感神采飞动。

"北风一何劲,帆飞过南浦",尾联点出"远浦归帆"题意。诗人想象,早时从眼前经过的风帆,借着强劲的北风,该已经驶过遥远的南面水湾了。

这首诗的写法十分别致,好像一幕有声电影,画面影影绰绰,借助音响效果诉诸听觉,使观众感知其间各种事物的存在和活动。《艺林伐山》云:"元陈孚《远浦归帆》绝句(按,《伐山》只引首四句)云云,识者以为不减王维。"前人评王维田园诗的风格清新秀丽,对自然美有敏锐的感受和细致的观察,所谓诗中有画。陈孚这首《远浦归帆》明显受王维"渡头余落日"(《辋川闲居赠裴迪秀才》)一句启示,由此生发开去,把渡头落日之景写得绘声绘色。而"水波忽惊摇,大鱼乱跳舞"一联,尤为叫绝。郭熙《林泉高致》云:"诗是无形画,画是有形诗。"陈孚这首《远浦归帆》诗,确是显示了"无形画"的效果。

(王锡荣)

鄂渚晚眺

陈　孚

黄鹤楼前木叶黄,白云飞尽雁茫茫。
橹声摇月归巫峡,灯影随潮过汉阳。
庾令有尘污简册,祢生无土盖文章。
阑干只有当年柳,留与行人记武昌。

鉴赏

陈孚至元中为翰林国史院编修官、摄礼部郎中,廿九年随梁曾出使安南,翌年使还。这首诗可能作于此次出使途经武昌之时,诗人时年五十三岁。

鄂渚,相传在今湖北省武汉市黄鹄山上游三百步江中。鄂,西周为楚地一个封国,渚因以名。屈原《涉江》即有"乘鄂渚以反顾兮"之句。三国时孙吴于鄂置武昌县,后为武昌郡郡治，故武昌亦称鄂城。这首《鄂渚晚眺》即诗人晚登鄂渚望远之作。诗人描绘了观眺所见，感物念旧，咏史抒情，发出怀才不遇的不平之鸣。

诗人登上鄂渚俯视黄鹤楼前树木，仰观天上白云，但见木叶已黄，白云飞尽，南归雁群已去得模糊不清。黄鹤楼在武昌黄鹄矶头，创建于三国孙吴黄武二年(223)。《元和志》云："因矶为楼，名黄鹤楼。"关于它的得名还有许多富于神异色彩的传说。唐崔颢《黄鹤楼》诗使李白搁笔，楼名由此大噪。历代诗人多有登临吟咏之作。诗起句用"黄叶"与"归雁"点出晚眺季节。"雁"一作"岸"，但与"白云"意不连贯，以作"雁"为是。次句，"白云"为虚写，因崔颢诗"黄鹤一去不复返，白云千载空悠悠"之句，"白云""黄鹤"已成骈联定格，故天上虽无白云，诗人亦自然作此联想。此联写登渚上下俯仰，天地无限空阔，黄叶、蓝天与想象中之白云，呈现一幅色彩绚烂的画面，即目所睹，紧扣诗题"眺"意。

颔联仍写眺望所见，但时间已较首联有所推进，地点亦由岸上移至江中。如果说，首联之景还为骋目所及，那么此联写月上灯明之时，江上航船已隐没于夜幕之中。"橹声"为耳所闻，为目所见者唯船上"灯影"而已。这里，诗运笔措词极有分寸。耳所闻，写其近；目所见，写其远。鄂渚四围大江，溯江西去巫峡之船经临其侧，故桨声隐约可闻，而由江上汉阳之船则距鄂渚较远(卢纶《晚次鄂州》："云开远见汉阳城，犹是孤帆一日程")，故只有船上灯火依稀可辨。这两句诗，明显从范成大《鄂州南楼》"烛天灯火三更市，摇月旌旗万里舟"化出，但意境已全然不同。此联点出诗题"晚"意。

前二联以极精练笔触概括了陆地水上之景，颈联紧接转入怀古。出句写东晋庾亮之事。亮为晋成帝之舅，平苏峻、郭默之乱，迁都督江、荆等六州诸军事，镇武昌，据《世说新语·容止》记载："庾太尉在武昌，秋夜气佳景清，使吏殷浩、王胡之之徒登南楼理咏。"庾后至登楼，"诸贤欲起避之，公徐云：'诸君少住，老子于此处，兴复不浅。'因便据胡床，与诸人咏谑，竟坐甚得任乐"(亦见《晋书·庾亮传》)。后世引此为佳话。故李白诗有"清景南楼夜，风流在武昌"(《陪宋中丞武昌夜饮怀古》)之句。但庾亮跋扈贪婪之性，亦多引起后人非议。据《晋书·王导传》，导性宽厚，为成帝相，委任诸将赵胤等，多不奉法，大臣患之。亮欲起兵废导，导意不能平。尝遇西风起，导举扇自障，徐曰："元规尘污人。"元规是亮字。王导用尘污比喻庾亮诬枉好人。"简册"，这里指史册。此句谓庾亮诬人事见诸史册。对句，写三国祢衡之事。衡，字正平，少有才智，性刚傲物。曹操召为鼓吏，因忤操，辗转遣送江夏太守黄祖。一日，黄祖长子射于武昌城西江洲中大会宾客，有献鹦鹉者，衡即席作《鹦鹉赋》，洲因以名。赋借物咏怀，表现才智之士乱世不幸的遭遇，骈词俪句，文采焕发，因以传名。李白《望鹦鹉洲怀祢衡》云："吴江赋鹦鹉，落笔超群英。"极赞其才华盖世。祢衡后被黄祖所杀，即埋葬洲上。但此洲明季逐渐沉没，现在汉阳的鹦鹉洲为清代淤成，离原洲较远。大概在元代，祢衡墓葬即已荡然无存，所以诗说："无土盖文章。""文章"，这里代指祢衡躯体。这两句诗，叙写两个与鄂渚有关的历史人物，一贵一贱。贵者竟以不轨之行玷污青史，而贱者虽文章命世，死后却一抔黄土未留。诗显然寄托着作者的牢骚。当时元朝廷臣高位尽被狂悖贪婪、昏聩无能的蒙古人、色目人把持，汉人（尤其南人）有才者亦不得进用。陈孚天才过人，刚直任气，为官体恤民隐，不畏权势，但终以南人，不得尽展其才。

诗尾联以柳树作为历史见证，寄托作者的感伤情怀，武昌大部分历史陈迹，已随时间的流逝而消散得无影无踪，庾亮尘污人之事，已成过去，祢衡墓亦湮灭无存。只有随风飘摆的柳树，犹呈昔日之姿，能够逼使行人忆起往事。"阑干"，横斜貌，这里用以形容柳枝摇晃交错之状，武昌一带多杨柳，形成当地颇具特色的景观，历代诗家吟咏每及之。如李白《早春寄王汉阳》诗："昨夜东风入武昌，陌头杨柳黄金色。"即是。"行人"，是作者自指，亦兼及一切远行之人。历史上行人与柳结下不解之缘，启程要折柳相送，客居亦每每见柳伤心，柳是征夫游子最敏感物之一，故作者举以抒怀。此处作者之情，大体与刘禹锡《西塞山怀古》："人世几回伤往事，山形依旧枕寒流"两句同调。

（王锡荣）

陪高彦敬游南山

邓文原*

不到南山又二年，离离秋草映寒泉。
东林萧散开莲社，西晋风流棹酒船。
古寺云烟终日合，长松风雨半空悬。
谢公未了登临兴，故向禅房借榻眠。

作者

*邓文原(1258－1328)，字善之，一字匪石，绵州(今四川绵阳)人。宋末应浙西转运司试，中魁选。元世祖至元年间，辟为杭州路儒学正。历任翰林待制，江浙儒学提举，浙西廉访司事，集贤直学士，兼国子祭酒。卒谥文肃。擅长诗文，有《巴西文集》一卷。

鉴赏

这是一首记游诗，作者在元世祖至元二十七年(1290)任杭州路儒学正，成宗大德二年(1298)调浙北崇德州教授。高彦敬初仕为省郎，继出为江浙行省左右司郎中，大德初入为御史。杭州路和江浙行省治所同在杭州，二人由此相识。高善画，邓文原《履素斋稿》有题高画诗数首，高彦敬《房山集》也有怀邓诗，可见二人友情甚深。这首《陪高彦敬游南山》诗，就是二人过从之作，大约作于同在杭州为官时期。南山，指杭州的南山。

杭州南山区，包括风景优美的吴山、凤凰山、玉皇山、南屏山、夕阳山、石屋洞、水乐洞、烟霞洞等处，素为游览胜地。诗首二句“不到南山又二年，离离秋草映寒泉”，交代此次游览的地点与时间。两年不到，除说明诗人来游已不是第一次，更可看出公务的繁忙，若非陪同友人，这次来游恐怕也是难得的吧。此番游览并非春夏盛季，而是秋草离离、寒泉映碧的季节，如果不是出于别的什么原因，估计就是专为领略一下此时的特别风味。“离离”，繁茂的样子，用来形容秋草，表明虽还没到“寒烟衰草凝绿”的晚秋，但山间泉水却已透出一丝凉意，所以用“寒泉”二字。

颔联写陪友人于寺院礼佛与湖上饮酒，两者都是借用历史掌故来写。“东林萧散开莲社”，东晋元兴年间（公元5世纪初），庐山东林寺僧释慧远所创佛教关于念佛的最初结社，称白莲社。宋代以后，念佛盛行，各地续有莲社组织，这里指在南山佛寺随喜礼佛。“萧散”，是指以潇洒闲散的心情从事这种活动。据《永乐大典》引《武林旧事》，南山区有寺院宫观近百所。最著名的如净慈报恩光孝禅院（简称净慈寺），寺后庵宇幽敞，规模与北山灵隐寺相若，号南山之最。苏轼咏其规模，有“卧闻禅老入南山，净扫清风五百间”之句，可见其宏壮。对随喜这些佛寺的活动，诗以七字概括之，非常精练。下句“西晋风流棹酒船”，着重点在一个“酒”字。西晋文人喜好饮酒，蔚为一代风尚。如竹林七贤之一的刘伶，纵酒放诞，号称酒仙，作《酒德颂》云：“有大人先生……止则操卮执觚，动则挈榼提壶，唯酒是务，焉知其余。”后世饮者多慕其流风逸韵。本诗以此形容湖上撑船饮酒，加“风流”二字，表明趣致高雅不俗。

颈联二句“古寺云烟终日合，长松风雨半空悬”，写古寺与长松处势之高险，以凸现南山之胜。南山区之南高峰海拔三百余公尺，在风雨低迷时，与北山区之北高峰经常没入云雾，称“双峰插云”，是西湖十景之一。峰顶有寺庵和宝塔，今已倾塌，所以“古寺云烟终日合”的奇观，今天已无法看到，但本诗作者看到了，并将其提炼为诗句奉献给读者，使读者如身临其境。至于“长松风雨半空悬”的壮观，却亘古犹存。这两句诗虽是写实，但却极有概括力，把南山最有气魄的景观——突兀高峻之势，很准确凝练地表达了出来。

诗尾联以游兴犹酣作结，从侧面衬出南山景色的优美。“谢公未了登临兴，故向禅房借榻眠”，诗人们被南山风光深深吸引，虽日暮尚不思离去，故借宿佛寺以待翌日更游。“谢公”句，是借用晋、宋之际诗人谢灵运游山的故事，谢入宋后任永嘉太守、临川内史等官，常携客、仆登临会稽、永嘉、庐山等地名山胜水，并写诗刻画自然景物，开山水诗一派。谢灵运游山时常穿一种有齿木屐，人称“谢公屐”。诗人以谢灵运自比，除表示其来游与谢有共同之处而外，还有自鸣高雅之意。

这首诗笔势平衍，没有大起大落，用典也较自然贴切。胡应麟《诗薮》谓其“全篇整丽，首尾匀和”，评价是公允的。

（王锡荣）

枪竿岭

贡奎*

薄宦辞家远，经秋未得归。直随山北去，却背雁南飞。
川净白云起，郊平红树微。忆曾留宿处，立马认还非。

作者

*贡奎(1269－1329)，字仲章，宣城(今属安徽)人。少有文名，为池州路齐山书院山长。秩满，授太常奉礼郎。擢应奉翰林文字，兼国史编修。累迁集贤直学士。卒赠广陵侯，谥文靖。诗风典雅平和，有《云林集》六卷传于世。

鉴赏

贡奎《云林集》有二首《枪竿岭》，另首为七绝："百折回冈势欲迷，举头山市与云齐。经行绝似江南路，落日青林杜宇啼。"这是诗人初到枪竿岭之作，描绘了枪竿岭奇峻的山势和秀丽的景色，并说明它的大致地理位置是在北方。这首五律，从内容看是诗人又一次经过这里，抒写了与上一次迥乎不同的感受。

诗人两次经过枪竿岭，七绝写初来是"落日青林杜宇啼"的夏季，这首五律则是写再到正值晚秋。诗开头两句说："薄宦辞家远，经秋未得归。"点出再到的缘由和时间，透露了此次是受差遣在外，很久未能与家人团聚。"薄宦"，是地位卑微的官。贡奎最后做到集贤直学士，不过六品，自然属下级官吏。既是官卑职小，而且离家又远，差遣时间又长，奔波劳碌，风尘仆仆，未免感慨系之。故这两句诗实含一定的牢骚。

第三、四句"直随山北去，却背雁南飞"，是说这次执行差遣任务，所经之地顺随迤逦北走的山势，而与大雁南归的方向相背反。这里的山指枪竿岭无疑，而其形状既是"百折回冈势欲迷”,那么出句“直”字就不是形容山势笔直,而是一直、径直的意思,与对句“却”(再、又)字同为表连续的副词。“随”与“背”两个动词的主语当然是诗人。“山北去”与“雁南飞”两个主谓结构短语,作“随”与“背”的宾语。两句语译是:一直随着北走的山势,而又背着南飞的大雁。其实山本为静物,诗把山势的南北走向,说成“北去”,赋予动意,是为了与“雁南飞”构成工对。诗人往行的方向只是一个,却以南、北一对相反语义出之,颇能见出巧思与匠心。这两句看似平淡的叙述,实际充溢着作者的一种情感。诗人多么羡慕飞往家乡方向的鸿雁啊,而今自身却与之相反而行,岂不令人沮丧!

前两联叙述诗人长久差遣在外,以及山行的感觉。第五、六句,转而欣赏山外景色:“川净白云起,郊平红树微。”上句说,澄净的河流上空升起缕缕白云。“川”字可以有两种解释:一是平野,一是河流。如作前解,与下句“郊”字意思重叠,故以作后解为宜。用“净”字形容流水,古不乏例。“澄江净如练”(谢朓《晚登三山还望京邑》),是历来被传诵的名句。古人以为云生于河川山谷,所以诗这么写,一个“净”字,说明河面上烟霭已荡然无存;一个“起”字,则显示出白云的动态美。下句说,平坦的原野尽头,变红的树木依稀可见。“平”与“微”二字用得很妙。因郊平而望远,因望远而显出树色微茫。这两句诗是诗人立足岭上眺望所见,前句写纵体,后句写平面,上下左右无限宽阔高远,仿佛整个宇宙总览无遗,读来好似一幅气氛恬静、色彩鲜明的风景画。

枪竿岭是个不绝人烟的去处:“举头山市与云齐”,山上颇有市井廛肆。想当年诗人曾在这里过夜,此番重到,停马细细辨认,面貌已经似是而非了。诗最后两句,就是写的这种感受,不难想象,诗人前次过此是盛夏,而此次重到则是深秋,大自然遽然改变了自己的面目,不仅如此,尘世的面貌也在急剧更迭。所以,使人难于辨识,并极易生出沧海桑田之慨。

这首五律除一个“山”字扣题外,几乎没有写到枪竿岭本身,岭的姿容只是被衬托出来。诗人之所以这样写,也许是有前一首诗存在的缘故吧。这首诗的特点是以写季节贯领全篇。首联提出一个“秋”字,颔联以“雁南飞”三字与之呼应,颈联则以写山外景构成前后络结之势,尾联写季节改变了大自然面目,暗与首联“秋”意绾合。这首诗构思奇巧,但却能以清新淡远出之。《九灵山房集》评论贡奎诗“甚有陶、韦思致”(陶渊明与韦应物诗都以清新自然著称),于此可见一斑。

(王锡荣)

战城南

宋无*

汉兵鏖战城南窟，雪深马僵汉城没。
冻指控弦指断折，寒肤著铁肤皲裂。
军中七日不火食，手杀降人吞热血。
汉悬千金购首级，将士衔枚夜深入。
天愁地黑声啾啾，鞍下髑髅相对泣。
偏裨背负八十创，破旗裹尸横道旁。
残卒忍死哭空城，露布独有都护名。

作者

*宋无（约1260－1340），字子虚，苏州（今属江苏）人。尝师事欧阳巽斋，壮年无意仕进。曾举茂才，以奉亲辞。工诗，秀雅蕴藉，时有寄慨，曾为当时名辈所推重，有《翠寒集》一卷等。

鉴赏

《战城南》原为汉乐府中的一首诗，是诅咒战争、哀悼阵亡士卒的民歌。《乐府古题要解》解释说："《战城南》，其辞大略言战城南，死郭北，野死不得葬，为乌鸟所食。愿为忠臣，朝出攻战而暮不得归也。"后人因取篇中首名为题进行仿作，唐代卢照邻、李白等人均有此作。元代诗人宋无的这首诗也是属于这类题材的仿作。

诚如《乐府古题要解》说，《战城南》及其以后的仿作，大都属于传统的反战主题。众所周知，蒙古贵族是靠铁骑建立大元帝国的。有元一代一百年间，战争几乎从未停止过。诗人宋无生于宋末（1260），死于元代灭亡的前30年(1340),在元代生活了70年。诗人不但看到了而且亲身经历了战乱的年代,他的青少年时期就是在兵荒马乱中度过的。宋无祖籍晋陵(今江苏常州),"以兵乱迁吴(今江苏苏州)"。元世祖至元十八年(1281),诗人时年二十二岁,曾代父随征东万户远征高丽,"经高丽诸山,罹沉疴,瘦骨柴立",病倒于军中。青少年时期所经历的一幕幕,他一生中都未曾忘记过。在其自作《吴逸士铭》中还不无感慨地写道:"髫年(童年)斡流东西,时虽抢攘(动乱)而学不怠。"从总体的把握上看,诗人对战乱是深恶痛绝的,以致在仕与隐的抉择上,诗人毅然地选择了"谷隐岩栖"的隐退道路。元世祖至元二十四年(1287),"中丞王西溪举(宋无)茂才,以奉亲辞"。从《战城南》一诗中所描写的战争看,似是元朝的拓疆战争,是一场非正义的侵略战争。无辜的将士用鲜血和头颅换来的,只是主将的成名和大元帝国疆域的扩大。诗表面上写的是汉代,实质上写的是元代,这是《战城南》仿作所惯用的手法。

全诗共十四句,大体可分为两大部分。前六句为第一部分,主要写士卒在极其险恶的困境中作战。这一部分又分为两个层次来写。前两句概括地写出士卒在冰天雪地中长期作战(鏖战),连战马都冻僵了,城池也失守了,战局对汉军大为不利,第一句在做总的渲染的同时,也点出了作战的地点。"窟"为洞穴之意,这里表示野外。"城南"并非指具体方位"城之南",而是"城南郭北"之意,表示城池四周。"城南窟"指汉军在城池失守后,与敌人在城外展开了殊死的搏斗。后四句为第二个层次,具体地描写士卒在绝境中作战,主要是抓住三个典型事例来加以揭示的。首先写士卒赖以作战的手都已冻僵了,在拉弓(控弦)射杀敌人时,把冻僵的手都折断了。其次描写士卒冰冷的身躯在甲衣的吸附下,以至于把皮肤都冰裂了。最后抓住了士卒在冻僵之后,一连七天断炊的事例,士卒的求生欲迫使他们亲手杀死降卒,用嘴吮吸俘虏喷出的热血来充饥,补充热量。写得又血腥又悲惨,令人目不忍睹,毛骨悚然。由这三组特写镜头组成的画面,使人油然生起对士卒深深的同情和哀怜。长期又冻又饿,使他们已经基本丧失了战斗能力。

后八句为第二部分,主要写汉军在极其不利、甚至无力的情况下,还要深入敌军,孤注一掷,以致伤亡十分惨重。第一句"汉悬千金购首级",是全诗前后两部分承上启下的关键一句。从前半部分看,汉军已无战斗力可言,大有以败北而告终之嫌。但是,汉军主将采用了以重金征得敌人首级的"物质刺激"办法来调动几无战斗力的汉军作战。僵死的士卒才又重新活动起来,引出深入敌后的一场恶战。“枚”指像筷子形状的竹条,行军时横含在口中,叫“衔枚”,目的在于防止出声,怕被敌人发觉,等于秘密行军,出其不意,偷袭敌人。下面用四句诗来具体描写这场恶战的残酷程度,其中“天愁地黑”的一句是虚写,借以渲染战场的气氛。战场上总的气氛是直杀得天昏地暗,人喊鬼哭,从“鞍下髑髅(人头)相对泣”一句看,显然是汉军占了优势。敌人的首级在汉军的马鞍上“相对泣”,也是对“啾啾”一词的生发。啾啾声既包括敌人亡灵的啜泣,当也包括汉军死伤将士的低吟,不但双方士卒伤亡惨重,连偏将(偏裨)也身负重伤。“八十创”(创为伤口)即伤势很重,战死的偏将连草草地安葬都来不及,只好用“破旗裹尸”了。尸横道旁,连死后的灵魂都不能安息,游荡中的厉鬼的悲吟似乎也融进了“啾啾”声里边去了。“残卒忍死哭空城”一句,是在为这场战争作结,往日的鏖战已成过去,当日的恶战业已结束。汉军夺下的空城是敌军留下的,标志敌军的全军覆没。汉军只剩下了几位“背负八十创”的“偏裨”,以及些许“残卒”,他们不忍心看死去的战友,面对空城哭泣,“天愁地黑声啾啾”的战场已经静下来了,而残卒的几声哭泣,反而使战争显得越发寂静,静得令人可怕。至此,人们不能不对这场战争进行反思:战争付出了巨大的代价,究竟赢得了什么?全诗的最后一句做出了回答。“露布”有多种意义,这里指捷报。“都护”本为汉代所置的西域都护府,这里借指开边的主将。“露布独有都护名”,捷报上只留下主将的名字,大有“一将功成万骨枯”之慨!

《战城南》一诗代表了诗人“含郁静婉而不怨”(邓中父语)的诗风。诗人并没有直接站出来谴责战争,而是通过对战争环境的渲染,对战争残酷性的具体描写,从字里行间自然地流露出对战争的谴责,以及对阵亡将士的哀悼之情,诗人对战争不是“不怨”,而是恰恰相反,但诗人把对战争无比的怨恨之情深埋在心里,几经压抑,最后才表露出来。这种长蓄慢放的手法所产生的艺术效果,更令人思索,令人百读不厌。

(张振兴)

过京口

高克恭*

北来朋友不如鸿，几个西飞几个东。
多少登临旧台观，阑干闲在夕阳中。

作者

*高克恭(1248－1310)，字彦敬，号房山，其祖系西域人，后居燕之房山(今北京房山)。初仕为省郎，出为江浙省左右司郎中，官至刑部侍郎，卒追赠刑部尚书，谥文简。善诗、画，其墨竹山水尤为精绝，诗有王维《辋川集》风调，有《房山集》传于世。

鉴赏

《过京口》是元代著名山水画家高克恭所写的一首七言绝句。短短四句诗中，蕴涵着诗人对往日朋友的怀念，并流露出只身孤寂的怅惘心情。

诗的题目为“过京口”。地处长江下游的历史名城京口(即今江苏镇江)，自南北朝以来便“以江山名天下”，素称“寺裹山”的金山，“山裹寺”的焦山，“天下第一江山”的北固山，雄踞于长江岸边，北岸与“淮左名都”扬州隔江相望。历代的文人骚客，如南宋著名的爱国词人辛弃疾、诗人陆游，都曾留下不朽的作品。被誉为元代“国朝名笔”的著名山水画家兼诗人的高克恭，理所当然地会被三山的景色所吸引，自然地会生发出吟诗作画的创作激情。但是，作为“其先西域人，后居燕之房山(今北京房山)”的纯北方人，不但对秀丽的江南山水不感兴趣，而且发出异样的感觉和不快。

是这位道地的北方人不喜欢江南的山山水水吗？是这位“笨拙”的诗人穷于辞章吗？当然不是。对此，诗人在诗的第一句已经回答得很清楚了，原来是不能与朋友一起领略京口的佳山秀水。诗人生于北方，长于北方，故以北方朋友为多，所以劈头便曰："北来朋友不如鸿。"这里的"鸿"当指大雁。有两个特点：一是来去有定时，秋天南飞，春天北回，是一种候鸟；二是总在一起，从不拆散，过着严密的集体生活。诗的开头说"北来朋友不如鸿"，但"北来朋友"究竟不如鸿的哪一点，诗人没有明白地点出来，如果从"北来"的"来"字上看，当属第一种情况，好像是他们在北方出发前早有约会，即约定某日聚会于京口，与朋友共同"登临旧台观"。如果从第二句"几个西飞几个东"看，又好像是两者兼而有之。如果从"旧台观"的"旧"字看，似乎诗人与"北方朋友"前已游过，这次重游，自然又会想起共游的往日朋友。诗人只身来到京口，登上一座座台观，自然想起往日一起登临的朋友。今昔对比，因而发出"北来朋友不如鸿"的感慨。埋怨北方朋友既不像大雁那样有信，定期赴约，又不能像大雁那样常聚。这两句解开了我们开始读诗时产生的疑惑，酒要大家喝才香，山水只有与朋友共赏才会饶有兴致。特别是作为画家兼诗人的高克恭，经常以书画诗文会友。作画时"每不轻于著笔，遇酒酣兴发，或好友在前""乘快为之"，如今只身一人，风景再好，对他又有什么用呢？

诗的最后两句尤为含蓄、奇妙。诗人因不能与朋友共赏而产生的不快，是不可名状的，因而不好直接道出不快的详情和程度。作者用画家兼诗人的笔，勾勒出这样一幅画面：一位酷爱写诗作画的北方人，只身来到京口著名的三山风景区。无论他是登上"层层殿阁，座座楼台，把山密密包围"的金山，"寺楼掩隐于山阴云林之中"的焦山，还是来到拥有著名古建筑的甘露寺、北固楼的北固山，他都感到索然无味。亭台楼阁（台观）的栏杆（阑干），寂寞地存在于夕阳中。如果只用前两句诗直接提出问题，诗句当然平淡无奇。而用后两句诗勾勒出一幅画来回答问题，就显得非常含蓄，耐人寻味，给读者留下充分想象的余地，第四句的"闲"字为传神之笔。诗人因只身登临带来的不快和淡淡的哀愁，在一个"闲"字中委婉地透露出来，亭台楼阁的栏杆，为游人登临远眺时所在，与周围风景构成一幅立体画。在夕阳的照射下，又会给这幅画抹上几笔重彩，增强了亮度，如今却拈出了一个"闲"字，不正说明诗人心境的冷漠吗？景随情移，因欣赏主体心情的“闲”,致使欣赏客体栏杆“闲在夕阳中”,而由栏杆的“闲”披露出诗人心境的“闲”。

《过京口》这首七言绝句,写得自然,“自得天趣”“甚有唐人意度”。高克恭为元代的著名画家兼诗人,故而其诗具有“诗中有画”的风格。即使这首短短的七言绝句,也毫不例外。诗的最后两句所描绘出的画面,就是一幅绝好的风情画。

(张振兴)

挽文丞相

虞　集*

徒把金戈挽落晖，南冠无奈北风吹。
子房本为韩仇出，诸葛宁知汉祚移。
云暗鼎湖龙去远，月明华表鹤归迟。
不须更上新亭望，大不如前洒泪时。

作者

*虞集(1272－1348)，字伯生，号道园，仁寿(今属四川)人，侨居临州崇仁(今属江西)。大德初(1297)荐授大都路儒学教授，历国子助教，累迁秘书少监，翰林直学士，兼国子祭酒，奎章阁侍书学士。卒赠江西行省参知政事，仁寿郡公，谥文靖。诗、文都享有盛名，有《道园学古录》五十卷，《道园遗稿》六卷，《平猿记》等传于世。

鉴赏

文丞相即文天祥，他于元世祖至元十九年(1282)就义于燕京。这首追挽之作颂扬文天祥的忠烈，同时也流露出作者的现实悲痛。

诗的前六句皆追怀文天祥事迹并寄感慨。《淮南子》中有一个鲁阳挥戈退日的故事，乃属传说。诗一开始就反用此典，叹惜文天祥虽鞠躬尽瘁，终于未能挽救宋室灭亡的命运，不幸被俘，杀身成仁："徒把金戈挽落晖，南冠无奈北风吹。"前句典故活用固是不错，后句尤是神到兴会的妙笔，"南冠""北风"的句中对自然贴切，以"无奈"连接，大有"时不利兮骓不逝，骓不逝兮可奈何"的意味。而北风吹南冠，还能造成一种"砍头只当风吹帽"的隐喻，这样的句子只能妙手偶得，著不得推敲气力。

紧接着诗人连用两典作对仗，

褒扬文天祥一生出处大节。其人受命于危难之际，而以国家民族恩仇为重，故可比汉代张良、三国孔明，用典贴切“丞相”身份。想秦灭韩国，子房以张家五世相韩，极力为韩报仇，后来功成身退。“子房本为韩仇出”的“本为”二字，突出了一种大公无私的情怀。而诸葛亮为了复兴汉室，竭忠尽智，哪里管它蜀汉国祚已尽，势在必亡。“诸葛宁知汉祚移”的“宁知”二字，则表现一种知其不可而为之的精神，弥见其忠贞不移。尽管这两位历史人物有成败的不同，然英雄固不以成败论也。

下一联承前晖落祚移之意，写诗人对宋亡的隐痛。《史记·封禅书》记载传说，黄帝铸鼎荆山，乘龙升天，后人遂称其地为“鼎湖”。“云暗鼎湖龙去远”指宋帝已死，人世已换。《搜神后记》有汉丁令威学道灵虚山，化鹤归辽的故事。“月明华表鹤归迟”指文天祥如魂归江南，亦将有“城郭如故人民非”的不胜今昔之慨。

诗的最后两句写作者的现实悲痛。《世说新语·言语》载，东晋初年，过江诸人宴饮新亭，因“风景不殊，正自有山河之异”而相视流泪。后人每用以表示怆怀故国之意。南宋的情况和东晋也差不多，故辛词有“长安父老，新亭风景，可怜依旧！”这是据有半壁江山者的感慨，而眼前蒙古贵族已统治全国，南宋连半壁河山亦不复存在，当然也就“不须更上新亭望”了，这是沉痛至极的话，“大不如前”四字可入《世说新语》。

这首七律最令人注目的是几乎句句用典，密不透风。然而诗人所用的都是熟事，又皆贴切自然，所以读来无碍辞义，反有深味。

（周啸天）

滕王阁

虞集

城头高阁插苍茫，百尺阑干背夕阳。
秋雨鱼龙非故物，春风蛱蝶是何王。
帆樯急急来彭蠡，车盖童童出豫章。
灯火夜归湖上路，隔篱呼酒说干将。

鉴赏

滕王阁为唐高祖之子滕王李元婴所建，位于洪州州治南昌（今江西南昌市)的长洲之上,是我国著名的古建筑之一,古代文人题咏颇多。据韩愈《滕王阁集》所载:“江南多名胜、观之美,而滕王阁为第一,既得三王之序(指王勃《滕王阁序》)、赋(指王绩《滕王阁赋》)、记(指王仲舒《滕王阁记》),壮其文辞。”元代著名诗人虞集也曾来到这里,并写下了《滕王阁》这首七言律诗。全诗通过对滕王阁的描绘,以及对当年“人杰”“俊采”的评说,抒发了诗人盛衰今昔的感慨。

全诗共八句,可细分为四个层次。首联两句为第一个层次,诗人从总体上描写了滕王阁的雄伟气势。滕王阁以其高大雄伟著称于世,王勃在其《滕王阁序》中描写滕王阁时写道:“层峦耸翠,上出重霄;飞阁流丹,下临无地。”所以诗的第一句劈头便说“高阁”。“城头”即城上之意;“苍茫”为旷远无边的样子。“插”字用得比较传神,形象地描绘出一个拔地而起的滕王阁,致使“城头”、苍茫的大地都成了它的陪衬。滕王阁是一组建筑群,“桂殿兰宫”之间均架有飞阁,“阑干”即飞阁上的栏杆,“百尺”言其长,“背夕阳”是指在夕阳的斜射或折射下。

颔联两句就直接写当年建阁的滕王。据《旧唐书·滕王元婴传》载:元婴颇骄纵逸游,动作失度。喜好斗鸡,尤好蛱蝶(蝴蝶)。滕王主要生活于盛唐前期,从滕王阁的建造以及滕王阁上的几次盛会来看,可以曲折地反映出当时的盛世景象。到了元代中期,这些历史故事早已化为烟云,颔联两句正是诗人对此所发的一番感慨。“鱼龙”典出南朝宋鲍照《芜城赋》。鲍照用“吴蔡齐秦之声,鱼龙爵马之玩,皆熏歇烬灭,光沉响绝”之句,抒发对广陵(今江苏省扬州市)故城荒芜的感慨,有“鱼龙爵马之玩”(鱼龙、爵马,皆假饰以为玩乐)皆已灭绝的叹息,后来用作表现盛衰今昔之感的典故。“故物”指过去的事物,指当年盛唐的景象已一去不复返了,连骄纵一时、以喜好蝴蝶而出名的滕王也不复存在了。在描写滕王阁的诸多文字中,当以王勃《滕王阁序》最为脍炙人口,当日盛会的季节正是秋天。这里用“秋雨”代指当时的盛世,同时也为鱼龙的感慨蒙上一层厚重的阴影。“春风蛱蝶”既指春天的蝴蝶,又寓于好景不长之意,又有人生如梦蝶的暗喻。“何王”为明知故问,即指喜好蛱蝶的滕王。通过反问,强烈地表现出当时曾显赫一时的滕王,早已成为历史的人物,这和王勃《滕王阁》诗中“阁中帝子(指滕王)今何在,槛外长江空自流”的含义是一致的。

颈联是对颔联两句的生发,主要描写滕王阁在唐代极盛时期的景象。当年滕王阁的几次盛会,犹如《滕王阁序》中所描写的那样:“十旬休假,胜友如云;千里逢迎,高朋满座。""帆樯"是船上的帆和桅杆,这里代指船只。"彭蠡"即鄱阳湖,具体指滕王阁所在的洪州州治南昌。"车盖"为车上遮雨蔽日用的篷,这里代指车。"童"同幢,"童童"即幢幢,形容舟车帷幕上羽饰的繁盛。"豫章"原为汉时的郡名,唐代改为洪州,是洪州的古名。颈联两名胜为互文,主要描写当年滕王阁极盛时期的壮观场景。农历九月九日为重阳节,文人雅士有登高饮酒赋诗的习俗,当时经常在滕王阁上举办重阳佳节的盛会。那些达官贵人、文人学士,或驾舟,或乘车,熙熙攘攘地来去于滕王阁的路上。建造滕王阁的滕王虽然已远离人世,作为著名建筑物的滕王阁,却以其雄浑壮丽的姿态供人们观瞻、题咏。它自身也经历了几多衰荣,曾几度废毁,几度修复,同时它也是历史兴衰的见证。诗人虞集来到这里,自然领悟到这一点,并把他的此种感受倾注在诗里。但是,这种感情却是含而不露地融会在诗歌里。每一句诗都没有直接抒写这种感情,但是只要读者稍加品味,便会感受到这种感情的存在,而且也是很深沉的。正如水中着盐些许,看似为无,尝之却有淡淡的咸味在其中。

尾联两句,主要写诗人观瞻滕王阁后乘舟夜归的感受。诗人观瞻后的感慨,以及感慨的程度如何,在诗的尾联得到充分的体现。特别是最后一句,形象地表现出诗人的感受和程度。湖上乘舟,灯火夜归这样一种环境,正好给诗人创造了回味和思索的极好条件。面对湖光月色,眼前几点浮动的渔火,耳边咿呀的橹声,诗人联想起与滕王阁有关的诸多历史人物。从建造高阁的滕王,到历次重阳节盛会上的贤主嘉宾,以及"躬逢胜饯"的王勃,无不加以评说。"干将"为古剑名,相传为春秋时吴人干将与其妻莫邪所造。这里指埋藏在丰城(属洪州)监狱屋基的宝剑龙泉、太阿。王勃在《滕王阁序》中引用此典,来说明洪州的人杰地灵。诗人虞集引用此典,意指与滕王阁有关的历史人物,借以抒发自己的兴衰之感。至于诗人感慨的程度,通过具有音响、动作的"隔篱呼酒"四字传神地表达出来了,真是浓烈如酒啊。

全诗状物、抒情结合得非常完美自如,含蓄有效,充分体现了诗歌的特征,具有较高的艺术成就,他人对此诗十分推崇。《麓堂诗话》评论道:"虞伯生(虞集的字)《滕王阁》诗,其曰:'天寒'(《元诗纪事》载《滕王阁诗》第一句为'天寒高阁立苍茫')云云,曰'灯火'云云,信非伯生不能作也。"

(张振兴)

寄丁卯进士萨都剌天锡
（镇江录事宣差）

虞　集

江上新诗好，亦知公事闲。投壶深竹里，系马古松间。
夜月多临海，秋风或在山。玉堂萧爽地，思尔佩珊珊。

鉴赏

这是一首寄赠诗。元代的少数民族诗人萨都剌，字天锡，“弱冠登泰定丁卯(1327)进士第”，后“以弹劾权贵，左迁镇江录事”(《元诗选戊集·萨经历都剌》)。萨都剌在镇江身处闲职时，写了大量歌咏江南湖光山水的诗歌。诗人虞集十分推崇萨都剌的作品，称赞他的诗“最长于情，流丽清婉”(《傅若金诗序》)。这首诗便是虞集写给萨都剌的寄赠诗，诗中极力称赞萨都剌所写大量描写江南秀色的诗作，同时也流露出对萨都剌的真挚友情。

全诗共八句，第一、二两句是全诗的总纲，其中“好”“闲”两个字又是全诗的眼。萨都剌被贬镇江时写了大量的诗作。镇江地处长江下游，为典型的江南景色。江南美丽的自然风光陶冶了萨都剌的性情，他把自己的所见所感全部摄入诗中。像深秋月夜下的北固山，“雪夜冬深”“如水晶”的金焦二山，以及“天下知名第一泉”等，都描绘得细致逼真，达到了曲折婉转、情景交融的妙境。萨都剌在镇江所写的诗，大都离不开长江，或以长江为内容，或以长江为背景，故虞集总名萨都剌这一时期的诗为“江上新诗”。第二句诗很关键，它一方面是顺接第一句“江上新诗好”而来，虞集知道萨都剌“公事闲”，是从读了他的“江上新诗”后了解到的。另一方面，以下六句诗，都是从“闲”字上生发出来的，亦即“闲”的具体体现。元代多于路的治所划出区域设录事司，司的最高阶为正八品。镇江录事宣差，即在镇江路录事司当差，是个安排贬官的闲职。萨都剌身居闲职，只好寄情于山水之间。这六句诗，又可细分为两个层次。第三、四、五、六四句诗，主要写虞集在“江上新诗”中看到的萨都剌的消闲生涯。第三、四两句诗为互文，即萨都剌经常与人在“深竹里”“古松间”“系马”“投壶”。“系马”指萨都剌与友人骑马郊游时，把马拴在竹林或松林里，然后饮酒赋诗，投壶作乐。“投壶”是宴饮时的一种游戏，设一种特制的壶，宾主依次投矢其中，中多者为胜，负者喝罚酒。萨都剌在“江上新诗”中对此多有描述。他在《寄朱舜咨王伯循了即休五首·序》中写道：“过金山，登妙高峰，饮酒赋诗。”在这五首诗之二中唱道：“把酒妙高峰，狂歌醉相和。”以上这些诗句和文字，就是对“投壶深竹里，系马古松间”两句诗的注解和写照。第五、六两句写萨都剌夜月临江、秋风登山的情景。萨都剌似乎不分白日黑夜，总是在饮在游，正如他在《江南乐》一诗中所说：“秉烛夜游随处泊，人生无如江南乐。”夜月的江山自有它的迷蒙可爱处，秋日的山水更加惹人生怜。这五、六两句在程度上有所深入，把“闲”字简直发挥到无以复加的地步。镇江不在海边，而诗中却说“临海”，其实这里的海就是指长江。萨都剌在《春日登北固多景楼录奉即休长老二首》其一中写道：“海门不管兴亡事，犹送春潮打石头。”诗中的“海门”即指屹立江心的焦山，由此可证海就是指长江。最后两句又可看做一个层次，是虞集想象中的萨都剌悠闲从容地吟诗作赋的情形。萨都剌野游尽兴归来，便及时把自己的所见所感写进诗里。他置身于“玉堂萧爽地”，不时地踱来踱去，边踱边吟，终于吟成了大量的“江上新诗”。“玉堂”泛指富贵之宅，这里用以指萨都剌的住处。“萧爽”为高敞超逸之意，是形容萨都剌的住地高敞脱俗。这样的环境，正适合诗人吟诗作赋。“佩”即玉佩，指萨都剌身上的佩玉，“珊珊”指佩玉发出的舒缓的声音，“尔”指萨都剌，“思”指虞集想象萨都剌在玉堂踱步吟诗的情景。最后这两句诗也是对“闲”字的继续开拓。虞集读到这些诗后，禁不住为之拍案叫好，这么一来，这最后两句似乎又回到了“好”字上。由“公事闲”生出“新诗好”，由“新诗好”生出“公事闲”，所以说“好”“闲”两个字是全诗的眼。

（张振兴）

听　雨

虞　集

屏风围坐鬓毵毵，绛蜡摇光照暮酣。
京国多年情尽改，忽听春雨忆江南。

鉴赏

这首绝句为诗人虞集在朝廷任翰林官时所作。虞集于元仁宗六年(1319),诗人时年四十九岁,入翰林至元文宗崩(1330年,诗人时年五十九岁)"谢病归临川",在翰林院任职达10年之久,这也是他仕途生涯中的最后10年。从诗的内容看,当为诗人任翰林官时的中后期作品。诗人在"晚直金銮殿"时,因"忽听春雨"而勾起了思乡之情,并隐约流露出引退归乡的思想情绪。

全诗较短,只有四句,大体上可分为两个层次。前两句为第一个层次,主要写诗人在殿内值夜的环境。头一句写诗人值夜时坐在屏风中间,两鬓斑白,已经是五十多岁年纪的人了。"毵(sān)毵"为毛发细长貌,一般用来形容老年人的头发,与壮年毛发黑粗有别。正因为如此,"毵毵"又常与"白"字配合而合成"白毵毵"一词,用来形容老年人的头发。人老头发首先从鬓毛白起,故曰"鬓毵毵"。第二句写红蜡(绛蜡)的烛光在深夜中摇曳跳跃,"暮酣"指深夜。以上两句诗为我们描绘出一种死寂冷清的环境。从空间环境看,周围是宫墙深院,身边是"屏风围坐",身处"重重帘幔"之中。从时间环境看,诗人已进入了"鬓毵毵"的暮年,节令已是寒食前后,春寒犹在,时间是深夜(暮酣)。从亮度上看,也只有一点点绛蜡的摇光。如此一点亮光,怎能抵御深夜的漆黑呢?诗人独自一人处在这样一个时空环境里,心情上必然产生一种重压感。如此漫漫长夜,给诗人提供了一个反思的环境。

诗人在想什么呢?诗的第二个层次由写环境开始自然过渡到写心境。第三句是全诗的过渡句,即由第一、二句的写环境向第四句的写心境过渡。"京国"指当时的国都大都(今北京市)。诗人从二十六岁入大都为朝官,在北方生活了近30年时间。不难想象,"京国多年",已经习惯了北方的生活条件,可以说是作为一个南方人的常情尽改。但是,诗人的乡音不会改,如唐代诗人贺知章,虽然"少小离家老大回",最终还是"乡音无改"。更为重要的是,诗人的江南人意识不会变,诗人的思乡情不会变。所以,诗人在"忽听春雨"之后,自然会"忆江南"。"忽听"二字不可忽略,极富感情色彩。从前三句看,诗人的反思是深沉的,心情是郁闷的,乡思是浓烈的。"忽听"使诗人的感情来个大转变,于寂寞中忽然听到春雨来临的惊喜之情跃然纸上,使其精神为之一爽。色调也开始由暗淡变为明快,这是给诗人带来向往、希望、思念的春雨。诗人"忆江南",不仅仅是因为春寒犹在的北国比不上“杏花春雨江南”，而主要是因为诗人年纪大、仕途坎坷。诗人在翰林时“承顾问及古今得失，尤委曲尽言”“谏或不入，归家悒悒不乐”。一些同僚“患其知遇日隆，每思有以间之”。谗言一时不能奏效，“则相与摘集（虞集）文辞，指为讥讪”。在此种情况下，诗人时时想退出政坛，告老还乡。《元史·虞集传》中随处都有“虞伯生欲以此去尔”“以目疾乞解职”“欲谋南还”等记载。“忆江南”并不仅仅局限于一般的游子思乡，主要的还是厌倦官场、退隐归乡思想的自然流露。所以最后一句诗为全诗的眼，是全诗的关键所在。这一句写得非常含蓄，包容量很大，给读者充分想象的余地。

（张振兴）

游华不注

张养浩*

苍烟万顷插孤岑，未许君山冠古今。
翠刃剸云天倚剑，白头归第日挥金。
攀援直欲穷危顶，歌舞休教阻盛心。
星月满湖归路晚，不妨吟棹碎清阴。

作者

*张养浩(1270－1329)，字希孟，号云庄，济南(今属山东)人。幼有才气，长游京师，被荐为东平学正。曾任县尹、监察御史等官。因指斥时弊，为当政者所不容，被免官。后召为右司都事，迁翰林直学士，历礼部尚书。至中书参议后弃官归隐。天历二年(1329)，关中有旱，拜为陕西行台中丞，往救灾民。到官四月，全力救灾，以劳瘁死。谥文忠。有诗文集《云庄归田类稿》。又擅长散曲，有《云庄闲居自适小乐府》。

鉴赏

华不注山在今山东济南市历城区东北十五里。据《春秋地理考实》:“不，音跗(fū)……谓花蒂也。言此山孤秀，如花跗之著于水也。”文《历乘》卷十五《景物考》云:“城东北十里许，虎牙桀立，芙蓉秀出，高峙小青河之上，名曰华不注。登临者不假轮蹄，由明湖出一帆，直达其下。”可见，大明湖与小青河连接相通，而华不注山正耸立在这万顷碧波之上。张养浩是济南历城人，这首诗就是他至治元年(1321)辞官归隐家乡之后所作，描绘了华不注山从明湖中挺秀而出、孤峰凌烟的雄姿，以及诗人游兴酣畅、乐而忘返的心情。

开篇以如椽大笔、气吞六合之势，情浓墨酣地勾勒出华不注山不同凡响的雄姿:一座孤峭秀美的山峰,在万顷碧波、苍烟浩渺的水面上,巍然拔地而起,仿佛从天而降,插在这宽阔的水面上一般;又像一把锋利的倚天长剑,直剚(zì 刺入)九天云霄之上。这苍烟孤峰的壮观,使诗人情不自禁地联想到那"气蒸云梦泽,波撼岳阳城"(孟浩然《望洞庭湖赠张丞相》)、"白银盘里一青螺"(刘禹锡《望洞庭》)的洞庭湖中的君山,谁说君山能冠绝古今,独美于前?华不注山的英姿完全可以和君山媲美,不许它独占鳌头!拿君山来对比陪衬,进一步突出华不注的形胜之美,且虚实交错,使诗意更加空灵高远。于是诗人意兴飞扬,庆幸自己五十二岁辞官归家,虽然鬓发斑白,总算实现了自己"乞得自由身,且作太平民,酒吸华峰月,诗吟泺水春"(《雁儿落兼得胜令》)的夙愿。既然如此,怎能不连日挥金,优游诗酒,与亲朋尽情游赏共乐呢?作者曾在散曲《越调·寨儿令·辞参议还家》中记述了他"连饮乡会十余日""朋友相将,日日大筵张……大明湖摇画舫,华不注倒壶觞"的盛况,正可移作"日挥金"的注脚。《汉书·疏广传》载:疏广告老还乡,用朝廷赐他的很多黄金,每天大宴亲朋故旧,挥金如土,纵情娱乐,后世传为美谈。诗人暗用此典故,以状自己辞官轻松、宴酣行乐的豪兴。以上是前四句,写泛舟湖上所见华不注孤峰凌烟之景的观感。

第三联才写登山的豪情逸兴。诗人与宾朋泛舟山下,开始舍舟、上岸、登山。他兴致勃勃,攀援直上,要一鼓作气直登山顶最高处(危顶),以便领略那"会当凌绝顶,一览众山小"(杜甫《望岳》)的奇观。此时,亭台楼榭上的轻歌曼舞、酒馔佳肴,都无法挽留、阻止他那旺盛的攀登豪兴。也许是同游的朋友劝他不要劳累登山,权且在这山下水边亭榭上,歌舞侑酒,轻松流连吧,但诗人岂能满足于席间雅兴,所谓"无限风光在险峰"嘛,所以才有"休教"之语。

尾联写星月满湖中泛舟而归。诗人因为游兴方酣,完全被这优美动人的湖光山色所陶醉,所以流连忘返之中,不觉夕阳西坠,皓月东升,满天星斗倒映湖中。虽然"归路晚"了,但能欣赏这"长烟一空,皓月千里,浮光跃金,静影沉璧"(《岳阳楼记》)的湖光夜景,也别有诗情画意。所以诗人悠然自得,对景吟诗,鼓棹而歌,那歌声在万顷烟波上空回荡,那船桨划破了湖中的波光月影,皱起层层片片的涟漪,仿佛无数银光闪闪的鱼鳞在闪动,又像无数金蛇在曼舞。李后主曾有"归时休放烛花红,待踏马蹄清夜月"(《玉楼春》)的逸兴,但那只是宫廷中的陆路,比起这"星月满湖归路晚,不妨吟棹碎清阴"的大明湖夜景,大概还得略逊一筹罢。

这首律诗写得意兴飞扬，淋漓酣畅，豪放潇洒。由湖上观山写山的孤峭雄姿，而以虚写君山陪衬；攀援穷顶，状其登山豪兴，而以“挥金”“歌舞”衬垫，吟棹夜归，明其余兴犹酣，如余音绕梁不绝。其间浓情奇景水乳交融，虚实映衬，相得益彰。前两联皆上句写景，下句抒情，打破了律诗同一联或皆写景、或皆抒情的常格，更有豪放不羁的天然妙趣。前人评其诗“渊奥昭朗，豪宕妥帖”“辞必已出”“凛有生气”（李术鲁翀《归田类稿序》）。今读此诗，信不诬也。

（熊　笃）

晨　起

张养浩

恋枕嫌多梦，开帘曙色迷。鹤寒依户立，猿馁近厨啼。
蹴石泉鸣屋，吞烟树隐堤。村居真可喜，触处是诗题。

鉴赏

张养浩于至治元年（1321）因冒死上《灯山疏》批评皇帝奢侈而触怒了元英宗，故知机避祸，毅然辞去参议中书省事职务，归隐故乡，在济南历城西北构筑云庄别墅，陶情于幽壑林泉之间，过着宁静恬淡的田园生活，其间朝廷屡次征召他出山做官，他都拒不奉召。这首五律是《晨起三首》之三，就作于家居时期，描写云庄别墅清晨幽雅清新的景致和诗人悠然自得的喜悦之情。

“恋枕嫌多梦，开帘曙色迷。”诗人清晨从睡梦中朦胧醒来，不愿贪恋枕席，因为睡得不好，常常做梦。“嫌多梦”，隐约透露出诗人心境并不平静，并未忘情现实，在仕隐行藏之间，内心仍很矛盾，所以才会日有所思，夜有所梦。但现在诗人却想抛弃这类纷扰的思绪，以保持宁静平和的心态。于是他翻身起床，拉开窗帘，那东方天边曙色熹微，朝霞璀璨，村居一片清新秀美的景色，显得那样幽雅和谐，这一切，顿时涤荡了诗人心胸的梦影，使他心旷神迷了。“迷”字生动传神，且承上启下：既使“多梦”的纷扰一扫而光，又领起下面两联具体的景物描绘。

“鹤寒依户立，猿馁近厨啼。”

此时也许是冬季(该诗其一有“夜永起常早”亦可证),所以仙鹤怕冷而倚靠门窗避风站立,而不像春夏那样活泼多姿。诗人在《云庄记》中记叙:“尝得鹤二,豢之既久,习人不慑,往来饮啄,或翔,或眠,或立,或曲颈理羽,与林泉花石相映,巧史有不能绘。当其戛然而鸣,声动寥廓,牛童辈拟而和之,若相应答,闻之令人神形飘洒,不待目昆邱踵蓬莱,已仿佛其羽化矣。”不过现在它依户临风而立,也别有一种亭亭傲岸仙姿。云庄依山傍水,山中常有猿鹿之类。诗人曾在散曲《雁儿落兼得胜令》中描写其与猿鹿为伴的乐趣:“倚杖立云沙,回首望山家。野鹿眠山草,山猿戏野花。”但而今已是冬天,野猿不易寻食,饥肠辘辘,所以一清早就靠近厨房外面啼叫,似乎在向村居主人乞食。上句写所见,下句写所闻,动静交错,有色有声。鹤立猿啼,更加烘托出远离红尘喧嚣的山居隐者那种清新幽静而又充满了大自然生机的真趣。

“蹴石泉鸣屋,吞烟树隐堤。”“蹴”,践踏,这里形容山泉冲刷着山石。那淙淙清脆的泉水声,在室内都清晰可辨,给人以活力充盈之感;那吞烟吐雾的树丛遮隐着远处的水岸长堤,呈现出富有景深层次的朦胧意态。上句写听觉,由远而近,鸣声悦耳,令人神清气爽;下句写视觉,由近而远,凄迷朦胧,使人心醉神迷。而石泉烟树的林下风韵,幽人雅趣,亦与那污浊喧嚣、钩心斗角的官场,暗中形成了鲜明的对比,给人以不少遐想和启示。以上两联各用了四个动词,都很精审警策;但上联句中诗眼在第五字“立”和“啼”,本联却在第四字“鸣”和“隐”,其余两个动词“蹴”和“吞”也与上联“寒”和“馁”位置发生了变化,足见句法的错综多变和锤炼功夫。

面对如此宁静清幽而又充满鲜活生机的山村美景,诗人当然要情不自禁地赞美自己村居的宜人可喜了,因为所见所闻所感,无不具有浓郁的诗情画意,无一不是触发诗兴灵感的好题材!尾联总上挽合,笔力雄健而又自然,有水到渠成之势。

这首诗只写了晨起开帘后瞬间的见闻感受,时空都很集中,选材颇富于包孕性的片刻,通过这一片刻,可以对诗人隐居生活窥一斑而见全豹。中间两联对仗工稳、炼字精当,写景体物入微,远近静动、声光色态,错综其间,无不栩栩如生,可谓诗中有画,首尾“迷”“喜”二字,遥相呼应,情景相生。不愧为其写景诗中佳作。吴师道评其诗:“和平冲淡之中,错以奇崛藻丽。”(《归田类稿序》)殆指此类。

(熊　笃)

秋日梨花

张养浩

雪香吹尽树头春，谁遣西风为返魂？
月影已非前日梦，雨容独带旧时痕。
只知秋色千林老，争信阳和一脉存。
菲讦殷韩太多事，仙家原不计寒暄。

鉴赏

元武宗至大三年(1310)九月，监察御史张养浩上时政书万余言，列举朝廷十大弊端，“言皆切直，当国者不能容；遂除翰林待制，复构以罪罢之，戒台省无复用。养浩恐及祸，乃变姓名遁去”(《元史·张养浩传》)。直到武宗死后，仁宗即位，他才再度被召，起用为右司都事。这首诗就是他回朝复官之后不久所作。诗中托物寄兴，以秋日梨花象征自己经历一番政治风雨吹打之后，再度焕发出异彩和芬芳。

梨花应是春季开放，而今秋季重开，本属病态现象。但诗人不是科学家，他只是托物寄兴，借物言情。所以，当他看到雪白飘香的花朵在萧瑟的秋风中再度开满梨树枝头时，于欣喜若狂之余，不禁诧异惊问：雪白飘香的梨花，早已被无情的春季信风从树枝上吹落干净、零落成尘了，是谁又派遣秋风(西风)使梨花再次还魂复活了呢？李白《宫中行乐词》有“柳色黄金嫩，梨花白雪香”之句，故“雪香”即喻指梨花。开篇以惊叹怪问起笔，有耸人听闻之妙，又紧扣题面，为以下描写梨花姿容和抒发感叹作铺垫。

接着，诗人仔细观察这秋日梨花，写其与春日梨花的差异性和继承性：这秋日梨花在秋月清辉的照耀下，枝影疏朗，临风傲寒，更显冷艳挺秀；不像春天梨花那样浓密娇嫩，在明月下风移影动，花影婆娑，那般如梦似幻。然而它在微雨沾溉或露滴浸润时，依然不失“梨花一枝春带雨”的娇容，仿佛带着春雨留下的痕迹，再度经受这秋雨的洗礼和考验。这两句通过对比，暗示出诗人经受了一场政治风雨之后，不像初入仕途时那样天真地耽于幻想，已经变得更加清醒、冷静，更加老成练达了;但那旧时风雨留下的痕迹并未泯灭,而应作为经验教训的积淀保留下来。“月影梦”“雨容痕”,既富有生动的形象意态,又蕴涵着深刻的反思理趣,正所谓“物物不物于物”,咏物而不为物所滞,方使物与我,物理与人情巧妙交融,浑然无迹。

第三联一笔宕开,在广义上抒发对秋色的新见:一般人只知秋风萧索,千林万卉,红衰翠减,因而总是“悲落叶于劲秋,喜桑条于芳春”(陆机《文献》)。于是由“草木无情,有时凋零”,进而益感人生易老,思急流勇退,发出了“奈何以非金石之质,欲与草木而争荣”(欧阳修《秋声赋》)的消沉感喟。自宋玉《九辩》悲秋以来,历代文人率多如此。而此诗却批判了这种“只知秋色千林老”的传统悲秋情绪,提出“争信阳和一脉存”的新见,实属难能可贵。是啊,人们的积习太深,怎么能相信这“秋色”原是与春天的阳光暖气一脉相承而存留下来的呢?《周易》中八卦,七月乾上坤下是阴阳交泰,与正月坤上乾下,三阳开泰,其实阳气相当;八月巽上坤下是二阳四阴,比二月震上坤下,只少二阳。这是阴阳物理,故曰:秋季“阳和一脉存”。诗人以此象征人事,意在说明人在中年以后或中老年之间,不应壮志消沉,而应“烈士暮年,壮心不已”(曹操《龟虽寿》),永葆青春活力,奋发有为才对。这是一种积极上进的人生观,却含蓄地寄托在咏叹秋日梨花的物理之中,尤觉警策而发人深省。诗人一反传统悲秋的陈套而自出机杼,并非纸上谈兵,试看他晚年六十高龄还变卖家产,赴陕西赈荒济民,终于心力交瘁而累死任所,则可见其老当益壮、“壮心不已”精神之可贵。

尾联再作转折,从人事说到“仙家”,但仍挽合到花开季节之事上。《续仙记》载:唐代道人殷七七于浙西鹤林寺使杜鹃花秋日开放;“八仙”之一的韩湘子,常于冬季令牡丹花开数色,每朵之上有一联诗,以预示其族叔韩愈的未来遭遇。诗人借用此典抒情,似乎也是在告诉人们:不要惊异殷七七与韩湘子太多事,让花在秋冬开放,因为仙家本来就不计较花开的季节是在寒季还是暖(暄)季。以“仙家”来对比世俗,曲折地表现了诗人不落流俗的眼界见识和胸襟抱负,且富有一种豪放潇洒和优游不竭的意趣。

此诗托物言情,通体比兴象征,立意新颖,不落窠臼。句句未离开秋日梨花的具体形象特征,却又无不暗合诗人的政治经历及人生感受,不即不离,不滞不脱。景物形象与人情理趣浑融无间。语言清淡朴素,言浅而意深,亦如秋日梨花那样素雅而芳馨。

(熊　笃)

黄州道中

张养浩

濯足常思万里流，几年尘迹意悠悠。
闲云一片不成雨，黄叶满城都是秋。
落日断鸿天外路，西风长笛水边楼。
梦回已悟人间世，犹向邯郸话旧游。

鉴赏

此诗约作于至大二三年间(1309—1310)。时作者任监察御史，奉使南行，途经黄州。苏东坡曾贬谪黄州，黄州遂成为骚人墨客触景兴感的名胜之地，陈益稷有诗云："赤壁冷烟销魂卒，黄州淡月照坡仙。"张养浩行经黄州道中，又适逢使人多愁善感的秋季，触景生情，自不免思绪万千，慨然成章。此诗抒发了作者政治抱负难以实现的忧愤，流露出用舍行藏的矛盾心情。

诗的开头两句，首先化用左思《咏史》"振衣千仞岗，濯足万里流"语意，既表现了超尘绝俗的豪迈气概，又流露出除尘去垢的高洁情怀。作者奉使离京南行，一路风尘，加上长期仕途奔波劳碌、"向年尘迹"，即仍然志不获展，所以常思濯足长流以洗涤官场上的尘渣污秽，即时有归隐念头。诗人望着那悠悠奔流的江水，羁旅的惆怅，仕途的坎坷，理想和现实的矛盾……千愁万绪，不禁纷至沓来，涌上心头，"剪不断，理还乱"，诗人的愁绪，恰如这长江流水一样悠悠不尽。第三、四句，既写实景，又含比兴。仰望天穹，万里寥廓，只有孤云一片悠悠飘浮；俯视大地，木叶黄落，百卉凋零，一派肃杀、萧瑟的秋光秋色。作者这里不是空泛地写景，而是寓情于景，通过写景展示自己的境况和情怀。"闲云"句，作者比自己如孤云，漂泊无依，以状旅途乃至仕途的孤独寂寞。并以孤云不成雨，抒发自己怀才不遇、有志无成的感慨。诗人素有远大政治理想，但由于政局变化多端，"致君泽民"的抱负长期遭受压抑不能得以施展，因而诗人即景抒怀，深刻表现了他内心的伤感。"黄叶"句，借秋季时令景物的萧索，隐喻自己壮志未酬，而岁月蹉跎，韶华易逝，大有屈原《离骚》中"惟草木之零落兮,恐美人之迟暮”之意,但更加含而不露。五、六句,“落日断鸿天外路,西风长笛水边楼。”再进一步渲染此寥落失意之情。上句写目尽天涯、寥廓孤凄的视像,下句写临水登楼、游子凄凉的听觉。寥廓的天际中,一只失群的孤雁,在黯淡的夕阳余晖下孑然远去,“天外路”状其征途遥远,归宿未卜。这秋空孤鸿,孑然无依,前途渺茫,不正是诗人离家万里、宦游失意的象征吗?与辛弃疾《水龙吟》中“落日楼头,断鸿声里,江南游子”的心境可谓异曲同工。诗人在秋风中登楼临水,凭栏远眺,陷入了深深的沉思之中,忽然一声长笛悠然响起,笛声在秋风中那样悠扬凄婉,那样如泣如诉,是在喟叹韶光易逝的悲凉,还是在倾诉人生坎坷的悲怆?吹笛的人啊,你只管倾诉自己内心的衷曲,可曾想到还有一个人也在聆听中黯然神伤?这两句化用唐朝诗人赵嘏的名句“残星几点雁横塞,长笛一声人倚楼”,所不同的是,赵嘏写的是晨曦初见之景,使人感到凄清,而诗人却巧妙地移接为令人销魂的落日黄昏之时,凄清之外,更添迟暮之愁。

凄凉冷落的秋色,时时触发着诗人孤寂怅惘的愁思,回首往事,自己抱着远大的理想,怀着一腔热忱投身仕途,勤于王事,但武宗一朝政治的腐败,使诗人感到理想难以实现,官场的黑暗,使诗人感叹人生如梦,荣华富贵,恍如过眼烟云,顷刻便会消逝。因此“梦回”句,是作者身经多年的宦海沉浮之后,梦醒悟世,领悟了《庄子·人间世》中“清静无为”,以及与世无争、独善其身的妙谛,流露出的退隐之思。但接着却又写出“犹向邯郸话旧游”,“邯郸”,是用唐传奇《枕中记》卢生邯郸梦的典故,“话旧游”是喻自己像卢生一样梦醒之后,还在回味反思梦中的宦途经历。这里虽有宦海如梦之意,但并不是表明毅然归隐的决心,而是感叹自己梦醒之后,仍然执著于“致君泽民”的理想,仍然辛苦地奔走在“邯郸道”上,人间富贵荣华的梦可以醒悟,而国泰民安的太平盛世当然梦寐以求。正因如此,作者此时不辞辛劳地为王事奔忙,待回京后,又满怀热忱地写出《上时政书》,冒死指斥时弊。这里既有仕途失意的虚幻感,又有不甘寂寞的济世心,诗人表现了在用舍行藏上的复杂矛盾心情,颇有点老杜那种“非无江海志”而又“忍为尘埃没”的“拙劲”。

诗中将典型景物与特定心境结合起来,景语即情语。闲云、黄叶、落日、断鸿,本是深秋季节的异常景物,而这些景物又与宦游漂泊,风尘碌碌、韶华易逝、壮志难酬的情绪,形影相随,诗人将这些表象融会入诗,加上高楼笛韵的烘托,从而达到了情景交融、浑然无间的艺术境界,含蓄深沉而耐人寻味。

(秦　勤)

晨兴用俞立之韵

张养浩

寒碧洲痕浅，深青地势平。岩姿呈淡雅，树影碎空明。
窗纳一天晓，人怀千古荣。移床高处坐，遥看日东升。

鉴赏

这是一首即景抒情之作，诗人就清晨眼前的景物抒写自己顷刻间的感受，表现了作者渴望建功立业的积极进取精神。俞立之，当是作者唱和的朋友，生平不详。

开头四句，描绘了清晨所见自然景物在宁静中蕴涵的生机。首句写寒水之清澄。唯水之清明，沙洲水痕方显其浅，一个“浅”字，便使读者可以想见寒水的清澄莹澈，不杂尘渣，宛如一块温润的碧玉。次句写树木之繁茂。万木欣荣，蓊郁青葱，整个原野都被笼罩在无边的浓翠里，仿佛一片深青色的平川。“岩姿”句，写山岩之峻洁。晨曦初现时，高峻秀丽的山岩，呈现出一种清幽淡雅的姿态，有着无限静穆之美。“树影”句，写月光之空明。月光如水，荡涤了世间万物的五光十色，将大千世界染成梦幻般的银白色。微风吹拂，树枝婆娑，将斜月余晖筛洒大地，呈现出斑斑点点的碎影，这优美柔和的境界，正如东坡《记承天寺夜游》中所写的“庭下如积水空明，水中藻、荇交错，盖竹柏影也”一样，只不过一是夜间，一是晨起月落之时。这四句，既写景，又言情，“寒碧”清澄，树木青葱，“岩姿”淡雅，月影空明，既展示出一派生机盎然的自然之美，又寄寓着诗人对峻洁光明的审美追求，景物的自然美和诗人的人格美，融为一体。

下四句，紧承上四句，抒发诗人按捺不住的积极奋发的热情。“窗纳”句，化用杜甫绝句“窗含西岭千秋雪”，但诗人用“一天晓”，则不仅写出了晨景的壮观，而且含着深广的理趣，特别显出晓景所蕴藏的朝气，使人在晨曦微露中自然而然地联想到“一年之计在于春，一日之计在于晨”，人生应趁青春年少之时，奋发有为。一个“纳”，写出了诗人的博大胸怀，这正是言近旨远，含不尽之意见于言外。“人怀千古荣”，是诗人见自然界万物欣欣向荣，生机勃勃，地平线上曙光初见，触发了一种蓬勃向上的人生感慨，禁不住怀想起历史上那些“立德、立言、立功”留下千古荣名的人，因而愈加激励自己“自强不息”，为国建立不朽业绩。他在《过长白山范文公书堂》中对范仲淹的景仰，在《庙堂忠告》中对诸葛亮的赞颂，都表露了他渴望“致君泽民”，奋发进取的理想。故结尾两句，诗人便抑制不住内心的激情，仿佛“欲穷千里目，更上一层楼”，移坐高处，遥看旭日喷薄而出，光明普照大地的壮观景象，从而表现出诗人高瞻远瞩、胸怀天下的宏伟气魄。

此诗是诗人早期的作品，表现豪情壮志，主要只是借景抒情，出以比兴，故境界开阔而诗意含蓄，饶有余味。又此律前三联均是工稳的对仗，已破律诗常格，且语言简练，炼字极工（如动词“碎”“纳”等字）。凡此皆表现出了年轻的诗人已具有相当娴熟的艺术技巧。

（秦　勤）

李陵台

黄溍*

日暮官道边，土室容小憩。汉将安在哉？荒台犹仿佛。
低回为之久，怀古增歔欷！长风吹旷野，飞雨千里至。
萧条苍山根，草木余爽气。常怜司马公，予夺多深意。
奏对实至情，论录存大义。史臣司述作，遗则敢失坠！

作者

＊黄溍(1277－1357)，字晋卿，金华(今属浙江)人。仁宗延祐年间赐同进士出身，官历宁海丞、国子博士、秘书少监，翰林侍讲学士，知制诰，同修国史。卒赠江夏郡公，谥文献。诗文颇负盛名，有《黄文献集》十卷、《损斋稿》二十五卷、《日损斋笔记》并行于世。

鉴赏

此诗乃《纪行诗》中的第十一首。李陵台在今内蒙古正蓝旗南黑城，元时地当大都至上都交通要道。诗人路过此地，睹物怀古，触景生情，抒发感慨，赋为此诗。

前六句叙事明题，且又夹杂着强烈的感情成分。天近傍晚，暮色苍茫，官府修筑的大道边上有一简陋的居室，尚可容人休息片刻。接下两句用的是倒装法，本应因台及人，由台缅人，但却先点“汉将”，后提“荒台”，从而更突出人去台空的落寞之感。西汉一代名将李陵早已踪影不存，而以他的名字命名的台虽已荒颓，但仍大抵可见。人筑台，台为人，如今物是人非，空余荒台，情何以堪！于是为它长久地低首徘徊，增添出许多缅怀古人的哀思。

中四句描写边塞风光，语句浑朴，气象开阔。千里原野，空旷无际，劲风断续长吹，骤雨不时飞洒。

群山已萧瑟，众壑成苍茫，而山根之下的野草树木还呈现一派清爽气息。

后六句为议论。“常怜司马公，予夺多深意。”“司马公”指西汉时伟大的史学家司马迁。“予夺”是褒扬贬抑的意思。司马迁所著《史记》，不论是记叙史事，还是评述人物，都能实事求是，公允中肯，深刻具理，既未滥褒，也不乱贬，故受到诗人的喜爱(“怜”)。眼前是李陵台，自然就联想到司马迁笔下的李陵。据《史记·李将军列传》《报任安书》所载，汉武帝天汉二年秋，李陵率领将士出居延北千余里击匈奴，“而单于以兵八万围击陵军，陵军五千人，兵矢既尽，士死者过半，而所杀伤匈奴亦万余人。且引且战，连斗八日”。此时，消息传至长安，“汉公卿王侯皆奉觞上寿”，一片贺捷之声。后来，“匈奴遮狭绝道，陵食乏而救兵不到，虏急击招降陵。陵曰：‘无面目报陛下。’遂降匈奴”。消息又传至长安，武帝大怒，群臣噤若寒蝉，或趁机中伤。司马迁则在据理分析李陵的为人和战功的基础上，诚恳上言：“以为李陵素与士大夫绝甘分少，能得人死力，虽古之名将，不能过也。身虽陷败，彼其意，且欲得其当而报于汉，事已无可奈何，其所摧败，功亦足以暴于天下矣。”武帝认为这是司马迁在为李陵的投降辩护，盛怒之下遂处以宫刑。司马迁仗义执言，不徇私情，就是“奏对实至情”。同时，不因个人的感情和遭遇而歪曲史实，而对“李陵既生降，颓其家声”，丧失民族气节的行为，也作了记述和谴责，这正是“论录存大义”。诗人当时“兼国史院编修官”，因而以情作结，兼抒已志：“史臣司述作，遗则敢失坠！”司，掌管。遗则，遗留下的榜样或准则。这里乃二义兼具，作为史家，应以司马迁为榜样，撰述史书，当用《史记》作准则，表达了诗人的宏愿和抱负。

此诗在章法布局上颇具特色，写情造境，富于变化，先六句叙事兼抒情，后六句议论兼抒情，而中间横插四句纯乎写景，似感与上下不接，实乃暗里承上而启下，峰断云连。历尽沧桑台犹在，则千古之“风景不殊”，四句景语，正暗承今之“荒台”。如今，风景犹存，物是人非，古之“汉将”安在？遂以景逗情，悄启“深意”，引入议论，自然不觉。全篇明断暗续，不接而接，深得断续这种艺术手法之妙。

(赵望秦)

抱 琴

黄 溍

三尺枯桐树，相随年岁深。此行端有意，何处托知音。
隐隐青山夜，寥寥太古心。空携水仙曲，更向海中岑。

鉴赏

琴，俗称古琴，是一种拨弦乐器，音调高雅。古人常以琴声寄意，表达其喜怒哀乐，志趣抱负。这首诗就是托物言志、抚琴抒怀之作，表现出曲高和寡、知己难觅、怀才不遇的心声。

首二句开门见山，入手擒题。“三尺枯桐树，相随年岁深。”传说神农造琴，长三尺六寸六分，故王安石有“三尺空弦膝上桐”（《和张仲通见寄三绝句》之一）之句。而高级的琴身，多用桐木制成，故庾信有“桐孙待作琴”（《咏树》）之句。则所谓“三尺枯桐树”，就是指琴，同时又化用焦桐的典实：“吴人有烧桐以爨者，〔蔡〕邕闻火烈之声，知其良木，因请而裁为琴，果有美音”（《后汉书·蔡邕传》）。从而暗含良琴之意，因此得以“相随年岁深”。久经年月，相随相伴，不舍寒暑，长时抱持。言下之意，知音难得，既未轻易弹奏，更不随意出售，仅可怀抱手持矣。这里以琴自喻，曲折隐微地表达了诗人的自信和宏才。三、四句承上而发：这般行为，确有深刻意味；何时何地，可能托于知音。两句暗含曲高和寡之意，反映了当世少知音、茫茫无所求的失望之情。琴曲高雅，声调悠婉，传情达意，惟妙惟肖，可是世无赏其音，人无知其心，则“有意”势同于“无意”，“何处”不异于“无处”，“年岁”虽“深”，抱之而已。何至于斯？盖以阳春白雪，雅曲难和。那么，此曲调之美妙究有几何？欲知音之高深必得几许？由此自然转出下面两句：“隐隐青山夜，寥寥太古心。”这五、六两句明似直赋，暗含故实，虚实结合，表里相映，用事无迹，寄怀深微。传说古时伯牙善于弹琴，钟子期善于听琴，伯牙琴曲，意之所到，子期听音便能心领神会，高山流水，无不极尽。而今，善弹者或有，高高青山，朗朗清夜，隐隐琴曲，悠悠妙声，情趣盎然，偶臻胜境，但却始终没有古时那种心心相印的善听者，而致寥寥无应，到头来反变得琴心冷寂，孤弦哀音。隐微曲折地表达了怀才不遇的愤懑之情，同时，也是以点带面地控诉了扼杀人才的不合理社会。最后两句仍化用故实，回应题旨，具体而微。“空携水仙曲，更向海中岑。”“水仙”即琴曲之一“水仙操”。据《乐府古题要解》卷下“水仙操”条：传说伯牙学鼓琴初成，“至于精神寂寞，情志专一，尚未能也”。于是随钟师至海中蓬莱山，“但闻海上水汩汲崩澌之声，山林杳冥，群鸟悲号，怆然叹曰：‘先生将移我情。’乃援琴而歌之。曲终……遂为天下妙手。”两句意谓：徒携雅琴“年岁深”，空怀妙技“托知音”，“水仙曲”既与俗世无缘，不妨“更向海中”仙山去，超凡脱俗，益求高妙。“海中岑”，显然有所喻指，乃针对轻视才华之士的恶劣环境而言。世不我遇，何恋之有，“抱琴”高蹈，自我欣赏可矣，反映出诗人欲施展宏图于社会而不为现实所容的悲凉情绪。

此诗巧用典故，善作隐喻，词意幽深，乍始读之，稍显幽晦深曲，一时难明题旨。但经一番体味，不仅可曲径通幽，捕捉到诗的旨趣，且比直截了当更有回味的余地。

（赵望秦）

上岩寺访一公

黄　溍

晓色微茫尚带星，修蹊荦确断人行。
独支瘦竹身犹健，高入重云地忽平。
落月正当山缺处，细泉频作雨来声。
上方灯火青林曲，隐隐疏钟一再鸣。

鉴赏

凌晨，月色朦胧，诗人前往上岩寺访晤尘外之友“一公”（某位高僧）。一路行来，风光秀逸，景象独特，诗人为之陶醉，遂欣然命笔，精心描绘了这次只身进山、爬险道、翻峻岭、穿云雾、观落月、闻晨钟的奇趣和妙景。故此诗既有诱人的诗情，又有浓厚的画意，可谓诗中有画。因此，也不妨将它当做一幅美妙的晨行风景画来欣赏。

首联开门见山，点明诗人活动的时间、环境和方向，渲染氛围，为以下的构图做了充分铺垫。“晓色微茫尚带星，修蹊荦确断人行。”曙光即现，夜色欲消，似明又暗，万象隐约，而笼罩山河大地的灰白色天幕上还镶嵌着点点晨星，流光闪烁。婉曲绵延、崎岖不平的窄小山路上尚无其他行人，而唯一的行人就是诗人。显然，这上岩寺乃坐落于山中深处。诗人正是在此时此境中向山上跋涉。颔联承上，继续写景叙事，而字里行间透露着兴致勃勃、意气昂扬的情绪。“独支瘦竹身犹健，高入重云地忽平。”诗人手持细小的竹杖，探路前行，因被“晓色微茫”之风景所迷住，又陶醉，又兴奋，不仅无半点倦意，而且还感到身心健朗，异于往日。并于心旷神怡之中将一个个耸入云霄的险峰峻岭抛至身后，一口气翻上山顶，眼前忽然闪现一片平地。不难想象，这时的诗人，除有如人们在登上高山之后通常所产生的兴奋情绪之外，还有另一种喜悦之情，即上岩寺就在眼前（尾联点明此意），自然可与友人马上见面。以景衬情，耐人寻味。诗人此刻的意兴如潮，不能自已，因而又不急于敲山门，进寺院，而是左顾右盼，远观近闻，进一步领略大自然于此时此刻、此地此境所产生的独特景象，并尽情地享受其中的无比乐趣。“落月正当山缺处，细泉频作雨来声。上方灯火青林曲，隐隐疏钟一再鸣。”这两联仍是承上写景，但较前更具体细微。一轮皎月徐徐下坠，光芒已渐消退，正处在峰峦缺豁之间，而诗人站在山顶，却是人比月高，正与往常仰观当空之月形成异象，而居高临下地俯视垂野之月，煞是妙观。如此赏月，奇趣无穷，大概是大自然对诗人跋涉之勤的一种报偿吧！另外，在一片苍翠的树丛后面隐蔽着上岩寺，寺里守夜的灯火从枝叶的缝隙间透射出缕缕青光，偏偏在这旷山野林中呈现出一股生气，又凝神谛听，散流漫淌的涓涓泉水，在岩石崖壁间飞溅，传入耳际的是淅淅沥沥、滴滴答答的音响，宛如山雨袭来之声。但事实上是晴明的早晨（有月），故具奇趣。同时，寺庙中响起不紧不慢的钟声，飞向四面八方，震荡于群山众壑之间，紧跟着回声四起，声声相连，时隐时现，时起时伏，时短时长，时大时小。在这深山密林之处，万籁俱寂之时，水声急促，钟声悠扬，从而奏出一曲时空妙合的天然乐章，煞是好听。

此诗从字面上看，似纯乎写景，无有情语，但细细玩味，实乃景溢其外，情蕴其中，景中含情，情又衬景，情景交融，妙合无垠。诗人之所以赶早进山，并不畏孤寂，不知疲倦地在绵延起伏的山间小路上左右跋涉，上下攀援，显然是被一股激情所促使着，即急于见到一公大师的友情，大概还想带给对方一种意料之外的惊喜，为晤面平添上一段情趣。这种感情，诗人并不直截了当地表白出来，而巧妙地蕴藏于具体的景象描写之中，让读者通过寻绎和联想而体味之。又如对上岩寺在破晓时分环境的描写，引人入胜，自然而然地表现出诗人对眼前风光的爱恋和赞叹。这不仅将读者引入一个幽邃清雅的美的意境，而且可以想象，当时诗人对这样一种远离尘嚣之地的羡慕之情又将多么浓烈！另外，诗人采用以景结情的手法，使此诗意味隽永，"言有尽而意无穷"。如结句"隐隐疏钟一再鸣"，就给人的印象格外深刻。晨钟轰鸣，声传四野，在彼时彼地产生一种奇妙的音响和效果，却给了读者可以意会而难以言传的美感。此外，它又标志一日之始，可以想见此时山门大开，诗人信步入内，与友人执手寒暄，继而款言畅谈……具有回味无穷、联想不尽的余地。

（赵望秦）

宗阳宫望月分韵得声字

杨　载*

老君台上凉如水,坐看冰轮转二更。
大地山河微有影,九天风露寂无声。
蛟龙并起承金榜,鸾凤双飞载玉笙。
不信弱流三万里,此身今夕到蓬瀛。

作者

*杨载(1271－1323),字仲弘,浦城(今属福建)人,后迁居杭州。博览群书,年四十犹未仕。初以布衣召为翰林国史院编修。仁宗延祐初,登进士第,授饶州路同知浮梁州事。终宁国路总管府推官。为诗宗唐,横放宏朗,自有法度。亦能文。有《杨仲弘集》八卷行于世。

鉴赏

据《西湖游览志》卷十七"道院"条:"宗阳宫,本宋德寿宫后圃也……(宋度宗)咸淳四年,以后圃筑道宫,曰宗阳……元初毁。(元仁宗)延祐间,真人(道士)杜道坚重建筑老君台,肖老聃(老子)像于中。"故址在今杭州。又说:"杜道坚,号南谷,当涂人,风度清雅,尝以中秋集儒彦,登老君台玩月,分韵赋诗,杨仲弘(杨载字仲弘)为绝唱。"所谓"绝唱"指的就是这首诗。明人瞿佑也说:"杨仲弘以《宗阳宫玩月》诗得名,……沉雄典实。"(《归田诗话》卷下)可见此诗素负盛誉。

首联开门见山,入手擒题,涵盖全篇。"老君台上凉如水,坐看冰轮转二更。"登上老君台,秋气袭人,凉爽如水,因("坐")观赏那如冰般晶莹,如车轮般圆大之明月,不知不觉间已至二更时分。颔联紧承上而作具体的景色描写:"大地山河微有影,九天风露寂无声。"此时此刻,明月悬照,位于高台,上下展望,美景殊异,良辰难得。大地之上,唯见山脉河流,绰约带姿,微微有光;高空("九天")之下,唯感风气露水,细柔浸润,寂寂无声。颈联虚实结合,游目骋怀。"蛟龙并起承金榜,鸾凤双飞载玉笙。"出句以偏概全,描写宗阳宫老君台的雄伟壮丽。对句神驰心幻,冀成仙道,用意则在颂扬"重建"之功德。"蛟龙",柱楹楣檐上的辉煌纹饰。"金榜",镶嵌金字的匾额。道教传说,萧史善于吹箫,为秦穆公之女弄玉所爱慕,便结成夫妇,经数年,双双吹箫似凤声,一旦乘鸾跨凤而飞去。"鸾凤双飞"即本此。又传说周时的董双成炼丹宅中,丹成得道,自吹玉笙,驾鹤仙去。"载玉笙"乃本此。尾联以"望月"时的独特心情和感受为衬托,赞赏中秋月夜之美好。"不信弱流三万里,此身今夕到蓬瀛。""弱流",即弱水,神话中传说仙人居住的昆仑山下有弱水绕流,水轻不胜鸿毛。又说蓬莱仙岛周围皆是弱水,非一般的舟船能济渡的。"蓬瀛",蓬莱和瀛洲,传说是位于渤海中的神山,这里都是泛指仙境。在"宗阳宫望月",使人心旷神怡之至,甚且能感受到骨轻气敛,而飘飘然欲仙。横过弱流三万,不在话下,飞升蓬瀛仙山,只在今夕,可见今夕的中秋之夜是多么的美妙!花好月圆,赏心悦目,乐趣无极。

此诗作于中秋望月之时,但又是在道士的邀请下作于道教宫观之中,故在旨意上具有一定的独特之处。如其出于表情达意和切合时地的特定需要,选用了一些与道教有关的典故,从而深化了诗的意境和内涵,增加了诗的形象性和含蓄性,有力地表现了在"宗阳宫望月"的主题内容。而在写法上,"全篇整丽,首尾心和"(《诗薮》外编卷六)。

(赵望秦)

湖　上

杨　载

秋郊纵步却骖騑,胜事能多许客参。
如雪万家收早稻,未霜千树著黄柑。
鼍鸣海上潮先涌,猿叫山前雾欲含。
放浪渔樵元有处,使人犹爱往江南。

鉴赏

此诗描写初秋时的湖边美景及游赏观感,笔调轻松明快,辞意清新自然,读来使人心旷神怡,有身历其境之感。

"秋郊纵步却骖驔,胜事能多许客参。""骖",本义为一车驾三马,这里泛指马拉的乘人之车。"驔",有黄色脊毛的黑马,这里指一般的坐骑。"客"系诗人自指。初秋时分,天高气爽,湖水澄澈,层林尽染,鲜艳多彩,胜景良多。诗人驻车马于湖畔,徒步览胜,不觉心旷神怡。这首联总写一笔,涵盖全篇,擒点题旨,领起下文。

颔联具体描写郊游所见之胜景:"如雪万家收早稻,未霜千树著黄柑。"金秋三月,收获之节,稼禾成熟,果木丰硕,故先映入诗人眼帘的是一番丰收景象。千家万户,收割正忙,稻米流脂,是以"如雪"。柑橘之果实圆润,尚未经霜寒,色已澄黄,千树万枝,金光点点。这两句写景如画,色彩艳丽,黄白分明,衬映生辉。诗人为丰收景象所动,喜悦之情,油然而发,遂融情入景,得此佳句。颈联写郊游所闻:"鼍鸣海上潮先涌,猿叫山前雾欲含。""鼍"鸣如鼓,振荡海上,浪潮翻滚,前推后涌;猿叫凄厉,响彻山前,雾气飘浮,渐浓欲掩。"鼍",鳄鱼的一种,鸣叫之声像砰砰击鼓。又鼍鸣则天欲雨。前人诗文中多有用其意者,如"鼍鸣雨天"(皇甫松《大隐赋》),"鼍吟浦口飞格雨"(李贺《江楼曲》)。而风又为雨先,则"潮先涌""雾欲含"都暗含着风力之强劲,欲雨之声势。这两句以白描叙景,动中显静,环境幽邃,与上两句的重彩敷绘形成强烈对比,呈现出欲雨未雨,山水微茫,闻声不见形的意境淡远的朦胧之美。

尾联抒发郊游之观感,照应题面,深化诗意:"放浪渔樵元有处,使人犹爱往江南。"江南山清水秀,物产富饶,人杰地灵,故自古以来,"人人尽说江南好"。而此番郊游,于尽得领受胜景外,还发现此地有这样一个好处:既可临湖垂钓而为渔夫,又可登山打柴而做樵人,过一种无拘无束、自由自在的生活。这两句有言外之意,含思隽永,神余象外,深曲婉微地批判了城市的喧嚣、官场的虚伪、世情的淡薄。

此诗的特色主要表现在中间二联。首先,由于纯乎写景,突出了湖上游览的情趣意味。颔联旖旎动人,颈联气象雄浑,富有诗情画意,读之令人心醉。其次,由于诗人匠心独运,对丰富多彩的景物能够巧于安排,采用远近不同、明暗区别的对比映衬手法,而富于变化,不显得呆板。

(赵望秦)

京下思归

范　梈*

黄落蓟门秋，飘飘在远游。不眠闻戍鼓，多病忆归舟。
甘雨从昏过，繁星达曙流。乡逢徐孺子，万口薄南州。

作者

*范梈(1272－1330)，字亨父，一字德机，清江(今江西清江)人。少孤家贫，刻苦工诗文。年三十六辞家北游，卖卜燕市，吴澄荐为左卫教授，迁翰林编修。出为闽海道知事，移疾归。天历二年(1329)，授湖南岭北廉访使，以母老不赴。人称文白先生。为文雄健，有两汉风格。为诗好歌行，冲淡闲远，如秋空行云。有《范德机集》七卷。

鉴赏

这首五言律诗是作者的佳构，尤其中间两联，被誉为"句格闳整"，"殊不多得"(明胡应麟《诗薮》外编卷六)。诗抒写诗人身居京城而欲归隐的情思，言真意切，辞炼句工，声情俱佳，兴味隽永。

首联点明时地，及远游情事，总领全诗。"黄落蓟门秋，飘飘在远游。""黄落"，黄色落叶，秋天的典型事物。"蓟门"，故址在今北京德胜门外，有燕京八景之一的蓟门烟树，这里代指大都(今北京)。叠辞"飘飘"，双关落叶与游人。诗人故居清江(在今江西清江西南)，乃南国的鱼米之乡。而今身居京下，羁宦千里，值此"萧瑟兮草木摇落"之秋，难免不引兴莼羹鲈脍之思！故一起笔，既慨落叶，复伤远游，则急归之情，可以想见。颔联即承此而发，亦景亦情。"不眠闻戍鼓，多病忆归舟。"长夜不眠，戍卫报时之鼓声频传耳际，体弱多病，乘舟归去之意念萦绕心头。二句从杜诗"不眠思战伐”“老病有孤舟”化出，却浑然天成。颈联两句，初读似纯乎写景，细味则景中含情，意蕴颇深：“甘雨从昏过，繁星达曙流。”细雨绵绵，整日轻洒，而自黄昏时分即停止；夜空朗朗，繁星点点，流光闪烁，直至破晓时分仍未休。二句写不眠夜所见，自然景物掺进凄清的感情色彩。尾联追比同乡前贤，以抒志明心，挽合全诗，深化主题。“乡逢徐孺子，万口薄南州。”徐稚，字孺子，东汉豫章南昌（今江西南昌）人。汉桓帝年间，多次被荐举、征聘，但因不满宦官的专横干政，始终未应，而在家乡过着贫寒的生活，亲自耕田种地。当时人称誉他为“南州高士”。结末二语以徐稚自许，既是体现着诗人平生的行为和性格，“于流俗中克自树立，无苟贱意，居则固穷守节”（《元史·范梈传》）。“不读书有权，不识字有钱”（无名氏《朝天子》），是当时带有普遍性的一种不合理社会现象，对于一个讲究骨气的知识分子来说，自然要深恶痛绝。故诗人“思归”的真实心迹为不满时事政治，反对黑暗势力，不愿为权贵之附庸、奸吏之同流，而不仅仅在于“人生贵得适意尔”，隐微曲折地反映出批判现实社会的政治色彩。

前人评作者范梈“工近体”，他在总结诗歌创作的艺术规律时，曾概括近体诗的基本章法为“起、承、转、合”。实践证明，这种艺术结构的效果是比较理想的，使诗歌既富于变化，又一气呵成。此诗即成功地运用了这一章法结构。入手擒题蓄意，渲染氛围。颔联深入一层，具体描写思归情景，承接首联未尽之势。颈联宕开一笔，转出新境，以景结情，意脉内潜。尾联巧用典事，收合题旨，引人遐思，余味不尽。全诗八句四联，层次分明，首尾照应，流转自如，深得起承转合之妙。

（赵望秦）

卢师东谷怀城中诸友

范　梈

契阔遽如许，淹留空复情。天遥一鹤上，山合百虫鸣。
异俗嗟何适，冥栖得此生。平居二三子，今夜隔重城。

鉴赏

这首诗是范椁寓居卢师山（今北京市卢沟桥西北）东谷怀念大都友人之作。诗中表现了一种十分矛盾的心情，即诗人一方面不合流俗，避世隐居；一方面又眷念亲故，未能忘情。这种微妙而复杂的情感，通过诗人灵活的诗笔，在四十字中得到了淋漓尽致的抒发。

“契阔”这个词指人间离合，而偏义于离别。诗一开始就以抱怨的口气道：“契阔遽如许”，可见不甘心于离群索居。然而又不就此放弃隐居的生活方式，“淹留”山中，徒抱怀思之情，无从相聚。诗人的心情就是这样矛盾，像是自作自受，其原因何在？接下去暂时撇开不表，而进入意味深长的写景。

“天遥一鹤上，山合百虫鸣。”秋高气爽的日子，天上一鹤独飞，山中虫吟不绝。景象高远，而环境清寥，表现出来的心情，则是明朗的。使人想起诗豪刘禹锡《秋词》来：“自古逢秋悲寂寥，我言秋日胜春朝。晴空一鹤排云上，便引诗情到碧霄。”亨父此处所写的，正是“晴空一鹤排云上”的超拔胜境；而山中虫齐鸣，则又像是为之伴奏合唱。史载范椁“持身廉洁，居官不可干以私，疏食饮水，泊如也”（《元史·范椁传》）。这是一种落落寡合的孤高耿介的品格。这里的写景也应有几分象征的意义，似乎解答了诗人何以淹留山中的原因。这诗品就是他的人品。紧接的两句证实了读者的感受：“异俗嗟何适，冥栖得此生。”这立刻使人想起陶渊明的“少无适俗韵，性本爱丘山”“久在樊笼里，复得返自然”（《归园田居》）来。看来作者移居山谷的夙愿已久。

当然做到这一点也不易，是付出了相当的代价的，那就是篇首表明的与亲友分离的苦恼，尤其是与几个平时相处的知心朋友分离的苦恼。诗中用《论语》常用的“二三子”来亲切地称呼他们：“平居二三子，今夜隔重城。”末句暗用李商隐“相思迢递隔重城”（重城犹高城）句意，不明言“相思”，而相思之情极深。说“今夜隔重城”，可见平素形影不分。又见此别为时不久，才令人特别挂念。

此诗在结构上的特点是首尾均写“怀城中诸友”之情，而中幅言志。前后照应，尤觉浑成。

（周啸天）

王氏能远楼

范　梈

游莫羡天池鹏,归莫问辽东鹤。
人生万事须自为,跬步江山即寥廓。
请君得酒勿少留,为我痛酌王家能远之高楼。
醉捧勾吴匣中剑,斫断千秋万古愁。
沧溟朝旭射燕甸,桑枝正搭虚窗面。
昆仑池上碧桃花,舞尽东风千万片。
千万片,落谁家?愿倾海水溢流霞。
寄谢尊前望乡客,底须惆怅惜天涯。

鉴赏

这是一首题咏之作。诗虽以“王氏能远楼”为题,其实只是一首饮酒歌。“能远楼”或是王氏酒家。

诗一起就用了两个典故。“天池鹏”出自《庄子·逍遥游》,说是南冥天池乃北海鲲鹏的目的地,此鸟一飞便在九万里高空之上,实在是逍遥之至。“辽东鹤”出自《搜神后记》,说是辽东人丁令威学道化鹤,千年一归,见城郭如故而人物一新,于是高唱“何不学仙”而飞去。诗人却道:“游莫羡天池鹏,归莫问辽东鹤”,两个否定,抹杀两只神鸟,说鹏也不可羡,仙也不可羡。不是不可羡,而是办不到。要说办不到,却也办得到:“人生万事须自为,跬步江山即寥廓。”好个范德机,揭出“自为”二字,实乃人生超脱必然而达到自由的妙义。“跬步”虽短虽近,“不积跬步,无以至千里”(《荀子·观学》)。只要人能自为(即发挥“主观能动作用”),“跬步江山即寥廓”——岂不是比大鹏还大鹏!诗的这个富于哲理启迪的开头,全在强调“人生得意岂暇愁,且饮美酒登高楼”(李白)的必要和快乐。是极富于兴会,出以挥洒的笔墨。

眼下诗人正是在登高楼,正是在饮美酒。以下迸奔出一个痛快的长句:“请君得酒勿少留,为我痛酌王家能远之高楼。”那气概,那声口,简直是太白复生,读者又看到《将进酒》的续篇。“醉捧勾吴匣中剑，斫断千秋万古愁”，不要说“抽刀断水水更流”，且须“与你同销万古愁”，诗人翻用古人诗意，几使太白奔命不暇。“勾吴”极新警，盖产吴勾之吴地也，如倒作“吴勾”，则平平，且与“匣中剑”格式重复。

以下诗人以色彩斑斓的笔墨，写出醉中达到的神仙境界。大海之上旭日东升，光照幽燕古国，当然也照在能远楼头。诗人突发奇想，觉得那搭在窗口的树枝，是扶桑之枝。这使他的思绪又飞到昆仑瑶池，如睹王母桃花；那千树万树的桃花，一忽儿又乱落如红雨。“沧溟朝旭射燕甸，桑枝正搭虚窗面。昆仑池上碧桃花，舞尽东风千万片。”数句之瑰丽，有如时花美女，绝类李贺。这样浪漫放纵的笔墨，诗人居然能够一笔收拢：“千万片，落谁家?”除了王氏酒家，不知更有谁家。不意诗人收拢一笔后，又能放出一个奇句：“愿倾海水溢流霞”，称酒为“流霞”语出《抱朴子》，本指神仙饮料。已够浪漫了，还要倾倒海水以为琼酿。可令太白微笑，长吉拊掌。

最后归结题旨：“寄谢尊前望乡客，底须惆怅惜天涯。”可见诗人是在宦游或羁旅中，以酒消忧，此即李白“但使主人能醉客，不知何处是他乡”一意。登“能远楼”，不仅可以远望当归，而且可以乐不思蜀——盖以有酒也。

范德机在元以诗名天下，编集唐人诗以为格式，于李杜二家尤为用力。虞集曾不无贬抑地说他是“唐临晋帖”，胡应麟回护道：“唐临晋帖，近而肖也。”我们看他这首诗，实出入于太白长吉之间，既挥洒自如，又绚丽多彩，然其情辞皆从胸次流出，不是模拟者所能及的。善临帖者，应有一定创意。唐人临王羲之《兰亭序》数家，不是各具风采吗？范德机此诗好处，又岂“肖”字而已。

（周啸天）

衡湘驿

傅若金*

烽火连诸郡,旌旗转百蛮。野莺先客至,江雁及春还。
吴楚青天迥,潇湘白日闲。登临慰怀抱,况复近乡关。

作者

*傅若金(1303-1343),初字汝砺,揭傒斯为其改字与砺,新喻(今江西新余)人。早年家贫,以织席为生,又改学针工。后奋力读书,学诗于范梈。后以才荐,佐使安南。归,除广州文学教授,卒于官,有《傅与砺诗文集》二十卷。

鉴赏

这首诗当是傅若金出使安南回到衡湘驿时的作品,诗中描写了在驿站见到的春天景色,表现了渐近故乡时的喜悦情怀,诗风简洁洗练,清新明快。

在元代,为了加强统治,驿站建立相当完备,全国有一千五百多处,为往来的官员、军队提供居住、饮食和转运的便利。衡湘驿就是其中之一,在湖南衡阳附近,是从中原通往广州、安南的要冲,地位十分重要。诗歌的题目是《衡湘驿》,但首联并不从驿站入手,而是从远处落笔,先交代来驿站的原因:“烽火连诸郡,旌旗转百蛮。”当时,安南诸郡正在发生战争,元朝派遣使者前往诏谕,诗人就是使者之一。“烽火”,即战争。“旌旗”,犹旌节,乃使者所持的旗帜和信物。“百蛮”,出自《诗经·大雅·韩奕》:“以先祖受命,因时百蛮。”指与华夏对称的诸少数民族,此特指安南诸郡的各种南方少数民族。前句一个“连”字,说明了安南诸郡正是遍地烽火之际,战争普遍而又激烈,后句一个“转”字,可以看出使者们出入于战火之中,到各处诏谕的情景。两句高度概括,把这样广大的地区和复杂的情事,包括自己来衡湘驿之由，都交代得清清楚楚。其中烽烟滚滚、旌旗飘扬的战争景象，又使诗歌一开始就显得气势雄壮，发端十分有力，这和下面即将描写的和平宁静的气氛形成对照。刘坡公《学诗百法》说："起笔时尤以来势突兀为胜，若一涉平淡，便觉句法不挺矣。"这两句堪称"来势突兀"，起得劲挺不凡。

中间两联，是作者来到衡湘驿登高眺望时，见到的春天景色，由近而远，渐次推开。颔联"野莺先客至，江雁及春还"，是写近景。诗人看到树间的黄莺正在飞来飞去，清脆地鸣啭；江边的大雁也在趁着美好的春天，互相呼唤，向北飞还。这春天的南国风光是多么美好啊！诗人刚从战火纷飞的远地归来，看到这些情景，自然是一种很好的慰藉。诗中"先客至""及春还"，把黄莺和大雁写得很有情意：仿佛黄莺是和诗人一道从南方结伴归来的，但它却比自己跑得快，先我而至了；大雁更是非常懂得节候，刚到春天就及时地回去了。这样描写，不仅融情于景，使自然景物带上了强烈的感情色彩，而且也因景见情，含蓄地传达出作者希望早日归家的迫切心情，画意诗情，十分生动。颈联"吴楚青天迥，潇湘白日闲"，是写远景。由于江雁归飞的导引，诗人的视线转向了更为辽阔的空间。看吧，那吴、楚之地的天空，是多么晴朗而高远；潇水和湘江两条河流，在白日的映照下，显得明澈而又闲静。这真是一幅绝妙的江山平远图，它从淡淡的勾勒中，传出了平和、宁静而又清新明媚的气息，让人领略到春光的美好。如果说颔联中诗人还多少带着一点从战乱中归来的行色匆匆之意，那么到颈联中，这种匆匆之意也早已被春光所净化，心情变得舒畅而又熨帖了。这两联写景，明丽如画，真切动人，而且由近而远，富于变化，特别是颈联景象十分开阔，更加拓展了诗意。

尾联"登临慰怀抱，况复近乡关"，才正面点题，说明作者正在衡湘驿的高处登眺，那映入眼帘的一切，是这般美好，给人以深深的安慰。同时，也流露出作者庆幸自己从战乱中平安归来之意。最后一句"况复近乡关"，又把意思推进了一层，衡湘驿离诗人的家乡江西新余县不远，很快就可以到家了，"况复"二字中，隐含着万分欣喜之情。这最后一联，是对全诗的自然的结束，但又一波三折，含意丰富，给读者留下了品尝不尽的余味。

这是一首五言律诗，第一联本可不用对偶，但作者却用了对偶，一开始就给人以格律精严的感觉。并且，前三联的对偶都十分工整，字字精当而又自然，充分显示出作者语言文字上的深厚功力。全篇以对起，以散结，与"言有尽而意无穷"的诗情正相吻合，形式与内容做到了有机的统一。

（管遗瑞）

洞庭连天楼

傅若金

崔嵬古庙压危沙，缥缈飞楼入断霞。
南极千峰迷楚越，西江众水混渝巴。
鲛人夜出风低草，龙女春还雨湿花。
北倚阑干望京国，故人何处认星槎？

鉴赏

律诗，是中国古典诗歌众多样式中法度最为精严的一种。律诗的精华大都集中在唐宋两代，在唐代诗人筚路蓝缕以启山林，而宋代诗人又接踵而来辛苦耕耘之后，后代的诗作者想在律诗写作方面再拓土开疆，的确是十分困难的。但是，唐宋以后历代还是有不少佳作，我们也不可慑于唐宋诗的盛名，而让历史的灰尘掩盖了它们的光彩。元代傅若金的这首《洞夜连天楼》，就是颇见功力的一篇。

律诗的起句要求发语不凡，一鸣惊人，一开篇就造成不平凡的声势和局面，就诗本身来说，意在引发与笼罩全篇，就欣赏者而言，就是使读者一见钟情而欲罢不能。关于律诗的起句，古代诗论家总结创作实践的经验而提出许多看法，如“要知草率发端，下无声势”（薛雪《一瓢诗话》），“或对景兴起，或比起，或引事起，或就题起，要突兀高远，如狂风卷浪，势欲滔天”（杨载《诗法家数》），“起首贵突兀”（沈德潜《说诗晬语》）等等，都包括了上述这种意思。《洞庭连天楼》一开篇，诗人就取“俯”“仰”两个镜头，下“压”与“入”两字，正面写古庙飞楼的年代久远与耸峙云霄，一落笔就高居题巅，叫起全篇精神，给人以强烈的印象，这种写法，实非高手不能。

杨载论颔联时说：“或写意，或写景，或书事、用事、引证。此联要接破题，要如骊龙之珠，抱而不脱。”沈德潜也认为“三四贵匀称，承上陡峭而来，宜缓脉赴之”。这首诗的颔联正是如此。开篇既已写连天楼之高峙，为人们勾画了一个立地矗天的突兀形象，继之就以登临高楼之所见来承接，一句写山，一句写水，山水分写，毫不犯复，而且空间阔大，气象开张，进一步补足了楼的峻极于天的风貌，其中“迷”与“混”的两个动词的运用，尤其准确而传神。腹联的写法，按照诗家们的意见，要“前联之意相应相避，要变化，如疾雷破山，观者惊愕”（杨载），“五六必耸然挺拔，别开一境”（沈德潜），这就说明中、腹两联因为都是对偶，严整是它们的特征，但又必须注意奇正之变，化板为活，在整饬之中求得飞动流走新境别开之趣。这首诗的腹联在前面的描写之后，开辟了一个艺术新天地，它由现实而神话，由实写而虚摹，由眼前的和想象中的实有景色而转入非现实的迷离飘忽的意象。“鲛人”，是传说中的人鱼，见晋代张华的《博物志》：“南海外有鲛人水居如鱼，不废绩织，其眼泣则能出珠。”李商隐《锦瑟》诗的“沧海月明珠有泪”的名句，就化用了这一典故，他着重写泪之成珠，以传达出回首华年往事时的悲凉之感，而傅若金也将这一神话传说凝缩在他的诗句里，加之以“风低草”的背景烘托，就渲染了一种浪漫而神秘的色彩；“龙女”，即洞庭湖的龙女，最初见于唐代李朝威的传奇小说《柳毅传》，傅若金将她请进自己的诗行之中，不仅切合题目所指的地点，有鲜明的地域色彩，加之以“雨湿花”似实景又似象征的描绘，更平添了全诗凄迷奇艳的气氛。

律诗的结句，“必放一句作散场，如剡溪之棹，自去自回，言有尽而意无穷”（杨载），“章法则须一气呵成，开合动荡，首尾一线贯注”（方东树），如果草率收场，随题敷衍，词意俱尽，那就是使全诗前功尽弃的败笔，对于杜甫的名作《登高》，前人尚且觉得尾联稍弱，何况其他诗人的作品？傅若金这首诗的收束还不算平弱，它由神话而人间，从幽渺瑰奇的意象虚摹宕回到现实情状的描写，颇有动荡之致。“星槎”，是古代神话中往来天上的木筏。《博物志》：“旧说云天河与海通，近世有人居海滨者，年年八月有浮槎来去不失期。”傅若金以“倚阑干”回应开篇之“飞楼”，以“故人何处认星槎”这种京华故人对自己的怀想收束，紧扣诗题而又于题外着想，风神摇曳。

（李元洛）

记 事

萨都刺*

当年铁马游沙漠，万里归来会二龙。
周氏君臣空守信，汉家兄弟不相容。
只知奉玺传三让，岂料游魂隔九重。
天上武皇亦洒泪，世间骨肉可相逢。

作者

*萨都刺（约1300－?），亦作“萨都拉”，字天锡，号直斋，回族人，其祖父、父以世勋镇守云、代，遂居雁门（今山西代县），曾远游吴、楚。泰定四年（1327），进士及第，授镇江录事司达鲁花赤（掌印正官），后任翰林国史院应奉文字。晚年寓居武林（今广西向都）。后入方国珍幕府，终年八十余。为诗俊逸洒脱，清新自然。文章雄健，亦擅书画。有《雁门集》三卷、《集外诗》一卷。

鉴赏

此诗所记，乃争夺皇位继承权而发生于宗室的骨肉相残的史事。“盖泰定帝崩于上都，文宗自江陵入据大都，而兄周王远在沙漠，乃权摄位而遣使迎之，下诏四方云：‘谨俟大兄之至，以遂固让之心。’及周王至，迎见于上都欢宴，一夕暴卒。复下诏曰：‘夫何相见之顷，宫车弗驾。加谥明宗。’文宗遂即真”（《元诗纪事》引《归田诗话》）。皇室手足自相残杀的事，历代都有，汉代童谣讽文帝逼死淮南王：“一尺布，尚可缝；一斗粟，尚可舂；兄弟二人不相容。”元文宗谋位杀兄，还想掩天下耳目。诗人萨都刺以古代良史之勇气，写下了这首《记事》坐实他的罪名。

“当年铁马游沙漠，万里归来会二龙。”两句写泰定帝崩后，文宗抢班摄政,而遣使迎归其兄周王的史事。"会二龙"三字就暗示了一场权力之争不可避免。天无二日,民无二主,是极权主义的信条。这场双龙会中,一真一假,而假者先入,真者敛手如宾,正是"假作真时真亦假"。于是周王在欢宴中不明不白地暴死,演出了一个轻信者的悲剧。汉时民谣所唱过的"兄弟二人不相容"的故事,又有了新的翻版。"周氏君臣空守信,汉家兄弟不相容",妙在以"周"对"汉",十分妥帖自然,而又融入民谣成句,故语似拙而实工。

"只知奉玺传三让,岂料游魂隔九重。"文宗事先诏告天下,说是待大兄之至,必以位固让。国人都以为泰伯"三以天下让"(《论语·泰伯》)的至德又将出现人间,殊不知周王一到就丧命,只落下名义上的帝王谥号,这真是一大讽刺,于是天下人皆有一种受了愚弄的感觉。"只知""岂料"的勾勒,就写出了诗人的愤慨。他想到文宗与周王同是武宗之子,本来同气连枝,谁知反不如民间兄弟了。皇权能泯灭人性也若此!"天上武皇亦洒泪,世间骨肉可相逢。"这"世间骨肉",有所特指,正如"兄弟二人不相容"有所特指一样。"可相逢"是反诘语气,意谓骨肉成仇矣,岂可相逢哉!俗话有"狭路相逢""仇人见面,分外眼红"。今于兄弟见之,可悲。

萨都剌《记事》所揭发的文宗图贴睦尔篡位杀兄一事,为正史所不载,故被称为诗史。由于吸取古代民谣的手法和精神,使得它与唐宋律诗一般风格有所不同。这反而比作者写景抒情的七律更引人注目,更值得一提。

(周啸天)

西宫即事

萨都剌

退朝西殿承平日,一片春云奏凤笙。
白面内官供玉食,却将黄帕覆银铛。

鉴赏

西宫即兴圣宫,在大都大内之西北,建于武宗至大元年(1308)二月,凡四十间。此诗作于文宗至顺二年(1331),萨都剌当时在翰林国史院任职，有机会进入西宫。全诗共两首七绝，第一首写儒生在西宫讲经，第二首写在西宫奏乐宴饮。此为第二首。这一首颇有特色，他不直接写宴乐场面，只通过侧面描写，就把盛大而热闹的景象烘托出来，可谓手法别致。

第一句看来是平平叙起："退朝西殿承平日"，好像只在交代西殿（即西宫）环境，既是退朝之后，又是天下太平之日，自然是一派宁静平和气氛。但其实，它不只在交代，更主要的是在衬垫。就在这样平静的日子里，皇宫里的人们无所事事，自然要把全副精力都倾注在享乐上去，那宴乐的场面当然就格外热闹了。这一句是故意一跌，为以下的热闹景象作反衬。看来似乎语句平凡，写来却颇见匠心。

接着，作者从两个方面来进行侧面烘托。

第一个方面，"一片春云奏凤笙"。是从听觉上，写音乐的美妙动听和激越高扬。"凤笙"，即笙，因身像凤形，故名，这里是指元朝皇宫里特有的"兴龙笙"。据王祎《兴龙笙颂序》："唯世祖（即元世祖忽必烈）统一函夏，肇置大乐以用诸朝廷，其器有曰兴龙笙者，实上所自作。或曰西域之所献，而天子加损益焉。"《南村辍耕录》也说："凡宴会之间，此笙一鸣，众乐皆作，笙止乐亦止。"诗中是以这种颇具皇宫特色的兴龙笙来泛指所有的乐器和合奏的音乐。从"奏凤笙"三字中，我们不难想见乐声的热烈宏大。而且，作者用"一片春云"四个字，把音乐与天上的景色联系起来，用那春光明媚的空中的一片悠悠白云，来象征音乐的轻柔优美，舒卷自如；同时也把这种乐声引向空中，暗示出乐声的激扬高远，弥漫了整个空际，响彻了整个西宫。这里借用了杜甫《赠花卿》诗中的写法："锦城丝管日纷纷，半入江风半入云。"但"一片春云"，形象更加具体，唤起的联想也更加生动。

第二个方面，"白面内官供玉食，却将黄帕覆银铛。"是从视觉方面，写内官（即宦官之类的内宫人员）为宴会供给饮食的情景。"玉食"即美食。"铛"（chēng），一种金属制成的温酒的器皿。两句说，一个个面部白皙的、模样俊美的内官，把精美的食品源源不断地送到宴会上去；而送来的温着美酒的"银铛"，却是用黄帕盖着的。这两句中，"白面""玉食""银铛"，是极写皇宫内部的讲究和饮食的精美。而"黄帕覆银铛"，又是元代宫内自己独有的风习，给人以耳目为之一新的感觉，就是作者当时看到这种情景，也不无惊异和新奇之感，"却将"二字中，隐隐透出了这种心情。

全诗从第一句衬垫之后，接着写音乐，然后写供食，仅从两个方面着手，就烘云托月般地写出了西宫宴会的热闹场面，使人如临其境。这样，不仅生动形象，而且也委婉含蓄，以少胜多，使笔墨显得虚灵，神余言外，给人以更多想象的余地。邵祖平《七绝诗论》评萨都剌的七绝，就提到"萨句空灵"，不为无见。在句法上，七绝常散行而不贵对，此诗前两句散起，但后两句中"内官供玉食"和"黄帕覆银铛"，就显然有对偶之意，但又不是全对，而是半对半不对。这样，在散行和自然中，又有精严之感，诗情更耐寻味。

（管遗瑞）

上京即事(录二)

萨都剌

牛羊散漫落日下，野草生香乳酪甜。
掷地朔风沙似雪，家家行帐下毡帘。

鉴赏

上京，即元代上都开平。元统元年（1333），萨都剌为南台掾史，奉命赴上都迎接新任南台中承马祖常。在上都期间，作者写了《上京即事》组诗记叙漠北风光习俗。萨都剌虽然是色目人，但从父、祖时代就已移居雁门。他本人也长期生活在中原和江南地区。元统年间他来到上京，第一次看到沙漠中牧民生活的真实景象，无疑是颇为新鲜好奇的。作为游牧民族的后裔，他对上述的景象抱有天然的亲切之感，这就使得他对塞外风光的感受，有着与一般汉族诗人完全不同的情调。全诗写大漠草原黄昏日落、风起沙飞之际的牧民生活情趣，体现了塞北游牧生活的独特韵味。

首句写日落时草原景象，一群群的牛羊，漫步在回家的路上，舒徐闲适，自由自在。"散漫"二字，既描写牛羊三五成群漫步草原的景象，又展现了千里草原的宏观气势。

如果说农业民族的丰收景象是五谷丰登，六畜兴旺，那么游牧民族的愿望，就莫过于"野草生香乳酪甜"了。水草丰茂，则牛羊肥壮。牛羊繁息，则乳酪甘甜。"香""甜"二字，除了实写草原牧草丰美、牧民生活富足的景象外，也还带有诗人的感情色彩。一般诗人写塞外野草，总使人想到荒凉萧瑟。乳酪虽然很早就上了汉人的餐桌,但只是异味。“堪笑胡儿只识酥”,还可以说是玩笑。“华夷相混合,宇宙一膻腥”(杜甫《秦州见敕目……兼述索居三十韵》)简直就带有民族偏见。而从本篇却能够体会到作者对丰收的草原发自内心的深厚感情,这是一般的汉族诗人所不具备的。

第三句写塞北草原的风沙。北风卷地、风沙扑面,这是北国常见的景象,地处沙漠的开平尤其如此。“掷地朔风沙似雪”,风沙卷地而起,凌空飞舞,好似片片雪花,飘洒摇曳。前人形容雪片的飞舞:“撒盐空中差可拟”“未若柳絮因风起”,前者之所以不如后者,就在于后者的轻盈飘逸,富于无穷的韵味。本篇以雪花飞扬比喻飞扬的风沙,就不仅仅赋予飞沙色泽、动态,还有轻扬的韵味,给人以无限的美感。加上日落风起,黄沙扑面,关上帐房,更属必要,“下毡帘”一句,关合上文三句,在章法上最得收束之妙。在情调意境上,强化了“牛羊”“野草”“乳酪”所点染出的牧歌情调,活现出一幅草原风俗画卷。从这诗情画意中间,作者对塞外草原的深厚感情,也自然流露出来。

(刘真伦)

紫塞风高弓力强,王孙走马猎沙场。
呼鹰腰箭归来晚,马上倒悬双白狼。

鉴赏

这首七绝生动地描写了元朝皇族子弟在上京打猎的情景,展现了情致殊异的狩猎生活,洋溢着豪健欢快的诗情。

开始两句正面描写打猎的场面:“紫塞风高弓力强,王孙走马猎沙场。”“紫塞”即长城,因土色皆紫,故名。“王孙”,此指元朝皇族子弟。在塞外的长城脚下,朔风劲吹,不断传出弓箭的铮然之声,强劲有力;元朝的皇族子弟们骑着骏马,奔腾驰骋,正在沙场打猎。这两句是运用倒装手法:先写出强有力的弓箭,那铮然震耳之声,似乎使人一惊,真是先声夺人;然后,才出现王孙走马、沙场打猎的壮阔场景,显得神采飞扬,气势磅礴。这样,有力地突出了元人善于骑射、箭法高强的特点,给人以十分深刻的印象。其中把箭声与风声结合在一起,从“弓力强”三字中,说明箭声压过了风声,以风衬箭,更收到了极好的效果。在整个猎场上,天高风急,弓箭声声,马蹄奔忙,两句描写十分简洁,但从这些描写中,我们似乎听到了人喊马嘶之声,感到了紧张而又热烈的气氛,十分生动形象。

但是,对这样紧张的场面,诗人却没有继续写下去。不过,我们可以想象,在这些身手矫健的王孙们的骑射驰逐之下,箭不虚发,一定会所猎甚多。果然,到后两句,就出现了胜利归来的场面:“呼鹰腰箭归来晚,马上倒悬双白狼。”紧张热烈的狩猎结束了,到傍晚,皇族子弟们呼唤着猎鹰,腰里插着箭回来了,马上倒悬着猎得的一对白狼。从“晚”字中,可见打猎兴趣之高,一直持续到傍晚,也可见体力之强。而“呼鹰腰箭”四字中,又分明显现出他们胜利归来时的喜悦和骄傲,以及豪迈轩昂的气度。特别是“马上倒悬双白狼”这一形象,更具有丰富的意味。一方面,“倒悬”二字,含有软软垂挂之意,使归来的情景显得十分轻松。另一方面,狼是凶猛的野兽,猎得这种野兽的人就更加勇猛,进一步衬出王孙们身手的矫健。再一方面,在古代,白狼被视为祥瑞之物,《瑞应图》说:“白狼,王者仁哲明德则见。”这里写出猎得成双的白狼,也含有颂扬之意,并且,连这种稀有之物都已经成双猎得,那么其他猎获之物,就更加不计其数了。因此,我们可以想象,那在傍晚时分兴高采烈归来的猎手们,一匹匹马上驮满了猎物,他们的欢声笑语,久久地回荡在夕阳的余晖中。这两句诗与王昌龄《观猎》中的“少年猎得平原兔,马后横捎意气归”相比,各有妙处,但含义更为丰富,气魄也更加宏大,恰到好处地表现出北方少数民族粗犷豪放的性格。

全诗的前两句描写了风急马快的打猎场面,紧张得动人心魄,而后两句却忽然转而写打猎归来的轻松愉快的景象,令人心情怡然。只四句,就把整个打猎的过程概括无遗,在高度精练中,又十分具体形象而生动。并且,两个场面的转换,也形成了轻松与紧张的对比,笔墨在变化中,显得韵味更长。清人施补华在《岘傭说诗》中说:“七绝亦切忌用刚笔,刚则不韵。即边塞之作,亦须敛刚于柔,使雄健之笔,亦饶顿挫,乃不落粗豪。”全诗收纵有度,刚柔兼济,在刚健中寓雄浑,在豪放中又不乏韵致,即使在边塞诗中也体现了他流丽清新的惯有风格,是其独到之处。

(管遗瑞)

过嘉兴

萨都剌

三山云海几千里，十幅蒲帆挂烟水。
吴中过客莫思家，江南画船如屋里。
芦芽短短穿碧沙，船头鲤鱼吹浪花。
吴姬荡桨入城去，细雨小寒生绿纱。
我歌水调无人续，江上月凉吹紫竹。
春风一曲鹧鸪词，花落莺啼满城绿。

鉴赏

在今故宫博物院里，珍藏着元人萨都剌画的《严陵钓台图》和《梅雀》两幅画卷。他是诗人而兼画家，读他的山水诗，也宛然在欣赏一幅幅传神的水墨画，他的《过嘉兴》就是这样的佳作。

这首诗开头二句用大笔濡染，勾勒一幅千岩万壑、云蒸霞蔚的三山云海图。在这个一望千里的阔大画境里，一帆高悬在迷茫烟水之中。“挂烟水”三字把行船乘风破浪之势生动地描绘出来。妙在写景而兼叙事。“三山”，在古诗文中还是福州的代称(因福州城中有三座山)，这里指出船的航向。联系诗题，可知此诗是作者于元顺帝至元二年四月经嘉兴去福建任职时写的。

“吴中过客”二句，写“薄帆”进入风景如画的江南水乡时的心情。北方文人对绮丽的江南风光早已心向往之，今日路过此地，真是三生有幸。“吴中过客莫思家，江南画船如屋里”，写得洒脱而抒情。行人到了这样一个美好的地方，还会思家吗？诗人自称“吴中过客”，隐含着匆匆路过而不能畅游的憾恨。李白诗云：“但使主人能醉客，不知何处是他乡。”萨都剌此诗云：“江南画船如屋里”，也表现了同样的感情。

下面四句是作者用诗人兼画家的笔触，对江南水乡风景进行细致的刻画。

“芦芽短短穿碧沙”，使人想起苏东坡“蒌蒿满地芦芽短，正是河豚欲上时”的诗句，“芦芽”，春江特有之景也。“碧沙”，意味着“春风又绿江南岸”了。芦芽“穿”出碧沙，使人感到春天给大自然带来的蓬勃生机。“船头鲤鱼吹浪花”，也是春江特有之景。唐诗人戴叔伦《兰溪棹歌》云：“兰溪三日桃花雨，半夜鲤鱼来上滩。”春潮鱼汛，鲫鲤之类的淡水鱼，极爱新水逆流。诗人站在船头，看春水盎盎，鱼泛新水，拨鳍摆尾，啪啪蹦跳，这情景叫人多么高兴！

一幅画面上，如果只有山水草木，未免单调而少意趣，所以聪明的作者更添几笔，画出“吴姬荡桨入城去”的风情来。这既是诗人画家江行素描，又切合江南水乡特定的情境。在嘉兴这一带水网地区，出门几步就要撑船，平时男女村民都是以船代步。吴姬越女本是西施的乡邻，其风韵可以想见了。这一句写得颇有生活气息。像一幅风俗画，为全篇增添了许多诗情画意。

人们写江南春景，大都离不开写雨。江南春天多是烟雨蒙蒙的日子，“杏花、春雨、江南”，自有一番情致。萨都剌这首诗也写到雨：“细雨小寒生绿纱”。雨是“细”的，寒是“小”的（轻寒）。迷蒙江面像是铺上了一层绿色的柔情脉脉的轻纱，这种景色构成了江南水乡特有的一种柔和温馨的情调。

夜幕降临，四周景色渐渐隐去，江上明月独照孤舟，此时诗人或许感到一点寂寞吧。“我歌水调无人续，江上月凉吹紫竹”，“水调”，一种旋律较为哀怨的乐曲。我歌水调无人续者，叹知音稀也。江上何处又传来了洞箫之声……这使人想起当年东坡泛舟赤壁。“客有吹洞箫者”“其声呜呜然，如怨，如慕，如泣，如诉，余音袅袅，不绝如缕；舞幽壑之潜蛟，泣孤舟之嫠妇……”洞箫声曾经引起东坡多少人生感慨，此时萨都剌也有同感吗？“江上月凉吹紫竹”，更深月斜，夜凉如水，是身之感觉，恐怕也是箫声带给人的心理感受吧。

结尾“春风一曲鹧鸪词，花落莺啼满城绿。”二句在构思上似乎类似李白“黄鹤楼上吹玉笛，江城五月落梅花”的诗句，都是写乐曲引起诗人心灵的感受。身系孤舟的诗人，在这鹧鸪词的乐曲声中，想象此时嘉兴城已是花落莺啼、满城绿阴的暮春景象。在这种联想里，似乎带有诗人对春光老去、华年流逝的伤感。而那鹧鸪词的乐曲，又使诗人仿佛感到耳边充满着鹧鸪鸟的啼叫，它那“行不得也哥哥”的叫声仿佛在苦苦挽留行人呢！在这里，诗人不着痕迹地透露出自己对吴中水乡的无限依恋之情。从结构上来说，这最后一句以点到“过嘉兴”的题意收束，有画龙点睛之妙。

萨都剌作为一位少数民族写汉语诗词的诗人，写出这样优美的诗篇，实在是难能可贵的。他和汉族诗人一样，在他的山水诗中倾注了他对祖国山河无限热爱的深情。

（汤高才）

闽中苦雨

萨都剌

病客如僧懒，多寒拥毳裘。三山一夜雨，四月满城秋。
海瘴连云起，江潮入市流。钩竿如在手，便可上渔舟。

鉴赏

此诗作于至元二年(1336)福建为官期间。其时诗人久病，又逢春暮淫雨，感到百无聊赖。全诗所写即“不如意”三字。

久病的人，感到浑身懒散，就像闲僧一样无所事事，所以有“病客如僧懒”之感。弱不禁风，则须穿得比常人更多，何况苦雨“多寒”，只好把毛皮袍子(毳裘)裹上，倒真像是一个和尚了。

“三山一夜雨，四月满城秋。”福州城内东有九仙山，西有乌石山，北有越王山，说“三山一夜雨”，可见雨量之大。这“一夜”是又一夜，并非仅一夜，否则不成其为苦雨。正因为久雨，寒潮亦相伴而来，使四月的福州，有如萧瑟的秋天，“秋风秋雨愁煞人”。对时令感觉的倒错，适见诗人心情的迷乱(柳宗元“春半如秋意转迷”可参)。这一联对仗，“三山”的“三”为数词，而“四月”的“四”为序数词；“一夜”的“一”有“整”义，而“满城”的“满”有“一”义。如此成对，不失佳句。

虽然下了整夜的雨，天上阴云不开，海面蒸发的湿热之气袭来，令病人生畏：“海瘴连云起”。而水量过于充沛，使潮水超过正常的高度，漫入市街，大街小巷，都成了一条条溪流：“江潮入市流”。两句妙能写实。于是诗人情怀恶甚。“钩竿如在手，便可上渔舟。”二句似乎突然生出闲情逸致，居然想到垂钓于水上。其实是正言欲反，说自己既无钓竿在手，也无渔舟可上，何况街市成河，也无鱼可钓。所以这是一种苦笑，一种自我调侃。

“人有悲欢离合，月有阴晴圆缺”。(苏轼)久病苦雨，也是人生的一种况味。如果一味闷在心里犯愁，只能徒增病情；但诗人对之做一番自我观照，形诸吟咏，便有疏导积郁的作用。

(周啸天)

越溪曲

萨都剌

越溪春水清见底，石罅银鱼摇短尾。
船头紫翠动清波，俯看云山溪水里。
谁家越女木兰桡，髻云堕耳溪风高。
采莲日暮露华重，手滴溪水成葡萄。
盈盈隔水谁共语，家在越溪溪上住。
蛾眉新月破黄昏，双橹如飞剪波去。

鉴赏

越溪，即今浙江绍兴东南若耶溪。相传为西施浣纱之处。《越女吟》《浣纱溪》《采莲曲》《采菱歌》之类，大多描绘江南山水的秀美，江南少女的风姿。一般文笔纤巧清秀，意境优美。萨都剌本篇写江南女子采莲的风采，在历代诗人塑造的采莲女群像中，别具一格。全诗辞采艳丽，而流转如珠，最能体现萨都剌诗歌的流丽风格。

首段着力刻画溪水之清。“清见底”，是正面陈述。以下三句，则采用旁衬。水边石窟石缝里，不但白色的鱼儿一清二楚，甚至连它小小尾巴的摇动都是那么清晰。溪水里，云山的倒影纤微毕呈。乃至看云看山，都不用抬头，一俯身即在眼底。小船儿触动荷叶，在水面荡起一轮轮涟漪。言外之意，如不是船头驶来荷叶微动的话，连清波也不会动一动。全段四句，集中力量刻画溪水的澄静清澈。一、四句写静景，清澈见底，云水倒影。可见碧波澄澈，纤微不动。二、三句写动景，银鱼摇尾，紫翠荡波，动静相生。春水的清静，也就刻画无遗了。除此之外，辞藻的华丽，色泽的鲜明，也十分突出。青色的“石罅”，洁白的“银鱼”，青翠带紫的荷叶荷干，碧绿的“清波”，再加上温柔的“春水”和变幻的“云山”，构成了越溪清丽富艳的色彩。

“越女天下白”（杜甫诗），“西施越溪女，明艳光云海”（李白诗）。越溪女子本来就以明艳著称。诗人以“木兰桡”刻画其芬芳，“露华重”刻画其滋润。“日暮采莲”，交代她此刻的活动。“髻云”一句，刻画其风姿。高高的发髻，干净利索地挽在两耳以上，纤细的秀项，越发衬出身段的苗条。溪风吹拂，裙裾飘逸，屹立船上的女子，是那么明媚秀美，却又那么灵动飞活，充满了少女青春的活力。“手滴溪水”，写少女此刻的嬉戏。她停下木桡，也不再采莲，而是双手捧起溪水，让碧绿的水珠，如葡萄，如珍珠般地从她指缝间流泻。少妇的活泼，少女的天真，一片天机，真是神来之笔。

末段从“日暮”自然导出，写越女飞舟离去的镜头。“家在越溪溪上住”，点明采莲女的身份，也交代她此刻归家的去向。“谁共语”，揣测之词。如此迷人的少女，身边或许早已有了“白马王子”。“盈盈一水间，脉脉不得语”（《古诗十九首》）。诗人的诗思透露出内心的倾慕。末二句具体刻画采莲女归去的形象。新月如钩，朦胧如梦。如梦如幻的月色之中，采莲女驾起小舟，如飞而去。轻捷的小船，分开清澈的碧波，一个“剪”字，生动形象，神韵俱足。小船的轻灵，又进一步刻画出采莲女的矫健敏捷。在历代歌咏越女的作品中，如此明媚动人却又婀娜健美的女性形象，应该说是不多见的。类似的形象，南朝乐府中的《长干曲》，或许能够与之仿佛：“逆浪故相邀，菱舟不怕摇。妾家扬子住，爱弄广陵潮。”

（刘真伦）

早发黄河即事

萨都剌

晨发大河上，曙光满船头。依依树林出，惨惨烟雾收。
村虚杂鸡犬，门巷出羊牛。炊烟绕茅屋，秋稻上垅丘。
尝新未及试，官租急征求。两河水平堤，夜有盗贼忧。
长安里中儿，生长不识愁。朝驰五花马，暮脱千金裘。
斗鸡五坊市，酣歌最高楼。绣被夜中酒，玉人坐更筹。
岂知农家子，力穑望有秋。裋褐常不完，粝食常不周。
丑妇有子女，鸣机事耕畴。上以充国税，下以祀松楸。
去年筑河防，驱夫如驱囚。人家废耕织，嗷嗷齐东州。
饥饿半欲死，驱之长河流。河源天上来，趋下性所由。
古人有善备，鄙夫无良谋。我歌两河曲，庶达公与侯。
凄风振枯槁，短发凉飕飕。

鉴赏

元顺帝至正四年(1344),黄河白茅堤、金堤(今河南兰考东北)溢决,沿河州郡水旱瘟疫成灾。至正九年(1349)诏修黄河金堤。

这首诗作于元顺帝至正十年(1350)丞相脱脱与贾鲁治理黄河时。诗中用贫富对比的手法,对人民所受苦难,表示了深切的同情。对治理黄河也提出了自己的看法。

从"晨发大河上"至"夜有盗贼忧"十二句,写作者早发黄河看到的农家景色,和由此引起的悯农之情,是全诗的舒缓的引入。东方霞光照亮河上,两岸烟雾渐散,次第出现了村落,羊牛,鸡犬之声……这似乎是古人笔下的田园生活图画。然而诗人是了解民情的,所以他无法赞叹"真是农家乐啊"。紧接着倒写出了田舍忧:"尝新未及试,官租急征求。两河水平堤,夜有盗贼忧。"租税、水患、盗贼……农家苦得什么似的,哪还有田园乐呢?

从"长安里中儿"到"玉人坐更筹"八句,诗人暂时撇开民情不表,转写都市富贵子弟骄奢淫逸的生活,是全诗的反衬之笔。这里以"长安"代指豪华都市。诗中长安少年实指当时蒙古贵族子弟。"五花马""千金裘""斗鸡五坊市"等,都从唐诗借字面,其目的不外稍隐其批判现实的锋芒而已。这帮纨绔子弟,过着醉生梦死的生活,围绕着他们的是名马、美酒、玉人……他们能体察人民的疾苦吗?

从"岂知农家子"到"驱之长河流"十四句,诗人着重写当时民间疾苦,尤其是两河人民的疾苦。又分两层,前八句是写一般农民的疾苦,以"岂知"领起,文气紧接上段,形成鲜明对照:富家子弟是"朝驰五花马,暮脱千金裘";他们则是"裋褐常不完,粝食常不周"。富家子弟拥尽美女,从不识愁;他们则只能与"丑妇"织作,共输国课。富家子弟成日斗鸡酣歌,他们则天天力穑望成。后六句则专写黄河流域人民遭受的徭役之苦,因为水患缘故,他们被官家征集筑防,受到非人待遇("驱夫如驱囚"),荒废了农业生产,还不免于饥饿。饿得半死,还要浚河筑堤。"去年"云云,《元史·顺帝纪》:"(九年)三月丁酉,坝河浅涩,以军士、民夫各一万浚之。……五月,诏修黄河金堤。"诗中叙述的便是此事。

最后六句是诗人的感慨和自叙作诗目的。"河源天上来,趋下性所由",系针对丞相脱脱设想开凿新河道,诗人怀疑违背了流水的自然趋势。他希望能吸取古人治黄的经验,并用"肉食者鄙,未能远谋"的话委婉地批评当事者,不赞成劳民伤财。他自叙作歌目的是希望民情得以上闻。歌罢他并不能轻松,久久地沉浸在忧思之中,但觉悲风振响林木,头皮一阵阵发冷。“凄风振枯槁,短发凉飕飕”二句,凸现出一个忧国忧民的诗人自我形象。顺便说,诗写成的次年(1351),贾鲁为总治河防使,发沿河州郡近二十万人开凿新河道通淮,直接引发了元末农民起义(即红巾军起义)。

这首五古是现实主义的诗作,它上承国风、汉乐府的传统,真实地描绘当时的民情,为的是“明乎得失之迹,伤人伦之废,哀刑政之苛,吟咏情性,以风其上”(《毛诗序》),就其“辞质而径”“言直而切”“事核而实”而言,又与唐人新乐府毫无二致。

(周啸天)

送客洞庭西

杨维桢*

送客洞庭西，雷堆青两两。陈殿出空明，吴城连苍莽。
春随湖色深，风将潮声长。杨柳读书堂，芙蓉采菱桨。
怀人故未休，望望欲成往。

作者

*杨维桢(1296－1370)，字廉夫，号铁崖，别号东维子，铁笛道人，诸暨(在今浙江绍兴)人。泰定年间进士，初授天台尹，官至建德路总管府推官，江西等地儒学提举。入明未仕，晚居松江。诗歌风格奇诡，在元末诗坛上独树一帜，时号“铁崖体”，颇有盛名。有《铁崖古乐府》十卷、《复古诗集》六卷。

鉴赏

送别是历代文人经常歌咏的主题，作品汗牛充栋。而这首诗仍能写出自己的特色，显出诗人的创造才华。诗总共十句，分两部分。

前八句为第一部分，写在洞庭湖西岸送客。从描写的城市看，当即元代岳州府首府，今湖南省岳阳市。第一句总括全诗，点明诗的内容、送客的地点，所以诗就以此句为题。二至八句对送客地点的风光进行详细描绘。“两两”，成双相对。“空明”，天空。“苍莽”，广阔无边。“采菱桨”，采菱的船，用桨指船。这七句诗大意说：苍翠的雷堆两两相对矗立着，六朝陈代建筑的大殿高耸云霄，三国时期吴国建的城郭连着辽阔山水。春到湖中，湖水碧得更可爱。风吹波涛，涛声更长更响亮。读书堂边，杨柳依依。芙蓉丛中，荡过采菱之桨。七个句子，一句一景，频频变换。透过景物变换，仿佛看到诗人在送客，送了一程又一程。而景物字面并不含情，好像纯粹写景，而实际上诗人运用比兴手法,用景物对感情进行了细腻的渲染,看似无情却有情,看似有情又无情,使情处于似有似无之间,读来很是有味。

后二句为第二部分,抒发诗人对朋友的深厚感情。诗大意说:想到别后无休止的思念,望着朋友远去的背影,我真想和他一起去。诗人到底和朋友一起去没有呢?没有,这是想象之辞,他只是想和朋友一道去。诗又带有说理的意味,诗人为什么想和朋友一道去呢?他想,与其受离别思念的感情折磨,还不如和他同去的好。本是送别,却想同去,这是从反面立意。然而诗人又没有真去,因而它实际的含义又从反面转到了正面。既然诗人没有和朋友一起去,那么,他也就只有"怀人故未休",只有无休止地怀念自己的朋友了。本是送人,却想与人同去,想象奇特。

诗前八句写景,繁富而简洁,暗用比兴。后两句直写情愫,感情强烈而表达奇巧。含蓄与直白互相辉映,简洁与奇巧宛若合璧。虽然诗人没有写他送的友人是谁,没有写他们之间如何情深意笃,而诗人那炽烈的感情,像火一样炙烤着人的心。

(刘文刚)

传舍吏

杨维桢

传舍吏,当封侯,晋鄙救兵邺中留。
邯郸急击危缀旒,传舍吏儿当国忧:
"散君帑藏大飨士,编君妻妾列兵俦。"
传舍吏儿率死士,跣跔赤手科鍪头。
救兵至,邯郸危复瘳,传舍儿死父封侯。

鉴赏

"我们从古以来,就有埋头苦干的人,有拼命硬干的人,有为民请命的人,有舍身求法的人,……虽是为帝王将相作家谱的所谓'正史',也往往掩不住他们的光耀,这就是中国的脊梁。"(鲁迅)此诗所歌颂的传舍吏之子,就是这样一个为民请命而又拼命硬干的英雄。他的事迹,见于《史记·平原君列传》:"秦急围邯郸,邯郸急且降，平原君甚患之。邯郸传舍吏子李同说平原君曰：'邯郸之民，炊骨易子而食，可谓急矣，而君之后宫以百数。婢妾被绮縠，余粱肉，而民褐衣不完，糟糠不厌。民困兵尽，或剡木为矛矢，而君器物钟磬自若。使秦破赵，君安得有此？使赵得全，君何患无有？今君诚能令夫人以下编于士卒之间，分功而作。家之所有，尽散以饷士，士方其危苦之时，易德耳。'于是平原君从之，得敢死之士三千人，李同遂与三千人赴秦军，秦军为之却三十里。亦会楚魏救至，秦兵遂罢，邯郸复存。李同战死，封其父为李侯。"

传舍即旅舍。"传舍吏"是古代的驿站长，职位相当卑微，如果没有奇迹发生，任这种职位的人根本不可能和封侯发生关系。诗句一开始就是："传舍吏，当封侯！"便足以令人惊诧莫名。然后再叙事，便有吸引读者的效果。秦军侵赵，邯郸告急之初，魏安僖王曾使晋鄙将十万兵救赵。因受秦胁迫，"魏王恐，使人止晋鄙，留军壁邺，名为救赵，实持两端以观望"(《史记·信陵君列传》)。"晋鄙救兵邺中留"，则邯郸之急，危如累卵矣。"缀旒"系冠上垂珠，摇摇欲坠，故形其危(语出《文选·诸渊碑文》)。这时，传舍吏之子李同挺身而出，直说平原君以救急之策。"传舍吏儿当国忧"，实有"肉食者鄙，未能远谋"，匹夫忧国，当仁不让的气魄。"散君帑藏(国库)大飨士，编君妻妾列兵俦"二句，概括李同说辞，斩钉截铁，直如耳提面命，虽是为平原君出谋划策，却也是为围城人民着想。至于传舍吏子自己，早已置生死于度外："传舍吏儿率死士，跿跔(跳跃)赤手科鍪头(指不戴头盔入敌)"，终于使秦军退兵三十里，邯郸旋亦围解。"救兵至，邯郸危复瘳。"然而，传舍吏子李同却永别了邯郸人，后代读者须感谢司马迁记下了他的英名。英雄的父亲受到了奖赏，传舍吏受封李侯，烈士李同可以含笑九泉了。

诗人几乎是用朴拙的笔墨，十分概略地复述了太史公书中的一个故事。诗人的出众之处首先表现在他的眼力，他从史传中发现了这个不甚为人注意的人物及其事迹，从中看到了光耀。正史中充斥着帝王将相，然而他们丝毫掩不住这位布衣之士的光芒。李同的事迹，足以与侯嬴、朱亥相辉映，而此诗也可以与王维《夷门歌》相媲美。诗中不出现李同的名字，而反反复复强调"传舍吏儿"的身份，便是这理直气壮的宣称：贱者虽自贱，重之若千钧。

(周啸天)

寄卫叔刚

杨维桢

二月春花如酒浓，好怀每与故人同。
杏花城郭青旗雨，燕子楼台玉篴风。
锦帐将军烽火外，凤池仙客碧云中。
凭谁解释春风恨，只有江南盛小丛。

鉴赏

这诗是寄给朋友卫叔刚的。诗表达了对友人的思念，对友谊的赞美。

二月的江南，春光明媚，诗人用酒色喻春意，不仅写出了春光的丽，而且富有意趣，读着令人陶醉。在这美好的春光里，诗人与友人大都怀着美好的心情。古人常说，人生难得三全：好景致，好心情，好朋友。而诗人与卫叔刚在一起，就得到过三全。所以，他写了美好的回忆，寄予对方，以表思念。

第二联回忆他们一起度过的美好时光。杏花吐蕊的时节，他们冒着雨，在城外的燕子楼相聚，春风习习，青色的酒旗斜矗，笛声婉转悠扬，他们开怀痛饮。篴(dí)，即笛。玉篴，言笛子之美。读这一联诗，让人联想到杜牧的《清明》诗："清明时节雨纷纷，路上行人欲断魂。借问酒家何处有，牧童遥指杏花村。"杏花、雨、酒同时出现在这一联诗中。这联诗大约受到杜牧的启发，但意境又有所不同，能自出机杼。

第三联写其他友人都不在身边。将军朋友远在边疆，道士朋友又在京城。友人星散，只剩下诗人只身一人。古代军队扎营用帐篷。锦帐，锦做的帐篷，极言帐篷之好。凤池，皇帝禁苑中的池沼，这里代指皇宫。仙客，对道士的尊称。"凤池仙客碧云中"，说皇帝宠信的道士朋友在远离人间的仙境中。诗含蓄地写没有朋友的孤独，也含蓄地表现对朋友的怀念。

第四联说：朋友不在，谁能消除我的春愁，消除我心中的烦闷呢？没有人。没有办法，我只有沉湎在声妓中。解释，消除、消释。盛小丛，唐代越地歌妓。李讷为浙东使，夜登城楼，听见歌声激越，派人把歌唱者招来，原来是歌妓盛小丛。诗人居南方,故用越地歌妓盛小丛代指歌妓。杨维桢有声色之好,据说他曾经把酒杯放在妓女的鞋中,称作鞋杯,传着让朋友喝酒。朋友不在,他和妓女搅在一起是很自然的,但我们不能因此否定他的为人,因为声色之好在古代官吏与文人中相当普遍。第四联写友人不在,生活索然无味。

这首诗写与友人在一起的欢乐,以及与朋友离别的痛苦,用对比的手法谱写了一曲友谊的颂歌。诗首尾两联直抒胸臆,中间两联感情表达含蓄,加上全诗用语新鲜,耐人诵读,是一首很有特色的寄赠之作。

(刘文刚)

海乡竹枝歌(录四)

杨维桢

潮来潮退白洋沙,白洋女儿把锄耙。
苦海熬乾是何日,免得侬来爬雪沙。

门前海坍到竹篱,阶头腥臊蟛子肥。
玴玡三岁未识父,郎在海东何日归。

海口风吹杨白花,海头女儿杨白歌。
杨花满头作盐舞,不与斤两添铜砣。

颜面似墨双脚赪,当官脱裤受黄荆。
生女它当嫁盘瓠,誓莫近嫁东家亭。

鉴赏

竹枝歌就是竹枝词,是由民歌形式发展而来的一种诗体。一般四句,具有浓厚的民歌风味。这首竹枝歌是写海乡生活的,故题作“海乡竹枝歌”。诗写一位盐家劳动妇女,丈夫在他乡流荡,自己带着孩子的辛苦生活和悲惨命运。诗是组诗,由四首组成,全面地表现了海乡劳动妇女的生活。像这种题材的作品,古代极少,非常新颖。杨维桢曾经为盐官,他做官能关心民生疾苦,有政绩,因此这首组诗写得真实生动,而且注入了诗人的同情。

第一首写海乡妇女的耙盐劳

动。大海潮涨潮退，在盐田留下盐卤，经过蒸发形成盐。这些劳动妇女的劳动就是耙盐。耙呀耙，成年累月，劳累辛苦，没有欢乐，没有幸福。她们非常讨厌这种劳动。“苦海熬乾是何日，免得侬来爬雪沙”，她们希望大海有朝一日干枯，不再干这爬雪的苦差使。然而，这希望是永远不能实现的，大海没有干枯的时候，她们的苦海也无边无涯。

第二首写丈夫漂泊异乡，妇女思念丈夫。孲孭，婴孩，幼儿。孩子生下来已经三岁了，还没有见过父亲。丈夫一直在他乡流荡。“郎在海东何日归”，写妻子盼望丈夫归来，其间既有儿女之情，同时也表现了劳动妇女希望丈夫早日归来，好有个依靠，同舟共济，共渡苦海。因为在封建社会，一个劳动妇女要独自支撑门户，养儿育女，又要给官府当差，真是谈何容易！

第三首写劳动妇女终日辛劳，仍然交不了官府规定的盐差，交不够官盐，妇女忧心如焚，她看到盐一样雪白的杨花，多么希望它能变成盐，好让自己交官差。可是，“杨花满头作盐舞，不与斤两添铜砣”，杨花虽然像盐，却不能用来凑数交差。“不与斤两”，不能增加重量。“铜砣”，秤砣，代指称盐的秤。诗用想象表现妇女交不够官盐的焦急而无可奈何的心情。她什么办法都想了，甚至想把杨花变成盐，但也交不了官府的差。

第四首写妇女交不够官盐受官府责打。诗用“颜面似墨双脚赪”，勾画了劳动妇女备受超负荷劳动折磨和生活摧残的形象。脸色像墨一样发黑，双脚却又发红，尽管她已经如此可怜，还被官府捉去，拉开裤子受黄荆棍子的痛打。她们的命运多么悲惨！难怪她们要发出这样的感慨：生女宁愿远嫁到少数民族“盘瓠”地区，也不愿嫁在近处当盐户。从这种感慨也可以看出古代盐家妇女的苦难。

诗就是这样，表现了海乡妇女的辛劳、与亲人分离和被官府欺压的悲惨生活与命运，倾注了诗人对她们的满腔同情。这一类乐府继承了古代乐府“唯歌生民病”的传统，在题材上又有新的开拓，是乐府诗的瑰宝。

诗在表现海乡妇女的悲惨生活与命运的时候，以大海为主要背景，展现了海乡的风貌，从而使这位妇女的形象带有更强烈的生活气息与真实感。“潮来潮退白洋沙”，写大海，写盐场的风光，是妇女盐场劳动的对象和背景。“门前海坍到竹篱，阶前腥臊蟛（péng）子肥”，写竹篱近海，蟛子爬到阶前，只简单的两笔，便把劳动妇女当海而居的环境写出来了。“海口风吹杨白花，海头女儿杨白歌”，用杨花和白歌，写海边的风情和风物，也具体生动。这首组诗就是这样以大海为背景，以海坍、竹篱、蟛子、杨花，绘出了一幅生动的海乡图。

诗具有强烈的民歌风味。这既表现在语言上，又表现在手法上。诗大量使用海乡的俗语，如蟛子、斤两、黄荆、东家亭等词。又如"免得侬来爬雪沙""不与斤两添铜砣""当官脱裤受黄荆"，具有浓厚的民间语言色彩。在表现手法上，第一首用白描，第二首用兴，第三首用比兴，都是民歌常用的表现手法，这些因素造成了诗的浓郁的民歌情调。但是诗又带有诗人自己鲜明的创作个性，如"苦海熬乾是何日，免得侬来爬雪沙""杨花满头作盐舞，不与斤两添铜砣"，造语新奇，可看出诗人自己的风格。

这首诗"震荡凌厉"（宋濂《杨君墓志铭》），内容与艺术都具有独创，堪称乐府诗中的杰作。

（刘文刚）

宫　词

柯九思*

四海升平无一事，常参已散集诸儒。
传宣群玉看名画，先进开元纳谏图。

作者

＊柯九思（1290－1343），字敬仲，号丹丘生，五云阁吏，台州仙居（今浙江仙居）人。官至奎章阁鉴书博士。后寓居松江（今属上海）。能诗、词、文，又善书画，有《丹丘生集》。

鉴赏

宫词是写宫廷生活的诗，这首是组诗《宫词》十五首中的第四首。

常参，常参官。在常朝日参见皇帝的高级文官称常参官。诸儒，各位儒臣。群玉，官名，群玉内史的省称，掌管皇帝的书法名画。开元，唐玄宗李隆基的年号。《开元纳谏图》画的是唐玄宗听取群臣进谏的图画。这首诗大意说，天下太平，常参官散朝后，皇帝召集儒臣，叫群玉内史把名画献上去让他们欣赏，我就先把《开元纳谏图》进上。

表面上看，这首诗是颂圣，写太平君主与儒臣共赏名画的雅事；实际上这是一首讽谏诗，读最后一句看得最明白。由最后反思全诗，可以看出它始终贯穿着讽谏的线索。

四海果真那么太平，一点事也没有吗？诗表面看起来是歌颂太平，实际上是用过头的写法暗含讽刺。不是真的天下无事，是皇帝不愿理事。那些议政的大臣无事可做，早早地就散朝了。皇帝没有把心思放在理政上，却放在请儒臣们观赏名画上。乍看起来，“常参已散集诸儒”，好像皇帝勤于政事，常参官散朝后马上又召集诸儒议事，哪知道皇帝召集儒臣是要他们看名画呢！皇帝为什么要急急地召集儒臣看画呢？原来，皇帝是要炫耀自己。似乎是说，你看，我不仅能治理天下，还能搜罗欣赏这么多宝贵的名画。诗人认为，皇帝这样不理政事，炫耀骄矜，是危险的信号。如果不引起重视，发展下去，将会导致严重的后果。所以在献图的时候，诗人首先向皇帝呈进《开元纳谏图》，委婉讽谏。希望元朝皇帝像开元年间的唐玄宗一样，虚心纳谏，悉心理政，真正造就开元那样的太平盛世。同时，诗还有言外之意，如果不认真理政，像唐玄宗一样，太平盛世也可能酿出天宝末安史之乱那样的天下大乱。

把向皇帝的进谏用《开元纳谏图》表现出来，非常切合看图献图的背景，使进谏和全诗的内容融为一体，委婉含蓄，天衣无缝。这样写既符合宫词之体，又表现了讽谏的用心，显示出诗人淳厚的诗歌素养和精湛的创作技巧。

（刘文刚）

乌夜啼曲

甘 立*

月落城上楼，乌啼楼上头。一啼海色动，再啼朝景浮。
马鸣黄金勒，霜满翠羽裘。乌啼在何处，人生多去留。

作者

*甘立，生卒年不详。年少受人赞誉，为诗自负为台阁体。辟为奎章阁照磨。官至丞相掾。善为诗，尤工古乐诗。有《允从集》传于世。

鉴赏

这是首写行旅的诗，主题就是“人生多去留”，而表达非常别致，带有浓郁的民歌风味。

诗题“乌夜啼曲”是乐府古题。相传南朝宋临川王刘义庆被废，侍妾夜闻乌啼声，扣阁说：“明日庆有赦。”因此制乌夜啼。这首诗模仿古乐府的手法，而加以创造性地运用。

西沉的明月照耀着城上的楼台，乌在楼头叫着。头两句诗就这样扣题写乌夜啼。月夜乌啼，是古代诗中常常出现的内容。

三、四句用乌的啼声写时光的流转。月落的天快亮时，乌叫第一声，海上的曙色开始萌动；乌叫第二声，太阳就出现在东方了。这是一种夸张跳跃的写法，说光在乌的啼声中推移，夜晚转成早晨了。一啼再啼，是民歌常用的手法，很有情趣和诗意。前四句写景色，写时间，对后文作一个起兴，并作出时间变换的交代。用的是一种近似辘轳体的写法，由第一句的“城上楼”，引出第二句的“楼上头”。由第二句“乌啼”，引出第三、四句的“乌啼”。这也是民歌常用的手法。

五、六句写行旅。勒，马络头。裘，皮衣。黄金勒，黄金做的马络头。翠羽裘，绿色的羽毛做的衣服。但理解时不应该拘泥，诗用黄金翠羽表现马勒和裘衣的珍贵，又通过马勒裘衣的珍贵，象征人的高贵，塑造一个美好的人物形象。（实际上马勒并不一定是黄金的，裘衣也并不一定是翠羽的。这是民歌惯用的技巧。）戴着黄金勒的马叫着，霜洒满翠羽的衣服。诗写的是行人在征途中的情景。霜满征衣，说明行人已经行进了很久，可能月落乌啼之时，已经动身了，在阳光照耀的清晨，他还在行进。

夜晚就啼叫的乌在哪里呢？它不见了，飞走了。人呢？人哪，一辈子很多时候在路上奔波！“去留”是偏义复词，就是去的意思。诗可能是诗人有感游宦常年奔波流荡在外而作，但意义超过游宦，表达的是人生行旅的劳碌和离别的淡淡愁绪。

全诗的内容都是写行旅，而真正直接写行旅的只有三句，即五、六、八句。其余五句都是写乌夜啼，与主题关系不大。诗似乎有点本末倒置，其实不然。用三句表达主题，诗简洁干练。像三秋的一丛菊花，蓝天的一缕白云，虽然简淡，却又很鲜明。用五句写乌夜啼，从旁边运笔，颇有烘托和比兴作用，收辞近旨远之效。这样构思和布局越出常规之外，别具匠心，既鲜明地表达了主题，又给读者留下更多的想象和思索的余地，这正是民歌手法的灵活运用。

《西湖竹枝集》说这首诗“可配古乐府”，是完全符合实际的。这首诗是古代民歌滋养出来的绚烂的艺术之花。

（刘文刚）

上京纪行见玉泉山下荷花

胡　助*

西山咫尺玉泉清，无数藕花香气生。
立马岸边看不足，却疑五月过临平。

作者

＊胡助（约1331年前后在世），字履信，一字古愚，婺州东阳（今浙江东阳）人。举茂才，为建康路儒学学录。历美化书院山长，温州路儒学教授，翰林国史院编修，承信郎，太常博士。工诗文，风格平易近人。有《纯白斋类稿》二十卷、《附录》二卷。

鉴赏

这首诗记诗人在赴上京（北平）途经北京西郊玉泉山麓看荷花的情景。

"西山咫尺玉泉清"，西山在明代就是北京著名的风景区，"西山内接太行，外属诸边，磅礴数千里"（张明凤《西山记》）。西山霁雪是西山八景之一。玉泉山是西山的一峰，因山下有玉泉而得名。"咫尺"，极言其离人们常游玩的西山很近。诗这样开头，是展示荷花生长的美好环境——奇秀的山光，清澈的泉水，这样的环境自然能给高洁的荷花增添妩媚。

"无数藕花香气生"，"无数"，茫茫一片，极言其多。香气用"生"，写出了荷花不断产生并散发香气的景象。"生"字很普通，也很有表现力，使人仿佛嗅到荷花的阵阵芳香。

如果说第二句是写荷花的多与香，第三句则主要写荷花的美。荷叶碧绿如玉，荷花红艳似霞，荷花亭亭玉立，在绿波的映照下，仿佛天真烂漫的少女。特别当荷花连成一片的时候，显得尤其美丽。然而，历代歌咏荷花的诗文太多,所以诗人不正面歌咏荷花之美,而从侧面运笔,从自己的观感来写。到底玉泉的荷花有多美呢?“立马岸边看不足”,它太美了,诗人驻马看也看不够。荷花是读者都见过的,这里诗人有意让读者用自己的经验和想象来补充和丰富诗的意境,来自己想象荷花的美。汉乐府《陌上桑》这样写罗敷的美:“行者见罗敷,下担捋髭须,耕者忘其犁,锄者忘其锄。”这首荷花诗与汉乐府在手法上不是有某些相似之处吗?

诗人在岸边欣赏荷花的时候,蓦地联想到他在临平看荷花的情景:“却疑五月过临平。”“临平”,即临平湖,在浙江杭县临平山东南五里,又名鼎湖。用一个“疑”字,用自己的错觉,写自己立马玉泉山下,恰似置身在五月荷花盛开的临平湖畔。诗用联想,把数千里之外江南的临平与北国的玉泉联系起来,使诗的境界骤然开阔。

这首诗风格平淡,没有什么警句,也没有奇思妙想,而它重视意境的创造,它用平实的语言,叙述的手法,描绘了一幅活生生的山间观荷图,读过之后,荷与人都历历在目。

(刘文刚)

榆　林

胡　助

倦客出关仍畏暑,居庸回首暮云深。
青山环合势雄抱,不见旧时榆树林。

鉴赏

这首诗抒写诗人出居庸关游宦的感受。

诗劈头就自称“倦客”,说自己屡经漂泊而感到厌倦,为全诗定下基调。尽管自己已经很倦了,又要出关去做官,又要漂泊,又是在炎炎暑天。诗用一个“畏”字,与前面“倦”字相照应,表现了诗人极不愿意游宦,但又无可奈何的心情。诗很凝练,既写出了自己恶劣的心绪,又写出了漂泊的时间(夏天),漂泊的地点(关外),概括力极强。

居庸关在元代都城大都之北,即今北京昌平县北长城附近的居庸关。登上居庸关,回首南望,只见一片浓密的晚云。诗人大约是从都城出关，他所望的正是出发的大都。大都是朝廷所在，诗人的家大约也在这里。诗人回首，表现了诗人对大都的眷恋。古代的官都喜欢做京官，放外任是不受重用的表现，所以“暮云深”也表现了诗人宦途失意的怅惘之情。

第三、四句写出关途中所见。在居庸关外行进，最突出的印象当然是山。北国的夏天，山也一派苍翠。它此起彼伏，似断实续，峥嵘雄奇，仿佛连环，山里有山，山套着山。诗人并非第一次出关，当他旧地重过的时候，他感到苍山依旧，而前次见到的那片榆树林却不见了。诗人在这里表达的是一种“人生易老天难老”的思想，时光在流逝，人在暗暗地老。那片榆林，当年还那样茂密，那样挺拔，曾几何时，就无影无踪地消失了。人生不也是这样的吗？人生这么短暂，可还要游宦！这就是最后两句诗的深层含义。诗以榆林为题，其用意大约也在于此。

总起来说，这首诗表达了诗人对游宦的厌倦，表达了人生易老的感触，还暗含着宦途失意的情绪，表现出对安定生活的希求，内容是丰富的。而诗以榆林为题，运用比兴，把思想通过行旅和景物表现出来，词浅意深，苍劲雄健，耐人寻味。

（刘文刚）

宿牛群头

胡　助

荞麦花开草木枯，沙头雨过茁蘑菇。
牧童拾得满筐子，卖与行人供晚厨。

鉴赏

奇特的诗，只要一读，往往就能被吸引，就能体味其间的美妙。而这是一首风格平淡的诗，外表看起来完全没有什么技巧，像大锅清水汤，必须反复玩味，才能领略它的巧妙之处。

牛群头，大约是个乡村小镇，具体位置不详。诗写牛群头的风光和诗人住宿牛群头的生活。

“荞麦花开”写乡村的田园，也是写季节。春天，荞麦开花了，草木仍然一派枯黄。这是北国春天常有的景色。“草木枯”也为后文写蘑菇作铺垫。

一场春雨过后,沙里长出了肥美的蘑菇。蘑菇是草木腐烂、在水分充足的条件下滋生的,雨后沙地水分充足、又松软,宜于蘑菇的生长。"茁"字生动贴切,写出了蘑菇的喜人长势。

牧童牵出牛来,也顺便带着筐子采蘑菇。他们很快就采满一筐子。这既是因为牧童勤快,也因为蘑菇多,肥美,好采。"满筐子"与上文"茁"字相照应。

牧童把采来的蘑菇卖给诗人做晚饭的菜。蘑菇在乡村不稀奇,而对诗人来说则是难得的美味。行人,行旅之人,诗人自谓。晚厨,晚餐。这里用"行人""晚厨"扣题目"宿牛群头"。

奇特的诗大多是用异乎寻常的色调来美化生活,平淡的诗则力求与生活相似,让生活自己展示自己的美。

诗贵当行,一定的题材,一定的内容,应该用与它相适应的诗风来表现。要表现牛群头这样地方的乡村生活,平淡当然就是一种好风格。如果用华丽奇谲之类的诗风来表现,就显得有点不伦不类。这首诗以赋为基本手法,以蘑菇为关键,将开花的荞麦,枯黄的草木,雨后的蘑菇,携筐的牧童,组成一幅北国乡村的风俗画。又用蘑菇把乡村与自己的行旅生活联系起来,表现了自己的行旅生活和入乡随俗的情趣。这是一首朴素自然而又富有生活情致的好诗。

(刘文刚)

春　草

何　正*

春来无处不芳菲，色透湘帘好染衣。
南浦晚烟凫鸟没，曲江寒雨鹧鸪飞。
高人有意怜新绿，游子无心恋将归。
淮海年年空入望，六朝王业竟成非。

作者

* 何正，字守中，分水（今浙江桐庐县）人。至顺间应荐授山长，转宁都下河巡检。弃官，号云壑道人。

鉴赏

自从楚辞唱出“王孙游兮不归，春草生兮萋萋”（《诏隐士》），草似乎就与别情离恨结下了不解之缘。《春草》诗写怀归的情绪，兼发思古之幽情。

诗扣题写“春”。春是花的世界，诗也以花来写春光烂漫，“春来无处不芳菲”，展现了一个百花争艳、百花吐芬的美丽芳香的世界。诗的句式像唐代韩翃的名句“春城无处不飞花”，用“无处不”两个否定作肯定，语气强烈，让人感到春天的气息扑面而来。写花正是为写草制造环境，烘托春草的美好。第二句便写春草。春草一派嫩碧，透过湘竹的帘子，好像要把人们的衣服染绿一样。这是着眼颜色来写春草。

春草形象单纯，穷形极象地描写，会使诗显得雕琢单薄，因而诗人用比兴手法来写。浦，水边。南蒲与曲江，诗中常出现的地名，这里泛指江边和江湾。凫鸟，野鸭子。鹧鸪，布谷。三、四句诗说：春草像南蒲的晚烟，水凫隐没其中，又像曲江的寒雨，其间有鹧鸪飞翔。春天，草绽新芽，一株株细看，像雨滴；一大片连着,像轻烟。用烟和雨比喻春草,生动而有趣。特别是借烟雨进一步生发,写"凫鸟没""鹧鸪飞",更觉形象飞动。

春草嫩碧,如烟如雨,激起那些有高蹈情志的人的喜爱,而诗人无心欣赏这碧绿的芳草,他游荡在他乡,对故乡的思念萦系心头,想的是早日还家。诗借春草写思乡的情绪。

然而,想还家却不能还家,年年都只能盼望,却归不得。诗人家在分水,即今天的浙江省桐庐县,属古代淮海的范围,故诗云"淮海年年空入望"。在淮海的金陵(今南京市)曾经有六个朝代建都,而这六个朝代已经消失了。如果说上句表现诗人有家不能归的怅惘,那么后句诗则通过怀古,暗寓年华流逝,自己没有作为的失意的思绪。

白居易的《赋得古原草送别》是最为传诵的写草的名诗,这首《春草》在元代也有影响。据说诗人刚被举荐时,有人出了《春草》《月》两道诗题,考试诗人的才华。诗人两首诗成后,"人争传之"(《元诗纪事》)。《春草》一篇即此诗。这首诗用比兴手法,写春草很有特色。而在内容上,除用传统的观点以春草表现离别与怀归外,又以春草写兴亡之感,暗伤自己老大无成,又有新的开拓。

(刘文刚)

城西纪事

黄镇成*

今日稍清适，独出城西村。感时经丧乱，风物异郊原。
林摧见平陆，寺破留颓垣。高亭化莽墟，华屋成蔬园。
徘徊在中路，偶听农老言。新苗未入土，苗草日已蕃。
丁男赴征调，期令集辕门。况乃乏牛力，辛苦难具论。
我闻增惨怆，无策拯元元。身老不能耕，焉敢饫盘飧。

作者

*黄镇成(1287－1362)，字元镇，劭武(今属福建)人。屡试不第，历游南北，后归故里隐居。工诗文。有《秋声集》四卷、《尚书通考》十卷行于世。

鉴赏

清和景明，诗人杖策出户，偶遇老农，言之欷歔，慨叹而返。这是一首叙事诗。全诗按所见所闻所感顺序，分三大段。

前四联写所见，以景物变迁初步凸现"感时"主题。史载文宗朝灾荒连年，仅至顺元年放赈，饥民达百万户以上。水旱、战乱，到处一片残破凋敝的景象。诗人以行路所见，选用四个形象来说明"风物异郊原"的惨景。第三联说树林不见了，只看到一片漠漠黄土；寺观破败不堪，只留下断井颓垣。以寻常物的遭劫，说明一般社会阶层的残破。平陆颓垣而阒无人迹，是跑光了、死光了抑或是拉光了，都说不清。这里的诗人，压抑、怅惘、迷茫、悲哀与之俱来，便逐步将读者导入诗境。第四联说高亭、华屋残破，给人更浓重的沧桑之感。两组形象的融合，显示一场全社会的灾难。"高田长槲枥，下田长荆榛"(李商隐《行次西郊一百韵》)，"城郭为山林，庭宇生荆艾"(蔡琰《悲愤诗》)，天灾人祸交并，只有"蔬园"显示了人未绝迹，为下文老农的出现作一铺垫。

中间四联是新闻。诗人行至半道，徘徊不知往哪里去的时候，偶遇老农而听其说。下面六句即老农语。新苗还没有栽，野草倒长得一天比一天更茂盛。青壮年都限期到军营集合，或作战并服力役。丁男（古代十六至六十岁为丁）已去，家中便只剩下耄耋老者和黄口小儿，况且又缺少畜力，真是"辛苦难具论"。老农语只是客观叙述，看似平淡，但其中所含辛苦与不公，已足使人愤惋。

《元诗选》云："抑亦有所激而鸣其不来者耶？今观《南田耕舍》及《城西纪事》诸诗，亦可以知其寄托之有在矣。"诗的末二联写所感，这里表达的是一种有愧而无奈的心情。虽然凄怆倍增，却无力拯百姓于水火，他最大限度只能表明他个人的态度：既然身老不能耕作，哪敢企望饱餐盘中之飧？

据作者自述，他有"流水三椽舍，桑阴五亩田"（《春雨南田书事》），"下山交桑麻，上山友麋鹿"，而且"还肯过邻家，邻家酒应熟"（《南田耕舍》），有诗人隐士兼农夫的双重身份。《四库全书总目·秋声集提要》称："则镇成盖遭逢乱世，有匡时之志而不能行，乃有托而逃。故诗多忧时感事之语。"诗人终于按捺不住了。这时，不能置身事外，也不能完全融于事内，不仅是这首《城西纪事》的态度，也是黄镇成乃至更多元代士大夫的共性。

（韩云波）

铅山早行

黄镇成

早起辞林馆，邻鸡已再嗥。月弦当户直，斗柄插山高。
细湿侵藜杖，轻寒袭布袍。前趋东日上，五色动云涛。

鉴赏

铅山又名杨梅山、桂阳山，在江西信江流域，元代因其地设铅山州，即今铅山县。黄镇成本昭武（今甘肃张掖市）人，"至顺间，尝历览楚汉名山，因流齐鲁之墟"（《元诗选》）。

"未晚先投宿，鸡鸣早看天。"早行为旅人所好，也成了诗人历久不衰的题材。这首诗大约就是途中所作。

首句写早行环境，开篇点出“林馆”，客店开在树林中，大致摹写出铅山一带的自然环境，多山而林木蓊郁。次句说早行时间，鸡叫二遍(“再嗥”)。对时间地点的交代，同时又着重写出早行氛围。山林之中人烟稀少，“邻鸡”却表示近旁尚有人家；“再嗥”表示他还不算太早。经过这一番点缀，就使早行的背景既安恬又富生气。

紧接着诗人分别从主客观与动静态表现早行。三、四句分写月色星辰。天快亮了，下弦月还高挂着；北斗星的勺柄被山峰遮住，好像插在山中一样。宋人邹浩《早行》也有一联诗：“天形随月见，斗柄傍人低。”邹浩写的是平原，感受就与“月弦当户直，斗柄插山高”全然不同。从开篇到这里，都抓住一个“山”字，无论是天空高迥还是径微林深，都极富山区特点。而林馆幽曲，雄鸡再嗥，七星天外，半月山前，都是极美的诗境。

诗人一心赶路，时间和里程都未曾留意，忽然他感到有些寒浸肌骨，这才发现藜杖和布袍都有些潮湿。诗人是避地乡间的隐士，游历天下时的穿着也很简朴，当“露侵驼褐晓寒轻”(陈与义《早行》)的凌晨，布袍单衣就未免单薄。而偏偏这“湿”又那么“细”，细细的像茸毛缀于衣杖，其润如酥。“寒”又那么“轻”，只使人感到心神一爽，清新可人。早起出户时，也许诗人还未睡醒，有些蒙眬；这时却是精力充沛，“一日之计在于晨”，新的一天到来，脚下也就不知不觉加快了。

“趋”是疾走，诗人向前疾行，太阳已经临近东边的山崖。光线的衬托，视角的变幻，一下子从近景拉成大远景，“前趋东日上，五色动云涛”二句，特别有气势，而“趋”“上”“动”几个动词的运用，又使这组大远景汪洋恣肆、摇漾不已，充满动感。“云涛”一词把天空比作海洋，而阳光经过云层折射，使云与光都七彩纷呈、撼人心魄，大自然的奇丽使诗人激动不已。

月隐日出，寒过暖来，倏忽间世界已大为改观。光明的前路给人鼓舞，而动与静、视与感的交替，使人和事件都得到全面的表现。情景交融、情理交融，极富诗的意趣和情味。

(韩云波)

人雁吟

张　翥*

雁啄啄，飞搏搏，江边虞人缚矰缴。
人饥处处规尔肉，岂知雁饥肉更薄。
城中卖雁不值钱，市内籴米斗五千。
妻儿煮糜不敢饱，朝朝射雁出江边。
不闻关中易子食，空里无人骨生棘。
县官赈济文字来，汝尚可生当自力。

作者

*张翥(1287－1368)，字仲举，晋宁(今江苏武进)人。尝从学于李存，受师法于仇远。惠宗至元初，召为国子助教，分教上都。不久退居淮东。起翰林国史院编修，累迁翰林学士承旨。致仕，加河南行省平章政事。时号蜕庵先生。工诗词，古体多讽喻，近体、长短句清圆稳帖，颇为时人推重。有《蜕庵集》五卷、《蜕庵词》二卷。

鉴赏

《人雁吟》题下原有三字“悯饥也”是诗小序。这种标题办法唐人新乐府也普遍采用过，如白居易《新乐府》的《杜陵叟》“伤农夫之困也”。

元顺帝至正十八年(1358)，陕西的鄜州、凤翔、岐山皆大旱，出现了人食人的现象，诗约作于此时。其写作目的，主要是反映严酷的社会现实，本来应着力写饥民。然而诗人别出心裁，诗中人雁同咏，而且以咏雁为主，这就特别耐人寻味。

读首句给人的印象还像是起兴：“雁啄啄，飞搏搏。”雁儿到处啄食，飞来飞去。一派饿相，很像是饥民在尽力谋生。再往下读，原来雁在诗中还扮演了一个角色,即饥民捕食的对象。“虞人”本指古代猎官,专管山泽园囿,此借指捕鸟的饥民。他们到处设置网罗,并准备“矰缴”(弋射工具),窥伺大雁,以雁肉充饥。于是诗人以悲悯的口气对雁说道:“人饥处处规尔肉,岂知雁饥肉更薄。”饥荒使人变得冷酷残忍,捕杀大雁竟成普遍现象,谁知饥年之雁也无肉可食呢。城中雁肉卖不起价,而米价飞涨,杀雁者换回的米仅供煮粥养活妻儿,而粥也不敢喝饱,捕雁者只有更努力地去射雁,于是雁群便有绝种灭族的灾难临头了。“城中卖雁不值钱”四句的关心似乎仍在大雁命运,而饥民谋生的不择手段,却表现得更加含蓄有力。

于是诗人转而又为饥民着想,说食雁之事还算不上骇人听闻,“不闻关中易子食,空里无人骨生棘。”“易子而食”的记载最早见于《左传·哀公八年》:“楚人围宋,易子而食,析骸而爨。”“里”系基层居民单位,“空里无人”即人民成村成里地死去,骨生荆棘。此二句所写情景令人毛骨悚然。最后诗人安慰大雁说:“县官赈济文字来,汝尚可生当自力。”听说县官已发了救济灾民的告示,看来饥民杀雁的行为很快会中止,所以请它们不要绝望,好自为之。且不说赈济一事对“空里无人”的地区没有任何意义,就是对挣扎在死亡线上的饥民,看到的还只是“赈济文字”,何时兑现?如何兑现?都是一些问题。诗写到此便意味深长地结束了。读者感到的不是欣慰,而是彻骨的悲凉。

诗人“悯饥”,而诗中着力只在写悯饥雁,似乎对饥民的命运已不敢抱任何希望,而字里行间,无处不是悲天悯人之意。作者虽没有也不可能揭示造成饥荒的社会原因,但诗的本身,却能启发读者深思。

（周啸天）

题牧牛图

张　翥

去年苦旱蹄敲块,今年水多深没鼻。
尔牛觳觫耕得田,水旱无情力皆废。
画中见此东皋春,牧儿超摇犊子驯。
手持鹌鸹坐牛背,风柳烟芜愁杀人。
儿长犊壮须尽力,岂惜辛勤供稼穑。
纵然喘死死即休,不愿征求到筋骨。

鉴赏

乍观诗题,似为题画之作。细读全诗,才知别有用心。元代文人画,乃至古代文人画,大都是个人性灵情趣的抒发,谓之"墨戏",很少有揭露现实之作。张翥所看到的《牧牛图》正是最通常的立意构思:一个春天的山坡上,逍遥的牧童骑在牛背上,手里还停着一个八哥鸟,如与人相语。画上的空白处则补一树柳枝,婀娜动人。

这样一类水墨小品画,往往使观摩者油然而生羡慕闲逸的情绪。在诗人,就会有"田父草际归,牧童雨中牧"(王维)、"童子柳阴眠正着,一牛吃过午阴西"(杨万里)一类田园诗句,令人羡之不及,哪会想到悯农呢!而张翥这位"忧患在元元"的诗人,看画时竟不能持审美的态度,因此感到这画与现实差之天远,而格格不入。他越想越远,离"画"万里:"去年苦旱蹄敲块,今年水多深没鼻。"去年大旱,土块坚硬,牛蹄踏地有声;今年大涝,田水之深,淹过牛鼻。旱地难耕,涝田难犁,即使耕牛战战兢兢地耕了犁了,仍然见不到收成:"水旱无情力皆废。"变成牛本来就是前世造下的孽,难道变了牛还要遭这样的罪!诗人为耕牛愤愤不平,对画家表示深深不满:"画中见此东皋春,牧儿超摇犊子驯。手持鸲鸽坐牛背,风柳烟芜愁杀人。""愁杀人"三字表明一种抵触的心理,也许他想:要真像这样倒也好了。

诗人似乎又在想:也许画中的牧童和牛犊尚小,才能这样逍遥吧。于是情不自禁地对他们寄语:"儿长犊壮须尽力,岂惜辛勤供稼穑。"牧童大了,牛壮了,也免不了力耕,也免不了要遇到灾祸。诗最后两句又翻出"征求"(搜刮)可怕一义,说累死也罢,敲骨吸髓的征求才叫人受不了呢。这就使诗意从反映自然灾害为祸之烈,上升到反映阶级剥削压迫之苦,增加了诗篇批判现实的深度。

(周啸天)

萤 苑 曲

张 翥

杨花吹春一千里,鲁舰如云锦帆起。
咸洛山河真帝都,君王自爱扬州死。

军装小队皆美人，画片鞯汗金麒麟。
香风摇荡夜游处，二十四桥珠翠尘。
骑行不用烧红烛，万点飞萤炫川谷。
金钗歌度苑中来，宝帐香迷楼上宿。
醉魂贪作花月荒，肯信戟剑生宫墙。
斓斑六合洗秋露，尚疑怨血凝晶光。
至今落日行人路，鬼火狐鸣隔烟树。
腐草无情亦有情，年年为照雷塘墓。

鉴赏

放萤苑即隋苑，一名上林苑。按《资治通鉴·隋纪七》炀帝大业十二年，五月，"于景华宫征求萤火，得数斛，夜出游山，放之，光遍岩谷"，至七月幸江都宫。放萤事在东都，人们一般取江都之说。张翥的这首诗重在揭示荒淫亡国灭身的道理，在对比中抒发历史兴亡之感。

"杨花吹春一千里"的"杨花"既谐杨广之姓，又暗用北魏胡太后与杨白华私通事，和"春"同指春情荡漾的荒唐淫乱之事。"一千里"是东都到江都沿途，"鲁舰如云锦帆起"，威武的大船、豪华的锦帆直向扬州而去，一联十四字点出炀帝的淫治与奢华。诗人对此禁不住大发议论，咸阳和洛阳所代表的是关中与中原，那里是真正的王霸之基，可如今皇帝竟趋江南，真是"人生只合扬州死"（张祜）了，已然露出对炀帝的轻蔑与嘲笑。

好色、铺张是炀帝灭亡的两大重要原因，诗中写出游就抓住这两点发挥。"军装小队皆美人"那是从各地选入江都宫的秀女，在佩着画龙鞍鞯的宫中宝马上，一个个娇喘吁吁，香汗微微。她们在扬州的夜里游荡，走过了二十四桥，出江都西门，直向萤苑而去，在她们身后，弥漫在空际的是宫中香粉的特有气味，遗留在地下的是人掉落的珠翠首饰和马踏过的灰沙烟尘。"骑行不用烧红烛，万点飞萤炫川谷"，萤火如星，光遍岩谷，蔚为"壮观"。"金钗"一联，除字面意义外，显然还另有深意。戎装红粉唱着媚人轻歌，从萤苑中来，要到装饰华丽、名香熏人的迷楼上去。据《大业拾遗记》《南部烟花录》等载，炀帝色荒愈炽，经岁成迷楼，择民间稚女居其中，曰："使真仙游其中，亦当自迷也。"遂尽日与诸女行淫乐之事。他为色荒所迷,迷而昏,昏而亡。从萤苑到迷楼,便又暗示一个败亡的过程。

酒色不醉人,人而自醉之,而炀帝则是连魂都醉了。“花月”指好色淫乐和治游无度,在一阵飘飘欲仙的迷醉中,他虽然明知必将灭亡,却不能自拔。“肯信戟剑生宫墙”句,据《资治通鉴·唐纪一》高祖武德元年:“初,(炀)帝自知必及于难,常以罂贮毒药自随”,但是“及乱,顾索药,左右皆逃散,竟不能得。”放萤后二年,宇文化及使马文举等杀炀帝,帝责之曰:“我实负百姓,至于尔辈,荣禄兼极,何乃如是!”司马德戡以“普天同怨”对,炀帝犹责封德彝“卿乃士人,何为亦尔”,真是至死不悟了。

秋来了,天地如洗,处处色彩斑斓,点点露珠,闪闪烁烁。每到这时,站在扬州的土地上,吊古悲怀袭上心头,人们总怀疑晶光耀目的露滴是否为当年怨血凝成。炀帝当然不值得同情,但他的悲剧,是值得借鉴的。君不见,每到落日时分,大道两旁,狐鸣声声从颓毁的宅基传来,似哀似泣,穿过树丛和原野,不就在述说历史的兴亡?而鬼火点点,不就在复述当日豪华?

在结尾处,诗人再由磷火过渡到萤火,用腐草化萤的故事,照应诗题“萤苑”。腐草本无情,又似有情。想当年炀帝在这里播下种子,从此繁衍滋生,它们年年飞萤炫川,在雷塘隋墓边飞来飞去,到底是对炀帝的感戴呢,还是嘲笑?

《四库全书总目》称张翥“其古体亦伉爽可诵,词多讽喻,往往得元白张王之遗”。但从这首诗看,缘情造境,多方烘托,写得哀感顽艳,倒更近于晚唐的温庭筠。

(韩云波)

京城燕

酒　贤*

三月京城寒悄悄，燕子初来怯清晓。
河堤柳弱冰未消，墙角杏花红萼小。
主家帘幕重重垂，衔芹却向檐间飞。
托巢未稳井桐坠，翩翩又向天南归。
君不见旧时王谢多楼阁，青琐无尘卷珠箔。
海棠花外春雨晴，芙蓉叶上秋霜薄。

作者

＊迺贤（1309－?），一作纳新，字易之，葛罗禄氏，世居金山之西，后寓居南阳（今属河南），随兄到江浙，遂家庆元（今浙江鄞县）。惠宗年间，入翰林。诗风清雄豪放，多游览酬唱之作。有《金台集》二卷传于世。

鉴赏

作者自注云："京城燕子，三月尽方至，甫立秋即去。有感而作。"这是说因京师气候较冷，燕子在三月底才飞来，刚立秋就飞走了，其间为时不长，这引起诗人对于人间荣华难久的感慨，因而作诗。诗中又暗用了"旧时王谢堂前燕，飞入寻常百姓家"（刘禹锡）的诗意，加强了盛衰之感。尽管这是一个古老的主题，这首诗却得到极其新颖的表现。

如果是江南三月，早已是杂花生树，群莺乱飞，气候温暖宜人了。而地处北国的京华，三月底尚春寒料峭，燕子这时飞来已不算早，却仍"怯清晓"，这就写出了地域差别。"河堤柳弱冰未消，墙角杏花红萼小"和苏东坡"花褪残红青杏小，燕子飞时，绿水人家绕"的词句比较，相映成趣。同是燕子归时，同在暮春，南方是绿水长流，而北国却河冻初开；南方已结杏子（“青杏小”），北国杏花始放（“红萼小”）；南方“枝上柳绵吹又少”，北方却柳芽初吐，不胜娇弱。正因为气候寒冷一些，所以“主家帘幕重重垂”，为的是保暖，不是拒绝燕子。而燕筑巢心切，于是“衔芹却向檐间飞”，将就着在屋下找个避风处做窝。以上六句都写燕子“三月尽方至”的情况，写景绘事，细致入微，可谓化工之笔。一“怯”字有点睛之妙。

以下两句一跳写立秋，真是骏快。“托巢未稳井桐坠，翩翩又向天南归。”“井桐坠”三字写尽秋色，与上段写初春物候相比，一何简捷。“托巢未稳”四字，则写京城燕居留时间太短，不能在繁华富贵的京城久住，窝还没有睡热，“翩翩又向天南归”矣，慨何胜言。

于是诗人自然联想到人间的荣华，也和燕子居京华一样不可久持。“王谢”本是南朝两大豪族，与北国无关，与元代的京师无关。但它早就成了富贵人家的代名词，何况刘禹锡又把他们和燕子搭成联系。周邦彦从刘禹锡《乌衣巷》诗得到灵感，在其名作《西河》中也兴叹过：“酒旗戏鼓甚处市？想依稀王谢邻里。燕子不知何世，向寻常巷陌人家，相对如说兴亡斜阳里。”而此诗又翻出新意，他不是以燕嘲人，而是将人比燕：“君不见旧时王谢多楼阁，青琐无尘卷珠箔”，这是“旧时王谢堂前”景观，眼前呢？妙就妙在根本不说这个，而以春花秋叶荣枯对照作结：“海棠花外春雨晴，芙蓉叶上秋霜薄”，前句之景何等明媚，有如人家兴旺之时；后句之景一何萧条，有如人家破败之时。世事无常，荣华一梦。这一切不是和京华之燕的“托巢未稳”有几分相似吗？

诗的前六句只一意，后六句则有三意，前六句妙于用繁，后六句妙于用简，使这首短歌显得特别精彩。

（周啸天）

新乡媪

迺贤

蓬头赤脚新乡媪，青裙百结村中老。
日间炊黍饷夫耕，夜纺棉花到天晓。
棉花织布供军钱，借人辗谷输公田。
县里公人要供给，布衫剥去遭笞鞭。
两儿不归又三月，只愁冻饿衣裳裂。

大儿运木起官府，小儿担土填河决。
茅檐雨雪灯半昏，豪家索债频敲门。
囊中无钱瓮无粟，眼前只有扶床孙。
明朝领孙入城卖，可怜索价旁人怪。
骨肉分离岂足论，且图偿却门前债。
数来三日当大年，阿婆坟上无纸钱。
凉浆浇湿坟前草，低头痛哭声连天。
恨身不作三韩女，车载金珠争夺取。
银铛烧酒玉杯饮，丝竹高堂夜歌舞。
黄金络臂珠满头，翠云绣出鸳鸯裯。
醉呼阉奴解罗幔，床前爇火添香篝。

鉴赏

这是一篇现实主义力作。“新乡”即今河南新乡市。诗中通过一位新乡老妇被命运逼得走投无路的悲惨遭遇，对元代残酷的阶级压迫和剥削作了血泪的控诉。诗大致分前后两部分，前一部分直叙新乡老妇的遭遇；后一部分以贵妇奢靡生活反衬作结。

从篇首到“低头痛哭声连天”，是前一部分，共四层。一层八句写老妇辛勤劳动惨遭盘剥的不幸。起句简单勾勒人物外貌，“蓬头赤脚”“青裙百结”二语活画出一个贫妇。紧接以“日”“夜”相起，写老妇夜以继日地劳作：“日间炊黍饷夫耕，夜纺棉花到天晓。”在某种程度上说，比男人还辛苦。纺棉交捐为的是应付国家军费摊派，同时还要上缴实物租税。不得不“借人辗谷”，是因为老妇的儿子在从事徭役，为下层伏笔。第三重的盘剥来自差吏（“公人”），他们还要索贿（“要供给”）。老妇一贫如洗，拿不出钱，他们便夺走其身上布衫，还抽她两鞭解恨。二层写老妇的两个儿子服役又有三月不归，她非常担心他们会饿倒冻病。官府大兴土木，而新乡又面临黄患，“大儿运木起官府，小儿担土填河决”二句，补充交代了两儿服役情况，反映了当时徭役的沉重，使人民不堪重负。三层写老妇为生活所迫，不得不卖掉孙儿。其索价之低引起旁人惊奇，殊不知老妇此时的心情是急于还债，同时也让孙儿有一条活路，故急于脱手。“骨肉分离”乃人间惨剧，却道“岂足论”，可见世道将人伦作践到什么程度！四层写老妇在大年前筹谋为公婆上坟，可哪来钱买纸烧呢？穷人活着受穷，难道连死了也要作饿鬼吗？老妇实在想不通。“凉浆浇湿坟前草，低头痛哭声连天”是哭公婆，是哭命运。也只有在上坟的时候，老妇才有机会放声一哭啊！

“恨身不作三韩女”以下为后一部分。“三韩女”指高丽籍贵妇。虽然李商隐《无题四首》已有“东家老女嫁不售，白日当天三月半。溧阳公主年十四，清明暖后同墙看。归来展转到五更，梁间燕子闻长叹”的写法。读者还是觉得，以“三韩女”之高贵，新乡之媪必不敢作此想（即“恨身不作三韩女”），只要稍稍活得像个人样，她便会满足的。但诗人的用意，则是以此引出反衬的人物，在对照中凸现人间的不平。“车载金珠争夺取”可见韩女身份之高。一旦作了贵妇，她们便吃香喝辣，征歌逐舞，穿金戴银，呼奴使婢：“银铛烧酒玉杯饮，丝竹高堂夜歌舞。黄金络臂珠满头，翠云绣出鸳鸯裯。醉呼阉奴解罗幔，床前爇火添香篝。”这种生活，新乡媪是做梦也想不到啊！诗人对这种“荣枯咫尺异”的状况，当亦“惆怅难再诉”，故不作议论而结。

作者是一位关心民间疾苦的诗人，他的《颍州老翁歌》和这首《新乡媪》，均以真实的力量引起当代的关注。《金台集》于《新乡媪》诗后附盖苗跋云：“其词质而婉，丰而不浮，其旨盖将归于讽谏云尔。昔唐白居易为乐府百余篇，以讽时政，流闻禁中，即日擢为翰林学士。易之他诗，若《西曹朗》《颍州老翁》等篇，其关于政治，视居易可以无愧，而藻绘之工殆过之矣。”可见评价之高。

（叶　红）

黄　金　台

迺　贤

落日燕城下，高台草树秋。千金何足惜，一士固难求。
沧海谁青眼？空山尽白头。还怜易河水，今古只东流。

鉴赏

这是作者《南城咏古十六首》之一。战国时燕昭王尊郭隗为师，并采纳他的意见，筑台于易水东南，置黄金于台上，广招天下士。一时乐毅等人，纷纷前往，后来为燕国建立了功勋。诗原注，台在“大悲阁东南，隗台坊内”。后世文人到黄金台，莫不追忆这一历史故事，对昭王爱惜人才、能甄拔而信任人才以及郭隗们生逢明主，十分神往。此诗的前四句不外此意。写诗人偕好友来到燕城外，在秋日落晖中寻找到黄金台遗迹，对昭王肃然起敬。“千金何足惜，一士固难求”不失为名句，但就诗意而言，并非新见。

有意思的是从第三联以后的感慨和写景，可谓空灵之至。似乎没有多少可以指实的东西，却更能启发读者的遐想。“沧海谁青眼”一问，是说世事沧桑，后来人主在识才爱才上，有几个能为“青眼”（语出《世说新语》，意指重视爱慕）的？无怪“空山尽白头”，为昭王之死而伤悼。遥想昭王死，惠王立，便中了齐国反间计，而迫使乐毅走赵，自坏长城，何可叹息！

“还怜易河水，今古只东流”，似借易水长流，寄托哀思。但在易水边，读者还会想到燕国另一个求士的故事，那就是燕太子丹与荆轲之事。对于燕丹得荆轲算不算得士，后世是有争议的，陶渊明则是充分肯定的：“燕丹善养士，志在报强嬴。招集百夫良，岁暮得荆卿。”“惜哉剑术疏，奇功遂不成。其人虽已没，千载有余情。”（《咏荆轲》）看来燕太子丹还有燕昭王之遗风。那“还怜易河水，今古只东流”是否也表示着“其人（这里就应包括燕昭、乐毅、燕丹、荆轲等）虽已没，千载有余情”呢？

（周啸天）

滦京杂咏(百首录三)

杨允孚*

汲井佳人意若何,辘轳浑似挽天河。
我来濯足分余滴,不及新丰酒较多。

出塞书生瘦马骑,野云片片故相随。
冻生耳鼻雪堪理,冷入肝肠酒强支。

买得香梨铁不如,玻璃碗里冻潜苏。
书生半醉思南土,一曲灯前唱鹧鸪。

作者

*杨允孚,生卒年不详,约公元1354年前后在世,字和吉,吉水(今属江西)人。以布衣襆被,岁走万里。凡所见山川名物,典章风俗,莫不以诗记之。惠宗时,曾为尝食供奉之官。有《滦京杂咏》一卷行于世。

鉴赏

滦京即元代的上都。本蒙古汗国之开平府,中统五年加号上都,治所在今内蒙古正蓝旗兆乃曼苏默。因为接近滦河,又称滦京,据罗大已跋云:"杨君以布衣从当世贤大夫游,襆被出门,岁走万里。耳目所及,穷西北之胜,具江山人物之形状,殊产异俗之瑰怪,朝廷礼乐之伟丽,尤喜以咏歌记之。"可知《滦京杂咏》一百首,是杨允孚北游纪行之作。诗多记途中景物及风土人情,为诗坛增添了一股清冷新鲜的空气。原作过半数有注。"汲井佳人"一首注云:"此地悭水故也。""出塞书生"一首注云:"凡冻耳鼻,即以雪揉之方回,近火则脱。""买得香梨"一首注云:"梨子受冻,其坚如铁,以井水浸之,则味回可食。"对于理解原诗大有帮助。

这组诗首先以异域风情动人，诗中所写的都是前人诗中未曾写过的蒙古族人民的生活，这就为读者打开了一扇新的窗子，开辟了前所未有的题材领域，展开了一幅新的生活画卷。沙漠缺水，所以打井很深。辘轳取水也相当费力费时，在南方人看来简直就和引水于天河差不多——难于上青天。行人要讨水喝也属不易，洗脚更属奢望了。女房东给水，简直就像斟酒一样，恐怕只够擦擦脚了，可须知当地人是终年难得一洗头面的。漠北天气很冷，暴露在外的耳鼻是最容易冻伤的。耳鼻冻木时，可千万不能急近火烤，谨防烤掉。只能用雪轻轻揉搽，使之慢慢恢复知觉。这些经验之谈，必是请教当地人得到的。初来乍到极远的北国，应该"每事问"呢。这里虽然没有江南的繁花，但梨子还是有的。只不过受冻后其坚如铁，下不得口。这也不要火烤，只需用井水浸泡在玻璃碗内，温度自然回升，生脆可口。诗人就这样津津有味地将他亲历亲见的一桩一桩新奇事讲给读者听。不需要作任何夸张，也不需要添枝加叶，读者就被这些生活情景本身给吸引住了。真是大开眼界，大长见识。仅此实录，就是对绝句创作的贡献。

其次就要说到诗句的风趣逗人，表现出浓厚的好奇心和人情味，这也是组诗成功的要素。本来漠北风沙很大，蒙古族妇女皮肤也较江南仕女粗糙，穿戴也较臃肿，加之经常劳动，体格健壮。这种形象与传统诗歌中的"佳人"不搭界，可诗人偏偏称之为"汲井佳人"。这不完全是嘲戏，而是带有一种友善的口吻，其间也表现出诗人对蒙古族女子健美的欣赏。诗人不直接说不习惯不洗脚，也不直接说对方给的水太少，而说"我来濯足分余滴，不及新丰酒较多。""新丰美酒斗十千"(李白)，得之不易。这就形象而有趣地写出了当地水源的缺乏和用水的艰难。在写到滦京的苦寒，"冻生耳鼻""冷入肝肠"，似乎不堪。但诗人紧接着又缀以"雪堪理""酒强支"，也还有一点对付的办法，颇有聊胜于无的慰藉。同样，说到"买得香梨铁不如"，是很遗憾的语气，然而"玻璃碗里冻潜苏"，又找到了解决的办法。凡此都有山重水复，柳暗花明的意趣。总之，诗人在北方虽有很多不习惯，很多苦处，但他还是对这里的生活产生了浓厚的兴趣，爱上了它。这从他那不无幽默的笔调里，得到了充分的反映，这种乐观的生活态度也感染了读者。

最后就是出现在这些诗里的抒情主人公形象，是丰满的、可亲的。他每到一处都随和地待人接物，向牧妇讨水便是一例。他是一个书生，却不喜索居幽栖，骑了一匹瘦马在这北方的原野上和野云相追随。然而和一切游子一样，他也深怀乡土之思。在酒后，“书生半醉思南土，一曲灯前唱鹧鸪”。《鹧鸪曲》是唐时流行的南方思乡曲，据说鹧鸪这种鸟“飞必南翥”，其鸣声像是“行不得也哥哥”。《鹧鸪曲》就是效鹧鸪之声的，音情凄婉。郑谷《席上贻歌者》云：“座中亦有江南客，莫向春风唱鹧鸪。”那还是在内地。而杨允孚本人为南方人，又处在漠北，当他“一曲灯前唱鹧鸪”时，思乡之情有多强烈，就不待言了。充满乡土之爱，是这组绝句的又一感人之处。

（周啸天）

对　酒

倪　瓒*

题诗石壁上，把酒长松间。远水白云度，晴天孤鹤还。
虚亭映苔竹，聊此息跻攀。坐久日已夕，春鸟声关关。

作者

*倪瓒(1301－1374)，字元镇，号云林，无锡(今属江苏)人。工诗，善画。家富，四方名士多游其门。自居清閟阁。至正元年(1341)散其钱财，扁舟往来震、泽、三泖间。明太祖(朱元璋)平吴，瓒已老，黄冠野服，混迹编氓以终。其诗不屑苦吟，神思散朗，意境高远。其画亦堪称逸品。有《清閟阁集》十二卷。

鉴赏

这是一首五言古诗，写作者在松林间相对饮酒时的所见所感，风景优美动人，诗意清新恬淡，语言流畅自然，这是倪瓒颇具代表性的诗作之一。

诗题是《对酒》，饮酒的显然是两个人，一个是作者自己，另一个当然是与他志趣相投的朋友。开始两句用倒装笔法，交代了饮酒的地点、环境和行动。在风和日丽的春天，他们选择了山上的松林，相对而饮。与第三句"虚亭"联系起来看，他们是坐在"长松间"的亭子里，周围是高大的松树，枝繁叶茂，浓阴蔽日，这是多么幽静而又雅洁的所在！志趣相投的朋友在这样的环境相对举杯，是何等无拘无束，悠然自得，一定是两人对坐，"一杯一杯复一杯"了。他们乘着酒兴，开怀赋诗，然后把新诗写到亭边的石壁上，在醉墨淋漓中留下日后的纪念，这又是何等富有雅兴的行为！开篇两句，作者以形象、精练之笔，把人物、行动和环境交融在一起，通过生动传神的描写，把对酒表现得情趣盎然，十分动人。

然而,以下六句,作者却不再写“对酒”了,而是在收纵变化中,写在亭中见到的清新明丽的春景。这原因,一是开始两句已经把对酒的主要活动交代清楚了,无须围绕题目,再作冗赘描写;二是“醉翁之意不在酒,在乎山水之间也。山水之乐,得之心而寓之酒也”(欧阳修《醉翁亭记》),这才是本诗所要突出的重点。因而,作者在开始淡扫一笔之后,就立即掉开笔锋,以较为细致之笔,来描画那眼前迷人的风光。

“远水”两句,先是一纵,把视线从“长松间”转向远处、高处。从亭子里穿过长松望去,远处无边的春水一片碧绿,其中倒映着悠悠飘浮的白云;在晴朗的蓝天中,一只白鹤正从远处飘然飞还。这两句,远水共晴天相映,白云与孤鹤齐飞,是一幅多么开阔、淡远的图画!接下来两句,作者又巧妙地从上句的“还”字,把描写的笔触收回到亭子中。“虚亭”有两层意思:一是言其高,仿佛亭子是在虚空之中;二是亭子四面无壁,周围的景物可以直视无碍,似乎亭子已然不复存在,而与风景融而为一了。那满地青苔和万竿修竹,一齐映入“虚亭”,作者不禁为这无边的绿色而陶醉,感到心满意足,于是发出了“聊此息跻攀”的感叹。这里的风光如此美好,还要再往哪里去攀登呢?还是在这里歇息的好。从最后两句看,作者的确没有再“跻攀”了,他们一直在“长松间”,在“虚亭里”,坐到太阳西斜,那夕阳的余晖返照在松林的青苔上,抹上了一层朦胧、优美的色彩,这里的景色变得更加美好了。此时,投林的鸟儿纷纷从山外归来,“关关”(鸟叫声,语出《诗经·周南·关雎》:“关关雎鸠,在河之州。”)地鸣叫着,相呼相唤,共同寻找归宿之所。这两句显然是从陶渊明《饮酒》诗“山气日夕佳,飞鸟相与还”中化出,但却运化无迹,十分自然,蕴涵了丰厚的意味。全诗在这里自然结束,启人遐思。这六句既有对风景的描绘,又有作者的感叹,把写景与抒情自然地结合在一起。在描写中,有诉诸视觉的各种物象和色彩,也有诉诸听觉的鸟声,描写得细致而又丰富。笔墨不断变化,远近高低,控纵有度。这一切,交织得如此和谐,它与整首诗的安闲、恬淡、清新的意境,达到了高度完美的统一。

这首五言古诗的形式十分精巧,乍一看来,好像是五言律诗。自然,由于它的平仄不合律诗的粘对原则,只能算是“五古”诗体。但是,在古诗中却掺进了近体诗的因素。首先是在诗中安排了一些合律的句子和基本合律的句子,例如“远水”二句合律,“题诗”二句和“虚亭”二句也基本合律,这样,读来在声情上就自然有一种律诗的精致感与和谐感。其次,开始四句,在词性的对偶上铢两悉称,十分工巧,因而使它更像律诗。这些,把古体诗与近体诗的形式交叉融合,而形成一种非近非古、亦近亦古的新的样式,在自然质朴中不乏人工的精美,在雕刻锤炼中又有自然之态,收到了良好的艺术效果,虽非独创,却也颇具新意。

（管遗瑞）

六月五日偶成

倪 瓒

坐看青苔欲上衣,一池春水霭余晖。
荒村尽日无车马,时有残云伴鹤归。

鉴赏

这是一首宁静恬淡的小诗,从它的清新恬然的意境中,可以想见作者那种与世无争、超然世外的淡泊胸怀,以及对田园生活的自得其乐的情趣。

开始两句写作者居处的庭园中的景色。时间是在炎热的夏天(农历“六月五日”正当盛夏)。作者坐在园子里,看着满地绿得可爱的青苔,久久地,那青苔仿佛要长到衣裳上来了。他欣赏着这醉人的绿色,直到夕阳西下,那微红的余光返照到满满的碧绿的池水上,依稀荡漾着春意,升起一层薄纱似的暗淡的轻雾。这是多么僻静的所在,又是多么优美迷人的景色啊！这两句,真像元人的简笔山水,轻轻两笔,就勾画出了如此生动形象的画面,将作者的深心含蕴其间。其中“坐看青苔欲上衣”一句,真是奇思妙想,但又极为自然,颇富包孕性。试想,在盛暑烈日之中,能够长满青苔的地方,自然是在浓阴蔽日之下,那么园中树木的稠密就不言而喻了。诗中说“欲上衣”,显然是指树阴和青苔的绿色,快要融化了作者自己,似乎地上的青苔就要长到衣服上来,一身都染成绿色了,写得特别富有情趣。青苔的生长,又和雨水有关,满地青苔长得这般碧绿,显然在这之前下过较长时间的雨,而此时,积雨新晴,作者的情绪也格外喜悦。也正由于下过雨,所以池中才积满了盈盈的水,仿佛还存留着春意。两句意思十分委婉含蓄,联系也十分紧密。在时间上,前句说白天,后句写傍晚,时间自然连贯;在因果关系中,前句果中含因,后句是因中之果,衔接得不露痕迹。仅仅两句,已经见出作者巧妙的构思。

接着,第三句“荒村尽日无车马”,承上启下,是全诗的转关处。它先是点明“荒村”,进一步烘托出幽静的环境;接着点明“尽日”,说明作者在满眼绿色中流连不已,已经整整一天,表现出对居处的喜爱,也曲折传达出作者淡泊宁静的心情。这些,是对以上两句的承接。而“无车马”三字,不仅说明这里绝无达官贵人乘坐的车马来往,摒绝了尘嚣,也直接引出下句“时有残云伴鹤归”,起了转的作用。两句中“无”“有”二字的安排,十分巧妙,通过“无”中生“有”,最后把诗情从园中地面引向高空,给读者描绘了又一幅美妙的画面:在晴朗的空中,时而有一两朵白云从蓝天上飘然而过,白鹤也随着白云从野外归来,发出一声声鸣叫,盘旋而下。这幅高朗的蓝天白云图,与地面的绿色庭园相映照,把这幽静的所在衬托得更加美好。而且,最后一句,也隐然含有闲云野鹤、孤傲清高之意,显然是作者身世的比况,从而曲折地反映出了作者的内心世界,使全诗有了进一步的较为深刻的含意。

全诗的境界宁静平和,描写时以静态为主。虽然第一句有“欲上衣”三字,但“上”字本是一种虚幻的感觉,并无实际的行动。“一池春水”,当然有微动的涟漪,而“时有残云伴鹤归”,更有云、鹤的飞翔,但这些动态非但没有破坏整首诗宁静的意境,反而通过动,更好地衬出了环境的幽静和作者心灵的恬静。全诗在清和淡远的景象中,通过动、静结合的描写,成功地表现了宁静泊然的气氛和清疏雅淡的气韵,诗味耐人含咏。

(管遗瑞)

龌龊

王冕*

龌龊宁堪处，卑污奈此逢。看人骑白马，唤狗作乌龙。
濯濯河边柳，青青涧底松。待看天气好，应得露华浓。

作者

*王冕(1287－1359)，字元章，号煮石山农、饭牛翁、会稽外史、梅花屋主等，诸暨(今属浙江)人。农家出身，刻苦自学，日放牛，夜读书。试进士不第，遂下东吴、入淮楚。至正间，北游大都，荐官不就，归隐九里山。朱元璋攻下婺州，闻其名，延入幕府，授咨议参军，未几卒。工画，善诗。其诗风格俊逸遒劲，亦能反映民间疾苦和动乱的社会。有《竹斋集》三卷、《续集》一卷、《附录》一卷。

鉴赏

这是一首有感而发的抒情诗。诗题作“龌龊”，就是卑污肮脏的意思，这里是指人的品格卑下。开头两句连读，龌龊、卑污互文。意思是说，灵魂肮脏的人岂能同他相处，无奈周围偏偏存在这种人。第二联是说，这种人见人家骑大白马，自己没有，又想充体面、摆威风，把养的狗称作乌龙，多么虚伪！乌龙，传说晋时会稽(今浙江绍兴市)人张然，养狗名乌龙，曾搭救过主人性命，后以乌龙代称狗。此为借古讽今，并非讥刺古人。第三联，河边杨柳说不上名贵，但它与清澈明净的河水在一起，又常常为清流所洗涤，故能保持其苍翠优美的风姿；苍松具有高尚的品格，虽处深涧底层，仍能保持其葱郁挺拔的英姿，这两句借柳和松虽处境不同，都能保持其纯洁高尚的风采，激励自己不要为社会恶劣环境所浸染，坚定不移地保持自己高洁正直的品格。王冕的为人正是如此，他虽出身牧童，却不攀高结贵，多少人引荐他为吏，他宁愿贫贱，不肯“抱案立庭下备奴使”，宁受贫贱，不失高洁自守的品性。尾联，以气象规律作比喻，说明一个人要有好的品质和才能，必须长期修养积累。农谚有“夜露重，天气晴”的说法。

这首五言律诗，富含寓意深刻的景物描写和哲理性比喻，含蓄深邃，发人深省。

（黄秉泽）

冀州道中

王　冕

我行冀州路，默想古帝都。水土或匪昔，《禹贡》书亦殊。
城郭类村坞，雨雪苦载涂。丛薄聚冻禽，狐狸啸枯株。
寒云著我巾，寒风裂我襦。盱衡一吐气，冻凌满髭须。
程程望烟火，道旁少人居。小米无得买，浊醪无得沽。
土房桑树根，仿佛似酒垆。徘徊问野老，可否借我厨。
野老欣笑迎，迎前挽我裾。热水温我手，火炕暖我躯。
丁宁勿洗面，洗面破皮肤。我知老意仁，缓缓驱仆夫。
切问老何族？云是奕世儒。自从大朝来，所习亮匪初。
民人籍征戍，悉为弓矢徒。纵有好儿孙，无异犬与猪。
至今成老翁，不识一字出。典故无所考，礼义何所拘。
论及祖父时，痛入骨髓馀。我闻忽太息，执手空踌躇。
踌躇向花天，何时可能甦。饮泣不忍言，拂袖西南隅。

鉴赏

作者王冕曾因“一试进士第”不中，弃而出游，历大江南北，最后北上燕都（今北京市附近）。这首诗就是他来去燕都，在冀州途中所作。诗中不仅刻画出北方农村的贫困萧条，也写出了北方农民热情好客、诚恳淳朴的性格，指责了蒙古统治者对汉族文化的摧残。全诗可分三个段落。

从开头到“浊醪”句为第一段，

写北方农村经过宋金元历代统治者的战争摧残和横加掠夺，一派荒凉萧条景象。开头一句“我行冀州路”，扣紧题目。“冀州”，古九州之一，原来西、南、东三方都以当时的黄河与雍、豫、兖、青等州为界，后历经变移，一般指河北省及附近一带。元代冀州属真定路，领信都、南宫、枣强、武邑、新河五县。“冀州路”，冀州路上，元不设冀州路，冀州为元中书省所辖腹里之地，也是历代诸侯国和封建王朝建都之地，所以下句说：“默想古帝都。”因为历年久远，山河变迁，有的地方已改变了过去的面貌，据传为战国时所作的《禹贡》一书的记载也很不一样。这四句是说，冀州一带虽屡经变迁，毕竟是历代帝王立国建都的文明之地。以下十二句，写眼前所见冀州现状。“城郭类村坞，雨雪苦载涂。”“坞”，构筑在村落外围作为屏障的土堡。城郭小得像个村庄，路上满是雨雪泥泞。“丛薄聚冻禽，狐狸啸枯株。”“丛薄”，草木茂盛的树林。树丛中聚集着一群群越冬的鸟类，狐狸之类的野兽在枯树林里拉长声音叫。以鸟兽丛聚啸叫的描写，反映人烟的稀少、原野的荒凉。“寒云”四句，从自身感受与北方天气的寒冷，寒云压顶，寒风裂衣，仰着吐一口气，髭须上就挂满冰花。从身寒表露出对人烟的向往。“程程”四句，直接说出盼望投奔人家，以救饥渴寒冷，一路上却偏偏不见人家。这一段从“默想古帝都”到荒无人烟，想找人家买点米打点酒都无处找，从古今对比和亲见身历反映北方的荒凉。

从“土房”句到“痛入”句为第二段。从刻画一个老人的形象、反映北方人民的淳朴好客，揭露元朝统治者对北方文化的破坏。前十二句写诗人受到的热情接待。诗人冲寒迎风，饥寒交困地奔走在北方荒野，却找不到一户人家歇脚，盼了一程又一程，终于发现了一座土房，房中的桑树根，让诗人以为这是个酒垆呢，其实是一户平民人家。诗人感到不便打扰，再三犹豫，终于说出口来，却未敢贸然直说，明明是求茶饭，反说借厨。不料老人竟是如此真诚热情地接待，老人笑脸相迎，走过来拉着衣襟引进屋，因为知道客人一路风寒，老人端热水给诗人温手，又把诗人送到热炕上暖身，还告诉诗人，受了寒气，暂不要用水洗脸，洗了皮肤会破裂的，诗人深为老人的慈爱所感动，把从人也吩咐离开了，真有宾至如归的情味。写老人的淳朴厚实，意在说明，社会文明虽遭破坏，在老一代人身上还保留着古朴的遗风。以下十四句写北方文化横遭摧残。老人本是诗书继世的人家，自从元蒙侵入中原以后，被迫废文尚武，所习学的不是中华传统文化，而习学弓矢刀兵，供官府征兵戍卫。大朝，指元朝，含有讽刺意味。亮，显然。纵然有好儿孙，也得应征戍，那就和猪狗一样任凭驱使。

老人自己现在已成了老翁，竟然不识一字。历史知识没有，怎能知道什么礼仪。至于祖、父辈所受摧残，一提起，便使老人痛入骨髓。这一段苦诉，明白如话，感情真挚，切合人物身份，真实自然，因此深深扣动了诗人的心扉。

"我闻"句到最后，为第三段，写诗人听了老人的倾诉，深感北方文化被破坏得十分严重，无比悲愤叹息，却拉着老人的手而一筹莫展，唯有仰望苍天，希望祖国文化能够重新振兴。最后两句是说，悲痛的心情难以言说，唯有向隅抱头痛哭。反映了诗人对祖国文化的深厚情感。

这是一首叙事诗，看似平铺直叙，实际上感情充沛，又有严密的逻辑性。以时间先后为序，又各有侧重点，抓住重点充分描写，层层深入地揭示主题。先写北方的荒无人烟，再写文化被破坏的具体情况。由表及里，以诗人的悲愤为高潮，戛然而止。中间写老人的诚恳朴厚，使人看到传统文化教养的优良，加深对破坏的痛恨。

（黄秉泽）

陌上桑

王冕

陌上桑，无人采，入夏绿阴深似海。
行人来往得清凉，借问蚕姑无个在。
蚕姑不在在何处，闻说官司要官布。
大家小家都捉去，岂许蚕姑独能住。
日间绩麻夜织机，养蚕种田俱失时。
田夫奔走受鞭笞，饥苦无以供支持。
蚕姑且将官布办，桑老田荒空自叹。
明朝相对泪滂沱，米粮私税将奈何？

鉴赏

"陌上桑"是乐府古题，这里又可贴切地作为诗的标题。

开首四句，写了一个奇怪现象：历来春天桑叶发枝，蚕种孵化，蚕姑忙碌地采桑养蚕，眼前却是早已入夏，桑林枝繁叶茂无人采摘，徒为过往行人遮阴纳凉。这种反常现象，令人莫解，诗人想找个蚕姑问明原因，却一个蚕姑也找不到。这就更加令人奇怪。诗一开头就出现一个悬念，从而具有极大的诱人力量。接下四句作了明确回答，原来蚕姑和其他大家小户妇女一起都被捉去，为官府织做“官布”去了。这种奇怪的现象，给农民造成严重恶果，蚕姑们日夜纺麻织布，心里焦急地惦记着蚕老田荒，误失农时。田夫本可承担农田耕作，却因交不上租赋，备受逼勒鞭扑，饥饿痛苦，无法支撑。把农村男女劳动力横加摧残，农业惨遭野蛮破坏的黑暗现实作了沉痛揭露。最后又提出了一个新的无法回答的问题：蚕姑虽然完成了织做官布之役，但蚕老田荒，官粮、私租怎么完成呢？诗末留下一个难以回答，而可以想象的大大的问号。

这首诗文字浅显，意义显豁，深入浅出。诗人敏锐地揭露了元代一个极为荒谬的社会问题：统治者为了眼前的需求，竟不顾农时，从根本上破坏了农业生产，这种愚蠢的短见的政令，只有在元代的野蛮统治下才会发生。所以诗人接下来指出，农业横遭破坏，官赋、私租又将从何而来呢？

在表达方式上，诗的开头和结尾巧设疑问，前者可收到引人入胜的效果；后者给人留下想象的余地，而首尾两个疑问都反映了元代社会的荒谬。由于统治者的野蛮荒谬，使农民在无灾之年，蒙受比有灾之年更为惨重的灾害。

诗人善于把不同时间、空间的景物，组成一个完整的富有主体感的图画。陌上桑老、田夫受笞、蚕娘日纺夜织，并非发生在同时同地，而农夫的眼泪滂沱只是推想之景，把它们有条不紊地组织起来，其中又夹叙夹论，使全诗形象生动，议论精当；或有意设问，让读者想象。

（黄秉泽）

虾蟆山

王　冕

春风吹船着牛轭，扶藜直上山之脊。
山上老石怪且顽，皮肤皴皱苔花碧。
我来不知石有名，拊摩怪状心亦惊。
野人指点为我说，此物乃是虾蟆精。
古昔曾偷太仓粟，三百余年耗中国。
天官烛其阴有毒，勅丁破口劙其足。

至今突兀留山丘，雨淋日炙无人收。
树根穿尻蛇入肚，老鸦啄背狐粪头。
牧童时时放野火，耕夫怒击樵夫剁。
自从残堕不能行，见者唾之闻者骂。
虾蟆虾蟆非令仆，无功那窃天之禄。
如今虾蟆处处有，天官何不夷其族。
致令骄气吹臊腥，干霄上食天眼睛。
百虫啖尽心未已，假作鼓吹恰人情。
三月江南春光涨，纡青拖紫争跳浪。
渔父持竿不敢言，猎夫布弩空惆怅。
黄童白叟相引悲，田中更有蝌蚪儿。

鉴赏

此诗题下原有小序，曰：“在海口，石状如虾蟆。前古传言为太仓之耗，令下，凿去石口，其衅遂消。然此怪事非吾儒所道，比兴赋之，以记时事云。”据《绍兴府志》，虾蟆山，本名下马山，在绍兴北海滨。相传秦始皇东巡息驾于此，故名下马山。山上有石，其状如蟾，又名蟾山，俗名虾蟆山。据诗序，作者写这首诗不在记民间传说故事，而是用为“比兴赋之，以记时事”，即借民间关于虾蟆石的传说，对剥削压迫人民的元代官僚表示无比憎恨。

先写虾蟆山的来历和虾蟆石的现状，再借题发挥，抨击现实的贪官污吏。诗人以初游的形式，娓娓叙写，引导读者同诗人一起观察、感受、认识。开头两句，以精练的文字，简述行程。乘船而来，停泊于牛轭潭，舍舟登岸，攀藤登上山巅，并点明时在春天，与诗的结尾相呼应。然后逐渐展示山上怪石的外部形象和不光彩的来历。先写表皮皴裂，遍蒙绿苔，抚之令人惊怖的外部形象，再写经“野人指点”，指出石为虾蟆精，因作耗官仓粮食三百多年，被吏部发现，贬为山上怪石。还因为虾蟆精尾部有毒，吏部令人凿破它的口，砍断它的脚，作为惩罚，把它留在山顶上，任凭雨淋日晒，树根盘绕，蛇入肚腹，老鸦啄背，野兽在它头上屙屎。不但朝廷惩罚，大自然侵蚀作践，更遭到被压迫剥削的牧童、耕夫、樵夫的愤怒报复，广大人民的唾骂。这里写的是传说故事，其寓意和思想倾向已很明显。

从“虾蟆虾蟆非令仆”句以下，诗的下半部借题发挥，抨击大小官吏的腐败。“令仆”，尚书令和仆射的合称，均为宰辅之臣。虾蟆并非朝臣重臣，无功于国，岂可坐耗朝廷粮米！先肯定对虾蟆精的惩罚，然后说“如今虾蟆处处有，天官何不夷其族”。这里的虾蟆是借指坐耗官粮，无能无功的大小官僚。讽刺天官只会惩罚传说的虾蟆精，对官场上下那些虾蟆精一类的尸位素餐、贪赃枉法、为害人民的大小官僚却不去夷灭其族，致使这些“虾蟆”到处气焰嚣张，散发出腥臊臭气，甚至妄想吃掉天上的月亮。它们吃尽天下百虫还不满足，整天还装模作样鼓噪不止，想骗取人们的喜欢。现实的大小官僚已使人厌恶、痛恨，更令人担忧的是新的一大批这类官僚又将出世害人。最后六句写江南三月，春水遍地，或青或紫不同颜色的青蛙好像佩带彩色印绶的贵官，在水中上蹿下跳追逐嬉戏，使渔父持竿无可奈何，猎夫巧设机关也是枉然，老人小孩徒然悲伤，田中的蝌蚪已是成群成群地在游荡呢。结尾以借代的方法，意味深长地表示对层出不穷的大小官僚的憎恨。

这首诗善于利用比喻、借代等手法，借题发挥，指桑骂槐，把民间传说、地方风物、民情和现实黑暗融为一体，使诗的寓意更深，情味更足。虾蟆石的传说，表现了人民对尸位素餐、骄横奢侈的官僚的嘲讽，而虾蟆石的下场，既充分表达了被压迫被剥削人民的愤怒和复仇情绪，也反映了朝廷惩治滥官，不过是骗人的把戏。致使旧的滥官污吏未去，新生的滥官污吏又成批出世，以至于人人束手无策，只有愤怒和痛苦，揭示了社会危机的严重性。

（黄秉泽）

伤亭户

王冕

清晨度东关，薄暮曹娥宿。草床未成眠，忽起西邻哭。
敲门问野老，谓是盐亭族。大儿去采薪，投身归虎腹。
小儿出起土，冲恶入鬼录。课额日以增，官吏日以酷。
不为公所干，唯务私所欲。田关供给尽，鹾数屡不足。
前夜总催骂，昨日场胥督。今朝分运来，鞭笞更残毒。
灶下无尺草，瓮中无粒粟。旦夕不可度，久世亦何福！
夜永声语冷，幽咽向古木。天明风启门，僵尸挂荒屋。

鉴赏

此诗作于作者在浙江绍兴旅行时,叙述了一个他亲眼所见的民间惨剧:一位贫穷孤独的老盐户被官府苛政所逼,自寻绝路,悬梁自尽。通过这个故事,作者对黑暗社会进行了血泪的控诉。

亭户即煮盐专业民户,他们所干的活很繁重,而遭到的盘剥尤其厉害。宋代柳永《煮海歌》对盐户的悲惨生活即有十分生动的描写:“卤浓盐淡未得闲,采樵深入无穷山。豹踪虎迹不敢避,朝阳出去夕阳还。船载肩擎未遑歇,投入巨灶炎炎热。晨烧暮烁堆积高,才得波涛变为雪。……周而复始无休息,官租未了私租逼。驱妻逐子课功程,虽作人形俱菜色。”盐户煮盐要自己砍樵,而山中有虎豹的威胁,诗中老翁的大儿子即是在采薪时为猛虎所害。熬盐还要“起土”,即“年年春夏潮盈浦,潮退刮泥成岛屿;风干日曝盐味加,始灌潮波塯成土”(柳永)。诗中老翁的小儿子即是在起土时染病,不治身亡的。这样天灾人祸的残酷打击,并没有使老人走上绝路。使之走上绝路的是比猛虎恶疾更凶狠的人间盘剥;盐的产量屡有减少,租额却在不断增加;总催、场胥、分运等大大小小的盐官,如阎王小鬼般,一个比一个凶恶;老人“灶下无尺草,瓮中无粒粟”,还要忍受终朝不休的打骂。于是只好一条绳子往屋梁上一挂,了此悲苦的残生。

这个平凡而又惊心的故事,足以使人联想到《礼记·檀弓下》所记载的:“孔子过泰山侧,有妇人哭于墓者而哀。夫子式而听之,使子路问之曰:‘子之哭也,壹似重有忧者。’而曰:‘然,昔者吾舅死于虎,吾夫又死焉,今吾子又死焉。’夫子曰:‘何为不去也?’曰:‘无苛政。’夫子曰:‘小子识之,苛政猛于虎也。’”诗中老翁二子,一死于虎,一死于病,这些都没有使他遽寻短见,而最后使他出此下策的正是苛政。耳闻不如目见,诗人通过夜宿曹娥江(流经绍兴)亲闻亲见的故事,再次证实了“苛政猛于虎”这一名言的深刻性,也表现了作者的“仁人之心”。

此诗采用第一人称叙事,属五言古体。它质木无文,全靠事件本身具有的真实性取胜。在叙事手法上显然受到杜甫《石壕吏》的影响。诗一开始就写“我”投宿的经过;次写老翁的哭诉,是全诗叙事的主要部分;末写天明启程前看到的惨状。“夜永声语冷,幽咽向古木”,在文句上都逼肖“夜久语声绝,如闻泣幽咽”(《石壕吏》)。与杜诗一样,作者不着一字议论，但事实本身具有的揭露批判性，已相当有力。有人认为此诗与柳永《煮海歌》是宋元两代写盐民生活最为痛切的两首诗，信然。

（周啸天）

梅　花

王　冕

三月东风吹雪消，湖南山色翠如浇。
一声羌管何人见，无数梅花落野桥。

鉴赏

《四库全书·竹斋集提要》说：“作者集中无绝句，唯画梅乃以绝句题之。”元张辰《王冕传》也说：“每画竟则自题其上，皆假图以见志云。”可知此首为自题画梅诗。画不可得见，题诗则别具一格。

历来咏梅之作指不胜屈，对梅花倍加赞赏，有咏其凌霜傲雪的品格，有咏其姿色超凡的风韵，或高洁，或清香。这一首却独咏落梅。诗人采用画龙点睛的手法，上联不写梅花，却写暮春三月的景物，“三月东风吹雪消”，和煦的春风，把残留大地的冰雪也消融了。“湖南山色翠如浇”，“湖南”，西湖南边。以“翠如浇”比喻山色极为传神。“翠”，青翠，已是春意浓郁。“浇”字更使青翠浓郁中闪现出鲜嫩的光彩，这正是江南春天山色的写照。一首绝句写了一半还没点到标题所示的“梅花”。下联突然一转，“一声羌管无人见，无数梅花落野桥”。“羌管”，也作羌笛，原为羌族民间乐器，后以吹羌笛表示惜别，表示春将尽。元曲家乔吉《双调水仙子·寻梅》：“酒醒寒惊梦，笛凄春断肠”，写正在与梅花缱绻痴迷之际，设想羌笛一声，春尽梅落，心情无比惆怅。这里是虽闻羌管之声，仍无人见到梅花，当人们发现的时候，已是无数梅花飘落在野桥边。上联写得春意盎然，美丽如画，下联写得冷落孤寂，颇有陆游《卜算子·咏梅》的意味。陆游积极入世，报国心切，却屡受投降派排挤打击，但能贞洁自守，写梅明志。王冕这首诗虽也写孤寂冷落，却无失落之感，甘愿深隐不出。陆王两诗人的品格有共同之处，所处时代却不相同。陆游至死不忘兴宋复国,虽百折而不回。王冕看透黑暗社会必将崩溃,隐居山林,不与黑暗社会同流合污,他的这首梅花诗就是他生活环境的写照。而且诗中有画,画中有人,落梅的形象就是诗人的自况。诗中并无消极伤感的情调。

(黄秉泽)

墨　梅

王　冕

我家洗砚池头树,个个花开淡墨痕。
不要人夸颜色好,只留清气满乾坤。

鉴赏

王冕画的墨梅,神韵秀逸,世称神品。明代刘伯温有诗赞之曰:“能画梅花称绝奇。”王冕的《墨梅图》是一幅横幅,一枝梅花横斜在画幅的中间,枝干一笔拉到几尺长,挺秀有劲。枝的梢头,露出了笔的尖锋,突出了梅的清拔气质,看去风神绰约,奕奕有致。再看那枝头十数朵洁白的花朵,含苞欲放,仿佛正在吐出阵阵清雅的芳馨。而那疏枝缀玉,冷蕊幽香,又显示出寒梅不同于春花的冰容霜姿。画梅须同梅性情,画梅须具梅气骨,这枝生在山野清绝之地的野梅,疏旷放逸,梅干劲直,尽自然之本性,绝无一点“官梅”“园梅”矫揉造作的媚态,而有似竹之清、似松之秀、似空谷幽兰之散发清芬。她把人引向一种清幽的意境,使人感受到一种冰清玉洁的品格,一种不与世俗同流合污的天地间的清气。

作者在这幅画左上角亲笔题写了上面这首诗。诚然,他的这首墨梅图所表现的不正是“只留清气满乾坤”的精神吗!

这位一生游戏梅花中的诗人、画家,青年时代曾专心研究孙吴兵法,学习击剑,有澄清天下之志,但屡试进士不第,使他看清了元朝的腐朽统治,遂放旷江海,绝意仕途。他隐居在山明水秀的诸暨九里山,躬耕读书,并植梅花千树,自号梅花屋主。“梅花解作忘机友,雪天月夜长相逢”,他生活在梅花中间,爱梅,画梅,“豪来写遍罗浮雪千树,脱巾大呼成花颠”(元末蒲庵禅师复见心《梅花歌》)。要问他为什么如此酷爱梅花?他就是爱梅花有一种清气。他在《梅谱》一文中这样写道："花卉之中，惟梅最清，受天地之气，禀霜雪之操，生于溪谷，秀于隆冬，淡然而有春色，此岂造化私耶！"这首墨梅诗正是他画梅生涯的自我写照。他一生最爱画不着色的淡墨梅花，画出来的梅花，朵朵朴素淡雅，并不以艳丽的颜色争姿斗妍，而只求给人间留下梅花那极其可贵的清气。这首诗抒写了他高尚的情趣，表示了他不向世俗献媚的坚贞、纯洁的操守。墨梅诗，一幅有声画；墨梅画，一首无声诗，它们所表现的诗情画意是多么相同啊！

王冕毕生精力都倾注在诗画之中，他的画和诗都是元代第一流的。他深谙写诗作画的个中三昧，他说："写梅作诗，其来一也。名之虽异，意趣实同。"又说："凡欲作画，须寄心物外，意在笔先，正所谓有诸内必形于外矣。"(《梅谱》)正因为王冕长期与梅花为友，对梅花的形态、习性有极深的体验，并体悟到对梅花有着一种内在的精神之美，即一种不同凡俗的清新高雅的气质。他又把这种高尚的梅格和自己的身世、人格结合起来了，自己孤芳自赏的一生不正像那高洁幽芳的梅花吗！梅花即我，我即梅花，对王冕来说，人与梅合而为一了。因此，他把自己的生命和感情全部献给了梅花，画梅花，实质上也就是自我写照。因此，他笔下的梅花都显示着一种人的精神和品格。"不要人夸颜色好，只留清气满乾坤"，多么美好的诗句，它显示了一个冰清玉洁的人生，它是诗之魂，是画之魂，是梅之魂，是作者灵魂的闪光啊！

（汤高才）

白　梅

王　冕

冰雪林中著此身，不同桃李混芳尘。
忽然一夜清香发，散作乾坤万里春。

鉴赏

白梅与墨梅的不同，表现在画法上。墨梅是用没骨法，以淡墨点出花瓣，所以"个个开花淡墨痕"。白梅则是用白描双勾法，用细线勾勒出花瓣，更能直接地表现梅花冰清玉洁的神韵。所以《白梅》的第一句即“冰雪林中著此身”。就色而言,是以“冰雪”形“此身”之“白”也;就品性而言,是以“冰雪”形“此身”之坚忍耐寒也。而梅非人,何以“此身”言之?这就是拟人,这梅树可不就是王冕其人的化身!

已经标举白梅的冰清玉洁,接着就拿桃李作反衬。夭桃秾李,花中之艳,香则香矣,可惜争春太苦,未能一尘不染。“不同桃李混芳尘”的“混芳尘”,是说把芳香与尘垢混同,即“和其光,同其尘”(《老子》)、“和光同尘,不能为皎皎之操”(《太平御览》引司马彪语)。相形之下,梅花则能迥异流俗,“无意苦争春,只把春来报”“已是悬崖百丈冰,犹有花枝俏”。所以“清香”二字,只能属梅,而桃李无份。

“忽然一夜清香发,散作乾坤万里香。”这是诗中惊人之句。也许只是诗人在灯下画了一树繁梅而已,而诗句却造成这样的意象:忽然在一夜之中,全世界的白梅齐放,清香四溢,玉宇澄清。较之“前村深雪里,昨夜一枝开。风递幽香出,禽窥素艳来。”(齐己《早梅》)其气概何如也?单就气概而言,简直可与宋太祖《咏初日》“一轮顷刻上天衢,逐退群星与残月”、《秋月》“才到中天万国明”等豪句媲美。但日月是帝王的取象,梅花则是志士的取象,故二者给人的质感不同。王冕《白梅》给人以品高兼志大,绝俗而又入世的矛盾统一的感觉。这又正是王冕人格的写照。

宋濂《王冕传》载:“(冕)尝仿周礼著书一卷,坐卧自随。秘不使人观。更深人寂,则挑灯朗讽,既而抚卷曰:‘吾未即死,持此以过明主,伊吕事业不难致也。’”宜其借颂美梅花的芬芳中,寄托抒发如此兼善天下之壮志也。

(周啸天)

卖花声

谢宗可*

春光叫尽费千金，紫艳红香藉好音。
几处唤回游冶梦，谁家不动惜芳心。
韵传杨柳门庭晚，响彻秋千院落深。
忽被卷帘人唤住，蝶蜂随担过墙阴。

作者

*谢宗可，生卒年及生平均不详，约元文宗至顺初前后在世。长于诗，有《咏物诗》一卷传于世。

鉴赏

谢宗可是元代擅长写咏物诗的诗人，有《咏物诗》百首传世。从清代顾嗣立《元诗选》和陈衍《元诗纪事》所选录的作品看，其所题咏，多是江南风物。

《卖花声》一诗，咏写卖花一事，而句句落在卖花之声上；这声音是连接卖花者、买花者、惜花者之间的直接纽带，而引起不同人感情涟漪的，却是他们共同的惜芳爱时、恋念青春的心理反应。

首联直说题目，用"叫尽""好音"扣"声"，"费千金"扣"卖"，"春光""紫艳红香"扣"花"，无一字闲置。按说应先写"紫艳红香藉好音"，再接叙卖花人整个春天有千金收获方突出其卖花成绩。作者却一起笔即用"春光叫尽"来突出时间，并抛给读者一层春之将尽的惆怅，显然这里暗暗传递了作者惜馥恋春的主观情感。对应于这种情感暗流，春光和鲜花是被明显突出的，是正面描写的。

颔联以"唤"字应承上联卖花之意，而通过"几处""谁家"这些泛数概念，实现了一系列转换：一是描写对象的重心，由春光春花和卖花之事转入了突出一般人对春花的情感反应，游子之梦感春而生故乡之思，爱花之心闻声而动买花之欲；二是由上联的叙写方式转变成突出抒情意味，即将首联的情感暗流变成了明显的情感抒发；三是将上联所暗示的作者个人的惜芳之意，推广为处处家家的人们共同萌生的一种美好情感，这种情感由卖花之声触发，念春光即尽，鲜花凋谢，他们仍然有一种莫名的怅惘。

颈联的“杨柳”是春机的象征，“秋千”是游春玩乐之物，而“杨柳门庭晚”“秋千院落深”，就把作者开篇所暗示的惜春怅惘之怀用工笔描绘的景致形象地表现出来了，给人冷寂、沉闷的印象，给卖花声提供了一个流转的背景。“韵传”“响彻”二词是此联的关键词语，但只有借这沉寂的地方，韵才能传，响才能彻。

尾联写买花。使贯串于全诗的卖花声在这里由于卷帘的呼唤而戛然停止了，一束鲜花由卖花人递到了买花人的手中，一群蜂蝶，追逐着花香，飞入了墙阴之内。杨载说：五七言诗“其尾联要能开一步，别运生意结之，然亦有合起意者，亦妙。”(《诗法家数·结句》)本诗收束之妙，全在作者并不直接大抒情、大发议论感慨，而是只巧妙地抓摄一个卖花的场面，蜂蝶追花飞入墙内的形象，既别致，又耐人寻味：蜂蝶对于花的依恋，不正是作者和处处家家的人们，所共生的惜芳爱春之情的含蓄表现吗？

(杨胜宽)

江　村

金　涓*

寂寂江村路，轻烟晚自生。远峰晴见色，独树暖无声。
渚鹭行看水，溪鱼卖入城。孤舟人不渡，两岸夕阳明。

作者

*金涓(约1314年前后在世)，字德原，义乌(今属浙江)人。尝受经于许谦，学文章于黄溍。为虞集、柳贯所知，交荐于朝，皆不赴。教授乡里以终。能诗，有《青村遗稿》一卷。

鉴赏

金涓长期过隐居生活，不喜社会交际，接触现实生活亦不够广泛，故其诗多以山林村舍为表现对象，抒写其隐逸生活的雅趣。

题为“江村”，诗并不正面从江村着笔，“寂寂江村路”，即跳出江村，而从村外之曲径写起。这“寂寂”一词，既形容江村小路的静寂，极少行人，又为全诗所写的时间背景作了铺垫，故次句便以“晚”字应承。黄昏来临时分，轻烟袅袅，举目望去，似不知烟之所起，更增添了江村所特有的几分情趣。从全诗的构思看，诗人在黄昏前天清地爽的时候，自江村漫步村外曲径，远望前路，轻烟似有若无，好像逐路而生。以下便以小路漫步之所见，寄托其悠闲自得的生活乐趣。

顺着小路望去，远峰峻洁在目，其晚晴之色在轻烟映衬之下，更觉明朗。由“远峰”二字，便知江村依山傍水，有山水灵秀之气；而晴色一绘，暗示其时令节候乃迷人的春天。由此而知前联之“轻烟”，是有山有水处的独特景致。下句的“独树”，是对应于远峰晴翠的近处之物，因为其近，故独入眼帘，因为其近，故春天的暖意似可感触，亦因其近，故其沉静无声使人有明显的体认。此联写观景的变化，十分巧妙灵活，不唯“远峰”与“独树”有别，而且“晴”与“暖”，远山之色调与近物之声息，细味之愈觉其状物图景的精细微妙。

“渚鹭”一联，实为“看水行渚鹭，入城卖溪鱼”之倒装，语势兀傲特立，如果说“远峰”一联是就“村”而路，由路而山来展开描绘，那么“渚鹭”一联便是就“江”字入笔，俯视江水，江中水渚之上有鹭鸟悠闲行走觅食，这是当时所见实景；渔夫在溪上捕鱼和入城卖鱼则是联想到的情景。前联写山宜静，写景主静，此联写水宜动，则以动景为主。

尾联便是第二、三两联总承作结。渡口无人，一舟独横，愈显其孤；两岸青山，夕辉照耀，愈见其明。“孤舟”云云，既是江村黄昏前沉静的点缀，又是诗人心志的寄托。唐韦应物诗句云“扁舟不系与心同”，又云“野渡无人舟自横”，皆是一种孤傲不喜羁绊的人格态度的写照。

此诗在布局设计上，可能受到杜甫《江村》诗的影响。全诗不正面写江村，无一字触及村居的具体事情，而是以视线转换来表现江中之物和两岸景致，圆转啮合不如杜诗，然其诗江景山色层次井然，且颈联虚笔写动，颔联写视界变化的那种巧妙工细，亦有其变化出奇之处。尾联寄情于景作结，比直接议论稍觉含蓄，是与其追求隐逸乐趣和喜欢闲淡冲和之诗境相一致的。

（杨胜宽）

踏灾行

袁介*

有一老翁如病起，破衲鑑毶瘦如鬼；
晓来扶向官道旁，哀告行人乞钱米。
时予奉檄离江城，邂逅一见怜其贫；
倒囊赠与五升米，试问保故为穷民。

老翁答言“听我语，我是东乡李福五，
我家无本为经商，只种官田三十亩。
延祐七年三月初，卖衣买得犁与锄；
朝耕暮耘受辛苦，要还私债输官租。
谁知六月至七月，雨水绝无潮又竭；
欲求一点半点水，却比农夫眼中血。
滔滔黄浦如沟渠，农家争水如争珠；
数车相接接不到，稻田一旦成沙途。
官司八月受灾状，我恐征粮吃官棒；
相随邻里去告灾，十石官粮望全放。
当年隔岸分吉凶，高田尽荒低田丰；
县官不见高田旱，将谓亦与低田同。
文字下乡如火速，逼我将田都首伏；
只因嗔我不肯首，却把我田批作熟。
太平九月开旱仓，主首贫乏无可偿；
男名阿孙女阿惜，逼我嫁卖陪官粮。
阿孙卖与运粮户，即日不知在何处；

可怜阿惜犹未笄，嫁向湖州山里去。
我今年已七十奇，饥无口食寒无衣；
东求西乞度残喘，无因早向黄泉归。”

旋言旋拭腮边泪，我忽惊惭汗沾背。
“老翁老翁无复言，我是今年检田吏。”

作者

＊袁介，生卒年不详，字可潜，其先蜀人，古籍华亭。至正间为府掾。

鉴赏

据元末陶宗仪《南村辍耕录》载，袁介曾为松江府掾。此诗一名《检田吏》，实是一篇有良心的封建官吏的“忏悔录”。

诗中自叙在履行检田吏公务的途中，遇到一位行乞的老翁名叫李福五，并耐心听取了老翁沦为乞丐的悲惨经历。元蒙统治时期，大量耕地化作牧场。由于耕地面积减少，租税特重，有钱人则宁肯从事商业以逃税，而贫苦农民只能佃公田而种。诗中李翁便如此：“我家无本为经商，只种官田三十亩。”在“延祐七年(1320)三月初”，老翁卖衣买下犁锄等农具从事耕作。他辛苦劳作，只望有一个好的收成，可以还私债、交官租。谁知遇到连月大旱，河水枯竭，“农家争水如争珠”。然而水还未到，稻田已焦，这年看来颗粒无收。老翁担心的只是官租，于是在法定的时限(八月)，随邻里往官府告灾乞免。诗中插叙当年的灾情是隔河两岸有差异，高田低田也有差异：“当年隔岸分吉凶，高田尽荒低田丰。”而李翁所耘田正在凶岸高田，但“县官不见高田旱，将谓亦与低田同。”不作任何调查即发下公文，逼李翁一干人自首服罪(“首伏”)。但李翁是个老实人，不知道屈服而据理力争，结果县官盛怒之下，把他种的田批为熟田，比他人交税当更重。九月开仓赈济也没他的份。只好卖儿卖女，权“陪官粮”。李翁自己则沦为乞丐，这位七十多岁的老人恨不得早些了此残生。汉唐以来乐府、新乐府多有反映民间疾苦特别是灾情的诗篇，其情景不免相类。但袁介《踏灾行》在揭露现实黑暗方面却能深入而饶有新意，诗中“县官”的可恶，不仅在于身为

“民之父母”，却不调查研究，主观臆断；更在于他作威作福，给人小鞋穿。明明李翁受灾很重，只因他态度不完全顺从，便批田作“熟”。这不是存心将人往火坑里推吗？这种事，现实生活中不会少，但很少有诗人提到。（至于农夫披星戴月之辛苦，卖儿卖女的悲惨，倒是古代诗中屡见不鲜的。）

白居易是第一个公开主张诗歌要大众化的杰出诗人，“其辞质而径，欲见之者易喻也；其言直而切，欲闻之者深诫也；其事核而实，使采之者传信也；其体顺而肆，可以播于乐章歌曲也”（《新乐府序》）。袁介的《踏灾行》也实践着这一主张，并有所发展。就语言的通俗径质而言，它全用口语，是一首真资格的七言“白话诗”。如“老翁答言听我语，我是东乡李福五。我家无本为经商，只种官田三十亩”等语，就和后世大鼓词差不多，老太太都懂的。就内容的真实可靠而言，它不但记录了事实本末，而且连具体时间、主人公真名实姓（包括其子女）都写进诗中，这种“报告文学”式的做法，就是新乐府中也没有的。就体裁的顺肆而言，这首诗虽然篇幅不短，结构却简明，老翁自叙占了绝大篇幅，加上一头一尾，几乎用不着分段，读者对内容就可以一目了然。如果配上弦索曲调演唱，是会有很多不识字的听众的。大众化、通俗化，也并不排斥警策，诗中除“欲求一点半点水，却比农夫眼中血”数句堪称警句外，通体也显得干净利落，有较高的语言造诣。

最后是诗的结尾颇有深意。“旋言旋拭腮边泪，我忽惊惭汗沾背。老翁老翁无复言，我是今年检田吏。”诗人向老翁自报身份时，是惶怵不安的。这当然不是以救星自居，而是一个正直官吏的良心发现，“使翁一朝及此，我辈之罪也”。这是一种为责任心驱使的深深的忏悔。是的，他一见老翁邋遢之状，就曾“倒囊赠与五升米”，可这又算什么呢？救济他吗？作为一个“检田吏”，我有什么资格说这话呢？诗的末二句的意味，正是如此。

（叶　红）

楚州夜泊

俞　俊*

漏鼓声频欲四更，野航灯火对愁明。
城头楚语惊乡梦，船尾吴歌动客情。
漠漠水云听雁度，潇潇风雨自鸡鸣。
离群边道何嗟及，未必江湖老此生。

作者

* 俞俊，生卒年不详，字子俊。官平江判官。

鉴赏

这是一首写客子乡愁的诗。读本诗题目，自然想起唐张继的《枫桥夜泊》。此诗也是通过城里漏声、楚语、江上野航灯火、船尾吴歌、水云漠漠、风雨潇潇等声息与景象，形成了牵动客情的凄迷环境气氛。所不同的是，张诗作为绝句，篇幅短小，故首一句意象密度大，言约意丰，并使之与三、四句语势的舒缓，意境的蕴藉，韵味的回荡形成总体上疏密有致、尺水波澜的效果。此诗作为律诗，篇制稍长，故使作者有较为充裕的笔墨来状景抒情，总体密度比较适中，通篇整丽协调，追求律诗从构思到韵调的和谐。故胡应麟《诗薮》评此诗"全篇整丽，首尾匀和"。

首联上句写江岸漏鼓之声，下句写江上野船灯火。漏鼓报时，将欲四更，对灯无眠的客子愁思起伏，不觉时辰已近四更天，故觉报时之声频频传来。以前的诗人写客地愁思，总是慨叹长夜时辰太长，像是永远也熬不到天明。此诗作者闻漏鼓之声反觉其频，似甚费解。其实客子此时沉浸于"乡梦"之中，对故乡一草一木、一山一水的思念，对家里亲人的美好回忆，使他反觉时辰太快。这里的"乡梦”，并非梦回故乡，而是因回忆思念故乡所产生的一种幻象，犹梦境一般的温馨、甜蜜。这“乡梦”正是身在异地医治思乡病的，反衬出客愁，含蓄巧妙。

然而岸上的楚州话语时时传入客子耳中，听着这异声异调的话音，搅动着一个异乡人的异域陌生之情。“惊”字虽在说明楚语对客心的干扰，但正是这种声音使他更希望沉入“乡梦”之中。江中船上的吴声歌谣，与城头楚语遥相呼应，强化一个令客子感觉陌生、凄凉的环境，产生一种天涯孤鸿的孤独感。似乎依稀的乡梦因楚语吴歌的刺激而难以继续，然而游子的客愁不以此强自慰藉又怎样排遣呢？这正是四更无眠、对灯而愁的原因。

“城头”一联对仗工丽。颈联则在总体上的对仗格调里灵活处理了上下句的第五字，使此联有一种似对非对的效果。自船而望，水云漠漠，风雨潇潇，适有飞雁掠舟鸣过。在风雨之夜倍觉凄苦；岸上鸡鸣，适与雁叫之声相应。此句暗用“风雨如晦，鸡鸣不已”的诗句，大是“不见君子”的别愁离恨。他嗟叹，他追悔，不该离乡背井，尝尽客愁滋味，浪迹江湖，老此一生。“何嗟及”即嗟何及之意，“未必”即是不必，总收前幅触景生情文字，谓欲结束客游的“离群”生涯，把“乡梦”变成与亲人乡土亲近的事实。

全诗因声写情。楚语、吴歌，固是异地声调，容易惊动客子情思；漏鼓声、雁鸣声、风雨声，实乃无情声息，而令有情的客子听来，竟也变得如此恼人、令人动情。正所谓“情以物迁，辞以情发。一叶且或迎意，虫声有足引心”（《文心雕龙·物色》）。

（杨胜宽）

思　子

吴敬夫*

剑阁凌云鸟道边，路难闻说上青天。
山川万里身如寄，鸿雁三秋信不传。
落叶打窗风似雨，孤灯背壁夜如年。
老怀一掬钟情泪，几度沾衣独泫然。

作者

*吴敬夫，生平不详。

鉴赏

此诗所表达的思子之情，不同于左思《娇女诗》中的欣赏娇女的聪明伶俐，惹人溺爱，不同于杜甫在战乱中为儿女衣食温饱和生死存亡萦怀之情，也没有历代文人依照社会道德规范和家风训导其子、望子成龙之意。它没有明显的社会意义或功利目的，是一种出于年老孤独时对子嗣的依托和企盼的感情，它更符合人的自然属性，更具有人类的普遍性。俗话说："老还小。"当一个人走过青、壮年而进入老年时期，其能力和心智伴着"行将就木"的惶惧感而逐渐衰弱了，对于环境、亲人的依赖恰如所知甚少的儿童一样，都对生存应变力强的人产生一种寻求保护的安全需求：儿童的对象是父母，老人的对象是子女。此诗的思子之情，就是通过老境孤寂和对儿子的企盼来体现和加强的。

吴敬夫的儿子洪武中在四川做官。诗起笔便从儿子宦游之地的异常环境写起。唐代大诗人李白不是一唱三叹地吟咏过"蜀道之难难于上青天""剑阁峥嵘而崔嵬，一夫当关，万夫莫开"吗？由秦入蜀，"西当太白有鸟道""天梯石栈相钩连"，力大如五丁，身压五岭，气壮如李白，西望咨嗟。儿子竟在蜀中做官，那“朝避猛虎、夕避长蛇，磨牙吮血、杀人如麻”的传闻，怎不让年迈的诗人牵肠挂肚，深切思念。

诗的首联既把儿子仕宦的环境写得如此艰险，次联就久未得其书信一事，进一步加强自己对儿子的思念。“山川万里”承上联而来，谓官地之远，远隔万里，鸿雁传书，更属不易，以至于三秋无信。如果说上联从儿子做官的地方环境的艰险来表明思子之情，那么本联就从父子相隔山川万里之遥通讯不便来加强这种感情。

颈联上句以秋景寓情，下句以孤灯自况。“落叶打窗风似雨”，一幅秋风萧瑟凄凉之景；“孤灯背壁夜如年”，是人生迟暮、孤独难熬的形象写照。无论秋景的凄凉，还是老境的凄凉，都是人老体衰、失去依凭时容易感受体验到的，所以在这个时候，那种思子之情就特别强烈和迫切。

如果说颈联还是一种感应和比况，那么尾联便使积蓄的感情如潮水倾闸而出，深切的思念通过无数次钟情的热泪而达到高潮。担忧儿子的处境，想知道儿子的消息，自伶孤寂境况，心情越来越沉重悲怆，那起初的疑惧、担忧、自叹，终于到此以老泪纵横的方式发展到极致。

不难看出，此诗在构思、叙写次序、重心转换等形式上的处理，是配合作者思子之情逐步强化递进来设计的：以闻说路难来烘托气氛，以三秋无信来强调思子的必要性和真实性，以落叶孤灯的感应象征来突出思子的主体之不幸，最后总括为子而忧、为己而忧发展为倾闸而出的钟情热泪。首先，其形式与抒情内容体现了较好的统一。其次，由儿子境况转入父亲境况，四联中安排匀称自然，脉络清晰，具有律诗自成规矩方圆的形式美特征，且意辞切题，形同剥笋。最后展示给读者的，是本诗最动人的情感精华。

（杨胜宽）

奉使来谣

佚　名

奉使来时，惊天动地；奉使去时，乌天黑地；
官吏都欢天喜地，百姓却啼天哭地。

鉴赏

至正五年(1345)，元顺帝派遣官吏宣抚诸道，慰问人民疾苦。然而，此举不但没有任何实际意义，反而使官吏假宣抚之名，行扰民之实。百姓怨愤，作谣以讽。

“奉使”即指皇帝钦差。钦差大臣到地方去，因狐假虎威而派头极大，往往造成地方上的轰动。这就是“奉使来时，惊天动地”。一时间，地方上的贪官污吏不免心惊胆战，而一些善良的百姓也会充满希望，乃至准备鸣冤叫屈。殊不知这钦差一到，就被地方官吏团团围绕，做手脚的做手脚，使银两的使银两，常言道“官官相卫”，千古以来有几个铁面无私的包拯？所以那钦差空手而来，满载而归，百姓却大遭坑害。要是递过状子的，可结下祸胎了。所以“奉使去时，乌天黑地”。钦差一走，地方上的贪官污吏心中一块石头落地，从此故态复萌，乃至变本加厉，以为可以捞回损失，“官吏都欢天喜地”。他们在加紧搜刮的同时，对百姓中表示过不满的“刁民”，不免还要加以清算，于是百姓只好“啼天哭地”了。

此谣虽短，内容却现实而且深刻，生动地再现了钦差大臣来去前后地方上扮演的闹剧，包容是很大的。而其手法也别致，那便是巧妙运用了一组有复叠的嵌字格的熟语：“惊天动地”“乌天黑地”“欢天喜地”“啼天哭地”。而嵌用“天”“地”二则的熟语，一般都意在极度夸张被嵌用的形容词和动词(乌黑、欢喜、惊动、啼哭)。“每种艺术都用一种媒介，都有一个规范，驾驭媒介和迁就规范在起始时都有若干困难。但是艺术的乐趣就在征服这种困难之外还有余裕，还能带几分游戏态度任意纵横挥扫，使作品显得妙趣横生。”“比如中国民众游戏中的三棒鼓、拉戏胡琴、相声、口技、拳术之类，所以令人惊赞的都是那一副娴熟生动、游戏自如的手腕。在诗歌方面，这种生于余裕的游戏也是一个很重要的成分，在民俗歌谣中这个成分尤其明显。”（朱光潜《诗论》）《奉使来谣》这首元代民歌，正是在实施讽刺的同时，充分表现了作者的一种民间的机智。

（周啸天）

至正丙申松江民谣

佚　名

满城都是火，府官四散躲。城里无一人，红军府上坐。

鉴赏

元顺帝至正十六年（1356），农民起义军张士诚部攻陷常州。松江为防卫计，印造官号给城中官军佩戴。官号上画圆圈，圈中有府字，上盖官印，圈外有府官花押，绕圈皆是火焰形图案。所以民谣开头一句就讽刺道：“满城都是火。”此句又双关农民起义如熊熊烈火烧到松江府头上。于是府官都成了热锅上的蚂蚁，恨不得找个地缝钻进去躲一躲。“官府四散躲”，十分简洁地写出了封建官吏们在农民革命风暴的声威下，惶惶如丧家之犬的狼狈相。

诗的前两句中描写的松江府，还是一片混乱，像成群的没头苍蝇四处乱窜。后两句却出现了一派宁静，“城中无一人”，将前面写的混乱一扫而空。并不是城中空无一人，而是没有了前两句中写到的那些府官、官军，因而变得秩序井然。最后一句推出特写镜头：“红军府上坐。”按元末农民利用白莲教组成义军，以红巾包头和红旗为标志，当时亦称红军或红巾军。起于至正十一年（1351），有刘福通、郭子兴、徐寿辉、王权等部。此诗用作农民起义军的通称。“红军府上坐”这句包含的意味是很深的，它象征着政权的转移。就像后来毛泽东形容的农民运动一样：“总而言之,一切从前为绅士们看不起的人,一切被绅士们打在泥沟里,在社会上没有了立足地位,没有了发言权的人,现在居然伸起头来了。不但伸起头,而且掌权了。"诗中虽然只客观叙事,不赞一词,然而字里行间全是"好得很"的意思。

这首民歌唱的是城里的事,而作者显然是站在农民的立场。"城里无一人,红军府上坐"并不是已然发生的事,而是一种预言,一种期望。它表现了当时人心向背,反映了一场翻天覆地的社会巨变。

(周啸天)

明代诗歌

感　怀

刘　基*

结发事远游，逍遥观四方。天地一何阔，山川杳茫茫。
众鸟各自飞，乔木空苍凉。登高见万里，怀古使心伤。
伫立望浮云，安得凌风翔。

作者

*刘基（1311－1375），字伯温，青田（今属浙江）人。元末进士。曾任江西高安县丞，江浙儒学副提举，旋弃官归隐。元至正二十年（1360）受聘至金陵，为朱元璋出谋划策，开创帝业，为明开国元勋。明初授太史令。累迁御史中丞，封诚意伯。洪武四年（1371）辞官归故里。性刚，疾恶如仇，为胡惟庸所谮，被太祖猜疑，忧愤而卒。一说为胡惟庸毒死。谥文成。其诗文均有特色，且影响较大。文章闳深肃括，诗歌沉郁顿挫，自成一家。有《诚意伯文集》传于世。

鉴赏

这首古风格调苍凉，抒写作者才高未遇的惆怅。从方国珍起事（1348）至刘基应朱元璋征召出山（1360）间，作者虽曾几度出仕，但或罢或辞，终至弃官归隐，才具未得大展，心情与诗中所言相符，则可推知本诗写作时间即在这个时限内，地点则为罢官或谢归后所居的家乡。

诗开头两句表明自己从年轻时就远游他方，而今仍然逍遥自在，静观天下之变。“结发”，指少年时。“事远游”，即多年宦游在外。“逍遥”，意气自若，指游宦及归隐均从容如一，名利无所萦于心，联系下文，知此“逍遥”二字乃愤激语也。三、四句：举目四望，天地山川是何等渺茫空阔啊，这两句描绘出一个空旷寂寥的环境，创造了孤独迷惘的气氛，并为后面各句作垫衬。五、六句：鸟儿早已各自飞散，只剩下孤零零的大树悲凉地站在那里，这两句既是写景又是隐喻，上句比喻官吏逃散、百姓流离失所，下句比喻家乡一片空空茫茫、荒凉死寂。乔木，高大的树，指桑梓之属；古人常用乔木来代称家乡或故园。下两句：登高远眺，万里神州尽收眼底；多少前朝旧事涌上心头，令人心伤，这两句写作者想起古往今来，兴亡更替，不知目前的离乱局面如何了结，因而充满对国家前途的忧虑。末两句，我久久地立在原野上，仰望浮云，不禁向苍天问道：什么时候我才能凌空高翔呢？“浮云”，比喻当道的奸臣。作者未从朱元璋前，身为元臣，尽职尽力，然而却屡屡因“浮云”蔽日，奸佞谗毁而归田。未遇明主，则空有鸿鹄之志。什么时候才能风云际会，让这只大鹏奋翼冲天？作者有感于怀的，大概主要就流露在最后这两句吧。

刘基身在乱世，废居乡里，而安邦定国的雄心不泯，这就是本诗的积极意义之所在。

全诗初看散漫不经意，然如左太冲、鲍明远诗，以气贯之，动止由心，开合自如，古朴苍凉，直追汉魏。得元明初诸贤多历劫难，胸有奇气，下笔则浑然天成，殆非徒事章句者所能及欤？

（郭长庚）

古戍

刘　基

古戍连山火，新城殷地笳。九州犹虎豹，四海未桑麻。

天迥云垂草，江空雪覆沙。野梅烧不尽，时见两三花。

鉴　赏

本诗大约作于至正二十年到至正二十七年（1360—1367）间，因为1360年以前，刘基为元臣未入朱元璋幕，不可能有诗中向上的情绪，而1367年朱元璋称吴王，刘基为御史中丞兼太史令，从此脱离了军旅生活，且第二年即辞归乡里。只有在这期间，刘基参谋军事，削平江南群雄，曾多次亲临前线，诗既不可能作于1368年（洪武元年）北伐以后，则题中“古戍”必非指北方沿边旧垒，当指江南的险隘古堡。按当时朱元璋以应天（今南京）为根据地，占有皖、浙、赣交界地区，其东有张士诚（据浙）、方国珍（据浙东），西有陈友谅（据江西、湖广),南有陈友定(据福建),而这些地区在五代时曾为南唐、吴越、闽、楚等国分据,必立戍垒于其边;元末群雄争战,亦必利用这些古戍;又“梅”生江南,益可证诗中古戍绝非在塞上,实在江南也。具体地点则难确指。

诗首联点明作者立身于百战之地,沿山布列的古老营垒相继点燃了烽火,它们连成一片,烧红了半边天;新筑的城仿佛摇摇欲坠,因为阵阵雷鸣般的号角声在震撼着大地。“殷地”,满地。“新城”暗示此地最近就有过拉锯式的争夺,城池随坏随筑。此联开首即点出“古戍”题目,并用对仗写出了雄浑悲壮的气势。次联则用想象抒写作者对时局的忧虑:在九州大地上至今仍然虎豹横行,相互吞噬;四海之内,还没有一块土地恢复农事。“虎豹”指割据的群雄。“未桑麻”指人民不能从事生产。下一联则实写眼前寥落的景物:原野的空旷使天空显得格外高远,天边淡云与衰草相接;江面空荡荡的,只看见岸边白雪覆盖不匀露出来的沙滩。这就向读者提出了一个问题:人烟、舟楫、村市都哪里去了呢?二、三两联一虚一实,写出了作者及广大百姓对战乱的深恶痛绝。然而生灵真的被战火毁灭殆尽了吗?不!天地间生命之力毕竟是顽强的,不可遏止的,严冬过后必将是春天!所以尾联说:在这一片肃杀惨淡的空旷中,仍不时可见野火烧不尽的蜡梅花,从草中、雪下、石畔冒出,那一派生机不正是未来的希望吗?结尾表示作者对战乱过后新的太平世界的出现充满信心。

作者应朱元璋征召以后,感其厚遇,竭忠尽智,很有作为,曾使应天政权几度转危为安并最终统一天下。朱明王朝的初期确实实现了作者“四海合一,万民乐业”的理想。

本诗雄浑中见清新。写景系大笔勾勒,再稍加点缀。结尾化用白居易“野火烧不尽,春风吹又生”的名句,意味深长。前三联对仗也极工稳,是一首好的五言律诗。

(郭长庚)

感　兴

刘　基

天弧不解射封狼,战骨从横满路旁。
古戍有狐鸣夜月,高冈无凤集朝阳。

雕戈画戟空文物，废井颓垣自雪霜。
漫说汉廷思李牧，未闻郎署遣冯唐。

鉴赏

刘基在元末的主要政治生活是与镇压人民起义紧密相关的。尽管他有卓越的军事才能，尽管他痴情一片，但腐朽的元统治者却容不得这位“补天者”，使他落得个乡居闲处的罢官结局。不幸的遭遇，使怀抱平治理想的刘基，一面越来越对腐朽的元统治失去信心，一面冷静地观察各路反元豪雄，并终于接受了朱元璋的征辟，成为明王朝的开国元勋。

《感兴》是组诗，共七首，收于《覆瓿集》，可知系辅佐朱元璋之前所作。与同期及以前作品相比，这一组诗不但已无努力维护元统治的思想，而且就是对当局的牢骚也少得多了，代之而来的是对元统治的失望和对新兴明主的企望。这里所选的第六首恰是诗人这一思想表现最明确的诗作。

此诗前三联描述了一幅战乱不止、太平无望的肃杀凄惨景象，尾联则表露了诗人期待明主的愿望。

封狼，星名，即天狼星，旧时以之喻指贪残、侵掠，诗文中常以“射天狼”比喻铲除残暴、平息战争。屈原《九歌·东君》有“举长矢兮射天狼”之句，张衡《思玄赋》亦曰“弯威弧之拨刺兮，射嶓冢之封狼”。“矢”，是箭。“弧”，是弓。“天弧”，犹言神弓。“解”，意为能，会。首联言战争不息，到处是战死的白骨。从横，即纵横，意为交错貌，在此以之言尸骨之多。开篇便展示出一幅令人毛骨悚然的恐怖景象，从中透露出诗人对世道的憎恶和对天下的忧患。颔联以两个典故再写世事之乱。《史记·陈涉世家》载，陈胜、吴广策动起义时，曾假借狐鸣，喊出鼓动人心的口号，后因以“狐鸣”喻指民众反抗力量的兴起。《诗经·大雅·卷阿》“凤凰鸣矣，于彼高冈；梧桐生矣，于彼朝阳”，后世常以之喻稀世之瑞，刘基反用此典，慨叹世道混乱不平。这一联的两句诗，写出了元末社会政治的一个重要侧面，大处着眼，虽高度概括，但并不抽象，并不空泛。颈联表现了诗人对依靠元统治者平定天下的失望。出句言元廷的无能、无所作为。雕戈和戟，都是古代兵器，雕戈是刻镂图案的戈，画戟是带有彩饰的戟。文物，在此指美丽之物。这一句诗借慨叹兵戈的无用，不能发挥平定天下的作用（同组诗之三，有“礼乐百年忘战久”句，可证），指斥统治者的无能。对句承此，言天下仍然处于战争的破坏之中。

刘基是个正统的封建政治家，他虽反对元的暴政，渴望平定天下，但他不可能把此望寄予广大人民，而只能依靠圣明君主。既然元廷已令人十分失望，就只有寄希望于新的明君，刘基于天下纷争的混乱局面中，慧眼选中了朱元璋。史载，朱元璋的势力发展到处州一带时，曾先后两次派人请乡居的刘基出山相佐，在第二次相请时，刘基欣然从命（见《明史·刘基传》）。此诗当即作于朱元璋相请之前。组诗明写汉家或用汉代典故有七处之多，故意强调“汉”的概念，与未明言的“元”异族统治相对立，暗中寄托对汉族明主的期待。《汉书·冯唐传》载，汉文帝听朗中署长冯唐说起战国时赵国良将廉颇、李牧之贤，“乃拊髀曰‘嗟乎！吾独不得廉颇、李牧为将，岂忧匈奴哉！’”冯唐趁机进言，把被罢官的大将魏尚比作李牧。文帝闻而大喜，派冯唐前往宣诏，恢复了魏尚云中太守的官职。此诗尾联二句用此典故，以魏尚自况，而以“汉廷”指朱元璋，流露出诗人渴望明主重用的急迫心情。“漫说”与“未闻”二语，透露出诗人虽幽居乡里、但无时不在关注天下大势、研究和选择明主的良苦用心。

此诗以及同组诗的另外六首，对认识刘基的思想之发展，有着重要的意义。同时，艺术上也有其特色。此诗后三联皆对仗工稳，而且用典与描写紧密结合，浑然一体，使典故的含义与诗句字面的描写完全一致。即使不知典故的读者，也会从描写中领悟到同样的诗境。非高手不能臻此化境。

（朱吉余）

神祠曲

刘　基

路旁古庙壁半斜，雨滴香案堆泥沙。
槎牙古树当道卧，树上纸钱犹未化。
春秋祭祀知几时，乌鸦得食号相随。
人人欢喜得好筊，低昂跪拜山花飞。
宁知祸发在旦夕，空村无烟惟瓦砾。
庙旁乌鸦亦不来，独留土偶眠苍苔。

鉴赏

在任何社会里，公益设施的完好状况，总是反映着该社会的兴衰否泰。而对封建社会来说，所谓公益设施，不能不首推用于祭祀祈祷用的庙宇、神祠之类了。刘基此诗，正是通过一座神祠的颓败不堪，间接地反映了元代末年凋敝的社会境况。

前四句为第一层。这一层里，诗人以完全客观的笔法，描写了神祠的破落。第一句便给人一种不协调的感受——坐落在路边的庙宇，本来应香火兴旺，但诗中这座古庙却颓垣断壁，一幅破败不堪的惨状。斜，指墙壁倒塌残留的样子。在第一句的概写之后，接下来便是具体的描写：大殿上香案无温，冷雨刷蚀，泥沙堆掩；神道间古树倾颓，枝杈杂乱，生机全无。未完全焚化的纸钱挂在枝头，更添萧条。

中间四句为第二层。这一层是对神祠往昔盛况的追忆。“知几时”是“不知已有几时”的意思，言其时间之久远。很多神祠都要在春秋两季举行大规模祭祀活动。由于香火旺盛，供品丰富，所以招来很多乌鸦前来觅食。“号相随”言其成群结队，络绎不绝。焚香致祭的人们为得到吉祥的卜兆而欢天喜地。“筊”指杯筊，是古代占卜用具之一，本以蚌壳充当，又可筊竹木等仿其形而代用，占卜时把两片杯筊向空中抛掷，依其落地后的俯仰来判断吉凶。而不论是欲求好筊，还是企得好筊，向神主顶礼膜拜是不能少的。人们的欢喜，似乎感染得山花都跟着高兴起来。四句写出一派繁荣热烈的祭祀场面。

最后四句为第三层，以十分悲痛、十分惋惜的口气说：谁知道不测之祸会突然发生呢？“宁知”是岂知、岂料义。这场大祸使村落遭受了毁灭性的彻底破坏，人烟断绝、废墟一片。村居如此，神祠同样在劫难逃。村落毁灭了，没有人再来祭祀；神祠毁灭了，失去了往日的庄严与热烈。近在庙旁的乌鸦由于庙中无食可觅，已不再飞来，大殿已经坍塌，地上长满了青苔，曾经危坐于神位之上的泥胎倾倒在苍苔上，孤独地长眠。这里一片死寂，唯一有生命的是在庙旁冷眼相对的乌鸦。这里没有直接写到人，但人的遭遇已可想见。

这首诗前后三层之间衔接紧密，章法有致，如：由第一层中的纸钱，自然引出第二层对往昔祭祀场面的追写；而第二层所写场面的欢快、热烈，则反衬出第三层所写变故的突然与破坏之烈。第一层和第三层都写神祠的破败，但又有所不同：第一层是纯客观描写，第三层则借助“宁知”句的心理活动和对土偶的拟人处理，使描写带上了主观色彩，增强了形象性和感染力。至于第一、二两层在描写内容上的互相补充，更是十分明显的。

诗中的神祠，实际上是元代社会的缩影，神祠的兴废实是元代社会盛衰的折射。在刘基生活的那个时代，元统治者日益腐败，社会矛盾日趋尖锐激烈。统治者的横征暴敛和官兵、盗贼的劫掠，使社会受到极大的破坏，农村尤甚。诗人通过对神祠的描写，非常集中、非常形象地向读者展示了元代末年的社会境况，具有感人的艺术力量。

（朱吉余）

送重峰阮子敬南还

张以宁*

君家重峰下，我家大溪头。君家门前水，我家门前流。
我行久别家，思忆故乡水。况乃故乡人，相见六千里。
十年在扬州，五年在京城。不见故乡人，见君难为情。
见君情尚尔，别君奈何许？送君遽不堪，忆君良独苦。
君归过江上，为问水中鱼："别时鱼尾赤，别后今何如？"

作者

*张以宁(1301－1370)，字志道，号翠屏山人，古田(今福建古田)人。元泰定年间(1324－1325)进士。明洪武初授侍讲学士，奉使安南，北还时卒于途中。有《翠屏稿》《淮南稿》等。

鉴赏

元至正年间作者官至翰林学士知制诰。这首诗是他在京送同乡友人阮子敬南还的赠别之作。阮是福建重峰人。

大溪在古田城南，有两条水流于此汇合，又名双溪。其一便来自重峰方向。这种地理上的毗邻源流关系，在诗中自然而巧妙地被用来譬喻送行双方的亲密关系。"君家重峰下，我家大溪头。君家门前水，我家门前流。"这种格调和取喻，会使读者联想到北宋李之仪名句："我住长江头，君住长江尾。日日思君不见君，共饮长江水。"(《卜算子》)诗人在化用的同时仍有创造，那就是"君家""我家"的两番重复，造成的那种近邻间的亲密感，含蓄表达着共饮一江之水、休戚相关的联系。语意俱佳。

诗人这时别家已十五年之久，远在六千里(约数)外的京城，不期见到来自故乡的朋友。"有朋自远方来,不亦乐乎”和“美不美,家乡人;亲不亲,故乡人”这两种好事叠加起来,亲如之何,美如之何,乐如之何!诗人将此欣喜激动之情表达得平静含蓄:“我行久别家,思忆故乡水。况乃故乡人,相见六千里。”这里的“故乡水”非常轻灵地与上文“君家门前水,我家门前流”的“大溪”映带,使诗情摇漾。而“故乡”一词,在这一解中又构成复叠。

整整十五年啊,“十年在扬州”,那时必定就归心日夜思故乡;不料接着“五年在京城”,想必却忆扬州是“故乡”。而古田呢?早不敢想了。哪里会想到在京城还会遇见“故乡人”,而这故乡人还是老朋友呢。这真叫人难以相信,喜不自胜,这就是“见君难为情”的意思。这里的“故乡人”三字,又与前一解重复勾连,诗情又摇漾一次。而“十年”“五年”,也是一种复叠形式。

以下用顶针格起(“见君”承前),接连两番运用加倍之法,渲染别情,使之醇浓。“见君情尚尔,别君奈何许”这是一次加倍,从见面说到话别,容若不胜。殊不知接着又是:“送君遽不堪,忆君良独苦”第二次加倍,从话别想到别后相思。连同上一解末二句,诗人用了一种推波助澜的写法:不见——见君;见君——别君;送君——忆君,这感情的三次浪潮追逐而起,每两次间小有顿宕,读来回肠荡气之至。

最后的一解是别开生面的。诗人请朋友捎话给故乡的鱼“别时鱼尾赤,别后今何如?”它似乎是反用王维《杂诗》“来日绮窗前,寒梅着花未”的写法,从中却流露了另一信息。《诗经·周南·汝坟》“鲂鱼赪尾,王室如毁”,毛传:“赪,赤也。鱼劳则尾赤。”诗意一般认为是说周室不太平,人民忧劳。诗人借此意谓当初离别家乡,民生困于虐政,不知如今又怎样呢?如此看来,诗中还暗含韦庄《菩萨蛮》“未老莫还乡,还乡须断肠”之义。这最后的寄语,使诗情超越了个人友谊,而指向对整个家乡的忧念,从而升华到较一般赠别诗更高的境界。结尾“为问水中鱼”,仍是紧扣“故乡水”的着想,这使诗情首尾环合,浑然一体。

南朝乐府如《西洲曲》就形成了一种四句为解、妙于重叠、音韵流传、一语百情的诗体,张以宁的这首赠别诗可谓尽得其秘传。它不仅以语言质朴、情意缠绵、风神摇曳而脍炙人口;而文人赠别诗用民歌体,这一做法本身就很有新意。

(周啸天)

过辛稼轩神道

张以宁

长啸秋云白石阴，太行天党气萧森。
英雄已尽中原泪，臣主元无北伐心。
岁晚阴符仙蠹化，夜寒雄剑老龙吟。
青山万折东流去，春暮鹃啼宰树林。

鉴赏

南宋爱国词人辛弃疾，在宋宁宗开禧三年（1207）死于铅山。《铅山县志·茔墓》："辛忠敏弃疾暮，在七都虎头门。宋绍定间赠光禄大夫，敕葬于此。犹有金字碑立驿路旁，曰稼轩先生神道。"这首诗就是作者在某个秋天凭吊英雄茔墓时所作。

英雄人物的墓园总会引起凭吊者肃然起敬的情怀，和对死者生前事迹的追忆。诗人在稼轩神道旁，心情便很不宁静，"长啸秋云白石阴"写的就是这种情态，"长啸"是啸法一种，抒发豪情往往用之（"仰天长啸，壮怀激烈"）。诗人首先想到的是辛弃疾青年时代投笔从戎，在北方鸠众抗金的事迹。宋高宗绍兴三十年（1160）辛弃疾二十一岁，就在太行山一带聚义兵两千，后属耿京，作掌书记，共谋恢复。辛词"季子正年少，匹马黑貂裘"（《水调歌头》）、"想当年，金戈铁马，气吞万里如虎"（《永遇乐》）都是（或含有）对那段生活的追忆。辛弃疾当年活动的太行上党一带地势居高临下，苏轼形容其地是："太行西来万马屯，势与岱岳争雄尊；飞狐上党天下脊，半掩落日先黄昏。"（《雪浪石》）而张以宁此诗次句"太行天党气萧森"，不但形容其地形胜，气势深远，而且包含着对辛弃疾早年活动的缅怀。其人其地，皆可敬仰。

辛弃疾南归后，一直积极倡言北伐，从事抗金准备工作。然而屡遭当权者嫉恨打击，终其一生，其恢复中原的宏愿，未能实现。《水龙吟》写道："倩何人唤取，红巾翠袖，揾英雄泪。"《崇祯历城县志·乡贤》载："（辛弃疾）临卒，以手比指，大呼杀贼数声而止。"真可谓死而后已。这是"英雄已尽中原泪"的确切含义。而"臣主元无北伐心"，则主要指南渡君臣即高宗等代表的主和势力，他们没有北伐诚意，致使偏安成为定局。不言"君臣"而言"臣主"，是因为按律第二字当仄。不过"臣主"还可以理解为偏正结构，便有"屈服于金源的皇帝"那种贬义。事实上，宋金绍兴和议(1141)后便改"兄弟"关系为臣君关系。宋主真是名副其实的"臣主"。隆兴和议后虽改为侄叔关系，依然屈辱。这种委曲求全的朝廷，又哪有勇气北伐呢！

紧接着，诗人隐括辛词"却将万字平戎策，换为东家种树书"(《鹧鸪天》)、"举头西北浮云，倚天万里须长剑。人言此地，夜深长见，斗牛光焰！"(《水龙吟》)等感慨不平和抒发壮怀之名句，铸为联语："岁晚阴符(兵书)仙蠹化，夜寒雄剑老龙吟"，概括辛弃疾南渡后的两种心情。

结尾，诗人又化用辛词《菩萨蛮》(书江西造口壁)："青山遮不住，毕竟东流去。江晚正愁余，山深闻鹧鸪。"词本意言恢复之障碍重重，君子当自强不息，如河汉朝宗于海，然时局终未可乐观，故有殷忧。这里的化用却是指英雄既逝，江水仍绕山而东注，林表子规悲鸣，如有隐痛然，莫不是英雄之魂魄所化？难怪其余恨未消也。

诗多处运用辛弃疾词句为英雄写心，又高度概括了其生平大节，对南渡君臣则有所寄讽，是一首能代表后人对这位伟大爱国词人的追怀惋惜的佳作。

(周啸天)

有　感

张以宁

马首桓州又懿州，朔风秋冷黑貂裘。
可怜吹得头如雪，更上安南万里舟。

鉴赏

作者身历两朝，在元至正年间官至翰林侍读学士，知制诰。明洪武初，复授侍讲学士，奉使安南。这时他已年近七旬，不堪奔命，北还时卒于途中，奉使安南时作此诗抒慨。

"马首桓州又懿州，朔风秋冷黑貂裘。""桓州"在今内蒙古多伦西北滦河北岸，明初置桓州驿，号称"开平西南第一驿"。"懿州"在今辽宁阜新。此二州皆地处中国之极北。

“马首”则有唯某某马首是瞻的意思。故首句系言自己听命于洪武帝朱元璋，奔劳于北方诸州。北方苦寒，故有“朔风秋冷”之感。“黑貂裘”暗用苏秦“说秦王书十上而说不行。黑貂之裘敝……”（《战国策·秦策一》）表示奔波劳苦疲惫之态，也有功名未遂的意味。总之是既不得已，又不得意，于是二句已有思归息心之念头，殊不知身不由己。

“可怜吹得头如雪，更上安南万里舟。”上句“黑貂裘”还给人少壮之感，此句“头如雪”则成翁矣。黑白对照之间，不免有“空悲切”或“徒伤悲”之慨。加上“可怜”二字，又全是顾影自怜意。“吹得”二字由上文“朔风秋冷”一气贯注，意转辞连，极为自然。读到此句，令人不禁要想：该是休息的时候了，该是下马的时候了。不料才下马，又上船。诗人以古稀发白之年出使安南（今越南），不禁感慨系之。正是“肃肃宵征，夙夜在公”“实命不犹”（《诗经·召南·小星》）啊！

元明七绝之病往往在于“浮响”，即有唐人腔口而无唐人之凝重。此诗则没有这个毛病。诗以南、北二字相起，意味无穷。盖原先奔波桓、懿，皆极北之边州；此日向安南，又为极南之半岛。则张夫子一生可谓天南海北之至！日前不堪“朔风秋冷”之苦，往后呢？瘴气暑热较“朔风秋冷”又何如也？“更上安南万里舟”，诗人虽不甚言其苦，字里行间已苦不堪忧矣。

（周啸天）

送许时用还剡

宋 濂*

尊酒都门外，孤帆水驿飞。青云诸老尽，白发几人归？
风雨鱼羹饭，烟霞鹤氅衣。因君动高兴，予亦梦柴扉。

作者

*宋濂(1310-1381)，字景濂，号潜溪，其先金华潜溪人，至濂迁浦江(今属浙江)。元末召为翰林编修，以亲老辞。明初主修元史。累官至翰林学士承旨知制诰。后谪茂州，卒谥文献。博学广识，为文醇深演迤，又能诗。有《宋学士全集》等行于世。

鉴赏

诗起二句先交代送别地点(京城大都城外)和友人归路特色(孤舟水路)。由于彼此同乡，当然令送别者别有感触。诗语虽然平和，慨叹却颇为深沉："青云诸老尽，白发几人归？"想当年(1360)，宋濂与东南有才有志的知名人士刘基、章溢、叶琛等一道被朱元璋聘请重用，平步青云。然而，仅十来年间，叶、章二人先后死去，刘基辞去官职，仅剩宋濂在朝，以后是否能像友人许时用一样全身而归故里尚不可知(宋濂晚年因孙子坐罪而受牵连，全家谪迁茂州，中途病死，未能回归故里)，宋濂深感世事易变人易老，因而在送许时用返归家乡时发出了"青云诸老尽，白发几人归"的沉重叹息。

"风雨鱼羹饭，烟霞鹤氅衣"二句使用"列锦"修辞手法，全由名词排叠对仗，不用一个动词、形容词，给人留出极大的想象余地，扩大了诗句的艺术容量。作者以十个字概括描绘了友人此后的生活图景，其间饱含着赞赏、羡慕之情。"风雨""烟霞"乃是故乡风物，江浙水乡风雨调和，烟霞润泽，投身其间自然与置身冠盖车马的官场不同，身心定会更加舒坦畅快；“鱼羹饭”“鹤氅衣”借代指民间的粗茶淡饭、布衣素服，当然与膏粱佳肴、紫衣红袍不同，这种生活清闲自在、平和宽松。宋濂久居内庭，陪侍帝君，侍罪禁近，处处小心，很不轻松，因此对友人归乡后的生活作了如此美妙的、也是比较切合实际的设想。“鹤氅”又可指道服。《列朝诗集小传》记载宋濂曾在元末（1349）自名玄真子，入仙华山为道士。如果他亲身穿过鹤氅衣，加上早年又亲身体验过不问朝事、投身大自然怀抱、著书隐居的生活，那么，诗中这十个字的概括当不仅仅是对友人将来生活所作的一种设想，而是一种对自己过去生活的回味，一种对所羡慕生活的神往。“因君动高兴，予亦梦柴扉”，则不加掩饰地表示称赞友人，向往归隐。

全诗所涉景物多为故乡风物：风、雨、烟、霞，是故乡景；帆影、柴扉、鱼羹，是故乡物；水驿，是故乡路。托物以言志，借景以抒情，整首诗浸透了对故乡的眷恋之情。

古往今来，送别诗极多。一部几乎家喻户晓的《唐诗三百首》，送别诗竟占了约十分之一。送别诗各自切情切景，感情抒怀，不拘一格，情调各异。“送许时用还剡”一诗，平实中透着苍劲，恬淡中饱含深沉，慨叹深重而不激愤，乡情浓郁而不夸饰，不作惊人之语，不下重彩之笔，平平道来，自觉高雅凝重。

（冯杏实）

感　事

张　昱*

雨过湖楼作晚寒，此心时暂酒边宽。
杞人惟恐青天坠，精卫难期碧海干。
鸿雁信从天上过，山河影在月中看。
洛阳桥上闻鹃处，谁识当时独倚阑。

作者

*张昱(1289－1371)，字光弼，号一笑居士，庐陵(今江西吉安)人。元末，官至左右员外郎，行枢密院判官。后弃官不出，放浪山水，号可闲老人。其诗风格学虞集。沉郁悲凉，苍莽雄肆。有《可闲老人集》四卷行于世。

鉴赏

本诗名为《感事》，具体为何事感发而写，无从详考。全诗情调可以归纳为八个字：故国情深，遗老愁重。

作者张昱在元代曾任杭省左右司员外郎，行枢密院判官，元末弃官隐居。明朝初年朱元璋征召天下文人时，怜悯张昱已经年迈，说他“可闲矣”，他便自号“可闲老人”，闲游在西湖山水间。朝代更替、山河易色的大变故使他人虽闲游，心境却并不宽松。诗中毫不讳言地说：“此心时暂酒边宽”，可见他是常常借酒宽心，而酒醉中的宽心解脱只能是暂时的，正如李白所言“抽刀断水水更流，举杯消愁愁更愁”。诗人自己也明白这一点，于是以杞人忧天的典故嘲笑自己那无穷无尽的、却又没有必要没有用处的深愁。这种自嘲的结果，只是令人苦笑而已。“杞人惟恐青天坠”是正用典故以自我嘲笑，“精卫难期碧海干”则是反用典故以自我劝慰。小小的精卫鸟衔西山木石想填平东海，人人都认为其志可嘉，诗人却独自强调其效应难验。咏叹小鸟的志高力弱，正是明白自己的无力回天，颇为悲壮。“精卫填海”典故的另解，令元朝遗民扼腕而又无可奈何。这样的自我劝慰，初始仿佛使人明白通达，继而便只能令人更深地叹息而已。

“鸿雁”指一种候鸟，也是《诗经》中一首诗的篇名，又可指灾乱流离之民。经过元末明初的社会大动乱，不少老百姓流离失所，诗人自已也贫穷到“无以葺庐”的地步(见钱谦益《列朝诗集小传》)。诗人希望能像《诗经·小雅·鸿雁》篇中所赞美的那样，安集离散的万民，使各得其所。句意显示这美好的愿望并无实现的把握，只能姑且等待着。“山河影在月中看”一句集中表现了诗人对故国的深情。“山河影”指月中阴影。王安石说过：“月中仿佛有物，乃山河影也。”苏东坡也描写月亮说“正如大圆镜，写此山河影”(语出宋何元《春渚纪闻(七)·辨月中影》)。在人们眼中月中阴影乃地上山河之影。当时，朝代已由元而进到明，山河早已易姓，张昱在月中所看到的是昔日山河之影，还是今日山河之影？从全诗愁肠百结来看，所见当为昔日山河之影。昔日山河在月中，故国只能在心中。诗人见月中影而思故国，对山河影而述情怀。皓月当空，抬头仰望，情思茫茫，何其忧伤悲凉！

诗中所提的“洛阳桥”建于北宋，横跨在唐宣宗命名为洛阳江的江水之上。唐时江流宋时桥，人在洛阳桥上，会产生世代衰替、山河异色的感慨。中国古代相传古蜀国望帝让贤改国号后，化为了杜鹃鸟，在洛阳桥上闻听杜鹃啼叫，当然令人倍加思念故国。然而，人们仿佛不怎么理会独自凭栏怀旧感伤的人，“洛阳桥上闻鹃处，谁识当时独倚阑”，诗人深深的幽怨在于：像自己这种深怀情愁、隐居多年的人，早已被人们遗忘，自己这种难排难解的故国情、遗老愁，有谁知？有谁解？

全诗情重愁浓，心绪起伏跌宕，伤感忒重，虽然自嘲复自慰，仍无法解脱。诗中多处用典，用得自然贴切而灵活，通过或明或暗、或正或反的典故运用，丰富深化了诗的含义，使诗的语言更曲折，既质朴如话，又意深味厚。整首诗以写情为主，只有首句“雨过湖楼作晚寒”可视为写景，然而仅此一句便天色晦暗，寒凉侵人，为全诗定下了悲凉的基调。

(冯杏实)

如此江山清集同王仲玉、陆进之、吕世臣作

张　昱

吴越江山会此亭，暮春风景昼冥冥。
长空孤鸟望中没，落日数峰烟外青。
不用登临生感慨，且凭谈笑慰飘零。
古今何限英雄恨，付与江湖醉客听。

鉴赏

本诗为春日郊游，友人聚会于"如此江山"亭时所写，内容不外写景抒情。但由于诗人的特殊心境与所游之地的具体特点，本诗写景苍凉而深邃，抒情悲壮而豪放。

江浙地区山川秀丽，山上亭阁便于游人休息、观赏风景。亭名"如此江山"，想来当建于较高处，从亭内放眼四周，定然江山如画。

"吴越江山会此亭"起句不凡，一下子便向人们展示了一个广阔深邃的多维空间。诗人置身亭内，居高临下，视野开阔，东南西北，远远近近，高高低低，目力所及之处，一望江山尽会亭前。诗人不只停留在眼前的三维空间之内，他的视线、思维越过了时间界限，远追春秋，联想到吴越，眼前江山曾经是吴、越两国的旧地。越王勾践被吴王打败后，卧薪尝胆，十年生聚，十年教训，终于灭吴。这一段颇富戏剧性的历史因"卧薪尝胆"这一成语而几乎尽人皆知。从春秋到元、明，随着时间的推移，中国大地上不知经历了多少次朝代更替，这块美丽如画的吴越旧地上，山河姓氏也不知变异了多少回。饱含胜败兴亡的历史长河常在诗人心中流淌翻滚，面对如此江山，他的思绪逆向奔涌，到了历史长河的源头，破口吟出了"吴越江山会此亭"这种包容古今、气吞寰宇的诗句。但是，亲身经历了由元而明这段具体历史变迁的诗人，无论如何纵览古今、胸怀博大，也无法超脱于现实，无法摆脱那刻骨铭心的故国情，奔涌的思绪仍然离不开当今，穿越时空的视线仍旧会回到眼前。当今与眼前都不免令诗人大大扫兴，沸腾喷涌的情思才冒了个头又被压了回去，话头刚刚才重重举起，旋即又轻轻放下。第二、三、四句转而具体描写眼前景色。"暮春"当是落英

缤纷，绿重红疏，风景凋敝；"昼冥冥"，则天低云重，晦暗阴沉。在这种天气氛围之中，人会有什么好心境！"长空孤鸟望中没"写仰视所见。抬头望长空，不见爽朗的红日蓝天，不见飘逸多姿的白云，偌大一个天空，唯见一只孤鸟在盘旋。诗人久久凝望，那鸟儿渐趋渐远，直至消失不见。"望中没"三字有如今日电影之蒙太奇手法，人在下方静止不动，连眼珠也不稍移，鸟儿在上方渐渐消逝，画面单调而持久，着意渲染的是：天广大，人渺小，鸟孤单。读者从这里仿佛得到一种空旷寂寥、无所依托、无所慰藉的心理感受。"落日数峰烟外青"，写环视所见，描绘了一幅开阔深远的静止画面。画面上没有辉煌的夕阳，没有灿烂的晚霞，落日无力，没有给山峰涂上绚丽的色彩，山峰在烟霭的衬托下、在落日的光照中显着青色。"青"是全诗唯一表示色彩的词语。逆光中的山峰，所呈的青色当比平时深浓得多。山峰一律深青，群峰静静肃立，落日余晖，烟云淡淡，整个画面色彩单一而幽暗，图像凝重而冷峻，情调清冷而压抑，让人产生一种沉重郁闷、欲旷达开朗而不能的感觉。全诗写景到此结束，用语淡泊而含蓄，所写景象，唯苍凉深邃两词可以概括其特点。

后四句抒情。作者本来对元亡明兴、山河异色、世事变迁有切身的感受，内心有着难排难解的故国情愁，今日登山临水，正好吊古伤今大发一番，但他却偏偏强压着，反劝友人"不用登临生感慨，且凭谈笑慰飘零"。不识愁的少年才常常说愁，真正尝尽了愁滋味的人，常是欲说还休。诗人的故作洒脱、不言感慨，反令人心酸沉郁。

自宋元至明，讲唱文学兴起，弹词、宝卷、平话、诗话、词话等多种说唱艺术形式广泛流行于民间，其中不乏讲史如《三国志平话》《二十一史弹词》等。古代的历史变成了动人的故事在茶楼酒肆中讲唱，使诗人想到今日的历史也会被后人传唱，他无限感慨古今的这种相似。这种相似启迪了他，使他通达，故而情感悲中有壮。诗人把自古以来壮志未酬、故国难再等深重遗憾视为高尚的情感，诩之为"英雄恨"，颇有些豪壮，他为自己与古人一样有这种情怀而大为感动。然而这痛彻心扉、耗人心血的"英雄恨"将来也会像今天一样供江湖醉客消闲，却又令他沮丧不已。"古今何限英雄恨，付与江湖醉客听"两句诗中，充分流露出了这些深沉复杂、豪放悲凉的内心情感。

与前一首《感事》诗比较，虽然都是饱含故国之情、不胜举目山河之异，但写法和情调不同。《感事》直白，这首含蓄；《感事》悲戚忧伤，这首悲壮苍凉；《感事》频频用典，语言曲折，比较抽象，这首不用典故，语言明白晓畅，形象具体鲜明。

（冯杏实）

客中除夕

袁　凯*

今夕为何夕？他乡说故乡。看人儿女大，为客岁年长。
戎马无休歇，关山正渺茫。一杯柏叶酒，未敌泪千行。

作者

*袁凯(1316－？)，字景文，号海叟，华亭(今上海市松江区)人。元末为府史，明初由举人授御史，因事为太祖所恶，伪为疯癫，遂以病罢归。能诗，少有诗名，诗风含蓄浑厚，思乡羁旅之作更具特色，有《海叟集》。

鉴赏

这首诗写除夕夜旅居异地的乡思客愁。

诗篇以对句发端，"今夕为何夕"关合"除夕"，"他乡说故乡"关合"客中"，出语含蓄，暗示客愁。袁凯的近体诗往往师法杜甫，杜甫喜欢在句中用叠字，如"桃花细逐杨花落""便下襄阳到洛阳"等便是。这里叠用"夕""乡"二字，"今夕为何夕"句从杜甫《赠卫八处士》中"今夕复何夕"一句脱化而来却别具慧眼，于此可见袁凯学杜之一斑。

第二联承上联而来，写客居生活的冷清和乡思的绵长。因为身处异乡，未能与家人共享天伦之乐，在悠长的岁月中，目睹他人儿女已逐渐长大成人，这才顿时体味到自己客居他乡已有不少年月了。年华老大仍漂泊异乡，此中的辛酸是难以言说的。这联叙事中有怀才不遇、壮志难酬的悲愤，有滞留他乡、思归无计的凄寂，也隐含着作者的乡思和回归故里的迫切心情。

第三联点出作者淹留他乡、岁暮不归的原因所在。硝烟遍地、烽火连天，在无休止的残酷战争中，关山阻隔，回归故里的梦想竟成了泡影，这就难怪作者要频到醉乡、借酒浇愁了。柏叶酒，以柏树叶浸制的酒。因柏树岁寒不凋，故旧时习俗取其叶浸酒，元日饮用，以祝长寿。杜甫《元日示宗武》中便有“飘零还柏酒，衰病只藜床”之句。但一杯柏叶酒如何能消散诗人胸中郁结已久的愁怨呢？除夕本是合家欢聚、共享天伦的传统节日，良宵仍处客中，怎不叫人悄焉动容，黯然神伤？千行，状泪之多，涕泣纵横，诗人的泪水中，既有客中除夕的乡思客愁，更包含着对世事的优虑及对战乱中百姓苦难的关注。“戎马关山北，凭轩涕泗流”是杜甫《登岳阳楼》中的名句，三、四联可能正由此化用而来，但不囿于古人，有自己的意境。杜甫的涕泗源于洞庭湖浩瀚气势的激发，袁凯的“泪千行”则源于除夕客中独处的情思。诗的前两联本来只抒写转徙异乡、漂泊无依的凄苦落寞之情，这是我国古典诗词的永恒主题之一，至此意境却陡然一转而为阔大。对世事的关注忧虑体现了一个正直的士大夫的良知和强烈的责任感。正是由于诗人自觉地把个人命运与国家、民族的命运联系在一起，因而这首写乡思客愁的作品便有了广阔的社会背景和较深的思想内涵，这是这首诗高于一般抒写羁旅行役的乡思离愁之作的地方。

（赵晓兰）

白　燕

袁　凯

故国飘零事已非，旧时王谢见应稀。
月明汉水初无影，雪满梁园尚未归。
柳絮池塘香入梦，梨花庭院冷浸衣。
赵家姊妹多相忌，莫向昭阳殿里飞。

鉴赏

《白燕》是袁凯的名篇。相传袁凯未仕之时，尝与友人拜谒著名诗人杨维桢，见几上有《咏白燕》诗，凯以为未尽体物之妙，归作《白燕》，翌日呈上，杨得诗叹赏，连书数纸，尽散座客，一时呼为“袁白燕”，后在其故居建有“白燕庵”以示纪念，可见此诗在当时影响之大。

咏物诗在我国有悠久的传统，体态轻盈、南来北往的燕子更是诗人不断吟咏的对象。在为数众多的咏燕诗中,这首《白燕》可说是别具一格,饶有风味。

开篇触题,虚写,总赞一笔。“旧时王谢”,语出刘禹锡《乌衣巷》:“旧时王谢堂前燕,飞入寻常百姓家。”“王谢”,晋时贵族。刘诗的原意是:世事沧桑,旧日在王谢华堂筑巢的燕子,现在的新巢却已在平民百姓的住宅中了。袁诗用典,但翻出新意,即尽管故国飘零、人事全非,但像白燕这般体态风神,就是旧时的王谢,也很少能有机会见到,透进一层,有先声夺人之妙。

颔联、颈联着重写燕体之白,以坐实上文的“见应稀”,但仍侧写。燕子又称“玄鸟”,《诗经·商颂·玄鸟》称“天命玄鸟,隆而生商”,它一般是黑色的,白燕应是燕子中的珍稀品种,故诗人描摹的笔触便重点落在“白”字上。诗人连用四个句子,以突出燕体之洁白轻盈。汉水,长江最长的支流,这里泛指河流。梁园,即兔园,汉时梁孝王刘武所建,故址在今河南商丘东。相传园内宫观相连,花木错杂,珍禽异兽,出没其间,这里泛指园苑。月白风清之夜,水中似乎没有燕子的身影;雪满梁园的隆冬时节,燕子似乎尚在南方过冬还没有返回。这里的“无影”“未归”,并非实写,而是借燕体与月色、冰雪融为一体,难以分辨,往往造成错觉,从侧面烘托出燕子通体的洁白无瑕,构思相当新颖别致。

下面两句写一旦冰雪消融,春暖花开,柳花如雪,飞絮飘香,栖息在池塘边的白燕梦魂也带有飞絮的芬芳,庭院中洁白的梨花似乎也使白燕玲珑的身躯感受到了初春的料峭寒意。这两句意境美丽动人,写柳絮、梨花,仍突出一个“白”字。

尾联笔锋一转,由燕及人。赵家姊妹,指汉成帝的皇后赵飞燕及其妹。赵飞燕既立,擅宠后宫,后宠少衰,其妹绝幸,为昭仪。赵氏姊妹居昭阳殿,姊妹争宠,相妒不已。唐代著名诗人王昌龄《长信秋词》称:“玉颜不及寒鸦色,犹带昭阳日影来”,以宫廷妇女自叹不如寒鸦尚能亲近君王,表达其胸中郁结已久的怨愤。孟迟的《长信宫》也说:“自恨身轻不如燕,春来还绕御帘飞。”这里却叮嘱白燕不要飞进昭阳殿中,以免惹是生非。既写燕子,也写自身,亦人亦物,不粘不脱,既表现了诗人洁身自好的情怀,也隐含着忧谗畏讥、远离是非之地之意。

咏物诗一般要图形肖貌,《白燕》不滞于燕子形象,不描摹体态风神,重在神似,写白燕,全篇却无一“白”字也无一“燕”字,避开了功在密附的细致描摹,构思别致,用典也颇见新意,但不免有雕琢之迹。

(赵晓兰)

京师得家书

袁 凯

江水三千里，家书十五行。行行无别语，只道早还乡。

鉴赏

家书，是我国古典诗词中常见的题材，杜甫的“烽火连三月，家书抵万金”（《春望》）早已成为脍炙人口的名句，这首诗就是写客居京城的诗人收到家书、怀乡思归的心情的。

绝句以对句开头。“江水三千里”，写去家之远；“家书十五行”，写家书之短。古代的信笺一般每页八行，这封家书只写了两页不到。唯其去家有三千里之遥，而家书又仅有十五行之短，故这封家书的分量更显得非同凡响，诗人接信后也更按捺不住内心的激动和喜悦。两句全用实字，对仗工整，对照强烈，简括凝练。

在远离亲人的京师得到盼望已久的家书，诗人的欣慰、喜悦之情是可以想见的，因此诗的后两句完全可以抒写诗人捧读家书时的激动心情，或写对故乡亲人的深切怀念，但诗人却匠心独具，将自己的感情意绪完全抛开不写，只从家书的内容落笔，写在这封仅有十五行的家书中，亲人没有别的话语，只叮嘱自己尽早还乡。“行行”“只道”突出了“早还乡”是家书中唯一的书写内容，因其“行行无别语”，更写出这是一种千叮咛、万嘱咐，一再反复诉说的话语，两句诗写出了亲人对自己思念及盼望的殷切和深沉，作为作者感情的折光，诗人强烈的乡思和迫不及待的归情也就尽在不言中了。

据《明史·袁凯传》记载，袁凯元末曾为府吏，博学有才辩，议论飙发，往往屈座人。在文网森严的明初，士大夫人人自危，袁凯历仕二朝，忧谗畏讥，进退维谷，他的处境必然是十分险恶的。家书中亲人切切的叮嘱，固然有对远方亲人的深切思念，也包含着对身羁官场的诗人安危的担忧，而袁凯的乡情中何尝没有对惶惶不可终日的仕宦生活的厌弃及对闲适的家居生活的向往呢？后来，袁凯就因触怒明太祖朱元璋，惊惧不已，佯狂免归。因此，这里的“早还乡”，是有更深层次的感情内容的。

袁凯是明初的著名诗人，他的

诗一变元人纤丽之风，有不少写得清新自然。这首绝句质朴凝练、明白如话，正以天籁见长。

（赵晓兰）

扬州逢李十二衍

袁 凯

与子相逢俱少年，东吴城郭酒如川。
如今白发知多少？风雨扬州共被眠。

鉴赏

这首诗是诗人与旧友李衍久别重逢时写下的。原诗共两首，这里选录的是第一首，第二首是这样的："最忆东家水调声，花前檀板杂流莺。此时我醉君独醒，舞到梧桐白露生。"

从两首诗中所述看来，李衍是作者青少年时代的知交，善饮能舞，性格豪爽，倜傥不羁，与才情遒拔、幽默善谑的袁凯，正是莫逆之交。

前两句是对往事的追忆，诗人与李衍相识时，彼此都是风华正茂的少年。他们志趣相投，豪爽洒脱，与酒结下了不解之缘，东吴城郭的酒肆自然也成了他们的足迹频到之地。酒如川，状其酒量之大、酒兴之豪，有如鲸吸长川。杜甫《饮中八仙歌》称："左相日兴费万钱，饮如长鲸吸百川。"这两句手法洗练，寥寥数语，活画出一对英俊少年洒脱倜傥、旷达纵逸的性格特征，描绘出他们青年时代极富浪漫色彩的生活场景。

后两句笔锋一转，直逼今情。一别多年，当初的英俊少年再度重逢时，已垂垂老矣！而世事沧桑，在风雨飘摇的夜晚，他们抵足而眠，共话别情。"白发"与"少年"，"共被眠"与"酒如川"，对照鲜明，感慨深至。这里的"风雨"，既即景书事，也暗示了世事的艰辛。这首诗写作的时间虽已不可详考，而袁凯由元入明，为明太祖朱元璋所不喜，与袁凯先后同时的文人如刘基、高启等均惨遭杀害，袁凯的处境一直是危殆的。因而在与旧友久别重逢之时，对往事的追忆、对已逝青春的伤悼、对世事的忧虑、对个人身世的感伤，千头万绪一齐涌上心头，可以想象，在风雨扬州的深夜长谈中，他们所倾吐的也不是一般的别情，而是对人生意义的体味探索、一种抚今追昔的无限沧桑之感。他们的生活轨迹，和时代的变迁、社会的治乱息息相关。

这首诗写与故人久别重逢，浑厚深沉，真挚含蓄，自然流畅，不事雕琢，短短二十八字中，包含着相当大的时间跨度和生活容量。诗篇从篇名到章法都学杜甫的《江南逢李龟年》，但袁凯、李衍与杜甫、李龟年的身世遭遇都完全不同，所处时代的大背景也迥然相异。袁凯既学杜，又"满心而发，肆口而成"，有自己独到之处，他被一些诗家推为明初诗人之冠，是有一定道理的。

（赵晓兰）

题李陵泣别图

袁　凯

上林木落雁南飞，万里萧条使节归。
犹有交情两行泪，西风吹上汉臣衣。

鉴赏

这是一首题画诗。李陵，西汉陇西成纪（今甘肃秦安）人，是汉时名将"飞将军"李广的孙子。李陵善骑射，爱士卒，武帝时拜为骑都尉。他曾将兵五千出击匈奴，遭匈奴军八万人围击，陵士卒死伤过半，杀伤匈奴亦万余人，后因矢尽粮绝，援兵不到，归降匈奴。武帝闻知后，竟将其老母妻子全部处死。李陵泣别图，今已不可考，从诗意看来，是表现苏武归汉、李陵与之泣别一事的。

前两句写苏武南归。武帝时，苏武以中郎将持节出使匈奴，被匈奴扣押，单于百般招降，武终不屈。匈奴囚禁苏武，置大窖中，断绝饮食，武以冰雪旃毛并食，数日不死。匈奴又徙苏武北海上无人处牧羊，不供饮食，武以鼠穴中草实为食，持节牧羊，卧起操持，节旄尽落。汉昭帝即位后，匈奴与汉和亲，汉使曾往匈奴求放还苏武，匈奴谎言武已死去，后来汉使诡称汉天子曾在上林苑中射猎，得雁，足系帛书，言武等人尚在某泽中，单于无奈，只得将武放还。苏武在被囚十九年、尽历艰辛之后，终于全节归汉。

后两句写李陵泣别，据《汉书·苏武传》记载，苏武被扣押后，匈奴曾使李陵至海上，为苏武置酒设乐，劝其归降，武仍不屈。李陵见其至诚,泣下沾襟,与武诀去。苏武获准将归之时,李陵又置酒贺武,倾吐心曲,“异域之人,一别长绝”,李陵的心情是极为悲怆的。酒宴中李陵起舞歌曰:“径万里兮渡沙幕,为君将兮奋匈奴。路穷绝兮矢刃摧,士众灭兮名已溃。老母已死,虽欲报恩将安归?”泣下数行,因与武诀。诗人题写的这幅画就是以此为题材的。

对李陵其人,历来褒贬不一。李陵归降后,李氏名败,陇西士人凡在李家门下为宾客者,都以此为耻。司马迁则对李陵推崇备至,称李陵“有国士之风”“出万死不顾一生之计,赴公家之难”“功亦足以暴于天下”“古之名将不能过也”(《报任少卿书》),后终因陵得罪,被祸受腐刑。李陵归降后,武帝也曾以李陵无救为悔,遣使慰问李陵生还的部下。从《题李陵泣别图》看来,诗人既对苏武的凛然节操肃然起敬,对李陵折节事敌不无微词,但对李陵孤立无援、兵败投降以致身败名裂的不幸遭遇也深表同情。“犹有交情两行泪,西风吹上汉臣衣”,凝重悲凉,其中的蕴涵是复杂的。前人称此诗“颇见风雅”“词婉意严,李陵之罪自见。‘汉臣’二字,春秋之笔”(《明诗别裁集》卷二),似有简单化之嫌。

题画诗是我国古典诗歌的特有形式。杜甫的题画诗历来享有盛誉,他的题画诗之多,唐人罕有其匹。这首诗将画家、画法、画理完全略去不写,焦点始终对准画面内容,全篇以叙事为主但着重突出李陵的内心活动。苏武全节归汉在始元六年(前81)春天,启程的日子则未见记载,估计在头一年秋冬。诗篇以所谓天子射雁的上林木落之时为线索,“万里萧条”“西风”均由此生发而来。秋风萧瑟,草木摇落,一派冷落悲凉景象,与李陵彼时彼地的心绪融于一体,基调苍凉悲壮。诗篇忠实于原画而又打破原有画面格局,以诗歌之长补绘画之短,重在调动读者的想象,加强了画面的艺术趣味,深化了作品意境,既状物情又发人意,诗情画意,相得益彰,堪称题画诗的上乘之作。

(赵晓兰)

淮西夜坐

袁　凯

萧萧风雨满关河,酒尽西楼听雁过。
莫怪行人头尽白,异乡秋色不胜多。

鉴赏

悲秋是我国古代士大夫的典型情绪。“悲哉秋之为气也！萧瑟兮草木摇落而变衰”，宋玉的《九辩》是悲秋的最早也最脍炙人口的篇章，它不但敏锐地把握和准确地表现了深秋景色，还以悲凉秋景作为衬托，抒写了才智之士怀才不遇、客居失意的落魄感伤情怀。“坎廪兮贫士失职而志不平”“去乡离家兮徕远客，超逍遥兮今焉薄”，这些动人的诗句引发了无数文人墨客的深切共鸣，这首诗正是写深秋客居的悲怆之情的。淮西，淮河北岸一带的习称。

开头两句写景、叙事，烘托气氛。西楼，本泛指宴饮场所，晏几道《蝶恋花》写道：“醉别西楼醒不记。”《隋书·天文志》称：“日……行西陆谓之秋”，这里暗中关合秋景，暗示悲秋之意。深秋之时，淫雨绵绵，霜风凄紧，关河冷落，夜阑酒尽，西楼听雁，这是多么悲凉的情景。风雨已属不堪，酒尽倍增凄寂，过往的大雁更触发了诗人心中郁结的乡愁，层层翻进，加倍渲染出诗人所处环境的凄凉冷落，从而逼出下文。

上面两句写秋夜酒尽西楼的所见所闻，第三句转而写所感，但诗人并不在字面上诉说自身愁苦，“行人头尽白”的意象，即已将一切的悲欢、喟叹尽纳其中，“头尽白”本为实写，着“莫怪”使之虚化，以劝慰口吻出之，强自宽解，含蓄深永。

末句为全诗之眼，全诗本以“悲”一以贯之，这里即明白点出一切愁怨的根源全在于身居异乡。时逢深秋，故而触景伤情，夜不能寐。从诗题的“夜坐”可以想见，这是一个“停灯问晓，抱影无眠”之夜。在这样的夜晚，今昔悲欢，万千思绪一起涌上心头，它剪不断、理还乱，无可排解，难以言说。以“异乡秋色不胜多”作结，情景相激，正有无限深长的意味。

（赵晓兰）

水上盥手

高　启*

盥手爱春水，水香手应绿。沄沄细浪起，杳杳惊鱼伏。
惆怅坐沙边，流花去难掬。

作者

*高启(1336－1374)，字季迪，号槎轩，长洲(今江苏苏州)人。元末隐居吴淞青丘，自号青丘子。与杨基、张羽、徐贲并称“吴中四杰”。洪武初，召修《元史》，授翰林院国史编修。拜户部侍郎，不受。后被明太祖借故腰斩。工诗，能兼师众长，摹古中自有精神，格调清逸豪放，也能反映民间疾苦。有《高太史大全集》行于世。

鉴赏

这是一首别致的惜春曲。说它别致，是因为其所表现的情感是普遍的，而形式是独特的。诗写行人在途中到水边盥手，由所见而有所感。显然，行人到水边去，并不是因为手脏的缘故，而是因为“春来江水绿如蓝”，引得人顿生童心，盥手一半是为了玩玩的缘故。“盥手爱春水”可不正是“爱春水而盥手”的倒装吗？

“水香手应绿”，这是一个妙句。“香”字，“绿”字皆为诗眼。本来是水碧如染，却使盥手人产生一个错觉，似乎手浸在水中也被染绿了；本来是水上花香，行人却误以为水香，则也会怀疑他的手也被染香了。“水香手应绿”包含这样两重含义，句中“香”“绿”都各各相对于“水”“手”而言，有互文的意味，可见无论是“水香手应香”或“水绿手应绿”，都不能完全替代它，故为佳句。

“沄沄细浪起，杳杳惊鱼伏。”行人走到水边先看到鱼游春水、从容自乐的景观，当他俯身弄水，水面就起了粼粼细浪，鱼群受到惊扰，一忽儿就潜进深水中去了。字里行间，可以感到行人有点儿遗憾的感觉，似乎觉得不该扰乱了鱼群和平宁静的生活。这时忽然又看到另一景物，更增加了他的惆怅。

"惆怅坐沙边，流花去难掬。"这时从水的上游漂来片片落红，使行人想起了这已是暮春三月。那逐水漂流的落花，使他产生无限的遐想。也许他会想到水的上游有夹岸桃花，及桃林尽头有可爱的园田；无疑他也会悼念落红，生出惜春的情绪。他坐在沙边，默默出神，"流花去难掬"不仅是说落花漂流离岸有点远，手捧不到，所以令人惋惜；更深的一层意思却是说流光容易把人抛，飞絮落花时节，春去难留啊！即使掬来落花，又怎样呢！

惜春伤逝，是古代诗人常写的题材。此诗写得却不落俗套，它从生活中的一个偶发情节写起，饶有兴味地生发，自然引入惜春情绪。可说是渐入佳境。

（周啸天）

牧牛词

高启

尔牛角弯环，我牛尾秃速。
共拈短笛与长鞭，南陇东冈去相逐。
日斜草远牛行迟，牛劳牛饥惟我知。
牛上唱歌牛下坐，夜归还向牛边卧。
长年牧牛百不忧，但恐输租卖我牛。

鉴赏

《四库全书总目提要》说："启天才高逸，实据明一代诗人之上。其于诗，拟汉魏似汉魏，拟六朝似六朝，拟唐似唐，拟宋似宋，凡古人之所长，无不兼之。振元末纤浓缛丽之习，而避之于古，启实为有力。然行世太早，殆折太速，未能熔铸变化，自为一家。故备有古人之格，而反不能名启为何格。"此评未必尽是。这首乐府小诗就颇能显示出一点高启的创造性与个性特征来。

以自制新题写元末时事的这首《牧牛词》，显然是继承了唐代张、王、元、白所倡导的新乐府的传统。

全诗通过牧童的口吻，描绘了这位小主人公的放牧生活。从早上出牧到傍晚归来，再到夜里的睡眠、心思，这整整一天的活动，却被作者剪裁经营，压缩在这短短的十句之中，且字去意留，情趣盎然。这种简约、紧凑、波折、跳荡的风格，是远于元、白的舒徐、坦易、流畅，而于张、王为近的。然而他又与张、王之着力反映农家之艰辛惨痛有异，诗中既有生活之贫苦、内心的忧思，也有劳动的欢乐。由于描写的多角度、多层面，遂使诗的情思内容显得更丰富、更充实，也更觉真切有味了。

首二句，直接从两位小牧童晨牧偶遇落笔。他们是谁家的孩子，各自的衣着形象如何，以及在何处相遇等，全被作者舍弃了，只写了两句对话：你的牛双角弯又弯，我的牛尾巴光秃秃。这称呼，这视点，这话题，这口吻，无不显示出“我”的童心、稚气，及其嬉戏、欢悦的神情。小友相逢，惊喜不胜，“共拈短笛与长鞭，南陇东冈去相逐”，于是，他们相伴出牧了。从这两句叙述的话语中，我们又不难想见他们一路上的笛声、鞭响和在南陇、东冈相互追逐嬉闹的情景。总之，洋溢于上述四句字里行间的是纯真之情，自得之趣，是劳动的欢乐。

以下笔锋跃过日间的放牧活动，忽而转写傍晚牧归。随着时间、场景的变换，上述的欢乐气氛亦趋于消失，进而展现了小主人公内心生活的另一层面：哀伤、忧思。

“日斜草远牛行迟”，黄昏时分，牛从草场归来，一路上却显得那样疲惫、迟缓。乍一读来，似乎觉得有点不合常情。然细加品味，却并非如此。下句牛之“劳”“饥”，当指连日来牛之被叱叱驱耕，食不饱，力不足，故虽有今日之放牧，犹自行迟。这一切，“我自知”，牧童是十分清楚的。牛不能自耕，而必有人之驾驭驱使，牛既疲惫如此，而人之竭尽筋力，乃至此家之生计艰辛，不亦可约略得之于言外吗？下边二句，写牧童与牛终日做伴，颇给读者以生计所系、相依为命之感。上句展首四句，写日间放牧，虽不无乐趣；下句写暮夜归家，身卧牛边，终觉辛酸惨淡。末二句，有牛可牧，终究意味着生计有依，因而即使长年如此，亦“百不忧”，似还差感欣慰。而最让他忧心、难堪的是“但恐输租卖我牛”，此牛一卖，生计几全无着落，而“共拈”“相逐”之趣，亦必不可再了。为输租而卖牛，又可见租赋之繁重，使此家除家口之外，已无可变卖了。因而令人读罢掩卷，犹辛酸不禁。

借牧童的口吻，写其放牧生活、心事，而其所展现、启示人的又绝不止于此。由小见大，意余言外，虽不事张皇，却含蕴深厚，则是这首乐府小诗艺术的又一突出特征。

（高海夫）

养蚕词

高启

东家西家罢来往，晴日深窗风雨响。
二眠蚕起食叶多，陌头桑树空枝柯。
新妇守箔女执筐，头发不梳一月忙。
三姑祭后今年好，满簇如云茧成早。
檐前缫车急作丝，又是夏税相催时！

鉴赏

同《牧牛词》一样，本篇也是自制新题，写元末时事的新乐府诗，二诗的风格也极相似。清人赵翼云：高启的乐府诗，“只叙题面，不复于题面内推究意义，发挥议论”（《瓯北诗话》卷八《高青丘诗》）。意谓其重在含蓄，意余言外，所见是不错的，这确是青丘乐府诗风的显著特征之一。所应补充的是，他于“题面”的叙写，亦极波折、跳荡、紧凑、简约，而不求详赡委备。

题曰“养蚕”，但作者却不曾把蚕之从始生，经初眠、再眠、三眠，以至大眠的过程，加以平铺直叙的描写。开篇二句，从蚕月的两种特有而典型的景象落笔。首句，意与范成大诗“三旬蚕忌闭门中，邻曲都无步往踪”（《四时田园杂兴·春日》）两句相同，写“蚕忌”。吴地以农历四月为蚕月，家家闭户，门贴红纸，多禁忌，妇女独宿，邻里的庆吊往来完全停止，亦称“蚕禁”。往来全罢，无人语喧闹之声，显得分外宁静，因其宁静，深窗之中如风雨飒飒般的蚕食桑叶之声，遂清晰可闻。三、四两句，专写二眠起后蚕食叶之多，致使陌头的桑树叶被采尽，空存枝柯。前四句虽重在写蚕，而“养”字之义，即蚕妇之专力饲养的忙碌、辛劳已暗寓其中了。“风雨”般的响声、“空枝柯”的景象中，不都蕴涵着蚕妇们的劳苦吗？至于首句“罢来往”的风习中，其集中精力于蚕之饲养的辛勤之意，更是显而易见的。所以五、六两句，写“新妇”“守箔”，女儿“执筐”，各有职司，不暇他顾，连起码的梳妆也无心去管，笔触由蚕而人，虽极跳动，却内义脉注，绝无突然之感。

“三姑”二句，之前又略去了许

多不必要的过程，直写结茧了。三姑，古代传说中三位养蚕的女神，后世蚕家多祀之。祭过三姑，也许是托她们的保佑，"满簇如云茧成早"，今年的茧结得既早又多。面对这"满蔟如云"的丰收景象，这一月来劳动的结晶，我们似不难想见蚕妇们心头的喜悦与脸上的笑容。其实，这种喜悦之情，细心的读者，在读到次句"晴日深窗风雨响"时，已可以隐约地感受到了。诗对蚕妇形象的描绘，也是多角度、多层面，有外貌、有内心，既充实、丰富而又真切，虽然作者的用笔或隐或显，而且只是速写式的简淡的几笔。她们有忙碌，有辛苦，有欢欣，也有忧愁。末尾二句虽只十四个字，却展现了蚕妇形象另一重要的侧面。面对"蚕蔟如云"的丰收景象，如果她们不感到喜悦，而是一味的泪眼愁眉，那是非情理之所当有，是不真实、不自然的。但是，当她们"檐前缫车急作丝"时，蓦地想到"又是夏税相催时"，想到她们的劳动果实，将主要不是自己所能享有，而是将充作赋税交纳给统治者的时候，她们内心的喜悦必将忽然消失。这时萦绕蚕妇心头的会是什么样的情绪，作者虽只字未写就放下了他的笔，但读者却可以得之于言外。而且借助自己的联想，也不难理解导致这种情绪变化的，是一种怎样不合理的现实，不难理解这首看似平易、寻常的《养蚕词》的颇为丰富的意蕴与现实意义。

（高海夫）

卖　花　词

高　启

绿盆小树枝枝好，花比人家别开早。
陌头担得春风行，美人出帘闻叫声。
移去莫愁花不活，卖与还传种花诀。
余香满路日暮归，犹有蜂蝶相随飞。
买花朱门几回改，不如担上花长在。

鉴赏

这首诗通过对当时花农生活的描述，表现了劳动者以自食其力为荣的积极乐观的人生态度。诗用卖花人的夸耀口吻写来，极富有情趣。

养花是技术性很强的行道，没有丰富的经验很难把花育好。诗中主人公则是养花有素的行家，他用盆栽温室育花，花就比别家开得更早更好：“绿盆小树枝枝好，花比人家别开早。”这样便能“为近利，市三倍”（《周易·说卦》）。你看他抢先上市，多么春风得意。连盆花都变轻了，使他跑起来特别快。“陌上担得春风行”，妙在不言“担得花枝行”，所以传神。一叫卖立刻就召来了买主：“美人出帘闻叫声。”此人不仅卖花束，而且卖花苗（或盆花）。他非常懂得买卖的诀窍，便是“信誉第一”“和气生财”。不该保守的，他一点也不保守：“移去莫愁花不活，卖花还传种花诀。”买主最担心的就是买了花种不活，经他眉飞色舞地面授机宜，哪有不动心的。只要一回证明不欺，将来都成了他的老主顾。这些诗句将因生活的美而成为永久，这个花户将因这些诗句而永垂不朽。

日暮归途，花已卖完，而余香犹在，所以沿途蜂蝶追随。此情此景，真可令卖花郎顾盼生姿，风流自赏了。他精于他的手艺，他热爱他的职业。如果要他选择来世做什么，他将一千次地回答：“我还种花。”卖花人虽非神仙，能阅尽沧桑，但朱门大户的变迁和中落，他是见过的：“买花朱门几回改，不如担上花长在。”富贵不可恃，“人生如此自可乐”（韩愈），这才是见道语。那些耽于富贵荣华而临深履薄者，见识不如卖花郎。

此诗题新意新，诗中卖花人的形象系诗人从生活观察中来，为前人诗中所未见。

（周啸天）

送 谢 恭

高 启

凉风起江海，万树尽秋声。摇落岂堪别？踌躇空复情。
帆过京口渡，砧响石头城。为客归宜早，高堂白发生。

鉴赏

谢恭，作者的友人，字元功，能诗文。细玩诗意，本篇似当是作者在故乡苏州送谢溯江而上，前往金陵之作，诗虽别无深意，但却把挚友相别时的意绪，表现得婉转曲折，淋漓尽致。

开篇二句,气象雄远苍茫:江上忽来凉风,于是,远远近近,千树万树,响起一片萧瑟的秋声。这就为下边别情的抒写,创造了一个极佳的背景与氛围。"悲哉,秋之为气也!萧瑟兮,草木摇落而变衰。"自宋玉《九辩》以来,秋与悲就结下了不解之缘,悲秋意识遂成为历代众多的文人特殊的心理积淀。而"何处合成愁?离人心上秋"(吴文英《唐多令》)更把秋与别直接联系起来,使秋成为抒写别情的典型环境、气氛。因而次联曰:"摇落岂堪别?踌躇空复情。"正当此草木摇落的悲秋时节,要与友人作别,人情将何以堪?唯因不堪,故而犹豫徘徊,迟迟不能分手而去。然与友人又终不能不别,所以尽管踌躇,情怀难已,终是徒然。

朋友终于要起程了,于是后四句转而写友人行程之预想和嘱其早归之意愿。京口,今江苏省镇江市。石头城,指南京。"帆过"二句,说他的船将经过京口津渡,到达南京时当是砧声四起的黄昏时分。这里,"砧响"二字用得极考究。砧,捣衣石。古时妇女每每于秋夜用木杵于石砧上捶捣衣料或成衣,制作、准备寒衣,寄给征夫或游子。因而它不仅显示了凉秋季节,且极易引发乡思。"南陌征人去不归,谁家今夜捣寒衣?"(宋之问《明河篇》)"可怜楼上月徘徊,应照离人妆镜台。玉户帘中卷不去,捣衣砧上拂还来。"(张若虚《春江花月夜》)"长安一片月,万户捣衣声。秋风吹不尽,总是玉关情。"(李白《子夜吴歌》)"丛菊两开他日泪,孤身一系故园心。寒衣处处催刀尺,白帝城高急暮砧。"(杜甫《秋兴八首》)能诗文的谢恭,对这些自然是熟悉的。那么,当他舟至石头城时,四处传来的砧杵声,能不引起他的"故园心"吗?这样,末二句望其早归之意,便是水到渠成,顺势写出的应有之意。"高堂白发生",何况双亲已老,本即不该远游。有此一句,更觉神完气足。

(高海夫)

岳王墓

高启

大树无枝向北风,千年遗恨泣英雄。
班师诏已来三殿,射虏书犹说两宫。
每忆上方谁请剑,空嗟高庙自藏弓。
栖霞岭上今回首,不见诸陵白露中。

鉴 赏

明顾起纶谓高启诗“发端沉郁，入趣幽远”(《国雅品》)，本篇即其一例。《一统志》载：“岳武穆墓，在杭州栖霞岭下。宋高宗时，飞慨然有恢复中原之志，卒为秦桧所中，死葬于此。今其墓上木枝皆南向，识者谓其忠义所感云。”作者于眼前纷纭的景象物色中，选取“今其墓上木枝皆南向”这一点落笔，不唯紧切题面，而且具有极强的感发力量。树犹无枝北向，人之忠愤可知；死后尚且如此，生前之壮怀激烈，更不难想见。仅此七字已启人多么丰富的联想，唤起读者对岳飞多么强烈的缅怀与景仰之情！然而岳飞的一生，却是一幕极其震撼人心的悲剧。不仅还我河山之壮志成空，而且终于以“莫须有”的罪名，惨遭杀害。因而死后千载，犹遗恨难消。这墓旁“无枝向北风”的“大树”，似是这难消的“遗恨”的表志。因而每当人们一来凭吊，都不禁睹物怀人，为这位英雄悲剧的结局、难消的遗恨而感激涕零，悲慨难平。既启人崇敬，又引人悲慨。

颔联，作者的笔锋忽然折转，写历史往事。《宋史·岳飞传》：“金将军韩全，欲以五万众内附，飞大喜，语其下曰：‘直抵黄龙府，与诸君痛饮耳！’方指日渡河，而桧议画淮为界，以其北弃之；知飞志锐不可回，诏张俊、杨沂中先归。后言飞孤军不可久留，乞令班师，一日降十二金字牌。飞愤惋泣下，东向再拜曰：‘十年之功，废于一旦！’遂班师。”说两宫，谓告语金人要迎还被俘的徽、钦二帝事。上句是实写，下句“射虏书”云云，则是虚拟。在这里，作者显然已不重视严格按照历史事实去叙述，而是重在充分利用律诗对仗的特点，去创造其间并无必然关联的意象，追求意象间的并列、对比而产生的深广含蕴。一方面，朝廷已下诏班师，对敌屈膝；一方面，岳飞犹锐意北伐，欲收复中原，迎还二帝，双方之美丑是非既已不言而喻，次句“千古遗恨”之成因亦暗寓其中了。

颈联二句，写作者对历史的沉思。曰“每忆”，自然包括今番凭吊时的追寻思考，但又绝不限于此次，而是包括已往多次的思考在内。于此又可见作者并不拘守纵向的时序，而是力求于波折中抒写其怀古的深情。“上方谁请剑”，意即谁请上方剑，其意又实谓无人敢请皇帝的上方宝剑，以断奸臣秦桧之头。之所以无人敢请剑，原因乃是高宗赵构即其主谋者、唆使者，故下句曰“空嗟高庙自藏弓”。“藏弓”，典出《史记·淮阴侯列传》：“狡兔死，走狗烹；高鸟尽，良弓藏；敌国破，谋臣亡。”沈德潜曰:“通体责备高宗,居然史笔。”(《明诗别裁集》卷一)专责赵构,确是作者的卓识;然于高鸟未尽之时,即自藏弓,高宗之昏庸尤显,作者责备之意尤深。

末联又回到眼前空间的景色,而于描写中复凝聚着深沉的历史内容。诸陵,指杭州附近南宋诸帝墓。元世祖至元年间,曾许西僧杨琏真伽发掘诸陵,尽取其陪葬的金宝。曰“不见”,实含有陵墓不完、尸骨难保之意。新秋白露中,于栖霞岭上回首四望,诸帝之陵渺不可见,这景象与岳王墓相映照,真是寓历史于物色,寓时间于空间,该给读者留下多么广阔的思索、寻味的余地啊!

(高海夫)

晚次西陵馆

高　启

匹马倦嘶风,萧萧逐转蓬。地经兵乱后,岁尽客愁中。
晚渡回潮急,寒山旧驿空。可怜今夜月,相照宿江东。

鉴赏

元顺帝至正十八年(1358),作者二十三岁时,为了考察社会、扩大见闻,曾漫游吴、越三年。当时,杭州、绍兴这一带,正是张士诚、朱元璋、方国珍和元军混战争夺的地区,战火纷飞,满目残破景象。诗人归来后曾整理编集组诗《吴越纪游》十五首。序中曰:“此所以写行役之情,纪游历之迹,与夫怀贤吊古之意,亦往往而在。”本篇亦写于这一期间,唯因是五律,故未收入这组五古诗内。

西陵,在今浙江省萧山县西北十余里,面临浙江,春秋时越国范蠡固守之地,五代时吴越王钱镠忌陵字,改名西兴。《吴越纪游》第七首《夜抵江上候船至晓始行》,首句曰“夜辞西陵馆”,当与此诗相先后,可以参看。二诗大抵都是“写行役之情”的。只是此行的地域、时间较为特殊,已见上述,所以其所见景象不免笼罩着一种冷落萧条的气氛,其“情”亦自不免显得凄苦低回。

题曰《晚次西陵馆》,而诗却从“次”前远处落笔,直接描写宿馆者,只末尾二句而已。

首二句,写人在草木摇落、四望

荒冷的环境中，如蓬草随风飘转地行进着。曰“匹马”，见得马不是结队成群，孤独之状可知。曰“倦嘶风”，固是写马之疲惫无力，而人之情态亦不难想见于言外。这样，在一片萧条的背景中，一个孤独疲惫的行役者的形象，已初步显现在读者面前了。

三、四句，由外部形象更深入一步，写其内心的情感、状态。前句谓其所行经者为连绵的战乱之后的地方，那么，断壁颓垣，居人稀少，行进之艰难，旅途之辛苦，均不难想见。次句谓时值岁末，年节在即，乡思正浓。社会的乱离，思亲的愁绪，萦绕纠结于心际，与首二句合着，这个行役者的形象自会更见充实、真切而富于感染力。

下半四句，方才渐次及于宿馆。《夜抵江上候船至晓始行》诗前幅写道：“夜辞西陵馆，霜谷猿叫歇。津卒未具舟，天险不可越。渔商集候渡，寒立沙上月。苍烟隐遥停，益觉潮涨阔。”正可移注“晚渡回潮急”句。夜晚的渡口，回潮宽阔迅急，至使渔者商贾都立于寒夜沙滩以候渡，作者自只能暂宿“寒山旧驿”。“驿”而曰“空”，正与前“地经兵乱后”句相应，且又进一层：不唯城邑人家残破，山间的驿馆亦空寂寥落。唯其“空”，故又下启末二句：“可怜今夜月，相照宿江东。”此夜宿馆，唯有天上的月光与己做伴，其空寂孤冷之状，更宛然如在目前。它又回应开篇“匹马”之义，使全诗首尾圆合，内义脉贯，成为一个整体。

（高海夫）

清明呈馆中诸公

高　启

新烟著柳禁垣斜，杏酪分香俗共夸。
白下有山皆绕郭，清明无客不思家。
卞侯墓上迷芳草，卢女门前映落花。
喜得故人同待诏，拟沽春酒醉京华。

鉴赏

本篇作于明太祖洪武三年(1370)暮春，时作者在南京任翰林院编修。馆中诸公即指翰林院中的僚友。

清明节，旧时风俗为人们扫墓祭祖的日子，所以最易触发客居在外的游子的乡思。这首诗所抒写的心情也大抵如此，只是它表现得特别含蓄委婉、曲折隐微，在高启的律诗中又是一种格调。

“清明无客不思家”，既曰“无客不”，自然也包括作者自己在内。不过，全诗直接抒写思家之情语，仅此一句，其余则着力描写景物，如垂柳、杏酪、青山、芳草、落花等，可谓色彩缤纷，明丽如画，甚至有画所难到者。但这一切，似并未使作者陶醉，从而消释其思家之情，相反地，见景生情，反而更衬托、引发了他的思乡情。

新烟，古时风俗，清明前一天为寒食节，禁火冷食，次日重新生火，故曰新烟。杏酪，旧时寒食节所用的糊状食品，研碎杏仁，浇以糖稀制成。宫墙外的垂柳，丝丝弄碧，新烟萦绕；人家所精心制作的杏酪，散发出阵阵的芳香。这风光节物无不在告诉作者清明节的到来，自然也会唤起他往年在家乡与家人共度佳节的种种回忆。这一来，客居青山环绕的京师金陵（白下，古城名，相传为东晋时所筑，故址在今南京市金川门外，诗中借指金陵）的作者，自然便思念起家乡来了。

五、六两句，意思更加深曲复杂。卞侯墓，晋尚书令卞壶的墓，故址在南京朝天宫附近。卢女，《江宁府志》：“三山门外，昔有妓卢莫愁家。此有莫愁湖。”迷芳草，芳草萋萋，一片凄迷，化用《楚辞·招隐士》语：“王孙游兮不归，春草生兮萋萋。”已寓有思归之意。而作者偏又以芳草与卞侯墓并置，以落花与莫愁女映照，似更富有富贵难久恃，盛时难长留的感慨。作者来京前曾写道：“北山恐起移文诮，东观惭叨论议名。”（《被诏将赴京师留别亲友》）于《赴京道中逢还乡友》诗中又曾写道：“我去君却归，相逢立途次。欲寄故乡言，先询上京事。”对自己来京任职内心显然已有矛盾和疑虑。加之写罢此诗后仅四个月，朱元璋召见作者，面授户部侍郎，他却固辞不受，遂被放还。因而，在他的思家之情中交织有上述的感慨，就是很自然的事了。也正是因此，他才写出了末尾两句的强自宽慰之词：幸而有几位同院的故友，可与沽酒共饮，一醉京华。曰“喜得”，意谓可举的是，或令人高兴，值得庆幸的是，其意正是针对暗含于上述节物风光描写中的寡欢、不幸心情而言，而“醉京华”之“醉”，也是为了遣闷宽怀而醉，而非缘欢快而取醉。

（高海夫）

秋　柳

高　启

欲挽长条已不堪，都门无复旧毵毵。
此时愁杀桓司马，暮雨秋风满汉南。

鉴赏

此诗以都门秋柳，寓意写怀，景象萧条，情调凄婉。“（洪武）三年七月廿八日，与史官谢徽俱对，上御阙楼，时已薄暮，擢户部侍郎，徽吏部郎中。自陈年少，不习国计，且孤远，不敢骤膺重任，徽亦固辞，并赐内帑白金，放还。”（钱谦益《列朝诗集·高启小传》）诗岂即写于赐金放还之时欤？经过几年在朱元璋身边的生活，作者似已深感与这位多忌善疑的皇帝很难合作。此前的一个夜晚，他偶听谢徽吟诵李白、杜甫诗，曾借李、杜的遭遇，写自己的感慨：“李供奉、杜拾遗，当时流落俱堪悲，严公欲杀力士怒，白首江海长忧饥。二子高才且如此，君今为我将何为？”（《夜闻谢太史诵李杜诗》）其内心之悲忧，正可与此诗相印证。只是他恐怕万万不曾想到，仅时过四年，自己竟被这位皇帝借故腰斩于南京，结局之惨，远过于李、杜。

首二句谓都门的杨柳，已无复往日随风飘拂、丝丝弄碧、袅袅多姿的景致了，已不再能引人攀折、牵挽。这意味着美好的时光已经过去，内心的追求、憧憬已经破灭。尚未言情，而情已不堪。后二句亦未直接写情，却忽而远引东晋桓温的故事，然终不离柳。《世说新语·言语》：“桓公（即桓温，曾任大司马）北征，经金城，见前面琅玡时种柳，皆已十围，慨然曰：‘木犹如此，人何以堪！’攀枝执条，泫然流泪。”庾信《枯树赋》曰：“昔年种柳，依依汉南；今看摇落，凄怆江潭。树犹如此，人何以堪！”亦用桓温事，不过易“金城”为“汉南”。《资治通鉴·晋纪》注曰：“金城在江乘（晋县名，在今江苏省句容县）之蒲州，琅玡侨郡以为治所。”“为琅玡”云云，乃桓任琅玡内史时事，而曰“依依汉南”，则桓进位征西大将军，出镇江陵时，但在此期间，并无见柳凄然事。“赋家寓言，多非其实”（钱大昕《晋书考异》语），我们亦不必拘看。此诗后二句即化用庾信赋语，意谓在暮雨秋风中，面对满目摇落凋残的秋柳，桓公亦当愁杀了。不直说自己，而远引古人，以异时异地之情作为衬托，自己的“愁杀”之情，即暗寓其中，运笔极其空灵，而情味更为悠长。

（高海夫）

明皇秉烛夜游图

高　启

花萼楼头日初堕，紫衣催上宫门锁。
大家今夕宴西园，高爇银盘百枝火。
海棠欲睡不得成，红妆照见殊分明。
满庭紫焰作春雾，不知有月空中行。
新谱霓裳试初按，内使频呼烧烛换。
知更宫女报铜签，歌舞休催夜方半。
共言醉饮终此宵，明日且免群臣朝。
只愁风露渐欲冷，妃子衣薄愁成娇。
琵琶羯鼓相追逐，白日君心欢不足。
此时何暇化光明，去照逃亡小家屋。
姑苏台上长夜歌，江都宫里飞萤多。
一般行乐未知极，烽火忽至将如何？
可怜蜀道归来客，南内凄凉头尽白。
孤灯不照返魂人，梧桐夜雨秋萧瑟。

鉴赏

这首叙事诗系观图有感的咏史怀古之作。

诗人从《长恨歌》“春宵苦短日高起，从此君王不早朝。承欢侍宴无闲暇，春从春游夜专夜”数句中翻出一段新的文章，他对唐明皇杨贵妃的故事，不作纵向的叙述，而侧重从一个横断面展开描写，这似乎正是受到空间艺术的绘画启发的结果。由此便具新意。

诗开篇便写红日西沉，宫中夜幕降临，然而宴乐并没有暂告结束，有消息传来——“大家(皇上)今夕宴西园”,于是红烛高烧,一时火树银花,将宫中照得通明,形同不夜。这就点出题面的“秉烛夜游”之意。古人秉烛夜游,意在及时行乐。而唐明皇晚年意志消磨,沉湎酒色,在得杨贵妃之后,更是享乐无度。《冷斋夜话》引《太真外传》记叙道:“上皇(即明皇)登沉香亭,诏太真妃子。妃子时卯醉未醒,命力士从侍儿扶掖而至。妃子醉颜残妆,鬓乱钗横,不能再拜。上皇笑曰:‘岂是妃子醉,直海棠睡未足耳。’”诗中即根据小说家言,写出“海棠欲睡不得成,红妆照见殊分明”之句,以形容唐明皇游兴之高,以致贵妃被从睡梦中唤起,开始排演明皇新谱的《霓裳羽衣曲》。时光在流逝,只闻“内使频呼烧烛换”“知更宫女报铜签”,可行乐的人还觉其时未晚:“歌舞休催夜方半。”所有与会者都通宵达旦地醉饮,于是明皇决定“明日且免群臣朝”。这一情节的根据是《长恨歌》的“春宵苦短日高起,从此君王不早朝”。然而已补充了不少句中应有的内容。“琵琶羯鼓相追逐,白日君心欢不足”则本“缓歌虽舞凝丝竹,尽日君王看不足”,即写出明皇纵欲无度,又暗示其废政招乱的必然性。

在这里,诗人由“秉烛”字面联想翻用了唐代聂夷中《田家》“我愿君王心,化作光明烛。不照绮罗筵,唯照逃亡屋”诗句,讽刺道:与诗人愿望相反,君王的光明只照在绮罗筵上,何暇顾及逃亡的人民呢。这种情况,就和历史上荒淫无道的吴王夫差和隋炀帝差不多。姑苏台故址在苏州城外姑苏山上,为吴王夫差与西施宴乐所在。李白《乌栖曲》云:“姑苏台上乌栖时,吴王宫里醉西施。吴歌楚舞欢未毕,青山欲衔半边日。”江都宫是隋代宫殿,在江都郡江阳县。隋炀帝曾征集萤火虫数斛,供夜游放飞取乐。李商隐《隋宫》云:“于今腐草无萤火,终古垂杨有暮鸦。地下若逢陈后主,岂宜重问后庭花?”而高启则合此两朝亡国君主之事,与唐明皇秉烛夜游的行径并论:“姑苏台上长夜歌,江都宫里飞萤多。一般行乐未知极,烽火忽至将如何?”这就有力地暗示了唐明皇不能以古为镜,遂陷进前车之覆辙,从而予以批判。

至于安史乱唐的具体过程,皆非诗人着眼所在,故一概从略。结尾诗笔一跳,仅简要地写出明皇在乱定归京后的凄凉境况,这是秉烛夜游图上看不到,却又与此因果相关的一幅“画图”,前后形成鲜明对照。这里已不见“银盘百枝火”,唯有一盏挑不尽的“孤灯”(此辞也从《长恨歌》来);这里已不闻琵琶、羯鼓的欢快声音,唯有秋夜滴不尽的梧桐夜雨,像是愁人流不完的眼泪。明眸皓齿的杨贵妃,则早已埋葬在马嵬坡下冰冷的泥土中,室迩人远,乃至“悠悠生死别经年,魂魄不曾来入梦”。总之,这个超出图画本身的结尾描写,是“超以象外,得其圜中”的,具有悲凉的余韵,表明了诗人的情感态度及全诗的命意所在。它形象地告诉读者,“成由勤俭败由奢”(陈毅)乃是王朝兴亡的一条普遍规律。

诗叙事集中,妙于剪裁;横向铺写,具备画意。议论少而精要,结尾紧扣主题。诗中多处化用唐人诗意及小说材料,大大丰富了诗句的内涵。

(周啸天)

寻胡隐居

高　启

渡水复渡水,看花还看花。春风江上路,不觉到君家。

鉴赏

这首诗写作者去访问友人,一位姓胡的隐士。但诗中并没有写这位隐士的生活情况,而饶有兴致地写一路上领略到的春光,一道道水,一簇簇花,一阵阵春风……仿佛他是全心全意在春游似的,令人不知他意在寻春还是“寻胡隐士”。这是诗趣所在。

从“渡水复渡水,看花还看花”两句,可知到胡隐君家路途不近,然而一路风光却非常优美。“渡水”“看花”,实在是太简略的叙写,然而通过叠句法,却能给人以山重水复、柳暗花明的繁富与变化之感;“复”“还”二字的勾勒,给人“总想看个够,总也看不够”的感觉,而不是厌倦其多。第三句展现了一条路,即到胡家的路。“春风江上”的定语,概括地点出了时间和环境。要不断地渡水过桥,可见那江是曲曲弯弯的,路也是曲曲弯弯的。行人一点也不必为行程发愁,一路的春光已足以消除他的疲劳。

只有这三句,这首诗还算不得好诗,最妙的还在三句之后,“不觉到君家”这一句。它不仅是说,因为看花看水,不知不觉来到胡家。一点儿也不感觉路远,而且意味着诗人到了胡家才回过神来,仿佛直到这时他还没有看够似的,几乎已经忘了此行的目的是什么。《世说新语·任诞》记载了晋代名士王子猷,居山阴,雪夜思念友人戴逵,遂连夜乘船往,经一夜到达,不见戴而返,说什么“吾本乘兴而行,兴尽而返,何必见戴?”其实,八成是因剡中雪月并明,转移了王子猷的兴趣,才造成了这一任诞之举。而此诗的抒情主人公,虽然没有中止访友行动,但兴趣转移,却与那个故事同致。"不觉到君家",突然换了第二人称语气,似乎是和胡隐君见面后寒暄的话。他一面说着"不觉到君家",一面还在为沿途的风光兴奋不已,这情景就活现在读者面前似的。

田舍夜舂

高 启

新妇舂粮独睡迟,夜寒茅屋雨来时。
灯前每嘱儿休哭,明日行人要早炊。

鉴赏

这首诗用最朴素的笔墨,绘出一幅田舍夜舂的生活图画:一位村妇在寒夜雨声中舂米,年幼的孩子在卧具里不断啼哭要妈妈,于是这少妇就不得不一遍又一遍哄劝幼小的孩子,"乖乖儿别哭吧,妈妈舂米呢,明日行人要早饮呢。"

从这幅图画里流露出的是人性美!

诗中少妇兼有为母与当家者的双重身份。在这两个方面她都出乎本性地尽心尽责。对于孩子,她称得上是慈爱的母亲。孩子哭,她心疼,根本忘记了深夜的疲劳,风雨的寒意。而在"灯前每嘱儿休哭",慈母心肠见于那温柔甜蜜的口吻:对于自己不能丢开工作去抱儿拍儿,她似乎还有一点歉疚,所以丝毫没有怨怪儿哭的意思。对于"行人",她称得上是一位能干的当家人。这"行人",可以理解为大家庭中的男性成员,他们明儿一清早就要出门上路,或做工,或远游,需要早炊;也可以理解为田舍歇脚的客人,他们明儿一早还要赶路,也需要早炊。对这些各有所事的男人们,少妇有一种自觉的责任感,想要尽心为他们作点贡献。"明日行人要早炊",也没有一点儿怨苦,反而甘之若饴。尽心尽力,任劳任怨,这就是我国劳动妇女的写照。

《田舍夜舂》是古代劳动女性的一曲赞歌,从中汩汩流出深厚的人情味,读者可以感到那位在"夜寒茅屋雨来时""舂粮独睡迟"的新妇的庄重感,及其所具的博爱情怀。

(周啸天)

闻邻船吹笛

杨　基*

江空月寒露华白，何人船头夜吹笛。
参差楚调转吴音，定是江南远行客。
江南万里不归家，笛里分明说鬓华。
已分折残堤上柳，莫教吹落陇头花。

作者

*杨基(1326－1378)，字孟载，号眉庵，原籍嘉州(今四川乐山)，生长在吴中。初为张士诚幕僚。明初官山西按察使，后谪为输作，卒于工所。能诗，为"吴中四杰"之一。其诗长于写景咏物，峭拔清润。有《眉庵集》。

鉴赏

古诗中不乏以诗写乐之作。但从李颀的《听董大弹胡笳声》到白居易的《琵琶行》，他们描述音乐的特点，都重在听者的感受和对音乐曲调本身进行逼真的描述和摹写。而杨基的这首诗，在描写音乐上另辟蹊径，以对笛声表达的内容和情调的描写和渲染，表现出音乐的效果和演奏者的感情，并把自己的感情寄寓其中。

"江空月寒露华白，何人船头夜吹笛"，开首两句，点出了闻笛的时间、环境、气氛、景色。写在一个霜露满天、江月普照的深秋的夜晚，作者在空寂冷清的江面上，听到邻船传出动听的笛声。"何人"二字，表明对吹者的不知不识，为后面揣度、描写笛声留下了充分的余地。

"参差楚调转吴音，定是江南远行客"，由上句贯下，直写笛声：参差曲折，动听悦耳的楚调转奏吴音，那么,这位奏者一定是漂泊在外的江南游子了。由乐度人,既写出了笛声的转换,又写出了作者的心理活动。

“江南万里不归家,笛里分明说鬓华。”江南游子漂泊在万里之外不能回家,他的心情是怎样的?那笛声分明在诉说自己鬓发斑斑,思乡之苦催人先衰了。这里,由人度乐,紧承上句,是进一步写人,也是更深一层写乐,诗意进一步突出,也为下两句写乐抒情作好了铺垫。

“已分折残堤上柳,莫教吹落陇头花。”紧承上句写乐。“已分”,已料。折柳,古乐曲名,多为伤别怀人之辞,李白有“此夜曲中闻折柳,何人不起故园情”的诗句。作者即巧妙化用李白诗意,说吹笛者反复吹奏《折柳》伤别之曲,我料想那堤上的柳都折残了,切莫再吹落寄与陇头人的梅花了。古代吴人陆凯与范晔相善,陆寄范的诗曰:“折梅逢驿使,寄与陇头人。江南无所有,聊附一枝春。”以上两句皆化用典故,说明笛声吹奏出伤别的曲子已令人心醉,切不要再奏连回归的音信都没有的曲子了。

综观全诗,写乐而不直写声调的动听婉转,也不直写听者如何为曲所动,却反复表述吹奏者传达出的情思,从而将作者深深的身世之感寄寓其中,写声情也是写心情,写吹笛者也是写自己,从而使情、景的交会达到出神入化的程度,这是本诗在表现手法上的一个很突出的特点。

此外,本诗极善造境。以精练之笔、典型之景,创造优美的境界,以表达感情,突出主题。“江空月寒露华白”七字,描画出一幅凄凉、冷清、空寂、孤寒的境界,为下面抒情奠定了基础。这也是许多明初诗人难于做到的。

(王志民)

长江万里图

杨　基

我家岷山更西住,正见岷江发源处。
三巴春霁雪初消,百折千回向东去。
江水东流万里长,人今漂泊尚他乡。
烟波草色时牵恨,风雨猿声欲断肠。

鉴赏

这是一首题画之作。诗人眼前也不过是一幅普普通通的山水长卷罢了,但他由“长江万里”画题,一下子就想到了故乡山水,也真可谓视通万里了。杨基本人生于吴县,但其故乡在嘉州(四川乐山),和苏东坡攀得上同乡。施补华《岘佣说诗》道:“‘我家江水初发源,宦游直送江如海’,确是东坡游金山寺发端,他人抄袭不得,盖东坡家眉州,近岷江,故曰江初发源。”“我家岷山更西住,正见岷江发源处”,与坡诗比较,并非抄袭,却十分神似。紧接二句“三巴春霁雪初消,百折千回向东去”。《华阳国志》:“建安六年,璋乃改永宁为巴郡,以固陵为巴东,徙庞羲为巴西太守,是为三巴。”诗中“三巴”泛指蜀中。岷江之水发源于川西雪山,入长江,以后“众水会涪万,瞿塘争一门”(杜甫),再东注大海。尽管流程中有百折千回,但终将归于大海。这种自然的趋势,不正和人生一样,和杨基本人经历一样吗?诗人本来是岷山的儿子,却不会终老于江源,在人生路途中不断转徙,其间也有不由自主的原因。“江水东流万里长,人今漂泊尚他乡”便是抒发着如此感喟。印度诗哲泰戈尔有诗云:“河流唱着歌奔向远方,而山崖却站在原地,满怀依依之情。”杨基在自譬江流的同时,不也对自己的发源地——岷山,满怀依依神往之情吗?这就是最为普遍的一种人情,游子之情。以上六句也可说将诗人万里程、半生事一气道尽了。

以上都是因观画而生所感。如果没有最末两句回到画面上来,那真是借题发挥,而并非题画了。所以这里虽然只有两句,却是诗中很重要的一笔:“烟波草色时牵恨,风雨猿声欲断肠。”长江风光,以三峡为绝胜。可以推测,这“长江万里图”的取景,是以长江三峡为蓝本的。所以画上有“烟波草色”,同时又使诗人联想到《水经注》所载的三峡渔歌:“巴东三峡巫峡长,猿鸣三声泪沾裳。”这“时牵恨”“欲断肠”,又自然地和前文的故乡之思、漂泊之感挽合,使画面与观感融为一体。

唐人羊士谔《台中寓直览壁画山水》云:“虫思庭莎白露天,微风吹竹晓凄然。今来始悟朝回客,暗写归心向石泉。”沈德潜谓其“随所感触,无非归兴,不必作画者果有此心”(《唐诗别裁集》),也可以移为《长江万里图》的评语。由此我们可以悟到题咏的诀窍,即须写出个人特殊的感受;若题画必此画,“作诗必此诗”,便不能给读者以新鲜的感受。

(周啸天)

登岳阳楼望君山

杨　基

洞庭无烟晚风定，春水平铺如练净。
君山一点望中青，湘女梳头对明镜。
镜里芙蓉夜不收，水光山色两悠悠。
直教流下春江去，消得巴陵万古愁。

鉴赏

杨基为明初“吴中四杰”之一。他的诗，总的来说还没脱去元末的浓纤之习，但他的许多写景诗，却常常写得清俊流逸，为后人称道。这首诗即是他的写景佳作之一。

洪武六年（1373），杨基曾奉使湖广，这首写晚登岳阳楼望君山的诗与他的《岳阳楼》诗可能都写于此时。君山，又名湘山，为洞庭湖口的小岛。岳阳楼下瞰洞庭，正与君山相望。

开首两句：“洞庭无烟晚风定，春水平铺如练净。”总写登楼望湖所见景象：洞庭湖烟消雾尽，风平浪静，浩渺的水面如平展的白绸，空明洁净。“无烟”二字含蕴丰富，既写出湖面的空明澄碧，又暗指虽是傍晚登楼，但因无雾霭，视线很好，为望君山作好了铺垫。

接下“君山一点望中青，湘女梳头对明镜”二句则具体写望君山。“一点”，既是视觉的直感，也起了衬托作用，突出了湖的广阔浩渺，因而楼上望山，不过“一点”而已。“青”字则写出了山的生气，暗应上句的“春”字。君山在远望之中只看到一点的青色，就好像是湘水女神面对着洞庭湖偌大个镜子在梳头。

“镜里”二句紧扣上句写湖光山色。“镜里芙蓉夜不收”写霞光映山照在湖里，就像镜中的芙蓉花一样绚丽，直到入夜仍未收尽；“水光山色两悠悠”则写湖光山色相映，开阔邈远，悠悠无限。既写湖山之景，也写作者登楼纵望之时，愁思渺邈，悠悠不尽之情，为下两句直抒情怀打下基础。

最后，全诗用“直教流下春江去，消得巴陵万古愁”作结，由写景转入抒情：那浩浩洞庭水顺着长江滚滚的春水东流而下吧！让江水冲去自己无穷无尽的愁苦。这两句含蕴丰富，给人以丰富的想象余地。君山、岳阳，地处长江水流出洞庭的湖口，因而，"流下春江去"是写实，但作者却以水喻愁，巧妙化用李煜"问君能有几多愁，恰似一江春水向东流"(《虞美人》词)和李白"呼儿将出换美酒，与尔同销万古愁"的诗意，将自己的身世感慨，思乡之念融入诗中，使诗情由清淡而浓烈、深沉、激愤，表现出更丰富深广的主题。

本诗为登临观景之作，描写的主线随活动顺序渐次展开：由登楼望湖，由湖及山，转而山光水色综写，最后以抒情作结。线条清晰，层次分明。诗境空阔疏淡，语言清丽流畅，表现出明初诗风的一些特点。

(王志民)

岳阳楼

杨　基

春色醉巴陵，阑干落洞庭。水吞三楚白，山接九疑青。
空阔鱼龙气，婵娟帝子灵。何人夜吹笛，风急雨冥冥。

鉴赏

巴陵本指古岳州，即今湖南岳阳市，岳阳楼便建在城西，李太白诗云："巴陵无限酒，醉杀洞庭秋"(《陪侍郎叔游洞庭醉后三首》其一)。诗仙幸逢大赦归来，醉眼蒙眬之间，竟将洞庭湖水当成美酒，将满目秋色幻想成醉汉的酡颜。"春色醉巴陵，阑干落洞庭。"即从李诗化出，不过他写的是洞庭之春。诗人驰骋想象，描写了洞庭之春的"醉态"，似乎步履蹒跚、飘飘莅临。"阑干"意为参差错杂，形象地描画出洞庭春色的斑驳纵横。此外，动词"落"也用得活脱、传神，好像春色是喝了酒醉倒在洞庭湖中的。一开端的拟人化笔墨就赋予诗歌以浪漫风格和神异情调。

"水吞三楚白，山接九疑青"，二句中"白水""青山"被颠倒、拆用，突现了如黛山色、粼粼波光，表现出湖光山色的浩荡、空蒙。乃重"势"而不重"色"。上句的一个"白"字突出洞庭湖清波万顷、苍茫无涯的水势。"吞"是拟人化手法，极写湖面之开阔；"三楚"指东、西、南楚。洞庭置于其间，一览无垠，水波浩渺似与楚地相吞吐，远远望去白茫茫一片，浑然莫辨。正是“雄三楚，吞七泽，隘九州”（张孝祥）“衔远山、吞长江，浩浩汤汤，横无涯际”（范仲淹）。洞庭湖区除著名的君山之外，尚有团山、艑山、赤山等，绵延不绝，一直与九疑山相连。只一个“接”字，化静为动，表现了青翠山峦重重叠叠，和谐浑成，一派生机。

九疑又名苍梧（在今湘南宁达县南），传说中舜帝葬身于此。“空阔鱼龙气，婵娟帝子灵”二句运用舜帝与二妃的传说。据说舜南巡不归，二妃——娥皇、女英姊妹闻讯追寻，为洞庭君山阻隔，于是泪洒斑竹、身溺湘江。从此精魂不散，徜徉于洞庭之渊、潇湘之浦。杨基用此意在张扬美丽洞庭的神奇非凡，“空阔”“婵娟”。“何人夜吹笛，风急雨冥冥。”全诗结语，无论就格调还是意境都别开一番境界。急风吹雨，虽不乏悍勇之势，但笛声悲婉，是在高亢的情调中平添一段苍凉。笛里愁怨缘何而起？又怎样引起诗人的共鸣？其中究里，当是各人心灵的秘密，无需挑明，感人至深。江畔楼头，风雨大作之夜，正是人们躲进个人小天地独享天伦之乐的时候，到底是怨笛招来了满天风雨，“天若有情天亦老”，还是情随境迁，任风雨勾起那吹笛人的如潮思绪？个中情形，恰似那如泣如诉的笛声，余音袅袅，不绝如缕，让读者自己去咀嚼、去品味。

（秦岭梅）

量田谣

吴斌*

朝量水田雪，暮量山田月。
青山白水人如云，朝暮量田几时歇？
尺田寸地须尽量，丝毫增入毋留藏。
时旸时雨欣时康，我民欲报心未央，
年年增赋输太仓。安得长风天外起，
吹倒昆仑填海水，更出桑田千万里。

作者

*吴斌，生平不详。

鉴赏

元末农民起义摧毁了蒙古贵族的统治，同时也摧毁了元朝土地户籍的文书和制度。朱元璋建立明朝之后，为了给征调赋税提供依据，于是重新丈量土地。洪武元年(1368)便派人往浙西“核实田亩”，不过大规模的土地丈量是洪武二十年(1387)，各州县按“随粮定区”的原则，以税万石为编造单位，称一区。每区设粮长，然后会集里甲居民，丈量每块土地，绘成简图，“状如鱼鳞，号‘鱼鳞图册’”，册上还注明田亩方圆，四周界至，土地沃瘠，户主姓名。其他如坟地、下湿、沙卤等等，也都要一一登记在册。这对于清理隐匿土地，增加赋税是起了一定的作用。但因各州县的粮长，是“以田多者为之”，这些人也就是当地的豪富，他们不遗余力地丈量百姓的一点一滴的土地，眼前可以邀功，将来还好利用手中的特权，勾结官吏、里长，将自己应交的赋税转嫁到小农的土地上去，其结果受害的仍然是贫苦农民。以上就是

"量田"的背景。

诗开门见山,直写量田的情况,"朝量""暮量",从早到晚整天地丈量;"水田""山田",是田皆量;因此那场面也就颇为壮观——"青山白水人如云",放眼望去,山山水水,处处人群浮动。人是如此之多,时间抓得如此之紧,但诗人依然提出"几时歇"的问题,这是因为"尺田寸地须尽量","量"到这种地步,其工程之浩繁自是不言而喻的了。那么,又为什么要"量"得如此之细呢?"丝毫增入毋留藏"就是对这一问题的回答。以上六句重复出现的字特多,朝、暮、山、水四字各用两次,量、田二字,各出现四次,这不仅强调了要表现的内容,而且读起来回环往复很有民谣的风味。有的词句,如"水田雪"(雪,白的意思),"山田月","清山白水人如云"的描绘,还很注意色彩与画面的效果。然而,细细咀嚼,如此人山人海,旷日持久,只为了"丝毫增入",是不是也有几分嘲谑呢?有与没有,这里似乎还不甚明朗,那就不妨再读下去。"时旸"三句,须联系上文来理解,"时旸(晴天)时雨",也就是风调雨顺的意思;现在"尺田寸地"一一在册,又有天时之助,这都是皇恩浩荡、时世升平的征象,所以我们百姓欣喜欲报的心愿真是难尽啊!怎么办呢?只有年年往京城的大谷仓里多送些粮食。量田是为了"增赋",风调雨顺,五谷丰登,更是"增赋"的有利之机,至于百姓呢?不用说还是两手空空。这就是唐代诗人邵谒讲的:"天地莫施恩,施恩强者得。"(《岁丰》)只不过吴斌采用了反话正说,用颂诗一般的语言,一本正经地道出了封建统治者盘剥搜刮的罪恶与邪念,意已道出,诗似乎也可以结束了,然而没有,这正是诗的高明之处,因为"豺狼死而犹饿,牛腹尸而不盈"(柳宗元《哀溺文》)。尽管"尺田寸地""年年增赋",但是贪得无厌、欲壑难填是他们的本质,要是能得到"长风天外起,吹倒昆仑填海水,更出桑田千万里",岂不是赋税大增、太仓溢满了吗!"最杰出的艺术本领是想象"(黑格尔语)。这个结尾不是"添足",恰是"点睛",它以奇特的想象把那种"无中觅有"的贪婪的灵魂点活了,使题材与诗意在这里得到了意想不到的深化,不能不说是一个巧妙而成功的结尾。

若以表现的难易而论,"量田"一事,写成叙述或叙议结合的文字也许更方便些,但是吴斌不仅把它写成了诗,而且写得颇有意趣,颇有深度,它的成功在于:首先,诗人舍去这一事件复杂的前因、后果,以及具体琐碎的程序，而以深邃的目光、艺术的手法去捕捉和再现"量"的景象，"量"的程度，"量"的意图，这样便能写得场景生动，形象鲜明，事意结合；其次，诗人在表现这些内容时，笔墨灵活，富于变化，白描、夸张、实录、想象、曲笔、反语，交替使用，真真假假，虚虚实实，冷嘲热讽，入木三分。当然，活泼自由的歌谣形式，亦有助于这种风调的形成。

（赵其钧）

驿船谣

张　羽*

驿船来，鼓如雷；前船去，后船催。
前船后船何敢住，铺陈恶时逢彼怒。
画屏绣褥红氍毹，春梦暂醒过船去。
棹郎长跪劝使臣，愿官莫喜更莫嗔。
古来天地如邮传，过尽匆匆无限人。

作者

*张羽(1333－1385)，字来仪，又字附凤，浔阳(今江西九江市)人。后迁徙吴县(今浙江湖州)。元末出任安定书院山长。明初征为太常寺丞，坐事谪岭南，途中投水而死。工诗，尤长于歌行。格调豪放。为“吴中四杰”之一。有《静居集》四卷。

鉴赏

唐代以后，在水路设有供官员往来和文书邮递用的驿船。这种船由于主要用于接待各种大员，所以陈设比较讲究，行船时刻也比较准确。船家小心翼翼，如履薄冰。《驿船谣》在选材上独具慧眼，通过这样一个为人忽略的角落，画出了一番世态，鞭挞了官场的丑恶。

“喇叭，唢呐，曲儿小腔儿大。官船来往乱如麻，全仗你抬声价。”(王磐《朝天子》)这是元代驿船运行的情景。张羽笔下的驿船，也忙得一团糟：“驿船来，鼓如雷；前船去，后船催。”那船上雷鸣般的鼓点，虽不是喇叭唢呐之属，其作用都一样，即为官老爷们抬身价，使之显得八面威风，则四方生畏。“前船去，后船催”，也全是“来往乱如麻”的情景。船工们紧张得要命是不难想见的了。于是诗人用摩拟语气解释这种紧张忙乱:"前船后船何敢住,铺陈恶时逢彼怒。"二句倒装,意即连陈设、布置差了一点都不行,何况不准时呢,往来驿船"谁敢在太岁头上动土"!诗句融化了《诗经·邶风·柏舟》"薄言往愬,逢彼之怒"写官人的惹不起,颇为语妙。两句总上"前船""后船",将行船如催一意写足。以下再细讲"铺陈"的问题:"画屏绣褥红氍毹,春梦暂醒过船去。"船舱里陈设得纸醉金迷,俨然华堂,殊不知官员们只是暂住一会,从上船到下船,就如春梦船短暂易逝。尽管如此,仍是"铺陈恶时逢彼怒"!讲排场,摆架子,官场恶习,千古如斯。

诗人在愤怒之余,忽发妙思。在诗的后半部分,他设计了一个"参军戏"中苍鹘的角色,让他来讽刺教训那些昏昏然不知所以的官老爷。"棹郎长跪劝使臣,愿官莫喜更莫嗔。古来天地如邮传,过尽匆匆无限人。"这个棹郎(船工)似乎是在请一位老爷息怒,尽管老爷怒容满面,棹郎还是没有被吓得诚惶诚恐,而是谦恭地开导这位气糊涂了的大人:驿船铺陈好时您也别喜,差时您也别嗔;反正您老也坐不了一会儿的。别说坐驿船只是一会儿工夫,就是人生,不也和"邮传"一样吗,不知道送去了多少人了。诗人就驿船作譬,以邮传喻人生,实言富贵虚荣不足恃,是十分切题而巧妙的。这一瓢凉水,也可以使动辄要威风的老爷熄熄火了吧。

在生活中当然很难有这样的下人训导老爷的事发生,但在文学艺术中则完全可以这样写。传统剧中,就有不少受奴婢作弄的糊涂老爷,反映了人民的一种价值判断和愿望。

(周啸天)

踏水车谣

张　羽

田舍生涯在田里,家家种苗始云已。
俄惊五月雨沉淫,一夜前溪半篙水。
苗头出水青幽幽,只恐飘零随水流。
不辞踏车朝复暮,但愿皇天雨即休。
前年秋夏重漂没,禾黍纷纭满阡陌。
倾家负债偿王租,卒岁无衣更无食。

共君努力莫下车,雨声若止车声息。
君不见,东家妻,前年换米向湖西。
至今破屋风兼雨,夜夜孤儿床下啼。

鉴赏

这首诗通过农村连年水灾、农民排水抗涝的活动,反映了封建时代农民在严重自然灾害的情况下的悲惨遭遇。

诗中用大量篇幅描写农民踏水车排洪的辛劳和他们心情的沉重。农民的命根子是土地,一半靠天吃饭,"田舍生涯在田里"一个普通的道理,在遭灾的具体环境中变得分量很重。种苗刚刚才完,就遇到仲夏的暴雨袭击,溪水平时很浅,而"一夜前溪半篙水",可见雨量不小。于是刚种下的青苗全部泡汤。不管有救没救,只能"死马当活马医"。他们拼命地踏水车,可老天还是不住地下雨,使得排水收效甚微。他们仍旧不停地踏,一边踏,一边祈祷:"不辞踏车朝复暮,但愿皇天雨即休。"他们互相勉励道:"共君努力莫下车,雨声若止车声息。"似乎发誓在雨停之前决不下车,仿佛要用自己的精诚来感动上帝。可是老天耳聋眼花,反应淡漠。这是古代中国农民生存状态的真实写照。他们善良、勤劳、能吃苦、易满足。他们被牢牢拴缚在土地上,不到山穷水尽,不会铤而走险。在统治者与农民的关系上,在老天与农民的关系上,也得到象征性的反映。

诗中还有两笔插叙值得注意,它们丰富了此诗所反映的生活内容。一是诗中提到前年水患的情况,秋夏反复遭灾,庄稼损失惨重,"倾家负债偿王租,卒岁无衣更无食"(《诗经·豳风·七月》:"无衣无褐,何以卒岁。")。那场严重灾害使农民们记忆犹新,如今抗涝更不敢懈怠。二是诗末提到前年受灾后,同村邻里中有以妻换米、苟延残喘的惨事发生,孤儿的哭声,使农民们想起来都胆战心寒,如今抗涝更不能懈怠。总之,插入的两笔,勾勒了一幅天灾人祸的真实背景,赋予"踏水车"这样一个农业劳动以不同寻常的悲苦色调,使读者感到沉重压抑。

《踏水车谣》是用农夫口气写成的。令人仿佛听见从雨幕下低洼的农田中传来的一阵阵悲歌,那歌声和着水车的辘辘声,转得那么不畅,那么低沉,像是呻吟,像在哭泣……

(叶　红)

题陶处士象

张 羽

五儿长大翟卿贤，鼓泽归来只醉眠。
篱下黄花门外柳，风光不似义熙前。

鉴赏

“处士”是古时不愿为官或未尝为官之士的一种称呼，犹今人之称“先生”。由此可知诗人看到的这幅陶渊明像，画的是弃官归田后的情况，很可能是一幅渊明醉酒图。

“五儿长大翟卿贤”，诗的第一句就有别趣。诗人撇开陶先生的清高不言，开口就说其家庭琐事。渊明有五子。其《责子》诗云：“虽有五男儿，总不好纸笔。”不过在乡下，文化也值不了几个钱。好在他们都长大成人，生活上不必让父亲担忧。何况渊明继室翟氏夫人为人贤淑，家事就更不用他本人操心。看来这句诗为陶先生解除了一切家庭负担，好让他放心喝酒，做老太爷去。“彭泽归来只醉眠”是说渊明在东晋曾为彭泽令，“素简贵，不私事上官，郡遣督邮至县，吏应束带见之。潜叹曰：‘吾不能为五斗米折腰，拳拳事乡里小人邪！’义熙二年，解印去县，乃赋《归去来》。”(《晋书·陶潜传》)“彭泽归来”即此之谓。总上两句，诗人笔下的陶渊明不但是一个辞官归隐的高士，而且是一个尽了责任的父亲，一个有福气的丈夫。在他的田庄里，没有督邮来叫人烦心，没有小儿女的聒噪，也没有河东狮吼的担忧，他可以对着门前五柳，三径松菊，悠然地饮酒赋诗。所以前二句涉笔似俗，而实能脱俗。

“篱下黄花门外柳，风光不似义熙前。”第三句描写的是渊明田园的风光，语本陶潜诗文。《饮酒》诗云：“采菊东篱下，悠然见南山”，《五柳先生传》云：“宅边有五柳树，因以为号焉。”其居处的田园风光，可见是不错的。但据《归去来辞》所说，在先生归来之前，是“田园将芜”“三径就荒”。而先生之归在晋安帝义熙二年，此后经过一番整治，才粗具规模。所以末句“风光不似义熙前”，实是说“风光胜似义熙前”，但如果径作“胜似”，则质木无味；说“不似”则耐人寻味，不免要把义熙前后情况比照比照，方恍然大悟，原来“风光不似义熙前”，是一种多么满意的、“觉今是而昨非”的口吻啊！这种含蓄不露之美，是七绝最需讲究的。一字推敲得宜，则全诗皆为之生色。

（周啸天）

羊肠坂

徐　贲*

盘盘羊肠坂，路如羊肠曲。盘曲不足论，峻陡苦踯躅。
上无树可援，下有乱石蹙。一步一嗟吁，何以措手足。
途人互相顾，屡见车折轴。少时徒耳闻，今日亲在目。
不经太行险，那识安居福。

作者

*徐贲(？－1379)，字幼文，号北郭生，原籍四川，后迁徙常州，又徙平江(今苏州市)。明初应召，官至河南左布政使。因大军过境，犒劳不时，下狱死。工诗。格调清新，为“吴中四杰”之一。有《北郭集》十卷。

鉴赏

诗中所写的羊肠坂在太行坡上，坂有三处，均萦回如羊肠，这里写的系太原、晋阳之西北的一处。作者于洪武九年(1376)二月奉旨赴晋冀，亲身经历了这段崎岖危险的山路。

在这以前，他当然早就读过曹操的《苦寒行》：“北上太行山，艰哉何巍巍！羊肠坂诘屈，车轮为之摧。”或许他闪过这样的念头：“艰难是当然的，哪会就折了车轮呢！”可是而今他登上羊肠坂，感受一下子就不同了，对老瞒的诗句立刻产生了亲切感。首二句“盘盘羊肠坂，路如羊肠曲”，是说羊肠坂真是名副其实，路又小又窄，且萦回盘曲。继六句进一层，就盘曲倒也罢了，这路还陡峭危险，令人徘徊(“踯躅”)不前。两腿发颤之际，想抓住一棵树，但山崖是光秃秃的；想找一寸平地落脚，但路面尽是乱石。这是真正的手足无措，所以走一步叹一声。以下两句中，“车轮为之摧”的诗句得到了现实的印证:“途人互相顾,屡见车折轴。”这真是事非经过不知难呢。

于是诗人想起往日听人(包括曹操诗)说起过羊肠坂如何难走,但无论怎样也没有亲自经历这样印象深刻。他从此对古人诗有了新的认识,就是对“在家千日好,出门一时难”那类俗语也有了很深的体验:“不经太行险,那识安居福。”诗中所写的生活情景是富于启发性的,句式则仿自张华《情诗》结句。元好问《论诗》云:“眼处心生句自神,暗中摸索总非真。画图临出泰川景,亲到长安有几人?”批评了创作中凭空虚构或剽窃模拟的作法,而提倡真切的生活体验。可以说,徐贲的这首《羊肠坂》就是一首“眼处心生”的诗。

(周啸天)

醉樵歌

张 简*

东吴市中逢醉樵，铁冠欹侧发飘萧。
两肩矻矻何所负？青松一枝悬酒瓢。
自言华盖峰头住，足迹踏遍人间路。
学剑学书总不成，唯有饮酒得真趣。
管乐本是王霸才，松乔自有烟霞具。
手持昆冈白玉斧，曾向月里斫桂树。
月里仙人不我嗔，特令下饮洞庭春。
兴来一吸海水尽，却把珊瑚樵作薪。
醒时邂逅逢王质，石上看棋黄鹄立。
斧柯烂尽不成仙，不如一醉三千日。
于今老去名空在，处处题诗偿酒债。
淋漓醉墨落人间，夜夜风雷起光怪。

作者

*张简，生卒年不详，字仲简，吴县人。自称云丘道人，白羊山樵。元季兵乱，以母老归养。洪武初召修元史。有《云丘道人集》。

鉴赏

饶介，字介之，江西临川人，“分守吴中，自号醉樵。延诸文士作歌，仲简诗擅场，居首坐，高季迪次之，杨孟载又次之。”（《明诗别裁集》）张简的这首诗之所以擅场一时，就在于他并不拘泥于描摹写实，而是借“醉樵”这个别号和题面，充分发挥浪漫想象，从而塑造了一个超凡脱俗的自由不羁的人物形象，闪耀着理想主义的光辉。

诗一开始就用大写意的笔墨，勾勒了一个号称“醉樵”的人物外貌轮廓。“铁冠”本为御史所戴的法冠，因以铁做帽骨得名。全诗除“铁冠欹侧”（斜戴铁冠）四字略点饶介身份之外，基本上是按照作者想象塑造的一个隐逸江湖的才士形象。诗人先用设幻之笔，以目击者的赞叹语气，叙相逢“醉樵”于“东吴市中”，尽管斜戴铁冠，却不像官场中人。看他披散着头发，两肩吃力地扛着什么，原来是“青松一枝悬酒瓢”。只这一句“醉”“樵”两字都有了。既然生计在“樵”，就不是仕宦之人；“樵”而能“醉”，则又不是一般的樵子。因为这个“醉”字实际显示出一种文化风貌。“自言华盖峰头住，足迹踏遍人间路。”上句见其潇洒出尘（饶介又号华盖山樵），下句则见其隐不绝俗，浪迹江湖，又暗扣那个“樵”字（即上山打柴市上卖）。“学剑学书总不成，唯有饮酒得真趣”二句又照应“醉”字，表面上似乎在写其自谦“文也文不得，武也武不得”，其实非常自负。“学书不成，去，学剑又不成”（《史记·项羽本纪》）本是楚霸王少年故事：“书，足以记名姓而已；剑，一人敌，不足学，学万人敌！”可见这个“醉樵”也是个高深莫测的人物。

大略勾勒了人物风貌之后，诗人便发挥奇特想象，运用传奇般的笔墨，凭空虚构了几个“醉樵”的神话。管仲、乐毅为春秋战国时代的政治家或军事家；赤松子、王子乔则是两位羽化而登仙的人物。“管乐本是王霸才，松乔自有烟霞具”似乎对举两号不同人物，则“醉樵”自近于后者。其实两者之间并无不可逾越的鸿沟，胜于雄辩的例证便是张良的经历。所以这两句其实都是写“醉樵”的，言其既揣有王霸大略，而又怀有出世的理想。以下即化用吴刚的传说，言其“手持昆冈（传说中产玉的山冈）白玉斧，曾向月里斫桂树”。这是关于“醉樵”的第一个神话，妙在“斫桂树”之事即见“樵”者本分。以下四句戛戛独造：“月里仙人不我嗔，特令下饮洞庭春。兴来一吸海水尽，却把珊瑚樵作薪。”读者应画一路密圈，并为之投笔击节！这里的“洞庭春”即是美酒名（苏轼《洞庭春色诗序》“安定郡王以黄柑酿酒，谓之洞庭春色”），又是在想象中将洞庭湖水化着醇醪。以下又因湖及海，气魄极大，而将海水作酒吸尽后，又砍伐珊瑚作薪，大是“醉”意，又妙扣“樵”字。这是关于“醉樵”的第二个神话。紧接着又化用《云笈七签》中的故事，言有名王质者入山砍柴，见几个童子下棋，棋看完了，斧柄都烂了，人间早已换世。今浙江尚有烂柯山。诗中说“醉樵”当年是和王质同往看棋的人。这里第三个神话。“烂柯”又是樵夫典故。而诗人在这里又通过王质,还“醉樵”以世人身份:“斧柯烂尽不成仙,不如一醉三千日。”

最后四句是余墨作波,言“醉樵”能诗,“题诗偿酒债”云云,犹如写《黄庭经》换新鹅一样,大是韵事。“淋漓醉墨落人间,夜夜风雷起光怪”,暗用杜甫赞美李白“昔年有狂客,号尔谪仙人。笔落惊风雨,诗成泣鬼神”诗意,以“醉樵”比酒仙兼诗仙的李白,言其诗成后可以感天动地,使夜间风雷大作,生出种种灵异的现象。

诗中所写的人物形象,确是由“醉樵”二字着想,但不必即饶介之其人。诗人的想象力十分丰富,他运用了一些现成神话材料,裁以己意,引申发挥,自铸新辞,成功地刻画了一个惹人喜爱的弃绝庸俗的“醉樵”。

(周啸天)

出塞曲

林 鸿*

十五蓟门行，能探黠虏情。潜兵秋度碛，牧马夜归营。
苦雾沉旗影，飞霜湿鼓声。昨来承密诏，东筑受降城。

作者

*林鸿，生卒年不详，字子羽，福清（今属福建）人。明初，任将乐县儒学训导，后官至礼部精膳司员外郎。工诗，为“闽中十子”（高棅、王偁、陈亮、王恭、唐泰、郑定、王褒、周玄、黄玄）之首，有《鸣盛集》。

鉴赏

《出塞曲》属乐府《横吹曲》，从汉代起代有人作，至唐边塞诗大盛，唐以后则无继，明代偶有佳作。《出塞曲》多写边防将士的生活，这首诗就是描绘一位智勇双全的边塞士兵的动人形象的。

前面四句叙事，交代这位军人的经历和军中生活情景。蓟门，即蓟丘，古幽州治所，故地在今北京市西北郊，这里泛指北方边塞，乐府《杂曲歌辞》中就有《蓟门行》《出自蓟北门行》等。这位军人年方十五便从军来到边地，他年纪虽小，却因才干过人，在军中负责刺探敌方军情。黠（xiá），狡猾；虏，这里是对敌人的蔑称。三、四两句写的是军队生活情景。秋天，他所在的部队秘密出发，越过寸草不生的沙漠地带，深入敌方。进入沙漠后，他又在军中放牧，往往要到夜深人静之时才能返回兵营。寥寥数语，一位沉着机智、不辞辛劳的边防军人形象已凸现在我们眼前。这是一种不动声色的平淡叙述，在冷静客观的语调中可以感受到诗人对这位士兵的衷心赞美之情。

下面两句转写边地风物。边地的自然条件是相当艰苦、相当恶劣的。这里，诗人着力刻画的是那里的雾。因雾气沉沉，连军旗的影子也被隐没了。诗人又写了那里的霜，飞霜阴冷潮湿，以致军鼓的声响都变得低沉喑哑了，唐代诗人骆宾王有“露重飞难进，风多响易沉”（《在狱咏蝉》）的名句，李贺更有“霜重鼓寒声不起”（《雁门太守行》）的出色刻画。这里的“湿”字本为触觉，利用通感，生动地描绘了鼓声的沉闷滞重。它和上句一起，以细节调动了读者的光照、声响意向，幻化出多样的视觉、听觉联想，确为传神之笔。这两句写边地苦寒，造境苍凉，出语警绝，既描绘出绝域恶劣凶险、艰苦卓绝的生活环境，又烘托出边地将士不辞辛劳、奋不顾身的顽强斗志，并自然过渡到最后两句。

受降城，汉武帝曾令公孙敖筑受降城，以接应拟杀单于归汉的匈奴左大都尉，故城在今内蒙古乌拉特旗北。唐神龙三年（707），中宗李显命张仁愿在黄河以北筑中、东、西三座受降城，以绝突厥南寇之路。城筑成后，突厥不得度山放牧，朔方无复寇掠，唐王朝北疆得以固守。这两句叙事用典，以奉诏筑城表达必胜的信念，豪情溢于言表，因为有前文的铺垫，收束两句正是水到渠成。

这首诗以叙事为主，凸现主人公的勇武豪迈、笔力雄健，格调高亢，具有浓郁的边塞生活情调，可与盛唐诗歌相媲美。林鸿标举盛唐，以学开元、天宝为论诗宗旨，但并不一味模仿，有不少创新之处，这是林鸿能享誉一时，成为明初闽派诗人代表的重要原因。

（赵晓兰）

送高郎中使北

林　鸿

汉使临边日，天骄已请和。看花辞紫陌，犯雪渡交河。
水草留行帐，云沙想玉珂。从来清漠北，娄敬策居多。

鉴赏

送别诗在我国古代诗歌中占有很大的比重，这些送别之作，往往描绘景物、追叙友谊、抒写别情。这里，诗人要送别的高郎中却肩负重任，即将出使北国，因此诗的着墨点自然落在“使北”二字上，完全没有送别的陈套。

起笔突兀，舍弃别情，直入使

事。天骄，天之骄子。《汉书·匈奴传》说："南有大汉，北有强胡。胡者，天之骄子也。"这里借指边地强盛的少数民族。两句写汉事，但以汉喻今，点出"使北"二字，并使人联想到大汉的显赫声威，气势雄健。

以下四句遥想并描绘友人使北的情景。"紫陌红尘拂面来，无人不道看花回"是刘禹锡的名句，这里化用其意。紫陌，草木葱茏的道路。交河，古河名。《汉书·西域传》称："车师前国，王治交河城。河水分流绕城下，故号交河。"这几句说，在百花盛开的季节，友人辞别家国，顶风冒雪，渡过交河，出使异域。他们将宿营在水草丰盛的地方，他们随行的马匹也将在天苍苍、地茫茫、云沙相连之处纵横驰骋。这几句虚景实写，刻画逼真，井然有序。

结尾两句，一转即收，转得突兀，收得完整，是全篇旨趣所在。娄敬，汉代齐人，因劝谏汉高祖建都长安，赐姓刘氏，拜为郎中，号为奉春君。当时匈奴为北方大患，娄敬曾献和亲之策，并亲自出使匈奴，缔结和亲之约。这里用典，意思是说，自古以来，对居住在荒凉的北方大漠中的边地民族，大多是采用和亲安抚政策的。两句语含讥讽，既委婉告诫即将使北的高郎中应以国家、民族利益为重，不要一味屈辱求和，也对友人出使边地寄予厚望，寓意含蓄，措辞也十分得体。作者还有一首题为《送高书记之边》的诗中说"闻道安西无战斗，时时醉向酒家眠"，正与此同有婉而多讽之妙。

（赵晓兰）

巫峡啼猿歌送丘少府归四明

林　鸿

巫山巫峡连三巴，猿啼三声客思家。
停舟听之声未了，却过青枝犹袅袅。
野人乍来锦官城，清秋满峡啼猿声，
黄牛滩上怨枫落，白帝祠前哀月明。
商声清冽羽声乱，倏忽东崖复西涧，
久客闻之泪欲干，壮夫听此魂亦断。
故人归卧越山云，忆得啼猿歌送君。
扁舟独宿剡溪夜，叫月三声谁共闻？

鉴赏

林鸿论诗极其推重盛唐，这首诗的诗题作某歌送某某，就是拟岑参的。丘少府，不详。少府，县尉。县令被称为明府，县尉职位比县令低，故称为少府。四明，浙江宁波的别称，因境内有四明山而得名。相传四明山上有方石，四面如窗，中通日月星辰之光，因名四明山。作此诗时，诗人正客居蜀中，友人丘少府归隐四明，故作此歌送行。

开头两句触题。巫山，山名，在四川巫山县东。巫峡，长江三峡之一，在湖北巴东县西，与四川巫山县接界，因巫山而得名。三巴，地名，指巴郡，巴东、巴西，巫山、巫峡把三巴一脉贯通，连成一片。“巫山巫峡气萧森”（杜甫《秋兴》），据《水经注·江水》记载说：“每至晴初霜旦，林寒涧肃，常有高猿长啸，属引凄异，空谷传响，哀转久绝。故渔者歌曰：‘巴东三峡巫峡长，猿啼三声泪沾裳。’”因此，啼猿作为三峡尤其是巫峡最具特征的事物之一，频频出现在诗人的笔下：“两岸猿声啼不住，轻舟已过万重山”（李白《早发白帝城》）、“听猿实下三声泪，奉使虚随八月槎”（杜甫《秋兴》）、“殊方日落玄猿哭，旧国霜前白雁来”（杜甫《九日》）、“风急天高猿啸哀，渚清沙白鸟飞回”（杜甫《登高》）。丘少府由蜀中返归四明，取道三峡，诗人以巫峡啼猿歌送行，实在也是很自然的。

从“停舟听之声未了”起，到“壮夫听此魂亦断”止，写猿啼。前面两句泛写啼声无时不在，无处不有，停舟时“未了”，行舟时“袅袅”。中间四句则从自身“乍来锦官城”时途经巫峡的见闻着笔，写清秋时节，猿啼声满峡皆是。白帝城为瞿塘峡的起点，黄牛滩为西陵峡的终点，黄牛滩上，白帝祠前，到处都有它们哀怨的啼鸣声。这里的黄牛滩、白帝祠，既按诗人的行程一一写来，也坐实了上文的“满峡”二字。后面四句则写猿啼声的凄厉和飘忽不定，令闻者胆战心惊。商声、羽声，本为我国古代五声音阶中的音级，以为猿啼声合于五音，是诗人的想象之词。“久客”而“泪欲干”，“壮夫”而“魂亦断”，可以想见，这满峡的猿啼声是如何凄怆、哀怨、令人不忍卒闻了。

全诗的最后四句点明惜别之意。越山，泛指越地（今浙江一带）的山岭，梁时著名隐士、“山中宰相”陶弘景有一首传诵的小诗：“山中何所有？岭上多白云。只可自怡悦，不堪持赠君。”可见归隐生活与白云是有不解之缘的。剡溪，水名，在浙江嵊县南，山水佳丽，为晋以来名流隐居之处。这四句诗又分两层写出，前两句从友人着笔，推想当故人归隐越山之后,一定会回忆起诗人以啼猿歌送行的情景吧!结尾两句则兼写对方与自身,写故人归卧剡溪,扁舟独宿,诗人在蜀中也形单影只,月明猿啼,已无人共闻,依依惜别之意,见于言外。

这首诗的用韵,平仄相间,有二句一转者,有四句一转者,换韵比较频繁,韵位密集且多用平声字,声调低沉,悱恻哀伤,与诗篇的感情基调是很协调的。

(赵晓兰)

同郑二宣江上泛舟

林　鸿

载酒入江色,酒多江复长。酣来散予缨,濯向春流香。
东壁过疏雨,西崦残夕阳。猿禽相叫啸,灵木共清苍。
夕景更泛览,客程殊未央。鱼风苇上起,蚌月波中光。
尝以事泮涣,永期名迹忘。乘槎予岂必,聊复咏沧浪。

鉴赏

这是与友人郑宣江上泛舟的记游之作。郑宣,不详。林鸿《鸣盛集》中有关郑宣的诗有十数首之多,从这些诗中大体可以看出,郑宣似自号浮丘生。浮丘是广东南海西部的山名,相传有人在此得道,称浮丘道人。郑宣生性恬淡,不慕名利,有远志,好远游,故以为号,他是林鸿的至交。

开篇两句切题,写春日载酒入江,酒多江长,暗示游兴之浓及出游之久。下面写江上泛舟的情景和见闻,"酣"承"酒"而来,"濯"承"江"而来。缨,系帽的带子。濯缨,语出《沧浪歌》:"沧浪之水清兮,可以濯吾缨;沧浪之水浊兮,可以濯吾足。"泛舟江上之时,东壁有疏雨洒落,西山有夕阳残照,猿禽叫啸,灵木清苍,景色十分宜人,以致沉醉其中,泛览夕景后仍感客程未央。入夜,鱼戏苇间,风动苇上,一月如蚌,碧波生光,给诗人的出游增添了无限的情趣。"鱼风苇上起,蚌月波中光"两句,体察入微,对句也十分工整。

诗篇的最后四句抒怀。泮涣,消融、消解。事泮涣,指世事变迁,万物无常,有如冰雪消融。槎,木筏。据《博物志》记载,有住海边者,每年八月见海上有木槎来,便乘槎至天河,见牛郎织女,这里指登天。这几句说,世事无常,总希望能够忘情名迹,哪里一定要登天成仙呢?不过是隐退以自全罢了,感慨至深。

林鸿在与郑宣有关的诗篇中,一再提到"沧溟""濯缨"等话语:"遥怜沧海客,共是白头翁"(《忆郑二宣时往交州》)、"白发孤舟别,沧溟万里期"(《题夕阳孤棹送郑二宣之交州》)、"一曲劳歌酒半醒,嗟君此去泛沧溟"(《送郑二宣之交州》)、"羡子有远志,放形天地间。扁舟濯足望云海,短策振衣登雪山"(《赠浮丘生》)。《明史·林鸿传》称林鸿性洒脱不善仕,未四十而自免。林鸿远离官场,固然和他生性洒脱不羁有关,但也是和明初政治斗争的严酷分不开的。当时文人直接间接被残害者不一而足,著名诗人刘基虽替明太祖立下汗马功劳,仍不免一死。另一位诗人高启则因替魏观撰《上梁文》被腰斩而死,这是一个人命危浅、朝不虑夕的时代,因而林鸿及郑宣等友人远离官场、归隐山中、全身远祸,实在是不得已而为之,他们的内心是很痛苦的。

这首诗用平声江韵,一韵到底,一气呵成,气势贯通,行文也很自然严谨。

(赵晓兰)

寄逸人高漫士

林　鸿

独倚城南百尺阑,粤乡秋思浩漫漫。
平台树色催残照,近郭砧声报早寒。
云物正当摇落后,关河终念别离难。
龙门别墅今宵月,谁与相同把酒看?

鉴赏

这是登高怀人之作。高漫士,不详。逸人,隐退之人。林鸿的集子中与高逸人有关的诗有多首,他们间的情谊是十分深厚的。

登楼赋诗说愁是我国古典诗词的重要题材。东汉末年,建安诗人王粲作《登楼赋》,抒写自己怀才不遇、思念故乡的愁苦,便似乎建立了"登高"与"愁绪"最早的对应关系。千古文人志士,一旦登高望远,便会有无穷无尽的愁绪忧思。在古典诗词的浩瀚大海中,这样的例子可说是俯拾皆是:“花近高楼伤客心,万方多难此登临”(杜甫《登楼》)、“城上高楼接大荒,海天愁思正茫茫”(柳宗元《登柳州城楼寄漳、汀、封、连四州刺史》)、“少年不识愁滋味,爱上层楼,为赋新词强说愁”(辛弃疾《丑奴儿》)。当然,同为登楼赋愁,不同诗人的愁苦的含义及深广的程度也是完全不同的。

统观历代登高赋愁之作,这些作品有大致相同的时空背景如异乡、秋景、残照:“万里悲秋常作客,百年多病独登台”(杜甫《登高》)、“对潇潇暮雨洒江天,一番洗清秋。渐霜风凄紧,关河冷落,残照当楼”(柳永《八声甘州》)。这些作品还往往有大致相同的情景对应关系,典型的情绪是感旧怀远、思乡怀归。其中,秋景、残照作为思绪的特殊符号反复出现在诗人的笔下,在漫长的岁月中已积淀为诗人和读者的审美经验,获得了普遍的社会性,这篇作品当然也不例外。

首联从登高写起,时令正当深秋,作者身处粤乡,独倚高阑,思绪茫茫。这联叙事抒情,领起全篇。

次联写登高所见所闻。先写远处所见,平台树色似乎在催促着即将西下的夕阳;再写近处所闻,近郭之处传来阵阵砧声,砧声因捶寒衣而发,似乎预告着寒冷的逼近。两句诗写景阔大,字里行间有悲凉凄怆之意。“催”“报”二字的锤炼也颇见功力。

第三联虚写景物并由景入情。云物,景物。杜甫《敬赠郑谏议十韵》称:“思飘云物外,律中鬼神惊。”这两句说,登高远眺,众芳摇落,关河冷落,不能不使人念及与友人别离的痛苦。诗人的感情深挚淳厚,情景的转换也十分自然。

尾联推开一层,从对方落笔。龙门别墅,是友人高漫士在东海之滨建造的住所,诗人的诗中曾不止一次提到过这座别墅:“子有园林东海滨,香名满耳人共闻”(《过高逸人别墅》)、“君家别墅抗浮尘,曾共浮丘醉渡春”(《寄高逸人》)。诗人还曾多次造访过这座别墅,别墅与他们相互间深厚的情谊、隐逸生活及他们高洁的情怀是紧紧联系在一起的。因此诗人在登临之时便很自然地联想到,那里今晚一定会有月色吧!那么,友人是和谁一起赏月饮酒的呢!以问句作结,对友人的思念之情表达得十分含蓄,对隐逸生活的向往也就尽在不言中了。

(赵晓兰)

寄马彦会

甘 瑾*

百战孤城血未干，故人书札报平安。
秋风代马思燕草，夜月湘歌怨澧兰。
万里江湖仍旅食，百年天地自儒冠。
山阴更有诛茅地，仗剑休辞行路难。

作者

*甘瑾，生卒年不详，字彦初，江西临川人。元末张翥居云锦山中，与瑾交往甚密，谓瑾诗如美女簪花。明初为严州府同知。

鉴赏

这是作者寄赠友人之作。马彦会，不详。从诗中所述看来，他是作者的知交，当时正在边地军中任职。

首联叙事，友人正在远方孤城同顽敌作殊死决战，战事一结束，便迫不及待地给作者传寄书札，报告平安佳音。两句平平写来，但战斗的残酷、彼此情谊的深厚、思念的殷切均已包孕其中，也交代了这首寄赠诗的由来。

在忧虑与期待中突接佳音，作者的心情当然极为欣慰、欢快，这首诗是回复友人书札的寄赠之作，按常理，接下去诗中应抒写自己的喜悦心情，或表达对友人的思念、劝勉，或嘱其早日归来共话别情。诗人却在自己的寄赠之作中，咏志抒怀，立意不同凡响。

颔联转而写自己，写诗人接读书札后的心情。故人的佳音固然抚慰着诗人焦灼的心灵，但更触动了他压抑已久的情怀。这里的“代马思燕草”“湘歌怨澧兰”便是他内心世界的写照。“代马”，北地所产的马。“燕草”，北方的牧草。“代马依北风，越鸟翔故巢”（《韩诗外传》

引）原指对故土的眷恋之情，这里化用其意，指对建功立业的渴求及积极入世的精神。刘禹锡《始闻秋风》云："马思边草拳毛动，雕眄青云睡眼开。"表达的正是这种昂扬奋发、积极进取的精神。"澧兰"，语出《楚辞·湘夫人》："沅有芷兮澧有兰，思公子兮未敢言"，原借以表达对湘君追求而不可得的哀怨之情，这里抒发的是作者对边塞生活的向往及壮志未酬的怨愤之情。一"恩"一"怨"，诗人理想的执著和追求的顽强均已凸现其中。

颈联诗人回顾了自己的生活景况。"万里"状其行程之遥远，"百年"状其时间之久长。旅食江湖，白首为儒，这就是严峻的生活现实，它与诗人的抱负、追求相去何等之远！"仍""自"二字含情，有不胜凄怆悲凉之感。

尾联突转，格调随之一振。山阴，山北。诛茅地，剪茅为屋之地。杜甫《楠树为风雨所拔叹》云："诛茅卜居总为此，五月仿佛闻寒蝉。"这两句说，既然山北还有剪茅为屋之地，便可投笔从戎，仗剑远游，一展宏图，报效祖国，哪里还用得着计较行路的艰难呢？行路难，乐府古题，本言世路艰难、离别悲伤，诗中借用其义。这里的"仗剑"和句首遥相呼应，孤城的决战血腥、残酷，但在战场硝烟犹存、血迹未干之时，诗人便已不避艰险，渴望奔赴前线为国效力，这样的抱负和情操实在是难能可贵的。

这首寄赠之作，格调昂扬，雄健跌宕，饱含诗人对理想的执著追求和顽强的进取精神，具有动人的艺术力量。

（赵晓兰）

感　事

滕　毅*

虎战龙争二十秋，江秋日夜自东流。
道旁无语王孙泣，天际含颦帝子愁。
苜蓿风烟空壁垒，蒹葭霜露满汀洲。
多情惟有西山月，永夜依依照白头。

作者

*滕毅，字仲弘，镇江人。以儒士征，授起居注，擢吏部尚书，出参政江西。

鉴赏

这是一首感慨世事沧桑、荣枯不定的诗。

篇名“感事”，发端便开门见山，坐实“事”字，即二十年来群雄角逐，战事连绵不断。虎战龙争，原为“虎踞龙盘”，张勃《吴录》记载说：“刘备曾使诸葛亮至京，因睹秣陵山阜，乃叹曰：‘钟山龙盘，石城虎踞，帝王之宅也。’”这里借“虎”“龙”比喻当时的英雄豪杰。次句从人事陡然转为写景，即尽管世间战争绵延不断，江波仍滚滚东流，不舍昼夜。这两句既叙写人事，也叙写自然景物，二者融为一体，气象壮阔，感慨颇深。

颔联自“虎战龙争”展开，两句互文见义。既然有长达二十年的疆场角逐，就必有成败胜负，成则为王，败则为寇，其中世事的变迁难以预料，不可尽述。王孙涕泣、帝子含颦，两句诗既写出了世事的巨大变化，也透露出诗人的无限感伤、惆怅之情。

颈联承首联第二句的写景而来。苜蓿风烟，蒹葭遍地，风景依旧唯壁垒成空，苜蓿、蒹葭的繁茂与壁垒的空无一物对比十分鲜明，诗人的感触也触目惊心，世事无常，只有大自然才是永恒的。这两句实写眼前景物,以"风烟""霜露"为背景,意境凄迷,如梦如幻,无限叹惋,见于言外。

尾联亦景亦情,人事全非而景物依旧,世事是冷酷无情的,只有西山的一轮明月,却是无情中的多情者,它永夜照临,终古如斯,月犹如此,人何以堪?无怪乎多情的诗人要感叹唏嘘、早生华发了。明月的有情正衬托出诗人情感的深沉厚重,也深寓着作者的触景伤痛。"多(无)情只有……",这是古典诗词中习用的句法:"多情只有春庭月,犹为离人照落花"(张泌《寄人》)、"无情最是台城柳,依旧烟笼十里堤"(韦庄《台城》),这联由景物自然过渡到人事,关合篇首,首尾照应妥帖绵密。

这首诗写世事沧桑,与诗歌史上无数吊古伤今之作主题相仿。但既题名《感事》,可见其荣枯盛衰均是作者亲身经历,为作者所见所闻、所历所受,时代既更为切近,变化又如此巨大,感受自然更为直接强烈,感情的波涛也更加难以平息。诗篇虽题为《感事》,但因作者已完全舍弃对具体历史事实的描述,诗人的感慨也完全超越自身内容的历史具体性,这样,大大扩展了作品的时空背景,也使作者的沧桑之感超越具体背景,成为对历史变迁、人世兴亡的普遍意义的追寻而具有恒久的审美价值。

(赵晓兰)

宿巴陵闻笛

王　偁*

玉笛凌秋韵远汀，空江皓月思冥冥。
怪来杨柳移关塞，可是梅花落洞庭？
半夜旅魂随调切，谁家少妇倚楼听？
晓来更觅龙吟处，一点君山水面青。

作者

*王偁(1370－1415)，字孟扬(一作孟旸)，闽中(今福建福州市)人。永乐初，征授翰林院检讨，《永乐大典》副总裁。后坐解缙事，下狱死。后诗，为“闽中十才子”之一。诗风朴质清新。有《虚舟集》五卷行于世。

鉴赏

巴陵，即今湖南岳阳市，其境内的洞庭湖，水天相接，烟波浩渺，历代多少骚人墨客为之挥毫援笔，更为其增添了无限诗情画意。在一个月白风清的秋夜，诗人投宿洞庭湖畔，面对朦胧月色掩映下的浩渺湖水，已是不胜感慨，更何况一缕如怨如慕、如泣如诉的笛音由远处飘来，诗人的万千思绪受到强烈的触动，于是他写下这首情景并茂的诗篇，以抒发自己的旅情羁怀。

首联扣题，容量很大。“玉笛凌秋韵远汀，空江皓月思冥冥”，既交代了“宿巴陵”的时间是秋夜，又说明了地点在江畔；既有玉笛声声、江月皓皓的声音景色，又有陷入沉思状态的人物。这里，诗人采用了烘托映衬的手法，用沙洲的遥远来烘托笛声之韵味悠长，用秋夜的静谧来映衬笛声之突出清亮，实际上，秋夜的湖畔不可能毫无声息，而应该有草木飒飒、虫鸣起伏，但诗人却说“玉笛凌秋”，即笛声压倒了秋夜中自然界的一切声音，则笛声之悠长清亮可想而知,而诗人被笛声所吸引、所打动就是很自然的了,尤其在“空江皓月”这样澄澈明净的环境里,诗人沐浴着皎洁的月光,面对着浩阔的湖水,伴随着清亮婉转的笛声,仿佛进入了一个纯净空灵的世界,不由人不遐思冥想,陷入沉思之中。

颔联“怪来杨柳移关塞,可是梅花落洞庭”,就是诗人“思冥冥”的内容之一。“杨柳”即《折杨柳》,“梅花”即《梅花落》,都是乐府中的横吹曲名。诗人巧妙地用这两个笛曲名作对,将他当时对笛声的感触表达出来。古人喜折杨柳送别,所以《折杨柳》多被用来叙写离别之情,其中又以写思妇对征人的怀念之情为主。《折杨柳》几乎成了抒写征戎之情的专有曲辞,所以诗人认为“杨柳”已经“移植”到“关塞”去了。既然如此,如今回荡在湖面上的笛声,或许吹奏的是《梅花落》吧?《梅花落》古题,前人多用来抒写羁客他乡漂泊不定的心情,如吴均《梅花落》云:“独有梅花落,飘荡不依枝。”也有用来抒写征人思妇之情的,如沈佺期《梅花落》云:“铁骑几时回,金闺怨早梅。雪中花已落,风暖叶应开。”其实,分辨清楚洞庭笛音吹奏的是《折杨柳》还是《梅花落》并不重要,关键的是要明了二者所表达的都是一种哀怨悱恻之情。诗人用“怪来”“可是”两个不定虚词相勾勒,便意在表明飘扬在秋夜洞庭之上的是酸楚不堪的离别之音。

正因为笛声如此撼动人心,所以才有“半夜旅魂随调切,谁家少妇倚楼听”的情形出现。这联写征人、思妇感笛声而动情,既是代天下征人、思妇立言,也包括作者本人的亲身体验在内。作者九岁丧父,由父友抚养成人,永乐初才因荐授翰林检讨,经历可谓坎坷。他在旅宿洞庭之夜,思绪情感随着笛声的抑扬顿挫而起伏不平,与笛声产生了强烈的共鸣,一夜情绪波动,未能成眠,所以才有“晓来更觅龙吟处”的举动。“龙吟”,即形容笛声似龙鸣之声。《乐府古题要解》卷上记旧说云:“蚩尤氏帅魑魅与黄帝战于涿鹿之野,帝始命吹角为龙鸣以御之。”梁刘孝先《咏竹诗》云:“谁能制长笛,当为作龙吟。”照常理推断,诗人以羁旅之身,天亮后应急着赶路才是。但是诗结尾却写“晚来更觅龙吟处”,进一步表明笛声动人之深。寻觅的结果如何呢?只见“一点君山水面青”。洞庭湖中那小小的君山青青葱葱地屹立在水面上,默默不语,令人想起唐钱起的名句:“曲终人不见,江上数峰青。”“一点”句虽是从“江上”句蜕化而出,但仍能保持前者的神韵和魅力而不觉其意境重复。

《明诗纪事》称赞王偁诗“典雅清拔,绰有天宝俊声”,此诗可为其代表。

(沈时蓉)

峤屿春潮

高　棅*

瀛洲见海色，潮来如风雨。初日照寒涛，春声在孤屿。
飞帆落镜中，望入桃花去。

作者

＊高棅(1350－1423)，一名廷礼，字彦恢，号漫士，长乐(今属福建)人。永乐初，征为翰林待诏，后升典籍。论诗主唐音。编《唐诗品汇》，影响颇大。工诗。有《啸台集》《木天清气集》传于世。

鉴赏

这首诗是作者在海岛观潮之作。“峤”指尖峭的高山，“屿”指海中山岛。“峤屿”在诗中指海边的一个孤岛。潮涨之时，“海上涛头一线来，须臾指顾雪成堆”(苏轼)，是十分壮观的。全诗六句分三层写来。

“瀛洲见海色，潮来如风雨。”《史记·秦始皇本纪》：“齐人徐市等上书，言海中有三神山，名曰蓬莱、方丈、瀛洲，仙人居之。”诗中以“瀛洲”代称海岛，便写出了诗人观潮时飘飘欲仙的感受。“海色”指大海的景观，此处特指春潮。潮水到来时，是浪头连成一线，一浪紧追一浪而来，而声势雷动。本来没有风雨，看上去、听起来，都使人疑心风雨大作。特别是浪头打在山崖上，轰响如雷，而飞沫满空，尤似风雨。

“初日照寒涛，春声在孤屿。”这是诗中骈偶的佳句。潮水朝起夕消，故称“潮汐”。“初日”二字正见春潮方兴未艾，煞是好看。而初临海上的旭日，光线不强烈，由于海雾蒸腾，还有几分惨淡的感觉。潮水的涛头本来就是雪白如群鹭齐飞、万马奔腾，在淡薄日光照射下，更显得耀眼的白。白色通感于寒冷。“初日照寒涛”之妙，在于它不仅写出了潮的壮观，还写出了景象产生降温的错觉。但观潮者并不因寒冷之感而觉得身在严冬，海上雪浪翻卷，如冰山崩融，简直就是在宣布着春天的消息。那风雷动的声音，不正像是惊蛰的春雨？“春声在孤屿”，妙在一个“在”字，本来春天的来临，消息遍地都是，这个“在”字却把它限于一个“孤屿”，这就写出了诗人率先占春的强烈的主观感觉。从另一角度说，这潮水造成的“春声”，不正是钟于此岛吗？一“在”字又并非无理。

“飞帆落镜中，望入桃花去。”结尾突然出现了小舟飞驶海面的奇景，那可能是诗人所见，也可能就是诗人乘舟离岛归陆。那船儿必然是顺着潮水方向而行，故有如“飞”的感觉。别看涛头这样大，但因为它的运动很有规律、秩序，舟驰海上仍有平稳的感觉，故“飞帆落镜中”是从体验生出的诗句。末句不径言归陆，却由桃花着想，写作“望入桃花去”，这分明又有一重暗喻，即诗人觉得那小舟载着人，将驶到一个桃源仙境。这就与篇首“瀛洲”映带，令人神往。

全诗仅六句，前后二联散行，中二句对仗。其体制较绝句为有余，比律诗则不足。诗人既不减之为绝句，亦不增之作律诗，是因为这样写恰到好处。唐人祖咏应试赋《望终南余雪》，按规矩至少应写八句，但他只写四句，言“意尽而止”，其诗竟成名作，历代传为佳话。诗到好处，一句增减不得，古人往往如此。

（周啸天）

赋得罗浮霜月怀二逸人

高　棅

海国梅始白，飞霜动鸣钟。寒空一片月，挂在罗浮峰。
夜色不映水，清光与之同。百里皆瑶华，千林闭幽风。
萧条岩际叶，嘹唳云边鸿。远客起遥念，沧波思千重。
梦回明镜没，寂历闻幽蛩。

鉴赏

罗浮山为粤中名山，在广东省东江北岸，增城和博罗等县之间。相传罗浮本二山，罗山自古有之，浮山原为蓬莱一阜，浮海而至，因而得名。山的来历充满神话色彩，加之山色秀丽，风景宜人，故历来是骚人墨客寄托雅兴、吟咏性情的对象。南朝谢灵运就有“游当罗浮行”的诗句（《初发石首城》），唐刘禹锡、皮日休，宋苏轼等著名诗人都曾以如椽之笔描绘过罗浮壮观，诗人出游至此，面对空山寒月，寂静中更感寂寞，清冷中倍觉孤单，眼前景勾出心底情，故而赋诗一首，抒发他对远方友人的切切思念。

全诗可分为两个部分，前十句是写景，后四句是抒情，情因景生，景中含情，相生相发，构成了罗浮怀人的凄迷意境。

首句的“海国”本是对滨海城市的泛称，此当指罗浮山所在地广东；“梅始白”点明此诗作于初冬时节。交代了地点、时间后，第二句即转入写景。“飞霜动鸣钟”是从大范围着眼，概括地描绘罗浮冬夜的景致。罗浮山的冬夜，雾霭茫茫，霜气逼人，传到耳边的只有那远远近近、此起彼伏的寺庙钟声。相传东晋葛洪在此山修道成仙，山上有洞，道教列为“第七洞天”，可知山上的道观一定不会少。诗人在“霜”前加一“飞”字来形容，使无形的霜气有了动态，寺庙的钟声悠悠，诗人以为那是飞来飞去的霜气传递之功，又使无知的霜气有了灵性。概括地写“霜”之后，诗人再具体地写“月”，并把写景的重点放在月色的描绘上。须臾之间，一轮明月升上了寒空，挂在罗浮峰巅，把它的清辉洒向群山遍野，满山的雾霭一扫而空，呈现出一派神奇的境界。这一境界乃“夜色”与“月光”相互作用幻化而成，所以先点出：“夜色不映水，清光与之同。”唐人有“天阶夜色凉如水”的诗句，这里反其意而用之。在月光的朗照下，“百里皆瑶华，千林闭幽风”。一时间百里山林好似遍布奇花异草，千株树木好像关闭住了每一丝儿幽风。上句极写境界之奇，下句极写境界之静，各臻其妙。在这奇妙、清幽、静谧的境界里，诗人注目“岩际”，那里长着几株孤零零的野草；遥望“云边”，那里传来几声嘹亮的鸿唳。此时此际，一丝孤寂凄清之感油然而生，诗意便自然而然地转入下半部分的怀人。

“远客起遥念，沧波思千重。”诗人是福建长乐人，客居广东，所以自称“远客”。“遥念”扣题，即怀念远在家乡的两位性情高逸的朋友。“沧波”句切合地理环境，家乡福建和客居地广东都是滨海地区，都可泛称“海国”，所以诗人以沧海之波来寄托思念。“思千重”将无形的思念予以形象化的表现，诗人的千重相思与沧海的千重波浪情景相生，妙合无垠。诗篇写景重在月色，抒情也是望月怀远，所以结尾以月亮隐去来收束全篇。“梦回明镜没，寂历闻幽萤”，“明镜”指月亮，当寒空明月被云彩掩没的时候，罗浮山的百里瑶华、千林幽风、岩际之叶、云过之鸿，诸般奇妙景致都看不见、听不到了，诗人也从思念朋友的梦幻中清醒过来，在万籁俱寂之中，只能听见蟋蟀的声声鸣叫。以景结情，言尽而情不尽。

全诗从黑暗写起，至黑暗告终，中间重写梦境般的罗浮月色，呈现出暗—明—暗的结构特色。在众多描写罗浮的诗作中，可称佳作。

（沈时蓉）

水竹居

高 棅

清溪入云木，隐处林塘深。微月到流水，泠泠竹间琴。
虚声起遥听，天影澄远心。余亦鸾鹤侣，将期此投簪。

鉴赏

“水竹居”是诗人一位隐士朋友的居处。诗篇以清秀的文笔描绘了水竹居清幽静谧的胜境，并表达了诗人希望与朋友一同归隐的情怀。

首联由水竹居的外景写起。一条清澈的小溪直通远处如云状的树林之中，在竹林深处汇成一鉴池塘，朋友的隐居处就坐落在这清幽静谧的环境中。“云木”也有暗指竹的意思，可以看出竹林的茂密，张南史的《竹》诗有“成林处处云”之句，为诗人用字所本。首联有水有竹，已概括地擒住了标题，以下二联再分写水、竹，具体地描绘出水竹居的妙处。

颔联着重写水，所写境界已由外景转入竹林之内，时间由白日转入夜晚。月亮升起来，将它的清辉洒在竹间的溪流上，流水叮叮咚咚地流淌，仿佛在竹林间奏起了一首美妙的琴曲。微月，即朦胧的月色，一个“微”字更显出林间景色迷离的美来。泠泠，形容流水声之清越，且显出清凉的质感。此联将林间之水写得声色俱全，自然地引出下联。

颈联着重写竹，时间已推移到入睡之后。上联写水是实写，此联写竹换为虚写，以期虚实相应，疏密相间，不显堆砌。虚声，是夜间竹林传来的天籁之声。天影，是远看竹林呈现出的造化之影。咏竹以“声”“影”相对，为前人所习用。如王维云:“细枝风响乱,疏影月光寒。”(《沈十四拾遗新竹生读径处同诸公作》)李白云:“翠色落波生,虚声带寒早。”(《慈姥竹》)刘长卿云:“细音和角暮,疏影上门寒。”(《同郭参谋题崔令公厅前竹》)杨巨源云:“能让繁声任真籁,解将孤影对芳兰。”(《和令狐舍人酬峰上人题山栏孤竹》)贾岛云:“疏影纱窗外,清音宝瑟中。”(《题郑常侍厅前竹》)而诗人此联在前人的基础上又有新的突破。关键在于妙用“起”“澄”两个动词,将诗人的动作、内心活动同竹林的“虚声”“天影”紧紧绾合在一起,从而造成情景交融、混融莫分的高妙境界。“虚声”令诗人起而“遥听”,“天影”使诗人“远心”澄澈,这种现象在中国古典美学中就叫做“心随境移”。中国的士大夫们之所以“身居庙堂之上,心存江海之间”,便是认为在江海山林等隐居之地可以培养自己的高洁情操,而不与世俗同流合污。

在水竹居清幽静谧的隐居环境感召下,诗人归隐之念顿起,尾联便直抒胸臆,表达将与朋友偕隐的心愿:“余亦鸾鹤侣,将期此投簪。”鸾鹤是传说中高人逸士所乘坐的仙禽。诗人以“鸾鹤侣”自许,既含蓄地赞美水竹居主人是一位具有仙风道骨的高士,又明确地表示归隐是自己的本性和夙愿。确实,就诗人的身世来考察,其前半生都在家乡福建长乐过着啸傲山林、诗书相伴的隐居生活,直到五十五岁后,才被朝廷以布衣召入翰林为待诏、迁典籍,入朝之后,他时时怀念起无拘无束的隐居生活就是很自然的了。他并不愿长期低眉事人,他认为自己的归宿仍在隐居,所以他断然地表示:“将期此投簪。”“投簪”即丢下固冠用的簪子,比喻弃官归隐。挚虞的《徵士胡昭赞》就有“投簪卷带,韬声匿迹”之说。诗人也要效法古人,弃官归隐,来与水竹居主人做伴了。

前人评高诗,每有“文多而意少,且乏新兴”之讥(见《国雅品》),其实,也不能一概而论。即如本诗,其意境之纯净、结构之精巧,置之唐人集中,亦复难以分别。

(沈时蓉)

论　　诗(录二)

方孝孺*

举世皆宗李杜诗,不知李杜更宗谁?
能探风雅无穷意,始是乾坤绝妙辞。

前宋文章配两周,盛时诗律每无俦。
今人未识昆仑派,却笑黄河是浊流。

作者

*方孝孺(1357－1402),字希直,一字希古,浙江宁海人。宋濂弟子,人称正学先生。惠帝时任侍讲学士。后因不肯为成祖起草登极诏书被杀,坐诛九族,死者达八百七十余人。其文章纵横豪放,颇出入东坡、龙川之间。诗亦雄奇俊逸,为人传诵。有《逊志斋集》二十四卷传于世。

鉴赏

明人因不满宋诗近粗,元诗近纤,而提倡师法唐人。学习前人积累的成功经验,原也不错。但世俗的弊端有二:一是将源作流,把唐诗作为范本模拟,跳不出如来手心;二是眼界太窄,看不到宋诗也自有好处,大失老杜转益多师之义。两首诗就分别针对这两种弊端进行针砭。

“举世皆宗李杜诗,不知李杜更宗谁?”二句就诗界流风陡发一问,如石破天惊,为当头棒喝。不是都以为作诗非师法唐人不可吗?而唐诗不是又以李白、杜甫为极则吗?果如其然,李杜本人作诗又怎么办呢?诗人用了一个简单的逻辑推理即“归谬法”,就指出了世人作诗的一大误区。道理虽然简单,却偏偏无人揭示,方孝孺捅破这层窗户纸,有振聋发聩的力量。这里诗人实际上已经接触到文学创作的源流之辨了,“举世皆宗李杜诗”的误区就在于认流作源。于是方孝孺进一步探源,他的认识在李杜皆上承风雅(即诗经)的传统,所以宗李杜不如直探风雅之精神,始为妙绝:"能探风雅无穷意,始是乾坤绝妙辞。"这可以认为是祖述杜甫"别裁伪体亲风雅"的遗意,也兼有"转益多师"的意味。不过,在这个问题上,方氏还未能达道。他仍未跳出将源作流的圈子,因此未为治本之良方。"实际上,过去的文艺作品不是源而是流"(毛泽东),而唯一的源泉只能是生活,不少仿唐之作被批评为假古董,根本原因就在这里。话虽如此,方氏能在当时提出"举世皆宗李杜诗,不知李杜更宗谁"这个问题,已经是一个了不起的贡献,足以发人深省。

宋诗在唐诗的基础上发展,而形成自己独特的面貌。就总体成就而言不如唐诗,而就某些方面来说则有所独到偏胜。明人崇尚唐诗,有一种全盘否定宋诗的倾向:"唐人诗纯,宋人诗驳。唐人诗活,宋人诗滞。唐诗自在,宋诗费力。唐诗浑成,宋诗饾饤。唐诗缜密,宋诗漏逗。唐诗温润,宋诗枯燥。唐诗铿锵,宋诗散缓。唐诗如贵介公子,举止风流;宋诗如三家村乍富人,盛服揖人,辞容鄙陋。"(《四溟诗话》引刘绩语)虽然道出了二者差异,但褒贬失当也毋庸讳言。宋诗,尤其是北宋欧、梅到苏、黄的诗,就于唐诗外别开生面,可谓洋洋大观。方孝孺便把北宋诗与南宋诗的盛衰比作西周与东周的差异,称北宋为"盛时",对苏、黄等大宗予以充分肯定:"前宋文章配两周,盛时诗律每无俦。"对当时人只看到宋诗末流,便轻率否定宋诗、以为无足观者痛加斥责:"今人未识昆仑派,却笑黄河是浊流。"黄河当然是浊流,然而它西决昆仑,咆哮万里,千回百折;比较"白波九道流雪山"的长江,也别有一番气势,何况探其河源,也未必如下游之浊。方氏对北宋诗作出充分肯定,较同时代人自具卓见。事实上,就是南渡之后的陆、范、杨等诗人,也还是值得推重的,也不能以末流概之。但对一首论诗绝句,也无须求全责备。此诗的意义就在于它较早地对宋诗的独创精神予以肯定。

(周啸天)

闲　居

方孝孺

雨歇阶草净,鸟鸣丛竹中。偶无轮鞅过,遂与山林同。
晞发庭际日,振衣松下风。自非捐世故,谁得此相从。

鉴赏

作者以文章、理学名世,为人正直不慕名利。这首"闲居"便是他在为官前写景咏怀之作。一起便大有陶潜"众鸟欣有托,吾亦爱吾庐"之意,描绘的是雨后幽居的情景,这时台阶下草色一新,由于天已放晴,鸟儿也在丛竹中飞鸣,一派和平宁静的景象。

显然,这里不是山林,但胜似山林。不过有一个前提:"偶无轮鞅过,遂与山林同。"要是没有车马来访,才会如此。换言之,平时还是有车马来打乱此中的宁静的。所以诗人感到雨后的闲居特别地宜人,从而祈愿这会儿千万别有好事者来访问求见。不说"车马"而说"轮鞅"(轮即车;鞅即马,本义为缰),因为这个词是靖节陶先生的发明:"野外罕人事,穷巷寡轮鞅"(《归田园居》),诗人愿意读者产生对陶诗的联想。

接着诗人写了"晞发""振衣"等个人清洁卫生活动。这也特别适宜于安排在雨后初晴。环境这么干净,使人心神一爽,想整洁一下面貌:洗洗发,晒晒太阳;抖抖衣服,吹吹风,真是舒心极了。"晞发庭际日,振衣松下风"两句直攀晋唐,使人不禁联想起"朝弹冠以晞发,夕振裳而濯足"(陆云《九愍》)、"振衣千仞岗,濯足万里流"(左思《咏史》)、"晞发北风凉,开轩卧闲敞"(孟浩然《夏夕南亭怀辛大》),直以先生为羲皇上人。同时,整洁外表不过是象喻,其义归于保持情志的高洁。"余幼好此奇服兮,年既老而不衰"(屈原《涉江》),志节清高的人岂能囚首丧面而谈诗书!

"自非捐世故,谁得此相从。"结尾曲终奏雅,使人耳目一新。盖诗人说,不是我想要避世隐居,只是世人过不了我这种甘于淡泊的生活。和人们一向认为隐士是弃世者相反,诗人认为这是世俗不洁的缘故。换句话说,他还是欢迎人们到他的幽居来的,只是希望他们稍稍收拾得像样一点,同时也包含一层曲高和寡的慨叹在内。正是这个结尾,赋予全诗以新意,使之终于成为道学家方先生的诗,而不是隐逸者陶先生的诗。

(周啸天)

暮归山中

蓝　仁*

暮归山已昏，濯足月在涧。衡门栖鹊定，暗树流萤乱。
妻孥候我至，明灯共蔬饭。伫立松桂凉，疏星隔河汉。

作者

*蓝仁，生卒年不详，字静之，崇安（今属福建）人。明初诗人。元末不应试，一意为诗。后辟武夷书院山长。明初随例徙临濠（今安徽凤阳），不久放归。洪武七年（1374）一度出仕。有《蓝山集》六卷。

鉴赏

此诗写山居生活片断，田园风味甚浓。

从诗中景物看，这是一个秋初的傍晚，诗人外出归来。天色已“暮”，而入山之后光线更幽暗，“暮归山已昏”，“昏”与“暮”二字辨味很细。次句写“濯足”，肯定不是“沧浪之水浊兮，可以濯吾足”（《孺子歌》的意思，也不应是因脚弄脏的缘故——那可以回家去洗）。想必是回家路上要经过一个山涧，或许本来就要趟水，或许是月色映在水中太诱人的缘故，使得作者“当流赤足踏涧石”（韩愈），享受到泉水清凉的抚慰。颔联“衡门栖鹊定，暗树流萤乱”，写的是到家时分的景色。从“栖鹊”“流萤”等景物看，较上联所写已有一段时间的间隔，这时夜幕降临已很久了。“栖鹊定”与“流萤乱”，这一“定”一“乱”，一静一动，相映成趣，下字十分准确，是句中字眼。

颈联写与家人共餐，极富乡间生活气息。看来饭菜早做好了，小孩子家早就眼巴巴地盼着吃饭，但爸爸没回来，妈妈不让吃。“妻孥候我至”的“候我”二字，写出亲人的期待关切，以及既至后应有的高兴。

所以“明灯共蔬饭”一句平平叙来，晚饭一起吃，有无限天伦之乐洋溢句中。“明灯”二字写山居灯火，实在有主观感情色彩的作用，适见其心情的愉快。饭罢，踱出室外站在松桂树下，天气是已“凉”未寒，十分宜人。仰观天象，是“疏星隔河汉”。那隔河汉的疏星，特指牵牛织女星。于是读者得到一个暗示，七夕将近，但还未到来。所以牛郎织女一时还无法相会。作者望着星空，也许在替他们祝福吧！间接地表达了对自己能享受天伦之乐的知足。

诗按时间顺序，从容写来，取景幽静，用字精细，极有生活趣味，末尾的一笔有意无意中提高了意境。

（周啸天）

龙　州(录三)

蓝　智*

山蕉木柰野葡萄，佛指香圆人面桃。
更有菠罗甜似蜜，冰盘初荐尺余高。

峒丁峒妇皆高髻，白纻裁衫青布裙。
客至柴门共深揖，一时男女竟谁分？

白沙青石小溪清，鱼入疏罾艇子轻。
谩说南荒风景异，此时真似剡中行。

作者

*蓝智，生卒年不详，字明之，蓝仁弟。明洪武十年(1377)应荐，授广西按察司佥司，著廉声。与其兄号称“二蓝”。有《蓝涧集》六卷。

鉴赏

龙州即今广西龙州县。这组绝句系写当地风土人情的作品，性质略近《竹枝词》。这里选的三首诗在题材手法上都各不相同。

第一首写龙州物产，以水果为优。前两句以“穷举法”一口气说出六种果品名称：山蕉、木柰、野葡萄、佛指、香圆(橙子)、人面桃，将读者镇住。然后在第三、四句推出一个特写镜头，以一白瓷盘托出刚从树上摘下的尺余高的菠萝，还夸说其甜如蜜，其色、香、味，足令读者垂涎三尺。前后两种意象，一密一疏，穷举与举隅相结合，可谓善夸者矣。

第二首写龙州民俗。“峒”系广西贵州部分苗族、侗族、壮族聚居区地名之泛称。诗中所写是龙州居住的少数民族装束和礼节，“峒丁峒妇”即该族男人和妇女，在发式上没有区别，皆梳“高髻”；在装束上也没有区别,“白纻裁衫青布裙”,见客(这客可是汉族的官家)也是夫妇一同出迎见礼。可见这少数民族保持着淳朴的古风,男女较为平等,没有受到汉人“礼教”的影响。这才使作者感到很新鲜,很好奇。“一时男女竟谁分?”仿佛旧派人看新青年的发式,男女不分,莫名惊诧,本篇就写出了类似神情,诗味也就在这里。

前两首都写龙州人、物之异于内地;后一首则写龙州景色与内地江南有相似的秀丽。这里青山绿水,自然生态环境很好,“白沙青石小溪清”,是捕鱼的好地方,“鱼入疏罾艇子轻”。大概诗人过去由传闻想象南荒应是不毛之地,殊不知亲到其地,才否定了那种偏见,因为他看到这里的好山好水不亚于剡溪(曹娥江上游,在浙江嵊县,风景秀美)。诗用“谩说”提唱,结以出人意料的赞叹,便饶有风调。

这组诗不妨称之为“龙州竹枝词”。竹枝词一类作品,关键就要抓住风土人情的特色来写,语言要通俗浅显,能道异域情调始佳。这组诗给读者展示了一片新的风景,便是本色之作。

(周啸天)

送刘绣衣按交趾

解　缙*

虬髯白皙绣衣郎，骢马南巡古越裳。
城郭新开秦郡县，山河原是汉金汤。
天连铜柱蛮烟黑，地接珠崖海气黄。
莫说炎荒冰雪少，须令六月见飞霜。

作者

*解缙(1369－1415)，字大绅，江西吉水人。洪武二十一年(1388)进士，授中书庶吉士。永乐初，累进翰林学士，主持修纂《永乐大典》。后为人所谮，死于狱中。平生有才子之称，著述颇丰，然多散佚。有《文毅集》(一题《春雨斋集》)传于世。

鉴赏

诗题一作《送刘御史按交趾》。据顾炎武《日知录》九《部刺史》考证，自明永乐元年(1403)二月始，朝廷遣御史至各地巡察，称巡按御史，三年一换，职权与汉刺史同。刘某当即派往交趾的巡按御史。"交趾"是古地名，本指五岭以南一带，汉武帝置交趾郡，辖境相当于今广东、广西的大部和越南的北部、中部。唐调露元年(679)，在交趾故地置安南都护府。五代晋时独立。南宋称其国为安南。明永乐四年(1406)，发兵讨平安南，置郡县。因安南本交趾故地，也别称为交趾。本诗当作于安南初平之时，时作者在翰林学士兼右春坊大学士任上。到了永乐五年(1407)，诏置交趾布政司(俗称交趾省)，作者也因事谪贬广西布政司参议，不久又改交趾布政司参议，便不可能写此诗了。

首联扣题，"虬髯白皙绣衣郎，骢马南巡古越裳"，写一位英俊潇洒的将军，骑着一匹青白色的高头大马威威赫赫地去巡视南边。用“虬髯白皙”写其相貌，颇得汉乐府遗意。《陌上桑》中罗敷夸夫婿即言：“为人洁白皙，髯髯颇有须。”“绣衣”指御史官服。“骢马”本指青白杂毛之马，因后汉桓典为侍御史，执法严峻，常乘骢马，京师畏惮，时人语曰：“行行且止，避骢马御史。”后世即用“骢马”为御史或执法严峻之典。如骆宾王诗云：“骢马刑章峻，苍鹰狱吏精。”(《幽禁书情通简知己》)本诗亦用此典，既符合行者身份又切合出使情景。“越裳”本古南海国名(见《后汉书·南蛮传》《梁书·海南诸国传》)，此代指交趾。

次联承“古越裳”写交趾的来历。“城郭新开秦郡县，山河原是汉金汤。”因当时安南初平置郡县，故称“城郭新开”；又因郡县制是沿袭秦朝以来的制度，故称“秦郡县”。“金汤”是金城汤池的省称，“金”喻城坚不可摧，“汤”喻护城河沸热不可近。全句意谓，交趾是汉代即设立的中国固有领地。

三联写交趾的地形、气候特征。“天连铜柱蛮烟黑，地接珠崖海气黄。”“铜柱”是汉人马援在交趾立的汉界标志，李贤注《后汉书·马援传》引《广州记》云：“援到交趾，立铜柱，为汉之极界也。”“珠崖”也作“朱厓”，是汉置的郡名，治所在潭都，即今海口市，其地因位于大海中崖岸之边，出珍珠，故称“珠崖”。“蛮烟黑”与“海气黄”均状交趾气候恶劣，其时作者尚未亲到交趾，故只能凭借传闻和想象概括言之。后来作者也被贬到交趾任布政司参议，对交趾的气候环境有了亲身体验，又有诗写道：“冲寒凛冽逾西卫，触热炎蒸出百蛮。”(《交趾回送安城谢礼献》)对其地恶劣气候的描写，就要具体翔实得多了。

尾联希望对方严刑峻法，整治交趾。“莫说炎荒冰雪少，须令六月见飞霜。”交趾本炎荒之地，自然冰雪稀少；六月飞霜，显系自然界不可能发生之事。作者在这里是强调整治一个新立的不开化的边鄙郡县，必须采用非常手段，严刑峻法，以见霜威。用霜来比喻肃杀之威，由来已久，《晋书·索綝传》云：“孤恐霜威一震，玉石俱摧。”《魏书·高闾传》云：“霜威南被，则淮徐来同。”采用严刑峻法，是明初执政者的普遍行为，作者是当朝大臣，如此主张，固不足怪。尾句与“骢马”句遥相呼应，突出作者以严治郡的政治思想，并把全诗结构成一个紧密的整体。

沈德潜在选解缙诗后声言：“(明)永乐以还，尚台阁体，诸大老倡之，众人靡然和之，相习成风，而真诗渐亡矣。故解大绅(缙)以下，李宾之(东阳)以前，所收独略。”(《明诗别裁集》卷三)其实，解缙诗与雍容闲雅的“台阁体”迥然不同。《艺苑卮言》云：“解大绅诗，如河朔大侠，须髯戟张。”《东里文集》云：

"解公诗豪宕丰赡似李杜。"《明诗纪事》云:"大绅诗才气纵横,不暇收拾,……逸情胜概,可想见风流人豪也。"本诗用典之丰赡贴切,对仗之精工华美,音节之响亮动听,意气之纵横潇洒,皆可证上述诸家评语所见不谬。

(沈时蓉)

桑

解 缙

一年两度伐枝柯,万木丛中苦最多。
为国为民皆是汝,却叫桃李听笙歌。

鉴 赏

《诗话总龟》载蒋密《咏桑柘》中的两句诗:"绮罗因此木,桃李谩同时。"解缙的这首诗在取材与表现上和它有类似之处,但稍加比较即会发现解诗的立足点更高些,思想也更深刻些。

蚕有春蚕与秋蚕,所以养蚕的人要"一年两度"采摘桑叶,而作为"桑"来讲,一年两遭采折,实在是千万种树木中受苦最多的了。诗的一、二两句可以说是"叹",叹其遭遇之苦。但是,虽"苦"犹"荣","为国为民皆是汝",该是何等荣耀!不过"赞"得如此之高,是不是诗人们常用的"夸张"呢?不!大家知道,衣食是国计民生中的大事,蚕丝很早就是重要的纺织原料,因而也就是封建国家的一大经济来源,所谓"藏于不竭之府者,养桑麻,育六畜也"(《管子·牧民》)。而桑之可贵,也不仅其叶可以喂蚕,而且其皮可制纸,果实可食,叶、果、皮、根皆可入药,可见"为国为民皆是汝"还是实有所指的。这里与其说是诗的"夸张",倒不如说是诗的形式限制了对它的"为国为民"作具体的论述,所以我们不得不略作一点补充。由"叹"而"赞",角度与内容虽不相同,却有联系,并且在思想感情上也是沿着一个方向层层推进的。至此,诗还剩下结尾一句,写什么呢?若是顺着上面的思路补上一句,也无不可,比如像施闰章的《漆树叹》:"斫取凝脂似泪珠,青柯才好叶先枯。一生膏血供人尽,涓涓还留自润无?"全诗深沉悲切,一"叹"到底。但解缙的这首诗却不是这么顺势而下,它的尾句突然跳出了原有的对象——桑,用“却”字一转,引出“桃李”。古人常在桃李林中,亲朋相聚,伴以诗酒丝竹,吟歌赏春,那就像李白写的:“况阳春召我以烟景,大块假我以文章;会桃李之芳园,序天伦之乐事……天琼筵以坐花,飞羽觞而醉月”(《春夜宴诸从弟桃花园序》)。这些话是有助于我们理解和想象“桃李听笙歌”的。诗人对于“桃李”不言其他,只突出以其“灼灼其华”而获得人间的欢乐与享受,如此反挑一笔,自然与只有“奉献”而无“享乐”的“桑”形成了强烈的对比。有了这个对比,诗就不仅仅局限于“叹”和“赞”了,更表现出一个深刻而严肃的主题,那就是人世的不公!要知道“不公”,是阶级社会中始终存在的一个突出而普遍的现象。试看:“不稼不穑,胡取禾三百廛兮?不狩不猎,胡瞻尔庭有县貆兮?”(《诗经·魏风·伐檀》)“势家多所宜,咳唾自成珠。被褐怀金玉,兰蕙化为刍。”(赵壹《刺世嫉邪赋》)“珠玉买歌笑,糟糠养贤才。”(李白《古风第十五》)。“不读书最高,不识字最好,不晓事倒有人夸俏。老天爷不肯辨清浊,好和歹没条道。善的人欺,贫的人笑,读书人都累倒。”(无名氏《朝天子·志感》)。“世间多少不平事”,笔底多少悲愤诗!解缙的《桑》也是其中的一首,它以咏物的形式,对比的方式,旁见侧出的手法,明是写物,实是写人,写社会,讽喻不露,似浅还深,耐人寻味,同样体现了中国诗歌直面人生、爱憎分明、抨击“不公”、揭露黑暗的传统的现实主义精神。

（赵其钧）

汉江夜泛

杨士奇*

泛舟入玄夜，奄忽越江干。员景颓西林，列宿灿以繁。
凝霜飞水裔，回飚荡微澜。孤鸿从北来，哀鸣出云间。
时迁物屡变，游子殊未还。短褐不掩胫，岁暮多苦寒。
悠悠念行迈，慊慊怀所欢。岂不固时命？苦辛诚独难！
感彼式微诗，喟然兴长叹。

作者

*杨士奇(1365－1444)，名寓，字士奇，以字行，泰和(今属江西)人。建文初入翰林，官至礼部侍郎兼华盖殿大学士，进少师。卒谥文贞。诗文多歌功颂德之作，风格雍容典雅。与杨荣、杨浦同入阁，时称"三杨"，为"台阁体"诗派重要人物。有《东里全集》。

鉴赏

作者杨士奇虽然晚年官至华盖殿大学士，但其早年家境却十分贫寒。《明史》本传说他"早孤""贫甚力学，授徒自给，多游湖湘间，馆江夏最久"。这首诗就是他早年游湖湘时的作品，诗人描绘了夜晚泛舟汉江所见的景致，并抒发了游子思乡的感情。

据《明史·地理志》，"汉江"是从汉川县流入汉阳县境内的一条河，原来的河道是从山南襄河口入长江，明成化初河堤决口，改道山北注入长江。全诗可分为两个部分，以"时迁物屡变，游子殊未还"一联承上启下，前八句写景，后八句抒情。

"泛舟入玄夜，奄忽越江干。"作者登上一叶轻舟，驰入漆黑的夜幕，江流湍急，舟行迅速，好像在同江岸赛跑，一会儿工夫，已超越了岸边的多重景物。“玄夜”即黑夜，“江干”即江岸。用语从字面上讲并无深意，但南朝庾信的文章有“游魂羁旅，足伤温序之心；玄夜思归，终有苏昭之梦”的说法，便使“玄夜”一词同游子思归发生了一种意象上的联系。句中的“入”“越”两个动词用得很传神，“入”字既表明了泛舟时间之长，又暗示出作者进入了游子思乡的特殊环境；“越”字则写出了泛舟汉江顺流而下的亲身感受。这起首两句已紧紧地扣住了题目，并为展开汉江夜景描写创造了特定的时空环境。以下四句便各写一景，共同组成汉江夜色。“员（圆）景颓西林”，写月；“列宿灿以繁”，写星。曹植《赠徐干》诗云：“圆景光未满，众星灿以繁。”当是两句所本。接下来，“凝霜飞水裔”，写霜；“回飚荡微澜”，写风。“水裔”即水边，“回飚”即回风。曹植《赠丁仪》诗云：“凝霜依玉除，清风飘飞阁。”亦为本诗句法所从出。总起来看这四句所写的景致是：一轮昏暗的残月挂在西边的树林上，月暗星明，天空繁星灿烂；岁暮夜深，水边上飞舞着凝结的霜粒；寒风扑面，水面上荡起了层层涟漪。这是一幅汉江夜色的无声画，也是一个游子思乡的典型环境。作者正在对景伤感难以自禁之时，北边天空云中又传来几声孤鸿的哀鸣，“孤鸿从北来，哀鸣出云间”，这是一只失群的孤鸿，它来自北方，那是作者家乡泰和所在的方位，它的叫声是那样哀切！由于这只孤鸿的出现，终于彻底冲决了作者感情的堤防，诗意也就急转直下，由写景转入抒情。

“时迁物屡变，游子殊未还”，两句总结上文的写景，开启下文的抒情。说“时迁”，表明作者离开家乡淹留湖湘的时间已经很长了；说“物屡变”，表明作者曾目睹汉江沿岸的春花、夏荷、秋月，而于今又到岁暮，树林凋残，寒风凝霜；但自己迫于生计，一直不能返回家园，这境况多么悲惨！

作者反顾自身，不仅形单影只，而且“短褐不掩胫，岁暮多苦寒”。“短褐”即粗布衣。粗布衣尚不能蔽体，更何况时值岁暮，当然苦寒难挨。这两句呼应上文的“颓西林”“凝霜”“时迁”，极写自己生计之窘迫。《古诗十九首》云：“凉风率已厉，游子寒无衣。”本诗的感伤情调与其略同。生理上的苦寒，尚能忍受；难将息的是精神上的痛苦：“悠悠念行迈，慊慊怀所欢。”上句写羁客他乡的忧思，下句写对家乡情人的怀念。念及长期离乡背井在外奔波而愁思悠悠，怀念家乡的亲人（包括情人）而慊慊思归，这两句为全诗情结的核心，因而作者用直抒胸臆的方式和盘托出。在温柔敦厚的儒教统治之下，像这样赤裸裸地言情，或许会遭人非议，所以作者又为自己辩解道：“岂不固时命？苦辛诚独难!”难道是我不认命吗?有谁能独自承受我所经历的苦辛呢?作者当然是承认命运的,但现实的“苦辛”郁积在胸,按捺不住,不得不一吐为快。《诗经·邶风·式微》云:“式微,式微,胡不归?”本意是天色将暮,为什么还不回家?作者与之在情感上发生了共鸣,诗篇就在作者的喟然长叹声中结束。

李东阳《麓堂诗话》云:“杨文贞公亦学杜诗,古乐府诸篇,间有得魏晋遗意者。”本诗正是一首颇得“魏晋遗意”的情真意切的好诗,与作者后来所写的泛泛应酬、空洞无物的“台阁体”诗不可同日而语。

(沈时蓉)

伍员庙

瞿　佑*

一过丛祠泪满襟，英雄自古少知音。
江边敌国方尝胆，台上佳人正捧心。
入郢共知仇已雪，沼吴谁识恨尤深。
素车白马终何益，不及陶朱像铸金。

作者

*瞿佑(1341-1427)，佑一作祐，字宗吉，钱塘人。洪武中为临安、宜阳等县训导。永乐间官周王府右长史。以作诗得祸，谪戍保安(今陕西促丹县)十年。洪熙元年(1425)赦还。宣德二年(1427)卒，年八十七。有《存斋遗稿》《归田诗话》《乐府遗音》等。

鉴赏

伍子胥是历史悲剧人物之一，他的事迹向来引起不少文人墨客的凭吊歌吟，本篇所说的"伍员庙"一名伍相国祠，在苏州胥口镇。

"一过丛祠泪满襟，英雄自古少知音。"诗著题赋起，写诗人过祠而感其人之事，深为悲愤不平。"英雄自古少知音"以明白浅显的语言说出了一个带有普遍性的人间悲剧，那是屈子"往者余不及兮，来者吾不闻"、陈子昂"前不见古人，后不见来者"、辛弃疾"不恨古人吾不见，恨古人不见吾狂耳"等诗词共同悲慨过的一个事实。易卜生《人民公敌》也曾沉痛宣言：伟大人物总是孤独的。当一个英雄人物，他的预见性和超前的行为不为一代或一方之人所理解，往往就会曲高和寡，甚至有被他忠心侍奉的主人视为异己的可能。伍子胥就因激怒夫差，招致了杀身之祸。

"江边敌国方尝胆，台上佳人正

捧心”两句写吴亡之前可忧的、为伍子胥早已洞察的形势。一句写越国亡吴复仇雪耻之心未死,用了卧薪尝胆的故事。《史记·勾践世家》:“吴既赦越,越王勾践反国,乃苦身焦虑,置胆于坐,坐卧而仰胆,饮食亦尝胆也,曰:‘汝忘会稽之耻邪?’”二句写越国对吴王施用美人计,用西施来瓦解夫差的意志,使之全无警惕。“捧心”事出《庄子·天运》。全句意谓越大夫范蠡献西施于夫差,吴王许和,遂日与西施宴饮于姑苏台;西施捧心皱眉,病而愈妍。两句将吴国的外患内忧写足,适可见伍子胥当年的焦虑。“方尝胆”“正捧心”用典铸辞、语极俏辣尖新,发人深省。“胆”“心”天然成对,可谓工整。

“入郢共知仇已雪,沼吴谁识恨尤深。”二句概言子胥生平大节,前仇方雪,后恨尤深,何不幸之甚也!盖伍子胥父兄均被楚平王杀害,他只身奔吴,佐阖闾伐楚,陷郢都鞭楚平王之尸三百,得以雪恨。但不料阖闾之子夫差太不争气,丧失敌情观念,伍子胥曾痛心地预计说:“越十年生聚,而十年教训,二十年之外,吴其为沼乎!”这个预言后来是应验了的,当时却没有起作用,故曰:“谁识恨尤深。”

“素车白马终何益,不及陶朱像铸金。”结尾慨叹伍子胥不善于明哲保身,故遭杀身之祸,在这方面不如越大夫范蠡聪明。据《吴地记》:“越军于苏州东南……临江北岸立坛,杀白马祭子胥,杯动酒尽,后因立庙于此江之上。”可见他的忠直精神为人共仰,是跨越了国界的。范蠡在吴亡之后,预见勾践为人不可共安乐,遂弃官隐陶,称朱公,经商致富。勾践则铸金身以纪念这位功臣。全诗颇能勾勒伍子胥一身大节和悲愤心情,唯末二句主张谋身一义与其人性格不符,亦可见“英雄自古少知音”。

(周啸天)

江南旅情

杨　荣*

客梦家千里，乡心柳万条。片云遮海峤，一雨送江潮。
恋阙绨袍在，怀人尺素遥。春光看又晚，何处灞陵桥。

作者

＊杨荣（1370－1440），字逸仁，建安（今福建建瓯）人。建文（1400）进士，授翰林编修。洪熙（1425）时累官工部尚书。宣德五年（1430）进少傅，正统三年（1438）进少师，五年卒。赠太师，谥文敏。为“台阁体”诗人。

鉴赏

这首《江南旅情》是作者官达之前的作品，写作者旅食江南思乡感离的情绪。

此诗一起便用对仗：“客梦家千里，乡心柳万条。”紧扣题面写思家情怀。纯粹诗的语言，使此十字容量很大，正因为在千里之外，有家难回，才有此魂牵梦萦之事。所谓“枕上片时春梦中，行尽江南数千里”（岑参）。上句的“梦”字是关键，下句则以“柳”字为枢纽。它不仅显示出这是在一个春天，而且是牵引起“乡心”的一个契机。“柳万条”便使人想起离别之事，而平添愁绪，所谓“无事将心系柳条”（李益），这句直启“旅情”，遥接篇末“灞陵桥”云云，读时应予留意。

“片云遮海峤，一雨送江潮。”此联写景，为诗中警策语。估计诗人是在钱塘江上，这里离闽中建安约千里之遥，且有著名的钱塘潮。在江上景物中，诗人仅选择了“片云”“一雨”“江潮”这些能显示气候的意象，可谓大处落墨，陶冶尽净。由“片云”联想到“遮海峤”（此指闽峤，即诗人故乡），暗示了诗人的视线方向，和思故乡望归的殷切心情。“江潮”本是应时而至，与晴雨无关；

但刚下过雨,江中水量较平时为多,故潮水显得特别大,故云“一雨送江潮”,可谓妙于写景。同时江潮有信,古人往往用来反形游子归家无期,故此景中仍含有意味,妙在水中着盐,无迹可求。

“恋阙绨袍在,怀人尺素遥。”这两句给读者暗示了作者羁旅不归的原因,是因为渴望功名,感人知遇之恩。虽然他所怀之人不易详考,但可以肯定对方是一位先达的友人。《史记·范雎蔡泽列传》载范雎与须贾积怨后入秦为相,遇须贾出使秦国,范雎便装成穷人去见他。须贾动了恻隐之心,赠之以绨袍(粗厚的丝绸官袍),遂释前嫌。后人常用“绨袍”典故指贫寒中受人接济。“尺素”是一尺左右的绢帛,古人用作书写文具,故常为书信的代称。这两句在诗中作为与乡思相对的思想感情,它的加入十分重要。它丰富了诗的内涵,也使抒情主人公性格更加温润。

“春光看又晚,何处灞陵桥。”最后两句仍绾合到旅情上来,与“乡心柳万条”句呼应。《三辅黄图》云:“灞桥在长安东,跨水作桥。汉人送客至此桥,折柳赠别。”古诗词中常代用为送客远行之处。这里诗情由乡思转移到伤离,而这“灞陵桥”应指在当时南京与故人分手的地方。综上四层,读者可以看到这样一个人物形象:他是热心仕宦功名的,但还没有找到归宿,所以有些惶惶不可终日;他很想念故乡,偏偏又不安心回去;他希望能得到援引,故又十分恋旧。“春光看又晚”就十分形象地写出了他那唯恐后时的心理。

(周啸天)

过鹿门山

薛　瑄*

西来汉水浸山根，舟人云此是鹿门。
峭壁苍苍石色古，曲径杳杳藤罗昏。
乱峰幽谷不知数，底是庞公栖隐处？
含情一笑江风清，双橹急摇下滩去。

作者

*薛瑄(1392－1466)，字德温，河津(今属山西)人。永乐十九年(1421)进士，擢御史，历大理寺少卿。天顺初以礼部侍郎兼文渊阁大学士入内阁，未几，引疾至仕。卒谥文清。有《薛文清全集》。

鉴赏

人们无论沿着中国的哪一条较大的江河旅行，恐怕都得经过几处名胜，从而引起一番怀古的幽情。这种匆匆路过式的怀古，与登临怀古，况味是很不相同的。这首诗好就好在写出了这转瞬即逝、如过眼云烟式的情思。

这里，作者沿着汉水顺流而下，船走得很快，不觉便来到一山，临江耸峙，如浸泡在汉水中。“西来汉水浸山根”，“浸”字与“山根”的“根”字皆妙。意言那山仿佛是从水里长出来的，自然吸引了旅人的注意。这句并未说出山名，因为他并不像舟子那样熟悉航道；“鹿门”这山名在下句由舟子口中道出，实事实写。但对“鹿门山”作为名胜古迹的内涵，诗人显然又比舟子了解得多。舟子是见惯不惊，说过照常推舟；而文质彬彬的诗人却饶有兴致地打量起山形，中间四句便写“鹿门山”的观感。“鹿门山”在今湖北襄樊东南四十里汉江北岸，汉末隐士庞德公，为逃避刘表的征召，携妇将雏，登山采药，隐居不出。唐代大诗人孟浩然也在此隐居过。作者在江中看到的果然好一座深山："峭壁苍苍石色古，曲径杳杳藤罗昏。乱峰幽谷不知数"，他自然会想"底是庞公栖隐处？"似乎要大发思古之幽情了。

如果他是在登山览胜，自然可以慢慢去寻访，去考查，可江行却容不得他低回迟延。因为很快就下滩了，诗人只好站稳一点，任那"双橹急摇下滩去"。于是"含情一笑江风清"这句，不仅是一种向古人致意的自作多情，而且也是无可奈何的一笑，是颇能传达当时神情的一笔。

读者一定会联想起孟浩然那首篇幅与此诗相当的名作《夜归鹿门歌》："山寺鸣钟昼已昏，渔梁渡头争渡喧。人随沙岸向江村，余亦乘舟归鹿门。鹿门月照开烟树，忽到庞公栖隐处。岩扉松径长寂寥，唯有幽人自来去。"这是多么深刻的诗作呀，诗人简直已经进入境界，进入角色，那"幽人"不就是庞德公和诗人自个儿的合一吗？相形之下，这首《过鹿门山》不是太浮光掠影了吗？诗人连"庞公栖隐处"都没找着，更不用说进入角色了。但这是江行，江行览胜的特点就是"放电影"式的，容不得你慢慢咀嚼或回环往复。"浮光掠影"式的感怀，酷肖江行之风神，道出了这种特殊的生活况味。

（周啸天）

梅　花　落

薛　瑄

檐外双梅树，庭前昨夜风。不知何处笛，并起一声中。

鉴赏

《梅花落》本为笛曲。此诗咏笛，兼写春风落梅，其佳处全在巧心浚发。诗的首二句是两个对仗的名词性的词组："檐外双梅树，庭前昨夜风"，用文法来读这样的诗句是读不通的，因为它只说了"什么"，没有说"怎么样"，但用诗法来读则绝无窒碍。"庭前""檐外"是同一个地方，"双梅树"与"昨夜风"并置，则大是梅花落的意味了。这里的风是春风，梅花较百花开放得早，凌寒先放，到春暖花开的季节，它倒先落了，此所谓"俏也不争春，只把春来报"（毛泽东）。

三、四两句忽引出笛声，诗中并未明言此笛所奏何曲。但“梅花落”这个诗题，和末句“并起一声中”，告诉读者，它吹奏的正是《梅花落》。所谓“并起”便不止“一声”，至少有两声。很清楚，这两声便是使得“梅花落”的风声，和吹奏《梅花落》的笛声。说它们都为一声，是就其统一于“梅花落”而言，所以这一句实为独到的佳句。“不知何处笛”云云，表面是说不知笛声之所至，而语气上则是颇具怨意的。似乎有些责怪笛声不该来这凑趣儿，以致加速了梅花的飘落。事实上这没有道理。那吹笛的人，或许正是有感春惜花之心，才对着落梅风吹起应景的笛曲呢。所以这两句很耐人回味。五言绝句虽小却好，虽好却小，有时就靠那么一点巧思取胜。

（周啸天）

石灰吟

于谦*

千锤万击出深山，烈火焚烧若等闲。
粉骨碎身全不惜，要留青白在人间。

作者

*于谦(1398－1457)，字廷益，号节庵，钱塘(今杭州市)人。永乐十九年(1421)进士。宣德初，授御史。以才迁兵部右侍郎，巡抚河南、山西。迁兵部尚书。土木之役，英宗被俘，蒙古也率兵进逼北京。其提督军马，击退蒙军。英宗复位后，被诬陷，弃市。后赠太傅，谥肃愍，又谥忠肃。其诗独树一帜，内容多反映现实，且明白如话，不事雕琢。其七言更具特色。有《于忠肃集》。

鉴赏

这一首咏物言志的七绝，相传是于谦十七岁在杭州吴山三茅观读书时所作。于谦年少时受祖父影响，崇敬文天祥“殉国忘身，舍生取义”的抱负和气节，用以作为自己立身行事的准则。除此，他还敬慕苏武、诸葛亮等历史人物，毕生奉作楷模，可见他从小就有雄心壮志，这就是他写《石灰吟》的思想基础。

题目中的“吟”字，是诗体的名称，这里又含有吟咏之意。咏物诗，重点虽不在所咏之“物”，而在“抒情言志”，但后者必须通过“物”才能体现。诗人所写之“物”是生活中常见的石灰，故四句诗都不离“石灰”二字。首句写开采石灰石，说明石灰的出处。石灰由石灰石烧炼而成，石灰石“出”自“深山”，说明路途之遥远；“千锤万击”形容石灰石之坚硬，可见开采之难。“出深山”，既言开采之难，又写运输之艰。这是取得石灰的第一步，故先写。接着第二句“烈火焚烧若等闲”，写石灰的炼制过程。这是在有了石灰石后，进入第二道工序，即制作石灰的关键性过程。“烈火焚烧”，极言火力之猛，炉温之高，时间之长，非此不能成为石灰。面对这一步的“考验”，诗人用拟人法写石灰石的态度是“若等闲”，好像很平常，毫不畏惧。这既是对“烈火焚烧”而言，又同时兼及上一句的“千锤万击”。这就赋予石灰以品格之美——为了由石灰石变成对人们有用的石灰，甘愿经受严酷的磨炼。以上两句是第一层，写石灰的采制。

后二句是第二层，转写石灰的使用。第三句“粉骨碎身全不惜”，写浸泡石灰，说明石灰的分解过程。有了成块状的生石灰（当然也自有其用），还要用水浸泡使之分解成粉状的熟石灰，以派用场。“粉骨碎身”一语极形象地说明了这一分解成粉末的过程。这就较锤击和焚烧更进了一层，而石灰的态度也进了一层，是“全不惜”，毫不可惜。这里仍用拟人法，如果从石灰石之所以要成为石灰以服务于人的初衷来说（从末句更可明白），诗人赋予石灰的则是勇于自我献身的精神。“粉骨碎身”，主要是就浸泡分解而言，同时也兼及开采时的“千锤万击”和烧炼时的“烈火焚烧”，这就使诗前后都有了密切的内在联系。末句“要留青白在人间”，写石灰的使用，总绾上文，点明题旨。有了浸泡好后的熟石灰，就可用以砌墙抹壁了。“青白”，表面上是指用以砌墙抹壁的熟石灰的颜色，实际上是在“拟人”的前提下用谐音双关手法，表明要把“清白”的名声留在世上。这最后一句，总括了前三句所写石灰开采、烧炼、浸泡的原因和目的，即一切为了使用，也就是为人民的利益而献身，这就进一步赋予石灰以高尚的人品。

“咏物以托物寄兴为上”（薛雪《一瓢诗话》）。这首诗表面上句句咏石灰，实际上字字写人。托物言志，寓意极深。这从诗中多次用拟人法中即可看出。再联系诗人的具体情况来看，于谦祖父在明洪武初年曾官工部主事，但到了父亲于彦昭时，不曾出仕，家道中落，但他不因家境贫寒、地位卑下而消沉泄气，相反却以历史上的优秀人物为榜样，刻苦自励，决心从艰苦的磨炼中去建树自己高尚的情操和实现自己勤政济世的远大抱负。由此可知，诗中明写开采石灰石之艰难，实则暗喻诗人决心从磨炼中成长；明写石灰石视火烧“若等闲”，实则暗喻诗人在磨炼中不畏艰险；明写石灰的“不惜”“粉骨碎身”，实则暗喻诗人勇于献身的精神；明写石灰的“要留青白在人间”，实则暗喻诗人不平凡的抱负和正直的人格，以及宁为玉碎、不为瓦全的气节。因此，此诗是少年于谦以石灰自喻的誓言。再从他一生的言行、最后的遭遇和表现来看，此诗又成了他作为杰出的政治家、军事家以及不可多得的民族英雄的真实而生动的写照。

此诗取材新颖，比喻形象生动；字句铿锵有力，气势坦荡；立意高远，思想深邃；真切感人，读之令人鼓舞，堪称咏物诗之上品。

（蓉　生）

田　舍　翁

于　谦

田舍翁，老更勤，种田何曾辞苦辛。
鸡皮鹤发十指秃，日向田间耕且斸。
雨旸时若得秋成，敢望肥甘充口腹。
但愿公家无负租，免使儿孙受凌辱。
吏不敲门犬不惊，老稚团栾贫亦足。
可怜憔悴百年身，暮暮朝朝一盂粥。
田舍翁，君莫欺。
暗中朘剥民膏脂，人虽不语天自知。

鉴　赏

于谦的杂体诗（即古体诗）大多涉及明代的社会生活和触及当时的社会问题，比较深刻地反映了当时的社会现实，表现了他关心人民疾苦的襟怀。此诗写一位老农民穷苦困顿的生活，揭示出当时统治阶级剥削压榨农民的惨重情景，正是当时深重的阶级剥削的真实写照。

诗一开头，便直承题目以一“田舍翁”作为典型形象来写，一以贯之，统摄全篇。首四句先写这一田家老农的勤劳。“何曾辞苦辛”，谓何尝逃避过劳苦。联系前句的“老更勤”，可见这位老农一辈子都在辛辛苦苦地种田，愈老愈辛勤，从来没有偷过懒，以致皮肤粗糙如“鸡皮”，白发苍苍如“鹤”，十个手指因过分劳作，指甲因磨损而脱落殆尽，变成一根根秃指了。尽管如此年老体衰，已是“鸡皮鹤发十指秃”了，还要每日下田耕作（斸，zhú，用锄掘地）。这一具体形象，活现了这位老农不避严寒酷暑，雨雪风霜，终年辛勤劳苦的生活，很有代表性。正如马克思所说:“劳动替富者生产了惊人作品(奇迹),然而,劳动替劳动者生产了赤贫。劳动生产了宫殿,但是替劳动者生产了洞窟。劳动生产了美,但是给劳动者生产了畸形。”

接下来六句,诗人着力刻画这位老农的心理活动。“雨旸时若得秋成,敢望肥甘充口腹。”“旸”,晴天。“时若”,顺时。“肥甘”,指美味的食物。两句意为,即使风调雨顺,秋收在望,也从不敢奢望吃一点较好的东西。风调雨顺收成好尚且不敢有一点奢望,即是说也只能勉强糊口,那么天不作美减产歉收时就连饭也吃不饱,是可想而知的了。“但愿公家无负租,免使儿孙受凌辱。”“公家无负租”是“无负(拖欠)公家租”的倒置。明代在实行“一条鞭法”以前,赋和役分开征调,赋按田地征收,役按人丁应差。但随着土地兼并的扩展,户丁的逃亡,富户隐产瞒丁,贫苦农民往往产去而税存,人亡而役在,加之贪官污吏在田赋以外加派贡品,敲诈勒索,任意役使户丁,苛重的剥削和混乱不堪的赋税制度,随时加重着农民的负担。因此这位老农随时担心向官府交不上租税,使儿孙受凌辱。“无负租”指租税而言,“免使儿孙受凌辱”则既指租税又指徭役而言,因为这两者都可随时“使儿孙受凌辱”。从“但愿”的心理看,可见过去“负租”是常有的事,今之“但愿”而希望“免使儿孙受凌辱”,只是偶存侥幸心理而已。如果天从人愿收成好,按时交完租,应完役,“吏不敲门犬不惊”,一家老小能团聚在一起,贫穷一点也心满意足了,这就是这位老农有限的一点希望。“吏不敲门犬不惊”,从侧面表现了官吏催逼租役是何等凶残。可见在阶级剥削深重的明代,“追呼敲扑,岁无宁日”的境况是常有的,那么老农的这点希望是否能达到呢?结果如何呢?回答是否定的。请看,诗人在六句心理描写后补了这样两句:“可怜憔悴百年身,暮暮朝朝一盂粥。”“百年身”,指一生。老农劳累一辈子,面容憔悴,贫病交加,早晚却只有一碗粥喝,维持着这半死不活的生命。可见,他的“老稚团栾贫亦足”的希望是未能实现的,也是不容易实现的。这就反映出老农的悲惨遭遇,苦难生活,是“公家”沉重的赋税和徭役造成的。

以上是诗的第一层,以“田舍翁”领起,从勤劳、愿望、结果三方面写出老农勤劳和苦难的一生。以下四句为第二层,仍以“田舍翁”领起,转写诗人对贪官污吏的警告。“莫欺”是因农民常被欺压而诗人从反面提出的控诉,决非农民从未受欺压而从正面提出的美好愿望。这从下一句“暗中朘(juān)剥民膏脂”即可看出。“朘剥”即剥削。“暗中”二字极有分量,它说明贪官污吏除了公开的催逼租役外,不知外加了多少剥削的项目,其巧立名目,搜刮民脂民膏的做法,已到了令人难以容忍的地步!这种合“法”与非法的掠夺与盘剥,“人虽不语天自知”!“人虽不语”是说农民敢怒而不敢言,尤见“君欺”之甚,而诗人此篇则正是为民请命的大声呼吁:君欺民,天自知!语中饱含着控诉、谴责与警告之意:如此欺压百姓,谨防天地难容!这一方面表现了诗人对鱼肉百姓而贪得无厌的剥削者的彻底揭露和无比愤怒,痛斥了他们贪赃枉法的罪恶行径,同时也表达了诗人对劳动人民的深厚同情。于谦作为一个政治家,一个干吏能员,其关心民瘼的政治怀抱,在这首小诗中作了集中的表现。

于谦以政治上的杰出才能和军事上的击退侵略势力,以身报国而留名青史。他无意为诗,写诗对他来说完全是余事。他写诗,以内容为主,不事雕饰,但求反映现实,直抒胸臆而已。正因此,他的诗常具有一种天然本色,淳朴率直,形象精练,感情真挚,个性鲜明。这在有明一代,较之于以“三杨”为代表的“台阁体”歌功颂德的官僚文风,以及前后“七子”的拟古复古倾向,可以说是别具一格,独呈异彩。《四库全书简明目录》评其诗说:“风格遒健,乃转出当日诗人上。”正恰当地指出了他的诗歌的这一特质。

(蓉　生)

荒　村

于　谦

村落甚荒凉,年年苦旱蝗。老翁佣纳债,稚子卖输粮。
壁破风生屋,梁颓月堕床。那知牧民者,不肯报灾伤。

鉴赏

如果说于谦《田舍翁》诗着重写“田舍翁”这一典型形象,那么这首五律则着重写“灾荒”这一典型事件,其共同主题在于深刻地揭露明代尖锐的阶级矛盾以及民不聊生的社会现实。诗人作巡抚十八年之久。上任头几年(宣德五年至十年,即1430—1435),适逢河南、山西旱灾蝗灾接连不断,他奉命视察灾情。据《明史》本传载:“谦至官,轻骑遍历所部,延访父老,察时事所宜兴革,即具疏言之。一岁凡数上,小有水旱,辄上闻。”从此诗内容看,重在写灾年里农村的破产,大概作于宣德九年(1434)前后。

前三联写农村的荒凉。首句“村落甚荒凉”,一个“甚”字说明“荒凉”时间之长,程度之深,面积之广。看来不是一年两年,一村一家,而是几年来家家破败,村村荒凉。点出“荒村”二字,题旨尽出。农村如此荒凉,原因何在?从下面的诗句可见,既因“天灾”,又因“人祸”。从天灾上看,“年年苦旱蝗”。据林寒《于谦诗选》所附“年谱”载:宣德五年(1430)“河南、山西等地灾荒”;六年,于谦“疏请赈款三十万两,赈济河南、山西两藩饥民”;七年,“连年旱涝”,于谦“又议,以河南怀庆、陕州存仓多年余粮,减价粜给山西饥民及逃荒至河南的灾民”;八年,“天久旱,于谦深为忧虑,随俗斋戒祈雨”,“灾荒之年,每发时疫,于谦命设惠民药,为民治病”;九年,“河南、山西发现蝗情”……可见“年年”二字不虚。旱灾使田地龟裂,庄稼枯萎;蝗虫更凶,把一切都吃光;加之时疫流行,饿殍遍野,更是苦不堪言。一个“苦”字,把农民被“旱蝗”所害的惨状道尽。从人祸上看,“老翁佣纳债,稚子卖输粮”,老翁出去帮人做工,换钱交纳债务,将幼子卖掉去交公粮。平时交租应役,剥削中又有敲诈,尚不能支,更何况年年旱蝗,于是只好出此下策,“佣”老翁以“纳债”,“卖”稚子以“输粮”。诗人把灾害与租役交织着写,意在加重第二句所言之“苦”,就不仅指“旱蝗”了。在此困境下,农民生活怎么样呢?墙壁破了,屋梁塌了,无力修补,只好任其满屋生风,月光直照床上。须知,“老翁”只是万千农民之一例。至此,农民的家破人亡,农村的荒凉景象,已历历在目。

尾联斥责地方官吏的失职。“那知牧民者,不肯报灾伤。”“牧民者”,即治民之人,古时把官吏治民比作牧人牧养牲畜,这里指地方长官。按情理,灾年应减免赋役,降价粜粮赈济灾民。“那知”有“可是”“谁料”之意。地方长官既“不肯”如实地向朝廷申报灾情,就更不愿为灾民请求赈恤了。因此,赋役照收照征,才出现上述“老翁”的苦难遭遇和生活的惨况,从而使诗的前后内容紧密相连。那么,为何“牧民者不肯报灾伤”呢?因为一旦减免了赋役,他们从中敲诈剥削便失去了口实,直接“影响”到自己升官发财。诗人正是从地方官吏为了自己的得失而不顾人民死活这一点上,愤怒地痛斥了这些官吏们失职的罪恶行径。见灾不救,有灾不报,还要“荒田更起科”(《延津县》),加重对农民的盘剥,这是个什么世界!

读完此诗,我们看到了“旱蝗”以及“牧民者”所加给农民的苦难和农村破产的景象。从某种意义上说,“牧民者”所加给农民的灾难,比“旱蝗”尤甚,这就深刻地揭露了当时政治的黑暗和尖锐的阶级矛盾。当时,于谦作为一位督抚大员,目睹此情此景，一面申报朝廷，请求豁免租赋，开仓赈济，一面惩办“剥民肥己”(《收麦》)的贪官污吏，并对这种“牧民”之官给以严肃的告诫和尖锐的讽喻。“豺狼当道须锄殄”(《二月三日出使》)，“豪强使慑服”(《昼夜长短》)，是他终生身体力行的官箴之一。这既是为了维护明王朝的统治，也是为了保护黎民百姓，既对当时的黑暗现实有所批判，又鲜明地表现了自己对不幸农民的深厚同情，是应予肯定的。

明代诗歌在整个中国古代文学中成就一般，但于谦这类深刻反映时代、批判现实、关心和同情人民疾苦的诗章，正是继承了我国古代诗歌中优秀的现实主义传统。应该说，于谦不愧为一位杰出的现实主义诗人。

(蓉　生)

出　塞

于　谦

健儿马上吹胡笳，旌旗五色如云霞。
紫髯将军挂金印，意气平吞瓦剌家。
瓦剌穷胡真犬豕，敢向边疆挠赤子。
狼贪鼠窃去复来，不解偷生求速死。
将军出塞整戎行，十万戈矛映雪霜。
左将才看收部落，前军又报缚戎王。
羽书捷奏上神州，喜动天颜宠数优。
不愿千金万户侯，凯歌但愿早回头。

鉴赏

“出塞”是汉乐府《横吹曲》名，内容写将士的边塞生活情况。秦汉以长城外地区为边塞，或作塞下，出塞就是出关。于谦这首杂体诗以此为题，是为出征瓦剌而作，与他的另一首《入塞》(写将士从边塞返归的情景)合成组诗，反映人民粉碎瓦剌的侵略战争而求取和平的迫切愿望。明时，蒙古部落瓦剌(即卫拉特，明译瓦剌)屡犯边境，最严重的一次是英宗正统十四年(1449)，瓦剌部帅也先入侵，英宗仓促上阵，结果在土木堡(今河北怀南县东)被也先包围,全军覆灭,英宗被俘,历史上称为"土木之变"。在这民族存亡的紧急关头,于谦力斥投降派"南迁"谬论,与主战大臣一道拥立英宗弟郕王为帝(即景帝)。于谦出任兵部尚书,反对"议和",组织历史上著名的北京保卫战,击退也先进攻,使明王朝转危为安,也先不得不把英宗放回。八年后,即景泰八年(1457),景帝病危,英宗复位,于谦遭诬被害。因此,于谦这类有关军事题材的诗歌,在他全部诗作中占着特殊的地位。

此诗四句一转,按出征、斥敌、战斗、凯旋依次写出,凡四层。

出征。"健儿马上吹胡笳,旌旗五色如云霞。""胡笳",我国古代北方民族的管乐器,其音悲凉。"五色",谓青黄赤白黑五种主要颜色,这里泛指各种色彩。首二句写勇健的士兵出征,骑着剽悍的战马,吹奏起悲壮的军乐,高举起"如云霞"般的各种彩色战旗,浩浩荡荡开往前线。"紫髯将军挂金印,意气平吞瓦剌家。"三国故事说吴主孙权"碧眼紫髯",一次魏将张辽问吴国降人:"紫髯将军使马善射,这是何人?"答说:"孙会稽。"这里借用孙权故事,说挂帅的是一位仪表威武而有治军才干的将军,他意气风发,带领部卒决心平定边乱,消灭瓦剌侵略军。这就进一步表明有得力的将帅作指挥,战争的性质是正义的,敌人就是入侵的"瓦剌家"。总观四句,先写士兵而后写将帅,共同为反侵略而出征,其队伍之庞大,气势之雄壮,目标之明确,跃然纸上。

斥敌。诗人掉过笔头写侵略者:"瓦剌穷胡真犬豕",言势穷力竭的胡人瓦剌完全是一批猪狗——形容其野蛮愚蠢;"敢向边疆挠赤子"(赤子,婴儿,引申为子民百姓),谓其竟胆敢拥向大明边地骚扰善良的百姓——指出其蠢动纯属侵略;"狼贪鼠窃去复来",指瓦剌侵入国境后,如狼如鼠,到处抢劫,去了又来——极言次数之多,气焰十分嚣张;"不解偷生求速死",是说他们不懂得苟且活下去,竟然找上门来自投罗网,只能是自寻死路——预示其必遭灭亡。其中"真""敢""复""速"等字,各尽其妙。这四句,一方面写出侵略者自不量力的凶恶嘴脸,一方面又表达了诗人以及将士们对侵略者的愤慨和藐视以及"平吞瓦剌家"的必胜信念。

战斗。"将军出塞整戎行",承"紫髯将军"二句而来。"出塞",点题。"戎行",指军队。"整戎行",意为摆开阵势,发动攻击。"十万戈矛映雪霜",承"健儿马上"二句而来,"十万"言士兵之多,"戈矛映雪霜"绘戈矛如林,刃口雪亮与霜雪相映衬。此系以兵器的锋利写战斗之激烈。"左将才看收部落,前军又报缚戎王",才见左翼将军收服了敌人的部落,前锋部队又报告说活捉了敌人的首领。“才看”紧接“又报”，既“收部落”，又“缚戎王”，时间极短，捷报频传，可见将士们作战的勇猛，进展的神速，战果的辉煌，真乃一举而大获全胜。“将军”是点，“十万”是面，“左将”是点，“前军”是面，“缚戎王”是点，“收部落”是面，点面结合，极简练地表现了整个复杂的战斗场面，而将士之同仇敌忾寓焉。

凯旋。末四句说，胜利消息以紧急文书迅速传到朝廷，皇帝高兴得笑逐颜开；将士们得到恩宠荣耀，优奖有加；大家不求高官厚禄，只愿得胜班师，凯歌高奏，早日回家。正如诗人在《入塞》诗中所唱：“朝廷受赏却还家，父子夫妻保相聚。人生从军无奈何，岁岁防边辛苦多。不须更奏胡笳曲，请君听我入塞歌。”这就真切地反映了当时人民反对侵略、热爱和平的共同愿望；人民积极支持正义的反侵略战争，治军守边，杀敌报国，不是为了升官发财，而是为了争取永久的和平劳动生活。诗以“不愿千金万户侯，凯歌但愿早回头”收束，正好体现了这一主题。

此诗艺术上的一个显著特色是，通过概括性的想象，不局限在具体的人和事上，给人以“虚中有实”之感。说“虚”，是无法落实具体的人和事，如“紫髯将军”“左将”指谁？“戎王”是“瓦剌家”哪一代可汗？等等。说“实”，是因瓦剌长期地多次骚扰边地，而也先为可汗时入侵明都北京正是诗人亲身经历的一大事件。诗人将明朝出征瓦剌的军事行动归总为一次来写，“虚”中见“实”，则更集中更突出地表达了自己以及广大军民在民族战争中高度的爱国情感。其次，诗巧妙地利用四句一转韵的形式，形成四层相对独立而又互有联系的不同的情景和画面，层层递进，结构严谨，节奏急促，气势逼人，表现将士平定瓦剌之征战，真可谓声威两壮，不愧为民族英雄的豪迈诗章。

（蓉　生）

送岳季方还京

郭　登*

登高楼，望明月，明月秋来几圆缺？
多情只照绮罗筵，莫照天涯远行客。
天涯行客离乡久，见月思乡搔白首。
年年长自送行人，折尽边城路旁柳。
东望秦川一雁飞，可怜同住不同归。
身留塞北空弹铗，梦绕江南未拂衣。
君归复喜登台阁，风裁棱棱尚如昨。
但令四海歌升平，我在甘州贫亦乐。
甘州城西黑水流，甘州城北黄云愁。
玉关人老貂裘敝，苦忆平生马少游。

作者

*郭登（？－1472），字元登，定远（今属安徽）人。洪熙（1425）时授勋卫。正统七年（1442）九年均立战功。土木之役以功封定襄伯。英宗复辟，谪戍甘州。成化初（1465）复爵，卒赠侯，谥忠武。有《联珠集》（含其父兄之作）行世。

鉴赏

作者为明代英宗朝武臣，屡有战功。瓦剌军俘英宗后大肆入侵，他以破敌有功封定襄伯。英宗复辟后，谪戍甘州（今甘肃张掖）。岳季方则因忤权幸贬谪肃州（今甘肃酒泉），成化初年，复官修撰。此诗即写于岳季方还京复职时。全诗四句一韵，五换韵，可分三段。

前二韵为一段，写久谪思归之情。诗人用近乎迷惘的调子唱出了:"登高楼,望明月,明月秋来几圆缺?"事实上秋天明月只圆缺三次,诗人似乎弄不清楚,这只能说明他度日如年,深感困惑罢了。聂夷中《咏田家》诗云:"我愿君王心,化着光明烛。不照绮罗筵,只照逃亡屋。"这里却因其意而用之,用埋怨语气对明月说:"多情只照绮罗筵,莫照天涯远行客。"似乎月亦势利。以下转韵,又一次使用顶针格从"天涯行客"即待罪的自身说起,言在乡思之中,常作他乡送客,特别难堪。"折尽边城路旁柳"似是反用"主父西游困不归,家人折断门前柳"(李贺)的名句。总之,这一句可谓声酸词苦,为全篇定调。

第二段亦由二韵组成,点题。"秦川一雁飞"系喻指岳季方一人还京,而自己继续羁留边州,眼睁睁看着友人际遇的好转,故曰"同住不同归"。"空弹铗",用冯谖事写思归,"未拂衣"即未能归隐。这一韵仍续上段苦辞。以下一转又为朋友的解脱感到高兴。因岳某被贬前在内阁遇事敢言,今又重返,棱角尚在,故诗赞云:"风裁棱棱尚如昨"。然说到"但令四海歌升平,我在甘州贫亦乐……"通观前后,似有强颜欢笑之态,事实上作者的心情并不那么坦然。

最后一韵为第三段,再次抒写谪居边州的感慨,与第一段抱合。黑水,即墨河,在甘州城西十三里。塞外风尘很大,云呈黄色。"甘州城西黑水流,甘州城北黄云愁",排比感兴,"黑"是虚色,"黄"属实色,相映成趣,写出边地苦寒荒凉。北宋神宗时,蔡挺知渭州既久,有"玉关人老"之叹(《宋史·郭登传》)。战国时苏秦游说秦王,十上书而不报,黑貂之裘敝,黄金百斤尽。"玉关人老貂裘敝"即合用二事,自慨生平。最末一句亦用典,味更深长:"苦忆平生马少游",《后汉书》传载马援曾谓客属曰:"吾从弟少游,常哀吾慷慨多大志,曰:'士生一世,但取衣食裁足,乘下泽车,御款段马,为郡掾吏,守坟墓,乡里称善人,斯可矣。致求盈余,但自苦耳。"这位马少游所持守所宣扬的是一种不求上进之道,一种明哲保身之道。它要求人们安于现状,不图进取,故为有志之士所不屑。然而压抑摧残人才的社会现实,往往逼得人们放弃理想,选择这种以谋身为目的的退路,用象棋行话来说即"退后一步自然宽"。诗人这里不一定是全盘否定自己的过去,也不一定是肯定马少游的人生观,只是借此表现个人的感喟不平罢了。全诗语言通俗,间用典故但并不晦涩,适当运用顶真辞格,都增添了诗歌流畅婉转的韵度。

(周啸天)

夜过邵伯湖

李东阳*

苍苍雾连空，冉冉月堕水。飘摇双鬓风，恍惚无定止。
轻帆不用楫，惊浪长在耳。江湖日浩荡，行役方未已。
羁栖正愁绝，况乃中夜起。

作者

*李东阳(1447－1516)，字宾之，号西涯，湖广茶陵(今属湖南)人。天顺七年(1464)进士，官至吏部尚书，华盖殿大学士，曾依附奸宦刘瑾，为时人非议。然其诗文为明代一宗，主张“文必秦汉，诗必盛唐”，影响颇广。尤以诗著称，风格典雅工丽，为明代一大家。成化、弘治年间，形成以他为首的茶陵诗派。有《怀麓堂集》《怀麓堂诗话》。

鉴赏

明朝成化八年(1472)，二十六岁的李东阳，任翰林院编修，请假陪同他的父亲李谆回湖南一次。这是他第一次长途旅行，在故乡茶陵住了十八天。但他这次南行历时七个月，二月从北京动身，一直到八月末方“入见于朝”。南行途中作者写了一百二十六首诗，文五篇，编成《南行稿》一卷，本诗即其中之一。作者在《南行稿序》中说：“方吾舟之南也，出东鲁，观旧都，上武昌，溯洞庭，经长沙，而后至其间。”可见他南行时，由北京沿运河乘船经山东到南京，由南京沿长江乘船到武昌，由武昌乘船经岳阳到长沙，再由长沙到茶陵。邵伯湖在今扬州市北部大运河以西，北接高邮湖。《南行稿》中有《扬州怀古》一诗，可证作者北返途经扬州逗留之际，乘兴夜游邵伯湖，并写了这首诗。《南行稿序》中又云：“又以其余，览形胜，玩境物，输写情况，振发其抑郁而宣其和平，亦岂非一时之乐哉！”可见其沿途游览风光，寄托兴会，导泄抑郁而寻求平和，是视作“一时之乐”的。这些，也可看做理解本诗的线索。

本诗在读者眼前展现的是一幅壮阔的图景：大雾弥漫连空，月光与湖水相接，惊涛前后相涌，湖水浩浩荡荡，从客观世界的壮阔景象中，隐隐然亦可窥见诗人宽阔的胸怀，两者巧妙地融合在一起。诗人最得意的大概是吹拂着双鬓的“风”了。这不大不小的风，使湖水不断涌起惊浪，又使诗人感受到恍恍惚惚，漂荡无定止，而轻舟却在不停地航行，也用不着舟子划桨了。诗人在序中说到的“柳子厚所谓旷与奥者，庶几其两得之”，表明诗人既喜欢“连山大江，境象开豁”的壮景，又喜欢“溪壑深窈，峰峦奇秀”的幽景。在历经七个月的旅途中，“庶几其两得之”是确实的。夜过邵伯湖，所得的是壮阔之景，是“两得”中之一得，当是其兴会所寄中的一乐吧。

由“江湖日浩荡”想到“行役方未已”，因为北返时途经扬州，离北京还有不短的一段路程，所以行役远没有结束。这里语意双关，又含有仕途仅仅开始、任重而道远之意。唯其有这种胸怀，方能有憎有爱，有喜有愁。那么诗人在旅途栖息之际“愁绝”的是什么呢？以至于夜不能眠而中夜而起？解诗者可联想到任意东西，但读到在《夜过邵伯湖》下面的《扬子湾》一诗，则庶几可解本诗之最末两句了。《扬子湾》开头云：“扬州久枯旱，河水缩不流。千夫力未强，曳缆用巨牛”。诗末云：“庶几沛甘雨，洗我苍生忧。”当诗人游览扬州，泛舟邵伯湖之时，扬州正闹干旱；而当诗人看到浩荡的邵伯湖之时，怎不由此联想到扬州的干旱给苍生带来的灾祸。诗人是有同情心的，此时若说“忧国忧民”，稍嫌张大，但正显示了诗人宽阔的胸襟——于快意之中不忘民瘼，则是确实的。

（陈曼平）

南囿秋风

李东阳

别院临城辇路开，大风昨夜起宫槐。
秋随万马嘶空至，晓送千旂拂地来。
落雁远惊云外浦，飞鹰欲下水边台。
宸游睿藻年年事，况有长杨侍从才。

鉴赏

古代诗人写秋风的不少,所写的对象相同,而兴寄不一。杜甫写《茅屋为秋风所破歌》,秋风吹坏了他的茅屋,由己及人,他希望突然出现千万间广厦大庇天下寒士。刘禹锡的《始闻秋风》,由诗人与秋风对话写起,写到“马思边草拳毛动,雕盼青云睡眼开”,极为传神地刻画出骏马、鸷雕那种心动神惊的形象,是秋风使它心动神惊,是秋风给它们带来了虎虎的生气。诗人的《南囿秋风》究竟要借助于秋风写一个什么事件呢?我们从“别院”“辇路”“宫槐”“宸游”等字眼里,领悟到全诗写的正是一场王公贵人驰猎的壮景。诗里却把“秋”和“风”分开写。“秋”点明季节,“风”表示自然界的动静,有时候却可以张大声威或以壮行色。不过刮风的是昨夜,今日似乎是寥廓江天而风和日丽了,那当然是出游的最佳时刻,所以临城别馆的辇路早已清理完毕而等待着大队人马整装待发了。颔联两句以“万马嘶空”“千旂拂地”写出了这场出游的声势,我们会想象出那是一个何等盛大的场景。苏东坡《密州出猎》里写了“老夫聊发少年狂,左牵黄,右擎苍,锦帽貂裘,千骑卷平冈”,这种出猎规格则远逊于王公贵族了,但东坡这首词借写“出猎”表达了作者保卫国家打击敌人侵略的决心。而贵族们的出猎呢?是炫示?是玩乐?正是。王公贵族田猎之事古已有之。《庄暴见孟子》章云:“今王田猎于此,百姓闻王车马之音,见羽旄之美,举欣欣然有喜气而相告曰:‘吾王庶几无疾病与!何以能田猎也!’——此无他,与民同乐也。”但从本诗看,一方面实在是空前的闹哄,万马奔腾,千旗飘动;一方面却实在很冷落,颈联两句所透露的是落雁惊飞云外之浦,飞鹰欲藏水边之台而已。这不是说没有人,人是有的,万马千旗,那至少也有千人万人;没有的是百姓。因为天子田猎之乐,与百姓无缘。孟子提出的“独乐乐,与人乐乐,孰乐”的问题,不单是同乐不同乐的问题,而是王与不王的大问题。诗人的讽喻不露声色,请看尾联两句:“宸游睿藻年年事,况有长杨侍从才。”他平实地透露了宸游年年举行,亦当以诗文附庸风雅,更何况还有秀才们的帮忙帮闲。统治者只晓得作威作福,不懂得体察民情。试观归有光《西苑观刈麦》中写的“御苑清风正麦秋,金舆晚出事宸游”句,老百姓正忙着秋收,天子却在坐舆游乐呢!诗人们常常轻轻一笔,而诗中的境界全出矣。东阳诗平实而含蕴,于此诗亦可窥一斑。

(陈曼平)

与顾天锡夜话，时天锡谪永州府同知

李东阳

路转三湘去更深，潞河西岸浙东浔。
潜鳞自足波涛地，别马长怀秣饲心。
湘女庙前山似黛，柳公亭下石如林。
徵科亦是公家事，民力天南恐未禁。

鉴赏

《李东阳集》中李东阳为顾天锡写的诗有五首，从“休将白发论公私，造物何曾有黠痴”这类诗句看，知道顾天锡为官期间蒙受过委屈。大概也因为是非难以分辨，后来索性辞官家居了。而诗人是怎样思念这位友人的呢？他在诗中道：“独有怀贤兼感旧，春来无日不思君”“并州无限江东路，却望停云有所思”，可见他们之间相知甚深而友情甚笃。所以，当顾天锡为官时受到降职处分，发落到永州府做知府的佐官时，诗人不可能沉默无言，他是要写诗以为之慰藉的。诗人终于写下了这首诗。

顾天锡被谪的地方——永州，也就是唐代柳宗元谪守的地方。永州，隋开皇九年（589）置州，治所在零陵，即今之湖南零陵县。元改为路，明改为府。顾天锡谪守之地，就是零陵县，在湖南省东部，湘江上游及其支流潇水在境内汇合，邻接广西壮族自治区。所以首联第一句说“路转三湘去更深”，就表明顾天锡所谪之地是湖南东端，接近广西的边远地区。“三湘”，泛指湖南全省。第二句，当是泛指赴谪居之地的路线。潞河，指北京通州以下的北运河；浔，水深处。可见顾氏出发时要走的基本是一条水路，由河北、山东、江苏而浙江、江西再达湖南零陵。“深”谓所去之地深入；“浔”谓水之深处，则顾氏沿途跋涉山山水水备尝艰险的情状，当在意料之中。

颔联两句，用的是别具匠心的比体。海底大鱼当自乐于大海的波涛，那是它任意活动的场所，庄子《杂篇·外物》中曾经这样描写一条大鱼活动的形态与声势：“骛扬而奋鬐，白波若山，海水震荡，声侔鬼神，惮赫千里。”大海方是巨鱼活动的天地，那么一旦失去了又如何呢？这是诗人给读者留下的可供联想的余地。

好马，知马爱马者，否则正如韩愈所说的“故虽有名马，祇辱于奴隶人之手，骈死于槽枥之间，不以千里称也”。所以，好马若离开了伯乐又将如何呢？“别马长怀秣饲心”而已。诗人是顾天锡的知音，诗句深沉而含蓄地道出顾氏的称职、忠于职守与利于他施展才干的原有职务的多层含义，则惋惜之情与不平之气亦于句中渗出，这是从平淡处见深沉的艺术。颈联两句意在告诉友人零陵地方既多名胜古迹，又多青山秀水，是不可去亦可去的地方。诗中特别举出柳公亭含义尤深。柳宗元曾贬为永州司马，从政之余，优游于山水之间，以排遣其孤寂苦闷的心情，著《永州八记》。当诗人写到“柳公亭下石如林”的诗句时，隐隐然以此劝慰，使之振足起精神，经受住政坛上遇到的打击。但仅仅鼓励友人以山水为乐，毕竟是消极的，作为政治家的李东阳不会到此止步，所以诗末两句则是从积极方面鼓励其秉公持政，关心民间疾苦。征租收税正是政府的正常事务，但必须考虑到民力所及。民力所不堪负荷者，务施宽政，这才是解脱自己的最好途径。

这首诗表达了作者的体察、惋惜、同情和劝慰的复杂心态，以一个政治家的心怀来看待、对处政治上的一件不幸事件，从容不迫，不蔓不枝，诚为这类诗作中的珍品。

（陈曼平）

与赵梦麟诸人游甘露寺

李东阳

涧篆岩杉处处通，野寒吹雨堕空蒙。
垂藤路绕千年石，老鹤巢倾半夜风。
淮浦树来江口断，金陵潮落海门空。
关书未报三边捷，万里中原一望中。

鉴赏

李东阳成化八年（1472）在南行北返途中，游览了南京、镇江等地多处名胜，本诗即是诗人与友人游镇江甘露寺后写下的一首七律。甘露寺在镇江的北固山上。三国时吴孙皓甘露元年（265）建。《九域志》谓建寺时适降甘露，因名。唐李德裕加以增辟。宋以后屡毁屡建，迭经沧桑。而到近代,甘露寺已名存实亡,只让好游者们去怀想了。

这首诗的妙处在于无一处写到甘露寺,诗人写山景、物候、山上所见,写了甘露寺周围的一切,却让人感到是在处处写甘露寺,这是诗人采用了烘云托月的艺术手法。诗开头四句写北固山景,不是层峦叠嶂,而是翠竹清杉。翠竹长在山涧,而松杉生于岩缝。造物主却又把它们布置得错落有致,所以,不单单是"曲径通幽处",而是处处通向"幽处",或者可以说,处处通向这座甘露名寺。略带寒意的微风吹拂着蒙蒙细雨。苏东坡所写的"山色空蒙雨亦奇"的名句,也适用于这里了。细雨滋润着山色,不是更加青翠欲滴了吗?元代马致远的"枯藤老树昏鸦"句,那是深秋景色,已经没有生气了。可是诗人笔下的藤类植物依然在点缀着山路和山石,充满生机。层林叠翠,郁郁葱葱,一派浓郁的南国风光。第四句写的是昨夜不小的山风把禽鸟的巢窝掀倒了。诗人将这个意外的发现,引之入诗。这里不是说风有破坏性,如秋风把杜甫的茅屋刮走了三重茅,又如《风雨叹》中说的风把海水卷入陆地,造成洪水横溢。这却是一个有趣的诗料,你们看呀,风真不小呢,把鸟窝都掀倒了。那么,这是风壮山色,亦一景也。

颈联写的是山上远望,远望淮水而近看长江,目光由远及近。诗人既依稀看到淮水东流至淮浦县而北通于运河的情景(《水经》:"淮水连过淮阴县北,又东至广陵淮浦县入于海。"大江至此,犹如北折,与运河相通,故云"江口断"。);又清晰地看到长江潮涨潮落之宽阔空蒙的壮观。(宋王楙《野客丛书》引唐张氏《行役记》,谓甘露寺在金陵山上。大江至此,犹如海门,宽阔空蒙,故云"海门空"。)从性质角度观之,首联和颔联写的是山景,此联写的却是水景;从比较角度观之,前者写的是山中幽景,后者所写却是山下壮景。山、水、幽、壮交织,构成了甘露寺及其周围的一幅清幽而又壮丽的图画。诗人是轻松的,感情是欢快的。

尾联宕开一笔,写的不是凭吊历史,抒兴亡之感,而是眼前的现实:"关书未报三边捷,万里中原一望中。"明代宪宗成化年间,边患加剧。明王朝正设法消弭边祸,以稳定其统治,但明王朝却常常缺乏足够的军事力量以抵抗北部异族的侵扰。故尾联首句是写实,所以当诗人遥望万里中原之时,立即联想到边患尚未消除。作为关心国事的诗人,当赏心悦目之时,不可能把忧患置之度外的,这也就是诗人自己实践其"此诗之所以贵情思而轻事实也"(《怀麓堂诗话》)的创作主张。

(陈曼平)

九日渡江

李东阳

秋风江口听鸣榔,远客归心正渺茫。
万里乾坤此江水,百年风日几重阳。
烟中树色浮瓜步,城上山形绕建康。
直过真州更东下,夜深灯火宿维扬。

鉴赏

成化十六年(1480),三十四岁的李东阳,以翰林院侍讲兼应天府(南京)乡试考官。阅卷后,他游览了南京的名胜古迹,然后经扬州、徐州、德州、通州北上。这是他平生第二次远行,对广阔的社会有了深一层的接触。他将这次北上途中所作诗文编为《北上录》。本诗即其中之一。

李东阳在阅卷工作即将结束时,就准备着回北都了,这在他的诗赋中有所反映。他在《归梦》的诗中道:"路长心不竞,归近梦偏多。"在《后登舟赋》中道:"忧王事之靡遑,卜为期而暂喜。"可见他是怎样地要急于北上。那么,他们是何日动身的?我们看《后登舟赋》的序文:"成化庚子秋九月八日,予与洗马罗君明仲校文完事,归自南都。越一日重九,放舟龙江。"他们是九月九日重阳那天启程的。所以,这诗是北上的第一首,他们登舟归都了。

一、二句由舟中所见过渡到舟中所想。秋日江上,渔帆片片。诗人乘舟东下,江上所见,唯渔帆为多。渔人以鸣榔(捕鱼时用木条敲打着船舷发出的声响)为信号,关照着,催促着同行者抓紧捕捉。他们以捕鱼为乐,毕竟与归客之乐不同。"渺茫"者,时地远隔,模糊不清也。《北上录序》云:"既乃瞻望都邑,顾怀庭闱,慨王事之在躬,而思奉养之靡及,尤有不能已者矣。"归返是愉快的。及登程,则不免又百感交集,一时间出现了复杂的心态,思绪纷乱,竟理不出头绪了。"归心正渺茫",写的就是诗人这种复杂的心绪。对比之下,诗人反不如渔翁之乐。但这应理解为诗人责己严而周,又在考虑北归之后要做的事了。

颔联两句写诗人的"归思"。

一从空间，一从时间立说。诗人当此重九佳节，却舟行江水之上，既念天地之无穷，复念时间之有限，前句用比，后句直叙。以有限对无穷，往往使之感慨系之。陈子昂的“念天地之悠悠，独怆然而涕下”，抒发的正是诗歌革新的事业做不及做不完的感慨。李东阳主天下文柄，又留心于政务，则其一生要做的事，当如山积。然时间有限，天地悠悠，以有限的一生，无法做完天地间的伟业，这就是诗人发出的感慨。这四句从总体上看，思路前后一致，是“归心正渺茫”的进一步充实，并使我们窥得诗人积极的生活态度。

颈联两句由前面的舟中所想再过渡到舟中所见。与本诗差不多同时写的《后登舟赋》，写的也是舟中所想所见，诸如“视遥川与碧树，杳秋色兮相缪”，“平原莽其在望，芳草萋兮未已”等句。不过这篇赋所写的沿途景色，是到仪征为止。而本诗所写的风帆由北转东却尚未转东之时，故所见远则瓜步，近则建康，遥川、平原尚不收眼底。诗人远远看到的瓜步上迷茫的烟树像是漂浮在江水之中一般，虽不及“乾坤日夜浮”的洞庭湖那样浩瀚无际，却也够表现长江的壮阔气势了。近看金陵，诚是钟山龙盘石头虎踞，其雄奇险要，与长江气势相辅相彰，此时也许冲走了诗人的种种心态，精神为之一爽！正在“风帆东下，顾而乐之”(《后登舟赋序》)，他们向扬州进发了。

他们到达真州时，天未暮，“直过”，正描述风帆之速与不肯稍事停息之意。“更东下”，则本次航行的目的地乃是扬州，而到达扬州之时已是深夜。诗写到旅客留宿维扬而诗亦随之戛然而止。诗人在本诗中所要表现的基本内容也圆满地完成了。

(陈曼平)

游岳麓寺

李东阳

危峰高瞰楚江干，路在羊肠第几盘？
万树松杉双径合，四山风雨一僧寒。
平沙浅草连天远，落日孤城隔水看。
蓟北湘南俱入眼，鹧鸪声里独凭栏。

鉴赏

李东阳成化八年(1472)从北京回湖南的路线,先是由北京沿运河乘船经山东到南京,然后由南京沿长江乘船到武昌,由武昌乘船经岳阳到长江,再由长江到茶陵。他在长沙逗留了一些时日,写了一组诗,其中包括本诗在内。原诗四首,诗题应是《与钱太守诸公游岳麓寺四首,席上作》。本诗为四首之三。岳麓寺在岳麓山半腰,建于晋泰始四年(268),是长沙最早的一座佛寺,山门对联"汉魏最初名胜,湖湘第一道场"。岳麓山本是胜地,又多遗迹可觅,诸如岳麓书院、望湘亭等。诗人选择了岳麓寺,盖以点带面,岳麓山及其遗迹俱入诗中。这是诗人常用的艺术手法。

诗开头两句写的就是岳麓山。岳麓山在长江市湘江西岸,总面积八平方公里,最高峰海拔二百九十七米。诗的首句用一"危"字,即突出了岳麓山之高之险,它俯瞰湘江,和"湘水天下碧"(李东阳《至长沙送别谢宝庆》)的湘江相映成趣。诗人在四首之一中也写到了岳麓山:"衡岳地蟠三百里,群峰将断复崔嵬",和俯瞰湘江的另一名山——衡山连在一起,则岳麓山的雄姿更加清晰地展现在读者的眼前。既多"危峰",登山自难,羊肠小道崎岖曲折,则可供游人走的路究竟在何处?山路难觅,又衬托了岳麓山的险峻。

颔联的第二句中用"一僧寒"透露出岳麓寺的存在。有僧必有寺,有如说从前一位画家依据"乱山藏古寺"的诗句画一幅画,画家在画出的乱峰之中添上一根旗杆就代表佛寺了。这和诗人的艺术有异曲同工之妙,由此也看到诗人精巧的构思。那么岳麓寺周围的境况呢?周围万木葱茏,两处幽径在此会合。人们形容岳麓山碧峰屏开,层峦叠翠,盖源于覆盖于其上的苍松翠柏所致。"一僧寒"特别值得玩味,岳麓寺的僧不会只有一个,他就是僧侣的代表,着一"寒"字,则表示着僧侣的处境,他们出了家,并不意味着不会受到风风雨雨的打击。总之,为僧也是不容易的。

本诗后四句写诗人在岳麓寺张望,目力所及,为另一天地:平沙浅草,孤城落日,蓟北湖南,由远及近,由近及远,尽收眼底。这一同为空间的自然,就范围说,是加大加宽,我们可以看到作者是怎样地热爱着大自然的一切,热爱着祖国的山山水水。当他纵目眺望之时,他是充满着这种真情实感的。诗人的真情实感我们又在"鹧鸪声里独凭栏"句中看到他的延伸和升华。虽不若杜甫之"戎马关山北,凭栏涕泗流”(《登岳阳楼》)那样深切动人,却也包含着作者的人生感慨和今昔之叹。从本诗和其他三首诗中,我们可以看到作者写的“北海书存谁问价,少陵诗罢独怜才”“荒芜旧基俱寂寞,断碣残篆失分明”等诗句所流露出的这类感情。而在《至长沙送别谢宝庆》这首诗中则有“湖南近凋瘵,叹息为苍生”之句,那么更接近于诗人“独凭栏”时所思所想了。

(陈曼平)

立秋雨不止再和师召韵

李东阳

溽暑蒸人伏枕同,愁来白发恐难公。
雨声先到穷檐底,官事犹惭饱饭中。
微物有心回两曜,弱云无力度层空。
阴晴欲问明朝事,知在蓍爻第几重?

鉴赏

乔师召其人乃作者同僚,为翰林院编修。因为这年秋淫成灾,乔某作了四首七律遣怀。李梦阳正闷得慌,于是追和四首,而这四首又是“再和”之作。和韵诗难作,步韵诗更难作,是因为受到先人为主的韵脚的限制。不管你怎样地“思飘云物外”,最后都得穿上他那双“小鞋”,所以从来都是难以讨好的,何况一和再和。不过,艺事也难执一而论,诗歌限制增多时,也能逼得人挖空心思生奇,所以步韵也有因难见巧之作。像这一首,在炼句炼意上,均有值得称道之处。

“溽暑蒸人伏枕同,愁来白发恐难公。”立秋本来就与小暑大暑节气相连,又逢淫雨天气,必然闷热。坐在房间里就像被放在蒸笼里蒸,这“蒸人”二字实在妙于形容。睡下去就好一点吗?才不呢。闷热心慌时谁睡得着,何况蚊帐笼着,更让人难受。“伏枕同”三字就是这种意思。下句比上句更饶巧思。杜牧不是说“公道世间唯白发,贵人头上不曾饶”吗?但是,“愁多白发侵”(杜甫),“白发三千丈,缘愁似个长”(李白),“被白发欺人奈何”(辛弃疾),看来白发也不公道!诗人翻出“愁来白发恐难公”,是很新警的。因为在秋淫成涝的时候，并非是人皆愁，华堂之上，奴子摇扇、倚床听歌者必大有人在。愁人只有两种，一是穷人，二是有良心的官吏。

“雨声先到穷檐底，官事犹惭饱饭中。”秋风秋雨本不择地而加焉，“先到”二字，做成一个佳句。盖非雨声先到，而是“穷檐”最先感到。富人身处华堂深宅，关心什么世上风雨呢？只有茅屋才怕风吹雨淋，所以秋雨才到，他们就在叫苦了。此句以其沉重的现实内容，与东坡“春江水暖鸭先知”的名句大异其趣，但命意下字则有同工。下句和上句紧紧相连，有良知的官吏关心民瘼，由责任心而产生负罪感。想起诗云：“彼君子兮，不素食兮”，感到于心有愧。“官事犹惭饱饭中”，和白居易“百姓多寒无可救，一身独暖亦何情。心中为念农桑苦，耳里如闻饥冻声”的心情是一样的。

“微物有心回两曜，弱云无力度层空。”一句写普天盼晴，一句写并无晴意，焦急的心情与固执的天气形成对照。“微物”，天下细微的生物，盼望日月重光。“微物”尚且如此，人的心情更不用说了，这是见微知著的手法。“弱云”指天空的雨云，他们懒懒地留在空中，似乎迈不动步子，以“无力”形容最妙。这和晴云飘浮迅速，斯须白衣苍狗的状态完全相对，显得可憎。“无力”与“有心”皆拟物于人，有移情的妙用。

“阴晴欲问明朝事，知在蓍爻第几重？”最后诗人只好把放晴的希望寄托在明日。古代没有科学的气象测量和天气预报，所以明朝阴晴，实在难说得很。“蓍爻”指用占卜的草干摆成的卦象，象不止一道，解释也有灵活性。故即使占卜，也难以准确测定明日阴晴。“知在蓍爻第几重？”就表现了这种疑惑的心态，也许诗人占过卜，却没有应验。无可奈何中求助于蓍草，正表明了一种苦雨盼晴的迫切心情。

（周啸天）

寄彭民望

李东阳

斫地哀歌兴未阑，归来长铗尚须弹。
秋风布褐衣犹短，夜雨江湖梦亦寒。
木叶下时惊岁晚，人情阅尽见交难。
长安旅食淹留地，惭愧先生苜蓿盘。

鉴赏

这是寄赠一位失意落魄的友人的诗。友人彭泽，字民望，湖南攸县人，景泰七年(1456)举人，曾任应天通判，后失志归湘。从“秋风布褐”“夜雨江湖”等诗句看，此诗必写于彭泽归田之后。看来这是一个运蹇而心苦的人，魏阙没有他的位置，江湖上他又不能安处。但忧能伤人，此子不得永年矣。作者对他的处境十分同情，便写了这首诗来慰问。

“斫地哀歌兴未阑，归来长铗尚须弹。”在唐代有一位作过司直姓王的年轻人，很不得意，喝得烂醉之后就舞剑砍地悲歌，杜甫同情他并以为自己可以替他向有司推荐，便写了《短歌行》劝慰他说：“王郎酒酣拔剑斫地歌莫哀，我能拔尔抑塞磊落之奇才！”李东阳认为彭泽其人就像这位王郎一样是被压抑的人才，但自己却没有杜甫在蜀的那种关系网，没有提携友人的能耐。所以只能看着彭泽“斫地哀歌兴未阑”，言下是很负疚的。战国时冯谖在孟尝君门下作客，因食无鱼，出无车，无以养家活口之故，敲弹剑把作歌，说要归去。想必民望的弃官归里，也有迫于生计的苦衷。然而回家之后的他，更加落魄了。“归来长铗尚须弹”一句大可玩味。既然已经归来，也就无须敲弹剑把作苦声了，为什么“尚须弹”？显然，生活之资的老问题仍然苦恼着他，只是这回不知该上哪里去了。这两句或用事或用语，皆翻出新意。

“秋风布褐衣犹短，夜雨江湖梦亦寒。”二句进一步想象概括民望在湘的苦况，这当然是有根据的。书札往来就是一个相互了解的途径。上下句皆用了一再加倍的手法：“秋风”已冷，何况“布褐”(平民装束)，更何况褐衣不够长；“夜雨”增寒，身处“江湖”(民间别称)尤寒，更有那“梦亦寒”。把对方的境遇写得苦不堪言，如果不是彭泽亲自说，诗人哪会这样不留情面。

“木叶下时惊岁晚，人情阅尽见交难。”前面两句写其生活环境的恶劣，这两句则转写人际关系的改变。单看上句并不怎样出色，不过重言秋风夜雨的物候，但下句却是警句。“见交难”必须在“人情阅尽”之后，大是名言。一个著名故事说，某某新官夸耀交游之盛，而门人提醒他说：要知真有多少朋友，须等到丢官之后。这门人便是“人情阅尽”的人物，而那新官阅世尚浅亦不待言。想必彭民望这时也约略体会到“不才明主弃，多病故人疏”(孟浩然)的辛酸了。联系这一句，上句的“木叶下时惊岁晚”就远不那么简单。它起码含有“一叶落而知天下秋”的寓意，暗示着随后而来的打击多着呢。民望您就等着"人情阅尽见交难"吧！这一方面是提醒朋友注意这个问题，一方面也是安慰他；看开一些，"人情"本来就一张纸，薄得很呢，捅破了也好，免得一辈子蒙在鼓里。

"长安旅食淹留地，惭愧先生苜蓿盘。"二句以高度同情作结，全以情真意恳取胜。"长安"为汉唐故都，此代指明代北京，因为李东阳宦游在此，故称"旅食淹留地"，其处境显然较彭优越。但诗人揭出此义，一是为致关切，表惭愧，说一想到朋友端的是菜汤(苜蓿可为菜肴)，面有菜色，自己就过意不去；二是用"旅食淹留"暗示宦海沉浮，自己也保不了哪一天也会敲弹剑把作歌，归梦江湖。所以看到彭民望的处境，真有些兔死狐悲呢。

李东阳写这首诗是动了真情的，所以他绝不强作高调，而满纸苦音，是一篇长歌当哭的作品。《怀麓堂诗话》说："彭民望失志归湘，得余所寄诗，潸然泪下，为之悲歌数十遍不休。不阅岁而卒。"然而心理学证明，人在忧伤中就要听忧伤的歌曲才有缓解的功用。彭民望之死定然不是因为悲歌的原因。相反，在他死前，这些悲歌必给他带来过些小的安慰。

(周啸天)

西湖曲(四首)

李东阳

湖波绿如剪，美人照青眼。一夜愁正深，春风为吹浅。

鉴赏

一曲写湖水之美令人开怀。"湖波绿如剪，美人照青眼"二句中"剪""照"为炼字或句眼。通常形容水色是"绿如蓝""碧于天"等等，"绿如剪"乍读是不通的。玩味之下，始觉着一"剪"字，则把偌大湖面比作锦绣一块，这就赋予湖面柔软的质感。诗人常将春波比拟地称为"縠纹"，杜甫道："焉得并州快剪刀，剪取吴淞半江水"便有同妙。下句的"照"字又将湖面比作明镜，"青眼"是充满爱悦的目光。"美人照青眼"即美人见了湖水很开心。所以下两句说，本来昨夜愁很深，这时一下子就烟消云散了。不过诗句是"一夜愁正深，春风为吹浅"，这当中有一个跳跃，即：春风吹绿了湖水，湖水使美人开心，等于春风吹浅了深愁。由于省略了中间环节，诗句就突兀奇妙耐人玩味。而两句中“深”“浅”二字构成跌宕，又有唱叹之妙。

不信湖中好，侬身别有家。翻愁岁华尽，不敢采莲花。

鉴赏

二典写采莲女伤逝的情怀。“不信湖中好，侬身别有家。”这两句很耐人寻味，关键在于“别有家”三字，是指湖边的娘家，还是将归的婆家。看来是指后者。盖西湖女儿以湖为家，身既长成，又当别有所属。她实在舍不得湖上这个家，“不信湖中好”是违心的话，她此刻唯愿将去的那家更好，但这没有把握。“侬身别有家”表现出一种忐忑不安来，所以她宁愿留住年华，推迟那个日子的到来，以致不敢采莲花了。因为莲花一尽，年华亦逝；似乎留住莲花，也就留住了年华。“翻愁岁华尽，不敢采莲花”是痴话。而此诗之妙便在傻趣。

风落平沙稻，霜垂别渚莲。西湖三百亩，强半富儿田。

鉴赏

三曲写湖畔田亩及其归属。“风落平沙稻，霜垂别渚莲。”秋来收获的季节，湖畔平地稻田熟了，风吹稻浪，霜打莲子，别是一番景致。这是写景，也是起兴。“西湖三百亩，强半富儿田”，第三句仍承上写景而来，写湖畔田土之广。末句却横叙中杀出一意，仿佛半路里遭抢劫似的，突然算起土地所有权的账来。说大好湖田，被少数富儿占了半数以上，则多数贫户占得几分几亩，可想而知。这种袭击式的写法和诗中批判性的内容，非常合拍，令人击节。

草碧明沙际，花红试雨初。官船荡李桨，惊散一双鱼。

鉴赏

四曲写湖上的闲情。“草碧明沙际，花红试雨初。”上句写湖畔草色已鲜,倒也平平;下句写雨后花儿更好,"试"字极有意趣,似乎是经过一番雨洗,重新描妆的女儿,有拟人意。湖畔是这样春意弥漫,春天是适合恋爱的季节。三、四句却故作扫兴:"官船荡李桨,惊散一双鱼。""李桨"就是"兰桨",桨的美称,换字协律而已。湖中春水游鱼,何止一双?官船一路划来,不知惊散多少鱼!诗人却只说"惊散一双鱼",便很有趣味了。这是多情人眼中的湖景,在他看来,官船的到来,破坏了湖畔的幽静,大不宜于怀春男女。此语不好明言,只好怪它无情地"惊散一双鱼"。这是无理的怨趣。

(周啸天)

柯敬仲墨竹

李东阳

莫将画竹论难易,刚道繁难简更难。
君看萧萧只数叶,满堂风雨不胜寒。

鉴赏

柯敬仲,名九思,号丹丘生,元代台州(今浙江临海)人,著名书画家,擅长山水、人物、花卉,而以墨竹尤为佳妙,著有《竹谱》。这首诗系题其人所画墨竹小品,也可当一篇画论读。

初学画竹者画几笔,似乎不怎样难,难在不能多,多则不免手乱,所谓"节节而为之,叶叶而累之,岂复有竹乎?"(苏轼)。"繁难"和"简易"这两个词,就是表明人们对繁简之难易的习惯认识。殊不知这种看法有它的片面性,不尽合辩证法。因为画到一定阶段,就会发现,繁易藏拙,简难讨好,这里难易二字就颠倒了个儿。后来的郑板桥才有"冗繁削尽留消瘦,画到生时是熟时"的自诩。由简易繁难,到繁易简难,大约是画竹者螺旋式上升的过程。个中甘味,非老于此道者莫辨,而李东阳此诗可谓探得个中三昧了。

"莫将画竹论难易",开口就劝人不要轻率谈论画竹难易这回事,因为其中道理深沉,不像一加一等于二那么简单。作者是针对识见肤浅者而言的,也是针对他自己过去的认识而言的,所以此句的"莫将",也有心商口度的意味。"刚道繁难简更难",这句中有两个分句,一个"刚道繁难"即硬要说繁难("刚"是程度副词，非时间副词），因为“繁难”是简单的道理，所以才一口咬定，实是“知其一，不知其二”。二是“简更难”，尽翻前四字之案，“简更难”是不合于习惯看法的，但它包含更深刻的道理。所以第二句中波澜跌宕，令人耳目一新。

前二句皆议论，如果接下去再议论，作为诗歌来说不免空洞抽象。诗人恰到好处，将目光投到画面上来，给第二句的说理以形象的论证：“君看萧萧只数叶，满堂风雨不胜寒。”你看柯先生这幅墨竹，不就只有几笔吗，可说是简到不能再简了，但那“满堂风雨不胜寒”的效果，是随便能够达到的吗？如果说易，请君试试看，你那几笔恐怕不能呼风唤雨吧！这里的说理因具体生动的例证而变得十分有力。

“君看萧萧只数叶，满堂风雨不胜寒。”起码由视觉勾通了两重的通感：一是作用于听觉，一幅画居然能产生满堂风雨的感觉。这是耳朵产生错觉，可见画的简而妙；二是作用于肤觉，一幅画居然又产生了降温的感觉，这是生理上另一错觉，再见画的简而妙。从炼句上看，通常形容“只数叶”，用“寥寥”，也合律。而诗人却用了“萧萧”，这就不但绘形，而且绘声。这是风吹竹叶、雨打竹叶之声，于是三、四两句就浑然一体了。如换着“寥寥”，也能过得去，但过得去并不就佳妙。从语气上看，用了“君看”二字，与首句“莫将”云云，皆属第二人称的写法，像是谈心对话。这就使读者如直接看到作者站在面前大发高言谠论，感觉亲切，只好点头称是，表示佩服了。

（周啸天）

赋黄楼送李贞伯

吴　宽*

维河有源星宿同，导河积石思神功。
浊流汗漫失故道，积石却与澶渊通。
平郊脱辔万马逸，一夜径度徐州洪。
徐州太守苏长公，夜呼卒伍登城墉。
一身未足捍大患，岂无木栅兼竹笼。
戏马台傍二十里，筑堤横亘长如虹。
高城不浸三版耳，挽回鱼鳖仍耆童。
防河录成天有工，黄楼高起城之东。
五行有土可制水，底用四壁涂青红。
太守登楼宾客从，举杯酹水临长风。
河伯俯首受约束，不敢更与城争雄。
水流滔滔向东去，纡徐演漾殊从容。
负薪投璧竟何用，汉家浪筑宣房宫。
自公去后五百载，水流无尽恩无穷。
我生慕公公不逢，安得置我兹楼中。
颍滨淮海独何幸，留得两赋摩苍穹。
凤池舍人今李邕，南行别我何匆匆。
此邦万灵日凋瘁，赖尔继续前贤踪。
暇日登高倘能赋，封题须附冥飞鸿。

作者

*吴宽(1435－1504),字原博,号匏庵,长洲(今属江苏)人。成化八年(1472)举进士第一。官至礼部尚书,卒谥文定。工诗文,又擅长书法。诗风平和淡雅。有《家藏集》。

鉴赏

吴宽诗深厚恬雅,诗既规模于苏,对苏轼的行事亦倍加揄扬,本诗是一例。这是一首送别友人的叙事长诗,但真正写到友人的仅仅诗末的六句,此外则是写黄河泛滥成灾与苏长公的治河有功及其影响。大谈古人事功而稍稍带及友人,似是对友人的不恭,其实是希望友人"继续前贤"。

"维河有源星宿同"至"一夜径度徐州洪"为第一部分,共六句,重点写黄河及于徐州的水患。《史记·天官书》中有"天则有列宿,地则有州域"的语句,说明古人是把天上的星宿和地上的州域联系起来看的。首句就把黄河带出。"黄河百害而无一利",黄河河道的变迁而造成的水患,见于历史记载的粗略计算达一千五六百次,其中当也包括了诗中所写的这一次。因此,自古及今河水吞没了难以数计的生命和财产。而对黄河的治理从远古到明清一直到今天,历朝政府都没有停止过。《尚书·禹贡》有"导河积石"之句。积石,即青海的积石山,黄河绕流其东南侧。"导河积石思神功",赞颂了远古英雄治河的伟绩。苏轼于熙宁十年(1077)四月到任徐州,七月十七日黄河决堤于澶渊,泛滥成灾,八月二十一日水至徐州城下。苏轼在这次水灾过后所作的《河复》诗的序文中谈到了这次大水和吏民治水的情况:"熙宁十年秋,河决澶渊,注巨野,入淮泗,自澶魏以北,皆绝流而济,楚大被其害,彭门城下水二丈八尺,七十余日不退,吏民疲于守御。"本诗中写到的"平郊脱轡万马逸,一夜径度徐州洪",除"一夜"这个词稍嫌夸张外,因为实际上一个月后洪水才流至徐州城下,此外无论怎样形容都是不算过分的。

"徐州太守苏长公"至"底用四壁涂青红"为第二部分,共十二句,是写苏轼治水的经过极其成功。从诗中得知,在水患期间,苏轼庐于城上,不分昼夜组织吏民筑堤抗洪。"高城不浸三版耳",则见洪水几乎升至城墙之顶。"浸",淹没。《史记·赵世家》:"引汾水灌其城,城不决者三版。”这里也是说这座仅有三版高的城墙尚未淹没于水中。徐州地区这样的大水灾，一部分人免不了被淹。抢救生命和财产，必当是苏轼这位太守的职责，“挽回鱼鳖仍耆童”，是指对被淹老人和儿童的救护。二十里的防洪长堤，构筑起来谈何容易；因为一切都是在有深水这一困难条件下进行的，可是毕竟筑成了：“戏马台傍二十里，筑堤横亘长如虹。”这是苏轼在洪水面前临危不惧、沉着应战、与全城吏民经过几十个昼夜备战而树立起来的丰碑。“木栅”和“竹笼”乃筑堤材料，“木栅”用于打桩，“竹笼”内填石块，适用于巩固护岸工程的坡脚，应用时须将竹笼密排成行，并联成整体。我国两千年前的“都江堰”即有一部分以竹笼堆筑而成，此种结构形式至今仍有应用。苏轼于洪水过后所作之《河复》诗序中说的水“七十余日不退，吏民疲于守御”，可想象到徐州城全体官民所经历的一场旷日持久的战斗，其间备尝的艰难困苦。苏轼的《河复》诗，一句都不涉及这段苦战经历，这是他的谦虚，还是自认为太守的职守？吴宽根据史料，自身的生活经验以及诗人合理的想象，写出了上述这些内容，实在是弥足珍贵。因为苏轼在几任地方官任上，颇注意兴修水利和民间疾苦。诗中所云“黄楼高起城之东”，那原是“防河录成天有工”，是庆祝战胜这场特大洪水而建造的；建于元丰元年（1078），即徐州水患之第二年二月。此节之最末两句“五行有土可制水，底用四壁涂青红”，则是强调治水的物质和精神的力量，而在黄楼壁上柱上题的诗赋或绘制的彩画以赞颂治河的伟绩似终属第二义了。

“太守登楼宾客从”至“留得两赋摩苍穹”为本诗的第三部分，共十四句，赞扬苏轼此次治洪在当时和在历史上产生的影响。诗人兴高采烈地写道：“太守登楼宾客从，举杯酹水临长风。河伯俯首受约束，不敢更与城争雄。水流滔滔向东去，纡徐演漾殊从容。”这样叙述大致合理。这是因为金元以后黄河河道逐渐南移并固定下来，分东流和南流。初以南流为主，东流为副，终以尽断南流，只剩东流，黄河水自河南原阳经汴、睢故道东出徐州由泗入淮流至大海。这样，黄河总是沿着固定的河道滔滔然由西往东，只要经常疏通下游河道，则黄河不大可能酿成大灾。这倒并不是因为苏公举杯酹水而河伯俯首听命了，而是客观上的两个事实起作用：苏公组织徐州吏民筑的这道防洪大堤；黄河下游有了固定的河道，而历代又总在不断地疏浚河道，包括明代在内。这层意思亦从诗中的“负薪投璧竟何用，汉家浪筑宣房宫”可以看出。汉武帝元光、元封年间，黄河先后两次决堤于瓠子（今河南濮阳市南）。武帝于元封元年（前110）东巡封禅，曾祠神于万里沙（在莱州境）。汉武帝自万里沙还，自临决堤，沉白马玉璧于河，以祠河神。（见《汉书·沟洫志》）又见于《汉书·孝武帝纪》：“元封二年，祠泰山，至瓠子临决河，命从臣将军以下皆负薪塞河堤。”这两个故事，其实皆出于苏公之《河复》诗：“万里沙回封禅罢，初遣越巫沉白马。河公未许人力穷，薪刍万计随流下。”诗人信手拈来，作为对照或反证：东坡用土制水，武帝用柴草塞堤；东坡举杯酹水临长风，武帝沉白马玉璧祠河神，所得结果迥异，诗人之一褒一贬寓焉。这是一。其次，“防河录成天有工，黄楼高起城之东”，自带有庆贺胜利的意义；而“汉家浪筑宣房宫”，自不必说耗尽民力物力，乃是为帝王自身的享受，于防治水患是风马牛不相及的。这又是诗人的褒贬用意。诗人在这样的基础上说出了“自公去后五百载，水流无尽恩无穷。……颍滨淮海独何幸，留得两赋摩苍穹”这类话，便有了足够的分量。消弭了黄河的水患，则下游广阔的土地给人民提供衣食和政府的税赋之源，这真是“仁政”之大端，人君和官吏的最大职守。诗人自然也是赞美了苏长公这位前贤关心和解决民瘼的政绩。这也有助于我们理解“我生慕公公不逢，安得置我兹楼中”这两句诗的真正含义。诗人钦慕苏公的是他的为官清正与勤政的人格和精神。

“凤池舍人今李邕”至“封题须附冥飞鸿”为第四部分，共六句。这里写到了比作唐代书法家李邕的诗人之友李贞伯。因其位居机要部门，又有接近皇帝的机会，希望其在“万灵日凋瘁”之时，追踪前贤，为民多作贡献。虽离别匆匆，作者所述者不是离愁别恨，而是对友人寄托的厚望。作品遂脱离了一般情趣而自成高格。

综观全诗，在内容和形式上自有其特色。在内容上，古往今来的赠别信中，它是独具匠心又是独一无二的。作者对友人的一种寄托，通过一种极好的方式表达出来，表达得那样自然，又是那样真切。故本诗所起的作用是双重的：一方面在缅怀诗人所钦慕的前贤，一方面又寄托了对友人的信任和厚望，而两者浑然一体。《王直方诗话》载东坡论渊时诗，有“初看若散缓，熟读有奇趣”之语，此语可用来品评吴宽的诗。其《王维吴道子画》中说：“道子实雄放，浩如海波翻。当其下手风雨快，笔所未到气已吞。”此又可用来理解吴诗的一般风格。吴宽以写文章的气势、笔力写诗，所谓“章法剪裁纯以古义之法行之”。（《昭昧詹言》卷十一）这正表明他学得了苏公“以文为诗”的特色。本诗篇幅恢宏，便于诗人驰骋文思，并以分合、收纵、跌宕、顿挫的散文章法为之，因而使这首古体长诗层次严紧，而又汪洋恣肆、波澜起伏。“黄河之水天上来，奔流到海不复回”，黄河有何等气魄！作者所写的是“人定胜天”的奇迹，则诗人又是何等的气魄！故可以“事奇、义奇、人奇”许之！

（陈曼平）

晚渡咸阳

马中锡*

野色苍茫接渭川，白欧飞尽水连天。
僧归红叶林间寺，人唤斜阳渡口船。
表里山河犹往日，变迁朝市已多年。
渔翁看破兴亡事，独坐秋风钓石边。

作者

*马中锡(1446? －1512)，字天禄，号东田，故城(今属河北)人。成化进士。官至右都御史、兵部左侍郎。曾统兵镇压刘六、刘七起义。因用诱降计不成，为朝廷论罪，下狱死。能诗文，以小说《中山狼传》最有名。有《东田集》。

鉴赏

马中锡，成化十一年(1475)中进士，历任刑科给事中、陕西督学副使、兵部左侍郎、右都御史等职。本诗当是其任陕西督学副使期间所作。

杜牧《阿房宫赋》云："骊山北构而西折，直走咸阳；二川溶溶，流入宫墙。""二川"之一——即渭川。骊山北构西折，咸阳就在它的脚下；而渭川也正从咸阳的南面流过。咸阳依山傍水，从古以来就是陕西的名区。渭川是黄河的最大支流，源出甘肃渭源县乌鼠山，东流横贯陕西渭川平原，在潼关县入黄河，全长787公里。诗的首句即描写咸阳地区入晚时空旷的原野和渭水之天水相连的浩渺气势。"野色苍茫""白鸥飞尽"，一方面显示了渭水及其周围的生机和宁静，一方面则点明了这是晚渡的时刻了，紧扣诗题。首联的意境是开阔的，给予读者的是一幅广阔的景象。颔联扣住"晚渡"入笔。"僧归"指明是傍晚时刻，"红叶"又指明时令已进入秋季，可谓都与“晚渡”有关。它和前两句联系起来,都为这次晚渡作铺垫——先是广阔无际的茫茫天地,继之是动人的山林秋色。在夕晖晚照下,枫叶流舟,如烁彩霞。诗人通过这一片红色,又看到了秋天像春天一样的生命力,使秋天的山林同样呈现出宁静的然而是生机勃勃的景象。晚渡是在这样的季节和环境里进行的,心情定然是轻松而愉快的。所以随之脱口而出“人唤斜阳渡口船”,人们便相次登上轻舟向彼岸的目的地进发了。

但是,下面所写的不是对岸的那个目的地,而是诗人的一段联想。这是因为咸阳是秦国的都城,这里曾经出现过“五步一楼,十步一阁”的阿房宫,出现过列国贵族“辇来于秦”的强盛气势,出现过灭掉六国统一天下的大一统局面……然而仅仅三十六年,秦国就走上了衰亡的道路,终被汉王朝所替代。诗人的这种联想和沉思,便结晶成了“表里山河犹往日,变迁朝市已多年”的诗句。是的,朝代变易而江山依旧,永恒的是这块偌大的土地及其山山水水,而封建王朝及其主宰者却像走马灯一样地换了一个又一个。后者何以不能长久地存在下去呢?这已经有汉代的《过秦论》和唐代的《阿房宫赋》等文加以总结和讽喻。而杜牧看得更透:“后人哀之而不鉴之,亦使后人而复哀后人也。”质之于中国历史,岂不如是!

诗人也看破了这一层,看末句所云:“渔翁看破兴亡事,独坐秋风钓石边”,即可了然。所云“渔翁”,是作者的代名词。柳宗元有首《江雪》,这位“独钓寒江雪”的渔翁,其实就是柳宗元。问题是怎么个“看破兴亡事”?根据马中锡的居官清廉和对待农民起义的态度,我们认为他采用了元人张养浩在《潼关怀古》中的见解:“兴,百姓苦!亡,百姓苦!”这里包含了两层含义:一、各个朝代的封建皇帝因调整了某些政策而兴盛,又终因腐败堕落而衰亡;二、得天下与失天下只是与帝王们有关,与百姓的关系不大。马氏鉴于其本身的清廉不足以解决整个官僚层的贪污腐化、整个统治阶级的贪得无厌,因而孕育了与几乎所有封建文人相类似的消极想法:做垂钓的隐士或佛门的僧徒。

这首诗的艺术表现为一个极小的题材包含了一个宏大而深刻的思想。诗中的主题是由此及彼,逐渐深化,进而深入到哲理的思考——盛衰兴亡的真实含义究竟是什么?诗人只“看破”却没有道破。诗人的蕴藉处,也正是诗的艺术处,读者可借助它展开丰富合理的联想,自己去做结论。

(陈曼平)

从军行

沈周*

马上黄沙拂面行，汉家何日不劳兵。
匈奴久自忘甥舅，仆射今谁托父兄。
云暗旌旗婆勒渡，月明刁斗受降城。
左贤早待长绳缚，莫遣论功白发生。

作者

*沈周(1427－1509)，字启南，号石田，又号白石翁，长洲(今属江苏)人。一生未仕。早慧，工诗文、书画。其诗挥洒淋漓、自写天趣。有《石田先生集》。

鉴赏

沈周尤工于画，作诗大概是他的余事了。《从军行》是乐府旧题，古人借用这个旧题写的这类诗为数甚多，它可以说是边患的产物，从诗人各自的角度抒发了不同的感受和情怀。沈周的这首《从军行》，诚如沈德潜所云，确系“悲壮之作”，它足可以与唐初四杰之一的杨炯的《从军行》相媲美，而悲壮似犹过之。

古代中国的边患几乎无世无之。万里长城就是边患之重的见证，但长城并没有阻挡住北方异族的侵入。就以明代而论，边患也是相当严重的。就在作者二十二岁那年(1449)，蒙古遂分四路向明廷进攻。英宗御驾亲征，率大军五十万出居庸关，至宣府又进至大同。但结果英宗被掳，全军死伤数十万。这就是历史上的“土木之变”，也即所谓“英宗蒙尘”。十月，也先挟英宗破紫、荆关长驱直入，围攻北京。由于于谦作了充分的准备，加强训练，军队的战斗力也有所提高，加之人民配合作战，蒙军死伤甚多，士气低落，其时各路赴援和新募的“勤王师”且至，恐断其归路，遂拥英宗由良乡向西逃去，但其后蒙古各封建集团仍不断地进攻。宪宗时则东北女真部又开始进扰，可谓边患不已，民无宁日。所以沈周的这首《从军行》，盖激于他的义愤而发，针对性强。

“汉家何日不劳兵”，此句高度概括了中国历史上的边患之多之久。《诗经·小雅·采薇》中的“靡室靡家，猃狁之故；不遑启居，猃狁之故”写的就是北部的边患及其对兵士和人民造成的苦难。追溯历史，边患当始于上古之世，其后则历代有之，一直到作者生活的明代，边患有增无减，为害严重，已如上述。有边患就要用兵平息，诗的首句就是写士兵的进击。这句写出了军队的爱国热情和进军时的英雄气概。尽管黄沙扑面，将士们的千军万马奔腾向前，气势雄壮，会令敌人胆战心惊。然而这不可能不付出代价，第二句中的“劳”字，就暗示了兵士备尝艰辛，直至献出他们的生命。“靡室靡家”“不遑启居”，也代表了兵士出征中艰辛的部分事实。

三、四句既写战又写和，照顾到历史的全面和真实。汉代的“昭君和番”和唐代文成公主进藏等历史事件，就是为消弭边患所作的努力，也曾经奏效一时。但时间一长，当对方一旦忘掉了这种姻亲关系时，进扰边境以至深入内地进行掠夺的事件又将开始。“匈奴久自忘甥舅”，诗人总结了历史上发生过的多次和战事实，具有深刻的认识价值和实践意义。第四句是化用杜甫《新安吏》“送行勿泣血，仆射如父兄”的诗句。在本诗中提出的抗敌名将究竟是谁的问题，这也有所针对。英宗正统十四年(1449)的那次边患，统率五十万大军的竟是一个叫王振的执政太监，而英宗竟然随王振亲征，结果英宗被掳，全军死伤数十万，王振为士兵所杀。兵士托付给这样的人，岂不是白白送死！把明朝从败亡的边沿上挽救了出来的抗敌名将是于谦。诗意一正一反，“仆射如父兄”唐代有，明代也有，则胜利当指日可望——这正为五、六句诗张本。如果说一、二句写军队的出征，三、四句写边患的起因与战斗的组织者，则五、六句开始写战斗了。真是千军万马，旌旗如云。他们越过高山，渡过江河，向着敌军冲锋陷阵，以迅雷不及掩耳的神速，降服了敌人。这里既写出了出征部队的声势和军威，同时又表现了出征将士同敌人搏斗的坚强无畏的精神和奋勇杀敌的悲壮激烈的场面。“月明刁斗受降城”，点明敌人投降的时间是在夜晚，可见昼夜不停，将士昂扬的战斗意志和与敌人厮杀的拼搏精神当可想见。

七、八两句是战斗胜利的总结。杜甫谓“擒贼先擒王”，本次战役的指挥者正懂得这一点战术。他们擒住了制造边患的首恶者，为国家和民族立了大功；而他们认为建立功勋当在风华正茂、白发未生之际。

全诗是个有机整体,写出了一场边患战事的全过程,有纵有收,上下数千年,而着眼点却又放在作者生活的时代。有普遍性,又有针对性,虚指与实指的统一,历史与现实的融合。既抒发了忧国忧民的情怀,又赋予本诗以昂扬胜利的基调。它不是写"宁为百夫长"的书生,不是写征人的思乡情怀,也不是只写一个英勇无比的老将形象,而是写一支出征部队,有士兵,有将领,写得悲壮乐观;并暗示读者,胜利得来不易,而胜利总归到手,战争不可避免,而战争亦可避免,就在人们怎样对待。这就是本诗给予诗者的启示。这样深刻的生活哲理和一场战事的全过程,仅用八个句子就概括而又形象地表现出来,此即本诗的艺术。

(陈曼平)

湘妃怨

李梦阳*

采兰湘北沚，搴木澧南浔。渌水含瑶彩，微风托玉音。
云起苍梧夕，日落洞庭阴。不知篁竹苦，惟见泪斑深。

作者

*李梦阳(1472－1529)，字天赐，又字献吉，号空同子，庆阳(今属甘肃)人，后徙河南扶沟。弘治进士，曾任户部郎中。因反奸宦刘瑾，下狱。瑾死，起言江西提学副使，后因事夺职家居。他倡言复古，反对虚浮的"台阁体"。与体景明等相呼应，号称"前七子"，在当时影响颇大。但因过分强调复古，亦有不良倾向。其诗亦有深刻雄健之作。有《空同集》。

鉴赏

这是一首旧题乐府诗，在《乐府诗集》中属于《琴曲歌辞》。这首诗关系到一个动人的传说：相传远古的舜帝娶尧的两个女儿娥皇、女英为妃子，后来舜帝南巡时不幸死于苍梧之野，娥皇、女英追舜不及，寻到洞庭，投湘江而死，成为湘水之神湘妃。此诗即是在这一传说的背景上展开，诗人以含蓄的笔调，通过写她们在一日之间的几个镜头，表现了她们怨苦不尽的相思之情。

一、二句中的"湘""澧"，指湘水、澧水；"沚""浔"，都是水边的意思。湘水北流入洞庭湖，澧水东南流入洞庭湖。湘妃在"湘北沚"与"澧南浔"采摘兰花、攀折花枝("搴木")，地点都在洞庭湖不远处，下文说"日落洞庭阴"，正与此关合。

三、四句看似景语，其实是在为湘妃画像，三句状其形，四句写其声。"瑶彩"是说湘妃光彩焕发的身影，"玉音"指她泠泠动听的声音。她的身影，由碧水映出，分外动人；她的声音，随风播散，隐约可闻。

五、六句之景，由湘妃眼中看出，且融入了她们爱而不见的伤感之情。她们“采兰”“搴木”，本是为了送给自己的心上人，但久等不见，便“跂予望之”，无奈已时近黄昏，日落洞庭，暮霭沉沉，苍梧山烟笼雾罩，仍然见不到思念中的亲人！从而自然转出抒情的末两句。

末两句的抒情，仍紧扣古代的传说。据说娥皇、女英因思念舜帝，“泪下沾竹，文悉为之斑”（《述异记》），从此就有了“斑竹”，即“湘妃竹”。篁竹，这里指苦竹，苦竹之笋味苦，不能食用。此以“不知篁竹苦”一垫，跌出“惟见泪斑深”，以湘妃泪洒竹枝形成深深的竹斑强调她失去亲人以后无比深重的痛苦，相形之下，苦味的篁竹竟然也不觉其苦了。

这首诗在写作上颇见章法：首二句叙事，将地点、人物、情事和盘托出；次二句接写人物，尽管用笔疏朗，传神写照已可得其仿佛；五、六句再从人物推开去，写望中之景；结尾两句复从眼前之景收回，抒写女主人公心底之情。真是环环相扣，愈转愈深。对于传统的湘妃诗来说，此诗也离不开常见的湘水、洞庭、日暮、斑竹等等，但它不只是因袭，可贵的在于以旧为新，以自己独特的感受创造出一个宁静悠远的意境。此诗章法之值得称道，归根结底也正在于其与意境的和谐统一。

（陈志明　谢丹月）

送李帅之云中

李梦阳

黄风北来云气恶，云州健儿夜吹角。
将军按剑坐待曙，纥干山摇月半落。
槽头马鸣士饭饱，昔无完衣今绣袄。
沙场缓辔行射雕，秋草满地单于逃。

鉴赏

这是一首送别诗，被送者是一位前往云中的姓李的带兵将军。云中，郡名，即诗中的“云州”，战国时属赵地，在今山西大同一带。诗写送别，诗中却没有送别的场面，也不提别意别情，而是借助想象，写虚拟中的李帅已到云中的情景，以此寄寓诗人的祝福之意与期待之情。

首句“黄风北来云气恶”，语带双关，大风夹带着阵阵黄沙从北而来，天气显得非常恶劣；透过字面更深一层含义，是说北方游牧民族侵犯中原如黄沙随风卷地而来，形势十分紧急。首句点明了送别的前提，说明李帅是在戍边卫国的特定形势下出发去云中的。这句“云州健儿夜吹角”，是说在面临敌军犯境的情况下云州军营的动向。北寇进犯，只听到云州城画角吹鸣，哀厉高亢，声震山野，激动人心。诗以“夜吹”军中用以警示昏晓的画角声，渲染了悲壮的战争气氛。开头二句火药味浓重，战斗已不可避免。“将军按剑坐待曙，纥干山摇月半落”，转写诗中的主人公李帅——这场战争的指挥者、决策者。夜色朦胧，只见他手按宝剑端坐军帐中，密切关注着敌方的动静，迅速作好战斗的部署。这一句诗以平直的叙述手法表现了李帅枕戈待旦、运筹帷幄的形象，这是静态描绘，紧接着的“纥干山摇月半落”，以动态描绘从侧面烘托这场战斗，表现了李帅决胜千里的形象。“纥干山”，又名纥真山，在今山西大同市东。据《太平寰宇记》记载，山上常年积雪，故有山头冻杀雀之语。李梦阳自己也在诗中写到过：“紫水东来入黑河，纥干山下雪花多。”（《云中曲送人》）可见此山之高寒。纥干山为之摇动，月儿为之坠落，由天地日月星辰的动摇反衬出这场战斗的激烈。诗人巧用侧笔，写鏖战虽不及一丝刀光剑影，却显出了天摇地动的惊人力量。后半首转写战后的情况。五、六两句“槽头马鸣士饭饱，昔无完衣今绣袄”，是以较前舒缓的笔法描绘李帅治理下的军队整肃的阵容，整个画面显得热气腾腾。战马嘶鸣，战士们身着整齐威武的戎装绣袄，精神饱满，士气高涨。有这样一支队伍镇守云中，何愁边境不宁？诗在这里又一次塑造了一个治军严整、用兵有方的士帅形象，使李帅的形象更为丰满。结尾两句，笔势愈缓，表现得很有情味。火药味在这里消退了，先前的紧张气氛缓和了。“沙场缓辔行射雕”，沙场原是两军对垒的地方，如今只见李帅骑在马上放松马缰，缓缓行进，手引强弓在射着长空的大雕呢！他那轻松自如的行动，从容不迫的神态，似在宣告，和平宁静已来到这片土地上。最后一句“秋草满地单于逃”，仍是颂扬李帅，但以反笔出之，诗意更为含蓄隽永。北方游牧民族兴兵侵犯中原，历来都在草肥马壮的秋季，而今恰逢秋草肥美之时，单于反而逃之夭夭！李帅的安边之功与震慑之威，也就毋庸再言了。明代中叶，内乱外患频仍，政局混乱，百姓遭殃。无休止的征战，使多少战士有家难归、暴尸沙场，沉重的劳役与赋税，又使多少家庭不胜负担，以致家破人亡。诗人企盼战争早日结束，海内清一，国家强大,百姓们过上安宁团圆的生活。他虽胸怀韬略,无奈无缘效命疆场。如今恰逢李帅出征,便借送行的机会,以诗代言,勉励李帅扫清敌寇,治边安疆。从中可见他对李帅的信任与期望,也可看出他以国事为重的高尚情怀。

此诗构思新颖,李帅还未上路,送别诗即描绘了他已到云中的种种情景。诗人以想象代现实,空间上跳过眼前,只写前线;时间上推开现在,只写未来。出现在诗中的是一幅图画,没有议论,不作抒情,而寄托的情意却因此而显得更为广阔深沉。诗的前半写战斗之功,笔力健举,气势奔放;后半写整治之功,笔法细腻,交势舒缓。刚柔相济,相映成趣。全诗相当完美地塑造出了一个理想化的戍边卫国的将帅形象。李梦阳说过:"前疏者后必密,半阔者半又细。"(《再与何氏书》)本诗前后两部分相反相成,正体现了这种艺术辩证法的思想。

(陈志明　谢丹月)

浮　江

李梦阳

浮江晴放舸,挂席晓须风。日倒明波底,天平落镜中。
开窗向赤壁,捩柁失吴宫。万古滔滔意,浔阳更向东。

鉴赏

化美为媚,或者说流动之美,就是描绘事物的动态,或从动态中描绘事物。诗经中《卫风·硕人》是描绘人物之美的名篇:"手如柔荑,肤如凝脂,领如蝤蛴,齿如瓠犀,螓首蛾眉,巧笑倩兮,美目盼兮!"前五句都是以实比实的静态描写,不免使人感到板滞,而最后两句动态刻画,却使人物通体皆活,顾盼神飞。后代诗人也许从这里得到过启发,他们即使是写静态的事物,也往往从动态落笔。"水是眼波横,山是眉峰聚,欲问行人去哪边?眉眼盈盈处。"北宋词人王观触手生春,生意盎然;"叠嶂西驰,万马回旋,众山欲东",辛弃疾如果不是出之以这种动态中见神韵的大手笔,那就很难想象如何能不落俗套地表现群山的气魄与精神。

《浮江》一诗也是如此,这首诗大约是李梦阳沿江东下时泛舟于湖北鄂城一带的作品。《资治通鉴·世祖文皇帝上黄初二年》记载:"吴王浮江万艘，带甲百万。”李梦阳一开篇就照应题目，让“浮江”二字高踞题顶，笼罩全篇，并以“晴”“晓”二字烘染环境和气氛。以云帆高挂正面补足浮江的形象，笔姿飞舞，气势宏壮。接笔写浮江时的景物，仍然从动态着笔：红日倒映江中，水上浮光耀金，本来是形容词的“明”字这里兼作动词用，有如王安石“春风又绿江南岸”之“绿”，有如蒋捷“流光容易把人抛，红了樱桃，绿了芭蕉”之“红”与“绿”，一经化静为动，更觉声光并妙。蓝天照映江面，好像落在镜中一般，“落”字缩短了江天之间的空间距离，又使得静止的天宇有飞动之势。颈联写浮江的行程，有如电影中的蒙太奇镜头，刚才开窗之时还见到江边的赤壁，转柁之间吴宫就消失在后面。这首诗写了三个地名，赤壁、吴宫和浔阳依次而下，那么，吴宫当在赤壁与浔阳之间，地为古今鄂城县境。“失吴宫”的“失”字下得很妙，本来是船行如箭，诗人却把静止的吴宫写成转瞬即逝，这种化静为动的写法，使笔致显得空灵活跳。《诗人王屑》论“句中有眼”时说：“古人炼字，只于眼上炼，盖五字诗以第三字为眼，七字诗以第五字为眼也。”值得一提的是，李梦阳这首诗的中间两联四句的第三字，全部都是动词，一经匠心安排，在全诗化美为媚上起了重要的作用。结笔一联，概括了长远的时间和空间，进一步写足了浮江的豪情，同时，诗人仍然是从事物的运动状态着笔，传神地表现出江流浩荡、直趋东海的胜概，可谓壮采飞腾，寄兴深远。

（李元洛）

潼　关

李梦阳

咸东天险设重关，闪日旌旗虎豹闲。
隘地黄河吞渭水，炎天白雪压秦山。
旧京想象千官入，余恨逡巡六国还。
满眼非无弃繻者，寄言军吏莫嗔颜。

鉴赏

从尾联（末两句）推测，这首《潼关》诗的写作时间是在李梦阳踏上仕途之前。

诗的首句出笔雄奇，点出重关

设在天险上,“咸东”“天险”四字突出了潼关的地理方位及其非凡气势。潼关位于咸阳以东,地当秦晋豫交通的要冲。据史载,此关建于后汉建安中,西薄华山,南临商岭,北距黄河,东接桃林,表里山河,是天然的战略重地。第二句的“闪日旌旗虎豹闲”,回映首句的“天险”二字。“闪日旌旗”,映衬关之雄壮;“虎豹闲”,喻守关将士之悠闲,用侧笔说明潼关实属“天险”,一夫当关,万夫莫开,故而“虎豹”般的将士得以优哉游哉,逍遥自在。首联从总体的角度概述了潼关的雄壮威武。颔联诗境扩展,将潼关置于广阔的自然背景之前,正是神来之笔。“隘地黄河吞渭水”,站在潼关上登高远眺,向北望去,黄河滚滚东流,气势浩大,仿佛将渭水一口吞下。实际上渭水源出甘肃鸟鼠山,几经转折东流至潼关汇入黄河,而诗人从对面落笔,不写渭水注入黄河,却反笔写成黄河吞渭水。一个“吞”字有吞吐日月之宏伟气势。“炎天白雪压秦山”,秦岭亦称秦山,东西绵延八百里,山势高峻,即便是赤日炎炎的盛夏酷暑时节,山顶仍积雪不化,好似白雪将整个秦山镇住了。这一联,一水一山,一黄一白,一吞一压,属对工巧,诗笔雄壮,景色壮丽,既照应了首联之“天险”二字,又使“天险”的内涵更为丰富。颈联宕开一笔,由景生感,由描写雄关壮丽景象转入追溯历史,想象秦代与潼关的有关史事。“旧京想象千官入”,指秦始皇即位之初,天下人才纷纷拥入潼关至咸阳为官。贾谊《过秦论》谓:“秦并海内,兼诸侯,南面称帝,以养四海。天下之士,斐然向风。”即指其事。“余恨逡巡六国还”,指六国攻秦败归的一段史事。《史记·楚世家》记载:“(楚)怀王十一年(前318),苏秦约从,山东六国兵攻秦,楚怀王为从长。至函谷关,秦出兵击六国,六国兵皆引而归。”关于此事,司马光《资治通鉴》作五国攻秦,《过秦论》作九国攻秦,并谓:“秦人开关延敌,九国之师逡巡遁逃而不敢进。”诗人在这里将发生在函谷关的事移置于潼关,从历史的角度说,是与事实有出入的;但从诗歌创作的角度说,这种“移花接木”,不妨看作是一种夸张强调的手段。这一联诗好似与诗题无关,实则是由此而联想到走在这一条路上的人,对潼关的描写,由地理推向历史,进一步拓展了诗的意境。尾联仍然紧扣潼关的历史落笔,重点则落到自我感情的抒发上。“满眼非无弃繻者”,用西汉终军的典故。“繻”,契券,出关时取以合符,乃得乘转复出。终军十八岁时被选为博士弟子。入关,关吏给他繻,终军问,以此何为。吏曰:“为复传还,当以合符。”军曰:“大丈夫西游,终不复传还。”弃繻而去。后来终军作为使者持节东出关。关吏识之曰:“此使者乃弃繻生也。”(见《汉书·终军传》)。后人将这一典故用以表明少年立志。作者用此典故,意思是说,在那么多未人关得官的人中,并非没有年轻有为的志士才人。故末句说:“寄言军吏莫嗔颜”,表面上是对守关的军吏说,告诫他们不要以身份取人,对未能得官者怒容满面,实际上是借典故进行讽喻,说明野有遗贤,奉劝当权者应重用有识之士,莫使胸怀壮志的饱学之士无处施展才华而遗恨终生。李梦阳在孝宗弘治二年(1489)十八岁时,以儒生的身份参加河南乡试,落选。弘治五年(1492),由河南入潼关,参加陕西乡试,荣登榜首。此诗当是他参加陕西乡试途经潼关时所作。“弃缟者”既是泛说,更是诗人的自况。其一时尚不得意的处境、日后终将高飞远举的踌躇满志的心态,莫不可从“弃缟者”这一比况中看出。

诗题潼关,前面两联着眼于空间,视野开阔,气势雄壮;“隘地”一联,浩大壮丽,令人想见作者“气高节挺,孤立峻视”(王廷相《空同集序》)的襟怀。后两联由空间转向时间,并以历史为镜子映照现实,寄深旨远,笔力凝重,从中可见诗人自爱自信的高尚情怀。全诗处处说潼关,但又能不为潼关所局限,既写出了潼关的气魄,也表现了诗人自已的气概,在历来题咏潼关的众多诗作中,是成就较为杰出的一篇。

(陈志明　谢丹月)

秋　望

李梦阳

黄河水绕汉边墙,河上秋风雁几行。
客子过壕追野马,将军韬箭射天狼。
黄尘古渡迷飞挽,白月横空冷战场。
闻道朔方多勇略,只今谁是郭汾阳?

鉴　赏

这首诗是作者渡黄河时所作,描绘壮阔苍凉的黄河秋景,抒发希望保卫国家安宁的爱国情思,历来为世称道。王世贞《艺苑卮言》说:“余见李嵩宪长称其‘黄河水绕汉边墙’一首”,“极有雄浑流丽”的气象。近人也有评其雄浑有气派,摆脱模拟,直抒爱国情思(见游国恩等编《中国文学史》)，皆极有见地。

此诗前三联围绕题目，从不同方面描写作者在清冷的秋季渡河时的望中所见，构成了一幅极为雄浑壮阔的景象，颇具百川东注、势大声宏的磅礴气势。首联先写大河上下的情景："黄河水绕汉边墙，河上秋风雁几行。""汉边墙"，此指秦汉间所筑万里长城，明大同府西北有黄河、长城，时为明与鞑靼政权部族的分界线，作者所渡黄河处，当去此不远。诸本有作"汉宫墙"者，与诗意不合，当非是。作者极目望去，但见波浪滔滔、浩荡奔流的黄河之水，绕着古老的长城向东而去；那雄浑苍莽的黄河上空，在秋风的吹送中，大雁正排成一行行长阵，结伴向南飞去。仅仅两句，通过上下俯仰，交叉描写，黄河秋景历历如绘，使人如身临其境。上句诗意中还显然包含着黄河这道天然屏障和世代修筑的长城，极为有力地起着保卫明朝国土的重要作用之意，这是整首诗的主旨，一直贯穿到底。下句在苍凉恢廓的秋景中，联系下文"客子"来看，又隐隐透露出作者奔走边塞的羁旅之绪。两种感情交织在一起，与那高阔雄浑的黄河秋景相融合，于是，那种苍凉豪壮、慷慨激越的诗情，便油然而生，动人心魄。王国维在《人间词话》中说："一切景语皆情语也。"用来评论这两句诗，是极为中肯的。

接着，到第二联，作者不再纯粹描写自然景色，而是把望中所见景象和人物结合起来写，思想感情表现得更为明白和热烈。上一句"客子过壕追野马"，其中"客子"是作者自称；"壕"通濠，即护城河；"野马"，指秋风吹起的尘埃，语出《庄子·逍遥游》："野马也，尘埃也，生物之以息相吹也。"这句说作者走出边塞古城，奔波于秋风吹起的漫漫黄沙之中，一副行色匆匆的样子。下句"将军韬箭射天狼"，"韬箭"，即把箭盛在套子里；"天狼"，星名，古人以为天狼星现，即有敌寇入侵，这里用了《楚辞·九歌·东君》句意："举长矢兮射天狼。"全句说作者看到边防将士身带箭囊，也在黄沙中奔走，准备抵御外族的侵扰。这一联既写到自己，又写到边防的将士，并且把所有人物的匆匆活动都置于秋风黄沙的背景中，造成了雄壮、紧张的边境气氛，从中表露出作者为保卫祖国安全而努力奔走的爱国之情。

第三联，"黄尘古渡迷飞挽，白月横空冷战场"，紧接上联"追野马"，进一步写黄河景色，但却是一句写白天，一句写晚上，把两种具有大致相同情调的景色结合在一起，表现出更为沉郁悲凉的情绪。"飞挽"，指在湍急的黄河水流中，被牵引着直下如飞的船只。白天，作者在行进中立马于黄河古渡，在漫天黄沙中，只能依稀看见那河中急行的船只，一片迷茫；到了夜晚，一轮明月升到黄河上空，照着澎湃有声的河水和两岸原野，这自古争夺的战场，如今又是显得这般清冷！诗中点出“战场”，显然寓有怀古伤今的意思。也许他此时思绪如潮，想到过去连绵不断的战争，又想到如今外族可能入侵的形势，不觉为国家的安危担忧。作者清醒的头脑，与前句中的“迷”字恰成对照，而沸腾热烈的情怀，又与下句的“冷”字形成对比，充分表现出了作者心系国防、热爱祖国的一片衷肠。

以上三联，集中写“望”字。诗中奔流的河水、南飞的大雁、迷蒙的黄沙、带箭的将军，以及飞下的船只和清冷的战场等等，作者选取的这一切意象，都具有秋天黄河边塞的鲜明特色，它们相为交织，被表现得十分生动形象。透过这些错综交织的景物，我们深切地感受到了作者对眼前苍茫秋色的感叹，对做客他乡的羁旅愁思，对古战场的追怀。这一切景物，一经染上了作者的主观感情，就更加显得雄浑苍凉。特别是作者那种对祖国山川的挚爱，对国防的关切，更是贯穿始终，仿佛令人触到了作者感情脉搏的沉重跳动。在情景结合中，达到了高度融合的境地，思想感情从所写景象中油然涌出，使读者的感情也随着作者的情怀一起跃动。

最后一联，正是这种跃动着的感情的自然流露和集中表现：“闻道朔方多勇略，只今谁是郭汾阳？”“朔方”，古郡名，汉武帝时设立，这里泛指明代的北方边境。“郭汾阳”，即郭子仪，唐玄宗时曾为朔方节度使，肃宗朝平定安史之乱有大功，封汾阳王。这两句是说，听说自汉代以来守卫朔方的多是有勇有谋的将军，而如今，在外族随时有可能入侵的情况下，镇守那里的人有谁像郭子仪那样呢？这一联是在秋望中的所感，看到如此雄壮的河山，作者殷切希望有像郭子仪那样智勇双全的将军来镇守北方，长保国土的平安。但从最后一句的疑问语气中，“谁是”二字，又分明流露出作者对边防将领能力的怀疑，对国防是否安全，怀着深深的忧虑。这种忧虑而沉重的心情，与前面雄浑苍茫的景色正好融为一体，表现了作者拳拳的爱国之心。全诗最后以议论作结，因为有前面三联的形象描写作基础，议论就显得极其自然而又思想深厚，并且留下了深长的余味，让人深思。诗歌的风格，在沉郁顿挫方面，显然受到了杜甫七律的影响，这首诗正是作者学习盛唐诗人的结果，但也不失自己的特色，是一首成功之作。

（管遗瑞）

朱仙镇

李梦阳

水店回罔抱，春湍滚白沙。战场犹傍柳，遗庙只栖鸦。
万古关河泪，孤村日暮笳。向来戎马志，辛苦为中华。

鉴赏

朱仙镇，在今河南开封市西南，地当水陆交通要冲，是兵家必争之地。南宋高宗绍兴十年(1140)，这里曾发生过中国历史上极其悲壮的事件。这年七月，抗金名将岳飞率中路北伐军奋勇突进，先在郾城打败了金兀术精锐部队，获得郾城大捷，然后“进军朱仙镇，距汴京(即今开封市)四十五里，与兀术对垒而阵，遣骁将以背嵬五百奋击，大破之，兀术遁还汴京”(《宋史纪事本末》卷七十)。岳飞眼看汴京指日可下，兴奋地对将士们说：“直捣黄龙府，与诸君痛饮耳！”就在大家摩拳擦掌、亟待攻下汴京、渡过黄河、收复大片国土之时，主张投降的宋高宗赵构和宰相秦桧却命令岳飞退兵。岳飞拒不执行命令，坚决要求继续乘胜前进。秦桧竟在一天内下发十二道金牌，迫令岳飞火速退兵。岳飞不得已，只好忍痛撤兵，他愤慨地说：“十年之力，废于一旦！”岳飞撤军后，已收复的大片土地，包括朱仙镇在内，又重新沦入金兵铁蹄的践踏之下。岳飞撤回南宋后，遭到秦桧的无耻陷害，被逮捕入狱，并以“莫须有”的罪名，于绍兴十一年十二月二十九日(1142年1月27日)惨遭杀害，成为千古奇冤。人们为了纪念岳飞，在他当年最后战斗过的地方朱仙镇，建立了岳王庙(赵构、秦桧死后，岳飞被追封为鄂王，又称岳王)。这首诗是李梦阳路经朱仙镇时所作，全诗以满腔热情，赞扬了岳飞为收复中华故土出生入死、浴血奋战的赫赫战功，表现出对民族英雄的无限景仰，也表示了对赵构、秦桧的极大愤慨，诗中充满着悲壮苍凉的感情。

这首诗所歌咏的重点，虽然并不在朱仙镇这个地方，而在于这里的历史事件，特别是以精忠报国著名的抗金英雄岳飞这个历史人物，但毕竟是以《朱仙镇》为题，通过对朱仙镇整个地理环境的描写，来追溯往事，寄寓感慨，所以前两联仍然紧扣题目，以写景为主，来描绘朱仙镇的景象，在写景中融进抒情。首联直接入题："水店回罔抱，春湍滚白沙。"作者来到朱仙镇，他看到的最引人注目的景象是：整个朱仙镇被密如蛛网的流水所环抱，那河中碧绿的春水在湍急地奔流，卷起白沙滚滚而下。首句中"罔"字同"网"，即网。《周易·系辞下》"（伏羲）作结绳而为罔罟，以佃以渔。"这两句是朱仙镇的全景：明媚的春天，水网如织，春流浩荡，一派美好风光。但仔细咀嚼，诗句中却另外暗含两层意思：一是面对湍急的流水，想起孔子曾经慨叹过的"逝者如斯，不舍昼夜"，感到古老的朱仙镇经历了多么漫长的岁月；二是还有苏轼在《念奴娇·赤壁怀古》中感叹的"浪淘尽、千古风流人物"之意，朱仙镇的著名历史人物似乎都一一暗淡了，只有抗金名将岳飞依然勾起人们的回忆。这两句诗意极为婉折深沉，所以颔联就逐渐把笔触移到与岳飞有直接关系的"战场"和"遗庙"上："战场犹傍柳，遗庙只栖鸦。"前句是倒装句法，意思是那古老的柳树在春天一派新绿，依然紧傍着当年岳飞与金兀术鏖兵的战场。作者从眼前的柳树想到遥远的过去，其中"犹傍"二字，把柳树写得满含深情，它是当年激战的见证，如今仿佛还在留恋着那古老的战场，默默地回忆岳飞金戈铁马的往事。第二句稍有转折，更多的是写现在：那遗留下来的纪念功勋卓著的岳王之庙，如今却一派冷落，只有树上栖息的乌鸦，在发出"呀呀"的叫声。句中流露出作者无限感慨，抗金已成过去，英雄也已成为历史，一切都在不停地变化，在冷落中充满凄凉之意。这四句都是写景，先用鸟瞰式的方法写出当地最有特色的全景，然后又分写了"战场"和"遗庙"两个近景，远近结合，有合有分，笔墨极为简练，组织得又很和谐，体现出作者巧妙的艺术构思。并且，写景中，蕴涵着作者深沉的感情，使情和景自然结合，天衣无缝。

如果说前两联是侧重写景，通过写景来抒情，那么，后两联却正好相反，主要在于抒发感慨，在抒情中写景。颈联"万古关河泪，孤村日暮笳"，前一句使人联想到当时岳飞被迫撤军的情形："一日奉十二金字牌，飞愤惋泣下，东向再拜，曰：'十年之力，废于一旦。'飞班师，民遮马恸哭""飞亦泣下""哭声震野"。（《宋史纪事本末》卷七十）作者想到，在这漫长的岁月中，岳飞抗金中那极为悲壮动人的一幕，不知感动过多少人悲愤落泪；如今，在这悲凉的古战场旁又听见胡笳悲伤的"呜呜"声，好像当年的"哭声震野"一样，更使人感动得落泪了。这是把对往事的追忆和眼前的实景结合起来写，其悲痛伤感之情，在前四句的基础上进一步深化。到尾联，作者按捺不住自己的满腔激愤，忍不住大声呼喊，在悲怆动人的感慨中，高度赞扬了岳飞一心为恢复失地而战的高贵品质："向来戎马志，辛苦为中华。"岳飞在《五岳祠盟记》中说自己"总发从军，历二百余战"，目的完全是为了"北逾沙漠，喋血虏廷"，"迎二圣归京阙，取故地上版图"。所以作者说，岳飞一生，戎马倥偬，不惮艰难辛苦，一心一意地是为着恢复中华的故土。这最后一联，作者对抗金民族英雄的高度崇敬之意和无限钦仰之情，激荡在字里行间，也对他受到的不公正待遇，最后含冤而死，提出了抗议，显得激情满怀，那含蕴其中的深沉的感情，扣动着读者的心弦，引起心灵的共振。全诗以景起，以情结，把古战场朱仙镇的今天和过去，把历史事件和历史人物，结合起来，交织描写，使情景水乳交融，收到了很好的艺术效果。

作者在路过朱仙镇时，还专门去凭吊了岳王庙，有《朱仙镇庙》一首："宋墓莽岑寂，岳宫今在兹。风霜留桧柏，阴雨见旌旗。百战回戈地，中原左衽时。土人严伏腊，偏护向南枝。"这首诗也写得一往情深，对岳飞充满敬仰之情。所以在《朱仙镇》诗中，对岳王庙只说"遗庙只栖鸦"，一笔带过，而且与全诗的悲怆苍凉的基调相吻合，只强调了它的荒凉的一面。这首《朱仙镇》诗与《朱仙镇庙》诗相比，在诗意的委婉曲折上，在结构的起伏跌宕和笔墨的变化上，以及在情景的交融、感慨的广远深沉上，似有过之，读来更具动人心弦的力量和富于诗意的美感。读者试反复咏诵，细加比较，当能有更深刻的体会。

（管遗瑞）

吹台春日怀古

李梦阳

废苑迢迢入草莱，百年怀古一登台。
天留李杜诗篇在，地历金元战阵来。
流水浸城隋柳尽，行宫为寺汴花开。
白头吟望黄鹂暮，瓠子歌残无限哀。

鉴赏

吹台，在河南省开封市(古汴京)东南禹王台公园内，相传为春秋时音乐家师旷吹乐之台。汉文帝少子梁孝王刘武徙封于此，增筑此台，孝王常案歌吹于此，亦曰吹台。明代已经荒芜，刘醇《吹台春游序》说："惟(开封)城东南仅三里有荒台，故基巍然独存，挺出风烟之外，高广数丈，可登可眺，即古之吹台也。台西有寺，民庐相接，竹木萧然，风景可爱。"(载《古今图书集成》职方典卷三八六)李梦阳晚年在开封登临此台，写了这首诗，抒发怀古伤今的悲怆情怀，读来感人至深。

首联两句倒装，先写出登台时所见到的一片荒凉景象。第二句中"百年"，指人的一生，此指暮年。全句是化用杜甫《登高》诗中"百年多病独登台"句意，其中暗含着自己年老体衰、心情伤感的意思，一开始就使诗歌蒙上了一层薄薄的阴影。作者为了追怀往古而登上吹台，放眼望去，但见荒废的宫苑与丰茂的杂草远远地连成一片，无边无际。过去，吹台一带，梁孝王曾筑东苑三百余里，大治宫室，为复道，吹台附近还有著名的兔园。可是，那盛极一时的宫苑如今安在？只剩下了断壁颓垣，到处长满了萋萋春草。诗中不说荒草长入废苑中，而是说"废苑迢迢入草莱"，远远望去，好像那依稀可辨的废苑遗址，正在没入荒草丛中。这样写，不仅突出了连天而起的满眼荒草，长势是那样茂盛，简直快要掩蔽了宫苑，而且有力地显现了旧苑的衰微，它似乎还在不断损毁，渐渐往荒草中隐没，直到无影无踪。两句联系起来看，那种今昔盛衰之感，溢于言外，作者登台而望，怎不引起对往昔的追想和满腹的惆怅呢！

中间两联，紧承首联，集中写第二句中的"怀古"，把"怀古"的内容具体化。颔联"天留李杜诗篇在，地历金元战阵来。"先追怀往事。唐玄宗天宝三载(744)秋天，李白、杜甫(还有高适)同游汴州(开封)、宋州(商丘)，醉后登上吹台，慷慨怀古。李白写下了著名的《梁园吟》："我浮黄河去京阙，挂席欲进波连山。天长水阔厌远涉，访古始及平台间。平台为客忧思多，对酒遂作梁园歌。"杜甫后来也写出《遣怀》和《昔游》诗："昔我游宋中，惟梁孝王都""邑中九万家，高栋照通衢。舟车半天下，主客多欢娱""气酣登吹台，怀古视平芜。芒砀云一去，雁鹜空相呼"。这也许是冥冥之中上苍有意安排的吧，"李杜文章在，光焰万丈长"(韩愈诗)，吹台吸引了诗人的登临，而诗人又给吹台留下了永远值得纪念的诗篇。可是，到了金元易代之际,这里却又成了兵荒马乱的战场。金天兴元年(1232)三月和七月,蒙古军两度围攻金首都汴京,双方展开了殊死决战,城内“百姓食尽,无以自生,米升直银二两,贫民往往食人殍,死者相望,官日载数车出城,一夕皆剐食其肉净尽。”(《归潜志》)天兴二年(1233)四月,汴京陷落,元人灭金。这里曾经发生过多少翻天覆地的巨大变化啊!颈联“流水浸城隋柳尽,行宫为寺汴花开。”作者又变换写法,把对往事的追怀与眼前的情景结合起来写。在隋代,荒淫的炀帝杨广为了游乐在这里开河凿渠,修建华丽的行宫,并于汴渠之堤遍植杨柳,最终弄得民怨沸腾,国亡宫废。如今,流水侵蚀着残破的古城,隋堤之柳已经消失殆尽,而行宫也已变为寺庙,在一片荒凉冷落中,开着寂寞的花。两相对比,昔盛今衰到这般地步,直叫人触目生愁,感慨系之。这两联,前一联紧承首联,纯然“怀古”,而后一联却又在“怀古”中兼写目前景象,在笔墨上显得既有变化,又为自然地过渡到尾联作了准备。

尾联“白头吟望黄鹂暮,瓠子歌残无限哀。”从怀古逐渐归结到眼前现实,表现出对民生疾苦的深切系念。“白头”句是借用杜甫《秋兴》中“彩笔昔曾干气象,白头吟望苦低垂”诗句,来表现自己的伤感之情。苍颜白发的诗人一直低吟遥望到天色向晚,虽然在这美好的春天听见了黄莺婉转的歌唱,也仍然破不开愁城,心中充塞着苦闷。特别是想到瓠(hù)子口河水泛滥不止,更令人无限哀愁。“瓠子”,古地名,又称瓠子口,在今河南省濮阳市南。据《史记·河渠书》载,汉武帝时,瓠子口黄河决口,淹死了不少人,帝派人筑塞,并亲临察看,作了《瓠子之歌》二首。到明朝时,黄河在开封、瓠子口一带仍时常泛滥,弘治二年(1489)又决口入淮,给人民造成了极大灾难。诗中说“瓠子歌残”,“残”字表明《瓠子之歌》已经少有人唱了,言外之意是当今皇上已经不再像汉武帝那样亲自过问水利,保护人民的生命安全了。诗中深藏着对当政者耽于享乐,不管国计民生的强烈不满,然而作者自觉位卑职小,又到了衰朽残年,自己也无能为力,只有无限的悲哀了。

诗歌从怀古开始,到伤今结束。中间围绕吹台及其附近的情况,写了不少的重大历史事件和人物,但决无堆砌和拉杂之感。并且,历史事件和人物,又与眼前的景色、当今的时政相结合,古今交融,写来十分自然。在诗歌的字里行间,深深地包蕴着作者强烈的怀古伤今之意,全诗低回曲折而又激情奔涌,显示出作者沉郁豪健的笔力。

(管遗瑞)

经行塞上

李梦阳

天设居庸百二关，祁连更隔万重山。
不知谁放呼延入，昨夜杨河大战还。

鉴赏

此诗一题《塞上》，写明朝对西北外族入侵的防卫战争。它的特点，在于没有正面描写双方战斗的场面，而是通过大战刚刚结束后的回顾，来委婉地表现战争的胜利，同时也表现出对边防将领因防御不力致使敌人乘机入侵的不满，抒发了作者的爱国情怀。

开始两句“天设居庸百二关，祁连更隔万重山”，起得十分别致。乍看起来，它是在赞扬明朝关山的险固和疆域的辽阔，和这场刚刚发生过的战争似乎并没有直接的联系。“居庸”，关名，在北京市昌平区西北，长城的重要关口之一，明代京师北面的屏障。“百二关”，指极为险固的关口，百二是以二敌百之意，典出《史记·高祖本纪》。“祁连”，山名，在甘肃省南部，诗中泛指西北边远地区。两句说，“一夫当关，万夫莫开”的居庸关威镇京师北面，好像天造地设一般，护卫着北京，而西北边地，更阻隔着千万重险峻的山岭。它的言外之意，是说明朝的万里边疆固若金汤，外族是不敢随便入侵的。这是从反面着笔，来预作铺垫，反衬下文的入侵和战争。

后面两句“不知谁放呼延入，昨夜杨河大战还”猛力一转，诗情产生了意想不到的跌宕，显得笔力千钧。“放”字有毫无阻挡、长驱直入之意。就在这险固的边防上，居然有外敌入侵，这是什么原因呢？句中“呼延”是复姓，也写作呼衍。汉时匈奴贵族有呼衍氏，这是代指西北少数民族鞑靼和瓦剌。在明武宗朱厚照正德年间，鞑靼首领达延汗（当时叫做“小王子”）经常率领军队侵略明边，“散掠内地”。“不知谁放”四字，明显地表露出对边防将领的责备，他们本来可以把敌人拦阻在国门之外，但却放了进来，造成战争的麻烦，这显然是由于平时松懈麻痹和玩忽职守所致，表现出诗人对这些无能将领的不满。最后一句顺势而下,由于敌人入侵,武宗不得不亲自出征,在"杨河"经过大战,终于赶走了敌人,胜利而还。"杨河",《明史·地理志》:"阳和卫,洪武二十六年(1393)二月置卫。"又《明史·武宗本纪》:"(正德)十二年冬十月,癸卯,(武宗朱厚照)驻跸顺圣川。甲辰,小王子犯阳和,掠应州。丁未,亲督诸军御之,战五日。"可见诗中"杨河"当即阳和,这首诗是当时战争的纪实。"大战",说明战争具有相当的规模,并且十分激烈。而"还"字,显然又有取得胜利,班师而还之意。两句合起来看,其中虽然包含着对战胜归来的庆幸和喜悦,但更多的却是对无能的边将不能御敌于国门之外,致使国内发生大战,给国家和人民带来灾难的谴责。特别是再联系前两句对关山险固的描写来看,在有力的反衬中,这种对边将的谴责就更加明显,更加强烈,在深婉曲折中,把诗意表达得十分清楚,十分深刻。

清人刘熙载在《艺概·诗概》中说:"大起大落,大开大合,用之长篇,比如黄河之百里一曲,千里一曲一直也。然即短至绝句,亦未尝无尺水兴波之法。"因此他指出:"绝句意法,无论先宽后紧,先紧后宽,总须首尾相衔,开阖尽变。"这首诗前两句写关山,从容不迫,是比较"宽"的,但到第三句一转,就突然显出战争的气氛,"紧"了起来。最后"大战还",有如回波倒卷,使首尾衔接得非常巧妙而自然。这种开合变化,使得这首短小的绝句颇具气势,浑然有大篇气象,再加上作者本来具有的雄健的笔力,因而读来顿挫有致,神采奕奕。

(管遗瑞)

汴京元夕

李梦阳

中山孺子倚新装,郑女燕姬独擅场。
齐唱宪王春乐府,金梁桥外月如霜。

鉴赏

这是作者在汴京(即开封)观看元宵佳节(即"元夕",阴历正月十五)盛况时所作。原诗一组共五首,这里所选的一首,以形象精彩之笔,描写月夜歌唱的场面,十分生动而又韵味悠然。

这首诗的重点是在“齐唱宪王春乐府”一句,主要表现男女声齐唱时的情形。开始两句,先从参加齐唱的人写起。先写男子——“中山孺子”。孺子即后生,此指青年。中山是春秋战国时国名,在今河北定州一带,古多英俊男子。这里的“中山孺子”是泛指北方的男性青年。这些挑选出来参加歌唱的男青年本来就够标致的了,再穿上入时的新装,打扮起来,那就更加帅气了。再写女子——“郑女燕姬”,郑、燕都是古国名,辖境在今河南、河北一带,古多美女,这里是泛指北方女子。这些参加演唱的女子当然也是挑选出来的美女,她们胜过众人,压倒全场。开始这两句虽然旨在点明演唱的人员,但又并非是纯乎客观的介绍,“倚新妆”的“倚”字,“独擅场”的“独”字,都暗含着一种互相比赛、争妍斗艳之意,男女的情态得到了生动的表现,那种热烈、欢乐而又兴奋的场面,也凸现出来。这时虽然还没有写到他们的歌唱,但人们可以想见,这些英俊的男子、漂亮的女子的歌声,该有多么美妙。

第三句作为全诗的中心,终于写到了歌唱。不过,诗句中也并没有写到歌声如何,只点明歌唱的形式是“齐唱”,歌唱的内容是“宪王”的“春乐府”。据《明史·诸王传》,宪王即朱有燉(1379—1439),周定王朱橚的长子,明太祖朱元璋孙,洪熙元年(1425)袭封周王,就藩开封,谥宪,世称周宪王。他能诗善画,谙晓音律,是明初影响较大的散曲、杂剧作家,剧作达三十一种,总名《诚斋乐府》,这里演唱的是他的乐府中的一种。地位这样显赫、成就又很高的人物的乐府,自然是十分美妙的了。用男女声“齐唱”的形式来演唱,不仅声音宏大,而且刚柔相济,雄浑中有清脆,那听起来是多么悦耳。这里仍然只是暗示,没有正面去写歌声,但却使人有如闻其声的感觉。

直到最后一句,不仅没有写到歌声,反而宕开笔端,去写天上的月色。“金梁桥”在汴京,从桥上望过去,那一轮明月正遥挂天际,洒下如霜的清光,给整个汴京城披上了一层薄薄的轻纱,全城变得朦胧、幽邃,更加显示出动人的韵致。此时,那男女齐唱“春乐府”的歌声,不仅响彻全城,而且在月光中也更加清亮,仿佛从地上直飘向月宫。这是多么美妙的歌声和迷人的情景啊!这一句,作者是以景衬声,在诉诸视觉的月色中,暗暗包含了诉诸听觉的歌声,这样一衬,歌声似乎显得“形象化”了,好像看得见,摸得着,更给人以清晰、深刻的印象。作者巧妙的安排,使得诗歌最后更加耐人含咀,神味隽永,情韵不匮。

全诗没有一句正面描写歌声，但又句句关涉歌声，在委婉的措辞中，把歌声表现得十分动人。沈德潜在《说诗晬语》中说："七言绝句，以语近情遥、含吐不露为主。"这首诗在这方面是颇具特色的。

（管遗瑞）

夏口夜泊别友人

李梦阳

黄鹤楼前日欲低，汉阳城树乱乌啼。
孤舟夜泊东游客，恨杀长江不向西。

鉴赏

夏口，古城名，在今湖北省武汉市的黄鹄山（蛇山）上。诗人东游，在这里与友人相别，在感伤的情怀中流露出一片强烈的乡思，读来情真意挚。

第一、二句紧扣题目，点出夏口最富代表性的两个地方。一个是"黄鹤楼"，故址在今武汉蛇山的黄鹄矶头，现在楼已修复，可供游人登览。唐代诗人李白曾在此写过《黄鹤楼送孟浩然之广陵》："故人西辞黄鹤楼，烟花三月下扬州。孤帆远影碧空尽，唯见长江天际流。"成为千古传颂的名篇。二是"汉阳城"，在汉水下游南岸，长江以北，与武昌相对望。唐代诗人崔颢《黄鹤楼》诗中有"晴川历历汉阳树，芳草萋萋鹦鹉洲"的名句。单是点出这两个地方，表明送别的地点，就会使人联想无穷，而显出丰厚的诗意。然而作者的意思并不在此。那黄鹤楼前低垂的落日，暗淡的余晖，汉阳城树上晚归的栖鸦和互相呼唤寻找归宿的叫声，这一切组成的略带凄凉的暮景，才是作者所要着力表现的景象。正是在这样一种情景和气氛中，作者要告别友人，离开家乡到更远的异地去，怎能不产生感伤的情怀呢？这两句交代送别的背景，已经流露出了强烈的感情。

在前两句的铺垫之后，第三句"孤舟夜泊东游客"，写自己要顺长江而下，远出东游。诗中虽然没有写到与友人告别，但"孤舟夜泊"四字中，已经包含了告别，只是没有把具体经过写出来，这正是它的含蓄、精练处。而且，"孤"字与"东游客"相连，不仅表现出离开友人后的孤独的心情，而且进一步写出了思乡的意思。作者是甘肃庆阳人，到夏口已经是做客他乡了，如今不但不能归去，反而还要继续顺江东游。此时，“孤舟夜泊”，强烈的乡思不禁从心底陡然生起。于是，诗情发展至此，有力地逼出了最后一句：“恨杀（犹言恨死）长江不向西。”作者此刻是多么想乘着这江水，回舟向自己的家乡西北去啊，然而那无情的长江之水却在一点不顾地向东流去，与作者的意愿正好相反，难怪他要“恨杀长江不向西”了。这一句的想象十分奇特、大胆，看来不合情理，有谁能叫长江向西倒流呢？但它十分真切地表现了作者此时的强烈心愿，又入人意中，觉得合情合理。这种奇特、大胆的想象，使得结句具有指麾山川、力挽狂澜的豪迈笔力，也使全诗在一片黯然神伤的送别和愁苦的思乡情绪中，平添了雄豪的气概，读来感奋人心，这在众多的送别和思乡的诗歌中，具有了自己的鲜明特色，成为难得的佳作。

（管遗瑞）

圣泽泉

李梦阳

嘈嘈鸣山泉，日日喷悲壑。日照一匹练，空中万珠落。

鉴赏

李梦阳在明武宗正德六年（1511）、七年（1512）以江西提学副使身份两次巡视南康府学政并上庐山。其间，他为庐山名胜古迹的维修与建设花费了大量心血，还写成了《白鹿书院新志》以及为数众多的碑文、游记与诗歌。小诗《圣泽泉》即是其中的一篇。

圣泽泉是白鹿书院附近的一个景点。白鹿书院在今江西省星子县北庐山五老峰下，为宋代四大书院之一。圣泽泉在书院东北的山崖下，距书院约二里。崖上旧为勘书台，明孝宗弘治十六年（1503）提学邵宝在台上建有独对亭。有摩崖石刻“圣泽之泉”“风泉云壑”。字大如斗，为宋代陈淳祖（一说朱熹）所写。山涧中有李梦阳书“砥柱”二字，彭治书“观澜”二字。李梦阳在白鹿书院讲学之余，有时独自一人，有时与学生一起溯涧攀萝，至枕流桥、圣泽泉、独对亭等处寻幽览胜。

在这首小诗中,他将发现的圣泽泉的自然美记录了下来,也情不自禁地流露出自己在欣赏到这种美色时的愉悦和激动。

"嘈嘈鸣山泉,日日喷悲壑",诗人向圣泽泉走去,听到泉水流淌发出的愈来愈响的"嘈嘈"声。"嘈嘈",并非嘈杂难听的噪音,而是低沉有力的乐音,故白居易在《琵琶行》中用它来拟写琵琶的大弦声,并说它有如急雨骤降("大弦嘈嘈如急雨")。写出富于力感的"嘈嘈"声,同时也就隐写了泉涧的陡峭与泉流的湍急,从而自然过渡到写泉流喷涌的下句"日日喷悲壑"。"悲壑"字,用《淮南子·天文训》:"(日)至于悲谷,是谓餔时。"注:"悲谷,西南方之大壑。言其深峻,临其上令人悲思,故曰悲谷。"看来悲壑的特点在于"深峻",换一种说法也就是陡峭。涧陡,故而泉流若"喷"。诗人在《枕流桥》诗中写道:"峡急岂有心,临桥石相激。"桥下之水即圣泽泉水,从这两句诗中不难想见泉水的急湍和有力。这里有待略作解释的是,诗中所说的"喷悲壑",并非指泉眼喷水——圣泽泉之源尚远在凌霄峰,而只是指泉水的流淌。涧中刻石为"砥柱"与"观澜",也可想见泉流之急湍。用"喷"字,愈见泉水之富于力感,仿佛泉水不是在流动,而是喷射出来的。"喷"字在结构上承上启下,既与上句所写的"嘈嘈"泉鸣互相呼应,又从"喷"字生发,唤出后两句,衍出如白练、似珍珠的令人耳目一新的奇异景象。

由于涧陡流急势若喷涌,诗人放眼圣泽泉上下,忽然发现了"日照一匹练,空中万珠落"的奇观。圣泽泉所在之地,"鸟道崎岖,攀萝可入"(《白鹿书院志》卷一"形胜"),自非晴天正午,是难以见到阳光的。诗人这次来游,刚好"日照"圣泽泉,映得泉水上下如同一匹展开的白练,水石相激飞溅起的水珠也在阳光辉映下颗颗晶莹如珍珠。"日照一匹练"的描写并不新鲜,当是脱胎于"澄江静如练"(谢朓《晚登三山还望京邑》)、"日照香炉生紫烟,遥看瀑布挂前川"(李白《望庐山瀑布》)以及"天机织罢玉梭闲,石壁高悬雪练寒"(乔吉[双调]《水仙子·重观瀑布》)等诗句;以珍珠比喻水珠,更是屡见不鲜。但将这二者结合起来,出现在圣泽泉这一特定的场合,却显得很不一般:这是幽暗中忽然露出的明丽,"一匹练"巨伟而纯白,"万珠落"小而多又七彩相映,在"幽暗"底色的映衬对比下,分外动人心目;这是转瞬即逝的美色,原来深藏在幽暗之中,只是在"日照"下才昙花一现,一旦日光过去,美色也就随之消失,这就更加令人觉得珍稀难得。

全诗主要采用动态描绘的写法,从声音、形状、光亮、色彩等方面全面地展现圣泽泉的流动之美。

与动态描绘相适应，诗中多用动词，“鸣”“喷”“照”“落”，各司其职，将不同方面的描写内容带起；“喷”字、“照”字更是画龙点睛式的字眼，生气勃勃，映带左右，照耀全篇。诗人还善用比喻，“一匹练”与“万珠落”，将一与多、阔大与纤巧、壮丽与优美、“练”的白色与日照下水珠的色彩，和谐地统一到了一起，完成了圣泽泉独具特色的诗境的创造。

（陈志明　谢丹月）

江行杂诗

李梦阳

锡州潭古怪，攸镇驿幽绝。四围青山映，鹭栖满林雪。

鉴赏

攸镇驿位于江西万安县与赣州之间的赣江边上，锡州潭当是离攸镇驿不远的一处景色。诗人在路过这两地时，被它们富于特色的自然风光深深打动了，便作此小诗记下令他难以忘怀的印象。

一、二句是诗人动情的赞叹。不难想象，当锡州潭与攸镇驿各以自身的特异风光倏然呈现在诗人眼前，他在捕捉到这两处景色的“古怪”与“幽绝”的特色时，内心有何等的激动，表情有何等的惊喜。是怎样的“古怪”，又是如何的“幽绝”呢？三、四句分别作了回答。锡州潭的“古怪”，在于“四围青山映”。这与一般有山有水的景色不同，首先是四面都有山，从潭边的任何一个角度望过去，都能既见到山，又见到水；其次，“映”字表明，潭水清澄，波平如镜，处处都有山的倒影。山形与山影交辉，景色一定更妩媚了；青山与碧水相染，色泽必然更深浓了。这样的景色，为诗人从未经见，一旦闯入视野，自不免要惊呼为“古怪”了。至于攸镇驿呢，其“幽绝”的特色在于“鹭栖满林雪”。赣江之上多白鹭，《江行杂诗》第三首有“鹭飞如导鹢”（此鹢指代船只）之句。第七首也说：“落日没沙滩，云移鸟欲还”。攸镇驿多林木，自然成了鹭鸟的一处重要的归栖之地。诗人来到攸镇驿时，鹭鸟已经栖宿。鹭鸟羽毛纯白，有“雪客”的美称，这时正一对对地栖宿在茂密的树林中，犹如满林积雪，颇有冷艳之美。此时，连飞翔的鹭鸟都安然入梦了，夜显得格外静谧。故诗人以“幽”称之，又以“绝”字表示其幽至极。

全诗的写法,虚实结合,一、二句用虚笔轻轻一点,造成悬念,三、四句隔句相承,展现具体形象;虚实相应,特色鲜明,意境优美动人。三、四句极富画意,色彩调制尤其令人称绝。但这是诗人在生活中的偶然发现,而非冥思苦索之所得。孙豹人称李梦阳的绝句:“信手拈来,调绝古今。”正有见于此。

(陈志明　谢丹月)

船　板　床

李梦阳

船板胡在兹,而我寝其上。情知非江湖,梦寐亦风浪。

鉴赏

李梦阳因代户部尚书韩文起草弹劾刘瑾的疏文,于正德三年(1508)夏五月十七日至秋八月八日被拘捕入锦衣卫狱(《述征集后记》《空同集》卷四十七),在狱中作有《咏狱杂物》等诗。《咏狱杂物》是总题,共八首,分别写炭篓盆架、砂锅盆、船板床、砖枕、芦席儿、坏墩、麻绳、葛衫帐八物。这组诗对于了解明代监狱情况与李梦阳在狱期间的心态具有一定价值。《船板床》是其中写得较好的一首。

此诗题材小,开掘深,构思巧妙。诗人捕捉到的是刚从睡梦中醒来那一刻的疑虑、惊异的感受。他突然发现自己已置身于一个陌生的环境之中,一种异样的感受不觉涌上心头,情不自禁地发出一声疑问:“船板为什么会在这儿呢?”转而又发现自己竟然还睡在它的上面,这到底又是为什么呢?诗意就在这双重疑虑中推进。但诗人的发问,并不是为了寻求具体的答案,而是以无疑设问的语气,表明自己被捕下狱这一事实,并以“船板床”作过渡,进一步写出自己危殆的处境和惶恐不安的心情。故第三句“情知非江湖”,虽然与首句隔句相承,但似答非答,只是强调了这里确是监狱之地,而非江湖之上。在行文上这是回应,也是顿挫。经这一回应与顿挫,船板不在江湖之上而是在无风浪可言的监狱之中这一事实,得到了进一步的肯定。从而,末句“梦寐亦风浪”就越发显得奇警峭拔、耸动视听了。末句多言外之意,弦外之音。“亦”字让人想起现实多风浪的另一面,而“风浪”二字直接与“船板”相关,又语带双关,有在生活中受人算计、处处不能尽如人意的意思。"梦寐亦风浪"是诗人入狱睡在船板床上引出的感触,更是他在官场之中受尽磕碰之后的生活体验。诗人在孝宗弘治十四年(1501)奉命监三关招商时,因持法严峻,首次受诬下狱;弘治十八年(1505),又因上疏触恼寿宁侯张鹤龄,再次被谗下狱;至这一次被刘瑾投入监狱,已是第三次了。可知他对于生活中,主要是政治斗争中的狂"风"恶"浪",是有很深的体会的。正是这种深切的体验与狱中罕见的"船板床"这一"杂物"的偶合,使他生出巧思,把诗写得又新颖又深刻。

(陈志明　谢丹月)

巴阳夜泊

施　敬*

独棹三巴夜，秋高片月孤。滩声将客梦，万里下东吴。

作者

*施敬，生卒年不详，字孟庄，钱塘人，谪居滇。

鉴赏

巴阳，地址不详，从诗句内容推测，大概是在四川境内巴山蜀水某一地区。这是一首旅夜怀乡的抒情小诗。

首句“独棹三巴夜”，落实地点时间。“独棹”，说明是独自离乡在外，旅宿在巴江停泊的夜船上。“三巴”，原指巴郡、巴西、巴东，此处是泛指川、渝境内。次句“秋高片月孤”，点明季节，是一个秋高气爽的月明之夜。两句写到“独棹”和“片月孤”，已明确交代了夜泊环境的气氛和旅人寂寞的心情。因为是“独棹”，所以感到“片月孤”，“片月孤”三字是对客观景物的直觉反映，也是旅人独在异乡孤独心情的折射。人在船中是形单影只，因而感到月在天上也是那么孤单一片了。当此人间天上两无聊赖的时候，他听到了巴江的滩声在响。是滩声启发了他，使他想起前人怀乡的诗句：“凭添两行泪，寄向故园流。”（岑参《见渭水思秦川》）泪可以寄，难道他乡的归梦不可以寄吗？于是“滩声将客梦，万里下东吴”，成了他此时最好的希望与慰藉。“将”，携带。他心想，不如美美地睡上一觉，把归梦寄江水带走，远下万里东吴（长江下游地区），去和家人团聚。就这样，他一心把归梦寄给江流，随它远远飘去，相信万里家乡可到，“夜深儿女笑灯前”的乐趣很快可以实现，再也不会感到独在异乡和片月一样孤独了。“滩声将客梦”，异想天开，而旅夜乡愁的深重，也就“含不尽之情见于言外”。

全诗妙在最后两句。乡心化梦，梦寄流水，造境极美。虽事理之所必无，亦人情之所应有。古人句云：“枕上片时春梦中，行尽江南数千里。”可与此诗异曲同工，然于此不难见出其间的渊源脉络关系，和作者推陈出新的高明手段。

（郑临川）

谒文山祠

边 贡*

丞相英灵迥未消，绛帷灯火飒寒飙。
黄冠日月胡云断，碧血山河龙驭遥。
花外子规燕市月，水边精卫浙江潮。
祠堂亦有西湖树，不遣南枝向北朝。

作者

*边贡(1476－1532)，字廷实，山东历城(今山东济南)人。弘治九年(1496)进士，与李梦阳等号称“弘治十才子”。官至南京户部尚书。被劾，罢归。与李梦阳等倡导文学复古运动，为“前七子”之一。其诗风格飘逸，语尤清圆。有《华泉集》。

鉴赏

文山是南宋民族英雄文天祥的号。南宋末年，元军东下，他在赣州起兵保卫宋京临安(今杭州)，任右丞相，几次抗元失败，最后在广东兵败被俘，押送燕京(今北京市)，被囚禁三年，威武不屈而死。文山祠是后人为纪念文天祥而建造的祠庙，曾受到不少文士和游人来此参拜致敬。边贡，是明代有名的前七子之一。此诗历来被评为同题作品的压卷之作。

诗的主题是歌颂文天祥永垂不朽的爱国精神，表现后人对他的崇敬与悼念。

首联先写文山祠内庄严肃穆的气氛：“丞相英灵迥未消，绛帷灯火飒寒飙。”这里有红色的帷帐映着辉煌的灯火，摇晃在猛烈吹刮的寒风里。这景象让人联想起丞相当年在风雨飘摇中孤军奋战的历史场面，显示文山的爱国精神远远没有消失。次联写他战败被俘，拒绝元人诱降的正义斗争。“黄冠日月胡云断,碧血山河龙驭遥。”上句“黄冠日月”中“黄冠”,即道士之冠,指道士生活。据说元统治者曾以高冠厚禄劝降,文山不从,请求出家为道士,保全自己的名节。“胡云断”,即请求被元人否决,如日月被云层遮挡。下句“碧血山河”,他终于以自己的鲜血为祖国山河殉难。“碧血”,用古代志士苌弘被冤死,三年血化为碧玉的典故,表明烈士的血不会白流,将化作无价之宝。“龙驭遥”,“龙驭”是皇帝的车驾,指代南宋末代皇帝的政权在远方遭到覆灭(幼帝赵昺蹈海而死)。上下两句意思是文山的慷慨就义,最终没能挽救国家败亡的历史命运,是概述文山壮烈牺牲的事迹。第三联进而评赞文山宁死不屈的刚烈意志在身后所产生的巨大影响,是全诗有名的警句。“花外子规燕市月,水边精卫浙江潮。”本联连用了三个有名的神话故事,作为浪漫的表现手法。上句说,在燕市的花朝月夕有子规鸟啼叫,该是文山的忠魂所化,因为根据古代传说,蜀王杜宇失国后死去,化身为子规(杜鹃)鸟,声声叫唤“不如归去”,让人眷恋故土。文山在押送北上途中曾写过《金陵驿》的诗句:“如今别却江南去,化作啼鹃带血归。”本句意境即由此化去。下句两个神话连用。“水边精卫”出于《山海经·北山经》的故事:炎帝之女溺于东海,死后化为精卫鸟,日衔西山木石,要把东海填平。这是用来比喻文山势单力薄而志不可夺的坚强毅力。“浙江潮”见于《吴越春秋》记载:吴大夫伍子胥被谗自杀,抛尸入江,化为钱塘江神,常在江上激涛扬波,发泄自己的怨愤。这是借以形容文山英灵对元人的敌忾之气。两句是对文山英灵未消的生动写照,他将像古代神话传说中的子规、精卫、伍子胥一样,在人间发挥天长地久的影响。这就是对文山永远激励人心的爱国精神的高度赞扬。末联为了表现这种精神的感召力量,更作了夸张性的描写。“祠堂亦有西湖树,不遣南枝向北朝。”“西湖树”,据《西湖志》所记:“岳王坟上古木,枝皆南向。”两句意思说,丞相祠前也有像岳坟那样枝皆南向的树木,表明树枝也受到丞相精神的感召,不肯向北方的敌人屈服。南面向阳,树枝容易发旺,这本是自然现象,诗人为了歌颂丞相爱国精神之伟大,因而产生这种联想,可说是神来之笔。把“西湖树”和“丞相祠”联在一起,也是有意使南宋两位民族英雄有所关联,在发扬爱国精神方面,起到前后继承和相互辉映的作用。

此诗的写作特点,在于运用神话典故,作联想的浪漫手法,歌颂文山坚贞的爱国精神及其对后世的深远影响。当“黄冠日月”的计划被人否定、无力回天而就义之后,他便化为神话般的人物,继续发挥死而不已的战斗潜能，以致连祠前树木的株形也受到他“不向北朝”的感召。这首诗可说是对文山的凛然大节、百世可风的情操，作出的最高评价，足以激发人们“高山仰止，心向往之”的倾慕之情，让读者受到极为深刻的爱国教育。

（郑临川）

重赠吴国宾

边　贡

汉江明月照归人，万里秋风一叶身。
休把客衣轻浣濯，此中犹有帝京尘。

鉴赏

从诗意看，这是作者送友人由京师归江汉之作。因先已有诗送别，此为再赠之作，故题为“重赠”。

七绝短小，尤重风调，不能不有一个饶有余韵的结尾，所以盛唐人对尾联特别考究。边贡的这首诗就深得唐绝秘传。诗的前两句直抒旨畅，是古人诗中习见的意境，其好处是很有限的。不过“明月”“秋风”这些积淀有别情归思的词语，增添了送行的惆怅；“汉江”“万里”和“一叶身”的对照，更形出客况的孤单。然而此诗的妙处全在三、四句，是读者不可造次看过的：“休把客衣轻浣濯，此中犹有帝京尘。”“帝京尘”语本陆机诗：“京洛多风尘，素衣染为缁。”陆诗意谓京都车马辐辏，风尘涨起，不免弄脏客子的衣服。后世士人厌倦仕官，多用此事。由此看来，这个吴国宾混得不怎么样，不免素衣化缁。那么，其人归家后第一要事，就是浣洗客袍了。出人意料的是，诗人却叮嘱他莫要轻易洗衣，不洗的原因并非衣服还不大脏，而恰恰是脏：“此中犹有帝京尘”。这就有些匪夷所思了。

读者可以对照一下清人董以宁的《闺怨》：“流苏空系合欢床，夫婿长征妾断肠。留得当时临别泪，经年不忍浣衣裳。”诗的三、四句在构思上，与这首别诗可谓机杼相同，衣裳被泪痕湿透了，不好再穿，但又不肯洗，怕的是把泪痕洗掉了。这泪痕是当初临别的唯一痕迹，看见它可以勾起许多宝贵的回忆，所以弥足珍贵。而这首《重赠吴国宾》中的

"帝京尘",在诗中也属于同一道具,扮演着同一角色。它可以勾起许多辛酸的记忆,也可以勾起许多幸福的记忆。至少,可以作为彼此友情的一个见证吧,此诗的够味,全在于这一构思的别趣。

这两句使用否定性祈使语气,"休把"云云,可以强化语气和增强与读者的情感交流,形成一种唱叹的韵味。唐人亦深谙此中奥秘,"醉卧沙场君莫笑,古来征战几人回"(王翰)、"惊波一起三山动,公无渡河归去来"(李白)便是著名的诗例。这也是边贡此绝颇具风调的一个原因。

(周啸天)

嫦　娥

边　贡

月宫秋冷桂团团,岁岁花开只自攀。
共在人间说天上,不知天上忆人间。

鉴赏

这首诗语言极为通俗浅近,几乎不需要任何诠释,人人都看得懂。要说它的妙处,全在下联,而主要是第三句。如果没有这一句,只是反复形容嫦娥的孤单,说她夜夜思凡,已落玉溪生的窠臼:"云母屏风烛影深,长河渐落晓星沉。嫦娥应悔偷灵药,碧海青天夜夜心。"便不必作矣。但此诗有第三句,就出了新意:"共在人间说天上,不知天上忆人间",这"说"与"忆"都有歆羡之意。就是泰戈尔说的:"云儿愿为一只鸟,鸟儿愿为一朵云。"《千字文》说"执热愿凉"。它揭示出了人生的一大误区,那便是容易见异思迁,不能安分知足。到处都有"围城",里边的人想攻出来,外边的人想攻进去。一旦角色互换,依然不能满足。"共在人间说天上,不知天上忆人间",言浅意深,言近旨远,可为患得患失者诫。

作者自注云:"时外舅胡观察谢政家居,寄此通慰。"这位观察大人是到过"天上"的,现在谢政家居,又回到"人间",是过来人了。他对此诗当然能心领神会的,对"共在人间说天上"的世相,他也能做冷眼旁观了。

(周啸天)

种麻篇

何景明*

种麻冀满丘，种菜冀满园。孤生易憔悴，独立多忧患。
当行思故旅，当食思故欢。先机失所豫，临事徒嗟叹。
升萧艾乃至，锄桂致伤兰。物理有相附，畴能识其端。
断金俟同志，抱玉难自宣。交结良匪易，君当图未然。

作者

＊何景明（1483－1512），字仲默，号白坡，又号大复山人，信阳（今属河南）人。弘治十五年（1502）进士。官至陕西提学副使。与李梦阳等倡言复古，号称"前七子"。后与李梦阳发生争执，讥其为"古人影子"。实则其复古摹拟的基本观点是一致的。其诗亦不乏清新谐雅之作。有《大复集》。

鉴赏

这首言志诗，用屈原"香草美人"的象征手法，写扶持同志的道理。篇名取开头二字，既谨守了汉乐府的通例，显出古朴的特色，又揭示了全诗的中心，不落机械拟古之嫌，看似信手拈来，实则颇具匠心。

全诗十六句，四句一意，共分四层。

第一层写扶持同志必须着眼于一个"多"字。起首两句从正面落笔，暗用《离骚》"余既滋兰之九畹兮，又树蕙之百亩"句意，以"种麻""种菜"作象征，而重心落在重出的"满"字即"多"字上，直截了当地推出自己的观点。三、四句以"孤""独"与首两句的"满"字对比，从反面加以论证，夯实上两句的观点。这个反证非常必要，也非常有力。如果仅有首两句，容易使读者产生误解，以为诗人的愿望在于贪求数量；而有了这个反证，就完全明白诗人强调"满"字，乃是出于对"种植"

规律的考虑，因为麻、菜这两种植物都具有同类之间相互扶持的特性，孤生独长是不易成活的。

第二层写“凡事豫则立，不豫则废”，因此，又必须着眼于一个“早”字。这个道理也是通过非常恰当的比喻表达出来的；行路需要旅伴，进食需要知音，而旅伴、知音是长期感情培植的产物，并非可以临时拉来；如果面对旅途才想到旅伴，面对食品才想到知音，那就只能空自嗟叹了。“豫”是先事为备的意思。

第三层写还必须注意一个“慎”字。“升萧艾乃至，锄桂致伤兰”，“萧”“艾”都是贱草，比喻小人；“桂”“兰”都是香草，比喻君子。这两句的意思是：提升一个小人，其他小人就会接踵而至；除去一个君子，就会连带伤害到其他君子，所谓“物理有相附”。因此，一“升”一“锄”，必须非常谨慎。这一层是承第一层而来；第一层讲同志必须有一定的数量，这一层讲数量既多必定良莠相杂，需“升”良“锄”莠；第一层是从客观规律的角度提出一个“多”字，这一层是从主观行为的角度指出一个“慎”字。

以上三层皆用象征手法，虽然都是围绕着扶持同志这个内在的线索，但三层所用象征之物各不相同，而且各层之间跳跃颇大，终不免给人割裂之感、朦胧之感。于是，诗人用第四层做点睛之笔，既挑明了主题，又将前三层的意思做了总结。前两句指出同志的重要，乃是给上三层的“多”“早”“慎”提供前提。“断金俟同志”取“二人同心，其利断金”（《周易·系辞上》）之意。“抱玉难自宣”用春秋时楚人和氏三次献玉璞、两次被断足的典故。这两句反差极大：金是极硬之物，但有了同志就可断之；玉是极贵之宝，没有同志却献不出去。同志的重要性就在这反差极大的对比中凸现得清清楚楚。后两句指出同志得之不易，乃是对前面的呼应：“交结良匪易”关合“慎”字，“君当图未然”关合“早”字。至此，前三层的象征意义都落到了实处，各层之间也被缝合得了无遗痕。

何景明论诗谓：“诗文有不可易之法者，辞断而意属，联类而比物也。”（《与李空同论诗书》）这首诗层层递转而意意相连，处处用比而寄意昭然，正实践了他自己的创作理论。

按《明史·何景明传》，何景明曾因激烈地反对权官刘瑾而被罢，曾为救李梦阳冒险上书吏部尚书，拒绝过欲与他“交欢”的钱宁，鞭挞过横行关中的当朝权贵的参随。凡此种种，都证明何景明不仅是领导当代诗坛的诗人，而且首先是一位旗帜鲜明、气节凛然的政治家。本诗提出广结同志这一具有深远意义的问题，正体现出他作为政治家的战略眼光，而他在诗中所持的要多、要早、要慎的三个观点，又体现出他作为政治家的战术思想。

（魏填平）

秋　江　词

何景明

烟渺渺，碧波远；白露晞，翠莎晚；
泛绿漪，蒹葭浅；浦风吹帽寒发短。
美人立，江中流，暮雨帆樯江上舟，
夕阳帘栊江上楼。
舟中采莲红藕香，楼前踏翠芳草愁。
芳草愁，西风起；芙蓉花，落秋水。
江白如练月如洗，醉下烟波千万里。

鉴赏

这是一首怀人的诗。怀人者为第七句“浦风吹帽寒发短”所显示的形象，也即作者自己。被怀者为第八、九两句立于江中的“美人”。何景明在他的长篇歌行《明月篇》的序言中，说汉魏古诗“义关君臣朋友，辞必托诸夫妇”，对这种象征写法心仪至极。本篇显然用的就是这种写法。可知“美人”乃指他的朋友，全诗所表现的乃是何景明对友人的怀念与关心。

首六句写被“浦风”所“吹”而感到“寒”冷，因寒冷而怀疑“发短”的诗人的眼中之景。“烟渺渺，碧波远”从大处落笔，写远望。这两句创造出一个深远、苍茫的意境，而在深远之下使人感到一丝隐隐的惆怅，苍茫之中使人感到一缕淡淡的凄凉。“白露晞，翠莎晚；泛绿漪，蒹葭浅”从细处着手，写近看。前两句承上而来，进一步渲染首两句隐约透露出来的那种淡淡的感伤之意：白露既干，则其光泽全失；翠莎已晚，则其风采难睹。美好的事物非复往日的神韵，诗人之惆怅、凄伤，不待明言。后两句不但以绿漪乱泛、蒹葭低伏的客观之景反射出诗人心绪的烦乱与沉重，而且关合一个“风”字，为下句的“寒”字作了注脚。

以上六句围绕“浦风吹帽寒发短”这一中心句，一方面由远而近，一步步地展现诗人所处的环境，一方面由浅而深，一层层地揭示诗人此时的心境，最后清晰地把诗人的整体形象推到了读者面前。但同时也造成了一个悬念：诗人何以冒着寒冷独立浦边？他是为了什么在惆怅？在感伤？在烦乱？在沉重？这一悬念，或者说蓄势，非常自然地逼出了“美人立，江中流”两句，使人顿时明白诗人惆怅、感伤、烦乱、沉重之所系。全诗至此，陡然一转。如果说前九句是实写诗人独立浦边远望“美人”时的情景的话，那么“暮雨”以下八句就是虚写“美人”的种种活动，也即“美人”既不可见，诗人由此而产生的种种联想。

“暮雨帆樯江上舟，夕阳帘栊江上楼”，纯以名词性词组出之，六个词组六个意象，三个意象一幅画面，两幅画面叠现出“美人”两个主要的活动场所。“舟中采莲红藕香”承“暮雨帆樯江上舟”“楼前踏翠芳草愁”承“夕阳帘栊江上楼”，在两幅画面中加入“美人”的身影，则“美人”之可爱，诗人之柔情，尽在其中，与前面诗人独立浦边时的暗淡心情形成鲜明的对照。这显然是诗人对往事的回忆，眼前不见“美人”的惆怅，希望在甜蜜温馨的追想中得到宽慰。然而，意识的流动不只是把他引向往日的甜蜜，而且也把他拽向痛苦的猜测：“芳草愁，西风起；芙蓉花，落秋水。”“美人”之所以不得见，是不是已经被残酷的“西风”打入“秋水”中了呢？首六句所写诗人心情的烦乱、沉重，在这里得到了呼应。

但诗人对这个问题不能回答，或者不愿回答。为了解脱，他将思绪收了回来，转向眼前的江水，以“江白如练月如洗，醉下烟波千万里”轻轻宕了开去，把一幅空白画面、一种空灵意境留给了读者。这样的结尾，以吞为吐，虽然含蓄，但最末一句洒脱高昂、突然振起，与全诗的情调殊不相称，所以沈德潜说：“一本节去末二语，更有余韵。”不过，综观全诗，词采俊逸，寄意遥深，是充分体现了“信阳诗以秀朗胜”（沈德潜语）的艺术特色的。

被何景明如此关切的友人是谁呢？会不会是李梦阳？据《明史》本传，何景明与李梦阳的关系一度曾经非常亲密，以至于“李梦阳下狱，众莫敢为直，景明上书吏部尚书杨一清救之”。何景明有一首《得献吉江西书》，以李白比李梦阳，自比杜甫，表达了“他年淮水能相傍，桐柏山中共结庐”的愿望，更能证明二人的关系不同一般。那么，本诗会不会是有感于李梦阳下狱而作，所谓“芙蓉花，落秋水”？沈德潜《明诗别裁集》选录此诗之后，有一评语：“美人娟娟隔秋水，风度似之。”“美人娟娟隔秋水”系杜甫《寄韩谏议》诗中之句。《寄韩谏议》一诗是以“美人”喻韩谏议，主旨在于劝勉韩谏议复出，“美人胡为隔秋水，焉得置之贡玉堂”，结尾两句揭示了这一主旨。沈德潜说何景明此诗“风度似之”，当是既指采用“以美人喻君子”的手法相似，空灵蕴藉的诗风相似，又指“焉得置之贡玉堂”的主旨相似。

（魏填平）

津市打鱼歌

何景明

大船峨峨系江岸，鲇鲂鲅鲅收百万。
小船取速不取多，往来抛网如掷梭。
野人无船住水浒，织竹为梁数如罟。
夜来水长没沙背，津市家家有鱼卖。
江边酒楼燕估客，割鬐斫鲙不论百。
楚姬玉手挥霜刀，雪花错落金盘高。
邻家思妇清晨起，买得兰江一双鲤。
簁簁红尾三尺长，操刀具案不忍伤。
呼童放鲤潎波去，寄我素书向郎处。

鉴赏

在诗中直接描绘渔乡生活，是前人较少触及的题材，尽管唐代诗人柳宗元、张志和等也有以渔翁为描写对象的名篇，但他们笔下的“渔翁”，或浩歌于青山绿水之间，或独钓于冰雪寒江之上，或陶醉于和风细雨之中，都有一种脱凡绝俗、超然物外的情趣，具有文人雅士的气质和风采，是诗化了、幻化了的艺术形象，而并非真正的渔人。至于能在诗中通过描绘渔家生活来展示渔乡风情的篇章，更属罕见。何景明的《津市打鱼歌》恰好在这个方面有所创新，它以民歌的天然韵致和清秀通俗的语言，描绘出一幅广阔细致、丰富多彩的渔乡风情图。津市，位于湖南省北部，澧水下游，向南直通洞庭湖水域，是河网密布、盛产鱼米的南国水乡。

这首诗的结构安排得非常巧妙，每六句为一个层次，分别描绘了江上捕鱼、江楼宴饮、思妇寄书三个互相关联的场面，连缀在一起就构成了一幅情趣盎然的总体风俗画。作者运用不同的表现手法，写得有条不紊。

“大船峨峨系江岸，鲇鲂鲅鲅收百万。小船取速不取多，往来抛网如掷梭。野人无船住水浒，织竹为梁数如罟。”前六句细腻地描写了活跃在浩渺清江上的捕鱼群体：大船落帆收网，满载而归，系缆江边，满舱银鳞闪耀，鱼儿不时跃起，发出鲅(bō)鲅声。小船轻快灵活，漂荡在江中穿行如梭，频频撒网。连以耕种为业的农夫也因久居水边，学会了用竹子编成各种捕鱼设置，跃跃欲试。

江上捕鱼的场景如画，热闹非凡，虚实、动静、声色都配合得非常得体。大船、小船捕鱼为实，农夫设网为虚；大船系缆，静中有动；小船如梭，满江飞动。何诗擅长设色点染，这几句话虽然没有明写时间，但从“系江岸”和下文中的“夜来”推断，当在夕阳西下之时。“一道残阳铺水中，半江瑟瑟半江红。”碧波、白帆、银鳞、红日，色彩鲜明，美不胜收。桨声、水声、抛网声、鱼跃声，此起彼落，连成一片，给画面增添了无限生机。

“夜来水长没沙背，津市家家有鱼卖。江边酒楼燕估客，割鬐斫鲙不论百。楚姬玉手挥霜刀，雪花错落金盘高。”前两句承前启后，是联系捕鱼和宴饮两个场面的细节。夜来江水暴涨，淹没了江河沙滩，鱼戏新水，联翩涌来。于是，渔乡到处响起了叫卖鲜鱼的声音。读这两句诗，很容易使人联想到陆游诗中“小楼一夜听春雨，深巷明朝卖杏花”的名句。不管何诗是否从此化出，但二者比较，陆句明丽而清雅，何句素淡而通俗，各得其妙，均属好诗。然后，作者集中笔墨描绘江边酒楼上宴饮的奢华，“燕估客”即来自明都城燕京的客商，他们腰缠万贯，不惜价格昂贵，尽情地享用鲜鱼烹成的各种美味佳肴。古代诗人常通过渲染食品的精美和食具的珍贵去表现宴会的奢侈、阔绰，以示嘲讽之意。如杜甫《丽人行》中的“紫驼之峰出翠釜，水精之盘行素鳞。”白居易《轻肥》中的“果擘洞庭桔，脍切天池鳞”。何诗则在此基础上，又增加了一个楚姬切鲙的传神细节，更富有艺术魅力。“楚姬”，指酒楼上的南方女子，她那洁白如玉的素手熟练地挥动着寒光闪闪的利刀，细如丝缕的鱼肉像雪花飘舞，参差错落地在黄金盘上高高堆起。玉手金盘，相映生辉，伊人倩影，依稀可见。不仅写出了菜肴的精美无比，而且也为江楼宴饮的场面添姿生色。

《明诗评选》中曾批评何景明的诗“冲喉直撞”，缺少含蕴，以上诗句却并无此弊。渔人捕鱼受尽辛苦，而享用鱼宴的却是京城富商，这种现象的本身就具有讽刺意味。作者不像张籍在《野老歌》中用“西江贾客珠百斛，船中养犬长食肉”直接道破讥讽，而是暗含在场面描写中，任其自然流露。从中我们可以想象得出京城客商那意气骄盈、得意忘形的神态和豪奢淫靡的生活。作者委婉含蓄地表达了讥讽之意，使诗的内涵更加丰富，更耐人寻味。

“邻家思妇清晨起，买得兰江一双鲤。簁(xī)簁红尾三尺长，操刀具案不忍伤。呼童放鲤潋波去，寄我素书向郎处。”前面写了京城客商江楼宴饮，寻欢作乐，但他们家中未尝没有望眼欲穿的楼头思妇，所以作者又信笔写下了津市的思妇寄书，收到了一石二鸟的艺术效果。这六句借鉴了古乐府《饮马长城窟行》中“客从远方来，遗我双鲤鱼。呼儿烹鲤鱼，中有尺素书”的诗句，着重刻画邻家思妇的心理活动。她清晨即起，喜滋滋地买回一对鲜活乱跳、红尾湿润的兰江大红鲤鱼。“兰江”，在今浙江省中部，是钱塘江自兰溪至建德县梅城段的别称，其间盛产鲤鱼，戴叔伦诗所谓“兰溪三日桃花雨，半夜鲤鱼来上滩”。兰江与津市相距甚远，可能思妇的丈夫客居于兰江一带。当思妇把鲤鱼放在案上，准备下刀的时候，忽又踌躇再三，终于让小童将鲤鱼放回清波急流之中，希望鲤鱼能寄书信给远方的丈夫。鱼雁无凭，难遂人愿，托鱼捎书，全是思妇自作宽解，无限相思之情就在这一合情而不合理的举动中不了了之。这一段描摹思妇刹那间的感情波澜和起伏变化，细致入微，情味既厚且醇，意蕴深曲不露，给人留下了更多吟味的余地。

何景明的诗宪章少陵，早成定论，但他又有意识地去学习初唐四杰，以其“往往可歌”的音节韵律，补充杜诗“调失流转”的不足。这首《津市打鱼歌》正体现了他在此方面的探索和尝试。所以，全诗在通过运用场面描绘、细节刻画、透视心灵来展示渔乡风情的同时又注重音节和谐，比喻通俗，用语本色，叠字层出，颇具有民歌的风神韵致，并统一于秀朗俊逸的主导风格之中，情趣天然，清新可读。王士禛在《带经堂诗话》中说：“《津市打鱼》诸篇，深得少陵之髓，特以秀色掩之耳。”恰恰道出了何景明这首诗在思想、艺术上的继承和创新。

（马建新）

易水行

何景明

寒风夕吹易水波，渐离击筑荆卿歌。
白衣洒泪当祖路，日落登车去不顾。
秦王殿上开地图，舞阳色沮那敢呼。
手持匕首摘铜柱，事已不成空骂倨。
吁嗟乎！燕丹寡谋当灭身，
田光自刎何足云，惜哉枉杀樊将军！

鉴 赏

何景明的诗多以"秀逸稳称"而著名，素有"俊逸终怜何大复"的美誉，但这首《易水行》却写得既不秀逸又不平稳，而是感情激越、苍凉悲壮。诗中充满了对邪恶势力的愤慨，对抗暴精神的赞颂，对失败英雄的惋惜。显然，它代表了何诗的另一种风格，是一首"金刚怒目"式的咏史诗。

易水，古水名，发源于今河北省易县，是战国时期燕国的南界。据史载，当年燕太子丹遣荆轲入秦时，曾于此地为其送行。对此情景，司马迁在《史记·刺客列传》中有一段非常精彩的描绘："太子及宾客知其事者，皆白衣冠以送之。至易水之上，既祖，取道，高渐离击筑，荆轲和而歌，为变徵之声，士皆垂泪涕泣。又前而为歌曰：'风萧萧兮易水寒，壮士一去兮不复还！'复为羽声慷慨，士皆瞋目，发尽上指冠。于是荆轲就车而去，终已不顾。"诗的前四句"寒风夕吹易水波，渐离击筑荆卿歌。白衣洒泪当祖路，日落登车去不顾"就重现了当年送别易水的悲壮场面。"荆卿"是燕国人对荆轲的称呼。"渐离"即高渐离，燕国侠士，擅长击筑，是荆轲的密友。"筑"是一种似琴，有弦，以竹敲击的乐器。"祖路"，意即饯行后上路，古人远行时常设宴饮祭祀路神，以保平安。作者在诗句中选用了哀风、寒波、夕阳、白衣、悲歌等多种惨淡的景象，极力渲染诀别时的悲凉氛围，把一个飞车入秦、义无反顾、壮怀激烈、视死如归的英雄形象生动地浮现在读者的眼前。同时，也为全诗奠定了悲中有壮、壮中含悲的基调。

还应该特别指出的是，诗人们在吟咏这一题材的时候，常常在不违背史实的前提下，作一些适当的艺术渲染和虚构，以增强诗歌的感染力。例如陶渊明的《咏荆轲》就翻创了白马送别，用"素骥鸣广陌"和"宋意唱高声"来烘托当时满座义愤填膺、同仇敌忾的情绪。而何诗则在设色点染上写出了新意，他有意把送别安排在"夕阳""日落"之时，放在残阳如血的大背景之中。试看：寒波若银，清泪如水，衣冠似雪，悲歌如诀，色调素淡而凄清。一旦染上如血的夕阳，就显得冷热协调，浓淡相宜，素色和绚烂相映衬，除了增加画面的美感之外，也和荆轲的豪气如虹、壮心似火相协调。并在悲愤的情绪中融入了壮烈的成分，使生离死别的场面更加悲壮淋漓。

"秦王殿上开地图，舞阳色沮那敢呼。手持匕首摘铜柱，事已不成空骂倨。”这四句简洁地描绘了荆轲行刺秦王的过程，写得惊心动魄。“殿上”指秦国的咸阳宫，秦王于此召见荆轲。“地图”即燕国的富庶地带督亢之地图，是荆轲使秦时奉献秦王的礼物，里面暗藏匕首。“舞阳”即秦舞阳，燕国的勇士，是荆轲的副手。他在上殿时“色变振恐”“两足不能相过，面如死灰色”，以致引起了秦王和群臣的怀疑，使荆轲生劫秦王的计划落空。图穷匕首见，荆轲在殿上追逐秦王，用匕首猛掷，击中殿上铜柱，铿然作响，火花迸射，“擿”是掷的假借字。荆轲身被数创，心知大事不能成功，仍然蹲坐地上，骂不绝口，表现了对秦王的极端轻蔑。作者运用对比映衬的手法，以秦舞阳的惊恐失色，反衬荆轲的从容镇定；以秦舞阳的懦弱怕死，反衬荆轲的勇猛坚贞。诗句中由衷地赞颂了荆轲扫除强暴的抗争精神，一个“空”字，饱含着对失败英雄的无限惋惜之情。

如果诗歌仅写及此，充其量也不过是对以前同类题材的又一次重复，并无新颖独特之处。所以作者又发出了“吁嗟乎”的感叹，并以“燕丹寡谋当灭身，田光自刎何足云，惜哉枉杀樊将军”的议论结束全诗，用此来评论这一历史事件及其有关人物。这三句才是画龙点睛的警策之语，它与众不同地开掘了新意，使全诗的主旨更加显豁深沉，意味无穷。“田光”是燕国的隐士，“智深而勇沉”，他向太子丹推荐了荆轲，又因太子丹心存疑虑而自刎。“樊将军”即樊於期，本为秦国大将，因得罪秦王而逃亡燕国，为了报仇雪恨，不惜自杀身亡，以头颅作为荆轲入秦的进献礼。

对于燕太子丹派遣荆轲入秦行刺，历来文人毁誉参半。苏洵认为：“至丹以荆卿为计，始速祸焉。”而《史记评林》中则引黄洪宪语：“故刺秦亦亡，不刺亦亡，故刺秦王非失计也。……当丹之时，垂绝之国，则荆轲未可非也。”两种观点，针锋相对。平心而论，当燕国濒临灭亡之际，荆轲等勇士不甘心为虏，见义勇为，奋起抗争，本身就具有反侵伐、反强暴的现实意义。尽管功败垂成，但也使得横暴势力为之胆寒，他的行为是可歌可泣、感人肺腑的。何景明的议论并无半点责难荆轲之意，否则他就不会在诗中那样倾心地赞颂荆轲的义举和气节了。他批评的只是燕太子丹缺少谋略，策划不周，的确，燕太子丹谋划此事时铸成了三处大错：一是无故怀疑荆轲改悔，不许他等来得力的助手，仓猝出发；二是错用秦舞阳，使荆轲在秦廷孤掌难鸣；三是胁迫田光和樊於期自杀，自毁国内反秦的贤才。这些“寡谋”的表现最终酿成身亡国灭的惨祸，太子丹完全是咎由自取。另外，何景明对田光和樊於期的自刎也颇有非议，认为田光徒求“节侠”的虚名而轻生，于事无益，不足称道。而樊於期则未能如愿复仇，反而含恨九泉，尤其令人扼腕痛惜。由此看来，结尾的议论都是客观的，并能切中要害，表现了作者高明的见识，所以沈德潜称之“三语千古断案”，确实是精当之评。

（马建新）

雨　霁

何景明

断雨悬深壁，余雷震远空。苍林横落日，碧涧下残虹。
万井波光静，千家树色同。何因共朋好，归咏舞雩风。

鉴赏

这是一篇写景咏怀的佳作。虽然只题作“雨霁”，而未说明是什么样的雨，但从写景中读者可以断定，那是春夏之际的雷阵雨。它来势迅猛，去得也很快。雷声还没有消失，雨脚就已停止，太阳出现在西方，彩虹出现在东方……这是一场使人快意的雷阵雨。

“断雨悬深壁，余雷震远空。”这是雨霁之初的情景，只能持续一小会儿。能写这难写的刹那之意，妙在用了“断”“余”“悬”“震”这四个动词。“断雨”的造语特别出奇，盖雨脚刚收，就已经没有雨了，但檐间、树下尤其是山崖，雨还在滴。“断雨悬深壁”写的就是阵雨形成的积水难收的视觉现象。“余雷”一句则妙于捕捉住转瞬即逝的听觉现象，阵雨是随着风向而移动着的，“余雷震远空”说明雨已经下到远方去了。这种佳句，一靠灵感，二靠观察。

“苍林横落日，碧涧下残虹。”这是雨霁的第二轮景象。诗句系倒装。“横”“下”二字描写日光、彩虹，亦见推敲精当。阵雨后天空没有了乌云，落日斜照青苍的树林。于是对面天空出现了一弯彩虹，其下垂的一端似乎直入碧涧，像要吸饮涧水的一条神龙。

“万井波光静，千家树色同。”这两句从野外写到市井。“静”“同”二字，是句中之眼，均能暗示出一些题前之景，言外之意。此时“万井波光静”，正见雨来时市井中大大小小的水池并不静。那时几乎都大水翻盆，只有雨霁之后，才平定下来。水面齐井口高，才出现“万井波光静”的宜人之景。“千家树色同”，则见雨前各处植物深浅程度不同，而经过一番大雨冲刷，全都呈现一片光闪闪的新绿，方才有“千家树色同”的怡目之感。在以上六句所写的雨霁美景的感召下，即使感觉迟钝的人，也会生出些亲近大自然的情绪吧！

“何因共朋好，归咏舞雩风。”这两句抒写诗人由迷人的清景而产生皈依自然的情绪。《论语·先进》载孔子请侍坐弟子各言其志。曾皙说：“暮春者，春服既成，冠者五六人，童子六七人，浴乎沂，风乎舞雩，咏而归。”所谓“舞雩”指鲁国祭天求雨的场所（一说为女巫祭天求雨之舞）。孔子对他的这番话非常赞赏。当诗人面对雨霁清景陶然神往之际，他自然而然地想起了曾皙那番话，感到一种与古代圣贤情志相追随的会心的愉快。

这首五律在结构上完全打破了起承转合的程式，前六句紧扣题面写景，末二句以溢思作波。自是兴引笔随，东坡云：“作诗火急追亡逋，清景一失后难摹。”此诗正见作者捷才。

（周啸天）

得献吉江西书

何景明

近得浔阳江上书，遥思李白更愁予。
天边魑魅窥人过，日暮鼋鼍傍客居。
鼓柁襄江应未得，买田阳羡定何如？
他年淮水能相访，桐柏山中共结庐。

鉴赏

献吉是李梦阳的字，时任江西提学副使。当时他的政治处境险恶，他在给何景明的信中一定提到了些不愉快的事，所以何景明写了这首诗安慰他。这首诗容易使读者联想起天宝之乱后杜甫寄赠李白的一些诗，表现了诗人对友人的关心和担忧。在“弘治七子”中，何景明较李晚出，而声名与之颉颃，时称李何，这种关系与李杜也有近似之处，所以诗中俨然有引此自譬的用意。

《明史·李梦阳传》载,武宗正德五年(1510)刘瑾伏诛,李梦阳复职,调江西提学副使,在任上因大力维护儒士尊严而先后得罪总督陈金、御史江万实,又以事得罪淮王,被交付江万实治罪,后虽移付别官按治,又得宁王救助,但最终还是免官家居。李梦阳给何景明的信中一定谈到了得罪权贵,为其整治的事。这使景明联想到当年李白因从永王以"附逆"罪被捕入浔阳狱中的故事,李白当初在浔阳狱中亦四处投书求助,处境令人惋叹。而李梦阳正好从那个该诅咒的地方写信来,告诉了些不妙的消息,他自然就会在二者间产生联想。"近得浔阳江上书,遥思李白更愁予。"这两句以太白譬梦阳,不仅因二者同姓,而且也以才德兼备而不见容于世相似。"愁予"出自《楚辞·九歌》"目渺渺兮愁予",大有"凉风起天末,君子意如何"(杜甫《天末怀李白》)的愁思。杜诗接下去有"文章憎命达,魑魅喜人过"之句,言太白才高见嫉,被陷于小人。又于"魑魅"外想出个"鼋鼍"作对仗:"天边魑魅窥人过,日暮鼋鼍傍客居。""鼋鼍"偏义于后者即鳄鱼,那可是扬子江上要吃人的怪物。引入"鼋鼍",便与"浔阳江"更为贴切。这"鼋鼍"和"魑魅",都是比喻李梦阳周围的恶势力。它们围住他、窥伺他,是决不肯放过他的。作者同意朋友在信中的说法,也是希望他提高警惕,不要大意,担忧之色溢于言表。

后四句承上意转,进一步希望朋友作最坏的打算。看来问题还不太严重,最多是丢官归里。不过也不那么简单,还未能马上急流勇退。因为"魑魅""鼋鼍"在逼近,在窥伺,欲速则不达,只能步步为营,且守且退。"鼓柁襄江应未得,买田阳羡定何如?"襄江流径襄阳,那是汉代隐逸汉阴丈人、庞德公,唐代田园山水诗宗孟浩然居住过的地方。阳羡是会稽的一块好地方,苏东坡词云:"买田阳羡吾将老,从来只为溪山好。"诗中"鼓柁襄江""买田阳羡"皆指归田。"应未得""定何如"亦互文,都是尚不能付诸实践之意。但诗人相信这一天会成事实,因李梦阳实际上是开封人,何景明系信阳人,两地距淮河、桐柏山(在今河南桐柏县西南)不远,所以诗的结尾道:"他年淮水能相访,桐柏山中共结庐。"这个结尾表明作者也已厌倦官场黑暗,意欲退隐,不仅是为明哲保身,也是为远世全节的考虑。友人一旦丢官,交游定当锐减,而大复山人坚定表示愿与卜邻,正是从道义上给朋友以支持。

全诗两句一意,极为疏朗。如纯从技巧角度而言,中两联上下句均似有犯复之嫌。试将颔联"天边魑魅窥人过,日暮鼋鼍傍客居",与杜诗"文章憎命达,魑魅喜人过"比较,前句两句十四字只一意,后两句十字具两意,其意象疏密之别显然。但从全诗着眼,则情真意挚,一气贯注,实不拘格律,不当以字句之工拙计优劣。

(周啸天)

雨　夜

何景明

院静闻疏雨,林高纳远风。秋声连蟋蟀,寒色上梧桐。
短榻孤灯里,清笳万井中。天涯未归客,此夜忆江东。

鉴赏

沈子高是江南人,筑室于清溪之上,以为隐居之所,自号清溪。他曾到信阳旅游,投诗何景明,两人有很深的友谊,《大复集》中有关沈清溪的诗在十首以上,这首诗题为《雨夜》也是写给沈清溪的。

孟浩然《游秘省》一诗中有两句"微云淡河汉,疏雨滴梧桐",非常有名,有人甚至认为这两句可以概括孟浩然的风格。何景明这首诗容易使人联想到孟浩然这两个警句,全诗风格也近似孟浩然。

第一联就对偶起,并且也像杜甫的《春夜喜雨》一样,首句即出"雨"字。雨是疏雨,但因为庭院寂静,雨点虽疏,也声声入耳;并且还能听到林梢上的风声。没有出"秋"字已经写得秋意萧然了。

第二联,进一步写秋雨。"秋声连蟋蟀"是从听觉方面着笔。下一句"寒色上梧桐",从视觉方面着眼,仍关合秋意,"寒色"当然也是雨造成的,处处渲染秋夜疏雨。

"短榻孤灯里,精笳万井中。"由写景转入抒情,而情由景生,表面仍全然写景。"短榻"就是矮床。床矮,灯孤,气氛显得更加压抑、低沉,第一句写的是室内,是见。"清笳万井中",写的却是室外,是闻。"笳",一种古乐器,这里指号角,有暗喻时局不平静之意。

沈清溪是江南人,这时在何景明家中做客,所以尾联归结说"天涯未归客,此夜忆江东"。末句"夜"字,与首句出"雨"字遥相呼应,"此夜"不言而喻,自然是"雨夜"了。因听夜雨而思念家乡,也是人之常情啊!

(宋谋玚)

答望之

何景明

念汝书难达，登楼望欲迷。天寒一雁至，日暮万行啼。
饥馑饶群盗，征求及寡妻。江湖更摇落，何处可安栖。

鉴赏

孟望之，名洋，河南信阳人，弘治十八年（1505）进士，是何景明的表弟，能诗能文，有《有涯集》。他与何景明交往甚深，常有诗相唱和，何景明的墓志铭就是他写的。这首诗是何景明正德初年赋闲乡居时所作，当时孟洋宦游在外，作诗寄景明。这是答诗，原二首，这是第一首。

首联先写别后殷切盼望来书的心情。想到目前时局不太平，兵荒马乱，送封信很不容易，忍不住登楼远望。可是，烟水迷茫，何处是你的踪迹呢？先倒叙一笔，为后文作势。而"书难达"一语，也就把颈联所写时局形势暗示出来了。颔联承上登楼眺望，兼以"一雁"喻来书，点出题中"答"字之意。"万行啼"是说自己捧读来书时的喜极而泪之状。"天寒""日暮"，也暗喻时局的萧条。颈联铺叙时局。《尔雅·释天》："谷不熟为饥，蔬不熟为馑。"泛指年成不好。有了灾荒，饥民铤而走险，揭竿起义，地方自然不平静，官府也就更多苛捐杂税了。杜甫《无家别》："四邻何所有？一二老寡妻。"《又呈吴郎》："已诉征求贫到骨，正思戎马泪沾巾。""征求"，聚敛搜括的意思，指官府。这一联与首句"书难达"隐隐关合，兵荒马乱，盗起纵横，而你却漂泊江湖，音书难达，就更添我的思念之情了。尾联出句着一"更"字脉络更加紧密。宋玉《九辩》："悲哉，秋之为气也！萧瑟兮，草木摇落而变衰。"后世即常以"摇落"代指深秋，"江湖"在这里也有双关之意，兼指孟望之正漂泊江湖。饥鸿遍野，关河阻隔，官吏诛求，音讯难通，又加上秋风萧瑟，满眼凄凉，又何处是你的安身之地呢？情真意切，催人泪下。

（宋谋玚）

鲥　鱼

何景明

五月鲥鱼已至燕，荔枝卢桔未能先。
赐鲜遍及中珰第，荐熟谁开寝庙筵。
白日风尘驰驿骑，炎天冰雪护江船。
银鳞细骨堪怜汝，玉箸金盘敢望传！

鉴赏

这是何景明正德年间在京作中书舍人时的作品。正德皇帝是个花天酒地的少年天子，宠任宦官，刘瑾、钱宁等迭掌大权，更引诱得他日益荒淫无耻，至今民间还流传正德皇帝下江南，舞台上还有《游龙戏凤》之类的戏。鲥鱼是江南特产，江苏金山、浙江桐卢等处所产尤其有名，是地方官讨好皇帝的时鲜贡品。何景明这首诗写的就是因进贡鲥鱼引起的感慨。

“五月鲥鱼已至燕，荔枝卢桔未能先。”开头两句，就把鲥鱼之美，以及地方官吏的趋奉之殷勤，都写得淋漓尽致了。鲥鱼产海中，春夏之交，溯江产卵，江浙一带才可以捕到。“燕”指北京。当时交通工具落后，江浙到北京要走几十天，鲥鱼四月上市，五月就运到了北京，极言供应传递之速。《文选》注以卢橘为枇杷，与荔枝都是产于南方的名贵果品，且很难保鲜的。杨贵妃嗜荔枝，唐明皇从四川涪州取荔枝，不惜人力，以致杜牧有“一骑红尘妃子笑，无人知是荔枝来”之句，这里用荔枝、卢橘来衬托鲥鱼的名贵。“先”，超过的意思，“未能先”即不能超过，把荔枝、卢橘都比下去了。

三、四两句“赐鲜遍及中珰第，荐熟谁开寝庙筵。”“鲜”，时鲜，这里指鲥鱼。“中珰”，宦官。宦官专在宫廷内服务，所以称中官或中人。《汉官仪》说，秦官名中有“中常侍”，汉光武以后，专任宦者，右貂金珰。珰是一种冠饰。既然宦者中常侍的冠饰是右貂金珰，所以后因以金珰或中珰称宦官。《春秋穀梁传·桓公八年》注：“无牲而祭曰荐”。以成熟的时鲜贡品祭献于宗庙，就叫“荐熟”。明武宗是特别宠任宦官而不怎么尊敬列祖列宗的。江南名贵的鲥鱼到了,所有亲信的宦官都得到了恩赐,而太庙里的老祖宗却没有谁来理会,对不起,忘记了。这两句确是委婉而深刻的讽刺。

五、六两句是补叙鲥鱼来京之速和一路上护惜之切。第五句写陆运,第六句写水运。风尘仆仆,飞骑传递;鲥鱼味鲜易坏,江船水运时亦必须护之以冰。这两句是互文,飞骑传送也须冰护、江船转运也是飞速的。

末两句"银鳞细骨堪怜汝,玉箸金盘敢望传!"鲥鱼白鳞,脂肪肥厚,所以说"银鳞细骨"。"怜",爱。"银鳞细骨堪怜汝"句中的词序有点颠倒,正常应该是:"汝银鳞细骨堪怜",为迁就诗句的韵律颠倒词序;宾语提前,有加重语气之意。"玉箸金盘",皇帝用以赐予臣下食物的容器,杜甫寓居成都时的诗《野人送朱樱》的尾联"金盘玉箸无消息,此日尝新任转蓬","金盘玉箸"也是说皇帝赐予。"传",颁赐。"敢",岂敢。这两句是说,鲥鱼虽然可爱,但自己官卑职小,又怎敢奢望皇帝颁赐呢?表面上似乎是嗟叹受赐无望,实际上却是说皇帝专宠宦官,连老祖宗都不理睬,何况我们这些闲散小京官呢,用意仍在于讽刺。

这首诗脱胎于杜甫的《野人送朱樱》,但用意与做法又不尽相同。杜甫的诗是因为接到乡下人送的樱桃而回忆起在朝廷供职曾受过皇帝颁赐的樱桃,无限感慨;何景明却是反其意而用之,从皇帝遍赐宦官鲥鱼而不向百官颁赐甚至连荐庙之举都忘记了,以资讽刺。杜甫是回首往事,樱桃相同,而皇恩难再;何景明却是注目时事,鲥鱼虽美,而专宠宦官,国势可危。何景明与李梦阳齐名,是明代中叶的复古派领袖之一,"弘治七子"中的关键性人物,他的诗也是尊崇杜甫的。但后来颇厌李梦阳模拟大过,书信往还,争论不已,主张"舍筏登岸",有创新之意。从这首规抚杜甫而又有所前进的《鲥鱼》看来,也可以窥见一点消息。

(宋谋玚)

竹　枝　词

何景明

十二峰头秋草荒,冷烟寒月过瞿塘。
青枫江上孤舟客,不听猿声亦断肠。

鉴赏

竹枝词本是巴渝民歌的一种，刘禹锡曾写过一些有名的篇章，也有民歌色彩。这首诗大概是何景明出使滇南路过三峡时所作。

“十二峰”，巫山十二峰，有神女、朝云、登龙、集仙、净坛、上升、翠屏、飞凤、圣泉、松峦、聚鹤、起云等名目，分布在幽深秀丽的巫峡两岸。巫峡是长江三峡之一，在瞿塘峡下游，西陵峡之上。瞿塘峡和巫峡是三峡中最为雄伟秀丽的一段。郦道元《水经注·江水》说到三峡时说：“两岸连山，略无缺处。重岩叠嶂，隐天蔽日。”在这样的环境中，如果再遇上深秋，草荒木落，冷月寒烟，确实是很令人伤感的。诗的前两句纯粹写景，先创造出一种令人肠断的凄冷气氛。

第三句“青枫江上孤舟客”为作者自指。《楚辞·招魂》的结尾三句是：“湛湛江水兮上有枫，目极千里兮伤春心，魂兮归来，哀江南！”何景明是信阳人，靠近古云梦泽，所以称“青枫江上”客。同时也有泛指漂泊异乡的失意士人之意。结句“不听猿声亦断肠”，暗用郦道元《水经注·江水》事。《江水注》说：“每至晴初霜旦，林寒涧肃。常有高猿长啸，属引凄异。空谷传响，哀转久绝。故渔者歌曰：巴东三峡巫峡长，猿鸣三声泪沾裳！”

唐宋以来，把猿啼与下泪、断肠联系起来的名句数不胜数。如杜甫有“听猿实下三声泪”，高适有“巫峡啼猿数行泪”，陆游有“猿啸能令人断肠”。这里故意深入一层写，如此景物，如此境况，如此情怀，一个孤舟客子，在秋草凋零的季节里，在冷烟寒月的环境下夜过瞿塘，即使没有猿声，也够令人肠断的了。何况既过巫峡，免不了有猿啼呢？“不听猿声”，并不妨碍诗中正好有“猿声”，我们千万不要被作者瞒过了，作者其实是着重写了猿声的。

（于淑月）

懊恼曲效齐梁体(录二)

顾 璘*

小时闻长沙,说在天尽处。人言见郎船,已过长沙去。

作者

*顾璘(1476－1545),字华玉,号东桥,原籍吴县,徙南京。弘治九年(1496)进士。官至南京刑部尚书,与李梦阳、何景明、徐祯卿等相交游。作诗宗唐。有《浮湘集》《山中集》《凭几集》等。

鉴赏

《懊恼曲》一作《懊侬歌》,产生于齐梁时江南吴地,多用来抒写爱情受到挫折的痛苦,这种体裁系用儿女口吻作"代言体",最要在痴情二字上用力,而以语言兴象独到者为佳。

一曲之妙在诗中摆出了两种似乎矛盾的说法,令闺中少女莫衷一是。这女主人公怨恼地说:"小时候听人说,长沙远在天边,那就是天的尽头啰;可现在又听人说,我的丈夫的船,已走过长沙去了,看来长沙又并非天的尽头"。要么是A,要么非A,这是个简单的逻辑常识。所以少妇料定必有一说是骗人的。也许她希望后者虚假,然而理智告诉她的却相反,所以她"懊恼"。其实,诗中的前后两说并无矛盾。对于古代江浙人来说,远在长江中游的长沙,自可喻为天边,恰如唐人说长安在日边一样。这是修辞性的说法,而"人言见郎船,已过长沙去"则是一个事实的陈诉。旁观者都会觉得问题很清楚,而诗中女子却搅得一塌糊涂,实在是她因怨转痴,迁怒于捎信者而已。这也是一种并不罕见的情态,诗人已将其描写得入木三分。

春风上燕京，秋风下湘渚。黄鹄有六翮，定自不及汝。

鉴赏

二曲初读似乎在写雁，说它春来北上，秋来南下，真是能飞得很呢。“鸿鹄一举千里，所恃者六翮耳”(《韩诗外传》)，已经是善飞的了，但比起雁儿的一岁两行役来说，恐亦自愧弗如。读者有点奇怪，少妇何以生此非非之想。细味这个“汝”字(就是“你”，不是“您”)所具有的随便、亲密的色彩，才恍悟是在指桑骂槐。乃是说她的丈夫，天热就北上经商，天寒就南下经商(“燕京”“湘渚”概言而已)，真是不辞辛苦，乐此不疲，比黄鹄还会飞。成语说“杳如黄鹄”，他比黄鹄还要杳如！这是在夸他，还是在损他？是在爱他，还是恨他？这味儿很复杂，统而言之，即“懊恼”而已。

(周啸天)

杂谣

徐祯卿*

夫为虏,妻为囚。
少妇出门走,道逢爷娘不敢收。
东市街,西市街,
黄符下,使者来。
狗觫觫,鸡鸣飞上屋,
风吹门前草肃肃。

作者

*徐祯卿(1479-1511),字昌谷,一字昌国,吴县(今属江苏)人。少与唐寅、文徵明、祝枝山号"吴中四才子"。弘治十八年(1505)进士。又与李梦阳、何景明等并称"前七子"。其诗风格清朗,为吴中诗之冠。有《迪功集》《谈艺录》。

鉴赏

郭茂倩编《乐府诗集》引《尔雅》"徒歌谓之谣",并认为杂歌谣辞的作者"虽所遇不同,至于发乎其情则一也"。徐祯卿这首诗,就是看到权阉肆虐,特务横行,"发乎其情"所作的声讨。(《明诗别裁集》引陈卧子的话"此纪正德五年八月之变"认为这是惩治权阉刘瑾的诗,姑备一说)

首句"夫为虏,妻为囚",句法奇崛峭拔。徐祯卿说:"乐府往往叙事,故与诗殊。盖叙事辞缓,则冗不精。"(《谈艺录》)这里单刀直入地揭露了夫虏妻囚、家破人亡的惨状。下句写由于家庭破败,"少妇出门走",慌忙逃窜,但逃往何方?"道逢爷娘不敢收"的妙处,在于用语精警,留下了很大的想象空间。连不出闺阁的“少妇”也要“出门走”，“覆巢之下，焉有完卵”的窘急状态已经跃然纸上了。只言少妇，则其夫（公子）已被株连囚系了。“道逢爷娘”，说明娘家父母是关切的，亲来看顾，可是却“不敢收”。原来自从明成祖发明了那个“转相攀染”“村里为墟”的“瓜蔓抄”以来，谁敢不戢手避祸？关切是出于情，“不收”是畏于祸。面对仓皇奔窜的女儿而“不敢收”，“不敢”把爷娘心如刀割、不敢相认的悲剧，刻画情状，历历如画。而言外有言，意外有意，令人称绝。

这一场惨剧的原因是什么，作者留下了悬念，下解（第二节）中作了明白的揭露：悲剧的原因在于“东市街，西市街，黄符下，使者来”。汉代在长安东市处决死囚，官员也可以“朝衣斩于东市”，所以“东市”指刑场，此与“西市”对举，指设于东安门北的东厂。东市街，西市街，是东西厂出入必经的街道，这时负责抓人的宦官（“使者”，白居易《卖炭翁》就曾以“黄衣使者白衫儿”称宦官）正手执象征皇上命令的“黄符”奔驰而来。

诗末第三节活用了柳宗元《捕蛇者说》中“哗然而骇者，虽鸡狗不得宁焉”的语意，写了鸡飞狗跳的情景，人民的恐惧惊扰就自不待言了。诗的内容是确有所据的：“西厂太监谷大用遣逻卒四出……自是，偏州下邑，见华衣怒马，京师语音，辄相惊告，官司密赂之，人不贴席矣。”末句的“风吹门前草肃肃”，写当之者家破人亡，门前但余荒草，惨不忍睹。

这首诗的特点，一是把内容的强烈的战斗性和表现手法的含蓄性结合在一起。前半不写“为虏”“为囚”的夫妻的惨状，只写逃亡的少妇的悲辛；不写少妇的摧裂肝肠的痛苦，只写爷娘不敢收留的惨痛。后半不写人民面临飞来横祸的威胁，只讲了鸡犬不宁的现实。这样侧面着笔，反而显示了更高的概括性与灵活性。一是句法参差错落，押韵错综变化，音节急促，纯用白描，这既模拟了古乐府的句法，又和要表现的触目惊心的内容相一致。

但是，由于侧面落笔，诗篇的容量又小，所以未能充分揭露，痛快淋漓，技巧上的要求妨碍了战斗的内容的深化。白居易说“意激而言质”（《与元九书》），这首诗比起白居易要求的“质而径”“直而切”“核而实”“顺而肆”（《新乐府序》）有很大的不同，反映出了他们思想境界的高低和创作成就的差距。而对古乐府的形式模拟过多，也反映了创新的不足。徐祯卿说：“深情素气，激而成言，诗之权例也。”（《谈艺录》）“激而成言”正是诗的成功之处，徐祯卿认为并非诗的正道，只是“权例”，造成了他的局限。

（文伯伦）

寄华玉

徐祯卿

去岁君为蓟门客，燕山雪暗秦云白。
马上相逢脱紫貂，朝回沽酒城南陌。
燕山此日雪纷纷，只见秦云不见君。
胡天白雁南飞尽，千里相思那得闻！

鉴赏

徐祯卿的诗论，很重视"情"。他说："情者，心之精也。情无定位，触感而生。""夫情既异其形，故辞当因其势。"(《谈艺录》)这首诗是充分显示了他的主张的。"触感而生"，因燕山雪暗而触感，"辞因其势"，缘着这个感情的脉络写出了这首动人的诗。

诗的开端，追述与华玉的交往，豪情纵逸，跃然纸上。徐祯卿本来就是豪气纵横、跌宕风流的人，"家不蓄一书而无所不通""少与祝允明、唐寅、文徵明齐号，号'吴中四才子'"。诗篇开头写两人身份不同，一为朝官"朝回"，一为蓟门(蓟门就是蓟丘，故地在今北京市，借指北京。明黄瑜《双槐岁抄》六记"蓟门烟树"为元以来北京八景之一)之客，相逢突兀(城南陌上，"马上相逢")，然而就在这"燕山雪暗"的日子里，脱下紫貂之裘，同作酒肆之欢，这种友谊，潇洒不凡，脱去尘俗，与其说是酒令人醉，毋宁说这种友谊更令人心醉神迷。

和这种不落俗套的豪情相呼应，作者用字也不同凡响。本来下雪的时候，云是暗的，彤云密布，雪是白的，飞琼积玉，然而作者偏偏说雪暗云白，用"暗"字写出了雪的声势和分量，这一个字下得极有力度；用"白"字写出云的飘逸和飞扬，这一个字下得很有灵气。这一句诗，表现了诗人特殊的观察力和表现力，反映出诗人的才具与胆识。诗的开头，努力追求豪情与诗情的统一，用入声韵显得繁响急促，也深化了这种意境，增强了表达效果。

诗的后半叙述今日所见，触景生情。今天又是雪满燕山，可是去年的友人在哪里呢？只剩下千里相思。更恼煞人的，是连大雁也飞尽了，要想雁足传书也不可得。“千里相思那得闻”，怀人之极而无以自达，痛苦就更深一层了。徐祯卿是笃于友谊的，他和唐寅缔交的诗就有这样的句子：“与子同心，顾各不移，恒共努力，比翼天衢。风雨凌敝，永勿散飞。天地闭合，乃绝相知。”可见他的一往情深，异地同心，终年弥笃。

作者捕捉了燕山风雪的自然景象，因景及情，怀旧谊，念远客，妙语天然，浑然无痕。作者细腻地描写了自己的感情，把当日的豪纵一世和今日的黯然神伤相对比，情真意切，歌哭并来，扣人心弦。作者抓住了一个片断的感情，写出了一种深沉的记忆与怀想，以情动人，以意制胜，豪放和深婉，曲折和流畅，直忆和巧思，自然地组合在一起，很难分出哪是情，哪是景，哪是诗意，哪是生活，诗的技巧是很高的。然而诗篇虽然清警尖新，却也有些单薄，这大概和徐祯卿的享年不永所以成就不足有关。

（文伯伦）

送士选侍御

徐祯卿

壮士乐长征，门前边马鸣。
春风三月柳，吹暗大同城。
芦沟桥下东流水，故人一尊情未已。
胡天飞尽陇头云，惟见居庸暮山紫。
羡君鞍马速流星，予亦孤帆下洞庭。
塞北荆南心万里，佩刀长揖向都亭。

鉴赏

士选，姓熊名卓，任侍御职，与徐祯卿当系同僚。侍御，为侍御史的简称；去边地，当另负有特殊任务。士选才华警拔，能诗，王世贞《艺苑卮言》谓其诗如“寒蝉乍鸣，疏林早秋”，与徐祯卿当为诗友。徐祯卿这首送行诗，意挚词雄，可以直入唐诗堂庑。

韶年壮志，气吞牛斗，边州内郡，一去都期有所作为，心志互通，所以在熊士选启程之时，徐祯卿这首诗情真意切，豪气干云。

起句似平，却定下了全诗基调"辞雄气武"(《谈艺录》)。"壮士乐长征"，任何人都能说出，但诗人把它落在"门前边马鸣"上，就诗情洋溢了。边马待发，奋鬣长嘶，像是等得不耐烦，在声声催促壮士上马。壮士呢，对它不是听而不闻，而是正深深陶醉在这萧萧马鸣中，正遥想着千里平沙、星垂四野的边地情景。这时正值阳春三月，柳叶纷披。然而正是这三月的杨柳风，吹到往西的大同城，便不是"吹面不寒"，却是冷意飕飕、尘沙为暗了。功勋，不在这儿建树，难道还在马后桃花、满园春色中得来？乐听萧萧马鸣，乐出暗黑边关，这才能"辞雄气武"。

因此，就这饯送场面也是充满风云叱咤的气氛的。"芦沟桥下东流水，故人一尊情未已"。流水滔滔东去，故人把酒一尊，向天而酹，心潮定亦如水，起伏难平。这心潮不是感离伤别，不是感时伤世，而是对边地胡天的一片神往的心情。陇头云飞，飞过茫茫大地，飞过黯黯穹苍，使人胸襟为之开阔，神思为之高远。云飞过去，抬头一望，居庸关已入傍晚，关前的军都山已暮色四围，一派深青暗紫了。背景是这样苍凉壮美，场面是这样慷慨激昂，人物又是这样雄放自豪。这在当时，毕竟是难得的。

别了，故人鞍马西向，即将速若流星，转眼消失，从此便是茂草长云、地迥天高的戎马生活了。多么值得人羡慕！而自己，也将片帆孤棹，南下洞庭，从此便是潇湘水远、荆楚云深的宦游生活了。此际一别，瞬息海北天南，各自一方，然而此情此心却是相通的。所以这以后的日子，月落山前，风生竹下，你在漠漠烟飞的塞北，我在蒸蒸云起的荆南，两人虽相隔万里，魂梦仍然能相逢，言笑仍然能相接。男儿志在四方，离别，又何足萦怀，佩刀上马，长揖不拜，就在这都亭祖饯之地，壮别了。这里，意态是何等从容，神情又是何等洒脱！

全诗大体分三个层次：一层以"乐"一词为管钥，二层以"情"一词为管钥，三层以"心"一词为管钥。脉络贯通，神韵自然，"辞雄气武"，但又壮而不锐(徐之《谈艺录》谓："气本尚壮，亦忌锐逸")，是符合其诗论法则的。王世懋《艺圃撷英》称徐诗"能以高韵胜，有蝉蜕轩举之风"，读此诗后可信王评确当。

(谢守清)

在武昌作

徐祯卿

洞庭叶未下，潇湘秋欲生。高斋今夜雨，独卧武昌城。
重以桑梓念，凄其江汉情。不知天外雁，何事乐长征。

鉴赏

本诗重笔应在颈联："重以桑梓念，凄其江汉情。"他乡做客，无论感受、心情，都别是一番滋味。"晴川历历汉阳树，芳草萋萋鹦鹉洲"，景色并非不美，"黄鹤一去不复返，白云千载空悠悠"，情趣也并非不雅，然而异乡异客，总切桑梓之思。想念既甚，便给江汉二水，龟蛇两山，都蒙上了一层淡淡的哀愁。

但乡思之来，也非无缘无故。作者就说过："情无定位，触感而兴"（《谈艺录》），只是其来时"朦胧萌圻"（同前）而已。可以想见，在东西南北船舟四会、车马交驰，闉闬（hàn，里巷的门）扑地、冠盖满城之地，诗人举目无亲，在寂寞凄凉之余，才颓然就枕的。此时三街六市，正自歌吹入云，华灯之下人影幢幢，谁曾入睡了？想来想去，还是"月是故乡明"啊。桑梓之思的来临，是很自然的。

再从诗人当时所处客观自然环境去探求：高斋独卧已是一苦，而雨声淅沥，入耳生悲，扰人梦寝，又是一苦。转侧之际，自然会想起虎丘晴霁、远寺钟声的故乡景色来。这，也是人之常情吧！

当然，这种心情也非仅仅来自当夜，连日来的感受早就种下因子了。小楼遥望，这时的洞庭湖水，想必还在散发骄阳余热，湖边也仍是绿树成阴，长江边、汉水畔的景色也何尝不如是？正阳光似染，叶绿如流呢！秋天究竟尚未到来，但，怎么这潇水湘水之地，便有一抹薄薄秋光了？怎么这江南汉北之地，也有一派萧萧秋意了？日照不暖，拂面风凉，为什么？是诗人落拓情怀、萧瑟心事（此与诗人的佗傺遭遇有关）所致。这种心情，诗人自忖有谁能知，所以才有"洞庭叶未下，潇湘秋欲生"的衰飒言语和凄清心情，也正是这凄清心情才会引起此后对故乡的深切怀思。

乡思萦结，不能自已，忽听得过早南来的孤雁的一声鸣叫，这就把诗人的心思引入更深一层了。我固异乡漂泊,功业无成,你大雁呢,又为了什么对这长征之举如此热爱,竟不辞辛苦从遥远的天外飞来呢?为什么还不到季节便率尔启程了呢?问大雁,大雁回答不了诗人的问题,诗人也回答不了诗人自己的问题,诗也就此戛然而止了。“故园今夜月,应照魂梦还”(笔者语),如果诗人已进入梦乡,该是这样了吧?

顾起纶《国雅品》引王无美评徐祯卿诗,谓“如飞仙游天,不染尘俗”,顾起纶也赞徐诗“婉而有味,浑而无迹”,此诗可当之。

(谢守清)

月

徐祯卿

故园今夜月,迢递向人明。只自悬清汉,哪知隔凤城。
气兼风露发,光逼曙乌惊。何事江山外,能催白发生。

鉴赏

这首诗,诗题为《月》。用一个“月”字来做标题,显然是咏月的诗。但这不是一般的咏月,而在咏月当中抒发了怀乡之感,透露出作者对人生的深沉的感慨。徐祯卿为明代的国子监博士。国子监是封建王朝的最高学府,博士就是里面的教授。博士的地位虽然不低,可不是显赫的职务,它的工作又只是教这个学府里的贵族子弟,在政治上是不能有所建树的,而且它又是一个穷官,是不为显赫者所重视的。就因为这些缘故,作者感到“人生易老,自己又碌碌无为”,这种深沉的人生感慨,就在《月》这首短短的五言律诗中透露了出来。

写这首诗时,作者住在北京,在这个秋夜里,他看到的是首都的月。如果他是一个春风得意的人物,带着愉快的心情来赏月,就该从北京落笔,一入手就应该写为“凤城今夜月,皎洁向人明”的。但是任国子监博士的徐祯卿,早就看到了封建王朝的腐败和贵族宦官的横行,自己不在其位,却又无能为力,平时就颇有身世之感,因而在这皎洁的月光下,苍凉的身世之感、怀乡之感向他袭来。(作者的家乡,在今江苏苏州,与北京远隔千里)所以诗人一开头就写道:“故园今夜月，迢递向人明。”这是写故园之月的有情。诗人想到：故园的明月啊，你多么有情，今天夜里你又远远地照着我这个异乡的游子，带来了故乡对我的深情厚谊。言外之意是：月啊，你哪里知道，我这个失意的异乡游子的思乡之苦，怀乡之切？

“只自悬清汉，哪知隔凤城。”第二联写胡园之月的无情。（这里的“自”指故园之月，“凤城”指首都）诗人想到故园之月，又似无情，它只是自己悬挂在高高的霄汉间运行罢了，这是它自己的运动规律，它哪里意识到与首都远隔千里呢？言外之意是：它哪里知道我这个不得志的异乡游子在怀念抚育自己成长的故乡呢？它哪里知道这时我这个游子正在深情地瞻望从儿时就年年照着自己的故园之月呢？诗句的字里行间，透露出乡愁。

“气兼风露发，光逼曙乌惊。”第三联写月的本身，写月的寒气和月的光辉。这是个秋天的夜晚，霜露既降，秋风拂面生寒，这月似乎有一股清冷之气，与风和露的寒意合在一起，发散开来，袭向大地。而月光又是那样明亮，真说得上月明如昼，它照着大地，照在林间，照向枝头。当它透过林阴，照射到巢居枝上的乌鸦时，乌鸦猛然惊觉，以为天晓而鸣噪了起来。这两句是诗中的佳句。上一句一个“发”字就把秋月写活了。下一句是通过典型事例来写月光，写得真切，这种写法由王维的“月出惊山鸟，时鸣春涧中”，辛弃疾的“明月别枝惊鹊”脱胎而来，却又别具特色。咀嚼这样的诗句，便觉如在月下，感到寒气袭人，月光耀眼，感到自然力的无穷和人的渺小。诗人的身世之感，就在其中。

“何事江山外，能催白发生。”第四联写诗人对月之感。在秋夜的月光下，他感到人生易老，感到鬓边的白发也生长得快了、多了。是什么东西催人老呢？他首先想到的是隔断故园的江山（这是一个空间因素），它使我产生乡愁，催我衰老，已使我不胜感慨了。为什么运行中时有阴晴圆缺的月（它的运行就是个时间因素），它在江山之外也能使我感兴趣、催我早衰？诗人感到的催人老的因素究竟是什么？诗里提出了问题，没有作答，而留给读者，让读者去思考、体味。我们也不难从字里行间体会到：催人衰老的不是外在的时空因素，而是诗人的抑郁之情、深沉的身世之感，外因是通过内因而起作用的。这消息从诗的结尾处的疑问里透露了出来。

全诗句句写月，又句句在写望月之感。写月似乎有情，又似无情，接着写月的本身。

（蒲继能）

送耿晦之守湖州

徐祯卿

远下吴江向霅川，高秋风物倍澄鲜。
鸡鶄菰叶翠相乱，锦石游鳞清可怜。
郎渚频挝津吏鼓，渔歌唱近使君船。
吴兴岘山足胜事，汉水襄阳空昔贤。

鉴赏

这是一首送行诗，作者徐祯卿是明代的国子监博士(即封建王朝最高学府的教授)，是当时的学术工作者和教学者。博士与行政官员没有工作上的联系，和地方官更是互不相干，因此，他和耿晦之完全是朋友关系。徐是正直清高之士，耿是能接近老百姓、关心老百姓疾苦的循吏，他们是道义之交。现在耿晦之要到湖州做太守，诗人徐祯卿当然要写诗送他了。

这首诗和一般的送行诗不同，它没有惜别的感情，没有祝愿的语句，别有深意，别具风采。

“远下吴江向霅川，高秋风物倍澄鲜。”第一联写耿晦之赴任。上句写：在这秋高气爽的时候，知交耿晦之受命出守湖州，他带着王命，就要远下吴江走向霅川去到任所了。湖州在浙江省北部太湖之滨，“吴江”在江苏省最南部西滨太湖，“霅川”在湖州境内。下吴江向霅川，是耿晦之到任的水行通道。“下”字写船行顺流而下，有自然轻快之感，“向”字写行程走向，有目的性，因为这不是写一般的行船而是写赴任所。下句写耿晦之赴任旅途中的风光。我们知道：吴江太湖一带，风景优美。在晴朗的秋天里，仰望则天高气清，俯视则水清沙白，连空气也显得特别明净。“高秋风物倍澄鲜”概括而又形象地写出了面前的景物，这样写能衬托出耿晦之的高雅的情操，显示出此人并非俗吏。

“鸡鶄菰叶翠相乱，锦石游鳞清可怜。”第二联进一步具体地写沿途景物。“鸡鶄”即池鹭，“菰”俗称菱白。上句写舟行所见的水上之景。江南水乡，水生植物丰茂，水鸟也多，舟行中时见鸡鶄等水鸟在青青的菰叶之类的水生植物中嬉游，觅食,追逐,飞起。鸟羽色翠,菰叶等植物也色翠。“翠相乱”就写出了它们的动态:鸟在嬉游,叶在摇曳。下句写水中之景。由于秋水澄清,水流中各色卵石清晰可见,卵石斑驳的花纹灿烂如锦,水中的游鱼历历可数。“清可怜”写出了它们在粼粼的清波里是那样空明,那样自然,那样可爱(这里可怜应解为可爱)。这一联不仅写了舟行所见的东西,而且描绘出“万类霜天竞自由”的自然生趣。诗人写什么,不写什么,这当中的选择,大有深意,作者这样写就能衬托出耿晦之是一个高尚风雅的人。他出守湖州,并未感到自己做地方行政长官的显赫,没有傲视一切之态,也没有因担负重任而愁眉苦脸。这一联的描写衬托出他热爱自然的情趣,从容不迫的风度。

“邮渚频挝津吏鼓,渔歌唱近使君船。”第三联写耿赴任途中接触的人。“邮渚”指水乡传递文书的驿站;“津吏”指这种驿站的小官。古代有击鼓开船的习惯,津吏击鼓,一是通知人们官船出发,二是表示对长官的尊敬。这虽是惯例,也显示出长官的尊严。上句写耿晦之船行赴任接触到的一般情况,下句写水乡的渔歌则含意很深。“使君”是太守的别称。水乡的渔人是很多的,他们一般都很活跃,很机灵。他们听到津吏击鼓,明明知道官船来了,却仍然唱着歌划着小船向官船边驶去。可能他们早已听到即将到来的州郡长官,是一个能够接近人民与民同乐的好官。他们唱着歌划船过去,有瞻仰的意味,也有欢迎的意味。“渔歌唱近使君船”的确是佳句,它表现出耿晦之这个新任太守并非高高在上,而是能和老百姓打成一片的。这里再一次说明了诗人写什么,不写什么,大有深意。这里的描写,体现出作者的修养、情操,体现出作者对知交耿晦之的敬爱。

“吴兴岘山足胜事,汉水襄阳空昔贤。”第四联写对耿晦之出守湖州的评价与赞叹。“吴兴”就是湖州,(三国时为吴兴郡治)“岘山”用西晋名臣羊祜事。(守襄阳十年,有政绩,死后吏民为他建碑立庙于岘山)。上句以西晋名臣羊祜比耿晦之,意思是耿晦之做湖州太守,会和晋代羊祜镇襄阳一样,泽及生民,名留千古,足可称为盛事。下句的意思是湖州得耿晦之为守,是现实当中的好事,而汉水之畔的襄阳,只不过空有昔日贤臣的遗迹罢了,这就是说,贤臣难得,千百年乃一遇之。

这首诗选材新颖,风格清朗,写了知交耿晦之的雅量高致,表达了作者的高尚情操,用语轻灵而自然,值得学习之处甚多。“渔歌唱近使君船”是这首诗的佳句,值得玩味。

(蒲继能)

春　思

徐祯卿

渺渺春江空落晖，行人相顾欲沾衣。
楚王宫外千条柳，不遣飞花送客归。

鉴赏

关于春思的诗，自唐宋以来，不少是少女怀春之章，少妇伤春之作，雅士赞春之篇，文人惜春之什。徐祯卿此诗，却都与此无关。说它是思——离思，乡思，归思，似更合拍，题为“春思”，只是说春日所作罢了。

起笔便独辟町畦（按：诗人当时所处现实情景即如此，倒并不是有意标新）。不见“杏花春雨”，不见“燕语莺啼”，即使说是残春吧，也没什么“落红成阵”“绿暗红稀”。诗人写的是春江，渺渺悠悠，不知从哪儿流来，也不知往哪儿流去。不但看不见“日出江花红胜火，春来江水绿如蓝”，看见的却只是落日余晖，斜照水中，好像在动，又好像一丝也没动。色彩呢，既不红，也不白，如此而已。它能引起人一点遐想吗，能激起人一丝热情吗？

它引起的只是行人漠然中的一丝怅惘，无言中的一腔郁结。不是吗，对着这落日余晖，远客征人无不泪下沾衣了。这里的“行人”，指旅居楚地的人，更指诗人自己。春山寂寂，春水悠悠。在这有所感而又无所感之际，作为诗人，不会无所思的。清泪涔涔而下，更是不可避免的了。

“思”的究竟是什么呢？离思，乡思，归思。这渺渺春江，晻晻落日如果只能使人万念俱灰，心情如水，那么，旧楚王宫外的杨柳千丝，绿到天涯，却又能使人回到现实中来。当然，这现实也不会是充满盎然春意的。东风过处，这丝丝缕缕，尽西向飘飞，而诗人的家却在东面，东风的确是“不与人方便”啊！为什么不自西来，让柳絮东扬呢？家乡不也正是春天吗，草长莺飞，绿水潮平，总不会像这里的春天，一片山沉水寂的样子。耳边鹧鸪啼鸣，声声“不如归去”，是该棹首东掉，去亲一亲故乡的泥土了。杨柳尽遣送飞花，向西洒落，委地无声，化迹成尘。它全然不晓诗人的心意：应该叮嘱飞花，飘向江南，一路平安地送旅人回家才是。把离乡的抑郁，怀乡的心情，还乡的愿望，一一托之于条条絮舞，泛泛飞花，自然是痛上加痛的了。诗人我的心绪如此，旁边行人的心绪与我又有什么两样？

所以说，这首重在写离思、乡思、归思，看上去与“春思”不大关合。但细读全诗，觉得这种思绪正是在异地春天生起。诗人看到的春江正值渺渺悠悠之时，看到的春柳正值向西飘拂之际，在这特定情境下，不会引起什么赏心悦目的感受来的。即使不是此特定情境，看到的是姹紫嫣红、江天如染的画景，而由于羁旅的苦情积郁已久，对此也会产生逆反心理，萌发一片更浓烈的这种思绪。

（谢守清）

济上作

徐祯卿

两年为客逢秋节，千里孤舟济水旁。
忽见黄花倍惆怅，故园明日又重阳。

鉴赏

徐祯卿是吴县（今江苏苏州）人，二十七岁中进士后就客居京师等地。这首诗写的就是他客居北土时的怀乡思亲之情。

前两句叙写为客的孤苦之况。“两年”点出时间之久，以见思乡之深、怀归之切。“千里”写离家之远，以见归乡之难。在古代的交通条件下，“千里”是近似于“绝国”的。“一赴绝国，讵相见期。”（《别赋》）“悲旧乡之壅隔兮，涕横坠而弗禁”（《登楼赋》），这些都是写千里隔离之悲的名句。“济水旁”交代客居之地，济水在今山东境内，此点题。“孤舟”状写“为客”者的孤独、漂泊之态。“逢秋节”点明时令。“悲哉，秋之为气也，萧瑟兮草木摇落而变衰”（《九辩》），“气之动物，物之感人，故摇荡性情，形诸舞咏”（《诗品序》）。秋天，气候、景物撩人思绪，最易触动客子离人思乡怀人之情，所以古人有“多情自古伤离别，更那堪冷落清秋节”的喟叹。此处“秋节”为“见黄花”句张本。这两句仅用十四个字就围绕“为客”这一中心表达了六层意思，从各种角度极力叙写客居者的孤苦境况，为三、四句的抒情作了有力铺垫。

怀乡思亲之情是客子离人每时每刻都存在的，它“剪不断，理还乱”。不过，在平常的情况下，客子离人常以理智的堤坝阻遏着感情的洪流，使感情的湖面处于一种表面的平静状态，虽时有縠纹，尚不会出现轩然大波。可是，一旦遇到外界某种事物（如“驿寄梅花，鱼传尺素”“或春苔兮始生，乍秋风兮暂起”“忽见陌头杨柳色”等）的触发，客子离人的这种潜在的感情洪流就会冲决理智的堤坝，掀起思亲怀乡的感情狂潮。“今为羌笛出塞声，使我三军泪如雨”（李颀《古意》），“忽闻歌古调，归思欲沾襟”（杜审言《和晋陵陆丞早春游望》）等诗句都是状写这种急剧心理变化的。本诗三、四句也成功地写出了这种心理变化。在一、二句叙写客子的孤苦境况中也或明或暗地表现了思亲怀乡之情，在此基础上，第三句用“忽见”一语引入“黄花”这一强烈触发客子心潮的景物。“忽见”生动地状写了触发的情态。“倍惆怅”明写心理变化。“倍”字既十分有力地表现了黄花所触发的愁思之深重，又表明未见黄花时亦惆怅，以与前两句照应。这句本是直截了当的抒情语，却发人深思：“黄花”本是人们极喜爱的事物，为什么诗人见了反而“倍惆怅”呢？所以，这一句转得突兀。“故园明日又重阳”才点明原因，妙在也不说穿，只此轻轻一点。这里的诗味来自联想。“见他桃李发，思及后园春”，这是异乡做客者共有的心态。由“见黄花”想到“故园明日又重阳”（“又”字与“两年”句呼应），这是作者的联想，它为读者进一步联想指示了方向，开通了渠道。读者在其启示下自然会联想到“遥知兄弟登高处，遍插茱萸少一人”等种种情景，便情不自禁地产生“每逢佳节倍思亲”的感受了。这种能触发读者不尽联想的诗句确具有语近情遥、含吐不露之妙，所以，沈德潜赞之为“语不必深而情深”（《明诗别裁集》）。

本诗的立意显然受了王维《九月九日忆山东兄弟》的启示，但王诗是以格言式的警句概括人们“佳节倍思亲”的共同感受，本诗则是从“黄花”这一具体事物触发所引起的种种联想中去表现“倍惆怅”的生动情态。借鉴中有创造，殊途同归，各臻其妙。

本诗的章法也受到王昌龄《闺怨》的影响。但王诗一、二句是从“不知愁”反起，第三句以“忽见”陡转，最后结出“悔教”的心情来，结构上表现反衬之巧妙，转折之突兀；而本诗一、二句则于平平叙写中寓深沉愁情，第三句以“忽见”触发，倍进一层，结句轻轻点明，戛然而止，结构上表现铺垫之有力，倍进之劲健。

（廖文俊）

送萧若愚

徐祯卿

送君南下巴渝深，予亦迢迢湘水心。
前路不知何地别，千山万壑暮猿吟。

鉴赏

萧若愚，未详。本诗可能是作者送萧去往四川的诗。

一、二句写送别时彼此的心情。“送君南下巴渝深”，开首点题。“南下巴渝”，点明了萧若愚去的地点。句中“深”字含义丰富，情味深长，它既指道路的漫长、险隘，也指巴渝地方的偏远、闭塞，有“道路阻且长”“川既漾而济深”之义。作者《送盛斯徵赴长沙》中“转入巴渝万里赊”一句，语意与“巴渝深”相同。细味此句，便会感到作者与萧在临分之际，那种相对无言、难为情的情态。“予亦迢迢湘水心”，紧承首句，用眼前景物形象有力地抒发了作者对友人的无尽深情。意思说，你离开友朋，去那偏远的巴渝，离恨固然深重，而我呢，也和你一样，离情别绪有如湘水一样悠长不尽。这句，以景写情，情景交融，直与孙光宪的“思随流水去茫茫”(《浣溪沙》)同妙，极饶韵味。而且，巧用一“亦”字，承上句兼写双方，以见出尔我友情之深，又都离思难任，也寓有“与君离别意，同是宦游人”这种客中送客的境况与心情。

三、四句写对友人旅途的系念，“前路不知何地别”，故作设问，以逗出结句。同时，此设问句有强烈的感叹味。意思是，此地一别之后，你前行的路上，“十里五里，长亭短亭”，不知还要经过多少地方啊！这就点出了旅程之遥，与首句“深”字相应。“千山万壑暮猿吟”，以友人去路的萧条作结，这句是景语。南宋沈义父《乐府指迷》说“以景结情最好”，因为它“能含有余不尽之意”。景，有虚实之分。本诗结句是虚拟，设想友人漫漫旅程中的景象：千山万壑，暮色苍茫，清猿长吟。杜甫的诗句说：“听猿实下三声泪”，这空阔、凄清的景象的渲染，有力地烘托了友人旅途孤寂、悲凉的心情，而且这一景象再次与首句“深”字呼应。

这首送别诗，不用一愁、叹、

伤、怨等词却写得情真意切，其艺术奥秘主要是比喻形象和点染巧妙。以“迢迢湘水”比离愁，使无形之情思形象化、具体化；以“千山万壑暮猿吟”之景烘染离愁，更加浓了离情的色彩。且全诗状景、抒情紧扣一“深”字，亦可见此诗章法之妙。

“绝句之妙，出于乐府，具有风人之致。”(《艺苑撷英》)本诗音律和谐，声韵铿锵。祯卿长于七言，尤其是七绝，于此也足见一斑。

(廖文俊)

三 岔 驿

杨 慎*

三岔驿，十字路，北去南来几朝暮。
朝见扬扬拥盖来，暮看寂寂回车去。
今古销沉名利中，短亭流水长亭树。

作者

*杨慎（1488－1559），字用修，号升庵，四川新都人。正德年间状元，授翰林院修撰。世宗时，因议大礼直言强谏，被谪戍云南永昌卫（今云南保山）。在边荒之地，无书不读。其著述之丰，明代推为第一，多达一百余种。诗文有复古倾向。贬谪之后，其诗多感愤之作。亦能词曲，对民间文学也颇重视。有《升庵集》《陶情乐府》等传于世。

鉴赏

三岔驿又名白水驿，在云南省南宁驿东，今属霑益，是云南贵州之间的交通要道。杨慎贬谪云南后，往返川南，多次途经此驿。这首诗当是途经此驿时所作。诗人借此处地理位置的重要，以诗歌感慨人生，批判和讽刺官场上相互倾轧的丑恶现象，指出宦海风波，瞬息万变，仕途多艰，险恶丛生，对现实有着较清醒的超脱态度。

前三句写三岔驿重要的地理位置和此驿作为历史见证的特殊身份。三岔驿地处十字路旁，南来北往、东去西行之人皆要由此经过。正因为它四通八达，当云贵的交通枢纽，它才像一位清醒的旁观者，多少年来一直检阅着从这里经过的游宦商旅、农夫樵子、野叟渔翁。“几朝暮”犹言经过了多少朝朝暮暮。“几”，不定数词，因其不定，无法说清，才更显示其时间之长久，历史之深远。因而三岔驿作为历史的见证者,所见到的人世沧桑也才无法计算清楚。

四、五句紧承前面,述说三岔驿作为历史的见证人,就官场浮沉这一点所见到的情景。“朝见扬扬拥盖来”,早晨才见那些得官者得意扬扬,不可一世,喽啰成群,拥盖上朝。“盖”,本指车的帷盖,此处以乘具代人,指代驷马高车、前呼后拥、骄横跋扈的官场新贵。“暮看寂寂回车去”是写傍晚就见他们丢官缴印,失魂落魄,清冷孤寂,垂头丧气,惶惶若丧家之犬地溜逃回家。“扬扬”指志得意满、趾高气傲、昂首挺胸、盛气凌人的样子;“寂寂”指气沮志丧、委靡不振、低三下四、不敢见人的狼狈形象。这两个反义的重叠词,写尽了官场中得意与失意时判若两人的精神面貌,对比鲜明,寓意深刻。朝得暮失,足见官场倾轧之厉害,宦海浮沉之迅速,仕途风波之险恶。这两句是全诗的中心,一方面诗人对那些蝇营狗苟、利欲熏心、追名逐利之徒进行了辛辣的嘲讽,指出他们趋炎附势、鲜廉寡耻、丧尽天良,虽炙手可热、不可一世、得势于一时,但最终不会有好下场。“君不见,襬襶郎。冰山子,赤日红尘汗如洗,炙手权门争齚指!”(杨慎《资江渡归续少岷句》)一旦冰山崩颓,必然会落得身败名裂的可耻下场。另一方面,诗人在这里也隐约暗喻着为官难,为清正廉明之官更难的慨叹。诗人忠心耿耿,却反而被谪远戍,永无还期。这两句又未尝不是对自己这种不平遭遇的牢骚怨愤之词!

最后两句用达观的眼光说世态,以出世的语气论人生,说理深透,议论有力。现在和过去,甚至包括将来,一切追名逐利的人统统都会被历史的洪流所吞没,只有眼前这短亭前的流水和长亭边的树木能与天地共存。长亭、短亭,为互文,即长亭的流水、长亭的树,短亭的流水、短亭的树。这两句既有鞭挞、讽刺,也有顺乎自然、无欲无求之意。历史是无情的,一切追名逐利的人,包括王侯将相,达官显贵,有谁长留在世呢?只有那无欲无求的绿水青山,得与天地共存。看到了这一点,一切名利又有什么用呢?这与诗人《北桥书感》中“寄言冉冉征途者,奔走风尘何所求”的思想是一致的。正是在这种思想指导下,诗人后半生完全采取了“困而亨,冲而盈,宠为辱,平为福”的处世态度,“死亦不忧,生亦不喜,生顺死安”(见《杨慎年谱》)。毋庸讳言,这完全是一种消极避世的思想,但这也是黑暗现实逼迫诗人的结果。

(黄淑珍)

宿金沙江

杨 慎

往年曾向嘉陵宿，驿楼东畔阑干曲，
江声彻夜搅离愁，月色中天照幽独。
岂意飘零瘴海头，嘉陵回首转悠悠。
江声月色那堪说，肠断金沙万里楼！

鉴赏

嘉靖十七年(1538)冬，杨慎第四次返川，“奉军令黎雅勾当，便道还乡”。十月从环州入蜀，明年返滇，来往皆经过金沙江。这是入滇之路的北路，明时已非官道，只有商旅通行。这首诗可能作于返滇途中。诗人投宿于金沙江畔的荒山野店，念亲人之远离，悲自身之孤寂，叹谪戍之久远，伤举目之无亲。触景生情，忆及往昔，故感而作此。

全诗分两段。前四句为上段，回忆早年独宿嘉陵驿的孤苦。正德二年至正德十五年(1507－1520)，杨慎曾多次独自来往于京城与新都老家，从新都出发，旱路北上，须由绵阳、江油、剑阁经广元出川。嘉陵驿在广元城西一里左右，驿楼临江而立，江水湍急，日夜轰鸣。杨慎往年出川，曾多次住宿于此。“往年曾向嘉陵宿”，诗的首句不写宿金沙江，却把人们带到那已逝的岁月。诗歌从回忆写起，这正是诗人独具匠心之处。

诗人往岁出川，住宿嘉陵驿，那情景至今记忆犹新，宛然在目。因为是初离故乡，乍别家园，独身一人，举目无亲，夜幕之中，驿楼东畔，耳旁唯闻江水喧嚣，抬头只见孤月一轮，山野空寂，大地沉睡，使诗人顿生离别的孤独与愁苦，初尝了人生的曲折与艰难。正因为这是首次离别，故才记忆深刻，印象鲜明。所以诗人投宿过的嘉陵驿，驿楼东畔那曾留下诗人终夜徘徊身影的曲曲栏杆，才深深地刻在诗人心里。特别是那奔腾不息、喧嚣不已、彻夜搅动诗人离愁别绪的嘉陵江声和那映照诗人凄苦无奈、幽独徘徊身影的清冷月光，更让诗人铭刻心底，终生难忘。这四句刻意描摹，尽情展现了诗人当年投宿嘉陵驿时的月色水声及无法排解的幽独之苦。尤其是第三句中的“搅”字,以动写静,生动形象,更是情致婉转,含韵无穷。

后四句为第二段,今昔对比,突出今日离愁更加深沉难堪。

“岂意飘零瘴海头”,诗笔陡转,回到现实,以无可奈何的语调抒发自己的愤懑与牢骚。谁料到如今自己竟会漂泊流落到这瘴气发源的金沙江畔呢?这究竟是为什么?诗人才华过人,赤胆忠心,“论士而曰天下士,士之难得而可贵者也;论和而曰盖代才,才之仅有而绝无者也”(见顾汝修《复修杨升庵先生墓序》)。一生“临利不敢先人,见义不顾后身。虽无补于事业,求不负于君亲”(杨慎《临终绝笔》)。诗人犯颜谏君,疾恶如仇,为国为民,舍生忘死,却惨遭贬谪,弃置边荒。这样的遭遇是多么的不公,这样的结果又何等的不平啊!这又谁能预料得到呢?“岂意”二字,设为疑问之语,实则肯定之词,充满了愤怒与不平,沉痛与悲哀。

正因为如今漂泊瘴海头,身世难堪,故反不如当年独宿嘉陵驿之时,所以紧接上文提出今昔对比:“嘉陵回首转悠悠”,如今贬谪夜宿荒凉的金沙江畔,情景与当年初离故乡时颇为相似,但却世事全非。当时虽有幽独之感,却并无身世之忧,而今既有幽独之苦,更有身世之忧,故回首往事,更觉凄凉难耐。“回首”二字引出今昔对比,用昔日反衬今日,使今日之苦更加鲜明突出。“悠悠”说明思绪的悠长,抒写今日幽独的久远,也十分形象。

最后两句“江声月色那堪说,肠断金沙万里楼”,感慨久戍不归;故乡远隔,对此江声月色,肝肠寸断,哪堪追忆往事。“江声月色”承上句“嘉陵回首”,将今昔紧密相连,金沙水声,仿佛当年嘉陵水声;金沙月色,亦如当年嘉陵月色;江声相似,月色依旧,然而人世沧桑,不堪回首。往事如烟,早已逝去;今日遭困,尚无尽头,又怎能与之相比?怎能对人述说呢?“不堪说”三字凝重低沉,包含了无限的内容:想忘而忘不掉,想抛而抛不开,旧愁新恨无时不撕裂着诗人早已破碎的心。“肠断”句承“飘零瘴海”,“悠悠”往事,既不堪说,那就只好回到现实了。然而,触目眼前,物是人非,身在万里之外的金沙江畔,触景生情,怎不叫人肝肠寸断,痛不欲生呢?最后一联字字带血,声声有泪。诗人抚今追昔,痛定思痛,哀绝长鸣,催人泪下。

这首诗采用了今昔对比的方法,前半部分着力抒写当前独宿嘉陵驿时的悲苦,后半部分淡淡叙写此日金沙江畔的忧愁,前后出现强烈的反差,从而引起读者自觉对比往昔今日的不同景况,使艺术效果更加鲜明显著。王夫之特别称道此篇的艺术手法,说“只两段自开合,歌行最忌者意冗,钩锁密也”(《明诗选评》卷二),这是很有见地的。

(黄淑珍)

锦津舟中对酒别刘善充

杨 慎

锦江烟水星桥渡,惜别愁攀江上树;
青青杨柳故乡遥,渺渺征人大荒去。
苏武匈奴十九年,谁传书札上林边?
北风胡马南枝鸟,肠断当筵蜀国弦!

鉴赏

嘉靖二十年(1541),杨慎应聘回成都修纂《四川通志》,十月返滇,行至泸州病发,经四川巡抚戴金挽留回成都养病。杨慎在第二年七月重返戍所,临行前,刘善充(事迹不详)在锦江码头置酒相送,此诗即此时所作。

首联道出刘善充为之置酒送行的地点和折柳赠别的情谊:在烟波朦胧的锦江码头星桥旁边,送行的船正泊在那里,朋友感伤诗人的离去,惆怅地折柳相赠以表心意。"惜别"写内心感情,"愁攀"写外在动作。仔细传神,将诗人远行,朋友不忍分别又不得不分别的矛盾与苦涩,形象地勾勒了出来。杨慎久戍荒域,暂假归家又当长别。临行之际,内心的苦痛不言而喻。诗人不言自己的伤感,却写为之饯行的刘善充的情态,给人留下充分的想象余地。

朋友相别,常常折柳赠送以祝平安:"上马不捉鞭,反折杨柳枝。蹀座吹长笛,愁杀行客儿"(《乐府·横吹曲·折扬柳歌辞》),"伤见路旁杨柳青,一重折尽一重新,今年还折去年处,不送去年离别人"(施肩吾《折杨柳》)。此处虽亦是折柳送行,却不落俗套,读者既知所攀之树就是杨柳,又不与颔联的"青青杨柳"重复。

三、四句写诗人行色之匆匆,戍地之荒凉遥远。"青青杨柳故乡遥,渺渺征人大荒去。"朋友赠送的,带着故土芬芳、朋友情谊的杨柳颜色尚青,故乡的影子就越来越遥远了。"青青杨柳"暗示离别的时间很短,"故乡遥"以见诗人行程之快,行色之匆忙。"大荒去",言诗人所去的地方之偏远,环境之恶劣。上句从诗人切身的感受落笔写故乡之远去,内心的眷恋与悲苦;下句从朋友的眼光所及着手,写诗人离去之迅速，所去之地的荒凉，朋友的惆怅，进一步反衬诗人内心的苦痛。

五、六句用典自寓，抒发诗人渴求自由和赦免的强烈愿望。汉武帝时，苏武出使匈奴，被扣押十九年。汉昭帝即位，使人求索不得，汉使谓单于曰："天子射猎上林中，得雁足帛书，言武等在某泽中，乃放还。"杨慎嘉靖三年（1524）谪戍永昌，到此时正好十九年，尚无赦免的音讯，所以发出"谁传书札上林边"的呼救声。上林苑本是汉天子打猎的场所，此处借指明世宗。有谁从皇帝的身边带来赦免的诏书啊！其呼救之声哀伤悲绝之极。

末两句以动物的恋故土设喻，道出诗人无法排解、无法抑制的恋乡情愁。"北风胡马南枝鸟"，化衍"胡马依北风，越鸟巢南枝"（《古诗十九首》）。胡马来自北国，越鸟生自南方，尚且依望北方，巢宿南枝，何况于人？舟中对酒，愁绪更浓，无法排解，无法述说，只好将柔肠寸断的满腔情愫，倾泻到那思乡恋土的蜀国弦歌之中。《蜀国弦》本属乐府相和歌辞，其歌辞多描绘蜀土的富饶美丽，游子流连忘返的情景。"西蜀称天府，由来擅沃饶，雪浮玉垒夕，日映锦城朝。南寻九折路，东上七星桥。琴心若易解，今客岂难要？"（卢思道《蜀国弦》）诗人借弦歌以抒胸臆，倾吐自己眷恋故土不欲离去的情感，哀绝婉转，催人泪下。

这首诗结构严谨，抒情写意真挚自然。诗歌由朋友的不忍别，想到马上会天涯相隔，再由戍地的荒凉，希望赦免还家，而赦免无望更加依恋故土，最后是绝望悲歌声泪俱下。层层相转，感情一层浓于一层。故沈德潜称其"随题赋形，一空依傍"（《明诗别裁集》），王夫之赞其"通首浑成"（王夫之《船山遗书》卷二）都是非常中肯的。

（黄淑珍）

夜　泊

杨　慎

夜泊中岩下，扁舟对万峰。一星高岸火，几杵上方钟。
水落滩声急，云低雨意浓。何人吹铁笛，潭下恼鱼龙。

鉴赏

正德十年（1505）正月，杨慎因祖父病故在家守孝。十二月返京，与布政伍符邻舟，唱和下江陵。这首诗就是途经中岩时所作。

首联直点主题，道出泊舟的时间、地点与地理环境。中岩在青神西南十五里左右的岷江岸上，“三石峰平正如高楼巍阙”“前二峰后一峰，如品字。前二峰之间，容一径，可以并行。至中峰之下有石室，诺短那庵也”（《吴船录》卷上）。江上望中岩，隔岸数山，回流峻壁，冥蓥复磴，竹树朦胧。僧舍佛刹，累累缀壁，是历代文人墨客游览的胜地。其岩壁四周多宋元人题名。诗人夜晚泊舟于此，正是急于翌日饱览中岩风光。因是夜泊，故一叶扁舟虽面对万峰，却一无所览。“夜泊”二字虽是写实，说明泊舟的时间，但诗人却借这两字将中岩迷人的景色统统隐去，只剩下周围灰蒙蒙的天地、灰蒙蒙的群峰、灰蒙蒙的江野。一切似真非真，处在缥缈朦胧、悠然静穆的氛围之中，这就为下联作了很好的铺垫。

颔联写“夜泊”的见闻，是远景。正因为周围一片朦胧，所以对岸那高岩上的一点火光，才格外明亮，仿佛是悬在空中的星光一样；正因为周围一片静谧，所以从远方传来的雄浑厚重的几杵钟声也才分外震耳。这里“火”是写眼中所见，“钟”是写耳中所闻，其耳闻目睹无一不与“夜泊”紧密相连。

颈联写“夜泊”的感觉，是近景。诗人由远及近，由闻见转入写自己在舟中的直接感受，因夜晚泊舟中岩下，无法看清水流，亦无从得见云雾，但从河水下落时汹涌澎湃的涛声中，诗人体察到了此处浪急滩险；从沉闷潮湿的空气中，诗人感知到了乌云低沉，风雨将至。“落”“急”写舟下之水，“低”“浓”写空中之云。上、下皆在诗人身边，又皆在夜晚出现，不言“夜泊”，却又紧紧联系着“夜泊”。这里诗人写浪急滩险，风雨将临，又未尝不是一种寄托？诗人此次还京，仕途前程，风雨险阻，实难预料，其意味颇为含蓄绵长，并为尾联的抒情作了伏笔。

尾联诗人由“夜泊”中岩的所见所闻所感，飞驰想象，抒发自己的壮志豪情。马融《长笛赋》：“龙鸣水中不见已，截竹吹之声相似。”这是形容笛声高昂有如龙鸣，又唐李肇《国史补》载，“李舟得村舍烟竹，截以为笛，鉴如铁石”，赠与李牟，牟“月夜泛江，维舟吹之，廖亮逸发，上彻云表。俄有客……请笛而吹，甚为精壮，山河可裂。……舟著记，疑其为蛟龙也”。故后人多用吹铁笛、愁鱼龙来抒发自己的豪情壮志。如陆游“戏拈铁笛吹出塞，水涌月落鱼龙愁”。诗人此次返京，心情是极其愉快的。这是因为他的祖父死后受到朝廷殊荣，追封少保；而他自己又将步入翰林，担任经筵展书官。诗人正是春风得意、踌躇满志之时，因此在这首诗中，便化用马融《长笛赋》和李肇《国史补》的典故来抒发自己不怕急流险滩，不惧风雨将临，千难万险都无法阻挡他乘风破浪，大展雄才，报效祖国的雄心壮志。

这首诗前六句写景，后两句抒情。写景突出听觉、视觉和触觉，由远及近，大笔挥洒，气势雄浑而又疏密有致，紧紧围绕着“夜泊”落笔，形象鲜明，仿佛一幅水墨图呈现在眼前。“一星高岸火，几杵上方钟”，画龙点睛，明写火光与声音，暗衬人物的活动，是未见人而人影毕现。“水落滩声急，云低雨意浓”，耐人寻味，明写水流风雨，暗喻仕途前程，承上启下，过渡自然。尾联抒情，化用典故，十分贴切。全诗写景抒情，融为一体，清新绮丽，堪称佳作。

（黄淑珍）

层台驿

杨慎

陡坂千百磴，破店两三家。湿灶薪无焰，硗田饭有沙。
瘦兵宵泣血，猛虎昼磨牙。行路难如此，羁愁一倍加。

鉴赏

明代中叶，政治腐败，危机四伏。武宗荒淫无道，不但在宫中奢侈淫佚，而且四处巡幸，沿途骚扰，四野不宁，民不聊生。世宗即位，弊政不革。他迷信道教，经年不朝，又“营建最繁。嘉靖十五年(1536)以前，名为省汰，而经费已六七百万，其后增十数倍。斋宫秘殿，并时而兴，工场二三十处，役匠数万人”，“岁费二三百万。经费不敷，乃令臣民献助；献助不已，复行开纳，劳民耗财，视武宗过之”(《明史·食货志》)。为修建宫殿，嘉靖年间，曾多次从湖广川贵等地采木，山深道险，伐运困难，挠害千里，民不堪命。山区人民也苦于徭役赋税，生计维艰。杨慎被流放后，长期废居边地，奔走旅途，接触到穷乡僻壤人民的困苦生活，写下了一些针砭时弊、同情人民的诗歌，《层台驿》就是其中的一首。

层台驿，在贵州毕节县北层台山，接赤水河界，入古蔺雪山关至永宁，是四川贵州之间的通道(见《读史方舆纪要》及《大清一统志》)。杨慎屡回泸州，都要经过这里，目睹了山区人民的贫穷艰难,有感而作此诗。

首联"陡坂千百磴,破店两三家",寥寥十字,就为我们勾画出了一幅深山峻岭中的残破荒凉、凄苦愁绝的山居图画。诗人沿着千百磴石梯,拾级而上,登上陡峭的山峰,出现在诗人眼前的,是几椽东倒西歪的破屋,与周围的山光水色显得那样地不协调。按理说,在这人迹罕至的崇山峻岭之中,应该是官吏不到、苛政不施、比较太平的地方,如果真是这样,那么山路虽陡,房舍虽破,也就美如桃源、甘之如饴了。但是,事实却并非如此,"任是深山更深处,也应无计避征徭"(唐杜荀鹤《山中寡妇》),造成人民生活困苦的,正是苛捐杂税、横征暴敛和官吏的横行。深山更深处尚且如此,其他地方也就可想而知了。

颔联进一步具体描写山民生活的困苦。"湿灶薪无焰",令我们想起杜荀鹤《山中寡妇》诗中所描写的"桑柘废来犹纳税,田园荒后尚征苗。时挑野菜和根煮,旋斫生柴带叶烧"的情景。下句"硗田饭有沙",用杜甫《溪上》"塞俗人无井,山田饭有沙"句。"硗田",就是贫瘠的土地;"饭有沙",极言食物的粗粝。呈现在我们面前的,是破屋湿灶,瘠土荒坡,一幅冷落残败的景象。

颈联进一步指出,山区人民不仅生活极为艰苦,而且还要受徭役兵役的威胁、贪官污吏的迫害。"瘦兵",就是杜甫《新安吏》所说"瘦男独伶俜""青山犹哭声"中的"瘦男",他们是被强征的丁壮,被迫背井离乡,日涉死所,田园荒芜,无人耕作,悲愤至极,泪尽泣血。他们将愤怒投向"磨牙吮血,杀人如麻"(李白《蜀道难》)的"猛虎"——苛政与官吏。杨慎在《青山虎》诗中,就将害民的"青山虎"斥作"戾虫"。如白居易在《杜陵叟》中指斥官吏们"剥我身上帛,夺我口中粟,虐人害物即豺狼,何必钩爪锯牙食人肉"一样,诗人在这里,也以饱含愤怒之情的笔调,控诉官吏们的罪行。

诗的尾联,诗人袭用了"行路难"这一慨叹"世路艰难,及离别悲伤之意"(《乐府解题》)的封建文人习用的主题,感叹自己仕途的蹭蹬,也感叹行路的艰辛。他为什么又说"羁愁一倍加"呢?诗人所愁郁愤慨、牢骚不平的,已不仅仅是个人遭际的不幸,更不仅仅是山高水险,旅途的坎坷,而是已经带着无限的同情,为穷苦百姓呼喊了。

长期的流放生活,使杨慎与人民建立了一定的感情,对人民的困苦生活有了深切的同情。在《白崖》诗中,他同情"双牵缆"、挽山轿而行的仆夫,更为"东家采樵女,适遭猛虎餐"而"悲酸",在《观刈稻纪谚》

中,对虽遇丰年,而"惟悉军饷急",仍不得食的农夫充满同情。他希望"安得周官廉耻吏,千里朱丝萦社红"(《悯雨》)。这样,人民的日子也许会好过一些。在封建文人中,他的这种感情已经是难能可贵的了。

清沈德潜说杨慎"五言非其所长,以过于秾丽,失穆如清风之旨"(《明诗别裁集》卷六),自有一定道理。不过,这首诗却看不出什么"秾丽",当然更不是什么"穆如清风",由于诗人对贫苦人民的深切同情,对苛政官吏的泣血控诉,使它具有很强的艺术感染力。

(黎孟德)

军次书感

杨　慎

凭高一望倍凄然,日暮乌啼生野烟。
天地侧身孤旅外,江湖短发乱兵前。
屈平憔悴渔翁问,韩信栖迟漂母怜。
何事穷愁无伴侣,东风独坐感流年。

鉴赏

在中国古典诗歌中,逐臣弃妇,游子他乡,似乎是一个永远吟咏不尽的主题,尤其是志向高远、才华横溢而又因小人谗毁、主上不明而被陷害斥逐、流窜边荒、壮志难酬、遗恨终生的人,就更有满腹的牢骚、满腹的悲愤。杨慎因议大礼被斥,流放云南永昌卫。明代流放分四等,即安置、迁徙(去乡千里)、口外为民、充军,其中以充军为最;充军又分极边、烟瘴边、远边卫等;又因时限不同,分终身、永远二等(见《明史·刑法志》)。杨慎谪戍属"永远充军烟瘴",户在军籍。他于嘉靖四年(1525)"至云南,病驰万里,羸惫特甚""力疾冒险抵永昌,几不起"(《杨慎年谱》)。他虽然受到当地官吏的优待,但终是罪卒之身,初来永昌,还必须到军中投到。所以哀愤感伤,写下了这首诗,感叹自己憔悴穷愁,孤旅无伴,年华流逝,栖迟伤悲的不幸遭遇。

登高望远,最容易引起人们的去国怀乡之感,三国时"建安七子"中的王粲写《登楼赋》,说"登兹楼以四望兮,聊暇日以销忧""情眷眷而怀归兮,孰忧思之可任”,表述了对故乡的怀念。后人写登高怀远的篇什,更是多至不胜枚举,乃至唐罗隐竟说“芳草有情皆碍马,好云无处不遮楼”(《魏城逢故人》)。更何况杨慎所在,是古称不毛的瘴疠之地,他在落日的余晖中登高望远,田野茫茫,暮霭沉沉,关河阻隔,故乡渺渺,乌鸢哀啼,令人凄然欲泣。诗人在这里用了一个“倍”字,把那种“休去倚危栏,斜阳正在,烟柳断肠处”(辛弃疾《摸鱼儿·淳熙己亥,自湖北漕移湖南,同官王正之置酒小山亭,为赋》)的无限辛酸刻画得十分深刻。

诗的颔联,由登高望远、日暮乌啼的凄然惆怅,引发出孤旅飘零的身世之感。“天地侧身”,就是侧身天地,这里是因平仄关系的倒装。杜甫诗有“侧身天地更怀古,回首风尘甘息机”(《将赴成都草堂途中有作》),“侧身”就是“置身”,有恐惧不安之意。诗人感叹自己孑然一身,旅居边陲,更何况还在“乱兵前”。嘉靖中,边患不断,各地也有民不堪命的暴动,云南也不例外。据《明史·云南土司传》所载,嘉靖中,“东甸称乱”;嘉靖六年(1527),寻甸土司安铨作乱;嘉靖七年(1528),武定“土舍凤朝文作乱,杀同知以下官吏,劫州印,举公马与寻甸贼安铨合犯云南府”。所以他也和杜甫一样:“白头搔更短”(《春望》),“日短江湖白发前”(《公安送韦二少府匡赞》)。

颈联笔锋一转,慨叹屈原遭放逐后,尚有渔父来存问他;韩信未发达的时候,曾“从人寄食饮”,但尚有漂母可怜他,给他饭吃,总算是不幸之中的一点慰藉。据《楚辞·渔父》所载:“屈原既放,游于江潭,行吟泽畔,颜色憔悴,形容枯槁,渔父见而问之曰:‘子非三闾大夫与!何故至于斯?’”屈原拒绝了渔父要他与世推移、随波逐流的建议,坚持对理想的追求,洁身自好,表示宁赴清流也决不同流合污的坚定意志。诗人联想到自己万里远戍,沉冤莫白,又有谁来关心自己呢?沉痛之情溢于言表。正因为如此,诗人在诗的结尾才因无伴侣而生穷愁之感,发出“应念瘴乡孤戍者,自将形影吊衰残”(杨慎《寄徐用先程以道》)的感叹了。

诗的情绪稍嫌低沉,但却皆出写实,所以仍有很强的感染力。

这首诗的一大艺术特色,是使用倒置的修饰手法。如“天地侧身孤旅外”,应作“孤旅侧身天地外”;“江湖短发乱兵前”,应作“短发江湖乱兵前”;“东风独坐感流年”,应作“独坐东风感流年”等,但因为平仄格律等原因,改成现在这个样子,使理解诗意增加了一些困难,但也因此增添了许多韵味。

(黎孟德)

春　兴

杨　慎

遥岑楼上俯晴川，万里登临绝塞边。
碣石东浮三绛色，秀峰西合点苍烟。
天涯游子悬双泪，海畔孤臣谪九年。
虚拟短衣随李广，汉家无事勒燕然。

鉴赏

杨慎谪云南，沉沦万里，但他从不屈服，时时以国事为忧，虽然也经常感叹个人遭际的不幸，但又时时不忘国事民生，希望有机会为国出力。但是，他也知道这种希望是多么渺茫，他是被“永远充军”，嘉靖十六年（1537），刑部请赦还谪戍一百四十二人归田，独不宥杨慎等八人。世宗对他尤恨之入骨，“每问慎作何状”（见《明史·杨慎传》）。他为避祸，只好佯狂自纵，不幸的身世，与杜甫有些相似，这些思想，都含蓄地表现在他谪戍后的诗歌中。《春兴》八首和《病中秋怀》八首，就是仿杜甫的《秋兴》八首而作的。明胡应麟《诗薮》说他“滇中作如《春兴》八首，语亦多工”。此为《春兴》第一首，总起八篇，是杨慎废居边地，感到自己犹如天涯游子一样，远离家园，不能为国出力，登楼望远，感慨无限的心情的描写。

诗的开头，写诗人登楼所见。遥岑楼在云南安宁州东洛阳山法华寺内，“登之可览一州之胜”（见《大清一统志》三六九《云南府寺观》）。诗人万里远戍，来到绝塞穷边的云南蛮荒之地，登上遥岑楼，俯视茫茫晴川，对眼前景，心中事，自然生出无尽感触。

颔联承首联登楼远望之意，吟咏滇中名胜。碣石本在昌黎县东海岸，这里借以泛指洱海东面山峦，与下句“秀峰”相对。三绛，本汉县名，故地在今会理南境金沙江岸，滇海之北，与“东浮”之意不合，或疑为当作“三雾”，即“敕雺山”的译名，据《云南山川志》载：“敕雺山在嵩盟州东四十里”“蛮谓三为敕，雾为雺，其山嵔崒独峻，登眺则云南悉在目中，又名峻葱山。”其山巅浮现云际，宛如临海。点苍山也是云南的名山，山“在大理府城西，高千余仞，有峰十九，苍翠如玉，盘亘三百余里”（《云南山川志》）。这两句写山川秀美，但却远在边陲，闲居无用，空度光阴，正所谓“花近高楼伤客心，万方多难此登临”（杜甫《登楼》）。

三绛秀色，点苍幕烟，云遮雾障，故乡难见，令人伤怀之意油然而生，更何况登楼之人是被谪戍流放的“天涯游子”，远窜边荒的“海畔孤臣”，正像辛弃疾所说：“遥岑远目，献愁供恨，玉簪螺髻。落日楼头，断鸿声里，江南游子，把吴钩看了，栏杆拍遍，无人会，登临意。”（《水龙吟·登建康赏心亭》）。诗人在云南边陲的苍山洱海边，在忧愤孤寂中已经度过了漫长的九年！难怪他登楼远望，会百感交集，潸然泪下了。

但是，九年的谪戍，并没有改变诗人的初衷，消磨诗人的壮志，在国家多事之秋，他仍然希望能“短衣匹马随李广”（杜甫《曲江》），像西汉名将窦宪一样，北伐匈奴，燕然勒铭。据《明史·鞑靼传》载，嘉靖十一年（1532）春，“小王子乞通贡，未得命，怒，遂拥十万骑入寇”。杨慎此诗，实有所指。但他自己却远窜边地，无所用力；名隶军籍，又不得远征瀚海，扬国威于绝塞，纪殊功于碑铭。沈德潜《明诗别裁集》评此诗，说杨慎“义勇之气，至欲托之从军，读者可以悲其志矣”。王世贞尤其欣赏诗的尾联，他说：“予少时尝见传杨用修（慎）《春兴》，末联云‘虚拟短衣随李广，汉家无事勒燕然’，甚美其意，为之击节。”（《艺苑卮言》卷六）然而一个“虚拟”，一个“无事”，销尽了诗人的壮志，包含了多少沉痛与心酸。

（黎孟德）

出　关

杨　慎

狼弧芒角正弯环，虎落连营又出关。
汉使征鸿何日至，胡儿牧马几时还？
千重紫塞迷青冢，九曲黄河绕黑山。
飞将殊勋犹下吏，书生乘障敢辞艰！

鉴赏

本诗见杨慎《南中集续钞》，题下原注“拟唐人”。

杨慎写了一些拟唐人边塞诗的篇什，王士禛称其“《鹧鸪词》‘秦时明月’、《关山月》‘迢迢贱妾’、《出关拟唐人》‘狼弧芒角’、《塞下曲》‘长榆塞上’诸篇，工妙天成，不减前作”（《香祖笔记》卷二）。这首诗是杨慎谪戍中自抒用世之意的作品，是他的传世名篇之一。

明代自建国起，就受北方东西蒙古部族的威胁侵略。孝宗、武宗两朝，鞑靼达延汗兴起，弘治十四年（1501）即进犯大同，后来又不断袭击内地，为患尤多。《明史·鞑靼传》载，嘉靖中，“小王子最富强，控十余万”，其从父吉囊、俺答“据河套，雄黠喜兵，为诸部长，相率躏诸边”。《明史·世宗纪》载，嘉靖二年（1523）正月，小王子犯沙河堡；五月犯密室；八月犯丁字堡；三年（1524）朵颜入寇；六年（1526）小王子犯宣府，此后吉囊、俺答等犯边不断。所以杨慎咏塞垣事，就不能仅仅是单纯为拟古而作，而是陈古喻今，明有所指。王夫之说他“杂使汉唐东西事，欲人知为讽耳”（《明诗评选》卷二），他的用世之意，并非空为大言，而是有为而发的。

“举长矢兮射天狼”，本来是屈原《九歌·东君》中的名句。“天狼”，代表贪婪。《史记·天官书》说：“其东有大星曰狼，狼角变色，多盗贼。”后来，天狼被作为外族侵略者的代称，“射天狼”也就成为抵御外侮的比喻。苏东坡《江城子·密州出猎》中说“会挽雕弓如满月，西北望，射天狼”，就是指抵御西夏侵略。“弧”，是天狼星下四星，一说九星，是天之弓，引满，则天下尽兵（见张守节《史记正义》）。“芒角”，也象征战争，《史记正义》说：“荧惑犯守箕、尾，氐星自生芒角，则有战阵之事。”“狼弧芒角正弯环”，是指边衅时起，外族不断来犯。因此官军连营出关，抵御来犯之故。“虎落”“若今之竹虎，以竹篾相连遮落”（见《升庵外集》卷八“虎落”条），就是篱落，用以拒守护营。

“汉使征鸿”一联，虚拟边民口气，盼望朝廷遣使巡边，以保国境安宁。希望如贾谊《过秦论》所说一样：“却匈奴七百余里，胡人不敢南下而牧马”。“何日至”“几时还”，正说明这种愿望并未实现，边患仍未解决。唐人边塞诗中，常将边患不除归结为将帅的无能，“但使龙城飞将在，不教胡马度阴山”（王昌龄《从军行》）；“君不见沙场征战苦，至今犹忆李将军”（高适《燕歌行》），都是这个意思。杨慎也是含蓄地指责了朝廷的无能。

诗的颈联，变用柳中庸《征人怨》“三春白雪归青冢，万里黄河绕黑山”句。“紫塞”，指长城，崔豹《古今注·都邑》说：“秦筑长城，土色皆紫，汉塞亦然，故称紫塞焉。”“青冢”，指今归绥昭君墓，杜甫《咏怀古迹》诗“一去紫台连朔漠，独留青冢向黄昏”。“千重紫塞迷青冢”，极言北地崇山峻岭，长城蜿蜒。“黑山”，泛指西北诸山，因其险峻，故称黑山。描写边塞景色、山川形胜，是唐人边塞诗的重要内容。杨慎这两句诗，写边塞景色，气象极为雄阔壮观，千里长城，莽莽群山，万里黄河，漠漠荒原尽收眼底。紫塞、青冢、黄河、黑山、五彩斑斓，确是写景的名句。

诗的尾联，点明自己希望乘障戍边、为国效力的主题，但写得含蓄委婉。李广是西汉名将，被匈奴人称为“飞将军”，避其郡守，不敢与争锋，但因所失亡多，以罪下吏（交狱吏治罪）。后来从卫青伐匈奴迷失道路，召与幕府对簿，愤而自杀。杨慎在这里说，飞将军李广那样的本领，那样的功劳，尚且被下吏治罪，我一介书生，以戴罪之身谪戍边地，如果能登上城楼（乘障）戍边，作一个普通战士，就心满意足了，哪里还敢说艰苦呢？

杨慎论诗，以“涵蓄蕴藉”“工致天然”为上乘（见《升庵诗话》），从这首七律来看，是基本上达到这种境界的。他的七言律联，对仗工稳，“神韵天然，古人亦不易多见”（清王士禛《香祖笔记》语）。本诗四联，全用对仗，而又流丽自然。其中如以“狼弧”对“虎落”，“汉使”对“胡儿”，“征鸿”对“牧马”，“千重紫塞”对“九曲黄河”，“青冢”对“黑山”等，都堪称工对。紫、青、黄、黑，既属对仗工稳，又使诗中描写的边塞景色绚丽多彩，诗歌丽而有骨，圆浑自然。

（黎孟德）

塞垣鹧鸪词

杨　慎

秦时明月玉弓悬，汉塞黄河锦带连。
都护羽书飞瀚海，单于猎火照甘泉。
莺闺燕阁年三五，马邑龙堆路十千。
谁起东山安石卧，为君谈笑靖烽烟。

鉴赏

《鹧鸪词》是唐乐府曲词，多写征人思妇，如唐李益《鹧鸪词》：“湘江斑竹枝，锦翅鹧鸪飞。处处湘云合，郎从何处归。”（见《乐府诗集》卷八十《近代曲辞》二）杨慎冠以“塞垣”字，用以咏边塞。“塞垣”，泛指边地。唐高适《蓟中作》有"策马自沙漠,长驱登塞垣"句,这里指明代北方的边墙。

杨慎拟唐人边塞之作,每杂用唐人名篇,袭用唐人成句,稍事改作,自成新品,"有用古人句律而不用其句意者"(《庚溪诗话》)。这种写法,略似集句,别具新意。清王士禛称赞他的"《鹧鸪词》'秦时明月'……工妙天成,不减前作"(《香祖笔记》卷二)。明王夫之对这首诗尤为称许,他说:"古今《塞上曲》,尽此一词,看他八句四层,密成一片,每于行处止,止处行,低回俯仰,神动而不以顿挫,天藻天灵,古今不多遘也"(《明诗评选》卷六)。当然,这种写法也受到一些人的诘难。《明三十家诗选》批评他"好事剽窃,如《塞垣鹧鸪词》四联中,五用唐人成句,但窜易数字耳"。

"秦时明月玉弓悬,汉塞黄河锦带连",写边塞风光秀美。首句用唐王昌龄《从军行》"秦时明月汉时关",而以玉弓拟月,白居易《暮江吟》有"可怜九月初三夜,露似真珠月似弓"句。秦"北据河为塞"(《史记·秦始皇本纪》),这里改"秦"为"汉",与上文"秦时明月"成对,含义也更为广阔。黄河如带,语出《史记·高祖功臣年表序》所载"封爵之誓":"使河如带,泰山若厉。"这里在"带"字上加一"锦"字,更显示了山河的秀美。明月如玉弓一样挂在夜空中,九曲黄河如锦绣的彩带相连。这里用王昌龄《从军行》,一用"汉塞"事,又与抵御外侮事紧密相连,很具匠心。

"都护羽书飞瀚海,单于猎火照甘泉",写蒙古鞑靼屡启边衅,"杀掠尤惨"(《明史·鞑靼传》),告急的羽书飞自边关。诗句出自唐高适《燕歌行》"校尉羽书飞瀚海,单于猎火照狼山"。"羽书",即"羽檄",调兵遣将的紧急文书,上插羽毛,表示紧急。"猎火",借指战火。"瀚海""甘泉"泛指边地。杨慎在这里只改动数字,而袭用高适原意,描述了当时边患严重、频频用兵的情况。

"莺闺燕阁年三五,马邑龙堆路十千"一联,用边塞诗最常用的征夫思妇的描写。战争给人民带来极大的痛苦,丁壮抛妻别子,远戍他乡,"黄沙百战穿金甲""万里长征人未还"(唐王昌龄《从军行》)。而且"战士军前半死生"(唐高适《燕歌行》),"古来征战几人回"(唐王翰《凉州词》),他们有可能埋骨黄沙,永无归日。他们的妻子,独守空闺,目断归鸿,"少妇不知归未得,朝朝应上望夫山"(唐卢弼《塞上四时词》),诗人们对他们寄予过无限的同情。杨慎的这两句诗,写得较为含蓄。诗句化用唐皇甫冉《春思》"莺啼燕语报新年,马邑龙堆路几千"诗句。上句经杨慎改作,以"莺闺燕阁"喻少妇思边,她们多么希望"何日平胡虏,良人罢远征"(李白

《子夜吴歌》)。不过,也许"春闺梦里人",已成"可怜无定河边骨"(陈陶《陇西行》)。"马邑""龙堆"都是边塞地名,泛指边庭。"少妇城南欲断肠,征人蓟北空回首"(高适《燕歌行》),平淡的语言中,却包含着无限辛酸。

诗的尾联"谁起东山安石卧,为君谈笑靖烽烟",用李白《永王东巡歌》"但用东山谢安石,为君谈笑静胡沙"句。李白遭受谗毁,被"赐金还山",漂泊流浪之后隐居庐山。安史之乱起,唐明皇仓皇出逃,肃宗即位于灵武,命永王璘东巡,李白被邀参加了永王幕府。他踌躇满志,认为施展才能、建功立业的机会来了,表示愿意像隐居的老谢安一样,"为苍生起",谈笑之间,即可平定安史乱军。杨慎借用李白诗意,表示自己也像谢安、李白一样,"东山再起",为国效力,宁靖边患。但是,李白写《永王东巡歌》,是在被永王璘礼聘下山,随楼船东行之时。而杨慎这首诗,却写在贬谪流放之后,因此,仅仅是他的希望,而且是不能实现的幻想。他将李白诗中的"但用"换成"谁起",情调便完全不同了,字里行间,浸透了他有怀报国、无路请缨的痛苦与悲哀。

(黎孟德)

病中秋怀

杨　慎

迢递城西百尺楼,登兹销暑亦销忧。
江山平远难为画,云物高寒易得秋。
吉甫清风来玉麈,涪翁妙墨换银钩。
余甘渡口斜阳外,霭乃渔歌杂棹讴。

鉴赏

《病中秋怀》是杨升庵所作的一组七言律诗,共八首。同他的《春兴》一样,这组诗也是感事咏怀之作,各章所写,并不限于一时一地,而是杂取生活中的见闻感受借以抒情写志的。升庵于嘉靖三年(1524)贬谪云南永昌卫,久戍滇中,晚年侨寓川南泸州,心中难得快意,耳闻目睹当地风物人情,名胜古迹,兴至神来,便入诗篇。所以这一时期多做联章组诗,王士禛《香祖笔记》说他"七言律联句,神韵天然,古人亦不多见”,就是指的这类作品。这里选析的是这组诗的第六首。

这是一首抒写诗人对泸州风物美景称慕眷爱的诗歌。开头两句写暑天登楼。诗人在初秋的一天,登上了高高的南安楼消暑解忧。迢递,遥远的样子。百尺楼,指“南定楼前碧草春”(《病中秋怀》其三)之南定楼,陆游诗“江山重复争供眼,风雨纵横乱入楼”,就是指的这里。百尺,并非实指,而只是言楼高耸的气势。王昌龄《从军行》“烽火城西百尺楼”,李商隐《安定城楼》“迢递高城百尺楼”,此处化用这两句诗,指出南定楼的地理位置及高峻气势,顺手拈来,恰到好处。泸州又称江阳,“俗言天下三伏,泸州六伏”(杨慎《江阳秋热》自注),“八月江阳暑未休”(《病中秋怀》其一),泸州每到夏秋之季,湿热难当,向有火炉之称。而南定楼则“下临内江,此水自资简州来,合大江。城上有来风亭,瞰二江合处,于纳凉最宜”(《吴船录》)。诗人被长期贬谪,难得与家人团聚,今虽暂寓川南,却得天伦之乐,心中自是欣慰,故“登兹楼以四望兮,聊暇日以销忧”(王粲《登楼赋》),于闲暇时登上此楼,消暑散闷,亦是情理中事。

三、四两句写登楼所望。诗人登上高楼,放眼望去,长江东流,远山迷茫,山川平旷,风景之优美,画工难描;脚下云雾缭绕,身旁微风吹拂,顿觉“高处不胜寒”(苏轼《水调歌头》),仿佛秋天已临。前句写望中远景,泸州城南有宝山,登高望远,最为适宜。南宋庆元年间,右司陈损之筑堂其上,制帅袁说友取名为“江山平远”。这里诗人借“江山平远”堂的名字,着力刻画登楼所见城南江山美景,自然贴切,不露痕迹。后句写身旁近景,因身处高楼,才能感觉到云烟风物,也才有秋寒易得之感。这两句写景,意境高远,故王士禛赞其“神到不可凑泊”。

五、六两句写登楼所感。诗人登高望远,江山云物,美景难收,当地名胜古迹,自然融入眼底,于是闲坐清谈,不禁想到了吉甫作颂美宣王之功和黄庭坚提名留不朽墨迹的事来。尹吉甫,周宣王时的大臣,他曾写有“吉甫作颂,穆如清风”(《诗经·大雅·烝民》)的诗句赞美宣王。据《寰宇记》佚文载:“君吉甫江阳人,有祠在城南。”扬雄《琴清英》载,吉甫闻船歌之声,疑似其子伯奇,援琴作曲。旧传泸州城北二里有琴台,为伯奇投江,吉甫鼓瑟处。这就是所谓“尹氏遗踪百尺台”(《病中秋怀》其二)。玉麈,本指晋人清谈时所执拂子,这里代指闲坐聊天,欧阳修“玉麈清谈销永日”(《和禹玉较艺书事》),就是取用此意。又《泸州志》引《元一统志》云:“西山堂下有木龙岩,山谷黄庭坚所名。”《大明一统志》载:“山麓有木龙岩,黄庭坚有题榜。”银钩,指遗留的墨迹,索靖《草书状》云:"宛若银钩,飘如惊鸾。"这里五句承四句,由高寒得秋联想到吉甫清风;六句承三句,因江山平远而想起涪翁妙墨,歌咏泸州的名胜古迹,勉思前哲的功业文采,承接自然,毫不雕饰,很好地抒发了自己建功立业的政治理想和怀才不遇的感慨不平。

最后两句写渡口晚景。一天的时间即将过去,诗人站在南定楼上远眺,只见余甘渡口映照在夕阳的余晖之中,渔歌之声伴随着划船的号子声不时传来,人们带着一天的劳动收获来到渡口准备归家了。这是一个多么愉快而繁忙的劳动景象啊!余甘渡口,在泸州城东北,唐庚《泸州》诗云:"余甘渡头客艇,荔枝林下人家。"可见宋时已有此渡口,而且是人们渡河的交通要口。"霭乃"即"欸乃",杨慎《古音骈字》释为"棹歌相应之声",这里应是指渔歌之声,柳宗元《渔翁》诗"欸乃一声山水绿"同此。棹歌,指船夫的号子声。"杂"字将渔歌声与船夫的号子声交错不断、热闹繁忙的场面生动地展现了出来,十分传神。

将本地风土人情、名胜古迹与点化前人诗句、运用典故有机地结合起来,既富有本地的生活色彩,又不失文雅庄重;既赞美了泸州的风土人情、山川美景,又抒写了自己消暑解忧的快意之感;既自然精工、无雕琢的痕迹,又内容含蓄、韵味绵长。这的确是一首意境高远、雄浑蕴藉的佳作。

(吴明贤)

广心楼夜宿病中作

杨 慎

落井重逢下石人,七旬衰病命逡巡。
藤萝深箐猿猱穴,瘴疠穷山虎豹邻。
枯木几时沾雨露,戴盆何地见星辰!
元夫幸遇睽孤日,寂寞寒灰也望春。

鉴 赏

广心楼即云南高峣海庄,顾应祥说:"以中丞再起抚滇,为升庵先生构广心楼于旅次。"(见《玲珑唱和集》张寰散曲跋)其地在昆明西南碧鸡山右:"明杨慎谪居侨居于此。"(《大清一统志》)据诗中"七旬衰病"可知,这首诗应是嘉靖三十七年(1558)杨慎自泸州械送还滇后所作。

"落井重逢下石人,七旬衰病命逡巡。"诗人愤怒地指出了落井下石之人的狠毒残酷和自己的不幸遭遇。诗人横遭贬谪,早成落井之人,已是不幸;落井而未有人援手相救,却反而不断遭到投石之人的打击陷害,则不幸更甚。何况诗人自三十七岁被贬,现已年过七旬,长期的戍所生活,早已被折磨得体衰力弱,疾病缠身!然而就是在这种艰难的境况下,却仍免不了遭到谗害,可见下石之人的狠毒阴险和残酷无情。《明史·杨慎传》载:"及年七十,还蜀,巡抚遣四指挥逮之还。"可见杨慎当时是被械系逼迫还滇的。"下石人"当指云南巡抚王昺及进谗者。"逡巡",后退的样子,指命运衰颓不济。这里诗人满含悲愤地控诉了当政者对自己的残酷迫害,抒写了自己内心的痛苦与不满。

接着诗人具体地描写了谪居之地环境的险恶:"藤萝深箐猿猱穴,瘴疠穷山虎豹邻。"那里藤牵萝绕,竹木高大,"深林杳以冥冥兮,乃猿狖之所居"(《涉江》),是猿猱出入之所,穷山僻岭,瘴毒弥天,"猿狖群啸兮虎豹嗥"(《招隐士》),是虎豹栖息之地。那是一个人烟稀少、野兽出没、偏远荒凉的地方。这里诗人熔铸《楚辞》中的景物描写,赋予新意,借写谪居之地的荒凉,暗喻社会环境的残酷无情,含蓄委婉而又深刻鲜明。诗人以"七旬衰病"之身再次被逼迫到这里,一方面自然会有"命逡巡"的迟暮之感,另一方面自然也会希望再次得到宽赦回乡与家人相聚。这样承上启下,为下联抒写自己的心情作了很好的铺垫。

"枯木几时沾雨露,戴盆何地见星辰!"诗人在猿猱虎豹出没的荒凉之地,自然会想到遇赦还乡。因此总是希望能像枯木得到雨露的滋润一样得到君恩赦免,然而"戴盆何以见天",(司马迁《报任安书》)身蒙罪名,无处倾诉,满腹的冤屈又哪能申诉呢?诗人以"枯木"自比,以"戴盆"喻蒙罪之身,以"雨露"拟君恩,以"星辰"喻赦的光明,委婉曲折地抒写了自己企求恩赦的强烈愿望,比喻贴切,寓意深刻。而"几时""何地"两个疑问,既表示了内心的殷切之情,又从时地上说明这种希望难以实现的矛盾痛苦,真实亲切,十分感人。

"元夫幸遇暌孤日,寂寞寒灰也望春。"诗人于幸免之念与绝望之心的交织矛盾中,更希望得到友人的帮助和解救。《周易·暌》:"九四、暌孤,遇元夫;交孚,厉无咎。""暌孤",即孤独分离之意;"元夫",指善良的人。意谓分离独处而求善良之人,相得无疑,虽危无咎。李白《江夏赠韦南陵冰》诗:"寒灰重暖生阳春。"《忆旧游书怀》诗:"暖气变寒谷,炎烟生死灰。"皆言贬中望赦。

"寒灰",即《庄子·齐物论》中的"心固可以如死灰"和"近死之心不可复阳也"。言望赦之心虽绝,但仍希万一得除罪名。这里诗人合用数典,希望有同情自己的善良的人来解救自己,使自己死灰复燃,重新见到温暖的春天。"幸遇""也望",其殷切幸免之情跃然纸上,以"寒灰"喻自己的绝望处境,生动传神,感情真挚。

这首诗叙写自己晚年重到贬所、怨愤无可申诉的不幸遭遇,抒发自己绝望之心与幸免之念互相交织的矛盾痛苦心情,细致具体,真挚感人。整首诗虽用典较多,但融会贯通,自然贴切,很好地抒发了作者悲愤矛盾的心情,并不显得累赘重复。

(吴明贤)

沅 江 曲(录二)

杨 慎

绿萝山豁午烟开,野贩山樵竞往回。
叠浪高潭浑不畏,舸艚船上唱歌来。

鉴赏

沅江,在今湖南西部,源出贵州云雾山,东北流经辰阳、沅陵、常德,到汉寿县入洞庭湖。杨慎被贬入滇,自江陵登陆后,"首程公安",由湖南澧州、常德、桃源,渡沅江而西,至辰溪(明辰州府),重渡沅江,过芷江(明沅州),经苗族地区进入贵州,所谓"自沅而西,亭徼荒漫"(见《滇程记》)。这两首诗就是歌咏湘西少数民族的风土人情的,当是途经沅江时所作。

第一首写白日所见。湘西地区,丛林密集,河流交汇,空气潮湿,常多烟雾。《楚辞·涉江》所谓"深林杳以冥冥兮""下幽晦以多雨"就是写的这种情况。诗人来到绿萝山口,正值大雾弥天,直到午时才烟消雾散现出青山绿水与大地人间来。"绿萝山豁午烟开",真实而又生动地描绘出了湘西山谷的这种特殊景观,给人以身临其境之感。接着由写景到写人。正因为云开雾散,所以这才看见"野贩山樵竞往回",那些出山做生意的小商贩和砍柴的樵夫们来来往往,络绎不绝。"竞"字点出他们劳动生活的繁忙景象。"野贩山樵"四字刻画出他们自食其力的劳动者形象,不无赞叹之情。

“叠浪高潭浑不畏，舸䑳船上唱歌来。”接着进一步描写他们的品质：他们面对重重洪波，深潭高壑，毫无畏惧，反而乘坐舸䑳小舟，劈波斩浪，凯歌而还。“舸䑳船”，指峡中小船，长江三峡及西南地区江河船工多用这种船。李白《江行寄远》诗肖士赟注云：“《史记》张骞乘槎，乃刳全木为之；至今沅湘中有此，名为舸䑳船。”“叠浪高潭”言其环境的险恶；“舸䑳船”言其条件的艰苦。险恶的环境和艰苦的条件并未能吓倒这些商贩樵夫，反倒使他们更加充满了生活的乐趣和信心。“唱歌来”三字形象地展现了他们履险如夷、无所畏惧的崇高形象，也抒发了作者对他们的赞美之情。这里诗人借写“野贩山樵”，未尝没有寄托自己面对贬谪边远之地的险恶环境，面对政治迫害的险风恶浪，要“浑不畏”而坚持到底、顽强斗争的理想。含意深远，韵味绵长。

碧天霜冷月明多，平澧风交湘水波。
夜夜枫林惊客棹，村村铜鼓和蛮歌。

鉴赏

第二首写夜间所闻。首句写景，点明季节和时间。深秋霜寒的夜晚，万里蓝天，碧空如洗，只有皎洁的月光照耀大地。“碧天”即蓝天，指视觉所见。“霜冷”即轻霜的寒意，指身体所感，暗点深秋季节。“月明”写环境，暗点时间在夜晚，同时又将天上地下联系起来，将视觉感觉融为一体，构成了一幅清新静谧的美丽图画，从而将人们带入到湘西水乡。“平澧风交湘水波”，接着第二句便写水乡，点明地点；这是澧水湘江汇合、民风淳朴交错的美丽的湘西水乡。《山海经·中山经》载，洞庭之山，“帝之二女居之，是常游于江渊。澧、沅之风，交潇湘之渊”。后世便称潇水入湘江处为潇湘，这里诗人举澧水湘水以代指湖南湘西水乡。“风”本指微风，“波”本指水波，波由风生，风因波显，故此处“风”“波”应是同义，借指风土人情，民风民俗。“交”字即汇合交错。这里诗人以澧水与湘江汇合，指出湘西水乡民情交错、民风淳朴。所以最后两句便直接转入对湘西少数民族风俗民情的歌咏赞美：“夜夜枫林惊客棹，村村铜鼓和蛮歌。”每到夜晚，水乡村寨便响起铜鼓，少数民族男女歌手们互相对起了当地的歌谣，优美悦耳的歌声惊动了夜宿枫林下的远客，禁不住也棹桨荡舟，望月静听。李端《古离别》诗：“水国叶黄时,洞庭霜落夜。行舟问商贾,宿在枫林下。”诗意与此诗时地皆切合,诗人化用李端诗句,信手拈来,恰到好处,不露痕迹,真有化工自然之巧。“铜鼓”又称诸葛鼓(见《益部谈资》),“皆精铜极薄而坚,文缕亦颇精,叩之冬冬如鼓”(陆游《老学庵笔记》卷二),“其形如腰鼓,一头有面,圆一尺许;面与身连,其身遍有虫鱼花草之状。击之响亮,不下鸣鼍”(《岭表录异》),“鼓皆细花纹,极工致,四角有小蟾蜍。两人行舁,以手拊之,声全似鞞鼓”(《桂海虞衡志》),是西南川、滇、黔、湘、两广地区的彝、侗、瑶、苗各少数民族所用的一种大鼓。“蛮歌”指少歌民族歌谣。西南少数民族风俗,节日喜庆欢乐之日,往往击鼓赛歌,彼此唱和。孙光宪《菩萨蛮》词所谓“铜鼓与蛮歌,南人祈赛多”即指这种风俗。可见这种风俗是古已有之,且流传至今。在这首诗中诗人用“铜鼓”“蛮歌”写出了湘西水乡少数民族生活的和睦友爱、欢乐自由和民情风俗的淳朴优美;“夜夜”言时间,“村村”言地域,两个叠词,突出了这种民风民习的浓郁热烈和普及广阔;“惊”字表示赞叹,抒发了诗人发自内心的称颂赞美之情。

充满浓郁的乡土生活气息,生动活泼,感情真挚,是此诗和前一首绝句的主要特点,诗人选择富有当地特点的人和事作为描写的对象,如“野贩山樵”“舸艚船”“铜鼓”“蛮歌”等,用朴素的语言将其融入诗中,雅而不俗,自然有味,生动如画。既表现了湘西水乡的风俗民情,又抒写了自己热爱生活的高尚志趣。诗歌引用前人典故和诗句,既切合诗旨,又关合时地,自然工巧,不露痕迹,也使这两首绝句饶有韵味。

(吴明贤)

青蛉行寄内(录三)

杨　慎

青蛉绝塞怨离居,金雁桥头几岁除。
易求海上琼枝树,难得闺中锦字书。

燕子伯劳相对眠,牵牛织女别经年。
珊瑚宝树生海底,明星白石在天边。

人言西川遥,侬道西川近;
东风吹梦过三巴,觉来身在南中郡。

鉴赏

青蛉，地名，汉晋越西郡有青蛉县，以后县废而名存。《青蛉行寄内》共三首，是作者寄妻子黄峨的诗。《升庵文集》只收录两首绝句，第三首据《遗集》所载补入。三章风调，题目皆拟乐府，故王士禛《香祖笔记》说："《青蛉行寄内》绝句亦绝妙，大抵皆自古乐府出。"

第一首望信。"青蛉绝塞怨离居"，首句写自己。"绝塞"言谪居之地的荒凉边远，是没有人烟的边塞之地。"离居"是夫妻分离。由于诗人身遭贬谪，远居荒远无人的"绝塞"之地，不能与妻子亲人相见，心中自然会想念她们，难免会产生怅惘失意的怨恨之情。"怨"实在是想、是思念，"怨离居"三字化用李白《南流夜郎寄内》诗："夜郎天外怨离居"句，真挚地抒写了这种久别思念的殷切之情。接着"金雁桥头几岁除"，则想象妻子黄峨也正在家乡年年岁岁地盼望着自己归来。这是由"怨"的思念之情引发出来的。金雁桥在成都市区的西南隅，相传张仪筑成都时，"水中出金雁，固谓之雁桥"(《方舆胜览》五十一)。这里借指诗人的妻子黄峨所在之地。"几岁除"，指时间过得很快，这里是说妻子思念自己心切，不知不觉就过去好多年了。诗人想象妻子思念自己，更反衬出自己对妻子眷恋思念的感情，别具情味。"易求海上琼枝树，难得闺中锦字书"，两地相思，不能见面，就只好盼望着彼此的书信来传达感情了。然而"家书抵万金"(杜甫《春望》)，身处"绝塞"的青蛉之地，家书也是很难得到的啊！"琼枝树"是传说中的仙树，产于海中。仙树之说本属乌有，实难存在。"锦字书"，苏蕙织锦为回文诗，寄夫窦韬(《晋书·列女传》)，这里代指妻子的书信。妻子的书信，作为丈夫，应该说是很容易收到的。但现在难于得到的海中仙树变成"易求"，而不难得到的闺中妻子的书信却反而"难得"，这不更说明"绝塞"的遥远荒凉、环境的险恶残酷吗？"难""易"的鲜明对比，更展示了诗人渴望得到故乡亲人信息的迫切心情，抒写了自己对妻子的满怀忆念。"易求""难得"也是前人诗词中常用来表示思念恋人的句式，如鱼玄机《赠邻女》："易求无价宝，难得有情郎。"刘克庄《玉楼春》："易挑锦妇机中字，难得玉人心下事。"诗人化用这一句式来抒写自己相思怀人的特殊感情，自然流露，不见斧凿，更显得真挚亲切，生动感人。

第二首怨别。首句"燕子伯劳相对眠"反用古乐府《东飞伯劳歌》中"东飞伯劳西飞燕"句的诗意，抒写自己渴望与妻子相聚的美好愿望。昔日东西而飞,不能一起的伯劳、燕子,如今也能“相对”而眠,长相厮守,幸福地生活在一起了,这对于贬谪在云南边远地区、远离亲人、与妻子“离居”的诗人来说,是多么值得羡慕,多么令人向往的啊!接着诗人便感叹自己与妻子长期分离的悲惨命运:“牵牛织女别经年”,自己与妻子像天上的牛郎织女一样长期分离而不能相见。“相对眠”言其亲密;“别经年”言时间快而久远。“相对眠”与“别经年”强烈对比,鸟且相聚,人却离别,更显出人不如鸟的悲惨遭遇,感情深挚悲痛。最后两句“珊瑚宝树生海底,明星白石在天边”更是哀叹自己夫妻两地、远隔分离的痛苦思念之情。“珊瑚”,是一种珍贵的装饰物,《史记·司马相如传》张守节《正义》引郭璞云:“珊瑚生水底石边,大者树高三尺余,枝隔交错,无有叶。”“明星”“白石”,都是指天上的星辰,李白《拟古》诗:“青天何历历,明星如白石。”这里诗人以珊瑚生于海底比喻自己贬谪边荒,以明星白石比喻黄峨远隔天涯。海底青天,天壤远别,不能相遇,犹如自己与妻子黄峨夫妻分离一样,这是多么痛苦,又是何等的悲惨啊!

这首诗比喻与对比交错使用,把抽象的离人的相思眷恋之情寄之于物,使之形象地表现出来,生动具体,传神入画,虽未见人而人情俱现。伯劳的相对而眠,比喻夫妻相聚的和睦幸福,抒写诗人对夫妻团圆的企求;牛郎织女的不能相见,比喻夫妻的分离,抒写诗人对自身遭遇的哀叹;聚离欢悲,二者对比,使感情更为强烈。以珊瑚海底自喻,以明星白石拟黄峨,天上地下,互相对比,更显出夫妻远离的难以团聚,从而抒写出自己思念的迫切。这就使全诗感情真挚而动人。

第三首梦归。诗人与妻子黄峨远隔万水千山,仿佛海底青天,不能相见。然而“此恨绵绵无绝期”,他们的思念之情却是无法阻隔、无法割断的。梦中相会则是这种美好意愿的合乎情理的表现。这首诗通过梦中回家与妻子相聚来抒写自己对妻子的真挚的思念眷恋之情。

“人言西川遥,侬道西川近”,由于人们所处的环境不同,心情各异,因而对同一事物往往表现出不同的意见和看法。对于从云南到西川也是如此,诗人与一般人的看法就不一致:一般人认为从云南到西川是遥远的,而诗人却认为并不遥远,而是很近。为什么诗人的看法与一般人不一样呢?原来是因为“东风吹梦过三巴”,诗人是随着东风梦中回到了“三巴”,回到了故乡的。日有所思,夜有所梦,梦归故乡,故万里之遥,瞬间即至,不以为远,可见诗人对亲人及妻子思念之切。然而梦毕竟是梦,并非现实,所以“觉来身在南中郡”,诗人从梦中醒来,面对残酷的现实,却又不免失望,原来自己仍然还在“南中郡”,仍在“绝塞”

之地的贬谪之地。

在这首诗中，诗人采用了对比的手法，收到了事半功倍的显著的艺术效果。“人言”指一般人所说；“依道”指自己认为。“人言”与“依道”对比、“遥”与“近”对比，说明对同一事物看法与认识的差异，暗喻人们处境与心情的各别，从而表达出诗人思念妻子的迫切心情。西川，指成都平原一带。三巴，汉献帝建安六年(201)改巴郡为巴西，永宁为巴郡，固陵为巴东，是为三巴。李白《宣城见杜鹃花》诗所谓“三春三月忆三巴”即此，这里西川、三巴皆代指诗人的故乡。“梦回故乡”，瞬息而至，故觉其近；然而“觉来”现实，身在南中，又不能不远。梦境与现实，近与远强烈对比，抒写诗人眷恋之情的真切难耐及不能与妻子相聚的沉痛悲哀，亲切真挚，十分感人。

（吴明贤）

寄　外

黄　峨*

雁飞曾不度衡阳，锦字何由寄永昌？
三春花柳妾薄命，六诏风烟君断肠。
曰归曰归愁岁暮，其雨其雨怨朝阳。
相闻空有刀环约，何日金鸡下夜郎！

作者

＊黄峨(1498－1569)，字秀眉，四川遂宁人。杨慎之妻。能诗词，长于散曲。有《杨夫人乐府》。

鉴赏

这首诗是黄峨寄给她的丈夫杨慎的，故称寄外。黄峨是杨慎的继室，字秀眉。据简绍芳《升庵年谱》载：明正德十四年(1519)“己卯继室，得遂宁黄简肃公珂女”，时峨年二十二。嘉靖五年(1526)杨慎父亲杨廷和寝疾，慎自云南归新都，“七月携家就戍所”。八年，杨廷和死，同还乡。“纪纲家务，以付慎继室黄氏”(语见赵贞吉《杨文忠公神道碑》)，自此即留新都。黄峨于隆庆三年(1569)卒，年七十二。王世贞《艺苑卮言》云：“杨用修妇亦有才情，杨久戍滇中，妇寄一律。”即指这首诗。黄峨虽能诗，但因“诗不多作，不存稿，子弟不得见也”，故只传此篇。这首诗究竟作于何时，难以详辨。

这首诗是抒写自己对丈夫的怀念之情的。“雁飞曾不度衡阳，锦字何由寄永昌？”首联写自己渴望得到丈夫消息的迫切心情。“衡阳”在湖南，衡阳有南岳衡山，衡山有回雁峰，相传雁飞到此，不能过去，便折回来。又因为苏武曾用“雁足传书”向汉武帝通消息，故后来人们便把雁当做传书的信使看待了(《汉书·苏武传》)。前秦时窦滔妻苏蕙,因得不到滔的音信,织锦成回文诗二百余首寄滔,滔才遣人迎接她到襄阳去(《晋书·列女传》)。"永昌",指云南永昌卫,杨慎贬谪的戍所。这里诗人用雁飞不到衡阳和苏蕙织锦成回文诗的故事说明自己未能得到丈夫的消息,因而也就无从给丈夫回信。其对丈夫的关切、怀念、思恋之情都从"曾不""何由"这似怨非怨的疑问中含蓄委婉地表现了出来。

"三春花柳妾薄命,六诏风烟君断肠",次联感叹自身命运的悲惨。"三春",旧称阴历正月为孟春,二月为仲春,三月为季春,合称三春。这里指春季的第三个月,即三月。"花柳",指春花柳絮。"六诏",唐时西南夷中越析诏、浪穹诏、邆赕诏、施浪诏、蒙西诏、蒙舍诏(又名南诏)等六个乌蛮部落的总称,开元中六诏为南诏所统一,此处代指云南。"风烟",烟雾迷茫,模糊不清,指地方遥远。这里诗人以三月的春花柳絮自喻,感叹自己命运不济,如像三月的春花柳絮即将凋谢一样青春年华即将逝去,而远在烟雾迷茫处的云南戍所的丈夫也因思念自己而柔肠寸断。"薄命""断肠",既说明相思眷恋之苦,又抒写命运遭际之惨,令人回肠荡气。

"曰归曰归愁岁暮,其雨其雨怨朝阳",三联抒写自己不见丈夫归来的失意惆怅。《诗经·小雅·采薇》:"曰归曰归,岁亦莫止。"又《诗经·卫风·伯兮》:"其雨其雨,杲杲日出。"前句由早说要归来而到岁暮却不能归来,言丈夫杨慎怀乡而不得归;后句由雨将下而未下,明亮的太阳却反而出来了,说自己以为丈夫归来却没能归来,因而感到失望。这里诗人化用《诗经》中的句子,比兴寄托,十分巧妙。"愁""怨"二字,画龙点睛,真挚而形象地抒写出诗人不见丈夫归来的失意惆怅之感。

"相闻空有刀环约,何日金鸡下夜郎",尾联写盼望丈夫归来的迫切愿望。古绝句云:"藁砧今何在?山上复有山。何当大刀头,破镜飞上天。"(《玉台新咏》卷十一)古代罪人被斩的时候,以藁为席,伏在砧上,行刑者用鈇(大斧)去斫他。所以藁、砧、鈇三者有连带关系,举两物即会联想到第三物。山上有山即是"出"字。这首绝句隐去"鈇","鈇"与"夫"同音,所以这是借隐语指出门在外的丈夫。"大刀头"暗指刀环,"环"与"还"谐音,故指回还归家之意。天上"破镜"言月之半。故这四句应是两问两答:问夫何处?答曰外出。问何时还归?答曰月半。诗人在这里用"刀环约"来叙述她与丈夫亦曾有还家之约。"金鸡",《新唐书·百官志》:"赦日,树金鸡于仗南,竿长七丈,有鸡高四尺,黄金饰首,衔绛幡,长七尺,承以采盘,维以绛绳。"这是隋唐时代举行大赦的一种仪式。“夜郎”，古国名，今贵州西北、云南东北及四川南部等地区，此处代指云南。这里是指什么时候朝廷的赦书才会到云南去呢？“空有”“何日”，一叹一问，把诗人失望与希望的矛盾复杂的内心世界淋漓尽致地反映了出来，虽失望却又希望，其盼望丈夫早日归来的迫切心情跃然笔端，不言而自明。

这首诗多融炼成句，袭故弥新，富于创造，故自成名篇，久传不衰。首句出自唐韩翃《送人赴广州》：“前临瘴海无人过，却望衡阳少雁飞”，郎士元《送李敖》诗亦有“莫信湖湘书不到，年年秋雁过巴东”句；第三联两句出自《诗经·小雅·采薇》和《诗经·卫风·伯兮》，二诗皆征人思妇之词，诗人化用成对，工整贴切，使事最当。宋黄庭坚寄苏轼诗亦有“美人美人隔秋水，其雨其雨怨朝阳”句，亦是化用《诗经》成句。末联上句用古绝句“藁砧”“刀头”的隐语，恰如其分；结句出李白《流夜郎赠辛判官》诗：“我愁远谪夜郎去，何日金鸡放赦回。”全诗点化成句，作法奇特，但巧妙工整，自然贴切，不显雕琢，故思深味远，真切感人。

（吴明贤）

辋川谒王右丞祠

敖　英*

蜀栈青骡不可攀，孤臣无计出秦关。
华清风雨萧萧夜，愁绝江南庾子山。

作者

*敖英，生卒年不详，字子发，清江(今江西樟树市)人。正德进士。由南京刑部历陕西、河南提学副使，迁江西右布政使。工诗。有《慎言集训》《东谷赘言》《绿雪亭杂言》。

鉴赏

敖英这首七绝，择取"安史之乱"的少许特征，以其局部的形象，传达其全部的本质，在寥寥二十八字之中，便展现了惊心动魄的"安史之乱"，揭示了唐玄宗这出悲剧的因果，并由此及彼，有力地昭示着"昏君奸臣，祸国殃民"的真理，也达到了为王维(王维官终尚书右丞，故世称王右丞)辩冤的目的。

首句运用"倒写"手法，将"安史之乱"最富典型性的"结果"部分——唐玄宗带着杨国忠、高力士、杨贵妃等，向四川成都仓皇逃亡——突现出来，把读者引入诗的意境，引入对玄宗悲剧全过程的追溯。"蜀栈青骡不可攀"，由李白诗《蜀道难》之"天梯石栈相钩连……猿猱欲度愁攀援……畏途巉岩不可攀"等句化用而来，意在形象地突出"蜀道之难，难于上青天"。只是句中换用了"青骡"，便摒绝了李白诗中蜀道的浪漫色彩，把读者引入严肃的历史现实中。如此之难的蜀道，唐玄宗何以竟然知难而来？因为他除此之外，无路可走！足见"安史之乱"乱得他何等狼狈！这蜀道之行，当视为其悲剧的极点。而当你再联想到他在马嵬坡被迫忍痛缢死爱妃杨玉环;在栈道途中"夜雨闻铃"的凄楚,便又更觉其悲了。唐玄宗,正是被奸臣的弄权营私和自己的荒淫昏聩,推上了这条苦难的蜀道,从而登上自己悲剧的极点。

第二句之"孤臣"(被疏远的臣子)指王维。王维曾因趋近贤相张九龄的政治主张而受张的器重、提拔,因此,张被奸相李林甫挤下台后,王维也就成了"孤臣",而且后来终于在终南山、辋川过起了半官半隐的生活。安禄山叛军攻下潼关,直逼长安,玄宗仓皇连夜向四川逃亡时,王维和其他官员却来不及跟着玄宗逃跑,成了安的俘虏(故诗云"无计出秦关"),并被逼受官仕敌。但他心情悲痛,写诗怀念朝廷。可是乱平之后,他仍然被论罪降职(此即王维之冤)。王维的遭遇,不仅是对玄宗亲小人远君子的否定,也揭示了玄宗悲剧的一个重要原因。

第三句之"华清",指华清宫。诗人所以选取这一典型"局部",是因为它最能揭示玄宗悲剧的直接根源。华清宫是玄宗耗费大量钱财和人力,专为杨贵妃修建的,他和杨贵妃在这里花天酒地、纵情玩乐,不管百姓死活,让奸人李林甫、杨国忠先后为相,搞得朝政一片混乱,为野心家安禄山、史思明提供了叛乱的良机。于是长达八年的"安史之乱",使举国萧条破敝,哀鸿遍野。因而可以视华清宫为玄宗腐化荒淫的象征,是其悲剧的直接根源的形象化。而诗人把华清宫艺术地置于"风雨萧萧夜"这一特定环境中,特别是以"萧萧"二字点染"风""雨""夜"这三个暗淡的自然景观,则大大浓化了诗的凄婉气氛,既突出了玄宗其人的悲剧色彩,也成了"安史之乱"中,社会现状的写照,难怪诗人能顺势结出"愁绝江南庾子山"了。

结句为一典故:庾子山即北周大诗人庾信,他原是南梁朝臣。当时梁武帝不听忠言,纳降侯景,结果引狼入室,导致了长达四年之久的"侯景之乱",不但梁武帝自己被侯景围困台城而饿死,而且也结束了"五十年里,江表无事"的太平景象,使人民在战乱中蒙受巨大灾难,庾信也家破人亡。后来他受梁元帝之命出使西魏时,梁被魏所灭,他在长安被逼仕魏。再后,魏被北周所取代,他又被逼仕周。但他一直怀念故国,写了《哀江南赋》,以悲慨苍凉的笔调,描写了南梁的兴亡,再现了侯景之乱,突出了国破家亡、臣民被祸的悲哀,抒发了自己"终为关外人"的乡关之思。

诗人用此典故,一则为了以庾信比喻王维,让读者能从他俩相似的社会背景、个人遭际、思想感情中,去自然地明辨是非(因而沈德潜评此诗:"为右丞辩冤,语极含蕴"),二则为了拓宽意境,让读者由唐玄宗联想到梁武帝,进而联想到历史上的昏君系列,从而去"尽得"诗作那"不著一字"的景外之象、言外之意的“风流”，认识“昏君奸臣，祸国殃民”的真理。

诗人所处的时代是明朝最腐朽的时代：明武宗极其荒淫奢侈，沉溺游乐，宠信奸臣，致使发生“寘鐇之乱”和“宸濠之乱”；其后的明世宗，热衷祭仙，祈求长生，崇奉道士，宠信奸臣，使整个国家处于严重的内忧外患之中。因此，诗人“假象见意”，无疑有警醒当世的意图；而那庾子山之愁，也包含着诗人之愁了。

全诗语少意丰，感慨无穷，且多用长音，宜于咏唱，造成了深沉回荡的抒情效果，增强了艺术感染力。

（邓德谦）

把酒对月歌

唐　寅*

李白前时原有月，唯有李白诗能说。
李白如今已仙去，月在青天几圆缺？
今人犹歌李白诗，明月还如李白时。
我学李白对明月，月与李白安能知？
李白能诗复能酒，我今百杯复千首。
我愧虽无李白才，料应月不嫌我丑。
我也不登天子船，我也不上长安眠。
姑苏城外一茅屋，万树桃花月满天。

作者

*唐寅（1470－1524），字伯虎，一字子畏，号六如居士、桃花庵主。弘治十一年（1498）举乡试第一。程敏政被劾，寅亦株累下狱，谪为吏，耻不就。筑室桃花坞，日饮其中，蔑视世俗，狂放不羁。善书画，与祝允明、文徵明、徐祯卿称“吴中四才子”。有《六如居士全集》。

鉴赏

唐伯虎科场失意，落魄半生，于明武宗正德一年（1507）在苏州城内桃花坞筑桃花庵，日与好友祝允明、文徵明等饮其中，蔑视世俗，狂放不羁。他作《桃花庵歌》及此歌言志，推崇陶潜、李白，表现出对世俗和权贵的鄙弃，其为诗亦不拘成法，不避俚俗，与愤世嫉俗的思想内容一致。王世贞《艺苑卮言》说他“如乞儿唱莲花落，其少时亦复玉楼金埒”，是十分精到的评语。

此诗歌咏李白并引以自况。

"把酒对月"这个题目就是李白的。李白一生爱月,所咏明月诸诗脍炙人口。这首诗一开始就以兀傲的口气,推倒一切月诗,独尊李白:"李白前时原有月,唯有李白诗能说。"有这样的气概,方许歌咏李白。这里推崇的"李白诗",当主要指《把酒问月》:"青天有月来几时,我今停杯一问之。人攀明月不可得,月行却与人相随。……今人不见古时月,今月曾经照古人。古人今人若流水,共看明月皆如此。唯愿当歌对酒时,月光长照金樽里。"而唐寅这首诗,主要就受李白此诗句调的影响,但他在诗中把李白加进去与明月反复对举,又是李白本人不能写的光景。"李白如今已仙去,月在青天几圆缺?"后句是李白式的,但配合前句,则是作者新意。月固有阴晴圆缺,但卒莫消长,而诗仙呢?却不能复生了,遗憾吗?是的,又不是:"今人犹歌李白诗,明月还如李白时。"大诗人不和明月一样永存吗?这调门是李白的,新意是唐寅的。

最好的还是诗中在李白与明月之间,加入了"我"。如果失去了这个"我",也就失去了李白精神。"我学李白对明月,月与李白安能知?"唐伯虎错了,李白固不能知,但月能知之!于是作者引李白自况:"李白能诗复能酒,我今百杯复千首。""百杯复千首"就是"能诗复能酒",也就是杜甫所说的"一斗诗百篇"。敢于自比李白,这也是李白风度,料谪仙在世亦当以青眼相加。有胆量有信心,并非等同于狂妄,以下一转一合最为妥帖:"我愧虽无李白才,料应月不嫌我丑。"前句妙在自知之明,后句妙在不卑不亢,又使人想起辛弃疾得意之句:"我爱青山多妩媚,料青山爱我应如是。情与貌,两相似。"这种有分寸的自负之语,任何读者都不反感而且容易接受。好比谢灵运说:"天下才有一石,曹子建独占八斗,我得一斗,天下共分一斗。"诗人是说,对李白我佩服得五体投地,而对他人则不多让。语意皆妙。

最后诗人讲出了他和李白同而不同的一点:"我也不登天子船,我也不上长安眠。"诗句化之杜甫《饮中八仙歌》:"李白一斗诗百篇,长安市上酒家眠。天子呼来不上船,自称臣是酒中仙。"这里是说,我虽然没有李白得到皇帝征诏的经历,但也有他那种豪放不羁的禀性,"不上长安"倒也乐得:"姑苏城外一茅屋,万树桃花月满天。"这个茅屋就是桃花庵。《桃花庵歌》道:"桃花坞里桃花庵,桃花庵里桃花仙。桃花仙人种桃树,又摘桃花换酒钱""但愿老死花酒间,不愿鞠躬车马前"。

诗表现的倜傥不群、超凡脱俗的追求自由反抗权势的精神,和豪放飘逸的句调风格都酷肖李白。

以其人之风格还咏其人，妙在古今同调。若挑剔一点来说，这首诗比李白诗，雄快天然似之，而深远宕逸不足，置诸李白歌行中，不失中驷。

（周啸天）

言志

唐寅

不炼金丹不坐禅，不为商贾不耕田。
闲来就写青山卖，不使人间造孽钱。

鉴赏

此诗不见于唐伯虎本集，见载于《尧山堂外纪》及《夷伯斋诗话》。从诗的内容及语言形式的惊世骇俗和脍炙人口的情况，当为唐寅所作。

"不炼金丹不坐禅，不为商贾不耕田。"前二句一连用了四个"不"，写诗人在摒弃功名利禄之后的有所不为。"不炼金丹不坐禅"，即不学道，不求佛。唐伯虎是一个不肯趋炎附势但又并不放弃世俗快乐生活的漂泊者，读者不妨批判他"高楼大叫秋觞月，深幄微酣夜拥花"的放浪形骸的生活方式，但对其作为封建礼教叛逆者的那点精神是应予肯定的。"不炼金丹不坐禅"，大有"子不语怪力乱神"的意味。"不为商贾不耕田"，则是不事人间产业。"不为商贾"是不屑为；"不耕田"是不能为，即孔夫子所谓"吾不如老农""吾不如老圃"也。四个"不"一气贯注，语极痛快干脆。

"闲来就写青山卖，不使人间造孽钱！"唐伯虎可以自居的头衔是画家，其画与祝允明、文徵明齐名。他不慕荣华，不耻贫贱，以鬻文卖画、自食其力为荣。"闲来就写青山卖"是何等自豪！这是从事精神财富的创造者应有的豪言壮语，能"写青山"而"卖"之，自有可参造化之笔。此为实话，亦自负语。假清高的人往往以卖画讨润笔为可羞，殊不知这是卖知识产权，和写文章"拿稿酬"一样天经地义，所以作者敢于大呼："谁来买我画中山！"这样挣来的钱花着舒心。由此，诗人又反跌一意："不使人间造孽钱！"这一笔可厉害呀，一竹竿打一船人！"造孽"本作"造业"，乃佛教用语，即要遭报应的作恶。

"造孽钱"即来路不正的钱。一切的巧取豪夺、贪污受贿、投机倒把、偷盗抢劫、诈骗赌博……而获得的非法收入,得之即"造孽",花之亦"造孽","不是不报,时候未到"而已。此句足使人深长思之。

清清白白做人,正正当当谋生。"志士不饮盗泉之水,廉者不受嗟来之食",何况其余!这就是中国人传统的美德。思想染上铜臭而知惭愧的人,请读唐伯虎《言志》诗。

（周啸天）

沧浪池上

文徵明*

杨柳阴阴十亩塘，昔人曾此咏沧浪。
春风依旧吹芳杜，陈迹无多半夕阳。
积雨经时荒渚断，跳鱼一聚晚风凉。
渺然诗思江湖近，更欲相携上野航。

作者

＊文徵明(1470－1559)，初名璧，字徵明，以字行，更字徵仲，号衡山居士，长洲(今江苏苏州)人。正德末年以岁贡生诣都，授翰林院待诏。世宗时，预修武宗实录。年九十而卒，私谥贞献先生。诗文书画皆工。有《甫田集》。

鉴赏

诗人家乡长洲，河流湖泊众多，号称“水乡”。此诗是他辞归后，在一雨后傍晚，散步沧浪池边，触景生情所作。诗人以一幅气韵郁勃灵动的“阳春雨后夕照图”，传达了他的美好理想与悠远情意。

首联一实一虚，从大处着眼，抓住池的最大特征，写岸柳和池水，勾画了画面的大轮廓。

阳春时节，沧浪池畔绿柳葱茏，枝条娇柔垂荡水面，向青苍色(沧浪)的池水，吐着多情的浓阴，在新雨后夕阳下春风中，沧浪池那格外“清润自然”的情调，与诗人恬然潇洒的气质相合，于是他把“杨柳阴阴十亩塘”作为诗的发端，定下了全诗“温厚和平”的抒情基调。皎然称赞谢灵运的“池塘生春草”(《登池上楼》)，说它“情在言外”。“杨柳”句与之相比，可谓异曲同工。“昔人曾此咏沧浪”是虚笔，读者可意会而知沧浪池水的色彩美，但它更含有诗人的深衷曲意(见后析)。“昔人”指《楚辞·渔父》的作者(其为谁，尚无定论),篇中有"沧浪之水清兮,可以濯我缨,沧浪之水浊兮,可以濯我足",比喻"顺应时势,随遇而安"的庸俗之风。句中的沧浪,远在楚地,而文徵明却把它搬到了家乡长洲。错乎?非错!刘勰《文心雕龙·神思》说:"文之思也,其神远矣。故寂然凝虑,思接千载;悄焉动容,视通万里。"可见文学创作需要联想、想象和虚构。文徵明在家乡的沧浪池边,联想到千载之前的《楚辞·渔父》所咏,为抒情言志之需,把它借用于自己诗中,是符合上述创作规律的。

颔联进入画面局部描写,表现池上之景。"春风依旧吹芳杜,陈迹无多半夕阳"为一组美丑对比之景。旨意何在?

春风是春的精灵、美的创造者。"春风又绿江南岸"(王安石《泊船瓜洲》)是春风给岸坡披上了绿装!文徵明沐浴在春风中,满眼盎然春色,不禁把自己的情思化作了咏叹的诗句:"春风依旧吹芳杜!"沧浪池畔的杜若草,曾经被肃杀的秋风和凛冽的冬风摧残得枯黄衰败,而今又复苏在和煦的春风里,缕缕清香随风飘散。显然,诗人在赞叹春风的伟力和杜若草的生命力。此句与白居易的"离离原上草,一岁一枯荣,野火烧不尽,春风吹又生"(《赋得古原草送别》)旨意相同,却更含蓄。诗人对永远给人间带来美的春风和枯而复荣的杜若草的赞叹,正是对真善美和生命力的讴歌,反映着诗人的高尚情操和美好理想。但诗人又看到"陈迹无多半夕阳",这陈迹和欣欣向荣的芳杜形成鲜明对比,与阳春的气息格格不入。不过,这不多的陈迹已大多进入它的晚年——行将消逝了!它的存在,倍增(反衬)春之美好;它的消逝,倍增春之纯净!"诗言志。"(《尚书·尧典》)"陈迹"句当是诗人对旧事物灭亡的希望和欢呼。诗人虽生活在明朝最腐朽黑暗的时代,但他以正直、傲岸的品格,鄙视着假恶丑,追求着真善美。故"陈迹"句同样反映着诗人的高尚情操和美好理想。

颈联继续写池上之景。"积雨经时荒渚断,跳鱼一聚晚风凉。"池上的荒渚因近日雨水的积蓄而被淹没了;池水泱泱,水色沧浪,水中鱼儿自由嬉戏,在凉爽的晚风中欢乐聚集,跳出水面。"积雨"句写池水之满,给人以充实感,也为诗末"上野航"作铺垫。"跳鱼"句倍添全诗活气与动态美。皎然主张诗要"状飞动之趣"(《诗议》),即是说,自然美无论静态或动态,只要入诗,则须有"飞动之趣",显示出动态美,这是诗美、诗趣的重要特质。此诗的动态美不止此句,咀嚼其他句的动词,即可了然。

看见淹没了往日荒渚的泱泱沧浪池水,诗人产生了充实的快感,自然联想到附近江湖的水也更丰满了;看见鱼儿在水中自由欢乐地蹦跳,诗人产生了一种追求感。于是他说:“渺然诗思江湖近,更欲相携上野航。”意思是,我悠远的诗兴已飘到邻近的江湖,我很想同友人携手踏上荒郊野渡的小船,到江湖自由飘荡。——你看,诗人并不“随遇而安”,他要追求比沧浪池更为广阔的天地。

文徵明一生功名蹭蹬,科场不利,中年有幸受翰林院待诏,却又不愿“顺应”当时官场那种阿谀、贿赂即能升官的“形势”,更不愿“随”此腐败之“遇”而“安”,所以,他不听同僚好意相劝,不肯去谒见和依附“当道诸公”,而选择了新的追求:辞归故里,倾力于诗文书画的创作与教授。几十年里,成就斐然,名扬海内。至此可知,“昔人”句真乃“虚处藏神”“旨冥句中”,其所含之深衷曲意,直贯全篇,并在诗末得到形象的昭示。

(邓德谦)

感　怀

文徵明

三十年来麋鹿踪,若为老去入樊笼!
五湖春梦扁舟雨,万里秋风两鬓蓬。
远志出山成小草,神鱼失水困沙虫。
白头博得公车召,不满东方一笑中。

鉴赏

文徵明初学文于吴宽,学画于沈周,本无游宦之意。宁王宸濠慕其名,礼聘之,辞不就。他在正德末年以岁贡生荐试吏部,授翰林院待诏,当时他已接近五十岁,三年后即辞归。这首诗是他待诏翰林时自嘲之作。

“三十年来麋鹿踪”一句概括了文徵明前半生浪迹江湖的生活。苏轼贬黄州作《赤壁赋》云:“况吾与子渔樵于江渚之上,侣鱼虾而友麋鹿。驾一叶之扁舟,举匏樽以相属。”这种生活虽不富贵,但有淡泊自甘、闲适自在之乐。“若为老去入樊笼”一句则表现出深刻的思想矛盾。一方面他已经应试得官职,这并不是一相情愿的强加,说明诗人入世出仕之心未泯;另一方面他又感到若有所失，想起陶渊明“久在樊笼里，复得返自然”（《归田园居》）那种解脱羁绊的快乐，自己倒像是背道而驰似的。显然，待诏翰林的徵明，这时已是悔恨代替了如意。觉得“老去入樊笼”，是办了一件错事，弄得前功尽弃。

“五湖春梦扁舟雨，万里秋风两鬓蓬。”二句以景语承上句抒慨，其间融入了两个故事。一是春秋时范蠡的事，他在灭吴之后，功成身退。乃乘扁舟，入五湖，隐姓埋名，过悠闲生活（事见《史记》及《吴越春秋》）。“五湖”“扁舟”语出于此。一是晋人张翰事，他为官于洛阳，见秋风起，因思家乡吴中美味，说：“人生贵得适意尔，何能羁宦数千里以要名爵！”遂命驾而归。“万里秋风”语出于此。两事一正用，一反用，意为：本来梦想是像范蠡泛舟五湖一样潇洒度日，谁知道为名爵所羁，落得秋风万里，两鬓萧瑟。可见这一联全是虚拟之景。

“远志出山成小草，神鱼失水困沙虫。”二句继续写悔恨的心情和不称意的处境，是全诗警策所在。“远志”是一种药用植物，其名颇寓豪情，而其实只是一种“小草”，本无在山出山的区别。诗人用《世说新语》郝隆名言巧妙地将此物名实分属，写作“远志出山成小草”，就综合了“橘生淮南则为橘，生于淮北则为枳”（《晏子春秋》），“在山泉水清，出山泉水浊”（杜甫《佳人》）这两种意思，意言一念之差，可以使一个人的名节受到很大亏损。“神鱼失水困沙虫”与俗语“龙游浅滩遭虾戏，虎落平阳被犬欺”同义，在庸俗势力的包围下，高尚没有用武之地。这两句既有对上层社会的厌恶，也有对个人失策的反省。当然是有感而发的，读者不难想象，文徵明待诏翰林的处境，比李白待诏翰林时的处境，也好不了多少。

“白头博得公车召，不满东方一笑中。”“公车”是汉代的官署，臣民上书和被征召，均由公车接待。《史记·滑稽列传》载，东方朔初入长安，于公车上书，后官至太中大夫。东方朔在朝廷也不顺心，他自称避世金马门，多以诙谐调笑自遣。而诗人以白首待诏，似又不能如东方朔那样自寻开心，故末句云云。

读竟全篇，读者不难猜想，文徵明在应试求职之前，曾对步入仕途有过较良好的愿望，是抱着试一试的机会主义态度的。殊不知官场比他所想象的要复杂得多，他很快便失望了，这时已有进退失据之感。正是这种矛盾尴尬的状况，使他写成这篇言志感怀之作。诗中多用昔人故事，只因情与境会，故信手拈来，皆成妙谛。

（周啸天）

题　画(录二)

文徵明

过雨空林万壑奔,夕阳野色小桥分。
春山何似秋山好,红叶青山锁白云。

近山千丈抵清漪,远树连云入望迷。
有约去登江上阁,风雨都在曲楼西。

鉴赏

元明时代文人画有长足发展,题画绝句也兴盛起来。文徵明师从沈周,为著名书画家。《甫田集》题画之作不少,这里选的二首较有代表性。画是一种空间艺术,其本分在展现瞬时并存于空间的物体,而不能直接表现时间流逝的过程,而题画诗则多利用时间艺术的特点,对画境予以想象补充,其措意多在画外。

第一首中前二句"过雨空林万壑奔,夕阳野色小桥分",基本上是就画面落笔。这是一幅秋夕山水图。诗人在叙写画面景色的同时,也就融入了自己的想象。树林、丘壑、野色、小桥,都应是图上之景。而"过雨"即雨霁,则是诗人主观的感觉,因为画家画不出雨过的时间流程。而诗人从那"万壑奔"流的泉水,融入生活经验,感到这一定是阵雨之后。这里没有出现泉水字面,给省略了,但"万壑奔"三字业已意足。一般说来,山水画上也不直接画出一轮太阳,"夕阳"也只是诗人的感觉而已。三、四句则是题画外的议论,是画笔无从表现的意念:"春山何似秋山好,红叶青山锁白云。"但这意念和议论,并没有脱离画面,"红叶""青山""白云"皆本画家之构图设色,"秋山"也是画面所绘的对象总体给人的感受。只是秋山胜于春山的这个念头,是画不出的,可以补画面之不足。唐刘禹锡诗云:"自古逢秋悲寂寥,我言秋日胜春朝。晴空一鹤排云上,便引诗情到碧霄。"可谓已先探得骊珠。但文徵明笔下是红叶、青山、白云、小桥、流水,那鲜明的颜色和展开的物象,具有画意。而刘禹锡诗则纯属抒情言志而已。故不雷同。

第二首前二句仍属画意的叙写:“近山千丈抵清漪,远树连云入望迷。”这是体裁决定了的题中应有之意。而诗人的妙思则见于丹青之外,三、四句便由画景联想到朋友的约会和联袂登阁,“有约去登江上阁”,画中可以添上人物,但画不出“有约”的意念。而“风雨都在曲楼西”这个景色,也是诗人想象所得。风雨偏于楼西,那就是“东边日出西边雨”,一般也不会这么画的。诗句之妙,全在“曲楼西”,即西至何处,可能在画外,这也许是由画面登楼人的朝向而作的推想。而登阁观远方雨景,原也十分快意。独到的诗句仍出于生活的体验。

(周啸天)

南　都

王　宠*

锦缆牙樯万里游，天吴海若翼王舟。
囊城七圣空迷辙，弱水三山未稳流。
边塞风云连朔漠，重臣节钺自公侯。
两京角立分形势，居重还须控九州。

作者

*王宠，生卒年不详，字履仁，后字履吉，自号雅宜山人，长洲（今属江苏）人。以诸生贡太学，八举不第。工诗书画。有《雅宜集》。

鉴赏

此诗写于明武宗正德后期，沈德潜有评："羽檄时闻，江彬辈节钺自擅，而帝游幸无度，失居重驭轻之势，草莽臣惄然忧之，此诗史也。"这幅历史画卷，展现了明武宗这个著名的浪荡皇帝，在位十六年的政治动乱面貌，揭示了封建统治者骄奢淫逸的腐朽本质及其严重后果，从而使这短诗，具有积极的认识意义和史料价值。

明武宗自幼"好逸乐"（《明通鉴》），十五岁做皇帝后，此癖更甚。野心家都利用这点而得以受宠窃权、怙恶倡乱。尤其是江彬，他费巨资修建多种游乐场，引导武宗"日夜幸宿于此"，乐不思返，更怠于从政，对"建言者以为多言，干事者以为生事，累章执奏者谓之渎扰，厘剔弊政谓之纷更。忧在于民生国计则若罔闻知，事涉于近幸贵戚则牢不可破"（《明史·刘建传》），又引诱武宗四处巡游，次数之多，规模之大，路程之远，为历史罕见。正德十五年（1520）那次巡游，长达十五个月，武宗归途中"渔于积水池，舟覆，溺焉"（《明通鉴》），成了落汤鸡（从此一病不起，三个月后一命呜呼）。江彬受宠后，受赐国姓，受封伯爵，外挟边兵，内拥兵权，提督锦衣卫，不但纵横恣肆，而且趁武宗南巡之机“欲缚武宗”（《明通鉴》）。安化王朱寘鐇和宁王朱宸濠也先后发动叛乱。

统治者的奢侈、挥霍，造成了国贫民穷，巨额用度“欲征之于民而脂膏已竭，欲取之于官而帑藏已空”（《明通鉴》），从而导致了西南、华南、华东的各族人民起义和北方鞑靼屡屡乘机南侵，使武宗政权内外交困。作为“草莽之臣”的王宠，基于其爱国的心志，“惄然忧之”，写下了《南都》一诗。

首联从武宗最大的特点“好逸乐”入手，直接以一个巡游场面概括其全部的腐朽和荒唐：装饰豪华繁缛、色彩艳丽夺目的大船，载着武宗万里巡游，浩大的排场和声势，有如水神海神也簇拥着帝王这长长的船队。

颔联以两个比喻，指出武宗巡游无度的严重后果。前句又为一典故，典出《庄子·徐无鬼》，此寓言说，轩辕黄帝等七位圣人到具茨山去见“圣人”大隗，车“至襄城之野，七圣皆迷，无所问途”。后因用此作帝王巡游的典故。元稹《望云骓马歌》有“七圣心迷运方厄，五丁力尽路尤窄”，借此典故写唐代朱泚之乱中，德宗李适仓皇逃难。后句之“弱水”喻不大的动乱和反叛，“三山”喻强大的镇压力量。全联说，如果皇帝一意巡游，怠于从政，结果将有如“三座大山也无法稳住弱小的水流”一样，小小的动乱也难以遏止。

方孝孺在《指喻》中说“天下之事，常发于至微而终为大患，始以为不足治而终至于不可为”。王宠深知其验，诗句中充满了焦虑。

颈联写上下内外的形势，进一步指出武宗好逸乐而怠于从政的严重后果。“边塞风云”指前述各族人民起义，“朔漠”借指北方鞑靼军队屡屡南侵。“重臣”指江彬之流，“节钺”为古代将帅权力凭证，此借代权力，“自公侯”在此指极端的擅权恣肆。全联说，中国大地被战争烟云所笼罩，位重之臣不受皇帝所驭而擅权。

如此严重的内忧外患，使武宗政权岌岌可危。深知“帝王腐化必怠政，怠政必为奸邪造成擅权之机，擅权必乱政，乱政必天下乱，天下乱必王朝灭”的连锁反应和“伐木不自其本，必复生，塞水不自其源，必复流，灭祸不自其基，必复乱”（《国语·晋语》）之理的诗人，对武宗这万弊之源的“好逸乐”的怨愤程度，是可想而知了。

尾联进一步写严峻的政治形势，指出中兴的途径。“两京”指北京和南京（南都）。此句为一典故，用以借古讽今：1368 年，朱元璋建立明朝，定都南京。三十年后其长孙朱允炆继位。但从明初就开始镇守北京的燕王朱棣，有实力与南京朱允炆政权抗衡,不受其驭控,形成了南北两京角立的形势,四年后,朱棣终于用武力登上皇帝宝座。而诗人写此诗时的形势,已如沈德潜评语所说:由于武宗“游幸无度”而“失居重驭轻之势”。因此诗人借这史实警告武宗,不要游幸无度、怠于从政,而要清醒地看到“三山”也不能遏止的“弱水”,将可能发展为与自己“角立”的反叛力量;眼前这“重臣节钺自公侯”的政治形势,极可能导致“两京角立”的局面。如何才能杜绝这种后果呢?诗人指出“居重还须控九州”:要占据重位牢牢拥有皇权,就必须控制全国。而这,就必须立即中兴,消除各种弊端,首先要摒绝的,正是武宗“好逸乐”这一万弊之源。

诗人在沉重哀怨的情思中,向一个如此荒唐腐朽的皇帝进献出一腔忠诚,抱以衷心希望,渴求他带来国泰民安的盛世。不难看出,这是一种“愚忠”,也是幻想,它本身就是悲剧。事实上,诗人终究没有看到武宗的中兴,而是看到他死于游乐,接踵而来的是明世宗更为腐朽黑暗的时代。诗人只能在久病中抱着“致君尧舜”的理想郁郁而逝,结束了自己年轻的生命。沈德潜评其诗风格“其七言律,亦颇沉郁”;而《毛诗序》有“乱世之音怨以怒,其政乖(政乱)”,皆可从《南都》中窥得一斑。

(邓德谦)

维摩寺雨坐

皇甫冲*

回岭无仄径，陟冈有夷壤。展睐入空蒙，游心益昭朗。
长风吹轻衣，飘摇翠微上。古寺迷夕烟，明灯淡绡幌。
冥雨从东来，惊雷自西往。林峦忽不见，但闻山涧响。
景寂非避喧，心莹乃成赏。为礼沉疴踪，因之知幻象。

作者

* 皇甫冲(1490－1558)，字子浚，长洲(今属江苏)人。善骑射，好谈兵。嘉靖七年(1528)举人。与弟涍、汸、濂均好学工诗，时称“皇甫四杰”。有《几策兵统》《枕戈杂言》《三峡山水记》。

鉴赏

维摩是一位善于应机化导(顺应形势，导之转化)的大乘居士。大乘，即大乘佛教(佛教的一大教派)，它自认为能普度众生从现实世界的此岸到达悟的彼岸。而维摩的《维摩经》，则着重描写所谓“解脱境界之超出思议”(从超出思议的境界中得到解脱)。维摩寺的命名，便是后世僧众对这位著名佛教人物的纪念。皇甫冲来游维摩寺，并以之为诗题，心中不会没有上述记忆。

诗人是明中叶有名的“皇甫四杰”中的长兄，是个能文能武、多才多艺又有爱国热情的人才。可是处于黑暗腐朽的武宗、世宗时代，他的才干、抱负不得施展，理想不得实现，由此而产生苦闷、失望，是可想而知的。《维摩寺雨坐》用对比的手法，形象地反映了诗人美好理想的破灭及其消极的处世态度，为我们提供了一个认识当时社会对知识分子心灵摧残的依据。

诗的前八句为第一段，写雨前的光明景象，借以表达诗人美好的理想。首句中的“回”字,是曲折回旋之意,但在此指山势的险峻。首、次句说“险峻的山岭没有小路(仄径)可走”,似乎没人来过,但“登上山冈,上面却有平地(夷壤)”。这个开头,并不突兀,然而给人以“别有天地非人间”(李白《山中问答》)的神秘之感,大有人间天上两相迷离的效果,为全诗内容的表达,创造了极好的气氛条件。

“展睐”至“明灯”六句,具体写雨前的景象。诗人说,在平冈夷壤上,我展眼四望,好像进入了空蒙迷茫的世界,游赏时的心境也更加明朗爽快了。长风吹动我轻薄的衣衫,在清淡青葱的山色(翠微)中飞动飘荡。夕阳下,古寺笼罩在迷茫的云气(烟)之中,明亮的灯光照耀在淡淡的丝帘(绡幌)之上。这是一个光明、宁静而又神异的世界,也是一个美丽清新而又理想的世界。它同诗人往常所处的凡尘俗世大不一样:这里没有喧闹,没有人与人之间的倾轧、虞诈,也没有令人揪心的社会动荡和腐败现象;诗人眼之所见,只有满目的生机与绿意,诗人身之所感,只有满心的喜悦与宁静。置身于这样的境界,诗人怎不认为他已“入空蒙”而“心益昭朗”呢?特别是古寺大门上“维摩寺”三个字扑来眼底,这位善于应机化导的大乘居士维摩和大乘教义,定然会触动诗人对社会现实的思考,并产生对之顺应和领悟的欲望。

诗的后八句为第二段,写雨时的黑暗景象和如何顺应现实。“冥雨”至“但闻”四句,写大雷雨时天昏地暗的恐怖情景:阴暗密集的暴雨从东方倾泻而来,惊天动地的雷霆之声从西边砰然滚滚而去!树林山峦忽然都不见了,只听见山涧急流不断地轰轰作响!

刚才那个令人心旷神怡的空蒙迷茫的世界,一下子被这个黑暗而恐怖的世界取代了!这个突转,给诗人造成了情绪上的突变,愉快的情绪被大雷雨冲得无影无踪了,随之而来的是失望和无可奈何。于是自然引出了诗末的议论。

“景寂非避喧”,是个承上启下的句子。“景寂”照应一至八句所写(景,在此可引申为境),“喧”字照应九至十二句所写。这个句子是明暗、静闹的集中对比,深含着诗人对前者的依恋和对后者的厌恶。诗人失望而怅然道:“在这样寂静的地方,也没有避开喧嚷!”看得出来,诗人要求安静。怎么办呢?诗人想起了维摩对现实的顺应,想起了大乘教义的“普度作用”,终于“悟”出了顺应现实的办法:“心莹乃成赏,为礼沉疴踪,因之知幻象”——内心明亮就能完成对景物的欣赏,敬神拜佛(为礼)把沉疴驱赶得无影无踪,因此,懂得把自己所见所闻幻化成美好的意象。

“心莹”“为礼”“幻象”,就是诗人顺应黑暗现实的办法:第一,面对黑暗,诗人认为只有用明亮的心去理解。这里,反映了古代文人"穷则独善其身"的处世之道;第二,用求神拜佛寄托自己的精神,使沉痾(实为沉虑)得以消除。这里,体现了古代文人一旦理想破灭、才干不得施展之后,那咱超然出世的消极思想;第三,把自己所见所闻的一切黑暗现实,用美好的幻象加以取代,从而使自己"从超出自己所想的境界中得到解脱"。这是一种逃避现实的虚无主义,也足见现实的摧残把诗人推到了何等可悲的深渊!

怀才不遇的诗人,从内心发出了这样悲哀的议论,表达了他对黑暗现实无可奈何的心情。诗人由一个"善骑射,好谈兵""遇南北内讧,撰《几策》,愤北虏薄城下,撰《兵统》《灭胡经》""海寇突起,当事无策,撰《枕戈杂言》"(钱谦益《列朝诗集小传》)的血气强劲的文武全才,坠入佛教的消极唯心的藩篱,不能不认为这反映了黑暗社会给知识分子心灵上所造成的沉重创伤。《维摩寺雨坐》的认识意义即在于此。

(邓德谦)

舟中对月书情

皇甫汸*

不识别家久，但看明月辉。关山一以鉴，驿路远相违。
影落吴云尽，凉生楚树微。天边有乌鹊，思与共南飞。

作者

*皇甫汸(1498－1582)，字子循，长洲(今江苏苏州)人。嘉靖八年(1529)进士。以吏部郎中左迁大名通判。工诗，尤长书法。有《皇甫司勋集》。

鉴赏

游子乡思，每对月兴怀，古今同心同理。皇甫汸《舟中对月书情》借月下夜色抒浓郁乡思，明丽清新。

“不识别家久，但看明月辉”，见月思家欲扬先抑。“不识”，不知。久别故家和声言“不识”，从意蕴上说，盖游子奔波，风尘劳碌，无暇顾及；从艺术上说，欲写乡思而“不识别家久”，欲擒故纵，为下句“但看明月辉”蓄势。“但”，只。于万象中抓住明月。“但看明月辉”，立即使人想到李白的名句“举头望明月，低头思故乡”。因此，被作者轻轻带过的“不识别家久”中“久”字的分量，在“但看明月辉”中才能体会得出来。寻常语，寻常事，但乡思不寻常，情感不寻常。

“关山一以鉴，驿路远相违”，从“但看明月辉”中带出乡思，自然而亲切。特别值得注意的是，这里的“关心”“驿路”是“明月辉”中的“关山”“驿路”。广袤的空间中，月光、关山、驿路构成了一个特殊的意境；月下的关山，既清晰又朦胧，加上夜空的静谧，月光色彩的单纯，关山形体线条简化，使人身处此境，尘念顿消，精神世界被净化。此时此刻，看驿路的延伸，乡思之情便油然而生，沛然而至。把握了这个意境，两句中的“鉴”字、“违”字的韵味才能被理解。质言之,“鉴”字消尽了“不识别家久”的人世杂念,而“违”字则发出了月下乡思的真情。

“影落吴云尽,凉生楚树微”,通过明写夜景,暗写时间,表达乡思之情的深厚。吴云落尽,楚树生凉,表面上看,是写眼前实景,但细加体会,这“影落吴云尽”是从有到无,而“凉生楚树微”则是从无到有,不论从有到无,还是从无到有,都是一个过程,暗示着时间的推移和流逝。通过时间的推移来写乡思,使我们想到杜甫的“思家步月清宵立,忆弟看云白日眠”的名句。为了使乡思之情更浓郁更细腻,诗人于“云”前冠“吴”字,“树”前冠“楚”字。皇甫汸是江苏吴县(今苏州)人,“吴”与“楚”都是他故乡的代称。看天上的行云于吴地消失,察空中的来风生于楚地的树林,再缀一“微”字,细入毫芒。感情的浓郁和细腻,互相促进,相辅相成,将诗人的乡情推向高峰。

“天边有乌鹊,思与共南飞”,从思到行,结束乡思。“乌鹊”,喜鹊。曹操诗有“月明星稀,乌鹊南飞”之句。喜鹊常在月明之夜惊飞。此乌鹊照应第二句“但看明月辉”。曹诗又有“绕树三匝,无枝可栖”之句,此乌鹊又照应第一句“别家”之意。诗人步月清宵,乡思浓郁,天边有鹊,思与共飞还乡,以了胸中之愿。在我国民间以鹊为吉祥物,以鹊鸣为报喜之声,故称之为喜鹊。若诗人果与乌鹊南飞以归故里,则于家人,于诗人自己,则皆喜从天外。写久别故家的乡思不落悲苦之恋,是又一特色。

综观全诗,不仅月明,意象明,连诗人的情感亦“明”,确是乡思佳作。

(汤贵仁)

九日寄子约

皇甫汸

漫有登高兴,兼当望远何。对花惊白发,见雁忆黄河。
乱后书来少,霜前木落多。不堪羁宦日,同是阻干戈。

鉴赏

“子约”即皇甫濂,作者的弟弟。诗人的两位兄长皇甫冲、皇甫涍,亦有诗名。连同诗人,人称“皇甫四杰”。兄弟又兼诗友,在重九登高之际,倍见亲情。

“漫有登高兴,兼当望远何”,开首入题。重九登高,是我国传统习俗。人生在世,每为尘事所累,偶一登高,不仅可以清心净虑,且亦有益于健康。作者是诗人,其兴会饶胜于常人,故于“登高兴”之前,加“漫有”二字。“漫”,满,甚。登山有无穷兴会,但兴会的顶峰却是登高望远。登高望远,使人胸襟开阔,不仅满足了人们心理上的欲望,而且能促使人浮想联翩。上句的“漫”与下句的“兼”互相呼应,互相激发,使读者在“登高”“望远”间震荡,产生无限想象和情思,为下文的抒情作了心理上的准备。

“对花惊白发,见雁忆黄河”,感叹时光的流逝,宦海沉浮。乘兴登山,山间草树溪石,率皆可以助兴,面对山花而忽抚白发,感慨系之。着一“惊”字,非同小可。诗人七岁能诗,三十二岁中进士,当时“名动公卿”,影响甚大。然而,他不能“通知户外事”,屡遭困厄。诗人深深觉得个人的才能与社会现实,个人的品格素养与世道人心险恶,进行着激烈的碰撞。如今,岁月蹉跎,白发丛生,焉能不“惊”?这一“惊”中,寄托着沉重的人生感慨,寄托着时代的悲音。作者中进士,先京官而外任,曾贬谪于黄州、开州。此句的“雁”,扣题“九日”,“黄河”,借指中原。这里“忆黄河”又在关照着下文的“羁宦”。

“乱后书来少,霜前木落多”,世事多艰,每使人有悲凉之慨。明朝中叶,国家多故,朝廷内部各派势力的纷争且搁置不论,就朝廷外部而言,东南有倭寇之扰,时犯时止,止而再犯,绵延不绝;山西有俺答之乱,乱乱停停,停停乱乱,数十年不止,其中“庚戌之变”震撼京师……诗中“乱后”确指未详,然就全诗而论,作者将个人的伤感与时代风云联系在一起,“书来少”则带着更深刻的社会意义。诚然,时代的悲剧和个人的伤感虽然有某种联系,但却并不完全相等。所以,作者紧跟一笔,“霜前木落多”,以写景来抒发自己内心的伤感。这种伤感既针对世乱,又针对兄弟间书信往还少。“木落”,即落叶,杜甫有“无边落木萧萧下”之句。霜前落叶,一派肃杀景象,悲凉之情,可以想见。

“不堪羁宦日,同是阻干戈”,将兄弟间的分离,放在时代的氛围里,继续强化上一联的含意。“羁宦”,旅居外地做官,以“羁宦”为“不堪”,乃兄弟亲情所致;“同是阻干戈”,也是“不堪”“羁宦”的重要因素。“干戈”,在行文上与“乱后书来少”相联系,既点明“乱”的性质,又点明“书来少”的具体原因。乱世羁宦,不仅阻隔亲情,亦使人有伤时之叹。

全诗将亲人间的情感和时代概况联系在一起,小中见大,大中写小,诗思精巧。

(汤贵仁)

对月答子浚兄见怀诸弟之作

皇甫汸

南北何如汉二京，迢迢吴越两乡情。
谢家楼上清秋月，分作关山几处明。

鉴赏

“子浚”，皇甫冲的字。他是“皇甫四杰”中唯一未中进士的人，但他多才多艺，喜谈兵，善骑射，精音乐，擅棋术。他的诗质朴自然，无纤弱之习，自成一格。皇甫汸对月怀兄弟，不仅有亲情，且更有雅兴。

“南北何如汉二京，迢迢吴越两乡情”，从分离入手，情在事中。西汉都城长安，东汉都城洛阳，明朱元璋都城南京，朱棣都城北京。“何如”，怎么样，以问语作肯定语，以模糊语示精确意。“迢迢”，遥远之意。“吴越”，两地名，在今江苏、浙江一带，两地相邻。两句的好处是通过地理来说分离。言外意是，皇甫诸兄弟，或在北，或在南，或在朝，或在野，四处分离。这个信息，从“迢迢吴越”中来。本来，吴越两地地界相连，冠以“迢迢”二字，引人注目。因此“迢迢吴越”是对北南而言的。需要指出的是，“南北何如汉二京”又暗示着东西的寓意。明白了这个道理，我们才能体会“两乡情”的含意。其次，“两乡情”从字面上看，似乎仅限于皇甫汸与皇甫冲之间，其实，联系标题，这“两乡情”是皇甫诸兄弟之间多边的双向组合。通过地理位置构成的兄弟之间的多边双向“乡情”，是一张亲情的情网。情，在东西南北分离的事中。

“谢家楼上清秋月，分作关山几处明”，以景抒情，情在景中。“谢家楼上清秋月”，借南朝文人谢庄《月赋》的故实，既切合诗人写诗时的实景“对月”，又符合中国知识分子对月怀人的传统心理。谢希逸在《月赋》中说，当清质悠悠、澄辉霭霭的明月之夜，如果“亲懿莫从”，那么就必然有“羁孤递进”的感觉。所以，谢庄用“美人迈兮音尘阙，隔千里兮共明月。临风叹兮将焉歇，川路长兮不可越”的歌声来抒发胸中郁积的深情。更令人有兴味的是，皇甫汸在“谢家楼上清秋月”之后，缀以“分作关山几处明”。这分作几处明的明月，都是谢希逸《月赋》中亲情化了的明月，则此明月是今夜皇甫诸兄弟共有，此月所达之情是皇甫诸兄弟共同之情。"分作关山几处明"的月光交织在一起，是一片亲情之网，笼罩着诸皇甫，情何如哉！兴何如哉！白居易有一篇乱后见月思兄弟骨肉的七律，末联云："共看明月应垂泪，一夜乡心五处同。"与此诗末二句同义，但"分作关山几处明"句更见巧思。

全诗情在事中，情在景中，韵味悠长。

（汤贵仁）

登喜峰古城

唐顺之*

绝顶孤峰见废关，短衣落月试跻攀。
三秋豹旅方乘障，万里龙媒正满山。
候雁似随乡思去，寒花将送使臣还。
筹边迂薄真无补，空望伊吾抵掌间。

作者

*唐顺之(1507－1560)，字应德，一字义修，武进(今属江苏)人。嘉靖八年(1529)状元。因破倭寇有功，擢左佥都御史。崇祯中，追谥襄文，学者称荆川先生。其学识广博，工诗。尤长于古文，被称为一代之宗。有《荆川集》《广右战功录》等。

鉴赏

"喜峰"，喜峰口之省。传说古代有子戍边关，其父来寻，相逢于此，称喜逢口。明代喜峰口，是东北兵防要地。唐顺之嘉靖三十三年(1554)被再度起用，任职方郎中，先巡视蓟镇，至喜峰古城，感叹筹边无策，呼唤有识之士政变有明内忧外患的困境，意境开阔，感慨深沉。

"绝顶孤峰见废关，短衣落月试跻攀"，紧扣诗题，写登攀喜峰。按照叙事的顺序，两句的次序应颠倒过来，由"知衣落月试跻攀"，才能"绝顶孤峰见废关"。但是，作者意在表达筹边防御之策，故将喜峰口置于首句，并在"关"前冠一"废"字，一则突出现实真情，二则为下文的忧虑伏笔。"短衣落月"值得玩味。唐顺之为人耿直，遭困厄而不悔，复用后更勤于王事，直至以身殉职。"落月"是清晨，于清晨着短衣而跻攀喜峰，其勤勉之状可以想见。

"三秋豹旅方乘障，万里龙媒正满山"，登喜峰所见实景，皆与防务相关。"豹旅"，军队。"障"，军队为防卫而筑的堡塞。“乘障”进入堡寨,相当于坚守在岗位上。冠以“三秋”二字,有边境军事行动的特色。中原与边地少数民族的战争,多发生于秋季。“龙媒”,马。“龙媒正满山”,亦当系真情实事。作者在诗题下有小注说:“时三卫贡马,散牧关外。”“三卫”,明代的建州卫,建州左卫,建州右卫。明代建州,地处今吉林省东南部,是女真族居住的地方。这两句中各用一个副词,上句“方”,下句“正”。“方”是才,与“三秋”联系,至深秋才有军队防卫堡塞,足见边防松懈;“正”字强化“满”字,骏马满山,缺乏管理,可见御边无策。于叙事中寓褒贬,不露痕迹,是所谓“春秋笔法”。此外,从行文上看,“三秋豹旅方乘障,万里龙媒正满山”,境界开阔,诗味甚浓。

“候雁州随乡思去,寒花将送使臣还”,转入诗人自身的感受,给抒情增添浓度。唐顺之是江苏武进人,这次受命巡视蓟镇,时间极短。估计,他写本诗时,已经接到了巡视淮扬的命令。准此,“候雁似随乡思去,寒花将送使臣还”两句,便有浓郁的主观色彩。在“候雁”与“随乡思去”之间加一“似”字,在“寒花”与“送使臣还”之间加一“将”字,使客观事物主观情绪化,人化自然,或情化自然,使人感到分外亲切。北雁随乡思而南去,则人的乡思在雁飞之前;寒花将送使臣南归,人未归而花已发。因此,这两句在构思上显然受到薛道衡“人归落雁后,思发在花前”的影响和启迪。“使臣”,诗人自指。

“筹边迂薄真无补,空望伊吾抵掌间”两句以期望筹边得人结束。“筹边”,为边事谋划。“迂薄”,迂阔而浅薄。“伊吾”,古地名,今新疆哈密。“抵掌”,击掌,极言其近。自叹筹边无策,无补于边陲的安定,只是空望伊吾于咫尺之间兴叹而已。需要玩味的,“筹边迂薄”的主语,通观全诗,似以作者自指为优。这与唐顺之忠于国事,勤于王命的思想是合拍的。

（汤贵仁）

复官后报京师友人

唐顺之

姓名不复挂朝参,鱼鸟由来性所耽。
箧里符经都已废,山中药草渐能谙。
疏狂自分三宜黜,懒病其如七不堪。
深谢故人推毂意,莫将阳羡比终南。

鉴赏

唐顺之嘉靖八年(1529)会试第一,官翰林编修,后罢官在故乡阳羡山读书十余年。嘉靖三十三年(1554)复召用。得召用信息,报京师友人,申明心迹。

"姓名不复挂朝参,鱼鸟由来性所耽",总述十余年隐居读书的体会。"朝参",官员朝见皇帝。名不挂朝参,即姓名不在朝籍。"姓名不复挂朝参",在平静中带着不平,表面上说久不在朝任职,隐居山林,以鱼鸟为友,以鱼鸟为乐,习以成性。"耽",专好。其实,内心并不平静。就唐顺之而言,从悉心仕进到性耽鱼鸟,是一个变化;就当时知识分子的心态而言,性耽鱼鸟的人,大概也极其少。因此,这"鱼鸟由来性所耽"的原因是"姓名不复挂朝参"。名不挂朝参的原因,诗人留在第三联中讲述。

"箧里符经都已废,山中药草渐能谙",承"鱼鸟由来性所耽"来讲述。因为"由来"性耽鱼鸟,故而"箧里符经都已废"。"箧",书箱。"符",兵符,借指武略。"经",经书,借指文策。唐顺之嘉靖八年会试第一,堪称精于文策;史称他通晓兵法,兼长刺枪拳棍,堪称精于武略。既然如此,声称"都已废",废其所长,必有原因。这个原因,作者依然引而不发,确乎善于蓄势。"山中药草渐能谙",是对上句的补充。"谙",熟悉,熟知。既然符经已废,人脑总要活动,思维不能真空。不经心国事,不攻研文策武略,则可多识草木之名,草木之形,草木之性。引人注目的是一个"渐"字,这个"渐"字既反映诗人熟悉药草名、形、性的渐进过程,又反映了诗人弃符经谙药草的艰难过程。从心理的角度说,这个"渐"字,有千钧之力。

"疏狂自分三宜黜,懒病其如七不堪",以自责的口气诉说"姓名不复挂朝复"的真谛,委婉多讽,十分得体。"三宜黜"用柳下惠事。据《论语·彻子》篇记载,柳下惠任法官时,三次被罢官。有人劝他离开,他说"直道而事人,焉往而不三黜"。意思是,只要耿直对待人事,到哪里都会被罢官。这里借柳下惠事,说明自已正直。正直而被罢官,却自责"疏狂",妙处意在言外。"七不堪"用嵇康事。嵇康在《与山巨源绝交书》中对山涛推荐他做官深为不满,以"七不堪""二不可"九条理由拒绝。其中"七不堪"有"卧喜晚起",不堪早起视事;"性复多虱,把搔无已",不堪穿着整齐,揖拜上官……借嵇康事与借柳下惠事并不相等,借柳是直接的,故加"自分"以肯定;借嵇是类比性的,则加"其如"以调节。这种分寸感,带着文章家的气质。至此,诗人已经从自身的、社会的两个方面回答前文提出的悬念,完成了诗思的主旨。

但是,题目是"复官后报京师友人",必须有明确的表示,"深谢故人推毂意,莫将阳羡比终南",是必不可少的结束语。"推毂",原为推车轮,比喻助人成事,此为推挽提携。据记载,唐顺之后期复用,先后受到赵文化和胡宗宪的推荐。尽管前文说废符经耽鱼鸟,且疏狂懒病,但是,唐顺之还是毅然接受了朝廷的复用,在复用后"受知分宜,戮力行间,身当倭寇,转战淮海",终到"受事未几,遂以身殉"。这后来的事实说明唐顺之非一般沽名钓誉、醉心官爵者可比。这个事实却先预示在"莫将阳羡比终南"诗句中。"阳羡",山名,诗人罢官后读书于此。"终南",山名,在陕西西安市南。唐代卢藏用隐终南山,后以高士得官,人称"终南捷径"。诗人表示心迹,他与卢藏用不同,他以直道事人、忧民爱国为念,不以官爵势利为意。他后来的行为和他的诗意是一致的。读其诗,想其人,亦感人至深。

(汤贵仁)

南 征 歌

唐顺之

月明吹笛武陵下,马上行人望跕鸢。
莫怕交州饶毒雾,一冬飞雪似胡天。

鉴 赏

这首抒写征夫苦怨的诗,足以踵武唐人边塞绝句,而颇具新意。唐人边塞诗,就其反映的地域风光而言,不外东北(如《营州歌》)和西北边塞(如《凉州词》),总之是北国风光、西域风情。而这首明人之作,则写的是南荒的情景,《南征歌》就是新题。

"武陵"为山名,位于今贵州、湖北、湖南三省边界地区。"月明吹笛"以寄托征夫思乡之情,这种写法并不新鲜。新鲜在下句,"马上行人望跕鸢"完全是南方边地才有的惊心动魄的情景。《后汉书·马援传》形容南国瘴气毒雾之盛说:"下潦上雾,毒气熏蒸,仰视飞鸢,跕跕堕水中。"此句就是根据史载发挥想象所得。飞鸢在天都逃不掉瘴气的毒害，行人非金石，又岂能有完全的保障！诗中提到“交州”系汉置州名，在今广西苍梧县。“交州”与“武陵”在此诗中皆泛指南方边鄙之地，非特指。“交州饶毒雾”的苦况是南边的特点，是北国征人想象不到的艰危处境。如果诗仅仅说到这里为止，也过得去。但诗人出奇制胜却在后两句尤其是末句。

“莫怕交州饶毒雾，一冬飞雪似胡天。”诗人采用跌宕生姿的递进口气道：不要以为南边之苦只此而已。“交州饶毒雾”只是溽暑的情况，到了冬天，则又飞雪漫天，和北国胡天的严寒差不多。这实际上等于说，北方有的苦况，南方有；北方没有的苦况，南方也有。诗人虽不明言南征苦于北征，但字里行间，无非此意。这就把南征军士的怨苦写得入木三分。

事实上南征与北征很难说哪方面更苦，而《南征歌》就得强调南征的苦，因而不怕过情，这叫“尊题”。

（周啸天）

海上纪事(录三)

归有光*

自是吴分有岁灾,连年杼轴已堪哀。
独饶此地无戎马,又见椰帆海上来。

二百年来只养兵,不教一骑出围城。
民兵杀尽州官走,又下民间点壮丁。

海上腥膻不可闻,东郊杀气日氤氲。
使君自有金汤固,忍使吾民饵贼军。

作者

*归有光(1506－1571),字熙甫,吴郡(今属江苏)人。早慧,九岁能写文章。嘉靖四年(1525)进士。官终南京太仆寺丞。能诗,尤长于古文。称为明代一大家。有《震川文集》。

鉴赏

嘉靖三十二年(1553),倭寇由浙江转入江苏,进犯上海附近地区,人民不堪其骚扰。《海上纪事十四首》从不同角度反映明代东南倭寇之乱,同情人民疾苦,批判明代官员的腐败,真实感人。

一曲。“自是吴分有岁灾,连年杼轴已堪哀。独饶此地无戎马,又见椰帆海上来。”倭寇波及吴地,破坏了吴地的生活秩序,增加了吴地人民的灾难。“分”,职分,引申为“命中注定”。从嘉靖三十二年开始,吴中似乎命中注定要年年有灾。“自是”,从此。“岁灾”的内容,作者像弯弓勒马一样,只蓄其势,而不引发,给下文以驰骋的机会。“连年杼轴已堪哀”,引补一笔,将“岁灾”具体化。“杼轴”,本为织机上两个零件，此却借为典实。《三国志·吴书·贺邵传》："百姓罹杼轴之困，黎民罢无已之求。"这里的"岁灾"与"连年杼轴""杼轴之困"是相等的。吴中纺织业兴盛，人民遭纺织之困，是因为统治集团有无穷无尽的殊求。虽然有连年的"杼轴"之灾，征求搜刮，但毕竟无兵马之乱，尚可苟且偷生。"独饶此地无戎马"，是不幸之中的大幸。"饶"，宽容，饶恕。"饶"字前加"独"，其"饶"不多，唯"无戎马"。从前后关联的角度，这第三句"独饶此地无戎马"，表面上是"让步"，实际上是"转折"，以"让步"来"转折"，是为了最后一句的"进步"，果然，"又见椰帆海上来"，将"独饶此地无戎马"否定，给"自是吴分有岁灾"增添新的内容，增加新的分量，而且首尾呼应，呈一气呵成之态势。"椰帆"，即船帆，指倭寇所乘之贼船。倭寇盘踞海岛，飘忽不定，常乘船攻击沿海各地。在表达上的又一好处，以"椰帆海上来"否定"此地无戎马"，从字面上看，似乎毫不相关，细加寻思，则倭寇之"椰帆"更甚于"马"。因为江南水乡，马亦难肆虐，而椰帆则可大施淫威。所以，这是一首在表达上将明确性和含蓄性结合得很好的诗。

二曲。"二百年来只养兵，不教一骑出围城。民兵杀尽州官走，又下民间点壮丁。"武将养兵自重，战事临头，以扰民为务，军权腐败。中国封建社会有句俗语，叫"养兵千日，用兵一时"，正确表达了"养兵"与"用兵"、练兵与实战的关系。但是，诗人一开始便以"二百年来只养兵，不教一骑出围城"标出一种反常的病态。二百年来只养兵不用兵，甚至连倭寇兵临城下时，也"不教一骑出围城"。这两句诗虽然着力于揭示明代政权的腐败，但更透露着历史的奥秘。中国历史上许多王朝都靠武装力量建立，建立后的权力再分配使带兵的人体会到权力的大小至关重要，于是"拥兵自重"成了他们心照不宣的政策。皇帝迫于压力，也常常默认。不正常转变为正常，这就是腐败。明代官场的腐败是惊人的。以抗倭而论，抗了近二百年，地方官吏明里暗里资助倭寇的大有人在。就本诗而论，官兵是养而不战，民兵不养而战，结果是"民兵杀尽州官走，又下民间点壮丁"。明朝将军不仅不保护国家，不保护人民，反而利用机会，残民以逞，扩大自己的实力，以获取更大的利益。官兵不战，只有民兵应战，民兵没有战斗力，结果是"民兵"被杀尽、"州官"逃之夭夭。握军权的人火中取栗，乱中取利，乘机"点壮丁"。"点"，征召。"壮丁"，成年男子，扩大军队，不是抗倭保国，而是拥兵自重，为争取更大的权力增加筹码。

本诗揭露军不爱民，唯图拥兵

自重,理在事中。

三曲。“海上腥膻不可闻,东郊杀气日氤氲。使君自有金汤固,忍使吾民饵贼军。”文官临难无策,苟且偷生,政权腐败。“海上腥膻”,语意双关,一是实说海水有腥膻之味,二是形容倭寇作恶多端,气焰嚣张。缀以“不可闻”,表示作者厌恶情绪。“氤氲”,云烟弥漫,此借为战斗气氛紧张。这两句意在突出战争气氛。嘉靖三十二年至三十四年(1553-1555),倭寇主要骚扰以上海为中心的苏南、苏北和浙江部分地区,间忽涉及山东。“东郊杀气”的“东郊”确指何地,未详。但缀以“氤氲”二字,强化了“东郊杀气”的力度。从写作的角度看问题,这两句战争气氛越浓,越能显示下文“使君”的面目。按照中国封建社会的传统观念,地方官员们最辉煌的旗帜是“爱民如子”,每以“父母官”自诩。“使君”就是太守,是一郡的最高地方行政长官,他的神圣职责是“保民”“爱民”。然而,当倭寇入侵、人民遭难之际,“使君”却“自有金汤固”,以人民去“饵贼军”。“金汤”,金城汤池之省,喻城池坚固。使君龟缩城中,诗人刺以“有金汤固”,却拿人民去“饵”贼军。此“饵贼军”确指何事,颇费猜详。检索有关明史,嘉靖三十四年(1555)杭州事近似。史称倭寇进犯,“杭城数十里外,流血居川。巡抚李天宠束手无策,惟募人缒城,自烧附郭民居而已”。一位退休官员给皇帝上疏告状,称“堂堂会城,闭门旬日”“无一兵一旅阻其去来”。不仅如此,官员们还会“收拾残伤首级,虚张功次”的依据。“忍使吾民饵贼军”一句,将封建官吏们的种种假面具击碎,让他们的真面目暴露在光天化日之下,诗人的揭示是深刻的。

全诗以倭寇的暴行与官员的偷生祸民形成强烈的反差,揭示明政府腐败,尖锐之至,深刻之至。

(汤贵仁)

甲寅十月纪事(录二)

归有光

沧海洪波蹙,蛮夷竟岁屯。羽书交郡国,烽火接吴门。
云结残兵气,潮添战血痕。因歌《祁父什》,流泪不堪论。

经过兵燹后,焦土遍江村。满道豺狼迹,谁家鸡犬存?
寒风吹白日,鬼火乱黄昏。何自征科吏?犹然复到门。

鉴赏

倭寇之乱,自明初始,至戚继光平倭,几为患二百年。嘉靖三十三年(1554),岁在甲寅,倭自太仓溃围,掠民舟出海,复扰苏北乃至山东。同年四月,倭寇一部自浙江海盐骚扰,侵入嘉兴、海宁、崇明、苏州,掠民为害。归有光是江苏昆山人,目击了倭乱。这两首《甲寅十月纪事》,一有兵战气氛,二有乱后凄情,深切感人,颇见特色。

"沧海洪波蹙,蛮夷竟岁屯。羽书交郡国,烽火接吴门"四句从倭寇屯居海上到接战吴门,战争气氛十分浓烈。"蹙",急。"洪波蹙",巨浪腾涌不息。"蛮夷",中原以外的少数民族,此指倭寇。两句之间,存在着衬托关系。海上洪波不已,蛮夷"竟岁屯"。在"屯"字前加"竟"字,则蛮夷不畏洪波,见剽悍;"屯"字前加"岁",则蛮夷长期居海,强化其剽悍。倭寇的不畏艰险和剽悍,是火种,是祸根。因此,从诗思的轨迹看,"沧海洪波蹙,蛮夷竟岁屯"是"羽书交郡国,烽火接吴门"的依据。两个层次之间衔接十分紧密,显得一气贯穿,制造出战争紧张、快捷的气氛。"羽书",插上羽毛的书信,表示紧急,此指军事情报。"吴门",苏州。这两句在写法上,由一般到个别,由普遍到重点,"羽书交郡国",倭寇一起,东南各地咸皆骚动,所以郡国交驰着告急的军书。信息到,倭寇亦到。"烽火接吴门",一个"接"字,快之至,急之至。"烽火",古人以烽火报军事行动,后以代战争。令人注目的是,归有光点"烽火"即止,没有展开。避开厮杀本身,省去许多笔墨,也是制造紧张快捷战争气氛必不可少的技术安排。

"云结残兵气,潮添战血痕。因歌《祁父什》,流泪不堪论",表达诗人的同情。我们说过,作者有意避开"烽火"厮杀本身,是为了制造气氛。另一方面,也应提出,作者又必须提供必要的意象,让读者去回味反思,形成艺术上荡气回肠的魅力。这"云结残兵气,潮添战血痕"就是发人深思的意象,残兵之气,战血之痕,使人充分联想战事之惨、牺牲之多。

《祁父什》指《诗经·小雅》中的《祁父》,这是一篇反映战争残酷、战士惨遭不幸、同情士兵的作品。作者"因歌《祁父什》,流泪不堪论"的是"云结残兵气,潮添战血痕"。由此可见,甲寅十月吴门之战,明朝的军队是损失惨重、促人伤感的。从行文上说,"云结"两句和"因歌"又勾连紧密,气势贯注。

"经过兵燹后，焦土遍江村。满道豺狼迹，谁家鸡犬存？寒风吹白日，鬼火乱黄昏"六句写战后荒凉，一片惨状。"燹（xiǎn）"，火，或野火。"兵燹"，战火燃烧破坏。作者十分重视行文的连续性，上句说"经过兵燹后"，下句即以"焦土遍江村"作事实上的补充，这不仅保持诗思的清晰，更重要的是将"兵燹"具体化，用事实的展示来摇撼读者的心志，打开人们的心扉。"焦土遍江村"一句，从遣词造句的角度说，本应是"江村遍焦土"，作者巧妙地换成"焦土遍江村"，突出"焦土"，与上句的"兵燹"关联紧密，同时又给这首五言律诗安排了平声韵脚。其次，以"江村"为句尾，又为"满道豺狼迹"两句奠定了基础。从字面上说"豺狼"和"鸡犬"分属两句，这二者之间，不共戴天，势不两立，因此，句式的安排必然是一个肯定语气，另一个否定语气。作者首标"满道豺狼迹"，下句必须是"谁家鸡犬存"的问式。以问作肯定，正言若反，语意为长。自然，这里的"豺狼"只是一个比喻，指的是杀人抢掠的倭寇。中国人说乱世，称"鸡犬不宁"。作者的意思是，倭寇乱后是"鸡犬不存"，自然是乱到了极顶。鸡犬不存，人何以堪，聪明的读者可以想象。为了给读者提供想象思维的材料，又描绘出两个意象："寒风吹白日，鬼火乱黄昏。"这两句写得凄凉萧瑟，鬼气阴森。白日光惨，寒风凄冷，只一"吹"，寒凉之气、惨淡之光，笼罩大地，不见生机，唯存死气。黄昏幽暗，鬼火丛生，只一"乱"，使人毛骨悚然，不见人间烟火。其次，从表现形式上看，这两句对仗工整，不仅词性相属，而且色彩、气氛亦相等，堪称佳句。

前六句极力写倭寇的罪恶。下两句忽地一转，请出明朝的官吏来："何自征科吏？犹然复到门。""何自"二字突地而来，妙绝。"何自"就是何从，从哪里。这"何自"背后的内涵是，既然江村一片焦土，鸡犬不存，从哪里冒出来催租税的官吏？既然人民遭倭寇之乱，倭寇来时，官吏远遁，决不保民，如今倭寇刚退，人民痛不欲生，从哪里又冒出这"征科吏"？作者唯恐此意不显，在下句特着一"复"字，"复到门"对"满道豺狼迹"而言，"满道豺狼"是"初"，则催科吏到门是"复"，显而易见，明朝的催科吏和倭寇豺狼是一般货色。表面上是一转，实质上是一合。"倭"，人民苦；"明"，人民苦。此诗破律诗格局，前六后二，一转一折，一反一合，在结构上独具风采。

（汤贵仁）

颂任公诗

归有光

轻装白袷日提兵，万死宁能顾一生！
童子皆知任别驾，巍然海上作金城。

鉴赏

明代中叶，流亡在海上的日本海盗经常侵掠我国东南沿海一带。任环乃抗倭名将，他多次率部击退海盗的骚扰，有力地保护了沿海人民的生命财产安全。这首诗就是歌颂任环英雄事迹的作品。

东南沿海气候炎热，对付海上来的强盗，将士须轻装御敌。“白袷”即白色夹衣。“轻装白袷日提兵”，开篇就为任环写照，足见其飒爽英姿。“日提兵”即每日带兵，不曾松懈。因为海盗神出鬼没，常乘人不备发动袭击，故防范也得严密。“九死一生”这个成语，常用来形容经历的危险。诗作“万死宁能顾一生”，即是说：虽然出生入死，但又怎能推辞危险而只顾个人安危呢？换言之，任环一向是英勇顽强、奋不顾身的。只有这样的将领，才能极大地鼓舞士气，使其奋身敢死。而两军相逢勇者胜，任环一部的常胜便可预料了。诗中专表勇敢一义，是抓住关键，不及其余，读来令人生快。

人民的眼睛是雪亮的。判断一方官吏或守将的政绩如何，最可靠的根据就是人民群众的口碑。所以统治者是不敢轻视民谣的。“司马昭之心，路人皆知。”坏的是这样，好的呢，也有家弦户诵、妇孺皆知的情况。任环就是这样的，他做过苏州同知，同知是协助地方长官办事的，相当于古之“别驾”，故诗以“任别驾”作尊称。“童子皆知任别驾，巍然海上作金城。”末句是说有任环，沿海人民像有了铜墙铁壁一样，感到很安全。“金城”一词较铁城的说法更有异彩；而“海上作城”的说法尤使人耳目一新，有奇特的效果。也许，这句话就是出自沿海地区的童谣呢！诗“颂任公”，只借人民群众的话来赞扬，而不甚出己意，反而更为有力，没有私阿之嫌。仿佛李白《与韩荆州书》所说的：“白闻天下谈士相聚而言曰：‘生不用封万户侯，但愿一识韩荆州。’”大有借花献佛之妙。

（周啸天）

舟泊汉江望黄鹤楼

张居正*

枫林霜叶净江烟，锦石游鱼清可怜。
贾客帆樯云里见，仙人楼阁镜中悬。
九秋查影横清汉，一笛梅花落远天。
无限沧洲渔父意，夜深高咏独鸣舷。

作者

*张居正(1525-1582)，字叔大，号太后，江陵(今属湖北)人。嘉靖二十六年(1547)进士。穆宗与神宗时，曾两度为相，颇有政绩。卒谥文忠。能诗文。有《太岳集》《太岳杂著》。

鉴赏

“黄鹤楼”，原在湖北武汉蛇山黄鹄矶上，面临长江，传说仙人王子安或费文伟驾鹤过此，实为风景胜地。张居正，自嘉靖末年至万历十年(1582)，由裕王讲官进身宰辅，政绩斐然，惜持身欠谨，政敌过多，身后顿遭攻讦，籍没其家。《舟泊汉江望黄鹤楼》是作者在汉江入长江口处，借景抒情，可能是进身宰辅之前的作品。

“枫林霜叶净江烟，锦石游鱼清可怜”，起首入题，从“望”着手。“枫林霜叶”，固然是汉江、长江交汇处的实物，但却具有艺术风采。“枫林霜叶”，序属三秋，点明了季节，而秋高气爽，又为“净江烟”安排了绝好的位置。“枫林霜叶”，一派老辣深红，不仅动人心志，崃人轻狂，而且为下文“锦石游鱼清可怜”设置了最好的参照系；红碧相对，静动相间。这两句为下文黄鹤楼的出现，作了气氛的准备。

“贾客帆樯云里见，仙人楼阁镜中悬”两句请出诗题的主角——黄鹤楼。长江与汉江交汇,客商来往频繁,船帆穿梭航行,自是常事,作者在“贾客帆樯”之后,缀以“云里见”三字,则顿生神韵。这“云里见”三字将高空水面连缀一起,造成浑然一体的意境。云影天光,云在水中,帆在云上,天上人间,人间天上,美不胜收,妙不可言。“仙人楼阁”,即黄鹤楼。不言“黄鹤楼”而言“仙人楼阁”,一则避免与题目“复衍”,二则显示黄鹤楼的历史面目,与仙人相关。从行文上说,关照题目而不重复,堪称简练。就艺术表现说,“贾客帆樯云里见”是“上”,“仙人楼阁镜中悬”是“下”,上下相合;“贾客帆樯云里见”见其“大”,“仙人楼阁镜中悬”是“小”,小大相形,构思错落有致。更应指出的是,“仙人楼阁镜中悬”像一个特写镜头将主题——黄鹤楼突现在读者眼前,是“下”见其“上”,“小”见其“大”。

从前四句说,“枫林霜叶净江烟”是平视,而“锦石游鱼清可怜”三句是俯视。就“锦石游鱼”三句而言,俯视的范围逐步缩小,集中在“仙人楼阁镜中悬”特写镜头上。为了展开诗思,必须扩张视野,使结构变化多端,摇曳生姿,引人入胜。“九秋查影横清汉,一笛梅花落远天”是极理想的艺术造型。“查”,亦作“楂”,木筏。“梅花”,曲调“梅花落”的省写。这两句构思奇特,一幻一真。木筏影水中,而缀以“清汉”,从字面上说,是照应题目中的“汉江”,其次,古人习惯,常以“清汉”指银河。银河倒影入汉江,汉江木筏倒影入银河,此“横”字妙处难与君说。一曲笛音,空际飘来,此“落”字故生姿态。本来,“梅花落”是笛子曲调名称,此则将专用名词“梅花落”的“落”字,挪而不去,放在同一位置上,而变其词性,巧绝妙绝。其次,这两句意象的组合还利用了视觉的美感和听觉的灵感。“九秋查影横清汉”和“贾客帆樯云里见”的意境一样,作者之所以重现一次,意在强化自然美,强调自然美的魅力,为下文蓄势。“一笛梅花落远天”从听觉上启迪人的灵性,呼唤自我意识。视觉和听觉的统一,使作者“望”黄鹤楼的意绪达到高潮,爆发出新的意念。

“无限沧洲渔父意,夜深高咏独鸣舷”两句忽地一转,转出了“无限沧洲渔父意”。“沧洲”,滨水的地方,古人以为隐者居住处。“渔父”,捕鱼人。此处用屈原《渔父》篇意,与“沧洲”相应。远离人世去滨水沧洲,坚辞官职做泽国渔民,从社会政治伦理的角度看问题,似乎由积极转为消极,情绪顿转低沉。其实,这里的低沉,只是一种手段,而不是作者命意主旨。这种反衬的手法,苏轼在《念奴娇·赤壁怀古》中用过,辛弃疾在《破阵子》(醉里挑灯看剑)中也用过,那里的“早生华发,人间如梦”并非立意消沉，而是为“雄姿英发”“谈笑间，樯橹灰飞烟灭”而设，是一种艺术的反衬；同样，“可怜白发生”，是为“赢得生前身后名”而设，也是一种艺术的反衬。因此，“夜深高咏独鸣舷”，是诗人对前六句“望黄鹤楼”而产生的情感的宣泄，夜深人静，江船独坐，扣舷高咏，何等兴致，何等高雅！

全诗以前六句与后两句结构成统一体，而两部分的组成则依据相反相成的艺术哲学规律，读来耐人寻味。

（汤贵仁）

枯鱼过河泣

李攀龙*

大鱼啖小鱼,小鱼啖虾鲃,虾鲃啖沮洳。
啖多沮洳涸,请君肆中居。

作者

*李攀龙(1514－1570),字于鳞,号沧溟,历城(今山东济南市)人。少孤,家贫,嗜诗歌,邻里称他为狂生。嘉靖二十三年(1544)进士。官至河南按察使,与王世贞同为"后七子"首领。论文主秦汉,论诗宗盛唐。诗多模拟古人,然而也有不少反映现实,有较强艺术感染力的作品,有《沧溟集》。

鉴赏

《枯鱼过河泣》乃乐府旧题,古辞云:"枯鱼过河泣,何时悔复及!作书与鲂鲊,相教慎出入。"乃遭祸患者假鱼言警告同伴的诗。李攀龙这首仿民歌,不袭古辞之意,却从《庄子·外物》涸辙之鲋的故事吸取了一点灵感。故事中的那条快干死的鱼,对路人之许以远水相救十分愤慨,道:"不如早索我于枯鱼之肆。"鱼儿离不开水,远水焉能救急!寓言止此而已,而李攀龙则别有新意。他运用现成的语言材料,创造了一个新的寓言,警告当时统治者:如果诛求无厌,最终会自食其果。

"大鱼吃小鱼,小鱼吃虾米"的说法在民间早就流传着,它十分形象地反映了旧社会弱肉强食的丑恶现象。李攀龙接过这个比喻,添作三句:"大鱼啖小鱼,小鱼啖虾鲃,虾鲃啖沮洳。"这就增加了一个层次,生动地揭露了明代社会贪官污吏横行的情景,既有以黑吃黑,也有以恶欺善的现象存在。大抵是官压制吏,吏盘剥民,人民则只能任其宰割,处境悲惨甚于虾鲃。"沮洳"指污泥，固然是虾䖟之所食。但人间饥民，也有食“观音土”如虾䖟者。当然，一旦人民落到这种田地，只有两条路，一是死，一是造反。无论哪种情况，都会导致封建国家大厦的倾覆。“皮之不存，毛将焉附！”李攀龙在诗末只轻轻点到为止：“啖多沮洳涸，请君肆中居。”这里的“啖多”和“君”表面上承上句“虾䖟”言，但在诗人描写的那个“大鱼—小鱼—虾䖟—沮洳”的食物链上，一环有亏，必殃及其余：沮洳涸则虾䖟绝，虾䖟绝则小鱼灭，小鱼灭则大鱼死。最后居枯鱼之肆的必然也有大鱼小鱼。诗人巧妙省去了一些环节不说，让读者自己去推想，“君”字所指便意味深长了。

诗全用形象作寓言，极富哲理性。大鱼、小鱼、虾䖟等，实处在一个生态平衡系统中，一旦失去平衡，则祸至无日矣。我们今天还可借来说明环境保护的重要意义，如果人类对环境只开发利用而不注意保护，也势必有一天“啖多沮洳涸，请君肆中居”。

（周啸天）

送皇甫别驾往开州

李攀龙

衔杯昨日夏云过，愁向燕山送玉珂。
吴下诗名诸弟少，天涯宦迹左迁多。
人家夜雨黎阳树，客渡秋风瓠子河。
自有吕虔刀可赠，开州别驾岂蹉跎。

鉴赏

皇甫汸同李攀龙、谢榛、王世贞过往甚密，与王慎中、唐顺之、杨慎等也是好友。他很有才气，“七岁能诗，辄得奇句”。后来诗名亦高，人称其兄弟四人为“皇甫四杰”。同时，他个性突出：为人平易，不修边幅，近声色，好狎游，以文章游宴自娱，行游湖山之间，以终天年。这首诗写在皇甫汸被贬开州同知赴任之前。

首句“衔杯昨日夏云过”，以叙旧领起全诗，回忆欢会的情景。“衔杯”二字生动传神，又能让人想象到朋友间的和谐、畅饮时的欢快。“夏云”既点出时令，又与下文“秋风”“夜雨”暗合，遥相衬托，相映生辉。

第二句"愁向燕山送玉珂",说皇甫汸高才丹心,偏偏不被朝廷认识和理解,满腹愁苦,被谪南行。"玉珂"指马勒,代指所乘之马。

"吴下诗名诸弟少,天涯宦迹左迁多",这两句把"愁"进一步具体化,意思是说,皇甫四兄弟,人谓四杰,诗名才气很高,为吴中少有。可是进入仕途却不顺利,屡遭贬谪,历经坎坷。如果说此处重在写实,下两句"人家夜雨黎阳树,客渡秋风瓠子河"则多为想象,作者变换手法,丰富扩展"愁"的意蕴。这两句,词语俊美,对仗工整,轻淡中寓浓情,创造了很好的意境。句中"人家"和"客渡"相对,"夜雨"和"秋风"相对,"黎阳树"和"瓠子河"相对。作者把人、树、风、雨、水组成一幅画面,开阔而具动态美和立体感。另外,"人家"和"客渡"都是陌生处所,孤身独行,耳听夜雨滴树,目视秋风动水,自然生愁。

"自有吕虔刀可赠,开州别驾岂蹉跎。""吕虔刀",事见《晋书·王览传》,三国时期,魏之吕虔刺史,有佩刀,相者谓三公可佩。吕虔将刀授给王祥,祥临终前授王览。后因用为黎颂相辅之语。作者引此典入诗,贴切恰当。皇甫汸贬至开州任同知,是知府的佐官,分掌督粮、捕盗、海防、江防、水利等。攀龙深情安慰他要努力辅佐,忠于职守,不要让大好光阴白白流逝。总之,慰友和爱国两种情意在此得到高度的结合。

(赵庆元)

初春元美席上赠谢茂秦得关字

李攀龙

凤城杨柳又堪攀,谢朓西园未拟还。
客久高吟生白发,春来归梦满青山。
明时抱病风尘下,短褐论交天地间。
闻道鹿门妻子在,只今词赋且燕关。

鉴赏

这是一首在王世贞初春摆设的宴席上赠友人谢榛的诗。元美,王世贞字。谢茂秦,名榛,自号四溟山人,临清(今山东临清县)人。"后七子"初结社时,谢年最高,实为盟主,后来论诗与李攀龙意见不合,李贻书与之绝交,世贞力护攀龙,谢被排斥在七子之外。此诗作于结交之初,所以对谢颇致推崇之意。“关”字是即席分韵所得的字。

此诗既为宴席赠送友人作,必出赞颂劝勉语,倘若开篇为之,又失之太俗。作者手出高招,妥当处置,落笔便道:“凤城杨柳又堪攀,谢朓西园未拟还。”“凤城”,指京城。“谢朓”,字玄晖,南朝齐诗人,这里借指谢榛。“西园”,源自曹植《公宴》诗:“清夜游西园,飞盖相追随。”后用以指京都宴游的地方。全句大意是:京城杨柳叶嫩枝新,攀杨折柳以作送别的季节又已来临;茂秦宴游京都,兴致尚浓,仍无归意。首句点明地点、季节和中心人物,并以“西园未拟还”为下文张本,与主旨勾连,使谢榛的性格初露端倪。

接下来,开始对中心人物集中描写,深入刻画主体性格。“客久高吟生白发,春来归梦满青山。明时抱病风尘下,短褐论交天地间。”当时,谢榛仍为布衣,他为了营救被河南浚县县令诬陷入狱的卢柟,亲赴京都,找诸贵人代陈冤情,并且与李攀龙、王世贞等结为诗社,经常聚会,品评诗文,唱和赠答,在京迁延日久。“客久高吟生白发,春来归梦满青山”句,既概括提及谢榛在京的生活,又断想他客居已久,面对大好春光,必然乡思甚苦。“客久”与“归梦”呼应,“生白发”和“满青山”对举,使人物形象愈显鲜明,主体性格更加丰富。“明时抱病风尘下,短褐论交天地间”句,从大处着笔,把诗意深化。作者没有停留在春梦归情的描写上,而是以此为基础,转写谢榛不求利达和声气之广。“明时”,政治清明之时。“短褐”,粗陋布衣。全句是说谢榛生当清明之世,正是可以进取的时候,却怀才不遇,沉埋风尘之下;虽为布衣之士,而交游遍天下,为时辈推重。作者以清亮的声调,俊爽的词采,抒发出内心的同情和赞颂;用突出的事例来充实主体性格,使艺术化了的谢榛形象更趋完整。

全诗以“闻道鹿门妻子在,只今词赋且燕关”作结,声调由清亮转为沉郁,感叹劝勉,意味深长。“鹿门”,山名,在今湖北省襄樊市东。汉末庞德公携妻子登山,隐居不出,采药以终。“燕关”,犹言燕京。全句是说,目前暂在京城以词赋过从,以后还是要回归故里。作者诚挚的慰留情意里,暗含着对友人未来前途的不乐观预料。

诗中运用了两种笔墨。“凤城杨柳又堪攀,谢朓西园未拟还”和“明时抱病风尘下,短褐论交天地间”四句,是正面写友人,抓住其突出的品行给予热情赞颂,造成两情一统的趋势。其他四句是侧面衬托,多为作者的议论、断想等。另外,作者选词用字,特别注意生动性和形象性,如“高吟生白发”“归梦满青山”和“抱病风尘下”“论交天地间”等,诗中多处用典,也属精心挑选,如活化“折柳”,可以表达双方的浓情蜜意,“谢朓”入诗,便于突现友人的诗才和心绪;“鹿门”一典,更能显示丰富的内涵,给人提供无限的想象空间。

(赵庆元)

杪秋登太华山绝顶

李攀龙

缥缈真探白帝宫,三峰此日为谁雄?
苍龙半挂秦川雨,石马长嘶汉苑风。
地敞中原秋色尽,天开万里夕阳空。
平生突兀看人意,容尔深知造化功。

鉴赏

这是李攀龙登览华山之作。诗题中“杪秋”即秋末(杪,音 miǎo,本为树梢,此指末尾);“太华山”即西岳华山,在陕西华阴县南,此山因其险峻而风景独绝,古往今来,吸引着不少游人登览。诗人在巍峨险峻的华山之巅,看到了雄浑苍茫的景色,引发了深沉的思考,也悟出了人生的道理。全诗意境开阔,写景抒情豪放而含蓄。正如沈德潜在《明诗别裁集》中说:“沧溟(李攀龙之号)诗有虚响,有沉著,此沉著一路。”表现了诗人风格中的又一特色。

首联“开门见山”,直接入题,显得雄健、劲挺,有如华岳之拔地而起。“缥缈真探白帝宫,三峰此日为谁雄?”前一句是说,登上高高的华山绝顶,一切都显得隐隐约约,真像来到天宫探访一样。“白帝”,古以为主管西方的天帝,华山是西岳,故用白帝宫(即天宫)来形容它高入云天。“缥缈”二字中,有恍惚朦胧之意,生动地表现出初上绝顶时那种四顾茫茫的感觉;句中“真”字,更进一步显出惊讶之态,含蓄地传写出华山之高和风景的神奇。在短短七个字中,作者用精练而生动的文字,一开始就把登上绝顶时的所见所感,概括而形象地展现在读者面前,给人以深刻的印象。按说,既然到了“绝顶”,就应当有“一览众山小”(杜甫《望岳》)的感觉,但下一句却出人意料,继续写“三峰”的高峻。“三峰”即华山的莲花峰、仙人掌、落雁峰。从“绝顶”看来，这三座峰不仅不“小”，反而更见雄奇峻峭。这里暗用了“加一倍”手法，来衬托“三峰”的高峻，突出了华山的特点。并且，在上一句的惊叹之后，紧接着出以问句，有着丰富的含意。一方面，是继续赞叹华山的奇险。另一方面，从“为谁雄”三字中，作者似乎对“三峰”发出了轻轻的责难：你们凌空直指，万仞摩天，到底是为谁争雄呢？是互相斗胜呢，还是要和我这个已经登上绝顶的人一比高低呢？在这轻轻一问中，不仅加强了诗句的感情，而且使山和人打成一片，显示出无穷的情趣和深意，留待人们去思索，去探究。

但是，作者在这里却陡然一顿，把即将展开的思路忽然截住，转而扬开笔锋，去描写在“绝顶”上所见的更为广阔辽远的景色，为读者展现出新的境界。

“苍龙半挂秦川雨，石马长嘶汉苑风。”从华山绝顶望去，那八百里秦川（即关中，因关中古为秦地，故名“秦川”，今陕西中部之地）上空，忽然大雨滂沱，像苍龙一样的乌云悬挂半空；在汉代的旧苑里，风吹石马（刻石为马，列于墓前），似乎在望空长嘶。这一联，天上地下，遥相呼应，风驰雨骤，动地惊天，景象十分雄浑壮阔。“地敞中原秋色尽，天开万里夕阳空”。然而不久，风停雨止，回望广袤无际的中原地带，经过风吹雨打，迷人的秋色荡然无存，只剩下一片萧索；那惨淡的夕阳映照在万里长空中，使天空显得更为开阔而又空旷。这一联，地下天上，互相映衬，秋色已尽，夕阳又空，景象凄楚而又苍凉。中间这两联，在空间上，采用上下交叉的手法，立体描写，融天地为一体，并且，从八百里秦川到广阔辽远的中原，横向开拓，地域极其辽阔。这样写，就造成了极为磅礴的气势，使得字字力重千钧，读来震荡心魄。另外，特别是在时间上，两联从秦汉到眼前，跨度极大，可以使人产生极为丰富的联想；但是，那邈远的往事，漫长的历史，却又如适才所见的风雨一样，不过瞬息即逝，只留下汉苑石马那样的斑斑陈迹，叫人感怆无限。诗中赋而有比，隐隐透出一种对世事变化无常的喟叹和对人生易逝的悲凉，耐人寻味。

这样的新境界，看来好像和第一联的意思有些游离，然而仔细思索，内在联系却十分紧密，也正是作者的深意所在。这眼前的一切，天上地下，古往今来，都在不停地变化，似乎不可捉摸，然而那巍峨高峻的“三峰”，却是永远不变的啊！它突兀高耸，顶天立地，峥嵘雄秀，万古如斯，丝毫不减雄伟的气概，这才是真正的称雄于天地，豪迈于古今呢！这两联从所描写的景象之中，深藏着作者对“三峰”雄伟气概的赞叹，心中充满着“高山仰止”的景仰之情。

于是，在尾联中，作者自然地发出了深深的感叹："平生突兀看人意，容尔深知造化功。""突兀"，高耸之意，此指自视甚高；"容"，即也许，《世说新语·方正》："何至如此，彼容不相知也。"在那样高峻的"三峰"面前，小小的个人真不堪比拟。作者联系到自己的过去，深悔自己总是那么居高临下地对待别人，如今面对华山的"三峰"，才感到也许只有你才能深知造化之功。你那天造地设般的伟岸身姿和无与伦比的奥妙，相形之下，才使我感到自己的平凡和渺小啊！至此，作者在首联中暗示的深意，终于在这里委婉地表达出来了，它表现出作者个人的自知之明，也表现出应抱的谦逊的人生态度。作者在登上华山"绝顶"时，不仅饱览了雄奇的风光，为华山的英姿所倾倒，而且在经过俯仰古今、视通万里的思索之后，领悟了有益的人生哲理，使得这首诗不仅有了鲜明而生动的艺术形象，引人入胜，而且有了深刻的思想，启人心智。

这首诗在结构上，首联一问，故作停顿，而尾联一答，回应篇首，在一问一答中，自开自合，显得十分谨严。全篇纵贯古今，横通万里，却极少用典，语言虽然含蓄凝练，却流利畅达。因此，本诗除了"沉着"的风格，也还有亲切自然的一面，这是它的成功之处。

（管遗瑞）

送杨给事河南召募

李攀龙

丑虏休南牧，朝廷议北征。幄中新授律，天下大征兵。
使者持符出，君推抗疏名。黄金秋突兀，白羽日纵横。
岳雪三花秀，河冰万马行。将军邀剧孟，公子得侯嬴。
屠贩多豪杰，风尘郁战争。有呼皆左袒，无役不先鸣。
宁久燕山戍，终期瀚海青。过梁投赋笔，更为请长缨。

鉴赏

这首五言排律立意高，构思巧，气度大，爱憎鲜明，雄浑有力，是《沧溟集》中的奇葩，它尽管尚未超越朋辈间唱和赠答的范围，却也一扫悲秋哀伤，唱出了抗敌报国的强音。

李攀龙创作此诗，是赠送杨给

事、歌咏征兵卫国的。杨给事,即杨允绳,松江华亭(今上海市松江区)人。他和攀龙同为嘉靖二十三年(1544)进士,官兵科给事中、户科左给事中等。此人刚正不阿,用心国事,对外拒虏抗倭,对内惩治腐败,晚年遭陷入狱,死于西市。后穆宗即位,赠光禄少卿,予一子官。至天启初年,又赐"忠恪"之称。攀龙本有拳拳爱国之心,所书之人与事,恰能引起心灵的共鸣。

全诗长达二十句,自始至终,精神振奋,斗志昂扬。观其结构,大体可分三个层次。第一层从"丑虏休南牧"到"君推抗疏名",诗人愤恨之情勃发,开篇直斥"丑虏"。"丑虏",指蒙古族鞑靼部军队。当时他们在其首领俺答率领下,时常南侵犯明。作者称之为丑虏,有愤恨,有蔑视,一个"丑"字,显示出严正立场,使感情的高峰拔地而起。由于丑虏入侵,朝廷议论北征。不是议而不决,而是议出了新律,决定全国大征兵。不是决而不行,而是立竿见影:使者已持节出朝,皇帝恩准有关大臣上书直言。朝廷上下,都忙于北征拒虏,新的决策带来了令人高兴的新气象。从诗中看,作者主要写"召募"的背景,实际上已流露出自己抗敌卫国的心境,以及拥护朝廷积极决策的兴奋之情。

第二层从"黄金秋突兀"到"无役不先鸣",作者用一连串的对偶句,描绘征兵练武的行色气势,颂扬北征将士的神威气质,成功地表现了诗人自己无比喜悦的心理情态。为了达到自己的创作目的,诗人精选文辞,以"黄金""白羽"对举,"突兀""纵横"相配,书写情势紧急,描绘军威之壮,同时,使人在紧张振奋中感受到一种色彩和谐的美。"岳雪三花秀,河冰万马行",既使人了解天寒地冻的恶劣环境,又让人感受到将士们抗敌报国的决心和毅力,及其自觉自愿,以艰苦为享受的乐观信念。诗人为了颂扬将士的素质,显示军中人才的全面,还审慎用典,把许多历史人物搬进诗中,如剧孟、侯嬴、屠贩等等。"有呼皆左袒,无役不先鸣"句,绘声绘形,写意写神,把听从指挥、同仇敌忾的士兵们写得活灵活现,跃然纸上。

第三层,为最后四句。作者由痛斥敌人,拥护赞颂朝廷决策,到颂扬将士的神威气质,自己获得了新的感受,产生了新的意念:"宁久燕山戍,终期瀚海青。过梁投赋笔,更为请长缨。"为了消灭敌人,使国家河清海晏,人民安居乐业,他愿意抛弃舞文弄墨的生活,拿起武器,奔向边防前线,同敌人进行战斗。在这里,我们足以看到诗人忧国之心之重,报国之情之浓。李攀龙的许多诗篇都闪耀着爱国的思想光辉,如《平凉》《大阅兵海上》四首等,到生命火焰熄灭前夕,他还抒发着忠君报国、建功立业的雄心壮志。

(赵庆元)

和聂仪部明妃曲

李攀龙

天山雪后北风寒,抱得琵琶马上弹。
曲罢不知青海月,徘徊犹作汉宫看。

鉴赏

《明妃曲》是汉乐府旧题,写王昭君出塞之事。"明妃"即王嫱,字昭君,晋人因避司马昭的讳,改称明君,后人又称明妃。她本是汉元帝宫中美女,竟宁元年(前33)被派远嫁匈奴首领呼韩邪单于。她在塞外荒寒之地,满怀眷恋故国的深情,度过了抑郁的一生。从汉乐府开始,历来有不少诗人歌咏过这件事,对明妃寄予了深切的同情。这首《和聂仪部明妃曲》(仪部即礼部,聂仪部生平未详),以新颖别致的手法,刻画了明妃的生动形象,揭示了内心的苦闷,具有感人的力量。

这首诗的新颖别致之处,就在于它只截取明妃生活中的一个片断,通过生动传神的笔墨,给以描写和刻画,让人物的形象跃然纸上,从中自然地、含而不露地表现出明妃怀念故园的深情。

首先,在人物出场之前,作者先作了环境的烘染:"天山雪后北风寒。"这一句交代了地点,是远在北国的天山,也交代了时间,是在酷寒的冬季。特别是对于环境,接连作了两个层次的递进性的描写。第一层点出是在大雪纷飞之后,可以想见,那空旷荒凉的北国,冰封千里,阒寂无人。第二层更进一步,大雪之后,凛冽的朔风呼啸而来,搅天动地,更加寒冷彻骨,这是诗意的重点所在。这样,全句归结到最后一个"寒"字上,极为自然而有力,使人读来真有不寒而栗之感。在这样的苦寒之地,谁能有什么好心境呢?这就为明妃的出场,作了很好的铺衬。全句高度概括,极富包容性,在有限的文字中表达出了丰富的内容,于此可见我国古典诗歌语言精练之一斑。

接着,作者开始描写明妃的形象:"抱得琵琶马上弹。"在风雪之夜,明妃骑在马上,怀抱琵琶,正在深情地弹奏。这一句中,作者并不去写明妃的面部表情,而明妃的神态却凸现眼前。关键在于作者成功地使用了一个动词"抱"字。琵琶是拨弦乐器，最早流行于北方少数民族地区，多在马上边走边弹，“抱”字是写实性描写，形象宛然。但它又不仅仅是在写实，风雪之夜，远在异国的明妃更显孤独，她只有把满腔心事通过弹奏琵琶而倾诉出来。一个“抱”字，表现出了她和琵琶的相伴之情，她的孤苦的心理，对于故国的思念，都从一个“抱”字中曲曲传出。并且，句首的“抱”字和句末的“弹”字，构成了一个完整的演奏动作，作者通过这个具有特定意义的动作，成功地勾勒出了明妃的形象，使人读来如见其人。一个“抱”字，本来极为平常，但一经作者在诗中点化，就具有了非同寻常的妙用，可谓善于炼字，使平字见奇。

然后，作者在后面两句中，把人物的动作和眼前的景色结合起来，进一步揭示出明妃愁闷痛苦的内心。“曲罢不知青海月，徘徊犹作汉宫看(kān)。”前一句的“曲罢”二字上承第二句的抱琵琶而弹奏，但又有转折之意，下启第四句的“徘徊”动作，承前启后，过渡自然。此时，一曲终了，明妃还沉浸在深情的琵琶声中，猛抬头看见从青海湖那边升起的一轮明月，还以为是当年在长安宫中看到的明日呢(当然是的，但这是诗的说法)，因而久久徘徊观看，如处汉宫之中，不忍遽去。这两句，把前面弹琵琶的动作，换成了对月徘徊的行动。“不知”，已见痴情；“徘徊”，更显眷恋。天上的一轮孤月与地上永不能归的女子，相望相伶，情景交融，把明妃对故国的怀念，表达得十分深沉而又强烈。至此，人物的形象清晰而又丰富，全诗充满了动人心魄的艺术感染力。

绝句，是中国古典诗歌中最为短小的一种形式，它对于描写人物，在容量上有一定的局限性。然而本诗的作者却处理得极好。他不仅只截取了生活中的一个片断，而且在片断中也只选择了马上弹琵琶和徘徊望月的两个最能表现故国之思的典型行动，通过简练而又生动的描写，来揭示人物内心情愫，表现了强烈深沉的故国之恋，可谓以少胜多，神余言外，在歌咏明妃的同类诗作中，真是别具一格。

(管遗瑞)

塞上曲送元美

李攀龙

白羽如霜出塞寒，胡烽不断接长安。
城头一片西山月，多少征人马上看。

鉴赏

元美即王世贞,和李攀龙同为明"后七子"领袖,且友谊笃深。他们之间有不少酬答送别诗作,这是其中之一。

全诗仅四句,前三句着力写景,渲染气氛,为后一句抒情奠基。诗的开头两句"白羽如霜出塞寒,胡烽不断接长安",给全诗笼罩上紧张的战争气氛。"白羽",即羽书,古代紧急军事公文,上面插上羽毛,表示要迅速传递。塞外寒风刺骨,战士传书报急,"十里一走马,五里一扬鞭"。马蹄嗒嗒,羽书如霜。极目远视,烽烟滚滚,连绵不断,逼近国都。这两句只用战争所特有的镜头——羽书、胡烽,极写边事严重,句式急促,紧迫之感跃然纸上。

"城头一片西山月,多少征人马上看",这两句承上而来,又移步换形,节奏由急促变舒缓,内容从战事转抒情。一片明月,高挂西山,清辉轻射,照彻城楼,高天空阔,寒气袭人。孤立地看,作者在第三句里,把边塞的月夜写得非常静美;总观全诗,他是故意于此设下不和谐音符,借助艺术辩证法的力量,以静显动,创造出一种物我相融、表里一致的境界。诗中的"一片月",不仅能衬托情意,而且能喻示时间,渲染气氛。天下共一月,何必有西山东山、家乡异地之分?诗中的"西山月"含意很深:"西山"与"边塞""胡烽"暗自相连,又同下句"征人看月"情融意合,构成佳境。"多少征人",意即许多离乡远征、抗敌卫国的将士,他们都是人,立身边塞,目视明月清辉,心头泛起思乡之情。然而,他们看月未下战马,个个都是保家卫国的英雄。

这首《塞上曲》没有正面描写边塞战争的激烈实况,仅用羽书告急、胡烽不断等相关的特写镜头,烘托渲染气氛,展示马上征人凝视城头片月,胸怀报国思乡之情的心境,取材很有特色,包孕无限情思,收到言绝而意不尽的效果。

(周爱武)

寄 元 美

李攀龙

蓟门城上月婆娑,玉笛谁为出塞歌?
君自客中听不得,秋风吹落小黄河。

鉴赏

这是作者寄赠王世贞的绝句之一。诗中追忆了诗人与元美在蓟门城上玩月闻笛的感受，可以说是一首优美的小夜曲。

诗一开始就推出一幅清晰的秋夜月景图。蓟门城头高高屹立，诗人结伴登上城楼，仰头而望：银盘似的月亮在天空中盘旋、穿行，洒下一片银光。月白霜清，秋意寒凉。在这柔和静寂之中，忽然远处传来了笛声，划破宁静的夜空，奏的乃是《出塞歌》，曲调哀怨悲咽。这种气氛的烘染，非常细腻。一绘形，写月亮盘旋流动形态；二写声，写玉笛悲咽情长。按常理写月下闻笛应自然地引出思归之情，作者却出人意料地吟出："君自客中听不得，秋风吹落小黄河。"不说这月光伴着笛声会引起对方对故乡的思念，而说在秋天时节，对方在客中是听不得这种音乐的，尽管秋天已至，秋风飒飒，已掠过卢沟河的水浪。同时，这里的小黄河也指笛曲名，隐喻双关之意，读后颇耐人寻味。显而易见的是此诗之意，不仅在于勾起对方的羁旅之秋，而注重在唤起王元美对他们之间交游的美好回忆。

李攀龙历来推举唐诗，深得唐诗影响，此诗就明显受中唐李益的影响。本诗由视觉形象——城头明月高照写到听觉形象——玉笛出塞歌，直至掀起感情波澜。诗的后两句的慨叹，表现得十分自然，让人回味。全诗音节谐婉，可配之乐歌。

（周爱武）

挽王中丞（录二）

李攀龙

司马台前列柏高，风云犹自夹旌旄。
属镂不是君王意，莫作胥江万里涛。

鉴赏

王世贞之父王忬是著名的抗倭将领，曾任蓟辽总督，因边防失事及严嵩构陷，于嘉靖三十九年（1560）冬被杀害。《挽王中丞》是李攀龙为悼念王抒创作的组诗,原八首,这里选两首。

“司马台前列柏高,风云犹自夹旌旄。”开头就不同凡响。“司马”,古官名,西周始置,春秋、战国时沿用,掌管军政和军赋。汉武帝时罢太尉置大司马,后也用作兵部尚书的别称,侍郎则称少司马。王抒曾任兵部侍郎,所以作者称之为“司马”。“列柏”,据《汉书·朱博传》载,西汉末,御史“府中列柏树”,后世遂称御史台为柏台或柏府。因王抒曾任都御史,作者随用“列柏”故事。作者显然化用了杜甫《蜀相》“蜀相祠堂何处寻,锦官城外柏森森”的诗句。二句大意是:司马台前列柏高耸,然而物在人亡,一代良将竟成冤魂。英雄虽死,浩气长存,其忠魂毅魄仍夹持军旗,指挥战斗。王抒当时御倭拒虏,战功赫赫,曾获得“白首筹边,赤心报国”的赞誉。诗作没有直接追述王抒的功绩,只是精心捕捉,推出“台前列柏高”和“风云夹旌旄”两个意象,引导读者由物入境,因景生情。写出了广阔的空间,悲壮的氛围,调动起人们内在的情感——对外敌内奸,憎恶愤恨;对爱国名将,倾慕敬仰。

后两句引用伍子胥被害的典故,精审自然,春秋时吴国大夫伍子胥,经常向吴王夫差进谏,渐被吴王疏远。当时善于逢迎的大臣太宰嚭,深得吴王夫差宠信。他屡进谗言,谮杀伍子胥。昏庸的吴王赐所佩属镂剑,迫令伍子胥自刎。子胥死后,吴王将其尸投入江中。子胥含愤而死,灵魂不灭,遂驱江水翻起万里波涛。王抒与子胥虽时代不同,然报国之心相同,遇难原因相似。明明是君王听信奸臣语,杀害了爱国名将,诗中偏说:“属镂不是君王意”;刚唱罢“风云犹自夹旌旄,”又吟起“莫作胥江万里涛”,低回唱叹,发人深思。沈德潜在《明诗别裁集》中评论此诗说:“为中丞吐气,而忠厚之意宛然。”

幕府高临碣石开,蓟门丹旐重徘徊。
沙场入夜多风雨,人见亲提铁骑来。

鉴赏

这是李攀龙挽王中丞的另一首绝句。作者立足现实,追忆王抒任蓟辽总督时的威武气势,又展开想象的翅膀,虚构出王抒死后英灵不灭、率军抗敌的壮烈情景。全诗想象丰富,场面宏大,寓抒情于述事之中，雄浑有力，异常感人。

陈卧子在《明诗选》里曾这样评价过李攀龙的绝句："绝句词练而若出自然，意必浑而每多思，照应顿挫，俱有法度。"联系本诗，此论极有见地。王抒一生拒虏抗倭，赤心报国，当有多少可歌可泣之事，作者偏偏不取一事一例，只写其遇难后抗敌报国之忠魂不死。

由于作者的虚构想象具有坚实的现实基础，诗中又接连出现"幕府""丹旌""沙场""风雨"和"铁骑"等，特别是"人见亲提铁骑来"一语，所以成功地创造出一种神奇迷人的境界，艺术感染力很强。

"幕府高临碣石开，蓟门丹旌重徘徊"，写王抒魂魄率领旧部，在碣石山旁，重排阵势，继续进行抗敌斗争。"幕府"，古时将帅出征，常以帐幕为府署，军还则罢，选用"幕府"一词，含飘动之感。"丹旌"此处有以魂幡为旗之意。"沙场入夜多风雨，人见亲提铁骑来"，前句以沙场夜雨描绘特定环境，后句用亲提铁骑突出中心人物。黑夜沙场，风雨交加，鏖战正激，主帅王抒，亲自督战，奋勇杀敌。"人见"二字，假假真真，以虚幻之笔，给人们留下无限的想象空间和回味余地。

（周爱武）

于郡城送明卿之江西

李攀龙

青枫飒飒雨凄凄，秋色遥看入楚迷。
谁向孤舟怜逐客，白云相送大江西。

鉴赏

嘉靖三十四年（1555）吴国伦（字明卿）因忤奸相严嵩，被贬江西按察司知事。时作者闲居济南家中，此诗即是吴赴任途经济南时所作。李攀龙是致力于学唐的诗人，这首七绝就神似唐音，可以出入李太白、王少伯之间。从中可以窥见作者熔铸之功力。

诗一开始就极力烘托送别气氛，意境音情皆类乎王昌龄《芙蓉楼送辛渐》："寒雨连江夜入吴，平明送客楚山孤。"这是初秋的渡头，飒飒的是秋风吹动枫叶的声音，使人联想到"白云一片去悠悠，青枫浦口不胜愁"的名句。送客的时候，又遇到天雨，更令人悒郁愁绝了。"青枫飒飒雨凄凄”句中两个叠词“飒飒”和“凄凄”都有绘声绘色的妙用。向行者所去的楚天望去，江天一片迷蒙。“秋色遥看入楚迷”中“遥看”二字点出目送远方的情态，一个“迷”兼写出细雨蒙蒙的景象和送行双方心情的凄迷。在将气氛烘托得很浓的基础上，再转入明快的抒情，是王昌龄的绝招，李攀龙此诗也是这样作的。

“谁向孤舟怜逐客?”第三句一问提唱，点出行者及其谪迁的身份，同时把遭受政治打击迫害者的孤独困厄的处境和盘托出。“孤舟”是实有其物，又是迁客孤危之象征。“谁向”的一问，可见当时能公开表示支持同情正义者不多。反过来也见出作者不避嫌疑，公然对明卿表示同情，有雪中送炭的作用。在严嵩当道、恐怖的政治气氛下，这种态度本身就是对权奸的一种反抗，不必挑明，弥足珍贵。由问句引出最末七字，是个更耐人玩味的浑含诗句:“白云相送大江西。”这“白云”就是“白云一片去悠悠”的“白云”，它可以是游宦的一个象征；也可以是他的一个陪伴，就像“草色青青送马蹄”的“草色”。虽然只说“白云相送”，事实上还有作者本人的目送，两意叠加，就是李白所说的:“我寄愁心与明月，随风直到夜郎西。”后三字“江西”前加一个“大”字，可不是随便凑字数的。它可以读作“大江——西”，意即江西，但又失去地理专用名词的意味，成了一种景色，一个方向，可以唤起视觉印象。也可以读作“大——江西”，那又直接是对朋友去向的一个赞美，也就是为朋友长志气，对权奸投以蔑视。一位现代革命烈士遗诗写道:“昨夜洞庭水，今宵汉口风；明朝何处去?豪唱大江东。”末三字便是同一机杼。有了这个“大”字，才是“豪”唱的意味呢。

精心烘托气氛，用提唱方式抒情，明快而含蓄的结尾，是此诗在艺术上成功的几个要素。没有对唐诗精研的功力，难以达到这样高远的境界。

（周啸天）

过长平作长平行

王世贞*

世间怪事哪有此，四十万人同日死。
白骨高于太行雪，血飞迸作汾流紫。
锐头竖子何足云，汝曹自死平原君。
乌鸦饱宿鬼车哭，至今此地多愁云。
耕农往往夸遗迹，战镞千年土花碧。
即令方朔浇岂散，总有巫咸招不得。
君不见新安一夜秦人愁，二十万鬼声啾啾。
郭开卖赵赵高出，秦玺忽送东诸侯。

作者

*王世贞（1526－1590），字元美，号凤洲、弇州山人，太仓（今属江苏）人。嘉靖二十六年（1547）进士，官至刑部尚书。与李攀龙、谢榛、宗臣、梁有誉、吴国伦、徐中行同为“后七子”。主张文必秦汉，诗必盛唐，倡导模拟复古，晚年始有改变。其才学富赡，著述宏富。有《弇州山人四部稿》《弇山堂别集》《艺苑卮言》等行于世。

鉴赏

这是一首咏古诗。长平是战国时期赵国地名。公元前260年，秦国名将白起在此大破赵军，将投降的赵国官兵四十万人尽皆杀害。这一旷古未有的惨案经过了近两千年，仍令路过这里的诗人激动不已。他的思绪在历史与现实之间大幅度穿插跳跃，将一腔悲愤和理智思考诉之于笔端。

诗的第一层次是回忆长平惨

案。诗的头两句如石破天惊，突兀而来。“怪”字，在此是令人惊骇之意。“白骨高于太行雪，血飞迸作汾流紫”两句，则是用夸张的笔法，极力渲染当时的惨状，因而有惊心动魄之效。“锐头竖子”两句，是作者对这一历史事件的评价。这两句似乎天外飞来，一反上面惨烈凝重的气氛。作者似乎从对当时血肉横飞、鬼哭神嚎场面的回想中突然醒悟，以异常轻松的口吻说道：“那白起算得了什么，你们这四十万人为平原君卖命，甘愿找死。”显然这是正话反说，孔衍《春秋后语》：“平原君对赵王曰：‘渑池之会，臣察武安君(白起)为人也，小头而锐，敢断行也。’”故诗中以“锐头竖子”称白起。以下两句又回到惨烈的气氛中。“乌鸦饱宿鬼车哭”一句是写当时深夜，专啄腐肉的乌鸦食饱尸肉，心满意足地缩头栖息枝头；月明星稀，那传说中专收人魂的九头恶鸟(鬼车)发出一声声凄厉的叫声。这是何等阴森恐怖的场景！“至今此地多愁云”一句是写现在。那四十万鬼魂不散，使近两千年后的此地，仍时时笼罩在鬼魂组成的阴云之下。此句承上启下，由历史过渡到现实。接下来的四句，又是一组轻松与凝重的对比。当地农夫们并不以为历史上的大悲剧有值得悲痛之处，而相反，以此为谈资。“即令方朔”两句，照应“此地多愁云”。“方朔”即东方朔。“巫咸”，古代传说中的神巫，他们都不能使死者安息，可见其怨毒之深。

第二层次写新安惨案。作者忽然宕开笔墨，记述了另一起惨绝人寰的大悲剧。公元前 206 年，楚霸王项羽将秦将章邯部下的降卒二十余万人在新安(属今河南省)城南全部诛杀。作者显然认为，这是长平惨案的再现。两事相隔仅仅半个世纪。

第三层次写了赵国与秦国灭亡的相似。公元前 229 年，秦国派遣大将王翦攻伐赵国，赵国大将李牧和司马尚率兵抵抗。秦国私下用重金买通郭开，让他在赵王面前声言李牧和司马尚欲挟兵造反。赵王听信谗言，斩李牧，废司马尚。此后仅三个月，王翦便大破赵军，俘获赵王，赵国因此灭亡(《史记·廉颇蔺相如列传》)。赵高是秦始皇的重臣。始皇死后，他伙同丞相李斯矫诏，杀始皇长子扶苏和其他公子，以及一批大臣，立始皇次子胡亥为秦二世。赵高因此当上丞相，后又诬杀李斯，弑二世，立子婴为皇，不久又欲弑子婴，事不秘，因而被斩，并夷三族。赵高指鹿为马，专权跋扈，是秦朝迅速灭亡的重要原因，所以作者认为，因“赵高出”而使“秦玺”易手。

全诗运用对比手法揭露了历史事件的惊人相似之处，发人深省。叙事详略得当，详写长平惨案而略写新安惨案，盖二事略类，不必重笔。"郭开卖赵赵高出"句巧妙运用顶针格,写出赵、秦痛史悲恨相续的意味,亦见意匠经营。

(贾三强)

登太白楼

王世贞

昔闻李供奉,长啸独登楼。此地一垂顾,高名百代留。
白云海色曙,明月天门秋。欲觅重来者,潺湲济水流。

鉴赏

唐代伟大诗人李白一生漫游天下,足迹遍布全国。后人为纪念他而修的"太白楼"何止一处!这首诗所题咏的"太白楼",在今山东济宁市,唐时为任城。李白曾在这里居住并受到县令贺某款待。此后这里就成为一大名胜古址。一说为安徽牛渚山采石矶太白楼。

李白在天宝初年曾任翰林供奉,因此后人便以李翰林呼之,此诗称李"供奉"则又出于平仄合律的需要。诗开端两句,就打破了五律一般的写法,十个字一气贯注,作"昔闻李供奉,长啸独登楼"也!这是何等气势,简直画活了一个李太白,使人想起大画家梁楷笔下那个翘首长吟、旁若无人的诗仙形象,而这种天马行空的笔法,正是深得李白律诗神韵的。写李白就要像个写李白的样子。王世贞先声夺人,诗就成功了一半。同时"昔闻"云云,意味着向往已久,暗藏有"今上"的意思(杜甫"昔闻洞庭水,今上岳阳楼"),不明说这一层,读者也心领神会。

"此地一垂顾,高名百代留。"有了前二句活画出高蹈的形象,这两句是水到渠成。这一联作流水对,又该一气读出,"垂顾"二字,恰是李白登高俯视世俗的形象。("西上莲花山,迢迢见明星……俯视洛阳川,茫茫走胡兵"不是大诗人的自画像嘛)"高名百代留"就字面意义而言,乃指此楼以"太白"得名;而骨子里却是在高声赞美:"永垂不朽的李太白,太白楼沾了你的光!任城沾了你的光!我们这些后代诗人,一起沾了你的光!你足迹所至,目光所投,诗笔描绘过的地方,它的名称便神奇地闪光发亮。"这十字饱含激情,充满敬仰。

"白云海色曙,明月天门秋。"元美登楼或许在一个秋天的早上,故有"秋""曙"等字(也可以是虚拟)。济宁太白楼隔海虽不太远,去泰山尤近,但还不至于看得见"海色"和泰山南"天门"。诗中写到它们,不过是坐役万景罢了,值得一提的是这两个写景的句子,仍具太白的手眼,它们不但以"视通万里"而特有气势,而且以"白云""明月"等高洁飘逸的意象令人神往。"天空海阔,有此眼界笔力,才许作《登太白楼诗》。"(沈德潜)

"欲觅重来者,潺湲济水流。"末句像是以景结,但有上句,则又似饱含无穷意味。诗人感慨道:要想找出一个能继武太白的人,寻思久之而不能得;唯见楼下济水不停地奔流而已。这是不动声色的一种赞美。正是:李白之前无李白,李白之后无李白,大哉李白!一种高山仰止的虔诚心情,汩汩流出。与"高名百代留"句遥相映带。读者也为之心悦诚服。

题赞之作没有别的诀窍,关键在于一颗真正神往的心。对象是诗人,你就必须好其诗而知其人,才能尽得其风神。读此诗使我们很自然地联想到李白《夜泊牛渚怀古》:"牛渚西江夜,青天无片云。登舟望秋月,空忆谢将军。余亦能高咏,斯人不可闻。明朝挂帆席,枫叶落纷纷。"其诗不以锤炼凝重见长,纯任自然地写景抒情,音调悉合于律,而风神萧散,这是李白律诗的本色。王世贞此诗虽然在对仗上较为经心,但就情韵而言,则与李白同致。使人读此诗即能想见所咏之人,故特别感觉亲切。

(周啸天)

送张虞部伯启左迁常州别驾

王世贞

把袂翻轻别,沾膺自感时。主恩迁地近,吾道小臣宜。
月迥延陵剑,潮平太伯祠。古人崇退让,今子莫凄其。

鉴赏

这首诗的选材是十分典型的。本来,与朋友分别,这已经足够令人黯然神伤的了;更何况朋友此时此刻又遭左迁(即受降职处分)之祸。在朋友最需要友情的时候写与朋友分别的诗,不仅能深刻地写出自己与朋友的生死情谊,而且也能更好地表达出自己的感情。

诗的第一句就写了一次情感的起伏。因为分别是为“左迁”所迫，所以“把袂”二字才更加重了感情的力量——实在不忍心与朋友分开。然而，正当人们为他们真挚的情谊所感动时，作者忽又出人意料地把这次辞行“翻”为“轻别”。这个感情的起伏看起来似乎十分矛盾，实际上它不仅为后文安慰朋友埋下了伏笔，同时也更深刻地写出了自己与朋友分别时的那种无可奈何的复杂心情。紧接着，作者刚刚从“把袂”的沉重感情中解脱出来，立刻又“沾膺”，忍不住泪洒胸前。然而这次流泪，却不仅仅是为了朋友，而是为“感时”，究竟是感自己怀才不遇，还是感时政不明，作者并没有说得很清楚，但是感时二字却明显地把为朋友送别的感情推到了一个更高的层次，从而加重了这首小诗的分量。

“主恩迁地近，吾道小臣宜。”既是劝慰朋友的解嘲之辞，又进一步透露出了他“感时”的内容。他的朋友张伯启不知为何触怒龙颜，身遭迁贬，而作者却以“迁地近”来谢主“隆恩”，真可谓对皇上忠心耿耿了！另外，“迁地近”一方面固然指的是迁地不远，更重要的恐怕还是指朋友的迁地离自己不远，以后他们还有相见的机会，所以劝慰之中又带出了朋友之间的真挚友谊。而“吾道小臣宜”一句，表面上看来似乎是说皇上圣明英武，给张伯启安排了他该去的地方，实际上结合作者“感时”的心情来看，恐怕其中是颇有微词的。

诗的第三联表面上是写张伯启所迁之地的名胜古迹，实际上是在借古代先贤的事迹期望他在迁地不灰心，重新振作起来，有一番作为。所谓“延陵剑”，指的是吴国贤公子季札赠剑徐君的故事。季札的封地在延陵。一次，他“北过徐君。徐君好季札剑，口弗敢言。季札心知之，为使上国，未献。还至徐，徐君已死，于是乃解剑，系之徐君冢树而去。从者曰：‘徐君已死，尚谁予乎？’季子曰：‘不然，始吾心已许之，岂以死倍吾心哉？’”（见《史记·吴太伯世家》）很明显，作者之所以在诗中写出这个典故，无非写出他们之间的友谊就像季札和徐君一样生死不渝。而“潮平太伯祠”句，指的是吴太伯为了让比自己贤能的弟弟季历当国君而避身荆蛮，“文身断发，示不可用”，终于在荆蛮之地创家立业，“自去句吴”（见《史记·吴太伯世家》）的事。这里，作者拿他的好友与吴太伯相比，这不是很清楚地说明了他对朋友这次遭贬“左迁”的态度了吗？

诗的最后一联看似十分平淡，但内在的感情是很深的。作者的朋友明明被贬了职，可作者却用退让二字来安慰他。同时也明确地指出自古以来，所谓的“小臣”是从来不被重用的，字里行间对朋友的同情和安慰是不言自明的。另外，诗的一开始，作者就用了“把袂”“沾膺”等那么沉重的字眼来表达他和朋友的感情，而到了诗的结尾，仅仅用了“今子莫凄其”的话来安慰朋友，这一轻一重，形成了强烈的感情对比，似乎让人能够更强烈地感到相对无言的分别场面，说它是“此时无声胜有声”，恐怕并不过分吧？

（许　恒）

赠梁公实谢病归

王世贞

汝谋结室罗浮顶，下饮仙人葛洪井。
桂树宛宛山日深，松花蒙蒙白云冷。
我亦欲买蜻蜓舟，归与少年为薄游。
采莲一曲杳然去，得醉即卧清溪头。

鉴赏

梁公实，名有誉，顺德（在今广东省）人，是明代嘉靖年间的著名诗人，与李攀龙、王世贞并称“后七子”，登进士后，被授刑部主事之职。权奸严嵩欲招揽于门下，他深以为耻，便称病返回故里。这首诗便是作者为他送行而作。

头四句是对梁有誉归隐生活的悬想。“罗浮”是梁家乡附近一座山的名字。相传罗山之山有浮山，原是蓬莱仙境的丘陵，从海上浮来，与罗山并体相连，因而得名。传说中东晋著名的炼丹士曾在此得仙术。在那壁立千仞、刺破青天的罗浮山顶结庐而居，真可谓“白云生处有人家”。而所饮之水，也是葛洪当年赖以成仙的井水。作者巧妙地利用神话传说，仅用十四字，就创造了一个浓郁的神仙世界的氛围，暗示了梁归隐后的生活状况。

接下来的两句，是对这种神仙生活的渲染。作者拈出了四个意象，可分成两组。一组是有生命的自然物桂树和松花；一组是无生命的自然物山日与白云。桂树是“宛宛”，写其鲜丽，馥郁之气可闻，松花用“蒙蒙”，述其迷茫，缥缈之貌在目。言山日曰“深”，状白云是“冷”。更写出梁所居之处距人世之遥。总之，这是个远离人世、不闻车马喧的神仙世界。在那里，人与自然完全融为一体，生命的自然之旨得到最完美的体现。

后四句抒己志。作者虽然尚未割断与仕途的经济的联系，但也明显流露出返归自然的意旨。

“我亦欲买”两句，孤立起来看，显得平平，但与全诗头两句比照，便见妙处。“我亦”与“汝谋”遥相呼应，既使行文有回环之趣，又引出作者本人与梁不同的返归自然方式。梁过的是不食人间烟火、与世隔绝的神仙生活，自己则是追求感官在自然生活中的享受，品尝世俗生活的乐趣。明是褒对方而贬自己，实则暗示两种归隐生活各有千秋。“蜻蜓舟”是一种小船。“薄游”是少有行装随从的旅行。

最后两句是对“薄游”的渲染。听着采荷少女婉转动听的歌声飘然远去，喝着美酒，随着醉倒在清清的溪水旁边，真可谓“醉翁之意不在酒”啊！“即卧”两字，强调了随缘自适的生活态度。这既有声色之好，又有口腹之欲，看似与梁有誉的神仙生活有天壤之别，但却用“采荷”与“清溪头”两个场景将两种生活情趣统一于返归自然的主旨上，彼此也就有了共同之处。

（贾三强）

书庚戌秋事

王世贞

传闻胡马塞回中，候火甘泉极望同。
风雨雕戈秋入塞，云霄玉几昼还宫。
书生自抱终军愤，国士谁讥魏绛功。
北望苍然天一色，汉家高碣倚寒空。

鉴赏

庚戌年（1550）八月中旬，曾在大同一带骚扰的俺答等部大举入寇，掠通州，驻白河，分掠畿甸州县，发生了史书上所称的“庚戌之变”。这件事对年仅二十五岁的王世贞触动很大。他写了许多诗文记叙，揭露此事，抒发自己忧国忧民的心情和报效祖国的壮志，《书庚戌秋事》就是其中较为有名的一篇。

诗的第一联极言贼势之盛，同时也表达了自己忧心如焚的心情。“回中”，古地名，今在陕西陇县西北；而作者写此诗的时候正在京师。京师与“回中”，地隔千里之遥，但作者已经听说"胡马"入寇的消息,可见他对这件事始终是十分关心的。"候火甘泉极望同"——上一句中贼兵尚在"回中",这句中已推进到"甘泉",即离京师不远的地方,可见贼兵行进速度很快,指向也是很明确的。不仅如此,上一句中仅仅是"传闻",这句中已见到了"候火"(古"候"通"堠",即边境瞭望侦察的设置;此处可引申为烽火),而这"候火"从京师一直到甘泉几乎都可以被"望"到,可见贼兵势力已经相当大,而且作者的心情也是相当沉重的。

"风雨雕戈秋入塞,云霄玉几昼还宫。"这两句话表面上写朝廷采取的对策,实际上隐隐透露着作者的讥讽和不满。早在"传闻"俺答等部在"回中"作乱时,似乎没有人过问此事;直到敌寇长驱直入、直逼京师时,明军才急急忙忙"入塞"勤王,这岂不是有些为时过晚了吗?这正如他在《送顾君序》中所沉痛揭露的"余念庚戌事,靡不怃然意自失也!士居平抗眉论古者,亡不见长者;卒遇事起,首鼠抱两端,何啻失其素哉!虏轻骑叩长安门,大司马而下,策惟有闭门固耳"(《弇州山人正稿》卷五六)。军队是这样风雨兼程地往京师赶,而皇帝"云霄玉几昼还宫",似乎更是让人失望。据编纂《明诗别裁集》的沈德潜所注,所谓"昼还宫"指的是"上自西苑还大内"。我们知道,"西苑"在明清时期特指北海、中海、南海,是皇帝平日游览观赏的御花园。原来,在这样危急的时刻,身为一国之主的皇帝还满不在乎地赏花观景呢!这样,"昼还宫"三字表面上看似乎只是在轻描淡写地叙述皇帝的行为举止,但其中隐含的意思确实是颇耐人寻味的。

正因为朝廷上下在这种危急的情况下都这样松懈,所以更激发了作者要建功立业、报效国家的雄心。"书生自抱终军愤,国士谁讥魏绛功。""终军"是汉武帝的人,他少年壮志,十八岁时选为博士弟子,二十余岁时"愿受长缨,必羁南越王而致之阙下",后为人们所称许,"魏绛"是春秋时晋国大夫。悼公时,山戎无终子请和,绛因言和戎五利,晋侯乃使绛与诸戎盟。从此后晋无戎患,国势日振,九合诸侯,终成霸业。作者在这里以终军、魏绛自比,一方面足可以看出他对俺答等部作乱所采取的态度,同时也可以看出他渴望报效国家的心情是很迫切的。

诗的尾联含蓄挺拔,形成了鲜明的意境。"北望苍然天一色",既是在写气魄雄伟、一望无际的苍天,又含蓄地表达了自己希望尽快平息边乱的心情。而"汉家高碣倚寒空"句,则用汉武帝扫平匈奴的故事暗指现实,希望明朝君臣迅速振作起来,建立丰功伟绩让后人去歌颂。苍然一色的天穹下竖立着

"汉家高碣",而"汉家高碣"又使天苍然一色;"高碣"与"苍天"互相映衬,历史和现实遥相呼应,作者报国的壮志和必胜的信心不是很清楚地展现在读者面前了吗?

（许 恒）

送妻弟魏生还里

王世贞

阿姊扶床泣,诸甥绕膝啼。"平安只两字,莫惜过江题!"

鉴赏

这首诗用极质朴的文字记录了家庭生活中极其普通的一个离别场面。作者的妻弟魏生在姊夫家住了一段时间,就要离别,回自己老家去了,然而他已和姊夫一家处得非常融洽。这一走,简直牵动了全家人的心。姐姐扶着座椅垂泪,而外甥们则绕在他的膝前,哭的哭,嚷的嚷。可以看出,这魏生是个讨人喜欢的人,所以一家子都舍不得他走。诗中描写的这个场面没有直接出现王世贞本人,但他面对这场面不能平静的心情却跃然纸上。

"平安只两字,莫惜过江题!"前两句写一个场面,后两句则写一声叮咛。这一声也许是从姊夫口中道出的,却代表了全家人的心情:过了江回到家里,不要忘记写信来,报个"平安"啊!从"只两字""莫惜"等语可看出,叮咛者是生怕对方会忽略忘记此事的。这就细腻地表现出亲人之间的深切关心。因为关心才不太放心,所以一定要对方捎个信,哪怕只短到"平安"两字,也满足了。事实上,"平安"二字,也是亲人最期盼的两个字啊。

这种建立在血缘关系上的亲情,是我们民族文化心理结构的一个重要组成部分。通过如此简练的文字,诗人表现了这样一个具体生动的情景,是此诗的成功之处。在历代送别诗中,它也算得是不落窠臼、别致生动的作品。所谓"俯拾即是,不取诸邻",其在《诗品》属于"自然"一品。

（周啸天）

横塘春泛

王世懋*

吴姬小馆碧纱窗，十里飞花点玉缸。
蜡屐去寻芳草路，青丝留醉木兰舣。
山连暮霭迷前浦，云拥春流入远江。
棹里长干听一曲，烟波起处白鸥双。

作者

＊王世懋(1536－1588)，字敬美，时称少美，太仓(今属江苏)人。王世贞之弟。好学善诗文。嘉靖三十八年(1559)进士。官至太常少卿。有《奉常集》《关洛记游稿》。

鉴赏

这首《横塘春泛》，以浓丽而又清新的笔调，写出了春日泛舟时见到的绮丽、旖旎的风光，表现了当时社会生活的一个侧面。写景状物生动形象，语言文字工稳，颇能代表诗人的风格。

横塘有两处，一在苏州附近，一在南京市南。细参诗意，这里的横塘是指南京市南的横塘。诗中虽有吴姬，但并非专指苏州吴门女子，而是泛指吴地女子。李白《金陵酒肆留别》诗："风吹柳花满店香，吴姬压酒劝客尝"，句中吴姬即是指南京酒店中的女子。本诗第七句中"棹里长干听一曲"中的"长干"，也是古金陵里巷名，故址就在今南京市南；所歌《长干曲》，不管是乐府古辞，还是李白的《长干行》，抑或是崔颢的《长干曲》，都与金陵相连，而与苏州无涉。特别是崔颢《长干曲》中的"君家何处住？妾住在横塘"，更是把长干与横塘连在一起的，当然是指南京的横塘了。这南京的横塘本为堤塘名，三国时吴筑于建业(即今南京市)南的淮水(即秦淮河)两岸。这里的横塘实际是指秦淮河,因此"横塘泛舟",其实就是秦淮河泛舟。金陵为六朝故都,也是朱元璋建都之地,在明朝成为与北京相对的"南京",十分繁华,特别是秦淮河一带,歌楼酒肆,芳草长堤,更是游览胜地。本诗所描写的情景,正是当时南京的繁华风光。明乎此,对于准确理解这首诗的内容,具有重要的意义。

诗中以作者自己所乘的游船为中心,在悠然自得的缓缓行进中,随意欣赏着沿河景色,涉目成趣,通过精美的语言,把秦淮河两岸和水中的人物、景象,井然有序地交织在一起,显得春光无限,赏心悦目,给读者以清新明媚的美的享受。

在前两联中,作者先写见到沿河两岸的景象。首联"吴姬小馆碧纱窗,十里飞花点玉缸。"在碧纱半笼的精致的小酒店中,可以清楚地看到吴姬正在劝酒,那漫天飞舞的柳花,飘落点缀在精美的酒杯上(缸,此处指酒杯)。颔联"蜡屐去寻芳草路,青丝留醉木兰舡。"看那芳草萋萋的小路上,人们穿上刚刚打了蜡的木底鞋(屐,jī,鞋子的一种,通常指木底的),正在乘兴寻路踏青;在江边的木兰小舟(舡,shuāng,小船)中,歌女(即"青丝",本为黑而软的头发,此指歌女)还在劝留醺醺然已有醉意的客人。这两联,通过对游人的活动和自然景物的描写,把秦淮河两岸的融融春意,表现得十分具体而又生动。可以想见,四野游人如织,歌楼酒店在河边鳞次栉比,沿河的欢声笑语,到处频频传出,与潺潺的水声融成一片,组成了一支醉人的春意交响曲。此时,作者小舟轻移,阳光融和,春意骀(dài)荡,仿佛神游于一幅美妙的画图中。

如果说,前两联先写两岸景色,是从近处着手,笔墨较实,那么到后两联,作者就有意把诗情转向秦淮河中,随着水流方向往大处和远处开拓,笔墨也更加空灵。在虚实相生中,把泛舟的所见所闻表现得更加丰富多彩而又形象生动。

颈联"山连暮霭迷前浦,云拥春流入远江。"在河中游着游着,不觉到了傍晚,诗人顺水望去,只见前面的水滨,青山在暮霭中显得有些迷蒙;晚云低低地涌动着一河春水,正向那远处的长江滚滚流去。这一联对仗工整,铢两悉称,而且画面在开阔中笼罩着迷蒙,在迷蒙中又有满江春水浩浩东向的雄壮,诗情画意,十分深厚,堪称佳句。因为有了这一联作骨干,所以全诗在精致中便不显得纤巧,诗人在安排上颇具匠心。尾联"棹里长干听一曲,烟波起处白鸥双。"在继续前行的桨声中,有人唱起了当地颇有特色的《长干曲》,那歌声婉转悠扬,悦耳动听,使得薄暮时分的江上更增添了悠远的情趣。这里"长干"有双关意义,既指《长干曲》，它一般多写长干里一带船户妇女的生活感情，富有民歌气息，同时也指与秦淮河和长江相连的长干里一带，点明诗题中的“横塘”。此时，淡淡的江雾也从波间升起，一双双白鸥正在低低地飞翔，好像正在动人的歌声中寻找归宿之所。一江春意，从白天的热闹繁华，转入了近晚时分的宁静，仿佛更加美好。整首诗如同一幅长画，从设色浓丽的画面逐渐向淡远迷蒙发展，富于变化，耐人寻味；又像一支乐曲，在繁弦急管的吹奏之后，慢慢地转入了轻松愉快的乐段，显得余音袅袅，韵味无穷。此时，我们仿佛看到诗人正在行船归去，那秦淮河两岸的春日美景，从朝至暮，给我们真切地展现出了四百多年前的迷人风情，诗歌以它感人的艺术力量，扣动着读者的心扉，令人难忘。

这首诗全用白描手法，细细地勾画出秦淮河两岸和江中的美景，看来都是客观描写，没有一点个人感情的痕迹。然而，正如王国维所说：“一切景语皆情语也。”（《人间词话》）在生动形象的描写中，其实已经融进了诗人的一片深情。读了这首诗，使我们分明感到诗人在那十里飞花、芳草满地、云拥春流、白鸥双双的景象中，面对良辰美景，那欣欣然、怡怡然的神情，从而产生出一种审美的愉悦和对于风光的热爱。王夫之在《薑斋诗话》中说：“情景名为二，而实不可离。神于诗者，妙合无垠。”此诗景中有情，含而不露，耐人咀嚼和回味，真可谓“妙合无垠”也。

（管遗瑞）

塞上曲

谢　榛*

旌旗荡野塞云开，金鼓连天朔雁回。
落日半山追黠虏，弯弓直过李陵台。

作者

*谢榛(1495－1575)，字茂秦，号四溟山人，临清(今属山东)人。“后七子”之一。早岁工词，后折节读书，刻苦为诗。与李攀龙、王世贞等结成诗社，并推其为首，倡导文学复古运动。后为李攀龙等人排挤，客游诸藩王间。有《四溟集》《四溟诗话》。

鉴赏

《塞上曲》属乐府《横吹曲》之“新乐府辞”(《乐府诗集》)，在唐代名作较多，宋以后无继之者，而明代边塞诗有所振兴。谢榛此诗便是佳作。

“旌旗荡野塞云开，金鼓连天朔雁回。”二句烘托战场气氛。每句都包含两种意象。“旌旗荡野”“金鼓连天”是战场景象，分属视觉和听觉。军队作战，“旌旗”有号令指挥三军的作用，而“金鼓”则是节制进退的信号。“旌旗荡野”则显战阵摆开，“金鼓连天”偏义于击鼓进军，虽不具体写两军厮杀搏斗，但字里行间已充分暗示了这样的场面。“塞云开”“朔雁回”是自然景象，云开则日出，雁回见春至。本来它们与战争无关，诗人将它们与战场景象两两并列组合起来，就有了新的意味。仿佛是战阵拉开，杀声震天，使得塞云惊退；鼓鼙连天，响震林木，使得雁群惊回，这就烘托出战斗激烈的气氛。绝句体小，正面描写往往不如侧面烘托，如这里的写法，就事半功倍。

“落日半山追黠虏，弯弓直过

李陵台。”二句写战斗的结果。“李陵台”在燕然山，这里的“半山”即指燕然山而言。落日时分，敌军败北，而大明官军则乘胜追击，这是一幅令人振奋的胜利的画面。李陵为西汉败降匈奴的将军，后人用李陵事或“李陵台”入诗，多为反衬忠贞不屈、忠勇无畏的民族气节，此诗也不例外。“落日半山追黠虏，弯弓直过李陵台”就有以彼败反形此胜、彼懦反形此勇的作用，使读者觉得诗中的将军不但英勇善战，而且在任何情况下决不降敌。“弯弓直过”的形象描述，又生动地展示了人物的雄姿。“黠虏”即狡猾的敌人，这一措辞，则突出了将军的料敌如神，即所谓“狐狸再狡猾，也斗不过猎手！”

诗中写的不一定是某次具体的战役，倒很可能是作者对当时边塞战争生活的一种概括。“弯弓直过李陵台”便可能出于艺术虚构。正由于有这样的概括和虚构，它才比生活本身更集中，更典型，更理想，因此也更带普遍性。总之，无论就此诗的造境，炼字炼句而言，都有值得称道之处。

（周啸天）

送谢武选少安犒师固原因还蜀会兄葬

谢　榛

天书早下促星轺，二月关河冻欲消。
白首应怜班定远，黄金先赐霍嫖姚。
秦云晓渡三川水，蜀道春通万里桥。
一对郫筒肠欲断，鹡鸰原上草萧萧。

鉴赏

此诗大概写于谢榛北游京师期间。谢少安，即谢东山，四川射洪人，时任武选官职。“犒师固原”，就是到固原犒赏军队。固原，明代“九边”之一，为甘肃的边防重镇。东山犒师使命完成后，被恩准回蜀，安葬兄长。在一首短诗中，表现这么复杂的事件，应该说是相当困难的，但是，谢榛却以深厚的功力，“将题意逐层安放，一气转折，有神无迹”（沈德潜《明诗别裁集》）。

首联写送别谢少安犒师固原时

的处境和心情。“天书”,皇帝的诏书。古代皇帝的使者叫“星使”,因此称使者乘坐的车子为星轺。一般说来,充当皇帝的使者是很光彩的事情,正如唐钱起《送裴侍御使蜀》诗中所言“朝天绣服乘恩责,出使星轺满路光”。何以诏书下达后谢东山却迟迟不动身,竟至于要圣上再次催促呢?这突兀的一笔,在读者心中投下了一个疑问,但作者在对句中并没有正面回答这个问题,而是从环境氛围上加以渲染:早春二月,春风已吹绿了江南原野,但在北方,冰雪却尚未消融。这里,诗人不仅摹写了客观之景,且对谢东山此时心境作了真实的写照:一方面,奉使犒师,说明皇上对自己的看重,可喜;另一方面,兄长谢世,却不能奔丧,又委实可悲。诗人以河水的冻面欲消,虽消却冻,状东山矛盾复杂之心境,给全诗笼上了一层悲剧的气氛。

颔联写作者对东山的赞扬和期望。班定远,即东汉名将班超。他曾奉命出使西域,对巩固汉王朝在西域的统治,作出了很大贡献。和帝永元元年(89)班超任西域都护,在那里度过了三十一个春秋,七十二岁才回到洛阳。诗人在这里把谢少安比作班定远。应怜,并不是“应该可怜”的意思,“怜”在这里是爱慕、仰慕的意思。“白首应怜班定远”,表达了作者对少安出使固原的衷心仰慕和高度赞扬。霍嫖姚,即西汉名将霍去病。霍去病曾先后六次出战匈奴,解除了汉朝初年以来匈奴对汉王朝的威胁,因此汉武帝赏赐黄金为他筑府第,但霍去病却说:“匈奴未灭,何以家为?”谢榛生活的时代,正是朱明王朝日益衰败的时代,西北边防空虚,盗寇不断袭扰,谢榛一生长期转徙于公卿、藩王门庭,足迹遍及秦、晋、燕、赵之间,对边塞军旅情况有一定了解,因此,他是多么希望能再出几个霍去病那样的名将啊!所以,这次自己的挚友去西北前线犒师,诗人就更殷切地期望朋友在犒师时能发现霍去病那样的良将,并给予重赏。这里表现了诗人对国事的深切关注。

诗的后半部分写谢少安犒师完毕后返蜀葬兄的情景,颈联,诗人用一流水对设境寓情,宕出新意。“晓渡”“春通”,写谢少安回蜀葬兄的季节和时间;“秦云”“蜀道”,写谢少安回蜀的线路和途程。“三川水”指陕西的泾水、渭水和洛水;“万里桥”,在成都城南。从秦中的“三川水”,到成都的“万里桥”,可以说是千里迢迢,万山重重,但诗人却用“晓渡”“春通”绾合,似乎这千里之遥的途程顷刻便能到达!这是一种反衬蓄势、极意跌宕的表现手法,它曲折地写出了谢少安为奔兄丧而不辞劳苦、千里跋涉、马不停蹄、舟不止楫的旅途生活和归心似箭、焦心如焚的心态。

尾联扣住题面“会兄葬”写葬

兄。但诗人没有正面写兄葬的具体情况,而是用侧笔着重写兄葬后的孤凄心境。"郫筒"是四川郫县产的酒。因为这种酒是装在二尺多长的竹筒里的,所以叫郫筒酒。郫县在明时和谢少安的故乡射洪同属成都府,因此郫筒酒也可说是诗人的家乡酒。这种酒香冽可口,是当时的名酒。唐朝大诗人杜甫,宋朝诗人穆修都在诗中赞美过它。杜甫说:"鱼知丙穴由来美,酒忆郫筒不用沽。"(《将赴成都草堂途中有作先寄严郑公》)穆修说:"水曲林幽独酌藜,郫筒香入乱花携。"(《城南五题·独游诗》)少安宦迹天涯,兄弟相处甚少,但却情谊深长。以往,每当兄弟相聚,总要开怀畅饮,"一对郫筒"就成为少安兄弟两人的喻指。而今,郫筒犹在,兄长却已殒命黄泉,留下自己孤身一人,怎不对酒伤情,痛断肝肠。

对句中以景写情。鹡鸰,鸟名,亦作脊令,以喻兄弟,典出《诗经·小雅·常棣》:"脊令在原,兄弟急难。年有良有,况也永叹。"(在灾难降临的时候,虽然人人都有好朋友,但是朋友们只能为你喟叹,只有兄弟,才能和你共度患难)"鹡鸰原上草萧萧",它仿佛使人感到,诗中人那种鹡鸰之悲的痛苦情思还在不断地弥漫开去。

此诗最大的艺术特色在于:叙事抒情,浑然一体,起承转合,有神无迹。清人沈德潜称此诗为明代诗坛"三百年中不易多见"的杰作,这种评价虽未免溢美,但谢榛沈练冲和的艺术风格,法度森然的表现手法,在这首诗中确实是表现得十分突出的。

(姚益心)

夜话李孺长书屋因怀其尊君左纳言

谢　榛

忘年尔我重交情,论事相同见老成。
月到广除寒有色,鸦归疏柳夜无声。
三农最苦江南税,百战方休海上兵。
岁暮银台应感叹,几人封事为苍生。

鉴赏

谢榛和左通政司李子渐政见相同,私交甚厚,"桂花相对夜,烽火共忧时”(《秋夜柬李通政子渐》),就是这种友谊和情感的写照。李孺长是李子渐的儿子,这首诗记叙了诗人和李孺长深夜谈心的情景,从中揭露了明王朝苛税盘剥、朝政腐败、寇患不绝的黑暗现实,表现了诗人同情人民、关心国事的正义感和责任心。谢榛这首诗,从内容看,当作于明王朝平倭取得胜利的嘉靖四十三年(1564)后不久。

全诗紧扣题面写了诗人和李孺长的一场夜话和由这场夜话引发的对左纳言李子渐的怀念。诗人就“话”起笔,由话及人,由人及景,融记事、议论、写景、抒情于一体,真挚古朴、十分感人。

诗的上半首写“夜话李孺长书屋”的具体情景。诗人用形散神不散的表现手法,不直写“夜话”的内容,而着重写夜话双方之人,以及他们在夜谈时的气氛。谢榛比这场夜话的对方李孺长要高一辈。由于政治上的见解相同,他们却成了忘年之交。“忘年尔我重交情,论事相同见老成。”首联便展示了两代人亲密无间的融洽关系,而且说明了“论事相同”是这种亲密关系的基础。

颔联就视觉、听觉两个角度,写“夜话”的环境。这是一幅生动感人的画面:寒月已把它的清辉洒满在书屋外宽阔的台阶上,那栖宿于疏柳枝头的寒鸦,大概也早已进入了梦乡。它们寂静无声,只留下点点黑影。但是,这一切都未引起书屋中夜谈人的注意,他们似乎忘记了时光的流逝,在这万籁无声的深夜里,仍在忘情地评点着天下大势,为国事日非、民不聊生而激愤、焦虑和忧伤。

诗的下半首转入对这场“夜话”内容的正面描写。“三农最苦江南税,百战方休海上兵”,是此诗主题突现的焦点。诗人把它安放在颈联的位置上,把首联看似“宕开”之笔,陡然收住、直切题面,点出这场夜话的中心话题。“三农”本指居住在平原、山地、沼泽三类地区的农民,这里是泛指所有农民。嘉靖年间,官场贪污成风,军费支出浩大,造成明王朝财政的极度困难。由于明朝地主豪绅享有豁免赋税、徭役的特权,因此,政府就只能把财政危机转嫁给广大农民。嘉靖三十年(1551),明王朝在南畿、浙江等州县增赋二十万,称作“加派”。嘉靖二十六年(1557),又在江南等地增税银四十万,叫做“提编”,其后又有箕敛、派括、算税契、折民壮等加派项目。可见嘉靖年间,江南地区的广大农民,在苛捐杂税的重压下,完全处于水深火热之中。颈联出句就揭示了这种横征暴敛给江南农民带来的不堪忍受的苦难,表现了诗人对广大贫苦农民的同情和关怀。嘉靖时,由于政治腐败,经济萎缩,边防松弛,所以对东南沿海的倭寇与中国海盗相勾结而形成的倭患也是征讨无力。明王朝耗费了大量军费，拖延了很长时间，才取得了抗倭战争的胜利。“百战方休海上兵”，既是这种社会现实的真实写照，又写出了诗人对明王朝抗倭无能的讽刺和不满，表现了诗人对国事深重的忧虑和关切。

尾联用问句方式，写诗人对朱明王朝官场的贬斥和对李子渐的赞扬。“银台”原是宫门名，宋代于门下省置通进银台司（简称银台），掌奏状案牍。明通政司职责与之相当，故通政司也称为“银台”。诗中借指李子渐，因他曾在银台任通政使职。“封事”指密封的奏事。古代百官上书奏机密，为防泄露，用皂囊封缄进呈，故称封章。通政使本是言官，相当于古代的“纳言”。《尚书·舜典》：“命汝作纳言，夙夜出纳联命。”诗题中的左纳言，就是指左通政使李子渐。李子渐身为纳言，对百官上封章的情况是最清楚的。当时，国事日非，满朝文武却大多是蝇营狗苟，很少有人能为黎民请命：“岁暮银台应感叹，几人封事为苍生？”李子渐和谢榛政见相同，诗人推己及人，想象中那两鬓染霜的李子渐大概正在为这种情况而感叹吧！“几人封事为苍生？”问得沉重、痛切，它把诗人自己以及一切爱国的志士仁人的悲愤之情都凝集在这一深重的喟叹中了。读之令人扼腕！

全诗以“夜话”统摄全篇，把对国事的感慨，对人民的同情，对挚友的怀念凝聚为一个融浑的整体。造境古朴，不加藻饰，全凭一“真”字取胜。“时江南增税，海寇方息，山人感事及之，非泛作忧时话”（《明诗别裁集》），沈德潜这一评语可谓中肯之语。

（姚益心）

行路难

谢榛

荀卿将入楚，范叔未归秦。花鸟非乡国，悠悠行路人。

鉴赏

荀卿是一个博学儒者，年五十，游学于齐。齐襄王时，他是稷下学宫最好的教师，曾三为祭酒。后去齐入楚，很受春申君的礼遇，被封兰陵。这与壮年挟诗卷游学京师，与后七子结社燕市，被置于执牛耳之位的谢榛来说，其境遇是极为相似的。范叔即范雎，是战国著名辩士，因游说秦昭王而入为宰相，成为能左右秦宫的最有权势和影响的人物。这和谢榛在邺下受赵康王及其曾孙穆王宾礼，秦、晋间诸藩争延致之，河南北皆称谢榛为先生的遭际来说，也有某种相似之处。应该说，谢榛取这两个历史人物以自比是很确切的。但是，这首诗中，诗人运思之巧并不只是表现在择取历史人物的切合这一点上，更主要的是诗人在择取这两个历史人物材料的时候，其角度十分别致。诗人并没有取荀卿游学于齐、三为祭酒这段光彩的史事，也没有取他终老兰陵、客死异国的经历，而是取了他离齐入楚之间那段悲痛的遭遇。《史记》本传说荀子之所以弃齐入楚，原因在他受了谗言中伤。而诗人用范雎之典，也没有取他成为秦国卿相以后如何打击贵族势力，加强中央集权以及扩张国势、蚕食东方诸侯的光辉业绩；或者是他功成名就而自行引退之事，而是取了他一生中那段最屈辱的历史。范雎原事魏国，因被谗言中伤而身遭百般凌辱，以致折肋折齿，几于死亡。而荀卿、范雎的这些不幸遭遇，也和谢榛颇为类似。谢榛生活的后期，受李攀龙、王世贞辈中伤，以致被逐出五子、七子之列。钱谦益《列朝诗集小传·谢山人榛传》《诗家直说·王士禛序》都分别记载了这段历史：嘉靖间，谢榛挟诗卷游长安，"而是时济南李于鳞，吴郡王元美，结社燕市，茂秦以布衣执牛耳。诸人作五子诗，咸首茂秦，而于鳞次。已而于鳞名益盛，茂秦与论文，颇相镌责，于鳞遇书绝交，元美诸人咸右于鳞，交口排茂秦，削其名于七子，五子之列。"谢榛因眇一目而不能进身仕途，这已是心灵上的一大痛苦，但也无可奈何，于是诗人转而想以诗名驰骋于诗坛，以求得心理上的慰藉和平衡，但是，却又遭到同辈们的忌妒而被排挤出了七子、五子之列，因而不得不离开京师，寓居秦、晋。这种精神上的重大打击，把诗人本已破碎的心更击得粉碎。于是，"大道如青天，我独不得出"（李白《行路难》），李白的这股孤愤不平的压抑之情，在诗人的心灵深处也迸发了："荀卿将入楚，范叔未归秦"，这其中，隐含着一个"谗"字，从而写出了世道之险恶，行路之艰难，可谓运思巧妙，意蕴含蓄，托喻深刻。

仕途不通，诗坛受抑，而故乡旧业又早已易为他姓，因此诗人感到自己成了一个"行匆犹浮梗，世故一浮尘"（《过清源故居有感》）的飘零游子。前途之痛，故园之悲，就成为诗人心头的两大痛事。《行路难》所表现的，就是诗人心灵的这两大痛苦。如果说诗的上半首是发"前途之痛"，那么下半首则是就梁园虽好，非久留之地的角度，写出了诗人的故园之悲。

“花鸟非乡国”,是一种比兴托喻的表现手法。借花鸟声色的流啭、美艳,喻荀卿、范叔入楚、归秦后的受宠境遇,又比托了诗人自己受赵王枕易祖孙宾礼,因而盛誉满播秦晋的现实生活。但是,梁园虽好,终非久留之地。对满怀故园之思的诗人来说,弹剑作歌于他人门庭,总非久远之计,因此,一种“归去来兮”之情不由爬上心头。可是故乡又在哪里呢?旧业早归王南村,虽欲归去,却又何处是家!路途漫漫,自己终身只能是一个到处浮游飘荡的悠悠行路之人。这里,由于“花鸟非乡国”的钩锁连环,因此,“悠悠行路人”便成为顺流直下的结句。它气韵悠长,不尽之意,溢于言外。

(姚益心)

远别曲

谢　榛

郎君几载客三秦,好忆侬家汉水滨。
门外两株乌桕树,叮咛说向寄书人。

鉴赏

《乐府》中的离别曲,不论是《古别离》,抑或是《生别离》《长别离》《远别离》,其主题皆是写离别相思之情。谢榛这首《远别曲》,亦属此类。全诗以一女子的口吻写她因“郎君”客去三秦,长久别离,而产生的无穷思念之情。写得亲切、含蓄、余音袅袅,深得乐府精髓。

“郎君几载客三秦,好忆侬家汉水滨。”诗的第一、二句写了三层意思:“三秦”“汉水”,天北海南,迢迢千里,以照应题面的“远别”,这是一层;韶光如水,君去忽已数载,却至今仍未家回,以“几载”表明郎君别离时间久远,这是二层;宽阔的汉水江面上,每天都是千帆竞发,来往不绝。在这千帆之中,是否有从三秦来的郎君呢?可是,过尽千帆皆不是,等来的只是万千相思。一个“好忆”,就深刻表现了这个难抑相思之情的闺中少妇种种复杂的心态,这是三层。三层意思层层都写远别,应该说诗歌的前半部分,已把题意点得相当显豁。下半部分如何铺展,如何收结,这里就要看诗人的本领和才情了。

谢榛不愧是个写诗高手，他把笔锋一转，借物造情，宕开了种种美丽的想象。那位汉水滨的“侬家”纵然整日伫立窗前，可是，望穿秋水，还是不见郎君的帆影。无奈，只得寄书以诉衷情。但是，这封信该怎么写呢？诗人偏偏不讲，而是说：“门外两棵乌柏树，叮咛说向寄书人。”乌柏树，是江南农村常见的树木。“日暮伯劳飞，风吹乌柏树。树下即门前，门中露翠钿。”（南朝乐府《西洲曲》）“门前乌柏树，惨澹天将曙。溪鹈飞复还，郎随早帆去。”（唐温庭筠《西洲曲》）在这里，乌柏树和青年男女爱情生活有着密切关系：乌柏树那浓密枝叶覆盖的阴影，是青年男女爱情活动的场所。乌柏树，自然成了青年男女爱情的见证人。谢榛诗中的“乌柏树”显然是沿用了前人乐府诗中的传统意义。想当初，这一对青年在乌柏树下，曾相互诉说过多少支动听的心曲，而这些动听的心曲，却是“两心之外无人知”。“叮咛说向寄书人”，就是借两情欢爱的见证人——乌柏树，向被寄书的郎君殷勤地叮咛。乌柏叮咛些什么呢？诗人没有再写，而是留给读者去补充。全诗就在风吹乌柏的沙沙声中结束了，使这支远别的歌留下了不绝的余音。

《远别曲》，是诗人的得意之作。在《诗家直说》中，它是作为诗人的一种作诗方法的标本被列举的。这种作诗方法诗人称它为无米粥法。何谓“无米粥”法？诗人说：“如客游五台山访禅侣，厨下见一胡僧执爨，但以清泉注釜，不用一粒米，沸则自成馇粥。此无中生有，暗合古人出处。此不专于学问，又非无学问者所能到也，予因六祖惠能不识一字，参禅入道成佛，遂在难处用工，定想头，炼心机，乃得无米粥法。”由此可见，“无米粥”法是谢榛自己提出的一种诗歌理论。这种理论的根本点是“悟”，是无中生有。谢榛的这首小诗，确实有点“无中生有”的味道，特别是“门外两棵乌柏树，叮咛说向寄书人”这两句，诗人不受现实世界客观物象的限制，不执著追求物象世界的逼真性。在诗人看来，作为这对年轻人定情之时的见证人乌柏树，唯有它，最了解这思妇的心迹；唯有它，能向郎君传达“侬家”现在对郎君的一片思念之情。这使诗歌充满了浪漫主义气息，而表达上含蓄，意味深长。

（姚益心）

姑苏怀古

梁有誉*

看山几日到吴中，游客登临感慨同。
金虎迹荒灵气灭，水犀军散霸图空。
春归茂苑乌啼月，花落横塘蝶怨风。
谁识倦游心独苦，扁舟长忆五湖东。

作者

*梁有誉，生卒年不详，字公实，顺德（今属广东）人。嘉靖二十九年（1550）进士，授刑部主事，后辞归。工诗，为“后七子”之一。有《比部集》传于世。

鉴赏

姑苏（今江苏苏州）城西有姑苏山，它因春秋战国时吴王阖闾在山上筑有姑苏台而得名。梁有誉的《姑苏怀古》，是他游历该地、感慨吴国兴亡的一首诗作，但结句也对灭吴的越国的君臣际遇表达了他的感叹之情。

开头两句，紧扣题目来写。吴中，即指姑苏，因其地古属吴国，故云。作者说他经过多日的漫游，观赏吴地山水之后，来到著名的姑苏城。游客，诗人自指，但又包括古往今来许多曾在姑苏登临怀古、抒发历史兴亡之感的人。尽管他们的生活时代有先有后，所写诗文也有高下之分，但他们有着共同的感慨，而诗人梁有誉也是如此。对于同一个地方的历史陈迹，人们能够千古同慨，足以说明它深深地触动了人们的心灵，是人们普遍关心的社会历史问题。一个“同”字，包含着这些丰富的内容，将诗很自然地过渡到下文怀古抒慨上来。

三、四两句就吴国历史上最重要的两位君主阖闾、夫差父子来勾画吴国的兴亡史。金虎，台名，在三国魏古邺城西北，曹操所建（事见《三国志·魏书·武帝纪》），这里借指姑苏的虎丘。据《越绝书·吴地传》：“阖闾冢在阊门外，名虎丘。”虎丘山在今苏州西北。诗中借用魏国的台名，其中的“金”字，使我们隐约感受到吴国在阖闾时期的兴盛强大，然而，随着他魂归黄泉，虎丘上的坟墓凄凉冷落的时候，他冥冥中的灵气也就烟消云散了，这象征着吴国的王气消退隐没。下句接着写夫差继续其父当政，被越王勾践打败，吴国宣告灭亡的一段历史。霸图，称霸的愿望。关于“春秋五霸”，史学界有几种不同的说法，其中一说以阖闾为五霸之一。水犀军，据《国语·越语》载，勾践云：“今夫差衣水犀之甲者仍有三千。”此用以指吴王夫差的军队。夫差的水犀军被越国军队冲散打败以后，吴国灭亡，他继承父志、称霸诸侯的愿望成了空想。这两句，每句之中，句与句之间都有先后因果关系，很简要准确地写出了吴国盛衰兴亡的过程。

五、六两句转而描写吴国灭亡后姑苏繁华消歇的景象。茂苑，吴国君王游猎的园林，后来成为姑苏的别称。春天过去了，当年树木繁盛的茂苑，现在呈现出一派荒凉景象，只有栖息在树木上的乌鸦，在月色下不时地传来凄凉的啼叫声。此句可能受李白《乌栖曲》的启发。李诗以月夜乌栖为背景，叙写吴王夫差醉生梦死的生活，梁诗则用以渲染烘托吴亡后的冷落情景。横塘，地名，在姑苏西南。这句紧接上句“春归”来写。横塘一带，花事凋零，春意阑珊，蝴蝶蜜蜂失去了嬉戏的园地，在风中翻飞，似乎表现出愁苦怨恨的情态。这两句描写暮春的姑苏乌鸦啼月、蝴蝶怨风的凄凉景象，实际上借以表达了作者对吴国灭亡历史的哀伤怅惘的情绪，也就是他在姑苏登临怀古的感慨所在。

最后两句，由吴国的灭亡，想到辅佐越王勾践成就这一事业的范蠡。倦游，指范蠡。宋吴文英《八声甘州》中“倩五湖倦客，独钓醒醒”与此诗用法相同。五湖，旧说很多，以指太湖的说法最为合乎情理。根据一些历史记载，范蠡帮助勾践灭吴后，在返回越国的途中，在太湖上乘船离开勾践，过隐士生活去了。他认为勾践只能与人共患难，而不能同享乐，只有离开他才能保全自己。后来，勾践果然刚愎自用，杀戮了许多功臣。诗人说，谁能够认识到范蠡的这一番苦心呢？他的深思熟虑，远见卓识，令人永久地怀念他。联系诗题看，“心独苦”还有一层更含蓄的意思，那就是：范蠡从吴国灭亡的事实中，看到了越国也一定会灭亡的必然性。所以，他毅然泛舟五湖，去过潇洒日月的隐居生活。由吴国推及越国,扩大了“姑苏怀古”的内容,也深化了诗人的“感慨”,给人以深沉隽永、回味无穷的艺术感染力。

(王锡九)

燕京感怀

梁有誉

尘塞戈铤血未干,龙庭烽火报长安。
拟擒颉利先开幕,欲拿嫖姚更筑坛。
青海月明胡马动,黄榆风急皂雕寒。
材官羽骑多如雨,夜夜旄头倚剑看。

鉴赏

燕京,即指明代都城北京(今北京市)。因春秋战国时期燕国建都于此,故称“感怀”,是有感于某事而抒发情怀的意思。

先看开头两句。尘塞,即指边塞。因为边塞上满是战尘,故云。铤(chán),小矛。戈铤,泛指各种武器。龙庭,古代匈奴的祭天之所,此即指匈奴。烽火报长安,用汉文帝后元六年(前158)匈奴入上郡、云中,“烽火通于甘泉、长安”的典故(见《汉书·匈奴传》)。这两句写边塞上战尘飞扬,紧张激烈的战事尚未平息,而京都又传来了报警的烽火。看来好像是咏史,写汉代的事情,其实,它反映的完全是当时明王朝与北方少数民族统治者之间尖锐激烈的战争。那么,它指的究竟是怎么回事呢?诗人梁有誉生卒年虽不详,但他只活到三十六岁是可以考知的。在他短暂的一生中,嘉靖二十九年(1550)是他中进士的一年。恰巧就在这一年,鞑靼兵围攻北京,在京师附近焚掠八日而离去,当时形势极端严峻。在同一年,俺答自威宁海子(今内蒙古商都东南)南下攻大同,又攻宣府,转逼蓟镇,毁边墙,至通州,逼京师。尽管这一年前后北方均有战事,但我们认为,诗写的以该年所发生的战事可能性最大。况且,此年作者正在北京应举,与题目相吻合,再联系下文看,亦以此年为是。

三、四两句,还是以汉、唐史事写时事。颉利,唐太宗时突厥首领(可汗)。贞观三年(629),太宗遣李靖等六总管击突厥,六部皆受李靖节制。次年,颉利被生擒(参《旧唐书·太宗本纪》)。嫖姚,汉武帝时,霍去病曾为嫖姚校尉,率军出征匈奴,在燕然山刻石纪功,后世便以嫖姚指大将军。筑坛,用汉王元年(前206)刘邦斋戒设坛场,拜韩信为大将军的故实(参《汉书·高帝纪》)。上句说,唐太宗为擒获颉利,出军前任命李靖为主帅,先开幕府以统制军队。下句则将汉代的两个故事牵合在一起,意谓为了任命大将军而斋戒筑坛,以示高度重视。这两句以古写今,所指的应是明世宗嘉靖二十九年(1550)为了对付俺答、鞑靼先后围逼京师,而任命仇鸾为平虏大将军;又罢团营,恢复三大营,以仇鸾总督京营戎政这两件事情。

五、六两句呼应首二句而来。青海,湖名,在今青海西宁市西。黄榆,指榆关(今山海关),用"黄"字是为了与上句"青"字对仗。西北的青海,东北的山海关,都是我国古代封建社会里汉族政权和少数民族统治者长期进行征战的地区,诗中即分别以青海一带在月光的照耀下,胡人的战马蠢蠢欲动,榆关地区朔风强劲,黑色的老鹰在高寒的天空中搏击,意指当时少数民族统治者对明王朝进行侵扰的军事行动。就这两句所写的景象,并结合开头二句来看,他们对明王朝构成了极大的威胁,情况是十分紧迫和危急的。

面对着上述紧急情况,明王朝调兵遣将,严阵以待。诗的三、四句写开府、筑坛、拜将,最后两句则与之相呼应,写广大将士枕戈待旦,准备与来犯的敌人展开战斗。材官,供差遣的低级武官。羽骑,羽林军的骑兵。这些都是汉代制度,诗中用以泛指明王朝京城的官兵。旄头,星名,即昴宿。古人认为旄头星特别明亮的时候,将要有战事发生。在强敌压境、京城被围困的时刻,明军将士夜夜手持宝剑,眺望旄头星,准备随时与敌人战斗。多如雨,形容士兵之多。倚剑看,表现了战士们同仇敌忾的情绪和消灭敌人的决心,也表达了诗人满腔的爱国热情。

这首诗写的是作者的生活时代明王朝的现实问题,但都是通过运用古代的故实来反映的,很贴切,概括性强,内涵丰富。这种以古喻今的写法,是本诗的一大特色。诗在章法上采取首联和颈联、颔联和尾联相呼应的交错写法,具有沉实缜密的格调,错综抑扬的韵致,这是它的另一个特色。

(王锡九)

送徐行父少参赴关内

吴国伦*

咸阳天下险，洛邑天下中，潼关睥睨周西东。
君自三川历三辅，分陕经营王命同。
登车慷慨千人雄，矫若八翼凌苍穹。
左冯翊，右扶风，汉关秦畿指顾通。
为将匣里双龙剑，掷作天边二华峰。

作者

*吴国伦，生卒年不详，字明卿，兴国（今属江西）人。嘉靖二十九年（1550）进士。官至河南左参政。其才气横放，有《甔甀洞稿》《续稿》。

鉴赏

这首赠别诗，从友人的出发地和目的地都是自古以来的名区写起，继而描写他奉命赴任时慷慨昂扬的情状，最后预言他一定会发挥超卓的才干，施展远大的抱负。

徐行父，生平不详。少参，官名。关内，指嘉峪关以内，即关中地区。“咸阳天下险，洛邑天下中，潼关睥睨周西东。”“咸阳”，在今陕西咸阳市东北，秦孝公十二年（前350）迁都于此。“洛邑”，在今河南洛阳市东北，西周成王时，周公主政，在此就商邑筑周城。“潼关”，东汉置，旧址在今陕西潼关县，依黄河南岸。“周西东”，潼关居咸阳、洛邑中间，咸阳在其西，洛邑在其东，故云。诗中说，咸阳以关隘险峻而名扬天下，古城洛邑占据天下的中心地区，而潼关则在二者之间，雄视东西。这两句似乎只是单纯写三个名胜地区的方位，实际上，它们为下文作了有力的铺垫。“君自三川历三辅，分陕经营王命同。”洛水、伊河、黄河称为三川，诗中指洛阳而言。三辅，西汉于京畿地区所设京兆尹、左冯翊、右扶风的合称，亦即关中地区，诗中则指咸阳。“分陕”，周初，周公、召公分陕而治，周公治陕东，召公治陕西（参《公羊传》隐公五年）。诗中谓徐行父赴任关中，其地就是当年周公、召公的分陕之地。这两句说，友人从三川地区途经三辅地区，最后到达咸阳，奉王命治理周公、召公的分陕之地。从这二句看得出，徐行父的出发地是洛阳，目的地是咸阳，而潼关是他途中经过的一个重要地方。他将去治理的则是著名的周、召“分陕”的地区。以上这些叙写，表达了作者对朋友前往名区赴任的由衷赞美。

上面五句写别前，接着，才写朋友开始登程。“登车慷慨千人雄，矫若八翼凌苍穹。”他此番赴任，意气扬扬，登车启程时，表现出气宇轩昂、慷慨雄壮的气度，为千百人所不敌。骏马奔驰在征途中，迅捷犹如矫健的鸟儿凌空高飞，照这样的形势，友人不需要多少时间就可以到达目的地。所以，诗接下去说：“左冯翊，右扶风，汉关秦畿指顾通。”“左冯翊”，西汉太初元年（前104）改左内史置，治所在今长安区（陕西西安西北）。“右扶风”，太初元年改主爵都尉置，治所也在今长安区。“汉关”，指潼关。“秦畿”，秦代京畿地区，即指咸阳一带。以上三句四个地名连用，并且秦、汉兼及，实际只是指友人的目的地而言，不过变换了一下称谓罢了。这三句呼应诗的开头几句，意谓友人慨然登程，一路上风驰电掣，指点顾盼之间就到了赴任的关内。诗将朋友启程时的情景写得如此慷慨激昂，同样也是对他赴任名区的由衷赞美，从中还表现了诗人对其杰出的从政才干的颂扬。诗的结尾两句，则将这层意思明白说出，预想朋友一定会施展非凡的才智，取得很大的政绩。“为将匣里双龙剑，掷作天边二华峰。”“匣里双剑”，王嘉《拾遗记》一帝颛顼“有曳影之剑，……未用之时，常于匣里如龙虎之吟。”“二华”，指太华、少华二山。将匣里双龙剑掷出去，化作远处太华、少华雄伟险峻的山峰。显然，这是运用比喻手法，以双龙剑比喻徐行父的才干，而以雄壮的山峰比喻其将要建立的政绩，写得形象生动，不禁令人产生敬佩的神情。

这首诗采用以七言为主，参用“五五七”“三三七”的句式，加之巧用关中地名，并注意运用重叠复沓的修辞方式，造成跌宕的气势，写出了朋友赴任时神采飞扬的意气。再者，诗中多用比喻写法，生动形象地刻画出了朋友的非凡气度和雄才大略。以上两句，使诗充满了对朋友赴任名区的由衷赞美和热切期望，而丝毫没有低回婉转的情绪，这在送别诗里是很有特色的。

（王锡九）

高州杂咏

吴国伦

粤南天欲尽，风气迥难持。一日更裘葛，三家杂汉夷。
鬼符书辟瘴，蛮鼓奏登陴。遥夜西归梦，惟应海月知。

鉴赏

高州，在今广东。吴国伦曾在此作过知府。《高州杂咏》是他吟咏高州风土习俗的一组杂诗。这是其中较好的一首。

"粤南天欲尽，风气迥难持。"这两句概写高州。"粤南"，点明高州在广东的南部，由此再向南去，就是茫茫南海了，所以，诗人说高州位于南天将尽的极远处。"风气"，意指风土习俗。次句承接首句而来。因为高州地处偏远，所以，那里的风俗非常特殊。"难持"，指此地风俗奇异，变化多端，给人以惊奇诧异的感受。中间四句即具体描述高州风土习俗的种种情形。

"一日更裘葛，三家杂汉夷。""更"（gēng），更改，变换。"裘"，毛皮大衣。此泛指较厚较暖的衣服。"葛"，本是植物名，此指丝织物织成的细软单衣。"汉夷"，指汉人和少数民族。上句写高州的天气变化。尽管这里是南方热带地区，但一日之内，冷热温差很大。所以，热起来，人们要穿单衣，冷起来，就得着棉装。一天之内，要随时根据气温变化来更换衣服。下句则说这里的居民很混杂，哪怕是只有三户人家的小村落，也一定杂居着不同的民族。这样，必然使得高州的风情多种多样，异彩纷呈。对于这些，诗人又怎么能不为之惊讶呢？

"鬼符书辟瘴，蛮鼓奏登陴。"古人迷信，认为鬼是确实存在的东西，而驱鬼避邪的符咒则称为"鬼符"。"辟"，同避。"蛮鼓"，指高州一带具有地方特色的鼓。"陴"（pí），城墙上的女墙。这两句仍然一句一转，分别描写高州的两件土风。鬼符上书写的是有关避除瘴疠之气的内容。可见，对于高州来说，因南方潮湿多雾所形成的瘴气，是人们生活中十分憎恶的事情。土鼓一敲，人们纷纷登上低矮的城墙。这是为了干什么？显然是以最原始、落后的方式聚众以应付不测，场面怪异荒诞，说明这里的生活并不安宁。

作者是兴国（今属江西）人，当他看到高州的土风，自然而然地会产生异乡之感和怀乡之情。诗的最后两句即抒发其强烈的乡思。诗人夜间在睡梦里回到了遥远的故乡，那情景历历在目，但旁人却无法知晓。只有那高空中皎洁的明月，大概是了解的，因为诗人正是在她的照耀下，一夜千里，梦魂返回故乡的。结句写得情思深沉，耐人寻味。

这首诗篇幅较小，描述高州奇异的风土人情，概括生动。沈德潜、周准说："风土诗须此奇警之笔，方写得生动。"（《明诗别裁集》卷九）所评是很有道理的。

（王锡九）

鄱阳湖

吴国伦

欲向匡庐卧白云，宫亭水色昼氤氲。
千山日射鱼龙窟，万里霜寒雁鹜群。
浪拥帆樯天际下，星蟠吴楚镜中分。
东南岁暮仍鼙鼓，莫遣孤舟逐客闻。

鉴赏

鄱阳湖（在今江西省）古称彭蠡湖，别名宫亭湖。吴国伦的这首诗描写鄱阳湖的秋景，抒发系念国事的情怀。

"欲向匡庐卧白云，宫亭水色昼氤氲。""匡庐"，即庐山，其东南依傍鄱阳湖。据说，殷、周之际，有一位匡俗先生隐遁潜居于此，时谓所居为仙人之庐，故称此山为庐山（参《后汉书·郡国志》）。"卧白云"，栖息于白云深处，即隐居的意思。诗人说，他为了要到庐山去过啸傲山林、潇洒日月的生活，乘舟泛渡鄱阳湖。天气晴朗，湖光水色，呈现出一派迷蒙苍茫的景色。

中间四句，具体描绘秋天的鄱阳湖上富有季节特征的景物。"千山日射鱼龙窟，万里霜寒雁鹜群。""鱼龙窟"，鱼龙聚居的窟穴，指鄱阳湖。鄱阳湖沿岸，群山耸立，它们在阳光的照耀下，千姿万态，而这一切，又都倒映在澄澈的湖水里，显得瑰丽秀美。秋空高远，一望无云，而湖面上则有成群结队的大雁和野鸭之类的禽鸟在飞翔栖息，到处是生气蓬勃的景象，令人赏叹不已。“浪拥帆樯天际下，星蟠吴楚镜中分。”“天际下”，从远处的天边而来。这是化用唐李白《送孟浩然之广陵》的诗句而来。“星蟠”，天空星宿盘绕。我国古代天文学将一定的地域与天上的星宿相对应，这里即此意。“镜”，意谓鄱阳湖澄澈明净犹如镜子一般。吴楚镜中分，古代吴国和楚国以鄱阳湖为分界，故云。这句化用杜甫《登岳阳楼》：“吴楚东南坼，乾坤日夜浮”的诗句。鄱阳湖连着长江，烟波浩渺，浪涛滚滚，簇拥着点点船帆从遥远的天边慢慢驶来；吴楚之地被湖水分割开来。五、六两句着力刻画鄱阳湖广阔无边、白浪冲天的气势。这两联，每句都描写鄱阳湖的一个景象，四句连接在一起，则构成一幅气象万千的湖光秋景图。

泛舟湖上，观赏湖光山色，本可以使诗人心旷神怡。但是，他却没有陶醉在雄奇美丽的自然山水里，没有因为“欲卧白云”而忘怀世事。相反，他在流连秋天的湖光之余，联想到东南沿海一带连年战乱，现在虽已届深秋，仍然战鼓频响，处于战火之中。诗人说，请不要让我这位遭受贬谪孤舟漂泊的人听到战鼓的声音吧。否则，我将是多么的痛心疾首啊！作者生活的时代，东南一带常有倭寇侵扰，还不断发生农民斗争。此处究竟指哪一种情况，难以断定。我们不妨理解得灵活一些。总之，它表现了诗人对东南一带战乱频仍的关切和忧虑的心情。诗在无限哀伤的意绪中结束。作者对现实的忧患意识表现得很深沉。

此诗的遣词造句，章法结构，声调意境等方面，都表现出学唐诗的倾向。诗中点化李、杜诗句，明显地说明了这一点。但是，它模拟唐诗，其逼肖之处主要在格调上，而意境终究不如唐诗浑厚深广，这是明人学唐诗的一般情形。

（王锡九）

寄远曲

吴国伦

章台杨柳绿如云，忆折南枝早赠君。
一夜东风人万里，可怜飞絮已纷纷。

鉴赏

《寄远曲》，属于唐人新创的乐府杂题。郭茂倩《乐府诗集》卷九十四《新乐府辞》载王建、张籍《寄远曲》诗各一首。吴国伦的这首诗即沿袭他们的诗题。

“章台杨柳绿如云，忆折南枝早赠君。”“章台”，本是汉代长安的街名(参《汉书·张敞传》)，后世每借以代指妓院，此诗则指女子居处而言。六朝后，诗人用“章台”，又往往与杨柳相联系。“南枝”，向阳的树枝，诗中指柳枝。六朝以来，民间有折柳赠别的风俗，此处即用这个故实。“君”，指女子的丈夫。这两句意谓，女子看着自己居处周围碧绿如云的杨柳繁密茂盛、婀娜多姿的景象，陷入了沉思之中：初春，爱人将要离我远行的时候，我攀折刚刚萌芽的向阳柳条赠送给他，以表示我们依恋难舍的惜别情意。回忆起当初的情景，更增加了女子对远人的思念之情。

“一夜东风人万里，可怜飞絮已纷纷。”女子因为思念丈夫，一夜不能入睡。楼头东风吹拂，但行人却在万里之外，怎能不叫她感到孤独寂寞呢？此时此刻，飞扬的柳絮，漫天飘舞，那纷乱的情景，撩得女子本来就十分复杂的心绪更加愁苦，简直到了不能自已的地步。这样，就把她对远人的怀念之情升华到了极点。

这首小诗，抓住杨柳来表达怀人之情。它由今天追溯到往日，再由过去回到现在，随着时间的转换、杨柳景致的变化，将女子缠绵的意绪表达得含蓄婉曲，颇有艺术感染力。

(王锡九)

暮发滁阳

徐中行*

荒城一骑出，落日万峰西。涧水流人影，松阴散马蹄。
悬崖青欲滴，芳草绿堪迷。洵美非吾土，翻然忆故溪。

作者

*徐中行(1517－1578)，字子与，号龙湾，天目山(今浙江长兴)人。嘉靖二十九年(1550)进士。官至江西布政使。为“后七子”之一。有《天目山堂集》《青罗馆诗》。

鉴赏

滁阳，是三国东吴所建的古城，旧址在今安徽合肥市东北，废于隋代。此诗描写了作者黄昏时分从滁阳遗址出发，一路上观赏的秀丽景象，并抒发了由此而产生的思乡之情。

“荒城一骑出，落日万峰西。”诗人骑着一匹马，从早已荒废了的滁阳城址出发，踏上远行的征途。此时正是落日时分，那一轮昏黄的太阳照耀着西边的群山，呈现出一派异样的景色，令人赞叹。“涧水流人影，松阴散马蹄。”山间的小溪，碧水潺潺，映照着行人的身影；松阴之下，马儿踏着缓缓的步子向前行进。这两句虽然景象很鲜明生动，但其重点并不在写景，而主要是表现了人一路上流连顾盼的神情，愉悦轻松的心境。接着的两句才转到正面描写景物上来。“悬崖青欲滴，芳草绿堪迷。”山峦的悬崖峭壁上树木葱茏，青翠欲滴，一望无际的平川上，芳草葳蕤，一片凄迷的景象。诗人行进在这样一个绿色的海洋里，观赏着它远近高低、多姿多态的风光，心中无限喜悦。但是，他转而一想：“洵美非吾土，翻然忆故溪。”“洵美”，确实很美的意思，语出《诗经·郑风·有女同车》。“非吾土”，不是我的故土，用王粲《登楼赋》“虽信美而非吾土兮，曾何足以少留”的语意。“翻然”，本形容鸟回飞貌，这里意谓转变很快。尽管滁阳一带山清水秀，景色迷人，但它毕竟不是我的故乡。忽然，一种异乡作客的羁旅之感油然而生，使诗人怀念起故乡的山水来。思乡之情，只是点到即止，但我们不难体会出诗人滞留他乡的感情是极为浓重的。这种惆怅感和前面轻松愉快的心情形成强烈的对照，给读者留下了较广阔的想象余地，耐人咀嚼，回味无穷。

（王锡九）

盘江驿阻雨寄门人汪维

徐中行

天连益部长多雨，路出盘江况毒淫。
春早蛰龙蒸赤水，夜深山鬼啸青林。
已怜道远妻孥累，更恐年衰瘴疠侵。
吹笛袁生应好在，怀予堪和武溪吟。

鉴赏

徐中行曾官云南参政，此诗大概就是他赴任途中经过盘江驿时所作。门人，门生。诗人宦游边疆地区，不仅道路遥远，而且环境十分恶劣，一路上历尽艰辛。当走到盘江驿时，又为雨所阻不能前行，因而他在驿站的旅舍里写下了这首诗，表达其哀伤的情怀。

盘江，主要流经今贵州晴隆县境。临江有一个小镇叫盘江桥，即旧时的盘江关，盘江驿可能也就是这里。“天连益部长多雨，路出盘江况毒淫。”“益部”，指今四川地区。盘江驿和四川地区相连接，四川一年四季雨水较多，盘江驿也是多雨的地方。多雨已经够恼人的了，况且盘江又有毒疟的自然环境，这就更加令人愁苦不安了。东汉马援《武溪深》云：“滔滔武溪一何深，鸟飞不度，兽不敢临，嗟哉武溪多毒淫。”此诗袭用其字面，也蕴涵着盘江与武溪一样，自然条件十分恶劣的意思。三、四两句紧承这一层意思写来：“春早蛰龙蒸赤水，夜深山鬼啸青林。”早春时节，冬眠初醒的蛰龙蒸腾赤水，盘江一带的气候渐渐变得潮湿闷热，开始出现一年一度令人讨厌的瘴疠之气。这里地处僻远，荒凉冷落，深夜时分，可以听到从深山茂密的丛林里传来的山鬼凄惨的长啸声。到此为止，诗人已经简括地将因阻雨而滞留盘江驿的所见所闻写尽写透了。我们可以想象到，置身于此地此境中的诗人，心境是多么暗淡。这样，诗的后半从写景转到抒情就显得极为自然。

面对着盘江阻雨的艰难处境，作者产生了深沉的愁思。“已怜道远妻孥累，更恐年衰瘴疠侵。”诗人此次宦游西南，远道而来，长途跋涉，一路上十分辛苦。妻子儿女跟随着他也吃尽了苦头，他感到很痛惜，怜爱之心油然而生。西南地区的瘴气严重，对人的健康损害极大，诗人也担心这会摧残他年迈衰弱的身体，想到一家人的艰窘情景，简直令人难以为怀。最后两句，扣住题中“寄门人汪维”，用设想的方法，进一步抒发凄苦哀伤的情怀。“吹笛袁生应好在，怀予堪和武溪吟。”《武溪吟》，即上文所引马援的《武溪深》。“袁生”，袁寄生，诗中指作者门人汪维。崔豹《古今注》:“东汉马援南征，作《武溪深》。门生袁寄生善笛，援作歌以和之。”诗中运用这个典故，以假想之笔写来，意思是说：我的门人汪维大概安然无恙吧。他如果怀念我的话，正好应当像袁寄生那样，写诗来表达其思念之情。袁寄生是马援的门人，汪维则是诗人的门人，诗中运用此典很贴切，正如沈德潜、周准云：“结用袁寄生事，恰与门人关合”(《明诗别裁集》卷九)。表面上，诗人是说门人怀念他，实际上，通过这种写法，表达了作者对友人的深沉怀念，也对一家人滞留盘江驿，备受旅途辛苦和恶劣的自然环境的煎熬，表现出极为愁苦的意绪。仔细咀嚼，诗的韵味比较深长。

(王锡九)

登云门诸山

宗　臣*

山头月白云英英，千峰倒插千江明。
手把芙蓉步石壁，苍翠乱射猿鸟惊。
谁其云外吹紫笙，欲来不来空复情。
天风吹我佩萧飒，恍疑身在昆仑行。

作者

*宗臣(1525－1560)，字子相，兴化(今属江苏)人。嘉靖二十九年(1550)进士。官至福建提学副使。诗文主张复古，为"后七子"之一。散文《报刘一丈书》揭露官场丑态，深刻生动。有《宗子相集》。

鉴赏

云门山，在今浙江绍兴南，山上有著名的云门寺。因为云门山群峰耸立，故诗中称云门诸山。这是一首登临览胜之作。诗人选择月夜为背景来描绘云门山的景象和他特殊的亲身感受。

"山头月白云英英，千峰倒插千江明。""云英英"，形容白云之状。此诗所写的景象就更加绝妙了。山头白云飘忽，它与皎洁的月光融会在一起，形成极为素雅的境界。山下江水澄澈，那一座座掩映在白云和月光下的山峰，倒映在一条条明净的江水里，又是一幅多么秀丽多姿的图画。这两句总写云门诸山的月夜景色。接着，诗在这一背景下，扣题写登山。"手把芙蓉步石壁，苍翠乱射猿鸟惊。"上句化用李白《古风》(其十九)"素手把芙蓉，虚步蹑太清"的诗句。诗人说他手里拿着一束木莲花，从崎岖不平的石级上向山头攀登；他一路上撩动苍翠茂盛的草树，打破了山中夜色的沉寂，使猿猱和宿鸟都为之惊动。李白诗中手把芙蓉的是明星玉女神仙的形象,宗臣用来借指自己,为下面写云外仙乐和表达自己游山的感受埋下了伏笔,使诗潜气内转,不露痕迹。“谁其云外吹紫笙,欲来不来空复情。”吹紫笙,从字面上看,应是用周灵王太子王子晋善吹笙,能作凤鸣的典故。但联系诗题看,则可能是以之代指黄帝云门乐。据《周礼》云:“以乐鼓教国子,舞云门。”诗人站在云门山上,隐隐约约听到远处传来悦耳的笙乐,不禁使他感到诧异:究竟是谁在缥缈的云空里吹奏这样美妙的乐曲呢?她似乎是要到山头来,而终究又没有来,只是在乐曲里传达出这种情意而已。诗人登上云门山,耳中听着传来的音乐,就像置身在一个神仙境界里,因此,诗的最后两句说:“天风吹我佩萧飒,恍疑身在昆仑行。”“萧飒”,同“萧瑟”,形容风声。诗人在云门山上,习习天风吹动着他的佩带,是那样的飘逸轻快,使他恍恍惚惚地以为自己漫行在神仙聚居的昆仑山中,心里充满了无限神奇和喜悦的感觉。诗的结尾,语尽意长,颇得空灵婉转的韵致。

清朱彝尊《明诗综》(卷四六)引《诗话》云:“子相(宗臣字)诗才娟秀,本以太白为师,跌宕自喜。”从这首《登云门诸山》可见一斑。全诗没有对句,平仄也不协,属于七言短古;诗的遣词造句,色泽的涂抹,清新俊爽的音调,朗畅高华的风格,这些都可以看出,它确是诗人学李的一首诗作。

(王锡九)

雨夜沈二丈至

宗　臣

榻有何人下?君能此夜过。寒蝉吴客赋,衰凤楚人歌。
雨气千江入,秋声万木多。明朝寒浦望,摇落有渔蓑。

鉴赏

一个秋风萧瑟、秋雨淅沥的夜晚,沈二丈来到宗臣的居处投宿。诗人非常同情他的遭遇,敬慕他的为人。因而写下了这首诗。沈二,姓沈,名字不详,排行第二。丈,对比自己年高辈长者的称呼。

“榻有何人下?君能此夜过。”东汉陈蕃为豫章太守,不接宾客,但对品行高洁的徐孺子则热情接待。他备置一榻，专供徐孺子卧宿，徐孺子一走，他就把榻吊起来。诗运用这一典故，意思是说，我有一只吊着的床榻，将为何人而拿下来呢？你此夜经过我这里，正好应该让你使用。这两句即是点题，并以“下榻”的原有含义，表达了作者对沈二丈的崇敬之情。“寒蝉吴客赋，衰凤楚人歌。”这一联一句一个典故，用以类比沈氏的遭遇，称赞其狂傲的精神。“吴客”，指唐代诗人骆宾王。他是义乌（今属浙江）人，曾因忤武则天而入狱。狱中，他写下了著名的《在狱咏蝉》并序，诗中以蝉自喻，诉说自己的不幸遭遇和无人理解的心情。沈氏可能也有过类似的经历，所以，诗人借用此典，对他寄予无限的同情。“楚人”，指战国时楚人接舆。孔子曾到楚国游说楚王，接舆在他的车旁唱道：“凤兮凤兮，何德之衰？往者不可谏，来者犹可追！已而！已而！今之从政者殆尔。”（《论语·微子》）这里，大概是以嘲讽孔子的接舆的狷狂，表示沈氏遭受不白之冤以后不屈不挠的傲岸精神。由于我们对沈氏生平不了解，对这两句只能作这种说明。诗的前半在点题以外，主要表达对沈氏遭遇的同情，对其性格、精神的赞扬。

从第五句，诗转过来就“雨夜”二字进行描写。“雨气千江入，秋声万木多。”秋天的夜晚，江面上烟雾蒙蒙，阴霾暗淡，结果带来了一场秋雨；秋风萧瑟，吹着枯黄的树叶，发出凄切苍凉的声音。此番秋天雨夜的景象，与三四句的抒情色彩非常和谐，景中有情，寄予着诗人对沈氏的同情。“明朝寒浦望，摇落有渔蓑。”第二天早上，沈氏走了，诗人一直把他送到江边，看着他乘船渐渐地远去。最后，他的踪影慢慢地消失了。在萧条的景色中，只见江边上有一些身着蓑衣的垂钓渔翁。这种目送神随的情态，表现出作者对沈氏的离去充满着依依别情。同时，诗也通过寒浦渔翁的形象，暗示沈氏今后将要过着隐居江湖、潇洒日月的生活，给我们留下了想象的余地，使诗增添了悠长的韵味。

此诗从沈二丈雨夜到来写起，到次日早晨他离去结束。诗中一方面借用典故，叙写比喻沈氏的遭际；另一方面则通过写景和渲染环境气氛来表达对他的同情。这两者紧密结合，言简义丰，耐人寻味。看似平常，其实颇有韵致。

（王锡九）

盘山绝顶

戚继光*

霜角一声草木哀，云头对起石门开。
朔风卤酒不成醉，落叶归鸦无数来。
但使雕戈销杀气，未妨白发老边才。
勒名峰上吾谁与？故李将军舞剑台。

作者

*戚继光(1528－1587)，字元敬，号南塘，晚号孟诸，登州(今山东蓬莱)人。将门出身。初任登州卫指挥佥事，调浙江、福建、广东等地抗击倭寇，战功赫赫。后又镇守蓟州十六年，寇不敢犯。卒谥"武毅"。其诗苍劲豪壮，慷慨激昂。有《止止堂集》及军事著作《练兵实记》《武备新书》。

鉴赏

戚继光是明代著名的爱国将领、民族英雄，早年在东南沿海一带抗击倭寇，战功卓著。《明史·戚继光传》云："(隆庆二年五月)命以都督同知总理蓟州、昌平、保定三镇练兵事，总兵官以下悉受节制。""继光在镇十六年，边备修饬，蓟门宴然。""在南方战功特盛，北则专主守。"戚继光主持北方军务多年，虽然有力地防御了鞑靼等少数民族统治者的侵扰，但是，远远不及他在南方所建立的功勋。这首《盘山绝顶》即作于这一时期，具体年份无法考订。诗中反映了他镇守北疆多年，未能一展雄才，建立殊功的悲愤情怀。

盘山，在今天津蓟县西北，平地拔起，为京东名胜。绝顶，极顶，最高峰的意思。一个深秋的傍晚，诗人登上盘山的最高点，纵目眺望，眼前展开一幅北国景象。"霜角一声草木哀，云头对起石门开。"霜角，指军中号角。因为是秋天,号角声给人一种冷寂凄凉的感觉,故云。秋空里传来苍凉的号角,草木为之哀伤,它们也变得枯萎凋零了。那深密的云头相对升腾的地方,盘山的石门豁然洞开。这是阔大而萧瑟的景象,它引起了诗人的无限伤感。“朔风卤酒不成醉,落叶归鸦无数来。”“卤酒”,指劣酒。面对着凄切的凉风,举杯消愁,却不能成醉,愁绪又怎能消除?只见那落叶飘零、枝干杈桠的树木上,栖息着许许多多晚上归来的乌鸦,这两句景中寓情,表现了作者复杂的心态。归鸦无数,而他却长期滞留边疆,无计还家,透露出他强烈的思乡之情。这里,诗人的思想情绪比较低沉。然而,他毕竟是一位具有雄才大略的志士,他没有沉溺在哀伤中。相反,他认为只要能够实现自己的理想和抱负,完成保卫国家的事业,长期守边也没有什么哀伤的。诗的后半,感情色彩突然一转,表达了诗人悲壮激烈的情怀。“但使雕戈销杀气,未妨白发老边才。”“雕戈”,雕刻着花纹的戈,这里泛指武器。“杀气”,指战争气氛。只要能够消弭战争,化干戈为玉帛,诗人说他不妨守边到老,表现出了以国家利益为重的博大胸襟。末两句由此推展而来,进一步表明他消灭敌人、建立功业的坚定志向和强烈的愿望。“勒名峰上吾谁与?故李将军舞剑台。”“吾谁与”,我以谁作为榜样的意思,用宋范仲淹《岳阳楼记》“微斯人,吾谁与归”的句子。“勒名”,意谓建立功业,刻石纪功。“勒名峰”,用汉代窦宪大破匈奴,登上燕然山,“刻石勒功而还”的典故(参《后汉书·和帝纪》)。“故李将军”,语出《史记·李将军列传》,此借用字面,指的则是唐太宗时的名将李靖。他曾率军大破突厥,擒其首领颉利可汗。“舞剑台”,盘山西成寺东的大台,相传是李靖当年的舞剑台。这两句,诗人表示要以李靖为榜样,在北方立功,报效国家。应该指出的是,诗后四句的豪情壮志,是诗人在北方戍边多年、比较失意的情况下发出来的悲怆激愤之词。这一点,与诗的前半对照起来体会,是十分显然的。清朱彝尊云:“少保(官名,戚继光曾任之)结发从戎,间关百战,绥靖闽、浙,功在东南。生平方略,欲自见于西北者十,未展其三,故其诗多感激悲壮,抑塞愤张之词,君子读而悲其志焉。”(引自《明诗综》卷四六)这首诗正是他出守蓟镇期间创作的“感激悲壮,抑塞愤张之词”的代表篇章之一。

(王锡九)

晓　征

戚继光

霜溪曲曲转旌旗，几许沙鸥睡未知。
笳鼓声高寒吹起，深山惊杀老阇黎。

鉴赏

这是一首描写部队早行的诗。

“霜溪曲曲转旌旗，几许沙鸥睡未知。”行军的道路是沿着溪流向前的，所以充满曲折。这是一个秋天的霜晨，战士起了个大早，在暗夜或月色中行军。军事行动要求神不知鬼不觉，战士们也许都是衔枚疾走，所以只隐约可辨旌旗逶迤行进，而没有人马之声。“几许沙鸥睡未知”，以闲中着色为妙，它起码有双重意味，一是由沙鸥的安眠反衬将士的辛劳；二是由沙鸥的未被惊醒，反形行军的神出鬼没，了无声息。这两句显然是黎明前的情景，它突出的是晓征的诡秘气氛。一到破晓，行军就不再需要藏行和隐秘，那情景将大不相同。

“笳鼓声高寒吹起，深山惊杀老阇黎。”这便是天明时的情景。诗人抓住的是第一声笳鼓（军乐）来写，便给人平地一声雷的惊异之感。随着这一声的到来，部队将如同从地底冒出来一样，突然出现在道路上，又仿佛飞将军自重霄而降，给人以堂堂之阵、正正之旗的威武感觉。句中又称“笳鼓”为“寒吹”，言其声高，便有“秋风鼓角声满天”（陆游）的意味，凛然不可抵挡似的。最末一句出自想象，笳鼓声如此嘹亮，恐怕要惊坏深山寺庙中的老和尚罢！“阇黎”，梵语高僧的意思。

全诗的趣味在最后一句，说军声要把深山阇黎惊杀，似乎有点杀风景，破坏了山中和平的气氛。殊不知这是表面现象，事实上，正是这支军队——戚家军，和别的边防部队，保卫了沿海一带的和平，所以老阇黎可不必惊慌。诗趣就在语若有憾，实深喜之。戚继光作此诗，显然怀着十分得意的心情，字里行间全是风流自赏的意态。作为一个民族英雄，他也有权作这样的自赏。

（周啸天）

马上作

戚继光

南北驱驰报主情，江花边草笑平生。
一年三百六十日，都是横戈马上行。

鉴赏

戚继光出身将门，世袭登州卫指挥佥事，后调浙江抵抗倭寇，在义乌建戚家军。屡次在台州、福建、广东等地击败倭寇，解除东南沿海边患。后又被调到北方，镇守蓟州（今北京一带）。他修墙筑堡，训练军队，使边防面貌为之一新。他在蓟州驻守十六年，边寇不敢滋事侵扰。《马上作》一诗就真实地反映了作者转战南北、保卫国防的英姿雄风。

“南北驱驰报主情，江花边草笑平生。”从福建、广东到蓟州，可说一在天南，一在地北。“南北驱驰”四字，概尽戚继光一生大节。“报主情”与报效国家，在古代志士仁人，是同一回事。这三字表明作者并非不喜欢安定的生活，而是因为心怀天下，为了国家的安宁，不惜万里奔波。全句表现出一种崇高的襟怀。次句的“笑”字耐人回味，它有双重意义。一是自笑，虽说长年鞍马生活习以为常，但有时看见和平生活中的世人栽花养草，不免艳羡，只能以饱览“江花边草”来解嘲，这个“笑”字是很富于幽默感的。一是被“江花边草”所笑，这里的花草便有象征意味。志士的行动往往并不为世俗所理解，如马援的从弟马少游就对马援的慷慨多大志表示不理解，认为人生只要吃饱穿暖、无灾无病就好。所以“江花边草笑平生”一句意极含混，而且点出“平生”二字，为后二句张目。

“一年三百六十日，都是横戈马上行。”这两句是“南北驱驰”“平生”的更具体的说明，一个身不离鞍马的保家卫国的英雄形象跃然纸上。这个人物形象是紧紧和战马与横戈联系在一起的，不能须臾分离，就像苍鹰不能没有翅膀一样。“一年三百六十日”初读似乎是一个凑句，其实很有妙用。它出现在“都是横戈马上行”的点睛之笔的前面，起到了必要的渲染作用，使读者感到，一日横戈马上英勇奋战并不难，难的是三百六十天如一日，虽然诗中只说“一年”，联系“平生”一语，又可以推想到年年。同时，“一年三百六十日”，又有掐指计算的意态，使读者猜想这首诗不仅是“马上作”而且可能是新年作。

更可玩味的是，诗中只从容道出“一年三百六十日，都是横戈马上行”这样一个事实，却没有明确表示情感态度，沈德潜评王昌龄《从军行》“黄沙百战穿金甲，不破楼兰终不还”道：“作豪语看亦可，作归期无日看，倍有意味。”原因也在于诗中“终不还”三字只表事实不露态度。细味戚继光此作，确是以抒发豪情为主，末二句大有“三十功名尘与土，八千里路云和月”（岳飞）的豪迈意味，但也未尝没有“匈奴未灭，何以家为”那种不得已而为之的感慨。唯其如此，才更显示出这英雄是人，不是神。

（周啸天）

枫桥与送别者

张元凯*

枫桥秋水绿无涯，枫叶满树红于花。
万里之行才十里，阖闾城头尚堪指。
游子樽前泪湿衣，离心已逐片帆飞。
酒酣忘却身为客，意欲元同送者归。

作者

*张元凯，生卒年不详，字左虞，吴县（今江苏苏州）人，苏州卫指挥。有功不得赏，好使酒骂座。工诗，有《伐檀集》。

鉴赏

诗人是在金秋时节与号称人间天堂的苏州城，以及亲朋好友话别的。

素有“东方威尼斯”之誉的苏州，河道纵横，舟楫穿梭；虹桥飞架，四处可见。枫桥位于苏州城外，因为一首抒写羁旅之愁的《枫桥夜泊》（张继），早已名闻天下，成为牵愁引恨的名胜。此诗第一句，开门见山点明送别的地点——枫桥，时序——秋季，与题目相照应。同时对周围景色一并加以描写，着重选取两个意象——秋水和枫叶。秋天里的苏州古渡，绿水荡漾，水天一色，无边无涯，灼灼枫叶，火红灿烂，胜似二月春花。“枫叶满树红于花”显然是借鉴杜牧《山行》的诗趣。此处呈现给读者的画面，色彩十分浓艳且反差特大，“大红大绿”无疑给人以感观上的刺激，加深印象。同时，明亮浓烈的色调又使环境气氛显得更加凝重、沉稳。字面上这两句诗并未道破“别”字，但枫叶的出现已让人不禁要产生某种联想。枫树常被当做抒写别情、寄托相思、象征旅愁的事物。唐诗就有“青枫浦上不胜愁”（《春江花月夜》)、"孤舟微月对枫林"(王昌龄)、"南岸桃花水,云帆枫树林"(杜甫)、"明朝挂帆席,枫叶落纷纷"(李白)、"浔阳江头夜送客,枫叶荻花秋瑟瑟"(白居易)、"劳歌一曲解行舟,红叶青山水急流"(许浑),真是不胜枚举。如果春日送别,不惜折断门前柳,让万千游丝代表离别者纷扰的情愫。那么,枫叶,尤其是秋天红枫那种辉煌的颜色,不也凝结着人们浓浓的情意?本来,分离之恨、漂泊之苦已够让人黯然神伤了,又何况是秋风萧瑟、枫叶红了的时候。以秋作为告别的背景场面,使客子凄凉的心怀更染上一丝清清的寒意。姑苏秋色越是绚丽多姿,游子惜别就更见凄恻难舍;朋友情谊愈是诚挚深厚,客子心境就更显孤苦空虚。真是一步一回头,一看肠一断!

"万里之行才十里,阖闾城头尚堪指"一句起,开始写告别的情景。"十里"不一定是实数,且具有两重意义。其一,古人有十里长亭相送的习俗,当指送别;其二,"十里"之行与"万里"旅程在空间距离上构成鲜明对比,表明是始别。站在枫桥上抬眼一看,指点间阖闾(即苏州)城仍清晰可辨。"近乡情更怯"(《渡汉江》)表现的是宋之问日夜思念故乡亲人的矛盾心理,按捺不住的是投奔亲人怀抱的无限喜悦。然而诗人的情形却恰恰相反,他是前路漫漫,此一别,悲喜难卜,故土亲朋何时再得相逢?这一切,怎不让人情肠百折!"游子樽前泪湿衣,离心已逐片帆飞。"好友饯行按例离不开杯酒相劝,酒未及下肚,却早已是泪湿衣襟。凄楚之间不禁瞟一眼载"我"远行的孤舟,满心离愁亦自追随起伏不定的征帆悠悠然翻飞飘忽起来,让人不得安宁。万里之行诗人才开了一个头,究竟去向何处?飘落何处?虽然,天下没有不散的筵席,纵是千里相送也终有一别,欲借美酒浇愁更不是个好办法,但"闲愁如飞雪,入酒自消融"(陆游),暂时的麻醉总可以让人有片刻的解脱,故曰"但使主人能醉客,不知何处是他乡"(李白《客中作》)。表面看来,"酒酣忘却身为客,意欲元同送者归",是酒后一时的迷乱,竟忘记了出发,十分荒唐,其实深入曲折地表现出游子是一千个不愿走,一万个不愿走。作者以看似不近人情且颇具喜剧色彩的可笑举动来刻画内在情感,表现人之常情,实在称得上是神来之笔。试想,清醒后的诗人回想这伤心的一幕,写出如此苦涩的诗句,又该是怎样的心碎!

此诗的特点是善于将笔触深入到游子的内心世界,准确、迅疾地把握住瞬息即逝的复杂情感,着意将离人之苦挖掘,宣泄得淋漓尽致。特别是末尾带戏剧性的细节描写,可谓"含笑的眼泪",逼真地再现了当时情景。这是属于诗人自己的独特的心灵感受,因而真实自然,催人泪下。

(秦岭梅)

凯　歌

沈明臣*

衔枚夜度五千兵，密领军符号令明。
狭巷短兵相接处，杀人如草不闻声。

作者

*沈明臣，生卒年不详，字嘉则，鄞县（今浙江宁波）人。少为博士弟子员。胡宗宪督师平倭，偕徐渭辟置幕府。后浪迹湖海，殁于里中。有《丰对楼诗选》四十三卷传世。

鉴赏

沈明臣以秀才为抗倭名将胡宗宪掌书记，这首抗倭凯歌作于嘉靖三十五年（1556），时胡宗宪"宴将士烂柯山上，酒酣乐作，请为铙歌十章。援笔立就，酾酒高吟，至'狭巷短兵相接处，杀人如草不闻声'。少保捋其须曰：'何物沈生，雄快乃尔！'命刻石置山上。"（《列朝诗集小传》）它是明人七绝中最值得称道的作品之一，诗中写夜战巷战，情景语极为独到，遍索汉唐边塞之作无有也。

"枚"是军中用械，形如筷子，两头系带，可挂置颈上。古代夜行军时，常令士兵衔枚，以防出声。（欧阳修《秋声赋》云："如赴敌之兵，衔枚疾走，不闻号令，但闻人马之行声。"）诗第一句"衔枚夜度五千兵"写的就是大部队夜间的军事行动，"五千"极言人数之多。古有"明修栈道，暗度陈仓"的战例，这一个"度"字，就写出神不知鬼不觉的意味，看来这是一次偷袭。"五千兵"的夜行军，要不被敌人发觉是不容易办到的，全靠军纪严明。"密领军符号令明"写的就是行动的保密，军马的严明。军符是调兵遣将用的凭证，或为金属，或为木料,双方各执一半,合并则浑然一体,以验真伪。主将"密领军符",即接到出击命令,他当即发布命令,各使凛遵。决胜的条件之一,便在这铁的纪律上,所以前二句已经显示稳操胜券的预兆。

三、四句直入战斗。因为是偷袭,所以不是大规模的阵地战,没有鼓角齐鸣,震动天地的声势;而是将士们皆分散闯入敌营,凭事先着好的标记(如头裹白巾或臂系白巾)区分敌我,于是同敌寇展开了一场白刃相搏的近战。"狭巷短兵相接"六字极妙,狭路相逢,写出敌忾矣,短兵相接,则敌无所逃矣。诗人写得十分镇定,然此镇定属于王师。而敌人遭到突然袭击,必然乱成一团。在短兵相接之前,必有相当数量的"鬼子"死于睡梦之中,惊醒过来在乱中接仗的"鬼子",较之充分戒备的官军,便显得手足无措。而两军相逢勇者胜,靠的是士气,丧胆的敌寇,就死者何可数计,"杀人如草不闻声"一句,就出神入化地写出了官兵掌握主动,形势大为有利,而敌方丧失了战斗力,从而遭到歼灭,伤亡惨重的情况。"杀人如草"的比喻之妙,就在于将"草菅人命"用于战争、特别是这场双方形势悬殊的战争,极见杀敌的轻易,和官军出手的神速。一般说来,哪怕是巷战,也应有刀剑杀喊之声,"不闻声"三字就匪夷所思。盖诗人是从战斗的总体气氛上落笔的,极见战事进展之顺利,所谓兵贵神速。而这"不闻声"的厮杀,比有声的厮杀,不更叫人心惊胆寒吗?这是诗中最为精彩独到的一笔。

比较一下岑参《破播仙凯歌》:"蕃军遥见汉家营,满谷连山遍哭声。万剑千刀一夜杀,平明流血浸空城。"同样写夜战,同样剽悍之作。那里是杀声震天,人头落地;相形之下,沈生此作不动声色,但雄快似有过之而无不及。唯能举重若轻,故而青出于蓝。

(周啸天)

萧皋别业竹枝词

沈明臣

青黄梅气暖凉天,红白花开正种田。
燕子巢边泥带水,鹁鸠声里雨如烟。

鉴赏

《竹枝词》本出巴渝民族,带有浓厚的乡土气息和地方风味。自唐代刘禹锡以来,仿作者极多。大都用写一方风土人情及城乡风光,形成七言绝句中一大专题。"萧皋别业"是作者友人李宾父的别墅名称,此诗就写江南梅雨季节当地农村的景象,其韵味和宋人翁卷的《乡村四月》颇为接近:"绿遍山原白满川,子规声里雨如烟。乡村四月闲人少,才了蚕桑又插田。"然而对比玩味,沈明臣此诗自有新意。

"青黄梅气暖凉天,红白花开正种田。"开篇两句描绘萧皋别业所在的郊野春光,就有美不胜收之感。与翁诗的"绿满山原白满川"比较,色彩更为绚丽。显然沈诗所写的不是初夏四月的乡村,而是春二三月的乡村。这里不仅排开了四种色彩:"青""黄""红""白",较翁诗的"绿""白",色彩的冷暖变化更大,而且出现了三个结构相同的排比的片语:"青黄梅""红白花""暖凉天"。每个片语中的名词性主词前,都有两个不同,甚至对立的形容词("青""黄"是不同色,而"红""白"是对比色,"暖""凉"是对立感觉),它恰到好处地写出了乍暖还寒的早春天气及相应的景物特征:桃李刚刚开花;而梅子尚小,黄里带青。这里辨味之细,只有晚唐韩偓绝句差可仿佛。诗人下字也很精确,如果在别人笔下,首句也许是"青黄梅子"而不是"青黄梅气"。"气"字多么虚,感得到,摸不着。前两句之妙,就在于不仅写出了视觉色彩,比翁诗多写出了人的感觉。这时还不是农忙时节,没有"才了蚕桑又插田"那么紧张,只说正种田,恰到好处。

"燕子巢边泥带水,鹁鸠声里雨如烟。"这两句最惹人喜爱的是后一句,它在感觉、视觉形象外又添了听觉,雨声和鹁鸠声。然而它毕竟是有意无意落到了翁卷那个得意之句的窠里。不过这里不是子规声,因为子规是送春的鸟。这里写的"鹁鸠",即鹁鸪,羽毛黑褐而胸部淡红偏褐,喜欢在春雨中鸣叫。在一片迷蒙的烟雨中,传来鹁鸪呼侣的柔声,倍觉迷人。而沈诗的独创性尤见于上句"燕子巢边泥带水"。前人咏燕之作多矣,谁曾拈出"泥带水"三字?那是来源于生活观察的一个发现。原来梅雨到来,"芹泥雨润",水分特多,这就使得燕巢边上的泥土湿漉漉的。这"泥带水"绝不是拖泥带水的讨厌,而是一个充满生气的形象。因为这是春雨,是好雨、暮雨。作用在人们心理上,春雨中的一切都是可爱的。"晓看红湿处,花重锦官城"是杜甫的奇妙发现,"燕子巢边泥带水”则是沈明臣的奇妙发现。

翁卷的《乡村四月》在形式上是四句散行的，而沈明臣此诗则以骈句为主。它不仅下联对结；上联有三个排比片语，同时上下句也似对非对。这就使它在形式上更有锦绣成文之感。这正是春天给人的感觉，而不是初夏给人的感觉。

（周啸天）

系中八绝(录二)

李　贽*

名山大壑登临遍,独此垣中未入门。
病间始知身在系,几回白日几黄昏。

作者

*李贽(1527–1602),号卓吾,又号宏甫,别号温陵居士,泉州晋江(今福建泉州)人。泰州学派后期的代表人物,著名的思想家。官至云南姚安府知府。后辞官讲学。公开以"异端"自居,对孔孟之道和程朱理学进行了猛烈的抨击。主张平等,提倡个性解放,被统治者以"敢倡乱道,惑世诬民"的罪名诬陷入狱而死。其著作也遭到禁毁。文学上提出"童心说",反对复古模拟,重视通俗文学。诗风朴质。有《焚书》《续焚书》《藏书》《续藏书》等。

鉴赏

万历二十九年(1601)初春,官绅所指派的无赖之徒的一把火,把李贽栖身讲学的湖北麻城"芝佛院"烧成一片焦土,这位被视为"异端之尤"而思想学说却影响了一个时代的思想家和哲学家被迫迁徙至北京附近的通州,寄居在一个叫马经伦的朋友家。但既已为湖北缙绅所不容的李贽,更难为京师之地的士大夫宽宥。次年,都察院左都御史温纯伙同礼科给事中张问达向朝廷递上一本疏奏,参劾李贽邪说惑众,肆行不检,罪大恶极,而且"倘一入都门,招致蛊惑,又为麻城之续"(《神宗实录》),皇帝看罢疏奏,批示,李贽由锦衣卫捉拿治罪,其著作应一律销毁。于是,李贽在狱中度过了他一生中最后一段日子。在牢里,他写了八首七绝,合称《系中八绝》(系即被絷,亦即被收狱中之意)。本诗是其中第一首,题为《老病始苏》,想是在狱中又经历了一场疾病折磨，而写诗时病情刚刚好转。

诗歌充满着一种毫不以眼前的政治迫害为意的傲岸不屈的精神。前两句完全是一种幽默调侃的口气：一生游历天下，所有名山大壑都留下过我的足迹，独独没有进到这高墙中来过。垣，即墙。此垣中，指眼前的监狱，但诗不说"此牢中"而说"此垣中"，出以轻松的语调，就表现了对监牢生活无所谓的轻蔑。同样，登临名山大壑，本是人生一大快事，而作者偏偏将此等快意之事与蹲监牢这种痛苦不堪之事相提并论，仿佛仅仅登山临水而不进到"此垣中"倒是人生一大憾事，这自然是一种幽默，它使现实境况的苦楚化为乌有，其实质则是表现作者的从容冷峻和对政治迫害的极大蔑视。诗歌后两句，扣题写狱中的病：在病中我才发现自己确实身在系中，恍恍惚惚，不知过了几个白日，几个黄昏。身在病中，医药饮食，俱无人照应，这自然与外面不同，于是想起了自己的囚徒身份，字面上，后两句相对于前两句是内容与情绪的转折，但"病间始知"也暗说病前全然不知，因而其内在精神又是与前两句相承的，所表现的仍是这位思想自由的作者精神超乎现实境况之上，了不以危逆处境为意的高傲与不屈。

诗歌全然不假雕饰，唯以冷峻傲岸留给读者深刻印象，这与作者艺术上的求真的主张是一致的。

志士不忘在沟壑，勇士不忘丧其元。
我今不死更何待？愿早一命归黄泉。

鉴赏

本诗可看作李贽的绝命诗。写诗后不久的一天，李贽要人为他剃头，乘剃头匠走开的间隙，他用剃刀割开了自己的喉咙。剃头匠回来时，李贽已是鲜血淋漓，但还没有断气，剃头匠问他："和尚痛否？"已无法出声的李贽用手指在剃头匠掌心写道："不痛。"剃头匠又问："和尚何自绝？"李贽再写道："七十老翁何所求。"两天以后，李贽气绝而死。（见袁中道《李温陵传》，《神宗实录》称李贽绝食而死，或是据当时东厂锦衣卫的报告）

"七十老翁何所求"是王维《夷门歌》中的一句，这是否表明李贽悲观消沉不欲求生呢？本诗作了一个更为明确的回答。

诗歌前两句弘扬了一种大义凛然的生死观。这两句原是孟子的话,见于《孟子·滕文公下》,意思是说,志士应坚持道义操守,贫贱不移。应常常想到死无棺椁,弃于沟壑,而且无所憾恨;勇士应为道义而勇武,常常想到为道义抛头颅。(据赵岐注:不忘,即常念着;在沟壑,指因贫穷而死,无棺木以葬,弃于荒野沟壑之中。元,即头颅。)这两句话也就是孔子所说的"志士仁人,无求生以害仁,有杀身以成仁"(《论语·卫灵公》)和孟子在另一处所说的"舍生而取义者也"(《孟子·告子上》)之意。李贽一生离经叛道,思想独立不羁,对儒家礼教作过广泛深入的批判,并在官运最亨通的姚安知府任满时削发为僧,皈依佛门禅宗。然而在生命的最后时刻,他没有恬淡宁静地把死看做佛家最高理想境界的"圆寂",或道家的所谓"决痤溃痈",而是取了儒家悲壮的生死观:为道义而死,为理想而献身(当然,他的道义理想是与孔子的"仁"和孟子的"义"是不同的)。紧承这样一种准则信条,作者在三、四句中写道:既如此,我今天不死还等待什么呢?我只愿早早结束自己的生命。孤立看这两句似乎是轻生,但正因为与前两句相承,所以它表达的无疑是作者决不改变自己的思想信仰、不向政治迫害低头的不屈精神。诗题"不是好汉",这看似自嘲,实是自励与自傲。本来李贽的案子经审讯后,镇抚司建议不必判处重刑,只需押解回籍了事。(据黄仁宇《万历十五年》)但李贽不想为这条生路而牺牲自己的思想信仰,他用死实践了诗歌中表明的决心。所以他死时所说的"何所求"决非万念俱灰而欲死,而是要为自己的信念去献身。

诗歌感情浓烈,情调悲壮。前两句用典巧妙而自然,带议论色彩;后两句直抒胸臆,具有很强的感染力。

(田守真)

独　坐

李　贽

有客开青眼,无人问落花。暖风熏细草,凉月照晴沙。
客久翻疑梦,朋来不忆家。琴书犹未整,独坐送残霞。

鉴 赏

这首写独居生活的五言律诗，较为集中地反映了李贽精神世界中恬淡、宁静、孤寂、旷远的一面。

首联泛写独居生活的内容：有志同道合的朋友来做客，我便欣喜热忱地接待他们；无人登门，我则在园庭中徜徉盘桓，凭吊落花。“开青眼”用的是魏晋名士阮籍故事，阮籍不拘礼教疾恶如仇，善作青白眼，见凡俗之士，以白眼对之，好友相访，则大悦，对以青眼（见《世说新语·简傲》）。李贽一生亦独行不羁，痛恨假道学，因而诗之首句无疑是以阮籍自比，虽只说对客开青眼，亦暗含有对世俗之人白眼相向的狂傲之意。“问落花”，自然指晚春之时对零落残花的伤吊，但细味全诗，这里的“问落花”并无什么伤春意绪，只是说与自然亲近，忘怀世事而已。颔联便承此写下去，描绘大自然的美及带给人的抚慰：白天阳光明丽，暖风吹拂，草地蒸腾出清新芬芳的气息；夜晚皓月当空，天无片云，月亮在河边的沙地上泛起清凉的银光。上句写嗅觉，下句写视觉，都充溢着清爽、宁静的气氛，表现了作者心灵与自然的契合。

颈联一转，写长期漂泊在外，对于家乡与家人的思念：初离家园，倒实实在在有去乡之感；客居既久，反倒觉得家乡生活恍若昨日，而漂泊生涯却似一场梦幻，朋友来时，晤言一堂，暂时抑制了对家人的思念；独处室中。却难以免却思亲之苦，上句以不真实之“疑”，写了最真实的感觉，正因为时时念着家乡亲人，所以最真切的是昔日的乡居，而客居反倒若梦了。不是长期漂泊而又对家乡亲人怀有最深感情的人，大概很难有这种体验。下句以朋来时的“不忆”暗写独居时的苦忆。同首联的“有客”一样，“朋来”也只是无人和独处的陪衬，重点是写后者。李贽一生，长期在外漂泊。自二十九岁中举入仕后，只有嘉靖四十二年（1563）祖父去世时曾回福建家乡安葬祖先三代灵柩，在家乡待过三年。而和家人的分离更是漫长，一次是这三年中妻儿留在河南，待及聚首，两女儿已因饥饿死；一次是万历八年（1580），他姚安知府任满，到湖北麻城芝佛院削发为僧，妻子便回到家乡泉州，至死不曾再晤面。而李贽虽身居佛院，却并未受戒，更不是六根清净四大皆空，对于家人他是始终怀念的。妻子死讯传来，他还写下了六首文字凄怆的悼亡诗，本诗所写既是客居且又与家人分离，当是为僧以后之作。

尾联点题，再写独居生活的宁静与心境的淡远。或抚琴，或读书，不觉时光又过,抬头只见残霞满天,于是来不及收拾琴书,便又外出独坐,凝情自然,送晚霞消逝了。诗并没有提及此时的心境,但读者从独坐送残霞的身影上,可以体味到诗人旷远、宁静、超脱的胸襟,它使人联想到魏晋诗人嵇康“目送飞鸿,手挥五弦”的那种境界。

与上述内容一致,本诗在风格上轻微淡远、朴实自然,近于田园诗。它没有浓丽的色彩,没有雕琢的辞藻,没有浓烈的感情宣泄,可谓色淡、语淡、境亦淡,然而诗人深挚的感情,旷远的胸襟,都尽寓在这淡淡的风格之中了。

(田守真)

怀陈将军同甫

徐　渭*

时镇滇，汉凿昆池于长安，而将军亲见昆池于滇，成一笑矣。

飞将远提戎，翩翩气自雄。椎牛千嶂外，骑象百蛮中。
铜柱华封尽，昆池汉凿空。雁飞真不到，何处寄秋风？

作者

＊徐渭（1521－1593），字文长，一字文清，号天池、天池山人、青藤山人、山阴布衣，山阴（今浙江绍兴）人。工诗文、书画、杂剧。但科场失意，屡试不中。为浙闽总督胡宗宪幕僚，对抗击倭寇多有策划。胡得罪被杀后，终身潦倒。诗文主张独创，反对模拟。有《徐文长三集》《徐文长逸稿》《徐文长佚草》《四声猿》等。

鉴赏

徐渭在诗中所怀的陈同甫将军，事迹已很难考订，徐本诗提到他带兵镇守云南外，《徐渭集》各卷中也再没有提到过此人。但这并不要紧，因为诗歌已经活现出此人的性格及生活，并表达了对他的一片真情，因此尽管读者对陈同甫无所知，亦不妨碍对诗歌的欣赏。

诗之首联为陈同甫画像，但诗人所画的并非其相貌形容。相反，他略去了形而抓住神，画出了将军飞动的神采和豪宕骁勇的气概。“飞将远提戎”中“提戎”即带兵。“远”，应题之“镇滇”，因云南边陲远离腹地，“飞将”二字自然是借用汉代名将李广的称号，《史记·李将军列传》说：“广居右北平，匈奴闻之，号曰‘汉之飞将军’，避之数岁，不敢入右北平。”诗人以历史上这位国之干将称陈将军，既表现了对这位守边将领的赞扬,也暗含着对他的期许。“翩翩气自雄”中“翩翩”原指鸟飞之轻疾,后也引申为豪宕自信之貌(如《汉书·叙传》:“魏其翩翩,好节慕声。”)这里兼含两意,既与“飞将”呼应,描绘其往来迅疾的剽悍矫捷,又画出其“气自雄”的十足神气。

次联顺势而下,描绘其豪壮浪漫的军旅生活:在万水千山之外,杀牛与部下共享;在南方各族之中,骑象挥戈往来。椎牛,即杀牛,古来军旅之中即有椎牛以飨士卒之风,如《史记·张释之冯唐列传》:“五日椎一牛,飨宾客军吏舍人。”辛弃疾词《破阵子》:“八百里分麾下炙。”骑象则是云南特有之习。陈将军在云南,未必真乘象往来,但诗人以骑象这一最具滇地特征的举动去刻画其军旅生活,便使这种生活不仅显得豪壮快意,而且带上了极浓的神奇浪漫色彩,突出了“镇滇”特色。

“铜柱华封尽,昆池汉凿空。”上句说而今陈将军所镇之地,正是古时立下铜柱的华夏封地的边陲,下句说汉时长安所凿昆池早已涸竭湮没,不复存在,唯将军所在昆明的滇池依旧烟波浩渺。二句并用汉代故事:古汉武帝时曾造铜柱(见《史记·武帝纪》),东汉时马援平定南方少数民族地区,更“立铜柱,为汉之极界”(《后汉书·马援传》李贤注引《广州记》);又武帝时欲通身毒国,为昆明所阻,乃于元狩三年(前119)仿昆明滇池于长安近郊筑昆明池,以习水战(见《汉书·武帝纪》颜师古注),后池水枯竭,宋以后湮没。诗歌这一联强调了陈将军所镇之地的僻远,并与序中“将军亲见昆池于滇”呼应。

诗之尾联,落到了题之“怀”字上,表达了对陈的思念之情:滇池真是大雁飞不到的地方,不知何处秋风可将我的一片思念吹到将军那里?古人认为大雁南飞到湖南衡阳即止,而雁历来又是传书使者的象征,因此诗歌暗含着滇地遥远、欲托雁传书亦不能的叹息。而李白有诗:“狂风吹我心,西挂咸阳树。”(《金乡送韦八之西京》)“我寄愁心与明月,随风直到夜郎西。”(《闻王昌龄左迁龙标遥有此寄》)于是作者暗用太白诗意,欲寄情秋风,传递对陈的真挚情谊。

诗歌具有两重风格:写人则遒劲豪放,浪漫夸张;写情则真挚深婉,余音不尽。在写法上则突出了三点:一是人物的神,短短两联,人物已是生气虎虎,神采飞扬;二是滇地的奇,骑象、百蛮、铜柱、昆池,无不充满异域风情;三是滇地的僻,全诗每一联都含此意。一首小小的五律,能有如此容量,足以见出诗人构思的奇特及语言的功力了。

(田守真)

龛山凯歌

徐　渭

短剑随枪暮合围，寒风吹血着人飞。
朝来道上看归骑，一片红冰冷铁衣。

鉴赏

明代也有边患，加之时人普遍学习唐诗，所以"边塞诗"又一度兴盛。作者曾投身平倭战争。龛山在浙江萧山东北五十里，与海宁赭山对峙，旧有龛山寨。明世宗嘉靖三十四年(1555)冬，大破浙闽沿海入侵倭寇，作者当时正入浙闽总督胡宗宪幕府，有《龛山之捷》纪其事，略云：贼自温州登岩，蔓延于会稽。战士遇贼死战，无不以一当十，贼遂大败。这首诗即歌颂破敌将士的英勇，可与岑参《破播仙凯歌》等名作媲美。

起一句就写破贼将士乘夜包围入侵之敌。"暮合围"在战术上是很有利的，因为明军比倭贼更熟悉山势地形环境，偷袭可以成功。"短剑随枪"则是长短兵器互用，便于近战，白刃相搏，第二句即写激烈战斗，入题十分迅速。"寒风吹血"表明战事发生在冬夜，不是"吹人"而是"吹血"，可见厮杀的激烈，战士冒着枪林血雨，顽强杀敌。"着人飞"的"着"字下得妥帖，比"溅"字含蓄，比"染"字轻灵。再配合一个"飞"字，简直把战斗的情况写活了。诗中的形象是呈动态的。

前两句写战场一夜厮杀的情况十分简洁，后两句则推出特写镜头：天亮了，道路上奔驰着明军骑兵。诗人没有去刻画他们的面容和英姿，而以大特写的手法，展现将士的铠甲："一片红冰冷铁衣"，这"一片红冰"与第二句呼应，令读者进一步想象战士浴血战斗的情景，血衣暗示的是战斗的激烈。同时，它又表现出气候的严寒，战斗环境的艰苦，通过这样的描写，又突出了战士不畏艰险严寒的铁的意志。"铁衣"虽然直接指铠甲，也造成一个铁人的形象。这就是大明的钢铁长城啊！

全诗最突出的创获，显然是在最后一句。唐人边塞诗没有出现过类似诗句，但闺怨诗有过："风吹昨夜泪，一片枕前冰。"(刘商《古意》)不过这"一片红冰"与那"一片枕前冰"，给人的审美感受绝不相同。

(周啸天)

风鸢图诗

徐　渭

柳条搓线絮搓棉，搓够千寻放纸鸢。
消得春风多少力，带将儿辈上青天。

鉴赏

《风鸢图》是作者晚年的得意之作，乃慕北宋画家郭恕先作《风鸢图》韵事而拟作，画成后，每图配诗一首，共二十五首，以尽其兴。这里只选其中一首。

“柳条搓线絮搓棉，搓够千寻放纸鸢。”放风筝需要结实的长线，所以此诗开始就以搓线起兴。两句一连出三个“搓”字，极有一唱三叹之趣。放风筝用的线是较细的麻绳，这绳既不能用柳棉(柳絮)搓，也不能用柳条搓。可知首句“柳条搓线絮搓棉”，是作者结合春风杨柳的景色而产生的浪漫想象。据载郭恕先曾戏弄求画者，故意在匹素上画一个小童放风筝，引线数丈满之，这很使诗人神往。“搓够千寻”(一寻为八尺)也够夸张了，似乎没有八千尺长绳就别“放纸鸢”。诗人这样唱时，使人感到他兴致很高，不禁也受到他高兴情绪的感染。

“消得春风多少力，带将儿辈上青天。”“消得”是反诘语气，意即不消春风多少力，耐人寻味的是“带将儿辈上青天”，这里的“儿辈”，似乎本应指纸鸢而言，联上句意即不消春风多少力，便将这些纸鸢送上了青天。然而“儿辈”二字，其实是指放风筝的儿童，他们的心完全系在风筝上了，所以纸鸢上天也等于“带将儿辈上青天”了，于是这句便有双关之妙。这还仅限于字面意义，最有意思的是，这两句还构成了一个象征意义，就像薛宝钗《柳絮词》所祈愿“好风凭借力，送我向青云”一样，作者希望好风吹送儿辈上天，实际也包含有一种殷切的期望和深情的祝福：愿儿辈比我辈更加有造化吧！正是这种象征意义，使诗境得到进一步的升华，读者不可只当放风筝去读。

(周啸天)

感事

汤显祖*

中涓凿空山河尽，圣主求金日夜劳。
赖是年来稀骏骨，黄金应与筑台高。

作者

*汤显祖（1550－1616），字义仍，号海若，又号若士，别署清远道人，江西临川人。万历十一年（1583）进士，曾任南京太常博士，礼部主事等职。因不附权贵免官。后居家读书著述以终。他为明代杰出的戏剧家，又擅长诗文，其诗虽不及其戏剧，然多愤世嫉俗，有感而发。才情放逸，格调高雅，不失为一大家。有《汤显祖集》《临川四梦》（《牡丹亭》《紫钗记》《邯郸记》《南柯记》）《紫箫记》等。

鉴赏

本诗作于万历二十五年（1597）。当时，社会财富大量聚集在王公勋戚及地主豪绅之门，而国库却日渐空虚，于是政府企图以开采金银矿来改善财政状况。万历二十四年（1596）起，明神宗派出许多宦官充任矿监税使，在全国范围内开山采矿。一时间“无地不开，中使（宦官）四出……而奸人假开采之名，乘传横索民财”“中官多暴横，……良田美宅则指以为下有矿脉，率役围捕，辱及妇女，甚至断人手足投之江，其酷虐如此。帝纵不问”。自二十五年至三十二年，诸宦官“所进矿税银两几及三百万两。群小藉势诛索，不啻倍蓰（五倍）”（引文俱见《明史·食货五》）。面对这场百姓的灾难，在遂昌知县任上的汤显祖极为愤恨，他在给一个朋友的信中说：“搜山使者如何？地无一以宁，恐将裂。”（《寄吴则汝郡丞》）同时，又提笔写下了这首锋芒直指皇帝的讽刺诗。

诗歌说：太监们四处指使人挖

矿，山河已尽被凿空了，这是为什么呢？我们圣明的皇上为了收求金银正日夜操劳呢。皇上又为什么这样急切地收求金银呢？当然，他绝不是为了自己的挥霍享乐。他是忧心当今天下贤才太少，所以决心仿效并超过历史上求贤若渴的燕昭王，筑一座黄金台，堆上与台等高的黄金，以招徕世上的贤士；而这一举动，全赖眼下的采矿呢。中涓，指充任矿使的太监；赖是，即靠此，二字贯穿后两句；骏骨，即贤才。此语及末句皆用古时传说：据《战国策·燕策一》，燕昭王礼贤下士，筑黄金台以尊郭隗。一天，郭隗给昭王讲了一个故事，说："古时有个国君想买千里马，但三年都没买到，于是派人带上千金到外国去买，但那里的千里马已经死了，使者便以五百金将马头买了回来。国君大怒说：'我要买的是千里马，而不是死马。'使者回答说：'死马尚且肯用重金买回，而况生马呢？天下知道您这样求马，真正的千里马自然会到您这里来的。'果然，一年以后便有三匹千里马到了国君这里。如今我好比死马，您对我尚且这样尊重，还怕天下贤士不至吗？"这以后，剧辛、乐毅等贤才便汇集到了昭王之下，所以建安时孔融在《论盛孝章书》中说："燕君市骏马之骨，非欲以骋道里，当以招绝足也。"

汤显祖的时代，正是政治黑暗、贤才遭弃的时代，他本人便多次受贬谪。因而这首诗可谓一石双鸟，既抨击了滥采矿藏、索求金银之举，也抨击了庸人当道、贤才遭弃之风。

这首诗歌虽短小，却记载了一段历史，而且它讽刺辛辣、锋芒犀利，充分表现了作者的批判精神。

（田守真）

闻都城渴雨，时苦摊税

汤显祖

五风十雨亦为褒，薄夜焚香沾御袍。

当知雨亦愁抽税，笑语江南申渐高。

鉴赏

两千多年来，赋税一直是中国封建社会极为敏感的问题。它一头关系到国力的盛衰，一头关系到百姓的疾苦，至于各级官吏的私囊，就更是与之紧紧相连了。正因为此，历史上有识之士，不论其身份地位如何，对此问题都极为关注。五代时南方的吴国，有个申渐高，身份只是个乐工，所谓“倡优所蓄，流俗之所轻”的人物，但他也以优人特有的本领，讽谏过赋税问题，当时吴国都城广陵（今扬州）干旱，中书令徐知诰（即后来南唐的开国之主李璟）问左右：“近郊都有雨，为什么城内不下雨呢？”申渐高立即以诙谐的口吻进言：“京城无雨，是因为雨也怕抽税呀。”此语遂成了讽刺苛税的一个典故。

正是这个典故，激发了六百多年以后汤显祖创作此诗的灵感。本诗作于万历二十六年（1598），当时的明帝国已是危机日甚一日，朝廷官吏多不以民生疾苦为虑，唯醉心于私囊的填塞和权力的争夺。万历九年（1581）全面实行的“一条鞭法”已因“其后接踵三大征，颇有加派”（《明史·食货二》）而破坏，百姓赋税极为沉重。这一年，京师一带又发生严重干旱，昏庸糊涂的万历皇帝不采取切实的赈民措施，减免人民的赋税，却跑到黑龙潭去祈雨，“加封黑龙潭龙王庙号，勒碑纪之”（《明通鉴》卷七一），并且“每夜分宫中秉诚祷”（《万历实录》）。于是汤显祖写下这首诗，对皇帝的昏庸、朝廷的苛捐杂税作了尖锐的讽刺。

诗歌首句说“五日一风，十日一雨”那样风调雨顺的日子应该说是上天对下民的褒奖了。言外之意，而今大旱，恐怕是上苍对昏乱朝政的怪罪吧。次句说：“当今圣上忧旱，每到傍晚便焚香祈雨，心甚诚，意甚忧，乃至泪水滚滚下，沾湿了御袍。”三、四句紧承此一气写下：“皇上您也应当知道，雨不下来，是雨也害怕而今的捐税呀，当年的申渐高不就笑着这样给他主子解释过这种现象吗？”

诗歌巧妙用典，寓庄于谐，以轻松幽默之笔，写殷殷忧民之心，锋芒不仅指向当时的苛政，甚至还触及了皇帝，活画出了万历糊涂昏庸的形象。它表现了作者的机智，更表现了作者为歌民病痛而敢于犯上的胆力。

（田守真）

甲申见递北驿寺诗，多为故刘侍御台发愤者，附题其后

汤显祖

江陵罢事刘郎出，冠盖悲伤并一时。
为问辽阳严谴日，几人曾作送行诗？

鉴赏

中国封建社会的士大夫，抛开其中那些钻营逢迎、结党营私、毫无政治良心可言的弄权者不论，大多数人的立身行事也以个人的乌纱帽为前提。他们缺乏独立的人格，更没有独立的政治见解；当个别耿介之士因直言议论朝政而遭受迫害时，他们噤若寒蝉，不引手相救；但当朝政变化，当日受害之人被恢复了名誉时，他们却常常要站出来为此人当初的行动喝彩，并抒发自己据说是早已有之的义愤，以满足自己的良心和道德感。

对于士大夫这种缺乏政治气节乃至沽名钓誉的状况，汤显祖极为厌恶，这首小诗便是对此而发的，而促使他提笔的具体事件则是御史刘台生前身后的遭遇。

曾巡按辽东的御史刘台于万历四年(1576)上书弹劾当朝首辅、大学士张居正"擅权威福，引用私党，打击异己，横黩无厌"，居正大怒，在皇帝前为自己辩解，万历皇帝遂诏下刘台狱，廷杖一百，并远戍之。张居正为维护自己的形象，又曲意上疏救刘台，于是刘台免杖，夺职为民。但居正心恨不已，终以它事戍刘台于广西，使刘台死于戍所。刘台死日，张居正卒，其时在万历十年(1582)；十一年，朝廷诏复刘台原官，并追赠光禄寺卿(见《明史·刘台传》)。于是士大夫纷纷在当年刘台住过的递北驿寺(又名东光驿)壁上题诗，为刘台生前遭遇鸣不平。万历十二年(1584)，汤显祖在南下就太常博士任道中，也经过此驿站，见状感慨万千，于是也在壁上写上了一首小诗。

诗歌说：张居正垮台，刘御史恢复了名誉(江陵即张居正，其籍贯为湖北江陵)，一时间士大夫们纷纷为刘台的不幸遭遇表示悲伤义愤。然而试问这位曾巡按辽阳的御史当初遭朝廷严厉谴责并远戍他乡时，有几个人曾表示过对他的同情？哪怕是为他的流放写一首送行诗呢？

汤显祖是位有气节的士大夫，他也曾得罪过张居正，还得罪过后来的首辅申时行，并被远谪他方。他的这首诗尖锐地指责讽刺了士大夫中缺乏气节的卑萎风气。其反诘语气，逼人深省。焉因为此，"义仍(汤显祖字)书此诗，后人遂绝笔"(《列朝诗集》)大概多少感到了惭愧和自责吧。

本诗一作《题东光驿壁，是刘侍御台绝命处》(见《明诗纪事》)，文字亦有异，或许此诗为改作。

(田守真)

青阳道中

汤显祖

溪山云影杏花飘，衫袖凌风酒色销。
数到松杉残日里，春深立马望华桥。

鉴赏

春日青阳（当时，属安徽池州府）的郊野，溪水淙淙流动，山色青翠欲滴，淡淡白云在蓝天上自在飘飞，娇红的杏花在晴光中轻柔飘卷。和风拂来，鼓满了马背上诗人春衫的襟袖，阵阵凉意爽气，使刚才在乡村酒家饮过几杯春酒的诗人酡颜顿消，精神清爽，满目春光，满眼生机，春色又使诗人醉了。他一路观赏，不放过道旁每一点春的消息；待他望到前方一片松杉林时，春阳正倚山而下，血红的余晖，铺洒在苍翠的林间，突然，在这片色彩斑斓的松杉林背后，诗人看到了一座桥，这不就是华桥嘛，（或许诗人对它的美早有所闻？或许桥边还留着诗人一段美好的回忆？或许它是诗人所要到的目的地的标志？）眼前的画面是这样的美，他呆住了，不禁勒住马头，在深春的溪山之间望着溪桥久久出神。

这就是这首小诗所描绘的画面，所传达的意境。它充满生机，有情有景，由景及情，鲜明生动地展示了大自然的美，春天的美，也展示了诗人爱自然爱春天的情怀。

诗歌不仅富于画面感，而且语言清浅，音节朗畅，堪讽堪诵。

诗歌首句写景，次句写感觉，三、四句在写景中写感觉。一个“数”、一个“立马”，传达出主体方面的活动，写出了道中的行，所以它既是写景诗，也是纪行诗，只是纪行寓于写景中罢了。

（田守真）

韶阳夜泊

汤显祖

秋光远送芙蓉驿，乱石还过打顿滩。
独棹青灯红树里，露华高枕曲江寒。

鉴赏

万历十九年(1591)汤显祖上《论辅臣科臣疏》,抨击朝廷辅臣网罗党羽、破坏法度与科臣收受贿赂、依附权势的污浊风气,并直接批评了皇帝。这大大触怒了朝廷,于是他被贬到极偏远的广东雷州半岛的徐闻,做了一个职位卑微的典史。这年九十月间,愤懑忧郁的汤显祖陆行过大庾(今江西大余县)到广东保昌(今南雄)下水顺北江南下,途中写下了一组纪行的小诗。本诗是其中第一首。韶阳,明属韶州(今属广东韶关)。

诗歌记载了经行的路程,更深深地流露了作者抑郁不舒的心情。

前两句纪行,深秋,天宇高旷,山寒水瘦,诗人的扁舟渐渐远离了昨夜所宿的芙蓉驿。但诗人不说"远离"而说"远送",这表明他一直在透过秋光凝望着,沉思着:芙蓉驿渐远了,家乡渐远了,亲人朋友渐远了,朝廷也渐远了。由此"远送"二字,就已隐约透露出一种依恋,也透露出一丝惆怅与愁绪。次句"乱石还过打顿滩"是"还过乱石打顿滩"的倒文。一个"还"(又)字,使此句在时间上与首句衔接极紧,同时也传达出一种心理感受:去国离家的船怎么这样快?这就在依恋之外,更多了一种慨叹。此外滩名打顿,乱石嶙峋,又表明了路途的艰苦与险恶。

三、四句写夜泊。江上,暮色渐浓,孤独的小船泊在了江边的红树丛边;四下浓黑,不闻人声,唯有秋虫的寒吟和江水拍击船舷的声响;船篷内,与诗人相对的是一盏摇曳不定的青灯,今宵就宿在这里了。曲江(属韶州,当即是泊船的韶阳所在)虽在南国,但深秋时节的江滨已是寒气袭人;江上渐浓的露气透进了船篷,润湿了诗人的枕席,给诗人带来几分瑟缩,此时,孤独、凄寒、失意、悲愁一起涌上心间,今宵又将是一个难眠之夜了。

诗歌句句写景,却句句有情,尤其三、四两句,画面环境的描绘之中传达出一种极浓的孤寂("独棹青灯")凄寒("露华""曲江寒")气氛,而这种气氛,无疑是诗人当时心境的写照。但诗人不直写心境而写环境,这就不仅使心境的抒写更含蓄,也使所要传达的情绪更深沉,更让人体味不尽。这种情景交融、以景传情的意境创造,反映了诗人对唐诗优秀传统的继承。

(田守真)

夏日闲居

高攀龙*

长夏此静坐，终日无一言。问君何所为，无事心自闲。
细雨渔舟归，儿童喧树间。北风忽南来，落日在远山。
顾此有好坏，酌酒遂陶然。池中鸥飞去，两两复来还。

作者

*高攀龙(1562－1626)，字云从，一字存之，又字景逸，江苏无锡人。万历进士。熹宗时官至左都御史。因反魏忠贤，被免职。与顾宪成在无锡东林书院讲学，时称"高顾"，为东林党首领之一。后魏忠贤党羽派人逮捕他，投水而死。擅诗文，诗意恬淡。有《高子遗书》。

鉴赏

沈德潜、周准《明诗别裁集》说："忠宪(高攀龙的谥号)诗无心学陶，天趣自会。"的确，此诗恬淡闲静，真朴自然，颇得陶诗真髓。

题为《夏日闲居》，起笔即扣题，写长夏静坐，终日无言。接着用设问自答的句式，直点之所以获得如此娴静境界的原因："无事心自闲。"以下的景物，既都是在这"无事心自闲"的心境下所见到的，又反过来加重加浓了这种心境。你看，在蒙蒙细雨中，渔舟缓缓归来了；在稠密的树丛间，儿童在嬉戏喧闹；一阵北风吹来，沁人心脾；落日傍着远山，依依不舍。这些自然景物，仿佛是诗人毫不经意地随手拈来的，但又是多么恰到好处地表现了诗人闲适的心情。

正是这些景物，使诗人心情特好，于是诗人举杯独酌，陶然而醉，在醉态朦胧中，又复见池中鸥鸟，成双成对，飞去又复飞回。这一结尾，有悠悠不尽之意，因为其中暗用了狎鸥的典故，《列子·黄帝》载："海上之人有好沤(同鸥)鸟者,每旦之海上,从沤鸟游,沤鸟之至者百数不止。其父曰:'吾闻沤鸟皆从汝游,汝取来,吾玩之。'明日之海上,沤鸟舞而不下也。"此诗表示诗人机心已息,万念皆寂,故鸥鸟亦不相猜,"飞去""复来还"了。正如杜牧在《渔父》中所写"终年狎鸥鸟,来去且无机",是一样的意思。

全诗朴素自然的语言,与闲适自得的心情,恬淡幽静的意境,三者完全谐和一致,在艺术上是相当成功的。

(姜光斗)

夜　步

高攀龙

幽人夜未眠,月出每孤往。繁林乱萤照,村屋人语响。
宿鸟时一鸣,草径露微上。欣然意有会,无与共此赏。
千载怀同心,陶公调可仿。

鉴赏

月夜独步,幽兴极盛,邈然千载,思接陶潜,便是此诗的主旨。

诗的开头,诗人自称为"幽人",是有来历的。《周易·履》:"履道坦坦,幽人贞吉。"孔颖达疏曰:"履道坦坦者,易无险难也。幽人贞吉者,既无险难,故在幽隐之人,守正得吉。"所以"幽人"不仅指幽隐之人,还有胸怀澄澈之意。

唐代著名诗人韦应物有一首出名的五绝《秋夜寄丘二十二员外》,亦写到"幽人"。诗曰:"怀君属秋夜,散步咏凉天。山空松子落,幽人应未眠。"这首诗以白描的手法,素淡的语言,写出了一个极其幽静美丽的境界。末二句以松子落地的动态反衬出幽绝的气氛,从而想象友人丘丹这位胸怀高洁的隐士大概也在"散步咏凉天",也在思念着他吧?于是,一股怀念友人的深情尽在不言中深深透发出来。高攀龙此诗显然是从韦诗脱化而来,用韦诗原句只改动了一个字,并巧妙地将"幽人"从友人改为自己,从而创造性地抒写自己月夜独步的幽兴。

次句"月出每孤往"的"孤"字乃诗眼所在。正因为"孤",才对下面两联中所出现的"乱萤""人语""鸟鸣""微露"等景物观察得那么深入细致;也正因为"孤",才感到无人与他共同来欣赏“欣然意有会”之处，才想到只有千载以前的陶公与他同调，是他的知音。因为陶渊明《饮酒》之五结句是：“山气日夕佳，飞鸟相与还。此中有真意，欲辩已忘言。”

如此立意，的确高绝，但是否有孤芳自赏、目空一切之嫌呢？如果联系诗人的时代与遭遇来看，结论恰恰相反。明代后期，魏阉跋扈，政治黑暗腐败至极。高攀龙因忤当局而罢官，家居三十年，跟顾宪成在无锡东林书院讲学，同为当时进步知识分子集团东林党的著名领袖，声誉极高，晚年虽官至左都御史，但终因反对阉党而被迫投水自尽。此诗写于家居时期，正表现了诗人不愿同流合污的高洁情怀，是令人肃然起敬的。

（姜光斗）

邮亭残花

徐熥*

征途微雨动春寒，片片飞花马上残。
试问亭前来往客，几人花在故园看？

作者

*徐熥，生卒年不详，字惟和，闽县（今属福建）人。万历十六年（1588）举人。负才不遇，肆力诗歌，与其弟𤊹并有才名。有《幔亭集》。

鉴赏

徐熥为闽人，他的诗秉承林鸿、高秉、郑善夫等闽派诗人遗风，宗法盛唐，七绝质朴委婉，情深义重，极富韵味。他在明代诗人中，是佼佼者。

邮亭是古代设于沿途的馆舍，供传递文书信件的邮使歇宿，来往旅客亦可借住。这是诗人在旅途中见残花而感兴的一首佳作。

首句交代季节与环境，渲染气氛。诗人奔波于征途，碰上细雨蒙蒙的天气，感到春寒料峭。次句自然地点示诗人为之感兴的主要物象——残花，并且是在片片地飞，飞到诗人的马上而残了。这两句通过细致具体的景物动态的刻画，已将满腔怅惘惜春之情寄寓其中。

三、四句陡转，诗人突然向亭前来往客人发问：你们之中，能有几人是在故园看花的呢？如此一问，立即使诗意升华到一个高度，从一般的惜春之情转向怀乡之情，并且是那样地诚挚，那样地浓郁。真令人拍案叫绝！

《明诗别裁集》说："词不必丽，意不必深，而婉转关生，觉一种至情，余于意言之外。"确是一语破的地指出了这首七绝的艺术特色。

（姜光斗）

丹阳遇陈十八

徐　熥

丹阳渡口遇同乡，欲语匆匆怨夕阳。
君返江南我江北，云山千迭断人肠。

鉴赏

此诗首句平平而起，交代巧遇同乡的地点是在丹阳渡口，正因是渡口，人们聚散短暂，无法长久停留，所以很自然地引发出次句。次句很新巧，“欲语匆匆”乃常语，突然接上“怨夕阳”三字，立即焕发出夺目的异彩。“怨夕阳”既巧妙地点明两人相遇乃在傍晚，无法长谈，使“匆匆”二字有了根据。又由于无法长谈，双方不禁无端地迁怒于夕阳，正像唐诗“打起黄莺儿，莫教枝上啼”一样，显得无理而有情。

三句转叙二人复又分手，一南一北，山长水阔，迢迢千里，此后不知何日再能会面。结句缀以神来之笔，“云山千迭”不仅指双方相距将愈来愈远，会面将愈来愈难，而且还将抽象的愁绪与别恨外化成重重叠叠的云和山，加深加重了感情的浓度和深度，显得特别警拔有力。

（姜光斗）

酒店逢李大

徐　熥

偶向新丰市里过，故人尊酒共悲歌。
十年别泪知多少，不道相逢泪更多。

鉴赏

新丰在今陕西临潼区西北，《汉书·地理志》新丰县注：“高祖七年置。”应劭曰:“太上皇思东归,于是高祖改筑城市街里以象丰,徙丰民以实之,故号新丰。”所以新丰这个地名本身便隐含着刘邦之父怀旧的感情。如今诗人与阔别十年之久的友人忽然在新丰市相遇,更易引发起对往日归事的追忆。几杯酒下肚,感情更加激动,情不自禁地慷慨悲歌起来。觥筹交错,热泪纵横,其场面是可以想象的。

三、四句忽发议论,“掬诚而出,人人所欲道,恰是人人所不能道”(王文濡《历代诗评注读本》)。以相逢之喜泪反衬阔别十年之悲泪,又以阔别时间之久长烘托会面时间之短暂,把极其丰富复杂的感情表达得十分充分,使这两句议论成为全诗点睛之笔。此诗艺术上的成功又一次证明,诗歌并不绝对排斥议论,但“议论须带情韵以行”(沈德潜《说诗晬语》)。

(姜光斗)

寄　弟

徐　熥

春风送客翻愁客,客路逢春不当春。
寄语莺声休便老,天涯犹有未归人。

鉴赏

首联以对偶句起,并采用粘连格,不仅写得缠绵悱恻,情致动人,而且语言工整清丽,意象鲜明生动。春季在征途上奔波,春色满目,春风微和,本可赏心悦目,可是由于诗人满怀离别之情,骀荡的春风反而使他更加愁闷起来。正因为具有如此心情,才有下句的感慨:“客路逢春不当春。”此句前一个“春”是春季,春天的本义,后一个“春”是欢乐、愉快之意,为象征、比喻义。意谓虽在客途中恰逢美好的春天来临了,而心中却没有一点春意。

一、二句似乎已将情意写足,以下似乎难以为继了。在这种情况下,就必须靠诗人的腾挪转折功夫了。所以三句忽发奇想,希望能带信给黄莺,不要如此起劲地鸣叫,以免催促春天变老。此句不粘不脱,恰到好处。晚唐陆龟蒙《子夜四时·夏歌》有句云:“莺唇映花老。”徐熥受了陆诗的启发,又进一步创造出莺声催春老的境界,真是青出于蓝啊!诗人之所以希望莺声不要催春变老，为的是直逼出下句“天涯犹有未归人”。这位天涯未归人，是诗人自指。意谓自己远远地漂泊天涯，当此美好的春季到来之际，无法与其弟相聚，共享春光；如果莺声不催春老，春季得以延长的话，他便可赶回与弟欢聚，共享春色了。三、四句这一无理有情的奇想，顿使这首七绝焕发出神奇的异彩来，因为诗人思弟的一片深情，尽在不言中深深透发出来。诗人这枝生花妙笔，简直是魔术师手中的魔棒！

（姜光斗）

御儿舟中别朗公

徐　熥

月下谈深睡已迟，满身凉露夜何其。
鸡声未断钟声起，又是江头欲别时。

鉴赏

这首送别诗之特色有二，一为构思新颖，二为叙事与写景融洽无间。

一般送别诗，都是就送别场面着意渲染尽情描绘，如名作王勃《送杜少府之任蜀州》、李白《黄鹤楼送孟浩然之广陵》《送友人》和王维《送元二使安西》等莫不如此。而此诗除末句略点送别之意外，送别场面并无一句具体描写，但依依惜别之情却十分浓郁，并不亚于上举各个名篇。究其原因，是诗人善用腾挪手法，将描写重点挪到了送别之前，将其写足，而写到送别时，一点辄止，把送别的具体情景全部留给读者自己去想象。

阔别已久的老友通宵促膝夜语，古代诗文中也多有描写，或连榻夜话，或秉烛夜谈，或同床偶语，不管是那一种情况，有一点却是共同的，即都在家中，在室内。而此诗的通宵夜语，却在舟中。于是诗人就抓住舟中夜晚这一典型环境中富有特征性的景物，作细致的描写，以渲染气氛，抒发感情，从而取得很好的艺术效果。

首句叙诗人与阔别重逢的老友在月光朗照中深谈至后半夜，等到想睡时已经显得太迟了。次句描写“满身凉露”的情景，既补充了两人交谈之深、时间之长，以点示时间已到了深夜，又暗示是在舟中交谈的，并且两人谈兴极浓,一点也不觉得时间之漫长和夜露浸身之寒凉。三句继续写景:鸡声连续不断,寺庙晨钟声骤起,原来天已亮。此句与第二句同为传神之笔,不仅暗示了两人实际上彻夜未眠,还强烈地渲染了两人又将分手,各奔前程黯然神伤的气氛,顺利地引出了第四句。读到这里,不觉使人联想到杜甫的名句"欲觉闻晨钟,令人发深省"(《游龙门奉先寺》),感悟到某种人生的哲理。

(姜光斗)

铜雀妓

徐熥

铜台遗令在,玉座主恩非。旧曲流哀管,余香散舞衣。
穗帷空寂寞,罗绮失光辉。日日西陵望,君王归不归。

鉴赏

《铜雀妓》为乐府旧题,属《相和歌辞·平调曲》。陈·张正见《铜雀台序》云:"一曰《铜雀妓》。《邺都故事》曰:魏武帝遗命诸子曰:吾死之后,葬于邺之西南岗上,与西门豹祠相近,无藏金玉珠宝,余香可分诸夫人,不命祭吾。妾与伎人皆著铜雀台,台上施六尺铜床,下繐帐,朝晡上酒脯之属,每月朝十五,辄向帐前作伎,汝等时登台,望吾西陵墓田。……按铜雀台在邺城,建安十五年筑,其台最高,上有屋一百二十间,连接榱栋,侵彻云汉,铸大铜雀置于楼颠,舒翼奋尾,势若飞动,因名为铜雀台。《乐府解题》曰:后人悲其意而为之咏也。"

历来咏此题者甚多,或慨叹人生如寄、万事皆空:"宫中歌舞已浮云,空指行人往来处"(刘长卿);或批判魏武的骄奢淫逸:"魏主矜娥眉,美人美于玉。高台无昼夜,歌舞竟未足。盛色如转圜,夕阳落深谷。仍令身殁后,尚足平生故"(刘商);或歌颂铜雀妓对曹操的多情:"君恩不再重,妾舞为谁轻"(王适);或痛悼铜雀妓的孤苦无依:"妆容徒自丽,舞态阅谁目。惆怅穗帷前,歌声苦于哭"(欧阳詹);或悲悯铜雀妓的满腔怨恨:"月色空余恨,松声暮更哀。谁怜未死妾,掩袂下铜台。"(梁氏琼)徐熥此诗虽亦属抒怨之作,但其构思与梁氏之作颇不相同。

此诗所写铜雀妓，感情比较复杂，幽怨、怀旧交织一起。首联是说，魏武铜雀台的遗令犹然在耳，但他真正的恩爱已不复在。因为曹操在遗嘱中曾说：“吾婢妾与伎人皆勤苦，使著（安置）铜雀台，善待之。”（见《曹操集译注》）铜雀妓对这一点是很感激的，自然会产生这种怀念之情。次联是说，魏武分给诸夫人的余香还从舞衣上散发出来，但他早已作古，因此在演奏他生前的旧曲时，管弦上流淌着哀伤。这一联充满怀旧之情。三联是说，如今铜雀台上的六尺床上，只有缌帐空垂，长期陈设的衣服被褥等罗绮织品，早已失去光泽，变得暗淡不堪了。此联暗示曹操死去已很久，伎人们长期守灵作伎，寂寞空虚，孤凄幽怨，为尾联蓄势。尾联是说，铜雀妓每天望着西陵魏武的墓田，还有什么盼头呢？他真能起死回生，又归来吗？言外有不胜幽怨之情。

徐熥此诗，从多方面揭示了铜雀妓复杂的感情，确实比其他抒写单一感情的作品更有深度。再加上此诗前三联对仗精工，尾联有悠然不尽的余韵，因而更加耐人寻味。

（姜光斗）

送人游吴楚

徐　熥

津亭烟柳绿垂丝，万里关山匹马迟。
去国正当秋尽后，登楼多在日斜时。
楚江草长悲鹦鹉，吴苑花深走鹿麋。
话别何须共惆怅，秋风摇落是归期。

鉴赏

送别，乃是一个老而弥新的传统题材。古往今来，真是佳作如林。诗人们争艳比美，夸能斗巧，大显身手。有的缠绵悱恻、凄然欲绝，将儿女之情写足；有的反复叮咛、依依惜别，将友朋之情写足；有的旷达飘逸、轻松自在，将出世之情写足；有的壮怀激烈、乐观开朗，将用世之情写足……而徐熥此诗，又别具一格，超出上述数种之外。

因为诗人是送朋友去游吴楚

的，便在这方面狠下工夫，做足文章。

起笔即从送别地点津亭附近的景物写起，小桥如画，杨柳如烟，真是美极了。“绿垂丝”三字，又立即使人想起了贺知章的名诗《咏柳》：“碧玉妆成一树高，万条垂下绿丝绦。不知细叶谁裁出？二月春风似剪刀。”真是：虽说吴楚尚未游，已是美景令人醉！紧接着，交代友人独跨匹马，漫游万里关山，以点示题目。

中间两联，全从友人将去的吴楚来落笔。但在具体写法上，两联又显然不同。颔联是用概括法泛写。上句是诗人估计友人结束游程离开南国返回的时间当在秋后，江南的秋色饱览后方回正是此句的话外之音，同时又巧妙地挽合末句“秋风摇落是归期”，显得针线细密。下句是诗人想象友人多在日暮夕阳斜照时登楼，暗含“日暮乡关何处是，烟波江上使人愁”（崔颢《黄鹤楼》）的境界，并且巧妙引出下句“楚江草长悲鹦鹉”，显得呼应紧密。

颈联是用示现法将虚景实写。上句隐括崔颢诗“晴川历历汉阳树，芳草萋萋鹦鹉洲”两句，以切楚地风光，并设想友人游楚时定会思乡怀归的。下句隐括李白诗“吴宫花草埋幽径，晋代衣冠成古丘”（《登金陵凤凰台》）两句，以切吴地风光，并设想友人游吴时定会发思古之幽情的。此联语言精练，对仗精工，一楚一吴，明点友人去向，暗含无限深意，真乃巧构！

尾联出以轻松之笔，才话别，便盼归，显得情深义重，新颖别致。

统观全诗，不仅构思独到，别出心裁，还巧妙地隐括了许多唐人诗意，扩大了诗的容量，引发了人们的联想，真是一篇送别杰作。

（姜光斗）

旅次石头岸

徐　熥

石头城下水微茫，回首乡关驿路长。
瓜步烟波连断霭，秦淮云树隔斜阳。
秋高落木见村舍，夜静寒潮到女墙。
客里愁心已如此，一闻南雁更凄凉。

鉴赏

此为旅途思乡之作，最大的特色是寓情于景。诗人以萧瑟的秋景来烘托客里愁心，运用得非常成功。

首联交代诗人泊舟地点是石头城下，就眼前所见江水微茫的景象，引发“回首乡关驿路长”的感慨，作为笼罩全诗的主导情绪。诗人为闽县（今福建省福州市）人，在古代交通不便的情况下，从石头城（今江苏省南京市）到闽县，当然是“乡关驿路长”了。

中间两联写景，一联远眺，一联近看。瓜步洲的烟波与雾霭连成一片，秦淮河两岸的树木高耸入云，把夕阳挡在视线之外。“烟波”“云树”向来是触发游子思乡的典型景物，当然要引起诗人满腔客愁了。再看近处，秋高气爽，树叶脱落，枝丫疏朗，村舍明晰可见；夜深人静，江涛带着森森寒气，拍打着城墙，使人想起了刘禹锡的名句“潮打空城寂寞回”，这些也是触发乡愁的典型景物。

尾联更以凄厉的雁声来衬托客里愁心，使人倍感凄凉。诗便在这黯然神伤的一片惨淡景象中戛然收住，留下悠然不尽的韵味。

（姜光斗）

听朱生说水浒传

袁宏道*

少年工谐谑,颇溺滑稽传。后来读水浒,文字亦奇变。
六经非至文,马迁失组练。一雨快西风,听君酣舌战。

作者

*袁宏道(1568－1610),字中郎,号石公,公安(今属湖北)人。万历二十年(1592)进士,官至吏部郎中。与其兄宗道、弟中道并称为"三袁",同为"公安派"创始人。反对前后七子模拟、复古的主张,强调不拘格套,抒写性灵。其诗直率自然,内容多闲情逸致。也有反映民间疾苦、批判现实之作。有《袁中郎全集》。

鉴赏

明代万历年间,由于商业经济的繁荣,市民阶层的兴起,小说、戏曲等原来不登大雅之堂的通俗文学,得到蓬勃发展,一些思想比较解放的文人,开始对它们刮目相看,传统的诗文、正统的文学观念发生了动摇,"公安派"领袖袁宏道的这首诗就大胆地发表了异端的见解。仅从其题材、思想内容上讲就非唐宋能有。

"公安派"的文学主张是反对复古,主张"独抒性灵,不拘格套"。此诗一开端就标榜与众不同的读书兴趣和个人情性:"少年工谐谑,颇溺滑稽传。""滑稽传"即《史记·滑稽列传》,是古代宫廷演员的传记。就小说史角度而言,《滑稽列传》只具小说雏形。到当时成书的《水浒传》,其间进步不可以道里计,《水浒传》是成熟的优秀长篇小说,所以诗人给以更高的评价:"后来读水浒,文字亦奇变。"文字奇变是指《水浒传》相对于《滑稽列传》的进步吗?否。这是连上"少年工谐谑"而来,言个人受《水浒传》的影响，在文学上、文笔上有奇妙的长进，直言不讳地宣布自己受一本小说的影响如此之大，这是很有勇气的。更为惊人之谈在后面："六经非至文，马迁失组练。""六经"本指《诗》《书》《礼》《易》《乐》《春秋》，此泛指儒家经典。"马迁"即司马迁，此指《史记》。"组练"系借精锐部伍喻精彩文章。把小说《水浒传》抬举到经史典籍之上，简直是离经叛道的语言。但把这种议论与李卓吾、金圣叹等人的文学批评联系起来，就可以看到它反映了一种新的文学思潮，即小说这种重要的文学体裁终于以其实绩，后来居上，将执众文体之牛耳。

这首诗题为听说话人朱生说《水浒传》，却用了六句来高度评价《水浒传》，表现个人对此奇书的特殊爱好、特殊感情，这并不是离题。相反，由于酝酿得充分，最后两句点题水到渠成，且有画龙点睛之妙。"一雨快西风，听君酣舌战"写尽听说评书的快感。评书是一种花钱少收效大的艺术，全凭说话人一张嘴，一条三寸不烂之舌，外加惊堂木。一说起来，千军万马也可以调动，风风雨雨呼唤就来，有的情节是原作底本根本没有的，任凭说话人添盐加酱。岂不见南京柳麻子(敬亭)"说景阳冈武松打虎白文，与本传大异，其描写刻画，微入毫发，然又找截干净，并不唠叨，哱夬声如巨钟，说至筋节处，叱咤叫喊，汹汹崩屋。武松到店沽酒，店内无人。蓦地一吼，店中空缸空甓，皆瓮瓮有声。闲中著色，细微至此"，这首诗的"一雨快西风，听君酣舌战"就写活了一个说书人和一个书迷，令人称艳。而朱生和柳麻子一样，是可以进入《滑稽列传》的人物啊。

(周啸天)

竹枝词(录二)

袁宏道

雪里山茶取次红，白头孀妇哭春风。
自从貂虎横行后，十室金钱九室空。

贾客相逢倍惘然，楩楠杞梓下西川。
青天处处横珰虎，鬻女陪男偿税钱。

鉴赏

竹枝词本是巴蜀民歌，从唐诗人刘禹锡开始，后代文人拟作者甚多。袁宏道很重视民间文学，认为世间假诗文很多，而民歌倒是很真挚的。他认为明代前，后七子的模拟之作是不能传世的，只有“间阎妇人孺子所唱‘劈破玉’‘打草竿’之类”，“尚能通于人之喜怒哀乐、嗜好情欲”，倒可流传千古。因此，他的诗集中，有一些拟民歌之作。这组《竹枝词》，共十二首，作于万历三十年(1602)，这里选的是第二和第十二两首。这两首诗以民歌的形式，犀利地把矛头直指祸国殃民的阉党集团。

诗中的“貂虎”“珰虎”均指宦官，比喻他们像虎狼一样凶狠残暴。汉代中常侍冠上饰以貂、珰两种饰物，汉代光武帝以后，专任宦官为中常侍，后来便以“貂珰”为阉宦的代称。“貂虎”“珰虎”则带有强烈的感情色彩，反映了明代人民对阉宦的刻骨痛恨。

前首开篇以“雪里山茶”起兴，似比非比，这是民歌常用手法。山茶花为常绿灌木或小乔木，于春节前后开花，颜色鲜红。诗意是说，经过霜煎雪打的山茶花依次开放了，十分鲜艳美丽。山茶开花迎来了美好的春天，照例人们应当高兴，可是如今白头寡妇却当着春风在痛哭。诗人以乐景衬哀的手法一下子抛出了一个悬念，引起了读者的注意，尔后通过两句议论，揭出答案：原来是宦官横行，肆意搜刮，才造成十室九空、寡妇当风痛哭的惨状！

后篇开头则不再用比兴，而用直陈手法，写商贾不乐，原来各地官吏为了阿谀魏忠贤，为他大造“生祠”，大兴土木，于是珍贵的梗、楠、杞、梓等木材便大批源源不断地从西川运往各地，而至第三句，则诗人激愤地说，何止西川一地遭到掠夺，你看，在青天白日下，到处都是珰虎在横行，到处都是卖儿卖女在交纳税钱！

这两首竹枝词在艺术上最大的特色是议论中带有激愤，针针见血，犀利而有力。

(姜光斗)

甲辰初度

袁宏道

闲花闲石伴疏慵，镜扫湖光屋几重。
劝我为官知未稳，便令遗世亦难从。
乐天可学无杨柳，元亮差同有菊松。
一盏春芽融雪水，坐听游衲数青峰。

鉴赏

万历三十二年甲辰(1604)十二月初六，是袁宏道三十七岁生日，他写了四首七律纪念生日，这里选的是第二首。

这年诗人隐居于家乡柳浪湖畔，筑兴酣楼一所。柳浪湖为诗人三十四岁时所辟。他在城南得下洼地，可三百亩，络以重堤，种柳万株，号曰“柳浪”。从此潜心佛学，闲适之时，从事唱和。袁中道《中朗先生行状》中记叙他这段生活道：“先生偕中道与一二名僧共居焉。潜心道妙，闲适之余，时有挥洒，皆从慧业流出，新绮绝伦。而游屐所及，如匡庐，如太和，如桃花源，皆穷极幽遐，人所不至者无不到。发于诗文，烟岚溢毫褚间。盖自花源以后诗，字字鲜活，语语生动，新而老，奇而正，又进一格矣。”

此诗首联写他以疏懒悠闲的态度居住在兴酣楼上欣赏花石，享受湖光山色。中间两联以议论句抒写他的处世态度“做官不乐，遗世难从，仕与隐”的矛盾在他胸中交战。他既想学白居易晚年的亦官亦隐，又想学陶渊明的真正弃世，所以到四十一岁那年，在父命的催逼下，又复进京做官。尾联写他以雪水泡了一盏春茶，坐听云游和尚谈论禅机。

这年暑天，他游德山，与寒灰、雪照、冷云诸僧谈禅论佛，其后辑成《德山暑谭》一书，诗中所写，当指此事。

（姜光斗）

感　事

袁宏道

湘山晴色远微微,尽日江头独醉归。
不见两关传露布,尚闻三殿未垂衣。
边筹自古无中下,朝论于今有是非。
日暮平沙秋草乱,一双白鸟避人飞。

鉴赏

袁宏道于万历二十年(1592)三月登进士第,时年二十五岁。明制,新科进士选期未及者,多以给假省亲扫墓为理由,得暂归故里。此诗是这一年秋季,在公安(今湖北省公安县)所作。

首联从写景叙事起,但意不在景;诗人整天徜徉山水,沉溺酒乡,显然有满腹心事。此联起笔即微逗诗题"感事"二字,空灵而不粘滞。

既然少年科场得意,选官在即,还有什么心事呢?是不是"少年不识愁滋味""为赋新词强说愁"(辛弃疾语)呢?非也,中二联即通过议论朝政大事传出诗人满腹心事的具体内容。

万历后期,明王朝内外交困,危象毕露。帝王昏庸,阉竖专权,贤良惨遭杀戮,内里已被蛀空,边患四起,倭寇严重骚扰东南沿海。这一年,日本丰臣秀吉又发动了侵朝战争,游击史儒战死于平壤,副总兵祖承训统兵渡鸭绿江援救失败,仅以身免,中朝震动;宁夏哱承恩等作乱,杀巡抚和兵备副使;朝臣们对一些重大政事议论纷纭,意见尖锐对立,甚至有人因此而获罪。

颔联用了两个典故:汉代指不密封的文书为"露布",后借指战斗捷报。《周易·系辞下》有"黄帝尧舜垂衣裳而天下治,盖取诸乾坤",所以后代用"垂衣"来称颂帝王的无为而治。此联是说,边关不见战斗捷报,朝廷未闻无为之治。实情是边关告急文书雪片似飞来,败耗频传,朝廷上君昏臣奸,政治腐败黑暗至极。诗句用"不见""尚闻",避免直率浅露,写得颇为深婉曲折。所以强调"温柔敦厚"儒家诗教的沈德潜,曾痛诋公安、竟陵,在他所选的《明诗别裁集》中,仅独选此篇,足见沈氏对此篇的欣赏。不过此篇虽写得不错，乃是袁宏道的早期作品，并不能代表他“独抒性灵”、率意而为、任情挥洒的独特风格。

颈联是说，边防政策自古以来就不用消极抵御、被动应战、处处挨打的中下之策，而是采取充实国力、加强战备、积极抵御的上策；朝臣们议论国是，提出不同意见，批评执宰大臣本是忠于职守的表现，可是明神宗却反其道而行之，“谕廷臣，国是纷纭，致大臣争欲乞身，此后有肆行诬蔑者重治！”（《明史·神宗纪》）诗人表示对此极为不满。

可是，诗人此时在家乡候选，“居石浦之上，偕外祖父龚容卿及舅惟学，惟长辈，终日以论学为乐”（任访秋《袁中郎研究·年谱》），无权无力来过问政治，所以诗的尾联写他面对着长满秋草的平原，在暮色苍茫中，目送一对白鸟，避人远远飞去。也许“避人飞”是在有意无意之间吧。从这形象中不仅使人感受到诗人忧心国事的满腔怅恨之情，还使人觉得诗人仿佛又在庆幸自己没有卷入这场政治旋涡，能像这对白鸟一样，自由自在地避人远去。此联以景结情，又与首联取得呼应，使结构更为严密。

（姜光斗）

登高有怀

袁宏道

秋菊开谁对，寒郊望更新。乾坤东逝水，车马北来尘。
屈指悲时事，停杯忆远人。汀花与岸草，何处不伤神。

鉴赏

万历二十二年（1594），袁宏道由家乡公安去北京候选，在途中写下这首五律。

此诗感情比较复杂，举凡对政事的悲慨，对亲朋的怀念，对青春年华的消逝，对旅途辛劳的体验，都有所反映。

此诗起笔即扣题。写登高所见，为下文抒怀的触发点。秋日登高，菊花盛开，天宇高朗，郊原寥廓，触发了诗人旅途的孤寂之感。所以首句“秋菊开谁对”已微逗怅惘之情。

颔联悲年光消逝，叹旅途苦辛。据其弟袁中道在《游荷叶山居记》中回忆，“中郎颇有山栖之志，入都聊复了宦迹耳。而铨曹之命下，恐山居之志未易辄遂也已”。中郎之兄宗道，弱冠即“自谓此生当以文章名世”“性耽赏适，文酒之会，夜以继日”“栽花莳药，不问世事，癸未，大人强之赴试”后（见袁中道《石浦先生传》），才被迫出去做官的。大概中郎也是这种情况，所以尽管他当时只有二十七岁，在被迫走上宦途时，也要老气横秋地既悲悼年华如东流水一样消逝，又慨叹北来风尘仆仆、旅途车马奔波的苦辛了。

颈联悲时事，怀远人。“屈指”者，言事件之多，除了《感事》篇中所提到的日本侵略朝鲜、宁夏发生叛乱外，这一两年中，还发生了大面积灾荒。万历二十一年（1593），“振（同赈）江北、湖广、湖南、浙江、山东饥。河南矿贼大起”。“二十二年春正月己亥，诏以各省灾伤，山东、河南、徐、淮尤甚，盗贼四起，有司玩愒，朝廷诏令不行”，七月，“河套部长卜失兔犯延绥”，十月，“炒花犯辽东”。（俱见《明史·神宗纪》）可见当时内忧外患日益严重，政局极不安定，难怪诗人要忧心如焚了。诗人在同年所作的乐府诗《白铜儿》中写道：“儒生读书书总多，白发无官可奈何！生乏白金献天子，死无黄纸赂阎罗！”把矛头直指天子与阎罗，可见其愤慨之深。“停杯”者，言对亲朋故旧忆念之深。中郎所怀念的亲友当然很多，其中忆念最深的当莫过于其师李贽和其弟中道了。李贽是明代后期最杰出的思想家，他抨击道学，倡“童心说”，不惜与世俗为敌，被视为“异端”、妖人。而袁氏兄弟则对他倾慕之至，曾数度拜访问学，中郎还以弟子之礼师事李贽。中郎说：“似此瑶华色，何殊空谷者。”（《得李宏甫先生书》）又说：“李贽便为今李耳，西陵还似古西周。”（《余凡两度阻雨冲霄观俱为访龙湖师戏题壁上》）他对李贽的著作评价极高，喜爱极浓。他后来曾说：“幸床头有《焚书》一部，愁可以破颜，病可以健脾，昏可以醒眼，甚得力。”（《锦帆集·与李宏甫书》）而李贽对中郎兄弟也极为赏识，他说：“伯（指宗道）也稳实，仲（指宏道）也英特，皆天下名士也。”中道按道：“然至于入微一路，则谆谆望之先生（指宏道），盖谓其识力胆力，皆迥绝于世，真英灵男子。可以担荷此一事耳。”（俱见袁宏道《吏部验封司郎中中郎先生行状》）正因为相契之深，所以在别后中郎屡屡作深情的怀念，一则说：“矫首云霄时一望，别山长是郁嵯峨”（《怀龙湖》），再则说：“天下文章怜尔老，潇湘风雨动人愁”（《阻雨》），三则说：“近得卓僧（即李贽）《豫约》诸书，读之痛快，恨我公不见耳”（《锦帆集·与陶石篑书》）。至于对其弟中道，更是眷眷怀念不已，仅在万历二十二年（1594）一年内，就专门写有《三弟回志喜》四首，《北行道中示弟》一首，《忆弟》三首，《忆弟》二首等诗，既对其“文章妻子怪，姓氏友朋嗔，兄弟皆衣紫，君命胡苦辛”“步兵虽嗜酒，倘亦恨穷途”的遭遇表示同情，又更深一层表示理解其为人，支持其追求："去住非无谓，蹉跎似不羁。亲朋尽欲杀，知己半相疑。独我能青眼，因君是白眉。东来书一纸，读罢泪如丝！"

此诗尾联，复又把登高远眺的目光，停留在汀花与岸草上，以强调处处均能触景伤神。

统观全诗，首尾两联以写景起以写景结，做到前后呼应，首尾圆合。中间两联议论抒怀，容量大，感慨深。读了这首诗，可以一扫视公安派作品为轻佻浅率的成见。

（姜光斗）

从军行赠程生

袁宏道

留都十日九塘报，程生拍手向东笑。
三百斤石一手提，自典冬衣买乌号。
玄霜十月道途难，雪花如石打马鞍。
敝衣三尺不掩体，尚说淮南气不寒。
自从和议成反复，正使羁囚尚书戮。
天子咨嗟发帑金，经略提兵过鸭绿。
材官猛士气如云，玉刻腰带金麒麟。
朝廷岂无胡都堂，人间不少戚将军。
往闻倭奴寇浙时，义乌贵者至千人。
倭奴机关亦易与，结羊挥扇驱妇女。
十步一伏九步连，八尺神刀吼秋雨。
程君切玉如切肉，倭刀虽强不过玉。

鉴赏

这是一首送人从军的诗，用乐府古题，万历二十五年（1597）在仪征（今属江苏）时所作。

程生，名谚之，是一位精于印章篆刻的豪侠之士。袁宏道之弟中道，亦作有送行诗，题为《戏赠善印章程生从军》。诗中描绘程生的形象说："程生入门微启齿，洞石金刀响袖里。往往开石如开泥，有时饮酒如饮水。修干大耳面如盘，初逢不信是寒士。飞雪入眼风割皮，谡谡忙忙走城市……自言少年颇豪迈，气力一身五石大。三尺宝刀一丈矛，走马弯弓事事会。眼见东南苦征战，身抱奇策无人荐。屠龙之技不忍埋，北去从军趋海甸。"可见他是一位文武全才，胸怀壮志，性格豪迈而又潦倒落拓的贫寒之士，袁氏兄弟对他极为尊敬佩服，现在他要从军去平倭了，所以都写诗激励他。

此诗每八句一段，全诗可分三段。首段刻画程生的个性：他在京都，读到平倭节节胜利的塘报后，激动异常，"拍手向东笑"五字即将其写足。据袁中道送行诗中所写，"近读塘报我渐张，斩首百级贼胆丧。天子亲颁内府金，二十余万给边将。赏罚得宜士赳赳，坐见海上平小丑。男儿何处觅封侯，乘时急取关白首"，则程生激动的原因有二：一为抗倭的形势有所好转，从屡屡受挫转为取得小胜；二为天子颁内府之金赏边，正是朝廷急需人才之际，他为国立功的机会到来了。"三百斤石一手提，自典冬衣买乌号"两句写尽其英武豪迈，甘作牺牲的气概。"乌号"为古代良弓之名，这里泛指精良的武器。典掉冬衣去置办武器，这是何等的气概！"玄霜"以下四句，进一步从气候的严寒和敝衣不掩体的矛盾中突出程生的英雄气概和从军的决心。此段因能抓住典型的细节来写，故给人的印象特别深刻。

次段写当时形势，日本侵朝，始于万历二十年（1592）；至二十四年（1596），明王朝封日本侵朝关白丰臣秀吉为日本王，和议成；二十五年（1597），战事复起。八月，明王朝下力主和议之兵部尚书石星于法司，坐大辟。十一月，明神宗发帑金二十余万两劳军，以兵部尚书邢玠为蓟辽总督，赐上方剑，大集征兵援朝。所以"自从"以下四句简明扼要地概括了当时形势，为程生从军的背景。"材官"以下四句则赞扬在朝廷正确的抗倭政策鼓舞下，优秀人才云集军中，并以御倭著名总督胡宗宪和抗倭杰出名将戚继光预期程生，希望他从军后为国杀敌立功。此段写得简括有力，不滞不粘，颇具骨力。

末段写倭寇虽狡诈、凶暴、多谋，但还是容易对付的，希望程生拿出刻玉的本领去杀敌。"往闻"两句揭露浙江义乌一带乘倭寇入侵之时而发国难财者竟多至千人，从而反衬程生从军之可贵。"倭奴"四句写倭寇虽狡诈多谋，强悍善战，但劫物奸淫，多行不义，其势必不能久，是易于对付的。"程君"两句则扣住他善于篆刻的特点，妙语双关地希望他切倭寇之肉如切玉一样自如，因为倭寇之刀再硬也硬不过玉石啊！此段从不同角度反衬、烘托、描绘程生，将其英武气概写足，并从言外传出对他的深切期望，甚为得体，也甚为有力。

（姜光斗）

江行俳体

钟 惺*

虚船也复戒偷关,枉杀西风尽日湾。
舟卧梦归醒见水,江行怨泊快看山。
弘羊半自儒生出,馁虎空传税使还。
近道计臣心转细,官钱未曾漏渔蛮。

作者

*钟惺(1574~1624),字伯敬,号退谷,湖广竟陵(今湖北省天门县)人。万历三十八年(1610)进士,授行人。历官仪制郎中、福建提学佥事。有《隐秀轩集》。同里谭元春与之应和,风行一时,人称"钟谭体"或"竟陵派"。二人合选有《古诗归》《唐诗归》《明诗归》等。

鉴赏

《江行俳体》组诗,作于钟惺入京应试途中,原序云,诗是在友人谭元春《竹枝词》组诗的启发下写成的。作者因舟行途中受到水上税收盘查,感到不满,遂写下这首讽刺苛税的作品。

由诗意可知,作者所乘的航船在行进中受到阻止。原因是税卡正在对过往船只进行盘查收税,为严防偷漏关税的情况发生,凡属未经验查的船只一律不得放行,客船也不例外。由于扣留时间太长,几乎整天停泊,使旅客们大发怨言,也是自然的事。"虚船也复戒偷关,枉杀西风尽日湾"就是写这种不分青红皂白的情况。"枉杀"二字,充满怨意。整日无聊,加之秋风萧瑟,谁又耐烦呢!"虚船(不装货的船)也复"云云,大是不满的语气。"湾"是俗话,泊舟之谓也。文言中本无这个用法,这就在语言中形成俳谐的意味了。它造成一种近乎苦笑的情态。

以下诗人由“尽日湾”三字继续生发,写冤枉驻舟的烦恼。颔联两句皆由两个对比的片语构成:“舟卧梦归——醒见水”,无聊之中在船上白日睡觉。梦中归家,醒来才看见船还停在老地方,一场空欢喜!“江行怨泊——快看山。”江行和陆行一样,“不怕慢,只怕站”。故以泊舟为烦恼;以看山(即看山却似走来迎)为快慰。但眼前偏偏快意不得!二句中以“梦——醒”“怨——快”四字,两两互形,最有唱叹跌宕之妙。

有意思的是下文中,诗人由眼前税卡严得滴水不漏,联想到现实中的苛捐杂税,一起予以鞭挞。桑弘羊是汉代以理财著名的历史人物,征收舟车税是由他和孔仅等始作俑。诗云“弘羊半自儒生出”,这里既有“半自”,可见“弘羊”在诗中代指的是一批人,而并非专指桑弘羊本人,那就是当时搜刮民财的官吏们。儒家本来主张薄税敛、施仁政,但残酷的剥削人民的官吏却“半自儒生出”,这是何等具有讽刺意义的事啊!《史记·魏公子列传》载,信陵君欲救赵,急中无计,将率宾客赴秦军。侯生以为无异“以肉投馁虎”,“馁虎”即饿虎,较之一般的猛虎更为可怕,诗中用以譬“税使”。比较“苛政猛于虎”的说法,更加新警。“馁虎空传税使还”,是说即令税已收去,也不可高兴太早,饿虎般的税使,随时可以“光顾”。一个“空”字,足以破除人们任何一相情愿的幻想。这两句诗已经远远超过个人受阻的烦恼,而接触到严酷的社会现实和民间疾苦,是全诗主题之句。

结尾用道听途说的消息,进一步写官吏盘剥的无孔不入:“近道计臣心转细,官钱曾未漏渔蛮。”“渔蛮”即渔民,过去不属于纳税对象。现在税收到他们头上,可见官府的搜刮又进了一步。“计臣”指理财的官吏,“心转细”似乎是褒词,其实是反语。正如唐代陆龟蒙《新沙》所讽刺的“渤海声中涨小堤,官家知后海鸥知。蓬莱有路教人到,应亦年年税紫芝”。讽刺的锋芒,并不毕露,针砭却更有力。

诗是即事兴发,半出嘲谑。“偷关”“湾”“心转细”“渔蛮”等词语,不是口语便是俗语;“弘羊”与“馁虎”作对,“醒见水”与“快看山”作对,都有谐趣,即所谓俳体。然而诗的内容,却是十分严肃的。这就是“体诨”“气诙”而“法严”,是亦谐亦庄的。而俳谐的力量,就在于顺手一击中,置对手于尴尬境地。就此而言,此诗是有特色的。

(周啸天)

送丘长孺赴辽阳

钟 惺

借箸前筹战守和,较君当局意如何?
岂应但作旁观者,预拟铙歌与挽歌。

鉴 赏

丘长孺,名坦,以字行,楚麻城人。明于辽阳置东都指挥使,为东北边防重镇。丘曾赴辽,临行前留诗别友,中有"诸君醮笔悬相待,不是铙歌即挽诗"。铙歌属汉乐府鼓吹曲,系战歌,此言奏凯。"不是铙歌即挽诗",意即不成功,则成仁。钟惺和诗原共五首,此录其一。

"借箸前筹战守和,较君当局意如何?"语出《史记·留侯世家》。"战守和"三字应读断,"战""守"是作战的两种基本战术;"和"则是作战结局的一种,这里因句有定字的限制,还省略了"胜""负"两种结局。但并不影响懂得"诗法"的读者理解诗意。既然要较量,就得运用各种战术,决一雌雄(有时也可能打成平手)。这使读者联想起《墨子·非功》里描写的墨子与公输盘进行的那种模拟战:"子墨子解带为城,以牒为械。公输盘九设攻城之机变,子墨子九距之。公输盘之攻械尽,子墨子之守围有余。"事实上,古代军营中将帅们经常这样研究作战方案,叫做"运筹帷幄"。诗人这样写,似乎是有意识地缓和临别的沉重气氛,使它变得轻松一点。这两句还可以理解为借箸筹算战斗结果,为预写歌辞作准备。

"岂应但作旁观者,预拟铙歌与挽歌"既是承上联比试运筹之意,说自己虽不赴边,也不应只作旁观者。换言之,即对朋友此行及将来的前途命运非常关心。"借箸前战守和"就是这种心情在行动上的表现,又是照应丘诗"诸君醮笔悬相待,不是铙歌即挽诗",说自己一定尊重朋友的意愿,先就作好铙歌和挽歌备用!"预拟铙歌与挽歌"一句十分风趣,对方并没有请"预拟",只是请提笔待拟。既然是提笔相待,可见丘长孺自信很快就能在战斗中见个分晓;于是诗人干脆要先把两种歌辞写好再说。将来不管何种结局,皆可应付裕如。这样真率无饰,又是投合豪爽者口味的。本来,一般人处在这种情况下,一定要讨个吉利,只说好,不说歹。就写成"预拟铙歌岂挽歌",未必不是豪言壮语,而钟惺偏偏别出手眼,不忌讳"挽歌"二字。正如壮士临阵不讳言死一样,所谓"裹尸马革英雄事"(张家玉),反而更具悲壮的气概。

(周啸天)

二月闻雁

孙承宗*

几听孽鸟语关关，尽罢虚弦落照间。
却讶塞鸿偏有胆，又随春信到天山。

作者

*孙承宗(1563－1638)，字稚绳，号恺阳，高阳(今河北省高阳)人。万历三十二年(1604)一甲二名进士，授编修。天启初(1621)官兵部尚书，兼东阁大学士，奉命督师山海关及蓟辽、天津、登莱诸处军务。清兵深入畿南，守高阳，城陷，自缢死。有《高阳诗集》八卷。

鉴赏

这首诗作者作于奉命督师山海关及蓟辽、天津、登莱诸处军务时。诗中通过"二月闻雁"这一偶然的闻见，设为寓言，抒发了有我无敌的无畏气概，同时对一些在边防大计上怯懦无能之辈进行了讽刺。

"几听孽鸟语关关，尽罢虚弦落照间"是根据"惊弓之鸟"的故事虚构之景。《战国策·楚策四》载："更嬴与魏王处京台之下，仰见飞鸟。更嬴谓魏王曰：'臣为王弓虚发而下鸟。'魏王曰：'然则射可至此乎？'更嬴曰：'可。'有间，雁从东方来，更嬴以虚发而下之。魏王曰：'然则射可至此乎！'更嬴曰：'此孽也。'王曰：'先生何以知之？'对曰：'其飞徐而鸣悲。飞徐者，故疮痛也；鸣悲者，久失群也。故疮未息而惊心未至也，闻弦音引而高飞，故疮陨也。'"可知"孽鸟"就是负了伤的病雁。因为久失其群，故鸣呼其曹。《诗经·周南·关雎》："关关雎鸠，在河之洲"，"关关"是禽鸟求侣的叫声，故此处用来形容失群孽雁的悲声。"尽罢虚弦落照间"，从"尽罢"二字可知这种惊弓之鸟并非一只，在夕阳惨淡的余晖中,纷纷闻空弦而坠落。这显然不是写实,而是一种象喻。“几听”二句,告诉读者,边塞向来有类似情况。本来胜败乃兵家常事,但偏有一些败军之将一蹶不振,对强敌闻风丧胆,谈虎色变。诗人的讽刺不一定是专指某人某事,但这种人和事在现实中却不乏其例。

“却讶塞鸿偏有胆,又随春信到天山”在前二句反衬的基础上,这两句写“二月闻雁”就很有意味了。在“孽鸟”丧胆惊弓的同时,作为候鸟的雁群并没有放弃它们既定的方针路线,又随春信的到来而回返北方,相比之下,这是何等从容、何等勇敢的行为。“又随”二字颇有前赴后继的意味。这也是一种象喻,它比喻的是所有忠勇的爱国将士,他们到边关来就有不惜牺牲的准备,在他们的字典里有“死”字,却没有“怕”字。诗句“却讶塞鸿偏有胆”是用孽鸟惊讶的口气道出的,特别有味。勇士的无畏,不是足以振懦起顽,叫一切胆小的人感到羞愧吗!

这首诗采用比兴手法,使得它的内涵远远超过作者面对的具体事实,从而具有广泛的象征意义。它甚至可以使今日读者联想到鲁迅《非革命的急进革命论者》一文所说的几句话:“在行进时,也时时有人退伍,有人落荒,有人颓唐,有人叛变,然而只要无碍于进行,则愈到后来,这队伍也就愈成为纯粹、精锐的队伍了。”此诗中“又随春信到天山”的“雁群”,就让人感到,由于淘汰了几只“孽鸟”,反而显得纯粹和精锐。

(周啸天)

渔　家

孙承宗

呵冻提篙手未苏,满船凉月雪模糊。
画家不解渔家苦,好作寒江钓雪图。

鉴赏

自从柳宗元写出江雪“孤舟蓑笠翁,独钓寒江雪”之后,画家们常常以渔翁入画,而形象大都不出柳诗所写的范畴。如五代赵干有《江行初雪图卷》、宋代王诜有《渔村小雪图卷》、明代朱端有《钓雪图轴》等,即著名的画例。因为柳宗元诗本身就是寓言身世之作,并不客观反映渔民一般的生活情况，所以“寒江钓雪图”也大都反映文人的审美情趣，而并不反映渔民苦乐。孙承宗这篇论画之作便是有感而发，批评了文人画中脱离现实的倾向。

“呵冻提篙手未苏，满船凉月雪模糊。”两句勾勒了一幅很现实的渔家冬景。因为地冻天寒，渔民为生计很早就起身撑船，手指僵直，提篙很费劲，不得不频频向手心呵气取暖。侵晓的残月，将月光洒了一船，明晃晃的。仔细一看，原来船身已覆盖了一层雪，出于脚踏的缘故，已经斑驳模糊了。这幅图景很典型，可以窥斑见豹，反映出渔民的辛苦。它本身也饶有画意，背景仍是“江雪”，人物仍是“渔翁”，但趣味完全不同。可以想象，如果某位画家照孙承宗的构思画一幅“江雪”什么的，准不错。可偏偏没有这样做，其原因何在呢？

“画家不解渔家苦，好作寒江钓雪图。”这里的原因有两个，一是作家的思想生活与渔家隔膜。由于不深入生活，他们也就不了解渔民的思想感情。和古代田园诗人常犯的毛病一样，用自己的主观情趣取代对象实际具有的情感，就像鲁迅在《风波》中讽刺的，明明是很清苦忙碌的农村图景，“河里驶过文人的酒船，文豪见了，大发诗兴说：‘无思无虑，这真是田家乐啊！’”一是作家在艺术上的偷懒，照抄前人的构思，实际上是投机取巧。柳宗元《江雪》以寓言为象征，写个人孤傲的品格，实在不坏。第一个想到要将他的诗意作成画卷的，也不坏，但如果天长日久，你画我也画，最后必然陈陈相因，如同印版，这就必然导致艺术上的衰落。

以上两种弊端，都是艺术创作的致命弱点。拯之只有一法，深入生活，改造思想，更新艺术——“应解渔家苦”。

（周啸天）

夜泊彭山江口

曹学佺*

锦城平日暖，旅泊始知寒。犍蜀中分地，岷峨相向看。
冈连三女冢，水疾二郎滩。芦苇风吹急，萧萧汉将坛。

作者

*曹学佺(1574－1647)，字能始，号石仓，福建侯官(今福州)人。万历二十三年(1595)进士。任四川右参政、按察使。天启间，官广西参议。因事得罪魏忠贤党，削职归家。唐王称帝闽中，授礼部尚书。清兵入闽，自缢而死。著述甚丰，为明末闽中大家。有《蜀中广记》《石仓诗文集》。

鉴赏

江口，今四川彭山县双江镇，为岷江与府河交汇之处，明神宗万历末年，诗人被罢去四川按察使之职，循水路返闽，途经此地，写下这首即景抒怀的诗章。

首联统摄全篇，余皆由此引发，“锦城平日”，概言在川为官的日子；“旅泊”应题，点明现实的处境。“寒”“暖”二字堪称“诗眼”，几多消息从中透出，值得仔细玩味。彭山与成都相距不远，且在同一经度而南，两地气候差异并不明显，更不会“锦城平日”皆暖而一出城门便寒，如此措辞，似有悖于客观，然而这正是诗之妙处。原来，诗人并非在此侈谈气候的变幻，而是运用“移情”手法，借气候写心境，仕途的成功与失意，尽在其中。

诗人素有“济世”之志，然而考中进士后，却在“留都”南京当了七八年无所事事的挂名官，直到万历后期才被任为四川右参政。品级虽然不高，但不是闲职，因而诗人是欣然应命的。在川期间，他恪尽职守，清廉干练，体恤民困，抑制豪强，声誉很好，深得蜀中士民拥戴，也一度受到朝廷青睐,被提升为按察使,仕途顺遂,上下相得,可惜好景难常,由于皇族与贪官们造谣中伤,更由于执政者昏聩无能,不久他就被罢了官。报国无门,理想破灭,尽管只是"始知"朝政的腐败和官场的险恶,诗人也决意退隐了。纵有蜀中百姓拦路挽留,他终于还是踏上了归乡的旅程。孤舟东下,夜泊清江,面对浩浩流水,仰望冷月孤星,"思往事,叹今吾"(辛弃疾),怎不深感"暖""寒"之别是如此明显,对照是如此强烈呢!

然而,辛勤劳作,热情奉献过的土地是难以忘怀的,临别之际,这种眷恋之情更深更长。诗人伫立船头,引颈遥望,意绪茫然,思想的野马在蜀山蜀水间徜徉。"犍蜀"句缘题而来,点明目下所处地理位置。犍,指犍为郡,其地大致在今乐山一带;蜀,指蜀郡,今成都一带。彭山正处于二郡接合处,故言"中分"。"岷峨"句是"看岷峨相向"的倒文,是由眼前所见生发开去,赞叹岷山、峨眉南北相望,横亘川西,雄伟壮观。其实,岷峨虽高,但在江口是望不见的,何况正值夜泊之时,可见诗人系以神游而非目视,笔底透出无限深情。

"冈连"二句紧承上联,抒写对蜀中山水名胜的留恋。曹学佺在蜀多年,对这里的山山水水风物名胜有着深厚的感情,他一连写下《蜀中山水记》《风物记》《名胜记》等十余部著作就是最好的证明。三女冢,不详,疑指武担山之王女墓和斛石山之两女冢,二者皆"成都北门之胜"(《蜀中名胜记》)。二郎滩在成都西北灌县岷江中,据朱熹《朱子语类》所述,二郎是秦时蜀郡守李冰的第二个儿子,助其父开凿离堆,化水害为水利,后人立庙以祀,庙内立有"深淘滩,低作堰"六字诀石碑。诗人由眼前山冈想到成都一带的山水名胜,由脚下滔滔江水追忆李冰父子兴利于蜀的光辉业绩,其间有多少情思,多少感慨!一个"连"字,真切地道出怀想之情,一个"疾"字,饱含着诗人对人生遭际的不平和忧愤。

经历一番神游,诗人目光折回眼前,思绪却又由现实上溯到古代。江口,古称彭元聚,彭亡城。东汉初年,征南大将军岑彭率大军入川,攻讨割据益州自立为王的公孙述,彭治军严整,秋毫无犯,首破荆门,长驱武阳(今彭山),蜀地震骇,公孙述惊叹为神人。然而,就在他陈兵彭亡城准备发起最后攻击的前夕,却被公孙述派刺客谋刺于营中。岑彭死后,光武帝厚赏其妻子,并追封为"壮侯","蜀人怜之,为立庙武阳,岁时祠焉"(见《后汉书·岑彭传》)。

诗人凭吊遗迹,追思往古,感叹今朝,其间包含着复杂的情绪:岑彭为讨平割据势力而死,死后受到人们的敬仰与祭奠,自己限制皇族惩抑贪官,也深得士民拥护爱戴,然而一个得朝廷厚报,一个被罢黜离境,这结局是多么不同!可是,"人去物非事事休",如今庙中香火早断,坛边一片荒凉,夜风吹来,芦苇萧萧,这光景与自己沦落失意的情形又未尝不有几分相似。真是人世沧桑,难以逆料!诗篇就此收住,而诗人叹惋之声却似在江风中久久回荡。

全诗平平道来,毫不矜气作色,实乃潜气内转,包孕丰富,藏奇崛于平常。透过那一个个地理名词,可以窥见诗人纵目骋怀,神思飞越于广阔时空的情景,可以感受到他那激荡的心潮和满腔悲愤。诗中所叙事物似各不相干,然而"草灰蛇线",意脉可寻,殊无"浑漫"之感,艺术结构颇具匠心。

(林心治)

过木渎

曹学佺

指点十三桥,迎船半柳条。夕阳潮正满,春草岸俱遥。
琢研开山市,为园灌药苗。卖饧时节近,处处有吹箫。

鉴赏

在享有"人间天堂"之誉并被马可波罗赞为"东方威尼斯"的苏州西南郊,有一座古老的水乡名镇,相传春秋时吴王夫差在镇外灵岩山为西施营造馆娃宫,扩建姑苏台,"三年聚材,五年方成",从外地水运来的木材把镇上河道都堵塞了,因而得名"木渎"。这里临近太湖口,风光秀丽,又与吴王西施的传闻紧紧相连。因此,历代骚人墨客过此都不免雅兴大发,留下或描写山水风光,或感慨吴越兴亡的文字,且不乏佳篇。《过木渎》就属于前一类作品。

此诗犹如电影中一组组特写镜头,清晰有序地把秀丽水乡的春日景象一一展现在读者面前,充满诗情画意,令人赏心悦目。

首联写船过木渎的情景。木渎一如苏州,是个"人家尽枕河""水巷小桥多"(杜荀鹤《送人游吴》)的地方,一座座玲珑小巧的石拱桥新月般跨临河上,构成这一带特有的景致。"十三桥"扣住了这一特点,再冠以"指点"一词,便营造出一种人景相宜、动静结合的艺术境界,题中"过"字隐含其间,诗人悠闲潇洒的神态也跃然纸上。"迎""半"二字下笔自然而精巧，赋绿柳以人情，又勾勒出一江碧波、夹岸垂柳的秀丽景色，真是"写来光景如画"（沈德潜《明诗别裁集》）。

颔联承上，描绘河上风光。春日向晚，落日余晖铺撒在绿波盈盈的河面，水天相接，金碧交辉。由于春潮"正满"，从船上望去，便觉得萋萋春草和河岸都那么遥远。这两句由唐人王湾"潮平两岸阔"（《次北固山下》）化出，而意象更为丰满，色彩鲜明，瑰丽壮观，饱含着诗人的感受与叹赏之情，故能脍炙人口。

颈联转写灵岩之胜。既是望中所见，又掺和着想象成分。"琢研"句回溯历史，遥想当年开琢砚山，筑造宫宇园林的情景。"研"通"砚"，《吴郡志》云："阖闾城西有山号砚石山，高三百六十丈，上有馆娃宫。""砚石山"即灵岩山，山上苍松环抱，怪石嶙峋，上有千年古刹——灵岩寺，据说就是馆娃宫遗址。夫差不仅为西施造下这座辉煌的离宫，而且修建了琴台、姑苏台，开掘了采香泾、锦帆泾等等，穷奢极侈，盛极一时。虽历沧桑巨变，早已无复旧貌，但当年情景却引人遐想，令人叹惋。"为园"句叙写现实景况：人们在那里开辟出一座座园圃，广种名花名药，经过山泉浇灌，欣欣向荣，一派生机，纵无昔日繁盛光景，却也清美如画，别有一番情趣。

尾联点明时令，展现具有节候特点和乡土风情的生活画面。"卖饧时节"，指寒食、清明节；"饧"用麦芽或谷芽熬制的饴糖。古人有寒食禁火、清明上坟（后发展为郊游踏青）的习俗，届时多吃冷食，且常以饴糖调和。白居易就有"留饧和冷粥，出火煮新茶"（《清明日送韦侍御贬虔州》）的描述，沈佺期更说"岭外无寒食，春来不见饧"（《岭表逢寒食》），可见这是一种有明显节气特点的食品。"卖饧"这一商业活动也饶有情趣，卖饧人沿途兜售时，都要吹奏竹管编成的"饧箫"，以清越的箫声招徕顾客，妇女儿童每闻声而围购之。"箫声吹暖卖饧天"（宋祁《寒食假中作》）便成为仲春时节一种典型的生活情景。这一联，在前面景物描写的基础上加进人物活动的场景，就使整个画面更生动活泼，更富于生活气息。

此诗内容无甚深意，但颇具情致。诗人抓住当地特有的事物和春天特有的景象，运用白描手法勾画出一幅清秀淡雅的水乡风情画，给人以美的享受，诗人恬淡闲适的心境也自然而然地展露出来，使人倍感亲切。诗歌语言平淡轻灵、迂徐舒缓，与所表现的内容与情趣高度统一，余味悠悠，耐人寻味。

（林心治）

送陈民部出守思州

曹学佺

言辞粉署重凄凄，道路时闻征马嘶。
日照梦悬乡树外，夜郎吟向郡楼西。
竹鸡群里登峨岭，铜鼓声中出朗溪。
我欲白门攀柳送，相思此夜有乌啼。

鉴赏

这是一首送别诗。一位与诗人同在南京内阁户部(即民部)任职的朋友调任思州知府(府治在今贵州岑巩县)，临行时，诗人赋诗以送，表达了深挚友谊和依依别情。

此诗首联写别时光景，中二联想象别后情形，尾联呼应开头，点明送别之地，并借男女慕悦之情表达对朋友的深切怀念。结构严谨而富于变化，艺术构思颇有特色。

诗由陈民部辞别写起。"粉署"，尚书省的别称，此指明王朝迁都北京后设在"留都"南京的挂名内阁。挚友分别，已足令人神伤，所去乃僻远蛮荒之地，更增一层凄然；辞别者悲，相送者愁，一个"重"字突出了伤别气氛。唯舍难分之际，阵阵马鸣催发，不愿离去，却要离去，此情此景，怎不令人愁肠百结！这一联，首句正面描述，渲染气氛；次句侧面烘托，以马衬人，把离情别恨抒写得十分深浓。

第二联承上，交代陈民部将去的地方并继续抒写离别的深愁。但倘若照直说去，未免意平语淡，难出诗境，故而诗人变换手法与角度，充分调动想象，以未来之事反衬今日之哀苦，从而使诗意更进一层。"心已驰神到彼，诗从对面飞来"(浦起龙评杜甫《月夜》语)，更显出对朋友的理解、关切和自己别意的深长。"日照"，古县名，在今山东省东南部，濒临黄海，此泛指东部地区；"日照梦"即东归梦、思乡梦。"梦悬乡树外"五字，把抽象的感情具体化、形象化，创造出一种似可捉摸又迷离缥缈的艺术境界，突出了乡思的深沉缠绵，炼句炼意，皆足称道。"夜郎"句拟想陈民部登楼望远，思归苦吟，其间暗含"我寄愁心与明月，随君直到夜郎西"(李白诗)之意。思州地处黔东,西为古夜郎国属地,东有唐置夜郎县(在今湖南新晃侗族自治县境),故以"夜郎"概言之。"日照梦""夜郎吟",一东一西,巧妙成对,从空间关系上表现乡思之切、苦吟之悲,与前句"重凄凄"形成照应关系。又因此境完全出于想象,便把诗人不仅因离别而哀愁,更为朋友日后处境而忧虑的一片心迹展露出来了。

"竹鸡"二句是诗人想象的继续延伸,但场景则折回赴思州途中。这种时间关系的倒置反映出诗人思绪的流动与跳跃性,恰到好处地表现诗人因朋友离去而躁动不安的内心情绪。竹鸡,一种野禽,雉科,多栖息于南方山林间;铜鼓,一种乐器,由作炊具的铜釜发展而成,我国南方少数民族喜用。"峨岭""朗溪",皆在湘西境内,是入黔途经之地。登岭而成群竹鸡相伴,可见其地之荒凉僻远;行路而铜鼓声声,可见乡风民俗已大异于内地。此二句纯系虚拟,但因扣住具体地点和有地方特色的事物来写,便显得真实可信,如同亲临一般,仿佛诗人正伴随着友人登山临水,艰难跋涉,一程程向思州行进,字里行间,颇有"欲因晨风发,送子以贱躯"(旧题《李少卿与苏武诗》)的意味。

以上三联,均从对方下笔,重在写朋友之别,相送之意含蕴其中;尾联才直接点出相送,以深沉凝重的笔调传达惜别之情。白门,古金陵城西门,为西行者送别多在此地。白门多柳,古乐府《杨叛儿》云:"暂出白门前,杨柳可藏乌。"李白《金陵酒肆留别》也说:"白门柳花满店香。"因此,白门送别折柳相赠就是顺理成章的事了。但若只说"白门攀柳送",则显得太实,落入窠臼,前面着一"欲"字,诗意便丰富得多。"欲"反映的是一种心理活动,一种思其如此却非必如此的状态。在"执手相看泪眼,竟无语凝噎"(柳永词)的时刻,折柳与否都无关紧要,何况朋友此行系朝命在身,不得不走,纵留(柳)也是留(柳)不住的。不过,柳可不"攀",思念之情却委实难以消减,因而声声乌啼中,诗人只得彻夜不眠了,"何许最关人?乌啼白门柳"。(李白《杨叛儿》)岂止是相恋男女才有的体会?朋友间的相互怀想不也"最关人",最动情,最叫人无法排解嘛!

谢在杭云:"曹能始诗以浅淡情至为工。"(《闽小记》)从这首诗来看,此论确有道理。

(林心治)

八月朔日余返白下

曹学佺

西风萧瑟动离颜，一树衰杨不剩攀。
秋老几人犹白社，月明无主自青山。
征途南北高楼外，客泪纵横杯酒间。
此别纷纷难聚首，天涯那许梦魂闲。

鉴赏

这首诗原题较长，堪当小序。全文为："八月朔日，王元直招集南楼送陈汝翔之东粤，王玉生之清漳、沈从先还姑苏，徐兴公之建溪，陈维寻之聊城，蒋之才之广陵，余返白下。"八月朔日，即农历八月初一，仲秋第一日。南楼，不详，当在南京，而非湖北武昌之庾楼。这一天，诗人参加了词林名士王庭(元直)为文友们举行的饯别宴会，面对"悲欢聚散一杯酒，南北东西万里程"的情景，不由感慨万端，写下这首抒发离情别绪的诗章。

自宋玉《九辩》以后，悲秋与伤别就时常被联系在一起，并以其产生的特殊的美感，激起读者深深共鸣。这首诗正是这样，以"西风萧瑟"兴起，不仅点明季节，而且创造了一种悲凉冷寂的环境氛围，定下全篇感情基调。离别，本是令人伤感的，韦庄就曾说过"一寸离肠千万结"(《应天长》)；深秋时节的离别哀愁，更是"剪不断，理还乱，……别是一般滋味在心头"(李煜《乌夜啼》)。这就难怪离人们会被西风惊动而容颜愁惨了。

如果阔别在春日，尚有"垂杨管别离"，依依长条，含情待话，折枝以赠，聊慰离心。而现在已入深秋，树衰枝残。纵有折赠之意，也早已不剩可攀之条。这又给离人心头重重地加上一层阴冷，一片凄然，叫人黯然神伤，悲不自胜！

首联以浓重的笔墨勾画渲染出离别的典型环境，次联则在这特定的场景中预想别后情形，其间隐隐道出哀愁如此深浓的原因。"白社"一词，在本诗中有两重含意：一是指隐士所居以及隐居的生活。古人认为，退归山村田园可称之为"隐"，不做官而浪迹于都邑市井也算得上"隐"，如王绩"失路青门隐，藏名白社游”(《晚年叙志示翟处士》)讲的就是这种情况。参加这次别宴的沈从先、徐兴公、陈汝翔诸人均系以布衣身份游聚南京,因而诗人以隐士视之。现在,这些人即将离去,当然没有“几人”留作“白社游”了。“白社”的另一重意思则是指当时云集南京的文士所组织的诗社——金陵社集(后称“白门新社”),曹学佺曾是此诗社的中坚。想从前文友齐集,诗赋唱和,雅兴融融;看今朝故人将去,各奔东西,欢会难再,不由得发出“几人犹白社”的深叹。从此以后,虽然明月依旧,但已无人领赏,徒将一片清辉,空照着绵延青山。这对于诗人以及宴上诸君来说,岂非极大的悲哀,能不引起无限的惆怅吗?

离别已然不可避免,加之又非一般的分离,而是朝夕相聚的文坛挚友四下星散,天涯别处,当然更让人“意夺神骇,心折骨惊”(江淹《别赋》)。顾望楼外南北交错的“征途”,心知“良时不再至,离别在须臾”(旧题《李少卿与苏武诗》),纵使席间强打精神,传杯递盏,却已自“客泪纵横”,一片欷歔。这一杯离别的苦酒,委实难以下咽啊!

尾联由前面描绘离别情景转为直抒离别之情。一声“此别纷纷难聚首”,包含着千言万语和深重的叹息。朝政腐败,国势日蹙,前途暗淡,别易会难。此席一散,天各一方,虽然友情仍将一如往昔,也只有魂来梦里才有相会之期。从今后,“无穷无尽是离愁,天涯海角寻思遍”(晏殊《踏莎行》),情牵梦绕,怕是片刻也不得宁静安闲的了。

一首普通的话别之诗,能写得如此动人,确属不易。关键是紧扣离情这一中心,将情与景巧妙结合,层层深入,反复渲染,创造出悲凉深沉的意境。而语言的凝练优美,音节的流转谐畅,也增添了诗歌的艺术魅力。

(林心治)

出　塞

方维仪*

辞家万里戍，关路隔风烟。赋重无余饷，边荒不种田。
小兵知有死，贪吏尚求钱。倚赖君王福，何时唱凯还？

作者

*方维仪(1585－1668)，女，字仲贤，桐城(今属安徽)人。方以智姑母，婚后夫死，还家寡居，相嫂教侄。

鉴赏

历来的边塞诗在内容上多写边塞战争的艰苦、边地的苦寒和士卒久戍思乡的情绪，但很少有将边塞征战之苦和封建国家内政的腐败联系起来，作深入观察，从而暴露士卒苦难的根源的。而明末女诗人方维仪的这首《出塞》，正是从一个新的角度来反映社会现实。所以在明人边塞诗中，应当刮目相看。

"辞家万里戍，关路隔风烟"是说士卒们离乡背井，不远万里来边地戍守，十分辛苦，为边塞诗中所习见。紧接两句"赋重无余饷，边荒不种田！"则颇为独到，赋税太重，本是内地情况，一般边塞诗都不曾提到过。方维仪却指出它与军饷的关系，国家课税很重，而老百姓却交不出多的军粮。一句诗就反映了明末社会民生凋敝、国用匮乏而危及边防的严峻现实。古代在军粮无着的情况下，常常实行屯田的办法，即通过军垦使部队自给。但处在荒漠的边疆，即使耕作，也没有收成。不仅因为土地贫瘠，还因为处在火线，所以边荒不种田，这是士卒面临的第二重困境。

"小兵知有死，贪吏尚求钱"是诗中的警策之句。上句承"赋重无余饷，边荒不种田"而言，士卒面对强敌，而军饷不足，那还不只有死路一条吗！然而在这种情况下，贪官污吏们还在向人民大肆搜刮钱财。一个“尚”字，表示出对“贪吏”丧尽天良的轻蔑和憎恶，而“小兵知有死”的另一重含义，则是位卑未敢忘忧国（陆游），所谓“男儿本自重横行”“身当恩遇常轻敌”（高适），即为国捐躯，“小兵”是在所不辞的，一“知”字写出了普通士卒的良知，但令人痛心的是，一面是严肃的牺牲，一面则是荒淫与无耻“贪吏尚求钱”！这种鲜明对比，直与“战士军前半死生，美人帐下犹歌舞”（高适）的边塞诗名句媲美，而这里的比较远远超出了军中的范畴，从而具有更为普遍的社会意义。

读者深入理解了“小兵知有死”一句的含义，末二句的潜台词也就不难发掘了。“倚赖君王福，何时唱凯还？”使人联想到王昌龄“表请回军收尘骨，莫教兵士哭龙荒”之句。这不仅是一般意义的久戍思归，还包含着对上层统治集团的失望。即《燕歌行》所谓“相看白刃血纷纷，死节从来岂顾勋！君不见沙场征战苦，至今犹忆李将军”。士卒们不无怨意地说：托皇帝老子的福吧，哪年让我们班师“凯旋”算了。言下之意是国事如此，边防岂可为乎！这种味外味，使诗句显得更加浑厚。

在历代女作家的诗中，能表现出如此博大的忧国忧民思想情怀的作品并不多见，沈德潜评道：“如读杜老伤时之作。闺阁中乃有此人！”（《明诗别裁集》）这是相当准确的一个辨味，无论就此诗字句的锤炼、语言的精纯、措意的深厚、表情的沉着、言情的顿挫而言，它都神似杜甫的伤时念乱的五律。

（周啸天）

过古墓

孙友篪*

野水空山拜墓堂，松风湿翠洒衣裳。
行人欲问前朝事，翁仲无言对夕阳。

作者

*孙友篪，生卒年不详，字伯谐，歙县人。

鉴赏

这是一首凭吊无名古墓的诗作，对千年遗迹，发思古之幽情。这种作品读者看得不少了，但这一首仍能引起足够的兴趣，关键只在最后一句“翁仲无言对夕阳”。

前两句是叙写过古墓的情景，并烘托气氛的。“野水空山”四字警策，山水前着“空”“野”等字，使人不难想象那古墓是处在何等荒僻的地方。但当初并不一定如此。从墓前有石人（翁仲）看，这睡在坟墓里的古尸，当初也是一个人物。说不准这里原来也通官道呢。“三十年河东，三十年河西”，不知怎么竟也荒凉起来。只有多情的路人，偶尔驻足，算是凭吊。雨后空气特别清冷，一阵松风，将翠枝上的水滴吹洒在衣裳上边，叫人直打寒噤。十四字烘托出寂寥清冷的气氛，为末句作铺垫。

第三句是提唱，“行人欲问前朝事”，对古墓兴起怀古幽情了，“欲问”，问谁？这就自然引出诗中点睛之笔：“翁仲无言对夕阳。”翁仲本为秦时巨人名（《淮南子》高诱注），后来借称墓前石人。柳宗元《衡阳与梦得分路赠别》：“伏波古道风烟在，翁仲遗墟草树平。”翁仲本不能言，行人偏要想问，“多情反被无情恼”，这是一层趣味，人人都知道“翁仲无言”，因此没有谁去说“翁仲无言”。写出“翁仲无言”，就是觉得它似乎能言，只是不说。这又平添了一层悲剧的气氛。看那“翁仲”，板着冷硬的面孔，对着快下山的夕阳，似乎怀着悲凉肃穆的心情，它该知道多少前朝故事啊，为什么就不肯讲讲呢？夕阳西下的景色，最后给画面增添了一层感伤的色彩。

唐人皇甫冉《答张继》末云：“落日临川问音信，寒潮唯带夕阳还。”似已具同妙。然而，“寒潮”无言，就没有“翁仲无言”那样令人神远。因为翁仲外形是人，却以石为心。它的“无言”在传达凭吊的悲凉感受方面，更加深刻。

（周啸天）

书项王庙壁

王象春*

三章既沛秦川雨，入关又纵阿房炬，汉王真龙项王虎。
玉玦三提王不语，鼎上杯羹弃翁媪，项王真龙汉王鼠。
垓下美人泣楚歌，定陶美人泣楚舞，真龙亦鼠虎亦鼠。

作者

*王象春(1578－1632)，字季木，新城(今山东桓台)人。王士禛从祖。万历三十八年(1610)进士第二，为人所讦谪外。后迁南京吏部考功郎。有《问山亭集》。

鉴赏

项王(项羽)庙在今安徽和县东南之凤凰山上。这首题壁诗实是一篇咏史怀古之作。诗中发表了作者对项羽、刘邦这两个历史上的风云人物的评价。使人感兴趣的是，诗人既不以成败论英雄，也不以固定的眼光论英雄。他是具体问题具体分析，认为英雄在一定条件下也可以变成“狗熊”，这种见解是高明的。

第一段三句，写项羽、刘邦相约入关之初，彼此都称得上英雄，但有等差。史载刘邦入关中，与父老约法三章：杀人者死，伤及盗抵罪，不掠金钱美人。大得民心，使之如久旱逢雨：“三章既沛秦川雨。”—“沛”字极妙，既作动词用指雨量充沛，又双关“沛公”，使这个称谓有了“及时雨”的意味。以仁慈为本的英雄，作者称之“真龙”。项羽入关西屠咸阳，杀秦降王子婴，烧秦宫室，火三月不灭，收其宝货妇女而东。与刘邦做法不同，但在推翻秦王朝统治的过程中，也起到了决定性作用。以武力征服的英雄,作者称之为"虎"。"真龙"与"虎"虽略有差异,其为英雄则是一致的。第一局汉王略略领先。

第二段三句写楚汉相争中,项羽的某些表现较刘邦为优。一是鸿门宴上,谋臣范增欲除刘邦,数目项王,三举所佩玉玦示意,而项羽不忍心加害刘邦,向来被认为是"妇人之仁",是失策,但作者却予以欣赏。在楚汉交兵中,项羽有一次以刘邦父母为人质,并威胁说要烹刘父,刘邦不但不与交涉,还说:"吾与项羽约为兄弟,吾翁即若翁,必欲烹而翁,则幸分我一杯羹!"完全是一副无赖的样子。作者对此表示轻蔑,相形之下,汉王见绌:"项王真龙汉王鼠!"第二局项王领先。

第三段三句写项羽、刘邦的结局,皆不尽如人意。当项羽被汉兵围困垓下,四面楚歌,哀叹大势已去,遂与虞姬泣别,作歌曰:"力拔山兮气盖世,时不利兮骓不逝。骓不逝兮可奈何,虞兮虞兮奈若何!"姬亦以歌相和。这就是"垓下美人泣楚歌"。而刘邦死前,其宠姬戚夫人请立其子赵王为太子,由于吕后使计,使刘邦感到太子羽翼已成,不便更改,遂语戚夫人"为我楚舞,吾为汝楚歌"以解释安慰之。戚夫人且泣且舞。刘邦死后,她竟为吕后残害。这两个盖世英雄,不知怎么搞的,到头来弄到连心爱者都无计保全的地步,也真够"熊"的了。所以诗人最后一齐剥夺其英雄资格:"真龙亦鼠虎亦鼠!"此局竟无一方获胜。

诗显然是一时兴到笔随,随意挥洒,好在指点江山、裁判英雄的气度,使人觉得酣畅淋漓之至。诗中"龙""虎""鼠"三字反复播弄变化莫测,句句用韵,更添音调流转,如玉珠走盘。读者在获得审美快感的同时,对历史人物常常兼有伟大和渺小这一事实,也可深长思之。

(周啸天)

麦 枯 鸟

谭元春*

麦枯当晓窗,啼作田家声。青黄接平畴,老农一饱情。
开窗语麦枯:"啼时莫向城。城中富人子,挟弹伤汝生。
旧谷正须卖,恐令米价平。"

作者

*谭元春(1586-1637),字友夏,湖广竟陵(今湖北天门)人。天启七年(1627)举乡试第一。赴京应试时,卒于旅舍。与钟惺主张相仿,为"竟陵派"代表诗人。

鉴赏

鸟有不同的叫声,人们往往把它附会成人语,如"布谷""提壶卢"等等,而且用作鸟名。宋人又创为"禽言诗",多因鸟声作借题发挥,以讽世。谭元春此诗代老农立言虽非"禽言",但仍就禽言立意,在构思上仍属同一路数。

"麦枯"是一种麦熟时飞鸣的鸟,其声像"麦枯"——即"麦子熟了",如同向农家报道丰收的消息,所以此鸟很得农家的喜爱。诗中的麦枯鸟在一个晴朗的清早啼叫,适逢田地里麦子长势很好,由青转黄,丰收在望。它啼得正是时候,使老农心情舒畅。"一饱情"三字之妙,尤在那个"饱"字,尽管还没有吃到麦饼,就先得"饱情"了!以下写老农殷勤地关照麦枯鸟,纯出想象,构思极有佳致,他叮嘱麦枯鸟不要飞向城中啼叫,因为城中囤积居奇的富人巴不得年成不好,他们好趁机以高价抛售旧谷,牟取暴利。所以他们决不要听麦枯鸟报道丰收的消息。"只怕他们要持弓挟弹伤害你的性命呢",老农的话语中饱含关心爱惜之情。

诗中通过老农与麦枯鸟的对话,揭示了在农业丰收面前截然不同的两种思想感情。一种是老农所代表的广大农民,为丰收在望而喜悦。一种是城中富商,他们为了攫取更多的不义之财,对丰收的消息很不高兴。前者是正常的美好的感情,而后者是异化了的丑恶的感情。诗人对前者是歌颂的,对后者则持批判的态度。在表现上,他不是正面地描写剖析这两种人的思想、心理状态,而只通过他们对"麦枯鸟"的爱憎截然相反的态度来侧面表现,诗的成功便在于构思的巧妙。

(周啸天)

白门七夕

李流芳*

旧日维舟处，悬情独柳条。秋风又京国，客思正江潮。
长路有时到，欢期难再邀。徘徊望牛女，愁绝向中宵。

作者

*李流芳（1575－1629），字长蘅，号泡庵，晚称慎娱居士，嘉定（今上海）人。擅长诗、书、画。与程嘉燧、娄坚、唐时升合称“嘉定四先生”。有《檀园集》《西湖卧游图题跋》。

鉴赏

这是一首抒写离情别绪的诗，其间深含忧国伤时之慨。原题下有小注“时将入燕”，可见系诗人天启二年（1622）北上会试前夕所作。白门，此为南京之别称；七夕，即农历七月初七夜，传说牛郎织女此夜在天河相会。

首联写诗人七夕独步江畔，触景生情，怀旧伤今，字里行间透出凄凉落寞意味。也许是因为即将到来的离别勾起深深的留恋之情吧，诗人怀着寻旧的心思来到当年文友相邀、击水中流、饮宴游赏时停桡系舟之处，凝目四望，忆中犹存的繁华热闹与欢乐情景已被冷寂空旷所替代，只有悬垂的柳条似乎还含情相迎，但也色衰枝残，徒增人无限惆怅。风景异，人事非，一种深沉的失落感油然而生。

次联写被秋风江潮激起的复杂情思。京国，指南京。“秋风”句不仅点明季节、地点，照应诗题，而且含蓄地传达出内心的焦虑与忧愁。秋风萧瑟，草木凋零，最易令人生发岁月流逝之感，功名未就，事业无成，年华却一年年老去，这对于一位颇有抱负的人来说，无疑是十分痛苦的。同时，秋风又往往引发人的离愁乡思，“洛阳城里见秋风，欲作家书意万重。复恐匆匆说不尽，行人临发又开封”（张籍《秋思》），这种深浓的离愁和曲折的心态怕是每一个离乡背井的人都会有的。李流芳系嘉定（今属上海市）人，万历三十四年（1606）中举，其后“再上公车（指入京应试）不第”（钱谦益《列朝诗集小传》），便常客游南京。“又”闻秋风，足见来此已久，离愁自会更深更浓。既然思乡情切，便应及时归去，但为了功名前程，却要北上远行，然而目下王朝衰微，时局动荡，入京会试，前景又殊难逆料，这一切，怎不叫人忧思萦怀，矛盾万分？无怪乎诗人临风伫立，面对大江时，其愁思像江潮一样汹涌翻腾，无休无尽了。

第三联紧承“客思”二字，抒写离别的深愁与对未来的忧惧。长路，指即将开始的北上求仕之行；有时到，表明诗人还是颇有自信心的。但是，他并不因此而感到高兴。原因何在？下句便作了回答，欢期，指友朋欢会之期，也指仕途遇会之期。难再邀，即难以再度邀约遇逢的意思。北上幽燕，前途未卜，归期渺茫，昔年的欢会生活将是一去不再来了。纵然此去能够中选，挣得一官半职，但朝廷腐败昏庸，阉党气焰日炽，正直有志之士绝难受到重用，苟合求容又非心之所愿，前景终是一片茫然。这不能不引发诗人沉重的叹息。“有时到”“难再邀”，感情一起一落，对仗自然工致，又系以口语入诗，真切地传达出复杂的内心情绪。

尾联写仰望银汉，徘徊直到中宵（半夜）的情态，并以牛女情事作比，进一步生发伤时感事、无限沉痛的心情。在诗人看来，牛郎织女虽被天河阻隔，但一年一度尚能鹊桥相会，比之于人世间“欢期难再”，不知好了多少倍。经此一衬，再加之愁绝中宵的描绘，一个被离愁忧思所困扰的诗人形象便突现在眼前。

值得指出的是，李流芳虽然后来“绝意进取”，终身不仕，但“身虽屏退，不忘国恤（忧）……阉人猖披，往往中夜屏营（不安貌），叹息饮泣”（见《列朝诗集小传》）。魏忠贤做生祠，他不去拜，还说：“拜，一时事；不拜，千古事。”这些都表明他是一位关心国事而素性正直的文人，产生上述忧思深叹实非偶然，读诗者应有会心。

这首诗语甚平浅而情却深沉。全诗从独步江畔起至徘徊中宵止，悉以“愁”“思”二字贯之。通篇言愁而“愁”字篇末方出，后读一“绝”字，更突出了愁思之深广，倒掩全篇，沉重有力。诗中“独”“又”“正”“有时”“难再”等虚字用得十分精当，丰富了诗章意蕴，且使音节流转，顿挫有致，读来便觉唱叹有情。

（林心治）

黄河夜泊

李流芳

明月黄河夜，寒沙似战场。奔流聒地响，平野到天荒。
吴会书难达，燕台路正长。男儿久为客，不辨是他乡。

鉴赏

明熹宗天启二年（1622），诗人离开客游经年的南京，怀着“长路有时到”（《白门七夕》）的自信，北上京师应试。当时明王朝已处在风雨飘摇、内外交困的境地：朝政腐败，阉党专权，地方势力的反叛和农民起义迭起，更为严峻的是，后金（清）兵继占领沈阳、辽阳后，又攻陷西平堡、广宁（今辽宁北镇）等地，觊觎关内，震动朝野。诗人“抵近郊（指京郊）闻警，赋诗而返”（《明史·李流芳传》）。《黄河夜泊》一诗，就写于这个时期。

这首诗抒发了羁旅愁思和无路报国的忧叹。前半重在写景而情移景中；后半重在抒情而情中见景，情与景互为映衬又紧密结合，创造出悲凉而广阔的意境。诗歌语言凝练朴实，感情浓烈深沉，艺术感染力甚强。

首句应题而起，点明时间地点，以写意笔法挥洒出一幅幽美壮阔的黄河月夜图。用语平淡无奇，如随口吟出，却神完气清，境界浑然，可谓意兴高远。诗人伫立月下，凝神遥望，但见黄河东去，没入苍茫夜色之中；沿河两岸，铺展着一片沙滩，由于月光映照，沙滩显得格外空阔绵远、冷寂凄凉。眼前景象激起诗人沉思遐想。似战场，则表明思之所向。寥寥三字，突兀而来，挟带着深沉的叹息，表达出诗人对国事时局的忧虑，隐隐透出一片报国之意。

“奔流”句承上联“黄河”，从视觉与听觉两方面渲染水流的气势。“奔流”一词在此有二用：一是以“奔”之“流”指代黄河，从而避免字面重复；二是状水势的湍急迅猛，道出黄河的特性。“黄河之水天上来，奔流到海不复回”（李白《将进酒》），其景象已十分壮观，再加之“聒地响”（声音动地），就更令人心惊魄动，望河兴叹了。“平野”句承上联“寒沙”，描绘大河两岸辽阔而苍凉的景象。平坦如砥的原野向四方延展,广大荒远,似与天接,尤其在星月辉映的夜里,更给人以浩茫无垠的感觉。

这一联看似纯写景物,其实也融会着深沉的情思。那奔腾不息的河水,震天动地的水声,像金戈铁马,千军突进,似乎激起诗人心潮的波荡;那连接着远天的广漠原野,像一幅巨大的历史画卷,闪现着王朝兴衰、"逐鹿"争战的情景,牵动着诗人的神经。二句中,有动景有静景,有物象有心声,动静相配,心与物合,极富于神韵。

刘勰云:"春秋代序,阴阳惨舒,物色之动,心亦摇焉。"(《文心雕龙·物色》)王夫之也说:"夫景以情合,情以景生。"(《薑斋诗话》)正是由于眼前奔腾喧嚣的黄河,"似战场"的寒沙平野,刺激着诗人的感官,触发他对时局和社会人生的思考,才使他慨然发出"吴会书难达,燕台路正长"的感叹。"吴会",今苏州一带,此代指远在南方的家乡;"燕台",即黄金台,战国时燕昭王优礼招贤之所;"燕台路",指进身受任、报国建功之路。"书难达",见离乡之遥远;"路正长",言前途之渺茫,真切表露诗人对家乡亲朋的思念和忧国伤事之情。有家难归,有国难投,举步维艰,诗人的境遇可算是困窘到极点了!此联直抒胸臆,全是写情,但透过诗句表层,南国的辽远,北野的苍茫和诗人南顾北望、引颈长叹的情态都鲜明可见。这种寓景于情的写法,丰富了情感的内涵,增强了诗的形象性。

"寄卧郊扉久,何年致此身?"(马戴《灞上秋居》)诗人漂泊已非一日,然而还得漂流下去。难以名状的悲哀涌上心头,诗人不禁发出痛苦的呻吟:"男儿久为客,不辨是他乡。"沉重的语调中,充满夙志难酬的怨愤和无可奈何的伤感。全诗在哀叹中结束,留下深厚的余韵让人回味。

(林心治)

燕子矶口占

史可法*

来家不面母,咫尺犹千里。矶头洒清泪,滴滴沉江底。

作者

*史可法(1602－1645),字道邻,又字宪之,祥符(今河南开封)人。清兵入关时,任南京兵部尚书,弘光帝即位,加大学士,督师扬州。城破后自杀未死,为清军所执,壮烈牺牲。

鉴赏

崇祯自缢身死后,弘光帝即位,史可法以大学士督师扬州。这时清军南侵,史可法在江北率师抵御,适逢驻扎在长江中游的明将左良玉以清君侧为由,进攻南京。史可法奉命入援,渡江至燕子矶,而良玉军已败退,于是他又率军回江北抗清,而没能回南京见上母亲一面。这首情至文生、口占而成的绝句,就反映了史可法当时复杂的心情。至今读来犹感人肺腑。

燕子矶在南京市北观音山上,俯瞰大江,形如飞燕。史可法率师到达这里,要回家见母亲一面并非很困难的事。但他这时却不能这样做。因为扬州军情有燃眉之急,关系到王朝的命运,所以母亲虽近在眼前,却像远在天边。“来家不面母,咫尺犹千里”。作者表情十分复杂,既可看出作者对母亲深厚的感情,对自己不能尽人子之道的负疚,又可以感到他以国事为重的责任感,及“忠孝不能两全”的痛苦心情。较之大禹治水“三过其门而不入”的情形,更有悲剧色彩。正是沧海横流,方见英雄之本色。

“矶头洒清泪,滴滴沉江底。”二句似直接就“来家不面母”一事而发,其实内涵要深得多。作者忧心如焚,他远不止是对不能探母的痛心,而是对整个国家大局的悲愤。南明危在旦夕,外患内忧。盖弘光政权成立后，权奸马士英执政，与东林党人斗争剧烈。而现在左良玉又从旁发难，造成“窝里斗”的一团糟局面。史可法在扬州抗清用尽九牛二虎之力，又怎奈大厦将倾，独木难支。他在十万火急之中，居然还奉命“勤王”，形同釜底抽薪。这样不争气的局面，怎能叫他不一洒清泪。这就像《红楼梦》中“才自清明志自高，生于末世运偏消”的探春，她在大观园发生“内乱”时说：“可知这样大族人家，若从外头杀来，一时是杀不死的。这可是古人说的，‘百足之虫，死而不僵’，必须先从家里自杀自灭起来，才能一败涂地呢？”说罢，“不觉泪流下来”。史可法“矶头洒清泪”，绝不是忧惧清军强大，而是为外敌当前内部离心的状况感到悲愤。而这种悲愤未易言之，只能借向母亲临风谢罪的由头，而尽情宣泄。

“滴滴沉江底”写泪洒清江，可谓千古至文。泪水何以能沉到江底？除非是铜人铅泪。这就写出了他感情的分量不轻，形象地表现了他忧国的沉痛至深。“滴滴”“沉”“底”四个舌齿音（其中有三个为“双声”字），更在音情上加以烘托，效果绝佳。总之，无论就思想性和艺术性而言，这首诗都算得上明人五绝的一颗明珠。

（周啸天）

行 路 难

刘永锡*

云漫漫兮白日寒,天荆地棘行路难。

作者

*刘永锡,生卒年不详,字钦尔,号剩庵,魏县(今属河北)人。崇祯举人。曾做县令,后削职归家,隐相城。带领妻女织席为生。有送粟者,不受,竟以饿死。

鉴赏

这首两句头的小诗,赞之者推崇备至,诮之者否定无余。沈德潜说:"四字(按:天荆地棘)抵过千万言。"(《明诗别裁集》)袁枚则针锋相对:"'风萧萧兮白日寒'是《国策》语,'行路难'三字是题目。此人所作,只'天荆地棘'四字而已,以此为佳,全无意义。"(《随园诗话》)意见分歧之大,实为诗史中少见。谁是谁非?答案只能从作品本身去找寻。

"云漫漫兮白日寒",从句式用语上看,完全脱胎于荆轲《易水歌》"风萧萧兮易水寒"。袁枚评此诗时将"云漫漫"误为"风萧萧"的原因也许就在这里。但是,应该看到,刘诗并非简单的仿效,而是注进了新的意思。两句固然都是描述自然景象,但意蕴却不相同。前者重在写环境的萧索凄凉,以衬托出行的悲壮;后者则是以之影射社会时局,寄托王朝覆灭的哀思,有着鲜明的时代折光。

如果将这首诗与古歌《卿云歌》对读一下,又可以发现,"云漫漫"句虽然形式上近于《易水歌》之句,但其内容却颇有反《卿云歌》之意以喻现实的意味。据《尚书大传》,虞舜将禅位于大禹,和臣僚们一道唱起《卿云歌》,词云:"卿云烂兮,纠缦缦兮。日月光华,旦复旦兮。"卿云(即庆云)烂漫,日月增辉，古人认为是吉祥安和的天象，歌中借此表达对君臣和睦、禅让有序、和乐安定的盛世的肯定和赞美。刘永锡是一位忠于明王朝的儒士，毫无疑问，他是希望看到王朝出现那种祥和景象的。然而事与愿违、盛景难再，诗人面对的是社会动乱、清兵肆虐、王朝覆灭的现实，因而在他的笔下，云变得阴气沉沉，弥漫天宇，日不仅黯然无光，而且寒气逼人。这是诗人的主观感受，也是对社会时局的形象性描述。他反映出诗人理想破灭以及由此带来的感伤与苦闷情绪。

"天荆地棘行路难"在对社会环境作形象描绘的基础上，抒写自己人生失路、举步维艰的痛苦与忧愤。如果深入了解一下这位诗人的境遇，可以看到，这并非无病呻吟或夸张渲染，而是诗人身世处境的真实描述。

刘永锡是明王朝忠贞不贰之臣，但清兵入关，两都（北京、南京）陷落，明祚已尽，空有报国之志，却无回天之机，只好当个"遗民"；清廷官吏曾派差役持牌票强迫出仕，他拔剑欲自刎，以死相拒；他长年漂泊异乡，以织席为生，穷困饥饿，艰难度日，有人劝他返归故里，他以"奉君命来此，义不可归"为由断然回绝。后来妻子病饿而卒，儿子、女儿也相继死去，他便孤身一人乘破船流浪江湖间，困苦更甚（均见孙静庵《明遗民录》）。在复国无望、出仕不愿、返乡不能、亲人尽亡的情况下，诗人当然会觉得天地都布满荆棘，从而深叹人生道路之艰难了。"行路难"三字虽系乐府题目，但与诗人处境、心境契合，完全融会于句中诗中，成为不可分割的组成部分。可说是巧用成言，足申己意，熔铸之功是应予肯定的。

此诗虽仅两句，却包孕丰富。诗人运用比兴手法抒写自己对社会人生的体验，极富于形象性和概括力。诗中境界广阔，气象萧森，感情沉郁悲凉，读之如闻诗人悲叹哀号之声，艺术感染力甚强。沈归愚之评虽有过誉之嫌，但袁枚之论有失偏颇，无论如何，这算得上一首好诗。

（林心治）

小车行

陈子龙*

小车班班黄尘晚，夫为推，妇为挽。
出门茫然何所之？青青者榆疗我饥，
愿得乐土共哺糜。
风吹黄蒿，望见垣堵，中有主人当饲汝。
叩门无人室无釜，踯躅空巷泪如雨！

作者

*陈子龙(1608－1647)，明末爱国志士，著名诗人，字卧子、人中，号大樽，松江华亭(今上海市松江区)人。崇祯十年(1637)进士，与夏允彝、徐孚远等组织"几社"，与"复社"相响应。南明弘光帝时任兵科给事中，南京沦陷后，在松江起兵抗清，兵败匿避山中。后又结太湖义师抗清受挫，更谋松江都督反正举义，事泄被捕，投水而死。其创作以诗见长，多感时伤事之作，诗风"高华雄浑"，后期转为凄怆悲壮，被誉为明诗"殿军"。有《陈忠裕公全集》。

鉴赏

如果把崇祯十年(1637)的"两畿(京)大旱，山东蝗"当做整个舞台的大背景，《小车行》就是正在演出的酸辛一幕："饥民流离。"

一条曲曲折折的小径通向前台，已是薄暮时分。远远望去，从黄尘纷扬的路上，出现了杂沓而来的独轮车。全台静默，只听见车轮辘辘之音自远而近，现在，终于有一辆来到了前台——分明是一对疲惫不堪的夫妇，女的在前拉扶车把，男的在后勉力推行，车上大抵是些锅盆、铺盖之类，自然还有几个面呈菜色的小儿女，这就是开篇三句展现的景象。"班班"叙小车之多，可知流离者非止一家。向"晚"而"黄尘"

未歇，正是久旱不雨所造成的。寥寥三句，展示饥民流亡景象，宛然如在目前。

接着三句，可以视为这对夫妇的凄惶唱叹。“出门茫然何所之?”咏叹当日离家情状：瞻念前路，旱情茫茫，离家出走，又能逃往何处?“青青者榆疗我饥”，叹息夙行夜宿，沿途竟无粒米进肚，只能采食榆叶充饥。榆叶椭圆而小，故能抵御久旱。《辞源》称其叶、果“可食”。其实，倘非万不得已，人又岂肯食那苦涩之叶!“愿得乐土共哺糜”，则暗用了两个典故：一是《诗经·魏风·硕鼠》，有“硕鼠硕鼠，无食我黍，三岁贯女(汝)，莫我肯顾。逝将去女(汝)，适彼乐土”之语，讥刺统治者“重敛”，害得百姓纷纷逃亡，欲寻找一片“乐土”安居；二是汉乐府《东门行》，叙饥寒交迫的城市贫民铤而走险，妻子啼哭牵衣劝阻，有“他家但愿富贵，贱妻与君共哺糜”之语。诗人巧妙地将两者融为一句，不正含蓄地指明：饥民之流离，岂止旱灾所致，更有统治者横征暴敛之故。若非如此，则家存蓄积，又何惧眼前之旱?而这对夫妇所企望的“乐土”，又不过是求得一点薄粥(糜)糊口而已，可见愿望之低微。令人读之有不胜欷歔之伤。

随着出现的，是一个“喜剧”式场景：“风吹黄蒿，望见坦堵，中有主人当饲汝。”蒿而称“黄”自然也干枯了，不过，它们大约长得较高，一度挡住了视线，恰好一阵晚风吹来，终于让这对夫妇“望见”，前方竟有一带院墙。此句一本作“风吹黄蒿见坦堵”，施蛰存先生以为“有一‘望’字较佳”，大约带有无意中望见的惊喜意味，更觉传神吧?“中有主人当饲汝”，便是“望见坦堵”后的微妙对白：既是院墙，想必是村巷、人家。虽然他们也未必宽裕，但给口稀汤喂你，大约总不是奢望吧。一个“汝”字点明，说话者当是在前的妇人，而且从慈母心理上说，这“汝”亦应指车上颠簸已久、饥肠辘辘的小孩而言。全诗至此似乎透出了一线光亮，连那台上的“灯光”，也仿佛柔和了起来。

“叩门无人室无釜”，则是整个剧情的转折。只是在舞台上，应该伴有一连串动作：先是夫妇奔到垣前，然后是怯生生地逐家“叩门”，但毫无反应；随手一推，门竟没有上栓，“吱呀”一声推开，夫妇俩踏进门槛左顾右盼，最后相顾愕然：偌大一个村巷，竟然空无一人!不仅空无一人，就连一个举炊做饭的釜锅也不存——显然他们也因绝粮，而家家户户逃亡了。这结局是出乎意料的，却又意味深长!走到哪里，都是村巷空空，可见“饥民流离”状况有多普遍!

幕布是在这对夫妇“踯躅空巷泪如雨”中落下的——他们携儿带女，从“黄尘”中挣扎而来；在“望见坦堵”的时刻，也曾萌发过一线希望;而今希望全已破灭,还能到哪里去?村巷空寂无声,暮色中唯闻这对可怜夫妇的呜呜涕泣之音;作为回应的,只有那身处黄蒿中小儿女的惊惶呼唤……

这就是陈子龙《小车行》,采用的是乐府民歌式的叙事体。熟悉汉乐府民歌的都知道,这类叙事之作,大多篇制短小,结构却别具匠心:往往大刀阔斧删去背景,甚至也不交代来龙去脉,只截取其中最重要的一个片断或一幕场景,以传神的人物对话和细节刻画,表现惊心动魄的社会现实。《小车行》是陈子龙自作的"新乐府",从精神到手法,都继承了乐府民歌的优秀传统。但于继承之中,又有创新:在表现一对夫妇的流离情状时,还注意勾勒"班班"众车的背景和氛围,这就起到了以一概百、以少见众的效果;在简略的情节发展中,也有景物描写和情节转折,便在短制中翻出了波澜;最后以"踯躅空巷泪如雨"收结,留不尽凄怆于诗外,又带有抒情诗的意味。诗虽小,而寄慨深沉矣!

(潘啸龙)

卖 儿 行

陈子龙

高颡长鬣清源贾,十钱买一男,
百钱买一女。
心中有悲不自觉,但羡汝得生处乐。
却车十余步,跪问客何之?
客怒勿复语,回身抱儿啼。
死当长别离,生当永不归!

鉴 赏

将《卖儿行》视为《小车行》的续篇,当然是不成问题的。(注:据《陈忠裕公全集》按语,"崇祯十年六月,两畿大旱,山东蝗,是时先生铨选出都,目击饥民流离之状"而作《小车行》《卖儿行》。可知其当为同期之作。)从"饥民流离"到"卖儿鬻女",也正是旧时代的普遍现象。所以,分析本诗,即可从《小车行》结句"踯躅空巷泪如雨"谈起。

《小车行》中的可怜夫妇,只是流离他乡的千百饥民之一家。在他们乞食无所、泪泣“空巷”之际，亦当是其他人家愁蹙无计、坐以待毙之时。大人们历尽辛酸，生生死死早已看轻，但未更人世的小儿女，竟也得同遭厄难，怎不令父母伤痛欲绝？

在这样的绝境中，连那收买儿童的歹毒之人，便也成了人们注目的角色。你瞧，那“高颡长鬣(liè，胡须)”的“清源(今山西清徐县)贾”，不恰在此刻露面了嘛！看他的长相，偏又高额长髯、仪表堂堂。倘若不是亲见，真不相信如此“清雅”之人，会干那买卖小儿的龌龊营生！诗之起句对“清源贾”的勾勒，正有这欲抑故扬的反讽之意，下笔峻刻。且商贾本以经售货物为业，干这买卖小儿勾当，岂可曰“贾”？诗人却在句末特意着一“贾”字，于不伦不类之中，更见其锐利之机锋。接着的“十钱买一男，百钱买一女”，虽是诗人旁述之词，但也不妨读作“高颡长鬣”者的吆喝招徕之语。堂堂正正的小儿女，本是父母掌上无价之珍，而今竟只值十、百之钱。人命之贱到了这等地步，那世道也实在不可救药了。

但“清源贾”的招徕之语，除了价钱不肯相让外，想必还有不少动人之词：“一天三顿白馍馍？那还用说……穿红戴绿……这福分哪儿去找？”说的是口沫横飞、天花乱坠，听的可庄重得很，哪知其中有诈？这些情态，诗中虽无一语涉及，但正为接着两句所包容：“心中有悲不自觉，但羡汝得生处乐。”那父母刚才还悲痛欲绝，如今儿女竟有这等好去处，心中那一点难以割舍之“悲”，也就毫不觉得了。隐隐之中，似还有一种庆幸之感：“你这小把戏倒真幸运，从此可以享受些快乐日子了！”这两句妙在对贾人的骗局毫不揭破，全从卖儿父母的特定心理上落笔。不仅使那愁眉顿舒的宽慰之情，如可掬于眼前，而且还使“清源贾”巧舌如簧、得意招徕之态，也隐隐浮现诗中。明明是一幕“悲”剧，诗人却以父母受骗的短暂之“乐”与之映衬，这悲剧便愈加令读者嗟叹不已了。

不过，穷苦人并非真那么糊涂，实在是万无生路才卖儿卖女。一旦买卖成交，爱儿眼看就交于贾人之手时，那庆幸之感便立即为深切的怀疑所代替。“却车十余步，跪问客何之”，就再现了这一景象。“清源贾”此去，既关系着儿女的命运，对他自不无畏忌之意；但心中毕竟有疑问，所以不免要追问一句。诗中用“却车”“跪问”两个细节刻画，表现的正是卖儿父母既畏忌又怀疑的心态，动作也显得格外庄重，以至于“却”“跪”而问。接着而来的“客怒勿复语”，便如五里雾散，顿让这“高颡长鬣”的“清源贾”，显露了狰狞本相：买卖已成，他再无顾忌，只用那怒目狠狠一瞪，连话都不屑答一句！受骗父母至此才如梦初醒，然已悔之晚矣,只有回身抱起卖出的爱儿,呜呜地失声啼泣了。

一幕"卖儿"的悲剧,已接近收场。诗人似乎再也看不下去,终于转身离去。所以,那小儿最后怎样被贾人夺去,父母又怎样追攀车行,诗中就不再交代。只在结句,让读者听那身后传来的几声凄长号泣:"死当长别离,生当永不归。"汉代古诗有"生当复归来,死当长相思"之语,叙亲友之别,终竟还有"生归"之一线希望。此诗改为"生当永不归",便将卖儿之生离、实即骨肉之永诀的无限悲慨,以撕心裂肺之音,永远回响在读者耳边了。

作为一首叙事小诗,《卖儿行》正与《小车行》一样,只截取了饥民生涯中的一个悲惨片断,将其活生生地展示在读者眼前,诗中只是客观描述,似乎未有诗人的任何评论。但富于嘲讽意味的肖像刻画,似"乐"还"悲"的父母心境的反衬,使"清源贾"的面善心恶、卖儿父母的绝望惨况,全部刀镌石刻般凸现在了诗中。诗人之所憎恶、之所伤悯,也就强烈地得到了显示。诗之结尾,既似卖儿父母的号呼,又似诗人所发的啸叹,两相融会,交摩激荡,使全诗产生出了一种巨大的情感撞击力。这些都可以看出:一当陈子龙摆脱了模拟汉魏古诗的书斋生活,而重视表现社会现实时,其诗歌创作将闪现怎样的光彩!《小车行》《卖儿行》,不过是这一转变中的第一批收获而已。

(潘啸龙)

重游弇园

陈子龙

放艇春寒岛屿深,弇山花木正萧森。
左徒旧宅犹兰圃,中散荒园尚竹林。
十二敦盘谁狎主?三千宾客半知音。
风流摇落无人继,独立苍茫异代心。

鉴赏

江苏太仓隆福寺西,有一座清幽秀逸的园苑。园中亭池掩映、花卉缤纷;更有弇山三峰,高耸其中,实为文人墨客雅集之佳境,它就是明代南京刑部尚书王世贞修筑的"弇园"。

陈子龙的诗文创作，曾一度受到前后七子“文必秦汉，诗必盛唐”复古主张的影响。特别是后七子领袖王世贞，更是他倾心仰慕的文坛先辈。由于这个缘故，太仓的弇园，也便成了他一再游瞻、流连低回的地方。这首七律，即作于崇祯十一年(1638)诗人重游此园之际。

“放艇春寒岛屿深，弇山花木正萧森。”诗人上一次到弇园，大约在十年之前，而且还有友人夏允彝相陪，兴致自然很高，而今，夏允彝早已南赴福建长乐；“志动日月，气厉风云”的诗人，却还郁郁困守家中，本已深感痛苦；此次又是独游，心境更觉苍凉。时令虽当初春，但湖风吹拂之中，大约还颇有几分寒意。诗人“放艇”于湖中的幽深岛屿间，眺望那弇山上错落耸立的林木花丛，仿佛也都神情暗淡、蹙然含悲。这两句抒写诗人重游旧园的郁悒心境，妙在全从眼前风物中传达，落墨萧淡，为全诗染上了一重悲凉的氛围。

然后舍舟上岸，漫步于弇园的旧宅、竹、圃之间。这里曾是王世贞当年的居处之所，而今宅存人空，处处给诗人留下一种失落的惆怅和孤清：“左徒旧宅犹兰圃，中散荒园尚竹林。”“左徒”指楚国诗人屈原，他在长诗《离骚》中，曾以种植兰蕙喻比培植后进贤才，有“余既滋兰之九畹兮，又树蕙之百亩”之句；“中散”即三国时代的中散大夫嵇康，“龙章凤姿”“恬静寡欲”，常与阮籍、山涛诸人“集于竹林之下，肆意酣畅”，故有“竹林七贤”之称。在诗人看来，王世贞之峻洁忠贞恰似屈原，雅韵高风又不让嵇康。故在漫步先辈的故园之时，诗人恍若置身在左徒的“兰圃”、中散的“竹林”之中，自有一种清幽庄肃之感。然而当年的“兰圃”犹在，“竹林”之飒飒依然，却再见不到主人艺植芳园的身影、酣歌竹下的音容。面对这一片“荒园”“旧宅”，诗人又感到分外的忆念。由于诗人对眼前之景的展示，交汇着对“左徒”“中散”这些古贤事迹的浮想，便把诗人对弇园的昔盛今衰之感，抒写得更其深沉。那在园中消逝的先辈，也因叠印着古贤的身影，变得更加庄严而令人怀想。

“十二敦盘谁狎主？三千宾客半知音”二句，即由眼前之景，沉入对此间主人的悠然缅怀之中。“敦盘”即玉敦和珠盘，乃古代天子与诸侯会盟时所用的礼器。“狎主”有更替为主之意。史载王世贞“始与李攀龙狎主文盟，攀龙殁，(世贞)独操柄二十年，才最高，地望最显”，那气象正与春秋时代的晋、楚两国，更替主宰十二诸侯之盟一样，该有何等风光！“三千宾客”用的是战国春申君之典。据《史记·春申君列传》记载，“赵使欲夸楚，为玳瑁簪，刀剑室以珠玉饰之，请命春申君客。春申君客三千余人，其上客皆蹑珠履以见赵使。赵使大惭”。而王世贞“声华意气,笼盖海内”之时,“士大夫及山人、词客、衲子、羽流,莫不奔走门下,片言褒赏,声价骤起”(见《明史·王世贞传》),那景象正可与门客三千的春申君相轩轾。前句叙群彦之驰笔文坛,而以“十二”诸侯的争雄春秋为比,再以“谁狎主”的喝问顿断,气象恢宏而笔势夭矫;然后在“三千宾客”的簇拥之中,从后句推出王世贞这位“操炳二十年”的文坛盟主,更觉有一种辉光照耀之盛,表达了诗人对这位“弇园”主人的敬慕和推崇!

诗之结尾,诗人终于从缅怀中回到现实:“风流摇落无人继,独立苍茫异代心。”而今,那在昔日辉耀文坛的风华,已随着这弇园主人的逝去而“摇落”;放眼当世,更有谁能承继这位先辈的流风?正如陈子龙在另一首歌咏王世贞的诗中所说:“寥寥代兴者,蚍蜉安足争”,当今的文坛,实在已寥落太久!诗人独立弇园,仰对苍茫的暮色,愈发感到一种失去先辈的凄怆和悲凉。不过在“独立苍茫异代心”的感叹中,似乎又隐隐透露着,我们的诗人虽与先辈生生不同时,但在振兴文坛的志向上,却又是与这位前贤声气相应、“异代”同心的。这大概正是诗人重游弇园,所要告慰先辈英灵的心愿吧?

诗人对王世贞的推崇,在今天看来似乎很难理解。因为前后七子的文学主张,其实并未给文坛带来多少生气。而陈子龙的诗作之所以能“光芒腾上”“破尽苍蝇蟋蟀之声”,而成就“摧廓振兴之功”,恰恰在于他能“吐纳百家”“自为雄丽之作”,绝不是亦步亦趋,一味“仿古”的结果。诗人写作此诗的时候,正处在诗风转变的重要时刻,从这一点看,结句的“风流摇落无人继”,似乎又是连诗人自己都没有意识到的一个预言:它预告着一个前后七子统治文坛时代的结束,一位虽还打着“复古”旗号,却已带着巨大创新精神的新诗人正在崛起。从此以后,他将以志士之心,操持诗人之笔,以清刚雄迈之作,接替先辈的位置,开创晚明诗坛的崭新生面。

(潘啸龙)

钱塘东望有感

陈子龙

清溪东下大江回,立马层崖极望哀。
晓日四明霞气重,春潮三浙浪云开。

禹陵风雨思王会，越国山川出霸才。
依旧谢公携伎处，红泉碧树待人来。

鉴赏

仁者乐山，智者乐水，陈子龙亦有登山临水、啸傲天地的豪兴。崇祯十一年（1638）春，诗人南下武林（今杭州西灵隐山），有机会登临钱塘江崖，放目越中山川。天地东南的灵秀之景，交汇着千古人杰的英烈之气，一起奔赴诗人笔端，凝成了这首充满奇情的七律。

开篇两句叙诗人登高远眺，落笔即有墨光射空之势："清溪东下大江回，立马层崖极望哀。""大江"即诗题点明的钱塘江。它横贯浙中，岸山绵延，风光极为秀美。此刻，诗人正高居于它那层层叠叠的岸崖之巅。突兀而耸的"层崖"，俯对回折奔来的"大江"，本已有巍然横出的峭奇之感，又着以"立马"二字，更在高旷青天的背景上，劲笔勾勒出诗人执辔马上、卓然特立的伟岸身影，自见一种俯仰天地的非凡气度。而"青溪东下大江回"的景象，正从"立马层崖"的高处写出，境界显得格外空阔，但诗人又为何而"哀"？朝政昏乱，国事日非。诗人刚有机会出任惠州推官，又因继母病故，不得不服丧家中。有志报国而坐看岁月之蹉跎，诗人怎能不感到痛苦？故虽在登高"极望"之际，仍不免有几分哀愁浮上心头。

好在诗人襟怀开阔，当朝雾消散、越中山川以其最秀逸的风姿呈现在眼底时，这哀愁也就随之消散了。"晓日四明霞气重"二句，便是诗人极目"东望"中见到的奇景。四明山在余姚、嵊县之间，与钱塘相去何止百里。但因为诗人身在高处又当"晓日"升腾之时，便能望见它绵延天际的群峰。那容容流动的云光霞色，把它辉映得多么端庄、明媚！"春潮三浙浪云开"，则变仰望为俯览，展现大地春潮的翻腾景象。"三浙"泛指浙江全境。诗人身居崖巅，俯瞰钱塘的泛泛春潮，自无难处。但要将"三浙"诸水尽收眼底，毕竟是不可能的。所以此句带有相当多的浮想色彩，正因为是"浮想"，便在东起"浦阳江""甬江""曹娥江"，南到"灵江""瓯江""飞云江"的无边绿野上，画出了不尽"春潮"滚滚来的绝妙虚境。潮浪纷涌，竟把笼盖"三浙"的云层，全给震开了——这两句工整的对仗，"霞气""春潮"的上下辉照，将越中山川的奇秀之景，表现得多么明丽而富于气势。

越中的山川是秀美的，但诗人所瞩意的，更有它所孕育的往古人杰。当诗人从眼前之景转入对越中英烈的怀想时，笔底便翻出遄飞的壮思——“禹陵风雨思王会，越国山川出霸才”。“禹陵”即圣王大禹的陵墓；“王会”本指《逸周书》的“王会篇”，这里借指禹王在茅山（今会稽山）大会诸侯的盛事。诗人东望绍兴，想到大禹的陵墓虽经历史风雨的侵蚀，至今犹留存会稽山中，眼前便浮现起大禹当年在此山的盛会，不禁心驰神往。“霸才”指越国名臣范蠡、文种诸人。正是在他们的辅弼下，越王勾践卧薪尝胆，发愤图强，以二十年之蓄积，灭吴雪耻，成为威震春秋的“五霸”之一。而今，在诗人远眺之中，仿佛还能见到这些“霸才”人物的巨大身影，仍在古越国的山川间摇曳。壮丽的河山，既产生过如许圣王和“霸才”；则堂堂华夏，难道就再无英雄为它增辉添彩？从“越国山川出霸才”的雄迈高唱中，我们不是可以强烈地感受到，那翻涌在诗人心头的豪情？王士禛《香祖笔记》称这两句“沈雄瑰丽，近代作者未见其比”，确非虚誉。从中，我们仿佛又听到了，南宋志士陈亮那“尧之都，舜之壤，禹之封，於中应有，一个半个耻臣戎”“千古英灵安在，磅礴几时通”（《水调歌头》）的壮词雄调的震荡。

如界说“禹陵风雨”二句，以洪钟般的巨音震响在越中山川；那么，“依旧谢公携伎处，红泉碧树待人来”，更以不尽的寄望，在结尾留下了袅袅余韵。“谢公”即东晋名相谢安。史载他在“东山”隐居时，“出则渔弋山水，入则言咏属文”“每游赏，必以妓女从”。但他出山以后，即为东晋王朝之中兴建立了巨大勋功；载入青史的“淝水大捷”，就是由这位一代名相所指挥的。说来也巧，谢安当年隐居的“东山”，也正在诗人“东望”所及的上虞县境。时隔千年，谢安早已逝去，而他曾经“携伎”游赏的美好去处，依旧展现在诗人眼前。当诗人观赏着、赞叹着它那明丽秀美的无限风光时，仿佛又听到，那每一股落花缤纷的流泉，每一株绿叶婆娑的佳树，都在深情地呼唤、热忱地期待着“谢公”这样中兴名臣的重来。全诗在“红泉碧树待人来”的深沉呼唤中结束了，诗人对当代国运的不尽寄望，却久久萦绕在读者耳边。

《钱塘东望有感》正是这样，将对越中山川秀奇之景的描述，和对往古英烈奇勋伟业的缅怀交织在一起，抒发了诗人由此激起的振兴社稷的热望和壮怀。开笔苍劲有力，收笔清韵袅袅，而中间自有一股揽月青天、掣鲸碧海的奇思豪情盘旋不已。沉雄而不失瑰丽之姿，深情而不乏慷慨之气。所显示的正是前人所称叹的“落墨高华，非翡翠兰苕可比”（朱笠亭《明诗钞》）、格清气雄的雄迈风格。

（潘啸龙）

交 河

陈子龙

乌啼征马动，曙色散滹沱。海气通三岛，天风静九河。
沙平边草断，日淡塞云多。百里无烟火，空村客自过。

鉴 赏

乌啼声声惊破滹沱河的曙色之时，一位气宇轩昂的志士，又驱马上路了——他正是北上京师呈请起复的陈子龙。

这还是崇祯十三年(1640)初夏，诗人一路北行，发下邳，经峄县。"徘徊淮泗之间"，然后又"渡黄河"，穿东阿，目睹了高唐的大旱，过了德州不久，便来到了这河间府的交河(今河北交河)。当时正值清军南扰时期，崇祯十二年(1639)济南城一度被攻陷。故德州、汝上一带，也成了"防胡"的前沿，呈现着"危旌荒草动，昼角海云生"的紧张气氛。

不过交河似又不同，此刻在晨色里显得分外安谧。诗之开篇两句，正展示了诗人客中启行的美好心境："征马"在"乌啼"声中催动，"曙色"在滹沱河上扩散，是一个清爽宜人的夏晨。一路目击的"淮泗大风多"(《途中》)，"胡尘吹不息"(《经高唐伤旱》)景象，曾带给诗人几多烦恼，而今似乎全被清亮的滹沱河水洗净了！当他放目远眺之际，世界也仿佛空灵、安和了许多。"海气通三岛，天风静九河"的奇句，由此涌上胸际。"三岛"即神话中的海上三山——方丈、蓬莱、瀛洲。"九河"则指滔滔黄河：它自孟津北出，便化为九道巨流滚滚而东，传说其古道即在德州、天津之间。诗人举首东望，仿佛见到海上的茫茫云气，直涌向缥缥缈缈的神仙"三岛"；回身南顾，往日波涛汹汹的黄河，此刻竟也随着烈烈"天风"的静歇，而变得安谧异常。这两句写的似为实境，其实带有浓重的想象成分；因为诗人驱马在交河道上，既望不见数百里外的大海，也看不到"九河"全景。但他借助想象，却可"笼天地于形内，挫万物于笔端"(陆机《文赋》)。前句似动而静，在蒸腾的"海气"中竖起神奇的"三山"，给人以恍然不在人间的空灵之感；后句静中寓动，从"九河"刹那间的静歇中，人们还可想见，它原先在"天风"中沸涌澎湃的雄影。诗境极为开阔。

诗情的跌转发生在五、六二句。随着天光的大亮,诗人才猛然发现,眼前的真实景象,其实与一路所见并无不同。“沙平边草断”,无边的沙尘压盖着断草,这不正是“胡尘吹不息”“四月无春草”的高唐旱象的重现吗?“日淡塞云多”,清军攻陷济南后,这交河也已是拱卫京师的边塞,在时时涌升的烟云之中,连白日也一样暗淡无光!“天风静九河”的美好瞻望,由此为郁郁塞云所遮蔽;晨色中浮漾的几多生机,至此全为沙平草断景象所窒息。诗人的心境变化,句中虽无一语说及,但在上下联的鲜明对照中,已得到了充分的表现。不过,这都只是“物”景;最令诗人触目惊心的,还是那“百里无烟火”的荒寂“人”境。社会之是否安定,往往可从乡间的烟火之景上显示。司马迁在谈到汉文帝时代的安定局面时,就有过这样一段深情的描绘:“百姓无内外之虑由,得息肩于田亩……鸣鸡吠狗,烟火万里,可谓和乐者乎!”(《史记·律书》)而今正当红日上升的朝食之时,诗人本该见到家家户户炊烟袅袅的美好乡景。然而所过之处,却是村村空寂,哪有青烟红火?“空村客自过”,既无烟气,亦无人声,只有一位孤清的过客即诗人,在村头踯躅。全诗就在这喟叹声中收止;读者眼前,还恍见忧伤诗人身影之踽踽远去,渐渐消失在荒路淡日之中。

这是一首纪行述怀的小诗,其情感之抒发,全借画面景象的变换传达。前半首描摹美好的晨景,由实入虚,画面清奇而阔远,传达的是一种曙色朦胧中浮漾心间的安谧情思;后半首由虚而实,展示途中所见荒寂景象,色彩暗淡,表现的是一位关注民生疾苦志士的悯伤之情。情感的变化,就寓于前后画面、色彩的明暗映衬之中,便造成一股撞击读者心胸的深沉感慨力量,令人读罢嗟叹不已。

(潘啸龙)

杂　感(录二)

陈子龙

大河南北望,万里入春愁。车马空官渡,风烟满豫州。
黄巾连户著,白骨少人收。自古中原地,应烦圣主忧。

兵戈传剑外,消息每差池。已失夔门险,谁言蜀栈危?
雪山寒鼓角,玉垒暗旌旗。天子频西顾,元戎实总师。

鉴赏

即使是爱国志士，也自有其难以超越的时代或阶级的局限。

崇祯十三年（1640），震撼大地的农民起义终于衰而复振，进入了伟大的转折时期。担任绍兴推官的陈子龙，则忧心忡忡，写了四首《杂感》，表达他对时局的深切担忧。这里选析的，是其中二首。

第一首作于春天，从诗人眼中反映了李自成大军横行中原的景象。全诗以“大河南北望”的虚拟入笔，设想自身伫立于黄河之滨向南北眺望，那吹拂万里的春风，所带来的竟是一片愁思。不过，在穷苦百姓看来，感觉大约恰好相反：此刻的大河南北，正因李闯王大军攻入河南而一片欢腾。人们正高唱着“吃他娘，穿他娘，闯王来了不纳粮”的歌谣，纷纷投奔义军。闯王那“均田免粮”的主张，给天下穷苦人带来了多少生机和希望！因为感觉有这样的不同，农民军败官兵、杀贪吏、旌旗刀戟围洛阳的喜人景象，在诗人笔下，便成了“车马空官渡，风烟满豫州”的惨淡和萧条。“官渡”在今河南中牟县境，曾是曹操大破袁绍之师的古战场，而今却空空荡荡，再不见官军“车马”的耀武扬威。饥荒连年的“豫州”，更已为农民起义的滚滚“风烟”所笼盖。诗人因此惊呼：“黄巾连户著（戴），白骨少人收。”东汉末年的黄巾起义，曾使历代统治者谈虎色变。但在诗人看来，眼前的闯王义军，其声势影响远为浩盛而深广。透过“连户著”三字，读者所看到的，正是天下百姓“云会响应，赢粮而景（影）从”（贾谊《过秦论》）的动人景象。至于那“少人收”的“白骨”，倘指穷苦之人，则恰恰是“官逼民反”的铁证；倘指死去的官、兵，那也是活该——谁教他们与百姓为敌的呢？诗人最后焦虑地呼吁：“自古中原地，应烦圣主忧。”面对着义军的燎原烈火，诗人只能把安定时局的希望寄予“圣主”即崇祯皇帝。诗人又岂能料到，这位专横的“圣主”，其实并无回天之力。只过了三年，他便在煤山上，对着涌卷京城的一片义旗，凄凄惨惨地自缢了。

第二首作于秋冬之际，抒写张献忠义军震荡西南的局势。与闯王横行中原相比，西南的局势似乎更微妙些。由于兵部尚书杨嗣昌亲临“督师”，张献忠的部队曾一度处于困境之中。崇祯十三年（1640）七月，“张献忠与罗汝才合”，东败官军于夔州，接着又回师西进，直扑剑阁和梓潼。“兵戈传剑外（剑阁以南地区），消息每差池”所描述的，就是这一惊动遐迩的战事。不过由于离得远，加上官方有意掩饰真相，传到绍兴的“消息”，往往有很大差错。诗中感叹于“消息每差池”，正反映了西南战局之诡谲难测和瞬息万变。但终于有消息确证，号称“天下险”的“夔门”，也已被义军攻克；那么，谁又能夸口，凭借修建于蜀中山崖间的险狭栈道，就能阻挡张献忠的西进？“已失夔门险”二句，借夔州失陷的无情事实，对迷信“蜀栈”之危者提出反诘，表明诗人对时局的发展有着清醒的认识。正因为有此不祥的预料，诗人笔下的战场前景，也暗淡无光、了无壮色：从遥远的雪山（在四川）那边，只可听到一片凄寒的角声；连竖于营垒的猎猎旗旌，在风雪的吹打中，也失去了昔日的光彩。最妙的是结尾两句：“天子频西顾，元戎（主帅）实总师。”西南的战局，多次受到崇祯的亲自过问，而且统领全军“讨贼”的又是“元戎”杨嗣昌。这本该带来些令人鼓舞的消息吧？事实却如此令人失望！夔门失守不到两月，“剑阁”眼看又将不保。大明的江山，难道真到了不可收拾的境地？这一切诗中虽未明言，但从结句反观上文“雪山寒鼓角，玉垒暗旌旗”的景象，答案自在不言之中。

两首诗，就这样一南一北，画出了声势浩大的农民起义怎样使明王朝陷入顾此失彼的一片衰败景象，这景象无疑是真实的。由于阶级的偏见，诗人当然不会为义军的进展欢呼。但诗中对义军亦无辱骂，只是真实地抒写了动荡的时局和诗人对国事的担忧。正是这一点，保证了诗情之具有某种审美价值而不受损害。两诗均很少用典，而只是用那素淡萧瑟的笔墨，展示令诗人忧虑的情景。因为融入诗人的真情实感，带有关注国运的志士之悲，故思致深沉而颇耐咀嚼。

（潘啸龙）

襄　阳

陈子龙

江汉西陲重，荆襄南纪雄。诸侯悲岘首，耆旧失隆中。
燧色通秦塞，妖星下楚宫。不知大堤女，何处舞春风？

鉴赏

剑州失守不到半年，又传来了张献忠攻陷襄阳的惊人消息。陈子龙的悲欢，毕竟系着大明社稷的安危，而无法与农民义军相通。所以，当江汉义军欢声雷动之际,他却只能遥望襄阳堕泪而悲,写下了两首充满哀慨的五律。这里选析的,是原诗之一。

诗之开篇,语气颇为庄严:“江汉西陲重,荆襄南纪雄。”“陲”为边境,“纪”为基址。在幅员辽阔的大明版图上,“江汉”一带本为南国之腹地。崇祯十三年(1640)九月,张献忠攻克剑阁,西窥成都而东逼两湖,这里竟成了王朝之“西陲”;连雄踞南方的荆州、襄阳,也一下成了暴露在义军前沿的防戍重镇。时局变化之速,是多么出乎诗人的意料啊!这两句极力夸赞江汉、荆襄的“雄”、“重”,正为下文的陷落之悲作了铺垫,以造成巨大的跌转之势。庄严的语气中,实包含了诗人对山河日蹙的一片沉痛之情。

接着便是襄阳的陷落:“诸侯悲岘首,耆旧失隆中。”“岘首”即岘山,在今襄樊市襄阳区南。西晋名将羊祜镇守襄阳时,常登岘山,置酒言咏。羊祜死后,部属为他在这里建碑立庙。人们见其碑石,思及羊祜生前政绩,莫不欷歔堕泪,故有“堕泪碑”之称。“隆中”在襄阳区西,蜀汉名相诸葛亮未出山时,曾筑庐隐居于此。据《明史·诸王传》记,崇祯十四年(1641)二月,张献忠在路上截获督师襄阳的“元戎”杨嗣昌信使,“夺其符验,以数十骑绐(骗)入襄城”。第二天早上,大军攻入城中,活捉襄阳王朱翊铭、贵阳王朱常法,斩首示众,“火城楼,焚其尸”;三月,杨嗣昌自杀——这就是襄阳陷落的惊人一幕。不过,诗人抒写这一幕悲剧,似乎不忍心直言襄阳王和杨嗣昌之死,而是借用历史典故,以“诸侯”之悲泣于岘山堕泪碑,和隆中之痛失朝廷元老(耆旧)写出。以古映今,将诗人因襄阳陷落而悲恸难抑的哀思,表现得格外蕴蓄和深沉。

诗人当然明白:襄阳的攻克,不过是张献忠出川的又一次重大军事行动。他的下一个目标,恐怕就要指向南楚名城江陵或长沙了。与之遥相呼应的,还有“闯王”的大军,此年亦已“走鄖、均,入河南”,一举攻下洛阳,杀了福王朱常洵。大明王朝的江山,笼罩着如此令人不安的“祸乱”,诗人能不为之焦虑?“燧火通秦塞,妖星下楚宫”二句,正是诗人对时局前途的忧心瞻望。“燧”即烽火,用以向远方告警。“妖星”为天象占卜中的不祥之星,它在哪里出现,便预兆着那里将有兵灾之祸。诗人当时正在绍兴任上。当他在夜晚遥观、仰望之际,仿佛能见到一派烽烟,正向秦塞延烧而去;闪烁的星空中,又有不祥之星直向南楚的宫城流坠——这两句写诗人对时局的瞻望,用的是画面景象展示的方式。熊熊的烽烟和流坠的“妖星”,在广大的夜天上,化成了一幅触目惊心的图景,形象地表现了诗人对时局发展的深切担忧。

诗之结尾,诗人从忧心的瞻念中回笔,再次为襄阳的陷落伤悼。这座雄踞南方的名城,曾有过极其繁华的往昔。当年李白来游襄阳,就见到过"襄阳行乐处,歌舞《白铜鞮》"的安乐景象(《襄阳曲》)。这些南方人,平日犹爱歌舞《白铜鞮》之曲,以至把山南辟为街场,也取名为"铜坊"。"襄阳堤路长",更有动人的《大堤曲》传唱,歌咏"南国多佳人,莫若大堤女""大堤诸女儿,花艳惊郎目"之类。而今,这些能歌善舞的大堤女又在哪里?她们纵然爱好在春风中歌舞,但襄阳已陷,又何有歌舞之处!结句"不知大堤女,何处舞春风",从襄阳女儿昔日歌舞、今日流落的鲜明对照中,表现诗人对这座名城陷落的痛惜。在冷然发问中戛然收束,留不尽悲慨于问叹之外,为全诗带来了浓重的伤悼余韵。

作为一位明末志士,陈子龙尽管不满于朝廷的腐败,憎恶豪门的贪酷,但对于农民的"造反"举动,终究带有自己阶级的偏见。即以诗中的"不知大堤女,何处舞春风"来说,也只是官场中人的感慨。真正穷苦的"大堤女",恐怕正因义军攻占襄阳,开仓济贫,而载歌载舞于二月春风之中吧?当然,我们也得承认,陈子龙是一位关注国运的正直之士,对民生疾苦也不乏同情之心。他对襄阳陷落的哀思,从大明王朝的贞臣来说,也是内心情感的真诚流露。他做了一位爱国志士所能做到的一切,这也就够了,我们又何必苛求于他呢?

(潘啸龙)

庐　居

陈子龙

行遁山河改,归来松菊荒。尚余三亩宅,无复万家旁。
祈死烦宗祝,偷生愧国殇。但依亲陇在,含笑此高冈。

鉴赏

明隆武帝二年(1646)十一月,陈子龙带着"国破家何在,亲亡子独归"的不尽悲怆,回到故乡,安葬已去世八个月的老祖母,并在"彤管(笔)虚长夜,丹旐对落晖"的深切哀思中,写下了《奉先大母归葬庐居述怀》四首。此为原作之三,题目依《明诗别裁集》。

"行遁(隐避)山河改,归来松菊荒。"忧伤的开篇,实包含着一连串令诗人伤痛泣血的往事:史可法在扬州保卫战中壮烈捐躯,南京弘光政权倾覆。随之而来的,便是松江起兵的失败和至友夏允彝的慨然自沉。正当陈子龙参加太湖义师抗清斗争的时候,从南京东华门外,又传来敬爱的老师黄道周殉国的噩耗。晚明志士的慷慨热血,就这样染红了江南的山河!从血战中突围而出,隐遁于嘉善、苏杭之间的陈子龙,正当潜回家乡的路上,福州的隆武政权,又被浸入一片血泊之中。当年陶渊明解职归园,毕竟还有"三径就荒,松菊犹存"(《归去来兮辞》)的慰藉;诗人此次却是在山河改色中返家,更哪堪面对松菊荒弃的一派惨景?这两句以"松菊"之荒对映"山河"之改,表现的正是这种家破国亡的志士之悲。"尚余三亩宅"二句,则是对家乡惨状的进一步展示。"万家旁"暗用了韩信葬母的典故:据《史记·淮阴侯列传》,韩信母死,家贫无以葬,却偏偏四出谋求宽敞的葬地,"令其旁可置万家"。清军南下之际,曾对拒守扬州、嘉定的百姓,实行了血腥的屠杀。陈子龙当时迁居的青浦富林,本为江南富庶之地,但在清兵南侵后,竟也村墟一空。诗人的"三亩"之宅虽在,往日那"万家"聚居的美好景象,却早已荡然无存!诗中用"尚余""无复"的反跌之语,表达诗人抚今追昔、四顾茫茫之慨,语词酸楚,读来令人不觉泣下。

作为一位抗清志士,诗人原非偷生苟且之辈。当至友夏允彝沉江之时,他之所以未能共殉国难,实在是不甘心于狂澜之既倒,而寄希望于"义徒逸民"的奋起。正是怀着这一线希望,他受命于危难之秋,出任了监国绍兴的鲁王"兵部尚书",奔走联络于苏、杭之间。八十余岁高龄的祖母尚存,曾使他一度放心不下(诗人五岁丧母,全靠祖母带大)。而今祖母已葬,诗人再无牵挂。国破家亡,烈士岂肯偷生?陈子龙身在祖母茔域,不禁思绪万千:"祈死烦宗祝,偷生愧国殇。"他想起晋国大臣范文子,深忧晋厉公的骄侈败政和家国之难的降临,断然令宗祝为他"祈死"(祈求让己速死);想起屈原《国殇》所歌咏的楚国将士,为保卫家邦"带长剑兮挟秦弓,身首离兮心不惩"的捐身壮举,心中便充满了献身报国的豪情;我又何必像范文子那样烦扰宗祝去"祈死"而忍辱偷生,岂不有愧于"国殇"之毅魄?一个誓将热血洒社稷的信念,已在他胸间萦绕多年,该是到了付诸行动的时候了!陈子龙在焚于夏允彝墓前的长书中,曾这样泣告友人:

夫赵有程婴,智有豫子(豫让),楚士(申包胥)一哭而《无衣》赋……彼千乘之国,一家之臣,而尚有如此之士。岂天下万里,养士三百年,遗民数百万而遂无一人乎？仆虽驽弱，安敢宁处？三冬之际，苟完茔域，将鹑衣跣足，自托汗漫(浪迹天下)。齐鲁文学之儒，燕赵奇节之士，荆楚感激之徒，庶几得一人焉！倘天下滔滔，民望已绝，便当凿坯(砖)待期，归死丘墓。足下其肯营一室于夜台(阴间)之侧以俟(等)我乎？

诗人正是要这样，继续为反清复国事业奔走，倘若失败，就——“归死丘墓”，与祖母、至友为邻，含笑卧于这高高的山冈之上。“但依亲陇(垄，坟也)在，含笑此高冈”，这就是诗人曾经对挚友，此刻又对祖国之灵立下的誓言。从容悲愤的言辞，正与他半年后殉国时高呼“文天祥止有一人”的壮语，铿锵交鸣，表现了一位伟大志士的铮铮壮节！

这首诗写得很朴实，字里行间却蓄满了山河改色中安葬亲人的悲怆，汩汩流淌着辞亲报国的热泪！融化典故来表达襟怀、心志，是此诗艺术表现上的重要特点。而且在所用的四个典故中，有三个均与古烈之士的高风亮节有关。思接千载，古今相映，把诗人的生死去留之思，表现得分外深切、动人。“诗之基，其人之胸襟也”“其心如日月，其诗如日月之光”(叶燮《原诗》)，在“含笑此高冈”的动人结句中，我们不是瞥见了诗人那光争日月的志士之心的辉耀吗？

(潘啸龙)

秋日与杜子过高座寺登雨花台

黄周星*

被发何时下大荒，河山举目共凄凉。
客来古寺谈秋雨，天为幽人驻夕阳。
去国屈原终婞直，无家李白只佯狂。
百年多少凭高泪，每到西风洒几行。

作者

*黄周星(1611－1680)，字景虞，号九烟，湘潭人。崇祯十三年(1640)进士，官户部主事。明亡不仕。有《九烟先生遗集》。

鉴赏

这是一篇登临寄慨之作。约写于南明王朝覆亡之际。杜子，即杜濬，晚明诗人，明亡后隐居南京鸡鸣山。高座寺又名甘露寺、永宁寺，在南京南门外雨花台梅岗山。雨花台，古称石子岗、聚宝山，站在山冈最高处可俯瞰南京城。

“被发何时下大荒”，首句破空而至，起势突兀。大凡登临之作，开篇多写登临所见之景，或交代登临之因，此诗却另辟蹊径，切住登高临眺引发的深沉感慨下笔，以一声询问领起全篇，是自问也是慨叹，感情异常沉痛。“被发”，披散着头发。古代男子成年后是要束发作髻的，散发不束，显有不遵礼规、与世相违的意思，隐士们常常如此。诗人不仅意欲归隐，而且要去那极荒远的地方隐居，可见内心的创痛之深。“何时”二字表明隐意虽决，然行期未定，似乎还有那么一丝迟疑，一分留恋，真切地反映出诗人登高临远时的复杂心态。

隐居之念缘何而起？次句“河山举目共凄凉”便作了回答。河山凄凉四字，既是对眼前所见景象的描述,也是对明王朝衰残破败的艺术概括。明朝末世,战乱迭起,大江南北惨遭兵火焚劫,早已遍地疮痍,一片萧疏,加之时逢秋日,万物凋零,木叶纷飞,登高而望,自是满目凄凉景象。更令人倍感凄凉的是,清人铁骑南来,明王朝迅速土崩瓦解,江山残破,人民流散,哀鸿遍野,这对忠于明王朝的诗人来说,岂不是最大的悲哀吗?复国无望,仕清不可,诗人只得选择避世隐居这条道路了。此句以写意笔法抒写登临所见所感,一个"共"字把破碎河山与悲痛心境紧紧相连,创造出悲凉意境,抒发了对国家沦亡的哀思。

"客来古寺谈秋雨,天为幽人驻夕阳。"颔联具体描述登临景况,以秋雨、夕阳衬托环境的荒凉冷寂和内心的凄楚忧伤。"幽人",隐逸之人,与句中的"客"均指杜子和诗人自己。秋雨绵绵,令人愁闷,有什么可"谈"的?却偏偏将它作为话题,这暗示了处境的艰危,也道出心中的抑郁幽愤。雨霁云开,夕阳在山,也许是老天爷特意要用这美丽的景致抚慰一下"幽人"的孤寂吧,那一抹夕晖竟久停不去。然而"夕阳无限好,只是近黄昏",此情此景,更增人无限伤感。

残阳西沉,暮色即至,国破家亡,人将何之?"去国"二句借古人以明志,表示了忠于明王朝、誓不与清人合作的态度。前句言自己将像被迫离开国都的屈原那样,始终保持刚正耿直的本性,决不向恶势力低头;后句则说将效法李白,以疏狂自放的态度迎拒世俗的纷扰。诗人的民族意识和爱国情感在这里得到深刻的体现。但是,诗人深知,纵能保持一己操守,于国事却无多大补益,因而诗中也不免流露出无可奈何的情绪。

末联回应诗题,直抒悲怆之情。百年,指一生。黄周星青少年读书求官,崇祯十三年(1640)中进士,官户部主事,对明王朝可谓忠心耿耿。然而他所处的时代正是明王朝腐败透顶的时期,社会矛盾激化,内忧外患严重,大明江山摇摇欲坠。诗人虽有挽救国家沦亡之心,却无力无术改变王朝覆灭的命运,只有年复一年,一次次登高临远,望河山而洒泪,借以寄托哀思,表达对王朝的忠贞。"百年""每到",从时间和数量两个方面深刻反映了诗人忧国伤时的情怀,把全诗悲怆之情引向了高潮。

这首诗起结有力,对仗工整,感情浓郁,音节流转,如从胸臆中倾泻而出,感染力很强。

(林心治)

秋　怀（录二）

夏完淳*

凉风何瑟瑟，吹我游子颜。历历江上林，流蝉鸣其间。
浮云西南征，一去何时还？驾舟凌洪波，杖策穷崇山。
君子不遑息，小人豫以闲。感激在沟壑，敢念徒旅艰。
中夜起百忧，劳人独长叹。

秋色从西来，风物自凄紧。金飚辞炎晖，玉露戒商轸。
鶗鴂薄暮鸣，幽兰望秋陨。零落在一时，荣华若朝菌。
高从巢父栖，下与壶公饮。静观百岁间，无名以为准。

作者

*夏完淳（1631－1647），原名复，号存古，松江华亭（今上海市松江区）人。十五岁时，随父夏允彝及师陈子龙抗清。任鲁王中书舍人，参谋吴易军事。易败，仍为抗清奔走。后因陈子龙事被捕入狱，被害时，年仅十七岁。所作诗词赋多抒发壮志，反映斗争经历，慷慨悲歌，动人心魄。有《夏完淳集》。

鉴赏

在晚明抗清殉国之士的庄严画廊中，有一位“秀目竖眉”的少年英雄——夏完淳。

夏完淳“九岁能诗”，十四岁即追随父亲“揭竿报国”，参加了轰轰烈烈的“松江起兵”。两年后，因与老师陈子龙倡谋反清复明，谋泄被捕，“含笑”就义于南京街头。这组《秋怀》诗，可能作于松江兵败、诗人参谋太湖义师吴易军幕期间。这里选析其中二首。

第一首抒写颠沛湖、山的旅途之思，开篇以“凉风”吹颜起笔，描述诗人驾舟驶行于清江迭波之上，诗行间隐隐可见这位少年独立船头的轩昂身影。在缓缓移动的江岸上,有历历如画的青树林,林间还传来秋蝉的一片流鸣。这情景本来颇美,但在家国沦亡的诗人心上,勾起的却只是阵阵难抑的哀愁:“浮云西南征,一去何时还?”这两句似为写景,其实包含着诗人对时局的深切担忧:清军南下,南京、杭州相继失陷。仓皇溃散的明军,不正如秋风中的“浮云”,向西南飘散而去,何时更有风云际会、重整河山的归来之期?怅然的问叹传向云天,令人感到,有几多悲愁,正与秋蝉的哀鸣一起,在秋空白云下弥漫。

但诗人没有在问叹中沉落,复国的信念支持着他继续奋斗。“驾舟凌洪波”两句,正于悲愁中振起,展示了诗人凌越江浪、跋尽山峦的坚毅勇气。《诗经·小雅·采薇》有“不遑启处,猃狁之故”之语,描述周代戍卒为抗击戎狄而无暇安处的转战景象。现在诗人面临的,是比“戎狄交侵”还要严重得多的亡国之危,又怎能效小人之态,依恋那悠闲游娱的生活?诗人因此高诵:“君子不遑(暇)息,小人豫(安乐)以闲。感激在沟壑,敢念徒旅艰!”以身为匹夫而不避艰险、愿为复国发愤努力的激情,表现君子处世的高风亮节,辞气坚定,读之如闻金石之声震响其间。诗人当然明白:抗清志士的悲壮努力,实在已难挽回既倒之狂澜。想到此点,不禁“百忧”交集。故诗之结尾忽又一折,发出了凄怆的浩叹:“中夜起百忧,劳人独长叹!”这浩叹穿过历史,从四百多年前的沉沉夜色中传来,至今听去,仍有那样强烈的震撼力。

与第一首相比,第二首的诗情要难把握得多。因为诗人的情思,更多是借暗淡的秋景来传达的。开篇两句总摄全诗,在极为辽远的空间上,描画出“秋色”的苍茫“西来”景象,劈头即给人以“风物”凛然的“凄紧”之感。“金飚辞炎晖,玉露戒商轸”,则是进一步展现秋气袭来之烈。“金飚”即劲厉的秋风;“商轸”指秋令之车,古人以“宫、商、角、徵、羽”五声分配四时,秋为“商”声,故以“商轸(车)”比喻。劲盛的秋风刚驱退夏日的炎焰,寒冽的白露已预报秋令之车滚滚碾来——无形的秋气,在诗人笔下,竟挟带着如此强猛之势降临大地!与之相随的,还有杜鹃鸟(即鹍鸩)在黄昏时分的凄厉鸣叫。传说杜鹃鸣于三月,昼夜不息,夏末乃止。那么,它这最后的悲鸣,无疑宣告了一个草木繁茂的季节的结束。那溪谷的“幽兰”,又怎能不“望秋”陨落,消歇尽往日的芳菲?目睹着美好幽兰的凋零,诗人不禁伤痛而呼:“零落在一时,荣华若朝菌!”——想不到这天地间的芳草,生命中的荣华,竟如朝生暮死的菌类一般短暂,萧瑟的秋令一到,便枯萎凋落了!

初读起来，以上感慨似乎只为“幽兰”之陨落而发。但自从屈原《离骚》创造了“善鸟香草，以配忠贞；恶禽臭物，以比谗佞”的独特比兴方式以后，出现在古代诗人笔下的芳草，便往往就是“忠贞”之士的象征物。当诗人吟咏此诗之际，正是清兵汹涌南侵，无数抗清志士喋血国门之时。他们不正如诗人笔下的“幽兰”一样，在“金飚”“商轸”的摧残下，纷纷遭遇着陨落的厄运吗？明白了这一层，则上述八句的含义，便获得了全新的意义：诗人描述的是秋景，其实正隐喻着清人南侵的暗淡时局，抒写着对忠贞之士捐躯国门的哀悼，故诗情格外伤痛。正因为如此，诗之结尾才出现了似乎不与上文承接的四句：“高从巢父栖，下与壶公饮。静观百岁间，无名以为准。”“巢父”为帝尧时代的隐者，“山居不营世利，年老以树为巢”，故名。“壶公”乃汉代异人，传说他“常悬一壶空屋上”，日入之后，“便跳入壶中，人莫能见”。一位志在抗清复国的壮士，居然想追随他们作枝上之栖、壶中之饮，似乎令人不解，但从上述对秋景描述的比兴意义上看，诗人的情志就可得到合理的解释。他已隐隐预感到，明朝的江山将最终落于清人之手；诗人对自身的前途，作出了明确的选择：要么为国喋血而死，要么就逃隐于山野岩穴之中，决不作清廷之顺民，正如萧瑟的秋、冬不会常驻世间一样，诗人也不相信，清人的统治就能“百岁”不衰，那就让我在这世间“静观”百年吧，看一看将来之域中“竟是谁家之天下”！

这就是诗人在结句中表述的态度，也是他面对惨淡秋日发出的誓言。这誓言是悲凉的，因为它透露着诗人对时局的不祥预感；然而它又是令人钦仰的，因为它宣告了一位少年志士不向敌虏折腰的悲壮抉择。

（潘啸龙）

舟中忆邵景说寄张子退

夏完淳

登临泽国半荆榛，战伐年年鬼哭新。
一水晴波青翰舫，孤灯暮雨白纶巾。
何时壮志酬明主，几日浮生哭故人！
万里飞腾仍有路，莫愁四海正风尘。

鉴赏

1646年春,太湖义师的大旗,重又在万顷碧波上竖起。刚被鲁王封为中书舍人的夏完淳,也来到吴易的军营,成为幕府中最引人注目的少年参谋。

"雄风清角劲,落日大旗明"的军旅生活,无疑是紧张和壮奇的。但在"渔灯明两岸"的舟中,听那"半夜起悲笳"的夜声,有时也不免孤清。这时候浮荡在诗人心上的,便往往是对平生师友的温馨忆念。此诗所忆及的,即是昔日的几社成员,而后"家居社门",不甘作清廷顺民的亡友邵梅芬(字景说)。(注:邵景说在明亡后"家居社门,竖卧不出",不久即病卒,从诗人另一首《偶念三秋旧集忆景说兼越行诸子》,有"邵生黄土风骚尽,三复遗篇尚可师",可知他卒于夏完淳生前。又从《忆侯几道云俱兄弟》,所忆几道、云俱均已殉国之例看,此诗称邵景说而曰"忆",则作此诗时邵氏已经亡故。张子退,名密,曾做南京兵部司务。)

一般的忆念亡友之作,往往重在追叙往事,以表达对友人的深切怀思。此诗却一破常格,入笔即叙自己登临太湖的感受。诗人来到太湖岸畔,大约是在夜间。这片义师聚居的水泽之乡,一年来遭受清军的多次围剿和争夺,已变得何其荒芜;岸畔的村墟,长满了荆棘和木丛;惨淡的夜色中,时时如闻几多新鬼的哀哭之声!"登临泽国半荆榛,战伐年年鬼哭新",这就是诗人向九泉下的故人所倾诉的感慨——时局是严峻的,义师的再起,正处在如此艰难而悲壮的环境之中。这样开篇初读似乎显得突兀,其实正显示了志士间相忆相念的不同凡俗之风:诗人知道,此刻亡友英灵最关注的,应该就是神州陆沉的时局,而不是多愁善感的往事重提啊!

接着两句,向亡友描述自己的生活景象:"一水晴波青翰舫,孤灯暮雨白纶巾。""青翰舫",指画有鸟形而涂以青色的舱室船。"纶(guān)巾",即丝带所做的头巾。作为幕府参谋,诗人白天常常侍从吴易,乘坐青翰大船,出没于晴光潋滟的太湖,巡视各处的防御,筹划破敌之策;在傍晚的雨声中,则常常头戴白纶之巾,挑亮一盏油灯,孜孜研读兵书或谍报。两句所展现的景象,虽有朝暮、晴雨的不同,而诗人那少年参谋的奕奕风采,则因了"晴波""孤灯"的烘托,"青翰舫""白纶巾"的映衬,便意态潇洒地凸现在了诗中。诗人另有《军中有作》一诗,描述过"青翰依藩伯(吴易封"长兴伯"),彤篋愧省郎。凉飕归细柳,旭日自扶桑”的参谋生涯，流露了能为抗清事业效力的深切自豪之情。不过，从形象表现来说，这对仗工整、情景如画的两句描绘，似更显得气韵生动。

在诗人参与吴易幕府之前，便已经历过松江起兵和吴志葵、鲁之屿攻打苏州的战役。“复楚情何极，亡秦气未平”“缟素酬家国，戈船决死生”，就是诗人在家国沦亡之际立下的悲壮誓言。可痛的是，这些难忘的起兵，均在清军的残酷镇压下溃败。诗人的复明壮志未酬，就先目睹了许多反清志士前仆后继、喋血国门的壮烈情景。在那悲痛的日日夜夜，诗人曾泪水纵横地写了《野哭》《二哀诗》《忆侯几道云俱兄弟》等诗，以追悼这些慷慨捐躯的英烈。当这些情景重又浮现在眼前时，诗人该怎样戚然而悲、啸叹不已！“何时壮志酬明主，几日浮生哭故人”二句，即以突发的啸叹，震荡了全诗，表现了诗人壮志未酬的深切悲慨和痛苦。倘若读者注意到，这啸叹发自“孤灯暮雨”的舟中，便可感受到那八百里太湖，此刻将激起多少波叠浪涌的回应！

但令诗人感到欣慰的是，此次义师再起太湖，气象殊为壮观。沈泮、李势、周瑞、陈继等诸路义军，纷纷来聚，一时间声势大振。义师对付清兵，也采取了彼出我归、彼归我出的灵活战术，使敌寇只能望洋兴叹。接着便挥师东向，攻入嘉善、吴江，后“又与苏郡兵战于汾湖，斩获过当”（见王云所续《陈子龙年谱》，收《陈子龙诗集》）。这些振奋人心的喜讯，当然也是诗人急于告诉九泉之下的亡友的：“万里腾飞仍有路，莫愁四海正风尘”——环顾海内，虽然到处飞扬着敌骑跋扈的风尘；我深切忆念的亡友啊，切莫在九泉下担忧！总有一天，反清的义师将会如潜龙一样，破浪而起，腾飞在万里云天！

与夏完淳大多诗作的苍凉悲慨不同，此诗在战伐鬼哭、孤灯暮雨的悲凉境界中几经盘折，终于在结尾化作了充满信心的高唱。正如一声清雷震散云雾，蓦然间在人们眼际，展出了碧莹无限的晴空一样。一位处在艰难境地中的少年，虽然历尽悲苦，仍能有此乐观的战斗精神——这正是“湖海多豪气”的夏完淳的本色。

（潘啸龙）

精　卫

夏完淳

北风荡天地，有鸟鸣空林。志长羽翼短，衔石随浮沉。
崇山日以高，沧海日以深。愧非补天匹，延颈振哀音。
辛苦徒自力，慷慨谁为心？滔滔东逝波，劳劳成古今。

鉴赏

志士也并非总是慷慨激昂的。在民族、家国遭遇巨大灾难的时刻，他们往往会因身无回天之力，而陷于深深的痛苦之中。这首诗就是少年志士夏完淳壮心难酬的苍凉悲歌。这悲歌又是借古代神话中最感人的形象之一——衔石填海的"精卫"鸟之口所唱出，故声情愈加悲怆。

诗之开篇，诗人挥动萧萧巨毫，勾勒了一幅"北风荡天地"的荒古之景。这荒古没有编年，茫茫天地间，只有猎猎北风的澎湃震荡。但是你听：从万木凋落的无边"空林"中，突然响起了阵阵激昂的鸣叫。这鸣叫压过风声，直上高天，久久不绝！——那就是精卫鸟的愤切悲鸣。诗中用震荡天地的"北风"，烘托这小鸟的"空林"之鸣，入笔就造成了一个衰飒空阔的悲凉氛围，使精卫鸟的出现格外引人注目。这只由女娃精魂所化的小鸟，此刻正怀着溺死东海的不灭怨愤，从西山衔来枯枝、碎石，要把万顷大海填平。"志长羽翼短"二句，描摹精卫鸟喙衔微石、追逐浪波、上下浮沉的填海景象，极有力地表现了它不屈不挠的复仇精神。羽翼的渺小和所负使命的巨大，形成了强烈反差，或许令人感到可叹；但它那明知沧海难平，还勇敢坚毅、填海不止的精神，却改变了一切——你从这小鸟的壮举中所感受到的，不正是一种震撼身心的悲剧式的崇高吗？

精卫鸟的努力似乎未能取得成效："崇山日以高，沧海日以深。"细微的枯枝、碎石，一投进大海，便立即被呼啸的浪波吞没了。高高的西山并未因精卫的衔石而亏缺，浩渺的沧海则反而日见其深。面对这一景象，连壮志万丈的精卫鸟也深感痛苦了：它惭愧，因为自己毕竟比不上伟大的女娲，在"四极废、九州裂”的危难时刻,有“炼五色石以补苍天,断鳌足以立四极”的神力;它悲伤,因为那奋斗多年的复仇夙愿,眼看仍将付诸东流。“愧非补天匹,延颈振哀音”二句,即以浩叹之语,描述了精卫鸟一边衔石填海一边振翅哀鸣的景象。而且不要忘记,这景象又始终在“北风荡天地”的苍茫背景上所展开,那哀鸣之音自被吹送得更加凄厉和辽远——你是否感觉到,连那茫茫“天地”,似乎都在为这小鸟的鸣叫肃然默哀,澎湃的“北风”,也不禁为之而悚然了吗?

最后四句是诗人所发的慨叹:那从荒古世界传来的凄厉的哀鸣,诗人分明也听到了;不仅听到,而且激得这少年志士热泪涔涔。“辛苦徒自力,慷慨谁为心?”精卫鸟啊,你竟要凭借自身的微薄之力,辛苦徒劳地填那沧海?你如此慷慨的复仇壮心,又是谁所赋予?叫人多么忧伤啊——浩渺无涯的大海,就这样推宕着滔滔波浪万世东流!永无休止的岁月,就这样在你的哀鸣声中,更古成今!全诗在“滔滔东逝波,劳劳(惆怅忧伤貌)成古今”的啸叹声中收结,但诗人对精卫鸟壮志未酬的悲愤之情,却冲破结句,在诗外汹涌、奔腾,久久难平。

无须再加解说,读者即已明白:诗中的精卫鸟,其实就是少年志士夏完淳的自喻。在家国遭受着沧海横流的陆沉之灾时,他投入了抗清复明的悲壮事业。然而,正如精卫鸟喙衔微石难填大海,诗人也预感到了复明大业坎坷难成。深切的惆怅和忧伤,激发起诗人对荒古神话的奇幻之思,遂借精卫填海故事,唱出了这曲哀愤动人的悲歌。因为以神话入咏,诗人运笔也夭矫劲健:想落天外,笔驭万顷,在无限广大的天地之间,勾勒精卫填海的悲壮情景,境界奇幻而壮伟。即使是哀哀啸叹,也借助“女娲补天”的神奇景象反衬,与滔滔沧海的逝波交相摩荡,表现出一种心事浩茫、横亘“古今”的巨大悲愤感。正与小小的精卫鸟一样,这首小诗所显示的,不是渺小的哀怨,而是震撼人心的悲剧式“崇高”。

(潘啸龙)

秋夜感怀

夏完淳

登楼迷北望,沙草没寒汀。月涌长江白,云连大海青。
征鸿非故国,横笛起新亭。无限悲歌意,茫茫帝子灵。

鉴赏

一个孤清的身影,伫立在嘉定槎楼。阵阵夜风,吹得他衣袂飘拂。没有人知道,这位秀目竖眉的少年,就是与陈子龙、钱栴歃血为盟,倡谋反清的志士夏完淳,当然也不明白,他为何要在这衰飒的秋夜独登此楼?

他只是默默无语地向北而望。目光黯然,分明已为盈眶的泪水所迷蒙。循着他的目光看去,只见丛丛衰草,在星光下瑟瑟而立,渐远渐隐,消融在沙汀的无边夜色中……这就是诗之开篇所描述的情景。"沙草""寒汀",遥对着槎楼孤影,本已给画面增添了许多清寂和寒意;再下一个"迷"字,以表现诗人"北望"时的主观感觉,诗境便显得愈加凄迷而苍凉。

诗人"北望"中的,无疑还有数百里外的"南都"金陵城。明初诗人高启,当年曾以壮浪的笔墨,夸赞过它"大江来从万山中,山势尽与江流东。钟山如龙独西上,欲破巨浪乘长风"的雄奇气象。三百年后,夏完淳在月涌大江之际北望故都,是否也还能想象它的开阔和雄峻:在大江的滚滚波涛之上,突然涌腾起一轮照耀世界的明月;青沉沉的夜云,一直铺展到浩瀚无垠的东海!诗人想象中的故国之都,就龙盘虎踞在如此空阔的天地间,显得何其庄严肃穆!

然而,那庄严肃穆的古都,连同它所置身的空阔天地,早已为汹涌南侵的清兵所占据。诗人此刻,与其说是在北望中想象故都,不如说是来哀悼它的沦落。那涌腾江上的明月,铺展东天的夜云,在诗人眼中也因此变得一片暗淡,失去了昔日那璀璨、碧莹的亲切感。"月涌长江白,云连大海青"二句,展现辽远的天地之境,而着以"青"冷、惨"白"之色,不正使眼前之景,全蒙上了诗人独登槎楼时,所油然而生的山河改色之悲吗?

在此寂寂清夜,诗人的心头本已如云天的夜月,浮漾着几多无言的凄凉。偏偏从远处,又传来几声哀哀的雁鸣。接着便见二、三雁影,"扑棱棱"掠过半空。可怜的"征鸿",你竟也耐不住北方的凄寒,急急飞归南国来了吗?但你又怎知道,而今就是明月照耀的江南,也已陷于异族的铁蹄之下,你纵然飞遍千里,哪还能找到昔日的"故国"!这一句抒写诗人月下登楼的兴亡之叹,却从寒夜飞归的征雁感觉中写来,思致悲婉而哀情深切,甚有那种"故国不堪回首月明中"的酸楚感。接着又想象从新亭渚(在今南京市南)方向,传来阵阵凄切的笛声,听去便愈加令人伤情了——那究竟是谁，还在这寒秋月夜吹奏横笛？他难道也像诗人一样，心中蓄满了伤痛，因而要向着幽幽夜月尽情倾诉？

激越的、哀切的笛韵，就这样交织着远去的征雁悲鸣，回响在诗人的心间。久久不语的诗人，则早已泪如泉涌。这位少年志士，分明也感受到了那蕴涵于笛韵中的无限哀情，并与之发生了强烈的共鸣——“南都”失陷，杭州、福州相继败亡。监国南方的晚明“帝子”（福王、鲁王、唐王等），又先后蒙难！故国的九万里山河，难道就从此易主、改色？这种种令志士伤痛、扼腕的悲愤，此刻似乎全化作了不绝如缕的笛韵，在诗人心中盘旋、萦回。仰望夜天，诗人恍惚看见那些蒙难“帝子”的英魂，正缥缥缈缈，含着无限悲戚，在云空徘徊。“无限悲歌意，茫茫帝子灵”——当诗人吟成这凄怆的结句时，该是怎样悲慨难抑而又欲哭无声！

此诗题为“秋夜感怀”，内容则颇接近于怀古凭吊之作。不过诗人所凭吊的，不是千百年前的历史陈迹，而是不久前沦陷的故国。作为一位反清志士，又刚从浴血奋战的败亡中脱身，当其登楼俯仰故国山河之际，心境之凄怆，自非寻常的怀古凭吊之作可比。全诗展现登楼所见夜景，借助衰飒“沙草”遥映孤城，清冷色泽点染云月，并烘托以“征鸿”的哀鸣，交织以想象中不绝如缕的笛韵，使眼前之景，无不熔铸了诗人的家国沦丧之伤。最后结以“茫茫帝子灵”的虚境，将此伤痛之思，引向茫茫夜空，表达对蒙难“帝子”的欷歔凭吊之悲，更觉缥缈恍惚而哀慨无限。

（潘啸龙）

六 君 咏

夏完淳

史太师

忠清卓荦姿，夙昔事戎马。隆望震华夷，嘉名泽风雅。
金台涕泗中，发愤复楚社。出师计不就，战死维扬野。
西风五丈原，冥冥云龙驾。盈盈阴雨时，时见神灵下。

黄少保

漳浦介以廉，自负韬钤术。风流映古今，遗世真独立。
戎马非所长，振羽入罗罼。言从孤竹风，慷慨誓绝粒。
亡秦虽不成，报国心已毕。灵旗缥缈间，阴飚斩卫律。

刘亚相

刘公执法臣，威仪世所则。弟子三千人，绍兴邹鲁迹。
朝野四十年，讲坛日翼翼。一死存大常，道宗传入室。
周粟义不餐，何况非刘石。遗恨归河山，流风邈难即。

徐詹事

文靖黼黻才，华国懋述作。世称马与徐，遵道适华朴。
要离墓草青，胜事空寂寞。千载有遗风，慨然排冥漠。
始知风雅儒，大勇甘沟壑。灵旗动虚无，清晖宛如昨。

祁中丞

中丞多风姿，简贵出尘表。修饰好羽仪，凌云独矫矫。
方圆表里间，立朝气清杳。曹娥千载流，忠孝颇同调。
睠言从彭咸，乘风驾缥缈。先人在九原，颇忆当时好。

金司马

司马盛意气，豪举不可亲。翩翩云中龙，渺忽谁能驯？
牙旗风萧萧，恸哭惊鬼神。轻生贵任侠，英爽殊逼人。
功名尽一剑，壮志苦不伸。纵横一世间，卓荦谁比伦！

鉴赏

六位弥漫着天地正气、闪射着熠熠光华的晚明英烈，巍然屹立在组诗中。诗人仿佛不是在纸上，而是在清莹芳洁的汉白玉石上，塑造出他们动山河、泣鬼神的奇风壮节。在诗人饱含热泪、举笔挥毫之际，我们即可追随他铮铮有声的落笔，逐一瞻仰这六位英烈的风采——

第一位须髯飘飘、卓立不群，他就是“隆（盛）望震华夷”的太子太保兼兵部尚书史可法！史可法督师扬州，拒守城楼。当清兵“用巨炮击城西北隅”，墙毁城破之时，他自刎未死，被俘于小东门，乃厉声大呼：“我史督师也，可速杀我！”终于壮烈捐躯。这就是“出师计不就，战死维扬野”的悲壮一幕。不过，诗人在为他“塑像”时所着力刻画的，还是他恸哭“金台”（朝廷三公，宰辅所居）、誓复社稷的横剑“涕泗”景象。一位神州陆沉中力战狂澜的“戎马”宰相，就带着这凛凛生气，昂然竖立在读者眼前！

在他身后右立者，是耿介廉正、深通“韬钤”（兵法《六韬》及《玉钤篇》的合称）之术的一代名臣黄道周（因为生于福建漳浦，故称漳浦）。早在崇祯时代，他即因“抗疏诋言”权臣杨嗣昌，被连降六级，充军湖广而名震天下。南京陷落后，黄道周任唐王英武殿大学士，以“义旅九千余人”转战婺源（今江西），兵败被执。“至江宁（今南京），临刑过东华门，曰：‘此与高皇帝陵近，可死矣！’”因含笑就戮。诗人以“戎马非所长，振羽入罗罼（bì，捕鸟兔之网）”，刻画出他以文臣投身“戎马”生涯、义无反顾、慷慨赴死的壮节。那“遗世独立”、辉映古今的高风，能不令后人肃然起敬？

与黄道周并肩而左立者，是“清正敢言”的左都御史刘宗周（绍兴人）。他早年入“东林书院，与高攀龙讲习”；后“筑证人书院”，培养了众多门生、弟子，故诗人以孔子“贤人七十、弟子三千”为比，盛推其“朝野四十年，讲坛日翼翼（繁盛貌）”的育才之功。贞臣姜采、熊开之以言事下诏狱，刘亚周即“约九卿共救之”，被崇祯“革职为民”；福王监国南京，他又为“江左兴亡”，力排“马士英荐阮大铖知兵”之议——这就是诗中所称叹的“刘公执法臣，威仪世所则”的清刚之风。南京沦陷，宗周“徒步荷戟，诣杭州，责巡抚马鸣骏发丧讨贼”。杭州失守后，他即效伯夷、叔齐“义不食周粟”之举，绝食而死。其“一死存大常”的烈烈“流风”，正是这样高邈入云、仰瞻难及的啊！

接着两位是先后赴水殉国的徐汧（任福王少詹事），祁彪佳（曾任大理寺丞）。徐汧才思俊发，文章著述誉满天下，故诗人赞以“文靖黼黼（辞采绚丽）才，华国懋（mào，盛）述作”。祁彪佳“生而英特，丰姿绝人”，自有一种“修饰好羽仪，凌云独矫矫”的不凡仪度。南京失陷之日，徐汧悲恸恻怛，愤然“投虎丘新塘桥下死，郡人赴哭者数千人”。继而杭州被破，祁彪佳亦从古贤“彭咸”（殷代贤臣）水死之义，“端坐池中而死”。两位英烈慷慨殉国的悲壮景象，诗中虽以“慨然排冥漠（幽暗无声之水)”“睠(眷恋)言从彭咸”的呜咽之语叙来,那效果却如惊雷震荡前的闪电一样,刹那间把他们摇曳天地的巨大身影照亮了!

还有一位是豪侠的武将金声。诗人落笔即描写他云龙般的“意气”和“豪举”,令读者于仰瞻之际,立感有一种风云叱咤的英爽之气“逼人”而来。正是他,在清兵攻破南京的时候,“悬高皇帝像,率士民拜哭”誓师;接着就“纠集义勇保绩溪、黄山,分兵扼六岭”,并以迅雷之势“拔旌德、宁国诸县”。“牙旗风萧萧,恸哭惊鬼神”二句,就是诗人塑造这位将领忠勇之气的最深情的一笔。可叹的是,“功名尽一剑,壮志苦不伸”——他也终于兵败被执,喋血于南京城外!

读者可以看到:由于诗人既注意展示这些英烈的平生秉性,又着力描写他们在家国沦丧、生死系于一发之际的凛然大节,六位烈士就带着各自的音容笑貌,或竖毅,或沉静,或慨然大呼,或须发皆张,均意气如生地聚集于读者眼前,组成了一座巍巍高耸的英雄群雕。

当然,诗歌毕竟不同于雕塑,它可以突破空间和时间的限制,在“思接千载”“神游万仞”中自由想象。本诗就充分发挥了这一长处。为了更鲜明地表现英烈们的不朽精神,诗人常常在深情的描述中,突然倒转时空,援引往哲、古贤的典故来加以映照。如写史可法,诗中即出现了“西风五丈原,冥冥云龙驾”的动人联想;以三国名相诸葛亮殒身五丈原“鞠躬尽瘁,死而后已”的精神,遥映史可法的壮烈殉国,便在古今映照之中,凸现了史可法殉国之举的伟大。写徐汧在虎丘山下投水赴死,诗中就先发出了“要离墓草青,胜事空寂寞”的啸叹。以春秋义士要离在江浪之中刺杀庆忌,而后自刎身死的故事,引出“千载”以后贞臣徐汧“慨然排冥漠”的壮举。让两位同生于吴中又同样舍生取义的烈士,前后辉映、互相叠印,便愈加产生震撼读者身心的感染力量。除此以外,诗人还借助于超现实的奇幻之思,来表现英烈身虽死而志不灭的豪情。如写黄道周之殉国,结句即突发奇想:“灵旗缥缈间,阴飚斩卫律”——这位在高皇帝陵捐身的贞臣,就是去到阴曹,也还要大张征伐之旗,驾驭狂怒的阴风,斩杀那叛国投敌的胡将卫律(“卫律”事见《汉书·苏武传》)。其忠贞刚烈之气,实在是生死不泯啊!又如写祁彪佳之水死,诗人又有“睠言从彭咸,乘风驾缥缈。先人在九原,颇忆当时好”之句,设想祁彪佳去到九泉之下,将与同是沉水殉国的诗人父亲夏允彝相遇,共叙生前的交好之情,那情景又多么悲壮动人!

《六君咏》采用“组诗”方式,分咏六位殉国英烈,使之融成一篇,这种形式,显然取法于陶渊明的《咏贫士》和颜延之的《五君咏》。不过陶、颜所歌咏的,都是古人;写法上或重在对人物品性作客观展示(如颜延之),或重在抒写自己的情志(如陶渊明)。夏完淳则采用这种体式为当代英烈"塑像",既展示其平生事业,又突出表现他们前仆后继,抗清殉国的大节,使这篇组诗带有了"人物传记"和"诗史"的特征。诗中融叙事、哀悼、抒情于一炉,其刻画笔力之刚劲、情感抒写之浓烈、深沉,无疑都胜过了陶、颜等人。这篇情词悲壮的组诗,将与英烈们的铮铮壮节,一起震响在万世读者的心上!

(潘啸龙)

别云间

夏完淳

三年羁旅客,今日又南冠。无限河山泪,谁言天地宽?
已知泉路近,欲别故乡难。毅魄归来日,灵旗空际看。

鉴赏

永历元年(1647)秋,夏完淳因倡议反清、上表鲁王事泄,终于在家乡被捕,时距陈子龙壮烈殉国不到两月。被捕时,诗人意气从容,慨然而呼:"天下岂有畏人避祸夏存古(诗人之字)哉!""我得归骨于高皇帝孝陵,千载无恨。"此诗就是他在拜别故乡(松江古称"云间"),押解上路时吟成的。

全诗在抚今追昔的深沉慨叹中开篇。自1645年南京陷落,诗人以十五之龄投入反清复明事业算来已经"三年"。而今,复国大业未竟,自身反成了"南冠而絷"的死囚,诗人能不为之悲慨?开篇两句抒写自己被执,结合着"羁旅"三年的难忘经历叙来,诗面上虽未展示具体往事,诗行间则隐隐摇曳着诗人颠沛于戎马倥偬之途、出入于义师幕府之中的轩昂身影。可以想见,当松江起兵的猎猎旌旗,"长白荡"之战的如云帆樯,交织着惊天动地的鼓音和呐喊,伴随"三年羁旅客"的深情追忆,重又浮现在诗人耳目之际时,将激得他怎样心血翻涌!想到自身从此被系,再不能为国效力,诗人又该怎样哀愤!

令诗人哀愤的,当然不只是个人的被执。家国沦亡,志士拭泪。三年来的反清斗争虽曾风起云涌,毕竟大多遭遇了挫败。嘉定、松江、杭州、福建、义师旌旗相继倒偃;侯峒曾、吴易、黄道周、陈子龙,多少抗清志士淹没于血泊之中!放眼风光无限的山河,此刻似乎全都神色黯然,在默默无语中坠泪;这高天大地,旦暮间竟变得如此狭窄,何有志士伸背举足之处?“无限山河泪,谁言天地宽?”这两句怆然问叹,吐露了诗人在暮色中环顾四野、俯仰天地时的多少悲哀。

在家国沦亡的伤心时刻离别故乡,本已让人不胜痛苦,何况又是在这样的被系之中。作为爱国志士夏允彝的后人,夏完淳从参加反清活动的第一天起,就已将生死置之度外。“人生孰无死?贵得死所耳。父得为忠臣,子得为孝子。含笑归太虚,了我分内事。”(《土室余论》)这掷地可作金石声听的话语,虽写于诗人绝命前夜,却是他平生之夙志。所以,“已知泉路近”——死,对于诗人来说,非但不惧,而且甘之如饴。但故乡尚存白发之母(母亲、岳母),室中还有怀孕之妻。“嫡母慈惠,千万所难。大恩未酬,令人痛绝”(《狱中上母书》),夫人“青年丧偶,才及二九之期”“茕茕一人,生理尽矣”(《遗夫人书》)!我们从诗人后来所留的遗书中,可以真切地感受到,当其诀别亲人、离开故乡之际,是怎样“欲书则一字俱无,欲言则万般难吐”了。但这一切酸楚悲苦,在诗中只以“欲别故乡难”一语叙及,即又收止——诗人实在不肯在敌人面前示弱,纵有万般痛苦,也要强自抑制的啊!理解了这一点,则此两句看似吐语平平,读来更令人欷歔泪集了。

但诗人并没有在哀伤中低回多久。在诗之结尾,他又昂然抬起了不屈的头颅:“毅魄归来日,灵旗空际看!”此去虽已抱必死之心,但反清复国之志,却是死亦难泯的。倘若真如迷信者所说,死去还有魂魄游离于天地之间;那么,我就是去到九泉,也还要高举着征伐之旗回返家园。万里空中云雷翻腾之日,就是我灵旗招展横扫敌寇之时!这充满豪情的悲壮之思,正如震开江雾的朝日,刹那间升腾直上,将《别云间》全诗照耀了。一位少年志士,正是怀着这种“今生已矣,来世为期。万岁千秋,不销义魄;九天八表,永厉英魂”的不泯之志,踏上了壮烈殉国之路。“双慈善保玉体,无以淳为念。二十年后,淳且与先文忠(父亲夏允彝)为北塞之举矣!勿悲勿悲”——数月后,诗人“长笑就刑”时写下的铮铮之语,正可作为上述悲壮结语的隆隆回响,一起震荡于故乡云间的上空!

南朝江淹名作《别赋》,曾以欷歔凄怆之词,抒写过母子、官宦、刺客、夫妇、男女、使者、道士的种种别离之悲,并称“有别必怨,有怨必盈,使人意夺神骇,心折骨惊”。可惜他没有触及爱国志士慨然赴死前的别乡之怀,贸然作出了“有别必怨”的断言。夏完淳这首《别云间》,以“二年羁旅”之客，写“南冠”离乡之情，将山河沦丧的悲愤，寓于拜别妻、母的哀痛之中。“别”而无“怨”，“悲”而能壮。令人读之，有揾泪扼腕、佛然奋起的报国赴死之思，又岂是寻常琐屑之“别”所可同日而语！如此说来，《别云间》一诗，正可与文天祥《正气歌》、张煌言《甲辰八月辞故里》等一起，作为“烈士之别”，填补《别赋》之空白，而照耀千秋诗坛了！

（潘啸龙）

细林夜哭

夏完淳

细林山上夜乌啼，细林山下秋草齐。
有客扁舟不系缆，乘风直下松江西。
却忆当年细林客，孟公四海文章伯。
昔日曾来访白云，落叶满山寻不得。
始知孟公湖海人，荒台古月水粼粼。
相逢对哭天下事，酒酣睥睨意气亲。
去岁平陵鼓声死，与公同渡吴江水。
今年梦断九峰云，旌旗犹映暮山紫。
潇洒秦廷泪已挥，仿佛聊城矢更飞。
黄鹄欲举六翮折，茫茫四海将安归。
天地跼蹐日月促，气如长虹葬鱼腹。
肠断当年国士恩，剪纸招魂为公哭。
烈皇乘云御六龙，攀髯控驭先文忠。
君臣地下会相见，泪洒阊阖生悲风。
我欲归来振羽翼，谁知一举入罗弋。
家世堪怜赵氏孤，到今竟作田横客。
呜呼！抚膺一声江云开，身在罗网且莫哀。
公乎！公乎！
为我筑室傍夜台，霜寒月苦行当来！

鉴赏

夏完淳意气从容地叩别母亲，便昂然登上押解他的小船，在苍茫暮色中离开了家乡。他自然没想到，此去还能经过陈子龙居住过的细林山（在上海青浦区南），为这位殉国不久的师长和志士，一洒怆然歌哭之泪。

当秋草森森的细林山影在一片“乌啼”声中进入视野时，诗人立即就认出了它。但身为清廷要犯，夏完淳并不能在这里系缆下船，以哭祭自己敬爱的教师。他只是在夜色中匆匆瞥上一眼，小船便如飞而过——这该令诗人有多遗憾。诗之开篇以“乘风直下”之语，写途经细林景象，正带有这种一瞥而过的匆匆感。而乌啼、秋草两句稍作点染，又使扑面而来、瞬又远去的细林山，增添了几多凄迷、悲凉之色。

望着渐远渐隐的细林山，诗人不禁沉入了悠悠回忆之中：“却忆当年细林客，孟公四海文章伯。”陈子龙是夏允彝的挚友，故诗人很小的时候，便知道这位以文章气节彪炳四海的“于陵孟公”（子龙之号）的大名了。福王监国南都，陈子龙任兵科给事中，更多次上疏指责时弊，陈说抗清自强之策，显示了洞察时局的过人眼光。所以，在松江兵败、父亲殉国以后，夏完淳即投奔细林，与暂时隐遁山中的老师共商国是。但诗人踏遍白云缭绕的山林，哪找得到陈子龙的踪影。他这才知道，先生名为“隐迹”山林，暗中却正四处奔波，秘密从事抗清活动。明白了这一层，则“昔日曾来访白云”二句所表现的，与其说是不见师尊的失望和惆怅，不如说是油然而生的惊喜和钦仰了——原来老师身虽处在“古月”“荒台”之间，心中却依旧翻腾着抗清救国的不灭豪情！当诗人终于与这位湖海之士（指性格豪迈之人）相见的时候，该怎样悲喜交集！“相逢对哭天下事”二句即以传神的描摹，再现了这对忘年之友不期而遇的动人情景：他们惊喜相对，一谈起家国沦丧的时局，便放声痛哭，痛哭之后又举杯相励，共抒舍身报国之志。据同时代人描述，陈子龙“豹目睢发”“目上视”“有慨于中，则大息而起，或环柱而走”，往往“大声慷慨”，使“舟人动色”。夏完淳则“秀目竖眉”“为文千言立就，如风发泉涌。谈军国事，凿凿奇中。盖风雅倜傥人也”。这样两位豪迈之士，于酒酣解衣之际，能不意气纵横、“睥睨”（斜视）敌寇若鼠獐吗？这一节回忆，吐语纡徐，笔端蘸满深情，在对往事的温馨追忆中，勾勒出陈子龙湖海志士之风。只寥寥数笔，先生那“豪气不除”的形象已呼之欲出。

自"去岁平陵鼓声死"以下，续写师生二人共战狂澜的悲壮经历，语气渐转酸楚。隆武帝二年五月，诗人与陈子龙同赴太湖，参加了义军的庄严誓师。可惜由于吴易的轻敌，这次起兵又遭挫败。"平陵鼓"绝，吴易捐躯，诗人只好与先生东渡吴淞江，暂时隐匿民间。接着鲁王、唐王政权又相继败亡，只有张煌言、郑成功的义师，还在闽浙一带继续奋战。"今年梦断九峰（山名，在福建闽侯，或指松江九峰）云，旌旗犹映暮山紫"，即在想象中展现义师的如云旌旗，把暮色辉照的九峰山映得一片紫红的景象，表现了这对师生翘首南望中的多少寄托和梦想！接着的"潇洒秦廷泪已挥"二句，便叙到松江都督吴胜兆反正，陈子龙密约海岛义师黄斌卿共议大事了。诗中以申包胥乞师救楚、泪洒秦廷和鲁仲连飞箭传书、说降聊诚的高义，比拟先生不顾安危、奋身反清的亮节，把这位殉国前夕的伟大志士，辉映得多么光彩照人！令人伤痛的是，"黄鹄欲举六翮折"，正当松江举义的关键时刻，黄斌卿的水师却在海上"为飓风所没"；吴胜兆也因谋泄而遭系捕。接着又从嘉定方向，传来了陈子龙被执、壮烈投水的惊人噩耗！这"天地跼蹐（狭窄而无从伸背举足貌）日月促，气若长虹葬鱼腹"的悲壮一幕，交织着诗人突发的"肠断当年国士恩，剪纸招魂为公哭"的号泣之音叙来，顿如滚滚雷鸣，将读者的身心震撼了。

一位高呼着"文天祥止有一人"（陈子龙自比之语）的伟大师长，带着轩昂的身影逝去了。茫茫的夜色中，只留下年轻的诗人还在遥为"招魂"哀哭。这哀哭似乎传自陈子龙殒身的嘉定"跨塘桥"下，细细听去，又分明是在"乘风直下松江西"的小船之上。"剪纸招魂为公哭"，正这样横跨了追忆中的虚境，把诗人的思绪带回到身处的小船中来。师长的殒身，固然使诗人深为哀恸，但在狂澜既倒的今日，这哀恸自还带有更深广的内涵——当崇祯、弘光帝相继归天之际，殉国的又何止先生一人！诗人的父亲当时不也毅然自沉，如传说中黄帝的小臣一样，追攀着"烈皇"乘龙而去了吗？想到这里，诗人简直感到，这天地间的烈烈悲风，也仿佛是他们群臣相会、泪洒天门之痛所摧发的了。"烈皇乘云驭六龙"四句，借神话传说生发奇思，正把对先生的歌哭，推向了家国沦亡、群臣相继蒙难的无限凄迷的境界。在这样的背景上，抒写诗人梦想归来重振"羽翼"，却又"一举入罗弋（罗网）"的哀伤，便愈加令人悲慨难抑。对于自身行将与老师一样，踏上壮烈殉国之途，诗人虽然从容沉静、无悔无怨，但毕竟怀有不尽的遗恨。故在结尾，终于化作长声恸哭之语倾泻而出：

呜呼！抚膺一声江云开，身在

罗网且莫哀。

公乎！公乎！为我筑室傍夜台，霜寒月苦行当来！

这是一位少年志士向着消逝而去的师长英灵，所爆发的凄怆恸哭——恸哭几多英杰的捐躯，恸哭可爱家国的沦亡，恸哭自己再不能为抗清救国而战！这久蓄胸间而喷发的哀恸，再无法承受七言句式的束缚，故一变为长短错综的浩叹和啸歌发之，化作了震荡全诗的变徵之音！

读者可以感受到：较之于诗人另一首《吴江夜哭》，这首歌哭之作，无疑写得更为悲怆。《吴江夜哭》多人亡景存的低回流连之思，其歌哭之情，主要借助景语和幻境表现，凄婉而少号泣之音。此诗则纯以深情的回忆，展开诗人与先生亲密交往和共赴国难的悲壮经历。诗中对陈子龙高风亮节的追忆，始终有诗人自己的身影相伴，并融入了特定情境中的亲身感受，从家国沦亡的伤痛背景中写来，故显得格外真切感人，而多坠泪嗟号之声。之所以如此，大约与诗人和陈子龙交往至深、有着共同战斗的情谊，真情所至，字字皆从肺腑流出有关吧。

（潘啸龙）

毗陵遇辕文

夏完淳

宋生裘马客，慷慨故人心。有憾留天地，为君问古今。
风尘非昔友，湖海变知音。洒尽穷途泪，关河雨雪深。

鉴赏

在押解南京途中，给夏完淳带来意外慰藉的，是遇到了两位相知甚深的友人。一位是“竹马交情十七年”的杜登春，相遇在苏州虎丘山下。诗人因有“姑苏明月愁人醉，翦烛无言更惘然”之吟（《虎丘遇九高》），抒写了与友人月下相对、无言而别的怅惘一幕。另一位即此诗所说的宋辕文（名徵舆），在毗陵（郡名，治所在今江苏常州）的道上匆匆相逢，即又洒泪而别，故诗题又作《毗陵道中别宋辕文》。

“宋生裘马客，慷慨故人心。”“裘马”，即乘肥马、衣轻裘之意，喻生活之奢华。宋辕文乃诗人同乡，早年笃于诗文，家境亦颇富裕，现又中了清廷进士，自是车坚裘解。诗人以“裘马客”相称，语带戏谑，亦有微讽之意。据钟渊映称：“陈大樽选明诗，存古（完淳）年才十余尔，而宋辕文援其论诗以作序，此时已许其作后进领袖矣。”（《夏完淳集·附编》）可知宋辕文虽较诗人年长，但对诗人的才华见识早已倾心。他后来归隐乡居，犹有“好将歌辩续《离骚》”的悲慨之思。陈子龙殉国，宋辕文为作《江上吟》以吊，表达了对这位“拔剑咤叱江水里，素冠白铠骑龙鱼”的烈士的深切悼念，可见他也曾是一位慷慨悲歌之士。诗中赞以“慷慨故人心”，字里行间正跳荡着诗人忽遇故人的激动心情。

倘若这次相遇，不是在山河改色的悲痛时刻，该有多好！以宋辕文之“文章风雅”，夏完淳之少年豪气，相逢之际，正可以如当年陈子龙《三子诗选序》所说：“互相切磋，申以旦旦”“相泣也既而相笑”了。然而，家国沦亡，志士喋血，数年不见，诗人不幸云中折翮，顿为南冠之囚；故友相遇，竟是在诗人就缚押解以赴死之时！则此次之生逢，亦就成了顷刻之死别！试问古往今来的朋友之交，可曾经历过如此“生人作死别，恨恨那可论”的伤痛时刻？无限的憾意，从诗人胸中涌出，刹那间弥漫了天地之间。“有憾留天地，为君问古今”——这仰对苍天所发的啸叹表明，诗人刚才为乍逢故人而热切跳荡的心，此刻已为多少苍凉和悲愤所浸染！

两个长长的身影，就这样在毗陵道上默默相对。从他们的身份看，一个是清廷之要犯，一个则是中举不久的“进士”（宋辕文为顺治丁亥进士）。在风尘仆仆中相逢，早非像昔日那样，可以无所顾忌地以朋友相叙。“风尘非昔友，湖海变知音”——昔日的“知音”，而今已为人生道路的不同选择所改变，这是怎样令人叹惋的憾事！据《江南通志》记，宋辕文为清之“进士”，后来“督学闽中，所拔皆单寒士”，可见为官尚还清正。虽然如此，在誓起抗清而即将赴死的诗人眼中，他毕竟已不再是同道和知音了。难怪四明诸子，后来听歌此作，不禁慨然而叹：“是真可以告朋友乎！何知友之明也！”（见《南冠草》方授“序”）

理解了这一点，则结尾“洒尽穷途泪，关河雨雪深”二句，读来便格外催人泪下了。诗人在虎丘遇杜登春，诉以“就缚上道，无斧资，其为我谋之”。杜“急索囊中所有倾付之”，还专为“沽酒脯为别”。诗人固已深切感受到了友人的古道热肠，但临别之际，终竟还强忍悲痛，未在友人前流“一点泪”（见杜登春《童心犯难集》所记，收《夏完淳集·附编二》）。而今在毗陵道上，才逢故友，匆匆间又要握别。瞻念前路，此后恐怕再无故人可遇。诗人便再也止不住眶边的泪水，而任其尽情倾洒了。这是一幕很难用言辞描述的情景——因为其中所包含的,绝非是寻常的别离之情,而是一位伟大志士,在行将赴死之前,在他所留恋的世界上,与昔日友人的生死诀别。沦亡中的祖国山河,已不复为明媚春光所映照;诗人那短暂的十七年生涯之路,也已走尽了悲壮的尽头。此刻虽然才是初秋(七月),但在诗人眼中,这世界分明已被隆冬般的严寒所裹挟。别了,亲爱的祖国!别了,昔日的友人!就这样,诗人挺起轩昂的身影,又毅然踏上前行的路。当再望不见他的身影时,画面上便只剩下遥遥关河,霏霏雨雪。这就是诗之结句"关河雨雪深"所幻出的一片虚境;也是这位少年志士,在告别他热爱的世界和友人时,所曾经感受过的无边凄寒。

全诗几乎一无景语(结句乃幻觉)。与昔日的友人诀别的悲怆,全借滔滔的情语直接倾泻,甚至也无一处用典。然而感怀呜咽,不能自已,俯仰天地,说尽衷情。在"高古罕匹"(沈德潜评夏完淳语)的诗人众作中,堪称少有的语浅情深之章。

(潘啸龙)

相见坡

施武*

上坡面在山，下坡山在面。相见令人愁，何如不相见！

作者

*施武，生卒年不详，字鲁孙，苏州人。

鉴赏

这首和下一首诗是作者记旅途行役之作，是用民歌体写的两则"行路难"。

"相见坡"的命名包含着民间的幽默。因为其坡度很陡，所以行人上坡时，脸都快贴在石壁上了；而下坡只能面朝坡倒着往下退，好用手抓住石壁上的藤蔓或扶手，脸仍然凑近石壁。当地人形象地命名为"相见坡"。"上坡面在山，下坡山在面"，就是照实直书。除"上""下"易字，两句用字全同；不过颠倒"面""山"二字押韵，也有拨弄字面生情的游戏成分在内。民间的幽默在于给险坡取了个动人的名字。"相见"二字容易使人发生误会，以为它与情人或友人的久别重逢有某种关系。作者在没有亲身经过这个山坡之前，或许就受过名称的蒙蔽，以为那是很有诗意的地方。直到他胆战心惊地过了这一坡，才吐了一口恶气：原来是这样"相见"！从此以后还是不"相见"的好呢。诗人也有幽默感，他便就那地名双关的意义，说了另一句双关话："相见令人愁，何如不相见！"好像是人间"冤家"，偏偏要聚头，而聚头后又搞不到一块，只好不欢而散！诗在写尽险恶境地的同时，还给人一点幽默风趣的感觉。表现出一种乐观、优越的人生态度。

（周啸天）

乌鸦关

施　武

朝上乌鸦关，暮下乌鸦关。老乌啼哑哑，行人还未还？

鉴赏

乌鸦关即云南的老鸦关。“朝上乌鸦关，暮下乌鸦关”，二句除“朝上”“暮下”对仗，余三字皆点题面。这是有意无意模仿了“朝发黄牛，暮宿黄牛”那首古歌谣的句调。古歌谣是说黄牛山太高，江行几日都能看到它。这首诗是说乌鸦关山高路长，早上向关进发，傍晚还在下关，老鸦已群飞到关上的高树投宿，哑哑乱啼。这里既活生生描画出荒山傍晚的景色，第三句继“暮”字写起暮色，也交代了“乌鸦关”得名的缘由。末句承上句说：老鸦都投林了，行人到家没有呢？显然还没有，作问句，焦急之态如见。此诗末两句也略有“三朝三暮，黄牛如故”那种埋怨的味儿，只不过不那么明显。这两首诗皆言简意长，道尽旅途况味，是乘兴写出的，而不是做出的。

（周啸天）

生还

张煌言*

落魄须眉在，招魂部曲稀。生还非众望，死战有谁归。
蹈险身谋拙，包羞心事违。江东父老见，一一问重围。

作者

*张煌言(1620－1664)，字玄著，号苍水，浙江鄞县(今宁波)人。崇祯举人。弘光中，与钱肃乐起兵抗清，奉鲁王监国，镇守浙江一带。官至权兵部尚书。鲁王政权覆灭，又联络荆襄一带农民军抗清，直到康熙三年(1664)，见复国无望，才归隐。后被俘，不屈而死。所作诗文，多反映爱国激情，慷慨激昂。有《张苍水集》。

鉴赏

张煌言是明末著名的抗清英雄，浙东义师的旗手。清顺治十六年(1659)的五月，张煌言和郑成功会师长江口，溯江北伐，以期恢复明室。张煌言率领先头部队一举攻克瓜洲之后，又提师直捣南京观音门，以牵制南京兵力，支援郑成功部的镇江之战。紧接着，为了支援郑成功率领的主力部队攻打南京，张煌言又再次率领孤军，收复南京门户芜湖。张煌言军虽兵不足万，船不满百，却连下徽、宁、池、太四府三州二十四县。一时大江南北，义师蜂起，以致中原震撼，清廷惊恐。结果由于郑成功在攻克镇江之后，骄傲轻敌，以为南京已在掌中，行动迟缓，坐失良机，待援助南京的清军大批聚集后，一举击溃了郑成功统率的主力部队。郑成功不顾已深入芜湖的张煌言孤军，放弃了长江下游的军事重镇——镇江，率领残部，仓皇入海，使得清军毫无牵制地对张煌言军进行围追堵截。张煌言军在芜湖与清军展开了殊死决战，终因势孤援绝而全军覆没。张煌言单骑突围，翻山越岭，变服宵行，在群众的掩护帮助下，由安徽至浙江，徒步二千余里，历尽艰险，到达滨海。全祖望在《张公神道碑》中说："人谓是役也，以视文丞相空坑之逃，其险十倍过之。"张煌言有《北征录》记这次北伐经过。《生还》组诗四首，就写在这次北伐失败生还海上之后的情况。"落魄须眉"是组诗的第一首。

张煌言在《经乌江》二首的第一首中写道："楚歌声里霸图空，匹马归来势自雄。"这既是张煌言对项羽英雄末路而大丈夫之气概不减的歌颂，也是"落魄须眉在"的最恰当的注脚。张煌言在安徽英霍山单骑突围，间道深山，备尽艰险生还海上时，并未因暂时的失败而气馁，对前途丧失信心，正如《兵部侍郎张公传》所说："间关百折，志不少挫。"男子汉大丈夫的堂堂正气不减当年。然而"归而招集散亡"，却存者渺渺，归来无多，这样的结局是原来没有预想到的。大丈夫在国家民族危难之时，理当战死疆场，以马革裹尸而还；只身逃归，虽并非出自个人苟且偷生的动机，但也辜负了人民的愿望，更对不起追随自已的江东子弟，所以张煌言生还之后，痛定思痛，"至今频扼腕，野哭不堪闻"。他为恢复大明江山的大计受挫而悲伤，为惨痛的损失而沉痛。"落魂"是漂泊无依的意思。"须眉"，代指男子。"部曲"，古代军队的编制单位，这里指张煌言北伐时统率的部队。

"蹈险身谋拙，包羞心事违。江东父老见，一一问重围。"尽管说"胜败兵家事不期，包羞忍辱是男儿"（杜牧《乌江亭》），但是这次准备了多年的北伐，"本以扬旌去，胡为弃甲旋？"（《生还》之二）失败的原因毕竟是因为对敌我力量的估计不足，谋略上的失误，以致孤军深入的结果。作为南明政权兵部侍郎和这次北伐的组织者、指挥者之一的张煌言内心不能不感到内疚和惭愧。特别是当张煌言只身逃回滨海后，滨海人民不仅没有责怪他，而且纷纷前往慰问，为他的生还而庆幸，使诗人更加感到惭愧和不安，正如他在《滨海居民闻余生还咸为手额且以壶浆相饷余自愧无似何以得此于舆情也》一诗中所说的"虚名浪说逐群雄，垂翅何心得楚弓。每把金鱼羞父老，岂应竹马笑儿童"，内疚、自责之情溢于言表。这种心情不仅见诸诗章，而且还写了《上监国鲁王启》，"遣使告败于滇，且引咎"（《光绪鄞县志》）。张煌言的《生还》组诗和收入《奇零草》《采薇吟》中的大多数诗篇一样，都是对其亲身参加并领导、指挥的抗清斗争的实录，是一曲民族正气之歌。全诗不用典故，不假雕饰，感情真挚沉痛，基调激越悲壮，体现了"其遇虽穷，其气自壮"（全祖望《序》）的特色。

（陈维国）

吊沈五梅中丞

张煌言

香台咫尺渺人琴，万里寒潮送夕阴。
报国千年藏碧血，毁家十载散黄金。
名山难瘗孤臣骨，瀚海空磨战士镡。
留得荒祠姓氏古，春归惟有杜鹃吟。

鉴赏

这是张煌言《奇零草》中悼亡名篇。殉难者沈五梅，字廷扬，明末崇明县(今上海崇明区)人。清顺治四年(1647)四月，清廷松江提督吴胜兆约南明鲁王朱以海流亡政权富平将军张名振为外援，会师崇明北伐，遇飓风，吴、张二师全军覆没。张名振、张煌言被一百夫长放走，吴胜兆被杀，沈五梅押解至南京，七月十二日英勇就义。这首诗是南明流亡政权得知沈五梅死讯后设灵祭奠时，张煌言为哀悼沈五梅而作。沈五梅死前，受鲁王封为户部侍郎兼右佥都御史，“中丞”当是都御史的泛称。

“香台咫尺渺人琴，万里寒潮送夕阴。”诗的首句，开篇入题，写出了在祭奠沈五梅亡灵时的深痛心情。“人琴”，用王徽之哀悼其弟王献之的典故。《晋书·王徽之传》载，王徽之与王献之均病重而王献之先死。王徽之奔丧不哭，直上灵床，坐取献之琴弹，弦久不调，掷琴于地而长叹说：“呜呼子敬(献之字)，人琴俱亡。”困顿月余，亦卒。“渺人琴”，就是人琴俱亡的意思，表示对死者哀悼之深。这一句说，灵堂之内，灵台上香烟袅袅，虽然近在咫尺，而亡灵寂寂，呼唤无声，令人悲痛欲绝。下句写灵堂之外，万里寒潮滚滚，暮云霭霭。作者用寓情于景的手法，用室外天昏地暗、阴云万里的广阔空间的惨淡景象，烘托灵堂之内悲凉凄惨的气氛和吊唁者沉痛悲伤的感情。

“报国千年藏碧血，毁家十载散黄金。”上句用《庄子·外物》中“苌弘死于蜀，藏其血，三年化而为碧”的典故，比喻沈五梅为正义事业而流尽鲜血。然而国难未已，壮志不酬，死后也必将是“恨血千年土中碧”，长恨于地下。下句用燕昭王筑黄金台,散千金招延贤士以报国仇的典故,赞扬沈五梅在明朝被灭亡后,毁家纾难,变卖家产,招集义师,力图恢复明室、收复国土的壮举。二句化用典故,贴切自然,含义丰富,既歌颂了沈五梅对国家民族的无私奉献和耿耿忠心,又能给读者以想象的广大空间,使诗句含蓄深致,而不流于浅露浮泛。

"名山难瘗孤臣骨,瀚海空磨战士镡。"在封建社会里的士大夫,死后都以能葬身名山、祖茔为最终的归宿。然而南明的爱国志士们,栖山蹈海、转徙流离,不是战死疆场,就是就义于曹市,身首异处,为异乡鬼魂,自然是"英魂烈骨任披离"(张煌言《挽华吉甫明经》),"名山难瘗孤臣骨"了。沈五梅在明朝京城陷落后,就航海到舟山,拥戴鲁王朱以海,总督水师,长期在东南沿海一带与清兵战斗,然而功败垂成,形势日促,最后怀着宝剑空磨之恨而离开人世。"镡"(xín):剑的一种。"留得荒祠姓氏古,春归惟有杜鹃吟。"二句说沈五梅殉难后,唯一留下的是荒祠一座而已,随着时间的流逝,历史的变迁,他的事迹,甚至姓名也将变得古远而少为人知了。每至春归季节,人们听到杜鹃啼吟的声音,一定是沈五梅的魂魄化成的冤鸟,用那哀怨凄切的啼声,以抒绵绵不尽的长恨。"杜鹃",鸟名,传说为古蜀国的君主杜宇死后其魂魄所化。杜宇禅位退隐,不幸国亡身死,魂化为鸟,暮春啼哭,口中流血,其声哀怨凄切,动人心魄,名杜鹃。诗的最后用杜鹃悲啼的故事作结,与首句人琴俱亡相呼应,增强了诗的形象感,深化了诗的主题,使得全诗关合有序,意境深远,起到了寄无尽的哀思于言外、以少胜多的效果。

全诗从"咫尺"到"万里",从"名山"到"瀚海",从"十载"到"千年",在广阔的空间和邈远的时间背景上去歌颂沈五梅对明朝的耿耿忠心和壮志未酬的遗恨,抒发作者对亡友、烈士的无限悲痛感情,从而使得全诗境界广阔,气势雄壮,呈现出"痛而不摧,郁而愈壮"的特色。

(陈维国)

洞庭酒楼

邝　露*

落日洞庭霞，霞边卖酒家。晚虹桥外市，秋水月中槎。
江白鱼吹浪，滩黄雁踏沙。相将楚渔父，招手入芦花。

作　者

*邝露（1604－1650），字湛若，南海（今广州）人。唐王时为中书舍人。永历中，奉使广州，清兵入城后抱琴投水而死。诗多感时伤事。有杂记《赤雅》、诗集《峤雅》。

鉴　赏

这是邝露的一首著名的写景佳作。邝露性格狂放不羁，行为奇特放达。他三十岁左右时，在一个上元节之夜，和友人酒后骑马观灯，不慎冲撞了南海县令黄熙印的仪仗队，被以不敬拘留，马也被没收。邝露不仅没有认错赔礼，反而狂性大作，当众用越音高唱“骑驴忽值华阴令，失马还如塞上翁”的诗句来惹得旁观者大笑不止。黄熙印恼怒异常，拒绝了御史梁森琅的调解，要对邝露绳之以法。为了避免迫害，邝露亡命广西，再纵游齐、燕、吴、楚。这首《洞庭酒楼》就写于漫游吴、楚之时。诗用轻快的笔调，浓艳的色彩，写诗人在洞庭湖边酒楼上的所见：“落日洞庭霞，霞边卖酒家。”一个晴空万里的秋日傍晚，洞庭湖平湖秋水，一望无际，在湖西边的天幕上，一轮红色的太阳正在缓缓西沉，落入水天交际的地平线，天边的彩霞，五彩缤纷，璀璨夺目。在彩霞与地平线的交接处，隐隐约约地有酒旗招展，那是一处卖酒的人家。“晚虹桥外市，秋水月中槎。”一会儿，洞庭湖的上空出现了一座七彩长虹，如拱桥一般横跨在湖的一角，透过彩虹向远处望去，那里屋舍连片，炊烟袅袅,原来是坐落在湖边的市井人家,如在画中。随着时间的推移,日落虹消,一轮明月冉冉从西边升起。诗人的视线转移到湖面之上,这时,满湖的秋水,碧波荡漾,月光的倒影映入湖中,出现了玉鉴琼田千万顷,月光如水水连天,水天一色的景象,而湖水上一条条的木筏简直像是在月宫里穿梭西行,正如《博物志》中所记载的,海上居民八月乘槎在银河中浮游一样令人神往、迷离。“江白鱼吹流,滩黄雁踏沙。”上句写湖中,平静的碧波不时掀起白色的浪花,原来是鱼在嬉戏、跳跃;下句写湖岸沙滩,成群的大雁在那里栖息、觅食。两句中,上句写鱼掀白浪,用了一个“吹”字,下句写雁宿沙滩,用了一个“踏”字,极写浪白沙黄,似乎湖水中的白浪是由鱼所吹起,沙滩上的黄沙阵阵,是由于栖息的大雁不断踩踏所致。诗人通过细致的观察和丰富的想象,用拟人化的手法,写鱼、写雁,使鱼雁的形象生动活泼,使水沙色彩的对比度更加鲜明,勾勒出洞庭湖的秋日傍晚一片生机勃勃的景色。“相将楚渔父,招手入芦花。”时至黄昏,一条条渔船满载鱼虾陆续靠在湖边,渔人们相携上岸,互相招手告别,他们的身影渐渐消失在芦花丛中。他们的出现和消失,为洞庭湖的秋日黄昏增添了无限的诗意,象征着某种人生哲理,有言近而意远之妙。

全诗用落日、晚霞、彩虹、市井、明月、秋水、水中鱼、沙上雁、湖畔的芦苇、木筏和相携的渔人组成一幅色彩明丽、气象万千的洞庭秋日晚景速写,色泽鲜艳明快,状物细腻逼真而富于层次感,有时间的推移和空间的变幻,像蒙太奇一样给人以身临其境、目不暇接之感。诗人用笔潇洒活脱,语言自然疏淡,似信口而出,不假力气。这是邝露诗中不求工而极工、以气韵丰神取胜的代表作。

(陈维国)

虞山谒舜祠

邝　露

荒服垂衣日,三苗格命年。鸟耘千亩籍,龙御九疑烟。
蒲阪征云外,苍梧落照边。何人抚瑶瑟,离恨隔湘川。

鉴赏

这是邝露亡命吴楚时，在广西桂林市东北的虞山拜谒舜祠时写的一首怀古诗。唐虞之世，是中国封建知识分子所向往的圣明时代，虞舜是几千年来儒家所称颂的圣明君主的象征。邝露生活在明末清初十分动乱的年代，尤其是在脚迹遍布东南半个中国的流亡岁月里，明末极端黑暗腐朽的社会现实，人民的苦难生活，他迷茫怅惘。时代和阶级的局限，他只能把自己的理想寄托在唐虞之世那种"天下为公"的乌托邦里，把希望寄托在少数圣明君主的身上，这是邝露一生的悲剧所在，也是他去虞山拜谒舜祠的原因。但是，虞舜的事迹毕竟渺茫难考，记载在古代典籍里的多半是充满神话色彩和悲剧气氛的传说，所以诗也就在这样的基调上展开。

"荒服垂衣日，三苗格命年。""荒服"，指离皇都最边远的地区。古代把离王畿每五百里之地称为一服，有所谓"侯服""甸服"等五服或九服的说法，而荒服是其中最边远的地域。"垂衣"是"垂衣裳"的简称。《周易·系辞下》说："黄帝尧舜垂衣裳而天下治。"所谓"垂衣裳"就是穿着宽袍长服、文绉绉的样子，用以称颂帝王的无为而治。"三苗"，是上古时代聚居在南方洞庭、彭蠡湖一带的少数民族。在尧、舜、禹三代，三苗时叛时服，是上古时代最难征服的少数民族。"格"，这里是感通的意思。据《尚书·舜典》和《史记·五帝纪》的记载，舜继尧为帝后，曾同四岳的官吏共谋治国之策，大开四方之门，扩大仕途，招揽天下贤才，广开言路以扩大视听；重视农业生产，不误农时；厚行德信，施行教化，使民为善，使诸侯皆厚其德，斥退佞人，使不得干预朝政。有苗氏负固不服，禹请命征伐，虞舜说："我德不厚而行武，非道也，吾前教犹未也。乃修教三年，执干戚而舞之，有苗请服。"诗的首联，作者以突兀高远之势，典雅凝重之笔，歌颂虞舜施行德政，以教化治天下，而四方归服的功绩。紧接着，落笔舜祠，在充满神话色彩的传说中写虞舜的死。"鸟耘千亩籍，龙御九疑烟。""鸟耘"，据神话传说，舜死于苍梧，禹死于会稽，因为他们勤苦有功，又死在远离中原的荒芜之地，使得上天十分哀痛，为保佑他们，所以派大象、群鸟在他们的墓地周围耕田耘地，以供奉他们的祠庙。"籍"是籍田的省略。封建社会帝王亲自耕种用来奉祀宗庙的农田叫籍田，并有"天子千亩，诸侯百亩"的额定。虞舜是天子，所以这里说"千亩籍"。"龙御"即"龙驭"。封建社会皇帝之死叫"龙驭上宾"，典出自《逸周书·太子晋》,意思是说,皇帝死后,上天派龙驾驭车马把死者接到天庭作了上宾。“九疑”,山名,在今湖南省宁远县,因山有九个相似的溪谷而名,传说中的舜冢就在这里。据古籍记载,到舜末年,南方的有苗氏叛乱,舜南巡,死于苍梧之野,葬在九疑之南。诗的第二联说,虞舜死后,在他的墓地四周有大象耕田,群鸟耘地,天帝派龙来到这云烟迷茫的九疑山接他到天庭做了贵宾。关于鸟耘象耕传说之虚妄,王充在著名的《论衡·书虚》篇中对此曾作了驳斥和合理的解释,所谓龙驭上宾,也不过是对封建帝王的美化。这些传说,无非是儒家对虞舜功绩的歌颂,后人对唐虞盛世的向往和对虞舜的怀念,而邝露之所以对这些传说深信不疑,如果我们把作者歌颂的对象和所处的时代,对现实生活的态度联系起来,就不难看出诗的深层意蕴了。邝露诗所具有的“忠爱缠绵,怨而不怒,哀而不伤”的特色正体现在这些地方。

“蒲孤征云外,苍梧落照边。何人抚瑶瑟,离恨隔湘川。”诗的下半首,诗人从神话传说中回到了现实,从对虞舜功绩的歌颂转笔写谒拜舜祠的所见、所闻、所感。“蒲孤”是古舜都的所在地,故城在今山西省永济县东南。“苍梧”是舜南巡时逝世的地方,在今湖南省宁远县。“湘川”即湘江。传说舜南巡时,他的妻子娥皇和妃子女英追踪而至,到了洞庭湖滨,听到舜死于苍梧的消息后,南望痛哭,自投湘水而死。当地人民埋葬了她们,立祠祭祀,奉其为湘水之神。邝露谒拜舜祠,追溯舜的伟大历史功绩,想到舜的伟大一生和悲剧的结局,心潮难平,神思千里。他遥望舜都,蒲孤隐没在遥远的行云之外,渺然无迹;回首舜的墓地苍梧,夕阳照映,荒冢一堆。这时不知何人弹起了哀怨凄恻的瑟声,它好像是湘川阻隔的娥皇、女英的哭声,如怨如诉地表达出那生离死别的绵绵长恨,同时也表达了邝露对这位功垂不朽的远古圣明君主悲剧一生的无限哀悼之情。全诗就在这充满神话色彩和悲剧式的气氛中结束,缠绵悱恻,余意不绝。它正是邝露诗中“九疑泪竹娥皇庙,字字《离骚》屈宋心”的代表作。

(陈维国)

避兵还舍率题壁间

邢　昉*

江村归日暮，桑柘半成墟。唯有蓬蒿色，青青满故庐。

作者

*邢昉(1590－1653)，字孟贞，一字十湖，高淳(今属江苏)人。明末诸生。入清隐居石臼湖。有《石臼集》前集九卷、后集七卷。

鉴赏

此诗作于明末清初兵乱之中。诗人回到家园，看见园庐蒿藜满目荒凉，于是在旧舍的墙壁上题写了这首即景抒怀的五绝。

“江村归日暮，桑柘半成墟。”二句写诗人在黄昏时分到家，看到的悲凉情景。“桑柘”即“桑梓”，本义为乡里所植的社树，一般用来代称家园、故国。“桑柘半成墟”，即故乡一半已毁于战火，化作丘墟，可见战争对农村的破坏到了何等程度！诗人在归途之中，必定已有种种不祥的预测，或许也曾道逢乡里人，打听家中有阿谁来着。然而亲眼见到故园荒芜的情景，仍令其悲酸不已！

“唯有蓬蒿色，青青满故庐。”二句是对“桑柘半成墟”的具体刻画。本来园庐丘墟，已是荒无人烟。而作者偏不从“无”的方面着笔，而从“有”的方面设想，而有的又只是满屋“蓬蒿”而已，这就更加突出了兵祸之后故乡的凋敝。“正面不写写反面”，后而取得含蓄深厚的意味，这与汉乐府《十五从军征》“兔从狗窦人”一段描写，实有异曲同工之妙。当然，绝句的结尾使用限制性词语来形成感叹性语调以强化感情色彩，是唐人已有的创造，如“只今唯有西江月，曾照吴王宫里人”(李白)、“孤帆远影碧空尽，唯见长江天际流”(李白)、“唯有门前镜湖水，春风不改旧时波"(贺知章)等等。此诗仍沿用这一现成格局,但在具体表情上却仍有新鲜之处。本来,"青青满故庐"五字给人的应是一种有生气的、多情的印象;但可惜这"青青满故庐"的不是柳色,不是别的树色,而是蔓延丛生的"蓬蒿",即杂草之"色",这就令人遗憾乃至悲凉了。

(周啸天)

汉　口

邢　昉

蜀江船不到三巴,湖南船不到长沙。
满地干戈关塞里,行人哪不早还家?

鉴赏

这首反映明末清初社会动乱情景的小诗,容易使读者联想到杜甫在安史之乱后寓蜀时所写的《绝句》"窗含西岭千秋雪,门泊东吴万里船"。两诗的内容并不相同,甚至正好相反。杜诗写的是大乱已定,社会正在恢复正常秩序的情况;而此诗写的是社会还没有安定,动乱尚在继续的情况。然而,它们在构思上都是通过水路交通作为一个窗口,来反映整个社会现实治安,颇有见微知著之妙。

"蜀江船不到三巴,湖南船不到长沙。"二句极写兵戈阻绝,交通不便。"三巴"指四川东部地区。《华阳国志·巴》:"(刘)璋乃改永宁为巴郡,以固陵为巴东,徙庞羲为巴西太守是为三巴。"它是蜀江通往湖北必经的地方。"长沙"则是湘江通向洞庭湖往湖北的必经之地。从诗题知,作者邢昉当时困在汉口,他大约本来是要到西南某地去的,所以特别提到西南方向的这两条水路。在唐代安史之乱平定后,由蜀地通向东北方向的水路通邮,杜甫便高兴地写道:"门泊东吴万里船。"这是说江浙来的船也能通到成都了。而此诗前二句都是写水路不能。从汉口发往蜀江的船,行不到三巴;从汉口发往湖南的船,则过不了长沙。可见三巴以西的"蜀江船"也到不了汉口,长沙以南的"湖南船",也到不了汉口,总之作者是困在旅途之中了。

"满地干戈关塞里,行人哪不早还家?"自古以来在和平时期,战争只发生在塞上或塞外，而如今山河易姓，连“关塞里”也动荡不安。“满地干戈”极言动乱之普遍。“行人哪不早还家”一句极耐玩味。当然，满地干戈，交通阻绝，行人虽恨不能插翅到达到不了的目的地，但总是应该回家了，只是，他离家的原因是什么？难道不正是因为家乡也遭到骚扰，无法安身的缘故吗？作者是江苏高淳人，那边也一样处于兵连祸接中，诚如唐末韦庄所说：“未老莫还乡，还乡须断肠！”（《菩萨蛮》）可知“行人哪不早还家”的一问中，还含有许多难言之隐呢。

诗先由两条特定的水路说起，然后说到普天之下，最后以一问作感叹，不了了之，使作品“含不尽之意，见于言外”。

（周啸天）

留　别

郑之升*

帐望溪亭夕照明，绿杨如画罨春城。
无人为唱阳关曲，唯有青山送我行。

作者

*郑之升，不详。诗见《朝鲜采风录》。

鉴赏

诗题是"留别"，似乎还应有送别的一方才对，但诗中写的离别却没有送行的人，这和历来的送别、留别之作不同。作者郑之升系朝鲜人，从这首绝句看，其人是擅长汉诗的。这两点都能引起读者的兴趣。

首句中抒情主人公就亮相了："怅望溪亭夕照明。"这里的"溪亭"不是一般的亭台，而是送别场所的长亭。这时夕阳西下，天色向晚，他应该出发了，但为什么还没动身呢？他在"怅望"。也许他是在盼望着一个人，相约或者估计会赶来相送的。或许根本就没有这样的人，而只是行人迷惘中无意识地自作多情罢了。他看到的是什么呢？"绿杨如画罨春城"。这使读者想起王维《送元二使安西》中的"客舍青青柳色新"来。大约这也是雨过天晴吧，不然绿杨为什么特别鲜明呢。正因为人已出城，到了"溪亭"，才看得见城在绿杨里，于是乎感到人在画图中。

春天雨雾的傍晚，景物是这样可爱，诱得行者都不想动身了。但毕竟已是出发的时候，也许舟子或脚夫在催促了。有人送行的，自然是"执手相看泪眼，竟无语凝噎"。无人送行的没有那份伤感，转觉无聊。于是诗人自我解嘲道："无人为唱阳关曲，唯有青山送我行。"《阳关曲》系琴曲，其歌辞即王维《送元二使安西》，诗有"思君更尽一杯酒，西出阳关无故人"，故以得名。后来《阳关曲》就成了离别歌的代称。王维诗句以深刻写出了送别的普遍人情而脍炙人口，所以历来送别诗多提到它。如刘禹锡"故人唯有何戡在，更与殷勤唱渭城"（《渭城曲》即《阳关曲》），是说仅遇了一个熟识的歌者，还不得不分手。翻出新意：白居易"相逢且莫推辞醉，听唱阳关第四声"，第四声即"西出阳关无故人"，这是用王维诗来劝酒，也翻得有趣。而沈德潜评郑之升本篇道："情致缠绵，比唐人作更翻得别致。"是的，"无人为唱阳关曲，唯有青山送我行"，首先好在俯拾旅途情景。匆匆行路的人，由于远近景物在视角中相对位置移动变化，便会产生远山追随自己前进的错觉。在诗人多情的目光下，便成了"唯有青山送我行"了。其次诗中写无情作有情，便觉情致缠绵动人。青山如洗，垂杨如画，即使没有人送行，行者自能从大自然美景中得到安慰、得到一种精神的补偿。

看来，诗题"留别"，也不一定非针对具体的某人不可。从诗中的情调看，它完全可以是留给春天的，留给春城的，留给青山与绿杨的，留给曾经生活过的地方的依依惜别之情。

（周啸天）

后芦人谣

刘　城*

芦花瑟瑟，雪花白白。雪花寒有时，芦花虐不歇。
何尝见芦花，枉杀雪中客。

作者

*刘城(1593－1650)，字伯宗，安徽贵池人。明末诸生，与吴应其齐名，为复社眉目。吴抗清兵败身死，为营葬兼抚遗孤。有《峰峒集》十卷，近代与《棱山堂集》合刻称《贵池二妙集》。

鉴赏

作者曾写过一组《芦人谣》，反映清初一些种芦为生的农民受到的盘剥之苦。《后芦人谣》则是续篇，原共四首，作于顺治五年(1648)。这里只录一首。

这首歌谣描写大雪之中芦民的怨苦之辞。在风雪严寒中，芦民无衣无食，还为交不出芦花、完不了赋税而担惊受怕。几句诗将其奄奄待毙的悲苦处境画出。

诗人巧妙地将芦花和雪花这两种外形相似实质完全不同的两种事物，在诗中反复对照吟咏。"芦花瑟瑟，雪花白白"，前句的"芦花"实指芦苇，因为严冬时已经没有"芦花"，"瑟瑟"是西风吹芦叶抖动的声音。这时虽然没有"芦花"，但"雪花白白"，覆盖在芦上，却能给人芦花怒放的错觉。然而雪花毕竟不是芦花，不但不能给人以温暖，反倒带来了难熬的寒冷。可诗人接下去却说："雪花寒有时，芦花虐不歇。"似乎芦花给人带来远比雪花酷虐的苦难。读者初觉费解，但仔细一想不难明白，这是针对芦花赋税之重而言的。它是说雪花虽令穷人寒冷，尚有一定的时令，而芦花招致赋敛之毒，却永无休歇,"何尝见芦花,枉杀雪中客",这里的雪中客即露宿雪地的芦人,冬天没有芦花,但芦花赋税却没完没了,也就把芦民逼到绝路上去了。芦花的花絮可作棉用,芦秆可织苇席,但是它并没有给种植它的人带来些许温暖,反而致他们于苦寒绝境之中,这一事实本身就发人深省。诗中通过和雪花的对比来写,就使这一不合理的社会现实更加触目惊心,诗中的"雪花"是实景,"芦花"是虚景,所以在造境成像上有虚实之妙。

(周啸天)

吉祥寺古梅

林古度*

一树古梅花数亩，城中客子乍来看。
不知花气清相逼，但觉山深春尚寒。

作者

*林古度(1580－1666)，字茂之，号那子，福清(今属福建)人。终身未仕。明亡后，隐居南京，贫穷以终。早年与钟惺、谭元春交游，晚年与王士禛唱和。诗格清新，不少诗作有思念故国的情怀。王士禛选编的《林茂之诗选》是他早期的作品。

鉴赏

梅花自古以来被视为花中之隐君子，品格高洁的化身。"自古骚人酷嗜梅"，千百年来难以数计的词人墨客为之倾倒、讴歌，写下了难以数计的咏梅佳作，或赞其品格气质，或写其风韵神采，林古度的这首咏梅诗，在众多的同类诗中独具一格。

吉祥寺在南京市东郊，据《江宁府志》记载，"寺后有古梅数十亩，铁干虬枝，引人观赏"。这首诗是林古度晚年寓居江宁时，去吉祥寺访梅所作。"一树古梅花数亩，城中客子乍来看。"诗的首二句，在平淡地叙述诗人去吉祥寺观梅所见中，透露出他在明朝亡之后作为一个爱国遗民的心迹。吉祥寺的一树树古梅有数十亩之多，客居异乡的游子今天初次前来观赏，真有相见恨晚之感。林古度是福建福清人，明亡后隐居于南京，故这里自称"客子"。这里的"一树"是"一树树"的意思。"数亩"，应是"数十亩"的缩写。"乍"是初次的意思。吉祥寺的梅花那么有名，为什么寓居江宁数十年的林古度到晚年才"乍来看"？我们从《清诗纪事》等有关诗人的传记中知道，诗人在明朝灭亡后，不仕新朝，隐居在南京真珠桥南陋巷，在极度穷困的生活中度过了晚年，是明末清初气节奇高的东南名士。明朝灭亡后，与林古度同时的一大批遗民，同诗人一样，深居隐藏，坚守气节，抱恨终天。联系这一特定的历史背景，就知道林古度突然要去独探吉祥寺那些“绝似人间隐君子，自从幽处作生涯”的深山古梅，就绝不是一次偶然的普通赏梅之举了，这个“乍”字所蕴涵着的深层含意，透露了诗人此行的心迹，那种“只有红梅似故人”的感情，从“乍”中溢出。

“不知花气清相逼，但觉山深春尚寒。”林古度是从一个亡国遗民的角度去观赏吉祥寺古梅的，所以他有与众不同的感受。二句说，他在观赏古梅的时候，只觉得山寺幽深，春寒料峭，寒气袭人，如不仔细辨察，甚至不知道乃是古梅的清冷幽香之气逼人所致。这里的“山深春寒”，不仅是自然气候的写实，更是当时政治气候的象征；同样，“气清相通”的古梅同样具有深层的象征意义，她不仅是古梅香气的写真，也是那些隐居深藏、遗世独立、坚守气节的爱国遗民铮铮铁骨的象征。在写法上，这两句与首二句承接之间，通过“不知”“但觉”的呼应开合，起到了正反相生、虚实相衬、强化诗的感情、深化诗的意境的作用。用山深春寒强有力地衬托出古梅香气之清冷，给人以逼人、侵骨之感，使得诗人笔下的一树树古梅具有了冰雪之思、铁骨之姿。诗人写出了吉祥寺古梅之魂，写出了明末清初亡国遗民的心灵。我们从这首诗里可以看到，一个诗人是如何去寻找审美对象作为载体，含蓄深致地寄托情思的。

（陈维国）

金陵冬夜

林古度

老来贫困实堪嗟，寒气偏归我一家。
无被夜眠牵破絮，浑如孤鹤入芦花。

鉴赏

这首绝句，是林古度老年贫困生活的一个缩影。据《清诗经事》等有关史料的记载，林古度在明末寓居金陵时，“旧家有园林池馆之美”。

明朝的灭亡，他亲身经历了这场沧桑巨变，他家的园林一朝“变为马厩”，从此，他就隐居在真珠桥南陋巷的贫民窟中了终其生。极度的贫困生活，以致夏天没有蚊帐、冬夜睡在破棉絮中，有人送给他被褥蚊帐，因生活所迫，只得拿去换米度日。他的好友大诗人施润章一次对林古度说：“暑无橱，病于寒无毡，君能守之，当为计。”古度笑曰：“愿守之以虎。”听到林古度这句诙谐的话的人都捧腹大笑了，于是施润章“乃制纻帐，书绝句其上，嘱同志各题一诗以寄之，虑其不能守也”，然而“儿时一万历钱，终身佩之”。可见林古度自甘淡泊的生活态度，宁愿冻馁而死也不改变其气节的情操。这首《金陵冬夜》就是从施润章的《贻林茂之纻帐》诗序中引录下来的，它抒写了年老的诗人在严寒冬夜的感受、嗟叹和对贫困生活的达观、诙谐态度。

“老年贫困实堪嗟，寒气偏归我一家。”少年贫困，虽然不幸，但也许并不是什么坏事，它可以磨砺意志，激励奋发图强的精神；然而对于一个年迈体衰的文人来说，衣食无着，饥寒交迫，确实令人咨嗟叹息了。“寒气偏归我一家”，从字面上看，似乎是在埋怨天之不公，似乎是老天爷把天下一切寒气都集中落在自己一家一身之上了，实际上是用夸张的语言，极言冬夜之冷，使人不堪忍受。为什么诗人有这种感觉呢？下面二句即将余意补足：无被御寒，其冷可知，不得已只得牵开唯一聊可取暖的那床破败不堪的棉絮，棉花团团，人入其中简直就像冬天为避风寒而钻进芦苇丛中的孤鹤一样，其窘困之状可以想见。“清初的统治者，为了征服人心，曾通过各种途径，以高官厚禄网罗知识分子，一批一批的文化人纷纷走上仕途，结束了贫困流亡的生活。林古度名噪东南，要谋求一官半职，易如反掌；然而他不汲汲于富贵，不戚戚于贫贱，始终保持了高尚的气节和爱国情操，对贫困的生活采取诙谐达观的态度。我们从“无被夜眠牵破絮，浑如孤鹤入芦花”二句对诗人晚年生活的写照中，从那诙谐而略带自嘲的生动形象的比喻里可见林古度有何等的心胸、何等的情趣。诗用口语的词语，散行的句法，朴实的叙写，生动的比喻，把老年贫困而气节奇高的诗人的自我形象再现得栩栩如生。

（陈维国）

清代诗歌

碧云寺

钱谦益*

丹青台殿起层层，玉碣雕栏取次登。
禁近恩波蒙葬地，内家香火傍禅灯。
丰碑巨刻书元宰，碧海红尘问老僧。
礼罢空王三叹息，自穿萝径拄孤藤。

作者

*钱谦益（1582－1664），字受之，号牧斋，晚号蒙叟、东涧遗老，江苏常熟人。明万历进士，官翰林编修。崇祯时，再起官礼部侍郎。又因事免职归家。南明福王时召为礼部尚书。清兵南下，降清。出为礼部侍郎受秘书院事、明史副总裁，旋引疾归。为诗反对前后七子模拟因袭之风，转移了时代的风气。为文宏肆奇恣，一时被推为文宗。有《初学集》《有学集》《投笔集》等。另编有《列朝诗集》。

鉴赏

碧云寺在北京西山所属的香山东麓，元代宰相耶律楚材的后裔耶律阿利舍宅建寺。明代正德年间和天启年间，大宦官于经和魏忠贤两次加以扩建。依山上下，建筑多层殿阁和塔院，内有石桥，水池，极富丽堂皇。寺后有宦官坟墓数十个，“镌石为阑，穷极纤巧”，石雕的翁仲，羊虎夹路，墓碑林立。魏忠贤的生圹规模尤大。范熑《疏略》记载：“制作规模，仿佛陵寝，且前列祠宇，又建佛堂，璇题耀日，珠网悬星，金碧辉煌，丹垩照耀，竭东南之物力，冠西北之旃檀（指佛寺）。”

钱谦益在明神宗万历三十八年（1610）二十九岁时，以一甲三名进士及第，授翰林编修，旋丁父忧归里，十年后还朝再补原官。明熹宗天启元年(1621)清明节前,钱谦益奉命往昌平州祭祀皇陵,归途游西山,写了此诗。

钱谦益早年为“东林党”的骨干人物,是和“阉党”对立的。他对明末宦官擅权横行的情况很不满,在昌平所写《昌平唐刘去华故里》一诗,已借唐末史事,谴责宦官之祸:“千秋流恨成甘露,两字惊心是北司。”这首《碧云寺》也表现同一思想感情。魏忠贤的生圹,建于天启三年(1623),在此诗写作之后;但当时魏忠贤与熹宗乳母客氏,已勾结揽权,浊乱朝政,朝臣中的无耻之辈,也阿附他们。诗中对宦官的揽权和乱政,深表感慨和忧虑。

首联写碧云寺的壮丽:玉柱雕阑,环绕着高高矗立的色彩辉煌的台殿,游客要层层登临。如孙承泽《天府广记》所写的“金银宫阙,如王者之居,朱铺(门上装饰)玉戺(阶砌),门堂七重”。这联总写碧云寺,但写碧云寺并非作者着意所在,故一联轻轻带过。尽管如此,作者还是以简练明畅之笔,概括了碧云寺的面貌,为下文张本。

第二、三联在上联背景下写寺后的宦官坟墓,是作者着意所在。次联说朝廷对大宦官(内家)广施恩泽,以宫禁附近的京畿之地赐他们盖大墓;供奉他们亡灵的“香火院”也改为佛寺或依傍佛寺。作者自注:“西山诸寺,皆司礼大阉香火院也。”明代宦官,以司礼监权力为最大,有人称之为“内相”。这种情况,已属过分。第三联说宦官墓前的“丰碑巨刻”,其碑文多为宰相(元宰)所撰所书,作者自注:“诸阉碑版,皆馆阁大老之文。”明朝自洪武十三年(1380)诛杀胡惟庸以后,即不设宰相,殿阁大学士实际代替相职。这些殿阁“大老”,卑躬屈节地为宦官撰写墓碑,阿谀讨好他们,这种行为,更属反常颠倒。正因为如此,对句便写出对于这种“碧海红尘”般的世事变化,无法理解,只好去“问老僧”了。还有大宦官苦心经营墓圹,有的也落空,于经嘉靖初年死于狱中,有墓不能葬,即是一例。宦官钻营的结果,也未必尽如其意,人世作为,每有“机关费尽”也徒然之事,老僧冷眼旁观,必然也别有会心,一问可以发人醒悟。一句中有两层用意。这两联就碧云寺的特殊现象着笔,从地到人,从叙到议,对朝廷弊政大端之加以揭露讽刺,并出之以感慨,含义深刻,感情沉重。

结联出句承“问老僧”而写到礼佛(空王),这是因上述情况的触发,痛心、感慨得无可奈何的一种举动;但礼佛之后,痛心、感慨仍然无法消除,只能再三叹息而已。这句从行动表心态。结句写自己拄杖(孤藤)独游于“萝径”之中。这句在感情脉络上延续上句,在做法上缩结全诗的游览;只写行动不写心态,但行动的孤独、寂寞,又强化心态于不言之中。它笔轻而法密，机调平而作用不微。

元明人写碧云寺的诗不少，多正面描写寺中景物。谦益的这首诗，独着重写寺后的宦官墓葬，变流连景观而为关怀朝政，足证其见识。诗的语言自然流畅而形象鲜明，意义广阔深远而情味悠长，在作者的律诗中，是以白描取胜的。

（陈祥耀）

众香庵赠自休长老

钱谦益

略彴缘溪一径分，千林香雪照斜曛。
道人不作寻花梦，只道漫山是白云。

鉴赏

熹宗天启四年(1624)秋天，钱谦益再次应召入朝，以翰林编修，充经筵日讲官，历詹事府少詹事，纂修《神宗实录》。五年，阉党崔呈秀作《东林点将录》，列谦益为“东林”党魁，御史陈以瑞弹劾他。五月，被“削籍”归家。

这首诗是作者在崇祯元年(1628)正月游览苏州城西一带山水时写的。当时城西诸山，广植梅花，不独玄墓、邓尉等地为然，即更西北的铜坑、查山、西蹟(jì)诸山也是如此。这首诗前面的一题是《十七日早晴，过熨斗柄，登荣山，历西蹟、弹山，抵铜坑，还憩众香庵》。熨斗柄、荣山(即查山)、西蹟、弹山、铜坑，都是苏州西北太湖附近之山。当时无锡城北五里有众香庵，见谦益所作《双河众香庵记》，距离上述诸山较远，非同时可到，非此诗所写之庵。诗中众香庵的具体地点，《苏州府志》未载，疑在查山(荣山)或铜坑的马驾山。查山梅花很盛，查应兆《查山隐居记》载宋人查莘隐居于此，“种梅结屋，自榜曰梅隐庵”；马驾山，汪琬《游马驾山记》说：“绵谷跨岭，无非梅者。”

前一题诗，对熨斗柄到铜坑诸山的梅花之盛，作了具体描写：“探奇历晴雨，寻花越阡陌。茫茫梅花海，上有香雾积。不知何处香，但见四山白。”颇刻画尽致；作者又鉴于历来咏梅诗多，好的意境已发掘殆尽，所以这首绝句，只好另出手眼，以奇制胜。

诗之“奇”，并不表现为生险警异；相反的，却是一味为自然平易。

起二句说：从沿溪的小桥（略彴）进入小径一看，照在斜阳中的千林梅树，像“香雪”一样。平易叙事，却简洁而有神韵；以“香雪”二字写梅花盛开尤有力，因为非大片梅花不能成雪，似雪者非梅无异样清香。后来宋荦在马驾山崖壁题“香雪海”三字，使马驾山梅花之名大著，似乎曾受这诗的启发。此二句叙述；结二句改用议论，从反面进一步烘托梅花之盛。如果把梅花满山开放，直接比为像山中笼罩一片白云，诗境就平熟了。作者不说此，而说庵中“道人”习见了，根本不把梅花当做一回事，不做“寻花梦”，尽管梅树成林，美景非常，他却当成“漫山”的“白云”罢了。这里用的是佛家的“遮拨法”，把梅花之美轻轻否定了。从世俗的眼光来看，“道人”的想法未免“痴拙”得近乎“杀风景”；从佛家的眼光来看，“道人”的修养却高，他的“六根”不为“六尘”所动，梅花的色、香、味诸尘，他都能以清净心对待，不惊不爱，不执不滞，视为白云起伏般的平凡现象。故意贬低梅花的吸引力，以“道人”的特殊反应从反面写梅花之盛与白。梅花盛得出奇，白得出奇，导致“道人”的想法出奇，这样一写，诗境也就显得很出奇了。谦益好谈佛理，诗文中常自称“道人”，诗中的“道人”表面指自休长老，实际上也隐含诗人自己，代人设想，其实是在说自家心理。

此诗以写僧人的“痴拙”而赞美其心境的超脱；以写僧人对梅花的轻视烘托梅花的美盛；贬低僧人实为赞美僧人；贬低梅花实为赞美梅花、热爱美景。结联层层妙理，皆从反面透出，从深处透出；理寓于事，不正说，不直说，不多说，使诗语浅显自然，而用意曲折新奇。这首诗是善于融化佛理以入诗，善于化平易“痴拙”为新奇的佳作。

（陈祥耀）

金陵后观棋

钱谦益

寂寞枯枰响泬寥，秦淮秋老咽寒潮。
白头灯影凉宵里，一局残棋见六朝。

鉴赏

以棋局喻政局，诗中常见。杜甫《秋兴八首》之四的“闻道长安似弈棋，百年世事不胜悲”即其例。本篇沿用了这一传统构思，但诗中那种凄寒的色调和历史空幻感，却带着诗人所处时代的特有色彩。

这首诗写于顺治四年（1647）。诗人先已作《观棋绝句六首为任幼青作》，后来又写六首，故题为《金陵后观棋》。金陵是六朝故都，又是南明弘光朝的都城，二者之间很容易构成历史的类比与联想。

首句正面写观棋。枰（píng）指棋盘；泬（xué）寥，空旷萧条的样子。值得注意的是，诗人似乎更注重从听觉感受来渲染一种空寂的弈棋的气氛，而不是主要从视觉感受写“观棋”。“枰”而曰“枯”，已透出一种枯寂萧疏之感，再冠以“寂寞”，更显出了它的冷落。使人感到，在这空旷萧条的秋天虚空中，只有棋子声在发出寂寞冷落的声响。

次句点明时地，渲染更大的氛围。秦淮河沿岸，是六朝金粉繁华之地，也是明朝上层官僚贵族纵情声色的享乐场所。可是现在春色已去，繁华不再，满眼一片残秋的萧条衰败景象，连石头城下拍打城郭的江潮也带着一阵阵寒意，听起来像是在悲咽一样。“秋”而曰“老”，于萧瑟凄清之外又益以衰败凋残；“潮”而曰“寒”，不仅上应“秋”字，且传出一种凄寒寂寞之感。“咽”字尤为遒劲。深秋水落，潮势转小，故变往昔之澎湃为幽咽，这是从客观物象说，寒潮断续，拍打空城，听来如同悲咽，则更透出了听潮者悲凉的主观感情。这句意境从刘禹锡《金陵五题·石头城》“潮打空城寂寞回”化出，而刘较浑成含蓄，此则重叠渲染，用力刻画，虽较直露，但给人的感受则较强烈。其中又融化了姜夔《扬州慢》词“渐黄昏，清角吹寒，都在空城”的意境，几乎是象征性地显示了金陵繁华、秦淮金粉的消逝，透出了江南一带遭受兵燹后残破凄凉的景况。它不是直接的比喻，而是意在象外。从诗境中隐现出一个凄凉冷落的时代氛围。作为弈棋的大背景，这句的描写刻画更加强了空寂凄凉感，使联想向末句过渡。

第三句又从远处的大背景拉回到下棋的室内。这句写了三种事象。一是下棋的人，已是白发苍苍，意态颓唐。二是相伴的唯有暗淡的残灯，说“灯影”，不但如见光影摇曳之状，且连弈棋人的形影相吊亦一并写出。三是时间正在“凉宵里”（此处本应用“寒”，因避复而改用“凉”）。此时、此境、此人，不由得不使诗人由眼前的棋局联想到时局政局，引出点睛的末句：“一局残棋见六朝。”残局是围棋术语，指一局的最后阶段。此时大势已定，无法挽回。“三百年时同晓梦”，那纷纷更迭的六朝固然极像眼前的残局，那无可挽回、终于迅速覆亡的南明弘光政权，不也正像眼前的一局残棋吗？

钱谦益是明朝旧臣，曾官吏部侍郎，在南明弘光朝任礼部尚书，后来金陵城破，降清后授礼部侍郎。这个被史家认为丧失民族气节的上层士大夫，其感情存在着矛盾。一方面趋事新朝，以保禄位；另一方面对明朝政权又不无眷恋与惋惜。这种身为“贰臣”而又兼有“遗老”感情的矛盾情绪，在这首诗中也有所流露。诗中把这场“残局”写得那样凄凉冷落，就反映了他当时的心态。但此诗更值得寻味之处，却是在凭吊“残棋”中所流露出来的历史空幻感。中国的封建社会经历了多次改朝换代，到明朝灭亡、清朝代兴之际，已经露出了下世的光景。一种“四海变秋气”的整个氛围浸润着诗人的心灵，使他们从眼前的又一局残棋中感受到了历史变更的空幻。诗中那种浓重的寂寞空虚而凄凉的氛围感，正是诗人内心深处历史空幻感的外在表现。六朝覆亡的局面在不断重复，整个封建社会也变得越来越不可收拾，成为“一局残棋”了。

（刘学锴）

费县道中

钱谦益

阑珊心事怯余春，残梦惊回一欠伸。
病树不禁蛇在腹，野花终倚草为身。
枥中马老空知道，爨下车劳枉作薪。
当食为君三叹息，难将更仆话穷尘。

鉴赏

崇祯九年（1636），钱谦益家居常熟拂水山庄，与门人瞿式耜，同为陈履谦、张汉儒所诬告；政敌温体仁为阁臣，借机请旨“逮问”两人。十年春，谦益自家乡奉“严旨”被系入京，途经山东费县作此诗。此为三首选一。

起联写途中梦醒之后，诗人动了一下带着倦意的身体（一欠伸），感到心事“阑珊”，更加畏怯“余春”的消逝，用轻淡有节制的语气，写负罪赴京途中的生活和心境。

二、三两联，转为抒情，全用“借喻”法，次联譬喻受诬告的事，谦益自光宗泰昌元年（1620）还朝之后，仕途上屡遭打击：天启元年（1621）

因主考浙江乡试案被劾去官；天启五年(1625)为崔呈秀、陈以瑞所陷“削籍”；崇祯元年(1628)因会推“阁臣”事受周延儒、温体仁打击而“革职”；这次又因陈履谦等的诬告而被“逮问”。故次联以“病树”自比，以树中之蛇比一切隐害他的人，“在腹”不去，祸患“难禁”；“野花”似专指陈履谦、张汉儒等趋炎附势、迎合温体仁的人，“草”则指暂时得势、受人依附的温体仁辈，“终倚”二字以表蔑视。苏轼《次韵子由柳湖感物》：“柳虽无言不解愠，世俗乍见应怃然。娇姿共爱春濯濯，岂问空腹修蛇蟠。”为“在腹”的典故；刘禹锡《酬乐天扬州初逢席上见赠》：“病树前头万木春。”同以“病树”自比，而以“万木”比得意小人，此诗则比得意者为“野花”与“草”，把他们更降一等了。老马识途，典出《韩非子·说林》。第三联出句，谓自己虽如识途老马，可仍长期“伏枥”无所作为，兼用曹操“老骥伏枥”诗意，两首联系，着一“空”字，一切顿归于悲凉。以旧车脚烧饭，谓之“劳薪”，典出《晋书·荀勖传》，诗中借以自喻劳苦身世，不免遭受毁弃。着一“枉”字，同样归于悲凉。

结联再转为叙事。“当食三叹”，本是阎没与叔褒讽劝魏献子不要纳贿的事，见《国语·晋语》。出句活用，以表途中的难过。句中“君”字指何云，字士龙，常熟人，为谦益弟子，是一个慷慨仗义的人，亦能诗。他怕谦益途中无人照顾，毅然随行，两人在途时相唱酬，以自慰解。他后来从瞿式耜在广西抗清，兵败后流离十五年才回家。落句典出《礼记·儒行》，篇中载孔子说“儒行”繁多：“遽数(计数)之，不能终其物；悉数之，乃留更(换)仆(傧相)，未可终也。”谓生平经历的风尘与穷困，说也说不尽。这两句感慨生平遭遇和途中生活，既呼应起二句，又总束中四句，使诗中的事与情，相互联系，相互生发。

此诗起结两联是赋体，写得简淡、含蓄，于跌宕中见情致。中间两联用比法，用典恰切无痕，对仗自然工整；讽刺仕途，感叹不幸遭遇，牢骚愤激语力自抑遏，使趋于委婉，但因表达得巧妙，仍使情状显然，令人既畏且伤。全诗用典密而用笔能疏，用语淡而用情极幽，真如近人所评的“风致蕴藉而气息醇厚”，神似李商隐的七律佳作。

(陈祥耀)

天都瀑布歌

钱谦益

天都诸峰遥相从，连绵峰属无罅缝。
山腰白云出衣带，云生叠叠山重重。
峰内有峰类皴染，须臾蓊合仍混同。
层云聚族雨决溜，溪山天水齐溟濛。
是时水势犹未雄，江河欲决翻坌壅。
良久雨足水积厚，瀑布倒写天都峰。
初疑渴龙甫喷薄，抉石投奅声碚礌。
复疑水激龙拗怒，猝尾下拔百丈洪。
更疑群龙互转斗，移山排谷轰圆穹。
人言水借风力横，那知水急翻生风。
激雷狂电何处起？发作亦在风水中。
波浪喧豗草木亚，搜搅轩簸心忡忡。
潭中老龙又惊寤，绿浪溃涌轩窗东。
山根飒拉地轴震，旋恐黄海浮虚空。
亭午雨止云戎戎，千条白练回冲融。
凭栏心坎舒撞舂，坐听涛濑看奔冲。
愕眙莫讶诗思穷，老夫三日犹耳聋。

鉴赏

崇祯十四年(1641)三月，钱谦益游安徽黄山，作游记九篇，诗二十一题。《天都瀑布歌》是黄山诗的第七题，作于三月初八日。天都峰在黄山东南，是山的三大主峰之一，山势雄峻，云与瀑皆呈奇观。此诗可按时间顺序分为三大段来看。

第一段从起句到“江河欲决翻坌壅”，从天都峰形势写到它雨足前的瀑布。说天都诸峰，连绵相接好像密无“罅缝”。它势高，平时白云只能像衣带围绕它的腰部，山峰重重，峰内有峰，像画家“皴染”种种不同的形态；可是当云气叠生“翕合”时，它也就“混同”如一了。《游记(八)》载：“山极高，则雷雨在下。云之聚而出，旅而归，皆在腰膂间。每见天都诸峰，云如带，不能至其冢。久之，滃然四合，云气蔽翳其下，而峰顶故在云外也。”也状此景，可以参看。又说当云“族”大“聚”而雨“溜”初“决”时，溪山水一片“溟濛”，像江河起伏“坌壅”，而瀑布的雄伟姿态还未呈现。十句中描写山峰雨云动静变化的复杂情况，但在诗中仍为序引。

第二段从“良久雨足水积厚”到“旋恐黄海浮虚空”，写雨足时的天都瀑布，共十八句，为全诗描写的中心。说久雨积水之后，天都“倒写(泻)”的瀑布，形势壮猛，使人怀疑为“渴龙”初喷大水，“抉石投奔(炮石)”，掀起轰隆巨响；又疑是水激怒了龙，使它猝动尾巴下拔百丈深洪；更疑是群龙互斗，“移山排谷”地怒轰上空。第一“疑”状瀑之猛，第二“疑”状瀑之长，第三“疑”状瀑冲击之剧烈广大，层层推进。在这高潮时刻，忽插入下面四句：“人言水借风力横，那知水急翻生风。激雷狂电何处起？发作亦在风水中。”解释风水与瀑布的关系。接着再写瀑布倾泻到下面的白龙潭，使“草木亚”、波浪“濆涌”，又好像潭中老龙也被惊醒，翻动“山根地轴”，一望黄山成海，恐怕要被“浮虚空”。如此有力的余波回卷，表述其惊险之状；而“绿浪”“黄海”又在惊险中见美丽。这一段首尾的描写，发挥丰富的想象，用一群怒龙来写巨瀑，突出它的惊人声势，形象鲜明；中间议论，急煞急转，如中流砥柱，使结构富于开阖变化，笔力万钧；而议论内容的精警奇辟，更能以新颖独特的“理趣”增添形象的表现力、说服力，加强其光彩。《游记(二)》说：“晨起坐小楼，视天都峰瀑布痕斓斑赧驳。俄而雨大至，风水发作，天地掀簸，漫山皆白龙，掉头猝尾，横拖倒拔。白龙潭水怒鼓触搏，林木轰磕，几席震掉。”也可参看。

第三段，自“亭午雨止云戎戎”到结句，写停雨后瀑景，以及雨中瀑布对人的影响之深。中午雨停，云气“戎戎”茂密，巨瀑则变为势趋舒缓“冲融”的“千条白练”。这时，观瀑者的紧张“心坎”稍为松弛，但奔湍“涛濑”犹盛。作者说：看过巨瀑，莫怪他诗思穷窘，因为受过震撼之后，几乎三天后耳朵还聋。这段虽只六句，对雨后瀑布，仍作具体描写，别开一种境界作对照；而以作者对瀑布的整个感受作为结尾，又善于补充，照应上段的重点描写。着笔无多，使全诗弥觉气足神完。

这首诗描写天都瀑布，不作侧面烘托，不作简要概括，而从正面着笔，将瀑布形象，写得淋漓尽致，可谓"状难写之景如在目前"，工于"形似"。它的"形似"，又不是琐细雕琢，而是大笔挥洒，强劲雄伟，气力飞动，神采扬扬，兼有生动"传神"的分量。诗篇善状自然界的客观形象，又善用主观的想象和心理感受来熔铸它；即着力写形象，又插入新颖的议论以丰富诗篇的意境。它在"形似"与"传神"、"客体"与"主体"、形象与议论诸方面，都配合得好，统一得好，故而取得杰出的成就。

（陈祥耀）

丙戌南还赠别故侯家伎人冬哥四绝句（录二）

钱谦益

绣岭灰飞金谷残，内人红袖泪阑干。
临觞莫恨青娥老，两见仙人泣露盘。

天乐荒凉禁苑倾，教坊凄断旧歌声。
临歧只合懵腾去，不忍听他唱渭城。

鉴赏

丙戌，清顺治三年（1646）。前一年，南明福王弘光朝灭亡，钱谦益降清随例北行。本年，钱官礼部侍郎兼管秘书院事，充《明史》副总裁。六月，引病辞归。此诗是离北京前写赠冬哥之作。

冬哥，是弘光朝东平伯（诗中泛称之为"故侯"）刘泽清的家妓。泽清为弘光朝江北"四镇"的守将之一，驻淮安，后降清。据传冬哥在泽清家妓中最"姝丽"，为泽清"教诸妓四十余人"。曾受泽清派遣到北京打听明崇祯帝太子定王及四子永王的消息，往来南北。这时候，她留在北京。看来，这个人是既晓色艺，又有胆量和故国之情的。

谦益降清后，颇不得志，郁郁辞官。他对冬哥的行为及心事，必有所知觉，故引发同情，离京前为她写了这一题诗。

第一首：起二句写明亡后宫廷和权贵之家的残破、没落，使有些依附它们的女艺人也随之飘零，她们中有身世之感、故国之思的，不免伤心落泪。"绣岭"是唐宫名,指代宫廷。"金谷"是晋石崇在洛阳的花园名,指代权贵之家。"灰飞"与"残",写其破落。"红袖",妇女衣袖。"阑干",泪流纵横貌。冬哥非宫中"内人",而此时的遭遇、感情,与"内人"相同,故以"内人"泛指之,以提高她的身份、品格。结二句,在临别的酒席上,劝冬哥虽两见北京崇祯朝和南京弘光朝的亡国之祸,也不要自伤老大。李贺《金铜仙人辞汉歌》,写汉亡后,长安宫中铜柱上手托承露盘的铜人,被魏明帝移置洛阳。此用其典,以指亡国。"青娥",指美女,此谓冬哥。已两见国亡,犹劝她不要怨老,隐然含有希望明室重兴,她也能重见世事再度大变之意。

第二首:起二句写明亡后"禁苑"倾颓,宫中"天乐"已"荒凉"听不到;"教坊"旧曲流传下来的,也使人闻而"凄断"。"教坊",唐代宫中掌管女乐的官署。这两句隐指冬哥能唱明朝旧曲,但听起来引人生起亡国之悲,歌者闻者都隐入无限痛楚之中,以表示她和作者在感情上同样深切怀念明室。结二句说临别时"只合懵腾"醉酒,王维《送元二使安西》诗的起句有"渭城朝雨"四字,此取以代别曲。这两句进一步渲染两人感情上的共鸣及作者依依不忍告别冬哥的心理状态。

这两首诗,通过和一个明亡后曾为国事奔走的歌女的告别,抒写了作者和这位歌女的沦落之感和亡国之痛,写得含蓄缠绵,谐婉凄切,而往日繁华与美人影子,掩映依稀。哀感顽艳,兼而有之。

(陈祥耀)

和盛集陶落叶诗

钱谦益

秋老钟山万木稀,凋伤总属劫尘飞。
不知玉露凉风急,只道金陵王气非。
倚月素娥徒有树,履霜青女正无衣。
华林惨淡如沙漠,万里寒空一雁归。

鉴赏

顺治四年(1647)三月底,钱谦益因黄毓祺反清案件牵涉,被捕于南京,在狱四十日,五月间出狱,出狱后仍受看管,不能回故乡。作者在南京常与诗人林古度往来,古度有邻居盛斯唐,字集陶,三人互有唱和,这首诗是顺治五年(1648)作者受看管时作于南京的。此为二首选一。

诗是咏物,但下笔却先直写本地风光。起联说南京钟山万木叶落,一片萧条,乃受秋气"凋伤"之故;但用佛家眼光看,落叶也即是世上纷飞的"劫尘"。一"老"字写秋深,一"稀"字写落叶;"凋伤"从杜甫《秋兴》诗"玉露凋伤枫树林"句引出,暗中点题;"劫尘飞"隐喻亡国气象。本地即是历史变迁的中心之地——旧都,纳之于题中,作用乃大。故此诗取材托喻,高屋建瓴,起二句暗中为咏物破题,而气势不凡,世事沧桑、家国兴亡之事,便随"纷飞劫尘",扑人心目。

颔联解释起联。说树叶之落,本是自然现象,由秋深露冷风凉造成,不关人事;但在遗民心中,却会忽略这一点,而只感到它是故国灭亡的"王气非"所造成的,因而产生特殊的悲痛。旧传金陵有"王气",故楚威王掘地埋金以镇之。以"王气"写金陵,故典等于本事,不同于假借,尤非泛泛之词;"玉露"二字,进一步呼应杜诗的"凋伤"。以上四句,写南京遗民对落叶的特殊感受,以人事说自然,表错觉为正常,高处取势,大处托喻。

颈联进一步推拓题旨,向远处驰思。说月宫的桂树,不同于人间林木,这时纵使树叶凋零,但树身无恙,仍可为嫦娥所依倚;"履霜"的"青女"(主霜雪的女神)一降临,大地上的树叶大半掉落,树之无叶,不也像"青女"自己之"无衣"吗?这两句从人间到天上,以"有树""无衣"烘托、象征落叶。写诗的这一年,南明桂王的永历朝仍未灭亡,桂树犹存,显然指此;嫦娥可倚,暗示遗民的希望。"无衣"的"青女",可以引申为钱、林、盛三人的自我象征,因为钱谦益这时身受管制,狱案未结;林、盛二人,皆属处境穷困的遗民。

结联出句写国中旧时林苑荒废,犹如边塞的沙漠;落句写万里寒空,只有孤雁独飞,并无好消息可传和多少传达消息的人。翘首遥望,地面天空,都是一片荒凉寂寥的景象。此借以在结尾再次渲染秋深叶落景象,更借以再次渲染亡国气氛。华林园、魏代园林名,见《魏志·文帝纪》,用以指代明朝的山河园囿。但南京也有一处华林园,与林古度有关系。陈文述《秣陵集》卷六《乳山访林古度故居》说:"古度字茂之,号那子,闽之福清人",随其父"卜居金陵华林园侧,具亭榭池馆之美";明亡后,不肯出仕,家道破落,乃徙居"真珠桥南陋巷""蓬蒿蒙翳,弹琴赋诗弗辍也",又巧妙地双关南京地名。

全诗句句写落叶,又始终不点

出"落叶"二字,真是处处"粘",又处处"脱"。写落叶是表层题材,写亡国才是深层寄托,两者自然结合,浑成无迹。起结扣题,中间推拓联想,远近开合,运思灵活;加上辞藻华丽,笔力苍劲,凡此种种,使它成为咏物诗的上乘之作。后来顾炎武的咏物诗《赋得秋柳》,格调、风力与之相近相匹。

(陈祥耀)

为友沂题杨龙友画册

钱谦益

杨生倜傥权奇者,万里骁腾渥洼马。
双耳朝批贵筑云,四蹄夕刷令支野。
空坑师溃缙云山,流星飞兔不可还。
即看汗血归天上,肯余翰墨污人间?
人间翰墨已星散,十幅流传六丁叹。
披图涧岫几重掩?过眼烟岚尚零乱。
杨生作画师巨然,隐囊纱帽如列仙。
大儿聪明添树石,侍女窈窕皴云烟。
忆昔龙蛇起平陆,奋身拚施乌鸢肉。
已无丹燐并黄土,况乃牙签与玉轴?
赵郎藏弆缃帙新,摩挲看画如写真。
每于剩粉残缣里,想见刳肝化碧人。
赵郎赵郎快收取,长将石压并手抚。
莫令匣近亲身剑,夜半相将作风雨。

鉴赏

这首诗作于顺治十一年(1654)。这时,钱谦益和南明桂朝及张名振、郑成功的队伍,已有联系,暗中帮助抗清复明的活动。本年,他在常熟小东门外三十里的白茆镇筑红豆山庄,准备移居其地。白茆镇在长江口岸,比较常熟城内的住家,更便于和外界秘密联系。

他在诗中,通过赞美杨龙友,较大胆地流露反清思想。

友沂,姓赵名而汴,长沙人,是藏画册者。作画者杨龙友,名文骢,贵州贵阳人,天启元年(1621)举人;崇祯时,官江宁知县;南明弘光朝,官兵备副使,监军京口(今江苏镇江);南京破,退走苏州和处州(今浙江丽水);在弘光朝,因与马士英是亲戚,关系密切,颇为世人所轻;然在苏州,袭杀降清明臣黄家鼎;在隆武朝,拜兵部右侍郎;在衢州(今浙江衢县)提督军务以抗清,战败退至福建浦城,被拘不降被杀,故谦诗中许其忠义。《小腆纪传》说:"文骢善画,有文藻,跌宕风流,豪迈自喜。……其死也,众论亦许之。"

自起句至"肯余翰墨污人间"为第一段,赞美杨龙友的才能和忠义。说杨性格"倜傥权奇",豪放不拘小节;才能像能够"朝批贵筑(今贵阳)云""夕刷令支(今河北迁安县一带)野"的奔腾神速的"渥洼(今甘肃安西,传说曾产神马)名马"。杨名的"骢"字,属马类,故从马的方面联想;他是贵筑人,故从贵筑说起。又说他兵败处州缙云山,像文天祥兵败空坑(在今江西兴国)一样,其死节像能"汗血"的神骏"归天",他的"翰墨"(图画)不肯流传异族统治下的"人间"以受"污"。

自"人间翰墨已星散"到"侍女窈窕皴云烟"为第二段,写杨所留画册及画中景象。说"星散"之余的"十幅"杨画,是历劫流传的,即使道教的"六丁"之神见了,也会为之惊叹,因为得来不易。说杨氏画学宋代名家僧巨然,画的是山水图,"涧岫"重重蔽亏;画中倚枕(隐囊)戴纱帽的人物,态度悠闲如神仙。画幅不但是杨的手笔,还有他的"聪明大儿"所添补的"树石",窈窕侍女所皴染的"云烟"。最后两句,从杜甫《奉先刘少府新画山水障歌》中"大儿聪明到,能添老屋巅崖里。小儿心孔开,貌得山僧及童子"四句化来。

自"忆昔龙蛇起平陆"到结句为第三段,感慨亡国后文物凋丧,要赵友沂珍重保护杨画。说国亡如"天发杀机,龙蛇起陆"(《阴符经》),臣民死亡相继,肉饱鸟鸢。葬身无"黄土",遑论"牙签""玉轴"等文物书画?然杨画出于死节者,有忠义郁勃之气,要赵"石压""手抚"地珍藏,不要让它接近身边宝剑。否则,它会与宝剑一起化为"风雨"中的飞龙而离去,暗中呼应起段"归天"等句。

诗的开头以神马喻人,气势骁腾;结尾设想图画会化龙乘风雨而去,运思飘忽奇妙。中间具体写人、写马、写画、写世变,叙事凝练;又多用精工的对偶句,典故辞藻也丰富。叙事中又时时掺杂抒情。"双耳"一联形容马行之速,笔力很遒劲;"忆昔龙蛇"四句写亡国之祸,感慨很深；“每于剩粉残缣里，想见刳肝化碧人。”[注：刳肝，指卫懿公之臣弘演刳肝事，见《新序·义勇》；化碧，指苌弘死后血化碧事，见《庄子·外物》，皆有关忠义死难的典故。]思慕杨龙友的画艺和死节，语极镵刻而情极沉痛，皆属难能。所以全诗骨力、辞藻、思致、情韵俱美，不愧是作者七古中的出色之作。

（陈祥耀）

丙申就医秦淮寓丁家水阁浃两月临行作绝句

钱谦益

苑外杨花待暮潮，隔溪桃叶限红桥。
夕阳凝望春如水，丁字帘前是六朝。

鉴赏

这一题的组诗是作者在顺治十三年(1656)丙申写的，此为三十首选一。据陈寅恪《柳如是别传》考证，在此之前数年，钱谦益已和南明残余组织有联系，暗中帮助抗清活动。顺治十二年(1655)冬，他离家到宝应、淮阴一带，留滞南京，没有回常熟度岁。诗写于十三年三月回常熟之前，第二十二首自注：“余就医于陈古公(陈元素)。”《柳如是别传》说：“其何以久留金陵之理由，必有不可告人之隐情。”这组诗，“大抵与当日南京暗中作政治活动者，相与往还唱酬之篇什。其言‘就医秦淮’，不过掩饰之辞，自不待辩”“牧斋此次留滞金陵，与有志复明诸人相往还，当为接应郑延平攻取南都之准备”。“郑延平”，指郑成功，永历朝封为延平郡王。他在崇祯十一年(1638)拜钱谦益为师，钱很赏识他，以其名森，字之曰大木。这时郑据金、厦两岛抗清。

谦益这次在南京借居的丁家水阁，是丁继之在南京秦淮河边的河房。据作者顺治五年(1648)作的《题丁家河房亭子》自注：“在青溪、笛步之间。”“青溪”，指它在南京通济门边靠秦淮河的一段。“笛步”，亦名邀笛步，旧传晋王徽之在此邀桓伊吹笛，也是青溪临近秦淮之地。

这首诗是作者在南京怀念爱妾柳如是并兴起其他感触而写的。起联第一句的“苑外杨花”，隐喻柳如是；“待暮潮”，逆料她在家惦念自己。第二句谓作者的客居，为“红桥”所限，与桃叶渡有一水之隔。桃叶渡，在青溪、秦淮河合流处；“红桥”，扬州桥名，此泛指桥梁。这句借王献之别爱妾于桃叶渡的典故，写钱、柳两人分隔，以倒申上句柳氏惦念的原因。《柳如是别传》说这二句：“谓河东君（柳如是）此时在常熟与己身不能相见。‘暮潮’有二意。即李君虞《江南词》‘嫁得瞿塘贾，朝朝误妾期。早知潮有信，嫁与弄潮儿。’……言己身不久归去，不致如负心之李十郎（益）也。二即明室将兴，如暮潮之有信。”果尔，则“待潮”意又双关。

结联写在丁家水阁，夕阳中凝望秦淮河水的感想。秦淮河自六朝以来，即为繁华之地。明朝教坊司所辖十六楼的妓女，身份高的多住在河边的旧院。余怀《板桥杂记》说：“旧院与贡院遥对，仅隔一河，原为才子佳人而设。逢秋风桂子之年，应试者毕集，结驷连骑。选色征歌。”“秦淮灯船之盛，天下所无。两岸河房，雕栏画槛，绮窗丝障，十里珠帘。”南明弘光朝灭亡时，遭受兵火破坏，旧院一带，顿时变得十分荒凉。丁字帘，地在旧院北边利涉桥之右，因对面河水作丁字形而得名，旧有水阁匾额题“丁字帘前”，建筑精美。《桃花扇》传奇有“桃根桃叶无人问，丁字帘前是断桥”之句，可见其著名。诗以“丁字帘前”写丁家水阁所在地。六朝，建都南京的六个朝代；丁字帘前，是秦淮河边著名的水阁。六朝借指明朝；“丁字帘前”是其盛衰兴亡的一个见证者。作者身居秦淮水阁，面对夕阳下的丁字河水，凝望遥思，感身世的变迁、夫妻的离别、故国的灭亡，顿觉万事消逝如流水，愁恨无穷，以“丁字帘前是六朝”一句而归结之。至于“是”字以下包含的别的意思则不再明言。

这首诗要抒发的复杂感情，全寓托于写景之中。景写得很艳丽，凄怨之情却隐藏在艳丽形象的背后。结句尤妙，只作简单的、客观的地点判断，没有其他内容，不带主观色彩。但句中的地点本身，却有层层的历史积淀，一提到它，可以引人勾起无限的联想，无限的感慨。不说之说，起了以吞为吐，以一总多，以客观代主观，以小小的空间带动漫长的时间之流和广阔的历史波澜的作用，艺术表现上极其经济有力而别致。读者阅读这首诗，应透过其艳丽而单纯的语句，体味其哀怨而复杂的情思。

（陈祥耀）

金陵杂题绝句二十五首继乙未春留题之作(录二)

钱谦益

顿老琵琶旧典型,檀槽生涩响丁零。
南巡法曲谁人问?头白周郎掩泪听。

旧曲新诗压教坊,缕衣垂白感湖湘。
闲开闰集教孙女,身是前朝郑妥娘。

鉴赏

诗题所说的“乙未”,是顺治十二年(1655);检作者《有学集》,是年春没有金陵留题的绝句,乙未当是次年“丙申”顺治十三年之误。丙申之作,即本书上面所选的《丙申就医秦淮,寓丁家水阁浃两月,临行作绝句三十首留别,留题不复论次》一题。本题组诗,则是顺治十四年丁酉冬作于南京的。据《柳如是别传》,谦益这年再游南京,“盖欲阴结有志复明之人,以为郑延平攻取南都之预备。其流连文酒,咏怀风月,不过一种烟幕耳”。

组诗尽管是“烟幕”之作,也有隐晦涉及政治者。本文所析两首,分咏昔日著名而今衰老的秦淮河上两个歌妓,描写秦淮韵事,是属于“咏怀风月”的,但“风月”之中,仍带“沧桑”之恨。

第一首咏顿老。余怀《板桥杂记》说秦淮旧院名妓中,“顿老琵琶,妥娘词曲,则祇应天上,难得人间矣”,指出顿老弹琵琶之妙,有类天上仙乐。她年老,依靠孙女顿文生活。顿文善鼓琴,屡为强者所挟持、占有,并曾被牵连入狱。《板桥杂记》叹其“终归匪人”“佳人薄命”。祖孙两人的结局都很凄凉。王士禛《池北偶谈》说:“金陵旧字,有顿,脱诸姓,皆元人没入教坊者。”则顿老本为蒙古族人。王士禛《秦淮杂诗》:“旧院风流数顿杨。”注家以为是顿文和杨玉香,不指顿老。这首诗写明亡后顿老年纪大,她的琵琶虽有美好“檀槽”,并能弹出“南巡法曲”,具有造诣很高的盛时风范,但久已无人欣赏,很少弹奏。这时候弹出来的声音,不免枯涩、微弱，只有像作者这种“白头”诗人，才独来“掩泪”听赏了。“南巡法曲”，指明武宗正德十四年(1519)南巡江南时留的一种宫廷曲调。周郎，用《三国志·吴书·周瑜传》瑜善“顾曲”的典故，以指周锡圭。作者自注：“绍兴周锡圭，字禹锡，好听南院顿老琵琶，常对人曰：‘此威武南巡处遗法曲也。’”这里又用周锡圭以指，典故双重转折。诗写顿老的妙技和她的老大沦落，写诗人自己的老大和闻歌感旧，都表现得很凄凉。把两人相同的境遇和心情连接在一起的，是琵琶的歌声，这是明写的；但其更大的社会背景，造成这种境遇和心情的根本原因，是南明的灭亡，这是不写就能意会的。

第二首咏郑妥娘。妥娘名如英，字无美，也是旧院名妓。她的诗更出色，冒愈昌(伯麐)选她和马湘兰、赵今燕、失泰玉的诗为《秦淮四美人选稿》，谦益选她的诗人《列朝诗集·闰集》。南明灭亡后，妥娘曾流落山东。据作者自注，写此诗时，妥娘已七十岁。诗说妥娘的歌声和诗作，压倒“教坊”(指旧院)诸妓；国亡年老，成为“前朝”遗留人物。她很像历史上的名妓李师师，年轻时生活华贵，经常穿着金缕衣，到了北宋灭亡后，以头发“垂白”的老妪，流落湖南等地，盛衰悬殊。现在妥娘只能打开自己的诗集，教她的孙女去阅读，再没有什么风流韵事可言了。师师典，用刘子翚《汴京纪事》诗：“辇毂繁华事可伤，师师垂老过湖湘。缕衣檀板无颜色，一曲当年动帝王。”妥娘多才艺，身遭亡国而穷困，特别引人同情。徐溥《秦淮竹枝词》：“丁字帘前柳数行，晚凉浴罢换新妆。娇喉齐唱《桃花扇》，谁似当年郑妥娘?”陈文述《感秦淮郑妥娘事》：“传世诗篇总擅名，当年谁似郑如英? 流传‘闰集’今犹在，何处青溪绕石城?”都表现对她的思慕和同情。这首诗写于上述两诗之前，作者与郑妥娘有亲身的接触，有相似的遭遇，同情更深。这种深切同情，以闲淡之笔写之，突出的艺术效应是前后对照。起句及“缕衣”写其盛，极赞其才艺，以“压”字表现一切；“垂白”以下写衰，“前朝”二字及师师典故，蕴涵了丰富的内容和深沉的感慨。

这两首诗从两个名妓身上反映秦淮的盛衰，从秦淮的盛衰反映诗人的亡国之痛和身世之悲。多概括叙事而少明白抒情，情寓于事。以小见大，以个别见一般，以现象见本质，有深刻的典型意义。事件本身和诗的整个音节情调，读起来都觉得凄楚动人，虽曰“咏怀风月”，无异亡国痛史。

(陈祥耀)

徐元叹劝酒词十首(录二)

钱谦益

皇天老眼慰蹉跎,七十年华小劫过。
天宝贞元词客尽,江东留得一徐波。

落木庵空红豆贫,木鱼风响贝多新。
长明灯下须弥顶,雪北香南见两人。

鉴赏

这两首诗,作者在顺治十六年(1659)作于苏州。徐元叹,名波,吴县(今苏州)人,明诸生,入清不仕,隐居苏州天池落木庵以终,能诗,与钱谦益交情颇深。钱谦益的《初学集》有《徐元叹诗序》,说:"淡于荣利,笃于交友,苦心于读书,而感愤于世道,皆用以资为诗者也。"《有学集》卷二己丑年(1649)有《徐元叹六十》祝寿诗。王士禛《池北偶谈》:"吴中诗老徐波元叹,康熙初,年七十余,尚在。"本组诗按题意是劝徐元叹饮酒忘忧之意,内容多写徐的生平经历及作者与他在苏州聚会时的感想。

第一首起二句,说徐元叹年古稀,身经忧患(佛家所谓"小劫"),但天留"老眼",使饱观世事,亦足以慰平生的"蹉跎"(虚度光阴不得志)。结二句说明朝遗留的诗人词客已少,徐波是江东仅见的人物,实为难得。这两句使起句的"慰蹉跎",也可延伸到作者,意味着他得见徐波,也是慰思念前朝"词客"之情。"天宝""贞元",借唐朝说明朝,诗意似从唐刘禹锡《听旧宫中乐人穆氏唱歌》中"休唱贞元供奉曲,当时朝士已无多"两句翻变而来。

第二首说两人于明亡之后,都借诵读佛经以自遣。落木庵,徐元叹所居。红豆,钱谦益在常熟白茆镇所筑山庄名。一"空"一"贫",只能在其中敲"木鱼"以诵"贝多"(佛经)。近在佛前的"长明灯"下,远至佛经所说的"四大洲"中心的"须弥顶",或《俱舍论》所说的"雪(大雪山)北香(香醉山)南",同过此种生涯的,似乎只有他们两人了。谦益于明亡后,诗文中的每以"老皈空门”、忘怀世事表其韬晦自忏之情，这诗所写的，也以皈依佛法自诩。

谦益早岁以文章经济自负，热心世事；徐元叹也是个任侠风流人物。皈依佛法，都是无可奈何的寄托。这个时候，着力要把倜傥飞扬的意气，泯为老衲枯禅的心境来表现，故诗篇以极为清峭幽冷的笔墨，写两人凄清寂寞的生涯。然观其诗，两种情怀的矛盾，并未真正消释，“天宝”“贞元”，念念不忘，岂非分明可见？所以其效果只是做到于闲淡中弥见凄苦而已。读之有“尖风冷月”逼人而来，真如置身“香南雪北”之感。

（陈祥耀）

金陵秋兴八首次草堂韵（录三）

钱谦益

龙虎新军旧羽林，八公草木气森森。
楼船荡日三江涌，石马嘶风九域阴。
扫穴金陵还地肺，埋胡此塞慰天心。
长干女唱平辽曲，万户秋声息捣砧。

杂虏横戈倒载斜，依然南斗是中华。
金银旧识秦淮气，云汉新通博望槎。
黑水游魂啼草地，白山新鬼哭胡笳。
十年老眼重磨洗，坐看江豚蹴浪花。

壁垒参差叠海山，天兵照雪下云间。
生奴八部忧悬首，死虏千秋悔入关。
箕尾廓清还头极，鹑头送喜动天颜。
枕戈席藁孤臣事，敢拟逍遥供奉班？

鉴赏

钱谦益入清后的诗集名《有学集》。他有一些明显指斥清朝、歌咏抗清复明活动的诗，不敢编入《有学集》，另编为《投笔集》。《投笔集》

收七律一百零四首,步杜甫《秋兴》诗韵,共十三叠,第一叠《金陵秋兴八首次草堂韵》,亦称《后秋兴》;草堂,以杜甫所居成都草堂指代杜甫。以下各叠,依次称《后秋兴之二》至十三。《后秋兴》各叠,构成大型组诗。所咏史实,起于顺治十六年(1659)郑成功进军长江,反攻金陵(南京),终于康熙二年(1663)南明桂王被杀以后。

这里所选三首诗出第一叠,作者自注:"己亥七月初一日作。"己亥,即顺治十六年。这年五月,郑成功与张煌言合兵沿长江进军,收复长江南北不少城市。六月底,克镇江,逼近南京。作者这时听到郑、张军队胜利的消息,高兴地作了这些诗。

第一首,起联写郑成功军威显赫,使清军畏惧。"龙虎""羽林",唐代和汉代的皇帝卫兵名,用来指成功部队。新,指这次组成的新军。旧,谓成功在唐王隆武朝也典禁军,侍卫左右。"八公"句用淝水之战典故,苻坚望见八公山上草木,以为皆是晋军,以喻清军望风畏惧。颔联谓郑军战舰进入长江,近震"三江",远动"九域",即震动全国。石马嘶风,用"安史之乱"时唐太宗陵前石马也化为活马助战的传说,以喻明陵石马有知,也必振奋"嘶风"。颈联出句希望郑军扫平金陵敌人,恢复它原来的形胜,金陵旧有"地肺"之称;对句希望进而消灭清军于边塞,以慰"天心"人望。结联以辽代清,说进军金陵胜利,长干一带的妇女可唱"平辽"歌曲,不必再为征人缝制征衣而敲捣石砧。

第二首,起联谓清军战败,武器狼藉,一些南方失地,复归中华。颔联出句以秦淮代金陵,谓其恢复"王气";对句以汉博望侯张骞乘槎寻河源的故事,喻张煌言先锋部队攻取徽州、宁国诸地。颈联谓清军因失败而哀哭。白山、黑水,清军发祥之地;草地,游牧民族生活的草原。结联谓自黄毓棋举兵舟山后,已历十余年,又重新揩拭"老眼",看到南明舟师再冲波逆流而进入长江。江豚,喻战舰。

第三首,起联谓郑、张部队,光能"照雪",势如自天而降。颔联谓清军失败,不免有"悬首"之惧、"入关"之悔。生奴八部,指清军;死虏,作者自注:"伪四王子遗言戒勿入关,东人至今传之。"颈联望明军收复北京;湖南北有利形势,可以安慰桂王。箕尾,指北京一带的星宿;鹑头,即鹑首,指雍州分野的星宿,《柳如是别传》:"谓湖南北诸军,若见南都收复,必翕然景从。"结联的"孤臣",作者自指。谓他曾经降清,对明朝负罪,今日"枕戈"待旦,复国之后,当"席藁"请罪,不敢再望入朝,臣列"供奉"之班。

这三首诗,笔力雄劲,虽是步韵,格律上限制很大,而能一气挥洒,精工浑成。写郑、张进军,气象蓬勃焕发;讥斥清朝、清军,不避显露,用典颇多,都恰切分明,以汉张骞故事写张煌言,尤其扣得很紧。“长干女唱平辽曲,万户秋声息捣砧。”“十年老眼重磨洗,坐看江豚蹴浪花。”“枕戈席藁孤臣事,敢拟逍遥供奉班?”三首诗的结联,都曲折婉转,富有情韵。诗中充满喜悦之情和奋发之气,既笔意纵横,又典雅熨帖,气势情采并到。

（陈祥耀）

后秋兴之十三

钱谦益

海角崖山一线斜,从今也不属中华。
更无于腹捐躯地,况有龙涎泛海槎。
望断关河非汉帜,吹残日月是胡笳。
嫦娥老大无归处,独倚银轮哭桂花。

鉴赏

这一题诗,作者自注:“自壬寅七月至癸卯五月,讹言繁兴,鼠忧泣血,感恸而作,犹冀其言之或诬也。”康熙元年(1662)壬寅四月,南明桂王被杀于云南;五月,郑成功卒于台湾。“讹言繁兴”,当指消息。“鼠忧”,“鼠”,病也。《诗经·小雅·雨无正》:“鼠思泣血,无言不疾。”因道远消息未详,故到康熙三年(1163)癸卯作诗时,还希望它是“诬”“讹”、不确。此为八道选一。

诗的起联以南宋亡国于崖山事写明桂王永历朝的灭亡。颔联谓要像陆秀夫等南宋忠臣葬身“鱼腹”以殉国,已求之不得,怎能再期望凭借海外力量图谋恢复呢?龙涎,谓产龙涎香料之地,指代海外岛屿。出句专为桂王而发,对句兼及台湾形势。颈联谓全国易帜,均为清军统治之地。结联以月中的嫦娥、桂树为喻,写自己国亡无依,只能痛哭桂王之死。“桂花”,影喻桂王。

此诗写南明永历朝被消灭,清朝统一全国大陆,复国已成泡影;既哭桂王之死,兼忧台湾之讯。前四句借用历史典故表现现实,“望断”一联白描,结联为比兴之笔。感情沉痛呜咽,词句精工峭拔,怆恻欲绝之中,仍有过人的劲气锐力。鸡鸣子《投笔集跋》说钱氏:“系心宗国,不忘欲返，乃托之吟咏，以抒其愤激，犹可谓惨怛而思反本者。以诗论，沉郁苍凉，哀丽欲绝，亦不愧草堂之作也。”陈寅恪《柳如是别传》：“《投笔集》诸诗模拟少陵，入其堂奥，自不待言。且此集牧斋诸诗中颇多军国之关键，为其所身预者，与少陵诸诗仅为得诸远道传闻及追忆故国平居者有异。故就此点而论，《投笔》一集实为明清之诗史，较杜陵尤胜一筹，乃三百年之绝大著作也。”可以为我们读《后秋兴》诸诗作参考；唯其中“尤胜杜陵一筹”的话只是针对写实一个角度而言，不可误解为整体比较之论。

（陈祥耀）

渡江

谈　迁*

大江骇浪限东南，当日降帆有旧惭。
击楫空闻多慷慨，投戈毕竟为沉酣。
龙天浩劫余孤塔，海岳书生别旧庵。
闻道佛狸曾驻马，岂因佳味有黄柑？

作者

*谈迁(1594－1657)，字孺木，一字观若，浙江海宁人。南明福王(弘光帝)朝曾入宰相高弘图幕府。清朝入关后隐居以著述为乐。有《枣林集》《北游集》《枣林杂俎》。

鉴赏

这是谈迁于顺治十年(1653)北游过镇江时作。镇江北临长江，对岸即江淮运河终点扬州。它是东南门户，又是南北交通要冲，自古以来就是用兵之地，南北对峙时代，它的战略地位更是重要。历史上这里曾上演了多少威武雄壮的战争活剧：孙权凭借它，“坐断东南战未休”(辛弃疾《南乡子》)；刘裕凭借它，“气吞万里如虎”(辛弃疾《永遇乐》)；东晋的祖逖于此击楫中流；南宋的韩世忠于此大败金兀术。这里又曾败亡相续：陈朝军队未能抵挡隋师南渡，从而结束了东晋以降五个朝代偏安东南的局面；南明政权也因这里江防不守而迅即土崩瓦解。这里曾是东南屏障及南国北进的基地，又是北方敌国南侵的捷径，可以说在它身上铭刻了一部南北交兵史。许多到过此地的文人学士在重温这部交兵史时，总是嗟叹不已，这样的怀古诗词为数甚多；而作为南明的遗民、不久前经历过亡国惨祸的谈迁，其感慨就更为悲怆、沉痛了。

此诗起笔就是望“江”兴叹：这样壮阔的大江，这等天设地造的自然屏障，是多么好的立国条件啊，而南明守军却轻易将它放弃了！“当日降帆有旧惭”，是说那些投降将领应当感到羞愧，他们愧对大江，愧对这惊天的巨浪！将这两句连接起来，又仿佛是说“大江”以它的“骇浪”在申斥那些降将，这与南宋杨万里《雪霁晓登金山》用意相似。那首诗先是赞颂大江浩荡的气势，赞颂金山独立中流的气概，然后感叹道：“大江端的替人羞，金山端的替人愁！”谈迁此诗首联就是这样抒发了对南明倾覆懊恼莫名、痛悔交加的情感。颔联追思败亡的因由。“击楫”指祖逖于此渡江北伐事，“多慷慨”是说这类志士、壮举很多。但是，历史上的南方政权却少有振作的，这是因为“投戈毕竟为沉酣”！“沉酣”，沉醉，这里指贪恋功名利禄，此句大概是从辛弃疾词句“江左沉酣求名者”（《贺新郎》）变化而来。南方的许多朝代都以奢靡腐朽著称，朝臣中醉生梦死、贪恋富贵之徒特别多，这些人只要能保住他们的享乐生活，“投戈”（投降）是不感到耻辱的。这一句揭示了许多南方政权亡于北敌的原因，当然也包括了南明。南明本不乏坚决主战的文臣武将如史可法、刘宗周等，但最终还是重蹈历史覆辙。这两句一正一反，以“空闻”“毕竟”绾接，是慨乎言之，不同于一般的史论。

上二联紧扣“渡江”即景、即事兴感，颈联一转，写镇江劫后的荒凉冷落，化用了米芾的诗意。米芾曾居镇江，号海岳外史，筑海岳庵于甘露寺旁，后离去不久，甘露寺失火，古建筑多被焚毁，只有他住的庵子和李德裕（卫公）时建造的铁塔幸存下来。此事他写入《甘露寺》诗并序中，诗有一联云：“神护卫公塔，天留米老庵。”用甘露寺失火比喻兵火，于事、于地颇为贴切。“龙天”本指佛地，这里兼指南明，遭此浩劫，江山易主，故物无多了。“海岳书生”借指居住或淹留此地的文人。镇江本是人文荟萃之所，现在是云移星散，一片萧索了。尾联宕开一笔，追问异族南侵的目的，这里又用了一个典故：北魏太武帝（小名佛狸）南侵，兵围彭城，向刘宋守将张畅索求酒、甘蔗、黄柑，张畅满足了他的需求，但并未阻止他进兵，最后他一直打到扬州，并在江北岸瓜步山建筑行宫。这两句道：听说佛狸曾到这里，难道只是贪求江南佳味黄柑吗？北魏，鲜卑族政权，这里显然是代指满洲，言外之意是：清兵南下不只掠夺财富，还杀我人民，灭我种族，把我中华古国置于他们铁蹄蹂躏之下。这一问，将作者的悲愤之情又推进一层，从而深化了这首诗的主题。

这首诗写得悲慨淋漓，有对故国倾覆的痛悼，有对南明小朝廷的斥责，有对异族统治者的愤恨，这都发端于“渡江”时的即目，显得又很集中。诗用典实很多，都与此地有关，用得颇为精巧。这本是一首伤时之作，用典扩展了历史的空间，融入怀古的意绪，是有助于加强伤今的感发效果的。

（汤华泉）

广　陵

谈　迁

南朝旧事一芜城，故国飘零百感生。
柳影天涯随去辇，杨花江上变浮萍。
远山依旧横新黛，断岸还看散冷萤。
今日广陵思往事，十年前亦号承平。

鉴　赏

广陵，即扬州，扬州位于富饶的江淮平原上，又有长江、运河的便利交通，古来即为东南一大都会。隋朝南北大运河开通，扬州地位更显重要，炀帝曾三次长驻扬州，大修宫苑，这里俨然成了陪都。此时可说是扬州的鼎盛时期。扬州在历史上又迭遭兵燹。最早的一次大破坏，就是刘宋竟陵王据广陵叛乱，于是这里就成了战场，无辜的百姓惨遭屠戮，一座繁华的都市顷刻“瓜剖而豆分”。当时的鲍照目睹这荒芜情景，写了《芜城赋》，“芜城”因而也就作了扬州的别称。最大的破坏自然要数距谈迁写此诗时九年前的清兵十日大屠杀了。史载，清兵攻破扬州，四处奔突，逢人便杀，“扬州烟爨四十八万，至是遂空”（《明季南略》）。这是扬州的大灾难，也是中国历史上少有的大灾难，谈迁的感慨当然要超出鲍照。但他并未像鲍照那样直接对这场事变进行反映，而是借用史事，以古讽今，避免直斥而可能带来的麻烦，他和鲍照所面对的政治形势毕竟有很大不同。另外用这种手法，也能增强文字的张力，收到以少胜多的效果。

“南朝旧事一芜城，故国飘零百感生。”这里是以“南朝旧事”影射明季扬州的劫难。明和南北朝时的刘宋都可以说是“南朝”，刘宋时的广陵之乱又是扬州的第一次大劫难，这样的类比显得很自然。更由于《芜城赋》对那场灾难绘形绘色的描写,人们读到“芜城”二字又会自然联想起扬州破败的情景,甚至还会吟诵起“泽葵依井,荒葛罥途”“孤蓬自振,惊沙坐飞”等句子,因此在读者的印象里,“故国飘零”就不简单是一句山河破碎的感喟,而是一幅令人触目惊心的惨状了。

中间二联就是具体描写扬州的昔盛今衰,也是以历史旧事为喻。“柳影”“杨花”“冷萤”皆是炀帝故事。炀帝开通运河后,在岸边广植杨柳,后人谓之隋堤。白居易有《隋堤柳》诗道:“大业年中炀天子,种柳成行傍流水,西自黄河东接淮,绿影一千三百里。”“柳影天涯随去辇,杨花江上变浮萍”是说昔年盛事随着炀帝车驾的离去(其实是被杀)而一去不复返了,而今杨柳也已萧疏衰残了。后一句还有这样的意思:据说浮萍是杨花落水生成的,而杨花飘落又意味着春天的过去,所以苏轼的杨花词《水龙吟》就这样写道:“晓来雨过,遗踪何在?一池萍碎。春色三分,二分尘土,一分流水。”春天的凋残与炀帝典实的喻意是一致的。这两句是由昔日的盛写到今日的衰,下两句又由今日的衰联想昔日的盛:“远山依旧横新黛,断岸还看散冷萤。”“远山”指江南的山,欧阳修曾在扬州建平山堂,苏轼后来追叙此事,写道:“长记平山堂上,攲枕江南烟雨,杳杳没孤鸿。认得醉翁语,山色有无中。”“新黛”指青翠的山色。“冷萤”用炀帝放萤事。炀帝游扬州大搜萤火虫,于夜间放出,朗若白昼,杜牧《扬州》诗亦写到“秋风放萤苑”。隋炀帝放萤夜游代表了扬州昔日的繁丽,欧阳修、苏轼时的扬州也是一片歌舞升平。作者现在看到远山、断岸,又不禁回想起那时的情形,两句中的“依旧”“还看”透出了无限感伤的心情。上面四句写扬州盛衰的变化,三句都联系到隋代,正如前面所说,那是扬州的鼎盛时期,可作盛时的代表,此外还有一层意思:隋代扬州的盛衰还表示着一个王朝的兴亡,明末扬州的破败也正发生于易代之际,它表示着明朝的灭亡、清朝统治的建立,正因有这样的政治内涵,作者才反复地引以为喻。

“今日广陵思往事,十年前亦号承平。”“往事”就是指上二联所写盛事,今日思之,无限神往,又无限悲伤,下句用一个“亦”字,将怀古之情与伤今之情联结起来,表明过伤心之地“百感生”的实在缘由。尾联在结构上是全诗的结穴之处。

顺治十年(1653)作者北游为的是给明朝编年史《国榷》定稿,途中访问故旧,搜求佚闻,大大充实了那部史书的内容。同时又写了不少感叹时事的诗篇,这些诗篇与《国榷》一样倾注了他对故国的眷恋之情。读《北游录纪程》,我们可以得出这样的印象:这些诗从某种意义上说,也可称之为“诗史”。

(汤华泉)

题自画大树

项圣谟*

风号大树中天立，日薄西山四海孤。
短策且随时旦暮，不堪回首望菰蒲。

作者

*项圣谟（1597－1658），字孔彰，号易庵，浙江嘉兴人。明清之际画家，入清未仕，以卖画为生。

鉴赏

项圣谟是一个很有民族气节的画家，入清以后，他用不少绘画作品表现对明朝的怀念，对异族统治者的愤恨和不合作，《秋山红树图》《天寒有鹤守梅花图卷》《大树风号图》就是其中有代表性的作品。《题自画大树》就是题写在《大树风号图》上的。这幅画占据中心的是一株参天挺立、枝干遒劲的大树，天穹阴云密布，树下有一老者曳杖独行，凝望远方……显然，画中的老者即为作者影像，大树是他的精神象征。

这首诗就是对画意的表述。头两句是对"大树"的形象及其环境的描绘：黄昏时分，狂风呼啸，原野上一棵大树挺立在天地之间。这表现出环境的险恶、处境的孤危，更表现出大树的强劲、兀傲。环境与大树成反衬关系，风之"号"更显出大树"立"的强度，"四海孤"更显出大树的挺拔、不同寻常。这大树的形象很容易使人想起杜甫笔下所写的："孔明庙前有老柏，柯如青铜根如石。霜皮溜雨四十围，黛色参天二千尺。"（《古柏行》）作者作画题诗时也很可能受到杜甫诗意的感发。杜甫是借古柏寄托孤臣烈士的心志，这里的寓意当同，试想那些在清廷暴虐统治下、坚持斗争的志士仁人，不就像这样的大树吗？后两句写画中人的活动。画面的老者当然是静止的,诗通过想象将他写活了。"短策且随时旦暮",这老人曳着短杖,在这里久久盘桓;"且随时旦暮",不只是一天中的朝暮,而是朝朝暮暮了。他为什么常在这里流连忘返呢?他大概是在大树身上发现了自己的存在价值,从而获取了无穷无尽的精神力量,后面一句"不堪回首望菰蒲"就是一个对照。"菰蒲"是两种水草,既柔弱,又易凋残。据画面看大树无叶,自然是秋天景况,秋风中菰蒲如何那就不言而喻了。与大树对照,这菰蒲是多么渺小、可怜,这里的"不堪回首"就是不愿回首的意思,表现了作者对这些小草的极度鄙夷。若指实菰蒲的象征意义,就是指那些投降、屈服于清朝的形形色色人物,作者在此表示了对这些人的厌恶。

项圣谟的这首诗在概括特定时代、特定人物精神上,是具有一定的典型意义的。

(汤华泉)

漫　兴

朱之瑜*

远逐徐生迹，移舟住别峰。遗书搜孔壁，仙路隔秦封。
流水去无尽，故人何日逢？乡书经岁达，离恨转重重。

作者

*朱之瑜(1600－1682)，字鲁玙，号舜水，浙江余姚人。明亡后，南明福王(弘光帝)时，欲授以官职，不就，隐居浙江舟山。清兵南下，陷南京。他东到日本借兵以复明，不成，便定居长崎等地讲学。卒前，遗嘱在墓碑上写"故明人朱之瑜墓"。有《朱舜水文集》。

鉴赏

这首诗见于张廷枚《国朝姚江诗存》，知是未定居日本前作。作者于顺治十六年(1659)定居前曾数次东渡。此当是起初赴日本时写的。

前四句写东渡日本的新鲜、欣慰的感触。徐生，指徐福，秦始皇曾派他带童男童女数千人入海，寻找三神山。"别峰"，异域岛峰，指日本列岛。"远逐徐生迹，移舟住别峰。""远逐"，体现出道途辽远和远逐中作者的兴致。他说自己是追逐千年前徐福的足迹来的，此行亦是寻仙了；徐福寻仙遂愿否，不得而知，自己则真的抵达了异域，这"别峰"或许就是徐福所说的神山吧？传说，三神山是可望而不可即的，当你接近它时，"风辄引船而去，终莫能至"(《汉书·效祀志》)，而作者则能"移舟住别峰"，这真是难得的奇遇啊。下面写他到达后发现了"遗书"——祖国已失传的古籍，这又是奇异的事。这里他说"遗书搜孔壁"用了"孔壁"这个典故(汉武帝时在孔子旧宅的墙壁里发现了不少古文经传），似是显示了日本亦为儒风所被，亦是一“礼仪之邦”，这更叫作者感到欣喜、惊奇了。“仙路隔秦封”，“秦封”，秦朝的封疆。这里他明确地称日本为“仙路”，在他的意识里自己就是徐福或徐福的同时代人了，所以说是“隔秦封”，同时他又可能将自己幻化为桃花源中人——“嬴氏乱天纪，贤者避其世”（陶渊明《桃花源诗》），这里是一个与虎狼之秦相隔绝的地方，联系上句，还是一个“俎豆犹古法，衣裳无新制”（《桃花源诗》）的保存上古文明的地方，来到这里，他该感到多庆幸。作者在明亡后避地日本，产生这些感触、幻觉，是很自然的。

后四句写羁留日本对故乡、故国的怀念。这怀念之情由流水兴起：“流水去无尽，故人何日逢？”这流水指洋流，它日夜永无止境地向远方流去，不禁使他想起远方的故国，他会产生类似孟浩然的感慨：“还将两行泪，遥寄海西头。”（《宿桐庐江寄广陵旧游》）同时这样无休止地向远方流去，又像他思念故人的心绪那样绵绵无尽，会使他想起“思君如流水，何有穷已时”（徐干《室思》），这流水之兴来得自然而熨帖。“乡书经岁达，离恨转重重。”上句照应起笔的“远”字，下句关键在“转”字。上面说到作者避地日本初来时心情是欣慰的、庆幸的，但此处毕竟是异邦，“虽信美而非吾土”，怀念乡国自是不免，时间越长，离恨越浓。这是人之常情。又，作者起初几次东渡日本，是“有意于经历外邦，而资恢复之势”（《舜水先生行实》），也就是借兵复明，本无长久居留之意，但结果很不顺利，淹留经年，这里的“离恨”又有特定的忧念国事的内容。上下幅四句所表现的情绪看来有些抵触，但从这些背景上来理解，就能贯通了。后四句所写，又有些像《桃花源记》中那个渔人，他欣喜地发现这块乐土，但尘心未改，不久又思念起家乡。作者亦然，他怎能忘情于沦陷的祖国，忘情于受苦受难的同胞呢？此诗就是写他东渡扶桑的复杂心情。

诗题为《漫兴》，写得很随意，又很有兴致，是一篇颇耐讽咏的好作品。

（汤华泉）

避地日本感赋

朱之瑜

汉土西看白日昏，伤心胡虏据中原。
衣冠谁有先朝制？东海翻然认故园。

鉴赏

这首诗是作者定居日本后所作，原有两首，抒发的是深沉的亡国之痛。

一、二两句写在日本西望故国。"西看"，表现的是对故国的眷恋，但看到的是什么呢？是"白日昏"。这"白日昏"可指景物微茫，其主要意味恐怕还是象征性的，以"千里黄云白日曛""大漠风尘日色昏"那样的景象，来象征"汉土"之上干戈扰攘、生灵涂炭，起首二字为"汉土"，而未用"故园"（平仄意义同，可换用），"土"较具体，易与"昏"联系，标举"汉"也更能表现作者的民族感情，"汉土"与下句的"胡虏"正相对立。"伤心胡虏据中原"正揭明了"白日昏"的象征意蕴。胡人占领汉土，这是反常的，是叫长期受儒学熏陶、严于夷夏之别的士大夫难以容忍的。"据"，盘踞，还意味着长期占领，这更是叫人难以忍受了。作者的"伤心"不仅是因为目前的国破家亡，还因为永无回归之日，这伤心就显得格外沉重了。

三、四句写亡命日本的感触。当时的胡虏不仅占据了汉土，而且还用胡俗代替汉俗，强迫汉族人民剃发改服，这遭到了汉族人民的强烈反抗，作者也曾"誓以必死"，不接受"髡发"（《舜水先生行实》）。在作者和当时广大的汉族人民看来，改变"衣冠"就是对明朝的背叛，对汉民族文化传统的背叛；而来到日本，看这里的服饰、装束竟和明朝相似，可以自由着装了，他自然会感到庆幸。"衣冠谁有先朝制？东海翻然认故园。"这庆幸感、认同感中蕴涵着他对先朝及对故国的精神文化生死与共的感情。但是他毕竟是亡国之民，是在别的国度里找到这片精神王国的。"翻然"也就是某种悖谬的意思。这样看来，这两句感叹又有那种且将他乡做故乡、且将异国做故园的苦涩感。更何况先师孔子还说过："夷狄之有君，不如诸夏之亡（无）也。"（《论语·八佾》）作为夷狄之一的日本虽有这样的礼仪，毕竟不能和故国文明同日而语啊。这里是有很深的感慨的。还要注意"东海"一词，从字面看，当然是指日本，但暗中又似在用典。战国时鲁仲连曾极力反对赵国投降秦国，说若尊秦为帝，他就将"赴东海而死"，决不做它的臣民（《战国策·赵策三》）。南宋胡铨在《戊午上高宗封事》中也曾引述这些话，以表示和秦桧把持的小朝廷不共戴天。蹈东海而死以后就成了不与暴虐政权使用、不向暴君低首的常用语。这里的"东海""认故园"当也有这样的意思。

鲁迅先生非常尊崇他的这位同乡先贤，曾多次进行表彰。他在《这回是"多数"的把戏》中写道："明亡以后，一点土地也没有了，却还有窜身海外，志在恢复的人。"这人就是指朱之瑜。读了《漫兴》和这首《避地日本感赋》，我们对这位爱国志士的"拳拳之忠"就有了较深的体察。

（汤华泉）

题友人听雨舟

冯　班*

篷窗偏称挂鱼蓑，荻叶声中爱雨过。
莫道陆居原是屋，如今平地有风波。

作者

＊冯班(1602－1671)，字定远，号钝吟，江苏常熟人。少与其兄舒齐名，号二冯。明末秀才，入清佯狂避世。论诗反对江西诗派，诗宗晚唐，尤推李商隐。为文考据精确。对经史小学，极有根底，开清初汉学风气之先。有《钝吟集》《游仙诗》等。

鉴赏

这是一首题画诗。《听雨舟》是作者友人的一幅画，据一、二两句所写，这幅画的画面大概是：一条渔船泊在遍是芦荻的湖沼里，此时云低雨密，舟中人正在静静谛听篷窗外那潇潇无尽的雨声。这舟中人当然是有听雨情趣的文人雅士，而非一般的渔人，但是唐宋以来许多诗画中渔人都高士化了。读着"篷窗偏称挂鱼蓑"，人们自然想起张志和在《渔歌子》中所写的"青箬笠，绿蓑衣，斜风细雨不须归"那样悠闲自得的情景，此舟中听雨人大概也是如此吧？"听雨"，前人写到此境的名句很是不少，如李商隐"秋阴不散霜飞晚，留得枯荷听雨声"(《宿骆氏亭寄怀崔雍崔衮》)，杜牧"一夜不眠孤客耳，主人窗外有芭蕉"(《雨》)，苏轼"急雨潇潇作晚凉，卧闻榕叶响长廊"(《连雨江涨二首》)，它们都恰到好处地传递出了听雨人的特殊感受。这幅画的"荻叶听雨"既符合舟居的环境，又恰合舟中人徜徉自在的心境，试想雨打荻叶那细密轻柔的声响会给这种篷窗生活增添多少情韵。这样看来，这幅画在立意上颇能推陈出新。

不用说，作者对这幅画是很欣赏的，对画中的烟波钓客自由自在的生活也是很羡慕的，两句中的"偏称""爱"更明显地表露了他这种心情。下两句就是观感了："莫道陆居原是屋，如今平地有风波。"此有两层意思。一是顺承前面，作者看画产生了幻觉，仿佛进入了画境，虽然画是挂在墙壁上的，却觉得自己就好像也在舟中，也像舟中人一样在听雨，周遭是水波，盈耳是雨声。二是借题发挥，语意双关，以"风波"关合人事上的风波，政治上的风波。这就是说，现在虽然陆居有屋，但也像无家一样了，国家亡了，没有凭依了。冯班是明诸生，对明朝感情很深，有这种感慨也是自然的。但是一般人读这首诗，只着眼于后二句的议论新警，以遗民之恨了之，把这首情韵颇佳的题画诗当做一般的议论诗，就失之肤浅了。作为一首好的题画诗，它复现了画境，传达了作者的审美感受，在这个基础才生发了特殊的政治联想，如果将后二句第一层意思忽略了，那这首诗前两句在意思上也就脱节了。

（汤华泉）

朝歌旅舍

冯　班

乞索生涯寄食身，舟前波浪马前尘。
无成头白休频叹，似我白头能几人？

鉴赏

冯班在年轻时曾有一段苦学经历，他的老师钱牧斋说他："其为人悠悠忽忽，不事家人生产，衣不掩骭，饭不充腹，锐志讲诵。"《(冯定远诗序)》明亡后，他的仕进之路断绝了，生活更为困难，但仍能固穷守志，不愿趋附新朝，常旅食四方，吟诗自适。这诗就是他晚年途经朝歌所作。朝歌，今河南淇县，曾为殷商晚期都城，这里颇有引发诗人兴致的古迹。据说姜子牙(吕尚)六七十岁时在这一带做卖食、杀牛的营生，很不得意，直到八九十岁才发迹。李白《梁甫吟》写道："君不见，朝歌屠叟辞棘津，八十西来钓渭滨，宁羞白发照清水，逢时壮气思经纶。""朝歌屠叟"恐怕是最为人乐道的，像冯班这样穷愁潦倒、经历特殊的人路过此地，会有一番特别的感慨。

“乞索生涯寄食身，舟前波浪马前尘。”这就是写自己旅食四方的苦况。“乞索”，乞讨，求人接济，与“寄食”略同。“乞索生涯”——“寄食身”，反复述说，见出悲酸。一个读书人，落魄如此，这是叫人为之同情的。陶渊明在《乞食》诗中写道：“饥来驱我去，不知竟何之？行行至斯里，叩门拙言辞。”这里有多少不得已啊。“舟前波浪”和“马前尘”，这是反复概括旅途生活，体现出地域的广阔、时间的久长。这里变叙述为描写，从“波浪”“尘”中，是不难想象其颠沛流离情形的。这些就是他的生涯，与未遇前的姜子牙是相似的，路过姜子牙流落之地，他自然想起这位“前贤”。“无成头白休频叹，似我白头能几人？”是他的感慨，这感慨意味甚多。“无成”一般指功名不遂，头白而无成应该说是很悲哀的。当他想到姜子牙的不遇，会有同病相怜之感，但姜子牙后来毕竟有遇，得以大用，而自己则决无闻达之时，想到这会更加悲哀。他劝自己“休频叹”，说“似我白头能几人”，意思就是说“似我白头无成能几人”，可以理解这是一种无可奈何、近于绝望的口吻，还可以理解这是一种自傲的口吻。两句当还含有对姜子牙的讽刺之意，姜子牙本是殷朝臣民，暮年为周文王知遇而助之灭殷，出于对明朝的感情作者对此会不以为然的。这里“休频叹”，就是视头白无成为当然，意思是说本来就打算在新朝谋什么仕进之路，“无成头白”正表明自己尽忠于故朝，比之姜子牙那种朝秦暮楚不是高尚得多吗？这里还可引申一步：甲申之变后，故明许多达官显宦纷纷投降，一些文人学士也多有变节事敌者，作者的老师钱牧斋便是其中一个，这是叫他不胜悲慨的。这里借讽刺姜子牙，也讽刺了这些变节者。“休唱贞元供奉曲，当时朝士已无多”当是这两句的另一种意味。

冯班一些绝句甚有唐人风调，婉而多讽，时人吴乔就说他的诗：“不着议论声色而含蓄无穷。”（《围炉诗话》）此诗就是一个很好的例子。

（汤华泉）

临桂伯墓下

冯　班

马鬣悠悠宿草新，贤人闻道作明神。
昭君恨气苌弘血，带露和烟又一春。

鉴赏

“临桂伯”,瞿式耜的封爵。式耜,江苏常熟人,明末著名的抗清大臣。南明时任广西巡抚,后拥立桂王,为东阁大学士兼桂林留守,桂王转徙各地,式耜坚守桂林四年,抱定“城存与存,城亡与亡”(《临难遗表》)的决心,击退了清兵多次进攻,最后被俘牺牲。式耜的英雄行为,赢得了汉族人民普遍的同情和尊敬,他死后五年归葬家乡,苏州一带人民纷纷传说他成神显灵,向他祭拜。这诗就是一首祭吊之作。

第一句是凭吊瞿墓的印象。马鬣,指坟上的土封。宿草,指墓上经年的草。这句写式耜的墓安闲地、静静地躺在这里,墓上的草又青青一片了。这景象传出一种肃穆而动人哀感的气氛。下面一句“贤人闻道作明神”,写到成神的传说。“作明神”是式耜最后也是最高的归宿,也是时人对他最好的褒奖,写出这一点,“贤人”的贤迹就可以想见了。中间用了“闻道”一词,一见得是传说,二点示出作者的思想活动,三显出怀念、追慕之情,涵咏之间,颇多意味。

一、二句由吊其墓到想其人,三、四句是赞叹,大意是说,式耜虽长眠在这里,但他的遗恨、他那忠于明朝的意念永远是不会消歇的。这里用了两个典故:“昭君恨气”指昭君恨死异域、怀念故国的感情;“苌弘血”指苌弘身死而遗恨弥笃的精神(据说苌弘被杀,其血三年化而为碧)。这两个典故用到式耜身上,精神实质十分相合,甚至细节也有相类之处;杜甫想象昭君“环佩空归月夜魂”(《咏怀古迹》),式耜的魂魄是否也从南国归来了呢?苌弘血三年成碧,式耜死后五年迁葬,都会是历时愈久,其志愈坚吧?“带露和烟又一春”,是前句的谓辞,表示时间,很有弹性。一是表示已过时间,又是一年了,又表示将过时间,“又一春”,还有多少“一春”呢?此意也可说是“天长地久有时尽,此恨绵绵无绝期”。“带露和烟”,春景很美,“苍凉之意出以绵丽之词”(张维屏《听松庐诗话》),更觉悲惊,同时这样写,又是对墓下这个美的灵魂的一个表彰。诗从吊墓起,又落到墓前,颇具回环之美。

(汤华泉)

绝贼臣胡谦光

阎尔梅*

贼臣不自量，称予是故人。敢以书招驰，冀予与同尘。
一笑置弗答，萧然湖水滨。湖水经霜碧，树光翠初匀。
妻子甘作苦，昏晓役舂薪。国家有废兴，吾道有诎申。
委蛇听大命，柔气转时新。生死非我虞，但虞辱此身。

作者

*阎尔梅(1603－1679)，字用卿，号白耷山人，又号古古，江苏沛县人。明崇祯举人。清兵入关后，曾参与抗清义军活动，两次被捕，皆不屈。后流亡各地，晚年始归故里。其诗格调沉雄，多反映民族气节及民间疾苦。有《白耷山人集》。

鉴赏

张相文《白耷山人(阎尔梅)年谱》载："崇祯十七年(1644)二月，清以胡谦光摄沛县令。"据诗意，这个胡谦光与作者曾是朋友，他在当了清朝的沛县代理知县(作者即沛县人)后，写信邀请作者共事，作者不予理睬，断绝了与他的关系，并作此诗以记其事。

开头四句述来书意思，表示了对胡谦光的极度轻蔑，说这个胡谦光不配称自己为朋友，作书邀请是胆大妄为。出口就骂他是贼臣，说和他共事就是同流合污(同尘)，表现了作者与胡谦光，与清朝政权誓不两立的鲜明立场。中六句写自己甘愿过清白自守的贫苦生活。"一笑置弗答，萧然湖水滨"，他丝毫不为利禄所动，隐居湖滨十分悠闲自得。"湖水经霜碧，树光翠初匀"，这就是他的生活环境。碧绿的湖水与青翠的树林相映照，多么叫人赏心悦目啊。"翠初匀"，似乎是他的第一次发现,充满了新鲜感。这里“湖水经霜碧”显然有自喻情志的意思,经历患难而后品质更加纯净。下面说“妻子甘作苦,昏晓役春薪”,指妻子儿女甘于劳作之苦,早晚从事于舂米、砍柴的劳动。自己呢?不言而喻是“晨兴理荒秽,带月荷锄归”(陶渊明《归园田居》)了。这样的环境,这样的生活,苦是苦一些,却也心恬意足。最后六句自明其志。“国家有废兴,吾道有诎申。”这里的“国家”是明朝,“诎申”同屈伸。这两句说自己的抱负、志业随国家废兴而屈伸,国兴则进,国亡则隐,不愿苟合趋时。“委蛇听大命,柔气转时新。”“委蛇”通逶迤,顺随的意思。这两句说,我听从天命的安排,心平气和地静待时运的转变。看来作者觉得明朝的“气数”未尽,对国家的复兴还抱有信心。“生死非我虞,但虞辱此身。”“虞”,担忧。他担忧的不是生死,而是志行的清浊。这段自述显得语气平和自然,没有争张牵强之感,像是从肺腑中流出。全诗行文自然,开头一连三个“予”字,不避重复,文字多是散行,显得古朴可爱。

(汤华泉)

采　桑　曲

阎尔梅

种桑人家十之九,连绿不断阴千亩。
年年相戒桑熟时,畏人盗桑晨暮守。
前年灾水去年旱,私债官租如火锻。
今春差觉风雨好,可惜桑田种又少。
采桑女子智于男,晓雾浸鞋携笋篮。
幼年父母责女红,蚕事绩事兼其中。
桑有稚壮与瘦肥,亦有蚕饱与蚕饥。
忌讳时时外意生,心血耗尽茧初成。
织不及匹机上卖,急偿官租与私债。
促织在室丝已竭,机杼西邻响不绝。
残岁无米贷人苦,妄意明年新丝补。

鉴赏

在自给自足的自然经济中，种桑养蚕是农民的主业之一，因此古代称农业往往叫农桑，“桑麻”往往成为农作物的代称。此诗开篇所写“种桑人家十之九（意为十家就有九家），连绿不断阴千亩”，即写这种情况。《采桑曲》为乐府诗题，顾名思义是写采桑养蚕，不过自古以来此题作品又可分为两类：一类是写这种劳动的愉快，甚或劳动间一些浪漫的事情；一类是写这种劳动的艰辛，以及所受租税剥削之苦。此诗即属后一类。

头两句描写很美，可谁知道这千亩绿阴之下种桑人家的苦况呢！下面就写看守苦、灾年苦、租债苦。说是“年年”，又是“前年”，见得经常如此，有什么好日子过呢？“今春差觉风雨好，可惜桑田种又少”，今年看来风调雨顺，不旱不涝，但桑田又种得不多（或租种的少，或旱涝后未补栽），又失算计了。前面的“畏人盗桑”，畏人催租逼债，这里的“差觉”“可惜”，将种桑人家长年提心吊胆、不能把握自己命运的状况刻写出来。以上是概括的写法，下面是一个采桑女子的劳动及其家庭的生计。

“采桑女子智于男”，是说她比男子心灵手巧。她从小就受到蚕桑劳动的严格训练，是这个家庭从事这种劳动的主要人手。“晓雾浸鞋携笋篮（竹篮）”，采桑起得这么早，体现出她的辛苦，也体现出她的勤劳。“桑有稚壮与瘦肥，亦有蚕饱与蚕饥”，这两句不是一般的描写、说明，而是写采桑女采桑时的心理活动：哪些桑叶好，哪些桑叶差；哪些枝条该修剪，哪些桑树该追肥；该抓紧时间采摘桑叶啊，家中的蚕儿该要饿了吧。“忌讳时时外意生，心血耗尽茧初成。”前句写她在整个蚕事活动期间的心理状态，时时担心意外事情发生。唐代王建在《簇蚕词》中有古时养蚕之忌讳方面的细致描写可参考。

上面八句具体写出了蚕事过程，从采桑到茧成总算顺利了，但结果呢？为了还租还债，机上的绢帛还未织成匹就预先卖出了。急偿，可见催逼得急。这样等不到秋天，这些丝呀、帛呀全还债交税了，所以下面写道：“促织在室丝已竭。”促织、蟋蟀，这种昆虫鸣声好像是“促织”，它们进入室内是秋天，也正是织丝的好时候。现在这种虫子在叫，可这个女子却无丝可织了，这是叫她感到刺激的。使她感到刺激的还有“机杼西邻响不绝”，西边邻居家织机响声不断，可以看出邻居是个富户，更显出她这个贫者心中的悲苦了。这里是两个反衬写法。最后年终她只得又向人借贷了。“妄意明年新丝补”,做着剜肉补疮的打算,这恶性循环何时是尽头?“妄意”,想入非非,叫人感到同情,这是走投无路的老百姓的一种扭曲的心理。在“风雨好”的年头里,这户农民的境况尚且如此可悲,何况灾年了!因此作者的描述角度是有深意的。

这首诗的语言清畅流利,通篇未用典故,也没有深奥的词语。头四句一韵,以下皆两句一转,音节变化多,似与蚕事的繁忙、情况的多变相应。此与唐代“张王乐府”的风格有些相似。诗的内容多叙事,但渗透了心理活动,这就比单纯叙事来得动人了。

(汤华泉)

乙酉岁除八绝句

傅　山*

纵说今宵旧岁除，未应除得旧臣荼。
摩云即有回阳雁，寄得南枝芳信无？

作者

*傅山(1607－1684)，字青主，又字啬庐，山西阳曲人。明秀才。明亡后，隐居山西青羊山。清康熙中，被征举博学鸿词科，授内阁中书，皆不就。工诗，擅长书画。有《霜红龛集》。

鉴赏

一般人在岁末总好回首往事，回首往事总少不了发些感慨，这往往也是诗人感兴的题目，历代"岁除""守岁"之作就很多，这些作品多有岁月之叹、得失之忧，而在家国出现重大变故时期产生的这类作品，其内容的社会意义就会有很多不同了。傅山在甲乙之际就写有两组这类诗歌，另一组题为《甲申守岁》。这组写于"乙酉岁除"，也就是南明弘光朝倾覆、唐王在闽立国、鲁王在浙监国之后，作品表现了他对社稷倾覆的无限伤痛，对南方政权(唐王、鲁王等)复兴明朝的殷切期待。

这首诗的前二句是表达伤痛之情，"旧臣荼"是指他内心的悲苦。荼，是一种苦菜，这里代指苦情，早在《诗经·邶风·谷风》"谁谓荼苦，其甘如荠"句中就这样用了。这两句说"旧岁除"，而心中的苦情不可除，一体现出悲苦之深，山河破碎，生民涂炭，其伤如何；二体现出对故国的执著，真是天长地久之恨了。这两句都有"除"字，这是双关手法，用得自然又有很强的力感。这两句又都有"旧"字，这又是映衬笔法。除夕之际除旧布新，"旧岁"即刻成新年了，但他这个"旧臣"将永远是

"旧臣",他不会趋附新朝。

后二句是期待。这时唐王在福建、鲁王在浙江均建有政权,以图恢复,作者盼望传来好消息。他是这样联想的:明天就是新年了,南方的大雁就要飞回来了,古人说雁足传书,大雁啊,你能传来南方的消息吗?古人又有折梅相寄的故事(《荆州记》:陆凯与范晔交善,自江南寄梅花一枝与晔,兼赠诗云:"折花逢驿使,寄与陇头人。江南无所有,聊赠一枝春。"),而南方的梅花开得又早(《白孔六帖》:"大庾岭上梅,南枝落,北枝开。")大雁啊,你一定能带来南方的花信(即"芳信")吧?他这样联想自然表现了他心情的急切。"摩云"即有还使人想见其翘首南天的情状,同时也表现了他对南方抗清王臣的美好祝愿,对恢复事业胜利的信心,这里化用了那些动人的故事、美好的景象,就是他这些心情的显现。

此诗是作者在乙酉岁(1645)除夕所写的八首绝句中的一首,从上面对这一首的简单分析可见,他在守岁时心情是多么不平静。起笔的开门见山,收笔的怀想摇曳,是很能启发读者由此情感的片断表现推想开去的。

(汤华泉)

青羊庵

傅山

芟苍凿翠一庵经,不为瞿昙作客星。
既是为山平不得,我来添尔一峰青。

鉴赏

青羊庵,作者所居住的土室(窑洞)名,在青羊山下。作者于明亡后曾一度着道士服,居此土室内,当时纪映钟曾赠诗曰:"朱衣一道人,土室度残春。"就是写他此时的生活。这种生活似乎很枯寂,但在他看来,却很充实,他有他的乐趣,他有他的追求,他有他的价值取向,这些都通过这首诗表现出来了。

"芟苍凿翠一庵经",写土室的开凿。"芟"铲除。"苍""翠"指山和山上的草木,这在修辞上叫借代,用这两个色彩字代替木石,就显得比较美,山色美,环境美,开凿的劳动也美,这体现出作者十分喜爱这个土室。"一庵经",一庵经籍典册,室内充满藏书,也见得作者精神生活的充实,这个用语大概是化用"一床书”,唐卢照邻写闲居中杨雄生活是:“寂寂寥寥扬子居,年年岁岁一床书。独有南山桂花发,飞来飞去袭人裾。”(《长安古意》)傅山面对“一庵经”和杨雄面对“一床书”,其心境当是相似的。第二句揭明自己的政治态度:“不为瞿昙作客星。”瞿县,指瞿昙悉达,他是天竺佛教徒,唐朝开元间来中国,曾任太史监官职。“客星”,本指得皇帝宠遇的高士,这里的意思相当于客卿,指在异国做官。作者说他不愿像瞿昙那样为异国服务,这里他把清朝视为异国,表明自己坚决不合作的态度。唐熙中曾征举博学鸿词科,拟授内阁中书,作者都予以拒绝,可作此句注脚。这句与上句联系起来,意思就是:宁愿在土室内读经,不愿到朝中做官。三、四句忽发奇想:“既是为山平不得,我来添尔一峰青。”山,这里指青羊山,他想,青羊山千年万载挖也挖不了、平也平不掉(当由开凿窑洞联想),是这么地永恒、伟大,我不也是以山自号吧(作者名山、号真山)?我的土室建造在青羊山上,这不就是为它增添了一座山峰吗?这种联想颇为奇巧。他既然成了“真山”也就具有了大山的性格,任何势力压服不了他;他的生命也就具有了大山一样的价值,可以永垂不朽了。最后一字是“青”,又是一个美好的色彩字,青青山色,宛然可见,这“青”又易令人联想起“青史”,可体现出他对人生这一价值取向感到多么欣慰。这个“青”又嵌合了他的“青主”之字。古人曾以山寄情或以山寓志,但少有径自将自己写成山峰的,这里的拟山是巧妙地利用了自己名号的意义。傅山诗甚多奇妙的想象,此诗与《乙酉岁除》绝句皆是好例。

这首诗可以说是咏志诗,写得并不枯燥,耐人寻味。作者写有好几首以《青羊庵》为题的诗,他的诗集名为《霜红龛》,亦是青羊庵的异名。看来他是十分看重这个土室的,这个土室就是他后期精神生活的寄托。

(汤华泉)

自　遣

傅　山

扬雄拟我愧非伦,况复无才撰美新。
什一懒营虚笑鬼,寻常守辱失钱神。
生憎褚彦兴齐国,喜道陶潜是晋人。
破衲黄冠犹未死,还因邻里问僧珍。

鉴赏

诗为"自遣"，即抒写自己的怀抱。诗题标明了其写作缘起：作者曾在盂县(今属山西)做客，盂县有人向右元打听作者情况，右元用诗对作者大大赞扬了一番，作者感到有些过分，于是和作一首。右元，作者友人，当是郑大元，曾同作者一起隐居过。

右元在诗里大概把作者比作扬雄，所以这首和诗起联即言："扬雄拟我愧非伦，况复无才撰美新。"前一句说他比不上扬雄，这是他的自谦。扬雄是汉代著名的学者，甘于寂寞，勤于著述，本传谓其"自有大度，非圣哲之书不好也；非其意，虽富贵不事也。"(《汉书》)友人将他比扬雄应当说是很高的赞许，扬雄的为人为学作者当也是景仰的。可第二句说自己无才写不出《美新》那样的文章，就有些讽刺之意了。《美新》即《剧秦美新》，这篇文章对王莽的新朝有所美化，确实是扬雄一生很大的过失。友人作诗时不会想到这层，而任何比拟也难做到完全准确，作者这样说，不能理解他是对友人的苛责，甚至也不是苛责扬雄，而是借题发挥，说自己决不趋附现在的新朝，决不像那些朝秦暮楚之徒那样卑劣。颔联写自己淡泊自处，不慕名利。两句用了两个典故：南朝宋代的刘伯龙，生活很困窘，他想营求什一之利(即经商)，找手下人商量，而遭到鬼的一顿讥笑(见《南史·刘粹传》)；晋朝鲁褒"伤时之贪鄙"作《钱神论》，有言曰："忿争非钱不胜，幽滞非钱不拔"(《晋书·鲁褒传》)。这两句说，我懒得营利，鬼笑话不到我，我一贯甘受屈辱，无官司可打，钱神也就失去了作用。很可能友人在诗里十分赞扬作者的高洁志趣，这里用"懒营""守辱"等近于消极的词语作答，有表示谦虚的意思。另外，扬雄在《解嘲》中说过"高明之家(即富贵之家)，鬼瞰其室，攫拿(即依仗权势)者亡，默默者存"的话，而自己既非"高明"者，又非"攫拿者"，哪怕什么鬼神、亡灭之祸呢？这暗中又与首联"拟扬雄"照应。颈联写易代之际自己的依违去就，又与首联的"无才"联系。褚彦，褚渊，字彦回，原为南朝宋代的辅弼大臣，后参与萧道成(即齐太祖)篡夺宋政权的政变，任齐尚书令。这里当是影射降清的明朝大臣。生憎，很憎恨。"喜道陶潜是晋人"，是说陶潜耻事二姓，忠于晋室，萧统《陶渊明传》谓其"自以曾祖晋世宰辅，耻复屈身后代，自宋高祖王业渐隆，不复肯仕"。"喜道"有自明心迹意，亦有推重不肯仕清的遗民(包括友人在内)的意思。尾联表示至死不改宿志，与志同道合友人一道隐居。“破衲黄冠”，这里指道服。作者在明亡后长期穿道士服装，以“方外人”的生活方式拒绝清朝的笼络。“僧珍”，即吕僧珍，南朝梁人，当时一个官员罢职后用了一千一百万钱买了一处与他为邻的房宅，僧珍觉得太贵，那位官员说“百万买宅，千万买邻”，意思是说僧珍是极难得的好邻居（见《南史·吕僧珍传》）。这里的僧珍是指右元及其他道友，徐珂《清稗类钞》隐逸类辑有一条资料云：“太原郑大元，偕孙绰、段樵、傅山隐沁源山中。”可与此句相参。

这虽是一首抒怀诗，但在形式上又是一首和答诗，这种作品一般是在原作基础上加以发挥，带着框框“做文章”，难得自如从容。此诗关键是抓住友人“拟扬雄”之说，一气写来，若即若离，有似扬雄处，有异扬雄处，作者的立身行事也就自然显现出来了。诗中用典很多，用得较活，又多是晋宋南朝的人和事，也显得较集中。当然典故多，在作品内涵加大的同时，也增加了阅读理解的难度，延君寿说傅山的诗“奇辟精奥”（《老生常谈》），看来也不能只从优点方面讲。

（汤华泉）

悼　亡

商景兰*

君自垂千古，吾犹恋一生。君臣原大节，儿女亦人情。
折槛生前事，遗碑死后名。存亡虽异路，贞白本相成。

作者

*商景兰，生卒年不详，字媚生，浙江山阴(今绍兴市)人。祁彪佳妻。能诗，有《东书堂合稿》。

鉴赏

商景兰，明吏部尚书周祚之女。这首诗是她悼念丈夫祁彪佳之作。祁彪佳，字弘吉，山阴(今浙江绍兴市)人，天启进士，崇祯时官御史，南明福王朝官苏松巡抚，清兵陷南京，绝食自沉池中而死。

这首《悼亡》不同于一般的悼亡之作。悼亡诗一般多表现为对死者的深切怀念，如最早的悼亡诗《诗经》中《唐风·葛生》"角枕粲兮，锦衾烂兮。予美亡此，谁与？独旦！"即想念亡妻生前与之意合情洽，如今见角枕、锦被而生悲。最早以悼亡为题名的西晋潘岳的《悼亡》，诗人"望庐思其人，入室想所历。帏习无仿佛，翰墨有余迹""寝息何时忘，沉忧日盈积"。且历代所传多为丈夫悼妻之作，女子悼夫只在民歌中多见。本诗为妻子悼念丈夫，妻子不追忆往日的夫妇情深，不叙写生死相隔的痛苦，不描摹苦思沉想的状貌，不倾诉想追随而去的打算，只表明自己"恋生"的情怀，戛戛独造，不同凡响。

首联以丈夫的殉国和自己的恋生双双对起，一方面凸显了丈夫的民族气节，一方面又表露了自己的意愿。丈夫殉国，深明大义，不惜捐躯，他的英名当"垂千古"，这与"恋一生"形成鲜明对比。丈夫既死，妻子并没有生与君同去之念，并没有陷入封建道学家所宣扬的丈夫殉国、女子殉节的泥淖。可是“恋一生”的道理何在，诗人并未轻捷言明，而是给读者留下了悬念，使诗情摇荡兴波。

颔联上句承首句而来，言丈夫殉国原系君臣大节，此属理所当然；下句承次句而来，言自己所以未能随死的原因是为了抚育子女，亦属人之常情，至此将自己“恋一生”的原因予以挑明，原来是为了儿女而生，并非个人怕死贪生。诗人认为死有死的价值，生有生的意义，既释“恋一生”的悬念，又为“恋一生”坐实原因，且以“亦”与“原”相呼应，显示了恋生也属节操范畴，不仅情上相合，理上亦可通。

颈联着力称颂丈夫的气节，生前正直，死后为人悼念。折槛，典出《汉书·朱云传》。西汉成帝时，槐里令朱云请斩安昌侯张禹。成帝怒，要杀云。御史拉他下殿，他攀住殿槛（栏杆），槛断了。后来成帝知云是直臣，把断了的槛原样保存。祁彪佳在崇祯时，因上奏疏被斥责；福王时，又论不可再设厂卫缉事官（特务太监），为马士英等排挤，称病罢官。这里用折槛事相比，盛赞祁彪桂生前忠贞正直。遗碑，暗用晋羊祜“堕泪碑”的典故。羊祜镇襄阳，有德政，死后人为立碑岘山，见碑者皆堕泪。诗人以此说明丈夫死后仍为人敬仰、怀念。“生前事”与“死后名”，不仅有时间上的先后顺序，而且存在着因果关系。

尾联以“贞白”自励，存亡虽异，而用心突出一致，表达了对丈夫坚贞的爱情。表明自己虽然不随死，可忠贞与清白乃相辅相成，进一步申说“恋一生”不仅有抚育儿女的天职，而且如丈夫保持名节那样保持自己的名节。

商景兰这首悼亡诗，不仅所悼对象上有其特殊性，把爱国的精神和夫妇的感情融合在一起，这就较一般的悼亡之作高出一筹。本诗不仅抒情，而且说理，其理既合事理又合人情，见地高人一等。且全诗经纬交织，既浑然一体，又脉络分明。首联一讲夫一言己，颔联也是一讲夫一叙己。颈联写夫，尾联写己。写丈夫的死，“垂千古”究其原为“君臣原大节”，由生前的“折槛”事与死后的“遗碑”名，证其“大节”。写自己恋生系为了儿女之情，以后以贞白自励，写双方“存亡虽异路”以“异路”予以关合。这样写，较之单纯地怀念丈夫生前的美好、吐诉夫死后的痛苦，更能给人以启迪和激励。

（徐应佩）

上巳日作(录二)

金人瑞*

三春却是暮秋天,逸少临文写现前。
上巳若还如印板,至今何不永和年?

逸少临文总是愁,暮春写得如清秋。
少年太子无伤感,却把奇文一笔勾。

作者

*金人瑞(1608–1661),原姓张,名采,字若采,后顶金人瑞之名应考,又名喟,字圣叹,江苏长洲(今苏州)人。明末秀才,入清后不仕。顺治十八年(1661),因"哭庙案"被杀。为人豪放,喜评书。以评点《水浒》《西厢记》等闻名。刘献廷集其诗为《沈吟楼诗选》。

鉴赏

题目较长,犹如一篇小序,叙写了写作这两首绝句的缘起。诗题的大意是:上巳日天气很晴朗,觉得王羲之《兰亭集序》上"天朗气清"确为出神入化之笔,觉得昭明太子选《文选》时不将《兰亭集序》入选是没道理的,年年的上巳时气候怎么会像印板一样不变呢?用诗记下自己的感受与判断,写出了对这历史悬案的理解。全诗在于说理,对于我们思考问题和鉴赏诗文都有启发。

上巳日是阴历三月上旬的巳日,古俗在这一天到水滨集宴,临水洗濯以祛除不祥,谓之"修禊"。曹魏以后固在三月初三为修禊日。东晋穆帝永和九年(353)三月初三,王羲之、谢安、孙绰等四十一人于会稽山阴之兰亭行修禊之事,王羲之作《兰亭集序》记述当时盛况,并抒发了对人生的感慨。《兰亭集序》不仅是篇杰出的散文,而且书法更是独步千古,被誉为古今行书第一。梁昭明太子萧统编《文选》时,居然没有将《兰亭集序》入选,后人揣测可能是因为《兰亭集序》中"天朗气清"句近于暮秋之景,与江南暮春烟雨迷蒙的景象不合,"虽无丝竹管弦之盛"句中"丝竹"与"管弦"有重复之嫌,于是昭明太子弃而不取。金人瑞根据实际感受,对昭明太子的这种做法提出了异议。

第一首诗从写实的角度,证明王羲之所写符合实际,萧统等人的挑剔是没理由的。"三春却是暮秋天",暮春季节也有"天畅晴甚"的时候,就和深秋时的天气一样,这是自己亲身经历到的,逸少(王羲之的字)文中写"天朗气清"完全是"写现前"的实景。"上巳若还如印板",意为如果上巳节时的天气都像印板印刷的那样,那么今天也和东晋永和之年王羲之写《兰亭集序》时一样了。诗人以眼前实景证明了王羲之的"天朗气清"为实写。同时一方面以一季之中一般与个别不能类推予以证明。一般地说江南暮春多为烟雨迷蒙,可是绝不等于天天如此,也有天朗气清犹如深秋的时候。一方面以历史的变化为证明,年年有上巳,可是年年上巳不一定天气一样。王羲之当年上巳和萧统在那一年见到的上巳天气不一定一样,岂可以一巳一时的经验否定人家彼时的经验呢!诗人以如今自己见到的"天畅晴甚",印证王羲之当年的"天朗气清",且推想到反面,认为萧统所见不同,以其所见不同即否定人家所见为实,显然也是不合理的。通过正反两方面论证,尤其以实践为检验的标准,充分说明了萧统不选《兰亭集序》入文选是没有道理的。

第二首从创作的角度,证明王羲之所写符合实情,萧统等人的看法是片面的。文学作品不仅要反映客观的实景,而且要反映作者的实情。作品中的景色是客观物象与作者心象统一的产物,"以我观物,故物皆著我之色彩"(王国维《人间词话》)。抛开了作者创作时的处境与心境,则不易把握作品中所写。"逸少临文总是愁,暮春写得如清秋。""写得如清秋"和"三春却是暮秋天"不同,说"是秋天"是因为"天畅晴甚"和秋天一般;"如清秋"是诗人笔下把不似秋天的景象写得如同秋天,其原因在于作者心中有"愁"。王羲之处于动乱时代,他本人又不得意,因而在序文中感慨"死生亦大矣,岂不痛哉""后之视今,亦犹今之视昔,悲夫!"(《兰亭集序》)王羲之由于这样的心境,把春景写得如秋色也就不足为怪了。萧统作为"少年太子"养尊处优,无忧无愁,不能理解王羲之的心情,自然"把奇文一笔勾"了。这一首较上一首深入了一层,从"知人论世"的角度,说明了文学创作有其特殊规律,不可只从表面看问题,轻率地下结论。

这两首绝句各自独立,又合为一体,都围绕着一个中心:萧统因"天朗气清"不合暮春景象而否定王羲之序文。一从景的角度说,一从文的角度讲,一由今及古,一由景到情,写得入情入理,合自然法则,符合创作规律。金人瑞不愧是别具慧眼的文学鉴赏家,短短两首绝句,等于一篇长长的文学理论文章。至于《文选》中不选《兰亭集序》是否就是因为上述的原因,并无确证。我们只是姑以为那些说法可信,缘此而见金人瑞对这一问题的见解,从中获得文学创作与鉴赏文面的启示罢了。

(徐应佩)

涂松晚发

吴伟业*

孤月傍一村，寒潮自来去。人语出短篷，缆没溪桥树。
冒霜发轻舠，披衣听鸡曙。簖响若鸣滩，芦洲疑骤雨。
渔因入浦喧，农或呼门惧。居然见灯火，市声杂翁妪。
水改村店移，一帆今始遇。生涯问菰蒲，世事隔沮洳。
终当谢亲朋，刺船从此住。

作者

*吴伟业（1609－1672），字骏公，号梅村，江苏太仓人。明崇祯四年（1631）进士，官左庶子。南明时，任少詹事，乞归。入清后，官国子监祭酒。因母丧乞归，居家十余年。又曾参加复社。诗学唐人。早年才情艳发诗风清丽；中年历经丧乱，诗风一变为凄楚苍凉。七言歌行自成一体。其《圆圆曲》最著名。有《梅村集》。

鉴赏

这首诗当是早年所作。

涂松为镇，在作者故乡太仓西北。这一天是涨潮，系在树上的船缆也没在水中，所以篷舱中的乘客纷纷谈论。船只冒霜而进，远处传来鸡声，已经夜尽天明了。

下句也写声。簖是拦截鱼蟹的竹栅，这里指蟹。蟹在簖中作响，如水流沙滩，芦苇迎风，有如骤雨。这都是秋冬之间、霜浓蟹肥的景色。“渔因入浦喧”是常景，也是纪实，“农或呼门惧”则是想象。太仓为鱼米之乡，农民日出而作，日落而息，何惧之有？诗人虽未明言农民为什么要恐惧，读者自不难明了，见灯火，闻市声，写船在晓色微茫中渐近市镇。杂翁妪，见此中尚有少壮。但水道却已改变，村店也已迁移。

这是写旧地重来，因一帆而始见今昔之异。程穆衡《吴梅村编年诗笺注》云："故老言，国朝初，海艘入七浦（邻近涂松）者，尝覆于此。余幼时见烟火尚稠，梅村诗云云，大可仿佛。"可见当时人多市盛。末两句写自己愿意隐居与世隔绝的水乡，此固文士积习，信手出之，但也说明当时的现实自有令人冷淡处。

（金性尧）

咏　古

吴伟业

古来有烈士，轵里与易水。庆卿虽不成，其事已并美。
专诸弑王僚，朱亥杀晋鄙。惜哉博浪椎，何如圯桥履。
公孙擅西蜀，可谓得士死。连刺两大将，探囊取物耳。
皆从百万军，夜半入帐裹。匕首中要害，绝迹复千里。
若论剑术精，前人莫能比。胡使名弗传，无以著青史。
谁修侠客传，阙疑存二子。

鉴赏

诗中所谓"烈士"，其实都是历史上的刺客。轵里，指战国时轵人聂政，他刺韩相侠累，自己毁容而死。易水，指行刺秦王未遂的荆轲，轲在卫国时人称"庆卿"。专诸，是吴人，为吴国公子光刺王僚。朱亥，为信陵公子刺杀魏将晋鄙。博浪椎，指张良以椎击秦王，误中副车，后来张良变更姓名，匿居下邳圯上，为一老人（黄石公）进履，老人便授以兵书，使张良能佐刘邦定天下。

以上这些故事，都为后人所熟知，下面却有两个不知名的刺客。后汉公孙述据蜀自立为王，光武命征南大将军岑彭、中郎将来歙前往征讨，后来两人皆被刺客刺死。这两个刺客都逃去，所以姓名没有留下来。作者深有感慨，希望有人增修侠客传，保留这两个无名的烈士。

聂政等都是著名刺客。他们的行刺，都是出于个人的意思，对被刺者本人并没有仇恨，更没有政治上的动机。张良较为不同，他的先世是韩人，韩为秦灭，故刺秦王是为韩复仇。

从今天来看，暗杀不是我们所

要提倡的行为。张良的博浪一击，也是逞匹夫之勇的冒险，后人已有非议。作者将博浪椎与圯桥履对比，称之为烈士。

这组诗共六首，这是第五首。从其他几首来看，当是明亡后之作，因而对这些意志刚烈、不顾性命、复仇死难的血性之士，便借此以浇自己的胸中块垒，程穆衡《吴梅村编年诗笺注》就说："作者难逢，奇怀莫显，乱世文晦，埋没恒多。"就是说，如今能为此二子立传的作者，已经找不到了。

（金性尧）

临顿儿

吴伟业

临顿谁家儿，生小矜白皙。阿爷负官钱，弃置何仓卒。
给我适谁家，朱门临广陌。嘱侬且好住，跳弄无知识。
独怪临去时，摩首如怜惜。三年教歌舞，万里离亲戚。
绝伎逢侯王，宠异施恩泽。高堂红氍毹，华灯布瑶席。
授以紫檀槽，吹以白玉笛。文锦缝我衣，珍珠装我额。
瑟瑟珊瑚枝，曲罢恣狼藉。我本贫家子，邂逅遭抛掷。
一身被驱使，两口无消息。纵赏千黄金，莫救饿死骨。
欢乐居他乡，骨肉诚何益！

鉴赏

"临顿"在今江苏苏州城东，"吴王征夷，常置顿憩宴军士，故名"（《一统志》）。《临顿儿》是写一位苏籍艺人的身世遭逢，与《直溪吏》《堇山儿》属于一个系列，忆苦之作也，故有人认为是拟"三吏"、"三别"而为。诗作于顺治十四年（1657），其中所述艺人的经历事实，显然出自人物自己的追忆，但诗中采取最平易的写法——顺叙。

前十句是诗中人即临顿儿少年追忆的主要事实，他出生在一个贫家，被卖身为优的遭遇。那时他还是个天真烂漫的儿童，只因长得白皙可爱，就被官家打了主意。由于他爹欠了租税（"阿爷负官钱"），有人就逼老爹卖掉娇儿，送官学艺。对于走投无路的人来说，也许这还不失为“上策”。于是老爹就忍心这样做了，还哄他说“朱门临广陌（大路）”——有的吃，又很好玩，叮嘱他要听话（“嘱侬且好住”）。孩子是天真烂漫的，“跳弄无知识”，根本不知道这是卖身，竟然同意留下了。唯一使他感到奇怪的，是阿爹临走时摸着他的头，表现出罕有的难舍难分的样子，这就是戏子脑海中残存的记忆。悲惨的骨肉分离，诗人偏能以淡淡之笔写出，那分离是这样的平静，又十分让人酸心。他甚至没有写“父母忽不见”（《堇山儿》）后小儿的啼闹和管家无情的管教。只抓住童真被出卖而不自知这样一点做文章，以少胜多，力透纸背。“独怪临去时，摩首如怜惜”两句是点睛传神之笔，“临顿儿”固然无辜，阿爹也是无可奈何啊！

以下十二句写在戏班子里还混得不错的情况。他生性聪明，又擅有姿容，以“绝伎逢侯王，宠异施恩泽”，受到优厚待遇。他在纸醉金迷的歌宴舞席上，粉墨登场，吹拉弹唱，成了一个角儿。“高堂红氍毹（毛质地毯），华灯布瑶席。授以紫檀槽，吹以白玉笛。文锦缝我衣，珍珠装我额。瑟瑟珊瑚枝，曲罢恣狼藉。”诗人极力烘托歌舞场所的华丽温馨，和成名角后的“临顿儿”物质生活并不贫乏。但通过“三年教歌舞，万里离亲戚”二句有力暗示了一个戏子的辛酸，吃穿是不缺的，但缺少做人的尊严和天伦之爱。这三年学艺中，他受过些什么气？有多少心里话？没有父爱，没有母爱，心灵孤苦。当他表演终场，卸妆之后，难道没有一种人生如梦的悲凉之感！

最后八句便是抒发其人的心曲。“临顿儿”丝毫也不怨他的父母，他没有理由怨他的父母，非但不怨，还理解他们的悲苦，想要对他们尽些人子的义务，然而他没有办法去寻访失散的双亲。“一身被驱使，两口（双亲）无消息。纵赏千黄金，莫救饿死骨。欢乐居他乡，骨肉诚何益！”这种人子的自责，是根源于人性的一种极其可贵的感情。它使人想到杜甫《无家别》的结尾：“永痛长病母，五年委沟谿。生我不得力，终身两酸嘶。人生无家别，何以为蒸黎！”“生我不得力，终身两酸嘶”，就是“临顿儿”的心里话。

吴伟业此诗不失为一篇优秀的现实主义诗作。他选择了一个表面上看起来幸运、骨子里却十分悲苦的艺人来写，就卓有眼力。在艺术上手法上，他并不取穷形尽相的刻露笔墨写骨肉分离的哀痛，而借助于轻描淡写，启发读者去体会深思，浅貌深衷，故有奇效。

（周啸天）

圆圆曲

吴伟业

鼎湖当日弃人间，破敌收京下玉关。
恸哭六军俱缟素，冲冠一怒为红颜。
红颜流落非吾恋，逆贼天亡自荒宴。
电扫黄巾定黑山，哭罢君亲再相见。
相见初经田窦家，侯门歌舞出如花。
许将戚里箜篌伎，等取将军油壁车。

家本姑苏浣花里，圆圆小字娇罗绮。
梦向夫差苑里游，宫娥拥入君王起。
前身合是采莲人，门前一片横塘水。
横塘双桨去如飞，何处豪家强载归。
此际岂知非薄命，此时唯有泪沾衣。
熏天意气连宫掖，明眸皓齿无人惜。
夺归永巷闭良家，教就新声倾坐客。
坐客飞觞红日暮，一曲哀弦向谁诉。
白皙通侯最少年，拣取花枝屡回顾。
早携娇鸟出樊笼，待得银河几时渡。
恨杀军书抵死催，苦留后约将人误。
相约恩深相见难，一朝蚁贼满长安。
可怜思妇楼头柳，认作天边粉絮看。
遍索绿珠围内第，强呼绛树出雕栏。
若非壮士全师胜，争得蛾眉匹马还。
蛾眉马上传呼进，云鬟不整惊魂定。
蜡炬迎来在战场，啼妆满面残红印。
专征箫鼓向秦川，金牛道上车千乘。

斜谷云深起画楼，散关月落开妆镜。

传来消息满江乡，乌桕红经十度霜。
教曲伎师怜尚在，浣纱女伴忆同行。
旧巢本是衔泥燕，飞上枝头变凤凰。
长向尊前悲老大，有人夫婿擅侯王。
当时只受声名累，贵戚名豪竞延致。
一斛珠连万斛愁，关山漂泊腰肢细。
错怨狂风扬落花，无边春色来天地。

尝闻倾国与倾城，翻使周郎受重名。
妻子岂应关大计，英雄无奈是多情。
全家白骨成灰土，一代红妆照汗青。
君不见馆娃初起鸳鸯宿，越女如花看不足。
香径尘生鸟自啼，屧廊人去苔空绿。
换羽移宫万里愁，珠歌翠舞古梁州。
为君别唱吴宫曲，汉水东南日夜流。

鉴赏

历史的永恒魅力，便在于它充满无限生动丰富的偶然性，而不只有无可移易的客观规律。据说欧洲历史上著名的特洛伊战争的爆发，便是因为无与伦比的希腊美人海伦的缘故。中国明清易代之际的苏州名妓陈圆圆，也属于为数不多的影响过历史进程的女性之一。她的富于传奇色彩的一生，本来就是歌行体诗的绝好材料，而恰恰遇上吴伟业这样的出色之才加以润色，遂成就了《圆圆曲》这一篇可以媲美《长恨歌》的旷代杰作。全诗自始至终就陈圆圆的遭际作如怨如慕、淋漓尽致的歌咏，亦借陈圆圆与吴三桂的离合之情，寄托兴亡之感。对吴三桂假托复明，实为一己私怨、引清兵入关的行径，则据事直书。"'冲冠一怒为红颜'盖实录也。三桂赍重币求去此诗，吴勿许……梅村非诗史之董狐也哉!"(陆次云)

陈圆圆本姓邢名沅，字畹芬。诗中说她初曾入宫，后又放出，归崇祯帝田贵妃父田宏遇。后被明末辽东总兵吴三桂纳为妾。李自成起义军攻占北京,曾以吴三桂交吴襄为人质招降三桂,三桂欣然受命,后闻圆圆被刘宗敏所掠,一怒之下乞降于清并引兵入关,成为有功清臣。圆圆亦复为三桂所得,从入云南。陆次云《圆圆传》及钮琇《觚賸》所记略同。此诗当作于清顺治八年(1651)八月以前三桂屯兵汉中之时(钱仲联说)。

《圆圆曲》章法奇幻。诗从吴三桂引清军入关与圆圆重逢切入,再追忆到吴陈初逢为第一段,采用倒叙手法。《史记·封禅书》说黄帝铸鼎于荆山,鼎成骑龙上天。开篇就借"鼎湖当日弃人间"代指崇祯之死,"破敌收京下玉关"写吴三桂打败李自成,极斩截利落。兴兵的名义是为崇祯报仇,然而骨子里却另有怀恨。"恸哭六年俱缟素,冲冠一怒为红颜"二句之妙,一在于对仗精整,以众形独;二在于此句"立片言以据要,乃一篇之警策",比苏轼《荔枝叹》"宫中美人一破颜,惊尘溅血流千载"那样的名句更精警,因为它不是靠夸张取胜,而是一针见血以事实胜雄辩,而"冲冠一怒为红颜"这一事实是吴三桂本人也不敢正视的。为一己私情牺牲民族大节及全家性命,其行径比较《史记》中为护璧冲冠一怒的蔺相如和将行刺秦王"怒发上指冠"的荆轲,毕竟太卑微。以下用三桂口吻所作的"红颜流落非吾恋"的表白于是显得虚伪。而最妙的还在于诗人叙事时的不动声色,"电扫黄巾定黑山"的夹说,还似乎在为他夸功呢。一切都恰到好处,"再相见"的具体情况暂时按下不表,留待下文细细渲染,紧接便用蝉联句法作倒叙,写到吴陈初次见面:"相见初经田窦家(西汉外戚田蚡、窦婴,代指田宏遇),侯门歌舞出如花。许将戚里箜篌伎,等取将军油壁车。"当初吴三桂在田家宴会上对色艺双绝的陈圆圆一见钟情,田宏遇便顺水推舟,为他们牵线搭桥,定下这一段姻缘。

以上一段乃是以三桂为中心,对吴陈离合情事初陈梗概。写法是直书其事,大刀阔斧。以下从"家本姑苏浣花里"到"散关月落开妆镜",则言归正传,以陈圆圆为本位,干脆从头说起,将圆圆一生的波澜起伏来一个铺陈终始。写法上则援用西施故事陪衬渲染,精雕细刻,反反复复,淋漓尽致。这才是全诗叙事的中心段落。而前一段就像是变奏的过门或说唱的引子,有概括勾勒之妙,无重复冗赘之嫌。

陈圆圆原籍苏州,而"浣花里"本是唐代蜀中名妓薛涛居处,诗中借用作"家本姑苏浣花里",则有点染之妙,同时,也容易使人与西子浣纱发生某种联想。以下虚拟一梦,说圆圆合是西施后身,最是闲中生色的笔墨。"梦向夫差苑里游,宫娥拥入君王起"二句大得《长恨歌》"侍儿扶起娇无力,此是新承恩泽时”之神韵。“采莲人”指西施,又与苏州的“横塘水”搭成联想,使人想见娇小的圆圆有过天真无邪的童年。以下四句仍用蝉联格起,转说圆圆长成,被豪门强载(一说为田宏遇,一说为周奎)。“塞翁失马,焉知非福”,圆圆当时只是担惊受怕,又哪能预测未来,“此际岂知非薄命”已遥起后文“错怨狂风扬落花”,针线极为密致,“侯门一入深如海”。在权势通天的外戚之家,圆圆又一度被作为贡品献入宫中,但未获选。从此作为豪门女乐,精习弹唱,歌笑向客,用佐清欢。使陈圆圆绝处逢生,有希望脱离苦海的契机终于到了,她遇到了少年得志的吴三桂,一拍即合。《圆圆传》载:“圆圆至席,吴语曰:‘卿乐甚!’圆圆小语曰:‘红拂尚不乐越公,矧不逮越公者耶!’吴颔之。”彼此真是心授神与了。此即上段所谓“相见初经田窦家”一节,这里便接过此线展开动情的唱叹:“坐客飞觞红日暮,一曲哀弦向谁诉?”正在山重水复,忽然一径暗通:“白皙通侯最少年,拣取花枝屡回顾。”相见恨晚:“早携娇鸟出樊笼,待得银河几时渡?”然而,好事多磨,这时三桂又奉旨出关抵御清兵:“恨杀军书抵死催,苦留后约将人误。”这一节两句一转,一波三折,摇曳生姿。以下又以蝉联格另起,写三桂去后,圆圆在一场社会巨变之中跌进命运的深渊。农民起义军入城,吴陈双方音讯隔绝,诗人兼用王昌龄《闺怨》(“春日凝妆上翠楼,忽见陌头杨柳色”),沈佺期《杂诗》(“可怜闺里月,长在汉家营”)语意,写道:“可怜思妇楼头柳,认作天边粉絮看。”更难堪的是她受声名之累,成为享乐思想滋长了的义军头领的猎物:“遍索绿珠围内第,强呼绛树出雕栏。”绿珠是西晋石崇家妓,为孙秀所夺,不屈而死;绛树是魏时名妓:皆借指圆圆。二典偏重于绿珠事,意谓有人恃强夺三桂所好,而圆圆心实难从。“绛树”用来与“绿珠”对仗,工妙在于虚色辉映。再度沦落的经历不宜多写,诗人点到为止,即以迅雷不及掩耳之势,回到“电扫黄巾”的话头:“若非壮士全师胜,争得蛾眉匹马还!”圆圆重新回到三桂怀抱,全凭爱情的神力。这里是悲是喜?是扬是抑?“壮士”之誉,属正属反?恐怕梅村也说不清楚。伟大的情人,渺小的国士!这才是“壮士”二字应具的含义。而现在诗人的笔墨主要用在烘托爱情至上的一面。相传三桂迎归圆圆,在营中结五彩楼、列旌旗、箫鼓三十里,而诗人的创造在于,他出人意料地把两情重圆的无限温柔旖旎的场面,安排在杀声方定的战场上,而且是在打着火把的夜晚,为情节增添了几分戏剧性。这里读者又看到逼肖《长恨歌》“闻道汉家天子使,九华帐内梦魂惊”“玉颜寂寞泪阑干,梨花一枝春带雨”那样的妙笔,“蛾眉马上传呼进,云鬟不整惊魂定。蜡炬迎来在战场，啼妆（汉代一种发式）满面残红印”。到底是三桂救了圆圆，还是圆圆成就了三桂呢？从此吴三桂青云直上，持专征（不待天子之命即可自决征伐）特权，移镇汉中。圆圆也自然倚夫取荣，一直做到王妃。“斜谷云深起画楼，散关月落开妆镜”，诗人不写平西王府的豪华，偏偏取川陕道途的荒僻山川为背景，写圆圆的舒心如意，正是因难见巧极为别致的奇笔。你看彩云为之起楼，明月为之掌镜，“时来风送滕王阁”，似乎天地一切都是为圆圆而存在，这种心情本来就应该安排在吴陈重逢不久的一段时间。道途中感觉尚如此良好，遑论其余。

从“传来消息满江乡”到“无边春色来天地”是紧接上文作咏叹。诗人撇下了叙事，而凿空设想苏州故里的乡亲女伴听到圆圆飞黄腾达的消息所起的轰动，以及对人生无常的感慨。温庭筠《西洲曲》“门前乌柏树，惨淡天将曙”写的是离别情景。圆圆自崇祯十五年（1642）春被豪家载去至顺治八年（1651），恰为十年，故云：“乌柏红经十度霜。”教曲伎师，浣纱女伴，都是亲眼看到圆圆往昔，不过尔尔，没想到时来运转，飞上高枝，叫人羡也不是，妒也不是：“旧巢本是衔泥燕，飞上枝头变凤凰。长向尊前悲老大，有人夫婿擅侯王。”这里实际暗用王维《西施咏》“艳色天下重，西施宁久微。朝为越溪女，暮作吴宫妃。贱日岂殊众，贵来方悟稀……当时浣纱伴，莫得同车归”语意。而陈圆圆的遭遇之曲折，又远愈西施，更令人感喟。“当时只受声名累，贵戚名豪竞延致。一斛珠连万斛愁，关山漂泊腰肢细”巧妙地回应了前文“横塘双桨去如飞，何处豪家强载归。此际岂知非薄命，此时惟有泪沾衣”，及“坐客飞觞红日暮，一曲哀弦向谁诉”等语，如画家设色，反复渲染，所补之笔唯增厚重之感，而不厌其重复。《梅妃传》谓玄宗曾赠梅妃以明珠，妃作诗帝度曲名《一斛珠》，此借用言圆圆当日身价虽高，但也饱受风尘之苦，腰肢瘦损，自伤薄命。殊不知已作落花，即将沾地成尘之际，又遇好风吹送，直上青云，令人悲也不是，喜也不是。作者兴会到时，左右逢源，王建、杜甫于笔底奔命不暇：“错怨狂风扬落花，无边春色来天地！”一句语出王建《宫词》“错教人恨五更风”，下句语出杜甫《登楼》“锦江春色来天地”一经化用，意味全新。

以上的嗟叹，本来已可以收场，而大诗人吴梅村却余兴未尽，嗟叹不足，复为咏歌，以下不再假他人变相抒慨，而是直抒诗人的感想。这一段又作两叠重唱，一叠以“尝闻倾国与倾城，翻使周郎受重名”起，借小说家言曹操起铜雀台扬言要夺东吴二乔，使周瑜奋起抗曹，大获全胜于赤壁的故事，比方吴三桂“冲冠一怒为红颜”，歪打正着，为清朝立了大功，说这里有讽刺，当然确凿无疑。诗人的讽刺是冲着明代总兵吴三桂的，然而他又怎样看待陈圆圆，怎样评价吴陈爱情呢？梅村的思想感情是有困惑，有矛盾的。他也遇到了白居易作《长恨歌》的老问题：歌咏爱情，还是政治讽刺？他从理智上要批判吴三桂，但从感情上又不免为之缓颊。“妻子岂应关大计”，江山重要；“英雄无奈是多情”，美人可恋，所谓“英雄难过美人关”，吴三桂便是以“无君无父”的高昂代价，使陈圆圆成为历史人物：“全家白骨成灰土，一代红妆照汗青。”《圆圆曲》的深刻与非凡，就在于它写下了一出团圆的悲剧，与《长恨歌》殊途同归。正是“天长地久有时尽，此恨绵绵无绝期”。二叠则以“君不见馆娃初起鸳鸯宿，越女如花看不足”起，仍回到西施与夫差的譬喻上来。这一譬喻贯穿全篇，“所以然者，不徒二女同属吴娃，亦缘三桂姓氏得吴宫点出”（程千帆），同时夫差也是一个在“美人”问题上没有过关的历史人物。他为西施建馆娃宫，宫中有采香径、响屧廊，春睡未足，早已是人去楼空，风流云散。现在“换羽移宫”，轮到又一代风流人物在古梁州所在的汉中享受荣华富贵，看来“吴宫曲”也要翻新了。《圆圆曲》在艺术上的成功之一，便是诗人始终没有作理性的说明和逻辑的判断，而是以形象作纯情的歌吟，备极吞吐抑扬之致。“换羽移宫万里愁，珠歌翠舞古梁州。为君别唱吴宫曲，汉水东南日夜流！”诗人似乎是说，万事休咎，我都无从判断；千秋功罪，且待后人评说。真有余音绕梁，三日不绝之感。

吴梅村身处明清易代之际，饱阅沧桑，故善取重大题材入诗，如《圆圆曲》《楚两生行》等数十篇，取易传之事，为绝妙之辞，“感怆时事，俯仰身世，缠绵凄婉，情余于文”（赵翼），故能传世不朽。这一方面是因为他濡染唐诗甚深，得其绝活，如在节奏音律上，显然继承了“四杰体”，此体具有一气贯注而又回环往复的韵度，其特征是：基本上四句一韵，平仄韵交替；多用律句对仗，大开声色，“恸哭六军俱缟素，冲冠一怒为红颜”“遍索绿珠围内第，强呼绛树出雕栏”“斜谷云深起画楼，散关月落开妆镜”“全家白骨成灰土，一代红妆照汗青”等，无不语工意断，深宜讽咏；段落之间，多用自相蝉联之格（即顶真），使意转辞联，无断折痕迹，如“相见”“横塘”“坐客”“相约”“马上”皆是，在烘托气氛，细腻刻画人物外貌心理，借历史人物以比衬上，均得力于《长恨歌》；其善写女性之情，千娇百媚，妖艳动人处，则又采自香奁体。另一方面，他的继承又不徒袭唐人之貌，而自有戛戛独造者在，其最值得称道的是全诗章法的造奇。回顾古典长篇叙事诗如《焦仲卿妻》《木兰诗》“三吏三别”、《长恨歌》基本上都是顺叙和单线发展的结合，《秦妇吟》作大段插叙，也基本取单线发展结构，就好比传统绘画的线描平涂。而《圆圆曲》则另辟蹊径，叙述方式是倒叙再倒叙，有遥接、有补笔，技法变化莫测；结构则呈复线交织，多角度描述。好比现代绘画中注重明暗的表现和色彩的重叠。第一段的叙事虽然在第二段也有，但前者是从男方角度作大刀阔斧的速写，后者则从女方角度作工笔重彩的描绘，彼此互形，骨肉停匀，第三、四段是两重变奏的咏叹，而第四段又作两部轮唱，反反复复，曲尽其致，较之前代叙事名篇有更强的抒情性，几令读者魂摇意夺，莫可究诘，不觉手之舞之、足之蹈之。在叙事与抒情结合、思想性与艺术性的统一上，《圆圆曲》都有后来居上的成就。在清代诗歌中，《圆圆曲》是产生较早的杰作，为其后的诗人在继承唐诗而能推陈出新方面，作出了成功的范例。

（周啸天）

捉船行

吴伟业

官差捉船为载兵，大船买脱中船行；
中船芦港且潜避，小船无知唱歌去。
郡符昨下吏如虎，快桨追风摇急橹。
村人露肘捉头来，背似土牛耐鞭苦。
苦辞船小要何用？争执汹汹路人拥。
前头船见不敢行，晓事篙师敛钱送。
船户家家坏十千，官司查点候如年；
发回仍索常行费，另派门摊云雇船。
君不见官舫嵬峨无用处，打鼓插旗马头住。

鉴赏

清代顺治、康熙年间，朝廷为了镇压各地抗清运动，加强军备、设防，地方官吏便强行征调，占用百姓的船只、竹木、耕牛（“职皮为舟障”）；更有甚者，“猾吏藉以饱壑，民用不堪”。本诗真实形象地反映了贪官污吏借口军运，四处捉船，横加勒索，使得江南水乡船户民不聊生的史实,并表现了作者对贫苦人民的同情。

开宗明义,诗一开头便说"官差捉船为载兵",可是不无讽刺意味的是:能载兵的大船、中船都溜掉了:大船"买脱"(拿钱买通官差,得以逃走);中船行入芦苇丛生的港汊权且躲避,于是只剩下载不了几个人的小船,这些无财无势、成天风里来雨里去、靠渡几个客人、捞点鱼虾换得盐米度日的小船人家,不要说去买通官府,只怕连捉船的风声也不曾听到。诗人用"小船无知唱歌去"描写这些一贫如洗的穷家破船,大难将临却浑然不知,依然平静地哼着渔歌、唱着号子划船而去的情景。殊不知此去无异于自投罗网。

果然,"郡符(官府征用船只的文书)昨下吏如虎",官差个个如虎似狼,凶神恶煞;"快桨追风摇急橹",飞快地追上毫无防备的小船。船家被差人扭手揪髻捉了来,背上挨的皮鞭像雨点似的又急又重。土牛,是古时迎春所用的土制春牛,供人们在迎春礼仪上鞭打以除寒气(这叫"鞭春")之用。"背似土牛耐鞭苦"一句写出了差役们心狠手毒,全不把穷人当人看的惨无人道的暴行,那似捶打土牛的鞭打声,皮开肉绽的脊背,饱含着贫苦船家的多少屈辱和痛苦!船家争辩说船太小了,怎么载得了军队?官差们却骂声不绝;路人挤挤挨挨,围观不去。

前头驶来的船只见此情景纷纷停下,谁也不敢闯过去或掉头逃走,比较"晓事",有社会经验的篙师就出面为每条船送些钱给官府,通融一下,以便保下各家赖以谋生的唯一手段——小船。船户每家破费了用血汗换来的甚至典当借贷凑足的"十千"钱。"官司查点候如年","官司"即有关的官府衙门,办事人员挨着一条船一条船查对,疲疲沓沓,故意拖延,哪管船户正提心吊胆度日如年地等着。查点的结果回复下来,不仅每户还得交纳"常行费"即常例钱,更须交出"门摊钱"。《续通考·金制》云:"额外课(赋税)三十有二,七日门摊。"因为官府说是要拿这些钱"雇船"运兵、作军事调动之用,谁敢不交!苍天才知道,这些挨门挨户搜刮来的民脂民膏有几文用去雇船了?最底层的穷苦百姓只落得油水榨干、奄奄待毙。

"君不见"二句作为结束语含有深深的哀叹和不平的讥讽。任何一个头脑正常的人不会看不见"官舫嵬峨无用处,打鼓插旗马头(即码头)住"。这里作者勾勒了这样一个画面:一边是被扣住的穷人破旧的小船,一边是闲驻的官家大楼船,嵬峨豪华,打鼓插旗空泊于码头上。

本诗具有吴伟业七言歌行的一般特点,也是"以唐人格调,写目前近事"。叙事朴素流畅,音韵响亮流转,以换韵推动事件的发展,寄托自己的感情。这种情形以末两句为最典型。

《捉船行》与吴伟业的另五首诗《芦洲行》、《直溪吏》(写官府追捕的酷虐)《马草行》(写官吏勒索的苛急)、《堇山儿》《临顿儿》(写乱离年代儿童被掳掠、被出卖的惨剧),都是揭露社会黑暗、关心百姓疾苦的代表作品。正如赵翼在《瓯北诗话》中指出的,这些作品"又可与少陵(杜甫的别号)《兵车行》《石壕吏》……相表里,特少逊其遒炼耳"。

(宗小荣)

悲歌赠吴季子

吴伟业

人生千里与万里,黯然销魂别而已。
君独何为至于此? 山非山兮水非水,生非生兮死非死。
十三学经并学史,生在江南长纨绮。
词赋翩翩众莫比,白璧青蝇见排抵。
一朝束缚去,上书难自理,绝塞千山断行李。
送吏泪不止,流人复何倚?
彼尚愁不归,我行定已矣。
八月龙沙雪花起,橐驼垂腰马没耳。
白骨皑皑经战垒,黑河无船渡者几!
前忧猛虎后苍兕,土穴偷生若蝼蚁。
大鱼如山不见尾,张鬐为风沫如雨。
日月倒行入海底,白昼相逢半人鬼。
噫嘻乎悲哉! 生男聪明慎勿喜,仓颉夜哭良有以。
受患只从读书始,君不见,吴季子!

鉴赏

这首七言古诗作于吴兆骞被流放时。吴兆骞(1631—1684),字汉槎,江苏吴江人。清顺治十四年丁酉(1657)举人,吴以科场案逮系,遣戍黑龙江省宁古塔,居塞外二十三年,后经友人营救,得赎归。称"季子”以其行次在后,并暗用《公羊传》“季子弱而才”之意。题目冠“悲歌”二字显示了主题,全诗感情深沉,如泣如诉,对吴兆寨所蒙受的冤屈和遭受的苦难,寄予了无限的同情,并透露了对清朝残暴统治的愤慨。吴伟业在科场案中有赠陆庆曾诗,有赠孙承恩及其弟孙旸的诗,均不及《悲歌赠吴季子》,这首诗可以说是这类诗中的绝唱。吴兆骞之名脍炙人口,实由此诗始。

诗的开头五句,诗人饱蘸感情笔墨,发出强烈的感叹。前两句语出江淹《别赋》:“黯然销魂者,唯别而已矣。”意谓人生途中,最使人伤痛的莫过于远离故乡,告别亲人。后三句,“君独何为至于此?”是说万想不到像你这样的人,竟会落到如此地步。“山非山兮水非水,生非生兮死非死。”流放的去处穷山恶水,荒漠凄凉,你在那里将要受到种种摧残,度过那求生不得、求死不能、非人非鬼的漫长岁月。这是多么令人揪心的事啊!

接着就是实写。先写吴兆骞的出身、才华和受诬。吴兆骞出身江南富贵人家,十三岁学经学史,词赋文采无人能比,正是由于才华出众而受到打击排挤。“白璧青蝇”语出陈子昂《宴胡楚真禁所》“青蝇一相点,白璧遂成冤”,比喻好人为谗言小人所诬。一旦捆绑去了,就无法分辩,等待着的厄运是流放到行客不至的遥远边塞。次写吴兆骞行前情景:“送吏泪不止,流人复何倚?彼尚愁不归,我行定已矣。”押送的官吏且流泪不止,流徙者更无指望了。他尚且愁着不能归来,我这次去一定要死在戍所了。这里写出了流徙者不能生还的愁苦心情。再次写宁古塔流放地的恶劣环境,一幅边塞荒漠可怕的图画立现眼前。“八月龙沙雪花起,橐驼垂腰马没耳”是写塞外沙漠中大雪飞舞,积雪之深。“龙沙”指白龙堆沙漠,泛指塞外沙漠。吴兆骞《天东小纪》:“沙林东八十里为宁古塔,临江而居,以木为城。地极寒,八月即雪,清明冰乃解。”八月江南正是天高气爽、景色宜人之际,而在边塞沙漠已是冰天雪地,久居江南的吴兆骞怎能习惯如此恶劣的气候呢?“白骨皑皑经战垒,黑河无船渡者几!”这里的古战场白骨皑皑,黑龙江上无船无渡,人烟稀少。“前忧猛虎后苍兕,土穴偷生若蝼蚁。”这里有凶猛的老虎和犀牛,流徙者只能像蝼蚁一样生活在土穴中,周辉《南烬纪闻》:“北土极寒,必掘地作穴以居,深五七尺,昼夜伏其中。”这里还有可怕的鲸,“大鱼如山不见尾,张鬐为风沫如雨”,翻江倒海,煞是骇人。“日月倒行入海底”,这里几乎分不清白昼黑夜,日月似乎都沉入海底了。“白昼相逢半人鬼”,白天人们相逢似人非人,似鬼非鬼。这里极言流徙者非人生活的困苦。诗的末尾,诗人发出深深的感叹。“生男聪明慎勿喜，仓颉夜哭良有以”，生了聪明的男孩也不必高兴，昔日仓颉造字有鬼夜哭真有道理。为什么呢？“受患只从读书始，君不见，吴季子！”吴季子受诬流放就是样子啊！生男聪明应该欢喜而不必欢喜，仓颉造字而有鬼夜哭，读书竟与受患联系在一起。这种不正常现象，正是由于统治者的残暴统治造成的。诗人在感叹中有愤怒，在愤怒中有感叹，同情与愤怒溢于言表。

（徐植农）

打 冰 词

吴伟业

北河风高水生骨，玉垒银桥堆几尺。
新戍云中千骑马，横津直渡无行迹。
下流湍悍川途开，吹笳官舫从南来。
帆樯山齐排浪进，牵船百丈声如雷。
雪深没髁衣露肘，背挽头低风塞口。
相逢羡杀顺流船，急问来时河冻否？
溜过河宽放闸平，长年稳望一帆轻。
夜深侧听流澌响，琐碎玲珑渐结成。
篙滑难施橹枝折，舟人霜满髭须白。
发鼓催船唤打冰，冲寒十指西风烈。
吁嗟河伯何硁硁，白棓如雨终无声。
鱼龙潜逃科斗匿，殊耐鞭杖非穷民。
官舱裘酒自高卧，只话篙师叉手坐。
早办人夫候治装，明日推车冰上过。

鉴赏

这首诗当是作者北上或南归所作，作者也在舟行途中。

北河一名白河，在北京市郊。开头四句，写上流之冰极为坚牢，所以骑兵可以横津直渡，另一首《再观打冰词》也说：“上冰犹结下冰行。”

新戍”句点明这时清廷正用兵于山西。下面写下流之冰已经融化,开出一条川途,但因尚有未解的冰块,故舟行非常困难,需要纤夫拽拉。这些官船,也是奉命出差,但一则吹笳而来,一则劳声如雷,一则帆樯似山,一则纤缆百丈。据程大昌《演繁露》十五,“百丈”是用篾竹所制,以麻索连贯其际,碰到有棱角的石头可以不断。由于用力背挽,所以连衣袖也扯破。这两句中,写纤夫的手、脚、背、头和口,都在风雪冰水中受尽折磨,因此一见顺流而来的船,“急问来时河冻否”,也是很自然的心理反应。从这一句看,似是在作者南归时。

好容易滑过险途,河道宽广,舵工也觉轻松多了。可是到了深夜,温度降低,船只还在前进,只听得流水相碰,玲玲做声,又加剧了舟人的困难。

发鼓催船当是黎明的事,历代有此习俗,杜甫《十二月一日》就说:“打鼓发船何郡郎。”宋掷狮《滞客》也说:“舟人击鼓挽舟去。”但“河伯”固执,冰块难解,虽用木棍,仍不开裂,不像穷民那样经不起鞭杖的击打随即屈服。官舱中的人却披裘喝酒,由“高卧”而起视,又着双手以篙师的动作作谈资。

因为坚冰难解,诗人便吩咐“人夫”,及早整理行装,到明天推车从冰上过去,反正总是有路可通。

全诗先写坚冰在河,次写川途忽开,得以溜河而过,最后仍为坚冰所阻。“舟人”用尽力量,“河伯”却偏要作对,官舱的人便以车代舟,化水为陆。《再观打冰词》说“自古水嬉无此观,披裘起坐卷帘看”,可谓婉而讽。

苦乐对立,历来如此,民亦劳止,官则小休,古人之诗,能给人以讽诵价值的,大致就在于此。

(金性尧)

楚两生行

吴伟业

黄鹄矶头楚两生,征南上客擅纵横。
将军已没时世换,绝调空随流水声。
一生拄颊高谈妙,君卿唇舌淳于笑。
痛哭常因感旧恩,谈嘲尚足陪年少。
途穷重走伏波军,短衣缚裤非吾好。
抵掌聊分幕府金,褰裳自把江村钓。

一生嚼徵与含商，笑杀江南古调亡。
洗出元音倾老辈，叠成妍唱待君王。
一丝萦曳珠盘转，半黍分明玉尺量。
最是《大堤》西去曲，累人肠断杜当阳。
忆昔将军正全盛，江楼高会夸名胜。
生来索酒便长歌，中天明月军声静。
将军听罢据胡床，抚髀百战今衰病。
一朝身死竖降幡，貔貅散尽无横阵。
祁连高冢泣西风，射堂宾客嗟蓬鬓。
羁栖孤馆伴斜曛，野哭无边几处闻。
草满独寻江令宅，花开闲吊杜秋坟。
鹍弦屡换尊前舞，鼍鼓谁开江上军？
楚客只怜归未得，吴儿肯道不如君？
我念邗江头白叟，滑稽幸色君知否？
失路徒贻妻子忧，脱身莫落诸侯手。
坎壈由来为盛名，见君寥落思君友。
老去年来消息稀，寄尔新诗同一首。
隐语藏名化客嘲，姑苏台畔东风柳。

鉴赏

苏昆生和柳敬亭都是明末清初的著名艺人。苏唱曲，柳说书。两人曾在南明宁南侯左良玉的武昌军幕中作上客。苏原籍河南固始，古称蔡州。柳原籍泰州，明属扬州府，在古代天文分野上皆属楚地。左良玉驻于武昌，故称为楚两生。

弘光元年（1645），左良玉率兵东下，讨伐马士英，舟至九江，吐血而死，大军崩溃。柳敬亭已于事先东下，苏昆生于痛哭后，削发入九华山，后又自苏州寓居伟业的故乡太仓的佛寺中。伟业与敬亭本相识，昆生因而要求伟业作一小传，使与敬亭并传。昆生将渡江时，伟业乃作此诗送之，并以寄柳，为柳在流离中担忧。伟业另有《柳敬亭传》，可以参阅。此诗之前有序过长，今略去。

第一段，写两人在左良玉幕中

颇受器重，敬亭并良玉作说客，出计策，善用权谋，排患解纷（见《柳敬亭传》），故曰“擅纵横”。良玉既卒，旧部由其子梦庚统率，昆生感念旧恩，便似汉代能言善辩的楼护（字君卿），战国时滑稽机智的淳于髡那样陪伴过年轻的梦庚。

第二段，写柳敬亭于落魄时曾依附松江提督马逢知，当时年已八十余，对“短衣缚裤”的军营生活不感兴趣，只是借说书以度穷途。因为音调高古，所以能倾动知音的先辈，甚至可供帝王欣赏。“半黍”句用阮咸校正荀勖乐曲典故，见《世说新语·术解》，这里指苏昆生音调准确。“大堤”即今湖北宜城，指马士英、阮大铖发兵西上以拒左良玉；“杜当阳”指晋当阳侯杜预，他于平吴时都督荆州诸军事，陈兵江陵，这里指左良玉。这些典故，用在马、阮和良玉之争上并不贴切，只是切楚地，并点明良玉的身死、敬亭的流落，皆因马、阮用兵之故。

第三段，回忆良玉只是于聆曲后，自伤衰病，死后左梦庚即率部降清，隐讽良玉拥兵自恣。下面以霍去病之墓高耸如祁连山，指良玉既死之后，苏昆生身处孤馆，甚为落拓，而江淮之间，仍是用兵频频，时闻野哭。

第四段，以陈后主的狎客尚书令江总，比喻在南京的马、阮之辈，以唐代名妓杜秋娘，比喻秦淮一些名妓，有的也已死去。江南的歌舞之地已经易主，江上的左良玉余部也已降清。苏昆生自怜不能再归楚地，吴中的一些青年艺人，却侮弄昆生，自以为技艺不在他之下，即序中说的“顾少年耳剽日久，终不肯轻自贬下，就苏生问所长”。

第五段，又转入柳敬亭。敬亭曾依附马逢知，但逢知骄暴专横，后因事下狱死，敬亭幸而未被牵连。但两句中的“君”皆指苏昆生，以此提醒他，不要依附权贵，空图盛名，以增妻儿之忧，同时寄语敬亭。一诗双赠，末句即隐藏两人姓氏。

旧时说书唱曲的艺人，本为社会轻视，士大夫虽与他们交游，还是含有偏见，虽有称誉，仍视之为不入流的俳优，他们也往往以清客为荣，左良玉在明遗民心目中，评价不高。吴伟业等所以对苏、柳特别器重，主要由于沧桑之际，两人对良玉之死，“痛哭常因感旧恩”，即是对故主的眷念，其次是他们高傲的性格和明亡后其遭遇，伟业的《口占赠苏昆生》，就把苏昆生看做安史之乱后流落江南的李龟年。黄宗羲《柳敬亭传》中说“每发一声，使人闻之，或如刀剑铁骑，飒然浮空；或如风号雨泣，鸟悲兽骇。亡国之恨顿生，檀板之声无色”便是归结为“亡国之恨”这一点。张岱《陶庵梦忆》中的《柳敬亭说书》，是晚明小品中的隽品，文中写柳敬亭说武松打虎故事，“蓦地一吼，店中空缸空甓皆瓮瓮有声”，至今犹觉声在人间。也因为这类除害的义侠的举动，最能在丧乱之世激发悲歌慷慨之感。苏、柳所以能使当时士大夫称扬者，就因人以技传，技以人传。

（金性尧）

中秋赏月有感

吴伟业

今年京口月，犹得杖藜看。暂息干戈易，重经少壮难。
江声连戍鼓，人影出渔竿。晚悟盈亏理，悉君白玉盘。

鉴赏

顺治十六年（1659）五月，郑成功率师北伐，沿江而上，先取瓜洲，再破镇江，直迫南京，东南大振，后为清将梁化凤所败，退还厦门。此诗约作于这一年或稍后。

作者这时已退隐家园，对故国仍有眷恋，此诗虽未明言，但丧乱余生，看月也大不易，不但干戈只是暂息，他处仍闻鼙鼓，自己也年逾五十，非少壮时期可比。今年尚能扶杖看月，明年就很难说了，正如苏轼《中秋月》所谓“此生此夜不长好，明月明年何处看”一般。

李白《古朗月行》云“小时不识月，呼作白玉盘”，作者用李白句意而赋以兴亡之感。因为作者儿童时期故国尚存，所以也把月亮看做白玉盘，到了晚年，才知月有盈亏，正如政有盛衰，于是因悟而愁。反过来说，不悟也不会愁。月有盈亏，岂待晚年方才悟得？但朱明的大好河山，至此而为清人所取代，却是儿时所不曾省悟的。

作者另有《咏月》五律云：“长夜清辉发，愁来分外明。徘徊新战骨，经过旧台城。秋色知何处，江心似不平。可堪吹急管，重起故乡情。”当也是同一时期所作，但这时南京战役已经结束，郑成功的余部也退出长江，台城依旧，而战骨新增。末句的故乡非指作者故乡，而是“不知何处吹芦管，一夜征人尽望乡”之意，实际是对新战骨的凭吊。

（金性尧）

过吴江有感

吴伟业

落日松陵道，堤长欲抱城。塔盘湖势动，桥引月痕生。
市静人逃赋，江宽客避兵。廿年交旧散，把酒叹浮名。

鉴赏

据程穆衡《吴梅村编年诗笺注》，此诗当作于康熙七年(1668)，即在自京退隐后。

吴江在太湖之东，松陵本吴县镇名，后也指吴县。塔，指吴江东门外的方塔，共七级，建于宋代。桥，指吴江长桥，有七十二孔。

吴江地近作者家乡，时当日落，高塔盘空，倒照湖中，随波浮动，长桥之孔，又引初露的月影。这正是日月交替的时节，本来也快到市声渐静的时候，现在却是因为逃避赋役而使人烟冷落，江宽也是人为的，因为都去逃难了。康熙七年(1668)，曾免直隶、江南、河南等水灾区额赋，可见这时南北水灾的严重，但朝廷虽有免赋之诏令，地方却借此机会加紧搜括，人民只有仓皇奔逃。

据靳荣藩《吴诗集览》，清初吴中隐居的文士，曾结为诗社，往来于三江五湖间，后因受庄氏史案的株连，社集遂辍。"二十年交旧，梅村盖感其旧事欤?"这也只是推测之词，姑备一说。但作者生活于易代之际，二十年中，故交先后零落，也是很自然的事，自己虽然幸存，却被浮名所误。这非谦词，却是悔情。

伟业一生，其为后人责难者，皆因北上应征，出仕新朝；伟业诗文，最为后人欣赏感慨者，也即是方寸之间的愧悔之诚。

(金性尧)

遇旧友

吴伟业

已过才追问，相看是故人。乱离何处见，消息苦难真。
拭眼惊魂定，衔杯笑语频。移家就吾住，白首两遗民。

鉴赏

这首五律《遇旧友》,作于清顺治七年(1650),诗人抒写了战乱后遇见旧友的情景,此诗一气贯注,堪与唐人诗风媲美,有人评之为“直摩盛唐之垒”。

首联起句“已过才追问”,十分传神。既然是老友,在路上相遇,为什么“已过才追问”呢?这里使人不难想到有两种可能:一种是甲申、乙酉两次战乱已过去六七年,受过战乱的人们面容憔悴、苍老自是难免,连老朋友都有点认不出来了;另一种可能是许多人在战乱中死去,不相信眼前的这位朋友还活着。老友毕竟是老友,面目虽有变化,但总还依稀可辨,当然不愿失之交臂。走过了又追上去问,“追”是急切想要证实,“问”是尝试,没有十分把握,也许是,也许不是。清乾隆时诗人沈德潜对这五个字很赞赏,评曰:“起语得神,与‘乍见翻疑梦’同妙。”在战乱后,离散的老友或亲人相遇常常会有这种体验的。“相看是故人”,相看是相互看,你看我,我看你,这表现出不只是诗人有点不敢认对方了,而对方同样也不能立即相认。在“相看”之后,才逐渐寻找出友人的特征,确定无疑是旧日的朋友。此二句十分平常,但却耐人寻味。

接着诗人在第二联中说明了不能立即相认的原因。“乱离何处见”,乱离是指明末清初的战乱。清顺治二年(1645)五月,清兵下南京,弘光朝覆灭,吴伟业携带百口之家避兵于矾清湖,其《矾清湖》云:“嗟余遇兵火,百口如飞鸟”,昔日金陵老友自然都星云流散,不知何处能再相见了。“消息苦难真”,耳边传来许多老友的消息,说什么的都有,有的说某人在战乱中死去了,有的说某人下了大狱,但这些都只是传闻罢了,无法得到证实。这里可以使人了解不能立即相认的原因。诗人和这位旧友都似乎听到过对方遭难的消息,都不相信老朋友还健在。第三联是写确认之后的情景。“拭眼惊魂定”,老友在战乱后相遇似梦非梦,不敢确信。当发现不是梦幻而是真实时,拭干眼角的泪花,一颗惊恐的心才开始平稳下来。“衔杯笑语频”,老友畅谈别愫,频频举杯,欢声笑语,表达了两人大难不死、重新聚首的欢乐心情。

末联“移家就吾住,白首两遗民”,诗人不以一次短暂相聚为满足,而邀请老友“移家就吾住”。这里看出两人的友谊不同寻常。从下句看,“白首两遗民”不只是两人友谊深厚,而且还志同道合,都愿以明朝遗老身份终此一生。可惜吴伟业并未坚持到底,顺治十一年(1654)被迫出仕清朝。

(徐植农)

梅　村

吴伟业

枳篱茅舍掩苍苔，乞竹分花手自栽。
不好诣人贪客过，惯迟作答爱书来。
闲窗听雨摊诗卷，独树看云上啸台。
桑落酒香卢桔美，钓船斜系草堂开。

鉴赏

张大纯《采风类记》：“梅村在(江苏)太仓卫东，本王铨部士骐(世贞子)旧业，名贲园。吴伟业拓而新之，改今名。有乐志堂、梅花庵、娇雪楼、鹿桥溪舍、楷亭、苍溪亭诸胜。”可见这是一处不小的庄园。又据顾师轼《梅村先生年谱》，崇祯甲申(1644)正月吴已居梅村。此诗当作于其时。时当明亡前夕，作者因父死居太仓守制。诗写家居生活的情趣。

“枳篱茅舍掩苍苔，乞竹分花手自栽。”二句所写，正是初置庄园的情景，茅屋、枳篱、苍苔既见其地的幽清，也可见别业就荒的情景。构置之后，当有一番修葺。竹是乞得，花乃分赠，均不破费，可见诗人与周围地主的关系。仿佛杜甫当年在蜀，背郭堂成，四处乞觅桃、竹、松、桤而植之，沉浸于新居乔迁之乐。“手自栽”是自己动手，如此方能称心如意，大有吾爱吾庐之情。“梅村”落成后，诗人有找到归宿之感，因以自号，诗题《梅村》也是诗人的自画像。

“不好诣人贪客过，惯迟作答爱书来。”二句写居梅村时诗人的意态。看来大有违于“礼尚往来”的人之常情，却十分真实地写出了一种人生况味。盖诗人当时的兴趣中心只在“梅村”，“不好诣人”应是实情，但他又并不反对(甚至是很欢迎)客人来分享他的快乐。他是那样自满自足，懒于人情往还，“惯迟作答”(不爱回信)又并不是息交绝游，相反，还希望多收几封信(“爱书来”)，借以了解人间信息。总之，两句写出的是一种随缘自适、隐不绝俗的快乐。“不好”与“贪”、“惯迟”与“爱”，矛盾对立中有依存，是一种典型的“自我中心”的生活方式。在世间持这种态度的人历来就有，然而能道出个中情趣的诗句不多,故可圈可点。

"闲窗听雨摊诗卷,独树看云上啸台。"前二句偏重写心理,这两句偏重于写行动,趣味都在自得其乐。读诗是一种乐趣,闲窗雨声是大自然的"诗",故"听雨"也是一种乐趣;作文是一种乐趣,高空行云是大自然的"文",故"看云"也是一种乐趣。诗人登高舒啸、临风赋诗的悠闲形象,在诗中呼之欲出。

"桑落酒香卢桔美,钓船斜系草堂开。"刘绩《霏雪录》云:"河东桑落坊有井,每至桑落时,取水酿酒,甚美,故名桑落酒。"司马相如《上林赋》云:"卢桔夏熟。"注谓:"枇杷也。"则上句所写,乃"梅村"之美食;而下句"钓船斜系"还暗示水乡鱼之丰。则"梅村"之乐,可以终老矣。"草堂开"三字最后点题,表明这是新居落成时的题咏。不管是"草堂"字面,还是这首律诗的风格,都令人联想到杜甫漂泊西南、定居成都期间所写的七律。

正如不能从草堂风景诗概括杜甫生活全貌一样,读者也不能尽从这首诗的描写中去勾画吴梅村当时的生活思想轮廓。这只是梅村的一个方面,生活在明清易代之紧要关头的他,也不可能终日都这样超脱。虽然他努力以"梅村"作为逋逃薮,从"独树看云上啸台"(此句用阮籍典故)等句中还是流露出孤寂情怀。

(周啸天)

过淮阴有感(录二)

吴伟业

一

落木淮南雁影高,孤城残日乱蓬蒿。
天边故旧愁闻笛,市上儿童笑带刀。
世事真成反招隐,吾徒何处续离骚。
昔人一饭犹思报,廿载恩深感二毛。

二

登高怅望八公山,琪树丹崖未可攀。
莫想阴符遇黄石,好将鸿宝驻朱颜。
浮生所欠只一死,尘世无由识九还。
我本淮王旧鸡犬,不随仙去落人间。

鉴赏

这两首诗作者作于顺治十年(1653)北上应征时。

第一首的"闻笛"用向秀山阳闻笛,怀念嵇康、吕安典。淮阴亦名山阳,但向秀闻笛的山阳在河南修武(今并入焦作市)。这里只是感慨故旧零落。

过淮阴自必想到韩信,他在年轻落魄时,常受当地少年侮辱,曾对他说:"若虽长大,好带刀剑,中情怯耳。"又说:"信能死(不怕死),刺我,不能死,出我裤下。"韩信只得俯身出裤下,众人皆笑信懦怯。作者用这个典故,暗喻自己的应征将被人笑其懦怯,自己的心中也未始没有悔恨苟全之意。

淮南王刘安的门客曾作《招隐士》,哀伤屈原的身世,晋人王康琚有《反招隐诗》,开头两句云:"小隐隐陵薮,大隐隐朝市。"王诗的原意无贬义,意为朝市中同样可以隐居,后来也有以"大隐在朝"讽喻士人的热衷而假清高。吴诗用的是贬义,讽刺别人,也包括自己,因为作者本志只想隐居乡里,现在却与本志完全相反,也不必再续《离骚》,哀屈原的心恋故国了。

末两句由韩信欲报漂母一饭之恩,而深惭自己枉负明朝的深恩。"廿载"指崇祯朝的十七年,举成数而言。明思宗对伟业很赏识,还曾特赐他归里娶亲。

第二首的"八公山"在安徽凤台东南,相传淮南王门客有"八公",能炼丹化金,白日升天。今则登高怅望,无法攀登仙境,隐伏末两句。第三句由韩信想到张良。张良佐刘邦创建帝业,今明室已亡,自不可能再有黄石公授张良兵书的希望,黄石既难再见,唯有像淮南王《枕中鸿宝苑秘书》中那样在游仙中常驻朱颜,这句仍与末两句相应。

作者自恨苟活人间,故而金丹九转,也是无聊的空想,由此可见"好将"云云,只是反说,意思是,即使朱颜长驻,又有什么意思呢?

淮南王刘安本是被人告发而下狱自杀,《神仙传》却说他白日升天,鸡犬舐了他的药也飞升上天。作者借此表白自己本是明朝遗民,思宗自缢,却不能一同殉国,追随地下,如今流落人间成为生命中的最大负担,和首两句紧相呼应。

这两首诗以第二首最著名,第二首的骨子在末两句,久为读者传诵。像这样的诗,居然作于顺治年间,而且是作者赴京应征时,结果却未成文网中人,实在侥幸极了。又如《圆圆曲》的"鼎湖当弃人间",仅此一语,如果在康、雍、乾诸朝,轻则充军,重则大辟,而吴氏诗集,后世流传的很多,这些句子,都未删去,也说明清廷对吴伟业还是宽大为怀的。清廷曾经有一界线,认为遗臣之眷念故国,也是人之常情,不能以此定罪,但不可辱骂新朝。这一点,倒也通情达理。

（金性尧）

怀古兼吊侯朝宗

吴伟业

河洛烽烟万里昏,百年心事向夷门。
气倾市侠收奇用,策动宫娥报旧恩。
多见摄衣称上客,几人刎颈送王孙。
死生总负侯嬴诺,欲滴椒浆泪满樽。

鉴赏

侯方域,字朝宗,明末四公子之一。吴伟业应征前,方域致书竭力劝阻,中有云:“十年以还,海内典型,沦没殆尽,万代瞻仰,仅有学士,而昔时交游,稍稍能开口者,亦唯域尚在,故再四踟蹰,卒不敢以不言,万一有持达节之说,陈于左右者,愿学士审其出处之义各有不同,紧塞两耳。”(《壮悔堂集》)贾开宗评云:“文之光芒,上薄星汉。”但伟业后来还是决定北上了。

顺治十一年(1654),方域逝世。此诗作时的具体年份不明,但自在顺治十一年之后,或在十三年南归途中。

方域是河南归德人,此诗由咏大梁而兼吊故人。前二句是说中州向为兵家必争之地,但作者所怀念的却是大梁的城门夷门。

大梁为战国四公子之一的信陵君封邑。侯嬴是一个隐士,因家贫,隐身为夷门监者。信陵君大会宾客时,曾驾车自迎侯嬴,他自此成为信陵君门下上客。魏王有宠妾如姬,信陵君为她报了杀父之仇,侯嬴便设计使如姬盗魏王兵符以救赵。后来信陵君出发时,侯嬴因年老不能相随,乃刎颈自杀。

侯嬴与信陵君故事,本和侯、吴之交不相类似,所以前六句纯是怀古。但易代之际,这些慷慨壮烈、士死知己的故事,也易使人借题发挥,即“摄衣称上客”的多,“刎颈送王孙”的少。末两句只是借侯嬴之姓指侯方域,也是全诗的归宿。诗末作者自注云:“朝宗归德人,贻书约终隐不出,余为世所逼,有负夙诺,故及之。”方域于顺治八年(1651)

也应河南乡试，中副榜，三年后即抑郁而死。方域仅应地方科举，伟业则入京出仕。知人论世，亦是区别两人的一个关键，伟业所以有愧于死生终负者或在此。

（金性尧）

采石矶

吴伟业

石壁千寻险，江流一矢争。曾闻飞将上，落日吊开平。

鉴赏

诗作于顺治二年（1645）春。当时清政权已控制整个北中国，正积极筹划渡江南下。而凭借长江天险苟延残喘于南京的南明弘光小朝廷依然宴安耽乐、醉生梦死，秉国者马、阮之流眩豪鬻爵、排斥异己，根本不以北上进取、恢复中原为事。作者对如此政局深感痛心失望，同时也不得不考虑远祸全身，因而在清兵南下之前就托故辞职，脱离弘光王朝。东归前夕，一个春寒料峭的黄昏，作者独自登临采石矶，并作此诗以寄托心境。

采石矶在安徽省马鞍山市西南，与天门山夹江对峙，形势险峻，为南京城西南屏障，历来称兵家必争之地。明太祖朱元璋起兵，曾在此大破元军，奠定帝业。按《明史·常遇春传》："（元）至正十五年（1355）……（明）兵薄中渚矶。元兵阵矶上，舟距岸且三丈余，莫能登。遇春飞舸至，太祖麾之前。遇春应声，奋戈直前。敌接其戈，乘势跃而上，大呼跳荡，元军披靡。诸将乘之，遂拔采石，进取太平。"常遇春后以战功追封开平王。作者于三百年后登临凭吊明初君臣建功创业的古战场，联想当时凋敝危亡的形势遭际，心中自有一番沧桑感慨。诗歌以写景发端，起句写采石矶高峻险要的地形，二句则暗用《左传·成公十五年》养由基一矢复命的故事，指出采石矶是古来兵家必争之地。首联自然入对，气势不凡，为以下生发感慨作必要的铺垫。明朝的开国群臣就是在如此险恶艰苦的条件下开创基业的，而曾几何时，江山依旧，人事全非，清军的长驱南下势将不免，先辈开创的基业已面临倾圮覆灭的厄运。如果说"飞将"一词形象描绘了常遇春飞身上矶、所向披靡的战将英姿，那么"曾闻"一词正委婉传出了先哲已逝、冀北群空的哀叹，与唐人"但使龙城飞将在，不教胡马度阴山"正复出于一辙而有异曲同工之妙。而"落日吊开平"，显然不单是吊一个常遇春,更蕴涵着作者对日薄西山的南明王朝、对江河日下的败亡之势的悲叹痛惜。

采石矶是历代文人乐于登临的胜地,李白、苏舜卿、陆游、文天祥等都曾在此留下题咏之作。吴梅村此诗以少胜多,融会江山形胜、历史风云、时代气息、身世感受于五言绝句短短二十言的方寸天地之中,立意宏远而无空廓之弊,结篇精致而去雕琢之迹,诚如靳荣藩《集览》所谓"不着议论,自然入格",是明清人五言绝句中不可多见的佳构。

(周　秦)

萧　何

吴伟业

萧相营私第,他年畏势家。岂知未央殿,壮丽只栖鸦。

鉴赏

刘邦即帝位后,起先住在长乐宫(秦之兴乐宫),后来萧何为刘邦建造未央宫,刘邦见宫殿很壮丽,甚怒,对萧何说:"天下匈匈,劳苦数岁,成败未可知,是何治宫室过度也?"萧何说:"正因天下未定,所以非壮丽无以重天子之威。"刘邦听了,转怒为喜。司马光在《资治通鉴》中对萧何此举颇多责备,中有云:"王者以仁义为丽,道德为威,未闻其以宫室填服天下也。"司马光的批评是对的。

但萧何自己的宅第却很简朴,他说:"后世贤,师吾俭;不贤,毋为势家所夺。"后来萧何的后嗣有四代因罪而失去侯爵(萧何曾封酂侯)的承袭,由此看来他倒是很有先见之明。但他没有想到,壮丽的未央宫,经过改朝换代,也已荒废湮没,只供乌鸦栖息而已。

作者由明入清,借此以抒沧桑之感,对比却自然而隽永。

(金性尧)

临清大雪

吴伟业

白头风雪上长安,短褐疲驴帽带宽。
辜负故园梅树好,南枝开放北枝寒。

鉴赏

顺治十年(1653),作者应召北上。事前虽一再推辞,两江总督马国柱等却竭力敦促,只得流涕登车。到了山东临清,适逢大雪,短褐疲驴,益增凄凉。

长安借指北京。当时作者不过四十五岁,但因早衰,已现白发。他于十年前本已在故乡购置梅村。雪里寻梅,旧时曾称为雅事,这时却感到辜负了故园梅树。梅常比喻人的志节,因而使他感到内疚。末句的"南枝开放",意为江南使他温暖,北地使他凄凉。宋室南渡后,常以南枝北枝隐喻两种对立的政权。清代统治者尤忌南北并提,有的文士因此陷入文网。作者身在应征途中,却写出这样露骨的诗句,其心境不难想见。

作者另有一首《阻雪》云:"关山虽胜路难堪,才上征鞍又解骖。十丈黄尘千尺雪,可知俱不似江南。"江南固可怀念,但可怀念的岂仅仅是自然环境?他的《旅泊书怀》有云:"征车何用急,惭愧是无能。"次句非真话,真话应当是他在《矾清湖》中说的"乱世畏盛名"。

《梅村先生年谱》附有胡彦远(介)《送吴梅村被征入都》诗,其第二首末云:"莫(暮)年诗赋江关重,输却城南十里梅。"即以庾信比喻伟业,次句则与吴诗"辜负故园梅村好"相合。

故园之梅固对诗人期望殷勤,诗人也对梅花屡致愧悔,直到临终,还希望墓石上只写"诗人吴梅村之墓"。

(金性尧)

读史有感(录三)

吴伟业

弹罢薰弦便薤歌,南巡翻似为湘娥。
当时早命云中驾,谁哭苍梧泪点多?

鉴赏

历史是现实的镜子,因而借古讽今往往成为诗人的拿手好戏。

《读史有感》八首作于康熙初，诗中借用古代君王后妃生离死别的传说，来影射顺治皇帝福临和栋鄂贵妃的爱情故事。栋鄂妃，满洲正白旗人，顺治十三年(1656)册封为皇贵妃，宠冠六宫。十七年(1660)八月病逝。顺治帝悲痛欲绝，为之辍朝五日，追封为孝献敬皇后，并亲至五台山，大建道场，祭奠极隆。逾岁十八年(1661)正月，年仅二十四岁的顺治帝竟也一病不起，溘然长逝，去栋鄂妃之丧仅五月。这在朝野引起许多议论。当时退居吴中的吴梅村用七绝组诗的形式就此事抒发了自己的感慨。

第一首是借用上古帝舜和他的二妃娥皇、女英的故事。按任昉《述异录》："舜南巡不返，殁于苍梧之野。尧之二女娥皇、女英追不及，相思恸哭。泪下沾竹，文悉为之斑斑然。"诗歌从宫中乐声发端：一曲欢愉和煦的《南风歌》甫终，便奏响了凄凉沉痛的《薤露歌》，这反差强烈的移宫换羽，这"弹罢……便……"的简洁句式，传给读者这样的感受：君妃情欢的良辰美景实在是转瞬即逝，短暂无常，紧接而来的总是销魂铄骨、"漫漫无绝期"的生离死别之恨。千古一辙，这是帝舜皇英，抑或是顺治鄂妃？如果说此处尚不甚分明，那么第二句就昭然了。本来帝舜南巡在前，皇英殉情在后，诗中却偏说南巡好像是为了追踪逝去的爱妃。"翻似"二字，透露了诗人此作"读史"是虚，是陪衬，"有感"是实，是正题；这里明明是写顺治帝巡幸五台山为栋鄂妃大事祭奠之事。而帝舜南巡不返，此句似尚有更深一层的内涵，那就是已经埋下了顺治帝哀伤过度、不久人世行将"命驾云中"的伏笔。在极力渲染顺治帝对栋鄂妃至死不渝的一往情深之后，作者突然笔锋一转，提出了一个颇费解索的问题：栋鄂妃之逝，顺治帝悲伤如此；反之，假设顺治帝先逝，栋鄂妃会像湘妃哀悼帝舜那样洒尽伤心的泪水吗？作者是否在暗示妃之爱帝远不若帝之爱妃深挚呢？恐怕不能这样理解。不难想象，若顺治帝早逝，那么宠冠六宫的栋鄂妃势将成为众矢之的，绝无从容洒泪祭奠之闲暇，恐怕只有身殉一条路，因而泪落自然不如湘妃之多了。事实上，栋鄂妃的族妹贞妃因鄂妃之缘故稍得顺治帝青睐，最终也逃脱不了身殉的悲惨结局。顺便说一句，姊妹侍帝，本同皇英相类，而一死帝前，一死帝后，景况则不一样。作者此诗在咏叹主人公生死不已的情爱之同时，透露出宫中气候的冷酷险恶，这也是《读史有感》组诗后续数首反复吟咏感叹的内容之一。

重璧台前八骏蹄，歌残黄竹日轮西。
君王纵有长生术，忍向瑶池不并栖！

鉴赏

《读史有感》八首，每首各以一位古代君王及其妃嫔的故事为影子，咏叹顺治帝与栋鄂妃的生死痴恋。这一首是借用周穆王姬满和他的爱妃盛姬的传说。据《穆天子传》，周穆王“命驾八骏之乘”“游于河济，盛君献女子”。“天子乃为之台，是曰重璧之台”，宴乐甚欢。惜乎好景不长，“三日，盛姬亡。天子殡姬于谷丘之庙，葬于乐池之东”。

乍欢还别，留下的是一段无尽的哀思，这同顺治帝、栋鄂妃的遭遇是何其相似啊！或者竟可以说，诗人笔下的穆王、盛姬就是顺治帝、栋鄂妃的化身。而当栋鄂妃的丧事操办完毕，凄凉呜咽的哀歌奏到尾声的时候，顺治帝也已到了日薄西山、病入膏肓的地步。所谓黄竹哀歌，固在哀悼爱妃之夭逝，但谁能说没有哀伤自己贵为天子而无法延缓心上人的性命，无法固守琴瑟相和的情欢生活的成分呢？因此，即使能像周穆王一样升昆仑、宾王母而觞瑶池，即使能名列仙班而长生不老，伊人已逝，独自生活在天地之间又有什么意思，又于心何忍呢？言外之意，顺治帝已心如死灰，决计追随爱妃于九泉之下，到那儿去延续双栖共宿的美梦。

在诗人笔下，顺治帝对于栋鄂妃的爱情真可谓刻骨铭心，到死方休。而事实上，顺治帝也终究未能从痛不欲生的精神状态中挣扎出来，就在数月之后，带着他执著的一往深情，永别了帝位和尘世，到栋鄂妃先行一步的地方去了。这样的痴恋不用说是十分动人的，何况表现在贵有天下的帝王身上，简直称得上是难能可贵了。这也许正是诗人为之一唱三叹、吟咏不已的原因所在吧。

铜雀空施六尺床，玉鱼银海白茫茫。
不如先拂西陵枕，扶下君王到便房。

鉴赏

这是《读史有感》组诗的最后一首，诗中借用三国魏武帝曹操故事来影射顺治帝身后宫中情形，进而生发归结到对于顺治帝和栋鄂妃爱情故事之结局的同情和庆幸。

按陆机《吊魏武帝文》载曹操遗命四子：“吾婕妤、妓人皆著铜雀台，于台堂施六尺床，……汝等时时登铜雀台，望吾西陵墓田。”封建帝王之丧，不仅玉鱼为殉，水银为海，极尽墓葬之豪奢，还要将服侍过他的妃嫔媵嫱统统封入冷宫，让她们以未亡人的身份在凄凉孤寂中苦挨残年，等候来自冥冥世界的宣召。

诗中是这样描写的：铜雀台上空放着巨大的坐床，而君王却不再到此欢宴游乐、欣赏歌舞了，他已经死了。闭锁台中的妃嫔宫娥们遥望先君葱茏的陵墓，想象自己将来的岁月，不觉怅然惘然，忧思萦怀。与其困守偷生，弗如死在君王之前，先期在地下为君王安排整理好床铺枕席，待君王来时，还能相伴相随，继续得到他的宠爱。诗人这样写，实在庆幸栋鄂妃之先逝，而悼惜诸妃之生不如死。旧制后妃先于君王而死者，得与君王合葬；后于君王而死者，则因陵墓已闭，所谓“卑不动尊”，不得再入陵合葬。故栋鄂妃死后，追尊皇后，合葬孝陵，相从顺治帝于地下。设其后于顺治帝而亡，休说崇号、合葬，在险恶莫测的宫中气候中，恐怕下场比贞妃好不到哪里去。

与前几首一样，此诗在写法上照例是前两句叙事，后两句抒发感慨议论，诗中虽频频出现“铜雀”“西陵”之类有关魏武帝曹操的名物典故，但曹操依然只是顺治帝的影子而已，诗的主题仍在表现顺治和栋鄂妃的爱情故事。作者罄其力量为它涂上一点亮色，将其结局描写得尽可能美满。但是归根结底，“他生未卜此生休”，作品奇特的落想最终为这一组诗作了颇咀嚼回味的一结。

（周　秦）

戏题仕女图

吴伟业

一　舸

霸越亡吴计已行，论功何物赏倾城。
西施亦有弓藏惧，不独鸱夷变姓名。

鉴赏

《戏题仕女图》共十二首，这里选录四首，说是"戏题"但有的倒含"史论"意味。

越国被吴国打败后，相传越国命范蠡求得美女西施，进于吴王夫差，使夫差沉湎酒色，因而灭了吴国。范蠡乃偕西施，同泛五湖而去，自称"鸱夷子皮"。至齐，致书越国大夫文种：飞鸟尽，良弓藏；狡兔死，走狗烹。越王为人，可与共患难，不可共安乐。所以劝文种及早离开越国。文种没有照范蠡的话去做，只是称疾不朝。有人便向越王告发，越王乃以剑赐文种，逼他自杀。

范蠡、文种的事迹，大致可靠，历史上西施的真实面目，至今不甚了了。吴王荒淫是事实，亡吴未必由于西施。此诗强调的是功臣不可为，因为历史上功高而遭祸被杀的大臣实在太多了，所以诗人想象越国灭吴之后，西施也不敢邀赏，不如相忘于江湖。

虞　兮

千夫辟易楚重瞳，仁谨居然百战中。
博得美人心肯死，项王此处是英雄。

鉴赏

楚霸王项羽英勇刚烈，百战沙场，《汉书·高祖本纪》又称项羽"仁而敬人"，但垓下之围时，八千子弟，皆已散去，唯有美人虞姬，骏马骓，尚在帐下。项羽乃悲歌慷慨，虞姬和之，项羽乃泣数行下。

《史记·项羽本纪》未明言虞姬以身相殉，但《史记正义》引《楚汉春秋》，记虞姬之歌云："汉兵已略地，四方楚歌声。大王意气尽，贱妾何聊生。"恐是后人假托。但虞姬临危自尽，当是事实。"心肯死"是说她对项羽忠诚坚贞，也是全诗的一大关节，按照作者的说法，项羽之所以成为英雄，还是因为虞姬成全了他。

出　塞

玉关秋尽雁连天，碛里明驼路几千。
夜半李陵台上月，可能还似汉宫圆？

鉴赏

昭君在汉宫时，虽是一个被冷落的宫女，但举头望月，汉宫的月亮却是圆朗而皎洁的。后虽自请出塞，实非出于本愿，哪一个少女愿意远离故国，到千里外的大漠呢？

李陵降胡，虽有不得已处，但降志辱身，故颇为后人讥议。李陵台是李陵被困匈奴时而筑的。他虽投降匈奴，但心仍在汉朝，思念故乡时，便登台向中原方向遥望。

前两句写昭君骑着骆驼，出玉门关，时当秋夜，塞外空旷，到了李陵台，月色却不像在汉宫时那样圆亮。作者之意，是为她感到委屈。如果不因远嫁而出塞，那么，她就不会来到李陵台，也不会看到台上的暗淡月光了。

咏昭君诗，自以杜甫的《咏怀古迹》那一首为绝唱，吴诗实亦寓“千载琵琶作胡语，分明怨恨曲中论”意。

堕　楼

金谷妆成爱细腰，避风台上五铢娇。
身轻好向君前死，一树秾花到地消。

鉴赏

西晋石崇曾筑金谷园于洛阳西北，并有爱妾绿珠。赵王司马伦的亲信孙秀想占有她，石崇怒而不给，孙秀便在赵王前陷害石崇，崇因而被捕，绿珠泣曰：“当效死于官（主子）前。”乃投于楼下而死。

“避风台”用赵飞燕身轻，汉成帝为她筑七宝避风台典故。“五铢”是铜钱名，也喻轻。用旧时的说法，绿珠身虽轻而情义却很重。

杜牧《金谷园》末两句云：“日暮东风怨啼鸟，落花犹似堕楼人。”可与此诗结尾参看。

（金性尧）

卧病旬月未已闲书所感

黄宗羲*

此地那堪再度年？此身惭愧在灯前。
梦中失哭儿呼我，天末招魂鸟降筵。
好友多从忠节传，人情不尽绝交篇。
于今屈指几回死，未死犹然被病眠。

作者

*黄宗羲(1610－1695)，字太冲，号黎洲，浙江余姚人。明末，曾从鲁王朱以海抗清，入清不仕，潜心著述。为明末清初的著名思想家、史学家。其诗重性情、重学问。有《南雷文案》《宋元学案》《明儒学案》《明夷待访录》等。

鉴赏

此为抒发亡国之痛、谴责汉奸、思念殉难好友之作，原两首，选其一。

首联写失国之悲与未能以身殉国的内疚。此地，指被清廷贵族占领之国土，诗人面对曾经发生过扬州十日、嘉定三屠、江阴大辟、嘉兴剃发、绍兴毁城而流满汉族人民鲜血的江南大地深感耻辱。亡国之痛，无逾于此，表达了对民族屠杀与民族侮辱政策的愤慨。但"此身"却苟全性命于乱世，使得他在昏黄的灯光烛影前深感歉疚。事实上作者还是为挽救明王朝的覆亡竭忠尽智的，在崇祯朝参加复社于北京、南京活动多年，跟阉党余孽作了殊死拼搏；清军渡长江后，他回到浙东起兵拥戴鲁王朱以海监国，辗转山寨，跟南下者周旋，作出重大牺牲与贡献。因此作者的愧怍表现了对祖国和民族的责任感。

颔联抒写对南明永历政权崩溃的深痛巨哀。康熙元年(1662)，吴三桂奉清廷旨意将永历帝朱由榔及其子以弓弦绞杀于昆明，同年鲁王亦老死于金门，明祚断绝，复明的一线希望彻底破灭。诗人在梦中亦失声恸哭，被儿子喊醒后，起床祭祀，招慰远在天边之魂，只见"鸟降筵"，即朱鸟应声而至，降临在祭筵上。朱鸟是南方七个星宿之总称，它们联起来像鸟形，诗人用它比喻明朝最后帝王的灵魂。与黄宗羲同时的诗人钱澄之也有"南极有星通夜动，天隅一柱早时倾"的句子。有人以为"诗用此典以表示对死节友人的怀念"，有失句意。颈联才是对死节友人的怀念，并嘲讽失节之人。"好友多从忠节传"，赞颂东林、复社一系为国捐躯的英雄史可法、陈子龙、夏允彝、夏完淳、吴日生、孙兆奎、刘宗周、熊如霖、钱肃乐、祁豸佳、黄淳耀、黄毓祺、江天一、吴应箕、朱大典、黄道周、瞿式耜等友人。在民族苦难之际，他们投笔从戎，挥戈奋击，前仆后继，从容赴难，谱写了一曲曲感天动地的正气歌。他们应入《忠节传》，名彪青史，千古流芳。"人情不尽绝交篇"，在这场血与火、爱国与叛国、正义与邪恶、忠贞与奸佞的考验中，昔日友人李雯、龚鼎孳、吕兆龙等背叛复社社规，相继降清，充当马前卒，品质卑劣，气节丧尽，其情状是汉代朱穆的《绝交论》、梁代刘峻的《广绝交论》所叙写不尽的。此联以对比法，热烈赞扬爱国志士，鞭挞民族败类，显示出诗人的熠熠丹心，也表达了对大动荡中人情险恶、交道难凭现象的深切忧虑。

尾联抒写复国无望打算以死全节。"于今屈指几回死，未死犹然被病眠。"前句诗、史互为表里，清军入浙，黄宗羲恩师、一代名儒刘宗周绝食自尽，作者深受感染，迅即在家乡黄竹浦组织义兵抗清，后移师舟山，并踏鲸波至日本借兵未遂，返国后至家乡秘密从事复国斗争，来往于海岛间，成为清廷追捕之要犯，不得已流亡在外地多年，避匿榛莽，昼伏夜行，窜身穷谷，屡濒于死。他在《南雷文集·怪说》中沉痛写道："濒于十死者矣。"表现出坚贞操守与高洁志趣。后句明志，因当时贵族在杀戮汉族人民的同时，拼命拉拢汉族的著名知识分子，作者睥睨藐视，决心"未死犹然被病眠"，表达义不臣虏之坚定信念，感人足多。诗人实践自己的诺言，矢志隐逸，潜心著述，诗文皆黍离麦秀，尽箕子亡国之悲；金戈铁马，抒放翁中原之梦，故国之思，一日未忘。尤爱文天祥《正气歌》，谢翱《西台恸哭记》，盖悲文山、皋羽身世之苍凉悲壮，亦以自伤。康熙三十五年(1696)冬营生圹于其父、被魏忠贤杀害的著名东林党人黄尊素墓侧，中置石床，不用棺椁，以为亡国之臣期在速朽，不欲彰显。死之日嘱以一被一褥，服平日角巾深衣殓。虽含恨于地下，其爱国精神却光照后人。这对理解全诗尤其是尾联大有助益。

作者是清初大儒，他提倡宋诗，

"余以为善学唐者唯宋"(《南雷文案后集卷一·姜山启彭山诗稿序》)。认为不仅要学唐诗以味胜,以情韵胜,更要学宋诗以意胜,以骨力胜。他赞赏文天祥等民族英雄的作品,说诗文长留天地间。这种充满爱国精神的诗学主张,不仅对转变明清之际的诗风起了积极作用,而且在某些方面影响着有清一代诗学的发展。本诗思想深刻,性情直露,风格遒劲,如老树暮花,自含古韵。阮元《定香亭笔谈》云:"语极旷达,盖无意求工,而诗愈工也。"俞陛云《吟边小识》亦云:"诗歌非所措意,而洪钟自无纤响。如卧病诗云:'好友多从忠节传,人情不尽绝交篇。'"

(顾　启　丁赋生)

苍　水

黄宗羲

少年苦节何人似?得此全归亦称情。
废寺醵钱收弃骨,老生秃笔记琴声。
遥空摩影狂相得,群水穿礁浩未平。
两世雪交私不得,只随众口一闲评。

鉴赏

作者与张煌言是患难与共的战友,对其壮烈殉国,极感悲痛,遂以血泪写此诗寄托哀思。张煌言,号苍水,著名民族英雄。弘光元年(1645)廿五岁,以举人身份与钱肃乐等在家乡鄞县起兵,后与余姚熊汝霖、孙嘉绩、黄宗羲等义师联合抗清,奉鲁王监国,据守浙东山区和沿海一带,官至兵部尚书、大学士。鲁王政权失败后,他常驻舟山,三度闽关,四入长江,直趋芜湖,两遭覆没,海岛转徙,虽历尽艰险,百折不回,惓惓故国,形于梦寐。他与郑成功是战友,又曾派人与荆襄十三家农民军联系,确为经国奇才。康熙三年(1664)七月被捕于隐蔽处南田之悬岙岛(今浙江象山县南)。九月初七在杭州拒降被杀害,年四十五。就义前遥望凤凰山一带,盛赞"好山色",口吟绝命诗:"我年适五九,乃逢九月七;含笑从文山,成仁万事毕。"遂挺立延颈就戮。苍水先生遇难后,纪五昌、朱相玉、释超直、张文嘉、沈横书、朱锡九兄弟四人及万斯大等冒险收瘗于杭州，墓与岳坟相望。

诗的首联概括苍水英勇奋战的一生，赞颂其崇高气概。“少年苦节何人似”，指顺治二年(1645)，苍水去天台迎鲁王朱以海至绍兴监国才二十五岁，封翰林院编修兼行人，“入典制诰，出筹军旅”，受任于兵败之际，奉命于国难之时，可谓热血青年。当时无骨气之文人望风披靡、屈膝求荣者比比皆是，苍水却坚定地走上了挽救民族危亡的艰苦道路。苍松劲竹，难能可贵。“得此全归亦称情”，赞苍水为国为民鞠躬尽瘁，全节归死，无悔无愧，无上光荣。此联高度概括英雄光辉的一生。

颔联抒发深深的悼念之情。“废寺醵钱收弃骨”，英雄遗骸由明御史纪五昌捐钱，命外甥朱相玉购公首，杭人张文嘉、沈横书出钱收敛，朱锡九兄弟四人捐资买地，万斯大、释超直等出资埋葬。人们冒险集资办理后事，正寄托着民众的哀思。“老生秃笔记琴声”，诗人含泪撰写《有明兵部左侍郎苍水张公墓志铭》，并雇人勒石纪念，时年五十又五，又感难以用佳文表深情于万一，只能作“常谈”，故自称“老生”。“琴声”用典实，将苍水比作晋初反篡权的杰出思想家嵇康。《晋史·嵇康传》载，康为司马昭所杀，刑前求琴弹《广陵散》，琴声止，曰：“《广陵散》于今绝矣。”诗人以此寄托对苍水道德文章的评价，抒发惋惜之情。

颈联赞扬苍水之死的价值。“遥空摩影狂相得，群水穿礁浩未平。”诗人遥望天际回想苍水往事，摹写英雄形影，回忆二人共同抗清、并肩战斗的经历，深感其狂放自信乐观的性格，与己可谓知音。他坚信苍水抗清的意志会像那冲激礁石的大波巨澜，激励后人奔向未来。

尾联“两世雪交私不得，只随众口一闲评”，揭示写墓志铭与此悼诗皆出于公心，将诗意再推进一步。原来苍水父圭章乃天启四年(1624)举人，官刑部员外郎，诗人父尊素为御史，系同朝官员；圭章又曾应聘教授黄家，所谓“余诸父皆其门人”。诗人与苍水则为复明战友。但两代交谊似冰雪高洁，撰文写诗决不从私情出发，而是随众人之评价发表公论。质言之，代众立言，为民抒情。

黄宗羲强调诗人胸中蕴结之情不应仅是一己的，应该与众人之情相通。他在《朱人远墓志铭》里说：“幽人、离妇、羁臣、孤客，私为一人之怨愤，深一情以拒众情，其词亦能造于微。至于学道之君子，其凄楚蕴结，往往出于穷饿愁思一身之外，则其不平愈甚，诗直寄焉而已。”这首诗可视为他实践这一诗学思想的代表作，语虽平易，且注重与史实相发明，然以情动人，而此种情乃典型情绪，故质重实厚，极有力度，值得后人借鉴。

(顾　启　丁赋生)

周公谨砚

黄宗羲

弁阳片石出塘栖，余墨犹然积水湄。
一半已书亡宋事，更留一半写今时。

剩水残山字句饶，剡源仁近共推敲。
砚中斑驳遗民泪，井底千年恨未消。

鉴赏

这两首诗借周密用砚在井中重现，抒写异代同悲的亡国之痛。周公谨即南宋爱国词人周密，号草窗、弁阳萧翁等，著有《草窗词》《武林旧事》，编有宋词《绝妙好词》集。词作格律严谨，清丽工巧，有一些悲慨宋室覆亡之作。

诗篇开始即扣紧石砚，“弁阳片石出塘栖”，周密在北宋灭亡时自济南流寓吴兴，住在弁山，并任义乌令。南宋亡，拒仕元朝，自号弁阳萧翁，故称其用砚为“弁阳片石”。现在，这块和过血泪、出过佳诗的石砚在浙江杭县塘栖镇出井了。诗人心情的喜悦、激动、悲戚、感慨，纷至沓来。凝眸审视，“余墨犹然积水湄”，虽经四百年冲洗，余墨依旧粲然放光。古砚余墨，实不可能，但这象征着周密精神不朽、遗志感人。“一半已书亡宋事，更留一半写今时。”这位热烈的爱国者已用了一半墨汁，写下爱国词章和一字一泪的《武林旧事》，倾诉对南宋盛时的怀念之情。他留下一半墨汁亦大有深意，期望民族志士续写新的篇章。黄宗羲认为应当濡上余墨，为抗清斗争的每一次胜利歌唱，为烈士的殉国失声痛哭，对苟且偷安者表达强烈愤慨，对无耻的降清者发出无比的憎恨与谴责。前一首扣紧“余墨”细节向深层引发，将古今之事连接起来，抒发对南宋与明王朝的怀念之情。袁枚《随园诗话》评曰：“先生不以诗见长，而言之有味。”

后一首赞扬周密《武林旧事》所寄托的良苦用心，肯定其主题的积极意义。诗人认为南宋虽偏安江南一隅，但周密对祖国的残山剩水仍一往情深。宋亡后，他隐居山林潜心著述，以丰富的词语与优美的笔调追记杭州旧事,以倾诉内心的愤懑和不平。“剡源仁近共推敲”,他的好友戴剡源和仇仁近都是知名文学家,参加推敲,斟字酌句,为《武林旧事》的写作倾注了满腔热血。诗人巧妙地借用有故国之思的《武林旧事》寄寓自己“时移物换,忧患飘零,追想昔游,殆如梦寐,而感慨系之”的愁苦与郁闷。恻恻兴亡之隐,实曲寄于言外,令读者同情感喟。“砚中斑驳遗民泪,井底千年恨未消。”如此看来,周公谨砚中不只有余墨,而且分明有他写作时滴下的点点清泪。

这两首咏物诗,借古喻今,寄托遥深。作者涵养深厚,用意沉潜。精心构思,妙手偶得,确为宋诗路数。其不畏文字狱之祸,大胆抒怀尤令人敬佩。潘飞声《在山泉诗话》云:“先生身遭鼎革,危言危行,不负所学,而苦心著述,能言人所不敢言者,洵所谓真儒,所谓豪杰之士。”应当以此读其文,赏其诗。

(顾　启　丁赋生)

楼 雨

杜 濬*

晓雨天沾草，萧萧牧马群。鼓鼙喧绝徼，部落拥将军。
仆病炊无术，僧悭屐不分。儿童生故晚，正诵美新文。

作者

*杜濬（1611－1687），字于皇，号茶村，湖北黄冈人。明末副贡。明亡后，隐居南京凡四十年。家境贫穷，但性格洒脱，才情奔放。诗文多有散逸。有《变雅堂诗文集》。

鉴赏

作者是清初著名遗民诗人，诗学杜甫，尤擅五言，苍朴沉郁，骨力坚卓。陈纲《变雅堂文集序》："皆出于忠君爱国之诚心，其词旨或跌宕怨诽，然变而正，怨而不激，有《离骚》之遗风焉。"

诗的前四句描写清廷贵族圈江南良田为牧场，破坏农业的情景。"晓雨天沾草，萧萧牧马群。"清军改变不了游牧习俗，无数良田被糟蹋成无边牧场，透过清晨雨帘，只见青草芊绵伸向远方直接天幕，清军的一群群战马在草甸上萧萧嘶鸣。"鼓鼙喧绝徼，部落拥将军。"士兵好像在长白山下遥远的草原边疆线上，擂响大鼓小鼓，一片喧闹之声。"绝徼"，极远的边境，一座帐篷护卫着将军。只二十字概括了满族的骑射生活、八旗制度以及将军们的跋扈。诗人为湖北黄冈人，出身仕宦之家，父祝进为明进士，本人为明太学生、副举，现在见清朝贵族如此嚣张，悲从中来，自可意会。后四句，"仆病炊无术，僧悭屐不分。儿童生故晚，正诵美新文"写国破家亡后的困顿以及儿童毫无失国之痛的感受，情调更悲噎。诗人经历明末沧桑巨变，自家乡流落南京，卜居鸡鸣寺山下，茅屋数椽，不蔽风雨，生活贫苦至极；加上清朝贵族破坏江南农业生产，他的生活陷入绝境：夏则缺粮，冬则无柴，所谓"往日之穷，以不举火为奇；近日之穷，以举火为奇"。"仆病炊无术"是真实写照。这阴霾的雨天，无米下锅，寺僧又极悭吝，不肯将木屐等雨具借出，诗人就无法外出告贷，只得全家挨饿了。酸楚悲叹，凄恻感人。可怜儿童生得太晚，不能体味亡国之苦，读的却是歌颂清朝的文章。"美新"是西汉文学家扬雄于王莽篡权号"新"时写的《剧秦美新》，该文赞颂新朝，极尽献媚阿谀之能事，历代文人耻之。这两句极沉痛，说儿童们不知门外茫茫草地原是一片良田，当然更不会知道江南人民遭受大屠杀时的场景了，而诗人瞻念前景真不寒而栗，更理解自己写作的责任了。

这首诗写雨晨登楼所见，触景生情，悲从中来，委婉地表达了与清朝贵族对抗的心志。

写寻常眼前事物，初若无奇，反复吟诵，用心愈真，情味愈浓。诗旨沉郁悲怆，正是杜甫本色。诗人在《奚苏岭诗序》中说："夫诗至于真，难矣。"确乎发自肺腑。

（顾　启　丁赋生）

古　树

杜　浚

闻道三株树，峥嵘古至今。松知秦历短，柏感汉恩深。
用尽风霜力，难移草木心。孤撑休抱恨，苦楝亦成荫。

鉴赏

这首名诗借古树赞颂遗民们不改变节操的美德，格调高古，骨力苍劲，得杜甫神髓。

诗前有自序："为四明邱氏作。李杲堂记云：家亦有苦楝树，与邱松柏相望。"邱至山、李杲堂鄞县（今宁波市）人，邻居，明季邱官潮州司马，李为兵部郎中；入清，邱拒仕，李因参加复明运动被逮捕，不久释出，遂隐居家中。此诗敬赠这两位爱国志士，表面写树，实质赞人，全用比附，乃咏物上乘之作。

首联"闻道三株树，峥嵘古至今。"言三株树扎根祖国大地，自古及今，饱览世变，犹老当益壮，郁郁葱葱。坚定不移的品格，正是国变时期正直人士所钦仰的。据李调元《雨村诗话》:“邱家有古柏一株,两松夹之,轮囷枭空,盖南宋六百年物也。”则此三树身经南宋失国与明朝覆亡的劫火,却挺立傲岸,卓而不群,值得礼赞。

颔联“松知秦历短,柏感汉恩深。”驰骋神思,合理想象,将三株树拟人化。先说二松目睹人世变化,知道凡行暴政绝无好下场,譬如秦始皇当年想传之子孙千年万世,结果二世而亡;再说柏树懂得知恩必报,如同汉武帝坚决抗击匈奴奴隶主贵族入侵,使得百姓免受民族屠杀与侮辱之苦,感谢恩泽。

颈联“用尽风霜力,难移草木心。”松柏决不做叛离生养土地的恶草,千百年来任风打霜摧,犹咬定故土不放松。忠于祖国的心意毫不动摇!这既是对邱的颂扬,也是自己心迹的表露,甘心穷饿,决不变节。史载诗人好友孙枝蔚耐不得寂寞,拟应清廷征辟,杜浚走笔奉劝,要孙“毋作两截人……不作两截人有道,曰忍痒;忍痒有道,曰思痛。”(《与孙豹人书》)大义凛然,铁骨铮铮。

尾联“孤撑休抱恨,苦楝亦成荫。”这是对李杲堂的勉励。表面说李家只有一株苦楝树,独立支撑,实在吃力,但请它不必遗憾,因为它会浓阴密布的。实指南明政权一个个被绞杀,爱国志士一个个被屠杀,李杲堂也被清吏逮捕过,因而希望他不要为暂时的挫折而气馁、懊丧,应当坚持下去。“天下兴亡,匹夫有责。”“靡不有初,鲜克有终。”诗句寄托着诗人对李杲堂深情的慰藉与殷切的期望。

《古树》表露诗人的高洁志趣、超群气节。用比兴之义,由树及人,充满爱国激情。诗人曾说:“人即是诗,诗即是人,古人真诗,一人而已。”又说:“古今真诗,皆露积于天地之间,无有遮蔽,不设典守也。”血管中喷出的是血,爱国者的诗才朴实诚笃,思深力沉。

(顾 启 丁赋生)

晴

杜 浚

海角收残雨,楼前散夕阳。行吟原草泽,醉卧即沙场。
骑马人如戏,呼鹰俗故狂。白头苏属国,只合看牛羊。

鉴赏

此为雨霁登楼观日落景象所作,写沧桑之感,寄故国之恋,颇遒宕豪逸,基调悲壮。

首联"海角收残雨,楼前散夕阳"写雨后放晴登楼所见。"残雨"渐收,乌云飘去,"散"字形象描摹出落日余晖洒满碧绿的芳草地,金黄与新绿相映,生意盎然。可惜景是物非,"行吟原草泽,醉卧即沙场",突生顿挫,由无边草地想起历史上民族志士与爱国将领。前句指屈原,说他当年在泽畔草地行走歌唱;后句指唐代著名将领张说,张于开元六年(718)任幽州都督,八年任并州长史兼天兵军大使,九年又以右羽林将军,权检校并州大都督长史,燕国公身份晋为兵部尚书,十年以尚书往朔方巡边,兼知朔方军节度使,为唐玄宗前期革新吏治时重用之人才。张说立有巨大边功,足迹遍及今河北、辽宁、内蒙古、山西、宁夏、新疆等边境,又为文坛盟主,性英武豪爽。张提拔信任之王翰写有《凉州词》,中有"醉卧沙场君莫笑,古来征战几人回"名句,意为:你可不要笑将士们喝得醉卧沙场,要知道能从战场上平安回来,实在是不容易啊!这种夸张似有消极意味,实际上是以豪放情调写战罢回营的情景,并不伤感,反为庆功。杜浚援用此历史故事是对历史上爱国将领的仰慕,眼前这片美丽的国土,是多少历史名人活跃过的舞台啊!他们到哪儿去了呢?颈联"骑马人如戏,呼鹰俗故狂",这片美丽的草甸却出现丑恶现象,清兵以征服者自居,骄纵地在芳草地上骑马为戏,呼鹰射猎,一副游牧狩猎的情状。末联明志,"白头苏属国,只合看牛羊!"诗人义愤填膺,决心向威武不屈、富贵不淫、贫贱不移的苏武学习,哪怕发配至北海牧羊,也决不改变民族气节和爱国志向。

诗妙在言少意古,意蕴丰富,感情起伏激荡。先写雨后美丽的景色,继写对历史人物的怀念,再写祖国被糟蹋的痛苦和对清朝贵族的憎恨,末写自己坚定的志向,内在情绪跨度大,力度强,故能摇荡读者性灵。陈大章《抱节轩类记》赞曰:"思深力厚,每出一语,初若无奇,反复吟诵,精味愈出。盖胸中有书,笔下无尘故也。"

(顾　启　丁赋生)

独　往

方以智*

同伴都分手，麻鞋独入林。一年三变姓，十字九椎心。
听惯干戈信，愁因风雨深。死生容易事，所痛为知音。

作者

＊方以智(1611－1671)，字密之，安徽桐城人。崇祯进士，授翰林院检讨。早年与侯方域、陈贞慧、冒襄主盟“复社”，明亡后削发为僧。他对天文、地理、生物、医药等颇精通，又工诗画。有《通雅》《物理山识》《东山均》《浮山集》等。

鉴赏

方以智是明清之际的思想家、科学家，又是一位热烈的爱国者。明季与侯方域、陈贞慧、冒襄共同主盟复社，为矫治弊政努力不懈。父孔照为湖广巡抚，本人为崇祯十三年(1640)进士，官翰林院检讨，三十岁前备极荣华。清军南下，奔江、粤，改名吴秀才，至永历朝参加抗清。后拒不与清廷合作，出家为僧，改名宏智，又称愚者智，字无可，别号药地，一号墨历，萍踪江湖，“耿嗜枯寂，粗衣砺食”，悲愤以终。

此诗为康熙年间在岭南所作，记明亡后的遭际和对友人的怀念，情真意切，感人肺腑。

首联“同伴都分手，麻鞋独入林。”“同伴”指复社同志与民族志士陈贞慧、冒襄、吴应箕、陈子龙、夏允彝、侯方域、李雯以及王夫之、瞿式耜等人。写诗时，这些同伴有的殉国，有的隐居，有的降清，作者则先被清将马蛟麟所逮，劝其投降，“‘易僧服则生，否则死。袍服在左，白刃在右。’乃辞左而受右，清帅起谢之，为之解缚，听其以僧终。”(孙静庵《明遗民录》)“分手”“独”乃血泪语。此联二句对比，“独”与“都”反差，表示跟坚守复社社规的战友千里同心,不怕过孤独淡泊的生活。颔联"一年三变姓,十字九椎心。"回忆入清后的艰苦历程,一年中多次改换姓名,到处逃难。写诗排遣内心苦闷,赋五言一联,要"九椎心",用手捶胸,伤心至极。可想见诗人写作时子规啼血、泪珠滚滚的情状,亦可窥测他对故乡、友人的思念之苦。颈联"听惯干戈信,愁因风雨深。"生于忧患,听惯了战争的消息,但是郑成功、张煌言溯江而上失利,吴三桂率清兵取云贵绞死永历帝,荆襄十三家军崩溃,厦门失守……频频传来,心如刀剜,风雨声更增添了无比忧伤。可见他的隐遁只是一种手段,实则密切注视着复明运动的走向。尾联"死生容易事,所痛为知音。"诗人拟以身殉国,效君辱臣死之义,痛心与留恋的只是挚友罢了。康熙十年(1671),诗人就怀恨离世。

此诗悲抑,调子低沉,但诗人吐露心曲,坚决出家,矢志不渝的品格,对友人一往情深,皆令人难忘。

诗风凄凉苍郁,悲苦感人,含蓄深沉。前两联对仗工整。"愁因风雨深"亦极奇警有味。此后诗人作品极少,偶一为之,多作禅语,自喻而已,但那个阴郁的时代扼杀了诗人的天赋。

(顾　启　丁赋生)

荷兰使舶歌

高　兆*

乙巳冬十月，铃阁日清秘。抚军坐筹边，颇及荷兰事。
幕下盛才贤，共请窥其使。连骑出城隅，江声来湔濞。
横流蔽大舶，望之若山坠。千重列楼橹，五色飘幡帜。
飞庐环木偶，层槛含火器。画革既弥缝，丹漆还涂塈。
叩舷同坚城，连锁足驰骑。伫立望崇高，真非东南利！
某也亦宾客，缒藤许登跂。番儿候爵室，探首如鬼魅。
摄衣升及半，火攻炫长技。烟雾横腰合，雷电交足至。
译使前致词，此其事大义。其上容千人，方车矧并辔。
其人各垂手，周行若沉思。中央匮指南，枢纽得天地。
铁轴夹其间，凌云百丈植。七帆恒并张，八风无定吹。
沓施如网罗，尘卧引猿臂。下观空洞底，委积於焉寄。
悬釜炽饮食，戴土滋种莳。但可歌博厚，安能测深邃？
舶师亦国臣，逢迎慰临莅。坐我卧榻旁，氍毹足明媚。
雕棂障玻璃，悬桁垂卣觯。发筒出葡萄，洗盏注翡翠。
高泻成贯珠，传饮劝沽醉。银盘荐瓜蔬，风味颇浸渍。
岂欲倾其酿？因之旁审视。明明簪笔边，半卷有文字。
绘事江海迹，水道可大备。岛屿分微茫，山川入详委。
观图见包藏，宁惟一骄恣？上马大桥头，目送增忧惴。
呜呼通王贡，讵可志觊伺？周防勿逡巡，公其戒将吏。
飚去势已形，礼义不足饵。

作者

＊高兆，生卒年不详，字云客，号固斋，福建侯官（今闽侯）人。明秀才。入清为福建巡抚幕僚。有《固斋集》。

鉴赏

这首五言叙事诗，作者写于康熙四年（1665）福建巡抚幕中。

诗人逐层介绍荷兰使舶即该国使臣所乘船舰的情况，并呼吁当局警惕其侵略野心，极有见识。徐世昌在《晚晴簃诗汇诗话》中说："作于通市百余年前，郑荔乡称其见微知著，可作一篇筹边策读，非虚谬也。"确为的评。

开篇八句写作者出看荷兰使舶的时间、地点。康熙四年十月某日，福建巡抚的官署中清静肃穆，原来抚军（即巡抚）正与幕僚筹划边疆防务，就荷兰船舰驶入福州港一事议论颇多，商量的结果，巡抚和幕客们一起去见荷兰使者，了解舰队虚实。

接着十二句写在闽江岸边所见荷兰舰队情景，对其作细致的描写。"伫立望崇高，真非东南利。"诗人目光犀利，当即下出判断：荷兰舰队的到来，不是东南沿海的一件好事，而是大祸害，因为他们随时可以武装登陆。第三层十句写登舰时所见情景。经交涉，荷兰使者同意让中国官员上船，放下用藤索做的梯子。诗人作为幕客之一，举足登船。一个外国人守候在爵室（即雀室）中，像鸟一样警示瞭望，不时鬼头鬼脑地伸出头来，很不礼貌的样子。中国官员用手提衣登梯才到一半，船上就开炮炫耀他们擅长的技术。"烟雾横腰合，雷电交足至。"浓浓的硝烟从腰边滚过，惊雷似的在脚下炸响。诗人甚为愤怒。翻译上来说明，这是鸣放礼炮，欢迎中国官员，行小国对大国的礼仪。从描写中，可以看出诗人存有戒心，警惕性很高。

第四层十二句写登舰后所见舱面情景。舱面甚宽，不但两匹马可以并行，两辆马车也可并行无阻。水兵们各自垂手，在细心巡查机械设备。此层写得颇具体，强调西洋人的航海技术、科学设备及其坚船利炮，以暗示清朝最高统治者应该倍加警惕，因为诗人已悟到科技落后就要挨打的道理。第五层六句写所见舱内情景。只见舱内空间极大，货物尽藏其中，蔬菜瓜果样样皆有。为了向外扩张，侵略者考虑得如此仔细，令人不寒而栗。诗人发出浩叹："但可歌博厚，安能测泫邃?"第六层二十二句,写船长室的布局及荷兰人的野心,诗人看到室内有卧榻,羊毛地毯,玻璃窗,挂着的酒瓶,十分讲究。又见那船长极善掩饰,很会外交,不但请中国官员喝葡萄酒,还进上可口的瓜果。诗人却不吃这一套,"因之旁审视",乘机仔细观察,瞥见船长桌上有航行日志,旁置航海地图,举凡大海、江河、航道、岛屿、山脉、城市,无论巨细,不分大小,一目了然。见此,诗人惊呼:"观图见包藏,宁惟一骄恣?"从此图可看出船上人的确有侵略野心,岂止是骄傲放纵而已。第七层八句写离船归来并以议论结束全篇。诗人随巡抚从福州大桥万寿桥上马,三步一回首地离开荷兰舰队,心头益发增添忧愁与不安。"呜呼通王贡,讵可志觊伺?周防勿逡巡,公其戒将吏。飚去势已形,礼义不足饵。"对荷兰人借口向清廷纳贡,实则来窥探我国的虚实,为达到非分目的而活动的动机一目了然。诗人熟悉历史。十七世纪初,荷兰殖民主义者,依靠坚船利炮,称霸海上,进行殖民掠夺。六十一年前即万历三十二年(1604)起,便不断骚扰我国东南沿海,四十一年前即天启四年(1624),他们又强行侵占我国富饶的宝岛台湾,把占领区的土地全部据为已有,称为荷兰王"王田",收取高额租税。同时开展传教活动,进行奴化教育,实行文化侵略。后来好不容易才被郑成功收复。现在,乘我国内患,荷兰这个当时世界上的头号殖民帝国派使窥测东南沿海地区,其罪恶用心昭然若揭!诗人在当时确是一位头脑清醒者,看到了现象里面的本质。于是发出呼吁,希望巡抚周密防范,不要徘徊不前,因循犹豫,并立即告诫将吏做好反侵略的准备。当然对荷兰舰队遽然到来,也会有人一时看不清其用心,主张以"礼义"去感动他们。诗人反对这种见解与做法。"飚去势已形,礼义不足饵。"这两句是说荷兰统治者的侵略野心是拘束不住的,入侵的态势已十分明确地显现出来,想用"礼义"等儒家学说去感染他们,羁縻他们,是根本不可能的。诗人主张丢掉幻想,准备跟他们开仗。这番议论,今天看来犹虎虎有生气,反映了诗人超群的胆识与非凡的眼光。

此诗反映了一位正直知识分子的民族气节与深沉的忧国、爱国之情,表现了诗人注重自然科学的迫切愿望和强烈渴求。在艺术上,它开了张维屏、林则徐、严复、黄遵宪、梁启超等近代爱国诗人诗作的先河。全诗用五言句,形式划一,音节整饬。多采用白描,语言朴素、自然、平易近人,接近口语。

(顾　启　丁赋生)

和阮亭秋柳诗原韵(录二)

冒　襄*

南浦西风合断魂,数枝清影立朱门。
可知春去浑无迹,忽地霜来渐有痕。
家世凄凉灵武殿,腰肢憔悴莫愁村。
曲中旧侣如相忆,急管哀筝与细论。

红闺紫塞昼飞霜,顾影羞窥白玉塘。
近日心情惟短笛,当年花絮已空箱。
梦残舞榭还歌榭,泪落岐王与薛王。
回首三春攀折苦,错教根植善和坊。

作者

*冒襄(1611－1693),字辟疆,号巢民,江苏如皋人。明崇祯十五年(1642)副贡,任台州司理,入清后不仕。诗文清丽。有《朴巢诗文选》《巢民诗文集》《影梅庵忆语》等。

鉴赏

顺治十二年(1655),王士禛赴京中会试。十四年秋,他到济南与参加乡试的诸名士会饮于大明湖畔水亭中,见水边杨柳已有黄叶,染上了秋色,遂有感而作《秋柳》四首。一时传遍大江南北,连绵赓续,和者千余家。此诗可说是王士禛的成名之作。从社会发展说,明代资本主义萌芽期的新思想新追求,在清初受到挫折。从阶级关系看,明末农民大起义悲惨地失败了。从民族关系论,汉族人民对清廷贵族压迫的反抗一次次被镇压下去了。《秋柳》诗的主旨是叹息一切美好的事物业已逝去，到处是幻灭的悲哀，其中当然包括“为吊明亡而作”（钱仲联）的内容。黄裳《春夜随笔》亦倡此说。

冒襄是清初著名遗民，祖梦龄、父起宗跟王士禛之祖象晋、父与敕为世交，故读《秋柳》后引起强烈共鸣，依韵步和四首。表面咏秋柳，实质写柳和写沦落的宫廷歌舞伎双关，寄托对故国深深的哀思。冒襄与明末留都南京教坊司所辖之歌妓有不平常之关系。崇祯年间，他“六赴乡试，两中副车”，常在南京滞留，身为衡永兵备使者、武昌左良玉大军监军冒起宗的贵公子，为人豪侠，又是复社后期领袖人物，因此与秦淮乐籍歌伎李贞丽、李香君、顾横波、寇白门、卞玉京、郑妥娘、陈圆圆、杨宛、董小宛等有很深的交往。明亡后，她们星散四方，有的死于兵乱，有的被俘北上，有的当了女道士，有的嫁人，有的病逝，结局大多悲惨。诗人不胜兴亡之感。

第一首以柳比兴，写歌伎憔悴，抒失国之哀。首联“南浦西风合断魂，数枝清影立朱门。”从朱门里的柳写到水边之柳，效法原倡，跳跃极大。前者清影婆娑，柔嫩可爱，后者却在萧瑟秋风中，枝条抖抖索索，黄叶纷纷飘零。诗篇开端就将读者带进朦胧迷茫的意境，是说歌伎们当年的风姿，还是写她们今天的不幸，抑或是“送君南浦，伤如之何”？给读者再创造提供空间。颔联“可知春去浑无迹，忽地霜来渐有痕。”转向朱门之柳，它们哪曾料到春天不留痕迹地消逝，更未想到严霜突然袭来，终因弱不禁风而枯萎。从春柳写到秋柳，既比喻宫廷歌伎青春悄然消失，更比喻清朝贵族的肆虐，他们似严酷的霜雪摧残着一切美好事物。颈联“家世凄凉灵武殿，腰肢憔悴莫愁村。”明太祖定鼎南京即令礼部所属教坊司召买良家女儿，加以训练，以应宫内娱戏、朝廷仪礼、祠祀、节日庆贺之需。明成祖迁都北京后，南曲限制渐缓。入“乐籍”的女儿，大都出身穷苦，向往自由。“灵武殿”用南朝典故，张绪“吐纳风流，听者皆忘饥疲”。益州刺史献弱柳数株，齐武帝植于太昌灵武殿前，常常玩赞曰：“此柳风流可爱，似张绪当年。”故前句言宫廷歌伎擅长技艺，似弱柳一样成为御用工具，身世凄凉。后句说她们在明亡后遭到清贵族的蹂躏，成为莫愁一样不幸的女子，一个个瘦弱憔悴，似萧疏的秋柳。不幸的遭遇，亡国的痛苦，颠沛的生活，使她们悲愤交加，故尾联说：“曲中旧侣如相忆，急管哀筝与细论。”她们思念过去的情谊，以激切哀伤的琴曲筝声倾吐内心的痛苦与不平。

第二首仍以柳比兴，进一层写歌伎对故国的哀思以及她们的血泪控诉。首联“红闺紫塞昼飞霜，顾影羞窥白玉塘。”白昼飞霜，柳树凋敝，生出意外。喻歌伎原处南曲“红闺”，因边城紫塞遽变，亦即清兵进入江南，如遭严霜袭击，青春顿然萎缩。心灵的创伤使她们像柳树一样枝条枯槁，黄叶飘零，凄然苍老，羞于对着清澈的池塘映照倩影了。颔联“近日心情惟短笛，当年花絮已空箱。”前句用李白《春夜洛阳闻笛》意，诗云：“谁家玉笛暗飞声，散入春风满洛城。此夜曲中闻折柳，何人不起故园情？”表达歌伎借短笛抒发萍踪四方、思念故国的悲愁。后句言箱中已无旧絮，侧面反映清军劫掠之凶；当年杨花柳絮的柔情亦丧失殆尽，总之心境极坏，生趣全无。颈联“梦残舞榭还歌榭，泪落岐王与薛王。”这两句写歌舞梦醒，一切皆成陈迹，使王孙伤心落泪。用唐书典实：岐王、薛王为唐睿宗四子李范、五子李业。二人跟三兄隆基手足情深，三人设计消灭武则天余党，让父李旦复帝位。后二人又支持隆基继位。唐玄宗也一直对他俩很好，封王赐爵。开元盛世，二人先后病逝，被追赠为“太子”，备极荣哀。不幸的是二人死后，唐玄宗因“在位久，渐肆奢欲，怠于政事”，信任奸相李林甫、杨国忠，让宦官干政，对地方节度使失控，对突厥契丹族奴隶主贵族叩边一再让步……终于爆发安史之乱，唐帝国从盛世转为衰落。冒襄诗此联用此事实大有深意，岐王薛王地下有知，定会泪落如雨。那么明朝后期的政治腐败跟天宝年间不是如出一辙吗？再说李氏兄弟骨肉情深，南明诸王在国难当头犹同室操戈，真是造孽。诗人从历史上安禄山率诸胡扰中原，使杨贵妃的《霓裳羽衣》歌舞成为残梦，影射清贵族南下，诉及宫伎不胜家国之丧而失声痛哭，故此联文约意丰，有战斗力，又有巧妙的斗争艺术。尾联“回首三春攀折苦，错教根植善和坊。”这两句以柳树悔居善和坊，苦于受人攀折，喻歌伎自慨旧时出身，不胜惆怅。善和坊是唐代长安的一条街坊，歌舞伎聚居之处。此联余音袅袅，写宫廷歌舞者的沉重失落感与永恒痛苦。

冒襄两首诗表面咏柳，写宫妓，内里却蕴涵浓郁的亡国之悲与失国之苦。旨微意隐，纯为悼明亡而作。情调低回掩抑，淋漓悲慨，可于言外求之。《梦苕庵诗话》云：“渔洋《秋柳》，当时和者至众，散见于名家集中者已不多。巢民四首，寓感兴亡，略同原倡，神韵亦无多让……渔洋亟推徐夜和作，实逊冒作。”评价中肯，冒之和作当时确流播海内，饮誉九州。

冒襄从秋柳所联想、体味的是美的东西的丧失，今昔盛衰之感，从而像渔洋一样沉浸在深深的幻灭感中。由于所处环境，冒用典较多，显得更为扑朔迷离，但感情起伏，又有流动之美，观念、形象迅速转换，使人目不暇接。如前一首首联"南浦"句为眼见景,"数枝"句一下跳到朱门中,转向对繁华的悲惨回忆。第二联又回到眼前,两句却又有时空的跨度。第三联突然转向古代,略一思忖似乎又回到清初,胸中景与眼前景若断若续,闪烁跳动,意象超忽,形象飞动。尾联又归结到南曲诸友。冒襄和诗下了苦功,观念的迅速转换使诗情显得飞跃跳荡,具有朦胧美与流动美。这是李义山无题诗技法的继承与发展,跟原倡又很和谐,极有艺术功力。

（顾　启　丁赋生）

清明前一日

李　渔*

正当离乱世，莫说艳阳天。地冷易寒食，烽多难禁烟。
战场花是血，驿路柳为鞭。荒垅关山隔，凭谁寄纸钱？

作者

*李渔(1611－1685)，字笠翁，浙江兰溪人。生于如皋。擅长诗、曲。有《笠翁一家言》。

鉴赏

此为著名离乱诗。顺治二年(1645)，清军攻占南京，弘光朝崩溃。马士英部退至杭州，其部下赵明寰掠劫浙东。接着方国安部过境，再行骚扰，给金华、兰溪民众带来深重苦难。李渔一家也东奔西逃。三年，清军在阮大铖、方国安等降将带领下攻打金华，双方激战二十日，城陷，民族英雄朱大典全家自焚，诗人从城中逃往深山。金华被屠城，成为一片废墟。此诗借纪念寒食节，抒发故国之情，哀悼死国难者。

首联"正当离乱世，莫说艳阳天。"情与境偕，清明时节雨纷纷，天昏地暗，哪来艳阳天？正以象征金华一带的凄凉情景。颔联"地冷易寒食，烽多难禁烟。"对仗工整，反意相衬。难民们颠沛流离，无法熟炊，只能食生冷之物度日，已无一丝往昔寒食节的情趣了。这一天本来不准生火，可是今年偏偏烽火遍地，狼烟四起，怎么禁得住呢？在反衬中将百姓逃难的痛苦表现得淋漓尽致。颈联"战场花是血，驿路柳为鞭。"对仗亦工，活画出流民心惊肉跳的情状。他们一见到路边的红花，就触目惊心，以为是敌人屠刀滴下的鲜血；一看到驿路边的垂柳，即惊骇不已，认为是清军抽来的马鞭情景交融，将百姓的紧张心理、恐怖情绪写活，当然也就揭露了入侵者令人发指的暴行。尾联“荒垅关山隔，凭谁寄纸钱?”寒食节要纪念坚持操守的介之推和他的母亲。隔日是清明节应祭扫祖坟，培新土，祀麦饭，焚冥币；还应祭扫先烈墓，向为祖国献身的友人朱大典等献上一瓣心香。可是诗人逃难异地，关山阻绝，怎可去祭扫呢？他不免伤心流泪，发出浩叹。恨战乱，念祖上，悼英雄，可谓言简意深，诗短情长。

李渔是清初文坛比较活跃的诗人，此诗体现了他的诗学主张。首先是重视诗的情感性，他的《窥词管见》说：“虽不出情景二字，然二字亦主客。情为主，景是客，说景即是说情。”此诗“战场”联得之。其次，强调贵新，说“意新为上，语新次之，字句之新又次之”。此诗意境、情调都使读者耳目一新。他还提倡师法杜甫、白居易，真实地描绘深重的社会苦难，反对民族压迫，有较强的人民性和社会意义。诗风平易自然，语言通俗易懂，直接贯彻新乐府运动之主张。徐世昌评曰：“其诗规模香山，真率而近俚。”这在明代诗风影响很大的清初诗坛上，是难能可贵的。

（顾　启　丁赋生）

夏寒不雨为楚人忧岁

李　渔

江风五月尚飕飕，疑是生寒应麦秋。
暑雨不多难望岁，密云虽布转增忧。
四方丰歉觇三楚，两载饥寒遍九州。
民命久悬仓廪绝，问天何事苦为仇？

鉴赏

此为悯民诗。《清史稿·灾异志》载：“顺治三年平乐永安州大旱，二月至八月不雨。台州自三月不雨至于五月。绍兴府自四月至八月不雨。金华府属旱，东阳自四月至九月不雨，浦江旱。南昌各府自五月至十月不雨，大旱。秋，萍乡、万载大旱。”诗中反映的可能即斯年三楚亢旱、赤地千里、民不聊生的苦况。

首联“江风五月尚飕飕，疑是生寒应麦秋。”按理，诗人家乡金华府兰溪县在五月已进入梅雨期,是收麦插秧的大忙季节。诗人说,兰江、衢江的风送来阵阵寒意,好像真到了麦子成熟期。《礼记·月令》:“孟夏麦秋至。”意为初夏麦子丰收季节到来。可是此年气候反常,因久旱不雨,麦子到了五月籽粒仍干瘪无实,令人忧愁。颔联“暑雨不多难望岁,密云虽布转增忧。”“难望岁”,即很难指望有收成了。农夫心急如焚,望眼欲穿,好容易盼到天空布上乌云,但又并不下雨。一次又一次失望,使其忧心忡忡。此联工整,写农夫心境如在眼前。颈联“四方丰歉觇三楚,两载饥寒遍九州。”宕开一笔,生发开去,放眼四海,境界为之开阔,思想转向深沉。南自江陵,东至江、浙,西达彭城的三楚地区连年灾荒,现在又遭大旱,对全国经济将会产生更大的影响。众所周知,今江、汉、两淮、钱塘、泗水、沂水流域乃全国重要粮产区,“民以食为天”,举国都注视着这片地区的农业丰歉。两年的失收,使全国发生饥荒,饿殍遍野,哀鸿满地。诗人面对此景,痛苦极了,显示出关心民瘼的责任感与高尚情操。尾联“民命久悬仓廪绝,问天何事苦为仇?”诗人目击心伤,悲愤地问天,人民生命像被倒挂着一样危急,粮食仓库断绝了来源,你为何要这般过不去,苦苦地作对呢?其实,诗人是借骂天而骂人,因为荀子《天论》有明训:“日月之有蚀,风雨之不时……是无世而不常有之,上明而政平,则是虽并世起,无伤也;上暗而政险,则是虽无一至者,无益也。”诗人向自明末至清初的一个个治政不明的统治者发出责问,显示出战斗性。

“笠翁之曲,工部之诗,俱得力于兵火丧乱,可见文人遭遇,无境不可,不必定为太史公以名山大川为有益之地也。”(莫愁钓客、睡乡祭酒为李渔传奇《巧团圆》所写批语)李渔的诗词亦不例外,其沉郁悲抑之调,确类杜甫,其语言通俗明快,又似香山,皆取得相当成就。此诗独具风采,笔触之酣畅泼辣有不减元明人处,直摅胸怀,自然流畅,不假前人斧斤,故而开了“性灵”派之先河,袁枚《随园诗话》云:“李渔词曲尖巧,人多轻之,然其诗有足采者。”

(顾　启　丁赋生)

捕匠行

钱澄之*

今年江南大造船，官捕工匠吏取钱。
吏人下乡恶颜色，不道捕匠如捕贼！
事关军务谁敢藏？搜出斧凿同贼赃。
十人捕去九人死，终朝锤斫立在水。
自腰以下尽生蛆，皮革乱挥不少纾。
官有良心无法救，掩鼻但嫌死尸臭。
昨日小匠方完婚，远出宁顾结发恩？
昼被鞭挞夜上锁，“早卖新妇来救我”！

作者

*钱澄之（1612－1693），字饮光，初名秉镫，字幼光，安徽桐城人。明末曾参加抗清活动，任桂王的翰林编修，知制诰。入清后不仕。其诗生动畅达，并能反映现实。有《藏山阁诗存》《田间集》《田间诗学》。

鉴赏

康熙初年，为扑灭东南郑成功的抗清力量，清军在江南捕捉木匠大造海船。此诗揭示此事给劳动人民带来的深重苦难，并从一个侧面表达明遗民对此事的态度。诗为乐府体，“感于哀乐，缘事而发”，直接表达民众的爱憎。

开篇点题：“今年江南大造船，官捕工匠吏取钱。”直陈其事，朴素自然。至于为何大造其船，置一悬念。官和吏乘匠人之危，落井下石，伺机敲诈勒索，搜刮民脂民膏，接着详细写吏的凶相：“吏人下乡恶颜色，不道捕匠如捕贼！事关军务谁敢藏？搜出斧凿同贼赃。”除揭露捕匠吏拉大旗作虎皮的嘴脸外，“事关军务”乃点睛之笔。原来大造海船是为了对付台湾的郑成功义师和东南沿海“通海”的复明士民。以下叙述被捕匠人的悲惨处境：“十人捕去九人死，终朝锤斫立在水。自腰以下尽生蛆，皮革乱挥不少纾。”这真是人间少见之悲剧，匠人们为完成造船“军务”，浸泡水中，腰以下皮肤坏死，清廷真不把人当人！这还不算，那些监造吏还挥动皮鞭，胡乱抽打，不让匠人上岸喘一口气。诗人以苍劲有力之线条勾勒出悲惨画面，令人触目惊心！再用戏谑之笔揭示官僚伪善面孔：“官有良心无法救，掩鼻但嫌死尸臭。”人所共知，吏受官管，哪有“无法”救匠人之理，更何况官僚对匠工遗骸竟无一丝同情心，掩鼻而过，还有一点“良心”吗？结尾以一小匠催人泪下的故事，进一步控诉官吏的暴行。他们连新婚工匠都不放过，毒似虎狼，“昼被鞭挞夜上锁”，手段之辣，丧尽天良。“早卖新妇来救我”，年轻工匠发出绝望的呼告，血泪声中又可见“吏取钱”数字之大。

此诗悯民伤乱，对清初社会问题的揭露极有深度。它远接《诗经》中政治讽刺诗的传统，发扬汉魏乐府民歌的战斗精神，弥漫着生活气息，跳动着时代脉搏，是钱澄之诗作的珍品。隐寓诗中的爱国情怀和对郑成功义军的同情，亦令人敬佩。这首诗叙事典型，剪裁精当，结构巧妙，句式灵活。故潘耒云：“其质直真挚，如家人对语，未尝稍加缘饰，而情事切至，使人悲哀，不能自已。”

（顾　启　丁顾生）

梅　花

钱澄之

何处花先放？向南三两村。未春天似梦，彻夜月无言。
且喜昏鸦散，毋嫌翠羽喧。众劳久寂寞，赖汝照乾坤。

离离压残雪，脉脉照溪滨。一任夜无月，何妨天不春！
芳华凭俗赏，风味与谁亲？只觉闭门后，徘徊似有人。

鉴赏

诗人拒仕清朝，隐逸避世，以著书设塾耕种为生。《梅花》五律二首以梅花高洁芳香比拟坚持气节的志士，亦用以自喻。家国之痛，身世之感尽寓其中，沉雄悲壮，格调苍凉。

第一首借月夜梅花抒发心志。首联“何处花先放？向南三两村。”以设问引出蜡梅。可想见诗人寒夜伫立，蹙眉凝视之情态。颔联“未春天似梦，彻夜月无言。”春天尚未到来，夜雾轻浮，月色朦胧，梅花开放在天宇下，暗香浮动，天地混沌一片，一切似在梦中。诗人心情孤寂，和盘托出。他迎着寒风，彻夜站在那里，纹丝不动，月亮亦解人意，放射着清冷的光，静默无言。颈联“且喜昏鸦散，毋嫌翠羽喧。”天将黎明，“昏鸦”怪叫着飞走了，诗人心头一喜。是的，经受不住民族危亡考验的朋友们，就让他们投奔新朝去当新贵吧！不过，疾风知劲草，板荡识忠奸，他们在历史长河中还不是“昏”虫吗？而翠羽鸟虽喧，却是不愿离开梅花仙子的绿衣歌童。这样看来，诗人月夜肃立并非只为品赏寒梅之影，而是在祖国苦难之际，严肃地思考人生！境界倏然扩大，催人遐想。尾联“众芳久寂寞，赖汝照乾坤。”给斗雪怒放的蜡梅以高度评价，赞扬它“宁可枝头抱香死，何曾吹堕北风中”的品格。诗人愿以之为典式，像梅一样，独立不群，哪怕友人统统变节，他也要维护民族的浩然正气。“零落成泥碾作尘。只有香如故。”朱彝尊在《明诗综诗话》中说：“心有忠义，地处闲逸，情真，景真，事真，意真。”得其精髓。

第二首借梅花不怕残雪欺压，进一步抒写富贵不淫、贫贱不移、威武不屈的高洁志趣。首联“离离压残雪，脉脉照溪滨。”残雪无情地压着梅花，欲置之死地而后快；梅花却不畏严寒，斗雪怒放，十分繁茂。梅树挺立溪畔，一派脉脉含情、欲诉心曲的样子，可谓心地无私、落落大方。对比之下，这残雪也就太不知趣了。清政府在康熙十二年(1673)征山林隐逸，十八年开博学鸿词科，地方官员屡屡荐举诗人，均遭严词拒绝，此联所写正是其坚守气节的思想基础。颔联“一任夜无月，何妨天不春！”梅花经受得住更多的磨炼，无月亮，则暗香飘得更远；“天不春”就更坚定地跟冰天雪地风刀霜剑争斗。这些对梅花来说，只会磨炼品格，增添风采。这种硬骨头精神，是足以使清廷胆战心惊的。诗人的《田间诗集》等，于乾隆朝列禁就不是偶然的了。颈联“芳华凭俗赏，风味与谁亲？”梅花当然也有悲哀，世俗之人只见其外表，却不见内在素质。“风味与谁亲?”有谁能理解梅花挺立冰雪的飘逸神韵与高尚格调呢？令人心酸！诗人却是梅之知音。尾联“只觉闭门后，徘徊似有人。”他实实感到户外有梅花之神在徘徊行走。构思绝妙，梅与人相映，梅与人合一，梅品即人品，抒发对故国执著与坚贞的深情。同时“诗言志”，他也向往日复社社友、今天隐逸战友冒襄、方以智、黄宗羲、阎尔梅、万寿祺、邢昉、周茂兰等等发出亲切的召唤，相濡以沫，感人至深。

两诗一写月夜之梅，一赞雪中之梅，皆意境优美，寄托遥深，令读者为中华民族有这些民族志士、爱国男儿而骄傲自豪。

诗人在明清之际饱经沧桑，历尽忧患，故其诗“皆纪出处时事，无意求工，而声调流美，词彩焕发，自中绳墨”。（萧穆《藏山阁集》跋）诗人自己也说：“五言诗远宗汉魏，近间有取乎沈、谢，誓不作陈、隋一语，唐则惟杜陵耳。”强调写实，着力白描，感怀旧事，有感即发，化堆朵成烟云，变孤傲为执著，洵坛坫一奇才。

（顾　启　丁赋生）

竹 枝 词(录二)

方 文*

依家住在大江东,妾似船桅郎似篷。
船桅一心在篷里,篷无定向只随风。

作者

*方文(1612－1669),字尔止,号嵞山,安徽桐城人。明诸生。入清后不仕,隐居南京。诗善抒性情,风格质朴。有《嵞山集》。

鉴赏

自唐朝刘禹锡模仿川东民歌写出有名的《竹枝词》后,历代诗人仿写《竹枝词》咏当地风光与男女恋情的很多。明末清初的方文就写有《竹枝词》十首,吟唱青年男女的爱情生活。

方文诗善抒性情,朴实无华。这里选录的两首《竹枝词》就充分体现了他诗歌的这种特色。先看其一。

这首诗为一女子自述口吻,她坦白地表示了自己对爱情的忠贞不渝,哀伤地指责自己所爱恋的男子对爱情的三心二意、朝秦暮楚。诗歌首先交代自己生活的处所——大江东。"大江",长江。"大江东",指安徽芜湖以下长江的南岸地区。生活在大江边,常见汹涌的波涛,翱翔的飞鸟,还有那漂行的船只。然而,波涛的壮观,飞鸟的可爱,船只的千形万状,她都没有产生任何兴奋的情怀;倒是那船上的桅、篷,令她陷入了深深的沉思:自己一心爱着郎,并发誓终生不渝,而郎却用情不专,变化无常,这不正像船上的桅和篷吗?那桅直立船上,"任尔东西南北风"(郑板桥诗句),始终处在迎风铺展的篷中;而篷却没有定向,随风摇摆,不时变更方向。自己就是一根桅,郎就是一张篷!

作者借用桅和篷的特性,生动而贴切地比喻男女双方对爱情的不同态度，由此可见作者构思的精妙。该诗的结构也很严谨。起句交代女子居住的地方，看似平淡，但正是由于这一特定的生活环境，才自然地引起了下文。第二句承接第一句，径直道出诗篇的主旨，是诗的中心句子。三、四两句都是对第二句的解释。其中第三句说明自己为什么似船"桅"，第四句说明郎为什么似船"篷"。全诗"真至深融，从肺腑中流出，绝无斧凿之痕"(施闰章《西江游草序》，见《清诗纪事》之一)。

这首诗与汉乐诗《饶歌》中的《有所思》在表现形式上相同，即都是女子自述口吻。在思想内容上却存在很大差异：《有所思》中的女子原对远方的情郎思恋不已，但当她听闻其人有了"他心"后，产生了强烈的愤慨之情；她毫不犹豫地将自己准备赠送给对方的"双珠玳瑁簪""拉杂摧烧"，并且"摧烧之，当风扬其灰"；最后下定决心："从今以往，勿复相思！相思与君绝。"多么大胆、果敢的行动，令人敬佩！而方文这首诗虽也表现了女主人公对负心男子的不满、哀怨，但这种情绪只是淡淡的、无可奈何的叹息，只能博得人们的同情。尽管如此，我们可以透过这首诗看到在程朱理学统治下，广大妇女被束缚、被蹂躏的悲惨境遇。

春水新添几尺波，泛舟小妇解吴歌。
笑指侬如江上月，团圆时少缺时多。

鉴赏

这是一首充满生活情趣的爱情诗。诗中有两个艺术形象，即"泛舟小妇"和"侬"。"泛舟"，乘船航行。"小妇"，少妇。"侬"，我。诗是以第一人称的口吻写的。大意是说：在一个春光融融、江水初涨的日子，"我"撑船送一个少妇过江。行进途中，"我"唱起了曲调优美的吴歌。谁知少妇听后，指着江上的月亮，打笑"我"，说"我"如同月亮一样，与情人相处时少、分离时多。"吴歌"，即吴声歌，江苏东南部的民歌，其歌词在内容上几乎全是情歌，所谓"郎歌妙意曲，侬亦吐芳词"(《子夜歌》)。撑船女子为何要唱起吴歌，我们不能妄加定论，或许她是为了消磨时光、解除疲劳；或许是她面对良辰美景，想起远行在外的情郎，于是唱出一支吴歌，抒发她的思念之情；或许是她看到少妇没有丈夫陪伴，而以吴歌暗中取笑。可是，乘船的少妇偏偏懂得吴歌的意思，并且认为撑船女子是因她而唱,是在开她的玩笑,于是,少妇反唇相"讥",以月亮打笑撑船女子:你天天行船,与情郎也难得长时间相聚,不就跟月亮"团圆时少缺时多"一样吗?善意的戏谑,洋溢着欢快的情调,两个女子的思想感情得到了充分的表露。

这首诗首句写景,写大江涨潮,水面升高的壮美景色。第二句写人,字面上只写了能理解吴歌的乘船少妇,其实也写了唱吴歌的撑船女子,是撑船女子先唱吴歌,乘船少妇后解吴歌,吴歌成了她们二人沟通感情、交流思想的媒介。既然少妇能理解撑船女子所唱的吴歌,那她听后又有什么反应呢?诗的三、四两句对之作了交代、说明。她认为撑船女是以吴歌调笑她,因此,指月为喻,也取笑撑船女子。一个"笑"字,逼真地摹写出少妇得意、舒畅的情态。

这是一首诗,同时也是一幅画。作者以清新、舒展的笔调,用质朴无华的语言,描绘出一幅美丽的图画。画面上,月光和水光交相辉映;一叶小舟漂浮于江面,船头站着撑船女子,船尾坐着乘船少妇;撑船女子看着少妇吟唱吴歌,少妇则满脸微笑,举一纤指,指向江上的缺月……

(丁赋生　顾　启)

自剑津发燕江次西溪

周亮工*

双剑潆洄地，篮舆十万峰。云争桥上屋，水舞石边春。
破壁蹲饥虎，残僧拜废钟。追呼亦肯到，何处劝为农？

作者

*周亮工(1612－1672)，字元亮，一字缄斋，号栎园，河南祥符(今开封)人。明崇祯十三年(1640)进士，官监察御史。降清后累官至户部右侍郎。康熙初，被劾论绞，遇赦得释。工诗文，好士怜才，一时遗老多从之游。有《赖古堂集》。

鉴赏

这首诗当为作者官福建布政使时所作。

诗题“自剑津发燕江次西溪”交代他旅程的线索，即从剑津到燕江，中途停息于西溪。据此可知该诗是写作者自剑津至西溪沿途所见所感。“剑津”，津名，也称建溪、东溪，在今福建南平市东南，为闽江上游。燕江、闽江西南源之沙溪流经福建永安附近的一段。“西溪”，富屯溪与沙溪汇合后流向南平的一段。剑津到西溪一带，水流曲折，峰峦重叠，云雾缭绕，水碓滚动，美不胜收。诗的上半首就以艺术的笔触生动形象地描写了如此美好的风光。

第一句“双剑潆洄地”，运用一个典故，揭示南平一带是一块风水宝地。据《晋书·张华传》记载，雷焕为丰城令时，得太阿、龙泉二剑，一送张华，一留自佩。后张华的剑遗失，雷焕佩剑至延平津(即剑津)，所佩剑忽跃入水中，使人没水取之，不见剑，但见两龙蟠绕。水中有龙，必藏神灵之气。那曲折回旋的水流定能滋润万物，造福众生。

第一句写水，第二句“篮舆十万峰”写山。“篮舆”，竹轿，是作者旅途中代步的工具。坐在轿上，放眼四望，只见群山环抱，山峰相接，奇险巍峨，十分壮观。“十万”，极言山峰之多，并非实指。

三、四两句继续写景。“云争桥上屋”，描述山中云雾弥漫的景象。“桥”，山行之具。《史记·河渠书》：“陆行载车，水行载舟，泥行蹈毳，山行即桥。”“屋”，幄也，此指桥上覆盖之物。一个“争”字，形象生动地写出了云雾稠密、飘荡变幻的神奇景象。

第四句“水舞石边春”又写水，但与第一句不同。第一句写水的神气，这一句则写水的力量。滚滚的水流推动着石边的水碓，水碓转动，水花四处飞溅。“舞”字的运用，既写出了浪花的美丽动人，又充分体现了作者无比兴奋的心情。既然石边有水碓，那周围必定有人家。于是，作者的笔锋顺势转向对山中之民生活的描述。

“破壁蹲饥虎，残僧拜废钟”展现的是一派衰败冷落的景象。民居不存，唯见堵堵残破的墙壁；壁旁不见人迹，只有饥饿的猛虎凶神恶煞地蹲守着。寺庙内不见香火，也不闻木鱼敲打声，只有几个腰驼背弓的老僧在废旧的钟旁跪拜祷告。多么荒凉、凄惨的情景！然而，就是这样残破、穷困的村庄，也得不到统治者的丝毫怜恤，官吏皂隶仍然“追呼”（催缴）租税，丝毫不予宽减，人们避之而不及，谁还安心耕种？“追呼亦肯到”，深刻揭露了封建官吏的残酷暴虐；“何处劝为农”，集中表达了作者对人民生活的关注，对封建统治的忧虑。

作者所言之福建，其时为靖南王耿继茂的藩地。耿继茂独霸一方，肆无忌惮地压榨劳动人民，弄得民不聊生，到处一片荒凉凋敝的景象。诗歌正反映了当时的社会现实。

周亮工是明崇祯十三年(1640)进士，官御史；降清后即于顺治二年(1645)任两淮盐运使，三年(1646)调扬州兵备道，四年(1647)迁福建按察使，寻又迁布政使，可谓仕途风顺，官运亨通。身为封建官吏，而又宦海得意，能写出如此深刻反映社会黑暗现实的诗篇，实在难得！

这首诗在艺术上最显著的特色，就是对比手法的巧妙运用。前四句，作者尽情讴歌自然风光的绚丽优美，情调轻松欢快，令人赏心悦目，神游向往；后四句则极力描写人民生活的困顿、封建官吏的残酷，情调凝重低沉，使人心碎神伤，慨叹不已。自然美与现实丑两相比照，形成强烈的对比，取得很好的艺术效果，集中地表达了作者的思想感情。周亮工诗文虽“未能成家”（《清诗纪事初编》卷一），但这首诗却是一篇优秀的现实主义作品。

（丁赋生　顾　启）

靖公弟至

周亮工

荒城独坐对灯残，归计先愁百八滩。
尔又远来我未去，高堂清泪几时干。

鉴赏

这是周亮工写的一首“游子吟”。诗人当时寓居在离家乡（河南开封）很远的僻静的小城，正准备要动身回家。“荒城独坐对灯残，归计先愁百八滩”，既是独对残灯，可见更深无眠，愁思正浓。“先愁”二字值得玩味，这一是说还没上路，已经在为道路迢遥、水程险恶发愁了；另一重意味是可愁之事尚多，愁路仅其一也。“百八滩”极言险阻之多，暗示出在外谋生之不易；盖其离家后早已饱尝辛苦，故未行而令人生畏。在这样犯难的时候，其弟靖公远道而来，可以说来得很不是时候。他为何而来，诗中没有交代，但诗人隐隐不快的心意流露于字里行间。

“尔又远来我未去，高堂清泪几时干。”上句直陈事实中潜伏着一种埋怨的口气。如果弟弟是专来探望兄长的，在诗人看来便多此一举。如果弟弟是远游顺道来访，在诗人看来更是不该。古人云：“父母在，不远游。”为兄的远游，是因为有弟在父母（高堂）身边的缘故。而在“我未去”时“尔又远来”，岂不是太欠考虑了嘛。诗人最担心的就是老人，没有儿子在身边将何以为情！“高堂清泪几时干”，最素朴的语言，表达的却是一种至为深切的赤子之心，天伦之爱。故沈德潜只能赞曰：“此诗之真者。”自古以来我们民族就重视亲缘之爱，它已成为民族文化心理结构中最根深蒂固的成分。“谁言寸草心，报得三春晖”（孟郊）是警句，“当家方知柴米贵，养儿才知父母情”是俗语。而周亮工这首即事偶成之作，则以更加自然无饰的方式，通过一个特定情境，表达了人子对于父母的孝心。这是在兄弟见面后的交谈中，自然流露出来的。尽管见面后，诗人尽量克制着不快情绪，尽量不伤害兄弟感情，但那出自内心的不满还是无可掩饰地表现出来了，这就是真情动人。

（周啸天）

落花诗

归 庄*

江南春老叹红稀，树底残英高下飞。
燕蹴莺衔何太急！溷多茵少竟安归？
阑干晓露芳条冷，池馆斜阳绿荫肥。
静掩蓬门独惆怅，从他芳草自菲菲。

作者

*归庄(1613–1673)，字玄恭，号恒轩，入清后，更名祚明，江苏昆山人。与顾炎武友善，积极参与抗清活动。兵败后亡命为僧。后受聘到淮阴教书，终身不仕清。其诗述国仇家难，凄楚动人。所作诗文多有散失。后人辑有《归玄恭遗著》《归玄恭文续钞》等。

鉴赏

归庄写有《落花诗》十二首，并作一序，序中曰："我生不辰，遭值多故，客非荆土，常动华实蔽野之思；身在江南，仍有大树飘零之感。以至风木痛绝，华萼悲深，阶下芝兰，亦无遗种。一片初飞，有时溅泪；千林如扫，无限伤怀！是以摹写风情，刻画容态，前人诣极，嗣响为难；至于情感所寄，亦非诸公所有。无心学步，敢曰齐驱；借景抒情，情尽则止。"从这段话，我们可以看出，《落花诗》并非只写落花，而是诗人借落花景致，抒发郁结于心的家国、身世之痛。

首联破题，描写暮春时节，江南树花凋落纷飞的景象。红稀，红肥稀少。残英，落花。当春意盎然之时，树木枝叶繁茂，花朵竞相开放，令人赏心悦目！而如今春光将歇，虽然枝叶依旧，可花朵不断零落，任风吹飘，这怎不使人惆怅沮丧？一个"叹"字，表达出诗人面对落花而产生的无限感伤之情。

颔联则承接首联，写落花的不幸遭遇，表现落花的可悲结局。燕蹴莺衔，是写鸟儿对落花的糟蹋。燕蹴，燕子蹬蹴花朵。杜甫《陪诸公上白帝城头宴越公堂之作》："燕蹴飞花落舞筵。"莺衔，莺儿叼去花瓣。常衮《咏玫瑰》："蝶散摇轻露，莺衔入夕阳。"春尽花谢，风吹花落。燕子莺儿急急飞来，对落花进行无情的摧残：燕子用双脚踩踏，把落花碾成碎片；莺儿用尖嘴衔起花瓣，高飞而去。可怜落花，竟不能安然地化作春泥！再说，花儿飘零，有的会"落粪溷（粪坑）之中"，也有的会"坠于茵席（华美的坐席）之上"（《南史·范缜传》），可是，时下的环境，污秽不堪，肮脏的粪坑多，干净的场地少。可怜落花，竟不能得到应有的归宿！何太急，表现诗人对燕子莺儿损害落花行径的切齿痛恨；竟安归，则抒写诗人对"溷多茵少"的恶浊环境的无比愤慨！

颈联"阑干晓露芳条冷，池馆斜阳绿荫肥"，则以鲜明的对比手法描写暮春时节花枝和青草呈现的不同面貌。"阑干"，用竹木等做成的遮拦物。"芳条"，细长的花枝。"池馆"，池塘旁的馆阁。"绿荫"，树叶遮住日光而形成的阴影，这里指青草。暮春的早晨，露水浓重，阑干旁孤零零的花枝，显得异常凄凉、冷漠；而傍晚时分，斜阳普洒，池馆周围青草碧绿，肥嫩无比。人间的自然景象竟有如此之不同，怎不令人触目生情，感慨万千！

目睹落花，目睹绿草，诗人情为之伤，心为之碎。可怜落花，但也毫不钦羡绿草。他关门独居，任凭绿草茂盛馥郁！诗的结句表现了诗人甘受困苦、不变志向的英雄情怀。

这首诗作于清朝统治逐渐巩固的时期，作者以落花喻抗清志士，表示了不随波逐流、向清朝屈服的顽强意志。"江南春老叹红稀，树底残英高下飞"，是以暮春花落境况，比喻志士失散。"燕蹴莺衔何太急！溷多茵少竟安归？"隐喻在清朝控制、摧残下志士无地容身。"阑干晓露芳条冷，池馆斜阳绿荫肥"，则以"芳条冷"比喻志士处境困难，以"绿荫肥"比喻降清、仕清者得到功名利禄。"静掩蓬门独惆怅，从他芳草自菲菲"则写自己甘心隐居陋室，任降清、仕清者去争显耀。全诗景语即情语，真是"得寄托之旨，备体物之致"（吴伟业《评归庄落花诗》）的佳作！

（丁赋生　顾　启）

己丑元日

归庄

四年绝域度新正，此夕空将两目瞠。
天下兴亡凭揲策，一身进退类悬旌。
商君法令牛毛细，王莽征徭鱼尾赪。
不信江南百万户，锄耰只向陇头耕。

鉴赏

这是一首充满反清思想的诗。作者归庄，系明末复社成员，参加过江南抗清起义，失败后，往来山泽间，野服终身。其诗多写家国之难，有浓厚的爱国思想和民族气节。

诗篇题为“己丑元日”。己丑，清顺治六年(1649)，其时清人已基本统一中国，南明桂王尚在西南苦苦撑持。元日，元旦。由此可见，该诗的写作时间是己丑年元旦。

岁值除旧布新之际，诗人缅想过去，展望未来，不禁思绪萦怀，感慨万千。

首句“四年绝域度新正”，是对过去四年抗清斗争生活的回顾。“绝域”，边远的地区。“新正”，元旦。“度”，过。1645 年，清兵攻江南，作者和顾炎武起兵抗清，他们来往于边远地区，与清军巧妙周旋，奋勇阻击，虽付出了沉重的代价，但也取得了一些胜利。无奈清军势力强大，自己力量弱小，虽苦战四年，终没有能赶走清军，光复大明。这不能不引起作者无限的怅恨。诗的第二句，形象地表现了作者在元旦之夜愤激不平的情态。“瞠”，瞪眼。既充满对清朝的满腔仇恨，又包含对自己不能实现推翻清朝统治的理想的恼怒。失意的情怀，使诗人愁苦不堪！

三、四两句，是诗人感叹明亡后不甘失败，然仍无所作为。揲策，抽取蓍草算吉凶，指卜卦。悬旌，悬挂着的旌旗。诗人率领民众坚持抗清斗争已达四年之久，可目的仍然不能达到。难道大明气数已绝，清廷有神灵庇护？难道古人的占卜问卦能决定天下的兴亡？难道一个人的命运如同随风飘扬的旗帜，变幻无常？所有这些，诗人都是不能接受的，但是又不能断然否定。“天下兴亡凭揲策，一身进退类悬旌”，是诗人痛苦心声的吐露，是无可奈何的申诉。

清廷贵族统治中国，人民遭受沉重的压迫和剥削。“商君法令牛毛细，王莽征徭鱼尾赪”，借咏历史事实，揭露清王朝法令严苛，徭役繁重，人民疾苦。“商君”，商鞅，战国时代著名的改革家，思想以严刑峻法为核心，认为“重刑，连其罪，则民不敢试”（《赏刑》），为秦孝公制定了一系列严格的法令。杜甫《述古》诗曰：“秦时任商鞅，法令如牛毛。”清统治者在开国之初，为了镇压广大汉族人民的反抗，就承袭明律制定并颁布了大清律，大清律可以说是集历代刑法之大成。在大清律中，凡是被统治者认为“十恶”的，包括“谋反”（企图推翻清王朝）、“谋大逆”（谋毁皇帝的宗庙、宫阙）、“不义”（杀本地的长官）都一律处以极刑；人民的集会结社、聚众罢市、喧闹公堂、编定或歌唱违禁的词曲以及一切有碍封建统治的言论和行动皆不许可。法令之细，实如牛毛！“王莽”，西汉末年权臣，篡位后建立新朝，统治黑暗残暴。所以，诗人用“鱼尾”来比喻人民在王莽统治下的劳苦。“鱼尾赪”，鱼尾赤色。《诗经·周南·汝坟》：“鲂鱼赪尾”，毛传：“鱼劳则尾赤。”后来即以“赪尾”“鱼尾赪”比喻人民困于虐政。诗人以商鞅法令的严酷、王莽徭役的繁重，揭露了清朝黑暗残暴的统治；同时，又寄寓了自己胸中的微旨。商鞅虽以严法著称，但最后作法自毙，车裂而死；王莽虽篡汉自立，横征暴敛，但国祚不昌，很快便在农民军的无情打击下彻底崩溃。明王朝虽然暂时被清朝代替，但清朝的国运也是不会长久的！

诗的最后两句，是作者对江南人民的殷切期望。他坚信，江南百万民众，一定不会只埋头耕种，而不拿起锄耰作坚决的反抗。耰，古代平土农具。贾谊《过秦论》说秦末农民拿了“锄耰棘矜（戟柄）”起来抗秦。陇头，指田间。陇，田埂。诗人在不成功面前，仍未绝望，希冀与江南人民群众一同抗清。这是何等可贵的战斗精神！

这首诗，作者以感情发展为脉络，将现实和历史相结合，抒发了堆积在胸中的复杂情怀，有对自己理想不能实现的惆怅之情，有对清王朝采取残酷统治的痛恨之情，也有对江南人民抗清斗争充满信心的期望之情，而主旋律就是推翻清朝政府。这在当时是具有进步意义的。

（丁赋生　顾　启）

自举师不克与二三同志怏怏不平赋此

张家玉*

落落南冠且笑歌，肯将壮志竟蹉跎。
丈夫不作寻常死，纵死常山舌不磨。

作者

＊张家玉(1615－1647)，字玄子，号芷园，东莞(今广东宝安)人。明亡后，先后在赣、粤等地率兵抗清。后兵败自杀。

鉴赏

1647年，清兵由广东向广西推进，桂林告急。张家玉在东莞起兵，与陈邦彦等军配合，牵制了清兵西进，并收复了龙门、博罗等城，后来在率兵进攻增城时战败自杀。这首诗大约作于其起师抗清之初。“举师不克”即起兵出师不利，受到了挫折。作者在明亡已成定局的情况下，想要补天填海，是拼命硬干。此诗就充分反映了他强烈的民族意识和为国而死的决心。

诗篇一开始便用了一个典故。《左传·成公九年》载，晋国国君在巡视军府时看到一位名叫钟仪的囚犯，头戴楚国人所戴的“南冠”，命之操琴，作“南音”(楚国民族音乐)。后代遂多用“南冠”代囚人；或借以表现被俘而不丧失民族气节。“落落南冠且笑歌”便是说，即使将来抗清斗争失败而下狱也当谈笑自若。最坏的情况下尚且如此，那么，“举师不克”这种小小挫折，又算得什么呢？“肯将壮志竟蹉跎”，意思是说：“怎么能将壮志雄心就此消泯呢！”

“丈夫不作寻常死，纵死常山舌不磨。”二句进一步通过对唐代民族英雄颜杲卿的赞美，表现宁死不屈的坚强斗争意志。颜杲卿在唐天宝年间为常山太守，常山在范阳节度使安禄山的辖境内。安禄山叛乱发生后，他起兵讨贼。史思明攻常山，他坚守不屈。后城破被俘，他被解送洛阳，“安禄山怒曰：‘吾擢尔太守，何所负而反？’杲卿瞋目骂曰：‘……天子负汝何事而乃反乎？我世唐臣，守忠义，恨不斩汝以谢上，乃从尔反耶？’安禄山不胜愤，缚之天津桥柱，节解，以肉啗之。詈不绝。贼钩断其舌，曰：‘能复詈否？’杲卿含糊而绝。”（《新唐书·颜杲卿传》）颜杲卿壮烈死难的事迹，受到历代志士的景仰。文天祥《正气歌》标举“时穷节乃现，一一垂丹青”的英烈谱中，便有“为颜常山舌”一条。张家玉这两句诗以宣誓的语言，斩钉截铁道：大丈夫男子汉，死就要死的像颜常山那样壮烈，那样流芳百世。这铮铮誓言决非出于一时冲动，作者另一首《军中夜感》诗写道：“惨淡天昏与地荒，西风残月冷沙场。裹尸马革英雄事，纵使终令汗竹香。”同为脍炙人口的豪言壮语。

这首诗所表现出的大无畏英雄气概，超越其时代和阶级的内容，对后代的革命志士也有鼓舞激励斗志的作用。李少石《南京书所见》：“丹心已共河山碎，大义长争日月光。不作寻常床箦死，英雄含笑上刑场。”金声玉振，便可见此诗的影响。

（周啸天）

京口即事

顾炎武*

白羽出扬州，黄旗下石头。六双归雁落，千里射蛟浮。
河上三军合，神京一战收。祖生多意气，击楫正中流。

作者

*顾炎武(1613－1682)，本名继坤，更名绛，字忠清，后改名炎武，字宁人，号亭林，江苏昆山亭林镇人。明末，曾参与"复社"反宦官、权贵的斗争。清兵南下，南明覆亡后，又积极参加昆山、嘉定一带的人民抗清起义，失败后，游历华北等地，纠合同道，不忘复国。晚年居华阴，卒于曲沃。其学识广博精深，且精力过人，对国家的典章制度、郡邑掌故、天文仪象、河漕、兵农及经史百家、音韵训诂之学都有精当的见解。其诗学杜甫，或托物寄兴，或吊古伤今，均表现他高尚的民族气节，风格苍凉沉郁、慷慨悲壮。有《日知录》《天下郡国利病书》《音学五书》《亭林诗文集》等。

鉴赏

清顺治二年(1645)，是多事之春。年前福王即位南京，建立弘光朝。史可法奉命督师扬州，抵御清兵南下，为一时朝野舆论寄托。顾炎武被荐为兵部司务，应召到南京，本诗为途经京口(镇江)时所作。

首两句写福王即位，史可法出师事。"白羽"指军队，亦以诸葛亮喻史可法。《裴氏语林》："诸葛武侯乘素舆，葛巾白羽扇，指麾三军。"《宋书·符瑞志》："汉世术士言：'黄旗紫盖，见于斗、牛之间，江东有天子气。'"白羽黄旗映衬，扬州石头(南京)对举，"出"与"下"持进攻态势，显示堂堂正正之阵和高屋建瓴的气概。

中两联从不同侧面具体抒写这一态势，用典故，兼写时事。《史记·楚世家》："楚人有好以弱弓微缴加归雁之上者，顷襄王召而问之。

对曰：'称楚之大，大王之贤，所弋非直(只)此也。见鸟六双，以王何取？王何不以圣人为弓，以勇士为缴，时张弓而射之，此六双者，可得而囊载也'。"《汉书·武帝纪》："元封五年，上出自浔阳、浮江，射蛟江中；获之。"顾炎武诗衣钵杜甫，用典不滞不泥。六双，指雁群，宏大目的物，此处指匡复明室，北定中原。雁落蛟浮，形象地拓展了时空环境，渲染史可法军容军威，词锋锐利，英气逼人。既为"河上三军合"铺垫，先声夺人；又给"神京一战收"增添后劲。按史实：可法檄诸镇出兵，高杰首先奉命渡泗水，所部王之纲前驱，薄睢阳，可法进次河上。虽是仓猝应召(《京口即事》之二："两河通诏旨，三辅急王师"可资参证)，但毕竟带来鼓舞。这两联兔起鹘落，大框架结构展示变化的细节场景，好整以暇，错落有致，连用四数字不觉其堆垛，细察则神气流转，有夭矫腾挪之感。

即事诗往往是作者身临其境，有感而作，因事为经，以情为纬，既是客体对象纪实反映，又是主体感受心灵观照。杜甫诗："花近高楼伤客心""剑外忽传收冀北""风急天高猿啸哀"，莫不浸染诗人的喜怒情绪与主体意识。顾炎武此时授职兵部，关切战事，正处于这种心驰神往的创作境界。末联"祖生多意气，击楫正中流。"诗人以东晋祖逖自况，表示中流击楫誓清中原的决心。所谓"意气"，一指少年英发的爱国热情；二指此时此际的慷慨意兴、肝胆豪气。望中白羽黄旗，意表落雁浮蛟，也由此"意气"脉络贯注而来。有人以为"祖生"指史可法，疑非。即事即景之作，离开诗人主体形象，就不成其为遣兴感时，而是新闻纪实了。

《京口即事》是一曲鼓舞人心的壮词，一首爱国主义的正气歌。虽然史可法不久兵败维扬，南京陷落，弘光小朝廷鸟兽散，顾炎武也转战苏州、昆山。历史爱嘲弄人，但并不嘲弄忠臣义士。《京口即事》留下弘光朝一线回光返照，也实录诗人壮年时期披肝沥胆一页心史。

（方　牧）

秋　山(录二)

顾炎武

秋山复秋山，秋雨连山殷。昨日战江口，今日战山边。
已闻右甄溃，复见左拒残。旌旗埋地中，梯冲舞城端。
一朝长平败，伏尸遍冈峦。胡装三百舸，舸舸好红颜。

吴口拥橐驼，鸣笳入燕关。昔时鄢郢人，犹在城南间。

秋山复秋水，秋花红未已。烈风吹山冈，燐火来城市。
天狗下巫门，白虹属军垒。可怜壮哉县，一旦生荆杞。
归元贤大夫，断脰良家子。楚人固焚麇，庶几歆旧祀。
勾践栖山中，国人能致死。叹息思古人，存亡自今始。

鉴赏

本诗亦作于顺治二年（1645），自春至秋，时日几何，而江山已不可复识。继五月南京城破之后，清兵挟战胜余威，七月间连下江阴、苏州、昆山、嘉定、松江等十余城，其镇压屠戮之残暴与汉民反抗之壮烈，均为世所罕见；弥漫血与火的“江阴十日”“嘉定三屠”，一直是江南人民心中的不灭痛史。顾炎武以其亲历身受切肤痛感作《秋山》二首，较杜甫《三吏》《三别》，其惨痛过之，千载后犹闻切齿之声，一腔忠愤不仅是为凭吊也。

秋山秋水，既是写实，又具象征，悲哉秋之为气，笼罩一片悲凉与萧瑟情绪。而那连山殷赤的秋雨，鲜红未已的秋花，充溢天地刚烈之气，可与庾子山《哀江南赋》、文文山《正气歌》并读。

第一首重在纪实，从几个侧面错综叙述所见所闻，运用变换角度和剪辑组合技巧，形象鲜明，简洁得体。“昨日”四句从“面”上写清军长驱直入的气焰，包括下列史事：阎应元死江阴，王佐才死昆山，沈犹龙死松江，侯承祖死金山，古时长阵为“甄”，方阵为“拒”，右甄左拒溃残，总写诸路抗清军败亡，用概括手法直书实录，堪称春秋史笔。“旌旗”四句写双方在“点”上激烈攻守争夺，或以为是指明将吴志葵等反攻苏州之役。史载，抗清义军谋以松江兵攻杭州、嘉定，太仓兵攻沿海，宜兴兵趋南京。吴志葵先进军苏州，俟苏州捷音至，克日同发。故以苏州比长平，这是一场极为惨烈的血战和屠戮。“旌旗埋地中”表示义军必死决心，“梯冲舞城端”刻画义军勇武形象与拼搏精神，而“伏尸遍冈峦”则不仅写清兵屠戮之惨虐，亦见义军之视死如归、义薄云天。如此读，方见英烈忠魂正气与作者悲歌慷慨。“胡装”四句变换叙述角度，正写战胜者的掳掠、骄横与贪婪。据《嘉定屠城纪略》：“大家闺秀及民家妇女有美色皆生虏……嘉定风俗，雅重妇节，惨死无数，乱军中姓氏不闻矣。七月初六日，李成栋拘集民船，装载金帛子女及牛马羊豕等物三百余艘而去。”血火中忽然穿插“舸舸好红颜”，鲜丽画面与轻快笔调，类似杜甫《北征》，跌宕对比，益见沉郁顿挫情致。“胡装”与“橐驼”使人联想起杜甫“黄昏胡骑尘满城”“东来橐驼满旧都”，入主的骆驼在江南阔步蹒跚，战胜的鸣笳向燕关吹奏凯旋，真不知人间何世！“昔时”两句，隐写民心不死，反抗不止。《战国策·齐策六》：“鄢、郢之大夫，不欲为秦而为在城南下者以百数。”亦即“楚虽三户，亡秦必楚”之意。

如果说，第一首重在纪实，写劫时；那么，第二首则重在抒情言志，写劫后。前八句总写战后惨不忍睹的破败荒凉景象。诗人登山临水，触目所及，一片劫余惨景。“天狗”“白虹”，皆星象，主兵乱。“巫门”，一说为苏州城门，也可不必坐实。壮县泛指苏州、嘉定、昆山各城，昔日广宇高楼，而今荆棘丛生，人烟寂渺，积尸枕藉。这些描写皆从诗人主观感受出发，浸染强烈的悲愤色彩，与杜诗一脉相承，不仅是字面（“疾风高冈裂”“野战多鬼哭”“千村万落生荆杞”“群胡归来血洗箭，仍唱夷歌饮都市”），精神上亦得其真蜕。后八句写登临之余，缅怀英烈，慷慨言志，申述“头可断，志不可屈”的坚强决心（“归元”与“断脰”皆断头之意）。这一层连用楚人焚麇、勾践栖山两个典故：“吴师居麇（今湖南岳阳）子期将焚之。子西曰：‘父兄暴骨焉，不能收，焚之，不可！’子期曰：‘国亡矣！死者若有知也，可以歆（享受）旧祀，岂惮焚之？’焚之而又战，吴师败。”（《左传·定公五年》）越王勾践兵败于吴，屈身保栖会稽山中，经过十年生聚教训，民甘为死战，终于灭吴称霸。（《国语·勾践栖会稽》）末句“叹息思古人，存亡自今始”，旨在发愤自励，存亡断绝，最重要的是行动，这与他在《日知录》中所倡导的“天下兴亡，匹夫有责”完全一致。

《秋山》二首继承发扬了古代诗歌的现实主义传统与爱国主义精神，不仅上溯杜甫，还可推导屈原《涉江》、孟德《蒿里》与阮籍《咏怀》，感情强烈，辞采浑朴，骨力遒劲。《明诗别裁集》认为“风霜之气，松柏之质，两者兼有”。

（方　牧）

精　卫

顾炎武

“万事有不平，尔何空自苦？长将一寸身，衔木到终古。”

"我愿平东海,身沉心不改。大海无平期,我心无绝时。"
"呜呼!君不见西山衔木众鸟多,鹊来燕去自成窠。"

鉴赏

此篇托物寓志,亦为诗人的有为之作。是时为顺治四年(1647),顾氏三十五岁。当时清军在南方节节推进,各地南明势力相继溃亡。其时唐王被杀于汀州,绍武又被杀于广州。明之诸王,只有鲁王孤立海上,桂王坚持于肇庆,抗清形势处于"剑一发,亡荆轲。筑再举,诛渐离"(《秦皇行》)的衰微地步。抗清志士杨廷枢、顾咸正、陈子龙先后遇难,亭林皆有诗哭之,而知统一山河,恢复帝业,几至于无望,故于兹时而有"吁嗟帝王不可图"的悲叹。长恨无穷,不可弭忘,独怀深愤,而以"精卫"示志,以抒至死矢靡它、誓死于义的胸臆。

《山海经·北山经》所载冤禽精卫,原"是炎帝之少女,名曰女娃。女娃游于东海,溺而不返,故为精卫。常衔西山之木石,以堙于东海。"这悲怆的传说,撞动人心:"区区精卫鸟,衔木空哀吟"(李白),激励来者"愿魂化精卫,填河起成岭"(明·胡翰)。顾诗意取"魂化精卫",字面却将"我"置之精卫对面,化主为宾,以精卫反宾为主,反衬见意。起首四句,是作者问精卫语:以区区寸身,以漫漫终古,衔木不止,以填浩瀚无涯之海,何其苦也!何能成也!此即前人之"不辞精卫苦,河流未可填"(范云),"穷劳帝女填,讵动波臣色"(刘孝威)的感叹,以寓大势难挽的悲怆。而将其鸟置之"万事有不平"的遭际,正是作者《先妣王硕人行状》所说的"诸父昆弟之死焉者,渊戚朋友之死焉者,长于我而死焉者,少于我而死焉者,不可胜数"的诸种剧痛。如此,前四句之问鸟,毋宁说是自问。所以用"空自苦"之辞,则明知衔木无济,志竟难成,却依然要知其不可而为之,矢志以行,以身相殉。这个意思用下面四句精卫的答辞,巉刻斩绝地昭示出来。

"大海无平期",以见明祚难复。"我心无绝时",是孤禽语,亦是诗人独愤不平之辞。寸身之于大海,反差巨大的尖锐对比,纳入整饬的对句,迸发出悲愤的激魂荡魄的震撼力,意念上显豁呈现前因后果、反复角逐:无平则无绝;不平则填,还不平则再填,以至于无绝,即使"身沉",而不改其心——"我愿平东海"。四句中"我""海""心""无""平"皆两字,或置于起讫("我""海"),或隔句而现("平""海""心"),或紧相递接("无"),一经后二句的对比递进,分承前二句的转折，则答辞首尾两“我”字连缀一片；首句的“平”与第三句的“不平”，意呈平(填)而不平。而尾句所承次句“心”，则心心不断，不平则再平(填)。四句一意旋折，长气贯注，可作其“行状”看，也是他的诗集呼唤不绝的主旋律。真是“宇宙不可磨灭文字”(郭曾昕语)。这不仅激励清初及近代史上的英灵，似乎也“感动”了清统治者，清光绪三十四年(1908)，将顾氏偶像塑立孔庙廊庑，配享特别礼遇和旷典，欲借重炎武精神以换颓命，足见其人其诗的不可磨灭。

诗到这里，志豁意显，似可结束。然而意犹未平，呜呼再发：“君不见西山衔木众鸟多，鹊去燕来自成窠。”王蘧常据伯夷、叔齐隐居之首阳山，一名西山，谓“此句讥初隐而后仕者，所谓‘一队夷齐下首阳’者也”(《顾亭林诗集汇注》)，是反用典。“西山”，或即精卫所衔木石之西山。同为衔木，精卫取之志在填海，燕鹊则自营窠巢；同为朱明遗民，出处大节却所趋异然。这种慨然不平，亦在“万事”之中，使人怏怏。志同者如杨、顾、陈诸君舍身赴火，立身异者则降敌仕清，自图安乐富贵，故慨然而有“呜呼”“君不见”之愤语。这和作者所追摹的杜甫之“黄鹤去不息，哀鸣何所投？君看随阳雁，各有稻粱谋”(《同诸公登慈恩寺塔》)的独愤和谴责，取意相同。在少陵更多的是国难的预感，在炎武则是亡国的切肤巨痛。历史悲剧，随着封建社会的蔓延而加剧。营窠众鸟之多与精卫寸身形成压抑的悲激，化而成为末尾长短参差的三句，抑塞瓠落，郁愤结集，冷峭而止。

末尾三句吁嗟，意含问辞：众鸟衔木，所为在窠，尔又“何空自苦”呢？况且大海又绝无平期！精卫(即作者)无答，然而读者分明感到掷地可作金石声的答语：“大海无平期，我心无绝时。”

如果说陶渊明的“精卫衔微木，将以填沧海。刑天舞干戚，猛志固常在”(《读山海经》其十)是“金刚怒目”式的作品，那么顾诗此首，则更具有激励来者的实际价值。

全诗借问答分作三层，层层换韵转折。每转一层，即跌入一意。三层合观，郁勃浩然之气贯穿首尾，极见人格之光辉，气节之凛然，其情其志，不为抗清形势的盛衰而消长，恢复故国之心，始终不变。作者借精卫以“夫子自道”，以质朴的五古发慷慨悲壮之辞，又出现在那“一身去国”“阴风怒号”遭际中。读其诗，想见其人，就更为使人凛然而生敬意。

(魏耕原)

金　山

顾炎武

东风吹江水，一夕向西流。金山忽动摇，塔铃语不休。
海师一十万，虎啸临皇州。巨舰作大营，飞舻为前茅。
黄旗亘长江，战鼓出中州。举火蒜山旁，鸣角东龙湫。
故侯张子房，手运丈八矛。登高瞩山陵，赋诗令人愁。
沈吟十年余，不见旌旆浮。忽闻王旅来，先声动燕幽。
阖庐用子胥，鄢郢不足收。况兹蠢逆胡，已是天亡秋。
愿言告同袍，乘时莫淹留。

鉴赏

顺治十一年(1654)以浙江东南沿海为根据地的明定西侯张名振与监国张煌言统率海船数百艘沿长江北上，抵镇江，泊金山，登山遥祭明孝陵，三军恸哭。金山，又名妙高峰、浮玉山，在镇江西北长江中，北临瓜洲渡，南控西津渡，山川形胜，为兵家所必争。时顾炎武乡居昆山，闻讯感奋鼓舞，实不啻杜甫“闻官军收河南河北”。诗分两层：一层实录张名振进军长江金山遥祭孝陵快事；一层抒发直捣幽燕恢复故国的壮怀。

第一层十六句。江水西流乃非常之事；金山动摇，塔铃自语，属非常之象。因喜极而产生此奇异感觉，似非此不足以语其兴奋。此所谓“夸饰而不失其真”，诗人的感情是真挚的，读者亦受到感染共鸣，而不会责其荒诞。“海师一十万”以下八句极写张名振进军长江舟泊金山之声势。均取对偶句式，以示正正堂堂之阵。“海师”与“虎啸”喻其壮。皇州，明之后皇故土。临，飞将军从天而降，居高临下，与登金山遥应。“巨舰”与“飞舻”言其众。舳舻相接，巨舰座后，飞舟冲前。前茅，楚人以茅为旌旗，“茅”作“明”解，在前者明；或云前茅即前矛，尖兵也。“黄旗”与“战鼓”张其势。一“亘”一“出”，充分利用制金山(中州)控长江有利地形，阵容严整，指麾如意。“举火”与“鸣角”扬其威。蒜山在镇江西三里江岸，龙湫在金山，水深二百丈。高山举火，深湫鸣角。据说当时“旌旆蔽江，炮声辟历”“烽火达于江宁”。以下四句写主帅张名振，以兴汉张良与辅佐刘备的张飞作比，言其文武兼备。登高祭陵与赋诗言志，则为本次军事行动高潮。张名振题诗金山云：“十年横海一孤臣，佳气钟山望里真。鹑首义旗方出楚，燕云羽檄已通闽。王师桴鼓心肝噎，父老壶浆涕泪亲。南望孝陵兵缟素，会看大纛祃龙津。”诗的大意是十年漂泊得见钟山佳气。而今，王师出吴楚，羽檄传幽燕，正桴鼓溯江而进，父老壶浆涕泪相迎。全军白衣，遥祭孝陵，以示忠贞不渝。“令人愁”即使人感动，张名振的慷慨悲歌深深感染与鼓舞了顾炎武，成为他创作《金山》诗的转捩点，并自然地过渡到下一层次。

第二层十句。前四句衔接上文，接应开篇。“旌旆浮”“王旅来”，虽然只是前锋先声，也足以使幽燕震动，令遗民振奋。“沈吟”有期盼意。十余年翘首期待，从“不见”到忽见，其雀跃奔踊之状可想。中间四句从正反对比角度写，先是借吴王阖庐用伍子胥(喻张名振、张煌言等)破楚故事，以鄢郢代幽燕，明室中兴有望。继而言正辞严地宣称：“逆胡多行不义，已是天亡之秋。”这一分析虽然并不正确，不符合当时敌我力量消长变化形势，但顾炎武却是真诚的，他诚挚地希望成为现实，扭转狂澜既倒的大局，并忠告同袍(袍泽，即同志、同僚)抓住有利时机，切莫瞻顾彷徨，以致“蹇淹留而无成”。

正因诗人对清廷的多行不义充满了憎恨，且胸怀匡扶故国之志，才写出了《金山》这样警懦立顽、痛快淋漓的好诗。

(方　牧)

太　平

顾炎武

天门采石尚嶙峋，一代兴亡此地亲。
云拥白龙来戍垒，日随青盖落江津。
常王戈甲先登阵，花将须眉骂贼身。
犹是南京股肱郡，凭高怀往独伤神。

鉴赏

太平，寓不太平的感慨，诗人的灵感或由此触发，地理、历史与时事三端构筑起本诗鼎足。太平在南京以东135里，管领当涂、芜湖、繁昌三县，为长江重要门户之一。本诗系顺治十一年(1654)顾炎武过太平府时所作，时南明弘光朝覆亡正十年，兼有凭吊与感时两层意思。

首联写太平地理形势。长江自西东来蜿蜒流过江汉平原，又穿越皖南众山至当涂县境，城北有采石山(牛渚山)，西南20里处有天门山，夹大江对峙，东曰博望，西曰梁山，天门乃因其扼江壁立的险要形势而名。李白在这两处留有著名题咏："牛渚西江夜，青天无片云"(《夜泊牛渚怀古》)，"两岸青山相对出，一片孤帆日边来"(《望天门山》)。顾炎武却没有欣赏江山胜景的闲情逸兴，他的注意点在"嶙峋"，借天门喻南朝门户，一"尚"字说明天堑之固犹在，而人事变迁却非，惋惜之情溢于言表。兴亡，指有明一代。此地，即太平。亲，亲历也。总起来说，太平府是明代兴亡的历史见证，高屋建瓴，总领全篇，呈现开阔态势。

颔联书南明弘光朝时事。据顾炎武记述："弘光元年五月己丑夜，清以小舟自七里港渡，庚寅旦，抵南岸。郑鸿逵以水师奔福建，清陷镇江府。辛卯夜桴鼓，上出通济门，幸太平。"(《圣安本纪》)上句"云拥白龙来戍垒"，指福王(白龙)逃离南京至太平事。"云拥"，写变起仓促，也为了与"白龙"搭配。"戍垒"，言戎马行伍，非皇帝驻跸之地。这种婉曲的表达，既是诗歌形象思维的要求，也是一种讳法，为了避前朝君上和新朝忌讳。下句"日随青盖落江津"，暗示福王在太平府被叛将刘良佐俘获。"丙午，良佐挟上至南京，以无幔小轿入城，首蒙帕，衣蓝布衣，油扇掩面。拘于江宁县。九月甲寅，北去"(《小腆纪传》)。日落，喻福王被俘，弘光朝灭亡。"青盖"，与黄袍相对，借代逊位帝王。"江津"，即太平，为长江津流要害处。

颈联回叙大明兴国史，两事均出太平。一是明太祖朱元璋夺取金陵作根据地，渡江抵采石，大将常遇春(后封王爵)舍舟奋戈先登，众皆披靡。二是陈友谅与朱元璋争夺东南，陈军攻陷太平，守将枢密院判花云骂贼而死。这两者都是大明朝开国可歌可泣的史事，从明代遗民顾炎武的眼光看，也是太平的光荣。借以与颔联对比，隐有"奈何子孙不肖如此"意，并与首联"兴亡"照应。先，作动词，戈甲先登与须眉骂贼，写得凛凛有生气。

尾联寄托作者对太平不太平的

深长感喟。《读史方舆纪要》:“金陵有事,姑孰(当涂)为必争之地。”意亦太平府乃南京之手足(股肱)。“犹是”句,地理形势并没有改变,而人事兴亡却沧桑若此,所以要“凭高怀往独伤神”了。渊博如亭林先生。此时也许正联想起杜甫“……锦江春色来天地,玉垒浮云变古今……可怜后主还祠庙,日暮聊作梁甫吟”(《登楼》),其沉郁顿挫也有老杜笔意。

(方　牧)

江　上

顾炎武

江上传夕烽,直彻燕南陲。皆言王师来,行人久奔驰。
一鼓下南徐,遂拔都门篱。黄旗既隼张,戈船亦鱼丽。
几令白鹭洲,化作昆明池。于湖担壶浆,九江候旌麾。
宋义但高会,不知用兵奇。顿甲守城下,覆亡固其宜。
何当整六师,势如常山蛇。一举定中原,焉用尺寸为!
天运何时开?干戈良可哀。愿言随飞龙,一上单于台。

鉴赏

《江上》述清顺治十六年(1659)郑成功与张煌言举十七万大军北伐,以解清兵猛攻云贵、永历朝摇摇欲坠悬急。这是一次很好的进军机会,郑张联军由崇明入长江,破瓜洲,下镇江,以迅雷之势包围南京,附近州郡纷纷响应。清政府措手不及,顺治帝惶恐不安,有亲征之议。顾炎武闻讯鼓舞,以联绵句式抒写这一振奋人心的消息给他带来的惊喜。前十二句笔饱墨酣,犹如行云流水,从烽火传警,王师南来(“燕”指清,“南陲”即南京),使节(行人)奔驰,渲染了紧张而欢愉的气氛。接着“下南徐”(镇江)克瓜洲(瓜洲为金陵门户),更是大张士气,砥砺斗志。从“传”“直彻”“来”“一鼓”“遂拔”等词的变忽游弋,以时间纵线为序,言其迅捷锋锐,强调进军的威势,笔墨是何等快意!而后,词锋流转向空间横向铺叙,突出其壮丽景观。据《清史稿》记载:“成功拥师十余万,战舰数千,抵江宁城外,列八十三营,络绎不绝。”《小腆纪年》更作淋漓尽致的描绘:“海师分五队,五色旗第一,蜈蚣旗第二,狼烟三,铳四,大刀五。每队有滚被以蔽箭,过则卷被,持刀滚进,斫人马足。一人敲鼓,鼓声缓兵行则亦缓,急则亦急。"所谓"黄旗既隼张,戈船亦鱼丽",紫盖黄旗,运在东南,时郑成功受封延平郡王,赐姓朱,行吊民罚罪之讨,并非僭越。"隼张"与"鱼丽"对称,言大军如鹰翔九天,鱼跃大江,确实阵容非凡,难怪要把长江的白鹭洲看做汉武的昆明池了。此两句明写军阵严整,暗示蹉跎战机。兵临城下,未能一鼓作气视实战同演习,焉能不败?据张煌言称:"延平属余督水师往,以直至芜湖为约。……水行如驶,未至仪真五十里,吏民赍版图迎王师。鹢首所向,无不瓣香相迎。"又据《海上见闻录》:"时杭州、江西、九江等处,俱有密谋举义,前来验机者。""于湖",即芜湖。人民箪食壶浆以迎,等待旌麾所指,更使人痛感坐失战机之大憾!

《江上》诗作于郑成功溃败之后。据史实:郑师之所以久围不攻,在南京坚城下徘徊两月,一是恃胜轻敌,二是中了清两江总督郎廷佐的降缓兵之计。郎廷佐遣使说郑成功:以守城过三十日,罪不及妻孥,乞求宽限。此种卑辞诈言,很易识破。郑成功却不听张煌言与麾下诸将劝谏,执意"攻心为上",以待其降;且释戈开宴,纵酒捕鱼为乐。"宋义但高会"四句指此。《史记·项羽本纪》:"怀王召宋义……因置之为上将军。救赵,行至安阳,留四十六日不进,遣其子宋襄相齐,身送之至无盐,饮酒高会。"以致屯甲下城,师老兵疲,败亡乃咎由自取。"固其宜"是无可奈何的说法。"何当"以下四句,进一步指出其全局的战略失误。"六师",古制,天子统六师。"常山蛇",《孙子》兵法:"故善用兵者,譬如率然,率然者,常山之蛇也,击其首则尾至,击其尾则首至,击其中首尾皆至。"其意谓从抗清斗争全局看,应由天子统帅六师,齐攻常山蛇首尾中间,使顾此失彼,俾一举夺取中原。郑成功此番北伐,乃属偏师,南京不过是常山蛇尾部,即使攻克,亦只尺寸得失,并非全局决定性胜利。惜哉天运不开,郑成功全师溃退,元气大损,战将甘辉、潘庚钟、万礼、张英等阵亡,死者狼藉,再也无力北伐。诗人对此并不甘心,希望像屈原那样"驾飞龙兮北征"(《九歌》),希望南明永历朝还会出现转机。像汉武帝那样登单于台(在今山西大同市),告示单于:"单于能战,天子自将待边;不能,亟来臣服。"当然这只是希望之辞。希望比失望或绝望要好,却是无言的悲哀。

(方　牧)

酬王处士九日见怀之作

顾炎武

是日惊秋老,相望各一涯。离杯销浊酒,愁眼见黄花。
天地存肝胆,江山阅鬓华。多蒙千里讯,逐客已无家。

鉴赏

在秋风萧瑟、草木摇落的时节,能使人兴致朗畅、清气勃发的时日,可能就要数九月九日重阳节了。诗史上兴致焕发的重阳诗,给人印象深刻。

然而,对于负有家国之痛的顾炎武,“九日”这个好日子却带来另一番滋味“是日惊秋老”,没有顾盼、伫望,甚或逢佳节的一点愉悦情绪也没有,只是遽然惊觉,时至今日,已入深秋——“秋老”了。“惊”字很重,再携带上“老”字,骤生一种刺激。“秋老”了,那么人呢?似不待言,然而颔联“鬓华”,明明也是“人老”了。虽然诗人是年方四十四岁,但江山鼎移已整整十二春秋,南明的根据地愈推愈南,范围越缩越小。这在诗人的潜意识中,岂无“惊老”之叹!何况又是一年一度的“是日”(九日),对于千里之外投札劳问的朋友王处士,先把这个骤然的感受告诉他,下继以不无深情的“相望各一涯”,是所谓嘤其鸣矣,答以友声。

顾炎武曾因家仆事与乡豪生隙而系狱松江,得到过王炜等人的关照。狱解,有《松江别王处士炜》诗,以“异郡情犹彻”等语相谢。其时,即此年春天。即于“灿灿春华荣槁木”的季节赴湖州(治所在浙江吴兴,见王潢《送顾宁人之吴兴》)。至秋,王炜以《秋日怀宁人道长先生》致问,有“霅水菰芦谁吊影”(霅水流经湖州)语抚慰,关切地询问现在状况如何:“满眼黄花无限酒,不知元亮可销忧?”比诸高风亮节的陶潜,以示敬意。颔联“离杯销浊酒,愁眼见黄花”就是对王诗的酬答。世事陵夷,家遭丧乱,养母王硕人绝食而终,两弟并遭难,弟妻朱氏引刀刺喉。所以这“离杯”是对王炜春别的怀念,也倾注着对家乡“蒋山风雨自深秋”(王炜句)的关照,不言“引杯”,而曰“离杯”者,意盖指此。

在这“每逢佳节倍思亲”的节日,只能浊酒销怀,“销”的结果,却是"愁眼对花"。满怀心事,伫立于黄花丛中,言己心境即所谓"故国羁人怨诽深"(《酬王生仍》)的景况。此联对句是从杜诗《遣怀》"愁眼看霜露,寒城菊自花"心摹手追而来,与"离杯"句相对,似更伤痛。节令景物,手中酒杯,胸中意绪,朋友札讯,全都融入此二句,见其诗渊茂朴深的风神。

诗人毕竟是一个"七尺尚峥嵘"(《赠路光禄太平》)的志士,因而以上四句沉重压抑,郁郁不舒,只能看做是诗人情感的外现层次,究其精神境界的深层,诗人对着可信赖的朋友定会敞开心扉,以肺腑相见:"天地存肝胆,江山阅鬓华。"这爽朗坚毅的昭示,是精诚所至、光彩照人的地方。诗人一生汲汲恢复,至死不渝,肝胆可鉴天地,白发能感河山,"身负沉痛,思大揭其亲之志于天下,奔走流离,欲见诸事功不可得。数十年靡诉之衷,幽隐之情,无可发泄,时于诗见之,所谓以歌当哭者也。"(徐嘉《顾诗笺注·路岖序》)。虽然江山换主,天地变革,使之早生华发,但一个撑天柱的壮心不已的志士形象无不矗立于其篇什之中。江山处处留有孤穷八荒的足迹,目睹他奔走南北,星染发际;天地鼎革而肝胆犹存。沉雄苍凉的风概,焕发强烈的民族气节,国破家亡的悲愤勃发于持之以恒的抱负之中,这是"难把幽忧损壮心"(《酬王生仍》)的又一次昭示,是对友人的"见(示)怀",也是朋友间的相期共勉。其精神和杜甫"艰难苦恨繁霜鬓""每依北斗望京华"息息相通,千古之下,确"为少陵后一人"(周介存语),味"其境界直黄河,太华之高阔也"(潘德舆《养一贞诗话》)。

最后致谢友人"多蒙千里讯",回应题之酬作,据顾氏抚子衍生《元谱》,此年"狱解后,叶氏憾不释,遣刺客……击之伤首",以致归而不得,末了顺带把这个情况告诉友人"逐客已无家"。诗人在乡豪迫害之时,于酬应之作,依然惓惓江山国家,使人肃然起敬。全诗风格高古,沉郁苍凉,特别是"肝胆"二句坚实激楚,风骨遒劲,为一篇之要,给读者留下了不可磨灭的印象。

(魏耕原)

旧 沧 州

顾炎武

落日空城内,停骖问路岐。曾经看百战,唯有一狻猊。

鉴赏

沧州，今河北省沧州市。历代辖区有变动。自明以后，长芦一直为州治所在。东滨海，西倚卫河，南枕浮河，临津浦路，不仅以盛产芦盐闻名，且为军事要冲，有重要战略地位。据《方舆纪要》介绍：秦属钜鹿，汉置渤海郡，燕齐有事，必先争渤海。五代朱全忠屡攻沧州，石敬瑭因割让云燕十六州使沧州成了边塞；元蒙南下，先攻破沧州，红巾军起义，又以沧州一带为战地；李自成转战晋冀，清兵入塞，这里也是被反复争夺的战场——本诗题作"旧沧州"，一则包含古沧州沿革变迁，二则也有对大明故地的追思，充满悲凉意味。

"落日空城内"，为什么是"空城"，且置于"落日"时分？原先熙熙攘攘的人哪里去了？往日的古城繁庶因何荒寂如斯？这首先是作者对沧州的宏观印象，在他心里形成强烈反差。当年姜白石过扬州所作《扬州慢》"渐黄昏，清角吹寒，都在空城"，也属此种感受心态。不仅如此，这一淡笔勾勒，还隐约透现一种历史的情调氛围。

"停骖问路歧"，作者为什么要停骖（驾车的马）？自然是因为路歧，但并非杜牧之"借问酒家何处有"那样轻松，这里既有历史的歧路，也有人生的歧路。《晋书·阮籍传》："时率意独驾，不由径路。车辙所穷，辄痛哭而返。"虽然行为乖张，但是歧路穷途，往往不限于个人得失，而是包含一种对于社会政治的关切和失落感。

"曾经看百战"，在叙述方式说，是变换角度，主体变换为"旧沧州"，文意仍一气贯注，只是省略了主语。这似不经意的一"问"一"答"，不仅沟通宾主关系，也串联起现实历史。顾炎武的"问"，是深层的内心省察，他问的是社会政治，是历史沧桑，这是一般路上行人无法置喙的，能够听懂他深层含意的也只有古老的沧州城。它对顾炎武说自己看过曾经发生在此处的百战兴衰，而每一场战争变乱，每一次改朝换代，都难免给社会带来某种破坏（自然也有进步）。这一偈语式的暗示，就像"向去处去，从来处来"，既是超脱，又是无奈。

"唯有一狻猊"，此非旧沧州语，亦非顾炎武口吻，类似戏剧旁白，纯用旁观者眼光，冷冷的语气仿佛从战乱废墟中幽幽冒出，充满凄怆悲凉。"狻猊"，狮子别称。《一统志》："开元寺在旧沧州城内，有铁狮子高一丈七尺，长六尺，今寺废，狮亦残缺。"自然，沧州并非真的一无所有，为什么只写狻猊一物？大凡名胜古迹，往往可作为一方风土代名。沧州城有开元寺,开元寺有铁狮子,以狻猊写沧州,就抓住了地物与历史特征。"唯有"照应"空城"。狻猊连虎豹都食,何况是人?于此亦可见战争创痛之巨!

顾炎武眼中的沧州,既是历史与现实的观照,又是他心中再造的形象,带有明显的时代与个人色彩。此种艺术再创造过程,往往与作者的思想、经历、修养相表里。本诗所反映的旧沧州既非人人眼中所见,也非人人心中所有,它只是属于顾炎武的,或者说是顾炎武与旧沧州的化合,艺术的独创性盖在于此吧!

(方　牧)

五十初度时在昌平

顾炎武

居然濩落念无成,隙驷流萍度此生。
远路不须愁日暮,老年终自望河清。
常随黄鹄翔山影,惯听青骢别塞声。
举目陵京犹旧国,可能钟鼎一扬名?

鉴赏

顾炎武四十九岁时(1661),抗清局势发生重大变化:明永历帝穷蹙于缅甸,清兵临境,缅人以由榔父子送军前。这个消息,顾炎武在翌年三月方知,至此朱氏宗胤,芟刈几尽。作者对于"功名会有时,杖策追光武"(《流转》)的明裔中兴的企求,渐趋失望,然其抗清之志犹烈。康熙元年(1662)三月至昌平拜谒思陵。此年五月二十八日是诗人五十诞辰,回顾往日,身负沉痛,奔走流离,欲见诸事功而不可得,愤慨之情都宣泄于这首生日咏怀诗中。

孔子说过"五十而知天命",而诗人五十初度之日,正是明统已绝之时(此年四月,朱由榔蒙难于云南),天命何在,世道更艰。情事异人,忧愤郁结,怅然发出"居然濩落念无成"的长叹,隐忧深愤凝聚于"居然"一词,有谁料得,竟然如此。"濩落",犹言瓠落,语出《庄子·逍遥游》"五石之瓠,剖以为瓢则瓠落无所容",意谓大而无所施用。复明局势已成挥戈返日,大志濩落,所念无成,顿然生出岁月匆匆,白驹过隙,虚度岁月之感,和身如漂萍、四处流离的慨叹。从鼎移至此，凡十八年，顾炎武两次南行未成，自四十五岁始，往返南北，曲折二三万里，“足迹所至，无三月之淹，一年之中半宿旅店”（《与潘次耕》）。遍访遗民志士，汲汲于图谋恢复，而局势已定，自是创痛在心，难以抑止。

“远路不须愁日暮”从“流萍”句生出。日暮途远，是对奔波生涯的回顾，所谓“不须愁”者是面对举步维艰的境况而意志不衰的真情流露，它本身积淀着矢志不移的爱国精神。伍子胥的“吾日暮而途远，吾倒行而逆施之矣”（《史记·本传》）的烈士愤语激情，在这里提高到炽烈沉毅豪迈的高度，将濩落无成的慨然似乎化除净尽。“老年终自望河清”紧承上句。《左传·襄公八年》“俟河之清，人寿几何”的古语，一经反用，极为有力，充满深厚的民族感情和爱国思想。这是作者诗的生命，也是伴随始终的生命的诗。顾氏为清代学术开山祖师，诗为其余绪，“然词必己出，事必精当，风霜之气，松柏之质，两者兼有。就诗品论，亦不肯作第二流人”（沈德潜《明诗别裁集》）。

“常随黄鹄翔山影，惯听青骢别塞声”二句承上“远路”句。以山路、古塞的流转的实景，衬出奔走流离的艰难，愈是坎坷辛苦，愈见眷眷国事。不愁日暮，企望河清流动于坚实的字里行间。《楚辞·惜誓》“黄鹄之一举兮，知山川之纡曲”，化用于对句，隐然有自喻之意，以示追求理想的奋击不已。联系诗人晚年还说过的“摩天黄鹄自常饥”（《悼亡》之五），这样理解是大致不差的。这两句写久客漂泊者的实况，显现出诗人坚毅的个性和恢复故国的责任感。

理想终归是主观的，现实本有其客观的面目，主客观的矛盾酿造出多少人世间的苦闷。尾联“举目陵京犹旧国，可能钟鼎一扬名”，则就现实和愿望所产生的思虑发出疑问。抬眼长望，帝陵环绕，京都犹在，然而社稷改主，山河易姓，《黍离》之悲，中心摇摇，而吐出“可能”的忧念担心。虽然诗人始终怀着强烈的意念，“犹看正朔存，未觉江山改”（《见隆武四年历》），“人寰尚有遗民在，大节难随九鼎沦”（《陈生芳绩……》），但大势已铸，而恢复故国、铭于钟鼎、扬名后世的愿望是否能够实现，则不得不用“可能”，将心中沉重的精神负荷，托显出来。

惆怅失望和坚信不疑，矢志追求和忧虑担心都倾泻在这首生日诗里。既曰“濩落无成”，又云“终望河清”；既云“不愁日暮”，又曰“可能扬名”。时歌时哭，时唱时叹。瞻前顾后具根于“举目陵京”句，吞吐之声见于篇末。起手以“居然”慨叹突起，愤懑而压抑，中四句却白鹄直上青云，取境高阔。首句的“念无成”和末句“可能”苦心交集，郁结一气。让人沉思诗人的前景，也导人进入诗人主体的内层世界。语句淡朴渊茂，风格沉毅雄深，结构张弛旋折。情感突落突起，出自坚毅的个性对现实的抗争；心绪的忽明忽暗，规范于严酷的现实对不屈意志的约束。

（魏耕原）

一　雁

顾炎武

一雁渡汾河，河边积雪多。水枯清涧曲，风落介山阿。
塞上愁书信，人间畏网罗。覆车方有粟，饮啄意如何？

鉴赏

清康熙五年（1662），顾炎武北游大半个中国已历五载，据他自己记述："又出西北，渡沂绝济，入京师，游盘山，历白檀至古北口，折而南，谒恒岳，逾井陉，抵太原，往来曲折二三万里。"本诗是他从河北入山西渡汾河时所作。这一年炎武五十岁。清政权渐趋巩固，原先抱不合作态度的前明官吏，也纷纷出仕新朝。顾炎武虽节志不改，但有一种寂寞与失落感。《一雁》正表现了他的耿介形象与孤寂心态。

《一雁》以诗开头二字为题，杜甫的《不见》《历历》，李商隐的《为有》《锦瑟》开此先例。雁只是诗人自我解嘲的形象外壳，并非咏物，与钱起、杜牧等咏雁诗不同。

前六句写"一雁"，即写自我。"一"，孤也，示其耿介不群。冬末春初时节，北国严寒犹烈，河边积雪未消。山西多山，却是水枯山瘦，清涧曲折低落。相传为春秋时介子推焚殉的绵山，正寒风阵阵，一片萧瑟景象。顾炎武渡汾水，过介山，自然会想起介子推隐居不仕的史事；无论晋文公怎么征召，甚至派兵包围穷搜，他仍然宁愿焚身以殉。以上写自然环境，写历史故事，都隐寓当时的政治气候与作者心态。他在致友人信中说："频年足迹所至，无三月之淹（留），一年之中半宿旅店。"但是，最使他痛苦的还是清朝统治网罗更加森严。虽然身在北疆塞上，却很难像汉时苏武那样借雁书缠足向南传递消息。而这一年吴三桂从缅甸俘杀桂王，李定国病逝勐腊，南明覆亡已成定局。清廷则对汉族士大夫用高压与怀柔两手，一面大兴文字狱，以诛戮灭族威吓；一面开博学鸿词科，以高官厚禄利诱。如此软硬兼施的网罗，很难逃避得了。“畏”字有可畏与无畏双重含义，以可畏衬无畏，更见其高风亮节。

后两句可从两个方面去理解，一是讥明臣仕清变节者，用旁敲侧击杂文笔法。《论语集解义疏》，公治长识鸟语，他在系狱期间，答狱吏问云：“雀鸣啧啧，嚯嚯黍粟，牡牛折角，收敛不尽，相呼往啄。遣人往看，果如所言。”覆车之粟，乃收敛不尽剩余，相当于嗟来之食，乞讨者所为，君子不屑。一是自我设问：面对覆车之粟，清廷的利诱饵钓，我难道能入其彀中，上其圈套吗？虽为设问句式，意在否定，如鲁迅所言：“无言是最高的轻蔑，连眼珠也不转过去。”

（方　牧）

又酬傅处士次韵

顾炎武

愁听关塞遍吹笳，不见中原有战车。
三户已亡熊绎国，一成犹启少康家。
苍龙日暮还行雨，老树春深更著花。
待得汉廷明诏近，五湖同觅钓鱼槎。

鉴赏

傅处士，即明亡隐居的傅山，有强烈的民族气节，其诗有“生憎褚彦兴齐国，喜道陶潜是晋人”，表示对有无大节者的爱憎。顾炎武很器重他，在《广师篇》说过：“萧然物外，自得天机，吾不如傅青主。”康熙二年(1663)，作者游山西，拜访了他，相互唱和，留诗三首。此为其一。

当时抗清形势已转入最后的低潮，除台湾郑成功一旗独竖外，其余荡然无存，明宗室夷除零落。诗人同题其一之“陵阙生哀回夕照，河山垂泪发春花”，就是当时局势的写照，心情是极为压抑的。故此首起句即沉沉地感叹：“愁听关塞遍吹笳，不见中原有战车。”此年前（康熙元年），作者拜谒十三陵后，“折而南，谒恒岳，逾井陉，抵太原”，所见清政愈趋巩固，统治更为严密，欲访寻遗民同志抗清，比起在顺治年间的“岂有田子春，尚守卢龙塞”（《玉田道中》）的寻觅更为困顿。足迹所至，关塞遍布清军，响彻着敌军的号角笳声，北方大地压根儿看不到抗清复明的武装力量——战车（作者《郡国利病书》记有戚继光以车骑合练语）。期见而“不见”，不忍所见却“愁听满耳”，强清和亡明消长如此，残酷的现实，不能不使这位复明斗士发出挥戈返日无望的浩叹——“三户已亡熊绎国”！“楚虽三户，亡秦必楚”，楚国南民的雄声，曾给予他多少希望，然而历史却按着悲剧航道推进，如同虎狼之秦扫灭楚国一样，南明也早“已亡”殆尽，这自然就促迫诗人有陵阙生哀，河山垂泪的揪心痛楚了。

但对于顾炎武这样历经磨难的人，反清的烈火是不会随着局势的不断恶化而熄灭的。南明虽则复归无望，则继而转为寄托华夏人民“必有圣人，以继周汉”“如冬复如春，日月如更旦”（《书女娲庙》），反清灭清的希望依然在胸中熊熊燃烧，而每见于篇什，畅发“合见文公还晋国，应随苏武入长安”（《十九年元旦》）的高唱；企望“汤降文生自不迟，吾将翘足而待之”（《羌胡行》）的机运到来。诗人于艰难中仍望势转时来，夏后重祀，甚至振臂高呼：“不见风陵之堆高突兀，没入河中寻复出，天回地转无多日。”（《书女娲庙》）正是这种“大海无平期，我心无绝时”的浩然之志，使他穷且益坚，老而弥笃。他在明统已绝的去年，获悉南明永历帝被处死在云南，就郁积着“时来夏后还重祀，识定凡君自未亡”（《三月十九日有事于攒宫时闻缅国之报》）的期望。积念重现，而想起《左传·哀公元年》记载的上古夏后少康，遇难逃奔有虞，邑地仅有田一成（方十里为“成”），有众一旅，犹能以收复民，复禹之绩。他认为少康中兴史迟早会重现，故迸发出“一成犹启少康家”的热望，此句的“犹启”和上句的“死亡”，转折迅疾，可以想见，诗人的热血在胸中奔突。

“苍龙日暮还行雨，老树春深更著花”，是对上联“已亡”“犹启”的进一步生发。希望充怀，生机勃发，热衷流注，难以遏止。两句一意，一气浩瀚流转，沛然莫能御之。这是诗人至死不息的生命之歌，其笔力之老健，精力之弥满，比起去年的“远路不须愁日暮，老年终日望河清”（《五十初度时在昌平》），更具热望和张力。这耀人眼目的老树著花、动人心魄的苍龙行雨，激励来者，足传千古。这里的“还”“更”和颔联的“犹”字，长气贯注，与“已”字在气脉上前后拗折、顿挫，沉毅雄厚。

涌现于尾联的是个雨过花开、春光融融的结尾，“待得汉廷明诏近，五湖同觅钓鱼槎”，是说等到天回地转、故国恢复之日，那时自已将功成身退，像范蠡重兴越国后即悠游五湖，再去过几天隐居消散的日子。傅山明亡隐居，着道士装行医，表示对新朝的反感。其《晤言宁人先生还村途中叹息有诗》有句云“方外不娴新世界”，虽含冷嘲，但毕竟缺乏一种斗争姿态。顾炎武这首和诗，向朋友袒露炽热胸怀，这两句是他美好的理想，也寄寓着对友人热切的劝慰，委婉地指出现在还不是隐居轻松之时，希望傅山也能老树著花（傅长顾七岁，时年五十八）奋起斗争，不要过早地就去“临风吹短笛，劚雪荷长镵”（《赠傅处士》），此即“待得”“同觅”的另一层意思。如果寻思不错，那么这首应酬诗，就确实“无一应酬语”（近人徐颂洛语）。

这种锋芒外露的诗篇，在当时随时会带来杀身灭族的惨祸，故傅山就有“天涯之子对，真气不吾缄”的感慨。清代文字狱是出名的，就在作者写这首诗的同年，《明史》文字狱案发，庄廷鑨被开棺戮尸，株连所及，凡杀七十二人，发配数百人。读其诗，足令后之伏案披卷者长坐肃然。

（魏耕原）

燕中赠钱编修秉镫

顾炎武

一别秦淮将廿载，天涯垂老看犹在。
断烟愁竹泣苍梧，秃笔凄文来涨海。
燕市鸡鸣动客轮，九门驰道足黄尘。
相逢不见金台侣，但说荆轲是酒人。

鉴赏

人至老年，在异地他乡得晤故知，往往会唤起往事与友情的深挚回忆，得意者或不免弹冠，沦落者则同病相怜。唐人每有这方面的记录，如“正是江南好风景，落花时节又逢君”（杜甫），“十年分首今同醉，醉不如泥莫道归”（白居易），“闻姓惊初见，称名忆旧容”（李益）。大抵旧情如酒，历久愈醇，时间是酝酿的过程，往事则成发酵的媒介了。

顾炎武此番入都（燕中），在清康熙十二年（1673）。钱秉镫则比他早一年到北京，作馆龚尚书家。两位早年江南旧友相逢北地，阔别已屈指廿载。钱秉镫，安徽桐城人，南都亡，走闽中，流离入粤，永历朝授庶吉士，改编修。桂林陷落，祝发为僧……他在南京与顾炎武以诗文道义交，互有赠答。此番邂逅，乃属偶然。诗从"一别"写起，先把时间拓宽，见故人深情，再拉开空间距离。"天涯"指北京，蕴涵转徙流离别意。从"一别"到"天涯"，这是很大的时空跨度。"垂老"，顾炎武时年六十一岁，钱秉镫也是桑榆晚景。"看犹在"，指顾钱双方，一是有感故友衰老，"访旧半为鬼"；二是惊心音容改易，恍同隔世，如杜甫诗"妻孥怪我在，惊定还拭泪"，反映战乱时世心态十分逼真。首联起得很陡，感情的激流冲击回忆的闸门，导向宽阔汹涌的河床……

颔联用虚笔侧写，概括钱秉镫在闽中与粤桂的两段往事。钱秉镫在闽时间不久，正值唐王隆武朝流徙倾覆。据《南疆逸史》："上驻汀州，将至江西，命忠诚伯周之藩护曾后先行，出西门，大兵追至罗汉岭，之藩战死，后自投于水，上戎装将发，大兵猝至，从官逃散，见害于都司署。"这些自然给效忠明室的遗臣以刺激。"断烟愁竹泣苍梧"，赣闽泛属楚地。"断烟"渲染烟水迷离的南国氛围。"愁竹"喻曾后，"苍梧"喻隆武(唐王朱聿键)。钱秉镫翰林空怀一支极有才气的"秃笔"，只能写些感伤时事的"凄文"，从粤桂隐沦京师。"涨海"指南海。"来"，所从自也。顾与钱相晤燕中，沦落人对沦落人，隐约交代其粤桂之事，只用略笔带过，一是伤心不堪言，二是七律篇幅所限，既然诗由眼前感兴引起，重笔自然要落在"天涯垂老看犹在"一刹那灵感火花的爆发点上，"断烟"两句只是插叙与陪衬笔墨。此时，清朝定鼎中原三十余年，正处在国力上升期。北京聚集着来自中外的商贾与朝觐者。每天鸡鸣时分起，便有车来轿往。九门通衢宽阔的驰道，尘土飞扬，新贵与八旗将弁的高轩肥马，渲染京师繁华春色。颈联两句从时空角度讲为集中，回到钱顾相晤即景；结构层次则是展开，借遗民心眼，透视燕都社会人文环境，自然不免产生今昔沧桑之感，更有"冠盖满京华，斯人独憔悴"之酸楚。这一联从表面看纯是冷眼旁观，可又有谁理解旁观者此时对于故国的灼热胸怀呢！

末联归结到钱秉镫。"相逢"照应"一别"。"不见"乃指故人英发才气倜傥风流，与"看犹在"衔接。当年"金台侣"，如今已成为"酒人"醉鬼，不见中有见，见中有不见，良可哀叹！末联用了金台(燕昭王筑黄金台招聚贤才)与荆轲隐于酒市两个典故。据说，钱秉镫弱冠时，有阉党某御史巡按至皖，钱故意揽其车而溲溺其衣，御史极为狼狈，漫以"酒狂"舍之。可见钱秉镫当年为荆轲一流人物，如今但以"酒人"自嘲。鲁迅悼范爱农诗云："把酒论当世，先生小酒人。"浊世滔滔，大醉颟顸，微醺清醒，因清醒故痛苦，故沉沦，这是知己者肺腑言，也是何等深沉的悲哀啊！

(方　牧)

井中心史歌并序

顾炎武

崇祯十一年冬，苏州府城中承天寺以久旱浚井，得一函。其外曰：《大宋铁函经》，锢之再重，中有书一卷，名曰《心史》，称"大宋孤臣郑思肖百拜封"。思肖，号所南，宋之遗民，有闻于志乘者。其藏书之日为德祐九年。宋已亡矣，而犹日夜望陈丞相、张少保统海外之兵，以复大宋三百年之土宇，而驱胡元于漠北。至于痛哭流涕而祷之天地，盟之大神。谓"气化转移，必有一日变夷而为夏者"。于是郡中人见者，无不稽首惊诧；而巡按都院张公国维刻之以传，又为所南立祠堂，藏其函祠中。未几而遭国难，一如德祐末年之事，呜呼悲矣！其书传至北方者少，而变故之后，又多讳而不出。不见此书者，三十余年，而今复睹之富平朱氏。昔此书初出，太仓守钱君肃乐赋诗二章，昆山归生庄和之八章。及浙东之陷，张公走归东阳，赴池中死；钱公遁之海外，卒于琅琦山；归山更名祚明，为人犹慷慨激烈，亦终穷饿以殁。独余不才，浮沉于世，悲年运之日往，值禁网之愈密，而见贤思齐，独立不惧，将发挥其事，以示为人臣处变之则焉。故作此歌云尔。

有宋遗臣郑思肖，痛哭胡元移九庙。
独力难将汉鼎扶，孤忠欲向湘累吊。
著书一卷称《心史》，万古此心心此理。
千寻幽井置铁函，百拜丹心今未死。
胡虏从来无百年，得逢圣祖再开天。
黄河已清人不待，沉沉水府留光彩。
忽见奇书出此间，又惊胡骑满江山。
天知世道将反覆，故出此书示臣鹄。
三十余年再见之，同心同调复同时。
陆公已向厓门死，信国捐躯赴燕市。
昔日吟诗吊故人，幽篁落木愁山鬼。
呜呼！蒲黄之辈何其多，所南见此当如何！

鉴赏

《心史》一卷,南宋遗臣郑思肖撰,记宋端宗恭帝(德祐)迄元成宗数十年间事,言宋政教宽厚元人杀戮等情节,年号皆从德祐。郑思肖,字忆翁,号所南,福建连江人。元兵南下时,叩阍上皇太后、幼主疏,辞切直,忤当道,不报。宋亡后,他改名思肖(赵),忆翁、所南,皆含不忘故国意。他撰写的《心史》长埋井中历三百年之久。明崇祯十一年(1638),苏州府承天寺因天旱浚井得藏书铁函,才被发现,应天巡抚张国维将其刻印使之流传开来。康熙十七年(1678),顾炎武在富平朱家读得此书,有感于南明覆亡"一如德祐末年之事",作《井中心史歌》,亦即借郑思肖的酒杯浇自己之块垒,长歌当哭,以释愤懑。

《井中心史歌》充满浓重的悲剧意况。前半篇写郑思肖《心史》的历劫往事,后半篇写三百年后顾炎武读《心史》的感叹唏嘘。前半篇十二句以史事为经,用大框架概括写法,从郑思肖哭"九庙"(皇帝宗庙)倾移,"汉鼎"(明祚)难扶,欲效"湘累"(屈原,非罪之死曰累)孤忠,乃著述《心史》传世,见其"万古此心心此理"的坚贞与"百拜丹心今未死"的义烈,读来使人感到有一股浩气溢胸,充沛天地。"胡虏"两句总赅元明易代。"黄河已清"两句要言斯人虽逝,文采长存。诗句均作大笔构建,气象恢弘,且不断变换角度,富有张力与启示性。

后半篇十二句以现实为纬,用政论笔调发挥幽微,悲歌慷慨。从"忽见"到"又惊",连接三百年前后两幕悲剧。虽然世道反复,但是人心不死,天理不灭,《心史》一卷就是为臣为人的典则规范("臣鹄")。诗人强调"同心同调复同时",既慨乎历史之重演,更突出前贤的志节。举其荦荦大端,丞相陆秀夫负帝昺死厓山,信国公文天祥慷慨就义燕市。在明亡之后,即有张国维死东阳,钱肃乐卒琅琦山,归庄亦穷饿以殁。昔日吊古人者,而今也已作古,幽篁落木与山鬼为邻。故旧零落,思之更觉怃然。以上历史时事都用明暗复线交叠贯穿,交融一体,兴致淋漓。悲剧氛围虽浓,豪气壮志不减,且有诗情流注其间。最后以"呜呼"感喟作结,明写南宋史迹,暗寓亡明时事。"蒲黄"指宋末变节事敌且为虎作伥的蒲寿与黄万石。"所南"句一则照应《心史》作者,二则表明自己的义愤心迹。虽蒲黄之辈滔滔皆是,但节义之士自知去从。"当如何"不作问句解,而是拍案而起的愤语,大义凛然,读之起舞。

本诗为七言古风,有杜甫的沉郁顿挫与韩愈的硬语盘空之长。

(方　牧)

雨中至华下宿王山史家

顾炎武

重寻荒径一冲泥，谷口墙东路不迷。
万里河山人落落，三秦兵甲雨凄凄。
松阴旧翠长浮院，菊蕊初黄欲照畦。
自笑漂萍垂老客，独骑羸马上关西。

鉴赏

王弘撰，字山史，陕西华阴人，明诸生。康熙曾以博学鸿词征召，称病不赴。他居华山下，有读书庐，好学不倦，精研《易经》，酷爱收藏书画金石。据王山史《山志》：顾炎武康熙十六年（1677）入陕讲学，客于王家，陕人对名世宿儒莅临，引以为荣，希望振兴关学，收效桑榆……本诗叙顾冒雨至王寓的情景及由此引发的身世感受。

首联即景生情，为友情所遣，冒雨寻访，充满亲切温馨之感，故用委婉笔法切入。重寻，顾炎武已是第二次访王山史家，十四年前游华山时曾有过访。荒径，隐引陶潜《归去来兮辞》："三径就荒，松菊犹存"，示王寓之僻静与傲世姿态。冲泥，杜甫诗："虚疑皓首冲泥怯"，即踩踏泥泞，与诗题"雨中"照应。"谷口墙东"，连用两个典故："谷口郑子真，不诎其志，而耕乎岩石之下，名震于京师。"（扬雄《法言》）"君公遭乱独不去，侩牛自隐。时人为之语曰：避世墙东王君公。"（《后汉书·逢萌传》）皆借喻王山史及其清幽寓居。路不迷，因重寻故；三楹旧貌未改，故人坚持气节不仕，盖为郑子真、王君公同一类人物，所以顾欣然前往。

颔联即事发挥。人落落，指像王山史能坚持气节者，故交凋零知音稀，而衬以万里河山背景，一种寂寞之感油然而生，如陈伯玉"念天地之悠悠，独怆然而涕下"。紧接着用三秦兵甲写时事。康熙十五年（1676），陕西提督王辅臣举旗反清，联络四川。清廷分兵数路讨伐，辅臣为大将军图海所败，受抚乞降。此役虽历时不久，但兵戈连接川陕，三秦地方糜烂，使人揪心。顾炎武《河上作》："去年方斗争，掘壕守韩那（属陕西安定郡）。车骑如星流，衣装兼橐驼。"即直抒此事，隔年能释怀。雨凄凄,不仅写“雨中”实境,也写顾此时忧国忧民的心境。这一联气象阔大,境界幽邃,颇能发挥沉郁顿挫佳处。

颈联实写王山史寓居初秋景象,也深具杜甫七律笔意:大片松阴浓翠(旧,指劲松仍葆往年翠绿),如荇草终日浮积庭院,初黄菊蕊的悦目光彩连接成畦。从宏观向微观,由遐思接目前,开阖自然,对比鲜明。一则以景托人,如此幽绝佳处,贞松雅菊,正衬王山史光风霁月襟抱,可与郑子真、王君公隐逸同调;二则展示顾炎武此际心境的多层面,既有风雨凄凄的迷离悲怆,又有欲觅一安定环境的夙愿。人至老境,于疲惫奔波之后,每有此向往。这种景中情、情中景的含蓄写法,工部最为擅长。如“蓝水远从千涧落,玉山高并两峰寒”(《九日蓝田崔氏庄》)“盘涡鹭浴底心性?独树花发自分明”(《愁》)“信宿渔人还汎汎,清秋燕子故飞飞”(《秋兴八首》),与单纯写景异趣。

尾联与首联衔接,均含“宿王山史家”题意,写法则有不同。首联侧重访王山史寓居环境,客体为主,主体为宾。尾联返宾为主,以“自笑”领起,凸现诗人漫画式主体形象:萍踪浪迹的老者,单人独骑一匹羸弱瘦马,风雨凄其蹒跚华山道上……笔调老辣,充满诙谐情味,这是尝过人生百味者方能领悟的意境,类似鲁迅的“破帽遮颜过闹市,漏船载酒泛中流”(《自嘲》),读者不能不对他的坚毅志节与耿介襟怀表示敬意。

(方　牧)

渔家词

宋琬*

南阳之南峄山北，男子不耕女不织。
伐芦作屋沮洳间，天遣鱼虾为稼穑。
少妇能操舴艋舟，生儿酷似鸬鹚黑。
今秋无雨湖水涸，大鱼干死鲦鳅弱。
估客不来贱若泥，租吏到门势欲缚。
烹鱼酌酒幸无怒，泣向前村卖网罟。

作者

*宋琬(1614－1674)，字玉叔，号荔裳，山东莱阳人。清顺治四年(1647)进士。曾出任浙江按察使。后因山东于七起义事，被族人诬告下狱。释放后在家闲居近十年。后出任四川按察使。一生多遭困顿，故其诗多愁苦之音。名与施闰章并称。有《安雅堂集》。

鉴赏

这首诗写山东南阳湖附近渔民的艰苦生活。古代诗词中写渔民生活，大多把渔夫写成隐逸者，作为诗人理想的化身。那种以渔樵为生、不涉宦场、远离是非的生活，为封建士大夫所向往。但也有一些描写渔民现实生活的作品，反映了他们的苦难和不幸。这类作品具有高度的现实主义精神和人民性。宋琬的这首《渔家词》就属这类中的突出篇章。

全诗分为两大部分。前部分写渔家所在之地男女老少的情状。开头两句点明地点和职业。“南阳之南峄山北”，南阳在今山东邹城市西边有南阳湖。峄山在邹城市南部。由空间位置确定这里是南阳湖。“男子不耕女不织”，使人产生悬念,要探究他们何以为生;“天遣鱼虾为稼穑”,予以挑明,是以捕鱼为业。渔家的住房系“伐芦”而成,简陋之至;在“沮洳间”,潮湿的地带,恶劣得很。少妇能操着小船出没于风波之间,小孩子能像鱼鹰样泅水,且皮肤晒得像鱼鹰样乌黑。少妇和小儿尚且如此,这里的男子如何艰难劳作,自可想见。写捕鱼为业,以少妇尚能操舟,小儿便会泅水,舟为舴艋小船,晒得皮色铁黑,则从侧面写足了他们的水上生活,显示了渔家的艰难困苦。

诗的下半部分以“今秋无雨湖水涸”的特殊情况,强化表现了渔家之苦。“大鱼干死鲦鳅弱”,使渔家的生资欠缺,必然引来了种种压迫。一是“估客不来”,没有商人来收买鱼货了,使鱼价“贱若泥”。二是“租吏到门”,虽然没鱼可捕,而租税却不减少,且如狼似虎的租吏强索威逼,还要“缚”人而去,真是天灾人祸,无法脱身。渔家为了解除眼前困窘,还得“烹鱼酌酒”招待租吏,使之息怒,免除受缚。无法缴租,只得“泣向前村卖网罟”。渔人把生产工具的渔网都卖了,怎会不泣!诗人以租吏索租、渔人卖网的典型细节,把渔民受虐写得入木三分。尤其是在“今秋无雨”的特殊情况下,渔家仍然备受商人的盘剥、官家的掠夺,则一般年景下渔民的生活更可想而知了。

宋代范仲淹的《江上渔者》“江上往来人,但爱鲈鱼美。君看一叶舟,出没风波里”,虽也同情渔家的生活,但还只是站在封建士大夫立场上的一种同情而已。宋琬的《渔家词》则更能体贴渔人的苦衷。写催租勒索,和宋代范成大的《催租行》《后催租行》以及梅尧臣的《田家语》、华岳的《田家》都同一机杼。写“烹鱼酌酒幸无怒”的情节,和前人所写如出一辙。柳宗元《田家》第二首“里胥夜经过,鸡黍事筵席”;李贺《感讽》第一首“越妇通言语,小姑具黄粱;县官饱餐去,簿吏更登堂”;唐彦谦《宿田家》“忽闻扣门紧,云是下乡隶……老母出搪塞,老脚走颠踬……东邻借种鸡,西舍觅芳醑”;范成大的《催租行》“输租得钞官更催,踉跄里正敲门来,手持文书杂嗔喜:‘我亦来营醉归耳!床头悭囊大如拳,扑破正有三百钱;不堪与君成一醉,聊复偿君草鞋费’”等等,都活画出胥吏的贪婪与残虐,反映了人民的贫困与愁苦。宋琬身为官吏,而能写得如此真切,可见不仅能体察民情,且能有同情心,这是难能可贵的。

(徐应佩)

狱中对月

宋　琬

疏星耿耿逼人寒，清漏丁丁画角残。
客泪久从愁外尽，月明犹许醉中看。
栖乌绕树冰霜苦，哀雁横天关塞难。
料得故园今夜梦，随风应已到长安。

鉴赏

清顺治末年，任浙江按察使的宋琬，因遭族人诬陷说与山东登州起义者于七相通，被捕入狱。这首诗就是宋琬在狱中所写，抒发了蒙冤受屈后的孤栖之苦、愤懑之情和对妻子的深切怀念。

首联写夜深难眠，以景写情。“疏星耿耿”，明写星光幽冷，暗写狱中对月。月明星稀，疏星耿耿，只有几颗晶亮的星星发着清光，只有对月时才可见。但诗人没有直接写对月，这主要是为了突出“逼人寒”。寒气逼人，说明季节已是深秋，时间已是深夜，内心的凄苦和气温的寒冷互为作用，一个“逼”字尽传精神。“清漏丁丁”，丁丁之声清晰可辨，夜静无哗，愁人失眠；这漏声敲击着诗人的心扉。“画角残”，画角声残，其声如呜咽哀鸣，且暗含夜深之意。这一联取星、漏、角等物，从空中写到地上，从远方写到近处，以形象、声音、气温诸方面来渲染狱中凄冷的气氛。

颔联写冤苦不尽，以态写情。一写“泪”，久系狱中，辛酸的眼泪已同那无边无际的愁苦流尽了。说“尽”，意为不尽的泪水已完了，显示了愁苦之深，实为说愁不尽泪不止。一写“醉”，以酒浇愁愁更愁，醉中看月，一片朦胧，是醉眼惺忪，也是泪眼模糊，身陷囹圄，满腹愁怨，无处申说，无法辩白，只有将无尽哀苦倾向天边月亮。因“泪”而要以酒解愁，因“醉”使泪更无法遏止。诗人没有写呼天抢地的呼叫，也没有写滔滔不尽的诉说，只有流泪、酒醉之态，充分流露出苦情深衷。同时，醉中看月，拓展了诗人思想翱翔的空间，引出了下文的两层具体的叙写。

颈联写处境艰难，以喻写情。一是借栖乌绕树喻被囚之苦。曹操

《短歌行》诗云:"月明星稀,乌鹊南飞。绕树三匝,何枝可依。"曹操说栖鸟无枝可栖是讲自己无所依托,诗人于此则进一层说在冰霜苦寒的环境中,乌鹊无处可栖,自己只有蹲在这冰冷的监狱中。一以哀雁喻自己有家难归。雁南来北往,有一定规律,哀雁为失群的雁,要想南归可是关塞阻断,十分艰难。诗人以哀雁横天的景象,喻指自己流落他乡,有家归不得。"栖乌""哀雁"形象本身就传达出令人心悸的情味。"冰霜苦"言狱中苦况,"关塞难"言途中险阻,既反映了诗人囚居的艰苦生活,也表现了对蒙冤的怨愤之情。

尾联写想念家人,以思写情。诗人狱中望月,举头见雁,其思想飞越关山,回到自己的家园。"料得故园今夜梦,随风应已到长安"中"故园"指作者家乡山东莱阳,"长安"借指北京,诗人不直说自己思念家中的妻子儿女,而说家人梦中应到自己这里,这就如杜甫《月夜》中所写"今夜鄜州月,闺中只独看。遥怜小儿女,未解忆长安。香雾云鬟湿,清辉玉臂寒。何时倚虚幌,双照泪痕干"。从对面写来,曲折婉转。由此可见其思念之深,且楚楚动人,别有韵味。

这首诗围绕着《狱中对月》的诗题,多侧面、多层次地展开叙写,又处处紧扣着怨愤之情,由于取景典型,用喻贴切,刻画入微,想象合理,因而感人至深,余味不匮。

(徐应佩)

江上阻风

宋　琬

睡起无聊倚舵楼,瞿塘西望路悠悠。
长江巨浪征人泪,一夜西风共白头。

鉴赏

康熙十一年(1672),作者官四川按察使。这首诗可能作于赴任途中。

诗人舟行江上,遇风受阻,"睡起无聊倚舵楼",西望瞿塘峡的方向,路悠悠,思悠悠;前路充满了险浪急风,明滩暗礁,使诗人不由浮想联翩,思绪万千。这就很自然地迸发出"长江巨浪征人泪,一夜西风共白头"的感叹。宋琬于顺治十八年

(1661)任浙江按察使时,因被族人诬陷而被下狱,三年后被释放了又长期闲居,晚年才被起用为四川按察使,因此这次赴川,其心情是很复杂的。“瞿塘嘈嘈十二滩,此中道路古来难。长恨人心不如水,等闲平地起波澜。”(刘禹锡《竹枝词九首(其七)》)见长江巨浪,想人生多险,使征人掉泪,诗人触景生情,既反思往日的蒙冤受屈,又前瞻来日的官贪吏诈,自然泪涌如潮了。“一夜西风共白头”,一个“共”字将征人的头发和长江的浪花沟通并联上了。长江的“巨浪”,犹如白发,自己“一夜”成了白头,系泪下如江水,愁断肝肠所致。唐代唐温如《题龙阳县青草湖》中写“西风吹老洞庭波,一夜湘君白发多”,宋琬显然受其启发,在眼前实景的触发下,演化了这一句含意更丰的诗句。

宋琬这次入川任事,虽然脱离了羁縻之苦,洗刷了不白之冤,可是生活的曲折使他对人生理解更深,对官场看得更透,他感到仕途之上就如江上行舟,风急浪高,险象环生,因而比较忧虑和悲观。这次上任后第二年他就去世了,与他在“江上阻风”时已预感到要江上覆舟不是没有一点相关。《江上阻风》虽为一绝句,却是宋琬晚年心灵的投影。

(徐应佩)

同欧阳令饮凤凰山下

宋　琬

茅茨深处隔烟霞,鸡犬寥寥有数家。
寄语武陵仙吏道,莫将征税及桃花。

鉴赏

顺治十一年(1654)秋冬之际,作者与欧阳等同游凤凰山时有感而作此诗。欧阳,字介庵,时任同谷(今甘肃成县)县令。凤凰山在同谷东南十里,是当地名胜之一。

“茅茨深处隔烟霞,鸡犬寥寥有数家。”这两句写凤凰山的景色,人烟稀少,烟霞弥漫,茅屋数椽,大有世外桃源之貌。见此情状,很容易使人想起陶渊明《桃花源诗并记》中所写:“晋太元中,武陵人,捕鱼为业,缘溪行,忘路之远近。忽逢桃花林,夹岸数百步,中无杂树,芳草艳美,落英缤纷……土地平旷,屋舍俨然，有良田美池桑竹之属；阡陌交通，鸡犬相闻。”杜甫的《赤谷西崦人家》：“鸟雀依茅茨，藩篱带松菊。如行武陵暮，欲向桃源宿。”也是见到像如此景美人稀、境幽声寂的处所，就自然想到超尘脱俗的世外桃源。这两句是为下面所写植根，写景重在写意。

“寄语武陵仙吏道，莫将征税及桃花。”这两句缘上两句而来，把欧阳介庵称作“仙吏”，因这里犹如武陵仙境，这里的县令也就成了仙吏了。诗人对他说不要连桃花也要征税，在调侃的语调中寓含着辛辣的嘲讽。

这首诗是劝导友人不要居官弄权、横征暴敛。封建社会中诗人讥刺暴敛之作不少，如晚唐陆龟蒙的《新沙》：“渤獬声中涨小堤，官家知后海鸥知。蓬莱有路教人到，亦应年年税紫芝。”这是说海中涨出一片新沙，海鸥还在官家之后发现，官家已将它列入征税的范围。如果有路到蓬莱仙境的话，恐怕也要他们年年以紫芝纳税了。宋代洪咨夔的《促织》：“水碧衫裙透骨鲜，飘摇机杼夜凉边。隔林恐有人闻得，报县来拘土产钱。”谓连纺织娘这种昆虫也不敢大声鸣叫，怕被人报官，来征收土产税。这些所写，较之杜荀鹤的《山中寡妇》所说“任是深山更深处，也应无计避征徭”以及陆游《夜闻蟋蟀》“布谷布谷解劝耕，蟋蟀蟋蟀能促织。州符县贴无已时，劝耕促织知何益?”意虽同而味相异。宋琬之作系对欧阳介庵当面言讲，加之欧阳也并非狷狂征暴敛之吏，因此语气轻松而委婉，写得十分得体合度。宋琬如此清廉爱民，敢于对友人直言规谏，这种性格使他难免要被谤而蒙冤，甚至被诬而入狱了。

（徐应佩）

舟中见猎犬有感

宋　琬

秋水芦花一片明，难同鹰隼共功名。
樯边饭饱垂头睡，也似英雄髀肉生。

鉴赏

舟中养猎犬，实在是件多此一举的事。船家天然是鱼鹰、水貂栖身之处，哪有猎犬的用武之地呢?看来这是好事之徒所为。那猎犬吃饱了,煞是无聊,只好在船樯边垂头大睡。诗人看到这情景,实在好笑,继而又触动了联想,写下了这首偶成漫兴而寄托不浅之作。

“秋水芦花一片明”,好一派江景,但对于猎犬来说,毫无意义。它的向往在平原或深山老林,那时作为猎人的前驱,去追逐搜捕猎物,该是何等意气风发,如有猎鹰协助,那更是如虎添翼。“秋水芦花一片明”,只能使它感到陌生,格格不入,如果它有感情的话,也会伤感。“难同鹰隼共功名”正是它的感伤。见猎犬而联想到“功名”,这就巧妙地将人事联系进来了。以下就进一步拟人:“樯边饱饭垂头睡,也似英雄髀肉生!”末句所用典故出《三国志·蜀书·先主传》注引:“(刘)备往荆州数年,尝于(刘)表坐起如厕,见髀里肉生,慨然流涕。还坐,表怪问备,备曰:吾常身不离鞍,髀肉皆消。今不复骑,髀里肉生。日月若驰,老将至矣,而功业不建,是以悲耳。”“髀里肉生”即大腿长肉,意指弃置不用,精力消磨。将舟中猎犬比作失路英雄,自是巧思。然而就诗人的寄意而言,这又是将生不逢时的人才比作舟中猎犬,其现实意义又远在一般游戏笔墨之上。

将世间英雄比作猎狗,并不是一种亵渎。《史记·勾践世家》中范蠡遗文种书曰“狡兔死,走狗烹”,就将功臣比作忠心的猎犬。而刘邦也曾当着武臣的面,称其为“功狗”,盖猎犬与骏马一样,皆以忠诚不贰和奋不顾身而成为人的伙伴,故古人对此二物是十分喜爱的。所以宋琬见舟中猎犬,才会发生对怀才不遇之士的联想。

(周啸天)

如农将返真州以诗见贻和答

龚鼎孳*

天涯羁鸟共晨风，送客愁多较送穷。
黄叶梦寒如塞北，黑头人在愧江东。
九关豺虎今何往？一别河山事不同。
执手小桥君记否？几年衰草暮云中。

作者

*龚鼎孳(1615－1673)，字孝升，号芝麓，安徽合肥人。明崇祯进士，授兵科给事中。降清后，官至礼部尚书。其诗以婉丽为宗。与钱谦益、吴伟业合称为"江左三大家"，而成就不如吴、钱。有《定山堂集》。

鉴赏

这首诗是清顺治四年(1647)之后，作者送别明朝的同僚回真州(今江苏仪征)时的一首和答诗。如农，是姜埰的字，曾于明朝官礼部给事中，因言事忤旨被遣戍。在赴戍途中，李自成攻下北京，明亡，姜埰改僧装，卜居江苏仪征。姜埰启程时写诗赠龚鼎孳，龚和答了两首，此为其中之一。

首联写双方的处境与心情。送客时，地处天涯，自比作"羁鸟"，将客人比为"晨风"。"羁鸟"，受羁绊的鸟，说明自身不自由。陶渊明《归园田居》："羁鸟恋旧林，池鱼思故渊。"龚鼎孳以羁鸟自喻，一方面意指自己仍陷身官场，不像姜埰可以回归山林，一方面意指自己成了贰臣，降清为官，有丧气节，但身不由己。"晨风"，鸟名，即鹯。《乐府诗集》有《晨风行》题解引《益都耆旧传》，谓后汉杨终自伤被罪充边，乃作《晨风》之诗以抒其愤。姜埰曾被遣戍，因而将他比作晨风。同是天涯两只鸟，各有各的处境与苦衷，羁鸟送晨风,"送客愁多较送穷"。韩愈有《送穷文》,写牢骚不平之感。诗人说送客之愁比送穷尤甚,将羁鸟、晨风的含意明朗化,且予强化。诗起始就言明送客,即给全诗奠定了基调。

颔联写降清为官,自愧失节。黄叶飘零,梦中犹在塞北苦寒之地,心悼神惨,这是因为自己已经失节仕清。诗人连用"黑头人"和"愧江东"两典点明愁绪的实质。"黑头",江总,字总持,历仕梁、陈、隋三朝。在梁时,遇侯景之乱,流寓会稽,时尚年少,故杜甫《晚行口号》诗,有"远愧梁江总,还家尚黑头"之句。龚鼎孳也是历仕明、大顺(李自成)、清三朝,和江总情况相似,故云"黑头人在"。"愧江东",《史记·项羽本纪》载项羽兵败垓下,乌江亭长请他渡江,以图卷土重来。他回答说:"且籍(羽)与江东子弟八千人渡江而西,今无一人还。纵江东父兄怜而王我,我何面目见之?纵彼不言,籍独不愧于心乎!""愧对江东父老"的成语即由此而来。诗人在此主要写自己因失节而"愧",这又较前面的说"愁"更为坐实,也使"羁鸟"的比喻充之以实在含义。

颈联写历史变迁,人是物非。上联写自己愧疚的心情,此联掉转笔锋就对方而发,"九关豺虎今何往?一别山河事不同。""九关豺虎",指明朝朝廷上的恶势力。《楚辞·招魂》:"虎豹九关,啄害下人些。"姜埰当年在朝,受到那些如狼似虎的奸臣、小人的围剿迫害,作者虽曾三次上书救援,终未奏效。如今明朝已覆亡,那班豺虎之徒已烟消云散,大明河山已换了主人。诗人既为姜埰得以脱身庆幸,又感慨世事变化,感情极为复杂。

尾联写当年送别姜埰时的情景和别后的世变。姜埰被遣戍时,诗人曾于小桥边与之执手道别,几年之中,不觉改朝换代。"衰草暮云"象征世乱中阴沉低暗的情绪。诗人今天将要与姜埰分别,不由想起当年的分别,两别之间社会和人事都起了翻天覆地的变化。姜埰由罪人成了自由人,自己由自由人成了罪人。姜埰勘破世情,改僧装卜居江苏,逃过清廷的征召,而诗人自己却由一个牢笼跳入另一个牢笼,且后来的牢笼不仅有为宦的污浊,也还有失节的耻辱,其心情的"愁",不仅有"愧",而且有"痛"。

龚鼎孳降清为官,内心还是很矛盾的。从这首诗中可见其多重矛盾集结于一处,既痛恨明室九关豺虎的暴虐,又怀念汉人掌权的明室;既甘愿为官作宦,又觉得含羞蒙耻;既羡慕友人归返自然,又不能挣脱名缰利锁。诗人如实地裸示了他的心灵,使人们有较好的认识意义。

(徐应佩)

游七星岩

龚鼎孳

高城春霭动群峦，斗气平惊积翠干。
菡萏浮天青七叶，龙螭蹴铁劲千盘。
斜飞珠阁苍林拥，细拂云帘碧乳寒。
花月炎蒸偏五岭，乍来阴洞逼秋香。

鉴赏

顺治十三年(1656)，作者奉使广东。这是记游诗之一。

七星岩，在广东肇庆星湖中，七峰拔起，是著名风景区。七星岩"上穹下平，多列笋悬柱，爽朗通漏"(徐宏祖《徐霞客游记》)，其中一峰有石洞，空旷透光，可容数百人。洞中有各种形状的岩石，有小溪，可行船。岩上有斗魁台，岩下沥湖环绕，碧波荡漾。周围有栖霞洞、老君台、獭子潭、曾公岩等景观。龚鼎孳这首七律，纯属纪游，写出了七星岩的特有风貌。

"高城春霭动群峦，斗气平惊积翠干。""高城"，指高要县城，当时肇庆府治在此。"春霭动群峦"，春霭涌动，笼罩七星岩的群峰。一个"动"字下得出神入化。雾霭浮动，像摇撼着山峦，也使人觉得群峦犹如海上之舟，颠簸不已。这既写出了七星岩的状貌，也尽传了岭南水气蒸腾的精神。"斗气平惊积翠干"，"斗"，北斗星座，传说七星岩是北斗星化成的。康海星《七星岩》诗:"天坠北斗精，人间书景福。岩石骈七峰，漠漠太古色。"即用此传说。"斗气平惊积翠干"，意为苍苍林木使北斗精灵受惊。"惊"与"动"相呼应，群峦为写实，斗气为写意，"动"为摹态，"惊"则写情。气动群峦，翠惊斗气，把七星岩写得不仅情韵流漾，而且生机勃勃。

"菡萏浮天青七叶，龙螭蹴铁劲千盘。"一从宏观角度写七星岩，一就微观角度写岩的状态。从远处看去，七星岩在湖中犹如浮天荷花的七张翠叶，这就如唐代刘禹锡《望洞庭》中写"遥望洞庭山水翠，白银盘里一青螺"一样，把水中之山写得情韵盎然。"龙螭"，螭是传说中没有角的龙，这里泛指龙。"蹴铁"，犹踢铁，以形容强劲有力。"劲千盘"，形容山势曲折盘旋，遒劲有力。近观山势，犹如夭矫飞龙，既曲折多姿，又刚劲有力。菡萏之比，得恬静平和之态；龙螭之喻，得飞动狂舞之势。一静一动，一柔一刚，从两个不同角度给人以印象，丰富了七星岩给人的美感内涵。

“斜飞珠阁苍林拥，细拂云帘碧乳寒。”先写山上的楼阁高耸于林木之中。“斜飞”，将楼阁写成如腾飞之势，在翠拥的凝重氛围中透出动感，使人觉得灵气跃然。再写云间泉水下流，状如珠帘，清冷如碧乳。“云帘”，既状其形，又言其高；“细拂”，既写其水流细小，又写其跃动。“碧乳寒”，水的清澈澄明，清凉如冰，皆含其中。诗人由从外面观岩，写到在岩上观景，也把读者带入了七星岩的境地。

“花月炎蒸偏五岭，乍来阴洞逼秋香。”最后写进入七星岩的山洞，从气候温度方面写其感受。七星岩位于五岭（大庾、骑田、都庞、萌诸、越城五岭）之南，因而春天就已“炎蒸”，而大石洞中气温却近于秋天，以气温变化显示洞中与外界之别。

这首诗写七星岩，由远望写到近观，由山外写到山上，由山间写到洞内，多侧面地展示了七星岩的风貌。龚鼎孳的诗以婉丽为宗，又多为萧瑟感慨之辞，而本诗虽然运思费力，遣词用心，可是偏于写景状物，感情不够丰沛，因而义瘠词窘，并未构建成优美的意境，也就减弱了其艺术魅力。

（徐应佩）

晓发万安口号（录二）

龚鼎孳

侧舵攲篷险峨多，青天安稳羡鱼蓑。
嵯峨紫阁黄扉里，可有惊滩枕上过？

急流喷沫斗雷霆，险过江平响亦停。
任说波涛千万迭，能移孤嶂插天青。

鉴赏

龚鼎孳于顺治十三年（1656）奉使广东，途经江西万安县，随口吟成八首绝句，这里选录的是其中两首。

赣江流经江西万安，山仄水

急,颇多石滩,有十八滩之多。清代顾嗣立《万安》诗中写“城仄群峰压,江纡乱石通。滩声从地北,瘴气自天东”。王恕的《过十八滩》诗中也写“补天剩块截江流,今古惊涛咽暮秋。万石棱棱争出水,千崖叠叠曲行舟”。两首诗都描写了它的险情。唐代刘禹锡途经瞿塘峡时写道:“瞿塘嘈嘈十二滩,人言道路古来难。长恨人心不如水,等闲平地起波澜。”由水路之险想到人心之险。也有从反面引出教训的,杜荀鹤《泾溪》:“泾溪石险人兢慎,终岁不闻倾覆人。却是平流无石处,时时闻说有沉沦。”而龚鼎孳这两首诗却另辟蹊径,新拓思路表现了对险恶官场的厌恶,对自由平民生活的向往。

第一首由万安赣江的险途想到宦海的波涛,从而羡慕江上渔者的安稳。首句以“侧舵欹篷”表现流急滩多的险。江流湍急,明滩暗礁又多,使航船要时时侧着舵调方向,欹着篷以绕道。身在这样的船上,自然产生“青天安稳羡鱼蓑”之情。在那宁静的青天之下,渔人安稳地垂钓,多么闲逸,多么自在!由此进而想到“嵯峨紫阁黄扉里,可有惊滩枕上过”。居处京城的达官贵人,虽没有“侧舵欹篷险峨多”的生活,可睡在枕上不也会想到官场之上的“惊难”还会少吗?哪里会有渔人安稳垂钓的情绪呢!诗人由赣江的险途,想到官场的风波,提出了羡鱼蓑的想法,正是对官场厌弃的反映。

第二首从另一个阶段写出与第一首相似的感情。“急流喷沫斗雷霆”,从水流方面写“侧舵欹篷险峨多”。“喷沫”,言浪花飞溅。“斗雷霆”,写声音响亮。“险过江平响亦停”,过了险滩,江水平缓了,轰隆隆的澎湃之声没有了。任凭波涛汹涌,岂能移动那直插云霄的山峰。波涌浪激,好像能震天撼地,可是那屹立的青山仍岿然不动。作者意在说明远离是非之地,保持清白人品,虽为“孤嶂”,仍高标云际,谁也无法使之改移。上首以“鱼蓑”表现所向往的安稳生活,此首则以“孤嶂”表现坚定的心性,同样反映了作者内心的矛盾。

龚鼎孳历仕明、大顺、清三朝,三朝为三个不同性质的政权,明朝为汉族地主阶级的统治,大顺为李自成农民起义政权,清朝乃少数民族统治的王朝。如今作为清朝官员,为宦意识仍存在,同时又深感周围险象环生,路上险阻丛集,滋生了“羡鱼蓑”、赞“孤嶂”的想法。但政治的急流裹挟了他,生活的险滩迎接着他,他不得不在波涛中沉浮,在险阻间绕行,陷于内心的矛盾之中不能自拔。这两首诗虽为随口而发的“口号”,可是却真实地传出了作者的心声。诗虽然没有给人以较深的理性启发,却有较好的认识意义。

(徐应佩)

上巳将过金陵(录二)

龚鼎孳

蜈矶一棹水云宽,采石晴峰涌翠盘。
天气殊佳芳禊会,海风吹客到长干。

倚槛春风玉树飘,空江铁锁野烟消。
兴怀无限兰亭感,流水青山送六朝。

鉴赏

这两首诗是作者由广东北返金陵,上巳日(阴历三月初三)将过金陵时所作,尤其第二首包含着亡国之痛,词婉情凄,一向为人所乐道。

第一首写船由安徽芜湖西部大江中向今天的南京进发。蜈矶,在芜湖西的大江中,山上有灵泽夫人庙。三国时孙权本与刘备联合对抗曹操,以妹嫁备,后蜀、吴交恶相攻,孙夫人自沉于蜈矶。清代王士禛《蜈矶灵泽夫人祠》:"霸气江东久寂寥,永安宫殿莽萧萧。都将家国无穷恨,分付浔阳上下潮。"对孙夫人很是同情。采石,即采石矶,在安徽当涂西北,一峰突出江中。相传唐代大诗人李白曾于此酒醉捞月而死,清代尤珍的《采石矶》诗写有:"李白昔醉酒,曾游采石矶。矶流一何急,弄月不知归。"作者选取江上两矶,一方面记程,也未尝不寓含着悼昔伤古之意。说蜈矶"一棹水云宽",江水浩渺,平流缓展之态可见。说采石矶"晴峰涌翠盘",晴光之中黛色浓郁,纯然是"天气殊佳"的景象。这天正是"上巳"日,"芳禊会"时,海风吹着征帆向长干进发。长干为古代南京的里巷名,这里指代南京。诗末应题《上巳将过金陵》。从诗中所写的时间——"上巳"和地点——"长干"可以看出诗人内心潜动着的兴亡之感,尽管诗人没有将这种感受明说出来,可是"禊会"与用金陵古地名,便已将此意隐然其中。

第二首则将上诗的偃伏之意勃然而发,连用三典,迭写兴亡之感。"倚槛春风玉树飘",写六朝最后一代陈后主,沉迷声色,曾作乐曲《玉树后庭花》,其辞有"玉树后庭花,花开不复久",时人以为亡国之音。陈后主就是在张丽华酣唱《玉树后庭花》的乐声中成了俘虏的。"空江铁锁野烟消",晋武帝命王濬伐吴,吴以铁锁链锁江截之。王濬以大炬烧断铁锁,遂入金陵,吴主孙皓投降。刘禹锡《西塞山怀古》诗:"王濬楼船下益州,金陵王气黯然收。千寻铁锁沉江底,一片降幡出石头。"也就是写此,上两句可以说是写南明福王朱由崧的覆亡,前句写因,是荒淫误国所致,后句写果,大明三百年基业彻底完蛋了。第三句点题目"上巳"。东晋永和九年(353)上巳日,王羲之与友孙绰等四十一人于兰亭修禊之礼,写了著名的《兰亭集序》,兴起对人世"修短随化,终期于尽"之怀。以上三句都写了历史上的兴亡之事,最后一句总绾"流水青山送六朝"。不废江河万古流,巍然青山千秋存,六朝代谢,建都金陵的朱明王朝不也是给流水青山送走了吗!"流水青山送六朝",契合诗人江上之行,又吻合诗人缅怀仕清的心境。

龚鼎孳作了贰臣,还时有"黑头人在愧江东"(《如农将返真州以诗见贻和答二首》)大有"一失足成千古恨"之感,对明王朝不时涌起怀念之情,而又觉身不由己,于是流露出无可奈何的悲叹。龚鼎孳在政治舞台上可以作伪,而在他的诗中对其感情却无法掩饰,于中我们不难看到一个复杂灵魂的心影。

(徐应佩)

冬日湖上(录二)

侯方域*

又到西湖上,新愁不易支。桥通今日路,花忆去年时。
白眼何辞醉,青春未可期。无心凭短棹,日暮过东篱。

何事凭新赏,翻来起暮愁。一年垂欲尽,万里此长游。
废弃谙杯酒,行藏倚钓舟。沧浪雪色好,更上望湖楼。

作者

*侯方域(1618－1655),字朝宗,河南商丘人。复社成员。入清后,应河南乡试,中副榜。后抑郁而死。诗文均有气势,多感慨之作。有《壮悔堂文集》《四忆堂诗集》。

鉴赏

明崇祯十六年(1643),左良玉在襄阳为李自成起义军所困,移驻九江,欲趋南京,阉党阮大铖诬陷侯方域与左相勾结,要拘捕他。侯避居宜兴等地,明年冬,游杭州西湖,作此以抒悲愤。

西湖为游览胜地,诗人词客写其湖光山色美景的篇什难以数计。诗人这次游湖,愁塞心胸,愤填臆臆,因而无心写山河之壮、风物之美,而直抒愤激之情。

第一首起句交代又到西湖上,即直叙"新愁不易支"。复社成员的侯方域,原就反对阉党,曾以书斥责阮大铖;南明江山已岌岌可危,而奸徒仍在横行,今又受诬避难至此,故称"新愁"。"不易支",不易支持,这一方面说明反动势力强大,一方面也反映了作者心力交瘁的状况。"桥通今日路,花忆去年时",意为通过今日之桥,想到去年的花。"去年"与"又到"呼应。时值冬日,无花可赏。同时,想起去年到西湖,花媚柳娇,今年却一片萧条,心也愁景也惨。不说今时无花,而说想去年之花,既包孕了如今无花之意,又寓含着今不如昔的感慨。“白眼何辞醉,青春未可期”,“白眼”,典出《晋书·阮籍传》:“籍能为青白眼,风礼俗之士,以白眼对之。”这里以白眼表示对恶势力的厌恶和鄙视。“白眼”,表现了诗人的傲骨,“何辞醉”,反映无可奈何的心情,只有以酒疗愁,醉中忘忧。“青春未可期”,觉得花开无时,春光难回。本来,冬天到了,春天还会远吗!而今诗人觉得不可期望,实是对国事日非,觉得恢复无望。处于这种情况之下,“无心凭短棹,日暮过东篱”,湖山再好也无心观赏,踏着暮色过东篱。陶渊明《饮酒》诗,有“采菊东篱下,悠然见南山”之句。他想到的是“醉”和“隐”,要逃避严酷的现实,又无法超越现实的生活,自然“新愁不易支”了。

第二首紧承上首而来,“何事凭新赏,翻来起暮愁”,原来想以观赏西湖来解忧消愁,结果反而引出了无穷新愁。“暮愁”,应上首的“日暮”,又启下文的“岁暮”,更遐想大明王朝已届垂暮,眼前景、心中事都是牵愁惹恨的。眼看“一年垂欲尽,万里此长游”,一年将尽,而自己万里长途却漫漫无涯。诗人苦闷心情转向悲愤,“废弃谙杯酒,行藏倚钓舟”,被废弃不用,只能借酒浇愁或游钓生活。“谙杯酒”与上首“何辞醉”一致,“倚钓舟”和“过东篱”相通。最后振起一笔:“沧浪雪色好,更上望湖楼。”其实,上楼之后,真的能舒心畅怀吗?西湖雪景只能供愁献恨而已。

这两首诗写“冬日湖上”自己的情绪,不像唐人多景中寓情,含蓄蕴藉;也不像宋人言理而有趣,清新隽永。全诗句式散文化,将感情径直明言,像“新愁不易支”“翻来起暮愁”“白眼何辞醉”“废弃谙杯酒”,都明白如话,言情无翳。从诗歌艺术上说,并无新的创造,但从诗人当时的处境与心情上考虑,如此坦然陈情,也不能说没有理由。

(徐应佩)

估客乐

侯方域

襄阳大估泊江渚,夜登我舟为款语。
估欲过关榷税烦,官即放船吏不许。
往来吴越八九年,昔衣锦纨今白纻。

差过公子沙棠舟，不携珍馐携鸡黍。
家故有妇高楼居，近闻楼下鸣机杼。
海内财尽为两多，官多吏多茫无绪。
我言估乐估自疑，我不告估估不知。
明星欲落言不尽，蹉跎与估痛饮时。
估听一事意转平，估不出钱佐水衡。
田夫总为开河死，估更乘舟河上行。

鉴赏

这首诗用南朝乐府西曲歌《估客乐》旧题名，写在苛捐杂税的压榨下，商人生活大不如前，而农民则更陷于悲惨的境地。

此诗以自己夜泊襄阳时与商人的对话，反映商人生活与自己的见解，诗近乎叙事，构思颇新颖。

“襄阳大估泊江渚，夜登我舟为款语。”这为诗的总起，写出了时间、地点、人物关系。对方是“大估”，大商人，到自己船上来“为款语”，作诚恳的谈心。商人主动“登我舟”，不是谈货物交易，不是交流商业信息，更非亲朋故旧，只是因了同泊江渚，想一诉衷肠而已。既为“款语”，则下文商人之言便无夸张矫饰，不会虚伪做作。缘此，便开导了下文商人的一段言谈。

从“估欲过关榷税烦”到“官多吏多茫无绪”，为商人语。商人叙说自己的痛苦，主要在于税目繁多，税款沉重，每过关卡都要完税。往来吴越之间已八九年了，生活每况愈下，过去穿着丝织品的锦缎纨绸，如今只能穿白麻布的衣服了；过去待客有山珍海味，如今只有母鸡和杂粮了；过去家中妇女居住高楼不事耕织，如今也只有到楼下亲自织布了。从自己和家人的食、衣的变化，说明生活大不如前，最后归结其原因：“海内财尽为两多，官多吏多茫无绪。”是官府的层层盘剥，使商人生活日趋艰难。

听了估人的诉苦，诗人照理应深表同情，喟叹不已，或是愤愤不平，表示怨怒，可是诗人反而说“估乐”，这就大出人的意料了，无怪“我言估乐”“估自疑”。估人明明自觉很苦，反被说成乐，自然惶惑不解，心内不平。作者告诉他：“估不出钱佐水衡”，商人不要出资解决河道问题，而“田夫总为开河死”，商人却驾船于河上行，岂不是估比农乐吗！作者说这一席话使估知乐在何处，“意转平”了。

这首诗的构思之妙，就在于明

明在写估客苦，而反说估客乐。由估客之苦不如农夫之苦，两苦之较中显示一种"估客乐"，则估客之乐并非真乐，农夫之苦却为大苦。这样写，不仅避免了径言直说，使诗情曲折变化，而且"进一层"写法，概及估客与农夫两方面，使人认识到商人与农民都痛苦不堪，而又以农民为甚。仅赖"田夫总为开河死，估更乘舟河上行"便把全诗翻跌出新意，颇有四两拨千斤之势。全诗以双方对话组成，夹叙夹议，议寓叙中，语浅意深，发人深思。叙述时，不只平平诉说，还兼及人物心理，如"羞过公子沙棠舟"，把商人携鸡带黍自惭形秽的情态历历如绘；"我言估乐估自疑""估听一事意转平"，写人物心理变化，入情合理。此诗系感慨世事之作，"估欲过关榷税烦，官即放船吏不许""海内财尽为两多，官多吏多茫无绪"，锋芒毕露，戟刺有力，充分体现了作者痛恨官府、同情人民的情绪。这首诗虽然韵味不足，可是因其匠心独运，将封建社会中习见常闻的题材，写得饶有意味，还属难得之作。

（徐应佩）

绝　句

吴嘉纪*

白头灶户低草房，六月煎盐烈火旁。
走出门前炎日里，偷闲一刻是乘凉。

作者

*吴嘉纪(1618－1684)，字宾贤，号野人，江苏泰州安丰场人。明诸生，入清后不再应试。曾游历扬州等地，与名士周亮工交往。后隐居家乡，熟悉盐民疾苦。晚年贫病交困，穷困而死。其诗有揭露清兵暴行的内容，但更多是反映民间疾苦。风格遒劲，朴素清新。有《陋轩诗集》。

鉴赏

吴嘉纪的家乡东淘是两淮重要盐场之一，东淘黎民多以煮盐为业，称为灶户。诗人与灶户们朝夕相处，与他们一样贫困，衣食不周。因此，作者对灶户的生活深有了解，能体味到他们的苦难，写下许多反映他们生活的诗篇，这首绝句便是其中之一。

首联出句，“白头”状写灶户的年纪，虽然他已熬白了头，却只有低草房，“白头”和“低草房”形成强烈反差，足见灶户生活之苦。诗人的深切同情溢于言表，为全篇定下基调，他用白描手法，以短短七个字的容量勾画出老灶户的形象及其生活环境，应当说其诗笔之犀利、洗练，不亚于白香山。

对句，诗人的笔从灶户的生活环境转向劳作。六月正值酷暑，是“公子王孙把扇摇”的时候，而灶户们要在烈火旁煮盐，他们的日子比“锄禾日当午，汗滴禾下土”更难熬。炎炎烈日，灶火烘烤，盐水如汤，三重复叠，折磨着他们，可怜的灶户是怎么度日的呢？

尾联“走出门前炎日里，偷闲一

刻是乘凉”，是说赤日炎炎的户外，相对熬盐的低草房，还是纳凉的好地方，这两句从反面衬托出灶户劳动时的恶劣环境，所受的煎熬。

灶户之苦，连当时的《如皋县志》都有记载，谓其居处苦：“缚草堤坎，数尺容膝，寒风砭骨，烈日铄肤。”又谓其煎办苦：“暑日流金，海水百沸，煎煮烧灼，垢面变形。”吴嘉纪此诗虽短，却概括了灶户的居处、劳作，可以说是灶户生活的缩影。“曲状煎丁之苦”（《如皋县志·盐法论》）。

此诗语言平白如话，把“炎日里”与“乘凉”这在一般人看来是截然相反的情境连在一起，尖锐地再现了灶户们备受煎熬的痛苦生活。看似平实，实则犀利，所以洪亮吉谓其诗“有姜桂气”（《北江诗话》），林昌彝则评之曰“多辣”（《海天琴思录》）。

（赵永纪　董田语）

内人生日

吴嘉纪

潦倒丘园二十秋，亲炊葵藿慰余愁。
绝无暇日临青镜，频过凶年到白头。
海气荒凉门有燕，溪光摇荡屋如舟。
不能沽酒持相祝，依旧归来向尔谋。

鉴赏

此诗是作者为其妻王睿生日而作。王睿亦有文才，能诗词，有《陋轩词》。

“潦倒丘园二十秋，亲炊葵藿慰余愁。”此时王氏嫁到诗人家已二十个春秋，二十年中，她对潦倒、穷困的生活毫无怨言，辛辛苦苦地维持这个衣食不足、朝不谋夕的家，亲自为全家烧饭。“葵藿”，冬葵和豆叶，此指诗人家粗淡的饭菜。二十年中，国愁家愁不断困扰着诗人，妻子最了解，也最理解，不断为他消忧解愁。

“绝无暇日临青镜，频过凶年到白头。”沈德潜说这两句是写“清贫之况”。二十年来，多次遭逢荒年，使他们生活非常艰难，为了维持这个家，妻子要整日操劳，绝对没有闲暇坐下来对镜细梳妆，转眼他们已双双白了头。诗人是在为妻子叹息，也是在排遣内心沉重的负疚感。

“海气荒凉门有燕，溪光摇荡屋如舟。”诗人住在海边，周围弥漫着荒凉气氛，门外有燕子在屋檐下筑巢，诗人夫妇如燕般恩爱。风浪袭来，房屋如小舟，时刻有倾覆的危险，说明他们的生活不仅穷困，而且不安稳。

“不能沽酒持相祝，依旧归来向尔谋。”买酒买菜为妻子祝贺生日，这是作者的一片心意，但由于家境贫寒，无钱去买，只好还来和妻子商量，要妻子想办法来置办。这两句生动地刻画出他们夫妻之间的深情，同时也表现了诗人生活的贫困。在看似平常的诗句中包蕴了深刻的内容，成为人们传诵的名句。所以沈德潜评之曰：“点化熟语，脱口生新，庄子所谓有道妻子皆得佚乐，可以想其高风焉。”

此诗是对他们二十年共同生活的回首，也是对其妻在这二十年生活中作用的总结。他们二十年共同生活的突出特点是穷困、愁苦，面对这样的生活，妻子的表现是含辛茹苦，而又无所求，是全身心的奉献。生活的特点和妻子对生活的态度两条线索交织在一起，互为表里，塑造成了一位东方奉献型妇女的动人形象，表达了诗人对妻子的深切情感。这种情感不仅仅是爱恋，而且有理解、心的交流、共患难的信任等等。

（赵永纪　董田语）

朝　雨　下

吴嘉纪

朝雨下，
田中水深没禾稼，饥禽聒聒啼桑柘。
暮下雨，
富儿漉酒聚俦侣，酒厚只愁身醉死。
雨不休，暑天天与富家秋；
檐溜淙淙凉四座，座中轻薄已披裘。
雨益大，贫家未夕关门卧；
前日昨日三日饿，至今门外无人过。

鉴赏

此诗写大雨后穷人和富人的不同生活及反响。

"朝雨下"三句写大雨给田家带来的灾难,雨水淹没了庄稼,家禽无处觅食。诗人未正面写雨后田家如何,却可以让人透过他们所遭受的灾难,推想其愁苦心境。

"暮下雨"三句写雨中富儿的乐趣。借着大雨天凉,他们聚众饮酒作乐。"酒厚只愁身醉死","愁"字蕴涵着莫大的讽刺,他们不是愁冻死、饿死,而是醉死!活画出富儿们的浮浪相。穷人家连家禽都饿得"聒聒啼桑柘",更不必说人了。他们愁的是饥无食,富儿愁的是酒太厚。如此悬殊的差别,如此鲜明的对照,表现了诗人强烈的爱与憎、不平与愤懑。

"雨不休"四句写连雨天中富家的生活,这一层将富儿的雨乐推进了一步,连绵大雨对富家来说,是天意给他们送来秋天般的凉爽。接着作者画了一幅富家对雨图,雨水顺着屋檐淙淙流下,屋内人对雨酌酒,大雨扫尽暑意,带来秋凉,座中的轻薄儿已披裘。雨不休,给他们富足而又枯燥单一的生活带来乐趣,下雨使他们感到惬意。

"雨益大"四句叙述雨中贫家的生活。大雨对贫家是灾难,天还没黑,他们就关门睡下了,不是他们懒,也不是他们困乏,那么是什么原因使他们改变了日入而息的习惯、早早关门卧床呢?"前日昨日三日饿,至今门外无人过。"饿了三天,早已丧了元气,没了精神,今天仍然没有指望,所以日未夕,他们便关门而卧,盼着早早入梦乡,忘却饥饿。绵绵淫雨给他们本已困顿的生活又加一重愁苦,通过"未夕关门卧"的举动,可以感到他们心灵深处绝望的呜咽。

作者在这首诗中从"朝雨下""暮下雨""雨不休""雨益大"四个层次着笔,逼真地描写了连绵不断的雨季中,贫富之间的不同表现,截然不同的两种生活画面,形成鲜明的对照,反映当时社会的苦乐不均,而不需作者置一言。于此可见诗人剪裁、提炼之功。

语言平实,却不肤浅,是经过高度艺术提炼的,读之相反使人感到淳厚有味,感到其中蕴涵着作者的强烈情感和深厚的生活内涵。

(赵永纪　董田语)

邻翁行

吴嘉纪

邻翁皓首出门去，恸哭悔作造船匠。
伴无故旧囊无钱，此去前途欲谁傍？
闻道沿江防敌兵，造船日夜声丁丁；
工师困惫不得歇，张灯把炬波涛明。
监使还嫌工弗速，如霜刀背鞭皮肉；
肉烂肠肌死无数，抛却潮边饱鱼腹。
力役人稀大将嗔，远近严搜及老身；
眼看同辈死亡尽，衰羸焉有生归辰？
回望故乡妻与子，萧萧落木西风里；
爨下连朝方断炊，柴门寂寞无邻里。
常凭微技日图存，微技谁知丧一门！
君不见船成荡漾难举步，千樯万棹芦滩住。
增金急募驾舟人，有司又派江南赋。

鉴赏

此诗与《江边行》可称为姊妹篇，《江边行》写交纳造船木之苦，此篇写造船之苦，造船匠们的悲惨遭遇，亦为感军输之灾而作，当与《江边行》同时而作。

“邻翁皓首出门去”四句写邻翁辞家去造战船。这位白发造船匠是悲怆地哭着走的，他为什么哭？后悔此生作了造船匠，这把年纪还得离妻别子去服劳役。他感到孤苦、凄凉，往日一起劳作的伙伴一个也没有了，囊中又空空如也，前程难卜。他是怀着如此悲苦的心情走的，岂能不恸哭？他的哭造成凄楚的氛围，一开篇便为全诗定下悲剧的基调。

“闻道沿江防敌兵”八句叙述江边造船匠的悲惨遭遇，字字皆血。诗人历数了造船匠遭受的三重灾难：一是造船日夜不能停，工师们昼夜劳作，疲惫不堪；二是监使的鞭打；三是饥饿。三重灾难夺去了无数船匠的生命。诗人以短短八句话描写了一幅震慑人心的惨景，困乏疲惫、饥肠辘辘的工师们，打着火把日夜不停地劳作，背后监使们挥着明晃晃的大刀，用刀背鞭打他们，江边死尸槎丫，喂饱游鱼。此情此景，令人肝胆俱裂，惨不忍睹。正因为此，邻家老翁恸哭，"悔作造船匠"。

"力役人稀大将嗔"四句倒叙邻翁被抓的原因。造船匠都被折磨至死，船尚未完工。官吏又在沿江一带严加搜查，壮劳力早已抓尽，便抓老翁。造船是一种强度很大的劳动，不仅需要技术，而且需要体力和精力，老者难胜。因而老翁被抓后便想到："眼看同辈死亡尽，衰羸焉有生归辰？"此处老翁的心理活动与开头的心理活动"恸哭悔作造船匠，伴无故旧囊无钱，此去前途欲谁傍"相呼应，点明其恸哭的根本原因，他的哭是与家人诀别，是对清廷的控诉，控诉他们的残忍、暴虐，抓工连老弱也不放过，人们还怎么活下去？

"回望故乡妻与子"四句从老翁和工匠的悲剧拓展开去，透过老翁的眼睛，描绘出整个船乡的惨淡景象，萧瑟秋风里只见落木败叶，不见炊烟，人迹几绝，满目凋残。这是工匠悲剧的回响，这个回响扩大了诗的容量，加深了诗的表现深度和悲剧效果。

"常凭微技日图存"六句悲叹重重劳役给江南人民带来的灾难。清王朝的统治者起家塞北，善骑猎，不习水性，而江南水乡，造船驾舟为其所长，因此造战船靖海防，需江南人。江南船匠原本赖以为生的一技之长，如今已成遭祸之由，造战船毁灭了船乡。船造出来，清兵又不会驾驶，还要去江南抓舟人，简直是要毁灭整个江南。诗人驰骋想象，由此及彼，将悲剧由船乡推及大江以南，抒发了诗人的无限愤懑。

诗以其概括性强，语言洗练，而不便作心理描写。但此诗用高度概括、精练的语言，成功地描述了老翁的内心活动。"恸哭悔作造船匠，伴无故旧囊无钱，此去前途欲谁傍"，这是老翁辞家前的内心独白，当时他的心情很复杂，有悔、有怕。诗人将其心情描绘得惟妙惟肖，为下文描写船乡的苦难埋下伏笔。

诗人运用层层扩展、步步加深的方法，逐渐扩大描写范围，增加表现深度，从邻翁始，进而写所有工师的遭遇，从工师又扩大到工师的家庭，乃至船乡民众，又从船乡推及江南百姓，于层层深广的描写中寓其愍乱之情。

（赵永纪　董田语）

挽饶母

吴嘉纪

忆昔芜城破，白刃散如雨。杀人十昼夜，尸积不可数。
伊谁蒙不戮，鬼妻与鬼女。红颜半偷生，含羞对新主。
城中人血流，营中日歌舞。谁知洁身者，闭门索死所。
自经复自焚，备尝杀身苦。崩榱堕楹底，偏存命一缕。
事定夫也归，故妻出垣堵。祸害百万家，无恙独此户。
仰面谢苍天，回头案重举。

鉴赏

清军在征服全国的过程中，在许多地方进行了残酷的杀戮，其中最残酷的就是“扬州十日”“嘉定三屠”等事件。吴嘉纪家近扬州，亲身经历了这场惨绝人寰的暴行，在其诗中对当时的惨状多有描述。这组诗就是借挽饶白眉之母，而揭露清军的残暴罪行。

“忆昔芜城破”四句写清兵破芜城后的大屠杀。芜城，即今扬州。据《康熙扬州府志》载：“顺治二年夏四月，豫王率师南征，至扬州。阁臣史可法督师于扬，誓众死守。王命以飞炮击城西北隅，破，史可法及知府任育民死之。民膏锋镝刃者几尽。”诗人回忆当初的情景是：白刃如雨般纷飞，持续了十天，而且昼夜不停。试想该杀死多少人？“尸积不可数”，其惨状令人心惊胆战。

“伊谁蒙不戮”六句写清兵只杀男人，而把他们的妻女掠走，以供他们作乐。这些薄命红颜，被迫无奈，只能忍辱偷生，侍奉新主。城中血流成河，清兵却在军营中歌舞作乐。

“谁知洁身者”六句写饶母不甘心遭受清兵侮辱，又无力反抗，只能闭户自经，备尝杀身之苦。但是自经自焚各种办法都已试过，连房子都塌了，居然奇迹般地留下了她这条命。

“事定夫也归”六句写幸免灾难，夫妇团圆。“祸害百万家，无恙独此户”，扬州城内百姓大都惨遭毒手，只有饶母一家，赖“苍天”保佑，独得“无恙”，字里行间渗透了作者对刽子手们的无比仇恨。全诗用一个令人羡慕的未来“回头案重举”结束。“案重举”是用举案齐眉的典故,表明饶母夫妻重新团圆,共同生活。

吴嘉纪是明遗民,他对清统治者十分仇视,清兵攻破扬州城后大屠杀更使他对清廷切齿痛恨,对不仕清者倍加推崇。这组诗歌颂的是一位洁身自守、欲以死殉节的妇女,但句句都在揭露清兵的残暴罪行。

(赵永纪 董田语)

新 仆

吴嘉纪

语少身初贱,魂伤家骤离。饥寒今已免,力役竟忘疲。
前辈亲难惬,新名答尚疑。犹然是人子,过小莫愁笞。

鉴赏

诗人以饱蘸仁爱之心的笔写下这首小诗,刻画了一位新来的小仆人,栩栩如生。

“语少身初贱,魂伤家骤离。”新来的小仆人寡言少语,骤然离开家,来到一个陌生的地方,他一定很寂寞,常常因想念自己的亲人而悲伤。这是小仆人陌生、孤寂心理的反映。

“饥寒今已免,力役竟忘疲。”衣食不足的人新来当仆人,有了温饱,尽力服役,竟忘了疲劳。诗人选取这个侧面反映新仆满意、感激的心理,同时流露出主人对新仆的评价。

“前辈亲难惬,新名答尚疑。”然而他毕竟还是个孩子,初次离家做仆人,对主人家的一切都不熟悉,还难惬人意,唤他的新名字时,回答还迟疑,因而常常显得笨拙。诗人仅用十个字就神情毕肖地描绘出小仆人可爱的憨态。

“犹然是人子,过小莫愁笞”表现了主人的宽厚,看他尚是孩子,不必担忧受鞭打。

沈德潜评此诗曰:“语语从新字起意,一结仁人之意,蔼然动听。”此诗以“新”字为纲,选取三个侧面,描写新仆人的表现,这些表现反映了新仆人微妙的心理变化。他先是感到孤寂,一切都不适应,不适应离开父母独立做人的环境,所以常常为此哭。而后是由于得到温饱而感激,所以“力役竟忘疲”。由感激而产生自我完善的心理,可又常常出漏洞。通过行动和潜在心理变化的描写,刻画出小仆人勤劳、质朴的性格。诗的语言精练,笔触细腻,耐人寻味。

(赵永纪 董田语)

难妇行

吴嘉纪

宁为野田莠,不为城中妇。
莠生雨露培,妇命如尘埃。
江头六月举烽燧,东南风吹战艘至。
官长首严出城禁,娇娃艳妇缩无地。
愚者争向船舱匿,覆木覆石水关出。
木下石下填人肤,日蒸气塞人叫呼。
舟子耳闻眼不顾,往来逻卒逢无数。
短篙刺刺渐离城,岸上骨肉喜且惊。
夫来挈妻父挈女,开舱十人九人死。
吁嗟乎!
城外天地宽如此,此身得到已为鬼。
家人畏罪不敢啼,红颜乱葬青蒿里。

鉴赏

此诗所记据诗人自注为“壬寅六月瓜洲事”。壬寅即康熙元年(1661)。瓜洲在扬州城南,即今瓜洲镇地。康熙元年六月,清兵至此大肆抢掠民女,城中少女少妇有美色者争相逃匿,结果惨死多人,故诗人有此作。

诗以难妇的誓词开头,宁愿做野田的莠草,也不做城中之妇。所谓城中妇是指供清统治者奴役、玩弄、蹂躏的奴婢。为什么不愿做城中妇呢?“莠生”二句解释了原因,莠生有大自然的雨露培育,可以自由自在地生长,而她们的命运则如同尘埃,任人摆布,不能自主。以这样的议论开头,自然引出下文瓜洲事的回忆。

“江头六月举烽燧”四句写清兵至瓜洲抢人。一方面是清军,耀武扬威,驾驶战船而至;而且手段毒辣,闭锁城门,不让一人逃出。另一方面是毫无反抗能力的少女少妇,闻听此信,无处藏身。

“愚者争向船舱匿”十句写少

女少妇们逃出虎口及其悲惨结局。有人发现了水城门出逃的渠道，但诗人却称之为“愚者”。初读来令人费解，仔细读下去，方知此非智者之计。诗人先从舟中人落墨。水关出逃，要藏在船舱中，又需在仓口覆盖木石伪装。试想六月天气闷热，装满人的舱中当是怎样一番情景，诗人未作具体描写，只用“人叫呼”三字，便足见舱中妇的痛苦程度。但舟子顾不上这些了，他还要对付无数来往巡逻的士卒。写至此处，覆木石的小舟在诗人的笔下，如同电影镜头，渐渐淡入。诗人的笔触又转向岸上。“岸上骨肉喜且惊”，将岸上亲人复杂的心情概括无余。可以想见，岸上的亲人见到载着自家人的船渐渐离去，先是松了一口气，以为有了生的希望。他们忐忑不安地来到城外，见到载着亲人的船又惊又喜，惊的是船居然瞒过逻卒，安然出城，喜的是骨肉相见。原已至绝境的事情，发生了戏剧性的转机。于是喜出望外的岸上人，“夫来挈妻父挈女”，似乎立刻会有一个皆大欢喜的结局等待着人们。诗至此，悲剧的主旋律已为喜悦的变奏所代替，诗人却陡转笔锋，出人意料地推出一个悲惨的结局：“开舱十人九人死。”彻底揭示了此计之愚。

对此惨状，诗人仰天长叹：“吁嗟乎！城外天地宽如此，此身得到已为鬼。”这是诗人为红颜叹，也是她们的自叹，与开头四句相照应，明叹其命薄，暗寓对清廷暴行的血泪控诉。

结尾二句“家人畏罪不敢啼，红颜乱葬青蒿里”，自己家人被逼死了，还不敢啼哭，因为他们是为了逃避清廷的征召而躲避起来的，是对清统治者政令的违抗，所以说是畏罪。正因为此，才不敢正式发丧，只能草草埋掉。这两句话看似平淡，实际上饱含了对清廷残酷统治的极大愤慨，寄寓了诗人对惨死无辜百姓的深切同情。

这是一首叙首诗，诗人采用了夹叙夹议的手法，以故事情节为线索，用议论定全诗基调，二者水乳交融，相辅相生。

（赵永纪　董田语）

泊船观音门

吴嘉纪

鼓鼙声飒飒，道路色凄凄。盘髻妇驰马，横刀兵捉鸡。
山城常罢市，帝里已成畦。黄屋光辉瓦，纷纷碎入泥。

鉴赏

观音门是南京城门之一，在城东北，为历代屯戍之处。这首诗描写了清初清兵南下的抢掠，以及曾为明王朝开国都城的南京城在铁蹄下的衰败之状。

“鼓鼙声飒飒，道路色凄凄。盘髻妇驰马，横刀兵捉鸡”，写清兵蹂躏山城。进军的鼓声敲得很急，道路上凄凄惨惨，诗人调动了视觉和听觉，以“声飒飒”和“色凄凄”相呼应，形成了令人悚然、凄然的氛围。在悲凉凄惨的背景中闯出驰马的“盘髻妇”，捉鸡的“横刀兵”，点明“声飒飒”“色凄凄”的原因，清兵在杀掠。“盘髻妇驰马”，这是女真妇女的行为，诗人以此指代清兵，连妇人都驰马而出，可见他们已倾巢而出；“横刀兵捉鸡”，连鸡都不留，可见他们抢掠之尽，人更不待言，定是从者入为奴，逆者刀下为鬼，所到之处“色凄凄”，鸡犬不留。

“山城常罢市，帝里已成畦。黄屋光辉瓦，纷纷碎入泥。”描写山城破败之状。铁蹄下的山城，因清兵骚扰无时，市集难以维持，当年帝王居处已成田畦，帝宫的金屋琉璃瓦破碎混入泥。当年繁华的帝京尚且如此，他处之衰，可以想见。

这首诗以短短四十个字，容纳了清兵击鼓驰马横刀捉鸡、山城罢市、帝里田畦、黄屋废墟四个场景，可谓概括、洗练。全诗以前一场面与后三场面相对照，前者是后者的原因，后者是前者的结果，因果对照，深刻地揭露了清兵杀掠给古都乃至江南民生带来的深重灾难，对江南经济的破坏，其构思精巧，笔调含蓄。

（赵永纪　董田语）

逋盐钱逃至六灶河作（录三）

吴嘉纪

称贷盐贾钱，三月五倍利。伤此饥馑年，追呼杂胥吏。
其奴吃灶户，牙爪虎不异。腐儒骨棱棱，随俗受骂詈。
秋清发茱萸，偿钱期已至。空手我何之？乡庐聊弃置！

鉴赏

钱仲联《梦苕庵诗话》云:"野人处境,至为穷厄。"此诗即自述其贫厄至借贷的窘状。

诗开门见山便将其穷迫之状告诉读者:"称贷盐贾钱,三月五倍利。"诗人没有具体描述其贫乏情况,只言借贷一事。借贷是贫乏的顶点,是不能自存者无计之计,而三月五倍的高利贷,则非走投无路者决不肯借,于此可见其穷厄的程度。

福无双至,祸不单行,本已债台高筑,又逢荒年,债主和催科的胥吏交相催逼。"其奴吃灶户,牙爪虎不异",惟妙惟肖地描绘出债主、胥吏如狼似虎的凶残面目。诗人定是深受其害,不然不会有如此入木三分的描写。接着诗人便道出了自己的遭遇:"腐儒骨棱棱,随俗受骂詈。""腐儒",迂腐的读书人,乃诗人自称。儒生在社会上一向是受人尊敬的,此时骨瘦如柴的诗人与普通灶户一样受到詈骂,债主和胥吏只认钱。由此可见清统治者对汉族普通知识分子的态度,连历代统治者对知识分子表面上的一点尊敬也弃置净尽。

"秋清发茱萸,偿钱期已至。空手我何之?乡庐聊弃置!"写诗人无力偿债,弃家而走。秋至而重阳节到,重阳节是茱萸会的日子,古代读书人尤喜于重阳登高饮菊酒,插茱萸,吟诗作赋。而诗人此时绝无此雅兴,因为还债期已到,他却身无分文,手中空空。诗人百计营谋,不知计之所出,禁不住自问:"我何之?"只得"乡庐聊弃置",三十六计走为上计。古代读书人向以信守诺言为美德,此时诗人违诺而逃,足见其境况之窘,又足见债主之不义,不然以诗人的品格是会舍身以取义的。

此诗所叙为借债之苦。不仅写了诗人借债后所历种种遭遇,而且抒发了他心灵深处的各种痛苦,无法隐忍的屈辱,刻骨铭心的根,叙事与抒情在诗人笔下有机地统一起来。在描述"其奴吃灶户,牙爪虎不异"后,紧接着写了自己的感受:"腐儒骨棱棱,随俗受骂詈。"封建社会的读书人皆以清高为尚,不从流俗,不媚权贵,陶渊明不为五斗米折腰向乡里小儿,便是其例。吴嘉纪性情孤狷,不谐俗,此时竟受乡里小儿詈骂,心情当是何等痛苦!诗人用这两句话向读者敞开了自己的心扉,让读者自己去体会其中蕴涵着的深厚情感。

日傍故园落，洲洲芦花开。新雁此时至，孤鸣夕悲哀。
我亦始离群，行坐无好怀。长谣思同心，道阻不可偕。
风末闻棹歌，何人远溯洄？呼儿匿草中，叱咤债主来。

鉴赏

此诗为诗人出逃六灶河的一个傍晚所作，抒其情怀。

“日傍故园落，洲洲芦花开。新雁此时至，孤鸣夕悲哀”，描绘了一幅黄昏的景色：太阳从昔日家园方向悄悄落下，芦花在水洲中竞相开放。此时一只大雁飞来，在夕阳中孤独地哀鸣。这是一个令人黯然神伤的傍晚，太阳偏偏傍着故园落，引起诗人无限的故园之思。水洲中的芦花无端撩拨诗人的心绪，孤鸣的飞雁使诗人想到了自己。落日、芦花、飞雁，这些随处可见之物，在困顿穷厄的诗人眼中都染上了感伤的色彩，形成一种悲哀的意境。

在这样一种氛围中，诗人吐露了自己的情怀，他感到自己也与那孤雁一样，离开了家人、朋友，出逃在外，很孤独。他思念那些知己，道路阻隔，不能相见。这一切使诗人“行坐无好怀”，心情很不好。

“无好怀”“思同心”，是他在逃债中紧张心情的片刻松弛，一阵风吹来，把声声船歌送进诗人耳鼓，他猜想是“何人远溯洄”？

尾联笔锋逆转，“呼儿匿草中，叱咤债主来”，如大棒当头，诗人的心又缩紧了，血淋淋的现实几乎把他逼上了绝境。淡淡几笔，令人强烈地感到生活的残酷、债主的凶恶。

盐贵贾欢甚，索盐不索钱。黾勉更东去，牵船买卤还。
中夜起披衣，牢盆赁人煎。蟋蟀无宇托，愁音遍野田。
北斗低照地，我在霜露间。贾子尔何人？使我夜不眠！

鉴赏

诗人的生活每况愈下，严酷的现实把以教书卖文为生的读书人逼上了一条陌生的道路。这首诗所叙，正是诗人在这条道路上所经历的艰辛。

“盐贵贾欢甚，索盐不索钱”，开门见山道出事之起因及盐商高利贷者投机倒把的伎俩。因为盐价提高,商人要盐不要钱,以便囤积居奇,获取暴利。为生计所迫,诗人只得“黾勉更东去,牵船买卤还”,和灶户走上了同一条道路,这对诗人来说是何等艰难!他是一个书生,牵船买卤无其能,也无其力。何况当时的读书人以劳心为业,一日杂灶户间,其心中当是何等滋味!但是“买卤还”并非事之完结,而是开端,还得把卤变成盐。为此,诗人不得不“中夜起披衣,牢盆赁人煎”。“牢盆”是煮盐的器具。诗人本非灶户,为盐商所迫不得不“赁人煎”,要果腹,他比灶户们又难一重。

“中夜起披衣”非为读书,非为寻幽探胜,而是为煎盐,此时此刻诗人当作何想,诗中没有透露,只有诗人所见夜幕下盐乡的原野:“蟋蟀无宇托,愁音遍野田”,这两句明写蟋蟀,暗喻民生凋敝。人没有房屋住,蟋蟀自然无宇可托,遍野的愁音有蟋蟀的哀鸣,更多的是灶户们的悲叹。北斗星低低地照着大地,诗人四顾,自己身处霜露间,也与蟋蟀一样无处托身。

“贾子尔何人?使我夜不眠!”是质问贾子,也是质问整个社会。诗人谴责贾子为了钱财丧尽天良。也是谴责清统治者,不顾百姓死活,刮尽民财。封建社会的知识分子以“治国”“平天下”为已任,如今诗人不但不能“兼善天下”,不能救民于水火,连自己果腹也需“夜不眠”,心中愤懑当何等深!

(赵永纪　董田语)

王解子夫妇

吴嘉纪

如皋王解子,酷嗜酒。里有义士妻某者,罪当遣戍,县官差役往送,解子与焉,归,悲惋终夜,为之罢饮。其妇询知,愿以身代义士妻,解子许之。送至戍所,值乡人以金赎义士妻还,不知其为解子妇也。姚潜为余言,命余赋诗。

张罗待黄鹄,鸳鸯乃罹咎。义士妻遣戍,解子罢饮酒。
惨怆还家门,色惊糟糠妇。浆酤寄性命,今何不入口?
问讯执壶前,解子起摇手:汝曹妇女流,中怀岂堪语!
若欲知其由,汝且将壶去!浆酤非刀剑,能平不平事,
汝亟将壶去,义士妻遣戍。其妻毅然谓:堂堂义士妻,

此去为奴婢，羞辱侬念之。画貌外不识，他人可代伊。
何人可代伊？搔头恼阿公。公也无庸恼，愿代者是侬！
解子得闻之，欢喜涕还堕。汝曹傥如此，我拜汝曹坐。
未明肩舆出，晓至官衙里。鞴鞍遣戍人，点名及解子。
锒铛系马上，戈梃荷马前。意气火伴中，宁知路险艰！
萧森北林树，黤黮黄河烟。芦苇隐渔火，宿雁双双鸣。
回首睐乡土，夫妇欲何言！月落别黄河，日出见戍楼，
来日关塞外，永辞我故夫！高情生恻怛，泪下如连珠。
无端故里客，邂逅他乡陌。深悲义士妻，遽解黄金赎。
仁义感道路，见者欣相告。谁知有匹偶，天暗全骨肉。
西风吹归骑，东皋指茅屋。解子妇言旋，义士妻免辱。
团团台上镜，皎皎椟中玉。解子乐何如？满引杯中绿！

鉴赏

此诗作于康熙二十年(1681)，为一对搭救抗清义士妻子的夫妇而作。告诉诗人这个故事的姚潜，字后陶，隐居不仕清。故事发生在如皋县(今属江苏省)，县里有一个布衣许德溥，字元博，明亡后坚持民族气节，刺字于臂："生为明人，死为明鬼。"又刺其胸："不愧本朝。"并抗拒清廷的"剃发令"，剪其发如头陀。因被仇人告发，下狱，不屈处死。按清刑律，其妻当入旗，发配边远之地。押送罪犯的解子王某，为许义士壮举所感，便发生了下面的故事。

从"张罗待黄鹄"至"我拜汝曹坐"，为诗的第一部分，写许元博妻被遣戍，王解子为之罢饮，其妻问明内情，自愿代之。"张罗待黄鹄，鸳鸯乃罹咎"，诗的开头借鸟起兴，黄鹄为鸟名，此喻义士许元博。鸳鸯比喻王解子夫妇。这样的起兴暗示了诗的内容，成为全诗的引子。"义士妻遣戍，解子罢饮酒。惨怆还家门，色惊糟糠妇"，叙述事之缘起。许义士之妻将发遣远方，王解子欲助义士妻摆脱厄运，又无计可施，为之悲愁，连平生酷嗜的酒都不能下咽了。他的惨怆神色，使妻子吃了一惊，自然要发问，诗转为对话形式。"浆酝寄性命，今何不入口？"两句简洁的问话告诉读者：平日解子嗜酒如命，今日一反常态，定有大事烦扰。此时解子心中凄怆而烦乱，他摇手拒绝了妻子送到口边的酒，

也不想回答妻子的问题,说她是女流辈,此等大事不堪与之语。不过他们毕竟是甘苦与共、相依为命的夫妻,解子还是忍不住说出了心里话。不过他要求妻子把酒拿走。解子与常人不同,不喜借酒浇愁,在醉乡寻求解脱。他求实,以为酒不具有刀剑的力量,不能削尽天下不平事。他要求的是解决,不求解脱。

解子妻听罢解子之言为之义愤,为之羞辱。不过她并未仅仅停留于此,还为夫婿出谋划策。提出:"面貌外不识,他人可代伊。"这是一位胆大心细的女子,封建社会的女子大门不出,二门不迈,外人不认识,细心的解子妻立即想到这一点,并大胆提出利用这一点,让别人代替许义士妻。

但是由谁去代替义士妻,这又难住了解子。他搔首寻思,未得其计。此时解子妻毅然挺身而出,"公也无庸恼,愿代者是侬",显得沉着、冷静。解子闻听此言,高兴的程度,诗中未详述,只描写解子的行动:"欢喜涕还堕""我拜汝曹坐",一反封建纲常,请妻子受他一拜,仅此已足见解子当时的心情。

从"未明肩舆出"至"宁知路险艰"是诗的第二部分,写解子与妻辞乡赴戍所。千里戍所,路途遥远而又艰险,给了他们一个最后告别的机会,同时也给事情平添了莫大的戏剧性。

从"萧森北林树"至"泪下如连珠",是诗的第三部分,写千难万险至戍所,夫妇作死别。诗人调动了北方萧森的树林、昏暗的黄河烟、双双宿雁鸣为他们夫妇送行,造成凄楚的依依惜别的氛围。一路上他们频频回首,眺望故乡,这对妻子来说是最后一次,对丈夫来说则与妻子分手的时间越来越近。辞别黄河来到关塞外,妻子知道,"永辞我故夫"的时候到了,念往日夫妇情深,不禁万分悲伤,"泪下如连珠",这是永诀,生人作死别,其悲当何如!

从"无端故里客"至结尾是诗的最后一部分,写乡人赎义士妻还,解子夫妇团圆。事有凑巧,夫妇在他乡偶然遇到无亲无故的故里人冒襄。冒襄也是明遗民,明亡后隐居不仕,多次拒绝清官吏举荐。他解囊相助,赎回义士妻。在悲剧已经酿成,人们已经绝望之际,事情突然有了转机,人们产生的情感不仅是高兴,更多的是庆幸。解子夫妇庆幸他们的仁义之举感动了路遇人,没人知道他们是夫妇,是天意暗暗成全他们骨肉不分离。

解子夫妇一路顺风回归故里,大有木兰返乡之兴,试想他们当是何等兴奋!解子妇归来,夫妇得团圆,如梳妆台上团团之镜,义士妻也免于受辱,如椟中皎皎白玉:两全其美。最后诗人用酣畅的笔调结束了全诗:"解子乐何如?满引杯中绿!""杯中绿"指酒,与开头"解子罢饮酒"遥相呼应。

这是一首纪实叙事诗，诗人通过主人公富于个性的对话表现了他们的性格。解子热情，为人仗义，愿除天下不平事，见许义士妻的遭遇，为之罢饮酒，因为“浆酝非刀剑，能平不平事”。但遇事欠冷静，他觉得妻子是女流辈，不愿对她吐“中怀”，可心中烦乱，又忍不住告诉了她。前后矛盾的语言显示了他慌乱的心情。其妻则不然，她胆大心细，沉着而又深明大义。丈夫不知所措时，她想到“面貌外不识”，大胆提出“他人可代伊”。丈夫为“何人可代”而烦恼时，她沉着勇敢地提出“愿代者是侬”。她深明大义，所以能自愿请行。相比之下，比解子更勇敢，节操更高尚。

这首诗歌颂了王解子夫妇仗义勇为的高尚品德，同时也表现了当时广大百姓对抗清义士的同情和敬仰。正是由于这一点，王解子夫妇才会不惜牺牲自己来代义士妻去为奴；正是因为这点，才会有冒襄慷慨解囊，赎义士妻还。这种同情和敬仰当然也代表了作者的态度和感情。

此诗中多次采用比兴手法，除开头两句以兴起外，其他如“芦苇隐渔火，宿雁双双鸣”二句，“团团台上镜，皎皎椟中玉”二句既是描写事物，又是对当时事件、人物的深入描写，形象、生动、鲜明，加强了诗的感染力。

（赵永纪　董田语）

冬日田家

吴嘉纪

残叶一村虚，卧犬冷不吠。带梦启柴荆，落月满肩背。
地荒寒气早，禾黍连冰刈。里胥复在门，从来不宽贷。
老弱汗与力，输入胥囊内。囊满里胥行，室里饥人在。

鉴赏

清王朝建立之后，先是一番烧杀抢掠以稳定统治，而后又征派赋税，搜刮民脂民膏。双重洗劫使自古丰饶的江淮，“此日惟闻泽雁哀”（《赠赵雷文仪部》）。沉重的赋税，纵使灾荒之年也不减免，如同榨尽血汗，而后又敲骨吸髓。此诗所叙便是沉重赋税下人民的艰难生活。

“残叶一村虚，卧犬冷不吠。”这是一个寒冷的冬天，树叶凋残，整个村庄一片衰败，冻得狗都不吠，缩作一团卧着。冬日田家就是在这种氛围中生活，阴冷，灰暗，无望。

“带梦启柴荆，落月满肩背”，写冬日田家的生活。他们尚未从梦中彻底醒来，就睡眼惺忪地爬起来，出了柴门。此时月亮还未归去，清辉洒满农夫的肩背。这是农夫的晨作，也许他还饥肠辘辘、衣不御寒。这样的生活已不仅仅是“辛勤”这个词所能包容的了。

农夫戴月出柴门，去干什么？“地荒寒气早，禾黍连冰刈”，去割禾黍，由于寒气来得早，禾黍要带着冰割。“寒气早”点明这一年节气不正常，造成“连冰刈”的结果，暗喻年成不好。

虽然年成不好，“里胥复在门，从来不宽贷”，里胥又上门催逼，他从来不宽贷，也就是清廷从来不放松征派赋税。“从来不宽贷”是清廷征税的典型特点，也是他们搜刮百姓的狠毒手段，是把千百万黎民推向死亡的绝招。

“老弱汗与力，输入胥囊内。囊满里胥行，室里饥人在”，写老弱血汗换来的粮食，都流进里胥囊，即清廷的官仓。里胥满囊而去，种粮人还在忍饥挨饿。诗人于此并列一对尖锐矛盾，里胥和饥民，即清廷和黎民，以二者付出和所得的悬殊差别，揭示清廷对人民的残酷压榨。

此诗是冬日田家生活的纪实，也是抒愤。饱受磨难的诗人，以史诗般的笔录下田家生活的几个侧面，辛勤劳作，歉收不宽贷，所获尽入里胥囊，忍饥挨饿，这是纪实。诗字里行间流露出诗人的愤懑不平之气，但没有一句直抒胸臆，而是寓情于事，叙事以见情，具有强烈的感染力。

（赵永纪　董田语）

归后送希文銮江

吴嘉纪

雪后归来贫且闲，招君共掩溪上关。
入门见我惨不言，又似从前离别颜。
北风冽冽走荒牖，看君酌尽一樽酒。
顿使羁身入醉乡，若无离恨竟分手。
分手去，放寒舸，
君不自怜转怜我，月出江鸣深夜坐。

鉴赏

这是一首赠别之作。希文，即吴希文，是诗人的好友。他们多所过从，意气相投，吴嘉纪的诗集中赠希文诗非止一首。此时他们又将分手，诗人作此赠之，以叙别情。銮江，在江苏省扬州以西的仪真县(今仪征市)。

"雪后归来贫且闲，招君共掩溪上关。"诗人在一场大雪后回到家中，他仍然贫穷，不过有了闲暇。此时希文又将与他分手而去，诗人请他到自己的溪头陋轩小饮，以叙别情。

"入门见我惨不言，又似从前离别颜。"这是二人相见时，吴希文的表情。希文进门见到诗人时面色凄惨，一句话也说不出来，和从前他们分手时的表情一样。朋友久别重逢，本应高兴，而他们却相对无言。他们是知己，不言便解心中意。无言中包含着无限辛酸、苦痛，希文仕途失意，诗人生活坎坷，今日重逢，好不凄楚。

"北风冽冽走荒牖，看君酌尽一樽酒，顿使羁身入醉乡，若无离恨竟分手。"此时窗外呼啸的北风透过破败的窗户钻进来，两位挚友把酒话别情，浇块垒。然而借酒浇愁愁更愁，一樽酒后，吴希文便坠入醉乡，分手时竟然像没有离别之恨一样。是酒兴使他旷达了，也是离愁别恨的最高表现。

"分手去，放寒舸，君不自怜转怜我，月出江鸣深夜坐。"寒风中，吴希文踏上小船，和诗人分手了，如此凄苦的气氛，他们未作女儿别，而是互相安慰。将去他乡的吴希文"不自怜"，反而怜悯诗人，他的襟怀、友情使诗人激动不已，乃至"月出江鸣深夜坐"，深夜独坐，此时月露清辉，北风吹得江水鸣响。此句"淡不可收"(钱仲联《梦苕庵诗话》)，蕴涵了诗人对好友的深深思念。

古来送别诗或黯然销魂，或高亢欢乐，或意境阔大，皆以抒离情别绪，叙友情。此诗则不然，以叙事为抒情，描写了他们相见、对酌、分手三件事，以此中一言一行抒发他们诚挚深厚的友情，令人感到情真意切。

(赵永纪　董田语)

去岁行

吴嘉纪

去岁岁除夜，籴米十五斗。
门外终朝谋食途，竟能旬日不趋走。
北风暮起颓屋寒，老人欲眠眠何难！
风集木，声益烈，
吹下皑皑一天雪。
痴儿对雪舞且悦，那知烟火来日厨头绝！

鉴赏

此诗叙述了诗人晚年穷困潦倒的生活。

"去岁岁除夜，籴米十五斗。门外终朝谋食途，竟能旬日不趋走。"平日饥寒交迫的诗人能在"岁除夜"买十五斗米，熬过年关，可说是幸运了。以往日日为糊口到处奔走，这十五斗米能使他"旬日不趋走"，这又是幸中之幸。诗的字里行间流露出一种侥幸的喜悦。

但是好景不长，"北风暮起颓屋寒，老人欲眠眠何难！"正在诗人暗暗庆幸时，夜晚刮起北风，颓败的房屋里立刻变得寒冷难忍，使老人难以入睡。其实"眠何难"，不仅仅因为冷，还因为老人担心北风会危及他眼下的生计。北风带来的两重痛苦，给诗人刚刚放松一点的心又蒙上一层阴影。"风集木，声益烈，吹下皑皑一天雪"，把北风带来的痛苦又深入一层。风吹枯树，声音越来越大，说明风越来越大，天越来越冷，不久下起了雪，风雪交加，地冻天寒，诗人沉重的心缩紧了。

"痴儿对雪舞且悦"，不懂事的孩子清晨醒来，看到自己嬉戏的天地一夜之间变了，高兴得手舞足蹈。其实若是丰衣足食，对此景，诗人也会闲情逸发，吟诗作赋的，而今贫困交加，绝无此雅兴，他想的是"烟火来日厨头绝"。也许诗人少年时曾有过"对雪舞且悦"的痴态，看到痴儿想到自己逝去的年华。如今历尽沧桑，他深沉了，这是一种痛苦的深沉、一种不可名状的痛苦。

（赵永纪　董田语）

邻人卢慎扣门语怀作诗慰之(录四)

吴嘉纪

树下风清艺植人,衡门终日绝来宾。
海榴开罢山栀放,独有庭花不厌贫。

蒿长墙短雀来栖,墙里皤皤一老妻。
捃拾人归烟火举,蔬香茅屋月轮低。

晓驾骄骢晚牧羊,人间富贵剧堪伤;
饥寒不逐浮云变,坐拥牛衣看鸟翔。

须知茕独易相存,积雨家家水入门。
凶岁形容鱼鳖笑,人生怨杀有儿孙。

鉴赏

这组诗的标题本为:邻人卢慎年七十无子,亲戚亦寥寥也。夫妇止树下,莳掇自给。虑岁晚霜露欺人,困馁不免,慎扣门语我以怀,作诗慰之。长得像个"小序",邻人卢慎的困境、忧虑,以及写诗的原因和意图,全都写得清清楚楚。不过我们应该指出那意图——"作诗慰之"。四个字说起来容易,做起来是很难的。因为用语言去安慰别人,讲空话,唱高调,无视实际,不仅达不到目的,也许还会出现相反的效果;但是若不拓宽视野,改变其原有的思考角度,又怎能舒其怀、减其忧呢?这便是困难之所在。吴嘉纪这组诗值得一读,就在于它能较好地克服这一难点,表现出一种以言相慰的艺术。

第一首中"艺植",种植;"衡门",衡木为门,指居住之简陋。一、二两句于描写、叙述之中隐含着一定的逻辑关系,是由于卢慎低下的地位、贫困的家境,所以"终日绝来宾"。这两句话表现了诗人对他的了解、同情,但也有对世态炎凉的愤恨与不平。这样说一方面使彼此感情得以接近,另一方面也就为劝慰疏导准备了基础。因为这世道本来就是“贫赋亲戚离,富贵他人合”“世情看冷暖,人面逐高低”。那么,你又何必过多地为自己冷落的境遇难过呢?但是,大自然并不是如此势利,“江山如有待,花柳更无私”(杜甫《后游》)。你这位“艺植人”对此该有更深切地感受,你看“海榴开罢山栀放,独有庭花不厌贫”。这就是大自然的友情与公正,它不仅可以给人以安慰,还可以给人以精神上的陶冶和激励,所以陶渊明才那么激动地说:“久在樊笼里,复得返自然。”(《归田园居五首》)你呢?不正可以从这可爱而“无私”的“自然”中,获得美的享受,以解精神上的苦闷吗!

第二首开头的“蒿长墙短雀来栖”与“衡门终日绝来宾”相呼应,然其用意是在引出下文。你茅屋简陋,庭院荒凉,门可罗雀,但是,你这里也不无人间的温暖。你想,在人生的旋途中,毕竟还有一位白发皤然的老伴与你终年相守,每当夕阳西沉,你劳作归来,很远就见到炊烟袅袅,回到家中,虽无山珍海味,却已是蔬香扑鼻,虽无华灯高照,然而那茅檐月色,却也别具一种宁静、温馨之美啊!

如果说一、二两首诗,意在开导他以积极的态度到自然与生活中去发现美,乐也就在其中。那么,第三首则劝他进一步跳出自己的小圈子,放眼人世,就会看到“世无常贵,事无常师”,一切都在变化之中,富贵荣华有什么值得追逐的呢?像“晓驾骄骢晚牧羊”这种安危相易、祸福相生之类的故事还少吗!所以李白说:“达亦不足贵,穷亦不足悲”(《答王十二寒夜独酌有怀》)。因此我劝你还是“饥寒不逐浮云变,坐拥牛衣看鸟翔”。这样便觉得清静愉悦,超然自得,又何苦戚戚于贫贱呢!

卢慎的贫困、孤独,在他本人,乃至于当时社会的一般观念,恐怕都很容易归之于“无子”,俗话说:“有儿穷不久,无儿久久穷。”这大概是卢慎心头最大的,也是最难解开的“结”。先易后难,由浅而深。诗人把这个“结”放在最后来解,意亦在此吧,如何“解”呢?诗人一开始就出乎意料地摆出一个与世人颇不相同的观点“须知茕独易相存”,要知道对于穷人来讲无儿无女倒是更易于生存的。不信吗?试想想暴雨不停,洪水泛滥,鱼鳖横行,拖儿带女是更难逃脱葬身鱼腹之患,即使幸免于难,衣食又何着呢?“路有饥妇人,抱子弃草间”的悲剧还会出现的,与其这样,实不如无此牵挂,无此悲伤,所以说“人生怨杀有儿孙”!事物就是这样复杂,不能只想到有子之益,而不见有子之苦,“丈夫虽有志,固为儿女忧”(陶渊明《咏贫士七首》)。养子、教子谈何容易,特别是贫困之家,天灾人祸、兵荒马乱之日,也就是生命难保之时,退一步说即使养大成人,也难免一场悲伤一场空。唐代诗人张谓就曾怀着无限的悲伤吟唱出："负薪老翁往北州，北望乡关生客愁。自言老翁有三子，两人已向黄沙死。如今小儿新长成，明年闻道又征兵。定知此别必零落，不及相随同死生。尽将田宅借邻伍，且复伶俜去乡土。在生本求多子孙，及有谁知更辛苦……"（《代北州老翁答》）所以说"有子且勿喜，无子固勿叹"（韩愈《孟东野失子》）。生活不是那么简单，又岂能拘于一端，悲不自拔！

从以上的分析可以看出诗人的"慰之"之意，并不停留在一般的同情，而更在于开导。开导他善于从自己身边发掘生活的美，自然的美；开导他更灵活、更全面地看待生活，思考人生；这样不仅可以在生活中寻得乐趣、安慰，还可以丰富自己的精神境界，以另一种格调和情趣对待孤独与贫困。"好诗不过近人情"，同情是出于对事实的了解和尊重，开导亦不脱离实际与可能，实实在在，不浮不夸，有的言辞如"人生怨杀有儿孙"，虽不免有些严冷凄急，然肝肠甚热，情意之挚，人亦可感。

"不精不诚，不能动人"（《庄子·渔父》）。诗中的"慰之"之言虽是对卢慎说，实际上也是反映了诗人自己的生活、自己的体验、自己的态度。诗人在《自题陋轩》中就说过："风雨不能蔽，谁能爱此庐？荒凉人罕到，俯仰我可居。遣病一篱菊，驱愁数卷书。款扉谁问讯？禽鸟识樵渔。"从这里不难发现是孤傲耿介的风骨、深邃的识见、洒脱的心胸，才使得诗人穷饿自甘、贫病不移、不谈仕进、笔耕一生，而这一切对于卢慎来说，又都是近在眼前的事实，那么卢慎观其行，听其言，思其人，能不为其精诚所动吗！"诗之基，其人之胸襟是也"（叶燮《原诗》），是的，即使是慰人之诗，又何尝不是自己胸襟的袒露呢！

（赵其钧）

上留田行

施闰章[*]

里中有啼儿，声声呼阿母。母死血濡衣，犹衔怀中乳。

作者

*施闰章(1618－1683)，字尚白，号愚山，安徽宣城人。顺治六年(1649)进士，官江西参议。康熙十八年(1679)举博学鸿词科。授翰林侍读。其诗学韦应物、柳宗元。尤工五言。与宋琬齐名。著有《学馀堂文集》《学馀堂诗集》。

鉴赏

"上留田行"为古乐府旧题，崔豹《古今注》曰："上留田，地名也。人有父母死不字其孤弟者，邻人为其弟作悲歌以讽其兄，故曰《上留田》。"《乐府广题》云："盖汉世人也。云'里中有啼儿，似类亲父子。回车问啼儿，慷慨不可止。'"由此可见，它原是汉代一首讽刺某个在父母死后不肯抚养其幼弟的为兄者之作。施闰章这首《上留田行》虽采用古乐府旧题，甚至袭用原诗首句，但诗旨已根本不同。它通过一个令人目不忍睹的悲惨场景，反映的是清初兵乱的社会现实。

首句"里中有啼儿"。"里"指乡里。"啼儿"指一个哭啼的幼儿，此乃诗的"主角"。此"儿"之所以"啼"，因为他正嗷嗷待哺。次句"声声呼阿母"，进而写饥儿边哭边向"阿母"索哺的情景。"声声"叠字的运用，传神地表现出幼儿饥饿至极、急欲饱腹之状。诗前两句以听觉角度写幼儿之"啼"与"呼"，真切自然，使人如闻其声，并不由得对"啼儿"产生怜惜之意。次句"呼阿母"三字又起到向第三句过渡的作用，如同电影蒙太奇镜头自然而然地移向诗中的"配角"——"阿母"。但啼儿所呼之"阿母"为何竟忍心儿啼而不加照看呢？前两句实际造成了一个悬念。诗过渡到第三句云"母死血濡衣"，则解开了悬念。"濡衣"即沾衣。第三句首字与次句尾字皆为"母",此乃顶针修辞格,衔接紧密自然。但这"母死血濡衣"的意象却令人触目惊心,万万料想不到。"阿母"因何而死?诗前有小序云:"伤妇死于兵也。"再联系清初之战乱背景,从"血濡衣"来看,她显然是被乱兵所杀。这一形象意蕴深厚。它是当时广大百姓惨遭杀戮的一个缩影。诗的镜头在由"儿"移向"母"之后,终于推出"儿"的一个"特写"而予"定格":虽然母已死,但饥儿竟"犹衔怀中乳"。饥儿年幼无知,阿母已死全然不觉,吸乳不出乃"啼"而"呼"母;母不应,复"衔怀中乳";再衔而无乳,则又该"啼"而"呼"母矣!母死诚然可悲,孤儿无知而衔母尸之乳更令人落泪,人间惨事大概莫过于此了。后两句从视觉角度写母之血衣与儿子衔乳,无声更比有声悲!

施闰章论诗主张"言有物",即反映社会现实,反对"风云月露,铺张满眼之"一叶空纸。此诗自是"言有物"之计,反映的是清初悲惨的社会现实。但施闰章评杜甫"三吏""三别","妙在痛快,亦伤太尽";评王粲《七哀》诗"蕴藉差别"。(上引均见《蠖斋诗话》)又可见其审美趣味在"蕴藉"而反对"太尽"。故其诗写"愁苦之事,皆温柔敦厚以出之"(邓之诚《清诗纪事初编》)。此诗所记之事虽"愁苦"悲惨,但却写得"温柔敦厚"。诗具怨刺之意,但却怨而不怒,委婉含蓄。诗人基本上采用客观描述的手法,其本人的内在感情并不流露,甚至对于"阿母"因何而"死",亦毫不涉及。这种"一唱三叹"的"风人之旨"(王士禛《池北偶谈》评施诗语),与白居易新乐府诗"卒章显其志"(《新乐府序》)式的直言揭露自不可同日而语。其长处是"蕴藉"而意旨深厚,其短处是怨刺的力量较弱,无"痛快"之"妙"。

(王英志)

牧童谣

施闰章

上田下田傍山谷,三年播种一年熟。
老牛乱后生黄犊,版筑将营结茅屋。
催科令急畏租吏,室中卖尽牛亦弃。
今年逋租尚有牛,明年田荒愁不愁?
前山吹笳后击鼓,杀牛飨士如磔鼠。
牛兮牛兮适何土?

鉴赏

这首七言古诗作于顺治六年(1649)诗人任江西布政使参议之后,描写清初战乱时期清王朝急征赋税、军粮给百姓带来的灾难,表达了诗人对黎民穷苦处境的深切同情。

这首诗以“牛”为中心意象,故曰《牧童谣》。诗从放牛娃的角度写“牛”的遭遇,借以反映贫苦农家的境遇。诗人围绕“牛”来落笔,写得十分紧凑集中,没有浮言冗词。

头四句为第一层次。诗欲抑而先扬,故这一层次先写农家收成虽不好,但因“乱后”老牛生犊,生活稍有起色:“上田下田傍山谷,三年播种一年熟。老牛乱后生黄犊,版筑将营结茅屋。”“上田下田”指山上山下的梯田。“版筑”,指筑土墙时用两板相夹,装满泥土以杵舂之,使泥土坚实成墙;“结茅屋”,构建茅草房,实指牛屋。前两句写农家所种梯田收成极差,“三年播种”才有“一年熟”即好收成,生活之贫困可想而知。庄稼的收成坏难以为生固然可叹,所幸尚有“老牛”于战乱之后生下“黄犊”,使生活略有转机,因此,“牛”即成了农家希望之所在,并准备“版筑”“营结茅屋”。这一层次后两句与前两句已构成小的转折关系;而第二层次四句与第一层次四句又构成大的转折关系。刚写罢农家欲以牛维持生计,又转写“弃”牛以交赋税:“催科令急畏租吏,室中卖尽牛亦弃。今年逋租尚有牛,明年田荒愁不愁?”“催科”,催交赋税;“令急”是指朝廷急令征税作军粮用;“逋租”,欠租。老牛与黄犊就是农家宝,但由于官府急催赋税,收税的差吏又凶狠似虎狼,令人生畏,故不仅把室中东西“卖尽”,连牛亦用来交税,对农家来说真如剜却心头肉!尽管心痛,所幸今年“尚有牛”来偿还赋税,可勉强应付过关。但如果明年庄稼歉收,而牛已“弃”,又该如何应付“催科令急”呢?又怎能不愁呢?诗人不直接言“愁”,却以“愁不愁”问句道之,即显得“温柔敦厚”。

后三句为第三层次,描写农家们“杀牛”款待“租吏”的情景,并抒写农家思牛之情:“前山吹篇后击鼓,杀牛飨士如磔鼠。”此处“杀牛”之“牛”系泛指,不是诗中所提及的“老牛”与“黄犊”。“飨(xiǎng)士”,指以酒食款待租吏,此乃“畏租吏”的表现。“磔(zhē)”,指用牲畜来祭神,攘除灾殃。这一层前两句写鼓乐鸣奏,杀牛宰羊,似乎十分欢乐热闹,其实这是“以乐景写哀”“一倍增其哀乐”(王夫之《薑斋诗话》卷一)的写法。在表面的热闹欢乐中实际上蕴藏着农家的愁苦与愤恨。“如礫鼠”大有深意。农家们“杀牛飨士”如同祭祀“老鼠”一样，希望免灾除祸，含有对“租吏”的讽刺。《诗经》中有《硕鼠》诗云：“硕鼠硕鼠，无食我黍。”以“鼠”喻剥削者，此诗正是承袭《硕鼠》之意。尾句“牛兮牛兮适何土?”仍以“牛”收束全诗。“适”，往。农家们虽然过了今年交税这一难关，却是以“弃”牛与“杀牛”为代价的。因为无牛可放，怀念已失去的牛，牧童不禁要叹息：“牛啊牛啊，你们到何方去了呢?”这唤牛之声，充满了眷恋与悲哀，并有余音袅袅、不绝于耳的艺术效果。

此诗题为《牧童谣》，意谓牧童所唱之歌。但文辞仍有文人诗之清真雅正的本色，与真正质朴通俗，宛如天籁的民谣体诗歌，尚不可相提并论。

（王英志）

牵船夫行

施闰章

十八滩头石齿齿，百丈青绳可怜子。
赤脚短衣半在腰，裹饭寒吞掬江水。
北来铁骑尽乘船，滩峻船从石窟穿。
鸡猪牛酒不论数，连樯动索千夫牵。
县官惧罪急如火，预点民夫向江坐。
拘留古庙等羁囚，兵来不来饥杀我!
沿江沙石多崩峭，引臂如猿争叫啸。
秋冬水涩春涨湍，渚穴蛟龙岸虎豹。
伐鼓鸣铙画船飞，阳侯起立江娥笑。
不辞辛苦为君行，梃促鞭驱半死生。
君看死者仆江侧，火伴何人敢哭声!
自从伏波下南粤，蛮江多少人流血?
绳牵不断肠断绝，流水无情亦呜咽。

鉴赏

这首七古大约作于顺治末年至康熙初年间，写诗人在江西赣江所见到的牵船民夫的悲惨遭遇，反映了清初战乱的一个侧面。此诗旨在“唯歌生民病”（白居易《寄唐生》），为民请命，并体现出对现实的批判精神。它与白居易的新乐府正一脉相承。全诗二十六句而五次转韵，自然分出六个层次，六个层次又可分为三个部分。

第一部分十二句，由三个层次构成。这部分主要是记叙被清兵征来牵船的民夫在赣江边等待出发时的情景。第一层次四句，描写牵船夫艰苦的环境与贫穷的形象。在江西万安与赣州之间的赣江有险滩十八处，称“十八滩”。“滩头石齿齿”，形容滩头石块排列如牙齿，牵船夫就要在这样的艰险征途上拉纤行进。“百丈青绳”指纤绳，“青绳”长说明载量重。这是一群“可怜子”即可怜的人。他们极端贫穷，尽管“十八滩头石齿齿”，他们却打赤脚；尽管天气已寒冷，他们却只穿着刚及腰的“短衣”。他们更没有美味佳肴，只能在江边捧起凉水，借以“裹饭”即下饭，生活条件何等艰辛！他们背井离乡、忍饥挨冻地来到这赣江边，要用“百丈青绳”牵运什么呢？第二层次四句就交代民夫为何被征来牵船。“北来铁骑尽乘船”，是指北来清骑兵都要在此乘船南下，实指南征广西、云南一带的南明桂王，由于“滩头石齿齿”亦即“滩峻”，所以往往要“船从石窟”中穿过，意在说明需要大量牵船夫拉纤，才能过险滩。船不仅要运兵马，还要运大量“粮草”。“鸡猪牛酒不论数”中“不论数”极言数量之多，因此“连樯动索千夫牵”。“连樯”，桅杆相连，形容船只极多，“动”即动辄，“索”指征集。载运兵马粮草需大量船只，故亦需“索千夫牵”即征集大量牵船夫一起南下。第二层属于插叙。第三层四句仍承第一层意，记叙牵船夫们等待开船时的情景。由于县官惧怕承担办事不力、耽误军务之罪名，故心急如火，在“铁骑”未来之前，就“预点”即预先征集民夫在赣江等候。民夫们被“拘留”在江边“古庙”中，如同“囚羁”即囚禁一样，丧失了行动自由。他们来得过早，等了数日而要来乘船出发的清兵却不来。民夫们随身带的干粮已吃光，却无人补充，饥肠辘辘，坐以待毙，故喊出“兵来不来饥杀我”的愤恨之言。此乃诗人代民夫们抗议。

第二部分十句，由两个层次构成。这部分是描绘牵船夫踏上征程后劳累、凄惨的景象。诗省略了诸如“北来铁骑”何时到此，又如何上船等无关宏旨之过程的记述，而直接跳跃到写民夫牵船上路，体现了诗人剪裁之功。第一层次六句，先写牵船夫拼力拉纤之艰苦劳累。“沿江沙石多崩峭”，描写牵船夫所经之路线沙石崩裂，石块尖利。这种路即使空身行走亦甚艰难，更何况身拉“百丈青绳”？“引臂如猿争叫啸”的比喻，则生动地描绘出牵船夫奋力拉纤之情状。他们像猿一样伸长手臂，这是写其形；同时又发出呼喊，这是写其声。于形声之间牵船夫们如同牛马一样卖命之状，跃然纸上。“沿江”之路固然坎坷，水上亦不通畅，“秋冬水涩春涨湍”，春季水涨流急，难以控制船行；而秋冬则水少河浅，船重吃水深，更难以行驶。此时当是深秋季节，因此拉船加倍费力，增加了牵船夫的劳动强度。牵船夫不仅体力消耗大，还随时有生命之虞，因为“渚穴蛟龙岸虎豹”，“渚”，水中陆地。江中岸上皆有吃人猛兽出没，征途上充满了危险。前四句是正面写牵船夫拉纤之艰难以至危险；五、六句则从牵船夫拉纤之效果侧面写其奋力：“伐鼓鸣铙画船飞，阳侯起立江娥笑。”“伐鼓”即敲鼓，“鸣铙”指敲打铙（一种打击乐器）。“阳侯”是水神，据《淮南子》高诱注：商周时代之“阳侯，陵阳国侯也。其国近水，溺水而死。其神能为大波。”“江娥”原指湘妃，传说舜二妃娥皇、女英死后化为湘水之神（见《列女传》等），此指代赣江中女神。这两句写由于牵船夫奋力牵挽，画船在鼓乐声中行驰如飞，引得水神出来微笑观赏（这当然是想象之词）。此乃“以乐景写哀”“一倍增其哀”（王夫之《薑斋诗话》卷一）的写法：画船上的鼓乐，江神的笑意，都反衬出牵船夫的悲苦。第二层次四句，又进而写牵船夫在征程中被视如草芥乃至被草菅人命的悲惨命运。牵船夫们“不辞辛苦为君行”，“君”指清兵。他们历尽千辛万苦、千难万险，不仅无功无赏，相反是“梃促鞭驱半死生”，“梃促鞭驱”，指用木棍皮鞭催促驱赶牵船夫，以致死亡过半。死者既因劳累而精疲力竭，亦是被殴打伤残致死，他们真是猪狗不如、任人宰割。而“君看死者仆江侧”，这句写清兵任凭牵船夫倒在江畔死去而无动于衷，心如铁石，冷酷无情。“火伴何人敢哭声”，“火伴”即“伙伴”，此写未死的牵船夫虽目睹“死者仆江侧”，“物伤其类”悲痛万分，却无人敢发出哭声，而只能把悲愤藏在心底，否则他们也难免被殴打致死。这一部分写得具体形象，诗人对清兵暴行的无比义愤，对牵船夫命运的深切同情，都洋溢在字里行间，动人心弦。

第三部分是最后四句。在前两部分充分描述的基础上，诗人直接抒发感慨之情，显得深厚可信：“自从伏波下南粤，蛮江多少人流血？”诗人借历史悲剧讽喻现实。“伏波”

指后汉伏波将军马援；“下南粤”指南征广东、广西等地。“蛮江”指南方广西等地之江。伏波下南粤实际是比喻清兵进攻广西等地的明桂王地盘。这种征伐给老百姓带来深重的灾难，“多少人流血？”则是兵燹所造成的灾难之形象化，而以问句言之，则寓有这种灾难是无法估算之意。“绳牵不断肠断绝”：以“不断”与“断绝”相对比，写出征派民夫之徭役不停、战火不熄，而百姓之肝肠寸断，蒙受巨大痛苦之现实，构思巧妙，言浅意深。“流水无情亦呜咽”，又以“无情”与“呜咽”（即有情）相对，通过对“流水”的拟人化，在矛盾式的语句中极力衬托出百姓苦难之深重。连“无情”的“流水”亦会为之动情而“呜咽”，那么作为有情之诗人，不仅要“发声哭”且要“转作乐府诗”（《寄唐生》）了。诗的收束韵味深长，感人至深。

这是一首纪事诗，全诗采用“敷陈其事而直言之”（朱熹语）的“赋”体，基本上四句一转韵，层次分明，有条不紊；语言十分质朴，以白描取胜。但亦间有比兴与用典，又增添了诗的形象性与典雅之致。重要的是诗人于记事中倾注满腔感情，无论写牵船夫的外貌，还是记牵船夫的拉纤之艰难与牵船夫的遭遇，都具有浓郁的情感色彩，表明了诗人的态度，读后足以令人一洒同情之泪。

（王英志）

燕　子　矶

施闰章

绝壁寒云外，孤亭落照间。六朝流水急，终古白鸥闲。
树暗江城雨，天青吴楚山。矶头谁把钓？向夕未知还。

鉴赏

顺治三年（1646）秋诗人有江南之游，遍览南京、苏州名胜，而有此诗。在一个秋季的黄昏，诗人登上位于南京市北郊观音门外的燕子矶头，近观远眺，即景抒怀，写下此诗。矶，指水边突出的岩石。燕子矶濒临长江，三面悬绝，形似燕子展翅欲飞，故名，是为南京一大名胜。

从视觉角度而言，此诗是仰视、俯视与平视相结合。首联写仰视见燕子矶本身的形象，颔联写俯视所见燕子矶下的近景，颈联则写平视所见的远景。这样就写出燕子矶立体的空间意境。

首联系描写立足于燕子矶外仰视之所见:“绝壁寒云外,孤亭落照间。”此联破题,勾勒的是燕子矶的空间形象。“绝壁”,写燕子矶头陡峭险峻之状;“孤亭”,指观音阁突兀高耸于燕子矶上,但诗人不是泛泛地描写燕子矶,他写的是处于特定时间环境中的燕子矶。“寒云外”固然衬托“绝壁”之高峻,但又暗示出深秋时节;“落照”固然写夕阳,但亦表示黄昏时分。它们都既是空间意象,又是时间意象。此时燕子矶的“绝壁”与“孤亭”正处于深秋黄昏的氛围中,就显得冷寂静穆。而诗人正是站在这样时空环境的燕子矶上观景抒怀的。

颔联先写立于燕子矶头北望长江之景:“六朝流水急,终古白鸥闲。”“流水急”写长江东流,水势湍急;“六朝”,吴、东晋、宋、齐、梁、陈史称六朝,皆建都于南京。“流水”冠以“六朝”,则长江就具有了历史感。此句意谓尽管六朝已成历史陈迹,但这长江流水仍不减其奔腾的气势;江上白鸥则悠闲地飞翔,而冠以“终古”,则寓有尽管世事变迁,江鸥自然本性却不变之意。此联以“流水”之“急”与“江鸥”之闲两相对照,使画面张弛有致、相映成趣。更主要的是把长江风物置于历史的长河中观赏,使意境显得十分深远,隐含着诗人对世事沧桑而自然不变的慨叹,写景中自有抒怀之意,此时南京弘光王朝灭亡一年多,诗人的沧桑之感的具体内涵是耐人寻味的,但写得过于平和恬淡,并无悲慨沉痛之感。

颈联“树暗江城雨,天青吴楚山”,又从燕子矶下的长江转向写环望江岸的景色。此联是由近及远,明暗相衬,阴晴对比,使意象层次丰富,境界更显空阔寂寥。近处“江城”(即南京城内)树木颜色之所以一派晦暗,是因为那里正秋雨凄迷所致,而“吴楚”(即长江中下游处)的天空之所以显得青碧,是因为那一带的山峦青翠所致。这一联曾被王士禛视为“清词丽句”,而选入其“摘句图”。(见《池北偶谈》)

在描写了山水鸟木之后,尾联又点出人:“矶头谁把钓?向夕未知还。”“矶头”与首句“绝壁”呼应,“向夕”(即傍晚)则与次句“落照”呼应,诗仍回复到燕子矶本身。“把钓”指持竿垂钓。既然时已“向夕”,本该归去。但在燕子矶头的“把钓”者却似浑然不觉,毫无归意。此人是谁不详,但颇有隐者之风神。诗对“把钓”者的点染为全诗增添了“神骨俱清,气息静穆”(陈文述《书施愚山诗钞后》评施诗语)之韵味。全诗不仅客观景物静穆,人心境亦清寂,主观与客观已相融合。这一联又使全诗化板滞为空灵。

朱庭珍曾云:“近代诗家,工五律者,莫如屈翁山(按:屈大均)、施愚山二君。”此言虽嫌过誉，但可见施闰章五律之造诣颇为人所欣赏。此诗体气高妙，格律深稳，首联即采用对仗，连用三联排偶句式，自然工隽，潜气内转，甚见功力，由此诗亦可见施闰章诗“气味渊雅”（康发祥《伯山诗话》）之一斑。

（王英志）

淳湖寻邢景之

施闰章

四海倦游后，还疑泛爱非。寸心如落木，逢尔复春晖。
移榻连蔬圃，烹鱼出钓矶。清欢成信宿，不是醉忘归。

鉴赏

邢景之即邢昉，字孟贞，号石湖，江苏高淳人，生卒年不详，清顺治年间在世。邢昉为明末诸生，曾参加复社，入清后弃举子业，筑室石臼湖畔，沽酒自给，过着隐居生活。邢氏工诗，清真古澹，学唐人韦应物、柳宗元，他与施闰章颇为友善。施闰章诗集中同邢氏有关的诗作有多首，邢氏死后又作《哭石湖邢孟贞》以悼之。这首诗抒写了诗人在淳湖即高淳石臼湖之滨与邢氏相知相得的珍贵友谊。

这首五律前两联抒怀，后两联记事，先虚后实，相得益彰。

“四海倦游后，还疑泛爱非。”首联先抒写对世事人心的感慨：在倦游四海之后，因看尽世态炎凉，人情冷暖，深感人心叵测，已认识到“泛爱非”即好心待人却未必有好报；但诗人不说“确知泛爱非”，而云“还疑”，就使语气显得平和恬淡，表现出诗人固有的风格。颔联“寸心如落木，逢尔复春晖”，首句乃承上联之意，次句则又一转折，使诗意曲折跌宕。“落木”即落叶，如杜甫《登高》云“无边落木萧萧下”。“尔”，你，指邢。“寸心”“春晖”则从唐人孟郊名句“谁言寸草心，报得三春晖”（《游子吟》）中化出，显得“气味渊雅”（康发祥《伯山诗话》）。正因为“还疑泛爱非”，所以使诗人对世事人情感到心灰意冷。诗把这种颓丧的心情比喻成秋叶一样枯萎凋零，就显得真切可感，而一旦遇到知心好友邢景之，却顿生枯木逢春之感，或者说恰如黄叶又沐浴到春天的阳光而获得蓬勃的生机。其意谓自己因重新获得世间真诚的友谊、温暖的人情,而对人生又充满了希望。因为有首联作衬托,此联就更突出了诗人与邢氏具有非同一般世俗的珍贵友情。

颔联属于虚写诗人与邢氏的友情,颈联则以具体事实加以印证,诗人选取了两个画面:“移榻连蔬圃,烹鱼出钓矶。”“榻”,指备客留宿的床;“钓矶”,指淳湖钓台。此联不过是记在邢氏家的食宿琐事,似乎信手拈来,但却写得十分高雅脱俗,流露出幽人隐逸的情趣:在靠近菜圃处支起床榻,抵足作长夜谈,此处反用东汉处士“徐孺(子)下陈蕃之榻”(王勃《滕王阁序》)之典;离开钓矶则一起烹鱼尝鲜,这又暗用《后汉书·严光传》记东汉隐士严光隐居富春江钓鱼台之典。在这种闲适自在的乡野生活中,诗人既体验到与世无争的生活乐趣,更感受到邢昉淡泊纯真的情怀。这一联对仗十分工整,用典自然,不见痕迹,韵味颇超诣典雅。诗人原来不过是来淳湖拜望一下邢氏,并未打算多待,谁料“清欢成信宿”,“清欢”,指两人清逸之欢聚;“信宿”连宿两夜。《左传·庄公三年》云:“凡师一宿为舍,再宿为信,过信为次。”诗人未料自己竟在邢氏“幽人居”(见《淳湖别邢景之》)处连宿两夜而未离去。这是为什么呢?诗人云“不是醉忘归”,从否定角度作了回答。留给人们自己去思索。其真谛在颔联与颈联已作了形象的回答,因此不言而喻了。诗人另有《淳湖别邢景之》诗,抒写“欢难感别促,登车悲路隅”的依依不舍之情,可与此诗对读。

(王英志)

天衣寺同景玉桐君

施闰章

远山齐木杪,一带晚烟横。月照竹林早,露从衣袂生。
云中孤塔隐,峰顶怪禽鸣。偶借支公榻,萧然梦亦清。

鉴赏

这首五律当写于康熙七年(1668)夏末秋初,诗人由家乡赴浙江杭州、绍兴一带游览之时。诗题中的“天衣寺”在当时是一个名气不大的小寺,故今一般辞典均未见载。但据同题另一首诗首联“招提秦望麓,绝胜虎溪头”则可考其地点:“招提”为梵语“拓提”之误称原意为“四方”。北魏太武造伽蓝，创招提之名，后遂为寺院的别称。谢灵运《山居赋》“建招提于幽峰”之“招提”即指寺院，而“秦望”为山名，在会稽（今浙江绍兴）境。此有《辍耕录》所载为证：“会稽阳明洞天在秦望山后，禹庙之西南，云即古禹穴，越之胜境也。”（着重号为引者所加）由此可知，天衣寺原在会稽秦望山麓。“同”，聚，指会面。“景玉桐君”，“君”是对男子的尊称，景玉桐爵里未详，当是诗人朋友。这首诗写诗人于天衣寺所见会稽胜境傍晚至月升时的景色，境界清幽，与诗人当时归里闲居后之清寂心境正相契合。

首联写诗人于天衣寺所见之黄昏远景：“远山齐木杪，一带晚烟横。”“远山”当指秦望山之外的若耶山；“木杪（miǎo）”，即树梢；“晚烟”，指暮霭，黄昏时的云雾。前句写天衣寺远处的山影与近处的树梢相齐。这句如同一个摄影画面：前景是“木杪”，后景是“远山”，透过树梢恰好见到远山线条，造成了远近空间相连、浑然一体的视觉。后句写远山前飘浮着玉带似的雾霭，又使山影显得悠远苍茫，增添了静穆之感，似一幅迷蒙的水墨画。此联所写既是远景，又是大景，显示出天衣寺外的视野十分辽远。

颔联则写诗人在天衣寺附近之所见所感，既是近景，又是小景：“月照竹林早，露从衣袂生。”“衣袂（mèi）”，衣袖。此联时空均发生转换，前句写视觉：一轮秋月已冉冉升起，映照着天衣寺前一片青翠的竹林，显得极其幽雅清静。“早”则指天色还没有完全昏黑，月亮就出来了，这又再次写出天衣寺周围视野之空阔。后句写触觉：衣袖上感到有滴滴夜露，显示初秋之夜的清冷（深秋则要降霜矣），并暗示时间已从黄昏晚转向夜晚。“生”字用得形象。此联写天衣寺之近景与小景仍充满清冷幽寂的气氛。

颈联又转写诗人于天衣寺仰望山峰时之所见与所闻：“云中孤塔隐，峰顶怪禽鸣。”“孤塔”即天衣寺塔，“峰”指秦望山。前句写诗人仰望峰顶，见夜色中的孤塔似乎隐藏于云中，甚是朦胧，显得神秘莫测，无比静穆。这句突出了寺庙的特征。后句写诗人同时又听到不知名的怪禽在啼鸣，似乎打破了此山清幽的氛围，但古人云“鸟鸣山更幽”（王籍《入若耶溪诗》），所以“怪禽”之“鸣”反而衬托出月夜中秦望山的寂静，有相反相成之致。这一联写天衣寺所在之山峰，构成的仍是凄清静谧的意境。这里远离尘世，似乎不见人间烟火，委实是隐居出世之佳处。

前三联描写出天衣寺所见之远处、近处、高处三维空间的景色，勾勒出一个立体的清幽凄寂的意境，其间自寓有诗人孤寂清静之情感。尾联又在此基础上直接抒写其情云:"偶借支公榻,萧然梦亦清。""偶",偶尔,此处有假设意。"支公"指东晋佛学家支遁,字道林,好谈玄理,曾与定居于会稽的书法家王羲之交游;"支公榻"指代天衣寺僧人床榻。"萧然",清幽肃静貌。诗人面对天衣寺月夜之景,不禁设想:如果在这样清幽的环境中,偶尔借一张"支公榻"睡卧于其上,那么连梦境亦是清幽的了。"梦"之所以"清"当有二:一是"梦"被清幽的景色所熏染,二是梦中会重现所见之清幽景色。而"梦亦清"实际是诗人未梦时的萧寂心境的写照,其主观心境与客观物境在"清"上已合而为一了。

这首诗注意调动视觉、触觉、听觉等综合性感觉来描写景色,又着力勾勒出不同空间的意象,从而创造出一个多侧面、全方位的清幽意境。前三联实写,尾联虚写,既具象又空灵,景中寓情,情中含景。此诗风格近于唐人王维、孟浩然的山水景物,凄清闲静,有"读之身世两忘,万念皆寂"(胡应麟《诗薮》)的意味。全诗语言自然清腴,朴素中不乏润泽华采。

(王英志)

薛子寿见示免官后诸诗,感而有作

施闰章

虎豹真慈物,斯言泪满衣。全生犹过望,多难始知非。
黄叶连江下,孤帆冒雨归。布袍安稳着,长掩故山扉。

鉴赏

诗题中薛子寿之爵里与"免官"原因均未详。他是与诗人肝胆相照的好友,所以才把其"免官后"所写的抒发内心愤慨之作送给诗人看。诗人读后产生强烈的共鸣,对其心情深为理解,并借机感叹仕途之险恶,于是写了这首五律。

薛子寿"免官后诗"全文未见。但此诗首联"虎豹真慈物,斯言泪满衣"之起句系薛子寿诗句,因作者原有注云:"起句用薛语。"诗人之所以在薛子寿原诗中选中此句,作为"薛子寿见示免官后诗"的代表并引用之,因为此句堪称警策之句,它深刻地反映了薛子寿的思想感情。"虎豹"原本是嗜血成性的猛兽,而薛氏却称之为"真慈物",可谓深痛之至!孔子曾有"苛政猛于虎也"(《礼记·

檀弓下》）的说法，柳宗元则感叹：“孰知赋敛之毒，有甚是蛇者乎！”（《捕蛇者说》）他们以猛兽毒蛇与“苛政”“赋敛”作明确比较，衬托出“苛政”“赋敛”之“猛”“毒”。而“虎豹真慈物”一语则显得含蓄蕴藉。“虎豹”与什么比较而成为“真慈物”？诗未明言。其真谛是薛氏感慨其于仕途上遭受到的打击极其残酷无情，而官场之奸佞亦极其凶狠。“斯言泪满衣”一句，则是写诗人见此句诗的感受。薛氏之语确实太深刻、太沉痛了，它强烈地拨动了诗人的心弦，亦触发了诗人自己在官场上郁积的辛酸，因此不禁感情冲动，热泪满衣，并“感而有作”。

颔联“全生犹过望，多难始知非”，既是诗人代薛子寿抒怀，亦是诗人对薛子寿“免官”发表评议。“全生”，即保全生命；“非”，谓从仕的过错，实指仕途险恶。一般来说，人被免官而保全生命，这本不足为奇，但诗人却称“犹过望”即超出意料，这就反衬出诗人对清初仕途险恶之深刻认识，以至未被杀头竟视为万幸之事了。古人云：“学而优则仕。”士子们都以跻身仕途为人生目标，但人们对仕途之险恶必须亲遭劫难后才能认识到。“多难始知非”可谓至理名言，它积淀着诗人深刻的人生体验。诗人与薛子寿灵犀相通，所以此联是写薛氏之遭际感受，还是写自已的感受，已无法截然分辨。

颈联由薛子寿之被免官而想象其免官归里时之情景。这是全诗唯一写景之联：“黄叶连江下，孤帆冒雨归。”“黄叶”指秋天落叶，前一句使人想起杜甫的名句“无边落叶萧萧下”（《登高》）。二者同是抒写悲凉的情绪，但杜诗显得气势磅礴，有阳刚之力；而此诗则显得平和恬淡，具阴柔之致。“黄叶连江下”，写一路黄叶飘落，似在陪伴薛子寿归里；因为他十分孤寂，所谓“孤帆冒雨归”。后一句不仅显示出孤寂凄凉之意，而且写薛子寿迅速逃离是非之地的急迫心情。据作者对尾联第一句注：“薛脱系，即以布袍终身。”可见薛氏曾被“系”即拘禁。其“孤帆冒雨归”则是“脱系”后的情状，如逃出牢笼之飞鸟，急于返归旧林了。

对于“脱系”归里之薛之寿，诗人于尾联自然而然地予以劝慰：“布袍安稳着，长掩故山扉。”“布袍”指当平民百姓，“故山”即故乡。既然薛氏已认识到仕途险恶，那么就不必为“免官”而耿耿于怀，还是安稳地当个平民吧！平日长掩故山之门扉，不再涉足是非之地，则可远祸全身了。诗人自己康熙六年(1667)在江西被裁决归，在故乡闲居十来年。从抒写的感情来看，此诗可能写于闲居时，因此诗人对薛氏之劝慰，亦不无自勉之意。

这是一首感怀之作，以议论为主。除颈联系写景而含情外，其余三联皆在发议论中抒写感情。宋人好"以议论为诗",曾为严羽《沧浪诗话》所批评,那是因为有些诗纯发议论,缺乏形象,感情淡薄。此诗之议论则能"带情韵以行"(沈德潜《说诗晬语》),亦有形象,故仍具有感人的力量。

(王英志)

舟中立秋

施闰章

垂老畏闻秋,年光逐水流。阴云沉岸草,急雨乱滩舟。
时事诗书拙,军储岭海愁。洊饥今有岁,倚棹望西畴。

鉴赏

顺治八年(1669),诗人补刑部湖广司主事,秋季奉使广西,次年冬归里。此诗当作于顺治九年,抒写"立秋"之日诗人于旅次舟中的所见所感。诗人将其对个人的垂老身世与社会的黑暗现实之感慨结合起来,表现其悲已悯世之情怀。全诗情绪沉郁,语言质朴,是一首"言有物"(《蠖斋诗话》)之诗。

中国古代向有"春女思,秋士悲"(《淮南子·缪称训》)的传统。"悲哉! 秋之为气也"(宋玉《楚辞·九辩》),秋季"草木摇落露为霜"(曹丕《燕歌行》),万物凋零,一派萧瑟凄凉的景象,很容易引起人的伤感情绪。而此时诗人以垂老之年,又心怀忧愁,于旅次舟中恰逢"立秋"之时,就更要产生类似杜甫"万里悲秋常作客""艰难苦恨繁霜鬓"(杜甫《登高》)的"悲愁"之意。故首联自然地发出"垂老畏闻秋,年光逐水流"的慨叹。"垂老"即临老,连"闻秋"都"畏",更何况逢"立秋"呢? 诗人怕"立秋"的心态是与次句紧密联系的:"年光逐水流。"此句同其《江月》"少壮随波去"一句意思相同,都是感叹光阴虚度,无所作为,既是即景抒怀,又是暗用"子在川上曰:'逝者如斯夫,不舍昼夜!'"(《论语·子罕》)之典故,但人若不知此典,并不妨碍对诗意的理解。这就是"用典如水中著盐,但知盐味,不见盐质"(袁枚《随园诗话》卷七),"无填砌痕"(同上卷六)之妙。

颔联乃承首联"秋"意描绘所见景物,使"秋"意具象化:"阴云沉岸草,急雨乱滩舟。"这是一幅阴晦凄冷的秋意图。前句写远处:阴云低垂,笼罩着江岸衰草。后句写近处:秋雨急落,打乱了江滩泊舟。江岸与江滩连成一片,构成“秋风秋雨愁煞人”的荒凉肃杀的境界。王士禛评施闰章五言近体诗句不愧《古诗十九首》之“惊心动魄,一字千金”(见《池北偶谈》),此联庶几近之。这境界正是诗人于《江月》中所说“关河行路难”的生动写照。“阴云”“急雨”为诗人带来的不只是旅途上的艰难,更给诗人增添了心境上的凄苦、紊乱。诗人的主观心境与自然之境在愁苦、紊乱的情调上已融成一片;或者说,客观之境被涂抹上主观的凄苦色调。

客观自然之境固然使诗人愁苦,但根底在于清初的社会现实令诗人忧虑。颈联乃直接抒发此意:“时事诗书拙,军储岭海愁。”前句一面在为自己所读“诗书”拙于应付“时事”而遗憾,一面则是反衬清初社会“时事”之黑暗非个人力量所能改变。后句写“岭海”即两广之地因吴三桂、耿精忠、尚可喜三藩还未平定而进行军事储备,令人发愁。这又反映了清初社会动乱之现实。这更是诗人之所以忧虑也。

诗人由于忧虑深重、心情压抑已极,乃寻求自我排遣、自我慰藉,以求从此时的心境中解脱出来,于是有了尾联所写的情景:“洊饥今有岁,倚棹望西畴。”“洊饥”,指连续多次的饥荒岁月;“有岁”,指有好收成。尾联首句所写与其说是事实,不如说是诗人真诚、美好的愿望,即希望在经历多年灾荒之后,今年能化凶为吉,有个丰收的年成。正因为有这样的愿望,诗人才有“倚棹望西畴”之举动。“棹”,船桨,此借指船;“西畴”,西边的田野。诗人倚靠着船舱,望着西岸的田野,充满了期待、渴望,他分明把百姓温饱、国家富足之实现寄托于“西畴”之中了。尾联出现的诗人形象无疑是令人感动的。

这首五律基本上采用一联抒情、一联写景的虚实交错结构,如首联、颈联基本抒怀,颔联、尾联基本写景。但抒情联亦有景致,如首联“年光逐水流”就是即景抒情,情不离景;写景联亦有抒情,如尾联“洊饥今有岁”乃是情景难分。但归根结底,全诗是抒发诗人对垂老的身世与连年动乱、饥荒的现实的感痛之情,从中亦可透视到清初社会凋敝、民不聊生之一般。

(王英志)

雪中望岱岳

施闰章

碧海烟归尽，晴峰雪半残。冰泉悬众壑，云路郁千盘。
影落燕齐白，光连天地寒。秦碑凌绝壁，杖策好谁看？

鉴赏

此诗诗人作于顺治十五年(1676)督学山东经过泰山时。这首诗描写的是诗人远望岱岳所见的雪景。岱岳指泰山之玉皇顶，山势突兀峻拔，泰山古称“东岳”，为五岳之首，位于今山东泰安市城北。唐代杜甫曾有绝唱《望岳》，诗人描写的是泰山“齐鲁青未了”的夏秋之景，抒发的是“一览众山小”的豪情。此诗为“雪中望岱岳”，由于季节不同，故所见景色亦独具特色。此诗与杜甫《望岳》一样，句句写“望岱岳”，却终篇不直接点出一“望”字，而以景物本身暗示其“望岱岳”之意。全诗意境之寥廓，体势之雄浑，直可继杜少陵《望岳》。

此诗为五律，首联即采用对偶句式：“碧海烟归尽，晴峰雪半残。”这一联写远望岱岳所见晴雪之景。首句中“碧海”乃是借喻“青天”，实为“碧海青天”之意，此乃源于李商隐《嫦娥》诗“碧海青天夜夜心”之句，形容青天如大海一样青碧澄净；“烟归尽”则是比喻冬云阴霾已消散无余。这句先描写岱岳上空青碧之天色，寓有雪霁云散之意。然后再写以“碧海青天”为背景的“雪中岱岳”之整体风貌。“晴峰”即指泰山玉皇顶，此峰海拔1524米；“雪半残”描绘岱岳之上半端被积雪所覆盖之状。积雪的岱岳直插入青碧似海的苍天之中，峻拔突兀，而且银碧相映，明丽耀眼；真令人胸襟亦为之开张，油然而生一种崇高之感。

颔联则承接“晴峰”之意，再写近望岱岳之局部形象。诗人选取的是具有典型性的“冰泉”与“云路”两种意象：“冰泉悬众壑，云路郁千盘。”前句写岱岳之泉水已结成百丈冰，垂悬于众多山壑的崖壁上，以显示雪中岱岳之严寒冷峻；后句写山路上云气浓密，千折百回，又显示岱岳之险峻高远。而“冰泉”向下“悬”，“云路”朝上旋，由上而下，由下而上，则写出诗人“望岱岳”时视线的移动,其中自有诗人为此奇观惊叹不已之意。

颈联"影落燕齐白,光连天地寒"一转,又专写遥望岱岳积雪之感受。前两联重在写山,首联虽亦提到"雪半残",但仍属写山之外观,而非单纯写雪。此联则纯是写雪景。诗人从纵横两个角度表现雪之"白"与"寒",视野开阔,境界深远。"影落"指雪花飘落,此乃想象,而非实景(因为此时天已"晴");"燕齐"指河北、山东一带,"燕齐白"从横向角度写泰山之雪把"燕齐"之地都映衬得白茫茫,此极写泰山降雪之大。后一句则写积雪在晴日下之反光,使天与地皆寒光耀眼、寒气逼人,这是从纵向角度写雪"光"之强。"光"而"寒",又是通感手法的运用。

如果说上三联基本上是实写之景,那么尾联则纯然是虚摹之景:"秦碑凌绝壁,杖策好谁看?""秦碑",指"二十八年,始皇东行郡县……乃遂上泰山,立石,封,祠祀"之所立之石,石上刻有碑文,旨在"颂秦德,明德意"。(均见《史记·秦始皇本纪》)此乃泰山一著名古迹。"凌绝壁"指秦碑立于泰山绝壁之上,由此可见"秦碑"非诗人于山下所能望见。此时诗人遥想:矗立在积雪之岱岳山顶的秦碑美景,是否有谁正拄着手杖去观赏呢?或者说,是否有人如杜甫一样生"会当凌绝顶,一览众山小"的豪情,攀上积雪的泰山之绝顶而登高四望呢?诗人设问句抒发此意,其中流露出诗人自己欲登山极望之情。

陈诗评施闰章"其诗各体俱工,大抵以清真雅正为主"(《尊瓠室诗话》),他指出施诗"以清真雅正为主",诚然不错。但此诗亦表现出其"五律法老气郁,才横思沈,识奇语异"(邓汉仪《诗观三集》)的特色。全诗格律老成,气脉沉郁。诗人以如椽大笔勾勒阔大之境,以纵横之才锤句炼字,显得沉稳精严,颔联与颈联,又不乏"识奇语异"之致。

(王英志)

泊樵舍

施闰章

涨减水愈急,秋阴未夕昏。乱山成野戍,黄叶自江村。
带雨疏星见,回风绝岸喧。经过多战舰,茅屋几家存?

鉴赏

顺治十八年(1661)诗人奉命守潮西道,辖区包括临江、吉州、袁州三州,诗人驻节临江(治所今江西樟树市),康熙六年(1667)乃由水路赣江北上归里,在途经樵舍镇(位今江西新建县西北60里)停泊时写了这首五律。此诗描写的是秋日所见荒芜寂寥之景,寄托了诗人对清初因战乱与灾荒所造成的社会凋敝之忧虑。

首联"涨减水愈急,秋阴未夕昏"所写之景,实际是交代诗人之所以"泊樵舍"的原因:曾上涨的洪水虽正在消退,但水势却比洪水上涨时还要湍急,故不宜行进。这一句不仅写出"泊樵舍"之由,还有其耐人寻味的言外之意,即间接反映了洪水上涨时水势亦甚"急"可以想见其造成的灾害不小。此时,洪水消退当然是好事,但因"愈急"却造成航程的艰险,使人产生担忧不安之感。后句写天空笼罩着秋天的阴云,未至傍晚江面已一片昏暗,亦不宜盲目行进,同时这句又形成令人精神压抑的氛围。这两句之景虽旨在说明作者之所以泊樵舍一是水急,二是天昏,但其中流露出的担忧不安则为全诗定下了低沉的感情基调。

颔联"乱山成野戍,黄叶自江村",乃描写诗人泊樵舍镇时远望之所见:那新建县之名胜西山到处是军队野外驻扎的营幕,这不仅使风景绝佳之地大杀风景,更暗示了社会的动乱不安,以"乱山"称西山,即增添了乱世之感;在江岸上的村庄中,诗人只见黄叶飘零,这恰如杜甫《春望》写"城春草木深"一样,乃"明无人"(司马光《续温公诗话》)矣,即百姓四处逃散,这荒寂的江村显得异常萧条。这正是清初战乱的生动写照。

颈联"带雨疏星见,回风绝岸喧",则转写近处江岸立体空间之所见所闻。"见"同"现","绝岸",指江岸绝壁。仰望天色已晚,闪现出稀疏的星斗,但并未给诗人明朗悦目之感。因为"秋阴",所以天开始飘洒秋雨,使疏星"带雨风";耳听则觉回旋的江风,在岸壁间呼啸,显得凄厉,回风再卷起涛声,则令人恐惧矣。前句是静态,后句是动态,静与动的秋风秋雨给人带来亦是凄楚与不安。

尾联回写江上之所见:"经过多战舰,茅屋几家存?""战舰"乃指官家兵船,与"乱山成野戍"呼应;"茅屋"指百姓住所,与"黄叶自江村"呼应。前句是实写,"战舰多",使人感到政局形势严重,社会秩序混乱;后句是虚写,"几家存"以问句出之,实指"无家存”。两相映衬，益见形势动荡、百姓流离的现实，其中充满诗人深重的忧虑。

这首诗写景采取由远及近的视角：先写江岸“乱山”与“江村”，继写“绝岸”，终写江面，画面颇见层次，意境显得深远。表面看，这是首景物诗，全诗四联皆写景，其实其“景语皆情语也?”（王国维《人间词话》）。每一联之景都内含诗人或郁闷、凄苦或不安、忧虑之情，但并不直露，全蕴藏于具体景物的意象之中，诗之风格仍偏于平和。

（王英志）

江　月

施闰章

十月晴江月，微风夜未寒。依人光不定，照影思无端。
少壮随波去，关河行路难。平生素心友，莫共此时看。

鉴赏

“江月”当指长江之月。此诗借写江月之景，抒发作者感慨人生之意，正如谢榛所云“景乃诗之媒，情乃诗之胚，合而为诗”（《四溟诗话》）也。

诗人于农历十月秋冬之交一个晴朗的月夜，泊舟于长江之上，但觉微风习习吹来，并未感到此时季节之寒意。诗首联“十月晴江月，微风夜未寒”即交代了夜泊的季节、地点、天气，亦点出“江月”之题意。“微风”之所以“夜未寒”，是因为“晴江月”之故。如果遇上阴雨绵绵之夜，则江风当十分寒冷。正因为“微风夜未寒”，诗人才有可能走出船舱观赏江月，首联起得十分自然平淡。

颔联就承首联“晴江月”之意，具体描写诗人之所见所感：“依人光不定，照影思无端。”这两句写“江月”有一个明显的特点：即把“江月”与“人”联系起来，构成二者一种既和谐又矛盾的关系。但两句侧重点不同：前句重在写月之“光”与“人”的和谐。“依人”，写江月与诗人很亲近，仿佛依傍在诗人身旁一样，诗人以拟人化手法，把江月写得有性灵；而“光不定”，则形容月光因江水波动而闪烁不定的景象，这就捕捉住江中见月的特点。后一句重在写月之“影”与“人”之“思”的矛盾，即引发出诗人的种种感叹。"照影"写月照出诗人的身影,"思无端",谓诗人看到"照影"而无缘无故地产生了愁思,所谓"思无端"意在说明诗人之愁思产生得极其自然,口气上变显得平淡。其实诗人是"思有端"的:因为诗人看到自己的身影而联想到自身的人生历程。于是把久已郁积在心中的人生感慨宣泄出来。

那么诗人所"思"是什么呢?颈联由写"江月"自然转向写其"思"之所在:"少壮随波去,关河行路难。"以时间角度而言,诗人"思"自己少壮有为的年华已如流水一样消逝,无法挽回。诗中流露的是光阴虚度、壮志未酬之感叹。从空间角度而言,诗人"思"关河行路艰难。这又象征着人生坎坷、世路艰难之意,其中所含的人生慨叹更为深厚。此联虽属于抒怀之句,但一"波"一"河",又切合眼前长江之景,乃即景抒怀。诗人之情即"诗之胎",借眼前之景即"诗之媒"孕育成熟而形之于诗句。因此诗人之情抒发得十分自然,毫不做作。

诗人由于产生忧思,再反观江月之景,已丧失赏心悦目之乐趣,因此才有尾联"平生素心友,莫共此时看"的感叹,此联反过来也衬托了诗人此时忧思的深沉。"素心友"指心地坦白纯洁的朋友。尾联是反用陶潜《移居》"闻多素心人,乐与数晨夕"之意。隐潜乐与"素心人"一起欣赏"晨夕"之景,是因为可以一起沉浸在超脱于污浊现实的自然美景之中,寄托其耿介高洁、自然无为的情操,诗人却希望"平生素心友"不要在此时一起来欣赏江月,尽管此时"千里共婵娟"(苏轼《水调歌头》)。这是因为诗人已无此兴致。诗人不直接说自己无心再赏江月,而从"素心友"的角度表现,就显得含蓄委婉。

施闰章"诗远承其乡梅尧臣之传统而加以变化,风格高雅淡素"(钱仲联《清诗三百首》),此诗堪称为"淡素"即"平淡"之作。梅尧臣云:"作诗无古今,唯造平淡难。"(《读邵不疑学士诗卷》)"平淡"是一种颇高的艺术境界。此诗虽不能说已达"平淡"之极致,但亦具有"平淡"风格之长处;此诗中虽是抒发对人生之感慨忧虑,但表现得比较平和,并无慷慨激昂、剑拔弩张之概;重在"气敛神藏",具有阴柔之美。另外,全诗语言朴素无华,"理明句顺"(上引见黄于云《野鸿诗的》论"平淡"语);既无僻典,亦不雕饰,浅中见深,耐人咀嚼。

(王英志)

钱塘观潮

施闰章

海色雨中开，涛飞江上台。声驱千骑疾，气卷万山来。
绝岸愁倾覆，轻舟故溯洄。鸱夷有遗恨，终古使人哀。

鉴赏

康熙七年(1668)秋，诗人因在家闲居无事，曾赴杭州一带旅游。这首五律即描写此行观“钱塘”即钱塘江八月大潮所见的雄壮声势，并抒发当时的感慨。钱塘潮乃闻名天下的奇观，每逢农历八月十八日前后，杭州湾钱塘江口涌潮袭来，波涛万丈，气势磅礴，令人惊心动魄。观钱塘潮以在浙江海宁所见最为壮观，故钱塘潮一名“海宁潮”。但当时杭州亦可观钱塘潮，故不能排除是在杭州观潮。

诗人观潮时恰逢秋雨，故所见又别具壮采：“海色雨中开，涛飞江上台。”“海”指东海；“台”，指观潮台。首联写大海的景色在秋雨中显示，变得更加浩渺迷蒙，这是写壮阔的远景；江涛从海面卷来，直溅到观潮台上，又显得汹涌澎湃，这是写惊心的近景。首联把江“涛”与“海色”联系起来，交代出钱塘潮深远的背景；同时亦暗示诗人登台观潮之意。

那么，这从海上滚来的“涛飞”即潮头到底是什么样的景象呢？颔联乃承首联“涛”意以夸饰、比喻之法，尽力渲染、描摹：“声驱千骑疾，气卷万山来。”前句着眼于听觉角度；钱塘潮涛声犹如千匹骏马疾驰来而，声震耳膜，使天地为之摇撼；后句着眼于视觉角度；钱塘潮气势仿佛卷裹着万座大山一起压来，气吞万里，使风云为之变色。这一联写钱塘潮之“声”与“气”皆充满千钧之力，足以令人“意夺神骇，心折骨惊”(江淹《别赋》)，叹为观止！

颔联写钱塘潮本身之声势，属正面描写钱塘潮。颈联则转写在钱塘潮前人之心态，属侧面描写钱塘潮：“绝岸愁倾覆，轻舟故溯洄。”“溯洄”，逆流而上，前句写立在悬岸上的观潮人担心江岸会塌裂，有性命之险，故望潮而生畏，这就间接地写出了钱塘潮之伟力；后句则写弄潮儿的小船在江中故意溯洄而上，无所畏惧，显示出勇气与技艺，这与潘阆所写“弄潮儿向涛头立，手把红旗旗不湿”（《酒泉子》），有异曲同工之妙。后者点出人，诗意豁朗；前者以“轻舟”代人，语意较为含蓄。这“故溯洄”之“轻舟”，又为钱塘潮增添了豪壮的风采！颈联前后两句以对比的手法写人，从不同的方面进一步衬托出钱塘潮之声势。

在前一联充分实写景观之后，尾联乃以抒怀之虚写结束全诗。诗人借钱塘潮之典故寄予了对世事的感慨，使诗意得以深化：“鸱夷有遗恨，终古使人哀。”这里用了伍子胥死后化为钱塘江潮神的传说。据《吴越春秋》《史记·伍子胥列传》等记载：春秋吴国大夫伍子胥因谏吴王夫差警惕越国的报复，吴王乃疏远之，最后赐剑命他自杀。伍子胥临死时，嘱其家人把他的眼睛挖出来（或曰把头颅砍下）悬挂在姑苏城南门下，好看来日越国的进攻、吴国的灭亡。吴王大怒，下令将他的尸体用鸱夷（皮袋）包裹，投入钱塘江，后伍子胥化为潮神，乘素车白马于潮头上，因此钱塘怒潮又被称为“子胥潮”。“鸱夷有遗恨”实指潮神伍子胥有遗恨——恨自己忠而被谤乃至被杀。这历史的悲剧则千古以来都使人哀痛。诗人观钱塘潮而想到潮神伍子胥的“遗恨”是十分自然的：诗人在一年前于江西分守潮西道时，竟被裁决归里，忠而见疑，有志难伸，心中岂会没有其“遗恨”？更何况这样的历史悲剧一直在重演！因此诗人借观潮而发泄其愤懑。诗不仅由写景转为抒怀，而且感情由豪壮而陷入悲慨，诗意因此变得沉郁、深刻。

一首诗之风格往往决定于题材。施闰章诗虽以平淡素雅著称；但此诗题材奇特，当诗人面对拍天大潮时，客观景象与主观感受都不再平和恬淡。为生动准确地写出钱塘潮的雄壮声威与磅礴气势，诗风亦随之而变得雄浑豪宕了。由此诗亦可见诗人不止具有一副笔墨，其笔下乃是“春兰秋菊，各有一时之秀”（袁枚《随园诗话》卷三）。

（王英志）

题韩蕲王庙

尤　侗*

忠武勋名百战回，西湖跨蹇且衔杯。
英雄气短莫须有，明哲保身归去来。
夜月灵旗摇铁瓮，秋风石马上琴台。
千年遗庙还香火，杜宇冬青正可哀。

作者

＊尤侗(1618－1704)，字同人，一字展成，号西堂，江苏长洲(今苏州)人。顺治拔贡。康熙十八年(1679)举博学鸿词科，授翰林院检讨。三年告归，隐居林下。诗近温、李，晚学白乐天。有《西堂全集》。

鉴赏

韩蕲(qí)王，即南宋初抗金名将韩世忠(1089－1151)，字良臣，延安人。十八岁从军，勇武过人，以御西夏功，转进武副尉。北宋末年，金兵入侵，他在河北屡败金兵。宋高宗赵构即位，为御营左军统制，升至浙西制置使，守镇江。建炎四年(1130)，他率军乘海船，扼长江绝金兀术归路，从镇江转战至黄天荡(在今江苏南京)，以八千兵击退金兀术十万之众。以后，他又多次在扬州、淮安、淮阴、豪州等地与金兵激战，均获胜利，被誉为“中兴第一功”。不久，主降派秦桧收其兵权，改拜枢密使，因岳飞冤狱面诘秦桧，罢为醴泉观使。自此杜门谢客，自号清凉居士。死后追封蕲王，谥忠武。为表彰他的正义感和民族精神，后人为他在镇江立庙，世代祭祀。这是作者拜谒韩蕲王庙时所作，诗中表现了对一代名将韩世忠的景仰，对他因被谗隐居寄予了深切同情，同时对以赵构、秦桧为代表的主降派也表示了鄙视。诗歌写得沉郁含蓄,一往情深。

诗题是《题韩蕲王庙》,按照一般写法,当首先从庙宇的环境写起,但这首诗的开始四句,却扬开笔锋,直接写韩世忠其人,可见作者写诗的用意,是在人不在庙。从这种不同寻常的写法来看,就表现了作者对韩世忠的格外崇敬和深切同情。而且,开始四句也并没有正面描写韩世忠金戈铁马、叱咤风云的战斗生涯,而是写他被谗隐居后,英雄落魄,壮气蒿莱的情景,与他的百战勋业形成了强烈的对比,其中暗藏的郁塞磊落之情、满怀怨愤之意,溢于言外。作者在写下诗题之后,经过千回百折,方始落笔,在题目与诗歌之间,先就蕴藏了一大段文章,耐人寻味。

首联"忠武勋名百战回,西湖跨蹇且衔杯。""蹇"(jiǎn),即毛驴。这两句写韩世忠隐居后,在西湖骑着毛驴、饮酒度日的情景。据《宋史·韩世忠传》:韩世忠引退后,"自此杜门谢客,绝口不言兵。时跨驴携酒,从一二奚童,纵游西湖以自乐"。这两句诗,是对韩世忠当时情形的真实写照,但又充满了诗的深情。首句一开始就点出"忠武"二字,既是对韩世忠的尊称(因其死后追谥"忠武"),也是对他忠于抗金事业、勇敢坚毅精神的特别肯定。就是这样一位出生入死、身经百战的将军,现在竟然被谗而"回"了。这个"回"字大可玩味,它绝不是功成名遂的回,而是在遭受政治迫害之后被迫引退,语意十分沉痛。"衔杯"即饮酒,引退之后,他便借酒来消除胸中块垒,然而"抽刀断水水更流,举杯消愁愁更愁"(李白诗句),他胸中的抗金烈火,又怎能用酒来浇得灭呢?"衔杯"之前冠以"且"字,曲折传出了其中深意,显然是一种无可奈何的消遣。这两句的表面形象,是百战而归的将军在西湖饮酒作乐,似乎悠然自得,其实,满腔怨愤之情深藏其中,诗意极为含蓄深婉。

颔联"英雄气短莫须有,明哲保身归去来。"用逆挽之笔,在首联描写形象之后,深入一层,写韩世忠引退的原因。"气短"即壮志消沉。"莫须有",是宋代口语,意为"也许有",是秦桧陷害岳飞时的话。据《宋史·岳飞传》:岳飞"狱之将上,韩世忠不平,诣桧诘其实。桧曰:'飞子云与张宪书虽不明,其事体莫须有。'世忠曰:'莫须有三字何以服天下?'"这句点出这段著名史实,说明韩世忠因援救岳飞与秦桧发生对立,正是迫使他不得不引退的政治原因,诗句中洋溢着韩世忠的凛然正气。下句中"明哲保身"语出《诗经·大雅·烝民》:"既明且哲,以保其身。""归去来",指辞官归隐,因晋陶渊明辞去彭泽县令时,曾赋《归去来兮辞》以明志,故云。句中"明哲保身"云云,好像是赞扬韩世忠急流勇退,其实也是愤激之语,如同陶渊明的弃官一样，完全是出于不满朝政，不得已而为之。这两句驱遣史实，运用典故，十分精当而自然，结合首联，把韩世忠被谗引退，在西湖的一段郁闷痛苦的生活，描写得十分形象生动，而又极为深刻。

前两联，作者是写韩世忠生前之事，后两联，作者转换笔墨，写他死后庙宇的情景，逐渐把诗意归结到题目上。

颈联"夜月寻旗摇铁瓮，秋风石马上琴台。""灵旗"即战旗。"铁瓮"即镇江城，据《镇江府志》："吴大帝所筑，内外甃以甓，号铁瓮城。""石马"，刻石为马，列于墓前。"琴台"，在灵岩山西北绝顶，韩世忠墓在灵岩山西，靠近琴台。这两句说作者登上琴台拜谒韩蕲王庙，但见墓前石马在秋风中岿然不动。放眼望去，在夜月的笼罩中，那镇江城外，仿佛当年激战时的军旗还在飘扬，战阵厮杀之声撼动着整个镇江。这两句是倒装，先有"上琴台"，然后才能见"夜月灵旗摇铁瓮"，但作者将"夜月"句提前，不仅是出于平仄、对偶上的考虑，更主要的是突出那在韩世忠一生中最有重要意义的镇江抗金之战。据陈邦瞻《宋史纪事本末》卷六十四记载：建炎四年（1130）三月，韩世忠与妻子梁红玉率八千宋军在镇江一带与入侵的金兀术战斗，先在焦山一战，几乎生擒金兀术，"既而接战江中，凡数十合，世忠力战，妻梁氏亲执桴鼓，敌终不得济，浮获甚众，擒兀术之婿龙虎大王。兀术惧，请尽归所掠以假道，世忠不许；复益以名马，又不许；遂自镇江泝流西上。兀术循南岸，世忠循北岸，且战且行，世忠艨艟大舰出金师前后数里，击柝之声达旦。"这一战，由于韩世忠与岳飞互相策应，据江死战，终使金军败北，保住了宋室的半壁江山。这两句的倒装，逆笔取势，具有千钧之力，补足了首句"百战"之意，使得一代名将韩世忠的英雄形象，更加清晰地呈现在读者面前，令人钦佩。

尾联"千年遗庙还香火，杜宇冬青正可哀。"这一联紧接颈联之意，最终归到庙宇上，说韩世忠庙多年之后依然受人崇祀，而南宋的皇陵却被人盗掘了。这里虽然是在写庙宇，而其实，重点仍是在写人，是在突出韩世忠这个光照千秋的历史人物，与开始四句的写其生前，正相表里。"杜宇"，即杜鹃鸟，传说为古蜀国国王杜宇的魂魄所化，这里喻指南宋皇帝。"冬青"，树名，据陶宗仪《南村辍耕录》载，元代杨琏真伽盗掘赵宋诸皇陵，义士唐珏收遗骸重新埋葬，且植冬青树于其上，这是暗指被盗掘的宋皇陵。这一联采用对比的手法，用被盗掘了的残破的宋皇陵，来衬托馨香百代、敬礼无涯的韩蕲王庙的受到人们的敬爱、褒贬之意，一寓其中。说明公道自在人心，不因时代的变迁而改变，表现出诗人对卖国投降、昏庸无能的高宗赵构、奸相秦桧的鄙夷和鞭挞，进一步体现了诗人对英雄韩世忠的无限钦仰之情。诗到这里自然结束，如水到渠成。后四句与前四句相为补充和映衬，结构上变化多端而又高度统一，把英雄的生前死后，交织融会，描写得清清楚楚，形象生动，其中包蕴、隐含的悲愤之情，更加感人肺腑，给人以深深的启示。

（管遗瑞）

闻鹧鸪

尤侗

鹧鸪声里夕阳西，陌上征人首尽低。
遍地关山行不得，为谁辛苦尽情啼？

鉴赏

这首诗是写世路艰难的。

这个主题，在中国古典诗歌中曾反复歌咏过。汉代乐府诗《杂曲歌辞》中就有《行路难》，“备言世路艰难及离别悲伤之意”（《乐府解题》）。以后续写者代不乏人：南朝鲍照和唐代李白，都有著名的《行路难》诗，一再唱叹“行路难，行路难，多歧路，今安在？”（李白）明代刘永锡只以两句诗来概括行路之难：“云漫漫兮白日寒，天荆地棘行路难。”沈德潜说：“四字（即天荆地棘）抵过千万言。”这些都是从正面来描写世路艰难，不仅道理讲得深刻，形象也十分生动。要在这样的题目中写出新意，颇不容易，要突破传统，非别具匠心不可。

尤侗的颇具新意之处，首先在于他不是正面去铺写人生如何之险恶、世路怎样之艰难，而是通过鹧鸪鸟的叫声，融声于景，由景而人，将行路之难从侧面烘托而出。这从题目上就可以看出，他不直书“行路难”，而是写“闻鹧鸪”，通过鸟叫的谐音，把行路艰难之意暗示出来。鹧鸪，是类似鹌鹑的一种鸟，常栖息于灌木丛中，它的叫声像说“行不得也哥哥！”前两句：“鹧鸪声里夕阳西，陌上征人首尽低。”在夕阳西下的惨淡的气氛中，行走于乱山丛中的“征人”（即在外奔波的行客）已经人困马乏了，瞻望前路，遥远而又崎岖，正不知何时方是尽头。此时，忽然听得鹧鸪鸟一声声“行不得也哥哥”的呼唤，心中不禁凄然、惨然，全都垂下头来。这两句的中心，就是开始三字“鹧鸪声”，那亲切而又带有劝说意味的“话语”，是在反复告诫人们，前路不堪行。再加上夕阳西下、日暮途远的苍凉景象，这种叫声就更加悲伤而又凄怆，难怪征人们要“首尽低”了。在“尽”字中，说明对于世路艰难的深切体验，征人们个个都有，那难过得低下头来的形象，与鸟声相应，把行路之艰难，表现得极为充分而又生动。一切都妙在不言之中，而言外之意，又让人回味无穷。

这首诗的新意，还在于它不仅写了世路艰难，而且进一步写出了虽然艰难而又不得不行之意，这就在前人的诗意中更进一层，更为深刻。后两句：“遍地关山行不得，为谁辛苦尽情啼？”前一句写人世间到处都是重重叠叠的、险恶崎岖的关山，将鹧鸪鸟的叫声巧妙地点破，说明那艰险的世路，实在是“行不得”啊。这一句是肯定了鹧鸪的叫声说出了人间的真相，但下一句却紧接着反问鹧鸪道：既然谁都知道行不得，你还在辛辛苦苦地为谁啼劝呢？言外之意是，尽管人人都知道世路艰难行不得，但却又不得不行，你辛苦地啼劝又有什么用呢？这里，不仅在诗意上深入了一层，而且还进一步流露出面对这种艰难世路的无可奈何的心情。这在一定程度上，真实地反映了清代初期，在政治高压下汉族知识分子不想涉足仕途、但又不得不涉足仕途的矛盾心理，具有典型而又普遍的意义。这首诗虽然短小，又是从侧面烘托，但它的社会认识意义，却是十分深刻的。读了这首诗，作者巧妙的处理，也叫人耳目一新。

（管遗瑞）

春雪歌

申涵光*

北风昨夜吹林莽，雪片朝飞大如掌。
南园老梅冻不开，饥乌啄落苍苔上。
破屋寒多午未餐，拥衾对雪空长叹。
去岁雨频禾烂死，冰消委巷生波澜。
吴楚井干江底坼，北方翻作蛟龙宅。
豪客椎牛昼杀人，弯弓笑入长安陌。
长安画阁压氍毹，猎罢高悬金仆姑。
歌声入夜华灯暖，不信人间有饿夫。

作者

*申涵光（1619－1677），字孚孟，一字和孟、符孟，号聪山，又号凫盟，河北永年人。明诸生。因父殉国难，杜门奉母，不出仕。其诗学杜，与殷岳、张盖，并称“畿南三才子”。有《聪山集》。

鉴赏

《春雪歌》是一首歌行体诗。作者申涵光，明末的爱国遗民，明亡，隐居不出。作为遗民，申涵光对清廷的民族压迫、对清廷的统治是坚决反对的；作为隐者，申涵光时时在冷静地观察现实，所以他的诗，多反映当时人民的苦难。《春雪歌》更深刻地揭示出现实社会中人们苦乐的悬殊。

“北风昨夜吹林莽，雪片朝飞大如掌。南园老梅冻不开，饥乌啄落苍苔上”四句，写大雪满天，室外一片严寒。现在已是早春，按理，天气应该暖和一些了，就是天没晴吧，雪也应该小一些的。但昨夜北方吹来的寒风,呼啸而过,吹得平原上的草木东倒西歪。诗人整夜都睡不着觉,早上开门一看,大片大片的雪花漫天飞舞。“大如掌”是夸张的描写,它恰当地突出了雪花之大。天气十分寒冷,南面的庭园是比较能够避风的,园里那株老梅上的花蕾,昨天就像要开放了,可能是冻得太厉害了吧,今天竟然没有开放。雪太大了,一会儿地面就盖满了厚厚的雪。乌鸦饥不择食,竟然去啄食老梅的花蕾,许多花蕾都被它啄落在苍苔上了。这是用典型环境中的典型事物来写雪之大、天之寒。这是全篇的背景。

“破屋寒多午未餐,拥食对雪空长叹。去岁雨频禾烂死,冰消委巷生波澜”四句接下来写室内的人,写抒情主人公的生活情况和思想活动。(抒情主人公身上也有作者的影子)前两句写:屋子是破的,不能避风雪,这样室内的寒冷也就比别的人家多。“多”字用得好,能给人以具体的印象。室中的主人年老多病,是被冻僵了吧,也许还缺乏粮食、缺乏柴火吧!已经中午了,他还没有早餐。你看他拥着破旧的被子,坐在床上,面对大雪,无可奈何地不时发出一声声的叹息。由于饥饿,就更觉得寒冷,又饥又寒,怎能不叹息?但叹息又有什么用呢?谁来关心他呢?一个“空”字写出了这个抒情主人公孤苦伶仃,得不到同情和帮助。后面两句写主人公的思想活动:在饥寒交迫中,他想起了去年——其实几天前就是去年。去年的自然灾害实在不小:夏天,雨水太多,农田的禾苗多受涝烂死,收成不好,米贵如珠;冬天,到处冰封雪压,遇到几个晴天,冰雪消融,冰水流淌,连城市的小巷里都起了波澜。这还是前不久的事哩,想到这些,这个抒情主人公,又发出了长叹。

“吴楚井干江底坼,北方翻作蛟龙宅。豪客椎牛昼杀人,弯弓笑入长安陌”四句进一步写造成人民痛苦的原因——天灾与人祸。主人公继续在思考:去年的天灾是多年未遇的,而且遍及全国,在南方,古吴楚之地旱得厉害,连水井都干了,甚至江水干涸,江底都裂开了口。而北方呢,又涝得厉害,到处都是水,简直成了蛟龙的住宅了。“江底坼”是用夸张的手法。“北方翻作蛟龙宅”是用隐喻兼夸张的手法,二者恰当地突出了自然灾害的严重,这都是广大人民生活痛苦的原因,这是天灾。除了天灾,还有人祸哩,人祸中触目惊心的,就是那些不知从哪里来的“豪客”。这些人衣着光鲜,神情狂傲。这些人大白天就在京畿之内宰牛杀人,掠夺老百姓。当他们抢劫够了时,公然拿着武器(弓、刀等),面带笑容,向首都的近郊走去。谁敢在首都郊外这样横行?诗人没有明白地写出来,留给读者思想。我们也不难想到,原来这些“豪客”,亦官,亦兵,亦匪!这一段用夸张、比喻和具体描写,写出“天灾”“人祸”是造成人民痛苦的直接原因。

“长安画阁玉氍毹,猎罢高悬金仆姑。歌声入夜华灯暖,不信人间有饿夫”四句写首都王公贵族的豪华生活,与前面写的人民的痛苦生活相对比,结束全诗。抒情主人公在回忆他所看到的王公贵族的生活:一幢幢高楼画阁高入云霄,里面地上铺着厚厚的毛织地毯,王公贵族和他们的八旗子弟,是那里的主人。他们在雪地里猎罢归来,洋洋得意,叫侍卫把名贵的弓箭“金仆姑”等武器高悬壁上,便在华灯之下,在歌儿舞女的浅斟低唱中饮酒取乐,沉醉在一片温馨的笑语中,他们哪里知道人世间有大量的劳苦人民在饥寒交迫中生活呢?他们纵然听到有人谈及民间疾苦,也是不会相信的,他们也许还会像晋惠帝那样怪饥民不食肉糜哩。

全诗深刻而沉痛地写出当时社会上的苦乐悬殊:人民饥寒交迫,而满族统治者却在花天酒地中生活。一边是“破屋寒多午未餐,拥衾对雪空长叹”,一边是“歌声入夜华灯暖,不信人间有饿夫”。一方面有“吴楚井干江底坼,北方翻作蛟龙宅”的天灾,一方面有“豪客推牛昼杀人,弯弓笑入长安陌”的人祸。这首诗写得淋漓尽致,深刻感人,无论思想上艺术上都是值得借鉴的。

(蒲继能)

泛舟明湖

申涵光

女墙倒影下寒空,树杪长桥渡远虹。
历下人家十万户,秋来都在雁声中。

鉴赏

“明湖”即大明湖,在山东省济南城外,是北方的名胜。“海右此亭古,济南名士多”,这副历下亭的对联就点出了大明湖是历史上的名胜。“四面荷花三面柳,一城山色半城湖”,这一副铁公祠的楹联就概括了大明湖的美景。诗人申涵光泛舟大明湖所写的这首诗,却自有特色,不落前人窠臼。

“女墙倒影下寒空,树杪长桥渡

远虹。”这首诗的开头两句，从大明湖的湖水着眼，从湖水的倒影来写大明湖的景色。它不是直接写湖水，而是写湖水中的倒影，因为写倒影也就写了湖水。正由于湖水澄清，湖面如镜，倒影才那样清晰，历历如画。这样写既写了湖水，又写了山色，有一箭双雕之妙。“女墙”即女儿墙，就是城墙上呈凹凸形的短墙。天空比女墙高，其倒影则比女墙低。“下寒空”三字妙，把女墙倒影写活了，写出了它的动态，使人如见女墙倒影在天光云影中摇曳，还带着一点寒意。大明湖边，绿树蔽空，水榭长廊间，往往有拱桥相连。绿树在长桥之上，而其倒影也是在长桥倒影之下，故曰“树杪长桥”。“渡远虹”三字尤妙。它使我们看到了水中的桥影像长虹一样飞渡到天光云影那边。大明湖清平如镜，水中倒影是很美的，也是很难写的，这两句诗着墨不多，却写出了大明湖的万千气象，容量很大，又很有特色。如果用“状难写之景，如在目前”来评它，并不过分。这两句诗很美，美则美矣，读之又觉得有点虚幻。

“历下人家十万户，秋来都在雁声中。”这两句诗写济南的人民，写的是诗人对他们的感觉，这感觉是从细致的观察和深深的思考中得来的。“历下”是济南的别称(济南，战国时为历下邑)，这里人口众多，交通发达，风景优美，家家泉水，户户垂杨，有“北国江南”之誉。诗人接着前面写景的诗句，写了“历下人家十万户”的句子，就显示出济南的繁华景象。但美的、繁华的表面下，百分之九十以上的人民，却在穷愁疾苦中生活。秋天来了，大雁也南来了，人们听到雁的叫声，就各自有不同的感觉，有的兄弟离散、生活困苦，有的感到寒冬即将到来的威胁(如“全家都在风声里，九月衣裳未剪裁”)……天灾、人祸、民族压迫，使得众多的老百姓，家家都有自己的辛酸。“秋来都在雁声中”既概括，又形象，读到这里，仿佛听见了大雁的哀鸣，仿佛听到了广大人民在大雁声中长叹。这诗句余意不尽，如果用“含不尽之意、见于言外”来评它，也不过分。

全诗短短四句，容量却很大，前四句从大明湖的倒影去写景，写得很美，读起来又有点苍凉、虚幻，人民哪有心情去欣赏美景呢？后两句从大雁的叫声去写人民的穷愁痛苦，富有暗示性，诗句蕴涵着不尽之意。

(蒲继能)

读《指南集》(录二)

王夫之*

绛节生须抱璧还,降笺谁捧尺封闲?
沧波淮海东流水,风雨扬州北固山。
鹃血春啼悲蜀鸟,鸡鸣夜乱度秦关。
琼花堂上三生路,已滴燕台颈血殷。

扬州不死空坑死,出使皋亭事未央。
鸣鸠春催三月雨,丹枫秋忍一林霜。
硐门鹤唳留朱序,文水鱼书待武阳。
沧海金椎终寂寞,汗青犹在泪衣裳。

作者

*王夫之(1619－1692),字而农,号姜斋,湖南衡阳人。明崇祯十五年(1642)举人,曾从桂王抗清,明亡后,筑土室于湘西石船山,潜心著述,学者称船山先生。博通经史,著述甚丰,为明末清初著名学者和思想家。其诗寓意深,用语奇而晦。有《船山遗书》。

鉴赏

《指南集》,宋文天祥所作诗集《指南录》和《指南后录》的合称。文天祥(1236－1283),字履善,号文山,吉州庐陵(今江西吉安)人。南宋末年,元兵南侵,他于帝㬎德祐二年(1276)任右丞相,被派往进驻临安(杭州)附近皋亭山元军营中谈判,被扣留,后于镇江脱险,流亡至通州(今江苏南通),由海路南下,至福建与张世杰、陆秀夫等坚持抗元。端宗景炎二年(1278),受元军重兵围困,在广东海丰五坡岭被俘,次年被送元大都(今北京),经四年的威胁利诱,始终不屈,1283 年 1 月在柴市被杀。他是中国历史上著名的民族英雄和爱国诗人。《指南录》是 1276 年正月至二月奉使元军被扣及逃归南下福建所作的诗,《指南后录》是 1278 年至 1282 年他从广东被俘北上沿途及在大都系狱期间所作的诗。《指南集》中的诗歌真实地记录了文天祥在南宋末年沧海横流之际,自己的战斗生涯和狱中情形,可称诗史。诗集以“臣心一片磁针石,不指南方不肯休”命意,充满着拳拳宋室之心和强烈的民族意识。王夫之生当明清易代之际,并且参加过抗清斗争,与文天祥有类似的经历,他读了《指南集》后,深为文天祥的一身正气和满腔热血所激动,引起了强烈共鸣,于是写下了这两首著名的七律。全诗通过对文天祥抗元斗争的描写,抒发了报国未遂、遗恨无穷的感慨,洋溢着沉郁悲壮的情调,感人至深。

诗虽题作《读〈指南集〉》,但却绝不是泛泛评诗说艺的一般的读后感,而是以饱蘸激情的笔墨,重在对文天祥的轰轰烈烈的战斗经历的描述,从中表现出对民族英雄的无限钦仰。两首诗始终贯穿着这一主题,高度统一而不可分离,读来浑灏流转,充满着笔挟风雷的豪壮气势。

但是,作者在内容上又作了巧妙安排,使两首诗各有侧重。第一首主要写读《指南录》的感受,描写文天祥从奉命到元军谈判被扣,至镇江脱险南归这一段战斗历史。首联“绛节生须抱璧还,降笺谁捧尺封闲?”是说文天祥以右丞相身份,奉命持节(“绛节”,古时使者所持凭信)往元军谈判,本意是想像战国时赵国使者蔺相如从秦国“完璧归赵”那样,完成使命,生还朝廷,以图重振江山,但他哪里料到,自己竟被元军扣留,而南宋左丞相吴坚和贾馀庆等却在这时悠然自得地捧着“降笺”(即降书),向元军投降,使局势急转直下。这两句形成鲜明对比,用恬不知耻的投降者衬托出了文天祥忠于祖国的高风亮节,他的形象像高山一样巍然屹立,使读者的钦敬之情油然而生。特别是第二句以问句出之,感情十分强烈,对卖国行径表现出满腔愤慨,诗意尤见沉痛,一开始就动人心魄。以下三联,描写他从皋亭被扣、押解北上和逃归的情形,描写深入细致、形象生动。颔联“沧波淮海东流水,风雨扬州北固山”写文天祥从临安被解北上经过了宋金交界处的淮河(即“淮海”)、扬州和镇江(“北固山”在镇江),但诗中嵌以“沧波”“东流水”“风雨”等字,不仅形象地写出一路所见,也暗示出南宋风雨飘摇的危局,表现出文天祥万分焦灼痛苦的心情。于是,颈联顺承而下,“鹃血春啼悲蜀鸟,鸡鸣夜乱度秦关”以悲啼泣血的杜鹃鸟来比喻文天祥眼见国势倾颓的悲痛和对宋室的一片忠贞。为了中兴事业，他像战国时齐国的孟尝君叫门客假装鸡叫而逃出秦国的函谷关东归一样，终于设计从京口半夜偷越元人警戒，乘船逃往真州，从中也见出他的机智和勇敢。尾联是对这一段战斗生活的小结："琼花堂上三生路，已滴燕台颈血殷。""琼花"，是扬州特产的花，此以指扬州。"三生路"，意为多次死中获救。《指南录后序》说："扬州城下，进退不由，殆例送死；坐桂公塘土围中，骑数千过其门，几落贼手死；后趋高邮，迷失道，几陷死。"在这样随时都有丧生可能的危险境地中，文天祥早就将生死置之度外，做好了以死殉国的思想准备，这正是他后来在大都（即"燕台"）从容就义的深厚的思想基础。全诗历叙战斗经历，把叙事与抒情交织融合，纹丝不乱而又激情奔涌。特别是在最后一联中，抒情气氛进一步增强，无限感慨和崇仰之情，充溢于字里行间，激动人心。

第二首主要写读《指南后录》的感受，描写文天祥兵败被俘前后的战斗历程。"扬州不死空坑死，出使皋亭事未央。"第一联以倒装句法，说文天祥的艰难历程在出使皋亭元军之后，还远未结束，以后又历扬州之难，虽然未死，但最后终于在"空坑"陷于必死之地。"空坑"，地名，在江西兴国。景炎二年（1277）八月，文天祥兵败奔至空坑，元兵追及，全家被俘，独他得脱。这里，"空坑"显然也兼指最后被俘的广东海丰五坡岭，英雄被执，中兴事业终于无望，言辞之间饱含着难以尽言的沉哀深痛。首句连下两个"死"字，突出了精诚报国的必死之心，逆笔起势，挺劲有力。次联"鸣鸠春催三月雨，丹枫秋忍一林霜"，前句用屈原《离骚》中"恐鹈鴂之先鸣兮，使夫百草为之不芳"之意（"鹈鴂"，即杜鹃），说南宋政权已如暮春时节，雨打花落，无可收拾；后句说尽管如此，而文天祥却如耐寒的枫叶一样，忍受风霜的吹打，显示出耿耿丹心。"春""秋"二字，暗含社会的巨大变化，文天祥由南方被执，解往北方囚禁大都狱中；"忍"字，又再次突出了文天祥忠于祖国的坚贞不渝的精神。两句看似写景，而实则包含着丰富的内容，充满着强烈的激情。真是"诗之所至，情无不至"（王夫之《古诗评选》卷四），"墨气所射，四表无穷，无字处皆意也"（王夫之《薑斋诗话》）。第三联"碙门鹤唳留朱序，文水鱼书待武阳"，即写文天祥被解大都后，在狱中情况。"碙门"，即碙州，在今广东吴川市，陆秀夫在此拥立帝昺继续抗元。"朱序"，本是东晋将领，被迫羁留苻秦，以后在秦晋淝水之战中，他暗助东晋击败苻秦，终于归晋。"文水"，在今江西吉水县，指文天祥故乡。"鱼书"，即书信。"武阳"，燕国勇士秦武阳，曾随荆轲刺秦王。这两句意思曲折含蓄，意谓文天祥虽然被羁囚大都，但他仍希望像朱序那样为故国尽力，不断写信作诗，鼓励抗元将领和勇士们坚持战斗，以待胜利。然而，"沧海金椎终寂寞，汗青犹在泪衣裳"，宋朝大势已去，像当年张良与沧海君共谋，得大力士用铁锥击秦始皇座车的事，终于不可能再有了，只留下《指南集》这样的"史书"（即"汗青"），叫人读了遗恨无穷，泪水打湿了衣裳。这最后一联，暗用了文天祥《过零丁洋》诗中"人生自古谁无死，留取丹心照汗青"之意，表现出了对壮志难酬的深深的叹惋，情绪悲愤而又哀痛，余意绵长悠远。

这两首诗，在内容上各有侧重，但又互为补充，是各自成篇而又相互贯通的连章诗。第一首尾联点出"琼花"（指扬州），第二首即以"扬州"二字开头，显得首尾连属；同时还以"皋亭事未央"来暗接第一首开头的"绛节"句，内容上相承相续。这样，使两首诗衔接得十分紧密，而又不露痕迹。另外，第二首尾联的报国落空的感叹，又与第一首首联"绛节生须抱璧还"的中兴壮志，遥相呼应，浑然一气，对比之下，最后的叹惋就更为深沉，更为感动人心。在这些方面，虽然深具匠心，但作者写来却轻松自然，有如郢匠运斤，挥洒自如，体现出大家风范。至于使事多，用意深，更是王夫之诗的一大特色，他把丰富而深刻的思想，深蕴在诗歌的鲜明的形象之中，让人咀嚼不尽，回味无穷，凝结成广为传诵的警句。游国恩先生就指出，第一首中"沧波""鹃血"四句，就是著名的警句（见《中国文学史》第四册）。从这些精警形象的诗句中，我们不仅会充分领悟到诗歌的审美价值，而且还会受到深刻的爱国思想的教育，它是中国诗坛上不朽的篇章。

（管遗瑞）

正落花诗

王夫之

弱羽殷勤亢谷风，息肩迟暮委墙东。
销魂万里生前果，化血三年死后功。
香老但邀南国颂，青留长伴小山丛。
堂堂背我随余子，微许知音一叶桐。

鉴赏

王夫之有《正落花诗》十首，皆借咏落花以抒亡国之痛。这里选的其中一首，作者以落花自况，含蓄深沉地抒发了抗清斗争虽然失败，但抗清意志却生死不渝的坚强决心。全诗胸臆峥嵘，风格雄奇苍凉，与杜诗七律颇有相似之处。

整首诗都采用比喻手法，用落花来比喻作者自己，因而在意象的营造上，“落花”就自然地投射了作者自己的身影，负载了作者慷慨深沉的激情。首联“弱羽殷勤亢谷风，息肩迟暮委墙东。”前一句是比中有比，以“弱羽”（即飞翔力薄的鸟）来比喻落花。“亢”（kàng），同抗。“谷风”即来自山谷的大风，语出《诗经·邶风·谷风》：“习习谷风，以阴以雨。”全句意思是说，我就像落花迎风飞舞那样，以满腔热情，不辞辛劳地奔走抗清。后一句紧接这个意思，直接以花作比，写抗清失败后，自己像花落地一样，在晚年隐居。但作者却既不明说抗清失败，也并不明说隐居，而是以《后汉书·逸民传》中“避世墙东王君公”的典故，表明自己的逸民身份，又都姓王，十分贴切。这样暗示，一方面显示诗意的曲折深厚，耐人寻味；另一方面更重要的是，表现了作者不甘失败的决心。目前的“委墙东”只是暂时的“息肩”，而“弱羽”迎抗“谷风”的战斗精神，却是决不会泯灭的。当然，这两句诗中也有失败后的怅惘，包含着深沉的叹惋，但更多的却是激昂奋发之情和坚强不屈之意，一位饱经战斗烽火洗礼的抗清志士的形象，清晰地呈现在读者面前，令人肃然起敬。这两句，也为全诗定下了基调。

中间两联，在首联的基础上深化诗意，具体写自己的抗清意志和坚贞节操。颔联“销魂万里生前果，化血三年死后功。”前一句写生前，作者在抗清斗争期间，曾经流离转徙于湖南、广东、云南、贵州等地，出生入死，历尽艰危；隐居时，又辗转湘西以及郴、永、涟、邵间，窜身瑶洞，伏处深山。想起这些，自然有一种黯然神伤的感觉。后一句写死后，用了《庄子·外物》篇中的故事：“苌弘死于蜀，周人藏其血，三年化而为碧。”成玄英疏：“苌弘遭谮，被放归蜀，自恨忠而遭谮，遂刳肠而死。蜀人感之，以匮盛其血，三年而化为碧玉，乃精诚之至也。”作者想到自己死后，会像苌弘化血那样，精诚不灭。前后两句联系起来看，表示了作者生死不渝的抗清之志。颈联“香老但邀南国颂，青留长伴小山丛。”“香老”，指花虽落而树上自会结果。“南国颂”，屈原作《桔颂》诗中有“受命不迁，生南国兮”的句子。“青”，指常青之树。“小山丛”，指桂树，因汉淮南小山《招隐士》诗中有“桂树丛生兮山之幽”之句，两句承上联中“死后”二字，说花落而果树仍然香青，还会受到后人的赞赏，表示自己要抱定抗清的志节，永不消减，自信一定会像桂花的香味那样，流芳百世，受到后人的理解和赞美。这两联是反复咏唱，来表现生前死后一以贯之的抗清意志，言辞之间，充满了坚定的信念和不屈的精神，感人至深。

最后，在尾联中抒发了作者的感叹：“堂堂背我随余子，微许知音一叶桐。”“堂堂背我”，即公然不客气地背弃我。表面意思是，青春无情地背弃落花，与草木相随；而实际意思却是，抗清的大好时机已一去不复返，全国被异族统治，只留下了一些平庸的人（即“余子”）。所以最后一句接着说，如同落花只有知秋飘零的梧桐叶才是知音一样，我要寻找坚决抗清的人，已经十分难得了。这一联与首联相应，感慨加深，深藏着一种凄凉、孤独的情怀，然而，透过这种伤痛的感慨，我们看到的仍然是一位坚守自己的节操、不与“余子”为伍的斗士的形象，他坚决抗击异族统治的精神，深深的爱国思想，以及坚韧不拔的意志，永远是后人学习的楷模。

这首诗采用比喻手法，因而大量借助想象。作者插上艺术想象的翅膀，由此及彼，浮想联翩。诗歌一开始，作者就从飘飞的落花，想到了迎风飞翔的鸟儿（“弱羽”），这一联想不仅使落花更为生动形象，而且把那种敢于迎着风云搏击的斗争精神，深刻地传达出来。然而，作者思接千载，由花及人，想到了汉代的逸民王君公和传说中的战国的苌弘，并进而想到了屈原的《桔颂》和淮南小山的《招隐士》，最后又联想到桐叶。这些想象，如同风云卷舒，无所羁縻，既不受时间、空间的制约，又打破了事物间本来的联系，而根据诗意重新给以巧妙的组合。通过这些丰富的想象，在诗中赋予了“落花”这个意象以复杂而深刻的内涵，大大拓展了诗歌的境界，从而更好地表现了作者自己的思想。由于成功地运用了想象，读来意境深厚，感情激扬，别具情味，因而使得这首诗歌充满了动人的艺术力量。

（管遗瑞）

补落花诗

王夫之

记得开时事已非，迷香逞艳炫春肥。
尽情扑翅欺蝴蝶，塞耳当头叫姊归。
桃李畦争分咫尺，松杉云冷避芳菲。
留春不稳销尘土，今日空沾客子衣。

鉴赏

王夫之写了《正落花诗》十首之后，又写了《补落花诗》九首，以进一步抒发江山易代之悲。这里所选的一首，借咏落花而寄意，对南明小朝廷的覆亡作了深刻反思，总结了历史的惨痛教训，其间充满着作者对误国君臣的愤慨，表现了对故国的深情思念。

南明，是明亡后其残余力量在南方建立的政权，有福王弘光政权、唐王隆武政权等。这首诗寓意的对象，主要是指福王弘光政权。福王即朱由崧，1644年，明王朝在北京被推翻后，他被阉党余孽马士英、阮大铖等拥立于南京，称弘光帝。他昏庸腐朽，沉迷声色，政权内部党争激烈，朝政完全把持在马、阮等人手中，排斥异己，卖官鬻爵。镇守江北四镇的四个总兵刘泽清、高杰、刘良佐、黄得功在清兵大敌当前之时，又互相争权夺利，彼此仇怨极深，都不以国事为重，只有史可法在扬州孤军奋战。1645年5月24日，清军攻破南京，弘光帝逃至芜湖被俘，南明福王政权很快土崩瓦解。从此，清兵长驱南下，明朝彻底灭亡。南京政权像一朵匆匆开落的“花”，初放时已显病态，稍经风雨，即飘残零落，不可收拾。诗中针对这段历史回荡着深沉的慨叹之情。

诗题是咏落花，但起首却从花开写起，遥遥落笔。首句“记得”二字，是表示对往事的追忆，从时间上把读者从眼前带到了遥远的过去，暗含着一种追溯往事时的如烟如梦、迷离怅惘之情。接着就写“开时”，这里表面是指花开，而实际是指南明福王政权的建立，但刚刚建立之时就极不正常，露出了明显的败兆，故曰“事已非”，这也就暗示它必然很快零落。第一句看来是遥遥着笔，而实际上却在非委婉地切题，显出作者构思时，深刻的用心。第二句紧接第一句的“开时事已非”，写出花开情形：“迷香逞艳炫春肥。”其中“迷”“逞”“炫”三字，说明这“花”是为了争春，为了故意卖弄而开，而“香”“艳”“肥”三字，更婉曲地表示出，像这样脆弱的花是经不起风雨的。首联这两句，比喻福王政权建立时朝局已非，君臣昏庸，沉迷声色，以为小朝廷可以偷安。全诗一开始，就极富包容性，给人以十分深刻的印象，从中领悟到丰富的内涵，在遣词用字上，十分准确、生动，富于弦外之意，耐人咀嚼。

然后，作者接着进一步写花开后亦即福王政权建立后的情形。第二联说，春花在尽情地招引蝴蝶，而对“姊归”的鸣叫，却充耳不闻。其中“蝴蝶”，是比喻那些风流轻薄之徒，如马、阮之辈，他们在朝中勾结邪佞，倾陷好人，为非作歹。“姊归”即子规，传说是古蜀帝杜宇的魂魄所化，因又叫杜鹃，这里用来比喻忠贞正直、敢于谏诤之士。这杜鹃就在“花”的头上不停地啼叫，而“花”却塞耳不听，无动于衷。诗句中表现出作者对福王君臣的极大愤慨，以及对言路堵塞的悲哀，在含而不露中，蕴藏着极为强烈的感情。第三联的意思是，在春天，自恃邀宠的桃李为各自的界限争斗不休（畦，qí，种植时在土地上划分的界限），那看来不合时宜的松杉之树，只好避开它们，到偏僻冷落的地方去生长了。两句比喻小朝廷诸臣钩心斗角、争权夺利，正直之士只好高举远引、洁身而退了。前一句中“咫尺”，表明争斗的短兵相接，其激烈程度可想而知，充满着极其厌恶之情；后一句中“冷”字，既说明了松杉所处的地位，也表示出正直之士看到朝局日非、君臣沉迷不醒的情形，内心的焦虑不安和对于前途的心灰意冷，作者的思想感情，通过曲折的比喻，被表现得清清楚楚，十分深刻。中间这两联，是在第一联之后的自然引申，通过深入的描写，把福王政权内部的黑暗和腐败，彻底揭露出来，并且对误国君臣特别是马、阮之流，进行了鞭挞，表示了深深的义愤。

由于这“花”“开时事已非”，中间又经历过那么多的风风雨雨，它的结局自然是很快败落。诗的最后一联，远接第一句，水到渠成，于是写了花的凋零；它在枝头生长不稳，留不住春天，不久就飘落到地上化为尘土，比喻福王政权很快就倾覆了。如今想到这些事情来，使我这个到处漂泊的“客子”，忍不住泪下沾衣，悲痛不已。“今日”与“记得”相呼应，经过中间的峰回路转，曲折变化，读者从遥远的过去自然地回到了眼前的现实。眼前的现实是什么呢？不仅福王政权败亡，南明的所有政权，也都走马灯似地一个个先后灭亡了，如今，国破家亡，江山易主，作者自己也难有栖身之地，其中充满着多么悲痛的孤臣血泪！诗歌以其深沉悲痛的感情，激荡回旋，形成了动人心魄的力量，感染着无尽的读者。

这是一篇南明政权特别是福王政权兴衰的绝好总结，抵得上一篇深刻的政论。但它又分明是诗。作者采用寓意于物的艺术手法，通过咏物，写落花，来附丽自己的思想，寄托深刻的政治意义，使得诗意深厚绵长，极其耐读。而作者在写落花这个具体形象时，又不为落花所拘，正如《远志斋词衷》所说："咏物故不可不似，尤忌刻意太似，取形不如取神。"它不粘不脱，不即不离，取落花之神，在似与不似之间，做到了形、神结合，既咏物又咏史、咏人，寓情于其中，收到了神余言外的良好效果，堪称咏物诗的上乘之作。

（管遗瑞）

吴 宫 词

毛先舒*

苏台月冷夜乌栖，饮罢吴王醉似泥。
别有深思酬不得，向君歌舞背君啼。

作者

*毛先舒(1620－1688)，字稚黄，浙江钱塘(今杭州)人。明末秀才，入清后不仕。诗学明代后七子，有《思古堂集》。

鉴赏

以西施入吴侍奉吴王夫差的故事为题材的诗歌很多，大都沿袭“女祸亡国”的观点，突出其迷惑吴王、终亡吴国的作用。也偶有翻此旧案的，如唐崔道融《西施滩》：“宰嚭亡吴国，西施陷恶名。浣纱春水急，似有不平声。”罗隐《西施》：“家国兴亡自有时，吴人何若怨西施。西施若解倾吴国，越国亡来又是谁?”这些诗主要是从政治角度为西施翻祸国之案。毛先舒这首诗别开生面之处，却是从人情的角度，来塑造充满感情矛盾的西施形象，以表述和传统观念不同的看法。据说王渔洋非常欣赏此诗，认为后二语未经人道(见杨际昌《清诗话》卷二)。

首句写吴宫环境气氛。“苏台”即吴之姑苏台，吴王夫差扩建增筑，上有春宵宫，穷极华丽，夫差与妃嫔在宫中彻夜饮酒作乐。但这里出现的姑苏台却笼罩在凄冷朦胧的月光下，呈现出一片凄寂的气氛。“夜乌栖”表明入夜。李白《乌栖曲》“姑苏台上乌栖时，吴王宫里醉西施”也写到“乌栖”。此处与“月冷”除渲染冷寂氛围外，似带有象征意味，暗示吴国萧条冷落的气象。

次句写吴王夫差耽酒荒淫，醉生梦死。“醉如泥”三字用笔很重，见其昏迷不醒，语带双关，中含讽刺。以上两句,好像仍是顺着传统的观点,将夫差沉醉于西施美色之意写足。这样,就使三、四两句出人意料的转折更引人注目。

西施入吴的使命,就是用美色迷惑夫差,使之沉湎酒色,放松对越国的警惕。“吴王醉似泥”,正是符合越国政治利益的,也是西施不负使命的表现。但诗人却别出新意,说西施虽不负越国使命,却有负吴王深恩,因此,在面对着吴王的时候,为了完成使命,不能不轻歌曼舞,使吴王迷醉;但在吴王沉酣不醒时,又为自己未酬吴王的厚爱,反而作了对他不利的事而暗自悲啼。之所以“背君啼”,是因为这种感情不能流露在吴王面前,只能背着他私下哭泣。一“向”一“背”,揭示了具有双重身份的西施(既负有越国的特殊政治使命,又是吴王夫差的宠妃)的感情矛盾,而诗人所着意强调的,正是历来不为人们注意的后一面。

这种感情矛盾实际上触及一个正常的人性、人情问题。在传统的女祸亡国论观念支配下,西施只是越国的一个特殊政治工具,徒有美丽的躯壳,却并无人的正常感情。这首诗正是揭示了作为一个女人,西施的政治使命与她的正常爱情要求之间的矛盾。尽管诗人只是如实地揭示出这一感情矛盾,并没有直接对此加以评论和判断,但实际上更倾向于后者,同情她作为一个女人的爱情要求。可以说,这是第一次将西施作为一个活生生的女人,而不是作为单纯的政治工具来写,使西施恢复了正常人的面目。这一点,正透露出封建末世某些传统的观念开始逐渐解体的时代气息。这种翻案,比起上面所说的政治上的翻案意义更为重大,也更加深刻,因为它深入到人的感情深层,显示了女人也是人这样一种民主意识的萌芽。

(刘学锴)

陆放翁砚歌为毕载积题

孙枝蔚*

道士洑边日将落，渔人网重心最乐。
不闻拔剌转堪疑，到手且看石厚薄。
相逢未少读书人，得钱胜卖三尺鳞。
携砚归来赠毕曾，瓮头大叫惊四邻。
老友如从剑南至，上镌“心太平庵”字。
放翁不止是诗人，酒罢凄凉南宋事。
挥毫意气凌千秋，冬天不惧寒无裘。
《晓叹》一篇情具见，后人展诵泪长流。
此石相随到西蜀，洗涤坐临江水绿。
只今湮沉几百年，却与渔家换斗粟。
古来得失何事无，金铜仙人来魏都。
塞马楚弓那足问，船中书画聊自娱。
世间正贵丰城剑，笑君癖爱江底砚。
可怜情性与时违，夜夜名流满高宴。
何人把玩最嘘欷，白发西京老布衣。

作者

* 孙枝蔚(1620－1687)，字豹人，号溉堂，陕西三原人。明末，散家财募兵与李自成起义军为敌，兵败。康熙十八年(1679)，举博学鸿词科，因年老不能应试，被授内阁中书。工诗词，多激壮之音。有《溉堂集》。

鉴赏

陆游爱砚，在其诗集中，许多诗表达了他视砚为爱物的情感：“端溪砚璞斵作枕”（《睡起视茶》），“端溪石池浓作墨”（《题醉中所作草书卷后》）。陆游更爱国，“王师北定中原日，家祭毋忘告乃翁”（《示儿》），就是万口传诵的名句。毕载积得放翁砚，孙枝蔚为题，其主旨正是借眼前之砚，怀古人旧事，更借宋伤明。全诗由砚及人，因人生情，赞叹了古之陆游与今之毕载积不趋时俗、雅爱宝砚的情趣，表达了对故国故乡的怀念。

首十句言毕载积得砚。陆放翁砚得来全出偶然，一位渔人在道士洑边网到这方石砚。作者精细地刻画了渔人网中得物时的情态变化，先乐而转疑，因网重将得鱼而乐，不见鱼动迹象而疑。继而又转喜，自忖将石砚卖给读书人，还“胜卖三尺鳞”呢！从渔人手中得砚的那位读书人，不知是素闻载积有砚癖，还是看载积有西晋名士毕卓那般放达的品性，便将石砚赠给了这位新砚主。载积得砚，竟“大叫惊四邻”，这一“惊”，提示了此砚不同寻常，把读者对石砚的关注推向高潮。经作者的苦心铺垫之后，推出石砚的真实面目：“老友如从剑南至，上镌‘心太平庵’字。”“老友”指出毕素来视砚为友；地名“剑南”、室名“心太平庵”，点明砚主即为南宋爱国诗人陆游。这两句为毕的无意得砚，添上了几分传奇色彩。

次十句述陆放翁用砚。作者由眼前之砚，联想到陆游的诗，联想到南宋的凄凉事。也许正是用这方砚，陆游写下了诸如“寒生肌粟苦衣单，瘦减头围觉帽宽”（《贫述》），“推衾危坐待天明，白首忍穷心似铁”（《夜寒遣兴》）这样贫寒不坠凌云志的诗句；更写下了《晓叹》“幽并从古多烈士，悒悒可令长失职?”“安得扬鞭出散关，下令一变旌旗色”等位卑不忘复故土的诗句。“此石相随到西蜀”，既是对“剑南”“心太平庵”等句的呼应，也进一步体现了放翁对石砚的珍爱之情。可以想见，陆游随身携带石砚，精心洗涤，倾注了多少爱心！令人叹惜的是，石砚湮沉数百年，杳无消息，石砚的遭遇如此，砚主陆游的命运如何，耐人寻味。

前二十句以客观叙事为主，最后十句则完全是作者的议论。作者似乎离开石砚而大谈人间“得失事”，大至汉魏兴替，小至塞翁失马、楚王遗弓。当人们无法把握朝局、预测未来时，唯有听其失、安己心，像米芾那样在船上载书画以自娱。毕君爱砚，高宴名流，是与豁达超然的情趣一脉相承的；而世间却以“丰城剑”为贵,即崇尚武功,作者虽未明言其非,但在对毕君淡淡的褒扬中,已经蕴涵对时尚的不屑了。当然,追名逐利也好,雅爱珍物也好,“何人把玩最嘘欷”,还数“白发西京老布衣”,在旧籍长安的作者看来,得武功不足以传世,爱名砚亦仅自娱而已,失去了陆游收复中原的决心,这才是最令人欷歔不已的。末二句,作者情不自禁地由旁观者、代言人而自袒胸襟,再次表明了他对陆游砚的深层思考和无限感慨。陈维崧所称:“其思乡土而怀宗国,若盲者不忘视,痿人不记起,非心不欲,势不可耳。”(《溉堂前集序》)正道出了孙枝蔚感情与现实的矛盾。

这是一首咏物诗,但对具体的那方砚并未作精细的描绘,在诗句中,读者几乎无法了解砚的形状与色泽。孙的立意在以砚为中介,突出陆游之用砚,在于书写寄托壮志的《晓叹》等诗;载积之爱砚,在于不附陋习,陶冶性情;作者之玩砚咏砚,则更是借题发挥,以宋喻明,表达自己复旧朝、归故土的热望。

沈德潜称孙诗“自有真意”(《清诗别裁集》),魏禧认为他的古诗往往以汉魏律为先驱(见《溉堂续集序》)。衡之此诗,“真”在事真、情真,其似汉魏处,正在有内容、能动人,即所谓“感于哀乐,缘事而发”。正是康熙三年(1664)时的孙枝蔚,复明之心未死,强烈的复国思想驱使他写下了此诗。到了康熙十八年(1679),孙改变初衷,出仕清廷,便不再发这样的家国之感了。

(张修龄)

赠柳生

毛奇龄*

流落人间柳敬亭，消除豪气鬓星星。
江南多少前朝事，说与人间不忍听。

作者

＊毛奇龄(1623－1673)，字大可，号初晴，又以郡望称西河，浙江萧山人。早年参加过抗清活动，后归隐。康熙十八年(1679)应博学鸿词科，授官翰林院检讨。以治经史之学著名，又长于诗。有《西河合集》。

鉴赏

柳生，即柳敬亭，善说书，为明清之际著名说书艺人，本姓曹，因得罪逃亡在外，改姓柳，曾在明末抗清将领左良玉幕下，颇受左的赏识，左死后大部分时间是在市民中间说书。他为人能辨善恶，表达人民爱憎，明亡后，更借说书抒发胸中的慷慨悲凉情绪，死时年约九十。他说书的技巧非常高明，黄宗羲在《柳敬亭传》中说："五方土音，乡俗好尚，习见习闻，每发一声，使人闻之，或如刀箭铁骑，飒然浮空，或如风号雨泣，鸟悲兽骇，亡国之恨顿生，檀板之声无色。"当时的著名文人吴伟业、周容等都给他写过传，孔尚任的《桃花扇》、张岱的《陶庵梦忆》，都对其为人和说书有形象生动的描述，可以参看。毛奇龄这首《赠柳生》，通过对柳敬亭晚年落拓形象的描写，表达了对柳的同情，寄予着对故明王朝的深切怀念。

前面两句，有如对面晤谈，娓娓道来，十分亲切，但其中却透露出人世沧桑的无限悲凉。"流落人间柳敬亭，消除豪气鬓星星。""人间"即民间。前一句说柳敬亭在明亡之后，经过翻天覆地的大变化，从将军幕府流落到民间,这种地位的改变,高下悬殊,不仅是柳敬亭个人的悲哀,同时更是整个国家的不幸。因为明亡之后,故明国土全部沦于清军的铁蹄之下,遭受践踏和蹂躏,国家和个人有着同样的遭遇。次句对柳敬亭的形象作了具体描写,他双鬓斑白("星星"即斑白),当年的豪侠之气已经消磨殆尽。这句只淡淡两笔,就勾勒出一个经历磨难、颓然而衰的老者形象。这种精神上的改变,则从更深的层次上,暗含了故明士大夫在亡国之后情绪上的衰落和内心的无尽悲痛。这两句各有侧重,从柳敬亭的地位和精神两个方面的对比中,流露出了江山易代之际,人们心境的无限伤感;但两句又一气贯注,读来自然流畅,诗意浑然。

如果说,第一、二两句还比较含蓄,主要是通过暗示来表达故国之思的话,那么到第三、四句,作者就一任诗笔的奔放,较为显明而热烈地表示出对故国的深情眷念。两句仍然扣紧题目,从写柳敬亭着笔:"江南多少前朝事,说与人间不忍听。"因为柳敬亭以说书知名于世,故这里就讲他的说书。而且,他本人就是明清动乱历史的见证,他讲述的这些故事,与其说是说书,毋宁说是自道身世,是以历史见证人的身份,来诉说这段斑斑血泪的历史,唤起人们的民族精神,所以这是将人和书二者统一起来写。"江南",指南明,北京陷落后,明朝残余力量先后在南方建立了福王弘光政权、唐王隆武政权、鲁王政权、唐王绍武政权、桂王永历政权、韩王定武政权,坚持抗清,直至最后失败。"前朝事",即指这些政权的抗清事迹。句中"多少"二字,表现出抗清斗争的风起云涌,前仆后继,写来颇有自豪之意。柳敬亭出于满腔爱国之心,将这些前朝抗清之事编成故事,在茶房酒肆中说与普通民众听。这充满爱国热情的故事,深深地打动了听众的心,触发了无限沧桑之感,深沉的亡国之恨油然而生,简直不能忍心听下去。这一方面表明了柳敬亭说书的生动感人,是赠诗中对柳的称赞之语;另一方面也说明了人们对于故明的深深怀念,这是诗中要表达的主要思想。人们在对柳敬亭的尊敬、同情之中,感受到了一种强烈的"黍离"之悲,这是全诗的动人之处,也是核心所在。

杜甫曾有一首赠唐朝歌唱家李龟年的七绝《江南逢李龟年》:"岐王宅里寻常见,崔九堂前几度闻。正是江南好风景,落花时节又逢君。"在短短二十八字中,杜甫通过对一位歌唱家的描写,概括了四十年的时代沧桑,人生巨变。尽管诗中没有正面涉及时事身世,但通过追忆感喟,十分深刻地表现了"安史之乱"给社会带来的深重灾难和人们心灵的创伤。孙洙评曰:"世道之治乱，华年之盛衰，彼此之凄凉流落，俱在其中。”这首《赠柳生》，在命意上颇有异曲同工之妙，情韵上也有近似之处，两首对观，细加玩味，当能领会更深。

（管遗瑞）

览镜词

毛奇龄

渐觉铅华尽，谁怜憔悴新？与余同下泪，只有镜中人。

鉴赏

思妇题材早已是一个陈旧的题材，很难写出新意。毛奇龄的这首五绝通过“览镜”这一特定的情节来刻画人物的心理活动，就有些别致。“渐觉铅华尽，谁怜憔悴新”，表明女主人公不复妆扮，且处境孤独，其意略同于：“自伯之东，首如飞蓬。岂无膏沐，谁适为容？”（《诗经·卫风·伯兮》）但通过主人公对镜自伤的情景来表现，就有了一种顾影自怜的楚楚动人之感。“铅华尽”是因为不再化妆的缘故，故着“渐觉”二字。忧能伤人，使人憔悴。加之未施脂粉，更难掩饰。“谁怜”云云，则唯有自怜而已。此诗精彩处还在后二句，分明只是无一人耳，只是独自垂泪耳，却偏道：“与余同下泪，只有镜中人。”而那个“同下泪”的“镜中人”，乃是主人公的影子。这里当然寓有巧思，却也是对镜伤怀的人必然产生的一种心境，有其自然真挚者在。苏东坡《木兰花令·次欧公西湖韵》：“与予同是识翁人，唯有西湖波底月。”只是强调识欧公者天下唯我一人而已，却偏拉入明月，便道得有味，与此诗构思措辞异曲同工。前人说，绝句贵取径深曲，或正意反说，总不直致。此诗即得个中三昧。

（周啸天）

甲辰九日感怀

顾祖禹*

萧飒西风动客愁，停尊无处漫登楼。
赭衣天地骊山道，白袷亲朋易水秋。
征雁南飞无故国，啼猿北望有神州。
茱萸黄菊寻常事，此日催人易白头。

作者

*顾祖禹(1624－1680)，字景范，江苏无锡人。一生未仕，长于舆地之学，著有《读史方舆纪要》，并参与编辑《清一统志》。能诗。有《宛溪集》。

鉴赏

据郭则沄《十朝诗乘》，此诗是为悼念抗清将领张煌言遇难而作。张煌言(1620－1664)，字玄著，号苍水，浙江鄞县人。明崇祯举人，弘光元年(1645)起兵抗清，奉鲁王监国，据守浙东山地和沿海一带，官至权兵部尚书。鲁王政权覆灭，他又与十三家农民军联系抗清，至康熙三年(1664)，因见大势已去，遂解散义师，隐居南田(今浙江象山)，七月被清兵执至杭州，九月七日就义。诗题中"甲辰"，即康熙三年；"九日"，即九月初九，重阳日。作这首诗时，正是张煌言遇难的第三天，作者在刚刚闻听凶耗之后，不能自已的满腔悲愤，犹见于字里行间，表现出对义士的深深悼念之情和强烈的故国之思。

首联"萧飒西风动客愁，停尊无处漫登楼。"第一句表面是说，作者在做客他乡之时，那萧瑟的秋风吹来，引动了寄人篱下的无限悲愁。"萧飒"，同萧瑟，秋风之声。这里暗用了宋玉《九辩》中句意："悲哉秋之为气也，萧瑟兮草木摇落而变衰。"但是，如果联系整首诗的内容来考察，我们就不难发现，这里的“萧飒西风”实际是指张煌言遇难的消息，这消息传来，像秋风引动客愁一样，引起了作者内心的无限悲痛。由于当时清朝的政治高压，作者不能明言，故借西风以指噩耗，意思极为深沉委婉，一片凄凉悲伤之意，溢于言外。下句说，正因为作者这样悲伤，而且流落异乡，所以虽在重阳之日，也“停尊无处”（即无处举杯），无法登高（山）饮酒，只好登上高楼，遥望故乡，以寄哀思。“漫”字用得极为精当，它确切而形象地表现出作者在闻听噩耗时那种怅然若有所失、举措茫然的情形，内心悲痛被表现得十分深刻。这一联从西风写起，暗切题中“九日”，并且含蓄地引出登楼悼念之意，为以下各联张本。

中间两联，即写作者登楼时的所见所感。颔联“赭衣天地骊山道，白袷亲朋易水秋。”“赭衣”，古代罪犯所穿的赤色衣服。“骊山”在陕西临潼区。据《汉书·刑法志》：秦始皇发罪人筑骊山阁道，“赭衣塞路”。“白袷”，即白色夹衣。据《史记·刺客列传》，燕太子丹派荆轲刺秦王，亲朋好友都穿戴白色衣冠到易水河边饯别。这一联集中使用了一些与秦朝有关的典故，以暴虐无道的秦朝比喻对中国实行残酷统治的满清王朝，表现了对清朝以刀锯鼎镬待天下，滥杀抗清义士的强烈之满；同时以荆轲比喻张煌言，肯定了他抗清的正义行动。作者的憎爱表现得强烈而又分明。后一句中，还隐含着“风萧萧兮易水寒，壮士一去兮不复返”之意，对张煌言的抗清失败，去而不返，惨遭杀害，表示了深切的追念，意思更为痛切、深刻。两句好像是写登楼所见，其实只是所感，是紧承首联闻听张煌言被杀的凶耗而来，作者把无尽的悲愤浓缩其间，字字凝结着血泪。颈联“征雁南飞无故国，啼猿北望有神州。”作者在极度悲愤中抬头远望，他看到那广阔的天宇中，大雁正在向南飞去；而在山岭之间，又听得传来一声声哀猿的啼鸣，心情分外沉痛。然而，更加沉痛之处还在于，诗中的“征雁”“啼猿”，其实就是作者自己的形象。他像“征雁”那样，向往和寻找南明故国，然而，江山易主，时光流逝，哪里还有故国的一寸土地呢？他只有像“啼猿”那样，深情地北望曾是故明国土的神州大地，伤心地落泪了。这一联把景和情紧密结合在一起，通过比喻，诗意有了进一步引申和发展，从痛悼张煌言的被杀，转向描写整个明朝的灭亡，使哀痛更加深沉广远。中间这两联，前一联是虚写，虚中有实，后一联是实写，实中有虚。这样虚实结合，把登楼时的所见所感交织在一起，通过生动形象的笔墨，传达给读者，引起了心灵的强烈共振。

最后，作者写出了对今天这个非同寻常的重九日的特别感受，把题目点明，进一步寄托深沉的哀痛。尾联“茱萸黄菊寻常事,此日催人易白头。”“茱萸”,一名越椒,一种有香气的植物。据《西京杂记》记载:“汉武帝宫人贾佩兰,九月九日佩茱萸,食蓬饵,饮菊花酒,云令人长寿。”以后遂相沿成习,佩茱萸、赏黄菊就成为重阳节的寻常之事。然而,今日看来,这些却一点也不寻常了。要同张煌言一起佩茱萸、赏黄菊,今日不可能,今后也永远不可能了,这是怎样的无法弥补的哀痛呢?那萧瑟的西风,阵阵吹来,遍地黄花,格外凄清。此时,对死难者的悲痛,对故国的思念,禁不住一齐涌上心头,真使人愁肠百结,头发都快要白了。到此,悼念之情,感怀之意,表达得极为含蓄而又充分,一片悲伤,令人不忍卒读。全诗情绪苍凉,格调雄浑,在委婉曲折中,又显得平易流畅,表现了作者的风格。

(管遗瑞)

登雨花台

魏　禧*

生平四十老柴荆，此日麻鞋拜故京。
谁使山河全破碎？可堪翦伐到园陵！
牛羊践履多新草，冠盖雍容半旧卿。
歌泣不成天已暮，悲风日夜起江声。

作者

*魏禧（1624－1680），字叔子，一字冰叔，号裕斋，江西宁都人。明末秀才。明亡后，与兄际瑞、弟礼隐居翠微山，授徒倡导古文，号"宁都三魏"。又与李腾蛟、彭士望等九人结为生死之交，称"易堂九子"。其诗古朴苍劲。有《魏叔子集》。

鉴赏

这首诗是作者四十岁时，也就是明亡后二十年，登南京市南的雨花台所作。全诗表达了深切的易世之痛，剖白了自己忠于故国的心志，也对那些"冠盖雍容"的误国"旧卿"表示了不满和愤慨，诗情凄凉伤感，悲切动人。

首联"生平四十老柴荆，此日麻鞋拜故京"直接入题，写登雨花台的情景和原因。但第一句是从远处落笔，从自己四十年来的生平写起，其中包含着强烈的感情。四十年来，作者经过了明清易代的大变动，在风风雨雨、艰难困苦的日子中，不知经受了多少磨难，但他却始终如一，没有一点动摇。诗句中特别提到"四十"，说明时间的漫长；又特别提到"柴荆"（即茅屋），形象地暗示了社会地位的低下和生活的艰窘。但其中一个"老"字，把四十年的漫长历史和"柴荆"中的艰难生活联系在一起，表现出他的矢志不渝和安之若素，忠于故明的心志在言外得到了充分的表现。第二句接着就说登雨花台的原因，是来拜谒明代的“故京”。“故京”，即今南京市，明初朱元璋建都于此，以后明成祖迁都北京。明朝灭亡以后，清代建都北京，南京就成了江南士大夫常常凭吊故国的地方。这句使上句的意思得到了更为明确的表露，诗意进了一层。诗中的“此日”，有特地的意思，今日特地拜谒故京，词意郑重情深。而“麻鞋”两字，不仅进一步描写了自己的生活境况，还暗用了杜甫《述怀》诗中“麻鞋见天子，衣袖露两肘”之意，使人产生更为丰富的联想。诗意显得更为深厚，而“拜故京”之情，也就显得特别强烈。两句在时间上从“四十年”写到“此日”，在地域上从自己所居的“柴荆”转换到明代的“故京”，一路迤逦而来，这就把个人的一生和漫长时间中的社会大变动，把目前的处境和明都的今昔联系起来，大大地扩充了社会和政治的内容，为以下写登临所见，打下了极为深厚的思想基础和感情基础。

中间两联，写登台所见，抒发自己的满腔悲愤。

颔联“谁使山河全破碎？可堪翦伐到园陵！”“山河”，即江山，此代指国家。诗人登台所见，虽然虎踞龙盘，青山如旧，但已非明朝江山，早已沦为被异族铁蹄践踏的土地。这里“破碎”的不仅仅是“山河”，还有作者那颗热血奔流的赤子之心。诗人此时眼见大好江山全被葬送，忍不住发出愤怒的责问，“谁使”二字，力重千钧，而又痛断肝肠。下一句更为沉痛，不仅山河破碎，就连在钟山的明朝开国皇帝朱元璋的陵墓，也不能得到保护，树木居然遭到任意采伐。“可堪”二字，与前句“谁使”相应，再一次发出沉痛的感叹，两句显得情绪特别激愤。全诗从首联描写入题，到颔联就立即形成感情的高潮，有如浪涛陡然翻卷，也像山峰突兀挺立，诗人强烈的故国之情，得到了充分而深刻的表现。颈联“牛羊践履多新草，冠盖雍容半旧卿”，采用交叉承接的手法，紧接颔联而来，“牛羊”句承“可堪”句，继续写明朝皇陵的凄凉荒废，那昔日庄严肃穆的园陵，现在到处生满了荒草，牛羊出没其中，随意践踏，简直成了一片牧场。这与刘长卿《登吴城歌》中“牛羊践兮牧竖歌，野无人兮秋草绿”所描写的情形极其相似，一片衰败荒凉景象，宛在读者目前。“冠盖”句承“谁使”句，写改仕清朝的明朝旧官僚（即“旧卿”）恬不知耻。“冠盖”，即官僚们的衣服、车盖。作者放眼望去，那城中道路上显得雍容华贵的“冠盖”，半数是明朝的旧臣，如今改换门庭，投靠新主，又是一副洋洋自得之态了。联系“谁使”一句的责问来看，在诗人看来，使得明朝山河彻底破碎的，除了清军的侵略而外，显然还有这些

"旧卿"的或明或暗的出卖。诗中以十分沉痛的语气,明显流露出了对这些人的极端鄙视和憎恶,表现出作者强烈的民族意识。这中间两联通过交叉承接,把眼前破碎的山河,遭到踏伐而牛羊出没的园陵,以及冠盖雍容的"旧卿",全都摄入笔底,融合成一片,使荒凉冷落之景与凄伤悲怨之情,相映相生,感人至深。并且,在交叉中造成一种往复回环之势,时而描写景色,时而发抒感慨,反复唱叹,使易世之痛和故国之思更加深沉。我们仿佛看到作者在雨花台上,那种四顾神伤,仰天叹息,心酸难忍的情景,笼罩着悲切的气氛。

作者在这样易于惹动故园之思的地方,徘徊流连,久久不忍离去,直到暮色苍茫。"歌泣不成天已暮,悲风日夜起江声。"这最后一联,真是字字血泪。长歌当哭,必须是在痛定之后的,此时"歌泣不成",可见内心悲痛之巨、之深,登雨花台而触动的一腔悲愤,在这里再次形成高潮,汹涌的情思像接天巨浪一样,冲击着诗人的胸怀,也激荡着读者的心。这时,只听得晚风阵阵,伴随着那日夜不息的长江的水声,显得更加悲凉。这最后一句,作者巧妙地以景作结,把不能自抑也无法再用言语形容的满腔悲怨,一起融合在凄凉悲伤的景色中,让读者从鲜明的形象中,去领会那深深的亡国之痛。另外,这样处理,在全诗激愤的感情基调中,最后显得情韵悠长,给读者留下思索不尽的余意。这与全诗的开头,以及中间的交叉回环,都充分体现了作者的艺术匠心,可称手法新颖,不同凡响。

(管遗瑞)

玉钩斜

汪琬*

月观凄凉罗歌舞，三千艳质埋荒楚。
宝钿罗帔半随身，踏作吴公台下土。
春江如故锦帆非，露叶风条积渐稀。
萧娘行雨知何处，唯见横塘蛱蝶飞。

作者

*汪琬(1624–1691)，字苕文，号钝庵，又号尧峰，江苏长洲(今江苏苏州市吴中区)人。顺治十二年(1655)进士。康熙十八年(1679)应博学鸿词试，任翰林院编修。长于诗文。有《钝翁类稿》。

鉴赏

"玉钩斜"，地名，又叫宫人斜。据《广陵志》："府治西北有玉钩斜，隋炀帝葬宫人处。"遗址在今江苏扬州市西北。这首诗是作者到扬州寻访古迹之作，隐约含蓄地谴责了隋炀帝的荒淫误国，也深寓着人世沧桑之叹。

前四句是对往昔的想象和追忆，写隋朝宫女的遭遇。"月观"，楼台名，在扬州城北。《扬州府志》："宋徐谌之为南兖州刺史，以广陵城北多陂津，水物丰盛，乃建风亭、月观、吹台、琴台，竹木繁茂，花药成行。""罗歌舞"，即盛设歌舞，据《拾遗记》载："隋大业(炀帝杨广年号)十年(614)，炀帝至江都，选殿脚女吴绛仙等，使给事月观，常常月夜幸之。"开始一句，是以昔日的"罗歌舞"，来衬托今日的"月观凄凉"，重点是在写现在。在一片凄凉中，追思往事，这月观中曾经充满过多少欢乐，而如今却笼罩着一片冷落与悲哀。强烈的对比，一开始就有不胜今昔之感。接着写，曾经在这月观中轻歌曼舞，极尽婀娜风流之态的三千宫女（即“艳质”），早已埋葬在这遍是杂树野草的“玉钩斜”中了。然而作者又进一步追想当时情形：她们在死后被埋葬时，那“宝钿（diàn，形如花朵的首饰）”“罗帔（pèi，罗帔即丝织的披肩）”还多半存留身上，临终时似乎还葆有着生前的媚态娇容。然而这一切如今安在？她们的艳质、宝钿和罗帔，都早已化为泥土，被深深地踏在吴公台下了。“吴公台”，在扬州城西北，刘宋时沈庆之所筑，陈朝时吴明彻又增筑，故叫吴公台。玉钩斜与吴公台同在城西北，作者故有此联想，自然而又形象，且富深意。这四句步步推进，而又间以顿挫，颇有一唱三叹之意。

后四句着重写眼前情景，江山如旧，而隋炀帝的风流韵事早已化为烟霭。“春江”句在前四句的描写之后，有意宕开一笔，从写宫女转到写隋炀帝开凿的大运河和在堤岸上的柳树。隋炀帝当年为了寻欢作乐，不惜动员国家力量，开凿了通往江南的大运河，供他的游船航行之用，如今在这玉钩斜附近，运河一派春色，似乎依然如故，但是，炀帝南行时那“春风举国裁宫锦，半作障泥半作帆”（李商隐《隋宫》诗句）的铺张豪华之举，却已经化为历史陈迹，一去不复返了。那炀帝时栽在运河两岸的垂柳，到春天本该发芽抽条了，但在风露中却只有稀疏的几条，多半已经老死了。这里面满含着往事如烟之意，充满着无穷的感慨。最后两句，作者从眼前的景象又想到炀帝的萧皇后。“萧娘”即萧后，炀帝最宠爱的皇后，隋亡后被突厥所掳，唐太宗灭突厥，入唐宫。“行雨”用宋玉《高唐赋》故事：楚王游高唐，梦见巫山神女来幽会，临去之前对楚王说：“旦为行云，暮为行雨。”这里“萧娘行雨”四字，指炀帝和萧后当年的那些荒淫的风流韵事。然而如今已无迹可寻，只见那横塘上蝴蝶正在翩翩飞舞。“横塘”是地名，在南京附近。崔颢《长干（里巷名，在南京市南）曲》有“君家何处住？妾住在横塘”之句，因南京与扬州很近，此以“横塘”代指扬州。末句“蛱蝶飞”，暗用了《庄子》中庄生梦为蝴蝶的故事，也用了李白《古风五十九首》中“庄周梦蝴蝶，蝴蝶为庄周。一体更变易，万事良悠悠”的诗意，非常深婉含蓄地暗示出，炀帝虽然宫妾成群，萧后又姿色独绝，他穷奢极欲一生，终于闹到身死国灭的地步，而这一切，又都化为过眼云烟，不见一丝儿踪影了。这里面，有对炀帝的谴责，也有对人世变幻无常的感叹，如同那空中飘忽飞舞的蝴蝶一样，叫人捉摸不定，全诗留下了深长的意味。

这是一首七言古诗。一般说来，七言古诗讲求铺张扬厉，即使是短章也要写得气势阔大，而这一首的风格却迥然不同，写得迷离恍惚,风韵绵绵,耐人品味咀嚼。首先是作者把眼前之景与追想中的情景交叠互现,使今、昔打成一片,造成了时间上的强烈变化之感,而人世沧桑之意自然而然地溢于言外。其次是作者对人物的描写,无论是歌舞的"三千艳质",还是"行雨"的"萧娘",都是在诗中点到后,紧接着即用跳荡的笔法,宕扬开去另说他事,若断若连,闪烁迷离。特别是隋炀帝,诗中事事与他有关,而他却始终没有完全露面,半隐半显,更给人一种神秘朦胧之感。再次是在声韵上,前四句用仄声韵,声情低抑;而后四句却改用平声韵,声情上扬。这种声韵上的变化和对比,也增加了全诗的情韵,使得诗歌具有了不同一般的新鲜风格。

(管遗瑞)

咏　史

陆次云*

儒冠儒服委丘墟，文采风流化土苴。
尚有陆生坑不尽，留他马上说诗书。

作者

*陆次云，生卒年不详，字云士，浙江钱塘（今杭州市）人。官江阴知县。工诗。有《澄江集》。

鉴赏

秦始皇为巩固其封建专制，推行愚民政策，焚书坑儒，造成一代知识分子和文化的空前浩劫，加速了秦王朝的灭亡。诗人对此往往予以无情的嘲讽。唐章碣《焚书坑》、明袁宏道《经下邳》、清陈恭尹《读秦纪》与陆次云本篇，都是传诵之作，可以参看。

《史记·秦始皇本纪》："（李斯进言）'臣请史官非秦记皆烧之。非博士官所职，天下敢有藏诗（《诗经》）、书（《尚书》）、百家语者，悉诣守、尉杂烧之。有敢偶语诗书者弃市。以古非今者族。吏见知不举者与同罪。令下三十日不烧，黥为城旦……'制曰：'可'。"又有侯生卢生者不愿为始皇求仙药，"于是（秦始皇）使御史悉案问诸生，诸生传相告引，乃自除犯禁者四百六十余人，皆坑之咸阳。"此诗的前两句就是对上述史实的概括："儒冠儒服委丘墟，文采风流化土苴。"上句言坑儒，下句兼言焚书。"文采风流"兼指诗书。

尽管秦始皇实行了如此严厉的文化专制政策，然事与愿违。文化与学术皆未绝种，到汉初，很快得到复兴，传习诗经者就有齐、鲁、韩、毛等流派。前三者皆立于学官，置博士弟子；"毛诗"经东汉马融、郑玄等推重，且为之注笺，遂盛行于世。还有一位不怕死的伏生，在秦火中将尚书藏于屋壁。汉初尚遗二十九篇，教授于齐鲁间。文帝时，遣晁错往学，伏生已九十余岁，经其女通传口授，即"今文尚书"，立于学官。而陆次云在此诗中单单举出一位陆生，即汉高祖谋士陆贾，是大有缘故的。《史记·陆贾列传》载"陆生时时前说称诗、书。高帝（刘邦）骂之曰：'乃公居马上而得之，安事诗、书！'陆生曰：'居马上得之，宁可以马上治之乎？'"可见陆生虽非大儒，但敢于纠正汉高祖轻视文化的偏见，是很有胆识的。"尚有陆生坑不尽，留他马上说诗书"语意之妙，一在"说诗书"于"马上"，以见"马上得天下，不可于马上治之"之意；二在"坑不尽"三字，使人联想到"烧不尽"（白居易："野火烧不尽，春风吹又生"），表现出文化与学术顽强的生命力。又以"尚有""留他"相勾勒，亦有"秦法虽严亦甚疏"（陈恭尹）的冷嘲意味。最后，作为一位与"陆生"同姓的后代读书人，他举出这位汉代的先人而表彰之，引以为荣。凡此，都增加了此诗的意味。

清人王文濡评此诗云："始皇焚书，则犹有黄石公授张良之兵书；销锋镝，则犹有博浪沙之铁椎；坑儒生，则犹有说诗书之陆贾。始皇愚处，一经拈出，真觉可笑。"全诗一句说坑儒，二句说焚书，三、四句则总就焚书坑儒而反唇相讥，章法也很严密。

（周啸天）

至西昌知周栎园先生无恙，且得手书

黎士弘*

他乡惊喜君还在，痛定开函泪更流。
万死才回明主顾，孤儿犹属故人收。
众中薄命谁能惜，意外微生荷独留。
误尽闽南碑下客，无端北望哭西州。

作者

*黎士弘(1618－1697)，字愧曾，福建长汀人。少以诗文明于时。徐世溥、钱谦益等推为海内名士。顺治十一年(1654)，举顺天府乡试，授江西广信推官。二举廉卓，迁至常州知府。康熙十八年(1679)，因平吴三桂有功，升布政司参政。后辞归。其诗学李贺，文追王勃。有《讬素斋诗文集》十卷。

鉴赏

题中的"周栎园"即周亮工，栎园是其号。明时，官至监察御史。清顺治年间，曾任福建按察司布政使，卓有政绩。被诬劾下狱，论罪当死，得顺治帝遗诏而获赦。康熙元年，起补山东海防道，后又调任四川江安粮储道。再度被诬劾下狱，论罪当绞，得康熙帝惠顾而获免。福建百姓误传周死，为之立碑纪念。本诗作者是福建人，与亮工至交，后到四川西昌，得知亮工无恙，并接到亲笔书信，喜极感赋，表达他对挚友的一片深情。

起句点明题意。"他乡惊喜君还在"，说明作者在福建时，已听说亮工不在了。"他乡"指西昌，"君还在"是"惊喜"的原因。作者来到西昌，得知挚友无恙，禁不住惊喜交加：惊的是挚友健在，喜的是接到手书。当他用哆嗦着的手打开信函"痛定开函泪更流"，痛定思痛，倍觉伤感，更是泪如泉涌。

三、四句隐括亮工信中告知的情况。“万死才回明主顾，孤儿犹属敌人收。”“万死”见出亮工命运多蹇。邓之诚所撰《周亮工小传》说：亮工“好士怜才，一时遗老多从之游；屡踬屡起，当时满汉相倾，成为风气，亮工不死，属有天幸。”（《清诗纪事初稿》卷八）确实，亮工不死，颇赖顺治、康熙二帝的眷顾。二位皇帝都明智地认识到，安抚、笼络汉族知识分子，实在是巩固清廷政权的迫切需要。亮工虽然遇赦，仍然心有余悸，所以仍把身后收养子女之事托付给故人。推敲诗意，这“故人”可能就是作者。亮工托孤于他，可见二人交谊之深。

五、六句抒发作者对亮工命运的感慨。“众中薄命谁能惜，意外微生荷独留。”在众人中亮工命运多蹇，这似乎是命中注定的，有谁能怜惜他，解脱他呢？这是作者对亮工遭劾下狱，自己无力解救的慨叹。六句中的“微生”即残生，“荷”即承蒙。意谓承蒙独留残生，纯属意外之事：言下之意，死去反倒成为正常之事了。此联抒怀备极沉痛，不仅仅针对亮工，同时也写尽了由明入清士人朝不保夕、惴惴不安的心理状态。

结句“误尽闽南碑下客，无端北望哭西州”追述福建百姓误传周死的往事，与首句结合。“闽南碑下客”即指作者等亮工故交，也泛指福建百姓。据郑方坤《赖古堂诗钞小传》说，亮工被诬劾时，奉诏赴闽受审，吏民守府讼冤者以千百计；当周被逮入都，百姓皆炷香号哭，追送数十里。可见，亮工确有善政在民间。旧时百姓为纪念地方清官，往往为之建祠立碑。史载亮工知潍县时，值清兵南下，齐东诸城皆破，独潍坚守获全，潍人德之，为建生祠。在闽任职期间，是否也建祠立碑，史无明文。据此诗，当也曾建祠立碑，以资纪念。末句概括了福建百姓在亮工两次入狱时的悲哀心情。“无端北望”指亮工首次被劾逮捕入京时，百姓引颈北望，盼其早日获释。“西州”是四川的代称。“哭西州”指亮工在四川江安粮道任上二次被劾，福建误传周死，百姓为之号哭哀悼。

这首诗作为由明入清的士人生平遭际的见证，具有它的历史价值。其在艺术上的显著特色是叙事简洁，结构谨严，言情沉挚深重。潘耒序其诗集，称其“不事蹈袭而暗与古合”（《讬素斋诗集序》）。读此诗，信然。

（詹杭伦）

冬日过甘泉驿

宗元鼎*

记得当年来古驿，马鞭带雪系楼前。
双柑香溅佳人手，半臂寒添酒客肩。
忽见荒堤摧暮草，空伤衰榭没寒烟。
风尘满目深惆怅，却望谁家寄醉眠？

作者

*宗元鼎(1620－1698)，字定九，号梅岑，别号小香居士，江苏江都人，早慧。七岁咏梅，为先达赞赏。家贫，力耕而食。隐于东原城东数十里宜陵之南。一时名辈仰慕，皆重其才，誉为“南阳高士”。康熙十八年(1679)，贡太学部考第一，铨注州同知。未及仕，卒。工诗文，尤长于诗。兄弟皆工诗，时称“广陵五宗”。有《新柳堂诗集》《芙蓉集》等传于世。

鉴赏

“甘泉驿”属扬州，自古号称繁华之地。史载顺治二年(1645)四月，清兵攻破扬州，大肆屠杀居民，烧掠城市，扬州城遭此大劫，十室九空，衰败不堪。此诗用鲜明对照的手法，描写扬州甘泉驿昔日的繁华和今日的破败，读之令人黯然神伤。

全诗可以分为上、下两个部分，沈德潜评说：“‘记得’‘忽见’，上、下半篇自成章法。”(《清诗别裁集》卷八)确实，如同彩色影片与黑白影片的相互交替，上、下半篇形成鲜明的对照。

上半篇的画面是暖色调的，五彩缤纷的，甚至可说是淫荡艳冶的。诗人还记得他当年来到甘泉驿的情景。明亡时，当年他不过二十来岁，那也是一个冬天，年少气盛的诗人骑着一匹高头大马，一路踏雪奔驰而来；他雄赳赳地跳下马，将马拴在青楼门前，挂好带着星星雪花的马鞭，大踏步走进门楼里去。进得楼来，里面是热气腾腾的另一个世界："双柑香溅佳人手，半臂寒添酒客肩。"歌伎卖笑，酒客寻欢，好一派热闹景象。"双柑"是一种美酒，据唐冯贽《去仙杂记》引《高隐外书》："戴春携双柑斗酒，人问何之，曰：'往听黄鹂声。'"此处泛指酒类。"半臂"是短袖之衣，据唐张泌《妆楼记》："房太尉家法，不著半臂。"此指歌伎的装束。李孝光有《沙头酒店诗》云："镂金半臂双鸳鸯，翠杓银瓶唤客尝。"写的正是这种情形。沈德潜说："'双柑'一联，渔洋谓似《才调集》中语。"王士禛本人也说："门人宗元鼎梅岑诗，以风调为主，酷学《才调集》。"（《渔洋诗话》卷下）其实，诗学《才调集》只是问题的一个方面，更重要的是，晚明社会政局的腐败与经济的畸形繁荣与晚唐社会极其相似。妓女现象正是社会腐败、经济畸形繁荣的一个标志。元鼎有同《才调集》诗人相似的生活感受，发言为诗，才具备了与晚唐诗作近似的风调韵致。读这上半篇，我们很容易联想起晚唐杜牧那些描写扬州生活的诗句："十年一觉扬州梦，赢得青楼薄幸名。"（《遣怀》）诗人不也是一位杜牧那样的任情使性、纵酒挟妓的风流才子吗？

可惜好景不常在，好花不常开。青兵的铁骑踏破了扬州城，也踏碎了诗人的青楼梦幻生活。数年之后，当他再度来到甘泉驿，看到的是与昔日截然不同的另一番景况。

下半篇展现的画面是冷色调的、萧条破败的，甚至可说是空旷死寂的。"忽见荒堤摧暮草，空伤衰榭没寒烟。""忽见"即突然而见，二字饱含着诗人的惊愕，它关照上篇，领起下篇，勾起诗人对甘泉驿昔日盛况的回忆，引发诗人对现实景况的描写和感慨。今日甘泉驿的状况是：驿外一道荒芜的长堤，堤上的些许暮草在飒飒霜风中可怜地摇曳，驿内的青楼酒肆只剩下断壁残垣，诗人四顾萧条，不见哪一幢屋顶下冒出一缕炊烟。草用"暮"字，烟用"寒"字来形容，更显出迟暮荒凉、空旷死寂。读到这里，我们很容易联想起南宋姜夔的名词《扬州慢》，写扬州遭金兵烧掠一空的情状。在词人眼中的扬州是："四顾萧条，寒水自碧，暮色渐起，戍角悲吟。"今日扬州的破败比起当时的扬州来，实在是有过之而无不及。面对这一片破败的景象，诗人"风尘满目深惆怅"，"满目风尘"既是对甘泉驿现状的概括描写，又是诗人旅途劳顿的真切写照，深入体察，它还是对诗人一生遭际的高度隐括。为他的诗集作序的邹祗谟写道："其憔悴江滨，拄户高吟，年已四十，犹在捉鼻时（指犹为布衣）。"（《芙蓉集序》）诗人感慨甘泉驿的今昔，联想起一生的遭际，自然满怀深深的惆怅，难以自已了。姜夔词云："纵豆蔻词工，青楼梦好，难赋深情。"认为即使具有杜牧那样的才华,也难以写尽扬州的今昔之慨。诗人此时也有与词人同样的感受,既然"难赋深情",那就什么也别再说,只剩下唯一的希望:"却望谁家寄醉眠?"哪里去找一户温暖的人家,大醉一场,以消释这满怀的惆怅呢?这"醉"已不同于当年青楼寻欢之"醉",而只是潦倒不堪,借酒消愁之醉罢了。

美夔的《扬州慢》:"千岩老人(萧德藻)以为有《黍离》之悲";元鼎之诗所集中描写的,虽然不过是青楼酒肆的兴衰;所深情感叹的,虽然不过是纵酒挟妓生活之不再;但透过这社会生活的一隅,不也可以窥见诗人对故国的悲怀么?

(詹杭伦)

二日雪不止

陈维崧*

新年雪压客年雪，昨日风吹今日风。
飏声只欲发人屋，骇势若遭扬满空。
田夫龟手拾马矢，邻媪猬缩眠牛宫。
安得普天免冻馁，白头蹇拙甘送穷。

作者

*陈维崧(1625－1682)，字其年，号迦陵，江苏宜兴人。早慧，幼年有神童之称。康熙十八年应博学鸿词科，授翰林院检讨，参加修《明史》。其文学以骈体及词最著名。亦工诗。风格纵横豪放。有《陈迦陵文集》《迦陵词》《湖海楼诗集》。

鉴赏

“二日”指正月二日。从诗看，一场大风雪从年前开始已持续数日。诗人看到或想到民间贫苦人民不免冻馁的生活状况，十分忧心。于是写下了这篇悲天悯人的诗，情调类似杜甫《茅屋为秋风所破歌》。

由于风雪从年关伊始，积雪到初二尚未消融，而一场风雪又来到了。“新年雪压客年雪”，就用句中排比形式，写出了“一波未平，一波又起”的严寒天气。这句言新雪盖旧雪(“客年”即去年)，很好懂。下句“昨日吹今日风”稍费解。它亦用句中排比，与上句自然呈骈偶之式，既可理解为“昨日吹大风，今日又吹大风”的省文；又可理解为“昨日之风一直吹到今日”，添一“风”字为韵。总之，给人的感觉新奇。两句即兴作对，却有迅急令人不暇相接之势。

以下二句分承上风、雪而形容描绘“飏声”即风的喧嚣声，“只欲发人屋”即似乎为揭人屋顶而来。风级少说也在七级上下。“骇势若遭”系“若遭骇势”的倒装，言飞雪在凶猛的北风呼啸之中，仿佛受到巨大惊骇，狂飞乱舞，而“扬满空”二句似对非对，对照七律格式，与上下联失粘。如果稍加调整，此诗不难作为严整的律诗。但诗人唯取自然挥洒的笔势，所以为短古也。

紧接二句写风雪中人民的贫困生活。“田夫龟手拾马矢(屎)”，这是白昼的情景。“龟手”即皲手，指手背皮肤开裂。既然冻如此，田夫为什么还冒着严寒拾马粪呢？这是因为畜粪中纤维较多，晾干后可以生火取暖。“田夫龟手拾马矢”，欲御寒得先冒寒。“猬缩”指像刺猬遇到敌害那样缩成一团，“牛宫”即牛棚畜圈。(《越绝书》：“故吴所畜牛羊豕鸡也，名曰牛宫。”)“邻媪猬缩眠牛宫”，是因为无家可住，或因破屋太寒冷，反不如堆草的畜圈温暖的缘故。称“邻媪”，可见这情况大约是诗人亲身闻见了，这才使他在感情上产生了很大震动，从而引出最后的祈愿。曾读《散宜生诗》，觉其取材造句，滑稽妥帖，笔端有口，生奇可喜，如“口中白字捎三二，头上黄毛辫一双”(《女乘务员》)，“青眼高歌望吾子，红心大干管他妈”(《钟三四清归》)等对语。愈俗愈雅，不让古人。而本篇“田夫龟手拾马矢”二句，自然成对，趣味已似。

“安得普天免冻馁，白头蹇拙甘送穷”是说只要天下人免受饥冻，自己甘受穷困。“蹇拙”指命运不佳，“送穷”出韩文篇名，这两句在命意上，与《茅屋为秋风所破歌》“安得广厦千万间，大庇天下寒士俱欢颜，风雨不动安如山。呜呼，何时眼前突兀见此屋，吾庐独破受冻死亦足”相同。在句法上，则从杜甫《昼梦》“安得务农息战斗，普天无吏横索钱！”脱化。诗人前六句在写景上备极生动，大有助于末尾的抒情。

（周啸天）

别紫云

陈维崧

二度牵衣送我行，并州才唱泪纵横。
生憎一片江南月，不是离筵不肯明。

鉴赏

这是陈维崧赠别歌女之作。“二度牵衣送我行”十分简洁地交代了重逢再别的情事，和两人的关系。人间离别本来就是难堪的事，何况这离别又发生在情人之间。“牵衣”的动作暗示出两人的感情依恋之深。重逢本来是可喜的事，而重逢再别则别有一番滋味。常言道“别易会难”。一别重逢不知几年；这次再别，不知又要几年。昔别彼此年纪皆轻，此别彼此都老大几岁，谁知往后还能相见几次？“二度”云云，况味是很复杂的。《并州歌》属古杂歌谣辞，此泛指用边州曲调谱写的歌辞，其内容当与离别相关。“才唱泪纵横”，是写紫云情不自禁，为别情所苦。诗人心中也不是个滋味。这时他突然感到这夜的月光很明，明得有些异样。月色是美好的，但为什么一定要在情人分离之际这样美好呢？诗人不禁有些埋怨了。

“生憎一片江南月，不是离筵不肯明”，二句用极主观的口吻，埋怨明月的无情。其实月本无情，不关人间别离之事。“人有悲欢离合，月有阴晴圆缺，此事古难全。”（苏轼）可诗人偏偏认为它的无情并非如此，是在有意与人作对，“不是离筵不肯明”。这里赋无情以有“情”——一种令人难堪之情。事实上，情人相聚的日子，情也依依，意也依依，是不会特意分心去计较月色明亮程度的。唯独在离别时才对环境特别敏感，凄风苦雨固然使人增加忧愁，光风霁月也会从反面兴起“良辰好景虚设”的遗憾。此诗所写，就是后一种境界。“生憎”一辞，系唐人口语，出刘采春唱《罗唝曲》：“不喜秦淮水，生憎江上船。载儿夫婿去，经岁又经年。”其实是夫自去，水自流，两无关涉的事。歌中人却牵怨于“秦淮水”与“江上船”，与此诗“生憎一片江南月”一样，无理之至，而情味隽永。

（周啸天）

朝天峡

费　密*

一过朝天峡，巴山断入秦。大江流汉水，孤艇接残春。
暮色愁过客，风光惑榜人。明年在何处？杯酒慰艰辛。

作者

*费密(1625－1701)，字此度，号燕峰，新繁(今属四川新都)人。明末遇乱，曾为道士。后避乱流寓江苏泰州。与其子锡琮、锡璜均有诗名。有《燕峰诗钞》。

鉴赏

诗写作者乘舟在嘉陵江中行进，舟过朝天峡时的情景。“朝天峡”，亦名朝天岭，在四川省广元北，嘉陵江之上游。“巴山”，在四川、湖北、陕西三省边境，朝天峡以西的部分，属陕西境内。嘉陵江之源与汉水之源相邻。诗中所涉山水之间的关系，大致如此。陕西古为秦地，故首联以“秦”指陕西。巴山入陕西，以朝天峡为界。行政区域的划分，都是观念上的，山脉本身并未断绝。此处用一“断”字，意在突出朝天峡的雄峻与地理位置之重要。颔联“大江”句，气象浑莽，充满伟力，富有壮美之象。诗人孤舟泛行其上，显示出他广阔的胸次和郁勃的豪气，以及幽人的孤独感。“残春”即暮春景物。一个“接”字，将行舟与两岸景物之间的相对运动传神地描绘了出来。这壮丽河山的“残春”，又使人黯然销魂！颈联从侧面着笔，以人的感受写风光之美。过客因日暮而生愁，怕误了行程。船行不快，原来，船夫也为两岸风光所吸引，因而影响了船行速度。船夫常年往来于山水之间，依然被此处风光所惑，可见此处风光之美了。诗人高雅，但此时却无心欣赏这大好风光，只因是为生活所迫，忙于赶路。这已属可悲。而尾联瞻念前途，更是惆怅。万般无奈，只好以薄酒一杯，聊慰漂泊之苦了。潦倒落魄，于此可见。

著名诗人王士禛读了此诗，极为欣赏"大江流汉水，孤艇接残春"二句，作了高度评价，赋诗云："十字须千古，胡为失此人?"费密知道了，就和王士禛定交，两人成为好朋友。一时传为诗坛佳话(《渔洋诗话》卷上)。这一联确是此诗的佳句所在。它不仅出色地描绘了峡中风光，衬托了诗人的情感，而且还有双关之意。诗人是明遗民，明亡后，以教书为生，四处漂泊，民族意识十分强烈。此联中"汉水"之"汉"，双关"汉族"之"汉"，强调奔腾的江水，是汉家的江水。然而，明王朝已经灭亡，满族统治者已用武力征服了中国，汉家的河山，已成了满族统治者的天下。对遗民们说来，汉家河山的残春，具有强烈的悲剧感。二句字里行间，充满了诗人对汉族王权的悼惜，对大好河山沦为异族统治的哀伤。而这些，正是当时许多汉族士人的共同心理。即使王士禛这样出仕清朝的诗人，也有同样的心理。

(赵杏根)

横塘夜泊

释宗渭*

偶为看山出,孤舟向暝停。野梅涵水白,渔火逗烟青。
寒屿融残雪,春潭浴乱星。何人吹铁笛,清响破空冥。

作者

*释宗渭,生卒年不详,字绀池,号芥山,江苏华亭(今上海市松江区)人。清初诗僧。有《绀池小草》。

鉴赏

"横塘",在今江苏苏州市西南近郊。前二句述事点题,为以下写景,在事理和情调上作必要的交代和铺垫。诗人夜泊,不是为了俗务,只是为了看山。且孤舟前往,与呼朋唤俦,携酒提榼(kē,古时盛酒的器皿)者不同,表现出诗人那种潇洒出尘、超凡脱俗、孤行独往的幽人风韵。中间四句,便写夜泊景色。用"野梅""渔火""寒屿""残雪""春潭"等有地方特色和时令特色的景物,组成了一幅江南早春夜泊图,意境清旷幽寒。每句一个动词,都十分精彩确当,充分显示了诗人锤炼诗歌语言的功力。如"涵""融",传出静态景物之神。"逗""浴",则将景物的动态逼真,生动地描绘了出来。"春潭浴乱星"一句写众星映入潭中,水波微动,星光参差,似众星浴于水中,欢蹦乱蹦,竞相为戏。这些景物的动态,并不破坏宁静的美,相反,使这些静穆的景物中生气贯注,而显得更美,有效地增强了对景物美的表现力。而且,从章法上看,这几个动词,也使两联对句的景物描写,避免了呆板堆砌。正当诗人沉醉于江南水乡早春之夜宁静美景之时,铁笛声划破万籁俱寂的夜空,声音高亢悠长。以此作结,使人感到象外有象。

全诗通篇客观地写景,没有诗人的议论,也没有直接抒发诗人的感受。但铁笛多为侠士所有。在满族统治者的高压之下,汉族知识分子并不敢公开与之对抗,许多人隐居山林,高蹈世外,甚至戴黄冠,披缁衣,到自然和宗教中去寻找精神寄托,消释激烈的情怀。但他们对满族统治者的仇恨,对明王朝的怀念,依然相当强烈。那铁笛之声,似是他们的心声!由结尾二句,我们可以窥见这个身披僧袍的世外幽人,也仍怀有一颗并不宁静的心!

(赵杏根)

题息夫人庙

邓汉仪*

楚宫慵扫黛眉新，只自无言对暮春。
千古艰难惟一死，伤心岂独息夫人！

作者

*邓汉仪，生卒年不详，字孝威，江苏泰州人。康熙十八年（1679），应博学鸿词科，官中书舍人。工诗。有《淮阴集》。

鉴赏

“息夫人”，又称息妫（guī），春秋时息国国君之妻。楚灭息，息夫人被俘入楚宫，被迫事楚王，但一直不说话。直到为楚王生了两个儿子（其中一个即后来的楚成王），楚王问她为什么不说话，她才叹道：“我一妇人而事二夫，纵然不能死，还有什么可说的！”事见《左传·庄公十四年》。这个哀艳动人的故事，成为许多诗人吟咏的题材。“息夫人庙”，在湖北汉阳县北桃花洞，又称桃花夫人庙。骚人墨客到桃花洞，也都要到息夫人庙凭吊一番。杜牧有《题桃花夫人庙》云：“细腰宫里露桃新，脉脉无言几度春？至竟息亡缘底事，可怜金谷坠楼人！”邓汉仪此诗，即次杜牧诗韵。

“士为知己者死，女为悦己者容。”前二句一个“慵”字，传神地画出了息夫人在化妆时的懒散、不经意。她是被楚王占有的。她化妆带有被迫的性质。她对楚王的宠爱，态度是冷淡的。暮春，最易引起人们对昔日美好生活的怀恋和对身世的感伤。楚宫中的息夫人，更是如此。“无言”，即指她入楚宫以后未言，也指她此情此景中无言。她默默地对着暮春，像雕像一般漠然，实是伤心欲绝！她伤心自己没有死的勇气，以致遗恨绵绵，愧悔不尽！后二句由息夫人联想到清初降清贰臣们的复杂心理，使此诗具有更多的现实意义。明清易代之初，在清廷高压下，有人以死抗争，坚不出仕，终于全节。但也有人没有决死的勇气，被迫出仕清朝。这些出仕清朝的汉族士大夫，绝大部分不可能与清统治者同心同德，失节的愧悔，始终残酷地折磨着他们的心灵，正如此诗中的息夫人一样。

据康发祥《伯山诗话》记载，旧传邓汉仪此诗乃在龚鼎孳座中作。龚读了此诗，为之“色沮罢会”。又俞樾《春在堂随笔》、徐承烈《燕居琐记》记载，邓汉仪游楚归，至龚鼎孳处，龚索阅近作，读到此诗，“公愀然废卷而起，入内，遽患心痛卒”。龚鼎孳身仕明朝、李自成大顺朝和清朝三朝，此诗所咏，正触其心病，无怪他所受的刺激，是如此之深了。这些记载未必是事实，但“千古艰难惟一死，伤心岂独息夫人”，确是当时贰臣们普遍的心态。

（赵杏根）

折杨柳歌

许　虬*

居辽四十年，生儿十岁许。偶听故乡音，问爷此何语。

作者

*许虬，生卒年不详，字竹隐，长洲（今苏州）人。顺治十五年（1658）进士。历官思南府同知、绍兴府同知、永州同知、永州知府。工诗。有《万山楼诗集》。

鉴赏

《折杨柳》乃古代横吹曲名。其曲内容多为伤别思乡之情，且都与北方边地有关。清初，清统治者在江南屡兴大狱，如魏耕通海案、科场案、庄史案等等。许多人被杀，更多的人被流放。此诗即为被流放在白山黑水等北方苦寒之地的一位江南士人所作。

"胡马依北风，越鸟巢南枝。"对于流寓北边的江南人，早日回到南方，是他们最大的愿望。然而，诗中主人公，回到故乡的愿望，对故乡的思念，似都已淡化。他在辽地已经组织了家庭，生了儿子。自己基本都已"辽"化，只是偶尔还有一点乡音。他的儿子不知道父亲的乡音为何语，可以说是地道的辽人了。不过，他居辽四十年，儿子才十余岁，也就是说，他赴辽近三十年才娶妻生子。在这近三十年中，可以想象，他回家乡的愿望，对家乡的思念，是多么强烈，多么持久！只是在漫长的磨难中，在无数次的努力下，回故乡的愿望无数次的落空，他才失望乃至绝望，死了回故乡的心，遂在辽地成家立业，无可奈何地甘为辽人。这种绝望，正是由强烈的愿望而来，淡然的乡思，也有持久的热烈阶段。正如百年陈酒，淡而愈醇，虽没有新酿的浓烈，却更能醉人；正如驯服得温顺的猛兽，可以想象它曾经有过希望回归山林的呼啸！焦躁的思念，无尽的等待，失望的痛苦，绝望后的平淡，偶尔发出的无可奈何的感叹，这数十年心路的历程，都可以在这二十字中探索到。

（赵杏根）

闺　怨

董以宁*

流苏空系合欢床，夫婿长征妾断肠。
留得当时临别泪，经年不忍浣衣裳。

作者

*董以宁(1630－1669)，字文友，号宛斋，江苏武进(今江苏常州市武进区)人。诸生。有《正谊堂诗集》。

鉴赏

《闺怨》为传统诗题，多以女子口吻，抒相思之苦，写离别之怨。此诗也是如此。

"流苏"，下垂的穗子，为床上装饰品。"合欢床"指新婚用的床。首句一个"空"字，突出了丈夫不在身边，妻子生活、心灵的空虚苍白。垂有流苏的合欢床，如此华美香艳的陈设，本为夫妇而设。但丈夫远行，久久不归，流苏合欢床等华美环境，与形单影只的女主人公，形成了强烈的对照。在女主人公眼中，这些东西反而显得具有嘲弄的意味，使她想起丈夫在家之时生活的幸福美满，更觉得孤栖生活的痛苦。对既往爱情生活的回味，成了她感情生活的重要内容。而对临别情景，回味尤多。"留得当时临别泪，经年不忍浣衣裳"。固然是她把这种眼泪看成夫妇间感情的凝聚物，而不忍去掉，同时也是为了对临别情景回味的真切。可见女主人公的一片痴情！

龚自珍《己亥杂诗》句云："欲浣春衣仍护惜，乾清门外露痕多。"构思设想，正是从此诗后二句"留得当时临别泪，经年不忍浣衣裳"化出。但龚诗所表现的，是对封建王朝"恩泽"的感恩戴德，与董诗纯写夫妇深情，自当有别。

(赵杏根)

梅花开到九分

叶 燮*

亚枝低拂碧窗纱，镂云烘霞日日加。
祝汝一分留作伴，可怜处士已无家。

作者

*叶燮(1627－1703)，字星期，号已畦，学者称横山先生，吴江(今属江苏)人。康熙九年(1670)进士，官宝应县令，因忤上司落职。后漫游四方。晚居横山，教授生徒。诗文宗韩、杜。所作《原诗》为清代著名诗论。又有《已畦诗文集》。

鉴赏

"梅花开到九分"这个题目就很有意思。如开到十分，便是全盛了。古人很早就明白满遭损、盈必亏、物极必反的道理。全盛的梅花接着便会凋零的。所以慧心的诗人宁愿花只半放，以蓄其开势，有道是："山脚山腰尽白云，晴香蒸处画氤氲。天公领略诗人意，不遣花开到十分。"(元璟《马家山》)花取半放，诗亦取不尽，是其妙处。叶燮此诗亦从九分著意，寓惜花之心情，是一首富于情韵之作。

"亚枝低拂碧窗纱，镂云烘霞日日加。"二句写作者窗外园中之梅，花开日盛。"亚枝低拂"句虽是写临窗梅树，没有清浅的溪水，却仍具疏影横斜之意。诗人形容花色的明艳，常引云霞为喻。"镂云"偏重写花的质感轻盈匀薄，"烘霞"偏重写花的颜色艳丽鲜明。"日日加"则是从含蕊到吐放，渐渐盛开，不觉已"开到九分"。再下去便要开到全盛即"十分"。开到十分的花朵固然美丽无以复加，但诗人还是宁愿它保持九分的势头，接下去便写这种祝愿。

“祝汝一分留作伴”，这也说是“不遣花开到十分”的意思。留一分保持九分，就可以长久与人为伴了。至于留作谁伴，那是语有出典的。盖宋代处士林逋，杭州人，少孤，力学而刻意不仕，结庐西湖孤山。时人高其志，赐谥和靖先生。逋不娶无子，所居多植梅蓄鹤，泛舟湖中，客至则放鹤致之，因谓梅妻鹤子。（据吕留良《宋诗钞·林和靖诗钞序》）“祝汝一分留作伴”便是就以梅为妻的林和靖作想，然而林和靖早已作古，故末句云：“可怜处士已无家。”处士既已无家，那么梅花还留一分何为呢？所以末句实际上又暗含对第三句的否定。其实花开花落，自有规律，“祝汝一分留作伴”只是主观上的美好想法。无论处士有家无家，梅花既开到九分，也就会开到十分，其花期已就过得差不多了。而诗中却从梅花的有伴无伴，处士的有家无家着想，写得一波三折，一唱三叹，也就将诗人的惜花心情，于此曲曲传出，极富情致，几令人不忍卒读。

（周啸天）

客发苕溪

叶　燮

客心如水水如愁，容易归舟趁疾流。
忽讶船窗送吴语，故山月已挂船头。

鉴赏

“苕溪”是流经作者家乡吴兴的一条水名。看来诗人离家很久了，即非少小离家老大回，至少也是乡音久违。所以归心如箭。

“客心如水水如愁，容易归舟趁疾流。”写出一种特殊的旅况，即行者归心似箭，而行程又一帆风顺，不是“三朝三暮，黄牛如故”，字里行间只是一个“快”字。首句两个“如”字写出两个比喻，有顶针之妙，还有回文之妙：客心就是客愁。“客心如水水如愁”便是客愁如水，水如客愁。两个比喻中，本体、喻体互换，大有不知愁多还是水多，不知愁长还是水长的意味。这就把“问君能有几多愁，恰似一江春水向东流”（李煜）、“无边丝雨细如愁”（秦观）两种意思融于一句之中。读下句，读者还会发现上句的取喻，还有不知客心与水孰快一义：“容易归舟趁疾流。”客子归心似箭本来迅疾，而苕溪水流似更迅疾，所以“归舟趁疾流”大有顺利之感。真乘奔驭风不以疾也。

“忽讶船窗送吴语，故山月已挂船头。”下联两句写船已到家的瞬间感受。既是归心似箭，到家应高兴才是，何来“忽讶”？原来是想象不到船有这样快呀！尽管“容易归舟趁疾流”，已表明船行甚速，但客子还是没有想到旅程这样顺利。这反过来说明他的乡思很切，到家都不敢相信。反常的表现又恰恰合于人们普遍具有的一种疑虑心理。同时，苕溪归程太令人愉快了，所以客愁有所转移，一时没有想到，船就忽然停了，只听得舟子高唱：“到站了！”使诗人觉得太忽然，几乎承受不了这种突如其来的愉快。然而，第一个证实的信息便是“船窗送吴语”那是家乡话呀！在中国的方音中，吴语是最轻柔软媚的一种。可爱的家乡话，在客子心中，将是何等的激动！第二个证实的信息作用于视觉，诗人把头伸出窗外，看到明月照着吴兴城的夜景，太迷人了！客子的心将何等激动！最有意味的是诗人偏不写月照故山的情景，而只说“故山月已挂船头”。仿佛故山月与他乡月有什么不同似的，仿佛他能一眼认出故山之月似的。耐人寻味。这正是“月是故乡明”（杜甫）呀！到家的愉快感觉，便由此和盘托出了。

（周啸天）

惜　花

姜宸英*

一年强半是春愁，浅白深红付乱流。
剩有垂杨吹不断，丝丝绾恨上高楼。

作者

*姜宸英（1628－1699），字西溟，号湛园，浙江慈溪人。康熙三十六年（1697）进士，官翰林院编修。三十八年任顺天乡试副考官，因科案死于狱中。有《苇间诗集》。

鉴赏

花，是美好的象征，然而花开自有花落时，当春意阑珊、飞红满地之际，自然会引起人们的无限惋惜之意。因而，惜花就成为中国古代诗歌中一个重要的主题，鲁迅先生早年也写过《惜花四律》。不过，花在诗歌中，又不仅仅是自然意象，有时它又会转换为代表美好事物的人事意象或社会意象。这首诗题作《惜花》，从表面意义看，是对大好春光倏然逝去的依恋，但是，如果联系作者的身世来看，它的意义又不仅仅局限于此。姜宸英生于明清鼎革之际，而且一生的绝大部分时间是在民间，自然会对明朝产生深深的怀念之情。所以，诗中的“花”，显然是指那已经破亡的明朝。全诗以花喻国，通过对暮春时节水流花落的描写，寄寓着对故明破亡的深深痛惜之情。

前两句：“一年强半是春愁，浅白深红付乱流。”“强半”即大半。前句说，一年中大半的愁绪都集中在春季。言外之意，一年中有着难以排解的忧愁。这种持续不断的“愁”，自然不是个人小事，而是与时代社会有着密切的联系。这是诗中最初隐隐透露的一点消息。到了暮春时节，眼看着那浅白深红的各种花，在风雨无情的吹打中，飘落水里，被“乱流”卷走，此时，由于“花”的触动，使得本来就有的愁绪更加强烈了，这就是“强半是春愁”的原因。这里的“乱流”二字大可玩味，它显然不是指的一般的湍急的流水，而是指整个时代的“沧海横流”。正是这种“乱流”，在无情的冲刷中，毁掉了那永远值得怀念的美好事物——明朝故国。这是诗中再一次透露的消息。这两句写得毫不经意，如与人对面晤谈，随口说出，但深含其中的意蕴，却是极为沉痛的。

后两句：“剩有垂杨吹不断，丝丝绾恨上高楼。”虽然“花”已被“乱流”卷走，春天已经成为了匆匆过客，但毕竟剩下了垂杨，那丝丝柳条在随风飘荡，任凭多大的狂风也吹它不断。显然，这里的“丝”字是谐音双关，即“思”，亦即对于故国的“剪不断，理还乱”的缕缕情思。此刻，作者被无尽的情思所牵动，登上高楼，凭栏眺望，仿佛要追寻那随水漂去的落花，找回无限思念的故国。然而，“风景不殊，正自有山河之异！”（《世说新语·言语》）那丝丝柳条牵系、钩联而来的春愁，顿时变成了一腔亡国之“恨”。到此，诗中消息再一次透出，从“愁”而“恨”，作者的故国之思，易代之恨，从诗中跳脱而出，表现得极为深刻。这两句写得非常婉曲巧妙，它通过拟人手法，将柳丝写得具有人的感情，并且与“恨”联系起来，读来一往情深。

周啸天先生说：绝句篇幅短小，“要避短用长，含蓄不可不讲。这不单纯是一个表现技巧的问题，实际上关系到诗歌意境的深浅或典型化程度的高低”（《唐绝句史》）。这首绝句可谓含蓄之至。诗只四句，而且都明白如话，但在意象含义的转换中，却具有着非常深厚的言外之意，“融情入景，使人味而得之；寄意于境，使人思而得之”（同上），显得含吐不露，语近情遥，意境典型而又深刻，这正是诗歌含蓄美的生动体现。

（管遗瑞）

乱后过嘉兴三首

吕留良[*]

兹地三年别，浑如未识时。路穿台榭础，井汲髑髅泥。
生面频惊看，乡音易受欺。烽烟一怅望，洒泪独题诗。

雪片降书下，嘉禾独出师。儒生方略短，市子弄兵痴。
炮裂砖摧屋，门争路压尸。缒城遗老入，此地死方宜。

间有生还者，无从问故宫。残魂明夜火，老眼湿秋风。
粉黛青苔里，亲朋白骨中。新来邻里别，只说破城功。

作者

* 吕留良(1629－1683)，原名光伦，字庄生，一字用晦，号晚村，浙江崇德人。明末秀才。明亡后，散家财以图复明。事败，居家授生徒。晚年削发为僧，名耐可。其诗深情苦语，读之令人悲怆。有《晚村先生文集》《东庄诗存》。

鉴赏

清兵进驻北京后的第二年，即清顺治二年(1645)闰六月，在大举扫荡江南的进军中，经过激战，攻陷了浙江的嘉兴城。诗题中的“乱后”，即指这次清军破城之后。这是作者在乱后不久，重经嘉兴故地时，看到伤心惨目的残破景象，写下的真实的记录，堪称“诗史”。

这三首五言律诗，共同表现了对清兵屠城的满腔愤慨，充满了国家破亡的“黍离”之悲。但在具体描写时，却又各有侧重，相辅相成，组成了一曲沉痛而又凄凉的悲歌。

第一首写初到乱后的嘉兴时的所见。“兹地三年别，浑如未识时”，用时间上的强烈对比，来暗示战乱后的骇人变化。“三年别”，说明作者在三年前到过嘉兴（作者是浙江桐乡县人，属嘉兴府），那时战火还没有蔓延到这里，处于江南富庶之地的嘉兴城，还是一片繁荣景象。然而，弹指之间，只三年时间，一场兵燹（xiǎn，野火），就把一个好端端的嘉兴弄得面目全非，一点也辨认不出了。言词之间，这场战争的激烈，以及由此而带来的惊人的变故，已经不言而喻了。起始两句，只是平平道来，明白如话，而其中包含的感情，却是极其强烈的。接着，作者从三个方面，来写战乱后的景象。一是房坍屋塌，市廛一片废墟（“路穿台榭础”）。不过作者并没有直写房屋，只是写了脚下的路，要从“台”（高而平的建筑物）“榭”（台上的建筑物）的基础上通过，可见原有的街道已被倒塌的房屋堵塞，而“台”“榭”也仅存基础了，全城的残破可想而知。二是被杀的人很多（“井汲髑髅泥”）。但作者也没有直说，只写从井中取水时，竟然打上了沾满淤泥的“髑髅”（dúlóu，死人头骨），而当初的杀人如麻、尸横遍地的惨状，已宛在目前。三是清兵占领了全城，并且欺压当地人民（“生面频惊看，乡音易受欺”）。“生面”，即陌生的面孔，此指清军占领者。“频惊看”，表现出惊讶之态，也含憎恶之意。进城后讲本地方言反而要受到欺侮，可见占领者之多，也可见他们的凶狠蛮横，气焰万丈，而亡国遗民的备受欺凌，也意在言外。这三方面战乱后的景象，作者写来极有层次，而且都委婉含蓄，表现出极为沉痛的心情。于是，作者最后在怅然的眺望中，不禁十分悲伤，禁不住潸然泪下，独自悄悄地写下这些诗，来寄托自己的沉哀深痛。

与第一首的深沉含蓄不同，第二首却显得明白热烈，重点是追写当初的抗清斗争。开始两句仍用对比写法，用各处像雪片一样的降书，纷纷向清兵投降，来突出嘉兴的坚决抵抗。“嘉禾”，即嘉兴。“独出师”，指嘉兴秀才郑宗彝奋起领兵抗清之事。“独”字，清楚地表示出赞叹、褒扬之意，使诗意一扬。然而，接下来的两句却说，由于这些人是“儒生”和“市子”（意即市井小儿），根本不懂得用兵，策略不高明，表现出对他们的不满，又使诗意一抑。这一扬一抑，在明白热烈中，又颇具顿挫之感，十分有力。第二联中已经隐含不能取胜之意，因此第三联就正面写城破情形：清兵强大的火炮猛烈轰击，打得房屋倒塌，砖石横飞；在争夺城门的残酷战斗中，遍地压满了尸体。清兵于是乘势而入占领城池。面对这无可奈何之势，“遗老”只有缒（zhuì，系在绳子上放下去)城而入,以身殉国,一死了之。据作者自注:"城将陷,徐虞求(曾任吏部尚书,时已退休)先生独缒城入,死之。徐讳石麒,字宝谟。"诗的最后两句,就是指这件事。乍一看来,这首诗描写了当时轰轰烈烈的战斗情景,表现出人们抗击清兵入侵的坚强意志,在不能取胜时,也体现了必死的决心,对此,作者表示了由衷的赞扬之情。但深入体会,从"儒生""市子"和"遗老"这些文字中,也隐含着作者的叹惋,微露出对这些人短于谋略、不能成事的不满,流露出作者对嘉兴城破、神州陆沉的惋惜。

第三首写战乱后嘉兴的一片凄凉和自己的感慨。经过激烈的战斗和残忍的洗劫,城内的居民几乎被斩杀一空,所以诗一开始就是"间有生还者,无从问故宫"。"故宫",即故室、故居。偶有逃难在外,躲过兵灾而生还者,到处打听,也找不到自己过去的住处了。特别是夜晚,只见到处游动着点点磷火,像死者的幽灵在飘荡。面对这样凄惨的景象,"间有"的"生还者"(当然也包括刚来的作者)在萧瑟的秋风中,忍不住流下了心酸的眼泪。这四句,国破城陷,无家可归,鬼火明灭,秋风满城,乱后的萧索荒凉与阴森可怖,写得情景交融,十分形象。在生动描写的基础上,后四句又采用对比的手法,来表现故旧无存、江山易主的深切悲痛。"粉黛",本是妇女的化妆品,此代指妇女。战乱中满城妇女和亲朋故旧早已被杀戮净尽,如今只剩下了青苔里的累累白骨。然而,新来的"邻里"(此指驻扎的南侵的清兵)的心肠却完全不同,他们不仅没有同情的表示,反而在夸夸其谈破城时的"功绩"。这四句妙在引而不发,在看似不动声色的描写中,其实潜藏着深沉的感情。此时,作者面对完全陌生的城市,当然有口难言,那隐藏在内心深处的悲痛,无人可诉,只能埋在心底,字里行间深蕴着无穷无尽的感慨。作者在路过战乱之后的嘉兴时,从所见、所闻到所感,无一不充满着悲伤的意味,把战乱后的悲惨景象,以及亡国后的压抑和痛苦,表现得极为深刻而又淋漓尽致。

这三首五言律诗虽然在内容上各有侧重,但合起来却又是有机统一的整体(即"连章体")。第一首因写初到所见,故仅及城市的表面现象,但已触目成伤。第二首追写当初城破情形,是回忆过去,这显然是经过深入了解的结果,壮烈而又悲惨,又进了一步。第三首又回到眼前,在第一首的基础上写乱后城里的人和事,从表面深入到里层,寄托更深的感慨。三首诗在内容上起伏回环,显得首尾完具,显然经过了作者的精心安排。从形式上看,也细针密线。第一首尾联“烽烟一怅望”,为过渡到第二首对战火纷飞的追忆,作了很好的准备,起了暗中导引的作用。而第三首的首句“间有生还者”又与第二首的末句“此地死方宜”相反相成,“生”“死”二字的巧妙运用,起了极好的连属作用,读来一气直下,且能启人深思。第三首的最后“新来邻里别”与第一首的“乡音易受欺”又暗中相通,在回应中又有发展。另外,这三首五律都是用首句仄起不入韵式,后一首第一句与前一首末句正好相粘,三首作一首读,平仄亦丝毫不乱。这样,三首蝉联而下,一气流转,全诗结构谨严,浑然一体,使乱后情景得到了充分的表现。

（管遗端）

粜官米

景星杓*

鸡鸣风凄凄，饿夫悲语妻：
侵星粜官米，归来鸡还栖。
此去夕不返，应恐魂来归。
不见邻家老，头裂缘鞭笞。
又闻寡妇儿，践成足下虀。
始贪官米贱可食，何知浥烂掺糠秕。
况复临险阻，畏若虎穴跻。
还期相守分饿死，何复就尔官仓为？

作者

*景星杓，生卒年不详，字亭北，号菊公，浙江仁和（今杭州市）人。工诗。有《拗堂诗集》。

鉴赏

所谓“粜官米”，是指古代遇荒年时，官府开仓平价粜米。由于僧多粥少，粜米往往演成抢米。争先恐后，抢夺成殴，外加官商恶劣粗暴的态度，酿成许多人间悲剧。灾民得到的，多是霉烂变质的次米。因此，尽管当时颂为皇恩浩荡，而在清代许多具有正义感和现实感的诗人笔下，均曾加以揭露批判，如孙燮《平粜行》、王嘉福《官米谣》、吴世涵《平》等等。景星杓此诗，则是其中较有代表性和较有影响的一首。

是诗通过一位刚刚粜米而归的饿夫之口叙述了粜米之艰辛。首句借《诗经·郑风·风雨》“风雨凄凄，鸡鸣喈喈”句起兴，既交代了背景——傍晚时分，夫妻相会；又烘托了惨淡的气氛。寒凉之气（“凄凄”），鸡鸣之声（“喈喈”），一切都笼罩在风雨晦冥之中。紧接着，就全是饿夫对妻子回顾粜官米之过程。

“侵星粜官米，归来鸡还栖。”如果真能负米归来，就算不幸之中大幸了。虽然起早摸黑，人劳累一些，但嗷嗷待哺之儿辈毕竟可以聊补无米之炊了。然而，并不是所有的粜米者都能如此幸运。“此去夕不返，应恐魂来归。”这绝非饿夫危言耸听。其所闻所见，就有人粜米不成而命归黄泉。诗中饿夫列举二例：一是“不见邻家老，头裂缘鞭笞”，另一是“又闻寡妇儿，践成足下虀（ní，带骨的肉酱）”。一老一少，因不愿饿死而去粜官米，因粜官米而丧生，这生死之间的挣扎，可谓惨痛之至。此二例很有典型性。老人“头裂缘鞭笞”。粜米者不会备有鞭子，所以，老人之死应是遭如狼如虎的粜米者，也就是官商的鞭笞所致。这揭露了为官不仁，或者说是揭露了官府伪善后面的残忍。而小孩“践成足下虀”，则反映了灾民饥饿缺粮严重以致疯狂的程度和官米数量之少，供不应求造成粜米者为抢米而汹涌成潮。以致将弱小者踩成肉酱。

粜米是冒着生命危险，而到粜米平安回到家中，该是兴高采烈吧？全然不是。请看诗中接下去饿夫的感叹：“始贪官米贱可食，何知浥烂掺糠秕。”官米价格虽说低贱，但霉烂掺水掺假，不能食用。浥（yì），意为潮湿。由此看来，历尽艰险，如同深入虎穴般地去粜官米，可以说得不偿失。诗的最后二句：“还期相守分饿死，何复就尔官仓为？”因饥饿而去粜官米。归来却说以后宁可饿死，也不愿复去粜官米。这是对粜官米最淋漓尽致的控诉，也是全诗的高潮和中心所在。诗歌至此戛然而止，言外宣泄了作者不尽之情。

这首诗在构思和语言上均有特色。由于采用了第一人称的叙述方法。于是显得真实可信，同时也平添凄惨的感情色彩，容易获得和激起读者的同情和激动。而五、七言式的参差使用，造成了长吁短叹的感觉。其用明白如话的语言来叙述下层人民的生活情景，则明显受了白居易新乐府的影响。

（马卫中）

吴宫词

庞　鸣*

屧廊移得苎萝春，沈醉君王夜宴频。
台畔卧薪台上舞，可知同是不眠人。

作者

*庞鸣，生卒年不详，字逵公，江苏嘉定人。能诗，存沈德潜《清诗别裁集》中。

鉴赏

春秋时代吴、越之间经常发生争战，公元前496年，吴王阖闾在吴、越战争中负伤而死，其子夫差继位，誓以复仇，并使人立于庭，吴王进出都要大声地问曰："夫差，而忘越王之杀而父乎？"吴王则应声而答："唯，不敢忘！"公元前494年吴国果然战败越国。越王勾践派大夫种带着宝器美女走吴太宰嚭(pǐ)的门路去求和。伍子胥认为"不可"，结果吴王还是听了太宰嚭的话，答应了越国求和的要求。勾践自此卧薪尝胆，苦身焦思，折节下贤，与百姓同劳。而与此同时，吴王则走上骄纵昏聩的道路，以致造成一系列外交和内政上的错误，此后与越国便屡战屡败，直至公元前473年越灭吴，夫差自刎而死。这一段历史似乎有意在反反复复地向人们提醒一点，那就是"兴废由人事"！正因为如此吧，吴越的胜负兴亡虽然早已成了遥远的过去，但是，历代诗人并没有减少对它的兴趣，对它的回味，庞鸣的这首诗只不过是其中的一首罢了。同一题材写多了，自有难处，但亦可以通过不同的角度、手法、风格以显示其才思，还可以活跃读者的思想，就比如对吴国灭亡这件事，不少诗人都是从吴亡之后的景象落笔，由今而古，抒发"黍离"之悲,像李白的"旧苑荒台杨柳新,菱歌清唱不胜情。只今惟有西江月,曾照吴王宫里人"(《苏台览古》)。庞鸣的这首诗则不一样,它以吴胜越败为背景,描绘胜者(夫差)与败者(勾践)的不同的生活情境。题为《吴宫词》,笔墨自然以吴为主。"屧(xiè,木板拖鞋)廊",传说是吴王为西施构筑的,行则有声,故亦名"响屧廊",遗址在今江苏苏州市西灵岩山。"苎(zhù)萝",山名,在浙江诸暨县南五里,一名罗山,西施所居之处,所以这里的"苎萝春"代指西施。诗的第一句就是将战胜者吴王夫差,得到生长在越国的美女西施一事加以形象化的描述,屧廊的构造表现了吴王对西施的宠爱;苎萝山的春光,象征着西施的风韵姿色,给人以美的想象。所以说诗要形象。这不仅是指以形象化的语言使叙事、议论变得生动活泼,具体可感,更在于形象能创造出丰富的内蕴。假如我们对"屧廊移得苎萝春"的内蕴有了充分的了解,那么读到"沈醉君王夜宴频"就不会感到突然,而恰恰是事物的必然。第三句转中有承。绍兴府治内卧龙山东北有越王台,原为勾践登眺之所。"台畔卧薪"陡然一转,概括了越王勾践卧薪尝胆以谋复国雪耻的决心;"台上舞"则与"夜宴频"相呼应,写出了吴宫歌舞不休、纵情享乐的场面。一转一承造成了两个人物(夫差、勾践),两种生活的强烈对比,但是,你可知道异中又有同——"同是不眠人"。"可知"二字巧妙地造成转折,逗出下文,且引出问题,吴王不眠醉观舞,勾践不眠思复国,"不眠"虽同,同中又有异,家国之命运,王朝之前程,不都潜藏在这形同实异的"不眠"之中吗?层层转折,按而不断,咏叹自深。

陆龟蒙说:"吴王事事须亡国,未必西施胜六宫。"(《吴宫怀古》)罗隐也有相似的意见:"家国兴亡自有时,吴人何苦怨西施!西施若解倾吴国,越国亡来又是谁。"(《西施》)显然,这些看法是有道理的,对人们也是有启发的。不过,诗毕竟是诗,诗人可以选其一点以概其余,但读者决不可拘泥一点以弃其余,更何况"俭节则昌,淫佚则亡"(《墨子》)这一点,作为一条深刻的历史教训,实足以讽谏当世,垂诫后代的。因此,似宠鸣《吴宫词》一类的诗,虽说不上全面揭示夫差亡国丧身的历史根源,却亦不失其存在的价值。

(赵其钧)

养马行并序

梁佩兰*

庚寅冬，耿、尚二王入粤，广州城居民流离窜徙于乡，城内外三十里所有庐舍坟墓，悉令官军筑厩养马，梁子见面哀焉，作《养马行》。

贤王爱马如爱人，人与马并分王仁。
王乐养马忘苦辛，供给王马王之民。
马日龁水草百斤，大麦小麦十斗匀。
小豆大豆驿递频，马夜龁豆仍数巡。
马肥王喜王不嗔，马瘦王怒王扑人。
东山教场地广阔，筑厩养马凡千群。
北城马厩先鬼坟，马厩养马王官军。
城南马厩近大海，马爱饮水海水清。
西关马厩在城下，城下放马马散行。
城下空地多草生，马头食草马尾横。
王谕“养马要得马性情，马来自边塞马不轻。
人有齿马，服以上刑。”
白马王络以珠勒，黑马王络以紫缨，
紫骝马以桃花名。
斑马缀玉缫，红马缀金铃。
王日数马，点养马丁。
一马不见，王心不宁。
百姓乞为王马，王不应。

作者

＊梁佩兰(1629－1705)，字芝五，号药亭，广东南海(今广州)人。康熙二十七年(1688)进士，官翰林院庶吉士。旋告假归，结社兰湖，以诗酒为乐，诗名愈大。其诗与陈恭尹、屈大均齐名，号称“岭南三大家”；又与程可则、陈恭尹、王邦畿、方殿元、方远、方朝等并称“岭南七子”。有《六莹堂集》。

鉴赏

据方恒泰《坪诗话》记载：顺治七年(1650)冬，清靖南王耿精忠、平南王尚可喜率兵攻破广州，然后屠城七日，广州市民得免诛戮者仅七人。在空城内外的所有庐舍坟墓中，耿、尚悉令清兵筑厩养马，面对如此之贵畜贱人，梁佩兰哀叹不已，写下是诗。

这是一首很有特色的诗歌。沈德潜说：“此种诗前无所承，后无所继，应是独开生面之作。”(《清诗别裁集》)无疑，这是梁佩兰的代表作。张维屏《谈艺灵》就称“药亭古诗以《养马行》一篇为最”。而朱庭珍《筱园诗话》在批评梁佩兰诗“往往失之奔放，堕入空滑一路”时，则以为此诗无此弊病。

开始二句点题：“贤王爱马如爱人”，人与马在分享贤王之仁政。按理，贤王之施仁义于人，有其可能，于马则不可思议。而如果人与马处于同等位置，本已是重马轻人而不仁。但是，这恰恰是事实。因此，这里所谓“贤”，所谓“仁”，均具有强烈的讽刺意味，实质是言“不贤”“不仁”。

接着，诗人就叙述了“贤王”是如何不畏辛苦、关心养马。首先是关心养马的饲料：马匹除了日食水草百斤以外，还要吃大麦、小麦十斗。并且，为保证马能够在夜间食豆数次，驿站也在忙于运输大豆、小豆。在烽火连天的岁月里，人的温饱都无法落实，马却可以食用如此之多、如此之精的饲料，已见人与马在“贤王”天平上的分量。而“马肥王喜王不嗔，马瘦王怒王扑人”二句，更是画龙点睛之笔：王之喜怒竟是因为马之肥瘦，喜怒的表达方法又是或不嗔，或扑人，足见“贤王”爱马是真、爱人是假了。

其次是关心养马的场地：东山原是习武之教场，地域开阔，故养马最多：凡千群。但是，所养之马委实太多了，故北城原先的坟墓中，现在也建起了马厩。而城南的马厩靠近大海，在海边养马，马可以饮用清澈的水。那么西关呢？西关城下地空草多，当然最宜放马，马可以在那里悠然自在地低头食草。于是,广州城的东南西北,到处都成了马的世界。经过了残酷的战争,原先繁华的五羊城现已是荒凉至极。“贤王”不知安顿流离失所的百姓,却处处修筑马厩,此又可见其贵马贱人了。

不仅如此,还下颁王谕。谕告中首言养马之要领,即要得马之性情。次言马之身份:来自边塞,当贵视之,故普通百姓如“人有齿马,服以上刑。”《礼记·曲礼》:“齿路马者诛。”谓计算国君马匹的年齿(岁数)要处刑。梁佩兰用其典,以夸张的手法表现了“贤王”之重马轻人,同时也反映了耿、尚的骄奢和淫威。

如果说关心养马的饲料和场地虽是过分,但仍稍有可以理解之处的话,那么,因马而对人施刑,则荒谬之至。而下文所言的对马的装饰打扮,诸如络珠勒和紫缨、缎玉缫和金铃,就更是毫无道理的浪费了。此不过说明“贤王”倾全心血于马。诗写至此,读者对“贤王爱马如爱人,人与马并分王仁”的深刻内涵,就不难明白了:爱马胜于人,马果得王仁,而人并非如此。

作者还嫌不够。于是与开头呼应,将人、马再次并写:“贤王”每天要数马,每天要点养马军士。写他一马不见,使心神不宁,而字里行间所隐含的,当然是对人的死活无所谓。所以结句便云:“百姓乞为王马,王不应。”在终篇似乎平淡幽默的运笔之中包含着极凄惨的情感色彩。常言人如牛马,这才是确确实实的牛马不如。惨就惨在当有人羡慕牲畜的生活、想与牲畜分享时,却无法得到,原因是“王不应”。至此,则王之不贤、不仁,就毕露无遗了。

这首诗艺术上的成功之处(即沈德潜所谓的独开生面者),就是作者能够以颂扬之笔,写讽刺之旨。诗歌表面上好像在赞赏耿、尚二人养马的不辞劳苦。其实鞭挞了他们的缺乏人性,以他们的贵畜来衬托他们的贱人,强烈的对比所造成的效果,当然给人以深刻的印象。

(马卫中)

阁　夜

梁佩兰

百寻古阁郡城东,帘卷前山一角风。
哀壑有光星在底,明河无影月凌空。
群生静息鸿蒙里,秋气森归耳目中。
不是夜深能独醒,海门谁见日初红?

鉴赏

“阁夜”,阁楼之夜。梁佩兰是南海人,明清时隶广州府,因此,据诗中所言“郡城东”,知此阁楼在广州。而诗中反映的地理风貌,亦可证明。这是一首写景抒情而以写景为主的佳作,抒写了作者在阁夜不眠的所见所感。如果说这首诗有什么特色,则是对秋夜物华变化的细微感受的描述。

首句写古阁的地理位置:在广州城东的百寻高坡上。王煐《岭南三大家诗选》作“孤阁”,此依《六莹堂诗集》。“孤”与“古”各有优劣,“古”,反映了历史悠久,“孤”,进一步突出其地理:诗人所居之阁,乃城东制高点,以后诗中所描绘的一切,都在诗人高屋建瓴的俯视之中。中国古典诗歌讲求起、承、转、合,此诗的第二句便是起处。诗人在百寻之高的古阁之中,本来是休息睡眠的,尽管他没有入睡。但是,他也无意去领略阁外夜色中的景物。只是当前山吹来一角风将帘儿轻轻卷起时,他才在无意之中看到了外面的世界。而当他发现这一切非常之美,才被其深深吸引而细加观察。

三、四句写所见。在茫茫夜幕的笼罩下,最易见的当然是光亮,这里写了作者对此的感受。这种感受在细腻的笔触下,显得既别致又真实:凄清的山谷,本来应该是黑暗的地方,现在却有光亮;山下河中因星星倒映而微光闪烁。本来应该是明亮的银河,现在却看不见;天上因皓月当空而银河隐去。

五、六句则是写所闻以及心灵的感受。各种生物都在茫茫夜色中静静安息了。万籁俱寂之下,诗人感到的是森然秋气。尽管三、四句描写的,明眼人一看就知是秋景,诗至此又点明季节。并且,通过“群生静息”和一“森”字,又告诉读者是深秋。

当全诗沉浸在凄清低沉的意境中时,结尾二句可算是造成了强烈的反差:群生静息之中,只有夜深独醒而直至黎明的诗人,才可以见到海口喷薄而出的红日。至此,诗歌所表现的诗人惆怅心理趋于平静,而读者也恍然大悟:前面的描写不过是最后二句的铺垫。

这首诗似乎没有什么象征意义,但似乎又在告诉人们一个深刻的哲理:在黑暗中应该抱有希望,应该具有自我追求和自我满足。由于此诗作于明亡后不久,因此,这似乎又在政治上对人们作某种暗示。尽管诗人本身终因出仕清廷而遭人非议,但这毕竟是后话。

如果说此诗在艺术手法上有什

么可取之处，主要是对比手法的运用，如三、四句的上和下、明与暗的对比，五、六句沉睡的万物和清醒的诗人的对比。这样，在读者的感官上产生了鲜明强烈的效果。

（马卫中）

粤　曲（录二）

梁佩兰

春风试上粤王台，锦绣山河四面开。
今古兴亡犹在眼，大江潮去复潮来。

鉴赏

文人模拟民歌创作诗歌，古已有之。不说汉魏乐府中有大量文人创作或修饰的作品，在唐代，像李白这样的大诗人，也效仿吴中曲调，写成了《子夜吴歌》四首。这类文人创作的民歌，一般都以当地的乡土人情为题材，具有浓厚的地方色彩。当然，由于出自文人之手，尽管语句通俗易懂，但都较典雅。

梁佩兰之《粤曲》（广东地方小曲），明显有此特征。

是首写粤王台所见。“粤王台”，又作越王台。据《羊城古钞》记载：“越王台在越秀山上。汉（南越王）赵佗建，为三月三日修禊之处。南汉刘龚叠石为道，名曰‘呼銮’，旁栽甘菊芙蓉，与群臣游宴，故亦名曰‘游台’。”这首诗前二句写景，后二句借景抒情。

“春风试上粤王台”，此句有两种解释，谓从《论语·先进》“莫春者，春服既成，冠者五六人，童子六七人，浴乎沂，风乎舞雩，咏而归”中化出，春风得意之时，登高望远，当然悦目舒心。另一谓早春时节，东风初拂粤王台。二解各有优劣。前者因为有人，春景和春情便有机地交融了。后者通过一“上”字，以拟人的手法给了春风灵性，使春景充满生机，而一“试”字，点明初春。当然，读者对诗歌的理解，只要自己的主观情思与客观的诗句内容不发生矛盾就可以了。第二句承前句而来，写在粤王台所见大好春光。由于粤王台地处越秀山高处，能够环视山下，故言“四面开”。

因为是登高望远，诗人看到了远处的珠江。而珠江的潮涨潮落，又触发了诗人的情怀，激起了诗人的无限联想。于是，眼前大江浪潮的起伏,似乎成了千古历史兴亡的象征。时值明清易代之际,诗人有如此历史观是很自然的。他在《秋夜宿陈元孝独漉堂读其先大司马遗集感赋》中更明确地写到:“至今亡国泪,洒作粤江流。”而诗人以民歌方式通过写景婉言之,不可谓不高明,尽管这不是梁佩兰的发明。《论语·子罕》有云:“子在川上曰:逝者如斯夫。”苏东坡《念奴娇》亦云:“大江东去,浪淘尽,千古风流人物。”这些都流传千古而脍炙人口。但是,此处只有借用之妙而绝无抄袭之嫌。

作为文人模拟广东民歌之作,这应该说是一首山歌,即是出自一位山中樵夫之口。而诗歌的风格,也如同岭南委延起伏的山峦一样,非常雄丽,非常浑厚。

琵琶洲头洲水清,琵琶洲尾洲水平,
一声欸乃一声桨,共唱渔歌对月明。

鉴赏

与第一首雄丽浑厚的风格不同,此诗显得清新典雅。如果说前一首具有阳刚之气,那么,这一首就完全是阴柔之美。之所以有如此强烈的反差,原因是诗歌的题材不同:前一首写山,因而宏伟,这一首写水,因而恬淡。也就是说,诗人模拟的民歌性质有所不同:前一首是山歌,而这一首是渔歌,乃是珠江渔夫所唱,讴歌的是琵琶洲一带傍晚的美丽景色。据《羊城古钞》记载,珠江出广州城东南三十里,江中有洲突起,高十余丈,上有山冈,形似琵琶,故名。

前二句写琵琶洲一带的江中景色,“清”和“平”一是写水的颜色,一是写水的形态,其实二者是相辅相成的。只有水平如镜,才可能清澈见底。通过清、平二字,烘托了宁静的气氛,为全诗奠定了雅淡的基调。七言绝句篇幅短小,为扩大诗歌容量,一般很少反复咏叹。由于这是一首拟民歌之作,因此,复沓回合的句式似乎更近于民歌的特征。并且,从音节上看,也显得朗朗上口。这里,通过从前一句的洲头,到后一句的洲尾,让人更可以细细感受到一叶小舟在逆水中缓缓而行的情趣。

如果说一、二句写江中之景,那么,三、四句就是写江中之人了。第三句从柳宗元《渔翁》“一声欸乃山水绿”中化出。欸乃,指渔歌,唐时民间有《欸乃曲》。渔歌和桨声的此起彼伏，表现了渔民满载而归时悠闲自得的神态。最后一句承"一声欸乃"而来，只是通过共唱，暗示了归舟之多。尽管这首诗所描写的，明眼人一看就知道是傍晚景色，而诗人在最后还是确切交代了时间——对月明。

袁枚在《随园诗话》中说："画家有读画之说，余谓画无可读者，读其诗也。"如果说读画是读画中之诗，那么我们言观诗，就必定是观诗中之画无疑了。这首诗中的画意是显而易见的：江水清平，明月初升，轻舟缓归，渔歌唱晚，情与景，景与人的完美结合，又似乎不是一幅普通的画面，而是一组有动感的电影镜头。这组镜头又是通过极通俗、极自然、极流畅的民歌语言加以表现，就更见难能可贵，这确实需要诗人具有高超的艺术造诣。

（马卫中）

铁尚书歌

汪 楫*

铁尚书，铁不如，
东昌城门朝大开，齐呼万岁声如雷。
燕王跃马及门限，霹雳飞空下悬板。
不断王头断马头，鼠窜猱惊箭满眼。
王怒发炮城摧崩，健儿急把鳌弧登。
炼石丸泥难作计，一纸公然出埤堄，
万夫辟易不敢前，大书太祖高皇帝。
黑夜斫营日坚守，能使英雄还北走。
呜呼神器天所与，一木只手能龃龉。
铮铮谁比铁尚书，呜呼尚书铁不如。

作者

＊汪楫(1622－1689)，字舟次，号悔斋，江苏江都(今扬州市)人。康熙十八年(1679)应博学鸿词科，授检讨，纂修明史。充册封琉球使。后为河南知府、升福建布政使。早有诗名，与同乡汪懋麟齐名。著有《悔斋集》《观海集》。

鉴赏

《铁尚书歌》是一首叙事诗，记述了明代燕王(即后来的明成祖朱棣)攻东昌(今山东聊城)时，铁铉坚守东昌之战。铁铉(1366－1402)曾官至兵部尚书，燕王即帝位后，被杀。

这首诗通过具体事实，充分肯定了铁铉是一位忠于职守，英勇善战，并足智多谋的将领。诗一开头即以“铁尚书，铁不如”盛赞铁铉比铁还要坚硬。这六个字统摄全诗，为全诗定下了基调。

“东昌城门朝大开”六句，写铁铉设计诈降，诱燕王入城的经过。由于“东昌城门朝大开”使得燕军“齐呼万岁声如雷”，写出了燕军轻狂之态。“万岁”二字使燕王的野心暴露无遗。“燕王跃马及门限”四句写出了燕王中计后幸免于难而仓皇逃窜之状。以“鼠窜猱惊”状燕军之狼狈相，十分生动。

“王怒发炮城摧崩”六句写燕王恼羞成怒，百计进攻。燕王以炮摧城，燕兵竞相登城。“鳌弧”，旗名，此指燕王旗。铁铉在这城将失守、危急万分之际，急中生智，打出明太祖朱元璋的牌位（“一纸公然出埤堄，大书太祖高皇帝”），使燕军受惊吓而退却（“万夫辟易不敢前”），铁铉之智勇可见一斑。“埤堄（nì）”，城墙上的小墙。“辟易”，惊退。

“黑夜斫营日坚守，能使英雄还北走。”“斫营”，袭击敌营。铁铉白天坚守城池，夜晚偷袭敌营，这样坚守了三月有余，终于使“英雄”解围北归。以“英雄”称燕王，讽意甚明。

诗至此，铁铉守东昌之战已告终，“铁尚书”智勇双全的形象已跃然纸上，诗似乎应该结束了。但作者最后的痛惜之情，补叙了一个忠于职守的硬汉子铁铉的悲惨结局。“呜呼神器天所与，一木只手能龃龉。”“神器”，指帝位、政权。一木只手，一人之力，孤掌难鸣。“龃龉”，上下齿不相配合，比喻意见不合、不融洽。朱棣终于夺取了政权，铁铉孤掌难鸣，被朱棣无辜杀害。这在封建社会里，是必然的结局。

诗末尾“铮铮谁比铁尚书，呜呼尚书铁不如”。“铮铮”，犹言“响当当”，喻刚直不阿。与诗开头紧相呼应。

全诗贯穿一个“铁”字，作者高度赞扬了铁铉的高尚品质：坚强勇敢、机智、忠于职守、刚直不阿。

（赵祖堃）

晓入郡城

朱彝尊*

轻舟乘间入，系缆坏篱根。古道横边马，孤城闭水门。
星含兵气动，月傍晓烟昏。辛苦乡关路，重来断客魂。

作者

*朱彝尊(1629－1709)，字锡鬯(chàng)，号竹垞，浙江秀水(今嘉兴)人。康熙十八年(1679)，应博学鸿词科，授翰林院检讨。后革职，归家潜心著述。博通经史，长于诗词古文。诗风雅健浑朴，与王士禛并称为南北两大诗人。词学姜夔和张炎，为浙西词派创始人。有《曝书亭诗文集》。

鉴赏

乙酉(1645)五月清兵渡长江南下，南京弘光政权崩溃，福王被俘，旋即潞王降于杭州。然正当清兵挟风卷残叶之势蹂躏吴越时，太湖流域、江浙各地的士绅百姓“皆各有义声发愤，破产募失”(《爝火录》语)，奋起抗击。于是，仅嘉兴、湖州一线就与吴江互为犄角而坚守近三个月，朱彝尊家乡秀水及其郡城即嘉兴府，是撑持到闰六月二十六日方始陷落的。这一年，朱彝尊虚龄十七，春间刚入赘冯镇鼎家为婿，接着就遭临战乱。据其《村舍二首》等诗说，乱中先后避兵夏墓荡、五儿子桥一带。文献表明，他的叔祖朱大典正拥兵抗战于浙中，族中叔伯辈卷入战火者亦正不少，而朱彝尊本人也一度投入了抗清的游击活动。《夏墓荡二首》写“飞遍芦花不见人”的隐蔽下，“乺意义鱼艇子集，杀机不异锐头儿”地突然出击之情状，可见其时水乡抗战的激烈。但浙兵的抗清活动没能维持很久，特别是武装抗击很快被清兵镇压了，朱彝尊也就过了相当长一段时期的流徙不定的生活。

《晓入郡城》是嘉兴城破之次年，即顺治三年(1646)所作，诗人十八岁。从起句“轻舟乘间入”的一“轻”一“乘”可知，这次入府是在乘城防空隙之际潜入的，为了何事入潜？为探亲友，抑或是侦察动静？诗没作交代或暗示。其时嘉兴布防甚严，水门常闭，古道驻兵，因为浙西及闽、赣边战火仍烈，唐、鲁二藩的武装抗清正处吃紧时。《晓入郡城》诗写嘉兴城内外荒寒凄凉氛围时，深透出一股肃杀的兵气。正缘于此。

这首五言律虽着重表现的是目击的情境，但全诗所揭示的其实乃诗人神伤惊悸的心态。是的，一切景语皆情语，诗的境界原为心的境界。起首二句写拂晓晨霭乘隙潜入，小舟隐蔽在荒江一隅，系缆于枯败已坏的篱根畔，偷渡潜进者的警惕隐秘和忐忑不安的心情已溢见。三句写驻军，北兵的铁骑横陈在驿道上，四句写严防，孤悬浙东紧邻水道的水门紧闭，既可足见这“乘间入”之不易，又充分表现出了嘉兴府城炊烟难起的沦落凄凉景象，乡邑父老的人身险危，行止被严酷地羁縻，全可想见。

如果说三、四句为实写，那么颈联的宕开一笔，写天庭的星月全被兵气、硝烟所浸裹，由地上之实况引向上苍之景观，则转为虚写。所谓虚写，即传述出一己的感觉，这种感觉也就是得自于“古道”“孤城”的实况的感觉，实况促发的一种悲怆、一种惊悚，家乡全被一片肃杀的气氛所笼罩了！五、六句的“含”“傍”，实则不只是星“含”、月“傍”，而且更实际的是城“含”兵气，人“傍”硝烟——荡漾在侵晨的未消的硝烟。这样，结篇的“辛苦乡关路，重来断客魂”就顺注而止，脉理清晰。

“客”是“主”之相对。诗人潜返家乡，成了“重来”的“客魂”，暗示着山河易主，社稷移人。别轻忽这似不经意的一个“客”字，其中饱含的血泪之痛是不难触及的。诗人说，冒着风险，历经辛苦重来乡关，哪知家乡是如此一派令人黯然神伤的凄绝景象，能不心伤神苦，为之悲慨哀痛么？

其时朱彝尊虽学诗不久，然情难自禁，出于衷怀的抒唱，清新自然，高朗足补老辣，秀润不乏凄淡，较之其后期以学问语写诗为一些作品来，倒反觉可诵得多。

（严迪昌）

捉人行

朱彝尊

步出西郭门,遥望北郭路。
里胥来捉人,县官一何怒。
县官去,边兵来,中流箫鼓官船开。
牛羊橐驼蔽原野,天风蓬勃飞尘埃。
大船峨峨驻江步,小船捉人更无数。
颓垣古巷无处逃,生死从他向前路。
沿江风急舟行难,身牵百丈腰环环。
腰环环,过杭州。千人举棹万人讴。
老拳毒手急殴逐,慎勿前头看后头。

鉴赏

清兵初入江东南时,其主干武装为八旗步骑。八旗兵卒不仅彪悍善战,且仍保持有游牧部落的奴隶制习性,征战所到,杀戮抢掠外,还大批捕捉劳动力以充旗下奴。军营开拔或调防,所虏之民亦随之行。又,八旗亲兵原属北人,不习水性,而江南河湖遍布,水上交通与陆路同样重要,船行需要拉纤之夫。于是,既需南人为水手,又必从所捉奴隶中选出一批充纤夫。顺治初期,江浙一带人民所遭的苦难故尤多。《捉人行》这首乐府体小叙事诗,即朱彝尊记写目击亲见的严酷现实。展示着当时民生之哀。诗作于顺治四年(1647)。

诗依韵分节,大抵可划为四个小段。头四句一韵,写清兵过境前地方官吏为打前站,狐假虎威,狼狈为奸,蹂躏乡里。“步出”“遥望”二句为全篇入破起首,拉开间距写所见的情景。句式似是因袭汉乐府,实为现状记述,嘉兴北门紧邻水陆通道。里胥的“捉”,县官的“怒”,都可见出他们为新朝主子卖力的凶相丑态。至于他们背后靠山的横蛮跋扈则尤能想见。

接着长短参差的五句写清兵大员的来临。“边兵”,即北兵,来之边陲的清兵。“中流箫鼓”句写排场,写气派,也写了地方上已降清官吏的阿谀谄媚情态。吹吹打打,好不热闹,是很传神的句子。“牛羊”二句写清兵挂上沿途而来已是抢掠了大批财物,牛羊橐驼既是掠得的畜群,又是驼载财物的工具。“天风蓬勃飞尘埃”一句道出了数量之多,大道尘埃飞扬,又何尝不是天怨人怒的侧写,四字茫茫,一片昏暗。

“大船峨峨”四句表现着过境大兵驻足小留,高大的官船暂靠江边码头(江步),小船一队随之在后,装满着被捉的人。现今停靠这里,又继续捉人。城邑破败,到处颓垣残壁,本也就无处可躲藏,只得“生死从他”,听天由命地被装上船向前行去。“生死从他”的“生死”,意即死活。既“无处逃”,只能被捉。捉了不从则当时处死,从了随行也凶多吉少,前途难卜,这就叫“生死从他”。处在烽火战乱的危世,人民大众很难自主其命,特别是国亡家破,社稷易主之际,谁能庇护他们?何处有乐园?百姓之苦,真是罄竹难书。“生死从他”四字看似寻常,其实血淋淋的,令人不忍睹。当然,只有民族败类们,那些甘为鹰犬的汉奸们是缺乏这样的体会的。

“沿江风急”二句写江行险恶,船需人纤。“身牵百丈”“百丈”是纤绳的指代词,纤夫将绳绕环身腰间既为固定,用全身之力拉纤。更重要的是清兵可以管制,免得逃散。这二句是过渡,大小船只满载货财与奴隶一路行径而去。去向何处?杭州。船上被捉的人绳捆束绑,岸上拉纤的人“腰环环”地串成一行,“千人举”是水手打桨板橹,“万人讴”是纤夫、水手的齐声杭育。劳者杭育之唱是为舒散心态,便于发力。而今江上及两岸之“万人讴”则不啻是一支悲壮哀歌,是在向上苍向大地倾诉冤苦,是一种沉重的呐喊。

结句说,谁要稍见怠慢,老拳毒手就如雨点般下来了。“慎勿前头看后头”,千万不要回头看,你只能往前拉纤而去!这正呼应“生死从他向前路”之句。也暗示着前往途中,被捉者时有回头身后,眷恋家乡,挥泪而别,但,不能,不允许呵,一回头就“老拳毒手”争相殴击而来,慎勿回首,慎勿回首。

诗全以叙述式写来,无议论,但愤慨之情毕现,沉痛的议论具见。

(严迪昌)

马草行

朱彝尊

阴风萧萧边马鸣,健儿十万来空城。
角声呜呜满街道,县官张灯征马草。
阶前野老七十余,身上鞭扑无完肤。
里胥扬声出官署,未明已到田家去。
横行叫骂呼盘飧,阑牢四顾搜鸡豚。
归来输官仍不足,挥金夜就倡楼宿。

鉴赏

这首诗作于顺治四年(1647),主要描绘了清兵南下对百姓的骚扰。

首二句交代时间和地点。“阴风萧萧”,当是秋冬之际。“空城”,指朱彝尊的家乡秀水县城,即今嘉兴市。顺治三年(1846),清兵在太湖流域剿灭了吴易领导的反清武装力量,然后移兵至嘉兴,诗人所叙之事,盖以此为背景。这里,诗人通过“阴风萧萧”和“空城”,表现了战后荒凉的环境,同时也给全诗笼上了一层肃杀的意境。既然是阴风萧萧的季节,既然是空城之地,要解决十万兵马的粮草,显然不通过非常手段是无法办到的。

三、四句承上而来。“角声呜呜满街道”,补充说明兵马之多。而通过写满街呜呜的角声,也进一步烘托出了悲凉的气氛。接着便点出全诗主题:“县官张灯征马草。”张灯,表明是连夜张罗。县官之所以如此急于征集马草,一是为讨好清廷军队,二是军队催之甚急。于是,诗歌的下面部分就叙述了县官和他的属僚为马草而横征暴敛,肆意骚扰百姓的行径。

“阶前野老七十余,身上鞭扑无完肤。”这是县衙中的情形:一位可怜的老年农民因为无马草而被抓了进来,成为阶下囚。并且,拷打的皮鞭已使他体无完肤,遍体鳞伤。这说明了县官为征集马草而显得狂躁。但是,这位老农如果真有马草也就免遭皮肉之痛了。鞭子在他身上显然同样无法获得马草。于是,县官又派遣属吏下乡去搜集。“里胥”,古指乡吏,后泛指衙役。“扬声”,大声喧哗,表现了衙役趾高气扬和得意洋洋的神态。这里又出现了一个时间概念,“未明”,即天色未明。以此一方面突出县官征草之火急,他在半夜就差人,使之能够在未明之时到达乡下,而另一方面也刻画了属吏行动之积极,为下文写他们在乡下的所作所为埋下伏笔。

衙役在乡下能够干些什么呢?他们知道农村也征不到如此之多的马草。因此,当他们得意洋洋地走出官衙。不过是因为又得到了一个中饱私囊的机会。诗中没有写他们在乡下搜集马草,因为写此会与上面雷同,无非又是拷打抓人。所以诗人换了一个角度写他们的强暴不法:“横行叫骂呼盘飧,阑牢四顾搜鸡豚。”他们先是横行霸道地呼菜喊饭,在酒足饭饱之后又在农家搜鸡劫豚。

为什么衙役在乡下吃喝过后还要勒索东西带走呢?很简单的一个道理就是为了献给县官以便交差,当然还包括自己的享用。诗的最后二句是对此的交代:“归来输官仍不足,挥金夜就倡楼宿。”县官对自己得到的那一份仍感不满足,而衙役则夜宿倡楼去挥金如土了。这里,没有谈到县官对未征得马草的反应。从诗歌开始对县官的火急,到此时县官的无所谓,可见,县官也只是将此作为搜刮百姓的一个机会而已。

对于朱彝尊早年所具有的反清思想,学术界的肯定并无分歧。作为叙事之作,这首诗着重刻画了县官和里胥,表明了他们的残暴、横行和贪婪。但是,如果将此诗放入当时的历史大背景中,那么,我们就可以准确无误地得出这样一个结论:是清兵赋予了县官、里胥权力和机会,因为一切都是从清兵征战,需要马草开始的,这是万恶之源,从此,我们就能知道这首诗真正鞭挞的是什么。

作为一首叙事之作,这首诗在故事情节的裁剪和人物形象的塑造方面都很具特色,主要是详略之得当和性格之典型。而新乐府体明白晓畅的语言,又为此提供了极便利的条件。

(马卫中)

江　亭

朱彝尊

杨柳官亭外,春来送客频。伤心车马地,泪尽复生尘。

鉴赏

折柳送别于十里长亭五里短亭，原是古时习俗。在这遍布四处驿道旁的“官亭”前，不知演出过多少悲欢离合、喜怒哀乐的人生之剧。然而朱彝尊这次途经位于家乡郊外的小东亭时，不禁百感丛生，悲从中来。为什么呢？战乱频年，烽火不绝，城邑破败，人烟萧散，这些年的生离死别惨事太多了。柳将折尽，泪已流枯，然而这块车马地上的江亭仍在，尘埃飞扬，正是所谓阅尽沧桑，物是人非。江亭呵江亭，你该是历史最有权威的见证人，尽管你总是默默无言地峙立在这里！

这是一首运用类似大自然人格对象化手法，将“江亭”与“我”化合一体，借“亭”（物）抒情的小诗。作于顺治九年（1652）。其时朱彝尊正在乡邑当塾师，间亦往来于华亭（今上海市松江县）、吴江（今属江苏苏州市）等地，与一批遗逸志士以诗文酬唱活动为形态而频有联系。

《江亭》五言绝句的特点是通过一对矛盾现象来抒述内心的愤懑哀痛。杨柳植于江亭畔，成为折赠送别物，折了又生，逢春而发。别情常告，但愿此别之后不再别，是人情通同之理，然而作为物的杨柳则无情之甚，春来又枝横叶生，不会因人情之所愿望而变易。人情与物性这种矛盾原是互不相犯的人为之矛盾，诗人们将此组合一气，正是为了以物衬情，写心之苦。此诗最精辟的是末句“泪尽复生尘”五字。泪落尘土，土为之泪，尘亦不起。然而这只是暂驻的景象，泪有尽时，土干仍飞尘，此则乃必然的永恒事。这又是一对人意中的矛盾。此矛盾现象最足以写尽人生艰辛，生离死别之事无穷尽，特别是在血火横飞的战乱年头。

“泪尽复生尘”，泪之尽，是人生大苦哀，尘仍生，是世道难清宁。泪水永远也湿不透尘土，是人间的最为不幸的格局了。

小诗贵回环有致，含蓄多味而又不艰涩，《江亭》深此意，并颇多古诗如《十九首》之类的韵味。近体含古体味，往往拙中见巧，平直间多曲致。

（严迪昌）

无　题（录二）

朱彝尊

金谷繁华地，风流石季伦。量珠凡几斛，买取堕楼人。

织女牵牛匹，姮娥后羿妻。神人犹薄命，嫁娶不须啼。

鉴赏

在历史的离乱迁徙时期，民众固是大苦难的牺牲者，而妇女则尤见遭殃惨烈。封建时代，女子原有"薄命""弱者"之说，其实，这当然是时代凌辱所致，是历史强烙在女性心魂上的印痕。清初，兵火所到处，汉族妇女所遭临的祸害诚罄竹难书。于当时的诗文集乃诸多文献中也屡见不鲜。阳羡词僧弘伦在《杨柳枝·纪事》组词中就以这样一首概述江南妇女被掳的事实："烟织轻尘雾织绡，妥娘眉黛小蛮腰。佳人已属沙咤利，金屋何曾贮阿娇？"作为哀鸿离流图长幅的一角，读来令人心惊。现在朱彝尊写于顺治十年（1653）的《无题六首》，写的也是此一题材，只是隐约其事，借典述情而已。这里选的是第一、二两首。

"金谷繁华地"一首，旧笺说是指的南明弘光政权覆亡时，作为四大镇将之一的东平侯刘泽清降清复叛，被杀后姬妾四十余人皆死这一类事。刘泽清是曹县人，在其握兵坐镇苏北淮安一带时，大造府邸，"极宫室之盛，以钟鼓美人充之"。诗中"金谷繁华"、石崇（字季伦）"风流"之句即隐喻刘泽清之流，旧典新用。石崇曾以明珠百斛买得歌伎绿珠，后绿珠在石氏破败时堕楼自杀。朱彝尊借以喻刘泽清等南明悍将落得可耻下场时，同样难保其姬妾。

这一首纯以史实借远譬今，不着议论，是客观描述形态，而暗寓讽意。即在控诉清兵蹂躏行为时，也嘲弄着叛将们的结局。当然，对"堕楼人"是深致悲悯的。诗虽短，层次甚曲叠。

"织女牵牛匹"一首手法新奇，多所创获。牛郎织女之隔离，姮娥（嫦娥）后羿的离异，虽其因不同，但生离死别的格局则一，而且均表现出回天无力，无可逆转其处境。诗人说，天上的"神人"犹薄命，难以自主婚嫁事、难圆伉俪情，那么，何况人间呢？"嫁娶不须啼"紧接上句，而中间呈大幅度空白处任由读者自己去体味。只有结论，没多议论，此属以简驭繁、弦外有音之一法。

说它新奇，是巧于运用“神”、人对照，以一个“犹”字联系前后，包孕的容量自大。这个“犹”字，又下贯“嫁娶不须啼”，虽未明言“何况人间”云云，而结论断然而明。

“嫁娶不须啼”之“不须”二字极沉痛也极冷峻。《无题六首》从整体上看均得“冷”字韵味，冷噱、冷嘲、冷峻、冷眼旁对，于是，一腔怒火令人惊悚。火之呈冷焰，实为炎之至。此组诗的情感力度应作如是观。

（严迪昌）

度大庾岭

朱彝尊

雄关直上岭云孤，驿路梅花岁月徂。
丞相祠堂虚寂寞，越王城阙总荒芜。
自来北至无鸿雁，从此南飞有鹧鸪。
乡国不堪重伫望，乱山落日满长途。

鉴赏

顺治十三年（1656）。朱彝尊应广东高要县知县杨雍建之聘赴广东，途经大庾岭时写下此诗。“大庾岭”，五岭之一，在广东省南雄县北，江西省大余县南，是江西入广东的通道。关于其得名，据《元和郡县图志》记载：“汉伐南越，有监军姓庾，城于此地，众军皆受其节度，故名大庾。”由于大庾岭多梅，故亦名梅岭。

此诗从写大庾岭景色入手。先大处着眼写了大庾岭之雄伟：“雄关直上岭云孤。”“雄关”，指大庾岭上之梅关。《读史方舆纪要》称梅关“雄杰险固，为南北之襟要。”而《安南志》则说梅关旧称“岭南第一关”，其北门楼上刻有“南粤雄关”四字。这里，通过“直上”和“岭云孤”，刻画了其险要，高峻。接下一句是“驿路梅花岁月徂”。驿路是古代的交通大道，沿途置驿站，供递送公文的人或来往官员暂住或换马。“徂”即久远。如要说前句突出了一个奇字，此句则突出一个古字。

“丞相祠堂虚寂寞。”丞相祠堂

乃是指张九龄祠,《一统志》:“张文献祠在大庾岭云封寺前,祀唐宰相张九龄。”这句描写眼前所见张九龄祠的寥落,而下句则承此写想象中的南越王赵佗都城的荒废:“越王越阙总荒芜”。《一统志》载:“赵佗城在广州府城西二十七里,即佗都城也。”此联一句实写,一句虚写,正因为有此虚写,作者在下面就发挥了想象的余地,并以此宣泄了内心的情感。

这是何等的情感呢?作者背井离乡而远去他方,外加是岁暮时节,当然是一种离愁,一种乡情。“自来北至无鸿雁,从此南飞有鹧鸪。”写大庾岭阻隔南北,南去禽鸟也和中原不同了。在家乡能见到鸿雁,从此不能见了。《广舆记·衡阳》:“回雁峰,在衡州府城南,雁至衡阳则不过。”而在家乡冬天所不能见的鹧鸪,眼下却又可见了。朱彝尊选择鸿雁和鹧鸪。可谓别具匠心。古有雁足传书的传说,此暗寄无以传寄家书的伤感。鹧鸪鸣声凄切,如言“行不得也哥哥”,古代诗文中因常用它作为劝阻出行的象征。

至此,作者似乎感到宣泄还不够,在本已浓烈的乡愁上又加上一笔:“乡国不堪重伫望,乱山落日满长途。”是的,作者还得继续向前走去。如果再次回望故乡,本来已经沉重的脚就更迈不开步伐了。但是,不望乡关,目光又能落向何方呢?重重叠叠、毫无次序的山峦映照在落日之中,漫长的旅途给人一种凄凉、孤独的感觉。

如果说这首诗在艺术上有什么特点,那就是以流畅的笔抒写了抑塞之情。赵执信曾经把朱彝尊和王士禛并举,称“朱贪多,王爱好”。后人对此的解释纷纭,其中有一种是说朱彝尊好用典。然而这首诗却一反诗人好典的习惯,显得平淡,而又不乏感情的起伏。清切、真切,这是其值得特别赞道之处。

(马卫中)

珠江午日观渡

朱彝尊

蛮歌抚节下空江,画舸朱旗得几双?
想象戈船犹汉日,忽惊风土异乡邦。
芙蓉远水迷花渡,琥珀深杯覆酒缸。
近市青楼经乱尽,知无红粉出当窗。

鉴赏

顺治十四年(1657)的端午节，朱彝尊是在广州度过的。农历五月初五竞舟江上,原是华夏民族的习俗,而且这个节日的命定,其初意又与祭奠沉江殉志的中国第一个爱国诗人屈原攸关。这样,在清初这个特定的历史时期,在刚经历过一场血与火的民族争斗的广州珠江畔这块地方,"端午观渡"这个节日即以暗寓有华夷之别和凭吊先烈的内涵而具其特定含义。尽管朱彝尊闪烁其词,冷峻之意出之以热闹之笔,读者仍可按之而辨味得弦外之音。

"蛮歌抚节下空江"这一起句中,"蛮歌"与"空江"的择用,已见其皮里阳秋笔意。"蛮"原指南方少数民族,内地或江浙一带惯以"南蛮子"蔑称粤地之民。朱氏是否还从华夷、汉蛮之别角度,暗指失去了汉官仪的八旗风习,不必断然言定,但与下文的"犹汉日"云云,是值得推敲的。重要的还在"空江"之"空",端阳舟渡本应旌旗龙舟漫江而竞,现今却是江上空寂,仅有三二"蛮歌抚节"打着节拍唱着"蛮歌"而已。一种萧条冷落的氛围在看似热闹的渲染中已深沉表现出来。接着以"画舸朱旗得几双"的诘问句补足这"空"字,龙舟龙旗有几对啊?"蛮歌抚节"之舟再多,不见或少见"画舸朱旗",那么江上视听所获只能是一种失落感的"空"落落、冷清清。如此"观渡",对一个尚有民族自尊心、还未忘旧朝仪式的人来说,其怅惘、哀叹是必然的。

现实与理想、愿望就是如此严峻地对立着。"想象戈船犹汉日",是往昔的情景,是已消逝的过去,是明王朝统治下的日子里的舟渡壮观。现今呢?"忽惊风土异乡邦"了!"乡邦"是掩饰词,表层看,可以让人理解为粤地习俗与浙西有异,内里实际很显然是指的汉、满之别,"华夷"之别。这从颔联一出一对的"犹汉日""异乡邦"可以审辨到。朱彝尊运用的笔犹似两面出锋的双刃剑,其效果也即俗谓"一南两响"。这与通常所说的含蓄不同,而是夹层寓意、双层意。

"芙蓉远水迷花渡"是虚笔,以写芙蓉花开遍江上遮迷"花渡",来表现"渡"之荒凉。渡,本应是人众密集处,观渡竞渡人所群聚地。可是眼前花密人稀,入眼清凄。一个"迷"字用得极虚灵、迷离、迷茫、迷失、任人体味。迨"琥珀深杯覆酒缸"是实写,写以酒浇胸中块垒,借酒驱迷茫之愁哀。如此一想,"芙蓉远水"与"琥珀深杯"这联工整、密丽的对句,全是围绕着一种心态,愁的悲的心态,并充分地将上一联中"忽惊"的"惊"的沉慨大痛托了起来。

前后照应，互为表里，作为一首律诗。在短短八句中脉络紧密勾连，由此可见。

往昔龙舟竞渡，画舸朱旗下倩男冶女云集，临江青楼红闺各式粉妆女子当窗竞艳，盛况可想象。眼下江上画舸固已“得几双”了，少得可怜，而“红粉当窗”景观亦已尽无了。这一切全因“经乱”而后尽失之故。应该把“青楼”“红粉”意象只看作是一个符号，这符号的意义在于标志盛衰起落。这样，诗人笔底的借取冶艳之词的本意就可自明。

综上所述，说此诗乃以热闹之笔写冷峻之意，当非臆测。

（严迪昌）

东官书所见

朱彝尊

浦树重重暗，郊扉户户关。长年摇橹至，少妇采珠还。
金齿屐一尺，素馨花两鬟。摸鱼歌未阕，凉月出云间。

鉴赏

“东官”，又写作东莞，即今广东省深圳市。顺治十四年（1657），朱彝尊曾往东官访其舅查培继，途中根据自己的所见所闻，即兴写下此诗。主要记述的，乃是当时采珠妇女的生活。

首二句写东官郊外的景色，这是诗人对东官的第一印象：“浦树重重暗，郊扉户户关。”说明诗人还在旅船上。江中对岸边的感觉是，树木非常多，一“暗”字，形容出了遮天蔽日的景象。透过树木，又看到郊外家家户户的门扉都关掩着。这为下文伏笔。

接着二句就转向写人：“长年摇橹至，少妇采珠还。”诗人既然在岸上找不到人，于是他就把注意力集中到江中，而江中确实有人；船工摇着橹过来，船上载着采珠归来的少妇。这二句是动景，与首二句的静景形成了鲜明的对照。静的是物，动的是人，静的在岸上，动的在江中。“长年”，船工。

下面诗人就集中刻画了采珠少妇：“金齿屐一尺，素馨花两鬟。”“金齿屐”，一种有齿的木底鞋，可践泥泞。李白《浣纱石上女》有云：“一双金齿屐，两足白如霜。”“素馨花”则是一种白色的、充满香味的花，产于闽粤一带，古代妇女常以此作头饰。

这里选词相当精确,他通过“金”和“馨”,表现了采珠少妇打扮的富贵和高雅。这里又是静的描写,仿佛是一幅人物肖像画。因为“长年”二句是写突然间的发现,而此二句是写作者的凝视。

在又写了静景之后,诗人再一次写动景:“摸鱼歌未阕,凉月出云间。”这次写动景,因为承上而来,因此还是以采珠少妇落笔,写她们引吭高歌,唱起了广东民歌——摸鱼歌。据《广东杂记》载:“粤俗好歌,其歌之长调者如唐人《连昌宫词》《琵琶行》等,至数百千言……名曰摸鱼歌。”摸鱼歌确实很长,因为一阙未完,不知不觉之中,带着凉意的明月已破云而出了。这里也反映了歌声相当优美;诗人被歌声所吸引,几乎没有感到时光的流逝。诗歌的结尾又回到了自然景色中,这与篇首进行了呼应。不同的是,结尾的景色带有动感,显得生机盎然。

此诗作为一首抒情小诗,对景物的描写和人物的刻画都很具特色。还值得称道的是其对偶之工。此诗首联就对仗。通过对仗,通过“重重”“户户”等叠词的使用,让郊外傍晚的景色显得更凝重、更寂静。而颔联的流水对,则是平淡之中求工整,使得诗歌的表现手法和诗歌的意境能够有机地统一到自然中来。

(马卫中)

赠张五家珍

朱彝尊

可叹张公子,流离自妙年。身孤百战后,门掩万山前。
易下穷途泪,难耕负郭田。平陵松柏在,余恨满南天。

鉴赏

顺治十三年(1656)夏,朱彝尊应高要知县海宁人杨雍建邀,游岭南,继入曹溶广东左布政使司幕,先后在广东逗留二年。在穗时,重晤屈大均等,并结识了如张家珍等隐逸的原抗清人士。这首赠张氏五言律写于顺治十四年(1657)。

张家珍,字璩子,广东东莞人其兄张家玉勇武能战,先从唐王执事,后转辗入桂藩永历朝,授兵部尚书。顺治四年(1647)十月战败于增城,投水殉国,年仅三十三年。在家玉死前数月，原驻守地东莞破，其祖母陈氏、母亲黎氏、妹石宝均赴水死，妻彭氏被执遇害。而堂弟有先、有恒等则先后随家玉死难（参见《明末忠烈纪实》卷十五，《爝火录》卷十七等），真是一门忠烈。张家珍十六岁时就随兄身历戎行，故朱氏诗起首有“流离自妙年”之句。

家珍在兄弟间排行第五，故题称“张五家珍”。

对张家珍十年前的壮武勇烈行迹及十年来心怀隐痛遁迹草野的品性，朱彝尊是敬重的，也完全能体察到他的心境。所以这首赠诗既回叙了张氏“身孤百战后，门掩万山前”的往昔，也揭示了其“易下穷途泪，难耕负郭田”的现实处境。这是一首颇多身同感受的同道知己之作。属心脉沟通式的酬唱。

“身孤”句只要了解十年前张氏一家殉难之惨的本事，即可把握。十年前，张家玉殉难时，其父张肇龙及家珍均为人匿藏，敌方“不得踪迹”，“门掩万山前”云云即指寓有隐迹深深足迹不出的意思。现今虽时隔十年了，广东局面固已平定，但永历政权的残部仍还在滇边抗争。这对像张家珍这样的人物来说，其处境和心境之复杂可以想见。大势已难挽，力不从心的他，虽无法远去追随旧主，然心头的悬念和缅怀是无时不存着的；而对清廷统治来说，尽管“门掩万山前”，无所作为，却仍属敏感人物，危险分子，也是无疑的。张家珍诚是会有“穷途”之感，狂狷心情处此境遇，能不如昔年阮籍那样“车迹所穷，辄痛哭而反”（《世说新语·栖逸》）吗？至于“负郭田”般的家产别说已荡然全去，即使还在，也难守成，他是要躬耕家园也难得，只能流离失所，行迹飘零而已。“难耕”一句写尽了张氏处境之险，行世之难，实属逼真写照。由此，颔、颈两联已将人物形象写足，一个身处特定年代里的特定政治色彩的人物跃立于纸端了。

末二句写张氏遗恨，是代张家珍传述心底之隐情。“平陵松柏在”之“平陵”只能是泛指，即泛指已故之旧主之一的唐王，及唐王之弟称绍武帝于广州等，也可包括其兄张家玉及一门壮烈。如果说是引借汉乐府《平陵东》，也正是旨在扣上“不知何人劫义公”之“义”字意。换句话说，绝不是指明桂王，明末清初际，老桂王于顺治元年即甲申之秋已病故，嗣桂王又称永明王，后称永历帝的朱由榔直至顺治十八年（1661）年底始被俘执，到次年即康熙元年（1662）四月被吴三桂缢死于昆明。写于顺治十四年的诗不可能以“平陵”指明桂王是显然的。而“余恨满南天”云云，即以张氏兄弟的志业及经历来说，其遗恨是已足弥满天地间的了。其尽忠未能得，尽孝也不得，这对一个封建知识分子来说，是够惨的事。一门殉难，而一己苟活，这应就是“余恨”的本旨所在,是张家珍每每宿夜难安的。

以近体中最不易把握的被称作“四十君子”的五言律诗,来写人,写一生经历,写往昔,写眼前的心境,处境,这是很险的题旨,很难写得真实,涵盖深广的。然而朱彝尊却应付自如,一句一转,波折跌宕,既记了事又写了心,独见工力。此年朱氏还只二十九岁,但诗已健拔得很了。

(严迪昌)

杂诗三首

朱彝尊

滔滔东流水,中有西上鱼。素鬐扬洪涛,腾决势有余。
云雾生晦冥,川岳助吹嘘。白龙未变服,胡然愁豫且。
亮无图南志,终返北溟居。

鶢鶋本大鸟,海处扬波涛。何意天风来,吹之入鲁郊。
锵锵钟鼓鸣,昂首思扶摇。青云铩其羽,烈风焚其巢。
先时方笑言,后至斯号啕。

骐骥服盐车,猕猴骑土牛。于心徒欲速,为计苦不周。
白洋既覆粟,太行亦倾辀。择术昧先几,焉能获所求。

鉴赏

顺治十六年(1659)五月郑成功、张煌言率七十万水师挺进长江,是南明抗清战事一大关键之役,东南反清复明之士所存一线希冀亦全存于此。其初,郑、张水师进军凌厉顺速,一举攻占镇江、仪征,并围南京而沿江深入芜湖一带,下江皖二省四府三州二十四县,震撼南北。当时确曾振奋人心,江东人士加额为之欢庆的。但由于郑成功骄兵失策,坐失时机,形势急剧变化,结果不得不败退出海。这一来,清廷对东南的政局倒转为牢牢把握,抗清反清人士元气挫伤,紧接着清政府以“通海案”兴大狱,在江、浙、皖三省大肆捕戮有关人物,江东抗清斗争终于偃息。朱彝尊运用比兴手法,借取旧典中神话故事写成的《杂诗三首》即是深为郑、张水师败退而痛惜遗憾、哀伤懊恨之作,因而也就不能不对郑成功辈的失误有所讥讽。

三首诗都以拟喻先极写其威荣势张、足有余力,却转而失势而落,但在揭示其之所以败北时各有侧重。

第一首最为极写水师西挺时的盛况壮威。"素髻扬洪涛"句形象地表现郑成功率师服丧,祭孝陵,誓下金陵的威仪,这是一度震慑清廷,大慰人心之举。所以"云雾生晦冥,川岳助吹嘘",天地也为之助威,江南上一片杀机,敌方为之变色。这大有天随人意、天助人愿之势呵,此举当是顺乎天意的。然而何以"腾决势有余"的形势、战机,倏忽转化了、败退了呢?"亮无图南志","亮"即"惊","实在"的意思。诗人说,实在是因缺乏一个全面整体的恢复计划,于是一失良机,就全盘皆输。"白龙未变服,胡然愁豫且"二句,用《说苑》典,"白友变服"是龙化为鱼,"豫且"是渔夫。"未变服"是未化为鱼,即未化鱼,何必愁被渔夫所伤呢?这是批评郑成功因为无整体考虑,对敌我双方的力量缺乏充分估衡,所以该虑不虑,该断不断,犹豫失策,导致败退。

第二首则着重表现郑军深入长江,围困南京,正当"锵锵钟鼓鸣,昂首思扶摇",踌躇满志之际,竟中了清江南总督郎廷佐的缓兵之计,结局是"铩羽""焚巢"而败去。为什么"思扶摇"之兵竟遭杀羽之祸呢?骄兵,骄兵必败!"先时方言笑,后至斯号啕"这一"先"一"后",充分写出了毫无居安思危,胜时忘乎所以的心态。起先是太顺利了,"何意天风来,吹之入鲁郊","鲁郊"借代江南。郑、张水师在此之前已曾多次进入长江,均知难而退,也准备不足。这次却起手很顺利,"何意"二字抉示了一种意外感。这一意外的顺当,恰恰伏下了粗疏大意、思虑不密的祸根。按当时有识之士的普遍看法,围南京是大失策,也正好中了缓兵之计,杀了勇猛的势头。锐气一失,必致败北。围南京是急于事功,只想亲祭孝陵,以此号召天下,殊不知从全国战略形势看,这正犯了大忌。居下游是难以窥中原,也不可能与西南抗清武装联合沟通。这种失策显然是"亮无图南志"所导致的,骄兵之所以骄,也基于没有宏观眼光,太短视了。所以,第二首实又补足了前者内涵。

第三首则集中议论。先用两个物未尽其用的失误之憾事为典故,印证郑成功的用兵不当。千里马("骐骥")拉盐车在太行山道,当然无法展其驰骋之才;猕猴骑土牛,还能轻装敏捷迅进?这样,心欲速而反不达,空耗人力财力。结果是船倾倒于太行,粟覆倒入大洋,败于不该败之地,毁于不该毁之时。看来是矛盾不通的,舟怎会覆倒在山路上?粟怎又翻入大海里?然而这种意想不到的事实,正是"为计苦不周”必然现象。“择术昧先几，焉能获所求”，“先几”即“先机”，不明真正的战机在哪里，无从把握战机也就定然难有所获！这是结论。

诗，不是论策之文，所以，议论不可能详致展开。以诗为论，其特点是抉往要旨，微言中的，并运用形象来表现因果，即事理的演变过程。这就能起到以少胜多的所谓“寸刀杀人”效应，或者说叫做“我饮仙露，何必千钟”。

在比兴手法的运用，特别是意象的选择上，最能见诗人匠心。所谓匠心，也即为“意”服务而调动意象的奇巧之思。试看第一首，先以“西上鱼”喻郑氏水师，又以“白龙”喻郑氏，前者为泛指，后者为专称。而专称的选定，正为“胡然愁豫且”这一反诘，指出其弊病要害处。典故，是意集之一种，作用原在于达“意”。这样的选择，在短短数句中既有变化，又富寓意蕴，把要表述的意思尽情说清。又如第二首“鹲鹄”这种海鸟原居于海上，如今却中计被久困在陆岸，那么遭杀羽、焚巢之灾是必然的。这也就把水师恋于攻城陆战的犯大忌写了出来，言简而意赅，要言不烦。这全是意象择用的巧妙处。

（严迪昌）

将之永嘉，曹侍郎饯予江上，吴客韦二丈为弹长亭之曲，并吹笛送行。歌以赠韦，即送其出塞

朱彝尊

韦郎旧隶羽林籍，曾向营门教吹笛。
不听吴中白雪音，定呼邺下黄须客。
平原相见转相亲，置酒夸君坐上宾。
下若尊罍朝未罄，东山丝竹夜还陈。
闲来坐我花间奏，玉洞飞泉响岩溜。
古调多传关马词，新声似出康王授。
问我东行到海壖，日斜江上惨离筵。
还将北雁南飞曲，催送钱唐楚客船。
船人擂鼓津头泊，红叶千山富春郭。

忽作边秋出塞声，江枫岸柳纷纷落。
哀弦促管不堪听，宾御闻之亦涕零。
挂席远移严子濑，看山直上谢公亭。
闻君欲问云中戍，雪消饮马长城去。
广武营边折柳时，黄瓜阜上题书处。
司农旧是出群才，此日征西幕府开。
试向尊前歌一曲，梅花飞徧李陵台。

鉴赏

自顺治十六年(1659)秋郑成功、张煌言先后败退后，清廷即兴"通海案"大狱，严究酷治与郑、张水师暗通者。朱彝尊密友魏耕、钱曾及潘龙基先后于顺治十八年被捕，并于次年即康熙元年(1662)二月被惨戮死于杭州，山阴祁班孙则遣戍塞外，祁理孙后遁入空门为僧。形势严峻，朱彝尊为远祸也须避一下，于是值友人王世显赴永嘉知府任之便而随去温州。临行，乡间辈原户部侍郎曹溶设宴饯别于江上，朱氏写下了这篇七言歌行，时为康熙元年十月。

这是一首韵律参差多变，以繁音促节之声传述满怀难言之愤的长歌。要把握此诗情思，必须从主客三方的处境身份入手。曹溶原系明崇祯朝御史，入清后几起几落。时正从广东布政使罢官归里多年，而又即将降补山西，署按察副使，任大同兵备道，行将赴云中，朱彝尊在前不久则写过《送曹侍郎备兵大同二首》。曹溶的心态一直很矛盾，深有旧巢已破而新枝难栖的难言之哀，这几乎是相当一批降清的旧官吏所共有的感受。而朱彝尊这几年也惶惶不安，进退维谷。眼看恢复故国的大势已去，自己年已三十四五，早过而立之年，一事无成，且处境颇险恶。虽然他并非引起清廷严重侦查的异己者，便要获得信任者有所进取也还非其时。事实上他要到康熙十七年方始有转机，还有长长的十几个年头的漂泊江湖的历程在前面，由此足可察辨其苦闷的心境。但是，不论是曹溶，还是他朱彝尊自己，心头事都不可说、不能说，于是，正可借隐于弹唱的歌手畸人韦二来一吐胸臆。"韦郎旧隶羽林籍，曾向营门教吹笛"这起首二句，道出了这个韦二的身份。这原是"白头宫人"式的旧朝军营乐师一类人物，现今隐迹风尘，往来于尚未忘却前朝故情的大吏府幕间。清初这类畸人异士颇多，最著名的有柳敬亭、苏昆生，如翻检一下当时人的诗文集，可以搜集长长的一张名单的。现在韦二在曹溶家为座上客，而且看来也即将随曹氏去云中作塞外游。他弹曲吹笛为朱彝尊送行；而朱氏则借此高吟一阕送韦二出塞，隐约曲折地吐一吐悲慨、怅惘之情怀。

全诗每四句一转韵，每一韵构成一个小节，互为勾连地折叠推进。头四句写出韦二身份和形象，诗人说，倘若不听他弹唱的"吴中白雪音"如此高雅动人，必然会把他看作"邺下黄须客"的。当年三国时曹操之子曹彰勇猛善战而须黄，被戏谑称为黄须客。可见韦二形象乃一介武夫状。次四句是说曹溶极器重韦二，尊为"上宾"，朱、韦相识于曹氏处，一见面相亲如故。三人之间友谊的维系及投合，显然与他们身心的"旧隶"故明有关。"平原"是借曹植的"平原侯"指代曹溶，取其姓氏同。三人如何相见相亲？诗人以彻夜痛饮"下若"（箬）名酒——浙西长兴产的——到天明还未尽兴，"东山丝竹"的弦歌之声于夜仍起，来形容酒逢知己，弦唱不绝。接着又以"闲来坐我花间奏"四句表现韦二与自己的知音感。"玉洞"句以意象来表证韦二所奏乐曲之美；"古调"句则又紧扣韦二身世，说其调多关汉卿。马致远本色当行之传，而尤以"新声似出康、王授"来表示其曲乐更多前朝之声。康海、王九思皆明代戏剧家。"问我东行"四句切题目，是韦二送诗人。"惨离筵"与"北雁南飞"，透出一股悲慨氛围，良友分手，各奔一方，依依惜别。由此起着意写情态，借"擂鼓"催行的声韵，富春江两岸山头的红叶，笛子吹奏的"边秋出塞声"，纷纷落下的"江枫岸柳"，一句一象，或实或虚，造成"哀弦促管不堪听，宾御闻之亦涕零"的声情氛围。诗至此，形态上颇有白乐天《琵琶行》韵味，但阳刚高亢之气尤足多。

朱彝尊是由浙西水路折入钱塘江经严子陵钓台、谢翱的西台而去永嘉的，诗中专提到严濑（钓台下卯七里濑水段）、谢亭，也非无意，严、谢均为高士，与当道不合作者，尤其是宋末元初的谢翱。在清初这些名字都属敏感的政治立场的象征。诗的最后二节，一节写韦二将去塞外。云中即大同，广武是山西雁门关附近县邑，黄瓜阜亦在该地区。这些都表明韦二是随曹溶赴任的，所以，接着以颂扬曹氏"是出群才"，司农是户部长官的代称，曹溶旧任户部会待郎，故有此称。末二句实系朱氏送曹、韦，诗人说："请你唱奏一曲吧，我就借你一支《梅花落》调送你们到李陵台畔的云中去。"

沈德潜在读此诗时说："侍郎送行，是主；韦二在席，是客。篇中客多于主，而结处转送韦二，又以客为主矣，作法甚变。"（《清诗别裁集》卷十二）我认为这"变"的手法基于上述心态所需，非如此不足以传达特定的情思，而末段也并非只是转送韦二一人。在颂扬曹溶的“出群才”与“幕府开”的话语中，已透现朱彝尊自己的心向往之，事实上，到康熙三年，朱氏就投曹溶于山西云中幕，一往数年始转入潞河漕运总署龚佳育处。这些都是此诗结构、运意的绵密细致处，也是心绪的展衍入微处，应谨加审辨的。

（严迪昌）

山　雪

朱彝尊

山雪消犹未，江梅冻已残。龙蛇翻远蛰，鸟雀凛相看。
短服装棉少，深杯入手干。今宵闻击柝，转忆北城寒。

鉴赏

朱彝尊在康熙元年（1662）农历十月随永嘉知府王世显到温州后，是在那里过年的。康熙二年初一，诗人就写了《永嘉元日》，又写了《元夕寄故乡诸子》，在二首五言小诗中深沉地抒露了“谁怜元日会，无复故乡人”和“为报故园人，天涯此元夕”的寂寞孤独感。而这种孤寂感又远非只是一般的羁旅之愁绪的表现，实质上反映着他的背井离乡的出游乃是出于政治高压，他心底里忧虑、思念的是罹祸遭难的友人。我们从他去冬一到永嘉所写的《对月怀家孝廉一是》四首的寄赠朱一是的诗即可探知。现在触景生情，见山中积雪而写的这首《山雪》则是深切地倾怀着远戍穷边北朔的祁家兄弟祁班孙的。

与其说《山雪》是触景生情之作，其实还不如说是托物起兴，借题发挥。此五言律比兴多于写实，诗中的“山雪”“江梅”已不是单纯的眼前景物，而是一个个意象的组合，“龙蛇”“鸟雀”则更是比拟之词。全诗虚中见实，实又转虚，并合极紧极严密。

起首先说山雪仍未消解，严寒依然凛冽。是自然环境，更是社会政治环境的表现。永嘉（温州）地处浙东南，其实并非酷寒之地，诗人借春寒而特意严重其辞。于是接之以“江梅冻已残”一句：江梅刚开就被冻残了。“残”，是摧残，招致暴虐后的残落。这已话中有话了。由此再着重加一笔说：在此严酷的寒冻大地上，“龙蛇”都深远地蛰伏深藏起来了，那些小鸟雀则冻得惊心地颤抖不已，眼眼相觑。值得推敲的是一个“翻”字，“翻”有倒伏的意思。与“凛”相对，为联句偶句中的关键词。龙蛇倒伏是被强制胁迫的结果，不得不而；鸟雀的惊悚战栗是力微身贱，身不由己。如此推进一层想，“鸟雀”是自喻，那么“龙蛇”则是“探山大泽，实生龙蛇”（《左传》）的那种非凡的人物。在诗句中又活用《汉书·扬雄传》“君子得时则大行，不得时则龙蛇”之典，即“蜇”而藏，而且是被迫远“蛰”，非一般的归隐。

颈联“短服装棉少”一句是紧承上句“鸟雀凛相看”而来，脉理甚明。既然“鸟雀”乃自喻，且已“凛”，所以延展二句：上句言寒意袭心，御寒少术，下句说：唯一可凭以自解的是“深杯”而已了。“入手干”一是饮而尽，极言借酒浇“寒”（愁）。夜饮不寐，又听得一声声“击柝”，打更之声。闻得此声，“入手干”之酒尤难驱去心头之“寒”，因为不能不想起“北城寒”遣戍北地边城在严冬酷寒中的知己密友呵！由前面的“凛相看”到这里念及“北城寒”，全是“我”的思远之情，而所思正是“翻远蛰”的再也难以奋起逞雄的“龙蛇”畸士。

比兴杂陈，另有寄寓，或隐或现，虚实兼用，是《山雪》严谨笔法的要谛，综上所见，当已无疑。

（严迪昌）

云中至日

朱彝尊

去岁山川缙云岭，今年雨雪白登台。
可怜日至长为客，何意天涯数举杯！
城晚角声通雁塞，关寒马色上龙堆。
故园望断江村里，愁说梅花细细开。

鉴赏

“云中”，古郡名，治所在今山西省大同市。根据诗中描写的景象，这里“至日”知是冬至。康熙三年（1664），诗人往谒山西按察副使曹溶，在大同的万物同春亭栖住。这首诗写冬至日在云中过节的所见所感。

“去岁山川缙云岭，今年雨雪白

登台。”首二句写了诗人连年天南地北地奔波。“缙云”,县名,在今浙江省南部。康熙二年(1663),朱彝尊曾在永康、丽水、缙云等县游历,并在缙云度过冬至。“白登”,山名,在今山西省平城县东北三十里,山上有台,即白登台。此二句对偶相当工稳,且首句不押韵,这在七言律诗中不是常式。山川和雨雪,各自表现了浙江和山西的地理气候特点。缙云岭和白登台,也不一定是说诗人真的在缙云山中或白登台上,而是借代,借一地之名胜泛指一地,这在古代诗文中常见。

颔联是承首联而来的诗人的感叹:“可怜日至常为客,何意天涯数举杯。”一到冬至,就意味着年关将近了。中国的传统过年必须归故乡阖家团聚,诗人说日至常为客,弦外之意就是他屡屡异地他乡独自过年,故云“可怜”。而至日常为客,又是诗人所不愿意的,因此就有了下句,吴中习俗,冬至日需饮冬酿酒。诗人虽然不愿意,但也只能和家人天各一方遥相举杯了。

既然和家人只能遥相举杯,就显得孤寂。孤寂又不甘寂寞,于是只能将感官集中到户外的景象之中。颈联前一句是耳闻:“城晚角声通雁塞”。“雁塞”指雁门关,长城要口之一,在今山西省代县。诗人听到了云中城楼上的角声和远处雁门关的角声连成一片。后一句写目睹:“关寒马色上龙堆。”“马色”指维族人养的颜色相间的马。《唐书·回纥传》:“马色皆驳。”“龙堆”,白龙堆,新疆南路的戈壁沙漠。诗人看到了维族人乘马踏上归途。“晚”和“寒”,既是写时间和节令,又是写云中景物萧瑟,以衬托尾联的思乡之情。

“故国望断江村里,愁说梅花细细开。”此二句是全诗的精神所在,也是精髓所在。透过北方肃杀之景,诗人极目远望,企图看见故乡和亲人,但是,故乡实在太遥远了,并不是人的目力所能及,故乡既然在那看不到的江村里,那么,诗人似乎也害怕有人提起故乡的梅花了,因为这会加重其乡情。一“愁”字,给全诗定下了基调。这句原本杜甫《江畔独步寻花七绝句》:“嫩蕊商量细细开。”

这是一首写离愁别恨的名篇。沈德潜在《清诗别裁集》中评为“学北地高入杜陵,通着一气,能以大力负之而趋。”究其之所以能达到如此之境界,当然是情真意切的结果。

(马卫中)

观猎

朱彝尊

白狼堆近雪嵯峨，风卷黄云入塞多。
尽道打围春更好，夕阳飞骑兔毛河。

鉴赏

这首诗作于康熙四年（1665），时作者在山西，常纵马游览晋北地区。诗歌借写观猎，描绘了初春北方的壮丽景色，也抒发了诗人的豪情逸兴。

“白狼堆近雪嵯峨”，“白狼堆”在山西应县西北。据《山经注》记载，“魏道武帝于是遇白狼之瑞”，因此得名。“嵯峨”形容雪堆得很高。诗歌一开始交代了地点：在山西省北部。又交代了季节：地面尚有积雪，当然是早春。在这里，诗人通过精心选择词语，如白狼，如嵯峨，表现了北方所特有的粗犷的景色，也为打猎这样的壮事作了烘托。

“风卷黄云入塞多”，这句还是和上句一样，写诗人眼前所见之景象。在北方春风初来之时，黄沙滚滚，弥漫在空中，似乎云色、天色都是金黄一片。这里进一步交代了时间：风沙季节，也进一步交代了地点：靠近边塞。如果说上一句是写地面的景色，那么，这一句是写空中的景色。这二句有两个形容颜色的字：白、黄，这都是北方春天所特有的。在南方，春天的颜色是红和绿。

“尽道打围春更好？”在有了前二句的铺垫之后，这一句切入题内。“打围”，古代指打猎时合围，后泛指打猎。陆游《春残》诗：“谁记飞鹰醉打围。”春天来了，万物苏醒，猎物也就多了。因此，大家都说春天是打围的最好时节。

“夕阳飞骑兔毛河。”由于诗人是第一次在北方迎来春天，即第一次赶上打猎的大好时光，显然，其内心是相当兴奋的。而当他掩抑不住内心的高兴时，于是，他就在夕阳中飞身骑马驰骋在兔毛河畔。兔毛河源出山西省平鲁县南，流经晋西北右玉、左云县境。至此，诗歌从无人之景转入有人之景，此人就是诗人自已。通过有人之景的描写，抒发了诗人的情感。这时的诗人，似乎已不限于观猎，而已是投身打猎。在唐诗中，王维也有同题之作，王维写的是真正的观猎——观看一位将军在渭城郊外狩猎。朱彝尊与之相比,就显得更富有主观色彩。这是其长处,也是其在唐诗以外能够独辟蹊径、独见功力的地方。

(马卫中)

晚次崞县

朱彝尊

百战楼烦地,三春尚朔风。雪飞寒食后,城闭夕阳中。
行役身将老,艰难岁不同。流移嗟雁户,生计各西东。

鉴赏

"崞(guō)县",今山西省原平县。康熙四年(1665)春的一天傍晚,朱彝尊来到崞县寻找安顿之处。面对北方春寒中的荒凉情状,他写下此诗,以寄托旅情。

既然是初到一处,就先写一地的印象:"百战楼烦地,三春尚朔风。""楼烦",春秋时北狄国,战国时为越所灭。其地在今山西省西北部,后有楼烦郡、楼烦县。晋时楼烦县在崞县东十五里,因楼烦乃古战场,甚至明末清初的农民起义和清兵入关,均在此发生过战争,故云"百战"。百战之地,免不了天阴鬼哭,风悲日曛,因此三春尚有朔风怒号。

朔风迎面而来是给人的第一印象。进一步的印象:"雪飞寒食后,城闭夕阳中。"《荆楚岁时记》:"冬节后一百五日,谓之寒食,禁火三日。"在寒食节以后,还有纷飞之雪花;夕阳尚未落山,而城门却已经关闭了。"雪飞"句承"三春"句而来,写萧杀,乃自然因素所致。"城闭"句则是继"百战"句而言,写荒芜,乃人事因素所致。

在这样的自然环境和社会环境中,诗人又是旅途奔波,当然有无限感慨:"行役身将老,艰难岁不同。""行役"原指外出服公役,这里称旅途做客。所谓"身将老",朱彝尊是年三十七岁,并非真是行将老朽,而是指在清兵入关至今的二十余年岁月中,自己尚一事无成,只是在东奔西忙中消耗时光。而年年岁岁所经历的磨难,却各不相同。

自己是历尽千辛万苦,那么旁观他人的境遇又是如何呢?"流移嗟雁户,生计各西东。"唐代称流移无定的民户为"雁户"。诗人在旅店所遇,主要是这样的雁户。他们因天灾人祸而流离失所，为生计而奔走东西，但是，像崞县这样的环境，并不能让他们生存下去，看来又得流浪他乡了。

这首诗一个很明显的特点就是前半首写景，后半首抒情，在篇幅上似乎分得很开。但是，如果仔细欣赏，就不难发现景与情的一致：都很凄凉。用这样的情来描写这样的景，再用这样的景来衬托这样的情，其实又达到了情景交融的有机统一境地。

（马卫中）

来青轩

朱彝尊

天书稠叠此山亭，往事犹传翠辇经。
莫倚危栏频北望，十三陵树几曾青？

鉴赏

这首《来青轩》诗，作于康熙十年(1671)朱氏四十三岁时。前一年八月，他自山东游北京。这年正月，他同友人潘耒、李良年、蔡湘等游北京西山，写了一些游览诗，颇有题壁传抄之盛，《来青轩》是其中之一。“来青轩”，在北京西山香山寺内。香山是西山名胜，重峦叠翠，泉水流清，金、元、明的皇帝都在此营建离宫。香山寺是当时香山最大的寺院(旧址已毁)，据《帝京景物略》，明世宗幸临香山寺时，说西山一带，香山独有翠色。以后明神宗就为寺中殿侧的一个轩堂题名“来青”。朱氏来游时，距明亡已二十八年，这时他的故国之思，还没有消除，因此就由“来青”这个名称的触动，引起他在诗中隐约地抒发了这种思想。

起句，“天书稠叠此山亭”，稠叠，谓多，意思是寺中轩亭有很多皇帝的题字。据《燕都游览志》，香山寺的“来青”“郁秀”“清雅”“望都亭”四个匾额都是明朝皇帝写的。(注：据钱谦益《香山寺》诗自注，谓香山“独有秀色”是神宗，写“来青轩”匾是慈圣皇太后。)诗中竟称亡国的前朝皇帝写的字为“天书”，其崇敬怀念之情，从一“天”字露出“春秋笔法”，虽是隐约，但颇大胆。次句，“往事犹传翠辇径”，接着说，明朝皇帝曾经多次乘车来游此地。“翠辇”，皇帝乘坐的车，用这两字，语气没有“天书”重，但也仍露敬恋之意。这两句介绍来青轩名称来历及以前情况,用实写起,比较直致,是画龙身的普通笔墨;然而它为下面两句塑造了躯干,便于后文腾空运转,着墨无多,作用切紧,也是显得朴实简练的。最后两句:"莫倚危栏频北望,十三陵树几曾青?"就轻妙地以画首、点睛之笔,使整首诗变成盘旋空际,精神生动、活现的神龙了。"十三陵"在今北京昌平,位居西山之北的天寿山下。从成祖到思宗,明朝皇帝死在北京的有十四个,代宗不建陵,共有十三个皇帝的陵墓筑在那里。诗借"来青轩"的"青"字作生发基点和转接关捩,表示不要再夸香山寺可以看到多少青翠山色了,倚栏北望。十三陵那片大山就没有多少青松翠柏的颜色浮现了。国家一亡,皇陵的树木可能是遭到砍伐伤害的。即使砍伐不严重,树色犹青,但在留恋明朝的人看来,也会从内心唤起一种凄凉、黯淡之感,青也就不会见其为青了。所以陵树不青,是亡国的象征;伤痛陵树不青,是留恋故国的人的心情的写照。诗把"来青轩"的"青"和十三陵的"青",自然地联系在一起,不加评议,暗寓今昔对比之情,隐寄亡国之痛,纯用白描,又写得含蓄、深沉。"十三陵"句是画首,"青"字是点睛,淡云轻雾中,鳞爪隐现,而感情寄托的全龙,依然首尾可辨。

朱彝尊的诗,宗唐为主,兼学宋人。有堆砌典故的,如《风怀二百韵》;有雄浑遒劲的,如游山西诸诗;有通俗、活泼的,如《鸳鸯湖棹歌一百首》及游广东诸诗。这一首诗虽是白描,却写得很含蓄,而且音节风调俱佳,在他的绝句中,应算上品。他有一首《百字令·度居庸关》词,下片有这样几句:"十三园陵风雨暗,响遍哀鸿离兽。旧事惊心,长途望眼,寂寞闲亭堠。"思想内容和这首诗接近,可以参看。近人王文濡评这一首诗说:"从一青字,生出故国兴亡之感,语愈蕴藉,意愈深长。"是中肯的。诗的妙处,就是善于抓住一个点,使这个点代表一片,透入许多深层;或者说使这个点变成能够传出全体精神的眼睛。

(陈祥耀)

鸳鸯湖棹歌

朱彝尊

樯燕樯乌绕楫师,树头树底挽船丝。
村边处处围桑叶,水上家家养鸭儿。

鉴赏

《鸳鸯湖棹歌》组诗作于康熙十三年(1674)。“鸳鸯湖”,一名南湖,在浙江省嘉兴市南三里。“棹歌”,一边划船一边唱的歌,属民间歌谣体。朱彝尊通过模仿民歌描绘了家乡嘉兴风物之美。这一首则写了船工黄昏时分收工回家的景象。

“樯燕樯乌绕楫师”,因曹操《短歌行》有“月明星稀,乌鹊南飞。绕树三匝,何枝可依”句,以后诗人总喜欢将乌鸦绕飞作为黄昏的象征在诗中吟唱。而朱彝尊将樯桅作为栖处的燕子和乌鸦围绕着船工悠悠飞旋,一方面暗示已是傍晚,另一方面也烘托出了乡间的恬静气氛;乌燕绕人而不为人扰,其中似乎有一种默契。这句写船在水面行驶,正因为船还在摇动,故乌燕还不能栖息。“树头树底挽船丝”,如果说上句是写禽类的动作,那么这句就是写人的动作了:船工在河边树上将船缆带住。“村边处处围桑叶,水上家家养鸭儿。”处处可见的桑叶,家家都养的鸭儿,江南水乡得天独厚的地理环境,使得这里的人民能够过上富庶的生活。生活的富庶,自然令他们心旷神怡了。结尾处的鸭儿,突出了民歌的气息。

当然,民歌的气息主要不在于用鸭儿等字眼,而在于描写民间的日常琐事细节和晓白流畅的语言的完美结合。但是,这毕竟是朱彝尊模拟写出的民歌,细心人还是可以分辨出文人的痕迹,这主要是全诗采用了两个相当正整的对偶句式:一、二句的流水对和三、四句的正对。有流水对而使此诗显得自然,有正对而使其显得整齐。自然而又整齐,这似乎是文人写民歌的特色。

(马卫中)

常山山行

朱彝尊

常山至玉山,相去百里许,
山行十人九商贾。
肩舆步担走不休,四月温风汗如雨。
劝君“何不安坐湖口船,船容万斛稳昼眠”?
答云“此间苦亦乐,且免关吏横索钱”。

鉴赏

朱彝尊晚年的诗作,简淡平易犹如一泓澄泉,已不若中年以前或多学问或重藻采。但淡易只是指火气内敛,不等于说锋芒全灭。《常山山行》就是一首平易中寓锋锐的关心民生的古体诗。诗作于康熙三十七年游闽之时。

“常山”在浙江省西南部,位处衢州以西,江山县之北;玉山在浙赣二省交界处,今属江西省。常山与玉山之间正好是怀玉山脉与仙霞岭二大山系相交会的岭壑,据《南来录》说“自常山至玉山,八十里陆道,谓之玉山岭”。此陆道为由赣入浙的必经之地。朱彝尊是取道衢州,往铅山,游武夷而入闽的途中就所见所闻写下这首诗的。

山途上诗人发现一件奇怪事,跋涉其间的大都是江西赣东北一带来的商贾,在四月和煦的温风中跑得挥汗如雨,“肩舆步担走不休”,坐着滑竿轿子的,步行挑担的,络绎不绝。朱彝尊之所以奇怪,是他们为何不从江西湖口搭船,从鄱阳湖水系或从九江入长江转运河入浙?坐船装货既多,又稳便不累人,远较走这崎岖山道相宜得多。谁知一问之后,得到的回答是“此间苦亦乐”。所谓虽苦犹乐,是因为可以“且免关吏横索钱”!

苛政猛于虎之类的话题当然并非新鲜事。然而在康熙中后期起号称“盛世”的年代,揭示类似的民生现象则是别有意义的。而关税田赋之酷重。又正是支撑起“盛世”的支柱之一,这本是严峻的事实。诗人对此不能不感喟。

诗带有小叙事诗特点,以形象和对话来揭示题旨,作者本人没有直接出来议论。

此中有二对苦乐矛盾现象,一是水路轻快山路辛苦;另一是辛苦可逃税为“乐”事,舒适行程则必遭“横索钱”,是为大苦。一相叠,山行虽苦只是小苦,水程虽安逸却要遭殃,宁取小苦,其“乐”在此。这样,平直记写中竟也见出曲笔来了。

(严迪昌)

延平晚宿

朱彝尊

两两浮桥趁浦斜,居人分占白鸥沙。
瓜瓤豆荚迎船卖,只欠南乡泽泻花。

建阳产泽泻花，可啖，昨过未买。南乡，桥名。

鉴赏

由于诗艺派别或审美倾向的异趋，晚清以来的诗选，选清人绝句时很少入选朱彝尊的七言绝，大概认为他的七绝平淡欠蕴藉。其实不尽然。七言小诗贵在得天趣，于清丽爽逸中别有惜意则尤当称道，而朱氏并不乏这样的短篇。在读了太多用典或凝重的作品后，此类轻捷明爽的诗也很清口的。《延平晚宿》即属其一。

康熙三十七年(1698)朱彝尊正好七十岁了，四月间偕老弟，也是位大诗人的查慎行作了次入闽之游，六月抵福州，七月到建宁，这首《延平晚宿》即写在此际。"延平"，今福建南平市，紧临闽江。

小诗以白描口语式的记写法，表现晚宿延平时所见风物人情，属所谓口占一类随意写来的小品。闽中江河多以浮桥架两岸，首句就点染了延平一带特有的景观。这不是一个冷寂的市墟，在交通要道上的延平颇多人烟，浮桥的"两两"相架，居民的分占沙洲，都见出生气来。第三句"瓜瓤豆荚迎船卖"尤多情趣，水埠风味甚足，而最堪回味的是第四句"只欠南乡泽泻花"。

诗人自注过建阳时有泽泻花而未买，现在倒又想起它了，为啥呢？为啥特地提起此花呢？"泽泻"，生于沼泽地，夏日开白花，根茎可入药，性寒味甘，是怯积热、去湿、消肿、利小便的良药。是否朱彝尊年老有某种病苦需此草本药物？不必去深究。倒是作为一种暗示，能让读者体察到诗人在此顺手捎带地点了一下心境。尽管退归以来著书立说，安于清静，但一度在南书房行走极被康熙帝器重的昔年"三大名布衣"之一的朱彝尊，他内心难道就不为被"北党"排挤而愤懑了？假如胸有块垒积郁，又何以排遣呢？药学上的"泽泻"是能联想到心病——精神上的"泽泻"类药石的。然而此泽泻易得而彼"泽泻"难觅呵！

如果这样的体认不算过刻、不属臆测的话，那么，朱彝尊在诗的结尾写上这一句就不只是随便想到，正是由写实而渐虚化，以空灵笔法在抒述心绪。需知朱氏还是"浙西词派"的开山宗师，清空空灵手笔正是其特擅，偶尔而运之于小诗也是很自然的事。

（严迪昌）

酬洪昇

朱彝尊

金台酒座擘红笺，云散星离又十年。
海内诗家洪玉父，禁中乐府柳屯田。
梧桐夜雨词凄绝，薏苡明珠谤偶然。
白发相逢岂容易？津头且缆下河船。

鉴赏

以《长生殿》扬誉天下的洪昇，在康熙二十八年（1689）被控演唱《长生殿》于佟太后丧服之期，属对“国恤”大不敬，于是入刑部狱。狱决，洪昇革去国子监太学生籍。他悲愤郁结，借游山间佛以排解心境，到次年春友人劝归，又恐为父母不容，故一再拖延，至康熙三十年（1691）春始只身南归。在京滞留期间，正值朱彝尊谪官冷居之际，洪昇曾有诗赠朱，频有交往，所谓同病相怜也。事隔十年，到康熙四十年（1701），朱彝尊从嘉兴来游杭州，与洪昇重遇，此时洪氏年五十七岁，而朱氏则已七十三岁了。这首《酬洪昇》七律慰洪氏诗即作于是时。次年，朱又为洪作《长生殿序》，再过二年的农历六月初一日，洪昇即酒后堕水于乌镇，终年六十岁。

朱彝尊酬赠洪昇的这首诗，是在洪氏贫病潦倒之际的慰勉之作，对洪昇的才情高度赞赏，而又深为其坎坷际遇嗟叹不平。起句是叙旧谊，“金台酒座擘红笺”的“金台”即指北京，“红笺”则是诗笺的代称。次句“云散星离又十年”是感喟人生易老，流光逝水，转瞬别已十年。这与尾联的“白发相逢岂容易”云云贯连一气，一个“又”字，一个“岂”字，脉络相承，情思一泓互通。

颔联的“洪玉父”“柳屯田”是巧对。上句紧切其姓，以宋代江西诗派著名诗人洪炎（字玉父）相拟洪昇，誉其诗才。又以北宋大词人柳永的精通词曲乐章来比对《长生殿》的作者。《长生殿》正因演于禁城而洪昇遭祸，现在朱彝尊偏偏以“禁中乐府”四字相冠，不能说没有特定含意。特别是当年柳三变因词曲遭斥，那是取贴合洪昇的际遇了。所以说是巧对。据文献，朱彝尊最擅举古人作对，年十五时就一连串地对了数十联人名对，深为华亭名士王廷宰（鹿柴）所赞叹。如“顾野王对沈田子，郑虎臣对沈麟士”等等。但那还只是一种文字游戏式的对子，此诗中巧对则意深而切，老辣已极了。

颈联“梧桐夜雨”句是用《长生殿》之一折情节，既赞洪氏构剧之才，又以戏情的凄苦氛围暗示作者现今所处心境；而对句“薏苡明珠”之谤，则取《后汉书·马援传》马援被诬指为盗取明珠，其实携归的只是薏苡（薏米）之典故，表示洪昇被谤同样的荒唐。问题需细究的是“偶然”一词。此实冷嚓之词，别有寄讽。洪昇的被控革去国子监学籍（太学生籍是可以进身捐官的），实在是当时统治集团中北南二党的牺牲品，是明珠（位居大学士）党人借题发挥以打击“南党”的举动，洪昇与“南党”中人多交往，故殃及了鱼池。所以，说“偶然”，其实不偶然。由此一想，“梧桐夜雨词凄绝”的哀杨贵妃的被迁怒祸及，成为某种牺牲亦属此类。朱彝尊着力表现这一点，也非偶然，因为他自己其实也是南北党争的殃及人，他的被革职归里在性质上与洪昇遭际正同。

这种诗的笔法，可称为绵里藏针，是一种呈茧裹形态的寄意法。在看似信手拈来，无非酬应对方而稍切合对象的一串意象里，实际上注入有作者的匠心，是精警之句，别有深意的。必须剥茧抽丝，理其头绪，始得底蕴。

（严迪昌）

通州望海

屈大均*

狼山秋草满，鱼海暮云黄。日月相吞吐，乾坤自混茫。
乘槎无汉使，鞭石有秦皇。万里扶桑客，何时返故乡？

作者

*屈大均(1630－1696)原名绍隆，字介子，号翁山，广东番禺(今广州市)人。明末秀才。清兵入广州前后，曾参加抗清活动。失败后曾削发为僧，不久还俗，北游关中等地，与顾炎武、李因笃交往。其诗慷慨奇伟，感情愤激，颇能反映民间疾苦和爱国热情。为“岭南三大家”之一。有《道援堂集》。

鉴赏

这首五律作于顺治年间。当时清朝的统治已成定局，但仍有一些抗清志士在异域他乡坚持抗清斗争，如朱舜水等人即逃亡日本从事反清活动。此诗为诗人北游至通州(今江苏南通市)，在通州观海时所作。在急切盼望朱舜水等人归国的深沉怀念中，流露出作者对国难民忧的强烈关注。

诗之前两句紧扣诗题之“望”字，写观海时平视所见：“狼山秋草满，鱼海暮云黄。”“狼山”，在通州南长江边上。“鱼海”，今名白亭海，在今甘肃省民勤县东北，此借指所望之东海。“狼山”则“秋草满”；“鱼海”则“暮云黄”。秋草、暮云，已见凄苦之景，秋草后用一“满”字，暮云后着一带感伤色彩的“黄”字，更可加倍显现出哀愁之意。以对句起的首联这两句写景诗，其用意之一是造成一种惆怅、无奈、悲苦的氛围。

更妙的是，诗人在首联里，用一石击双鸟的手法，使两个地名均可两指。鱼海既可指东海，亦可指今之白亭海。狼山既可指南通长江边上的狼山，亦可指狼居胥山。今内蒙古五原县内狼居胥山亦名狼山。“狼山”“鱼海”在唐时的诗作中，往往被用以代称少数民族聚居之地。如高适《燕歌行》：“校尉羽书飞翰海，单于猎火照狼山。”岑参《献封大夫破播仙凯歌》之四：“洗兵鱼海云迎阵，秣马龙堆月照营。”当我们视为前者时，则为实写景物。当我们视为后者时，则可理解成是作者有意识地把眼前的狼山指为狼居胥山，把东海指为鱼海，其用意是要告诉读者，今日锦绣中原大地之湖山河海，已沦为异民族统治下的版图，狼山、鱼海不须远寻，眼前脚下即是。这样，“狼山”到底是指通州长江边上的狼山，还是指狼居胥山，“鱼海”到底是指东海，还是指甘肃之白亭海，则难分难辩。其实，对此亦毋须去分辨，读者自可按照自己的理解去意会体味，得仁得智，自随其便。

“日月相吞吐，乾坤自混茫。”颔联两句承接首联继续写景。不过不再是平视，而是俯仰天地，作全方位的观察，气势也为之一振。日月经天，互为吞吐，是从时间角度观察，重在表现年代的久远绵长；乾坤浩渺，浑然一体，是从空间角度观察，重在表现宇宙之广阔无垠。这两句与其说是在赞美天地日月之壮观，不如说是诗人对宇宙神秘莫测而发出的浩叹：吞吐的日月，混茫的乾坤，这世界不正是由他们主宰着吗？应该看到，诗人之所以会对日月乾坤发出浩叹，这同他对世事的感受所分不开的。屈大均是一位坚定地忠于明室的文人，他对朱明的亡国悲痛异常，又对这种江山易主的变化不可理解，因此，只好把这种历史的变迁，归咎于至高无上的日月天地的安排。他以宇宙的永存，来反衬人世之瞬息万变，江山之易改。这些都是诗人未言的深一层的内心活动，读者只有去体味两句景语之弦外音才能得之。

“乘槎无汉使，鞭石有秦皇。”颈联由慨叹日月乾坤之永存，转入驱使典故，表现明之覆灭和清人统治之残酷。此句典出自《汉书·张骞传》。相传汉遣张骞出使乌孙国，张骞曾乘槎寻找过黄河之源。诗说现在已不能派遣乘槎之汉使，言外之意是说明朝已亡。对句典出自《三齐略记》。据《三齐略记》：“始皇作石桥，欲渡海观日出处。于时有神人，能驱石下海……石去不速，神辄鞭之，尽流血，石莫不悉赤。”这里，诗人以秦皇鞭石流血悉赤这一典故，来揭露清廷对汉人蹂躏之酷烈。驱使典故，多一层曲折，也多一分含蓄。像这两句诗，虽未正面表达诗人对现实的看法，但读者透过典故，自可感受到诗人对明室孤臣孽子般的厚爱，以及对清王朝愤怒的谴责。

“万里扶桑客，何时返故乡？”尾联回应首联，把读者的视野从眼前之景，一下子移到遥远的日本，由写望海而写盼望出海之扶桑客归国。“扶桑”，日本。“扶桑客”，指明末清初出走日本的抗清志士朱舜水等人。“万里”，言其离国遥远。“何时”二字，把世事渺茫无法预卜，却又急切地盼望出国者归国之情，表现得十分浑朴真淳。应该看到，这两句诗并非只是抒写相思盼归之情，因为朱舜水等人都是一些抗清志士，故盼其归除有敬慕之情外，还有一种希望归国者勇敢地投入反清扶明斗争的强烈愿望。这一层意思，在知道“扶桑客”所指的读者读来，倍觉意味深长。

此诗结构完整，脉络清晰，语言朴素，文气流畅，笔力苍劲刚健。前三联均为对偶句，十分整饬，读起来铿锵有力，极富节奏感。抒情也甚含蓄，尽管诗人充满了深沉的哀痛感情，却又把这种感情关闭在心扉里，让字句去透露内在的情绪，故诗之意味深长。

（迟乃鹏）

鲁 连 台

屈大均

一笑无秦帝，飘然归瀣东。谁能排大难，不屑计奇功？
古庙千秋月，荒台万木风。从来天下士，只在布衣中！

鉴赏

“鲁连”，即鲁仲连，齐人，战国时著名辩士，一生不愿为官，却又好为统治者排难解纷。“鲁连台”，在今山东聊城县古聊城东，高七十余丈。顺治十五年（1658）初夏，诗人从河北往山东，行经鲁连台，有感于鲁仲连的事迹，遂写下此诗。

“一笑无秦帝，飘然归瀣东。”首联从鲁仲连的事迹中，选取两件最典型的事例，赞美其奇特倜傥，好为人谋策，功成却又高蹈不仕的奇风高节。一件事是“义不帝秦”。据《史记·鲁仲连传》，赵孝成王八年（258），秦围赵都邯郸，魏使辛垣衍劝赵帝秦，以此求秦罢兵。对此，鲁仲连坚决反对，遂使秦王称帝计划破产。后在赵、魏军队的合击下，秦军退兵而去。秦退兵后，赵之平原君赵胜欲封授鲁仲连官职，又以千金作为酬答，均遭拒绝：“遂辞平原君而去，终身不复见。”另一件事是发生在“义不帝秦”二十余年后的

"下聊城"。燕将攻下齐地聊城据以自守。齐攻之岁余不能下。这时,鲁仲连遗书燕将,晓以利害,聊城乃下。齐王欲爵之,鲁仲连遂"逃隐于海上"。对这两件事,诗人取前一件事之始——"义不帝秦",而略去其终——"辞平原君而去";又取后一件事之终——"逃隐于海上",而略去其始——"下聊城"。这样,就把须在千万个字才能叙述清楚的两件事,浓缩到两句诗中,可谓言简意多,精练无比。

一、二句在塑造鲁仲连的形象方面也极为生动传神。"一笑"二字,写出了鲁仲连在秦军大兵压境,赵、魏不少文官武将或犹豫不决,或畏缩不前之际,镇定自若,不为淫威所屈的性格。"无秦帝"三个字,则概括了鲁仲连所建立的不朽功勋。"飘然"两字,则写出了鲁仲连功成不居,视官爵金钱如粪土的高士风度。

从结构上看,此诗题目既然题为《鲁连台》,照理应从鲁连台说起,但诗人却置此于不顾。在首联就直接叙述鲁仲连的事迹,刻画其形象,从而使起笔突兀,有先声夺人气势。

"谁能排大难,不屑计奇功?"颔联承接首联,补足首联不尽之意,正面颂扬鲁仲连立下赫赫奇功,却有功不居的高士之举。鲁仲连在辞行平原君时曾说:"所贵于天下之士者,为人排患释难解纷乱而无取也。即有取者,是商贾之事也,而连不忍为也。"原为"天下士",而不愿为商贾,是鲁仲连的心迹,也是诗人仰慕他的地方。这两句诗既是对鲁仲连的称颂,也是对后世少有功成身退者的喟叹。"谁能"二字,即透露了后世没有几个人能够像鲁仲连那样,一旦功成便身退这样一层意思。

"古庙千秋月,荒台万木风。"颈联由写人转入写景。出句重在从纵的历史角度,写岁月的流逝;对句则主要从横的角度,写眼前之荒凉。巍然独峙的古旧的庙宇,千秋前即有的皓月,荒芜的高台,瑟瑟劲风中摇曳的无边萧萧古木,这些景物,既是为了渲染一种萧森的气氛,用以抒发世事沧桑,鲁仲连这样的奇士不再的感喟,也是为了抒写内主凄凉之情,哀叹后人对鲁仲连这样杰出的历史人物失敬,致使其庙宇、高台变得破旧不堪,满目荒凉。

"从来天下士,只在布衣中!"尾联以斩钉截铁不可移易的口气,肯定了能达到"天下士"这一标准者,只存在于普通的知识分子阶层,具有唯一性和排他性。但请注意,这仅是诗句的表层之意,还有深一层没有明言的话。在看似总结一个普遍真理的诗句后面,实际上,是作者在表白自己具有像鲁仲连一样的胸襟和抱负。此即所谓言在此而意在彼者。沈德潜《清诗别裁集》评论此诗尾联时即云:"结语见自己抱负，一'只'字不许他人共为天下士也。有胆有力。"透过诗句，诗人那种超然独行，横绝一世的神态，似乎立即就浮现在人们面前。诗意言在此而意在彼，则可供咀嚼；诗句的语气决绝，则坚定有力。以既耐人咀嚼又坚定有力的句子作为结语，自不同于景结或情结者。

此诗结构井然：一联写人叙事，二联补足一联之不足，三联转入写景，四联抒情言志，同一联挽合，甚符律诗起承转合之基本章法。刻画人物形象鲜明生动，寥寥数语，便使鲁仲连磊磊高士之风度豁然而现。何日愈《退庵诗话》评论《鲁连台》等诗时，认为这些诗"沉郁豪迈，横绝一世"，"不减唐人"，可谓知音者之言。

（迟乃鹏）

摄山秋夕作

屈大均

秋林无静树，落叶鸟频惊。一夜疑风雨，不知山月生。
松门开积翠，潭水入空明。渐觉天鸡晓，披衣念远征。

鉴赏

"摄山"，在江苏省江宁县东北。公元一六五九年，诗人客居南京时，到此游览，写下了这首景物如画的五律诗。

屈大均那些宫阙陵寝边塞营垒之作，高浑奇崛，慷慨悲伤，一俟变换题材，则别具一格。此诗即以清秀雅淡为其特色。

诗之着眼点在写摄山秋夕之夜景，但各联在时间上却并非是写同一时间内所见的景物，而是随时逐步推移。首联时间为初入夜。这时，山风怒吼，秋林摇曳，黄叶飘零，松涛阵阵，林中之鸟频频发出惊恐的叫声，整个林壑似乎处于一种惶惶不安的氛围之中，突出了摄山初夜之动态。

颔联时间为夜半。这联以主观的想象同现实存在的矛盾以见山月之美。"一夜疑风雨"，是从首联的景物中得出的合理推理。由于入夜时风狂树动，故诗人猜测一整夜都将是秋风萧瑟，夜空如墨。殊不知事出所料，进入后半夜，风势趋缓，仰头一望，一轮山月却高挂中空，突出了诗人望见明月惊喜之情。

颈联则写夜半后，开门所见月光下的景致："松门开积翠，潭水入空明。"两句诗当化用苏轼《记承天寺夜游》中的句子："庭中如积水空明，水中藻、荇交横，盖竹柏影也。"出句"松门开积翠"，为"开门松积翠"之倒装句。此句写开门后看见松树之影，宛若苍翠欲滴、堆积交横之藻、荇。对句则写地下的月光，有如一泓潭水，清澈透明。这是何等富有情味的夜景！两句诗虽受苏轼文的启迪，但一为文一为诗，诗自有诗之意趣，可谓自铸丽语。自古成为名联佳句者，多半声不在高，词不在丽，要在以体物传神。如王维《山居秋暝》诗中之佳句："明月松间照，清泉石上流"，岂是以声气夺人？此联亦然。诗人似乎是毫不着力，随手便挥洒出一幅朦胧的月夜图。

颔联、颈联同首联所写景物大有差异。首联为动景，颔联、颈联为静景，动景恶，静景美。诗人运用以动衬静，以恶衬美的手法，使二者形成鲜明对照，从而突出月夜之美。与此同时，景象的变化，又使意境更为丰富多彩，使结构富于起伏跌宕而不流于板直。

尾联进入拂晓，以抒发游子他乡之孤苦收束："渐觉天鸡晓，披衣念远征。"本来美好的月夜令人流连忘返，但由于诗人客居他乡，面对明月不能不生思归之念，正所谓"举头望明月，低头思故乡。""披衣"这一动作，表现了诗人对月不寐。"披衣念远征"一句，显得情感低沉，无限旅思乡愁，悲酸凄苦之态尽在不言之中。

南宋沈义父在《乐府指迷》中曾说："结句须要放开，含有余不尽之意，以景结情最好。"此诗尾联并非景结，而是情结。但由于诗人之情结，是建立在前两联美好月夜描状的基础之上，其情来得自然、真挚、深沉，故以情结仍能强烈地震撼读者的心灵。

沈德潜《清诗别裁集》评论这首诗，写下八个字："天机自流，岂关人力。"这八个字正确地指出了此诗的特点：自然。此诗完全做到了自然，主要表现在两个方面，一是写景自然。全诗写景似乎都是按照自然界的真实景象描摹而成，不露人工痕迹。而于景物描状中又寓有个人内在之情。使诗情画意，融为一体。二是层递自然。诗人以时间顺序逐步推移，依次写入夜、夜半、拂晓时之所见所感，层次井然，意转而脉不断，步步相生，如行云，如流水。陈田《明诗纪事》谓屈大均之五律"隽妙圆转，一气相生，有明珠走盘之妙"，正是指此而言。

（迟乃鹏）

秣　陵

屈大均

牛首开天阙，龙冈抱地宫。六朝春草里，万井落花中。
访旧乌衣少，听歌玉树空。如何亡国恨，尽在大江东！

鉴赏

"秣陵"，今南京市，秦时称秣陵，明曰南京，称秣陵系以古地名代今地名。南京为六朝古都，明朝建国初期以及南明小朝廷，亦均以南京为都。诗人北游，寓居南京，有感于六朝走马灯般地灭亡，遂通过怀古，以抒写对南明亡国的慨叹。

首联运用"工对"之"地名对"起，既点出怀古之地，又写出南京形胜："牛首开天阙，龙冈抱地宫。""牛首"，又名牛头山，在南京市南，上有双峰对峙有如皇宫前两旁之阙楼。"龙冈"，指钟山。《六朝事迹》谓诸葛亮议论南京之地形时曾说："钟阜龙蟠，石头虎踞，真帝王之宅。"十个字对偶工稳精整，而景象又雄奇壮阔。一"开"一"抱"两个动词，用得也十分形象有力，极见炼字之功。两句诗把南京为帝王之都的山形地势，突兀地展现在读者面前，从而为下面进入怀古预先作了有力的铺垫。

"六朝春草里，万井落花中。"颔联两句运用当句对比手法，把往昔"六朝""万井"，同今日"春草""落花"加以对照，从而用往昔之繁华，来突出今日之荒凉残败，以见人世沧桑巨变，语极沉郁。"六朝"，谓孙吴、东晋、宋、齐、梁、陈。"万井"，形容六朝时南京人口稠密众多。"春草""落花"，形容现在城市之衰败残破，好像现在整个南京到处都是杂草丛生，野花飘零。过去作为六朝古都的南京不胜繁华，而今日却残破不全，一种"过春风十里，尽荠麦青青"（姜夔《扬州慢》）的黍离之悲便油然而生。诗人写这种内心悲痛的感受，却又显得毫不黏滞，似乎是随意地把古之历史、当时城市人口情况，同现在的春草、落花并列在一起，而让对比鲜明的形象，自己来透露朝代兴废的瞬息万变。

"六朝""万井"又有双重意义，暗中亦指南明，南明小朝廷亦建都南京。顺治二年（1645），清兵攻陷南京。南京经清兵的掳掠烧杀后，已是满目疮痍,一派凋敝景象。十几年后,诗人到此,断垣残壁犹在,不禁悲慨万分,因而借用怀古之情以寓伤今之意。所以,这两句诗言虽少而意却多。

“访旧乌衣少,听歌玉树空。”颈联两句推进一步,由写景物转入写人事。“乌衣”即乌衣巷。东晋时之王导、谢安以及宋、齐、梁、陈不少名门大族,均居于此。“玉树”,指陈后主制作的《玉树后庭花》曲。《隋书·五行志》:“祯明初,后主作新歌,辞甚哀怨,令后宫美人习而歌之,其辞曰:‘玉树后庭花,花开不复久。’”此曲被后人视为亡国之者。乌衣巷是六朝繁华之象征,《玉树后庭花》曲是六朝亡国之象征。这里,乌衣用以代指南明时朝中之显贵,玉树则用以暗指南明福王朱由崧荒淫误国的丑行。福王朱由崧在清兵大军压境的情况下,不思进取,纵情声色,选优排戏,完全置国家社稷于不顾,最后落得国破身亡,“临去秋波泪数行”(孔尚任《桃花扇·余韵》)的下场。两句诗均有话外暗示之音:拜访旧时之显贵,现在人已无多;而过去笙歌迭唱的舞榭歌台,现已人去楼空,微微透露了南明小朝廷之覆亡。这一联中,诗人以“少”和“空”来概括“访旧”和“听歌”的结果,可见现在人事已非,用得十分准确贴切。尤其是“空”字,更显现出一种空虚渺茫之感。

古之六朝,今之南明,均遭到社稷倾覆、江山易主的惩罚,这使诗人不能不对这种历史悲剧疾首蹙额,怅恨不已,故诗人在尾联里,不由得仰天长啸,发出似乎不可理解的慨叹:“如何亡国恨,尽在大江东!”“如何”即为何。“尽”字表示有亡国恨者不仅仅是六朝,也包含了南明。这两句既反映了诗人内心深沉的悲痛,也表现了作者对明王朝的眷恋之情。

历朝历代都不乏咏秣陵之作,但大都以历史的旁观者身份进行创作。有的是总结教训,指出险不足恃,如刘禹锡《金陵怀古》诗:“兴废由人事,山川空地形”;有的是叹息世事如梦,如韦庄《台城》诗:“江雨霏霏江草齐,六朝如梦鸟空啼。”此诗则不然。作为明室遗民,屈大均直接目睹和经历了改朝换代的历史变迁。这种天翻地覆的变化,对一位有爱国思想的诗人来说,是不堪忍受的。因此,诗人不是把自已作为历史的旁观者,而是以历史变迁中的受屈辱者的身份,写个人切肤之痛,故情真意切,感人良深。

此诗以写南京为帝王之都始,而以哀叹一个朝代接一个朝代的帝王覆亡终。其写法上最大的特点,是把写景、怀古和抒情融为一体,而于怀古之中又暗藏伤今之绪,亦怀古亦伤今。无论是写景、叙事、抒情,均寓有深层的意蕴,却又浑然无迹,藏而不露,使诗增添了无限的情韵。

(迟乃鹏)

于忠肃墓

屈大均

一代勋猷在，千秋涕泪多。玉门归日月，金券赐山河。
暮雨灵旗卷，阴风突骑过。墓前频拜手，愿借鲁阳戈。

鉴赏

“于忠肃”，谓于谦。明英宗正统十四年(1449)七月，瓦剌贵族头目也先入侵，英宗轻信太监王振之言，在未做好充分准备的情况下，率领五十万大军迎敌，结果在土木堡(今河北省怀来县东)一带全军覆没，自己也被俘。在这种危急的状况下，主张社稷为重君为轻的于谦，一方面拥立郕王朱祁钰(即明代宗)即位，以打击瓦剌的要挟；一方面又统率不满十万的疲敝之卒，坚守京师北京，终于同援军一起在北京城外，击退了也先的进攻，取得了保卫京师的彻底胜利，挽救了国家社稷。但立下了赫赫战功的于谦，却受到英宗朱祁镇的妒恨。明代宗景泰八年(1457)正月十七日，朱祁镇复辟，二十二日即诬杀于谦。一代忠良含冤而去。于谦死后，谥忠肃，葬于杭州西湖西面三台山麓。屈大均此诗，正为凭吊于谦而作。诗题曰“于忠肃墓”，却不从墓祠道来，而是从人写起。“勋猷”，即功勋谋略，诗在“勋猷”之前着“一代”二字，强调于谦的功勋谋略，为同时代人不可超越。“一代勋猷在”，突出地颂扬了于谦功勋之卓著。于谦的经历，使诗人既仰慕，又悲抑同情。次句则针对于谦可悲的下场，哀叹其不幸。“涕泪多”，是说后人无不为于谦冤死的结局洒下同情的热泪。一联两句之中，功业之巨同下场之悲适成巨差。高山深谷，波澜起伏，更鲜明地突出了哀悼的主题。

颔联分承首句，具体写于谦的功劳及其应该得到的赏赐。对于谦的功劳，诗人避开其率羸兵疲卒保卫京师所建立的丰功伟绩不写，而写其守住京师的胜利所带来的后果——“玉门归日月，金卷赐山河。”英宗朱祁镇正由于于谦克敌才得以生还。这样，把英宗被俘生还之因归之于谦，更可见出朱祁镇之恩将仇报，而显现于谦命运之悲。“玉门”即玉门关，地址在今甘肃省敦煌县西，为汉时边塞之地。唐以后，多以玉门关泛指塞外之地，此指瓦剌盘踞的地方。“玉门归日月”，谓朱祁镇被瓦剌释放由塞外生还。建立不朽勋劳的于谦，理所当然地应受到非同一般的赏赐，故对句即就此落笔。“金卷”即金书铁券，为古代帝王授予勋臣世代享受某种特权的铁契。“山河”，指分封的封邑。此句言于谦理应得到铁券之赐和封邑之赏。

颈联分承次句，由颔联颂于谦之功，过渡到状眼前之所见所闻。在这一联里，诗人捕捉最能表现凄苦情怀的典型景物，渲染了墓祠的萧森荒凉。暮雨、灵旗（指于谦祠中灵座旁的幡），凄苦中带森然。“阴风”又用能突入敌阵飞驰的骑兵加以比喻形容，突出了呼喇喇的风势的狂暴。雨势风声，急骤而至，阴惨凄冷的气氛直逼读者。景物同缅怀于谦悲痛之情互相交融，显然用的是因情选景之法。

诗之尾联，一反颈联之低沉，而以昂扬的句子，表现诗人抗清扶明的坚定决心。“拜手”，古之礼节之一。人跪拱手至地，俯首后使头贴手上。“鲁阳戈”，典出自《淮南子·览冥》：“鲁阳公与韩构难，战酣，日暮，援戈而㧑之，日为之反三舍。”据《淮南子》的记载，鲁阳公无疑是一位英雄人物。此处，诗人以鲁阳公比于谦，说“愿借鲁阳戈”，实际上是说自己要学习于谦抗击瓦剌那种大无畏的民族精神，同清兵浴血奋战到底。诗由敬慕忠烈而学其芳骨，水到渠成，十分自然。语气亦慷慨激昂，使诗势为之一振。

跳出同类题材仅仅局限于哀伤的老套，能以英雄的心胸凭吊古之英雄，以见精忠报国的抱负，心哀而不失其壮。英雄史迹英雄心，相得益彰。全诗满纸激情动人肺腑，具有荡人心魄的艺术魅力。

（迟乃鹏）

云州秋望

屈大均

白草黄羊外，空闻觱篥哀。遥寻苏武庙，不上李陵台！
风助群鹰击，云随万马来。关前无数柳，一夜落龙堆。

鉴赏

诗人北游，途经云州（唐云州治所在今山西大同市），触景生情，写下此诗。

诗一开始，即在读者面前展现了一幅塞上秋景图："白草黄羊外，空闻觱篥哀。"白草黄羊，写目中所见。深秋时草已枯萎，其色近白，故云"白草"。黄羊，又称蒙古羚，色如獐鹿。出句以云州野外所特有的典型景物——白草中的黄羊，来表现塞上的单调、荒凉。对句则写所闻。觱篥，汉代由西城传入的管乐器，以竹为管，以芦为首，有九孔。由于吹奏者远在视野之外，只闻其声，不见其人，故云"空闻"。诗用一个"哀"字状觱篥之声，实际上是把诗人主观的感受，强加给客观的声音的结果，是诗人心声的吐露。出句与对句用一"外"字勾连，不仅具有使所见、所闻共置于一个画面之效，同时，也形象地写出了云州原野之广漠。两句诗有声有色，既有平面的秋景，又有空间的哀音，虽为景语，但亦微露故国之思，极富情韵。

"遥寻苏武庙，不上李陵台"两句，以褒苏贬李言志。苏武，西汉人，武帝天汉元年（前100）出使匈奴时被扣留，匈奴多次逼降，但他始终不屈，直至十九年后之昭帝始元六年（前81），才归国任典属国（职掌接待少数民族事务）。苏武一向被人们视为具有爱国气节的典型。李陵，武帝时为骑都尉，抗击匈奴因援绝投降，向被后人视为变节者。李陵台，在云州燕然山（即今杭爱山）。苏武与李陵，在对待国家民族的态度上截然相反，完全属于对立的两类人物，因而诗人对待两人的态度亦迥然不同。虽然李陵台近在咫尺，但诗人却"不上"，轻蔑之情溢于言表。尽管苏武庙远在他乡，但诗人却不畏路途遥远，拟"遥寻"之。这样，就把自己仰慕苏武坚贞不屈，而鄙薄李陵投降变节之心志，曲折地表现出来。应该看到屈大均写作此诗，并非是无病呻吟，为怀古而怀古，而是他在明亡之后，表示自己决不同清廷合作，矢志不渝忠于明室的心志的委婉流露，是他对叛降清廷的汉族士大夫的一种侧面的谴责。

颈联"风助群鹰击，云随万马来"，由言志又转入写景。两句诗写景极为传神。群鹰展翅搏击长空，已见奋飞碧霄的身影；作品于"群鹰击"之前，又着"风助"二字，更可表现出苍鹰那种顺着风势急速飞行的矫健不凡之态。"万马来"之前，又着"云随"二字，更可表现出骏马四蹄腾空，凌厉飞驰，呼啸而来的气势。两句诗极力突出一种大气磅礴的动态。但搏击的群鹰，疾驰的万马却并非实写，而是虚写诗人眼中的幻觉。这种假想中的幻觉，又寄托了诗人巨大的希望。诗人希望在中华大地出现群鹰搏击长空，万马奔驰原野那种抗清的场面。这种虚幻的景象，显然是诗人出于反清扶明的渴望，而于无中生有的一种精神活动。但这种精神活动，却形象而深刻地反映了诗人内心的无法直言的隐秘，是渴望得到心理满足的一种主观情感的表露。

尾联“关前无数柳，一夜落龙堆”，以景语结束全诗。“龙堆”亦称白龙堆，新疆南路的戈壁滩沙漠，此代指云州城外的郊野。前人论诗论词有所谓“清空一气”之说。所谓“清空一气”，不过是一种“化景物为情思”（范晞文《对床夜话》），使物中有我的一种写法。这两句诗即具有“清空一气”的特点。诗人用干枯的柳叶整夜在狂风吹动下，不断地飘飘洒洒从树上落下的景象，使眼前景象具有一种难以摆脱的忧郁气氛，从而渲染内心的哀愁。同时，又以柳叶自况飘零的身世。这样，就使读者在景物描写中似乎看到了诗人自我的形象，而诗人自我的形象也似乎化入了景物。是写物抑或是写人？给人不即不离之感，物我似乎已融为一体。以“清空一气”的景物收束全诗，既能宕出远神，又得含蓄蕴藉之美，令人品味无穷。

潘耒《广东新语序》云：“翁山（屈大均字）之诗，祖灵均而宗太白，感物造端比类托讽，大都妙于用虚。”“用虚”正是此诗的特点。首联虚写景物，实露故国之思；颔联虚评历史人物，实明心志；颈联虚写幻景，实为呼唤驱逐清人的风暴赶快到来；尾联又是虚写景物，实为自况身世。这种虚中透实的写法，大得“不著一字，尽得风流”（司空图《二十四诗品》）之精髓，饶有风趣。诗人之所以在诗中采用这种写法，是同诗人生活的时代所分不开的。屈大均生活在清人统治之下，这样的社会条件，必然使作者不便大声疾呼，呐喊出反清的诗句。因此诗人就采取虚中见实，欲言又止，半吞半吐的手法，来抒写内心复杂的感情、心志、愿望等，而对所要表达的真实思想，则留给读者去体味。细心的读者自可透过诗之表层意思，去领略其委婉隽永的滋味。

（迟乃鹏）

客代州

屈大均

三年为客渡滹沱，听尽悲笳出塞歌。
白发不愁明镜满，秋霜只怨雁门多。

鉴赏

1662年冬，屈大均由南京至陕西。1666年出雁门，历大同、宣化，到1667年才重返南京。在秦晋期间，他曾与李天生、顾炎武等爱国志士聚会，友谊甚笃。代州即今山西代县，其西北三十里为雁门山（亦名陉岭），东西两山夹峙，形势雄胜，山岩峭拔，中路盘旋崎岖。汉代中平以后，陉北之地皆荒外，魏代以后，以其地为塞，分别内外。唐于绝顶置关，名雁门关，是历代戍守重地。

首句入题，“三年为客渡滹沱”。诗人采用赋法，叙写自己渡过滹沱河，客居秦晋，已历三年。为客既久，则自然会产生思乡之情，更何况在这三年中，“听尽悲笳出塞歌”呢？“听尽悲笳”蕴藏丰富的内涵。单调沉滞的胡笳之声，在萧索阴森的关下呜咽，在空旷荒凉的塞外悲鸣，听起来本身就动魄惊心，自然容易产生绵绵悲愁，所谓“游人一听头堪白”（杜牧《边上闻笛》）。胡笳所奏的胡地乐曲，还包含着特定历史环境、特定民族心理的长期感情积淀。漫长的历史长河中，边患不断，战争频繁，可以说，胡笳成了少数民族中的上层贵族进犯中原，掳掠边地的象征。在笳声中，让人似乎看到了断垣衰草，战垒兵壕，看到了熊熊烽火，滚滚烟尘。如果我们深入一层，细化体察，这里还包括诗人在听到胡笳时产生的特殊情绪。中原圣上遭异族蹂躏，亡国灭种的严酷现实，救国无力的深深愧怍，久客思家，但又不忍归家的内心世界，都在一个“悲”字中表现出来。诗人孤独凄恻的心情能带动读者的情绪，随之黯然神伤。顾炎武有诗说：“愁听关塞遍吹笳，不见中原有战车。”这批爱国者的心灵是多么相通，情绪是多么的一致！

正是在“三年为客”的特定情况下，在“听尽悲笳”的索漠心绪后，诗人才会“白发不愁明镜满，秋霜只怨雁门多”。“白发”这一意象凝聚着时间消逝的抽象意义，象征着生命的凋零，包含着感伤悲愁的传统情绪，李白曾发出过“白发三千丈，缘愁是个长。不知明镜里，何处得秋霜”的感慨，唱出过“高堂明镜悲白发，朝为青丝暮成雪”“自笑镜中人，白发如霜草”的人生悲歌。当然，李白的悲和愁，只是将个人的怀才不遇，对社会的失望，对现实的悲观，以夸诞的方式表现出来。虽然此诗的“白发”“明镜”“秋霜”皆出李白诗，而屈大均的愁和怨则有着更为深广的社会内容。劫乱时代的严酷事实在他的心灵上投下了重重的阴影，国家的沦丧，民族的灾难，人民的痛苦，造成了严重的心理重压。诗通过个人不幸遭遇的哀叹表现的却是时代的苦闷情绪。二句中的“愁”和“怨”互文以见义,通过彼此映衬,相互对照,扩大了诗的内涵,使表意丰富而行文简洁。

此诗是在抗清失败的情况下写成的。情调蕴藉婉转,沉郁苍凉,悲怆凄恻,忧愁、苦闷、失望和悲哀的心情用黯淡低沉的调子唱出,读之,倍觉哀婉动人。

(毛远明)

雷女采葛歌

屈大均

雷女采葛,缉作黄丝。东家为绤,西家为絺。
夫寒衣葛布,妇饥食葛乳。得钱虽则多,不足偿租赋。
一日织一尺,十指徒苦辛。只以肥商贾,无能养一身。

鉴赏

广东省的雷州半岛盛产葛。葛是一种多年生草本植物,其纤维可织夏布,夏日穿上很凉爽。雷州妇女善于织葛布。这首诗通过写织葛妇女的辛酸,反映了社会分配的不公。

首四句直陈其事,不尚雕琢,叙写织葛妇女织葛布的全过程。她们先要上山采割葛藤,再析出葛麻的纤维,缉成一丝丝、一束束的丝缕,然后再织成一块块的粗葛布和细葛布。应当看到,要把生长在野外的葛藤变成葛布,实在不是一件轻而易举的事,需要付出辛勤的劳动,只是诗人把织葛妇女辛劳的场景都推到了文字背后。诗中铺叙雷州东家西家,人人忙碌,个个辛苦,这就使诗中反映的疾苦不限于一家,而具有普遍性。

织葛女忍着饥渴,冒着寒暑,不顾疲劳,日夜辛勤采葛绩织创造了大量的财富。按照常理,求得起码的温饱,应该是没有问题。但是,现实究竟又如何呢?“夫寒衣葛布,妇饥食葛乳。”他们天寒之时没有御寒之服,仍穿着只宜夏天穿的葛布;饥饿了,却没有粮食,只好以葛乳代食,这种从葛根中提取出来的淀粉,只能权且充饥。上句言夫,下句言妇,是互文。诗人截取了现实生活中的一个断面,从维持起码生命的衣食落笔,极写了人民生活的贫困艰难。诗人指出,是织葛女无能力养活自己吗?不,她们本来可以维持生活，并且凭着创造的财富还应该生活得较好。但是，她们“得钱虽则多”，却“不足偿租赋”。出现这种矛盾的根本原因是国赋官租如大山，压得人喘不过气来；横征暴敛，贪婪的欲口无法填平。再加上富商大贾巧取豪夺，尽管她们不辞辛劳，技术娴熟，一日可以织葛布一尺，也只是白白地辛苦一场，到头来连自己也无法养活。这该是多么不合理的社会现象啊！诗人采用对比手法，把商贾和人民并列地放在一起加以比较。商贾不劳动，却十分富有。他们腐化奢侈，尽情享受，养得脑满肠肥。织葛妇女终日辛劳，却贫困不堪，不得温饱。诗中没有激烈的议论，只是客观地摆出这两种极不正常，极不合理，极不公平的社会现象，让读者去领会，去思考，并透过现象去探索社会的本质。唯其如此，才更具有韵味，更耐人深思。

屈大均作为一个具有进步世界观的诗人，基于对社会问题的关心，使他能够继承我国民歌“感于哀乐，缘事而发”的现实主义传统，去发现存在于现实社会的惨景，去思考各种危害人民的社会问题。这就必然无情地揭露官僚、地主、豪商对人民的肆意掠夺，拼命榨取和残酷侵害，批判社会的黑暗和腐朽；怜悯和同情被剥削、被压迫者的痛苦和不幸；发泄对那个不合理、不公平社会的怨恨、愤怒情绪，真正为饥者而歌，为劳者而怨，其批判精神远绍汉乐府。诗人笔下的葛女形象是经过典型化的，代表着广大劳苦人民的遭遇和命运。

诗在表现方法上采用赋法。诗人对封建社会中劳者不获，获者不劳的极不公平、极不合理现象进行了艺术提炼，然后客观地、冷静地直陈出来。让人们在现实生活的描绘中去深思、去联想、去感发，从而深刻认识劳动人民贫穷的根本原因在于封建制度本身。与诗歌的内容相一致，诗人冲破了传统文学观念的束缚，采用清新活泼自由的民歌形式，运用朴实无华，明白如话的语言反映现实生活。可以说，其辞质而径，其言直而切，流宕自然，浅中寓深，近而不浮，俗中带雅，在诗歌平民化方面做了有益的成功尝试。短短的诗行，“看拟寻常最奇崛，成如容易却艰辛”，充分体现了屈大均驾驭语言的能力。沈德潜说：“诗有庸语，入屈翁山手便超。”（《清诗别裁集》）这首诗可以证明其评论之确切不妄。

（毛远明）

壬戌清明作

屈大均

朝作轻寒暮作阴，愁中不觉已春深。
落花有泪因风雨，啼鸟无情自古今。
故国江山徒梦寐，中华人物又销沉。
龙蛇四海归无所，寒食年年怆客心。

鉴赏

“壬戌”，即清康熙二十一年(1682)，时三藩之乱业已平息，而一度乘三藩之乱攻占了泉、漳、温州等地的郑经(郑成功之子)也退守台湾。大陆上自清初以来的抗清斗争已基本结束。曾积极参加过抗清斗争的屈大均，眼见复明毫无指望，一种悲怆、沉痛之情，不觉萦回脑际，故借清明为题以抒怀。

“朝作轻寒暮作阴，愁中不觉已春深。”诗之首联以点染之法表现愁绪。诗人为了渲染次句所点出的感情色彩“愁”，即以暮春时清明节清晨的轻寒，暮时阴沉的天气加以烘托，从而以视觉形象，引发出情感的体味。这两句所表现的愁，又非一时一刻之愁，而是从早到晚，日复一日以至暮春，诗人都是在忧郁愁苦之中度过的。这样，就突出了全诗的基调，使作品自始至终，都是笼罩在一种悲凉凄楚的气氛之中。

“落花有泪因风雨，啼鸟无情自古今。”颔联是从纵的历史的角度，泛写古今国家兴亡更替，给诗人所造成的感伤情绪。杜甫《春望》以“感时花溅泪，恨别鸟惊心”，来表现安史之乱带给诗人的深愁。屈大均这联诗，即从杜诗化出，不过一反杜甫赋物以人的情感，却强调落花之无情，啼鸟之无知，自然界的花鸟对人世间的变化毫不动心，从而反衬出作者忧愁的浓重。“自古今”三个字，又连及从古至今所有朝代的变换，增加了感伤的分量。

“故国江山徒梦寐，中华人物又销沉。”颈联由颔联泛泛感伤史事，过渡到从横的现实的角度，慨叹明室的覆亡和众多的抗清志士的销声匿迹。出句重点写对明室覆亡无可奈何的心理。“故国江山”谓明之社稷。"梦寐",委婉地表现了作者对明室的无限眷恋之情。"徒"字则表明复明无望,这句诗甚有"小楼昨夜又东风,故国不堪回首月明中"(李煜《虞美人》)的韵味。对句则重在叹息抗清斗争已趋于沉寂。"中华人物",应指那些坚持抗清斗争的有志之士。这些人在满汉大地主统治集团的镇压下,或壮烈牺牲,或遁隐山林,或逃窜海上,使抗清运动暂告"消沉"。诗用一个"又"字,毫不费力地把当今抵抗外族侵略的志士,同古之抵御外族侵略而失败了的勇士连在一起,使诗增添了不少悲剧色彩。两句诗中。"徒"字同"又"字的紧相呼应,使诗在结构上显得更为紧凑。

"龙蛇四海归无所,寒食年年怆客心。"相传春秋时晋国的介子推等一些贵族,曾跟从晋公子重耳(后即位为晋文公)流亡国外。晋文公回国即位后,流亡时的贵族均有赏赐,独漏掉了介子推。介子推遂作《龙蛇歌》,隐居绵上(今山西省介休县东南)。晋文公企图用放火烧山的办法让他出来,结果被烧死。句中的"龙蛇",又双关隐居山林、待时而起的有志之士。《汉书·扬雄传》:"君子得时而大行,不得时则龙蛇。"因此时诗人浪迹江湖,但也随时准备参加反清斗争,故以"龙蛇"自喻。"四海归无所",是说由于当时清兵对全国的统治已成定局,普天之下再也没有自己可以投靠的反清力量。"龙蛇四海归无所"一句,真实地反映了诗人内心的苦闷。末句诗意更递进一层。本来"龙蛇四海归无所"的状况,已使诗人深感苦闷哀痛,现恰逢寒食(清明前一日),更令诗人悲痛无比。

这首诗反映了作者热爱故明的崇高民族气节。语言自然流转却不流于油滑,意脉贯通又不平直。全诗八句,前四句重在绘景,后四句重在抒情,是首融景入情、情景并茂的佳作。

(迟乃鹏)

读陈胜传

屈大均

闾左称雄日,渔阳谪戍人。王侯宁有种?竿木足亡秦。
大义呼豪杰,先声仗鬼神。驱除功第一,汉将可谁论?

鉴赏

这首咏史诗,以峻拔的辞采,再现了发生在秦朝末年的我国第一次农民大起义的历史画卷。诗人按自己的历史观、评价标准和写作意图,铸造了陈胜这个历史人物的丰碑,并借历史题材,融进了诗人的见解、思想和情绪。

诗一起手便大笔挥洒,粗线条勾勒,让陈胜这个叱咤风云的草莽英雄立体地站在读者面前。“闾左称雄日,渔阳谪戍人。”“闾左”是指居住在闾里之左的贫民。古人尚右,“凡居以富强为右,贫弱为左”。这里以闾左代陈胜,暗示陈胜是一个贫民。渔阳在今北京市密云县西南,辖地跨长城内外,是北部边防重镇。公元前 209 年,陈胜等九百贫民被发遣去防守渔阳。闾左谪戍人居然干出一番轰轰烈烈的大事业。两句在读者心中掀起汹涌的波澜。先声夺人,起势不凡。

接着,诗人纵意驰神,具体描绘了陈胜起义的情景。“王侯宁有种?竿木足亡秦。”历代的统治阶级为了麻醉人民,美化自己,树立至高无上的权威,总是尽量给自己抹上神秘的色彩,宣扬君权神授的天命观。然而,几千年前的陈胜却能藐视这种权威,公开挑战,大胆提出“王侯将相宁有种乎”的质疑,并且自封王侯,“斩木为兵,揭竿为旗”,掀起了推翻秦王朝的风暴。“竿木”可谓简陋,但竟然足以使强暴的秦王朝覆灭。它说明了决定战争胜负的关键不在于武器装备,而在于是否合乎正义,是否取得民心。诗人以热情洋溢的笔调,对陈胜的气魄和胆识给予了高度的赞扬。

三联给我们描绘出最令人感奋,最激动人心的场景。“大义呼豪杰,先声仗鬼神。”陈胜一行谪戍在大雨断道,度已失期,按法当斩的关头,在逃跑是死,举大计也是死的情况下,毅然揭竿而起。以“壮士不死即已,死即举大名”的豪壮口号,唤起豪杰英雄,鼓动受苦民众,加入抗秦斗争的行列。为了给起义争得合法地位。他们假托鬼神,鱼腹藏书,篝火狐鸣,用以张扬声势,制造舆论。起义前的这种装神弄鬼的手段,与其说是迷信,是局限,毋宁说是斗争策略。由此也可以看出陈胜这个闾左谪戍之徒实在足智多谋。

以上六句是对客观史实的高度概括,恰似一篇神采飞动的历史传记,基本上完成了雄姿英采,气宇轩昂的陈胜形象刻画。但这又毕竟是诗,因而在浓缩的历史画卷中灌注了诗人的强烈主观感情和评价,所谓“咏古人而己之性情俱见”,所谓“以史为咏,正当于唱叹写神理”。浓郁的感情色彩,鲜明生动的艺术形象,高度集中的艺术概括力,都暗寓在隐括本传的史实中。正是有了这种灌注着强烈主观感情的叙写,才为尾联打下了扎实基础。于是水到渠成,发出"驱除功第一,汉将可谁论"的论断。陈胜以贫民的身份,首先发难于大泽乡,举起了除奸凶、诛暴秦的正义旗帜,武装反抗秦王朝的残暴专制统治,并迅速影响到全国各地。因而驱除暴秦,当以陈胜为首功。是他动摇了秦王朝的统治地位,为汉高祖刘邦建立大汉帝国扫清了道路,奠定了基础。这个毋庸否认的史实,就是刘邦也没有忘记陈胜的作用,"为陈涉置守冢三十家",享受官家血食。诗人以饱蘸感情的笔问道:功成名就的汉将,如曹参、周勃、樊哙之辈,尽管在建立汉家王朝时也立下过大大小小的战功,但是,又有谁能与陈胜相提并论呢?诗人用汉将的不能相提并论加以反衬,使陈胜的形象更加高大。

诗人之所以能把陈胜提到这样的高度来认识,是基于他深厚的爱国主义思想感情。清军入关后,以暴力统治全国,血腥镇压人民的反抗。在山河破碎的现实面前,诗人意识到,要靠王侯将相,靠统治阶级的所谓"伟人""英雄"来拯救民族灭亡的命运,恢复明王朝已不可能。但诗人还没有完全失去复国的志向,他赞颂贫民出身的农民起义英雄,就是把抵御满军侵略,为民族耻辱复仇的希望寄托在人民的身上。

这首诗的成功之处还在于诗人能以鲜明的形象再现历史人物,展示历史事实,给人以清新活泼之感。诗人还能以浓烈的感情,去打动读者,在读者心中引起共鸣,与诗人一起参与对历史人物的塑造和评价。在潜移默化中受到感染和教育。再加上高亢雄浑的格调,自然流宕的语言,使之成为咏史诗的上乘之作。

(毛远明)

民　　谣(录四)

屈大均

白金乃人肉,黄金乃人膏。使君非豺虎,为政何腥臊?

珠皆泪所成,不必鲛人泣。三斛买蛮娥,余以求大邑。

初捕金五千,再捕金一万。金尽鬻妻孥,以为使君饭。

金为连叶珠，珠多叶倾复。使君勿爱金，莲根自矗矗。

鉴赏

屈大均生活在改朝易代的动荡年代。民族矛盾的空前尖锐，必然伴随着阶级矛盾的异常激烈。政治的黑暗，官僚的腐败，兵燹的危害，使人民生活在水深火热之中。作为一个伟大的爱国主义者，他也能够立足于现实的土壤，对社会冷静地观察思考，深切同情和关注人民的苦难，尖锐地批判一切邪恶势力。民谣十首便是这方面的重要作品，这里仅选其中四首。

第一首是反对苛政的传统主题，但表现得更新奇，更有分量。黄金、白银是统治阶级财富的象征。那些贪官污吏横征暴敛，贪婪凶残，不择手段地搜刮财富。他们积累起来的白银，乃是从贫苦人民身上剐下来的肉；他们据为己有的黄金，乃是从劳动大众身上吸下的脂膏。诗人用隐喻的修辞手法，道出了那个黑暗社会血淋淋的残酷现实，揭示出那个吃人社会的本质，令人震惧，使人寒栗。诗人愤怒地质问道："使君非豺虎，为政何腥臊？"使君本来是指地方官，这里泛指统治者。几千年前的孔夫子过泰山侧，面对哭而哀的妇人，第一个把虎患和苛政相比较，曾发出"苛政猛于虎"的喟叹。诗人也谴责统治者：如果你们不是豺狼虎豹，为什么在施行政治的时候，会浑身发出腥臊气味呢？反诘的语气，一针见血，既有力，又含蓄。清初隐遁诗人何绛的《西湖后曲》有"山近罗浮无恶虎，如何闾巷少人家"的诗句，可与屈大均此诗并读，从而窥见清初苛政的一斑。

第二首诗讽刺统治阶级卖官鬻爵，生活腐朽糜烂。《述异记》上说："南海中有鲛人室，水居如鱼，不废机织，所织之布为鲛绡，鲛人之眼能泣，颗颗成珠。"这当然是神话传说，剥开神话的外衣，"珠"可以说是财富的代名词，而泣泪成珠，笼罩着浓厚悲剧色彩的鲛人，实在不过是辛勤创造了财富而又遭遇苦难的劳动者。诗人深刻了解这一点，因而他说："珠皆泪所成，不必鲛人泣。"劳动人民创造的社会财富，被统治阶级搜刮了去。这些吸血虫拿着财富去干什么呢？"三斛买蛮娥，余以求大邑。""蛮娥"是南方的美女。统治者千金买笑，纵情声色的同时，也不忘记搜刮更多的财富，追求更高的享受。他们以财富开路，去"求大邑"，掌握政权后，更"合法"地吸吮人民的鲜血，更明目张胆地搜刮人民的财富。"余以求大邑"句，无情地暴露了那是一个卖官鬻爵的社会。既然世道是这样的窳（yǔ）败，又哪里谈得上政治清平！

第三首诗，镜头转向劳动人民。在官府的重压下，劳动人民的生活又怎样呢？“初捕金五千，再捕金一万。”劳苦大众为什么要被拘捕？无非是无法交纳沉重得难以负担的租赋。“初捕”之后，还有“再捕”。而钱越欠越多，由“五千”到“一万”，如“驴打滚”。可见“再捕”之后还会有新的拘捕。诗人的揭露是深刻的，但他并没有停下笔来，而是再纵深一笔，“金尽鬻妻孥，以为使君饭。”即使荡尽家财，也换不来片刻安宁，乃至卖掉妻子，卖掉儿女，为的只是能够给“使君”办一顿餐饭。这是何等的怵目惊心！真是“彼君子兮，不素食兮！”

第四首诗纯用比喻，向统治阶级提出严正警告，金银财富好比莲叶上的水珠，水珠多了，莲叶经受不了重压，便会倾覆，要想长治久安，就得为政清廉，体察民情。只有这样，统治阶级的根基才会矗立不动。诗人托物兴感，借物寓意，想象奇特，自出新意，巧妙地道出了官逼民反的真理。诗中充分肯定了人民反抗黑暗暴政的合理性，指出水可载舟，亦可覆舟的深刻道理。使诗歌具有了光辉的民本思想。当然，诗人对统治阶级的警告也有其天真和无力的一面。他所希望的仍然是社会的改良，而没有想到要去彻底砸烂那个不合理的封建制度。这是时代的局限，毋庸苛责。

这四首诗有一个共同的特点，那就是善于吸取闾里歌谣的丰富营养，善用比兴和夸饰的表现手法。针砭时弊，抨击时政，笔刺奸凶，尖锐犀利，入木三分，诗人采用通俗的、大众化的语言，反映大众的思想，大众的情绪，使诗更接近现实生活，更接近人民。当然，诗人使用的人民的语言，又是经过筛选和锤炼的“光辉的俗语”（但丁《论俗语》）。它避免了粗俗和散漫，貌似浅易，实则深厚，“明白如话，然浅中有深，平中有奇”（刘熙载《艺概》）。这样的诗作，是那些以艰涩文达浅陋义的作品所不能比拟的。其成功的根本原因就是敢于“真诚地、深入地、大胆地看取人生，并且写出他的血和肉来”（鲁迅《坟·论睁了眼看》），使其诗具有思想的深度和厚度，闪耀着人民性的思想光辉。

（毛远明）

城楼晓望

吴兆骞*

哑哑乌啼起戍楼，朅来登望事堪愁。
山横雁碛皆东下，江划龙荒尽北流。
金甲日凝千帐晓，画旗风急六台秋。
征夫绝塞踪难定，肠断尊前玉腕骝。

作者

*吴兆骞(1631－1684)，字汉槎，江苏吴江人。顺治十四年(1657)，以科场案流放宁古塔(今黑龙江宁安)。居塞外二十余年。后经大学士纳兰明珠及友人宋德宗、徐干学等营救，乃得放还。其诗早年典雅工丽。远谪后，多写塞外风光。意境开阔，志气豪放。有《秋笳集》。

鉴赏

这是一首登楼眺望之作。时吴兆骞还在谪戍途中，行程已过沈阳。"戍楼"确切地址则不详。登楼的时间是早晨。首联即渲染了登楼的氛围。在一片乌鸦的"哑哑"啼叫声中，诗人以充满忧虑的心绪，登上城楼，放眼远望，一时间往事连绵，涌上心头，真是怨愁交加，不堪回首。"啼""愁"二字，照应得很妙。正是乌鸦的乱"啼"，引起了诗人的悲"愁"，这二字不仅富于逻辑性地表达了诗人主观感情与客观事物间的因果关系，而且渲染了悲凉的气氛。"朅来"作"去来"解。诗人来去匆匆，登此边防城壁，首先摄入眼帘的是东北地区的山山水水。极目荒凉，缘事而起，怎能不令人哀愁呢?

"白草黄沙，冰天雪窖"(徐廉《孝廉吴君兆骞墓志铭》语)。颔联承上而写，描绘了一幅广袤无际的荒凉山丘，滚滚北流的松花江的风光图。"雁碛"，泛指北方沙漠之地；

"龙荒",指东北荒原。"横""刬"(chǎn,铲)二字,使"山"和"江"动化了——大山横卧在沙漠之上,江河刬削于荒原之间,真是把江山写活了。"东下""北流",又活写了山和水的"走向",其间,渗透了诗人的审美趣味,表达了诗人对祖国边疆山水的爱!吴兆骞的边塞诗,为东北的山河生色者,不胜枚举。例如,在他的笔下,对"雁碛"(北方沙漠)的形象,便作了种种描绘:"苍茫大碛旌旗行"(《秋笳集》卷三《奉送巴大将军东征逻察》)——写军旗猎猎,威武雄壮的行军途中的"苍茫大碛";"猎罢班声夜碛空"(同上,《野宿》)——写打猎回来,夜幕降临时的广阔"碛空";"雁声秋满碛"(同上,《晓望》)——写雁声充耳的"雁碛秋色"……凡此,可见吴兆骞边塞诗丰富多彩之一斑。

颈联别开生面,写得更富有新意。诗人的视线顺着向东绵延的高山和向北流淌的江水,延伸开去,到达边疆,却看到了一派人民反抗侵略者的壮烈场景:在那辽阔的荒原上,排列着一队队战士,他们的甲衣,在朝阳的照耀下,闪闪发光,一片战旗如海,猎猎地飘扬在秋风之中,它们插遍了盛京各地……清代流入最初被发遣东北之际,正是东北边疆各族人民与驻军一起奋起抵抗不断窜入我黑龙江——松花江流域烧杀掳掠的沙俄侵略者之时,诗人吴兆骞正是以其强烈的爱国热情,讴歌了这一悲壮而雄伟的抗争场面。这里,诗人运用了"速写法",取"晓日"之景,勾勒"金甲"耀目、"千帐"森列之状;又取"秋风"紧吹之景,绘出"战旗"猎猎之图,从而构成了这一轰轰烈烈的抗俄战斗场面!

"征夫绝塞踪难定,肠断尊前玉腕骝。"末联两句,诗人直抒内心的愁苦之情。也许诗人在想自己还是个被流放的犯人,即所谓的"征夫";也许想到塞外的谪戍征途上,自己行踪不定,即使日夜兼程,还唯恐误了时日,所以登高远望,见此壮烈场面,不禁悲从中来!诗人"此时此地",便以其特有的方式来解闷:"以酒浇愁!"结句,则描述了诗人"把酒看马,不觉肠断"的感人情景("玉腕骝",名马)。这等收笔,悲壮激越,令人回肠荡气,从而产生强烈的艺术感染力。此诗从渲染悲凉气氛起笔破题,登上城楼,而后真实地描写举目所及的关外风光,绘声绘色,颇具边塞诗特点,五、六两句写得豪气横溢,结句更富有情韵,全诗一气呵成,真是唐音之遗,令人百诵不厌。

【注】:六台:清代盛京(今辽宁、吉林部分地区)地名,以台称者有清水台、救兵台、东江台、半心台、杨家台等。

(张志良)

崖门谒三忠祠

陈恭尹*

山木萧萧风更吹，两崖波浪至今悲。
一声望帝啼荒殿，十载愁人拜古祠。
海水有门分上下，江山无地限华夷。
停舟我亦艰难日，畏向苍苔读旧碑。

作者

*陈恭尹(1631－1700)，字元孝，号半峰、独漉，广东顺德人。父邦彦，明末抗清殉难。陈恭尹继承父志，曾奔走各地，力图复明。不成，乃弃家远游，隐居广州避祸。其诗慷慨激昂，多颂扬抗清志士。与屈大均、梁佩兰并称“岭南三大家”。有《独漉堂集》。

鉴赏

明末清初之陈恭尹，同屈大均、梁佩兰齐名，均为岭南人，合称“岭南三大家”或“岭南三君”。三人之中，陈恭尹为冠，陈恭尹诗又以七律为高，《崖门谒三忠祠》便是他七律名作中的一篇。

“崖门”即崖门山，在广东省新会县南海中，与汤瓶嘴对峙如门，形势险要，故云崖门。公元1279年，元世祖忽必烈遣张弘范率领水师，追击流徙于崖门的卫王赵昺，宋军将领张世杰的水军为元军所败，崖山的薪水道路全被切断，陆秀夫被迫负宋帝赵昺投海而死。同时，于广东潮阳抗击元军的文天祥也兵败被俘，后遭杀害。不久，南宋遂亡。后人感于文天祥、陆秀夫、张世杰三人以死报国的忠义行为，遂于崖门建“三忠祠”，以褒扬忠烈，昭示后世。

诗的前四句把景与情结合起来写。起句以突兀之笔写崖门山的景象:古木萧萧,狂风劲吹,一个“更”字,把树与风联在一起,加倍写出崖门景物的悲凉。此句写景着墨不多,却深沉地透露了诗人心中无限的感怆。次句由写景转入抒情,由渲染景物的悲凉转入抒发内心情感的悲凉。出句与对句勾连相生,过渡自然紧凑。一个“悲”字,奠定了整首诗凄冷悲凉的基调,不仅切合宋亡的史迹,也暗寓了明亡的可嗟可叹的现实。本来波浪毫无情感,不会生悲。这里诗人运用移情及物的手法,把内心的情移给物,让物具有人的情感,来表达人的情感。同时,大海波浪的广阔无垠,又具有象征意义,象征着诗人内心的悲苦之情,有如大海无边无际。诗人由近四百年前三位爱国将相的处境,自然生出深重悲苦之绪,写得极为沉痛。“悲”字之前,着“至今”二字值得玩味。

首联写的是远景,进入颔联,则写近事以点题。“荒殿”“古祠”均指三忠祠。“殿”字之前着一“荒”字,则殿宇破败,渺无人迹,四周杂草丛生的荒芜景象就立等可见。“望帝”即杜鹃鸟,相传为古代蜀帝杜宇之魂所化,其声凄厉。出句写所闻为杜鹃鸟声,所见为荒芜的殿宇,意在通过渲染三忠祠的萧疏寂落,来透露诗人悲苦之情。对句则以言简意赅地概括包容手法,隐寓了诗人对身世的喟叹,以及对明王朝回天无术的愁苦怅惘。公元1648年,永历帝朱由榔辗转奔逃之中迁回肇庆,年仅十八岁的陈恭尹上表永历帝,陈述其父陈邦彦抗清殉难情状,得授世袭锦衣卫指挥佥事,给假归家治丧。后清兵再度攻陷广州,永历帝奔云贵,窜缅甸,陈恭尹遂同永历王朝失去联系,而明王朝更加日薄西山,气息奄奄,形势危殆,灭亡在即。至1658年诗人登崖门谒三忠祠,前后计有十年之久。“十载愁人”仅四字,却包容了诗人在这十年期间无数惊心动魄的经历,内容相当丰富。此即所谓“不著一字,尽得风流。”

颈联承接第二句,把议论同感怀结合起来,抒写心中巨大的悲痛,直接点出“至今悲”的原因。“门”指崖门。崖门为西江淡水与南海咸水之交接处,故云“有门分上下”。“华”,谓宋王朝,“夷”,是对灭亡宋王朝的蒙古人的蔑称。这两句诗是说,江水、海水还有崖门为其作为界限,可是国土却没有一个地方作为疆界,来限制夷人的进攻。出句同对句的互相映衬,对比极为鲜明。还应该看到,这两句诗表面上是哀叹宋亡,骨子里却又是伤悼明亡。两句诗既精警醒目,又极耐寻味。

尾联将笔稍稍宕开,由怀古而伤悼自己,含蓄地把诗的主旨升华:“停舟我亦艰难日,畏向苍苔读旧碑。”诗句指出自己现在同文、陆、张三公当时的景况极为相似,都处于国破家亡的艰难地步。一个“畏”

字，把全诗的精神收拢，深刻地反映了此时此地诗人的心态：仰慕先贤，欲读记载先贤殉国事迹的碑文以砥砺名节；但现实生活中，明王朝即将覆亡的事实，又必然让诗人触碑而生情，不忍卒读。正是这种忧国伤时的沉重情感，才使诗人"畏向苍苔读旧碑"，怕读时更加引发内心巨大的悲痛。一个"畏"字，包含了千言万语不尽之意，无限苍凉凄楚之情，溢于言外。

很明显，意在言外是此诗最突出的特点，表面上诗人是在咏怀古迹，实则是在发明亡之哀，以写对宋末文天祥、陆秀夫、张世杰三人的景仰之情，来寄托自己身世家国之恨。这种以他人之酒杯，浇自己心头之块垒的写法，极蕴藉，极耐人品味。张维屏《听松庐诗话》曾云："诗以沉郁为极诣，沉不在貌，其骨重，其味厚，其气苍，其韵长，乃谓之厚。"陈恭尹此诗抒写爱国之情真挚痛切悲凉，令人一唱而三叹，有无穷之意自在不言之中，得骨重、味厚、气苍、韵长之沉郁，自是学杜之佼佼者。

（迟乃鹏）

虎丘题壁

陈恭尹

虎迹苍茫霸业沉，古时山色尚阴阴。
半楼月影千家笛，万里天涯一夜砧。
南国干戈征士泪，西风刀剪美人心。
市中亦有吹箫客，乞食吴门秋又深。

鉴赏

顺治十年（1653），诗人由杭州抵苏州，在游览苏州著名古迹虎丘时，即在墙壁上，写下了这首轰动一时的名作。诗中所抒发的悲怆凄凉的情感，曾使几多明朝遗老遗少为之潸然泪下；而诗之激愤顿挫的风貌，又使几多文人墨客为之赞赏。

首联破题，抒写内心沉重的感叹。苏州是春秋时吴国的都城，而吴王阖闾曾是春秋时五霸之一。阖闾死后，葬于海涌山。传说阖闾葬后三日有虎踞其坟上，故又名虎丘。然而物换星移，昔日阖闾的霸业至今已不复存在，唯有古时之山色尚存旧貌。阴阴山色与沉沉霸业形成强烈对照，诱导读者对阖闾往日的霸业与现在作比较，兴衰之感自在不言之中。这样，就从时间变化角度，透露出诗人出色依旧而人事皆非的内心感情的起伏变化。在这首诗中，作者写作目的是为了赞扬仍在西南抵御清兵的将士以及关怀他们的闺妇，并表达自己抗清复明的决心，意境雄阔悲壮，诗之首联以咏叹春秋吴王阖闾的霸业作起，发兴高远，有包举全诗的功用。

《虎丘题壁》是一首吊古之作，照理作者应该把主要笔墨放在吴王阖闾身上，然而当诗人在一、二句点出吊古的对象后，却没有顺着这一思路展开，而是将笔一转，别开生面地由吊古而转入伤今。颔联两句即进入写于姑苏城内夜之所闻。所闻一为笛声，一为砧音。诗人透过笛声和砧音，来泛写动乱的年代里，千万个家庭所遭受的离别之苦。先说出句。古人诗中言笛，大都因笛曲有《折杨柳》《关山月》《落梅花》等感伤离别的曲子，故言笛而连及伤别之情。而见月怀人更是古典诗词所常用的一种象征手法。“千家”，谓感伤离别的家庭之多。出句表现了千万个闺中之人，在明月斜照的月夜，只好在高楼上，以笛声来吐露对远出在外的丈夫的思念之情。再看对句。“万里天涯”四字，夸张地道出游子离家路途之遥。“一夜砧”，谓姑苏城内捣衣之声连绵不绝。整个古城，砧声阵阵，此起彼落，互相追随，一夜到亮。对句以思妇赶制冬衣，来表现她们对远方丈夫的关怀。“千家笛”和“一夜砧”，尽管在音色上并不协调，但在烘托、渲染离情上，却又十分统一。诗人巧妙地运用以声传情这一手法，来透露苦难时代的苦难家庭的离别之苦。

如果说颔联是泛写一般家庭思妇对游子的怀念，那么颈联则是针对特殊家庭来具体展现。这特殊家庭，即是仍在坚持抗清的将士及其家属。颈联两句，展现在读者眼前的，是不在同一个视野之内，却应在同一个时刻之时的不同景象，上、下句对举夹写，分明是两幅写意的图画。上一幅画的是无数还在南方的将士，手持各种各样武器，悲愤地流着眼泪。这幅图画实际上表现的是当时还在我国南方广西、广东、福建、四川等地，仍在坚持抗清斗争，忠于明室的将士。下一幅画的则是闺妇制衣图。“美人”，指抗清将士的家属。在肃杀的秋风里，闺妇们正忙着用刀剪为在南方的亲人制作寒衣。这幅图画形象地表现了抗清将士的眷属，对仍在浴血奋战的抗清将士的无限思恋。两幅图画，一悲壮、一凄苦，浑然一体；图中的人，虽然各在一方，却心心相通，给人留下了难忘的深刻印象。无怪乎有人称此联“真不可及”了。

尾联以用事写志。“吹箫客”，

作者自指。春秋时，伍子胥的父兄为楚平王杀害，他由楚奔吴，吹箫乞食于吴市（今苏州），吴王封以申地，后与孙武共佐吴王阖闾伐楚，率领大军杀回楚都郢（今湖北江陵市），掘平王墓，鞭尸三百以报仇雪恨。陈恭尹同伍子胥类似，其父抗清殉国，同清廷有不共戴天之仇，故以伍子胥自比来表明抗清复仇的决心，用事自然，蕴义丰富。两句诗又暗含对比，寓有生不逢时之叹。伍子胥"鼓腹吹箫，乞食吴市"（《史记·范雎传》），依仗阖闾的支持，得报家仇。而现在，"虎迹苍茫"，霸业沉沉，一个强盛的吴国已经消逝，诗人生不逢时，无法再遇霸主阖闾，自然也无法得报家仇国恨，感慨良深。

颈联写的是全国人民坚持抗击清兵，这是就一般而言。尾联则过渡到写诗人抗清卫国的心志，这是就个别而言。既写一般，又突出了个别，做到了点面结合。在结构上，尾联又对首联作了绾合。首联开门见山写吴王阖闾，尾联则以同吴王阖闾业迹有密切关系的伍子胥作比，做到了前后呼应，首尾关合。

陈恭尹此诗一出，倾动一时，声名大起。究其缘由，固有此诗清迥绝俗，深得唐人三昧之因，但同诗中所表现的爱国热情当更有关联。《清史稿·陈恭尹传》评其诗云："其为诗激昂顿挫，足以发其哀怨之思"，其是诗之谓乎？

（迟乃鹏）

岁暮登黄鹤楼

陈恭尹

郊原草树正凋零，历历高楼见杳冥。
鄂渚地形浮浪动，汉阳山色渡江青。
昔人去路空云水，粤客归心向洞庭。
莫怨鹤飞终不返，世间无处托仙翎。

鉴赏

公元1659年，永历帝由滇边逃入缅甸，南明小朝廷宣告覆亡。此时，为抗清而奔走于河南等地的陈恭尹见大局已定，只得怀着无家无国的深痛巨创，颓然南归。他年末途经武昌，在黄鹤楼头登临送目，写下了这首寄慨遥深的诗章。这首诗，不仅显示出关切现实的特色，也表现出颇值得称道的时空安排上的意匠经营。

我国的古典诗歌，历来讲究时空设计，注重诗的时空构图美学，因此，日本有学者曾称赞中国古典诗歌是“时间中的图画”或“图画样的时间”。《岁暮登黄鹤楼》一诗也是如此。

前四句着重写空间而时空交织。首二句画出岁暮时草木凋零的郊原景象，展现出旷远迷茫的境界，这，既是特定的岁暮景物的写照，也是诗人的家国巨痛大悲的流露。如果说前两句是粗线条的意笔挥洒，那么，三、四句一写“鄂渚地形”，一绘“汉阳山色”，那就是特征景物的工笔勾勒了，长江中的沙洲本是静止的，诗人却化静为动，写沙洲在风涛中起伏浮沉，这不仅使静止的事物具有动态的美，烘托了长江赫赫的声威，而且表现了诗人心潮的澎湃；汉阳的山色本也是静止的，可是青苍一片，却居然渡江飞来，这样，就把岿然不动的青山写活了，气韵显得更加生动。

后四句采取的是时间与空间分设对映的方式。第五句化用崔颢《黄鹤楼》的诗意，昔人已去，白云千载，概括了长远的时间，暗喻家国巨变的深慨。第六句写空间，一笔勾画了诗人自己的遗民形象，复兴无望，只好南归，悲愤之情见于言外。最后两句自然无迹地运用关于黄鹤的故典而化出新意：鹤飞不返，写时间的悠久；无处托仙翎，状空间的狭窄。这里，言在此而意在彼，字面上是写人间世上没有黄鹤容身之地，实际上是抒发故国陆沉、江山易手的悲哀，说“莫怨”而其怨愈深。总之，诗的后四句一句写时间，一句写空间，有虚实相参而动静相生的美学效果。这首诗的结句，也特别值得称道，它从空间这一角度着笔，精彩地运用了大小映照的艺术手法。“仙翎”指黄鹤，诗人以世间之大和黄鹤之小作了强烈的对照，偌大的世间却容不了小小的黄鹤，暗示故国已经不堪回首，这样，形象就更加警动，所表现的哀思愁绪就分外凄恻动人。杜甫的《孤雁》诗有“谁怜一片影，相失万重云”之联，《江汉》诗有“江汉思归客，乾坤一腐儒”之对，《咏怀古迹》有“万古云霄一羽毛”之句，都是在空间上作大小映衬的艺术设计，而使人产生新奇的美感。陈恭尹诗的结句艺术其来有自，从这里可以看到艺术的民族传统不可割断，艺术技巧也有它的历史继承性和持续发展性。

清诗，是古典诗歌史的最后阶段，这一阶段的初期，在一些诗人兼爱国志士的琴弦上，常常弹奏出历史的哀怨。“在三家中最以性情胜，往往有悱恻哀丽的语句”（泽田总清：《中国韵文史》）的陈恭尹，在黄鹤楼上历代诗人的大合唱里，吟唱的就是这样一首令人黯然销魂的悲歌。

（李元洛）

归　舟

陈恭尹

水气动群木，虚楼飞叶声。风灯无定照，峡月不终明。
托宿维舟夜，临泷未济情。寸心平自若，应任险中行。

鉴赏

这首五律作于公元1660年春。头年，明永历帝逃入缅甸，明王朝覆亡、清王朝统治已成定局。在这种情况下，诗人自北回归家乡，舟至粤北武江，写下此诗。原作共四首，此为其一。诗中所说之“泷”指六泷，为武江最急湍处。诗以舟行济险作譬，抒发了十几年抗清扶明不畏艰险的战斗豪情。

诗题《归舟》，但此诗的起笔，却不从行舟说起，而是用整整一半的篇幅，首先描绘“维舟”之地武江的夜景：“水气动群木，虚楼飞叶声。风灯无定照，峡月不终明。”“峡”，屈大均《广东新语》云：“西北自乐昌平石下六泷，有泠君，蓝豪二峡。”诗之首联着重写岸景，颔联着重写江景。岸边，由于水气的荡漾，树木也似乎在晃动，寂无人声的楼房被包围在树叶的飒飒声中。江上，渔船的灯火闪烁不定，而江峡上空之月也忽暗忽明。四句诗均为夜景，但诗人笔下的夜景，却不是静谧的，而是呈现出一种动荡不安的状态：水气蒸腾，树木摇晃，叶声飒飒，风灯乱摆，峡月忽明忽暗。这静夜，似乎象征清朝统治下的中国，忠于明朝的抵抗活动已趋于平寂；而其中的动景则象征诗人不甘当前朝遗民的起伏激荡的内心世界。

本来此诗按照固有的顺序应先写“托宿维舟”，然后才写夜晚所见之景。但诗人却把这一顺序作了一个颠倒，用所谓逆挽一法，先绘写所见夜景，然后才托出第五句，指出所见之夜景，为“托宿维舟”之夜所见。这样，就突出了所见的景物，能给读者留下深刻的印象。

诗之第六句迅疾转入对明日舟行的担忧。诗人不是在临济六泷时才考虑六泷的险情，而是在头晚未眠之时即开始忧虑泷上的安危。这样，虽未对六泷之险作正面描状，而其恶流湍急、浪涛骇人、惊心动魄之势自可意会。这句诗从侧面写六泷之险，目的是为七、八两句预先作铺垫。否则,七、八两句将失去依托,显然突然,不知其来。

诗的最后两句吐露胸臆:"寸心平自若,应任险中行。"诗人对待六泷的态度却是毫不畏惧,一任自然,这同第六句写其担忧恰成鲜明对照。还应看到,这两句诗表面上是写不惧险滩急流行舟,实际上借险滩急流行舟以寄深慨。诗人从十七岁开始,一直坚持抗清斗争,他曾为逃避清兵的追杀,隐匿于深山;也曾试图同抗清志士联络,加入他们的队伍;还曾打算西走云贵,直接投奔永历帝。十几年的政治斗争生涯,充满了艰难险阻,有如险流行舟。但诗人毫不后悔,心襟坦荡,"平自若"三个字,正是这种心境的概括。这层意思,须待读者思而得之,所谓空际传神,意余象外等等正指此。最后一句以抒发豪情戛然而止,既深沉有力,又情韵悠长。

综观全诗,从写武江夜景入手,以吐露豪情作结,景具象征意义,情有话外之音,故此诗以含蓄为最大特点。

(迟乃鹏)

邺　　中

陈恭尹

山河百战鼎终分,叹息漳南日暮云。
乱世奸雄空复尔,一家词赋最怜君。
铜台未散吹笙伎,石马先传出水文。
七十二坟秋草遍,更无人吊汉将军。

鉴赏

评价古人,最忌臧否失当,陈恭尹咏史之作《邺中》一诗,站在历史的高度,对历史上的曹操作客观的评价。一方面对其政治评价略有微词,另一方面又高度评价了他在文学上的成就。

"山河百战鼎终分"一句,以慨叹的笔触,从回顾历史来领起全诗。东汉末年,天下大乱,军阀四起,曹操于乱世,转战南北几经厮杀,方同刘备、孙权两个政治军事集团形成争雄的态势。汉献帝建安二十五年(220),曹操卒。同年,曹操之子曹丕代汉称帝,国号魏。次年,刘备称帝四川。又过一年,孙权接受魏文帝曹丕的封号,称吴王,是为三国。

然三国鼎足之势，实乃在曹操生前已经形成。不仅如此，曹魏之代汉，也应看成是曹操奠定的基础。“百战”二字，可见征战持久、酷烈。这句诗没有从曹操开始登上政治舞台时说起，却从他毕生征战所形成的政治军事态势起笔，有如晴空坠石，不知其来，甚为奇绝。

次句是对曹操的伤叹：“叹息漳南日暮云。”诗题所说的邺中，即邺城（今河北临漳县），是曹操的封地及其坟墓所在处。邺城在浊漳水南，诗以“漳南”二字暗中点题，指出吊古的对象为“山河百战”、参与三家分鼎的曹操。“叹息”二字，点明了诗人当时的思想感情。在“叹息”之后，又以“日暮云”的凄清景色加以烘托，使吊古的哀伤之情更增添了无限沉重之感。

颔联是对曹操的具体评价。“乱世奸雄”语出自《三国志》注，《三国志》注引孙盛《异同杂语》：“（曹操）尝问许子将（劭）：‘我何如人？’子将不答。固问之，子将曰：‘子治世之能臣，乱世之奸雄。’太祖（曹操）大笑。”“乱世奸雄”是对曹操政治表现的评语。就曹操一生的政治表现来看，这四个字还是比较公允的。“复”，古时迷信，人死或病后招其魂魄归来曰“复”。“尔”谓曹操。“乱世奸雄空复尔”是说，作为乱世奸雄的曹操，死去已经多年，有如灰飞烟灭，不得复生，即使后人招其魂魄也只能落得个空的结果，于贬抑中又带有人世沧桑之叹，透露了诗人复杂的心态。“一家词赋最怜君”，则是对曹操文学才能的赞扬，谓其文学成就在曹操、曹丕、曹植父子三人中最为突出。曹操是汉末杰出的文学家，他“御军三十年，……登高必赋，及造新诗，被之管弦，皆成乐章”（《三国志·魏志·魏武帝纪》），表现出一种崭新的风貌，开创了建安文学“慷慨悲凉”的风格。颔联在剪裁上颇具匠心。诗人从曹操一生众多的事迹中，只选取政治表现与文学才能两个方面加以评估，这就抓住了重点。这样，就使诗言简而意赅，明了而醒目。出句与对句一抑一扬，正反相形，又极富声情顿挫之妙。

颈联两句言曹魏王朝灭亡之迅速。“铜台”即铜雀台，在邺城内西北隅，曹操建于建安十五年（210）。曹操于建安二十五年去世前，曾在《遗令》中说：“吾死之后……吾婢妾与伎人皆勤苦，使著铜雀台，善待之。于台堂上安六尺床，施繐帐，朝晡上脯糒之属，月旦十五日，自朝至午，辄向帐中作伎乐。”诗云之“吹笙伎”，即曹操《遗令》所谓“使著铜雀台”的“婢妾与伎人”。“石马先传出水文”一句，典出自《魏氏春秋》。据《魏氏春秋》记载，魏明帝青龙三年（235），“张掖郡删丹县金山元川溢涌”，浮出石马石龟等物，有字曰“大讨曹，金但取之”，被视之为“司马氏革运（取代曹魏）之征”。自建安二十五年至青龙三年，时间仅过了十五年。这两句是说，当铜雀台曹操的妾伎还未散尽时，已出现了司马氏取代曹魏的征兆。“未散”同“先传”的紧密配合，透露出诗人对历史变迁异常迅疾的感慨。同时，此联所写曹操后人失社稷之速，又可用来突出首句曹操昔日百战分鼎的艰难。

尾联直接抒情，并回应“叹息漳南”，写曹操设在漳河上的七十二疑冢对诗人的感受。据陶宗仪《辍耕录》，曹操临死，曾在漳河上置七十二疑冢，以保护其真坟。“汉将军”指曹操，曹操《让县自明本志令》说自己在汉末，“征为都尉，迁典军校尉，意遂更欲为国家讨贼立功，欲望封侯作征西将军，然后题墓道言‘汉故征西将军曹侯之墓’，此其志也”。曹操也曾于建安元年(196)九月，被汉献帝封为“大将军”。一代枭雄而今已不复存在，只有覆盖着七十二座坟墓的漫漫枯草，在瑟瑟秋风中颤抖，无人再提起历史上这位叱咤风云的人物。诗人沉重喟叹，令人感慨万千。

此诗做法精细，熔铸自然，意象沉郁，议论精警又不乏含蓄，“体尚苍凉，情多感慨”(杨际昌《清诗话》)，很得杜甫晚期七律之神。张维屏以为这首七律“到此地步，所谓代无数人，人无数篇者也”(《听松庐诗话》)。

(迟乃鹏)

隋　宫

陈恭尹

谷洛通淮日夜流，渚荷宫树不胜秋。
十年士女河边骨，一笑君王镜里头。
月下虹霓生水殿，天中弦管在迷楼。
繁华往事邗沟外，风起杨花无那愁。

鉴赏

诗人通过咏隋宫来揭示荒淫之君必然亡国这一朴素真理。

隋炀帝为了满足穷奢极欲的生活享受，曾三下江都(今江苏扬州市)。为下江都，他做了多方面的准备，但最重要的是挖大运河和在江都筑宫苑。为挖大运河，他于大业元年(605)，征发河南郡一百多万男女开通济渠，从东京洛阳之西苑，引谷水和洛水与黄河相通，又自板渚引黄河水通于淮河。同年,还征发淮南十多万男女开邗沟,从山阴(今江苏淮安)到扬子(今江苏扬州南)入江。所谓"谷洛通淮"即指此。炀帝又于江都大造江都宫、显福宫、临江宫等宫苑,宫内广蓄奇花异木、珍禽怪兽,诗题所云之"隋宫"及首联对句所云"渚荷宫树",即指这些宫苑。挖运河、筑隋宫是炀帝荒淫亡国最突出的事例,二者又互相关联,故诗之首联就从时间角度来叙写大运河和隋宫的现状。上句写运河是"日夜流",可见其面貌依旧;下句写隋宫是"不胜秋",可见其荒废残败,同昔时不可同日而语。二者的互相映衬,造成强烈的反差,而嗟叹之意自可由不言而见。

颔联承接首联,斥责炀帝游江都的罪行,指出其亡国实属必然。运河挖成,宫苑修好之后,炀帝曾三下江都,第一次为大业元年八月,第二次为大业六年三月,第三次为大业十二年七月,前后间隔为十二年。诗云"十年",盖取其成数。三下江都,给黎民百姓带来了深重的灾难。为挖运河,造龙舟,充当挽船水工,疲敝颠仆之男女,不可胜数。出句所谓"十年士女河边骨"正指此。对句则以用典来说理,指出行暴政者绝无好下场。炀帝在位一十三年,弄得人民尸骨成山,天下怨声载道。最后他自知无法逃脱历史的惩罚,一天照着镜子对萧皇后说道:"好头颅,谁当斫之?""一笑君王镜里头"典即出自此。这两句诗,我们可以把出句看作是因,而把对句看作是果。多行不义必自毙,诗句以具体形象说明了这样一个道理。此联同《虎丘题壁》之"半楼月影千家笛,万里天涯一夜砧""南国干戈征士泪,西风刀剪美人心"等联,被不少人视为名句,极受推崇。如朱庭珍即以为"皆生警雄伟,声出金石,即少陵亦当激赏,洵可传可法也"(《筱园诗话》卷三)。

颈联通过写炀帝的奢华以见其荒淫,涉及到两个故实。一是制造楼船。炀帝为幸江都,曾派人往江南采木,将大木由民工运到东都,在东都造楼船数万。炀帝自己乘坐高四层的龙舟,上层设正殿、内殿、东西朝堂。萧皇后乘坐制度较小的翔螭舟,还有高三层称为浮景的水殿九艘。一时之间,各种楼船数万艘向江都进发,大运河内,舳舻相接,二百余里。一是造迷楼。据佚名《迷楼记》载,晚年沉湎于女色的炀帝,曾由浙人项升为其在扬州造迷楼。迷楼之内,"千门万户……工巧之极,自古未有也……人误入者,虽终日不能出"。两个故实,似谀实讽,诗人明明是在讽刺炀帝,却看似褒扬。表面上是赞美炀帝所造水殿华丽,迷楼中所奏的乐曲悠扬动听,有如仙音,实则是正话反说,暗含贬斥,意旨曲折深婉。

尾联回应首句,总收全诗。出句写邗沟外的繁华已属往事,暗示了炀帝已经亡国。对句之“杨花”又用故实。炀帝生性喜柳，命人于大运河旁之御道广植垂柳。白居易《隋堤柳》诗曾写道：“大业年中炀天子，种柳成行夹流水；西至黄河东至淮，绿影一千三百里。大业末年春暮月，柳色如烟絮如雪；南幸江都恣佚游，应将此树映龙舟。”昔日炀帝下令植下的杨柳，今日竟成了他荒淫亡国的历史见证者，真是绝妙的讽刺！“风起杨花”同“无那（即无奈）愁”的结合，又具有象征意义。暮春之时，东风骤起，千里大运河旁之御道上，柳絮被吹得飘飘洒洒，直扑人面，这“风起”之“杨花”，不正是诗人无穷无尽、纷杂零乱愁绪的象征吗？两句诗把隋宫昔日的繁华，今日的萧索，亡国之悲哀，以及诗人无可奈何的怀古之情，都不露痕迹地糅合于一体，而以一个“愁”字总绾全篇，意境同李益《汴河曲》“行人莫上长堤望，风起杨花愁杀人”，有异曲同工之妙。这样，结尾就在情景交写之中，宕出远神，以含蓄的意蕴，揭示了炀帝荒淫亡国的深刻主题。

这首诗虽为怀古之作，但不仅仅是抒发物是人非、繁华消歇的盛衰之慨，而是于怀古之中寄寓了对现实的讽喻。此诗明咏炀帝，亦讽南明弘光帝朱由崧。朱由崧在半壁河山已被清兵占领的情况下，不思进取，仍醉生梦死，寻求歌舞刺激，最后落得国亡被俘，重蹈炀帝覆辙的命运。明咏与暗讽的两重意蕴，使此诗具有独特的意境和情调，能使读者不只是限于对史迹的慨叹，而是关注严峻的现实，促人深省。

（迟乃鹏）

读秦纪

陈恭尹

谤声易弭怨难除，秦法虽严亦甚疏。
夜半桥边呼孺子，人间犹有未烧书。

鉴赏

历史上的秦王朝，其兴也徐，其亡也速，曾引起无数文人的嗟叹。秦亡的最重要原因就是实施暴政。有正义感的诗人，在统治者逆历史潮流而动之际，往往以秦亡为题材，含蓄地借古讽今，以鞭挞、嘲讽当权者的暴虐行径。陈恭尹的《读秦纪》正是这样一首借古讽今之作。

秦始皇吞并六国之后，制定了不少严刑苛法，特别是其焚书坑儒一举，更为人们所痛斥。秦始皇丁三十四年（前213），接受李斯的建议，下令："史官非《秦纪》皆烧之；非博士官所职，天下敢有藏《诗》《书》、百家语者，悉诣守、尉杂烧之；有敢偶语《诗》《书》者弃市；以古非今者族；吏见知不举者同罪；令下三十日不烧，黥为城旦；所不去者，医药卜筮种树之书；若欲有学法令，以吏为师。"此即所谓"焚书"。次年，又把四百六十多名儒生方士坑死，此即所谓"坑儒"。严刑苛法固然能容易地消弭人们口中的怨谤，但却无法消除人们心中对秦政权的憎恨。诗的首句即单刀直入，以不可移易的口吻，得出秦施暴政的结果，是"谤声易弭怨难除"的结论。至于秦始皇暴政的具体内容，暴政实施情况，人们是如何怨谤的等等，则留待知道历史的读者自己去补充。这样，既做到了笔墨精练，又给人印象良深。这句诗所写一"易"一"难"两件事的两相对照，鲜明地表现了以暴政来禁止怨谤，并不能从根本上达到消除怨谤这样一个真理，从侧面谴责了实施暴政的乖谬。

秦始皇实行残酷统治，焚书坑儒的结果，不仅未能实现嬴氏子孙千代万世君临天下的目的，反而激发了人们对秦王朝的强烈仇恨而迅速灭亡。次句以调侃之笔，指出秦法虽严，却不可能完全制止人民的反抗，在许多时候许多地点，亦大有疏漏之处。这句诗极见诗人史家眼光，在一般人的心目中，秦法特严，似无疏漏。但独具只眼的作者，却一反众人之口，认为"秦法虽严"，但"亦甚疏"，从而对历史上的定案，翻出发人深省的新的见解，令人耳目一新，此即所谓"翻案见奇"。同时，这句诗通过揭示"严"与"疏"的矛盾，从根本上否定了苛法必能使人屈服，必能制止反抗的荒谬之见。

三、四句以留侯张良遇老父夜授《太公兵法》为例，以事实说明"秦法虽严亦甚疏"这一道理之千真万确，过渡自然，脉络清晰。据《史记·留侯世家》载，张良在未从刘邦之前，曾于下邳桥上遇一老父。老父恰于张良所立之处，把鞋子掉在桥下。张良到桥下取回鞋子，并恭恭敬敬地为老父穿上。老父以为"孺子可教矣"，因约张良五日后平明仍于桥上相会。张良一、二次赴约，均迟于老父，受到怒斥，直到第三次夜半前往，才先于老父至。老父因以《太公兵法》授良，后张良以《太公兵法》佐刘邦，终于使刘邦先是破秦，继而打败项羽而得天下。"夜半桥边呼孺子，人间犹有未烧书"两句即指此。这个例子说明，尽管秦法规定民间不得私藏兵书，否则将受到"弃市"的重惩，但下邳老父却将《太公兵法》交给了张良，这不是证明了"秦法虽严亦甚疏"又是什么？这两句诗以具体形象的事例，把秦法"亦甚疏”这个抽象的结论写得景象毕现，具有无可辩驳的逻辑力量和说服力。另外，这两句诗在刻画人物形象方面也十分成功。诗中把“夜半”的静景，同老父怒斥张良“呼”的动景两相映衬，写景极其鲜明，一个“呼”字，把老父怒张良后其赴约的神态写得活灵活现，宛若图画，简直是呼之欲出。

这首诗从题材上看属于咏史一类。作者在立意上，是要揭示秦亡之因在于暴政，但诗忌直贵曲，诗人对此并不直接托出，而是通过议论和形象的刻画，唤起读者的联想，让读者通过深思，自己去体味去发掘个中的意蕴。

但如果读者对此诗的理解仅仅停留于此，那又辜负了诗人的苦心。陈恭尹写作此诗时，清兵已基本上占领了全中国。清廷对汉族人民实行血腥镇压，“扬州十日”“嘉定三屠”便是最典型的惨案，清廷还下令汉人剃发，这无疑是对蓄发的汉人的莫大侮辱。清廷这种种令人发指之举，在诗人看来，同秦暴政毫无二致。故诗人表面上是咏史，是在揭示秦亡之因，骨子里却是要唤起人们对毫无人性镇压人民的清廷的反抗。诗人这层深意无法明说，只好付之曲笔，以咏史为幌子，让读者去心领，去神会。此即所谓弦外音，味外味，比起直接点明旨意，具有更佳的艺术效果。

（迟乃鹏）

村居即事（录二）

陈恭尹

丝丝寒雨湿飞尘，草绿平田不是春。
伏犊山中虽有虎，农夫争避带刀人。

鉴赏

陈恭尹《村居即事》诗原共五首，此为其一。诗人站在同情人民的立场上，对战争强加给人民的灾难作了无情的抨击。联系作者曾有过抗清扶明的经历，其批判的矛头无疑是指向清兵的。

首句展现在读者眼前的是一幅早春的天气图。此时，万物复苏，如丝的细雨连绵不绝，略带寒意，飘扬的灰尘，已被湿润的空气洗涤得一尘不染。“丝丝寒雨”四字，抓住了早春时雨水的特征，它同“雨横风狂三月暮”的晚春之雨大异其趣，而同杜甫“随风潜入夜，润物细无声”的描写类似。

次句的“草绿平田”四字，补足对春景的描状。但诗人笔下的春景，却令人犯疑，为何平展展的田地里，生长的不是禾苗而是青草？种田人为何弃田不耕？种田人又到哪里去了？一疑未决，一疑又生，紧接着“草绿平田”四个字的是“不是春”三个字。按照常理，“丝丝寒雨湿飞尘”和“草绿平田”所描摹的景色应是春景才是。然而，作品却一反常理，在“草绿平田”后，紧接“不是春”三字，这就同前抵牾，有悖于常理，同一般人的通常认识迥然不同。两个疑问，都激起了读者浓郁的兴趣，迫切地盼望着下面诗句的解释，从而造成读者想知而未知的悬念。

三、四句紧扣一、二句，是对为何“草绿平田”，而又“不是春”的解释：“伏犊山中虽有虎，农夫争避带刀人。”“伏犊山”，山名。在今广东省增城县。原来是天下大乱，兵祸四起，人们为了躲避带刀的兵丁，不得不争先恐后地逃到深山更深处的伏犊山中，过着苟延残喘的日子。在这兵荒马乱的世道，人们心冷似铁，有如严冬一般凄寒，哪里又能感受到春天降临的气息呢？无怪乎诗人要说“不是春”了。这种对自然界有悖于常理的认识，是诗人在特殊情况下特殊心理的反映，看似矛盾，却又真实地透露出当时人民巨大的肉体的和精神的痛苦，表现了诗人对战争对动乱强烈的反感之情。这样抒写，意余象外，特别富有情致，耐人寻味。三、四两句在构思上也奇妙有趣。前面已经指出，诗人所抨击的“带刀人”是指清兵，作者写伏犊山中明明有虎，但农民为了逃避带刀之人，却偏偏冒险向虎山行，这实际上道出了“清兵猛于虎”五个字。这样的构思对表现诗的主题思想，无疑十分深刻有力。

才生文字即风波，鬼哭虽然吏亦歌。
三尺龙泉方寸印，不知谁较杀人多？

鉴赏

作品有感于官吏以笔杀人，愤然写下此诗予以尖锐的揭露。诗的一、二句写鬼和吏对仓颉造字的两种完全相反的态度。《淮南子·本经训》记云：“昔者仓颉作书，而天雨粟，鬼夜哭。”看来文字的出现对鬼来说是一场灾难。诗人用“虽然”二字一作转折，引出了官吏们截然不同的态度，官吏们为文字的出现兴奋得高歌。吏歌与鬼哭对比鲜明，此即由于文字的出现而引起的“风波”。紧接三、四句便写道：“三尺龙泉方寸印，不知谁较杀人多？”在一般人的心目中，都认为战争酷烈，杀敌三千，自损八百，一场战争下来，死伤无数。而官府断案杀人则是个别的、少量的。诗人却对“三尺龙泉（剑）”与“方寸（官）印”，二者到底是谁杀人多提出了疑问，这就说明他实际上是认为以印杀人比以剑杀人要多得多。两句诗是对封建社会衙门、官吏草菅人命吏治腐败的强烈控诉。“方寸印”之所以比“三尺龙泉”杀人更多，完全是由于封建专制制度政治腐败的结果。诚如作者一首咏笔诗所云：“手剑不到处，霜锋时赖君。”以剑无法杀人，则以笔代之。所以，“吏亦歌”的真正原因是，文字的产生，给官吏们多了一种以文字杀人的手段。他们舞文弄墨，虚拟一些莫须有的罪名，滥杀无辜，以达到不可告人的目的。这层意思，有待读者仔细玩味寻绎方能得之。

陈恭尹写此诗，当有个人的亲身感受。康熙十二年（1673），清政府下令撤销三藩（清封明朝降将耿仲明为靖南王，尚可喜为平南王，吴三桂为平西王，称三藩），吴三桂、耿精忠（仲明孙）、尚之信（可喜子）先后起兵反清，不久即被平定，史称三藩之乱。据徐世昌《晚晴簃诗汇诗话》记载，三藩之乱后，陈恭尹曾“以重名为时所忌，下狱二百日”。而此时的作者早已“无复远游之志”（《中游集序》），不再有抗清活动，过着平民的生活。二百日之灾，实在是一场冤狱。这使诗人对封建社会衙门滥施王法、曲解律例的黑暗，有了更清醒的认识，故发而为诗，予以猛烈的抨击。

这首诗运用对比手法，造成悬念，并引导读者联想，使读者自己用生活中活鲜鲜的实例加以补充，包含了极为丰富的社会内容。全篇质朴无华，但笔锋尖锐泼辣，思想深刻，是掷向封建专制制度的投枪和匕首。

（迟乃鹏）

木棉花歌

陈恭尹

粤江二月三月来，千树万树朱花开。
有如尧时十日出沧海，更似魏宫万炬环高台。

覆之如铃仰如爵，赤瓣熊熊星有角。
浓须大面好英雄，壮气高冠何落落。
后出棠榴枉有名，同时桃杏惭轻薄。
祝融炎帝司南土，此花毋乃群芳主？
巢鸟须生丹凤雏，落花拟化珊瑚树。
岁岁年年五岭间，北人无路望朱颜。
愿为飞絮衣天下，不道边风朔雪寒。

鉴赏

《木棉花歌》是首咏物诗。"木棉花"，又称攀枝花、英雄花，生于我国两广、海南及四川、云南等部分地区。在历史上，两广文人较少，而进出两广的文人，也极少有人注意到木棉树这一木本花树，故在咏花诗中罕见咏木棉花诗。这首诗则是对木棉花的一首热烈的赞歌。是咏花诗的不可多得的佳作。

诗的一、二句以热烈的赞美的语调，叙写生长于粤江（珠江）之木棉花开放的时间及花树之多。时间为"二月三月"，花树之多为"千树万树"。"千树万树朱花开"，套用岑参《白雪歌送武判官归京》中的"千树万树梨花开"，这里改"梨"为"朱"，恰如其分地表现了木棉花开红似火的景象。诗一开始，笔势即不同凡响，显示出一种阔大雄奇的气势，你看每年二、三月时，蜿蜒的粤江两岸，千万棵木棉树上那火一样的花朵一齐怒放，这是何等壮美的景色！

"有如尧时十日出沧海，更似魏宫万炬环高台。"驱使典故以状木棉花盛开时的景象。据《楚辞·天问》《山海经》《淮南子》等书，传说尧时天有十日并出，焦禾稼，杀草木，民不聊生，尧命后羿射落其九。"尧时十日"的典故即出于这些书。"日出沧海"为太阳初升之时，一日出海犹朝霞斑斓，十日同时出海那该是何等灿烂辉煌，令人眼乱魂迷！又据王嘉《拾遗记》，魏文帝曹丕为迎接美人薛灵芸，从离京师数十里外开始，沿途即高列烛火。又筑基高三十丈的高台，列烛台下，名为烛台。"魏宫万炬环高台"的典故即出自此。当漆黑的夜晚，熊熊燃烧的万千火炬绵延数十里，这种场面又该是何等的壮观！诗人以"尧时十日出沧海"和"魏宫万炬环高台"设喻，来形容盛开的木棉花，突出了两点：一是花之红，一是花之多。两个比喻，略带夸张，但形象生动，造境奇特，极富浪漫色彩。

如果说三、四句是对千树万树

盛开的木棉花作宏观的远景描状，那么，接下四句则是对木棉花的花朵作微观的近景的细摹。四句也都连用比喻。木棉花的花朵下垂时像个铃铛，仰着时则像个酒爵，火红的花瓣有如星光四射，一树花看上去，直像一位头著高冠、浓须大面的英雄好汉。四个比喻，贴切生动，特别是"浓须"两句，用磊落超群，气宇不凡的"浓须大面"的英雄，来比喻木棉花树，戛戛未经人道，今日又称木棉花为英雄花，或当取自于此。以上八句是以浓墨重彩，描绘木棉花开时的瑰丽景象。

"后出棠榴枉有名，同时桃杏惭轻薄。"用受到人们称赞的海棠、石榴、桃、杏诸花，同木棉花作比较，来突出木棉花。后出的海棠、石榴，红艳无比，其美异常，受到人们的赞赏，如陆游《海棠歌》就有这样的诗句："碧鸡海棠天下绝，枝枝似染猩猩血。蜀姬艳妆肯让人？花前顿觉无颜色。"但棠榴同木棉花一比较，则"枉有名"，以贬抑棠榴来突出木棉花。同时开放的桃花、杏花，娇丽夺目，但桃杏若见了木棉花，也会自惑轻佻浅薄，又以贬抑桃杏来突出木棉花。一句之中，陡起陡落，其目的则是用映衬手法，夸张地突出木棉花之美。

通过以上十句诗对木棉花的描状和同他花的比较，诗人认为木棉花之美已经远远超过海棠、石榴、桃、杏诸花，能够领袖群芳，故很自然地生出"祝融炎帝司南土，此花毋乃群芳主"两句诗。"祝融"，传说中的火神。"炎帝"，又称神农氏，传说以火德王。祝融、炎帝均为南方之神。《汉书·魏相传》即云："南方之神炎帝。"《吕氏春秋·四月》亦云："其帝炎帝，其神祝融。"根据"五行"说，南方属火，故诗云"祝融炎帝司南土"。"毋乃"，莫不是。"此花毋乃群芳主"一句，看似存有疑问，实为肯定，诗人认定木棉花为百花之魁首，万卉之主人。木棉花之所以会成为"群芳主"，又是由于祝融、炎帝为主管南方之火神，使南方的木棉花具有火焰般的颜色。这种颜色又是其他花卉所不具有的，故木棉花自当成为群芳的领袖。这两句诗，把对木棉花的赞美推向了高潮。

"巢鸟须生丹凤雏，落花拟化珊瑚树"，转写对木棉花的怜惜。诗人认为，只有丹凤鸟才有资格在木棉树上营巢生雏，木棉花落下亦不应"零落成泥碾作尘"，而应化为红珊瑚树才是。诗人用现实生活中根本无法成为现实的事，却希望它变为现实，以此来透露自己对木棉花备加爱怜之情。

"岁岁年年五岭间，北人无路望朱颜。愿为飞絮衣天下，不道边风朔雪寒。"这四句诗由感物而兴怀，赞美了木棉花的献身精神。"间"，间隔。"朱颜"，谓木棉花。诗言木棉花生于岭南，由于五岭的间隔，北方人无法看到。接着一个转折，以木棉花的口吻写其志向：愿意化作飘飞的花絮，为人们缝制棉衣，使普天下之人都能免除严冬风雪之寒。读罢最后两句诗，不由得使人想起了杜甫《茅屋为秋风所破歌》的结尾："安得广厦千万间，大庇天下寒士俱欢颜，风雨不动安如山！呜呼！何时眼前突兀见此屋，吾庐独破受冻死亦足！"在表现勇于牺牲自己，以换取天下人安居乐业的博大胸怀和崇高理想方面，两首诗何其相似乃耳！如果说前十二句是描绘木棉花的外在美，那么，最后两句则以拟人手法，在思想深度上作了有力的开掘。

咏花之作，容易失之纤巧。此诗却以雄奇之笔，写雄阔之景。作品运用比喻、反衬等手法，驱使典事、神话故事，时而作宏观的观察，时而作微观的研究，时而描状，时而抒情，于真实中见浪漫，于咏物中见精神，生新的形象，瑰丽的景象，阔大的意境，皆"力开生面"(陆蓥《问花楼诗话》)。结尾表现木棉花的献身胸襟，更是为前人所未有。如果我们说此诗为咏花诗中的一枝奇葩，当不为过。 （迟乃鹏）

同李非夏湖山眺望

恽　格*

春愁正满落花天，不见王孙又几年。
添得湖山今日泪，玉箫吹断鹧鸪烟。

作者

＊恽格(1633－1690)，字寿平，更字正叔，号南田，江苏武进(今属常州市)人。明遗民，终生未仕。善书画，亦工诗。后人辑有《兰田诗钞》。

鉴赏

这是作者旅居杭州期间，同友人李非夏一起观赏湖山景色时所作的一组四首七言绝句的第一首。“王孙”原指贵族子弟，诗里称别离的朋友，他就是被诗人深情怀念的著名画家王翬(huī)。诗人这次观赏西湖山水，时间在四月，湖山间游丝软系，花谢花飞，飘拂满天。诗人在这里所见到的自然界落花天里那种纷纷扬扬的花絮所形成的景观，恰如自己无法排遣的满怀离情，推却不开，化解不了。接句“不见王孙又几年”，点明愁因。《诗经》云：“一日不见，如三秋兮。”挚友暌违，使人渴念，现在“不见”竟至“几年”，愁思之深，自可想见。恽格是一位具有高尚节操的艺术家，少年时曾为清兵所掳，历遭磨难，入清后决意科举，不谒权贵，他有咏梅诗自况说：“可怜雪霰相催急，才到春风已白头。”可见他在人生道路上所受的劫难和折磨是很多的。这些在知交如王翬这样的人面前，或可倾诉一二，但竟不能如愿。这人生道路上的风刀霜剑，这生活中的千难万险和十常八九的不如意事，还有那胜似情亲的知交的参商暌隔，所有这一切，在诗人思绪中汇成的，就是铺天盖地一个“愁”字。暮春时节见到落花飘絮，由于主观感觉愁苦，于是连视觉也莫非如此了。这一联诗情景交融,道来平淡,但由于通感自然,故寄情深挚。

后二句“添得湖山今日泪,玉箫吹断鹧鸪烟”,也是用情景交融的写法,诗人以所遇湖山阵雨及所闻哀怨箫声,与自己所深感的哀愁相会通:雨潸潸如泪下,声袅袅如怨诉。在悲愁者的迷惘泪眼看来,雨声淋沥,水色迷蒙,恰如造物有情,湖山也在含悲洒泪。后句写的,应是雨后乍晴时的景象:暮春时节,雨霁日出,鹧鸪声中,周遭燠热,氤氲生烟。何处游船中箫声顿起,传来声声凄怨。“鹧鸪烟”应是语带双关,鹧鸪在燠热中啼鸣,这样的物候,不正是“鹧鸪烟”吗?诗人由于“鹧鸪”这个辞后著一“烟”字,语意新警,绘景如生,确带有创造性;然亦似指玉箫所奏的曲调为《鹧鸪天》,此调又名《思佳客》,这箫声正传递着诗人的怀友思情。“吹断”极言箫声的悲伤呜咽。诗人在观察和表现景物时,是带着强烈主观感情色彩的,陆机《文赋》说:“思涉乐其必笑,方言哀而已叹”,正是指这种情况。在诗里,诗人的感情已物化为箫声,闻之“莫不怆然累欷”(《洞箫赋》)的箫声,正可作悲怆情怀的载体。恽格怀友,思极深,念极切,久不如愿,自生悲怆而愁思满怀,瞻万物而思纷,所见莫非悲愁,于是落英与春愁齐飞,箫声与怨情交融,乍降之雨则化为深情之泪,而雨霁晴暖时的鹧鸪啼鸣,也会给人增添无尽惆怅。

恽格这首诗像其他许多抒情诗一样,情景交融是其特点,但又另有独到处,诗里的景是用以直接拟人拟情的,溶溶的花絮是无边的愁怀,春上骤雨是情切的泪水,哀哀箫声是思绪怅然。情与景用通感铸合,于是情思才显露得深长委婉。

(邵胜定)

寄虞山王石谷

恽　格

东望停云结暮愁,千林黄叶剑门秋。
最怜霜月怀人夜,鸿雁声中独倚楼。

鉴赏

“王石谷”即清初著名山水画家王翚。他又号石谷子,常熟(今江苏城市名)人,与作者是艺事上彼此钦仰互相切磋的知音,又是感情相投患难相依结交数十年的挚友。此诗一组五首,《清诗别裁集》选此首,题《寄虞山王石谷》,但作者《瓯香馆集》卷八,原题作"甲子(1684)秋,将游虎林,作此简与石谷先生。相别一载矣,去虞山百余里,音问悬隔,嗟我怀人,有如饥渴,秋窗梦寐,惝恍晤言,觅句奉寄"。可知是以诗代柬,直接寄给王翚的。

作者家在武进,想念住在常熟的朋友,故称"东望"。陶潜有《停云》诗,自序说"停云,思亲友也",这里说"东望停云",就犹如直说:向东眺望我的朋友。但这又可以是写景,诗人在秋晚东望暮霭,惹起怀友之情,此情无已,似在不断扩展聚结,凝集成充塞广袤天际化解不开的无边愁云。下句"千林黄叶剑门秋"是东望的继续。由于诗人怀友之情如饥似渴,极其强烈,所以情不自禁地要冲破百余里的关山悬隔,欲于惝恍中与朋友直接晤言,情思在奔驰伸延,那愁绪之翼似乎已经飞临常熟,触及虞山(诗中"剑门"是常熟虞山的别称),但望的只有"千林黄叶",也就是惹人愁绪的满目秋色。这两句所写,有比喻,有想象,也有实景,是用富于动感的形象表现诗人强烈而深沉的怀友深情。

后二句的抒情与前二句的写景在时空上是连续的。诗人为怀友而望断天涯,神思越百里关山阻隔而俯瞰剑门千林,但结果所睹的只是惹人愁怀的满目秋肃。夜幕落下之后,诗人的怀人之情就不得不由动态的望而转变为静态的怀了:"最怜霜月怀人夜,鸿雁声中独倚楼。"可望而不可即,已感无限惆怅,而回眸当前,唯见冷月当空,秋夜凄清,心境就越发悲凉。"最怜"的怜,是伤心的意思。"多情自古伤离别,更那堪冷落清秋节。"(柳永《雨霖铃》)这霜月怀人之夜,确实是最使人感到哀伤难堪的。最后"鸿雁声中独倚楼",在清霜冷月中传来南飞雁阵的鸣声,使人想到,雁儿能飞向东南,飞临虞山,而自己却仍旧只能在清冷中独自凭栏,在惝恍梦寐中饥渴怀人。

(邵胜定)

晓　起

恽　格

连夜深山雨,春光应未多。晓看洲上草,绿到洞庭波。

鉴赏

此诗描写春雨后太湖的景色。太湖有东西洞庭山，故湖亦称洞庭。春光返回大地，往往伴随春雨而来。这季节的雨，有滋润万物、染绿山川的神奇作用。全诗抓住雨前雨后景色的变化来写，最有意趣。

诗人的"连夜雨"并非淫雨霏霏，日夜不休，而是几夜都下了雨。正如杜甫所说："好雨知时节，当春乃发生。随风潜入夜，润物细无声。"(《春夜喜雨》)"深山"实指洞庭两山。雨润山川，必然促使草木的欣欣向荣。但有一个过程。最初几乎看不出明显的变化，这就是"春光应未多"的原因。第二句表现出一种期盼的心情。这期盼的时间并不要多久，就在这几天之间。一朝天晴，诗人出门，忽然发觉湖上景色一新："晓看洲上草，绿到洞庭波！"

末二句不仅仅写出了景物突变给人的新异感，还含意深长：春雨后，湖畔草长，洲岛转绿；湖面升高，水色转绿。"晓看洲上草，绿到洞庭波"在写出这两种绿色的同时，还通过细致观察和丰富的想象，在二者间搭成联系，似乎洞庭湖水是由洲上芳草染绿的。着想之妙，在于它是事实，又不全是事实；湖畔芳草倒映水中，诚然会使湖水更绿；但偌大太湖，草色又能映染几许！说"晓看湖上草，绿到洞庭波"，还写出了视线的运动，和春色一片绿的总体感觉，至于哪是草的绿，哪是水的绿，他已陶然不辨了。这一个动词化的"绿"字，与王安石"春风又绿江南岸"的"绿"字同妙。正是这些原因，使此诗成为佳作。

（周啸天）

望　　岳

李因笃*

太华三峰列峻屏，晴霄飞翠下空溟。
晓云东抱关河紫，秋色西来天地青。
玉女盆中寒落黛，仙人掌上接明星。
乱余林壑饶遗客，缥缈幽栖赋采苓。

作者

*李因笃(1633－1698?)，字天生，号子德，陕西富平人。与顾炎武友善。又与李硕、李伯并称“关中三李”。康熙十八年，举博学鸿词科，官翰林院检讨，旋告归。其诗激越凄凉。有《受祺堂集》。

鉴赏

西岳华山以它险峻雄伟的英姿，屹立于中国的西北，引来了无数的歌咏。这首《望岳》，不仅生动形象地写出了华山的高大雄伟，而且熔神话传说和明清乱后的社会现实于一炉，在歌咏华山的佳作中，增添了富有新意的篇章，给人以新的启示。

这首七律在开始一联描写华山的高峻时，就有不落俗套的新颖手法。“太华三峰列峻屏，晴霄飞翠下空溟。”“太华”即华山。华山有三座高峰，一是东面的莲花峰，二是西面的仙人掌，三是南面的落雁峰。这三座山峰相连而又特立，巍然直指青天，成为华山的奇观。第一句用比喻手法，把三座山峰喻为并列高大的屏风，不仅十分形象，说明三峰拔地而起，像屏风上的画图一样，千姿百态，引人观赏，流连忘返，而且也暗中指出它是关中的屏障，具有十分重要的地理位置。这一句突出了一个“峻”字，下一句于是继续写“峻”，加以深化。一般写山峰的峭拔，都是从下而上着笔，以显示仰之弥高、望之弥远的山势。但这一句却是从上而下写来，说放眼望去，但见葱茏蓊郁的三峰从晴朗的空中飞泻而下，有如垂天直下的绿色瀑布，似乎这三峰不是从地下耸立而上的，倒像是从天上垂挂下来的，直接地面。这样写，就把三峰的高入云天，不可测度，表现得十分形象，它的高峻的特点也就非同一般了。诗人把写实性的描写与大胆的想象，恰到好处地结合起来，一开始就给人以精警新颖的印象。而且，第一句的“列”字，第二句的“飞”“下”二字，既准确有力，而又飞动有气势，使诗句劲挺矫健，就像整个西岳华山给人的印象那样，是这般雄伟挺拔，叹为观止。

第一联是从竖的方向来观察华山，得到的印象是高峻，到颔联，作者即从横的方向来审度，感觉是广大。“晓云东抱关河紫，秋色西来天地青。”早晨，华山灿烂的朝霞向东涌动，笼罩着函谷关、黄河一带，把关河映照成一片紫色；明净的秋日，华山苍翠的秀色向西而来，仿佛天地间都染上了一片青葱的颜色。这两句，气势极为雄阔，而色彩又非常绚烂，整个华山被烘染得极为壮观。前一句化用了杜甫《秋兴》第五首中“东来紫气满函关”诗意，暗用老子的故事。据《关尹内传》：“关（即函谷关）令尹喜常登楼，望见东极有紫气西迈，曰：应有圣人经过。果见老君乘青牛东来。”因为华山东面的函谷关与老子有关系，这里便顺手提来，使诗意更为丰富。后一句化用了王维《送邢桂州》中“潮来天地青”诗意，含蓄地把向西扩散的华山秋色，比为铺天盖地的滚滚碧涛，极为形象。这样，化用诗意，暗用典故，更增加了诗句的充实的内涵，启发读者作更多的联想和更深的思考。两句以华山为中心，东西顾盼，目接千里，极尽广远辽阔之势。

前两联从纵向、横向交叉描写了华山，气势已足，如果再接着描写，就有些难乎为继。于是作者到第三联，就转换笔锋，驰骋想象，写与华山有关的神话传说，把读者带到另外一个更加美妙的境界。“玉女盆中寒落黛，仙人掌上接明星。”两句合用了《集仙录》中的神话故事：“明星玉女，居华山，服玉浆，白日升天。建玉女祠，祠前有石臼，号玉女洗头盆，其水碧绿澄澈，雨不加溢，旱不减耗。祠有玉女马一匹。”诗人想象，在月明星稀的夜晚，那华山的仙人掌直插九霄，与空中闪烁的明星相接，此时，神女“明星玉女”正站立峰顶，似乎刚在“玉女盆”中洗过头，那眉黛之色还映照在清澈澄澈的盆水中。这一想象，给巍峨雄伟的华山抹上了神奇的色彩，显得迷离恍惚，令人心神荡漾。两句合用一个故事，诗意浑然；“明星”语意双关，把自然景色和神话传说巧妙地紧密结合，收到了一箭双雕的效果。到最后一联,诗人仍然驰骋想象,但却是从神话回到了现实:“乱余林壑饶遗客,缥缈幽栖赋采苓。”诗人看见华山上那幽深的林壑,想到明清易代的动乱之后,那些不愿与清朝合作的遗民、隐者,大概有不少就隐居在这华山之上吧。也许,他们此刻正唱着《诗经》中“采苓(甘草)采苓,首阳之颠”的歌,在深山中到处采药哩。“缥缈”二字,把那些隐者行踪飘忽、悠然自得之态,曲曲传了出来,一方面与上面提到的神仙“明星玉女”相比并,使神话与现实融为一片,同时也表现出作者对这些“遗客”的欣羡,委婉地表示出自己也不愿与清廷合作,也要归隐,到这险峻雄奇的华山上来,过那神仙般的生活,来彻底领略华山的美景。这一联与开始相照应,把对华山的赞美和自己的政治态度,都含蓄地表现了出来,留下了悠远深长的余味。

全诗笔力雄健而又深婉曲折。紧紧扣住一个“望”字,上下左右,天上人间,从各个角度和层面,调动各种手法,来反复描写华山的自然形态和人文景观,在深入的观照中充分表现出了华山的特点,并寄寓着诗人自己的政治愿望,具有深刻的含义。这在歌咏华山的诗歌中,给人留下了难忘的印象。

（管遗瑞）

初春济南作

王士禛*

山郡逢春复乍晴，陂塘分出几泉清。
郭边万户皆临水，雪后千峰半入城。

作者

*王士禛(1634－1711)，字子真，一字贻上，号阮亭，又号渔洋山人，山东新城(今桓台县)人。顺治十五年(1658)进士。历扬州府推官、礼部主事、刑部尚书。后因事革职。其诗宗唐人。格调风流，雍容冲淡，神韵卓绝，为“神韵”派的代表作家。又著作甚富，名重一时，成为当时诗坛领袖之一。有《带经堂全集》。

鉴赏

这首七绝是作者1655年来到郡城济南时所作，描绘春天来到时，这座泉城兼山郡极具特色的水秀山明的景致。

作者自注是“追录顺治乙未年(1655)旧作”，顺治乙未年诗人十九岁，到数十年后编辑诗集时，犹可凭记忆追录，足见这次审美经验给诗人留下了十分深刻的印象，也显示了诗人在这首诗中所揭示的美是高度凝练和沁人心脾的。

“山郡逢春复乍晴”句，紧扣诗题，“山郡”点明济南是一座群山环绕的城市；“逢春”和“乍晴”那是交代诗的具体形象所赖以产生的节候。续句“陂塘分出几泉清”，表现号称“泉城”的济南最典型的景色。济南城区，有七十二泉分布各处，春来冰雪消融，地下有充沛水源，于是处处泉眼都有清流汩汩涌出，泉水分流汇合城内城外，碧波荡漾，随地皆成陂塘。此句炼在“分”字，分而知泉眼之多，泉多水丰，故能形成陂塘池沼，这才成其为泉城。第三句“郭边万户皆临水”，是描写大明湖及趵突泉一带城区的特殊景观。在济南旧城的四沿(即诗所说的"郭边")环绕着由珍珠泉、芙蓉泉、王府池、趵突泉等七十二泉涌水所汇成的河流水域,其中北部的大明湖水域尤擅景观之胜,民户鳞次栉比,傍水而居,清流逶迤,房舍掩映,这是济南胜致。此句"临"字比较关键,它体现了泉水和居人自然地交织汇合的关系,以及这种关系所形成的美感。最后"雪后千峰半入城"句,是渲染春天乍降时,山郡济南所见。济南群山环绕,南有千佛山、四里山,北有卧牛山、华不注、鹊山、凤凰山、标山、药山、北马鞍山、尊山、匡山等等,群山巍峙,层峦叠嶂,林木苍翠,钟灵毓秀。环城四顾,山色青冥,美不胜收。清人刘凤诰道:"一城山色半城湖",群山本不"入城",因"雪后"看上去特别近,故有"千峰半入城"的错觉。比"一城山色"的写法,更有别趣。

(邵胜定)

秋　　柳

王士禛

秋来何处最销魂?残照西风白下门。
他日差池春燕影,只今憔悴晚烟痕。
愁生陌上黄骢曲,梦远江南乌夜村。
莫听临风三弄笛,玉关哀怨总难论。

鉴赏

《秋柳》共有四首,这里选的是第一首。这是作者在顺治十四年(1657)二十四岁时,作于济南大明湖中。他后来在《菜根堂诗集序》中说:"顺治丁酉秋,予客济南,诸名士云集明湖。一日会饮水面亭,亭下柳千余株,披拂水际,叶始微黄,乍染秋色,若有摇落之态,予怅然有感,赋诗四章。"诗成后不胫而走,一时间大江南北和者甚众,遂成为他早期崭露头角之作。诗中多借用与柳有关的典故,咏柳寄怀,以感慨良辰易逝,好景不长,充满着哀怨的情调。

首联"秋来何处最销魂?残照西风白下门",用问句领起,引出与柳有关的典故。面对"披拂水际,叶始微黄,乍染秋色,若有摇落之态"的无数秋柳,诗人不禁怅然于怀,脱口问道:在这肃杀的秋天到来之际,什么地方最感人情怀而悲伤愁苦呢？其中，“销魂”二字，即悲伤愁苦之意，虽然是以疑问语气说出，但意思却是肯定的，这就为全诗定下了悲抑的基调。接着，在下句作者就回答了这个问题：在南京的白下门（也叫白门，南京城西门名）那里，秋风凄紧，残照当楼，一片衰飒景象，最使人销魂。这里为什么不说“历下”（即济南）而忽然扯到南京的“白下”那里去呢？原来，在古诗中“白下”与杨柳直接有关。古乐府《杨叛儿》诗：“暂出白门前，杨柳可藏乌。”李白也有《杨叛儿》诗：“何许最关人？乌啼白门柳。”这里点出“白下”，正是要借用李白的诗，来说明“何许（即何处）最关人”。同时，作者也有可能用“白下”来代指“历下”，因为“白下”是六朝故都所在，如同柳色年年衰老一样，朝代在这里更替无常，更显出不胜兴亡之叹。总之，起始一联两句一开一合，自问自答，如同一个愁绪万端的人，面对一片衰景，在喃喃自语，传神地写出了作者当时的情状。

接着，在颔联，作者抓住时间上春与秋的对比，来突出眼前秋柳的销魂。“他日差池春燕影，只今憔悴晚烟痕。”前一句是反衬，回想美好的春天，千万条柳丝在春风中荡漾，那“差池（即参差不齐）其羽”（语出《诗经·燕燕》）的燕子在柳丝中轻快地穿翔，这时的春柳是多么引人兴致啊！可是，才时隔几许，一片春柳已经变得这般衰老而憔悴。叶子微黄的柳条，在寒冷的秋风中飘摇，在傍晚烟雾的笼罩中显出淡淡的哀愁。通过前一句的反衬，后一句秋柳的衰败和憔悴，以及由此而引起的人们情绪的感伤，就见得更加鲜明而强烈，而韶华易逝、人生无常的感叹，也就自在其中了。

到颈联，作者继续借用典故写销魂，但诗意稍稍推开，并且加进了流离丧乱之感。“愁生陌上黄骢曲，梦远江南乌夜村。”《黄骢曲》，乐府曲调名，据《唐书·礼乐志》说，唐太宗所骑战马，名黄骢骠，及征高丽，死于道，颇哀惜之，命乐工制《黄骢叠曲》。“乌夜村”，村名。据范成大《吴郡志》说，晋穆帝后，何准女，其母生后时，群乌夜啼，因名其村为乌夜村。乍看来，这两个典故似乎与柳无关。其实，作者是用联想的方法，用音乐和乌啼声来把南北广大地区的秋柳连成一片，造成更加浩远迷蒙的愁绪。此时，在哀伤的《黄骢曲》声中，在凄然的乌啼声里，那路边和荒村里的秋柳，在西风残照里，就显得更加憔悴了，它们仿佛也经历了动乱的摧残，受不住乱离的痛苦，一枝枝开始凋零。这一联妙在不即不离，给人们留出更多的想象的余地，从中委婉地透出作者的一腔愁思。

最后，尾联总括全诗，使用与柳直接关联的典故，把销魂的愁绪推向高潮。“莫听临风三弄笛，玉关哀怨总难论。”“三弄笛”和“玉关”，交织使用了两个典故。一个是唐王维

《送元二使安西》诗:“渭城朝雨浥轻尘,客舍青青柳色新。劝君更尽一杯酒,西出阳关无故人。”后人作为送别之歌歌唱,至“阳关”句反复迭唱,叫做《阳关三叠》。再一个是唐王之涣《凉州词》:“羌笛何须怨杨柳,春风不度玉门关。”这两个典故,都与杨柳紧密关联。而且,句中点出“笛”字,而笛子吹奏曲中本有《折杨柳》之曲,表现送别的伤怀,这里用笛声自然而巧妙地暗示出秋柳在人们别离、漂泊之中,尤其显得十分哀怨。句首冠以“莫听”二字,说明哀怨之深,简直不忍再听下去。而句尾缀以“总难论”三字,说明由秋柳而引出的销魂的愁绪和内心的哀怨,复杂而又迷茫,简直无法诉说清楚。全诗经过层层铺衬,一路曲折写来,到最后以“哀怨”结尾,与开始的“销魂”遥相呼应,不仅很好地表现了秋柳的形象,而且通过秋柳传达出了耐人寻味的深意。作者处于明清易代之际,在他的诗文中往往含蓄地流露出一种兴亡之感,这首诗在“销魂”“哀怨”中,渲染了深沉的兴废盛衰的伤感情绪,显然含有一定的时代政治内容。但这已经不能坐实,只能靠读者自己的体验去细心领会了。

这首诗之所以耐人玩味,富有神韵,很大程度是由于通过典故,运用了比兴寄托的手法。周啸天先生说:“诗歌要求精练含蓄,用比兴寄托写法耐人玩味,往往能收到言有尽而意无穷的效果。”(《诗词赏析七法》160 页)在有余不尽之中,含蓄深长的韵味自然涌出。另外,作者在运用典故时,不管明用、暗用,都做到了运化无迹,在不粘不脱、不即不离中,使诗意显得一片浑然,这也是这首诗的成功之处。

(管遗瑞)

高邮雨泊

王士禛

寒雨秦邮夜泊船,南湖新涨水连天。
风流不见秦淮海,寂寞人间五百年。

鉴赏

《高邮雨泊》是诗人任扬州司理期间,途经北宋词人秦观的故乡高邮,雨夜泊舟时所作。诗除缅怀秦观外,也于字里行间透露了诗人自己领袖诗坛的壮志豪情。

王士禛中进士后即中止帖括生涯而“专攻诗”。在待宦及任扬州司理期间，他或倡秋柳社于济南大明湖；或在扬州、如皋集诗人名士修禊(xì)于红桥及冒氏水绘园；对金陵、京口、梁溪、姑苏江南诸名胜之地，诗人“皆于簿书期会中不废登临”(《居易录》)；他又在各地广结诗友，关心和扶助贫困文人，人谓其日了公事，夜接词人。此时，年未三十，风华正茂的诗人，已俨然是当代的诗坛领袖了。当雨中舟次高邮忆及秦观之际，我们的诗人自然会勾起仰慕前贤的崇敬之心，并产生各领风骚的豪情。

全诗从表面看是简单的即景抒情，凭吊前人，但细加分析，可闻弦外之音。首句“秦邮”即指高邮，秦时于此筑亭置邮传，故名。前两句乍看是赋，是写实境，但赋中有兴，寓情于景，情景相生，即王国维《人间词话》所谓“一切景语皆情语也”。“寒雨秦邮夜泊船”，使人想起唐代王昌龄《芙蓉楼送辛渐》中的首句“寒雨连江夜入吴”和张继《枫桥夜泊》中“月落乌啼霜满天，江枫渔火对愁眠”。虽然王诗是写寒雨入吴，张诗是写霜华满天，但就意境之凄清冷寂而言，似可找到某些相通之处。诗人中道遇雨，夜泊秦邮，他的思绪很容易进入诗的境界。那淅沥的雨点敲击船篷，那迷蒙的水汽弥漫天际，不能不使他产生怀古之幽情。如果我们明白唐代陈子昂登上幽州台发出“念天地之悠悠，独怆然而涕下”的感慨是由于触景生情的话，那么对此时此地诗人的心境就不难理解了。

第二句中的“南湖”即高邮湖，又称新开湖。秦观《送孙诚之尉北海》诗云：“吾乡如覆盂，地据扬楚脊，环似万顷湖，黏天四无壁。”即指此湖，由于连夜降雨，湖水新涨，推窗远望，一片苍茫，诗人的思绪也随之进入辽阔的空间。“水连天”三字，确如秦观诗所写的“黏天四无壁”，诗人在构思时受到启发，看来是必然的。

七言绝句短小精粹，但在高手写来，却有深广的容量。关键在于如何“纳须弥于芥子”，进行高度的艺术概括。此诗可称是这方面的佳作。它前二句写景，但在景语中却暗暗设置意脉，即在“南湖”句中已渐渐引出秦观。至后联遂跌出伤时怀古两个警句，让秦观正式出场。手法似一跌宕，意脉上却紧承前联，达到了“出新意于法度之中，寄妙想于绳墨之外”的妙境。

王士禛对秦观极为崇拜，他另有《秦邮杂诗》一组，其中第二首专咏秦观，袭用黄庭坚语称之为“国士无双秦少游”，并高度评价说：“高台(指高邮文游台)几废文章在，果是江河万古流。”对秦观的盖世才华和绝妙诗词，诗人备极推崇；至此诗则云：“风流不见秦淮海，寂寞人间五百年。”雅人深致,寄慨无端,从表面看来,这两句是在慨叹哲人已逝,文坛寂寞;但应该说,暗里却又蕴涵着诗人有心振起诗坛之衰去管领风骚的豪情。秦观逝世于1100年,经五百年的寂寞冷落之后应是1600年。在这段时间内,人间文坛,特别是词坛,每况愈下,的确是冷落的。但“江山代有人才出,各领风骚数百年”,到诗人写这首诗的时候,离秦观逝世已是五百六十年,这当然可以用“五百年”这个整数去概指,但也可以理解为寂寞的只是其中的五百年,而此后不包括在内。在秦观逝世后的第五百五十七年,王士禛在济南赋《秋柳》四章,大江南北和者数百家,“秋柳社”成为艺苑佳话,陈允衡认为“原倡如初写《黄庭》,恰到好处,诸名士和者皆不能及”(见《带经堂诗话》卷八)。稍后王又在扬州与诸名士修禊红桥,赋《冶春词》二十首,陈其年十分推崇,赞为“意气公然笼罩人”(见《香祖笔记》)。宗元鼎更说“休从白傅歌《杨柳》,莫向刘郎演《竹枝》,五日东风十日雨,江楼齐唱《冶春词》”(见《渔洋诗话》)。这就已经将他与白居易、刘禹锡等量齐观了。这时的王士禛已从钱牧斋所激赏的诗名鹊起的新秀,成为得到诗界同仁承认,与前代大家相提并论的一代骚人了。文坛由于没有秦淮海那样的风流人物而寂寞萧索,现在诗坛这样热闹兴旺,而这又是与王士禛堪称“风流”的作为有关,他自己还会以为诗坛是寂寞的吗?所以此诗明说若干年限之内的寂寞,正是为了衬托目前的热闹和繁荣,暗示自己已经管领风骚。

姜白石说:“语贵含蓄……若句中无余字,篇中无长语,非善之善者也;句中有余味,篇中有余意,善之善者也。”(《白石道人说诗》)这首小诗的特点,正是多言外之意,前二句写景,后二句抒情,但都很含蓄而不简单直露,前联以托事于物的比兴手法,写寒雨中的凄苦心境;后一联似直露地慨叹大家陨落,文坛寂寞,但暗中又反衬自己振兴诗坛的抱负与所获得的成就。句句都有余意,耐人寻味。诗能言情事而不落言筌,以景物寓意而不着痕迹,真所谓“如羚羊挂角,无迹可求”。

(邵胜定　徐培均)

再过露筋祠

王士禛

翠羽明珰尚俨然，湖云祠树碧于烟。
行人系缆月初堕，门外野风开白莲。

鉴赏

这首诗写于顺治十七年(1660)夏秋间，当时诗人在扬州作推官。这年三月，作者到扬州就职途经在高邮的露筋祠，曾作五律《露筋词》一首，所以此篇题为“再过”。

王象之《舆地纪胜》记载：“露筋祠去高邮三十里，旧传有女子夜过此。天阴蚊盛，有耕父田舍在焉。其嫂止宿。姑曰：‘吾宁死不肯失节’，遂以蚊死，其筋见焉。”如果按实叙写这位因担心莫须有的失节而宁愿被蚊子活活咬死的女子的言行而加赞美，尽管可能得到封建末世标榜程朱道学的人击节叹赏，却未必能引起一般读者的赞赏，更谈不上给人以善的陶冶和美的愉悦，因为这一生活素材本身包含着在当时看来也未免迂腐和残酷的内容。诗人在面对这一素材时，有意避开了这方面的内容，而将这位女子的守节行为加以抽象化，升华为一种高洁的品格情操，借以寄托自己的情怀和审美情趣。这是此诗取得成功的一个关键。

首句写祠中所供奉的女子塑像。“翠羽”，翡翠的尾羽，也叫翠翘，是妇女的头饰。“明珰”，用珠玉串成的妇女耳饰。俨然，是端庄的样子。这里诗人以局部见全体，只写“翠羽明珰”，而女子整体的仪容风姿之美自可想见。“尚俨然”三字，用虚涵之笔写出塑像的严肃端庄风仪。以与下面的象征性描写相应。写露筋祠，自然要正面写到祠的主人，但诗人对此并不作琐细的描写刻画，而是轻点即止，留下四分之三的篇幅，从环境气氛和景物上加以烘染，以收到虚处传神的效果。

次句从祠内移笔于祠外。祠临高邮湖，一望无际的湖水，湖上的云彩，祠边的树林，构成一个碧绿的世界。用“碧于烟”来形容，显出碧色之浓密，又带有几分缥缈的情致。由于是在月夜，祠外碧绿的世界显得有些朦胧，用“碧于烟”来形容，正符合特定的时间。这句虽也显示了祠边祠外风景的优美,但在诗中不过是衬笔。它的主要作用还是为了用一片烟碧衬托下文的白莲。

第三句点出“行人系缆”,正点题内“过”字。从实际顺序看,系缆泊舟之事在前,入祠瞻仰神像之事在后,瞥见门外白莲之事又在其后。现在把“行人系缆”放到第三句来补叙,固然是为了避免平铺直叙,同时也是使它成为连接前后幅的纽带,起到点醒特定情景的作用。“月初堕”这个时间,已过半夜,接近黎明,正是白莲悄然开放之时,也是它的风神情韵最适宜的时间背景。

“门外野风开白莲。”祠门外,平野上的清风在拂晓前轻轻掠过,湖边晶莹洁白的莲花就在这静谧的环境中悄悄开放了。这是写景,但又带有明显的象征色彩。它仿佛是小姑高洁风神的一种象征,也是诗人所向往的高洁境界的象征。这种象征,由于并非刻意搜求设喻,而是境与情合,一时伫兴而就。显得不即不离,有意无意,特具天然的风致韵味。

后两句所描绘的意境,显系点化陆龟蒙《白莲》诗境。陆诗后幅云:“无情有恨何人觉,月晓风清欲堕时。”在用晓月清风的特定时间与环境来烘托白莲的风神方面,王士禛显然受了陆诗的启发,他自己也明白说过是“似其意”,但陆诗的重点是在慨叹白莲在这种清冷寂寥的环境中开放,“有恨无人觉”,寄托了不被欣赏与理解的寂寞苦闷;而王诗则是以这种清寂的环境烘染白莲的特有风神情致,寄托了对高洁品格与境界的向往。一慨一赞,主旨情调都有区别。在用轻灵不着迹的笔触描绘白莲风神上,两诗有其一致性;但陆诗第三句明白点出旨意,王诗则通体含蕴不露,又有所不同。

诗到清代,意境、意象、语言和构思因袭前人的现象屡见不鲜,这是五七言诗已趋衰落的一种标志,王士禛的许多诗,在上述各方面也都可以发现它的承袭。但他往往能于熟中求新,在点化前人诗境诗语的基础上道出自己的某些新鲜感受,这正是他的一些诗读来似曾相识却又有一定新鲜感的原因。

(刘学锴)

江　上

王士禛

吴头楚尾路如何?烟雨秋深暗白波。
晚趁寒潮渡江去,满林黄叶雁声多。

鉴赏

这首七绝作于顺治十七年(1660)八月,写深秋渡江所见景色。据王丹麓《今世说》记载:“阮亭(士禛号)为同考(当时作者充江南乡试考试官),至白门(指南京)。夜鼓柁行大江中,漏下将尽,始抵燕子矶。王兴发欲登,会天雨新霁,林木萧飒,江涛喷涌,与山谷相应答。从者顾视色动,王径持束炬以往,题数诗于石壁,从容屣步而还。翌日诗传白下,和者凡数十家。”对照这段有关此诗创作素材的记载,可以看出诗人的审美趋向对素材的取舍与提炼加工的影响。

首句“吴头楚尾”,习惯上指春秋时吴、楚两国邻接地区,大体上相当于今江西省北部之地,这里实际上是指长江下游的扬州、南京一带。这句点行程,以咏叹起。“路如何”三字,故作问语,以增摇曳之致,并将读者的注意力引向下面所展现的邈远境界。

次句正面描绘“江上”景色。“秋深”点时令,为全篇定下一个统一的色调。江面上,烟雨迷蒙,笼罩着逐渐向远处伸展的渺渺白波。这句的色调是一片灰暗迷蒙。不但“烟雨”“暗”“白波”等词语,甚至连“秋深”的“深”字也似乎染上了一种灰蒙蒙的色调。“暗”字还透出了一种动态,让人感到江面上似乎越来越幽暗。整个境界在烟雨朦胧、白波淼淼中透出了深秋的黯淡凄寒和江上的邈远情调,诗人目接此境时情怀的黯然和神远亦隐约可见。

第三句叙事,点出傍晚渡江。薄暮潮涨,正是趁潮溯江而上的时候。“寒潮”实即上句“白波”,用“寒”字渲染,不但回应“秋深”,且传出一种凄寒萧瑟的感受。

末句转写渡江后所见所闻“秋深”景象。“满林黄叶”与“雁声多”,一诉之视觉,一诉之听觉,正见目之所接,耳之所闻,无非萧瑟凄寒的秋色秋声。“黄叶”与“寒潮”“烟雨”“白波”颜色虽然有别,又都统一于共同的萧瑟凄寒色调。经此句重笔渲染,一幅完整的江上秋色图遂生动地展现在读者面前。

整首诗通过反复描绘渲染,表现出一种秋深时节江上烟雨朦胧的渺远境界和凄寒萧瑟的景象。诗人对这种景象,既感到有些凄黯,又感到悠然神远。或者说,它所要表现的正是诗人对这种凄黯而渺远的境界的神往,只不过表现得极为含蓄而已。整首诗恰似一幅淡远的南宗水墨画,情与景和景物之间,都呈现出高度的和谐。而首句抒情,第三句叙事,二、四两句写景,又使全诗浓密疏淡相同,显得比较空灵清疏。

从前面所引的记载看,诗人此

行所见所闻，本有壮阔飞动，令人心动的景象，但经过诗人特有的审美情趣与眼光的过滤，“江涛喷涌，与山谷相应答”之壮景已排除出此诗之外，只剩下了“林木萧飒”之景，而且连时间也集中在傍晚的朦胧黯淡中了。从这里正可窥见诗人的审美好尚对生活素材的选择与加工作用。

（刘学锴）

瓜　洲　渡（二首）

王士禛

昨上京江北固楼，微茫风日见瓜洲。
层层远树浮青荠，叶叶轻帆起白鸥。

扬子桥头鸡未鸣，瓜洲城外日东生。
风波不惮西津渡，一见金焦双眼明。

鉴赏

“瓜洲”，镇名，在扬州城南长江北岸，当大运河之口，地为江中沙碛，状如“瓜”字，故名瓜洲；有渡口以通江南的镇江，名瓜洲渡。顺治十七年(1660)，王士禛先后任扬州推官和江南同考官，九月因病归扬州，冬天曾游北固山和金、焦山，往来于镇江与瓜洲之间。这两首七绝，当作于此时，诗人二十七岁。

第一首，描述在镇江登北固楼隔江远望瓜洲的情景。北固楼在镇江西北的北固山上，山高数十丈，三面临江，登楼则江景可望。梁武帝曾登临此处，谓可为京口(镇江)壮观；辛弃疾亦有词曰：“何处望神州？满眼风光北固楼。”(《南乡子》)此楼向为登临胜地。这一天，在晴和的冬日，诗人来到这高高的北固楼上，登临送目。但见烟波浩渺的江面上，一片迷茫，北岸的瓜洲镇依稀可见。再往远处看，一层层树木像只有几寸高的青青的荠菜一样，浮在天际，而江中的一只只小船，正在扬起轻帆，像白鸥一样在水上翔游。这是一幅多么开阔宏大而又空明淡远的画图！诗以北固楼为近景，随着视线的推移，把瓜洲、远树和轻帆这些远景，井然有序地组合在一起，淡淡几笔，远近映衬，交织融会，极有层次。用“青荠”比“远树”，以

"白鸥"喻"轻帆",不仅生动形象,也暗有反衬楼高之意,而且"青""白"的色彩,更给疏简的构图增添了清新、淡雅之趣。细玩全诗,如置身画幅中,意境清远,韵致超逸,自然天成。

第二首,描述晓日瓜洲渡江往金、焦途中所见之景。"金焦"即金山和焦山,在镇江西北长江中,两山相对,突兀高峙,亦游览胜地。前两句写诗人乘船从扬子桥头出发时,清晨的宁静气氛。扬子桥在扬州城南十五里,又名扬子渡。此时,鸡尚未鸣,晨光熹微,诗人就出发了;渐渐地,到得瓜洲城外时,一轮红日才刚从东方升起,朝霞映照在江面上,漫江红透,一派美景。"鸡未鸣",言行船之早和游兴之高;"日东生",见天气之佳和景色之美。两句中含蓄地传达出作者十分喜悦的情怀。第三句一转,到了"西津渡"口(瓜洲渡的别称),忽然风起浪涌,给行船带来了困难。但是,"不惮"二字,表现了作者乘兴前往的坚定信心,我们仿佛看见一叶小舟正乘风破浪,向前奋进。最后,终于见到目的地金山和焦山了。那蔚成奇观的山势,使得作者的眼睛忽然格外明亮,欣喜之情溢于言外。全诗到此戛然而止,一幅长江晓日行舟图,清新明朗,历历如在目前,并且给读者留下想象和回味的余地,翛(xiāo)然意远。

这两首诗围绕瓜洲渡这个中心,从不同的角度表现了不同的景象,相映成趣。前一首是从远处居高临下地鸟瞰,纵目眺望,景象开阔,但多少有些朦胧;而后一首则是从江上观望,虽然风波浩荡,但却格外清晰。这一远一近,一朦胧一清晰,对比之下,更饶诗意。虽然景象有所不同,它们却共同含蓄地表达出作者的某种期冀追求之心和奋发进取之意,体现出诗人在青年时期那种热烈的情怀和积极的人生态度。

从技巧上看,两首诗都显得笔调轻灵,而且用字准确生动,更加神韵悠长。"层层远树浮青荠"的"浮"字,把隔江眺望时,因水面波动而显得略有动荡之感的远树,表现得极为形象。"一见金焦双眼明"的"明"字,把经过风波而看见美丽的金、焦二山时的惊喜之态,形容得淋漓尽致。"浮""明"都是极为寻常的字,但一经作者点化,恰到好处的运用,就显得格外生动,令人叹服。与王士禛同时代的人评论他的诗"言语妙天下"(《谈龙录》),信非虚誉。另外,两诗章法也颇见变化。前一首开始两句散起,后面两句对结;后一首开始两句对起,后面两句散结。这种变化,在流畅中见工致,在精整中又有逸宕,把诗中景清而意远的神韵表现得更加耐人寻味。

(管遗瑞)

秦淮杂诗

王士禛

年来肠断秣陵舟，梦绕秦淮水上楼。
十日雨丝风片里，浓春烟景似残秋。

鉴赏

《秦淮杂诗》是诗人在顺治十八年(1661)客居金陵，馆于秦淮布衣丁继之家时所作的组诗，共十四首，本篇是第一首。丁氏年轻时曾习声伎，对明末秦淮风月繁华情景非常熟悉。明亡后，秦淮往昔繁华已成旧梦，不免触动诗人的感慨惆怅。根据丁氏所述和自己见闻，写下这组带有感伤前朝旧事情味的诗篇。

前两句以“年来”总领，“肠断秣陵舟”与“梦绕秦淮水上楼”，文则对举，意实相类。“肠断”，形容极度思念。与下句“梦绕”义同。秦代曾改金陵为秣陵，但这里的“秣陵舟”却并非泛指金陵的舟船，而是特指“秦淮水中舟”，即载着秦淮旧院佳丽，在桨声灯影中笙歌作乐的画舫轻舟。它和“秦淮水上楼”(即秦淮歌妓所居的楼院)，一水一陆，正构成秦淮风月繁华的立体图景。诗人之所以“年来肠断”“梦绕”于此，固然由于这是封建士大夫流连陶醉的销金窝和温柔乡，同时也因其中积淀了他们对前朝繁华的某种惋惜追恋心情。由此便隐逗出末句的特殊感受来。

后两句以“十日”总领，与前两句“年来”相应。这个“十日”当指诗人徜徉秦淮河上的大致时日，也是“浓春”时节的十日。“雨丝风片”语出《牡丹亭·惊梦》：“雨丝风片，烟波画船。”形容细雨如丝，微风似片，这正是江南春天最为柔美的典型风光。说“雨丝风片里”，则人在“烟波画船”之中的意思也自然包括。“浓春”，即春意最浓的时节。烟景，指春天烟霭轻笼的艳丽风景，所谓“阳春烟景”“烟花三月”，都离不开这个“烟”字。浓春之时，置身江南烟景之中，雨丝风片之下，本当感受到它的明媚艳丽，可是在诗人的感觉中，这浓春的秦淮烟景，竟萧条冷落得像是“残秋”。“浓春”与“残秋”，是两个对立的极端。诗人这种感觉上的强烈反差，与其说是客观的自然景物所引起的，不如说是秦淮风月繁华的衰歇在诗人心中引起的怅惘感伤在观赏景物时所投射的阴影。这里隐含着对前朝繁华旧事消逝的哀婉伤悼,也带有一丝人事沧桑变化的感伤,但表现得特别空灵蕴藉,不露痕迹。只是从总体印象着笔,丝毫不涉及具体的政治人事,仿佛只是对自然风光的一种特殊感受。但读者从中却可以联想到笼罩在秦淮风月繁华旧地的那种冷落萧条的整个氛围。它的好处就在纯从虚处着笔,空际传神。这正符合王士禛所提倡的"不着一字,尽得风流"的诗歌主张。

"浓春烟景似残秋"这个名句,实系仿效秦观《浣溪沙》词"晓阴无赖似穷秋"的构思。秦词写春天早晨,阴雨轻寒,竟似深秋,只是对天气的一种特殊感受,经王士禛点化后,却揉进了人事变化的感喟,这也是一种继承基础上的创造,仿效基础上的创新。

（刘学锴）

真州绝句(录二)

王士禛

江干多是钓人居,柳陌菱塘一带疏。
好是日斜风定后,半江红树卖鲈鱼。

鉴赏

《真州绝句》五首,是康熙元年(1662)诗人任扬州推官时写的一组描绘真州风物的小诗。"真州",今江苏仪征县,在扬州西南,紧靠长江北岸,是当时由扬州到金陵的通道。这一首写真州城南江边一带傍晚的风景风情,极饶诗情画意。诗人自己在《渔洋诗话》中就提到,此诗后幅"江淮间多写为画图"。

首句以清疏随意之笔轻起,点出这幅诗意画所描绘的地点——"江干",以及它的特征——"多是钓人居"。以垂钓为业,正是江边人家本色。此诗所写,也正是与"钓人居"密切相关的风物风情。故此句虽似不经意道出,却隐逗末句,笼盖全篇。

次句由"钓人居"而展衍到附近的景物。在钓户附近,是杨柳成行的道路和种着菱藕的池塘。"一带疏"三字,画出了疏疏落落的人家和柳陌菱塘相间的景象,显出了虽处江北却带有江南情调的地域特征，也透出了渔家兼营农业的生活特点。这句景物、笔意同样萧疏有致，随意点染，为三、四句作衬。

第三句用“好是”领起，点出江干风物最具有诗情画意的时分——日斜风定后，傍晚时分，长江风浪渐渐稳定，整个境界显得平静而悠闲，渔钓人家结束了一天的劳动，才会出现第四句所描绘的生活场景，欣赏自然景色的人也才会更加注意到这种优美的风物风情——“半江红树卖鲈鱼”。

这是全诗着意经营的精彩点眼。红树，点明季节正在秋天；鲈鱼，也是秋天上市的美味。妙在“半江”二字，既符合所描绘的地方限于江干一带，更透出了碧江红树相映成趣的绚丽景色，使人感到那半江碧水似乎都被岸边的红树染红了。再加上那家家户户，在结束了一天渔钓劳动之后，在江边悠闲而惬意地“卖鲈鱼”的情景，更构成一幅色彩鲜丽，富于水乡生活气息而又不乏悠闲情趣的风物风情画，比起他的那首《江上》，虽同写秋天江上景色，这一首的色调要明朗鲜丽得多。晚秋江干之景，全无萧瑟清冷的情调，而是在绚丽之中溢出了一股令人流连陶醉的诗意和生活气息。在王士禛的写景绝句中，这是情调比较健康明朗的一首。全句虽着意经营，但出语仍有萧散自然之致，故全篇风格仍显出高度的和谐统一。

（刘学锴）

江乡春事最堪怜，寒食清明欲禁烟。
残月晓风仙掌路，何人为吊柳屯田？

鉴赏

这首诗描绘北宋著名词人柳永的葬地即真州西郊仙掌路的萧条情状，借以抒发诗人追念柳永的幽怨之情。前两句写“江乡春事”，即在“寒食清明欲禁烟”的时节，人们纷纷在祭奠祖先或历代英杰的魂灵，因而这是“最堪怜”的，也就是说最容易牵动人们的情怀。那么，诗人的什么情怀被牵动了呢？三、四句“残月晓风仙掌路，何人为吊柳屯田？”立即点明存在于仙掌路的北宋大名鼎鼎的词人柳永的坟墓，却无人过问，格外显得凄凉寂寞。这里，诗人仅仅借用柳永的词《雨霖铃·秋别》中的“残月晓风”四字一点，便把凄凉寂寞的气氛渲染出来了。到此，诗人再也忍不住伤心而委婉地问道："何人为吊柳屯田？"意思是为什么单单只有作过屯田员外郎的词人柳永，竟无人前往吊祭呢？这是多么不公平啊！像这样写柳永的身后寂寞，被人冷落，实寓诗人物伤其类的无限感慨，可这又尽在不言之中。如此写来，不爆不火，含蓄隽永，耐人深思。

（周子瑜）

雨中度故关

王士禛

危栈飞流万仞山，戍楼遥指暮云间。
西风忽送潇潇雨，满路槐花过故关。

鉴赏

诗题中的"故关"，指河北省的井陉(xíng)关。康熙十一年(1672)六月，王士禛由户部福建司郎中奉命典四川乡试，这首诗是他夏末秋初由京入蜀经过井陉关时所作。井陉关又名土门关，故址在今河北井陉县北井陉山上，是华北平原进入太行山区的隘口。《吕氏春秋·有始览》以此为天下九塞之一，形势十分险要，历来为兵家必争之地，王翦伐赵、韩信破赵、拓跋魏伐后燕等，皆出兵井陉，是有名的古战场之一。这首《雨中度故关》，作者以生动形象的笔墨，描写了井陉关的险要形势，以及在出关道路上所见到的特有景色。

前两句写山势的险峻。"危栈"即高悬于崖壁之上的栈道，"飞流"即瀑布。在"万仞"高山上（古代以八尺为一仞，"万仞"是极言其高），峭岩陡壁间凿孔架桥联结而成的栈道，与那从天而落、飞流直下的瀑布交相映衬；兵士们守望的"戍楼"清晰可见，远远地高耸在暮云中间。这两句，作者精心选择了"危栈""飞流"和"戍楼""暮云"等几个富有特征的意象，把井陉关山势的高峻、险要写得十分生动、精练而又传神。其中"危栈""戍楼"又隐隐透露出古战场的气息，使人产生出对井陉关的军事地位和漫长历史的联想，可谓善于"引而不发"。从用语上看，诗人融会了唐代著名诗句如"飞流直下三千尺"（李白）"一片孤城万仞山"（王之涣）"牧童遥指杏花村"（杜牧）中的"飞流""万仞山"和

"遥指"这些词语,使诗意显得更加深厚,更加耐人寻味。

如果顺着前两句的思路写下去,那么后两句就该是对古战场的凭吊和对历史往事的感叹。然而,高明的作者却另有巧妙的安排,他把笔锋一掉,宕开一步,出人意外地写出了西风送雨、满路槐花的特有景色,令人耳目一新。你看,西风过处,忽然下起了潇潇大雨,风声雨声,连成一片;此时,在风雨中槐花纷纷飞落,铺满道路,诗人就在这花雨之中,度过了故关。这是多么富有诗意的情景啊!全诗在这里自然结束,留下了深长的意味,其中有对此地美景的欣赏和留恋,也隐含着由于过古战场而引起的一丝淡淡的悲凉和莫名的怅惘,它与槐花细细的甜香混合在一起,直沁人心脾。

这首诗前两句与后两句的意境迥然不同,前者气势雄伟而后者清新明丽,但它们结合在一起,却又十分自然,构成了全诗雄伟清丽的特色。四句之间,针线细密,意脉贯通,结构谨严。首句提到"万仞山",山高则气象多变,为以下写风雨预作暗示。次句即谈到"暮云",第三句于是写到风、雨,由风、雨而"满路槐花",结构变化曲折而又流畅自然,出人意表而又入人意中。特别是第三句一转,为全诗开出了新境界。正如元人杨载在《诗法家数》中论到绝句时说:"宛转变化工夫,全在第三句,若于此转变得好,则第四句如顺流之舟矣。"由于此诗第三句转得巧妙,承前则暗中蝉联,启后则水到渠成,使得高峻、险要的井陉关,不仅具有古战场的特色,也有了美丽景色的醉人的风姿,读来格外动人。

(管遗瑞)

碧云寺

王士禛

入寺闻山雨,群峰方夕阳。流泉自成响,林壑坐生凉。
竹覆春前雪,花寒劫外香。汤休何处是,空望碧云长。

鉴赏

这是一首山水诗,描绘雨中的碧云寺及雨后复斜阳的一派清新怡人的风光。

"入寺闻山雨,群峰方夕阳",写

诗人进得寺内，还听到雨打屋瓦的声响和檐边滴水的音韵。由于他是刚才行走在山径上遇雨而入山门的，现在有殿宇躲雨避风，当然紧张的心情便大为宽解，一种安全感、舒适感便油然而生。于是，悠然自得地从山门望出去，遥望群峰，不禁使他大为惊异。他原以为万岭千山仍然下雨如注哩，哪知远处早已是雨后复斜阳了。群峰已为“夕阳”的余晖照耀得闪闪发光，好看极了。这样的景色，不正是唐人刘禹锡《竹枝词》里所写的“东边日出西边雨，道是无晴却有晴”吗？虽则如此，但王士禛的这联诗却要雅致素淡得多。

“流泉自成响，林壑坐生凉”，写从远处群峰到寺前这一大片莽莽苍苍的雨后景色。可是诗人仅仅选取了两处有特征性的景点来写，一是“流泉”，一是“林壑”。写“流泉”侧重耳闻，因为山中刚下过雨，处处泉水淙淙，平添了激响，犹如万壑千溪霎时奏起了悦耳的交响曲。写“林壑”侧重体感，由于雨后热气尽消，令人顿生凉意，真像喝下一碗冰凉的山泉，沁得全身心都爽快极了。这里，虽然只写了两个景点，却能诱发人们的联想，叫人们在想象中仿佛看到一片混茫无际的美好景色。自己也宛如置身于山围林拥之中，因而确有以一当十的艺术效果。

“竹覆春前雪，花寒劫外香”，是近写寺前景象。但却只重神韵的传达，而不求外形的酷肖。上句诉诸视觉，说竹从上寒冬时就已盖上的积雪尚未完全消融，而现在却已经是盛夏了，从而烘托出了寺庙坐落的高寒；下句又诉诸嗅觉，佛经说尘世一成一毁为一“劫”。“劫外”，即超脱于人寰是非、升沉、荣辱、祸福之外。这样写来，也浓化了佛寺的宗教氛围。

“汤休何处是，空望碧云长”，写诗人正在由远而近地观赏悦目惬心的雨后山色的时刻，忽把视线由地面转到浩瀚的高空。但见碧空万里，云彩飘移，轻如絮棉，于是他的情思便不禁随着飘移的云彩，突破了空间的局限，直向远古飞去，想起了南朝宋代的诗僧汤惠休来。其言外之意是，而今碧云寺风光虽好，可惜却少了一个像汤惠休那样的诗僧，来同我即景唱和，寓有知音难得的感慨。垫尾一句，以景作结，触景生情，又妙合寺名，显得气韵悠然。

都知道，作者王士禛论诗是主“神韵说”的，即以清淡闲远的风神韵致为诗歌创作追求的最高境界；而此诗可以说便是如此诗论主张的成功实践和生动体现。

（周子瑜）

过古城

王士禛

格孙城外远烟迷，瘦马凌兢上大堤。
茅屋几人输井税，田家终岁把锄犁。
残碑剥落横苔藓，古道萦回长蒺藜。
陵谷销沉尽如此，一声村落夕阳鸡。

鉴赏

王士禛的诗歌大多讲求神韵，但也有一些针砭时政，反映现实生活之作。这首《过古城》，却另有特点，它既有不粘不脱，不即不离，含蓄不尽的神韵，感叹陵谷沧桑的人间世事，但同时又从中反映出了当时现实社会中农民的穷苦，在两者的结合中，自成一格。

首联直接点题："格孙城外远烟迷，瘦马凌兢上大堤。""格孙城"即题目中的"古城"，在作者的故乡山东新城县东十二里，即在今山东桓台县境。第一句平平叙起，首先画出古城之外一派烟雾迷茫的景色，一个"迷"字，已经隐约透露出怅惘、伤感的神态。在这个背景上，第二句立即点出了人物的活动：作者骑着瘦马，孤苦伶仃（即"凌兢"）地正在向着大堤上行走。瘦马伶仃，形象已经是够凄苦的了，句中着一"上"字，仿佛使人看到那瘦马正在低头奋蹄，吃力地往大堤上攀登，更加觉得令人神伤。这两句看似毫不经意，信手拈来，而从背景和人物活动的结合上，却颇见匠心：在那远烟迷蒙中，在瘦马吃力行进中，古城的冷落与荒凉，作者思想情绪的感伤，以及内心深处的哀愁，一齐流注笔端，溢于言外，这种凄迷、冷落的意境，一下子造成了强烈的艺术效果，并且笼罩全篇。

中间两联，进一步在凄迷、冷落的意境中，写作者在大堤上行走时的所见。"茅屋几人输井税，田家终岁把锄犁。"作者看到那散落在荒原上的几处茅屋，看到在天色向晚中农民还在辛勤地把锄种田和催牛犁地，于是联想到农民为着交纳租税而终岁劳苦的情景。古代行井田制，按制收税，后因称田税为井税。这一联是从空间的横向展示中，来描写眼前之景，通过景物而表现出对于穷苦农民的同情。“残碑剥落横苔藓,古道萦回长蒺藜。”在继续行进中,他看到这古老的地方,残碑已经风化剥蚀,上面长满了青青的苔藓,在迂回曲折的古道上,也生长着茂密的蒺藜。这一联初看也是空间的横向展示,它用残碑、苔藓、古道、蒺藜这些意象,来进一步深化古城的荒凉,给人以更加形象、更加深刻的印象。但如果进一步玩味,我们就不难发现,其中也包含着纵向的对于往昔的追怀,构成今昔的对比。这里有残碑、有萦回的古道,说明昔日的格孙城,曾经是一度繁华的所在,然而曾几何时,往事如烟,不可追寻,只落得如此冷落与荒凉,人间世事,变化得真快啊!我们仿佛听到作者一声长长的叹息。这两联一横一纵,交织描写,把眼前的景物,农民的穷困,今昔盛衰的对比,写得井然有序,而又生动形象,作者的感情也表达得深曲含蓄。四句中,意象的选择少而精,很富有典型性,虽然只有疏疏的几笔描写,但其中蕴涵的思想,却是极为丰富的,可见作者高明的技巧。

最后一联,作者用情景交融的手法,直接抒写个人的感慨。“陵谷销沉尽如此,一声村落夕阳鸡。”“陵谷”,是取《诗经·小雅·十月之交》中“高岸为谷,深谷为陵”之意,谓地理环境变动不停,常常如此。前一句其实当然不只讲地理环境,而是对人事变化无常的感慨。明末清初之际,清兵入关,残酷的战争使得有的繁华城市数日中成为一座荒城,到作者生活的时代,也还残留着这种痕迹。这一句虽然是在写格孙城,但又显然不仅写格孙城,有着更为广泛的社会意义,其中流露出对清军残酷杀戮的不满。然而作者只是点到即止,立即把笔墨重新转移到眼前的景物上:红日西沉,夕阳满天,在一片苍茫的暮色中,听得村落中一声声鸡啼。这由视觉和听觉组合而成的荒村落日图景,更加显得萧条而又凄凉,作者对农民经岁劳苦的同情,对人事沧桑的感慨,对于由眼前景物而引起的惆怅,都一齐包含在这一句之中,景中有情,言外有味,耐人咀嚼。

这首诗的意境有一种疏淡之味,一路写来,笔调显得轻松自然,结尾处又以景作结,更留下绵远悠长之意。然而,诗人却善于寄至情于淡泊,在疏淡的意境中,通过意象的精心选择,环境的映衬烘托,感情的含蓄流露,把严肃深沉的思想表达得十分深刻。全诗中不乏神韵之致,但却没有把大地疮痍化为平淡,透过薄薄的一层轻纱,我们真切地看到了当时的社会现实,这是本诗的成功之处。

(管遗瑞)

江上看晚霞

王士禛

彭泽县前风倒吹，三朝休怨峭帆迟。
馀霞散绮澄江练，满眼青山小谢诗。

鉴赏

此诗是王士禛康熙二十四年(1685)四月从广州北归舟过彭泽之作，时年五十二岁。《渔洋诗话》曾载其事："江行看晚霞，最是妙境。余尝阻风小孤二日，看晚霞极妍尽态，顿忘留滞之苦。虽舟人告米尽，不恤也。""小孤"即小孤山，在长江边，离江西彭泽县甚近。诗题中"江上"，即指小孤山旁的长江，第二首有"小孤山外红霞影"可证。这首诗用清丽隽永的笔调和新颖的手法，描写了在江上看晚霞的妙境，读来情韵盎然，如置身画中。

前两句起势峻峭，但又转折跌宕："彭泽县前风倒吹，三朝休怨峭帆迟。"对于一个久在外地而乘船归家的旅行者，多想顺风而行，早日到家，然而事有不巧，在行到彭泽县前的小孤山旁时，忽然逆风猛吹，难以前进了，只好停泊下来。"风倒吹"三字，隐然透出诗人心中的焦虑，诗情也在此猛然一顿，显得发唱挺健。然而下一句却忽然一转：虽然这逆风一连吹了三天，使得高帆(即"峭帆")大船迟迟难以启行，却休要去抱怨啊！"休怨"二字，看似诗人在安慰自己，但又好像是在劝慰别人，而且从肯定的语气中看，还仿佛有一种自得之意哩。这真是出人意料的一笔！在这一顿一转中，诗情起伏曲折，步步紧逼而下，人们不禁要想知道这到底是什么原因呢？这就为后两句的出现，作了极为有力而又自然的衬垫。

于是，我们在渴望知道底蕴的心情中，惊喜而又满意地看到了这样的美景："馀霞散绮澄江练，满眼青山小谢诗。"到了傍晚，从长江上看去，空中的彩霞好像美丽的锦缎，江水宛如一条洁白的绢；再看那两岸一座座青山，苍翠欲滴，清秀可爱，就像谢朓的一首首清新美丽的山水诗。两句中，五彩的云霞，洁白的江水，葱绿的青山，组成了一幅多么醉人的画图！面对这种美景，有谁不想流连呢？难怪诗人要"休怨峭帆迟”了。而且,对于那倒吹的风,倒要生出感激之意,不然,顺风疾驶而去,那就简直要与这美景失之交臂,而遗憾不迭了。在短短四句诗中,诗人倾注了充沛的激情,在对山水的深入的观照中,把起伏变化的心情,迷人的美景,交织融会在一起,叫人激赏不已,品味不尽。

这首诗以清新淡远的笔墨,为江中晚霞和两岸青山的风采气韵传神阿堵,显得风神跌宕。不仅如此,在手法上以诗比景,也新颖而贴切。“小谢”,即南朝齐诗人谢朓(464－499),他以写清新流丽的山水诗而著名,因为生在南朝宋诗人谢灵运(385－433)之后,故称“小谢”。在诗歌中把谢朓与山水联系起来,在唐代就不乏其例,如张子容《赠司勋萧郎中》:“江山清谢朓,花木媚丘迟。”李白《题东溪公幽居》:“宅近青山同谢朓,门垂碧柳似陶潜。”陆龟蒙《怀宛陵旧游》:“谢朓青山李白楼。”等等。但这首诗说“满眼青山小谢诗”,明白地以他的著名的山水诗来比满目青山,就更加直接,能够唤起更为具体生动的印象,而引起更多的联想。并且,“馀霞散绮澄江练”一句,就是直接从谢朓的《晚登三山还望京邑》的名句“馀霞散成绮,澄江静如练”中变化而来的,驱遣自如,运化无迹。三、四两句结合得紧密而又自然,使全诗浑然一体,意脉流贯,而又情致高远。吴调公先生在《论王渔洋的神韵说与创作个性》中说:“与其说他的神韵说引导了他的七绝诗,不如说,如果没有这些诗,他的神韵说将难以得到丰富和充实。”(见《古典文论与审美鉴赏》一书)的确,仔细读了这首清新隽永、风韵绵绵的七绝,我们会对王士禛的神韵说有更深的理解。

(管遗瑞)

蟂矶灵泽夫人祠

王士禛

霸气江东久寂寥,永安宫殿莽萧萧。
都将家国无穷恨,分付浔阳上下潮。

鉴赏

康熙二十四年乙丑(1685),作者奉使广东,祭告南海,事毕返回,道经长江蟂(xiāo)矶,感慨而作《蟂矶灵泽夫人祠》二首,此为其中一首

“蟂矶”，在安徽省芜湖江岸，片石傍江，高不过寻丈，上有孙夫人祠。孙夫人，三国吴主孙权之妹孙尚香，嫁与蜀汉主刘备，世称孙夫人，夫人殁后，世人建庙祭祀，尊称灵泽夫人。

首二句写孙吴，蜀汉两国的先后灭亡。但诗歌不同于散文，它要求高度凝练概括而又具体形象。以“霸气江东久寂寥”代东吴的国灭，以“永安宫展莽萧萧”代蜀汉的败亡。这样来写，既增强了叙事的直观性、形象性，又增强了历史的深度感，同时还寄托了作者的深沉感慨。不是么？想当年，三国争雄，曹操挟天子以令诸侯，北方诸势力一一破灭，唯孙权、刘备敢于与其抗衡；孙刘抗曹、赤壁一战，一举消灭曹操几十万大军，从此江东大振，正如元好问所赞“孙郎（孙权）矫矫人中龙，顾盼叱咤生云风”（《赤壁图》），真可谓霸气无双。但后来东吴终于降魏国灭；“久寂寥”三字，寄托了诗人多少历史的感慨！刘备早在“东西奔走恨无家，将寡兵微作羁旅”之时，就被曹操看作是与己等同的英雄，也是“矫矫人中龙”。他以“复兴汉室”为旗帜，“先取荆州后取川，霸业图王在天府”（罗贯中《古风》），把蜀汉治理得兵精粮足，吴蜀交战，他一次就出精兵七十万，亦可谓霸气十足。然而也落得国家灭亡，永安宫也变成了“莽萧萧”之废墟，这又寄托了诗人多少哀思！应当指出，此二句中的“霸气”“宫殿”实为互文，即：写吴也包括了蜀，写蜀也包括了吴，是对吴蜀国灭的感叹和哀思！但上句又点出“江东”，下句又点出“永安”，这就又使两句各有侧重，这种既有侧重、又为互文的笔法，正好为后两句的抒情张本。

后两句，把同情的笔触转到为孙夫人的遭遇上来：“都将家国无穷恨，分付浔阳上下潮。”以“家”而论，孙夫人是吴主孙权的妹妹，以“国”而论，他又是蜀主刘备的妻室。孙权与刘备，曾联军抗曹，因此孙权才将妹妹许嫁刘备。便后来吴蜀交恶相攻，势不两立，孙夫人也因忧愤自沉于蟂矶，所以说“家国无穷恨”，而“都将”二字，又把“无穷恨”的分量大大加重，深刻地说明了她在吴蜀交恶、互相攻伐中的矛盾和痛苦心情。在“家”与“国”不能两全的情况下，她痛苦地沉江自殁，实际上等于以一心分付“家”“国”，因而末句以“分付浔阳上下潮”作结。大致划分，浔阳江以上，属于刘备的领土，浔阳江以下，属于孙权的国土，以心分付“家”“国”，可见其忠孝得兼之诚；而江“潮”澎湃，正形象地刻画出孙夫人愤懑难抑之悲。因此，清代评论家沈德潜对本诗写下这样的评语：“此昭烈（刘备谥号）孙夫人祠也，浔阳以上为刘，浔阳以下为孙，夫人之恨直无穷矣！”

这首怀古之作，借景抒情，寄意遥深，韵致绵邈；特别是后两句，诗人借孙夫人沉江自殁的史实，拈连出“家国无穷恨”，并将“恨”字，奇想出“分付浔阳上下潮”，真可谓构思精深而又凝重，令人读来感喟不已。

（傅经顺）

题赵承旨画羊

王士禛

三百群中见两头，依然秃笔扫骅骝。
揭来清远吴兴地，忽忆苍茫敕勒秋？
南渡铜驼犹恋洛，西归玉马已朝周。
牧羝落尽苏卿节，五字河梁万古愁。

鉴赏

这首诗是王士禛看了赵孟頫所作的《画羊》图后，有所感触而写的。赵孟頫（1254－1322），我国历史上著名的书画家，浙江湖州吴兴县人，本为宋朝宗室后裔，但宋亡后却被元朝征召做了翰林学士承旨，因称赵承旨。他的仕元，引起了当时和以后不少士大夫知识分子的不满，并影响到对他的书画的评价。其实，他对于赵宋王朝并未忘情，时时通过图画有所表露。这首诗，就是通过叙写赵孟頫借画羊暗示不忘赵宋之情，表示了对画家的深刻理解，也含蓄地寄托着作者自己的故国之思。

这首诗的重要特点，在于采用层层推进的手法，使诗意步步深入，把画家通过画羊而隐含的故国之思，表达得曲折深婉而又浓郁感人。

首联按照一般题画诗的惯例，从图画本身写起，再现画面：“三百群中见两头，依然秃笔扫骅骝。”“三百群”是用《诗经·小雅·无羊》中“谁谓尔无羊，三百维群”之意，极言赵孟頫画羊之多，而这幅画中的两头却又显得格外突出（“见”同“现”，突出之意）。这第一句就满含赞叹之意，虽然没有具体描写画面，但那两头羊的栩栩如生，已经尽在不言之中了。第二句接着称赞赵孟頫画羊的技法，简直就是杜甫在《题壁上韦偃画马歌》中所说的“戏拈秃笔扫骅骝（骏马）”，随便拿着一支别人已经不用的秃笔乘兴一扫，骏马就活现出来，全不费力，只如游戏，那技法真是达到了心手相应、炉火纯青的地步。诗中借用杜诗,也是在用唐代著名画家韦偃来比赵孟頫,可见推崇之高。句中"依然"二字,是说赵孟頫画这两头羊,仍然用的是画马的笔法,可见作者先就见过赵孟頫画的马,早已倾倒之至,而今重睹《画羊》图,又一次受到了强烈的艺术力量的感染,这在第一句的基础上又深入了一层。两句好像客观描写,只指出了羊的头数和笔法,而赞叹之意却溢于言外,诗人欣喜不已,拍案称绝的神态,也如在目前。

按照有的题画诗的写法,接着还要具体描写画中情景,然而作者却到此为止,透过一层,通过自己的联想,来追索当时画家的心情,以抒发感慨、寄寓沉痛的故国之思。

"朅来清远吴兴地,忽忆苍茫敕勒秋?""朅(qiè)来",即何来;"敕勒"指北朝乐府民歌《敕勒川歌》:"敕勒川,阴山下,天似穹庐,笼盖四野。天苍苍,野茫茫,风吹草低见牛羊。"歌中唱出了塞外牛羊满地的游牧秋色。作者在认真审视图画,深入探求画家的创作意图时,忽然若有所悟地自语道:"赵孟頫为什么在山水清远的南国之地吴兴,忽然想到要通过画羊来描写塞外的苍茫秋色呢?"两句表面是疑问,而内在的意思却是肯定的,那就是说,画家之所以要在南国画塞北的羊,显然是别有寄托。接着,到第三联,作者就进一步探索画家的寄托:"南渡铜驼犹恋洛,西归玉马已朝周。"两句各用了一个典故。上一句"南渡铜驼",据《晋书·石虎载记》,后赵君主石虎建都邺城,把洛阳的两只铜铸的骆驼移到了邺地。下一句"西归玉马",据李善注《文选》:"《论语比考谶》曰:'殷惑女妲己,玉马走。'宋均曰:'……玉马,喻贤臣奔去也。'"玉马是比喻贤臣,谓殷纣王宠信妲己,淫乱昏政,贤臣都逃到周地去了。这两句是用铜驼和玉马比赵孟頫,说他身虽仕元,而心却依然怀恋赵宋故国。这就含蓄地指出了作画的动机,看来画的是普通的羊,而其中却深藏着政治意义。最后一联,作者再进一层,彻底揭示了画中蕴藏的沉痛的感情:"牧羝落尽苏卿节,五字河梁万古愁。"句中用了《汉书·苏武传》的典故。苏武字子卿(即"苏卿"),汉武帝时为中郎将,出使匈奴被扣留,牧羊北海。单于叫他牧羝(dī,公羊),说等公羊生了小羊才让他回汉。苏武牧羊十九年,起卧都持汉节,以至于节毛都脱了,至昭帝时,汉与匈奴和亲,苏武才得归,汉朝的降将李陵为他送别,作五言体诗(即"五字")《与苏武诗》,有句道:"携手上河梁,游子暮何之?"留下永久不尽的哀愁。这两句以苏、李作对比,赞扬苏武高尚的民族气节,言外之意是说,赵孟頫画羊,就是意在褒扬苏武坚贞不渝的高贵品质,从而流露出自己不忘赵宋,永怀故国之念。诗歌一步步推进，在环环紧扣中，至此使诗意显得十分婉曲深邃，在沉痛中含着悲愤，充满着深沉的激情。同时，最后以"牧羝落尽苏卿节"一句点出羊，与首句"三百群中见两头"的羊相照应，全篇显得结构完整，使诗情表达得婉曲含蓄而又充沛饱满，在委婉曲折中显得笔力千钧，这在王士禛的诗作中，是不多见的。

整首诗用典较多，但没有獭祭之感和生硬晦涩之病，都比较贴切而又自然。通过用典，开拓了诗的境界，使笔墨不只停留在一张画上，而是地北天南，古往今来，纵横驰骋，这样，大大丰富了诗意，加深了感情，使得全诗既不乏鲜明的形象，而又具有深刻的思想。

（管遗瑞）

嘉陵江上忆家

王士禛

自入秦关岁月迟，栈云陇树苦相思。
嘉陵驿路三千里，处处春山叫画眉。

鉴赏

这首诗写于康熙三十四年(1696)的春天。诗人桑梓山东，仕路京华，因久客秦蜀而生思归之想，写得感情深挚动人。

首句的"自入秦关岁月迟"，是写不惯异地久留。这种不惯，是"自入秦关"（指今陕西省的灵城）早就开始了的。"岁月"时光，对每个人来说，本来都是等同的，但因为诗人不惯，所以就感到它过得太慢。一个"迟"字，写出了"心愁日月长"的心理特征。次句的"栈云陇树苦相思"，将这种感情推进了一层。"栈云"，指四川栈道边的云气；"陇树"，指甘肃陇山一带的树木。华北大平原的春天，阳光和煦，春光明媚，特别是他的老家山东，正是"陂塘分出几泉清"的最美好时刻。而诗人异地所见，不管是四川栈道边的云气缭绕，还是陇山寒树的枝叶迟岁，都增加了诗人的苦闷寂寞之感，因而也就增加了对家乡由衷的渴念之情。"相思"而又着一"苦"字，这就充分揭示了诗人思乡的痛楚之情。

如果说开头两句运用的还都是叙述性的语言，感情的抒发还不够丰满有力，那么，后两句感情的抒发，就更加深致、悠长而又动人了：

"嘉陵驿路三千里,处处春山叫画眉。"读上句的"嘉陵""驿路""三千里"三个词语,使人仿佛看到诗人处身嘉陵江上,眼中数着江边一个个驿站,心里规划着回家的路线,计算着"三千里"(极言其路长)路所需的时日。但诗人是否能够马上回家呢?诗未明言,而以"处处春山叫画眉"之画面出之。这种以景结情的笔法最为灵妙,深致而有力量。我们深知,画眉是一种鸣唱动听的候鸟,它们繁衍于北方,冬天就到南方越冬,而春暖花开的时候,又将要飞往北方去繁衍子孙,这"处处春山叫画眉",不正说明它们都在欢唱着准备展翅北飞吗?这情景,怎能不倍增诗人思乡之情思?听一声画眉的鸣唱,已令人难堪,更何况是"处处春山叫画眉"呢?读完此诗,诗人一种"人不如鸟"的痛苦之情犹然如在目前。

隋代的大诗人薛道衡,奉命出使南陈,开春不久写下一篇著名的《人日思归》:"入春才七日,离家已二年,人归落雁后,思发在枕前。"传闻这是当着南陈诸文士之面为诗。人们看到首句,都嗤笑不成诗句;读完次句才觉得有了点诗味;而读完了末两句,便都肃然起敬、赞不绝口了。但如果将薛诗与王诗并论,可就轩轾可判,甲乙分明了。首先,薛诗全部都是平铺直叙的语言,而王诗一上来便带着满怀强烈的思乡激情,且是步步升级,逐层深化,最后以景语结情;第二,薛诗表现的是"人不如雁"之思,王诗表现了"人不如鸟"之想,这一点基本上可以持平。但进一步分析,薛诗的"人归落雁后"只不过是悲情的自陈,是以哀写哀;而王诗的"处处春山叫画眉"却是情藏景背,以乐景托哀情。俗有谓"以乐写哀,倍增其哀",艺术上的文野之分、高下之分是显而易见的。第三"文似看山不喜平",薛诗比之王诗,显然是平直了些,尽管后两句为诗增彩,但文势仍显不足,而王诗则一浪未平,一浪又起,处处滚动着诗人思乡的激情;最后是激情的高峰,而诗人却偏又将其藏于画面背后,这样读来就更感到余音缭绕,韵味无穷了。

(傅经顺)

清流阁

王士禛

潇潇寒雨渡清流,苦竹云阴特地愁。
回首南唐风景尽,青山无数绕滁州。

鉴赏

这首诗写于康熙二十四年(1685)。作者奉使广东,祭告南海,返途滁州(今安徽滁县),过清流关;关在滁州西南二十里处,地势险峻,上有清流阁,诗人登阁而望,吊古生慨,因有此作。

这天,细雨蒙蒙,涧水淌淌,瘦竹在寒雨中如泣如诉,因而诗人即景命笔,写出"潇潇寒雨渡清流,苦竹云阴特地愁"之句。"潇潇"二字,相声而兼雨形,可谓声形兼备,使人想象出细雨迷蒙满寒山之状;此刻渡水,又见"苦竹"寒瘦,挣扎在迷茫的"云阴"之中,因而诗人顿生"特地愁"之叹!此处的"愁",是写诗人之愁,还是写"苦竹"寒山之愁?真是二者兼而有之,难解难分了。

自然中的景物,本无所谓喜,亦无所谓愁,它们的喜和愁都是受着诗人主观世界的感染。因此,质言之,这两句只不过是作者此刻心绪的外露,也是为后面的吊古作一有力的铺垫。下面才是真情实感的正式抒发。

"回首南唐风景尽"写的是这样一段历史:滁州,在残唐五代时期,本为南唐辖地,自然也是君臣,甚至文人墨客的欢娱游赏处所之一。但君臣欢娱,不思自振,待北周的赵匡胤举兵南侵,清流关一战,一举击败了南唐十五万大军。南唐灭亡,滁州自然归宋。因而这"风景尽"的"尽"字,虽则兼含苦雨中佳景净尽和南唐好景尽去双重含义,但主要是指后者。"回首"而"南唐风景尽"去,好景之去,何其神速!从这神速的语气中又暗含了诗人对历史多么深沉的感喟!而"青山无数绕滁州"又统摄和回应了前面的"寒雨"和"云阴",渲染出一种无可解脱的愁绪。在宋代大文学家欧阳修的《醉翁亭记》里,起句便是"环滁皆山也",但那是写太平太守的与民同乐,本诗的结句虽然化用了欧阳修文中的句意,但由于心绪不同,意境全非;因为诗的结句将"苦竹云阴特地愁"和"回首南唐风景尽"有机地融为一体,因而抒发的是一种吊古伤怀无可解脱的绵邈愁情。

本诗的主要特点是,能将写景与吊古融成一体,妙合无间,从而大大加深了吊古诗的深沉意境。

(傅经顺)

邯郸道上

宋 荦*

邯郸道上起秋声，古木荒祠野潦清。
多少往来名利客，满身尘土拜卢生。

作者

*宋荦(luò)(1634－1713)，字牧仲，号漫堂，又号西陂，河南商丘人。以大臣子荫入充侍卫。康熙中，出为黄州府推官，迁江西巡抚，转江宁巡抚，官至吏部尚书。其诗宗宋，尤推重苏轼，与王士禛齐名。有《西陂类稿》。

鉴赏

“邯郸”乃战国时赵国国都，为古代河北商业中心。它地处交通要冲，故往来车马行人极多。此诗是作者在邯郸道上看到行人风尘仆仆的情景，有感而发的。

诗中涉及唐传奇《枕中记》的故事：有卢生途经邯郸，在客店中自叹穷困。同房吕翁授予一枕，告诉他枕着睡觉可以梦享荣华富贵。卢生入梦时店家正煮黄粱饭。梦中，他结媛鼎族，登第拜相，荣宠异常，子孙满堂。梦醒后，店家的黄粱饭还未煮熟。于是深觉人生短暂，富贵无凭。诗人在秋风萧瑟中，看到沿途的古木、荒祠和野水，本来就有了一种厌倦游宦的情绪。这时他眼中的匆匆奔波于道途的路人，也就成了一群没头苍蝇。这使他联想到一枕黄粱的故事。

“多少往来名利客，满身尘土拜卢生。”两句有措意混合之妙。从字面看，这是形容追名逐利的世人，仍在步卢生的后尘。但“拜卢生”三字，有两种不同的解会，一是“拜”受枕入梦之前的“卢生”，和他一样在为名利奔波，而且苦恼。另一则是“拜”大梦已醒以后的“卢生”，那就应该是从迷梦中惊醒，产生了觉悟，从此鄙弃富贵，求得内心的平静。这两种人，在邯郸道中都是有的，诗人一语兼收并蓄，故佳。

这首诗似乎只是嘲讽世人。其实诗人自己也是邯郸道上奔波的一员。他从自身中跳脱出来，对现实作旁观或俯瞰，方能有此觉悟。故诗中也应含有自嘲意味。另，诗中提到“野祠”，联及“拜”字，祠主莫非是卢生不成，俟考。

（周啸天）

荻港避风

宋荦

春风小市卖河豚，薄暮津亭水气昏。
不住江涛崩荻岸，俄惊山月照松门。
渔樵有泪游兵过，钟磬无声古庙存。
明发扬舲更东下，杜鹃啼处几家村？

鉴赏

“荻港”，在今安徽铜陵县，傍水有渡口，多生芦荻。诗人乘船路过，遇到江上起了风波，遂暂驻江岸。因一时闻见，而作成此诗。

一个早春二月的黄昏时分，江边集市上还有人在叫卖河豚。这时江风已起，江面水雾蒙蒙。开篇画出了一派江景，颇具渡口风情。“春风小市卖河豚”，情景清丽，能使人联想到苏东坡名句：“溶溶晴港漾春晖，芦笋生时柳絮飞”（《寒芦港》）“蒌蒿满地芦芽短，正是河豚欲上时”（《惠崇春江晚景》）。而“薄暮津亭水气昏”，则写出当日的一种特定情景，使人感到天气就要变了。紧接写由昏至夜江上值风的景色。江涛不住，荻岸时崩。可见江间风级很大，生有芦荻的沙岸，也经不起水击浪打，而崩塌了。大风吹散了天上的云，不但没雨，反而出现了月亮。这月色不会十分清明，它笼罩崖间松林，景色应是惨淡的（“松门”，山崖相对，有松如门）。通常情况是风高月黑，或风来雨继；而“山月照松门”的大风之夜，景色奇特，故着“俄惊”二字，传达出诗人异样的感觉和讶怪的神情。以上四句写景，可谓毕传“荻港避风”况味，而善写难状之景。

但诗人在“荻港避风”的当时，

并没有流连于眼前景物,五、六句通过江上偶尔的闻见,反映了严酷的现实:“渔樵有泪游兵过,钟磬无声古庙存。”这样的大风之夜,有“游兵”出没江上,可不是什么好事!“游兵过”与“渔樵有泪”的句中对举,分明暗示出江上发生扰民暴行,暗示出有劫掠奸淫一类恶性事件的发生。“有泪”与下文“无声”对仗,既可解为吞声饮泣,也可反训为大放悲声。崖间岸上虽有古庙,而绝无钟磬之声。对照唐人“夜半钟声到客船”(张继)之句,那是何等和平的景色,而这又是多么荒凉的景象。可见那“古庙”实是废弃的寺庙。于是诗人想象天明后继续乘船东下的情景,还不是一片萧瑟:“杜鹃啼处几家村?”杜鹃即子规,其啼声悲苦,声音像是“不如归去”。这一句暗示读者,诗人在此行一路上看到的都是类似的荒凉景象,所以他预料明日经过的地方也好不了多少。

诗中描绘的是清初战乱刚刚过去的情况。虽然大规模的战争和流血已经停止,江上渡口也能见到“春风小市卖河豚”的景象,然而战争带来的创伤仍然深剧,荒废的寺庙和凋敝的农村,都表明社会还未恢复元气,而人民还在继续受到骚扰。这是一幅真实的社会生活图画。至今读来,仍可感到它的字里行间充满作者悲天悯人的情怀,从而感人至深。

(周啸天)

海上杂诗

宋　荦

杰阁从前代,平看碧海流。千年留碣石,一发辨登州。
潮送斜阳落,风传绝塞秋。倚阑聊咏志,俊鹘下荒洲。

鉴赏

从题材上看,这是一首登临之作,写的是诗人登山海关眺海时之所见所思。前三联重在绘景,尾联咏志。

“杰阁从前代,平看碧海流。”首联从大处落笔,气象雄阔。两句诗又各有侧重。第一句重在突出山海关历史的悠久。(“杰阁”,据诗人自注指山海关城楼。)山海关地势险峻,历来为兵家必争之地,有“天下第一关”之说。“杰”字强调了山海关之不寻常。“从前代”,建自以前的朝代，远从秦汉前直至诗人登临，山海关都以其高峻挺拔的雄姿屹立在渤海边上。次句则重在写眼前所见：站在山海关城楼放眼望去，不远即是汪洋浩瀚的碧海。“平”字用得十分准确，因为所看的对象不是关下的景物，而是远方的大海，故用“平”字而不用“俯”字。诗人通过平视能将一望无际之茫茫大海尽收眼底，故虽未正面描状山海关之高峻，而高峻自见。

中间四句，均由次句的一个“看”字生出，只不过是看的方向、远近、景象不同罢了，其中第三联的对句，除了有看的成分，还有听的成分。最先映入诗人眼帘的，则是海边的碣石。“碣石”，古山名，在今河北省昌黎县西北渤海边，为秦始皇、汉武帝东巡观海勒铭记功之处。诗用“千年”修饰碣石，并非是因为碣石仅有千年的历史，而是说从千年以前，碣石就因秦皇汉武之故知名于四海以至于今。接着，诗人将视线前移，似乎已看到了渤海湾对面的登州。“登州”，今山东省蓬莱市。“一发”，形容眺望远处看到的细微形状。稍有地理知识的人都知道，再好的眼力，从山海关无论如何也是看不见山东省之蓬莱市的，所以，“一发辨登州”一句显然是虚写，是驰骋遐思再转化为视觉的结果，目的是突出大海之浩渺无垠。

“潮送斜阳落，风传绝塞秋。”第三联将笔收拢，从“辨登州”的虚幻想象中，回到描摹眼前之实景，且笔调也为之一变，由大声之赞叹变为低沉的哀伤，境界苍凉。大海里，落潮卷起一个又一个浪头，在大海的尽头，一轮红日正慢慢地向海中沉去；陆地上，一阵阵秋风，正把山海关一带变得如同绝塞地域一样的萧瑟荒凉。两句诗，一写海上，一写陆地，极有重点。而拟人手法的运用，使作品的形象更为鲜明。本来，斜阳落是地球围绕太阳公转的结果，秋是季节自身变化的结果，但作品却偏偏说斜阳是潮“送”其落下的，山海关一带的秋意是风从绝塞地域传递而来的，这样，就赋予了潮水和风以人的感情，使读者读起来倍感亲切。

最后，诗人以具体形象言志：“倚阑聊咏志，俊鹘下荒洲。”两句诗欲吐又吞，似吞又实吐，前一句已经说到要“聊咏志”，读者急不可待地想知道诗人之志到底为何，此即为欲吐。但末句五字，却避开“志”这一话题不谈，而以景物描写结束全诗，此即为又吞。但“俊鹘下荒洲”一句，看似一寻常景物，实际上包孕了极为丰富的内涵。“鹘”，猛禽，也叫隼，鹰一类的飞禽。诗人是以向下俯冲的矫健凶猛的鹘自比，表示自己也要像俊鹘一样地奋飞，此即所谓似吞而实吐。

诗词结尾有所谓宕出远神一法，即在诗词结尾处宕开写去，看似同作品所要表达的主旨并无关系，却又曲折地显露了主旨的一种结尾法。像这首诗第七句是说要"聊咏志",但末句却不正面回答所咏之志为何,而将话题宕开,以"俊鹘下荒洲"作结,委婉地吐露了自己的凌云壮志,读后直觉有如大木撞洪钟,清音缭绕,悠然情深。

此诗写景气势雄阔,言志则刻意生新,于写景言志之中,寓有清刚隽拔之气。选字组句也掷地有声,所谓"言头落处,铿然清脆"(张谦宜《茧斋诗谈》)是也。

(迟乃鹏)

秦淮竹枝词

纪映淮*

栖鸦流水点秋光，爱此萧疏树几行。
不与行人绾离别，赋成谢女白雪香。

作者

*纪映淮，生卒年不详，字阿男，诗人纪映钟之妹。能诗。早寡。有《真冷堂诗》。

鉴赏

此诗咏秦淮河边的柳树。诗的前两句描绘秋天薄暮秦淮河上的景色。由于时近黄昏，水于空阔之间，栖鸦成阵。“栖鸦流水点秋光”，妙在“点”字。它固然是从秦少游“斜阳外，寒鸦万点，流水绕孤村”（《满庭芳》）化出的，“虽不识字人，亦知是天生好言语”（晁补之）。然“点秋光”三字又意味着“栖鸦”和“流水”点染成一片秋色，这却是秦诗没有的意味。“爱此萧疏树几行”，第二句开始写到河上柳树，虽然有数行之多，却又显得疏朗有致，自是可爱的。这是栖鸦的归宿，又是流水的陪衬，是秋光中少不得的一组景物。

最妙的是诗人接下去不再作直接的描写，而用嗔怪的语气，赋柳树以人格：“不与行人绾离别，赋成谢女白雪香。”可以推测，作者当时正有送别的情事。汉唐人皆有折柳送别习俗，所谓“长安陌上无穷树，唯有垂杨管别离”（刘禹锡）。但事实上柳树是系不住行舟的，而作者面对的又是秋柳，似乎更不关心人的别离了。她忽然又记起谢道韫“未若柳絮因风起”那段咏雪的佳话来，于是生出一个奇想，觉得那柳树的不管离别，是因为它把才思用偏了。因为帮助谢女写成咏雪的名句，才从此冷淡了许多的行人。这种拟人的手法是十分婉妙的,于曲曲传出作者的离情之外,还有了一点风趣。

"赋成谢女白雪香",这诗句本身也很造奇。本来是谢女看见飞雪而联想起飞絮情景,作成佳句。诗句却说是柳絮作成谢女咏雪之句,又从而赋予了白雪以清香。在秋天,本来没有飞絮的景象,但诗人浮想联翩,坐役万景,才有此独得之句。而作者本人也是才女,她由柳树联想到谢女咏雪的故事,也很自然。此外,飞絮是作用于视觉的图景;而诗句是作用于想象的语言。彼此互换,也有通觉的妙用。正因为这些原因,使此诗颇具神韵,从而得到王士禛的激赏,其名篇《秦淮杂诗》就写道:"栖鸦流水空萧瑟,不见题诗纪阿男。"

最后应对诗题作点辨证。按此诗的内容,诗题应作《秦淮柳树词(或杨柳枝词)》才对。《竹枝词》和《(杨)柳枝词》皆是唐代歌辞,风调皆近民歌。但"竹枝泛咏风土,柳枝则咏柳,其大较也""于咏柳之中于寓取风情,此当为杨柳词本色"(《石洲诗话》)。所以此词非"竹枝"体而应为"柳枝"体无疑。

(周啸天)

督亢陂

赵　俞*

提剑荆轲勇绝伦，浪将七尺殉强秦。
燕仇未报韩仇复，状貌原来似妇人。

作者

*赵俞（1635－1713），字文饶，号蒙泉，江苏嘉定人。康熙二十七年（1688）进士，官定陶知县。能诗。有《绀碧亭集》。

鉴赏

“督亢”为古地名，在今河北省涿县东，跨涿县、固安、新城等县界。中有陂泽，周五十余里，支渠四通八达，战国时为燕国著名的富饶地带。荆轲刺秦王，就是以献督亢地图为由的。作者在行役中路经督亢陂故地，遂联想到荆轲的故事，写下了这首别有卓见的咏史诗。

“提剑荆轲勇绝伦，浪将七尺殉强秦。”荆轲是燕太子丹聘用的刺客，他提一匕首入不测之强秦，在易水为饯别者高唱“风萧兮易水寒，壮士一去兮不复还”，也可谓勇猛绝伦了。但他是在准备未周，被燕太子丹催促之下，仓促成行的。他的搭档秦舞阳又不争气，所以他的行刺以失败告终了。一个“殉”字，再次对荆轲的轻身酬恩的义勇，作了肯定。而一个“浪”（轻易、随便）字则又使这个肯定有了几分保留，他显然认为荆轲的死是白白送死，不值得。如果诗意仅仅到此为止，那还算不得卓见。比作者年辈稍长的龚贤，就已有“不读荆轲传，羞为一剑雄”（《扁舟》）的诗句。

“燕仇未报韩仇复，状貌原来似妇人。”后二句一转，由荆轲联想到张良，这倒有些新意了。这个联想之妙，在于张良与荆轲曾有类似的行动，走过一段弯路。在韩国被秦灭亡后,作为韩公子的张良,"悉以家财求客刺秦王,为韩报仇"(《史记·留侯世家》)。结果在博浪沙捅了马蜂窝,亡命下邳。侥幸未死,使张良有机会反思教训,又幸得黄石公传授兵书。后来辅佐汉高祖刘邦,终于灭秦,报了故国之仇。"燕仇未报韩仇复",这七字寓意极深,发人深省。要做为国雪耻那样的大事业,仅有匹夫之勇是靠不住的,必须有深谋远虑,大智大勇。荆轲够不上格,而张良足以当之。最有味的,是诗人突然又联想到太史公的感慨:"上(刘邦)曰:'夫运筹策帷帐之中,决胜千里外,吾不如子房。'余以为其人,计魁梧奇伟。至见其图,状貌如妇人好女。盖孔子曰:'以貌取人,失之子羽。'留侯亦云。"诗的末句"状貌原来似妇人"的张良形象,便与提剑殉国的荆轲形象,形成对比。外表看去,荆轲更像勇士;殊不知那个貌似淑女的张良,才真有大勇呢。

诗中通过历史人物及事迹的对比,形象地证明了"上兵伐谋(《孙子兵法》)"的道理,还雄辩地说明了"人不可貌相,海水不可斗量"的道理。

(周啸天)

晓发京口

徐釚*

溯回泱漭忽闻鸡，风饱江帆叶叶齐。
瓜步晓钟寒雨歇，楚天浓树湿烟迷。
已从击楫悲荒垒，更想沉舟听鼓鼙。
回首瓮城山色远，惊涛犹在海门西。

作者

*徐釚(qiú)(1636－1708)，字电发，号拙存，又号虹亭，江苏吴江人。康熙十八年试博学鸿词科，授翰林院检讨。工诗画。有《南州草堂集》。

鉴赏

"京口"，又称瓮城，铁瓮城，今之镇江市。徐釚，江苏吴江人，康熙十八年(1679)，被召试博学鸿词科，授为翰林院检讨。在此之前，时常背乡离井，飘泊异地，为羁旅游子。在这种情况下，心中抑郁摧挫之气，时萦胸怀。《晓发京口》一诗，正是旅途中在这样的心境下写成。

诗之首联紧扣诗题，写晓发时舟行方向——逆水沿长江而上；江面情况——水流宽阔浩渺；晓发时间——鸡鸣即发；舟行状况——风饱江帆，舟行极为迅疾。"风饱江帆"四个字运用拟人手法，不说风大，却说风灌饱了大江中的船帆，十分工致。这两句诗于阔大境界之中已微露愁绪。

"瓜步晓钟寒雨歇，楚天浓树湿烟迷。"颔联承接首联，写江船行至六合县时的景观。"瓜步"，即瓜步山，在京口的上游六合县。"楚天"，因长江中下游之地古属楚国，故云。诗人四下远眺，扑入眼帘的是一帧凄清动人的图画：瓜步之晓钟，初歇之寒雨，浓密之树木，霭霭之湿烟。"瓜步"为小景，"楚天"为大景；晓钟为所闻,余皆为所见。钟声悠远,可造成幽寂的韵致。寒雨、浓树、湿烟,则传递出较之首联稍加浓重的忧愁。两句诗既是实景的活脱脱的写照,又为下联吊古预先作了烘托。

前两联将景物写足,颈联笔锋突然一宕,由景物逼出情思,诗歌进入怀古:“已从击楫悲荒垒,更想沉舟听鼓鼙。”诗人逆水而上,江风拂面,思绪联翩,很自然地联想到一些同楚地有关的人物。他先想到东晋的祖逖中流击楫事。寄居京口的祖逖,“常怀振复之志”,率领百余家部曲,渡江北上,于长江中流击楫发誓说:“祖逖不能清中原而复济者,有如大江。”(《晋书·祖逖传》)不到几年,祖逖收复了黄河以南大部分土地,立下了赫赫战功。沉舟,则指项羽渡黄河破秦军事。生于楚地的西楚霸王项羽威震楚国,名闻诸侯以后,曾引兵渡过黄河,破釜沉舟,与秦军凡九战,大破之。诗人把两位同楚地有关的历史人物,作为怀古的对象,目的是用祖逖、项羽所建立的传世的功勋,同自己碌碌无为的现状作一鲜明的对比,以反衬自己年华的虚度。同时,祖逖、项羽不得善终的可悲结果,又为作品增添了悲凉的色彩。在艺术上,作者用“已从”“更想”四个虚字把出句、对句互相勾连,既能表现诗人思绪联翩、遐想不已的情态,又使句法圆转流动。另外,颈联同颔联虚实相生的写法,也为作品增色不少。颔联写景,为实;颈联怀古,为虚。颔联为有形的景物,颈联为无形的情思。这种虚实相生之法,使古与今、历史与现实在时空上共置一个画面,可避板滞之弊,能引人入胜。

诗的最后一联由怀古挽回,通过描状京口的景色,来透露惜别京口之情:“回首瓮城山色远,惊涛犹在海门西。”京口虽非诗人故乡,但住上一段时间离开之时,难免有依依不舍之感。所以,当诗人乘舟沿江而上,行至瓜步山时,出现了想再看一看京口的心理。诗人回首遥望,京口的山色已被烟遮雾罩,越来越远。而京口东有焦山,焦山东北有二岛对峙,谓之“海门”,故云“惊涛犹在海门西”。“无端更渡桑干水,却望并州是故乡。”(刘皂《旅次朔方》)诗人怀着类乎这样一种心情告别了京口,凄恻之情当油然而生。只不过这种心情并未明说,而是以景传情,让读者自去体味。此联“回首”同首联“溯洄”遥相呼应,“惊涛”又同首联“泱漭”遥相呼应。结构上的前后关照,使全诗显得十分完整、谐和。

这首诗写晓发京口时在大江之上的所见所闻所忆,所见凄清,所闻幽寂,所忆悲壮,于见、闻、忆中,透露了诗人内心的惆怅。在绘景上,又十分富有画面立体感:空中的是鸡鸣、钟声、寒雨、湿烟,近处是江帆、瓜步山,远方是瓮城山色、海门惊涛。而忆古又使诗具有历史的纵深感。

(迟乃鹏)

津门官舍话旧

邵长蘅*

对床通夕话，官舍一灯红。十年存殁泪，并入雨声中。

作者

*邵长蘅(1637－1704)，字子湘，号青门山人。康熙年间游历京师，与名士广泛交游，终生未仕。诗初学晚唐，后学宋人。有《青门集》。

鉴赏

此诗作于康熙二十五年(1686)邵长蘅再度落第后。诗人时年五十，痛心道："吾大错！吾五十青裙媪，犹从少年为倚门妆耶！"后终身未居官。诗即作于他由京返乡路过天津时。诗人在天津官邸拜会友人，从"十年存殁泪"一句看，他们应该是阔别多年的老友了，所以一聊起来就没个完。诗中写的就是这一次难忘的会见，一次彻夜的长谈。

对床夜语包含了一个故事：苏轼兄弟于风雨之夜，常对床夜语，倾心交谈(事见苏辙《逍遥堂会宿》诗序)但类似情景唐人已有："能来同宿否，听雨对床眠"(白居易《雨中招张司业宿》)"每思闻净语，雨夜对禅床"(郑谷《谷自离乱之后》)。后人常用这一现成情景或思路形容好友、兄弟的聚会及欢乐之情。"对床通夕话"即是"津门官舍话旧"的实际情况，又含有上述故实，故味厚。接下去似乎应该写点"通夕话"的具体内容。然而诗人却暂时撇开，而推出了一个镜头："官舍一灯红。"这就从具体交谈中跳出来，使读者审视交谈当夜的情景。远津门官邸的红烛，一夜未灭。它不仅暗示了老友阔别重逢，有叙不完的旧谊；同时也暗含有"夜阑更秉烛，相对如梦寐"(杜甫)"今宵剩把银釭照，犹恐相逢是梦中"(晏几道)那样的情景，写出阔别重逢的欣喜和困惑。

诗人年过半百,老友年纪该也不轻。过去的故交旧人,该有多少变化,这显然是"话旧"的主要内容。彼此见面,必然要打听一些老朋友或对方亲人的情况,而其中必然有已经作古的人,有虽未作古而十分潦倒穷愁的人。有的事诗人早已闻知,有的事则是第一次听到。必然又有一番感慨,乃至下泪。这就是"十年存殁泪"五个字包含的内容。它实际上说明了"通夕话"的是什么,但没有说尽,立刻又推出一个镜头:"并入雨声中。"风雨之夜给人的感觉是异样的,一片雨声,掩去了一切人世的噪音,使夜显得特别深沉。雨夜是天然适宜于话旧、怀旧的场景。诗中的"雨声"也是实景,同时又关合"对床夜雨"那个故实,故亦味厚。诗人巧妙地借这雨声,轻轻掩去了"十年存殁"的具体交谈内容,从而发人深思。

由上述分析可以看到此诗的两个特点:一是抒情叙事的概括性,"对床通夕话""十年存殁泪",点到为止;二是用景象对情事作缩结,不了了之,"官舍一灯红""并入雨声中",皆有点染的妙用。点染之间,境界出焉。文学作品的创作,有时需要生动具体,有时则要抽象空灵。作为五绝这样短小的诗体,后一种写法是常用的。如此诗不涉及叙旧具体内容便可谓"不著一字,尽得风流"。也就是说,它抛弃了属于个人的特殊情事,却获得了更加普遍的共鸣。

(周啸天)

牵缆词

王又旦*

昴毕西横夜犹暗，官船催夫牵锦缆。
石尤风高霜满河，欲行未行徒蹉跎。
天明前村鸡下树，五里八里已为多。
橐中糇粮早已尽，前途尚远饥如何！
生来不合水边住，负担欲问山中路。
山家奉令猎黄罴，正是昨宵牵缆时。

作者

*王又旦（1639－1689），字幼华，号黄湄，陕西省郃阳（今合阳）人。顺治十五年（1658）进士。官至吏科给事中、户科掌印。工诗。有《黄湄集》。

鉴赏

在封建时代的劳苦大众中，纤夫的命运特别悲惨。唐宋以来不少诗人都写过纤夫苦，而王又旦的《牵缆词》和前人之作比较起来，仍有特色。

全诗可以分两部分。前八句为一部分，写纤夫劳动的繁重和生活的艰苦。诗人不是采用概述的方式，而是通过从大清早到黎明纤夫拉船的具体活动来反映的。"昴""毕"是二十八宿西方七星中的两个星名，此二星当空，天尚未明。故一起即云"昴毕西横夜犹暗"，这么早，官船就要出发了。古代没有机动船，船行主要靠人力拉缆绳。"锦缆"名称虽好，实际上多用篾条编成，谓之纤藤。行船最怕遇到逆风，即"石尤风"，纤夫们恰好遇上了。在天气炎热的季节拉纤很苦，严冬季节，那滋味就更难受了，有时踏着冰霜，走一步也很艰难。"石尤风高霜满河，欲行未行徒蹉跎"，写的正是这种情况。“蹉跎”到什么程度呢？诗中说，拉到“天明前村鸡下树”，少说也有两三个时辰吧，而“五里八里已为多”，平均一小时（半个时辰）还行不到三里，而拉纤就得有这个耐劲儿。宋杨万里《竹枝歌》写道“莫笑楼船不解行，识侬号令听侬声。一人唱了千人和，又得蹉前五里程。”可见蹉程五里也不简单。最麻烦的是，正需要填饱肚皮补充精力的时候，“橐中糇粮早已尽”。官家连饮食也不能供给，“又要马儿跑，又要马儿不吃草”行吗？“前途尚远饥如何！”诗人只能以一声悲叹绾结。诚如李白所写：“水浊不可饮，壶浆半成土；一唱都护歌，心摧泪如雨！”生活就这么苦，而劳役又是那么重。这一段将纤夫的悲哀写得入木三分了。

末四句撇开眼前情事，通过纤夫的心理活动，由此乃彼，连类而及山家猎户服役之苦。这就使得此诗的主题超越了《牵缆词》的题面，而上升到对徭役剥削的控诉，诗的新意也就出在这里。“生来不合水边住，负担欲问山中路”，纤夫怨极，恨不得离开生长的水边，而上山寻找生路，殊不知“天下乌鸦一般黑”，船家受到的压迫奴役，山家一样也受到了。诗人构思最妙处，是把山家被官府驱使狩罴的时间，就安排在纤夫奉命出发之昨宵。“山家奉令猎黄罴，正是昨宵牵缆时”！看来如果去“水”就“山”，也不过是离得龙潭，又落虎穴而已。纤夫虽有“逝将去女，适彼乐土”的主观愿望，然而现实中哪有什么乐土呢？还是拼命拉纤吧。联想到杜甫所说：“何乡为乐土，安敢尚盘桓。”（《垂老别》）柳宗元所说：“则吾斯役之不幸，未若复吾赋不幸之甚也。”（《捕蛇者说》）此诗的结尾，实有悠悠不尽之恨。

（周啸天）

喜雨口号

蒲松龄*

一夜松风撼远潮，满庭疏雨响潇潇。
陇头禾黍知何似？槛外新抽几叶蕉。

作者

*蒲松龄（1640－1715），字留仙，一字剑臣，号柳泉，山东淄川（今淄博市）人。屡试不第，七十一岁始成贡生。以教书为生。工诗文。著《聊斋志异》。其诗以白描为主。有《聊斋诗文集》。

鉴赏

风雨可以使人愁，也可以使人喜。一看它来在什么时候；二看对于什么人而言。如果是送春的风雨，碰上个多愁多病的身，就有李清照的《如梦令》所赋的闲愁："昨夜雨疏风骤，浓睡不消残酒。试问卷帘人！却道海棠依旧。知否，知否，应是绿肥红瘦。"如果是春耕时节的雨，又遇上感情与农夫相通的诗人，就有蒲松龄《喜雨口号》所赋的欢欣了。

"一夜松风撼远潮，满庭疏雨响潇潇。"比起"昨夜雨疏风骤"，这两句诗是什么气势！这绝不是住在城市四合院中所能听到的雨声风声，而是身在山野的人才能领略到的雨声风声。必须是成片松林，在大风吹入的时候，才会出现松涛的奇观和奇响。而夜里听去，就如大江潮汐，由近及远，或由远及近。风入松，是第一部夜曲；梧桐雨，则是第二部夜曲。前者雄浑低沉，后者明快响亮。交响成一片，使人感到何等的愉快。

"陇头禾黍知何似？槛外新抽几叶蕉。"易安居士大早起来就怯怯生生地打听海棠消息，而柳泉先生则迫不及待地问到"陇头禾黍"的长势。当然,他也为庭前槛外芭蕉足雨而发出的新叶感到欣喜、愉快。他没有满足于此。心里早已想到,田地里的庄稼经春雨滋润后,该也和槛外芭蕉一样抽叶拔节了罢。这两句之妙,不仅仅在于第三句提唱,表现了关心时稼的仁人之心,提高了诗的思想价值。还在于第四句回到眼前庭院中的新叶,从而关合前两句的造境,使整首绝句通体浑成,没有节外生枝的生硬感觉。

在语言上,前两句中的“撼”字“响”字都是推敲精当的句眼,它们恰当表现出松风的声浪和滂沱的庭雨微妙的听觉差异。末句的“几叶”和前文“一夜”“满庭”对举,妙在由少而见其早也,也含欣喜的感情色彩。

(周啸天)

桃花谷

张实居*

小径穿深树，临崖四五家。泉声天半落，满涧溅桃花。

作者

*张实居，生卒年不详，字宾公，山东邹平人。著有《萧亭集》。

鉴赏

“桃花谷”这个名称就很美，使人联想到世外桃源。虽然不通水路，未许渔郎问津。但由于泉声的吸引，游人可以寻找小径，穿过深树渐渐走近这山谷。“小径穿深树”一句，就暗含这样的探幽情事，有类此经历者自能体会，并不像它字面写的那样简单。走出深树，眼前豁然开朗，于是看到那满是桃花的山谷、山涧和仰头看不见顶的崖壁，一道飞瀑很有气势地从上面注下来。“临崖四五家”，这里的居民不多。山里人，性情纯朴，绝类桃源中人，诗中不写，读者悠然心会。

最美的是后两句：“泉声天半落，满涧溅桃花。”上句能使人联想到李白的“飞流直下三千尺，疑是银河落九天”（《望庐山瀑布》），但诗人不说“泉水”而说“泉声”，妙在一个字就把桃花谷的声息环境和盘托出。那声音是清壮的，虽然很大，但在谷中回荡，很有韵味，绝不同于噪音。尤妙的是末句，泉水落入潭中，会溅起水沫，未必能溅起满涧桃花。但涧中多落红也是实情，诗人一高兴，就桃花谷的名称和眼前一片红云似的景色着想，遂造成这样的幻象：“满涧溅桃花。”至于哪是涧底的花片，哪是空中的飞花，哪是树头的鲜花，一时都分不清，仿佛都成了瀑水溅起的桃花。这境界足可比美于李贺的“桃花乱落如红雨”（《将进酒》），使这首小诗给人以难忘的印象。

（周啸天）

夜　雪

张实居

斗室香添小篆烟，一灯静对似枯禅。
忽惊夜半寒浸骨，流水无声山皓然。

鉴赏

这是一首即兴偶成之作。它惟妙惟肖地刻画出诗人在雪夜的感受和夜雪的神情。首二句写的是一个充满温馨气氛的小房间，房间里充满薰香的气息，空中弥散着袅袅有如篆书的香烟。房间里坐着一个不眠的人，他对着一盏灯，拥裘而坐。“似枯禅”，当然不是真的进入禅定，而是那姿态表情像煞。诗人没有交代这是个什么房间，也没有交代他干什么——因为这对于“夜雪”主题无关紧要。你可以想象这是一间书屋，屋中人焚香夜坐，是雪夜用功，或者是“雪夜读禁书”，总之他神情专注，心无旁骛，忘记了身外的一切，忘记了冬夜的严寒。

这两句首先刻画出一种忘情的境界，对突出下两句“忽惊”的感受，是非常必要的。如果屋中人先就对天气很在乎，也便没有后来的惊奇感了。“夜雪”在这一点上和春雨一样，是随风潜入夜，渐积而无声。所以诗中主人公很久都没有发觉天降大雪。直到夜半雪积甚多，气温骤降，令人不可禁当，他这才猛地打了个寒噤，觉得有点不对。推窗一看，对面的山峰白得耀眼，而门前的溪水已没有流水的声音。“忽惊夜半寒浸骨，流水无声山皓然”二句之妙，在于写出雪夜的真切感受。“忽惊”云云，见得夜雪之来，神不知鬼不觉。“夜半”是一夜中气温最低的时候，积雪大都发生在半夜后，所以也才有“寒浸骨”之感。“流水无声山皓然”写出一个新鲜的发现，可见入夜以前门前溪流有声，而对面的山头无雪，所以才叫诗人惊讶，“无声”二字不仅见得出溪冻断流，而且也酷肖夜雪和雪夜的静穆的神韵。

唐韦应物《休日访人不遇》有“怪来诗思清人骨，门对寒流雪满山”的名句，与此诗末二句异曲同工。故沈德潜评比诗云：“不明点雪，读末句神于赋雪矣。左司（韦应物）‘门对寒流’之后复见此诗。”（《清诗别裁集》）

（周啸天）

京东杂感

洪　昇*

胜国巡游地，孤城有废宫。周垣春草外，园殿夕阳中。
狐掮沙翻雪，鸱蹲树啸风。唯余旧村落，鸡犬似新丰。

作者

*洪昇(1645－1704)，字昉思，号稗畦，浙江钱塘(今杭州市)人。国子监生。以传奇《长生殿》最著名。康熙二十八年(1689)，因在佟皇后丧期内演出此剧，被革职处分。归乡后生活潦倒。年六十，在浙江吴兴(今湖州市)因醉酒落水而死。有《稗畦集》。

鉴赏

诗题之"京东"，即北京东郊。北京，既是明之首都，又是清之京师。京东一带则是明朝十三个皇帝之寝陵。昔日之京东，陵园峩峩，庄严肃穆，草木葱茏。而朝代的更迭，使这一带变得破败荒凉。出生于明亡之后的洪昇，对此感慨良深，遂借古迹，通过凭吊明帝寝陵，以寄兴亡之叹。

诗之首联即作古今对比，以见兴废之意："胜国巡游地，孤城有废宫。""胜国"，灭亡之国(为后一朝所胜)，此指明王朝。昔时之京东为明天子巡游之地，极受重视。那时天子出游，旌旗蔽天，仪仗肃穆，鼓乐齐鸣。现在呢，偌大一块京东之地，却荒凉异常，只有若干废宫一座荒城还在那里，人世沧桑之感油然而生。这两句诗，一写昔之盛，一写今之废，而以今之废统摄全篇，整首诗都是围绕次句展开。

中间两联即就"废"字进一步发挥，作具体描状。大体说来，又有两法，一是景物烘托，一是对比。"周垣春草外，园殿夕阳中"是用景物烘托之法。"周垣"，指明陵四周的围墙。“园殿”，指明帝的陵园寝殿。诗以春草“点缀”周垣，以夕阳“点缀”园殿，使围墙、陵园寝殿罩上一层凄凉黯淡的色彩。“狐揩沙翻雪，鸱蹲树啸风”则是用对比之法。《国语·吴语》：“夫谚曰：‘狐埋之而狐搰之，是以无成功。’”谚语以狐狸埋物地下，旋又挖出以喻疑心过度。“鸱”即猫头鹰。这两句诗用明陵中的狐狸掘土，猫头鹰在狂风呼啸的古树上发出惊心的叫声，同第一句“胜国巡游地”遥相对比，以突出现在的冷落。

如果说以上六句是写京东地区的由盛转衰，重点突出一个“变”字，那么，尾联却以不变收束：“唯余旧村落，鸡犬似新丰。”不变的旧村落，使诗人不由得想起了汉高祖刘邦建新丰的故事。汉高祖刘邦即帝位后，其父却想回归沛县丰邑故里。为了满足其父思乡的心理，刘邦就在长安附近另建一城，城中的街道房屋一仍丰邑模样，名曰“新丰”。诗人取新丰与丰邑二者形貌之不变，以状京东地区“旧村落”形貌之未变。写“旧村落”的未变，则是为了反衬京东明陵的变。昔日赫赫庄严的明陵，今日变得满目荒凉，反不及寻常百姓家能始终如一地保持原有的样子。两句诗以景写情，寄兴深微。

此诗为怀古之作，怀古诗其目的不在于从史迹中引出经验教训，而是重在发古今兴亡之叹，这同咏史诗不大相同。这样，诗就少史实的叙述，少议论，而以眼前景致发兴，显得空灵而有情致。

（迟乃鹏）

衢州杂感

洪　昇

城荒孤树立云根，水退清溪露石痕。
鼓角秋风寒似塞，牛羊落日废如村。
漂零自分儒生贱，干谒方知长吏尊。
那得为农成独往，瓦盆盛酒对儿孙？

鉴赏

这首七律通过写水灾之后衢州城的萧条冷落，来抒发自己身世漂泊之叹。

“城荒孤树立云根，水退清溪露

石痕。”一场特大的洪水淹过衢州城，洪水过后，一片荒凉。“城荒”二字，正概括地道出了这一状况。诗的首联即围绕一个“荒”字，采用景物渲染之法落笔。洪灾过后，逃荒者众，城中人烟稀少，显得异常孤寂。于是诗人就用孤零零的一株树挺立在天边的云际，对“荒”字加以烘托。次句亦然。洪水退后，溪水逐渐变清，水中的石头也慢慢地显露出来。但洪水冲刷过的地方，却仍然留有枯枝杂草、水的泡沫等物。这些洪水冲过留下的痕迹，同样可以化景物为情思，引起人们心中阵阵凄楚之情。这里，特别还要提一下第一句中的“孤树立云根”，因为这五个字还具有象征意义，那挺立在天边云际的一株孤树，可以看成是四处漂泊的诗人自己的化身。故此句既是写景，也是写人，甚得所谓“不即不离，若即若离”之妙。

颔联两句仍继续写城荒，不过手法有所改变，由景物渲染变为对景吐露主观感受：“鼓角秋风寒似塞，牛羊落日废如村。”出句写对听的感受，重在一个“寒”字；对句写对看的感受，重在一个“废”字。洪灾过后的衢州，秋风瑟瑟，空中传来一阵阵鼓角悲鸣声，不免使人有身处边塞感。本来“鼓角秋风”随处皆有，但一经用“塞”字加以比拟，则顿觉气格大异，凄凉旷漠的景致便突兀而生。对句由写对听的感受，移向写对看的感受。诗人选取乡村最重要的特征之一——养牛喂羊，来表现衢州的巨变。昔日的衢州城，城市繁华，人烟稠密，而今却如同乡村，连成群的牛羊都可以在大街上乱跑乱窜，一种“废”的感受便很自然地从心中生出。

荒凉的灾后之景，引发了诗人自身凄凉之意，颈联两句便以直抒胸臆的方式，转入写对自己仕途的哀伤：“漂零自分儒生贱，干谒方知长吏尊。”洪昇夙怀大志，却未能踏上仕途。他在四十三岁前，长期在京师过着国子监生的生活，而于康熙二十八年（1689）因演出《长生殿》得罪削籍回乡，从此更失去了仕途的机会，故此诗当作于其当国子监生之前二十来岁时。诗人很想有一番作为，但八方干谒的结果，却始终未能谋得一官半职。颈联这两句诗，正是对自己未能步入仕途的无限感慨。“长吏尊”同“儒生贱”的两相对映，益发显出不仕之悲。

既然仕途如此悲哀，又如何从这种悲哀中解脱出来呢？诗之尾联提出了解脱的办法：“那得为农成独往，瓦盆盛酒对儿孙？”这两句诗系从杜甫《少年行》“莫笑田家老瓦盆，自从盛酒长儿孙”脱化而来。杜甫《少年行》作于在蜀时，诗以故作的旷达之语，抒发了内心忧郁之情。洪昇此诗也一样。“独往”，意谓不同世人交往，一个人独自往来，语出自《庄子·在宥》：“出入六合，游乎九州，独往独来，是谓至贵。”从表面上看，似乎诗人巴不得想早日为农，不与世人交酬，成为一个独来独往之人，但联系颈联的内容，可知尾联作者所表达的企望之事，实在是迫不得已之计，于放达之外饱含无限辛酸。

洪昇诗学唐人，尤其是杜甫，这在五、七言律诗方面尤其显著。这首诗语言浑朴，发情深沉，看似平淡，却别具风致，其气韵神味，格意思旨，几可逼真唐人，甚得少陵沉郁顿挫之美，实属学杜而得其神者。

(迟乃鹏)

喜　雨

洪　昇

半岁伤枯旱，郊原一雨新。麦芽争出土，花气欲排春。
旋涨南陂水，初消北地尘。明朝减米价，先慰绝粮人。

鉴赏

这是一首春雨的颂歌。诗之首句劈头即告知："半岁伤枯旱。"原来自去冬至今春已有半年多未见霖雨，而地里的麦苗，山野的植物急盼雨露的滋润。在这关系到一年收成好坏的节骨眼上，一场春雨沛然而至，解除了农家燃眉之急，解除了大地复苏的忧虑，"郊原一雨新"，这能不喜吗？"新"字概括了春雨过后万物滋长，大地充满了一派生机的欣欣向荣的景象。

颔联两句就第二句的"新"字，选取两幅画面具体展现"新"之所在。一是麦苗迅速地成长："麦芽争出土"；二是百花争春："花气欲排春"。两句诗，一写农事，一写花潮，绘景楚楚动人。

本来有此一联，已经表现了"郊原一雨新"之"新"字，但诗人兴犹未尽，故以欢畅的笔触，继续写春雨给人间带来的变化："旋涨南陂水，初消北地尘。"雨后不久，池塘涨满，水波荡漾；经过雨水的洗涤，空气中的灰尘荡然无存，整个世界清新无比。一"涨"一"消"，词意相反，却表现了雨后两个最显著的变化。

结尾两句，写诗人的内心活动："明朝减米价，先慰绝粮人。"诗人由喜降的春雨，已经预感到今年一定是个丰收年，粮食丰收必然会使米价降低，米价降低又必然使"绝粮人"最先感到欣慰。这一系列的推理,均出自作者的遐想,从中不难看出作者对黎民百姓的同情。

老杜也有一首《春夜喜雨》的咏雨诗,历来受到人们的喜爱,尤其是以体物著称的“随风潜入夜,润物细无声”两句,更被代代传诵。诗之尾联同洪昇这首《喜雨》诗一样,也是对雨后的想象:“晓看红湿处,花重锦官城。”老杜在体物绘景方面,应该说比洪昇要高出一头,但后者喜雨,却是由于春雨所带来的丰收年景,能使万千饥肠辘辘的穷苦百姓,得到短暂的满足,立意有别。

（迟乃鹏）

钓　台

洪　昇

逃却高名远俗尘,披裘泽畔独垂纶。
千秋一个刘文叔,记得微时有故人。

鉴赏

“钓台”,指东汉严光(字子陵)垂钓之处。今浙江省桐庐县富春江滨有东西二台,东台即传为严光隐居垂钓之处。

《钓台》是一首咏史诗,在艺术上有其独到之处。首先是立意超卓。严光的故事基本上反映在《后汉书·逸民传》里:严光少有高名,曾同东汉光武帝刘秀(字文叔)同游学。刘秀即皇帝位后,严光隐身不见,披羊裘垂钓泽中。刘秀再三遣使往请,三返而后至,然终不肯出仕,仍回富春江畔垂钓终生。前人一些诗文言及这一题材,大都赞美严光自甘淡泊的精神。如果此诗仍沿袭旧的主题,赞美严光的隐士风度,则决无新意可言。诗人却独辟蹊径,转而赞美坚持要严光出仕的光武帝刘秀。从而突出了刘秀贵不忘贱这一崭新的主题,使作品在立意上不同凡响。

其次是议论伴有鲜明的形象。作为一首咏史诗,在诗中发议论完全是许可的。但只是一味发议论,而无鲜明的形象,那又只是押韵之文而非诗。上乘的咏史诗还要求议论同形象二者完美的结合。在这一点上,《钓台》诗写得比较得当。诗之一、二句写严光,写严光的目的,是由严光引出对刘秀的议论。由于严光非本诗议论的对象,故作品力争让严光这个人物形象尽可能鲜明生动。“逃却高名远俗尘”一句虽为叙事,但由叙事却可见严光自甘淡泊的内心精神世界。“披裘泽畔独垂纶”一句,则是诗人精心选取的一个典型场景:富春江畔,一位身披羊皮衣服的人,正孤寂地手把鱼竿,垂钓江上。这一场景,使读者既可看到严光之形,又可见出其神。两句诗着墨不多,却使一位超尘脱俗的隐士形象跃然纸上。

三、四句则是本诗议论所在:“千秋一个刘文叔,记得微时有故人。”但这两句议论,却并非是直说,若要直说,则应写成“刘秀贵不忘贱”。这两句诗却咏叹味十足,且富形象。前句于刘文叔之前加“千秋一个”四字,以强调其唯一性,显示出强烈的慨叹味。又于后句把正面意思“刘秀贵不忘贱”隐去,只说刘秀当了皇帝还仍然记得低微时的老朋友,而让读者对诗之正面意思思索得之。这样,刘秀遣使往请严光的故事也就浮现在读者眼前,显示出一定的形象性。议论中伴有形象,议论中有曲折含蓄的韵致,为此诗增色甚多。

三是有寄托。如果我们把此诗仅仅看成是褒扬刘秀贵不忘贱的一首诗,那又错了。实际上,诗中另有寄托。洪昇不仅是位诗人,更是一位大戏剧家,他创作的《长生殿》誉满朝野,但也因演出《长生殿》遭到了斥革受辱、坎坷终生的厄运。当其遭受不幸之际,竟无人能对他伸出救援之手,这使其对世态的炎凉有了清醒的认识,也使他对历史上那些不忘故人者产生了由衷的敬佩之情。《钓台》一诗所颂扬的刘秀,正是他所钦佩者,故以赞颂刘秀,来寄托自己落难时无人援助的感伤之情。徐世昌《晚晴簃诗汇诗话》评此诗说:“伤当时朝中知旧无相顾者。”沈德潜《清诗别裁集》亦云:“非表光武,正慨在贵忘贱者之古今皆然也。”两位所议,对我们理解此诗之寄托手法的运用当有所裨益。言在此而意在彼的寄托手法,使本诗具有更为深婉的内蕴。

(迟乃鹏)

公 子 行

洪 昇

春明门外酒楼高,称体新裁蜀锦袍。
花里一声歌子夜,当筵脱与郑樱桃。

鉴赏

《公子行》是乐府旧题，在唐属新乐府辞按内容可分两种，一是描写贵公子风流豪爽的生活，如雍陶《公子行》："公子风流轻锦乡，新裁白纻作春衣。金鞭留当谁家酒？拂柳穿花信马归。"一是讽刺纨绔子弟的恶劣行径，如孟宾于《公子行》："锦衣红夺彩霞明，侵晓春游向野庭。不识农夫辛苦力，骄骢踏烂麦青青。"洪昇的这首诗从内容看属于前者，在刻画主人公豪爽性格上有过于前人。

"春明门"是唐代长安的西门之一（刘禹锡《和令狐相公别牡丹》"莫道两京非远别，春明门外即天涯"）。这里以"春明门外"借指京城外，在一家酒楼上，正在举办盛大酒会。"花里"二字可使人想象场面的繁华。《子夜歌》本为南朝乐府，多咏男女爱情，诗中泛指当时旗亭流行歌曲。"郑樱桃"则是歌女的艺名（当由樱唇可爱得名）。"花里一声歌子夜，当筵脱与郑樱桃"两句，一以见郑樱桃歌声之美妙，只唱一曲便得到诗中主人公即"公子"的激赏；一以见"公子"性格之豪爽，只为一曲子夜歌，就马上脱袍相赠。

其实歌女以唱歌博得"缠头"，这种事在古代诗歌中并不少见，如"五陵年少争缠头，一曲红绡不知数"（白居易《琵琶行》）"一曲清歌一束绫，美人犹自意嫌轻"（茜桃《呈寇公》）等等。但那无数红绡、一束绫，似乎都难比此诗中的"称体新裁蜀锦袍"。何以言之？倒不是因为蜀锦之名享誉古今，价值昂贵，而是因为衣物以"称体"为可心，尤其是"新裁"而又"称体"之"蜀锦袍"，在"公子"可谓心爱之物了。以心爱之物赠人，其意义就非红绡素绫之可比。尤其是"公子"脱袍赠人的时候，竟毫不思索，既不管自己爱穿不爱，也不管对方能穿不能，只为捧扬一时兴起，遂"当筵脱与"。其豪爽之气真可以使四座敛息。

（迟乃鹏）

广 武

潘 耒*

盖世英雄项与刘，曹奸马谲实堪羞。
阮生一掬西风泪，不为前朝楚汉流。

作者

*潘耒(1646－1708)，字次耕，号稼堂，江苏吴江人。康熙十八年(1679)中博学鸿词科，官授翰林院检讨。曾参修《明史》。有《遂初堂集》。

鉴赏

广武山在今河南荥阳县境内，秦末，楚汉两军隔广武对阵，项羽、刘邦曾在阵前谈判。《三国志·阮籍传》注引《魏氏春秋》言阮籍"尝登广武，观楚汉战处，乃叹曰：'时无英才，使竖子成名乎？'"或以为阮籍这话是冲刘邦来的。他登上广武城，看到楚汉相争故地，感慨当时没有英雄，竟使刘邦这小子坐了天下。这也真算得是口吐狂言了。作者却不这么看，他对阮籍的那一声长叹别有会心。

"盖世英雄项与刘"，开篇一句就否定了通常的理解，即断然认定"时无英才"，绝不指项羽、刘邦而言。刘、项二人在秦末动乱中崛起，为推翻暴虐无道的旧王朝，建立了不朽功勋。后来楚汉相争，刘邦固然是胜利了的英雄，"威加海内兮归故乡"(《大风歌》)。而项羽虽有垓下之败，总体看来也非孬种，故太史公直以帝王规格待之，著下《项羽本纪》。"盖世"二字，就出于项羽《垓下歌》"力拔山兮气盖世"一句。他是一个失败了的英雄，老阮虽狂，不会如此无眼量。那么，他的"时无英才"之叹，就不是就楚汉相争而言，而是对自己所处的时代感到失望。

阮籍生在曹魏时代，本有济世之志。然明帝曹睿死后，由曹爽、司马懿夹辅曹芳。二人明争暗斗，时局十分险恶。在那个乱与篡的时代，阮籍心情十分苦闷。当曹爽召他为参军时，他谢绝了，托病归里。正始十年(249)司马氏杀曹爽，独专朝政，排除异己株连无辜。阮籍既要保命，又不能屈心抑志，只好佯狂逃世。"曹奸马谲实堪羞"就是针对这种情况而言的。

于是"阮生一掬西风泪"，便"不为前朝楚汉流"了。"不为前朝楚汉流"，为谁流呢？翻出正意即："只为当前魏晋流！"正面说则寡味，反面说则耐人寻思。这首咏史绝句的佳处全在独出史论。

(周啸天)

羊城杂咏

潘　耒

崖山尚住宋遗民，文陆当年事苦辛。
穷海不春犹正朔，孤航无主自君臣。
忠魂郁作潮头怒，浩气蒸成蜃阙新。
异代风流多感激，草间时有纳肝人。

鉴赏

"羊城"，即今广州别名五羊城简称。诗人以羊城为题，通过对南宋末年文天祥、陆秀夫事迹的凭吊，抒发无限的感慨之情。

文、陆二公同属宋末民族英雄。临安沦陷，恭帝被俘，陆秀夫与文天祥拥立端宗；端宗死，拥立帝昺(bǐng)，陆任左丞相。崖山(今广东新会南)兵败后，背帝昺投海死。

诗以崖山想见为发端，引出宋元朝代更易的苦楚回忆。崖山，一称崖门山，在广东省新会县大海中，南宋末年，张世杰护帝退守于此，后遭元兵追击，陆秀夫负帝昺沉海死，而后南宋亡。"海角崖山一线斜，从今也不属中华。更无鱼腹捐躯地，况有龙涎泛海槎？"(钱谦益《后秋兴之十三》)而潘耒此诗同样借南宋之亡于元，写明朝之亡于清。语及崖山，作者仿佛亲见了那地方至今尚有宋时遗民居住。元朝统治了百余年，终于在公元1368年被明朝推翻。然而仅二百余年，却又为满族所统治。此时，崖山已是"望断关河非汉帜，欢残日月是胡笳"(钱谦益《后秋兴之十三》)。可见这诗中所谓“宋遗民”实指汉人。诗的开首即流露出对于异族统治的不满情绪。诗人由“崖山宋遗民”追溯到“文陆当年”之事，这是一段令人不堪回首的痛苦回忆。

第二联以“穷海不春”“孤航无主”紧承“文陆当年事苦辛”的句意，写文天祥、陆秀夫等忠臣退守崖山，支撑危局，艰辛备尝地维持宋朝年号和君臣关系。“穷海”“孤航”写出国破家亡之后，忠于旧君之臣所特有的感触。国运衰微，文、陆等人仍保持民族气节，不忘宋室，在“孤航无主”的危难之际，犹自群臣相依为命，以图恢复故国，留下了可歌可泣的故事。诗中“正朔”二字，本指历法。这里引申为宋代年号。

“忠魂郁作潮头怒，浩气蒸成蜃阙新。”如果说颔联是写人写事的话，那么此二句则着重渲染忠臣的堂堂英灵。山河破碎，忠臣死国。他们久经郁结的忠魂，化为怒潮，声彻中空；他们沛乎天地的浩然正气蒸成海市蜃楼般的奇幻情景。这一富于想象力的描写，侧重从视觉、听觉角度表现诗人的内心感受。文天祥有一首千古绝唱《正气歌》，诗云：“天地有正气，杂然赋流形；下则为河岳，上则为日星。于人曰浩然，沛乎塞苍冥。”诗中“浩气”即由此而得，概括出文、陆的精神不死，浩气长存。耐人寻味的是将人的浩然之气以“海市蜃楼”形式摹写出来，十分新奇。诗的结尾两句化用“宏演纳肝”之典，言文、陆精神世代相传，激励后人。《韩诗外传》载：“狄人逐卫懿公于荥泽，见杀，尽食其肉，独舍其肝。宏演使还，哭毕，自出其肝，纳懿公之肝。齐桓公闻之，曰：宏演可谓忠臣矣。”作者以这一典故表明文、陆效死国家的精神相继不绝，这也正是此诗的主旨所在，表现出诗人较为强烈的民族意识。潘耒主要生活于17世纪末叶，其诗虽不及清初抱有强烈反清思想的诗作那样苍凉沉郁，但就其用意来看，也还是一脉相通的。诗题曰“杂咏”，似乎漫不经心，信手拈来，其实，洋溢于字里行间有千般感慨，万种情思。

（田　军）

峡　江

潘　耒

峡江山对锁，不觉有江来。船向羊肠出，城临虎穴开。
烧畬穿岭急，水碓拢云回。客鬓先秋白，何烦一叶催？

鉴赏

长江自四川奉节县瞿塘峡以下,称为峡江。高山夹峙,水流汹涌,为船行最险处。这首《峡江》诗通过对峡中形势的描绘,表达了作者在峡江游历的观感。

"峡江山对锁,不觉有江来。"起首二句恰如清人沈德潜《清诗别裁集》所云:"一起,峡中形势写尽,此下直如破竹。"三峡七百里中,两岸连山,重岩叠嶂,仰之则青天如夹,俯之则长江若锁,本诗以一"锁"字,准确地将峡江一带而且将整个长江三峡的形势特征展示出来。李白曾置身三峡之中,仰视如削的山峰,禁不住呼出了"巫山夹青天"(《上三峡》)的吁叹声,由于两岸青山高峻之故,诗人此一时刻的感官注意力往往不在江水,而在扪参历井的高山。分明是乘舟江行,却道"不觉有江来",不是不知道江从何出,而是没感觉出江水汹涌而来。

以下两联诗皆从"不觉"二字承转。羊肠,谓道路狭窄迂回。这里形容水路之狭曲。虎穴,通常比喻危险境地。这里指白帝城形势险要若临虎穴。烧畬即烧榛种田。在播种之前将田中草木烧去,以作灰肥。峡中古习,即采用刀耕火种方法耕种田地。水碓是利用水力旋动的舂米设备,亦称连机碓。"其水轮轴长可数尺,列贯横木,相交如滚抢之制。水激轮转,则轴间横木,间打所排碓梢,一起一落舂之"(《晋书》)。诗人在江上极目远眺,见峡中人民烧畬穿岭,水碓轮转,呈现出百姓劳作辛勤之状。

"客鬓先秋白,何烦一叶催?"诗的末联以情收束,流露出他乡客的苦楚。古人说:"一叶落知天下秋。"诗人则用加倍的手法道:我的头发白得比秋天还早,又何烦落叶相催迫呢?旅愁与伤逝之感汇流,使全诗不只以写景见长,抒情也很深厚。

(田　军)

王昭君

刘献廷*

汉主曾闻杀画师,画师何足定妍媸?
宫中多少如花女,不嫁单于君不知。

作者

*刘献廷(1648-1695),字继庄,一字君贤,号广阳子,大兴(今北京市)人。博学多闻,对经学、天文、地理、农田水利均有研究。其诗豪放有奇气。有《广阳诗集》。

鉴赏

吴雯《明妃》着眼于"王嫱不赂画工"立言,而此诗则专就元帝怒杀画工一事立论。《西京杂记》记昭君被案图派嫁匈奴为阏氏(yān zhī),"及去,召见。貌为后宫第一。善应对,举止娴雅。帝悔之而名籍已定。帝重信于外国,故不复更人,乃穷案其事,画工皆弃市","京师画工,于是差稀"。

"汉主曾闻杀画师,画师何足定妍媸(美丑)?"这一声犹如当头棒喝,直为当时画工鸣冤叫屈。宋代王安石道:"归来却怪丹青手,入眼平生几曾有。意态由来画不成,当时枉杀毛延寿!"(《明妃曲》)用意在于突出明妃之美,而变更画工丑化王嫱的事实,巧为之说。刘献廷则不同,他并没有改变画工阻塞明妃进身之路的事实,而只是想说:这事不能全怪画工。画工不如化工,由画工之笔墨来裁决人的美丑,本身就犯一大错误。用今天的话说,不调查研究,不看第一手材料而由第二手材料作出结论,哪有不错的道理!所以这板子要打在汉元帝自己的屁股上才对呢,画工全是替罪羊。

"宫中多少如花女,不嫁单于君

不知!”这又是一声棒喝。诗人由此及彼,由明妃的悲剧连类而及更多宫女的悲剧。诚然,昭君出塞,使汉元帝认识到自己出了差错。然而,要是昭君不出塞呢,汉元帝岂不一辈子糊涂,如花美女最后还不是空老宫中而已。事实上,这样的情况是很普遍的:“一肌一容,尽态极妍,缦立远视,而望幸焉。有不得见者,三十六年!”(杜牧《阿房宫赋》)从古以来就是如此。但诗人借明妃事予以点醒,却是一大发明。

“作诗必此诗,定知非诗人!”(苏轼)读者千万不要将此诗只作“明妃曲”看去。诗虽只就王昭君事而发,其意蕴却远远超出事件的本身,读者不妨举一隅而反三隅,对生活中类似情事加以反思。常有这样的事:某单位某部门长期冷落的人才,一旦为外单位所发现并延聘时,便立刻引起本部门领导的重视,慰留或追惜。但这以前他干什么去了呢?“宫中多少如花女,不嫁单于君不知”就超越其字面意义和时代,针砭了“墙里开花墙外香”这样一种社会弊端。

(周啸天)

题闺秀雪仪画嫦娥便面

刘献廷

素笺折叠涂云母,黛笔清新画月娥。
莫道绣奁无粉本,朝朝镜里看双螺。

鉴赏

这是刘献廷为一位女孩子雪仪的扇面画所作的题咏,这幅扇面上画的是嫦娥奔月。《汉书·张敞传》注:“便面,所以障面,盖扇之类也,不欲见人,以此自障面,则得其便,故曰便面,亦曰屏面。”这位女孩子能为自己的用具作画加以美化,当然是心灵手巧的。所以作者在这首诗里好好夸奖了她一下。

看来这位雪仪画的扇面不是团扇,而是折扇的扇面。所以诗中说:“素笺折叠。”古人常用云母(一种透明晶状矿物)装饰屏风,称为云屏或云母屏(李商隐《嫦娥》“云母屏风烛影深”),而扇面又称“屏面”,故“涂云母”即画扇面。古代仕女画是用墨色勾勒轮廓线,然后着彩,属于工笔画。女孩子作画十分细心,画风自然以“清新”见长,而与粗犷奔放无缘。“黛笔清新”,是诗中对画的赞语,简明扼要。“月娥”就是嫦娥,她本是神话传说中后羿的妻子,奔月后独处广寒宫。画中人便是月宫嫦娥。后两句诗人撇开了对画面的描述和赞美,别出心裁地探寻作画的“粉本”即样本,也就是通常绘画创作所需要的素描底稿。清人方董《山清居画论》:“画稿谓粉本者,古人于墨稿上加描粉本,用时扑入缣素,依粉痕落墨,故名之也。”画稿的来源不外两途,一是依样画葫芦式的临摹;一是从现实生活中写生搜集素材,经过想象加工创作而成。看来雪仪画的嫦娥就是属于创作。嫦娥是神话人物,谁也没见过,她的形象只能根据人间女性的形象创作而成。而独处深闺的女孩到哪里去写生呢?诗人蛮有把握地揣测说:“莫道绣奁无粉本,朝朝镜里看双螺。”双螺是女孩子扎的发髻样式,原来画中人的模特儿就是女孩儿自己。

刘献廷这样写的直接用意也许不过是夸奖那姑娘心灵手巧,而且美丽可爱;同时又暗示她已经长到能够理解月中嫦娥的寂寞心情的年岁,是一位妙龄少女。然而这两句诗,却远远超出了它的本来意义,而参破了文艺创作的一大天机。据说赵孟頫画马,落笔之前总要先把自己想象成马,模拟揣摩马的种种姿态动作。如果我们不拘泥于这种说法表面的真实性如何,应该承认它的确探到了画家创作的隐秘,即与笔下对象神情的默契。据知情人说,曹禺写《日出》《雷雨》时,一个人关上房门又哭又闹,弄得外面的人十分担心。那也正是创作活动的一种最佳状态,这样创作出的人物必然栩栩如生,能博得读者情感的共鸣。文学家艺术的创作,无不以自身的生活阅历、生活经验为依据。故小仲马说:“茶花女就是我!”郭沫若说:“蔡文姬就是我!”这种现象,无妨都用这两句诗来概括:“莫道绣奁无粉本,朝朝镜里看双螺!”

(周啸天)

北固山看大江

孔尚任*

孤城铁瓮四山围，绝顶高秋坐落晖。
眼见长江趋大海，青天却似向西飞。

作者

*孔尚任(1648－1718)，字聘之，一字季重，号东塘，又号云亭山人，山东曲阜人。因御前讲经而受到康熙赏识，授国子博士。官至户部员外郎。曾奉命赴淮阳疏浚黄河口，遍游东南胜地。后因作《桃花扇》被削职。其诗质朴深厚，擅长描写景物。有《湖海集》。

鉴赏

“北固山”，在今江苏镇江市城北，下临长江，三面傍水，形势险要。三国时为京口重镇，南宋辛弃疾多次在此遥望中原，缅怀孙权、刘裕等古代英雄。昔人到此作诗多属怀古，孔尚任此诗却不然，他坐在北固山上俯仰江天，突然产生一种炫目的感觉，于是“作诗火急追亡逋”，遂产生了这一首写景佳作。

镇江城别称“铁瓮”，以四面环山，形势险固得名。“孤城铁瓮四山围，绝顶高秋坐落晖”二句写黄昏日落时分，诗人独坐北固山头，俯看镇江城。由于秋高气爽，他的心情不错。诗人虽称坐的地方为“绝顶”，但江面太宽，三面激流，相对而言，并不很高。所以俯视江面，可以清楚地看到湍急的江水掠山脚而过，迅速奔向东方。这是惊心动魄，极为壮观的景象，可以想见诗人是怎样屏息凝神地目送江水奔向天边，奔向海洋。

由于江天占据了诗人的全部视野，又由于诗人看得太专注，太出神。这时一个错觉发生了：诗人不但看到滔滔的江水向东奔流，而且也看到整个青天在向西移动,那速度还不慢呢。“眼见长江趋大海,青天却似向西飞”,就写出了长江与青天相对运动的感觉。类似感觉,人们都有过。但通过如此有声势的诗句揭示出来,还是令人感到新鲜。这种写法,南宋诗人杨万里最擅长,如《过上湖岭望招贤江南北山》:“岭下看山似伏涛,见人上岭旋争豪。一步一陟一回顾,我脚高时它更高!”这种“俯拾即是,不取诸邻”(司空图)的写法,宋人称之“活法”。孔尚任此诗也就妙于“活法”的运用。

(周啸天)

《桃花扇》传奇题辞

陈于王*

玉树歌残迹已陈，南朝宫殿柳条新。
福王少小风流惯，不爱江山爱美人。

作者

*陈于王，生卒年不详，字健夫，顺天宛平（今北京）人。清诗人。

鉴赏

《桃花扇》是孔尚任创作的一出名剧。剧本以南明弘光朝的腐败政治局面为历史背景，以诗扇作线索，通过复社文人侯朝宗与秦淮名妓李香君的离合之情，写南明一代兴亡之感。陈于王的这篇题辞，着重讽刺南明统治者的腐朽堕落。诗中"福王"即朱由崧，崇祯死后，他由洛阳避兵至淮安。凤阳总督马士英利用其昏庸，迎立于南京，这就是弘光帝。此人当政后重用马、阮等奸邪，黜斥忠良。又搜选淑女，闾井哗然。国亡被杀。《桃花扇》"选优"一场对他作了讽刺："小生扮弘光帝，又扮二监提壶捧盒，随上，小生：'满城烟树间梁陈，高下楼台望不真。原是洛阳花里客，偏来管领秣陵春。'"可与此诗并读参阅。

"玉树歌"即《玉树后庭花》，陈后主所作。系以"绮艳相高，极于轻薄"的靡靡之音，后人多指亡国之音。如刘禹锡《台城》："万户千门成野草，只缘一曲后庭花。"杜牧《泊秦淮》："商女不知亡国恨，隔江犹唱后庭花。""南朝"本指东晋后据有南方的几个相继享国极短的朝廷，即宋、齐、梁、陈，诗中兼关南明王朝。"玉树歌残迹已陈，南朝宫殿柳条新"二句，即以陈后主比弘光帝，谓南明王朝实蹈袭陈后主的覆辙，"柳条新"意味其行径仍旧也。用杜牧《阿房宫赋》的话说，正是陈后主"不暇自哀,而使后人哀之。后人哀之而不鉴之,亦使后人而复哀后人也"。

“福王少小风流惯,不爱江山爱美人。”福王原封于洛阳,过惯花天酒地的生活。到南京后命“中使四出搜巷,凡有女之家,黄纸贴额,持之而去,闾井骚然”。(《明通鉴·附编》陈子龙言)故《桃花扇》给他的上场诗是“原是洛阳花里客,偏来管领秣陵春”。此诗的后两句就是对其人概括性的批判。诗意本指福王荒淫无耻,断送了朱明江山。但不直接说他荒淫,只说他“少小风流惯”,似乎还在为他缓颊;不直接说他断送江山,却说他“不爱江山爱美人”,这都是举重若轻,最得婉讽之妙。这一“爱”一“不爱”,毫不含糊地概括了历史上许多荒淫误国的帝王的共同特征,很有典型性;而诗句的语言通俗,故成为广为流传的名句。与福王一类昏淫之主形成对照的,则是历史上那些具有雄才大略的君王。比如刘备,他曾清醒地对付了周郎的美人计,使东吴“陪了夫人又折兵”,传为美谈。唐吕温《刘郎浦口号》云:“谁将一女轻天下,欲换刘郎鼎峙心。”正好与此诗对读。

(周啸天)

秦淮晓渡

潘　高*

潮长波平岸，乌啼月满街。一声孤棹响，残梦落清淮。

作者

*潘高，字孟升，江苏金坛人。清圣祖康熙末(1722)前后在世。家贫工诗，得到名辈陈维崧、王士禛等赞扬，称名一时。著有《南村集》。

鉴赏

秦淮河西北流经今南京市入长江。以秦时所开得名。金陵诗社赋《秦淮晓渡》诗，一时名流云集，潘高以本篇夺魁。

月落乌啼的时候，残月的清晖还洒在市街上，除了乌啼，听不到更多的声音。江边由于潮涨的缘故，水位上升齐岸平，江面也开阔了不少。"潮长波平岸，乌啼月满街"二句清丽如画，同时写出早行人特有的新鲜和凄清的况味。江面潮长，又意味着过河得花时间。

的确是太早了。江边的渡船还没摆渡，终于有人开了头班船。秦淮河上，空荡荡只有这一只船儿，早行人又会感到何等寂寞凄清。一坐上船，不免有些无聊。四下望去，残月清晖越来越淡，城市只见剪影似的轮廓，于是人又打盹了。忽然有一声棹划得太响，又将他惊醒。这一下才算真正清醒，看看天也快亮了。"残梦落清淮"句，语带双关：一是行人将残梦丢进秦淮河，也就是在晓渡中清醒了；二是秦淮河也从"睡梦"中醒来，迎来了新的黎明。

"一声孤棹响，残梦落清淮"写出了一种微妙的旅途况味，使此诗境界全出。"清淮"就是秦淮河，以水清故云。而这个"清"字，写出晓渡时最突出的感觉。

(周啸天)

渡百里湖

查慎行*

湖面宽千顷,湖流浅半篙。远帆如不动,原树竞相高。
岁已占秋旱,民犹望雨膏。涸鳞如可活,吾敢畏波涛。

作者

*查慎行(1650－1727),原名嗣琏。字夏重,一字悔余,号初白,浙江海宁人。康熙四十二年(1703)赐进士出身,官翰林院编修。其诗学苏轼、陆游,意境清新,局度严谨,为清代一大家。有《敬业堂诗集》《苏诗补注》等。

鉴赏

这首诗写天旱水涸对农民的关怀。

"湖面宽千顷,湖流浅半篙。"写诗人渡湖时目睹一个辽阔"千顷"的百里湖,竟然"半篙"足透湖底!"宽千顷""浅半篙",这一鲜明对比,写出了湖特大而水特浅的异常现象。一"浅"字又生发出下联"远帆如不动,原树竞相高"的另一种异常现象。远处鼓着风帆的船只老像钉在那里动也不动,近岸的树木看去总觉一株比一株高似的。这是由于湖浅流缓,舟行迟迟,诗人渡湖时视线老是离不开近岸的那些树木;远舟与自己的乘舟行速同样缓慢,几乎保持等距离,故产生了这样的视觉和感觉。两联从渡湖时的目睹身受,真实地写出康熙十八年(1679)位于湖北汉川、沔阳之间的百里湖,水浅、流缓、舟迟的异常现象,侧面突出了当时旱情特大,旱区广阔。如果不是长期烈日炎炎,湖水大量蒸发;如果不是广大地区同时遭旱,远近河水干涸断流,如此浩大的百里湖怎会"湖流浅半篙"呢?

"岁已占秋旱,民犹望雨膏。""秋",点大旱时间。"雨膏"即滋润土壤的雨水。这联的"已"与"犹",颇耐玩味。"已"表明秋旱既预先测出又成为眼前事实，还有什么下雨的指望呢？虽然如此，“民犹望雨膏”。“犹”字把农民明知无望而望之的侥幸心态和思雨如渴的迫切心情，描绘得入骨三分。这里又从正面写出当时旱情之严重。两句似从《孟子·梁惠王章》“民望之，若大旱之望云霓也”句意化出，然而“已”与“犹”一入诗，读来便觉语言灵动，境界豁脱，韵味深长。

“涸鳞如可活，吾敢畏波涛。”诗人熟知封建社会里随大旱而来的必然是哀鸿遍野，饿殍载道，甚至于还可重蹈“是岁江南旱，衢州人食人”的惨绝人寰的悲剧。所以诗人发自肺腑吟出：如果天能及时普降大雨，救活眼前危如涸辙之鲋的农民，纵然湖水河水猛涨，波浪滔天，旅途艰险，我也无所畏惧啊！这种不计个人安危，但求天降滂沱救活农民的满腔真情实意，对封建社会里的知识分子，确实难能可贵。

全诗开头突起，结尾境界顿开，并采用对比、侧写、正写、用典等手法突出天旱水涸，进而表达诗人对农民疾苦的关怀。这是五千多首查诗中不可多得的关怀农民之作。

（周　甦）

沔阳道中喜雨

查慎行

一枕凉侵被，朝来得晏眠。江清收潦后，风劲挂帆前。
宿雨才如露，秋云不近天。可能涓滴意，蓬勃起枯田。

鉴赏

这首诗是查初白的早期作品，写于康熙十八年（1679）。这年，他以诸生身份担任贵州巡抚杨雍建的幕僚，“投笔聊从万里军”，辞家远行。一路上，诗人目观江云江树，耳听吹角吹笳，眼界情怀，得江山军旅之助，大异乡间学诗之时。他的《敬业堂诗集》，不收少作，而从康熙十八年编起，颇有自知之明。

“沔阳”，在今湖北省。荆楚一带，夏秋之际，酷热难耐。这一年，特别干旱，暑气蒸人。诗人在同年所作《汉川道中纪所见》等诗中写道：“沙岸百尺高，水落岸容槁。火云蒸久旱，旭日秋杲杲。”“岁已占秋旱，民犹望雨膏。涸鳞如可活，吾敢畏波涛。”由于干旱，荆楚虽向称鱼米之乡，“如今米价偏腾贵”，农民终日过着煎熬盼雨的生活。在这个背景上看这首诗,更易领会诗中感人的情意。

久旱之年,滴雨如同甘霖。诗人接连多日被“秋老虎”困扰,夜夜不得安睡,心情自感烦躁。忽然一枕清凉,侵入被底,浑身舒泰,朝来得眠,自然非常欣喜。全诗从“一枕凉侵被,朝来得晏眠”写起,未着“喜”字,喜意盈盈;未写“雨”字,雨意可待。多日暑气蒸人之状,不得安眠之苦,尽在不言之中。读者感同身受,如觉丝丝凉意,驱赶着心中烦忧。

“潦”,雨水大貌。这是一场骤雨,风雨骤至,凉意喜人。可是,瞬息之间,雨过江清。行人渔人正想趁着风势挂帆远航,风势忽又减弱了,留下了深深的遗憾。“江清收潦后,风劲挂帆前”,准确生动地刻画了这场骤起骤收的风雨与诗人的心情。

“宿雨才如露,秋云不近天。”宿雨,昨夜的雨。昨夜的雨实在时间太短了,如同露水一般,日出即逝。秋云偶然飘忽,不能在天空聚集,今日似已无雨可望。于是,诗人由喜雨、怨雨,又进而盼雨:“可能涓滴意,蓬勃起枯田。”他多么希望上天恩泽下界,救救那些枯槁的禾苗啊!诗人虽未说到人民如何,但诗人忧国忧民之情已溢然于纸上。

这首诗的标题是“喜雨”,诗中却既有喜悦又有忧愁,既有惆怅,又有企盼。一首短短的五律中多层转折,表现出丰富的内容和复杂的心情。但全诗的情调不离“喜”字,企盼之意,亦因喜而生。因此,无论因宿雨如露而生的憾意,或因秋云不聚而作的描述,都写得婉转轻柔,不用过重词语,极有分寸。最后的两句,完全是一种商请、祈望的口气,恰到好处地表现了得雨之喜。诗中有些词语用得极好,如“宿雨才如露”的“露”字,既写出了宿雨之稀落短暂,又写出了它如甘露一般珍贵。末句不说“可能滂沛至,蓬勃起枯田”,而说“可能涓滴意,蓬勃起枯田”,更显出久旱之后对雨特有的珍视。即使“涓滴”,已觉可贵,更见祈望之诚。古人所谓“风人之旨”,正指这类深微之处。诗人的性情、人格以及他的艺术才能,于此可见。这类地方,是我们欣赏诗歌艺术时最需要细加体味的。你一旦体味到深处,就会感到一种难言的喜悦,一种会心的愉快。我们精神世界的深处,会随着这种审美体验得到洗涤与升华。许多人的感情的糙石,正是在这类审美体验中渐渐变得细腻,成了莹洁温润的玉。

(张　中)

初入小河

查慎行

鱼米由来富楚乡，入秋饱啖只寻常。
如今米价偏腾贵，贱买河鱼不忍尝。

鉴赏

这首小诗通过楚乡生活的前后对比，既表现了对渔民的同情，也含蓄地对时政表示了不满。

“楚”，泛指南方。楚乡，泛指南方之乡村。南方乡村沃土近水，盛产鱼米，向来被称为鱼米之乡。首句中的“由来”起强调作用，点明“楚乡”“富”是历来如此，一直是这样。“富”的含意，说明渔民的生活，不仅可以自足，而且富足有余。由于富足，所以次句说：到了秋收季节放开肚皮吃饱饭，只不过是件很寻常的事。“啖”，食。“只”字加重语气，带有不在话下的意味。唐白居易在《盐商妇》诗中曾写到：“何况江南鱼米贱，红鲙黄橙香稻饭。”也说明“楚乡”是“由来”富足的。这两句中的“由来”“只”等副词，构成前后的因果关系，起强调作用，用得自如、恰当，目的是要与下面两句形成鲜明对比。第三句“如今米价偏腾贵”。“如今”，点明时间，与首句“由来”相呼应。“偏”字带有不解、出乎意料之意，即在鱼米之乡本不应该出现米贵的现象，可偏偏出现了，而且米是“腾”地“贵”起来的。物价骤涨日“腾”，说明涨风来得突然、来得迅猛，简直有些令人措手不及。在这里作者流露出焦虑之情。至于米价陡涨的原因，是天灾抑或人祸，作者却隐而不写，而是笔锋一转，写“贱买河鱼不忍尝”，描述自己买到价钱便宜的河鱼，却不忍品尝的心情。鱼贱，而偏偏米贵。句子表面浅显，却含意深刻。渔民每日是要靠米来维持生存的，但米“贵”，买不起；鱼虽肥美，但不能疗饥，因此“贱”。米“贵”鱼“贱”，仅一字之别，却见出渔民生活之艰苦与辛酸。他们要捕捞多少鱼，才能勉强换点米充饥！一句话，他们在挨饿。

这首诗的关键是从“由来”到“如今”这两句时间副词的运用，既形成前后对比，又带来语气的转折。前两句语气舒缓，第三句则显得急促，较好地表达了诗的内容和作者的感情。

（张文潜　欧阳少鸣）

寒夜次潘岷原韵

查慎行

一片西风作楚声，卧闻落叶打窗鸣。
不知十月江寒重，陡觉三更布被轻。
霜压啼乌惊月上，夜骄饥鼠阚灯明。
还乡梦绕江湖阔，薄醉醒来句忽成。

鉴赏

这是诗人夜宿客馆思乡之作。

"一片西风作楚声"，写季节、客次，也暗点乡思之情。"卧闻落叶打窗鸣"，写时间、地点、感受。夜静人寂，乡思泛起，倍觉风疾声大，落叶辞树随风乱飘漫打。这时诗人旅迹荆湘，满怀秋意，一片乡情，都借眼前"西风""落叶""楚声""窗鸣"一派秋色秋声抒发出，大有"无边落木萧萧下"（杜甫）"秋尽江南草木凋"（杜牧）的诗情画意。

"不知十月江寒重，陡觉三更布被轻。"上联的季节明明是"西风"，秋天；这联却是"十月"，冬季。参阅最早出版的《敬业堂诗集》和近年出版的多种选本，文字全同；也并非诗人疏漏。诗题不标"秋夜"而标"寒夜"，特别突出一个"寒"字，即可见其用心之微。就全诗所写的时间和景物看，也属秋尽冬临之夜。年近而立诗才过人的查慎行，虽生逢所谓"康熙盛世"，却与清廷若即若离，眼前又"三藩"动乱，"西南余寇未殄"，此生何去何从，前途何在，真是"世事茫茫难自料"啊！加之身系江湖，倏忽秋老，"早失怙恃，终远兄弟"（语出《慎旃集》自题集序。本诗即选自该集），此夜客闻"西风一片""落叶打窗"，怎不百感交集，悠悠乡思，茫茫客愁，别是一般滋味在心头？"陡觉"天寒被薄，甚至"三更"难眠，也是很自然的事。"陡觉"把已凉天气夜来转寒初未觉得，既而突感，终于深受的心态过程表达得淋漓尽致，而乡思和隐情也曲包其中。

"霜压啼乌惊月上"，诗的前幅写了初夜和"三更"时分的景象和感受，这里接着写"月上"时分的景象和感受。上半夜风紧夜寒，下半夜繁霜暗凝，侵肌砭骨的寒气从四面八方围向诗人夜宿的客馆。迟升的下弦月"上"来之后,似乎一切景象为之更换。明月挂天,白霜满地,连树上的栖鸟都被惊醒,一声啼唤,震破了长夜的寂寥。"霜压""啼乌""月上"这些景象既浓化了秋色秋意,又闪出自然界的亮光与活力;既有离情羁思的暗示,也隐含诗人随着物换时移,对山乡幽美风物别有一番新鲜感受。"霜压啼乌惊月上"显而易见是从前人"月出惊山鸟"和"月落乌啼霜满天"这些诗句中所沉积的感情内容和给予的联想而吟自己出。"夜骄肌鼠阚灯明",这是描绘"寒夜次潘岷原"的景象特征。鼠乃旅舍常见物,常说"胆小如鼠",可此馆的鼠胆特大。哪怕室内客醒"灯明",仍然不时出没于床头屋角,贼头贼脑,窥探动静,伺机蠢动。一个"阚"字便把"饥鼠"的这些丑态、心态描绘得活灵逼真。"夜骄"表明鼠之"骄"跟"夜"的关系;鼠之"阚"表明跟"夜骄""饥""灯明"三者之间的关系。这句既表明了饥鼠特别胆大的原因,也可见诗人运思的细密,分析事理的深刻。整联用十四个字,便把当时室内、室外、天上、地下凡所见所闻所感的形、色、声、光都遣上笔端,著乎诗,美如画,达到形完神足的绝妙境界。而且一切景象又和谐统一于山乡秋夜的幽寂清凉氛围和羁旅孤孑清远的感受中。

"还乡梦绕江湖阔,薄醉醒来句忽成。""还乡"与诗的第一句"楚声",一明说,一暗点,前后照应。诗人家住浙东,身留楚地,江湖漂泊,骨肉远离。此夜欲沽酒买醉,但独酌无绪,只得"薄醉";欲夜梦"还乡",奈何夜寒霜重人难寐,而且浅睡中做梦也还是荡迹江湖,"还乡"不得。这时诗人羁旅乡思之情愈切。"句忽成"看似轻松,其实一夜乡思客愁只不过暂时收拾起,而新的一天的羁旅生活又等着他去饱尝。结尾中更显得言尽而意远。

综观全诗,句句写羁旅乡思,起得突兀,结得意远,中两联承接自如,对仗工稳,语句灵动,又能首尾映带,五、六句既穷极物理又意见言外。"打""压""惊""骄""阚""陡觉",遣词用字锤炼准确,所有这些章法、句法、词法的妙用,既显示诗人"才气开展,工力纯熟",也表达内心世界清远淑真。此诗堪称清初佳作。

(周　尠)

三闾祠

查慎行

平远江山极目回,古祠漠漠背城开。
莫嫌举世无知己,未有庸人不忌才。
放逐肯消亡国恨,岁时犹动楚人哀。
湘兰沅芷年年绿,想见吟魂自往来。

鉴赏

这是一首凭吊我国伟大爱国诗人屈原之作,也是一首感情浓郁的诗。屈原官居楚国三闾大夫,追求“国富强而法立”,反对“背法度而心治”,引起楚国贵族官僚恐惧,法未立即遭谗被逐,这是屈子一生最悲哀处,而作者“怀瑾握瑜”,浪迹江湖,也是他追慕前贤、抚今思昔、感慨良深处。

“平远江山极目回,古祠漠漠背城开。”康熙十九年(1680)春,诗人游到湖南汨罗县,漫立在当年屈原怀石沉江的汨罗江上,“极目”远眺,无边山光水色依旧欣欣向荣。回目近处,那座荒凉冷寂的三间“古祠”,庙门背着汨罗县城空洞洞地开着。在这“江山”与“古祠”,“自然”与“人类”之间,诗人似有说不尽的千古盛衰兴亡荣枯之感。在明亡而满族入主中国的春日,站在汨罗江上“极目”“平远江山”,又似有几分与屈原《招魂》“湛湛江水兮上有枫,目极千里兮伤春心”的古今同感。首句中的“回”既开韵,又用“回首”之意引带下句,是韵脚的妙用,全诗以“江山”开篇,即景起兴,意余象外,境界尤高。

“莫嫌举世无知己,未有庸人不忌才。”“庸人”指楚国贵族官僚上官大夫、令尹子兰之类。由于他们妒嫉屈原卓越的政治和外交才能,更害怕他变法触动既得利益,于是进谗陷害。屈原在他的《离骚》《涉江》及《怀沙》等诗篇中反复悲叹“国无人莫我知兮,又何怀乎故都!”“世既莫我知兮,人心不可谓兮。”反映他生前最悲痛的是自己蒙冤受害而全国全社会竟无一人了解他变法图强的忠贞。诗人以屈原著作为素材,经过选择加工提出:不是“世既莫我知兮”,而是“举世”“知己”很多。谁是屈原的“知己”?诗人暗自认为凡遭遇与屈原相同和为屈原呼冤鸣不平而挥毫泼墨的千古墨客诗人如汉之贾谊与司马迁、南朝颜延之、唐代戴叔伦以及他自己都是“萧条异代不同时”的“知己”。可见屈原知己之多了。这里亦议论,亦宽慰;慰人之中兼慰己。“莫嫌”既含无限景仰情,又有实在自谦意;自谦之中也有自尊自重感。出句和对句都用双重否定句强调语气。“未有”把时间、空间、对象(庸人)扩到无穷大。这就表明“庸人”之“忌才”毁国不仅是屈原一人的悲剧,楚国一国的悲剧。那撮“忌才”毁国的“庸人”,也不仅是一人一国的祸害,而是古今中外人类族种的祸害。“未有庸人不忌才”是颠扑不破的真理,也是诗人对屈子被毁、楚国速亡这一惊骇史实的总结,也似乎包含自己涉世的感受与警惕。整联仅十四个字,然反映出诗人思想境界宽阔,体察世情精深,议论宏伟警策、感情复杂激越,为前代诗人中罕见。

“放逐肯消亡国恨,岁时犹动楚人哀。”屈原死前只郢都沦陷,曾作《哀郢》,楚尚未亡。但他早已看清,由于“庸人”倒行逆施和楚王昏庸,而强秦又步步蚕食鲸吞,楚国亡国之祸已在旦夕。所以尽管他官被取消、身被“放逐”,而日夜忧虑楚国灭亡、楚人遭殃的爱国之心和亡国之恨却一刻也未能被“放逐”、被“取消”!正因如此,他沉江后千八百余年,楚地千家万户仍然感其忠贞,年年春节和端午,依旧那么虔诚地祭祀他,去江上哀吊他的冤魂。“肯消”洋溢着对屈原崇高爱国爱民思想和卓越政治预见的歌颂。颂中包含无限追思与怀念。怀念中对惨遭“放逐”深表愤慨与不平。这表明诗人确实了解屈原而又爱慕备至,称得上隔世一“知己”。“犹动”表明千秋万代之后屈原的爱国精神仍有如此巨大感召力,一颂再颂,颂中既有“楚人哀”也有诗人泪,哀与泪中对那撮“忌才”“毁才”“毁国”的“庸人”必然无限恨。一“肯”一“犹”,一纵情高歌,一婉转哀吟,读来荡气回肠,情意绵绵。

“湘兰沅芷年年绿,想见吟魂自往来。”湘、沅二江和兰花、芷草屡见于屈原诗作中。《离骚》有“济沅湘以南征兮,就重华而陈词”“扈江离与辟芷兮,纫秋兰以为佩”。“湘兰沅芷”属互文见义。年年春回大地,湘江和沅江上的兰花香了,芷草绿了,伟大爱国诗人屈原的吟魂这时自由自在漫步江上,一面佩着幽兰与辟芷,欣赏这湛湛的江水,新绿的枫林,一面即兴抒怀,尽情吟唱。“年年绿”表明宇宙星际运行,冬去春来,循环往复,以至无穷。“吟魂自往来”,吟魂即诗魂,诗人想象的翅膀突然奋飞,他想屈原人虽早逝,“古祠漠漠”,然而他那千古不朽的壮丽诗篇和伟大的爱国精神,必将化为精英——“吟魂”而活着。用“想见”勾连上句,则深刻表明不仅活着，而且与天地共寿，与三春同晖。诗人对屈原一颂、再颂。颂扬之情沸腾了，颂扬之意达到千古罕有达到的高度。“湘兰沅芷”与“吟魂自往来”一经妙合，其想象之神奇熨贴，拍案叫绝。

综观全诗，一、二句一放一收，感慨不尽；三、四句议论入微，穷极褒贬；颈联察古今，兴歌哀，妙在纵横驰骋，运笔自若；尾联以景截情，复融情于景，既映照首中，又空际传神，浪漫主义色彩一抹，形象分外光辉伟岸，格调倍加清新悠远。这首《三闾祠》如与古来诗家赞誉不已的戴叔伦《三闾庙》“沅湘流不尽，屈子怨何深！日暮秋风起，萧萧枫树林”对读，敢教前贤畏后生。

（周　甦）

重过齐天坡

查慎行

十月新寒瘴已轻，万峰湿翠雨初晴。
人来天际斜阳影，马蹄云中落叶声。
杼轴谁怜民力尽，邮亭遥数戍烟生。
半年游迹愁重到，何计云山慰客情？

鉴赏

湖南麻阳西五十里有齐天峰，据《明统志》载，该峰“高出云表”，故名。作者随杨雍建由京赴贵州时，曾经麻阳，写了《麻阳运船行》诗。半年后，作者又重经麻阳，过齐天坡，写下了这首诗。

首联，写作者来至齐天坡下，所见到的山峰景色。时令是十月初寒，南方山林间所特有的瘴气，随着季节的变化已渐渐变得淡薄了。放眼望去，群峰经过一场雨水的冲刷洗涤，翠绿欲滴，熠熠闪光，从“瘴已轻”和“雨初晴”里，写出了天气晴好宜人，隐隐透露出作者受环境感染的喜悦之情。

颔联，写过齐天坡的情景。“人来天际”，言其越过绝高的坡顶，有如从天边而来。“马蹄云中”，由于坡多，周围云雾缭绕，骑马走在坡上，就如走在云中一样。又因云遮雾罩，看不清周围景色，只能听到马蹄践踏落叶之声，透过这声，更显得山林寂静。这两句以写实手法，一写视觉，一写听觉，表现出作者过齐天坡时的独特感受，描绘出笼罩在落日余晖、云雾缭绕中的齐天坡的景色。前四句以生动的笔触，描绘了初冬季节风景独异的齐天坡景致，画面空灵，清澈，给人以高远、静穆的美感。

接下来，作者并没有按原来的思路继续描绘景致，而是将笔锋陡然一转，落到现实中来。颈联，写作者过了坡顶，来到有人烟的地方，听到机杼声。一听到这声音，那种悠然自得、观赏风景的雅兴一扫而光，思绪立即回到社会现实之中。“杼轴”，织布机上的两个部件，用以泛指纺织。古时男耕女织，作者只听到杼轴声，而听不到耕作声，他立即联想到这是由于男丁们都被征去戍守、作战去了，只剩妇女们在为生存而拼力纺织，故而发出“民力尽”的慨叹。上句中的“谁怜”，流露了作者的同情，及对当政者不恤民情的愤慨不满。

尾联，讲述自己经过半年重经齐天坡，原来的忧愁不但没有丝毫减退，反而随着人的重到，又重涌上心间，而且更加深重。最后作者问云山有什么办法，能抚慰自己这种忧愁之情呢？实际是说，尽管“云山”甚美，然而也“无计”抚忘我这在外为客的情怀。所谓“客情”，非一般诗词中所谓的思乡之情，很显然，联系五、六两句来看，指的便是作者的忧民之情。结句用问语形式，既与前四句遥相呼应，又表达出作者感情的强烈程度。

这首诗以“过”为线索，像一组摇动镜头，摄下了沿途景色，而作者的感情，则随着景物的不同而发生变化。这样，诗的上下两部分内容迥异、风格迥异。上半部分写景显得轻灵、澄澈、静穆，作者是安闲和喜悦的；下半部分则显得凝重、艰辛，作者的感情则变为沉重和愤懑。

（张文潜　欧阳少鸣）

清溪口号（录四）

查慎行

溪女不画眉，爱听画眉鸟。夹岸一声啼，晓山青未了。

来船桅杆高，去船橹声好。上水厌滩多，下水惜滩少。

渔家小女儿，见郎娇不避。日暮并舟归，鸬鹚方晒翅。

桥坏笮系绳，水浅牛可跨。牛背渡溪人，须眉绿如画。

鉴赏

诗人于康熙二十二年(1683)旅游浙西,过青溪县(今浙江淳安县)吟成《青溪口号》八首,今选其四首。“口号”即随意吟成之意。

第一首,“溪女不画眉,爱听画眉鸟”。这种民歌体的语言,看似十分浅显,联想到唐代秦韬玉《贫女》“敢将十指夸针巧,不把双眉斗画长”句,陡觉蕴涵丰富,语味深长。一“不”一“爱”,一反一正,“溪女”品性高尚,爱好高雅,一洗凡俗,尽包其中。这位家住青山、门临绿水、黎明即起、悠闲自得听鸟啼的“溪女”,含有诗人几分“不慕荣华、寄情山水”的自况意味。本诗写作时,“自惭周粟”的明末大诗人朱彝尊及毛奇龄等都下了山获得清朝的高衔厚禄,而风华正茂的查慎行与其老师黄宗羲等仍裹足不前,黄终日著书立说,查则遍游山水,终日吟诗。诗句里也不无保持民族气节、洁身自好的感情流露。

“溪女”为什么“爱听画眉鸟”?“夹岸一声啼,晓山青未了。”曙色方开,“画眉鸟”一声啼唤,传响的两岸青山,一溪绿水,都次第卷入眼帘。画眉声愈传愈远,天色愈明,这时放眼眺望,重峦叠翠,极目远边。“溪女”在“画眉鸟”一声啼唤之中,便阅尽了江南黎明时分极富诗情画意的山光水色,叫她怎不“爱听画眉鸟”?再说,诗人笔下的“画眉鸟”绝非凡鸟,简直是“驱散黑暗,唤来人间光明美景的”神鸟,她怎不“爱听画眉鸟”呢?这里诗人用声、光、色彩、物、时空似乎摄成了一部“江南画眉啼晓”的立体动画片,一个接一个的镜头,使人目不暇接,美感无限。诗人想象的丰富奇妙,笔致的活泼空灵,情趣的恬淡高雅,令人惊叹。“晓山青未了”有几分化用杜甫《望岳》“齐鲁青未了”和柳宗元《渔翁》“欸乃一声山水绿”的句意,但其境界确有超越前人处。清张维屏说:“初白先生(查慎行后改名悔余,号初白)极清真,极隽永,亦典切,亦空灵,如明镜之肖形,如化工之赋形,其妙只是能达。”细读本诗和以下三首,不难寻到张说的例证。

第二首诗写船夫运舟的辛劳。浙江省河流源短流曲,多峡谷,谷深滩多,具有山溪型河流特色。本诗可能指今杭州市属郊县淳安县新安江舟行情况。

诗的前两句从韵脚“高”和“好”,写无滩地带上下水不同,舟子运船的劳动强度和心态各异;后两句用谓语“厌”和“惜”写有滩地带上下水不同,舟子运船的劳动强度和心态也迥殊。四句诗无一句明提舟子,其实句句力状舟子。“高”“好”“厌”“惜”在炼字的准确中,也反映诗人对舟子艰苦劳动的深切体会和同情。舟子上水或拉纤或扯滩;下水或摇橹或放滩,一般写来容易重复寡味。而诗人按有滩地带和无滩地带的上下水分别组成两个回合,读来只觉反复而不重复,且内容全面,层次分明,韵味盎然,足见其运思和章法之妙。

第三首,“渔家小女儿,见郎娇不避”。出身劳动人民家庭的渔家姑娘,见到年轻小伙不躲躲藏藏,大方活泼。这跟终日深锁闺阁的所谓“大家闺秀”截然两样。诗人对渔家姑娘“见郎娇不避”这一思想行为的赞赏,正如吴芳吉说:“至人而有至情,至情而有至文。”“日暮并舟归,鸬鹚(lúcí)方晒翅。”一“归”字写出整天忙碌的渔家姑娘直到日暮仍忙于荡楫操舟。一“晒”字写出终日在水中辛苦捕鱼的鱼鹰这时得闲正展开湿淋淋的翅膀,伫立渔舟,借晚风风干羽毛。一“归”一“晒”,一忙一闲,一动一静,形象生动地描绘出人类与自然界的和谐统一。这幅“渔舟归晚”图,着笔不多,描绘得真切、动人,诗味隽永。

第四首,“桥坏笮(zuó)系绳”,桥坏后用数根笮(竹索)为浮梁,笮间铺上木板,人寻笮以渡水,俗称笮桥或索桥。今四川灌县岷江上仍有。“坏”字看似只写出山乡交通艰难,其实经济贫困、文化落后自然也曲包其中了。然而就在这个贫穷落后的山乡里,竟然出现一介“须眉绿如画”的牛郎,英俊无比。他既谙水性水位,又能假牛而安然渡溪。诗人把牛郎写得如此才智,品貌俱全,似有几分暗含“江南多才子”,“山乡正是藏龙卧虎之地”的寓意。古往今来写女性之美屡见不鲜,唯写男性之美既不多见也难落笔。然诗人不费笔墨,不事雕琢,只将表男性生理特征的“须眉”二字信手拈来,便把一位男子汉写得俊俏动人。这幅“牛郎渡溪”图,极风趣,极别致,也寄寓深远。

四首诗八十个字,把青溪县的“溪女”“渔家小女儿”、舟子、牛郎及“夹岸”“晓山”“桥”“笮”“溪”“滩”“船”“桅杆”“橹声”“画眉鸟”“鸬鹚”“牛”等众多人物和山水的特征个性一一勾勒出,且富有浓郁乡土味。既可见诗人布景设物之密,又可见赋物肖形之工。四首诗分之则独自成为四幅素描画——“江南画眉啼晓”“山溪舟子运船”“渔舟归晚”“牛郎渡溪”,每幅画意态淑远、风趣横生,使人过目难忘。合之则又成为江南风情画长卷,荟萃人物山水于一图,意蕴深远,形态动人,使人赏心怡目,美感无穷。全诗以白描手法,采用民歌体的平易话语,抒写人所共有而又不是人人俱能道出的真情实态。刘熙载在《艺概》中说:“常语易,奇语难,此诗之初关也。奇语易,常语难,此诗之重关也。香山用常得奇,此境良非易到。”这四首诗不用典故,不事藻绘，语言浅白平实而又蕴涵丰富，意见言外，情韵动人，当得起“用常得奇”佳作的称誉。

（周　甦）

晚抵晏城次壁间韵

查慎行

目力穷边酒旆生，熟梅天爱偶然晴。
高楼吹角风无赖，坏壁留诗客有情。
红日忽沉烟起处，白杨长递雨来声。
万山回首如屏障，一片平芜接晏城。

鉴赏

“晏城”，在今山东省齐河县北。康熙二十三年(1684)夏天，查慎行告别家人，游学京师。行至齐河，在诗中写道：“关城余霸气，鸡犬入齐风。山豁平沙外，天低小县东。鱼盐知俗古，豚酒祝年丰。别有雄繁意，休夸管晏功。”(《齐河》)晚抵晏城，又写了这首诗。《晚抵晏城》与《齐河》并读，更容易看出作者在选材落笔方面的特点。

这是一首写景诗，写的是古朴的山东平原上的景色。时间是初夏，地点是北方。一片平芜，黄梅时节。这里，既没有万紫千红的江南春景，又没有莺啼燕语的动听音韵，也没有红泥僧寺，冲天古塔之类便于借景抒怀的建筑物。这样的地方，实在难写。写它，就像写一个既缺乏动人姿色，又缺少必要装饰的妇女，使人难以用语言刻画。此地景物，最便于作文章的，似乎只有它的姓名和家世——晏城，这个名字是和古代著名人物晏婴连在一起的。晏城，曾是晏婴的食邑(《齐河旧志》)。抓住“晏城”二字借题发挥，不失为一种聪明办法。请看古今许多纪游诗，有不少作品是采用这种借题发挥的构思方法的。其中也不无佳作。可是，查慎行偏不用这种写法。他在《齐河》中写道：“别有雄繁意，休夸管晏功。”在这首《晚抵晏城》中，他也不想借助管晏敷衍成篇，而是完全着力于眼前景色，在常人感到实无可写之处，写出了这首美丽如画的风景诗。此诗妙处，正在于此。

“目力穷边酒旆生”，放眼看去，看到了极远处，可见这里已是一片平原,没有山峰丘陇阻人前程。对于一个远行旅客来说,这一点能使人胸怀豁然开朗。看到了酒旆,可见远处已有人家或市镇,能有一壶美酒,浇我征尘。对于远行旅客,这也令人心喜。“熟梅天爱偶然晴。”梅子熟时,连日淫雨。“黄梅时节家家雨”,俗称黄梅季节。对于行路之人来说,梅雨会带来许多不便,往往引人皱眉。因此,偶然放晴,便会使人感到格外地愉快。首联已充满了喜气。

“高楼吹角风无赖,坏壁留诗客有情。”无赖,在这里是指可喜可爱,和通常所说的放刁撒泼品行不端者不同,也不是指无聊赖。杜甫《奉陪郑驸马韦曲》“韦曲花无赖,家家恼杀人”是说花可爱。《送路六侍御入朝》“剑南春色还无赖”是说春色可爱。诗词中以“无赖”指可喜、可爱者颇多。明白这一点,这句诗,乃至这首诗就容易理解了。这句是说:风声可爱,吹送来高楼上的吹角之声;旅客有情,在破壁上题写了诗句。这就使人感到,旅途并不寂寞。远道旅行,很怕寂寞。不感到寂寞,说明诗人心情很好,也表明所到之处(晏城地区)可爱。

“红日忽沉烟起处,白杨长递雨来声。”继续写旅途愉悦之情。炊烟起处,红日忽沉,不仅写出了景色的奇丽,也表明天色虽然向晚,但前面已有人家,今晚已有归宿之地,旅客因此感到快慰。一个“忽”字,把旅客(诗人)欣赏落日景象时的美感和将有归宿时的惊喜心情,准确、微妙地表达了出来。题为“晚抵”晏城,诗句紧扣题目。“白杨长递雨来声”(另本作“自递”),接上句风声写来。高高的白杨树在可喜可爱的风声中沙沙作响,仿佛一阵阵下雨的声音。这声音也使人喜悦。时当夏季,又刚从万山丛中来到平原,旅途中的暑热与疲劳,都因这雨来之声得以消除,读之使人有一种清凉之感,兼有涤尘之快。诗人把“晚抵”旅舍时的轻松愉快之感,借日景与树声巧妙而又自然地传达给了读者,写得真好!

“万山回首如屏障,一片平芜接晏城。”既总结了全诗,又概括了晏城一带的自然风貌,同时也是这一段行程的小结。回首望去,万山如屏,可见旅客(诗人)是穿越万山才来到晏城。一路辛劳,不言而知。可是,一当穿越之后,拦路的山峰便在诗人的感觉中发生了转化,从险阻变成了屏障,给人以屏护安宁之感。对于远行旅客,这是最可贵的感觉。诗人身倚如屏万山,向前看去,进入眼中的是“一片平芜”。明天,在这平坦宽阔的原野上继续行进,当然就会轻松愉快得多了!

古人说:“愁苦易好,欢愉难工。”这话是有道理的。一般来说,言愁说恨之辞,容易打动读者,也容易写好。写欢乐,写愉快,便比较难。言愁说恨,可用的比喻多,运用烘染、夸张之类的手法也比较容易。因此，古代诗文中，写愁苦的名篇名句，大大超过写欢愉者。但是，正因如此，写欢愉之情写得很成功，就更可看出作者高超的艺术水平。这样的篇章，也就更显得难能可贵。查慎行这首诗，写旅途愉悦，写得这样细致，这样恰切，显出作者过人的描写能力。

这是一首律诗。赵翼曾以查慎行的律诗和律诗名手陆游相比："以初白律诗与放翁相较：放翁使事精工，写景新丽，固远胜初白。"但放翁诗"多自写胸膈，非因人因地，曲折以赴，往往先得佳句，而足成之；初白则随事随人，各如其量，肖物能工，用意必切。其不如放翁之大在此，而较放翁更难，亦在此"（《瓯北诗话》）。这"更难"二字，说得很恰当。《晚抵晏城》，可以为证。

（张　中）

舟夜书所见

查慎行

月黑见渔灯，孤光一点萤。微微风簇浪，散作满河星。

鉴赏

月夜，诗人经过一天的舟行，便停泊在河岸边，远处也有一条渔船靠泊在那里。一会儿天空浓云密布，月亮被遮蔽得暗淡无光，这时浓重的夜色笼罩了整个河面，两岸也黑黝黝的，看不见一点儿东西，只有远远的那个渔船上如豆般的灯火闪烁不定。首句"月黑见渔灯"，写的是视像，这个"见"，是不见中的"见"，因为"月黑"只有灯光才能看到，其他一切都在黑暗中消失了。杜甫的"野径云俱黑，江船火独明"（《春夜喜雨》），也写的是这种情景。次句写如豆灯光像江岸边一点萤火，是意中之象。"孤"表现了环境的寂寞、单调，寄寓着一定的感情色彩。一种茫然无奈的情感袭上诗人的心头。三句抛开了灯光，一转而写夜风。微风从河面阵阵吹来，河水哗哗作响，轻轻地掀起浪花。这句写听觉，为下句张目。"散作满河星"一句犹如天外奇峰，劈空而来。那如萤的孤光，刹那间似乎变成万船灯火，点缀河中，又如风吹云散，满天明星，倒映水中，使这静谧的黑夜，单调的河面出现了意想不到的壮观。风吹浪起，簇起的每朵浪花，都把那如萤般的灯光摄进水中，有多少浪花，就有多少灯光。这里的"散"字和谢朓的"馀霞散成绮，澄江静如练”(《晚登三山还望京邑》)的“散”字,有同样的艺术力量。

这首五绝借一点渔灯,把自己旅夜舟中所见所感生动真切地表达出来。由“夜”而“灯”,由“光”而“萤”,由“萤”而“星”,即眼前景,随手写来。描摹景物,纯用简淡的白描手法,没有任何浓艳的字眼,不见修饰,脱口而成,却写得爽心豁目,犹如一幅成功的景物速写,那么疏略的几笔,却把那自然美化繁为简地艺术地再现出来。全诗由灯一萤一星,形成一条线索,使本来格局短小的五绝显得更为紧凑集中,遒劲凝练。而且写得感在见中,情在景中。前后景物的狭小壮阔形成强烈的反差,“一点萤”和“满河星”促成鲜明的对照。上两句由所见凝聚的意念,通过它的转换变迁,反映出由景物的单调引起情绪上的孤独,一变而为奇景突现,一下感到精神一旺,所在饱满。这种难忘的景象也从而深深镌刻在读者的脑海之中。

(魏耕原)

夹马营

查慎行

枥马惊嘶嘶不止,红光夜半熊熊起。
男儿堕地称英雄,检校还朝作天子。
陈桥草草被冕旒,版籍不登十六州。
却将玉斧画大渡,肯遣金戈踰白沟。
隔河便是辽家地,乡社枌榆委边鄙。
当时已少廓清功,莫怪孱孙主和议。
君不见蛇分鹿死辟西京,丰沛归来燕代平。
至今芒砀连云气,不似萧萧夹马营。

鉴赏

“夹马营”,在今河南洛阳市东北。相传宋太祖赵匡胤出生于此,生时赤光绕室,异香经宿不散。及长,容貌雄伟,器度豁如,识者知其非常人。周世宗任命他为殿前都点检,加检校太尉,领归德节度使。陈桥兵变,取代周主,建立了历史上长达三百余年的赵宋王朝。由于宋王朝得于昼夜之间，不是像汉、唐帝国那样，经过长期的争斗，而后才建立。因此，赵匡胤（宋太祖）、赵光义（宋太宗）登基之后，都把主要精力用于对付内部，对外敌反而采取一味退让甚至是献媚求和的政策。“杯酒释兵权”等故事，即因此而生。燕云十六州（今北京市及山西省大同市一带），在五代时被石敬瑭割让给契丹，后汉、后周未能恢复。宋太祖虽曾有恢复之议，但终于未能实现。此外，宋朝与辽划白沟（今河北省巨马河）为界，称为界河。终宋之世，这种状况未能政变。由于这样一种开国历史，北宋、南宋数百年间，一直强敌压境，积贫积弱。它从一开始就埋下了祸种。谚云：“唐乌龟，宋鼻涕。”宋朝后代君臣懦弱无能，不能全怪他们自己，在很大程度上应该怪他们那些开国的祖宗。

全诗十六句，可分四节，每四句一节。“枥马惊嘶嘶不止，红光夜半熊熊起。男儿堕地称英雄，检校还朝作天子。”借用历史传说和史料记载，写宋太祖赵匡胤不平凡的身世。寥寥数语，生动地刻画了一个开国皇帝带有传奇色彩的形象。但在赵氏表面英武的形象中，已暗寓揭露与嘲讽之意。“检校还朝作天子”，明写其篡位。“陈桥草草被冕旒”，将宋王朝仓促建立时的情景，刻画得形象而且深刻。

“版籍不登十六州，却将玉斧画大渡，肯遣金戈踰白沟。”深刻地揭露了那个传说在熊熊红光中诞生的赵家天子，在他的冕旒下遮盖着的，是一个孱弱而且卑鄙的灵魂。版籍、界河、玉斧、金戈，高度概括，而又形象鲜明。刘因《白沟》诗云：“赵普元无四方志。”查慎行则更进一步，认为燕云、白沟之事，责任在赵匡胤，这一见解很能发人深思。

“隔河便是辽家地，乡社枌榆委边鄙。当时已少廓清功，莫怪孱孙主和议。”进一步指出，一代盛衰，责任往往在于开国者。开国者苟且偷安，缺少民族远见，无力廓清边氛，是个蜡枪头，他的子孙后代能不是一群窝囊废吗？“宋鼻涕”从一开始就已流个不尽。“莫怪孱孙主和议”，深刻之至。南宋的诗人、词人们面对着当时令人屈辱万分的局势痛苦地写道：“船离洪泽岸头沙，人到淮河意不佳。何必桑乾方是远，中流以北即天涯。”（杨万里《初入淮河》）“长淮望断，关塞莽然平。……洙泗上，弦歌地，亦膻腥。隔水毡乡，落日牛羊下，区脱纵横。看名王宵猎，骑火一川明，笳鼓悲鸣，遣人惊。”（张孝祥《六州歌头》）“四十三年，望中犹记，烽火扬州路。可堪回首，佛狸祠下，一片神鸦社鼓。”（辛弃疾《永遇乐》）其实，他们的开国皇帝就已经播下了痛苦的种子！“隔河便是辽家地”和后来的“隔水毡乡”有着内在的联系。

“君不见蛇分鹿死辟西京，丰沛归来燕代平。至今芒砀连云气，不似萧萧夹马营。"通过汉高祖刘邦与宋太祖赵匡胤的对比,提出了一些很深刻的政治历史问题:一个王朝应该建立在怎样的基础之上?汉代经过逐鹿中原,多年征战,与秦、楚等强敌激烈斗争之后,方才建都西京,据有天下。宋代呢?陈桥兵变,草草登基,在别人没有防备的情况下夺了一个幼主的权力。他的"胜利",是在几乎没有任何敌手的情况下取得的。这样的"胜利者",算不得强者。一旦遇到强敌,他就必然虚弱。一个王朝应该怎样对待民族和边患问题呢?汉高祖从一开始就强力抵御外族的侵犯。汉七年,汉高祖亲自领兵北击匈奴,解平城之围。后又令樊哙、周勃将二十万兵定燕、代,使边境清宁。宋呢?燕云十六州长期在外族手中,一开始便以白沟为界,以退守求取一日之安。开国者如此,后世儿孙金缯岁币,屈膝求和,势在必然。一个最高统治者应该有怎样的心态呢?汉高祖回到出生地丰、沛,发沛中儿得百二十人,一起高唱大风之歌,欲得猛士守卫四方,何其壮哉!宋呢?黄袍加身之后,杯酒释兵权,劝导将帅"多置歌儿舞女,日夕饮酒相欢,以终天年"。汉、宋两代,从一开始就种下了这样不同的政治基因,到后代自然就会有不同的政治局面。君不见"至今芒砀连云气,不似萧萧夹马营"。读之令人感慨万千。

这是一首咏史诗。治史者,贵有卓识,咏史者亦然。诗人一定要独具眼光,才能透过历史表层发现那些真正值得吟咏的内涵,发前人所未发,使读者一新耳目。查初白这首《夹马营》,吟咏的是两个开国帝王,诗中包容的是有关国家兴衰的重大政治历史内涵,堪称一篇精辟的"开国君主论",很值得一读。

当然,咏史诗与史论有所不同,诗中必须有形象,有感情,有韵味。清代著名史学家兼诗人赵翼论查初白诗云:"其遒铸者","豪健爽劲,气足神定"(《瓯北诗话》)。这首诗便具有以上特点。全诗"遒铸"的风格,完足的神气,对读者有很强的感染力。因此,它不是一篇史论,而是一首好诗,一首咏史诗中的杰作。

(张　中)

晓发胥口

查慎行

半浮半没树头树,乍合乍离山外山。
借取日光磨一镜,吴娘船上看烟鬟。

鉴赏

"胥口",在江苏苏州吴县西南。

当居人还在梦乡,行人就被车马、舟船带向四周静寂,万物沉睡的天地,这境界是很容易使行人倍感清冷孤凄的。所以写"晓发"一类的诗词大都也就是这种情调。但是查慎行的这首诗却不一样,诗的内容是写"晓发"之前。"半浮半没树头树",联系诗题看,该是拂晓时分,树梢儿在那或浓或淡,飘忽浮游的晨雾中。"半浮半没",欲露欲藏,姿态朦胧,向远望去,群山雾绕,雾涌峰相连,雾去峰相离,离离合合皆是美。张养浩写的"云来山更佳,云去山如画,山因云晦明,云共山高下"(《双调·雁儿落兼得胜令》),对于我们领略这"离""合"之美也许有所启发。不过查慎行还自有高明之处,他对于景色最活跃的,使画面产生无穷变化的"云雾"却只字不提。这种诗中不见云雾字,读来满眼云雾状的奥秘,就在那浮、没、合、离四个动词,它赋予静物(山、树)以动态的美,而这动态自然使人感到云雾的飘浮聚散,可以说是形象性与启发性的结合,巧妙地创造了言外之意,象外之象。

三、四两句写人。吴娘,泛指苏州一带妇女,这里指的是船家女;烟鬟,形容妇女松软的发髻。"借取日光磨一镜"的主语是下句中的"吴娘",这一句的重点在刻画人物动作,但也暗示了时间的推移,景色的过渡,一面仍是江雾迷漫,一面已是"旭日衔青嶂",霞光与雾霭相融相织。此刻,只见那船家女正借着透过薄雾的日光,迅速地擦去镜上的尘埃和水汽,接着乌黑的发髻就映入明镜之中,那显然是梳妆之后的检查了,她左照照右看看……这意味着船要"晓发",她,作为船家的主妇,是没有时间等到云开雾散才去慢慢梳洗的,一个船家女的生活节奏,乃至她的心理活动,都在这个小小的镜头里反映出来了。若是比较一下"早起怯梳头,欲挽云鬟又却休。不会沈吟思底事,凝眸。两点春山满镜愁"(周邦彦《南乡子》),那就更能感受到这个形象的个性特色。诗人借"晓发胥口"所见,以欣赏的笔调向我们展现了南国水乡的风物人情,这里绝无凄楚惆怅的情调,有的是景的美,人的美,以及人在自然与生活中所显示出来的那种和谐而又积极的生气与活力。

这首诗看似即景即事之言,不以力构,但是画面与着色都很有讲究。"半浮半没树头树"是中景,向远推去便是"乍合乍离山外山",这是在画面的上半部,再把视线收到近处,便是三、四两句所描绘的景象,显然已是在画面的下半部,位置恰当，层次井然。前两句以暗色、冷色、淡墨创造出一种虚幻的迷漫的景象，而第三句的“日光”与“镜”恰是暖色、亮色，在暖色与亮色的烘染之下，一个充满诗情画意的镜头——“吴娘船上看烟鬟”，便清晰地突现出来了。色调多变，虚实相映。当然，以画论诗只能是鉴赏的一个层面而已，事实上这诗中的景色、人物都处在不停的、相互联系的动态之中。因此，完整的意象，丰富的意境，仍需读者透过诗句的暗示去想象、去领略。

（赵其钧）

雪夜泊胥门与蒙泉抵足卧

查慎行

野泊五湖东，迷漫雪满空。水明千雉白，人静一灯红。
乱橹鸡声外，轻寒酒力中。残年归梦阔，惆怅两心同。

鉴赏

康熙二十七年（1688），查慎行的好友、著名戏曲作家洪昇，“经十余年三易稿”，写成名著《长生殿》。第二年八月，招伶人于宅中演出，查慎行和北京许多名士前去观看。这时，正值佟皇后于上月病逝，尚未除服。给事中黄六鸿劾洪昇等人于“国恤”期间观剧为“大不敬”。洪昇被捕下狱。后来，赵执信、朱典等人被革职，洪昇、查慎行等人被革去国子监籍。因列席观看而被革除功名者近五十人。此事对查、赵、洪等人都打击很大。当时有人作诗说：“秋谷（赵执信）才华迥绝俦，少年科第尽风流。可怜一曲长生殿，断送功名到白头。”查慎行在《送赵秋谷宫坊罢官归益都四首》中写道：“荆高市上重相见，摇首休呼旧姓名。”“欲逃世网无多语，莫遣诗名万口传。”可见当时诗人心情何等沉重。

事后，赵执信、查慎行先后离京。查慎行至吴中，次年冬写了这首诗。往事的阴影，一直笼罩在诗人的心头，挥之不去，虽与好友抵足而卧，也未能去除他心中的抑郁。因此，这首诗写得哀怨凄迷，令人忧伤。

“胥门”，在今苏州市内胥江边上，西临太湖。蒙泉，赵蒙泉，查集中有《次韵答赵蒙泉闽中见怀》《发东山至石湖舟中大雪与蒙泉雪园分韵》诸作。五湖，五个大湖的总称。

有多种说法，此处指太湖东岸五个与太湖相通连的湖，见《周礼·职方》《国语·越语》《史记·河渠书》等。诗人“发东山至石湖”，一路与赵蒙泉同舟。舟泊胥门，雪夜静卧，谈论近年来不平遭遇，满心惆怅。舟外大雪迷漫，满室满野，舟不能行，道路已失，这种景象，颇如诗人遭际。所幸者尚有知心好友抵足夜谈，可聊慰人生凄冷与寂寞。于是，在诗人的心目中，“水明千雉白，人静一灯红”，犹有几分明光，几分亮色，痛苦之情，略得消散。“千雉（zhì）”，指城墙。“水明”“人静”二语，将姑苏城外江湖中雪夜特有之景，描写得非常真切。灯红、雉白，形成鲜明的对照，渲染了水乡雪夜的深谧寂静。“乱榛（tuò）鸡声外”，兼写时间和空间，使人感到夜静更深，已将及曙，湖东野泊，远在市外。“轻寒酒力中”，叙事兼带抒情，既写了雪夜舟中与朋友杯酒相聚，又写出块垒难消的惆怅与哀痛。在这种复杂的心情中，人对于时间与空间的感受，颇不同于平时。这年，诗人年仅三十八岁，使他已感到是“残年”了；前途茫茫，帝都渺远，重归朝廷，不知何日？诗人被迫浪迹江湖，感到归梦空阔无依。“残年归梦阔，惆怅两心同”，写尽了一个蒙受重大打击的人的痛苦的心情。

文学描写，贵在准确，要使读者感到，此情此景，非此语不能道。查慎行诗，无论写景、抒情，均以稳惬、熨帖见长。张维屏说：“初白先生诗极清真，极隽永，亦典切，亦空灵，如明镜之有形，如化工之赋物，其妙只是能达。”（《听松庐诗话》）所谓“能达”，即指准确而言。这首《雪夜》诗便显示了查诗的这种长处。读者仔细吟咏，便会感到，它把诗人心中一些微细的褶皱也显示了出来，真可谓“能达”。

（张　中）

三江口苦雨

查慎行

那刹矶头雨杀风，千樯烟气湿蒙蒙。
楚天低压平芜外，何处青山认皖公。

鉴赏

这首诗作于清康熙三十一年（1692）。诗人重游江西，路过安徽桐城东南枞阳河畔的三江口时，遇到凄风苦雨，皖公山色掩映在烟雨迷蒙之中，深感遗憾而写了这首诗。

这首诗句句都围绕题目"苦雨"来写，有的明写，有的意会，但生动地描绘了江上雨景。这幅景绘出滩头凄风苦雨，江中烟雾迷蒙；江天低压，原野平旷，青山掩没，活现出一幅烟雨弥漫的画图。

"那刹矶"，在三江口附近。乱石滩上"雨杀风"，一个"杀"字，意味着雨猛风狂，饱含着交战的气氛。次写江中，由近及远，有条不紊。千只帆船，停止航行而笼罩在一片烟帘雾幛之中，到处是淋淋潮湿，到处是蒙蒙烟雾。如果说第一句是写近景"那刹矶头"，那么第二句就是写远一点的江中。随着空间的转移，诗人望得更远了，望到了天空。"楚天低压平芜外"，江南地低水多，现在因为风雨，平旷的原野，烟雾笼罩，苍苍茫茫。皖公山在安徽省潜山县西，山色青翠，但是这时想要辨认一下皖公秀色，已完全不可能了。所以直接发出"何处青山认皖公"的叹息。最后这一句是叹息，是抒情，是间接抒"苦雨"之情。

这首诗的前三句是描写，写得细腻；后一句是抒情，抒得含蓄。但都紧紧地围绕题目来写，写得理明句顺，气敛神藏。

（杨　树）

五老峰观海绵歌

查慎行

峭帆昔上鄱阳船，我与五老曾周旋。
两尘相隔骨不仙，蹉跎负约十四年。
近来稍知厌世缠，筋力大不如从前。
扶行须杖坐要篴，绝境敢与人争先？
山神手握造化权，走入南极分炎躔。
鞭羊欲从后者鞭，假以半日登高缘。
风清气爽秋景妍，芙蓉十丈开娟娟。
长江带沙黄可怜，湖光净洗颜色鲜。
背负碧落盖地圆，尺吴寸楚飞鸟边。
初看白缕生栖贤，树杪薄罥兜罗绵。
移时腾涌覆八埏，四傍六幕一气连。

滔滔滚滚浩浩然，浑沌何处分坤乾。
近身扁石履一拳，性命危寄不测渊。
阳乌翅扑光倏穿，饥蛟倒吸无留涎。
以山还山川自川，五老依旧排苍巅。
来如幅巾裹华颠，去如解衣袒两肩。
酒星明明飞上天，人间那得留青莲？
此时此景幻莫传，顷刻变灭随云烟。

鉴赏

“五老峰”，位于江西庐山牯岭东南，五峰屹立，峰尖触天，俨似五位仪态轩昂的老人。有时雾气拥来，山上山下，绵云如海，丘壑全被笼罩，一片迷蒙，十数步内，不见人景，真是千姿百态，变幻无穷。李白曾赞五老峰说：“予行天下，所览山水甚富，俊伟诡特，鲜有能过之者，真天下之壮观也。”诗人于清康熙三十一年(1692)，重游五老峰，淋漓尽致地描绘了云海变幻之状，感慨多端地抒发了游山之情。

开始四句写重游五老峰的缘由。诗人曾乘船来到鄱阳湖，望见五老峰，算是与五老峰打过交道。所以说“曾周旋”。“峭帆”，即张帆、扬帆，这里是乘船的意思。“鄱阳”就是鄱阳湖，在江西庐山东南。“两尘相隔骨不仙，蹉跎负约十四年。”《事类合璧》载：“韦子威师事丁约。一日辞去，谓子威曰：‘郎君得道，尚隔两尘。’”“两尘相隔”，相互隔离好像在两个世界，一在仙界，一在人间。吴筠《游庐山五老峰》诗说：“永用谢物界，吾将乘鸾龙。”意思是说，我要永远摆脱世事的牵累，同你一起修炼，骑着凤凰玉龙成神仙。功夫不到，即“骨不仙”。“蹉跎”，指时间白白流逝。诗人本想重游五老峰，但是十四年过去，未能实现，有负相约，这是因为世事缠身，未能超凡脱俗。“近来”四句，意谓近来稍微知道应该厌弃缠身的世事而来重游，但是筋力衰退，身体已经大大不如从前了。“扶行须杖坐要箯(biān 鞭)，绝境敢与人争先？”现在年纪大了，走路要靠手扶和竹轿，在危险的地方也不敢和人们争着先走。“山神”四句进一步抒发半天登山游览的情愫。“造化权”，创造自然的能力。“走入南极”，我国古代有“南极老人”星，这里指在我国南方的五老峰。“分炎躔(chán 缠)”，分野是日月星辰运行的度次。“鞭羊”，比喻山神对学道落后人的鞭策。这四句写有缘得到半天登山的机会。以上为第一段，写得跌宕有致，一波三折。从“周旋”“负约”，写到“厌世缠”，想登临，但是“筋力”衰退，看来好像是无缘登临，但忽又一转，山神终于给予登临的机会。

“风清”六句，写云海未生时的景致。这时，风清气爽，秋景美好。“芙蓉十丈开娟娟”，芙蓉，即莲花。《尹喜内传》说：“真人游时，各各坐在莲花之上，一花辄径十丈。”“娟娟”是美好的意思。头两句写游山的欢悦心情。“长江带沙黄可怜，湖光净洗颜色鲜。”云海未生时，千里波湖，尽收眼底；长江沙带黄，鄱阳颜色鲜，两相对照，蔚为壮观，这是俯望山下。远望则感到“背负碧落盖地圆，尺吴寸楚飞鸟边”。背负碧空，苍穹四垂，由于远近视差的关系，原是万里的吴楚，在飞鸟旁只有尺寸般大小。

“初看”以下八句描写云海变幻之状。“初看白缕生栖贤，树杪薄罥兜罗绵。”白缕，指像白线状云气。“栖贤”，庐山五老峰下的栖贤谷。“兜罗绵”，木棉的一种，这里指白云。白云生时，像一缕白线从栖贤谷下腾云驾雾似地袅袅上升，一直飘忽到树梢。“移时腾涌覆八埏(yán 延)，四傍六幕一气连。”这两句写不久犹如白绵的云海，汹涌而来，霎时连成一气，弥漫了上下四方。“滔滔滚滚浩浩然，混沌何处分坤乾。”极写云海弥漫，天地不分。这是全盛时的云海，和“初看”时的云海已大不相同。“近身扁石履一拳，性命危寄不测渊。”这两句是间接描写云海，因为四面都是白云，身体就像站在一个只有拳头大的石头上，下临险不可测的万丈深渊。这是身临其境而又仔细观察的感受。

“阳乌”四句写日照云散。“阳乌翅扑”，指太阳光射出。“饥蛟倒吸”，好像海水被饥渴的蛟龙吸去一样。“无留涎”，没有留下一滴涎水，比喻云气全消。“以山还山川自川，五老依旧排苍巅。”五老峰的山川还回原来的面目，五老峰依然排列耸立，峰尖似触苍穹。

“来如”两句运用比喻赞叹五老峰云海千姿百态，变幻无穷。白云来时，犹如裹上头巾；白云散时，犹如脱去衣服，袒露两肩。“酒星”四句意思是说：像从前曾经游过五老峰的酒星李白飞上天去一样无法挽留，说明五老峰云烟变化迅速。“酒星”“青莲”都是指唐代诗人李白，因为他好饮酒，故有“酒星”之称；因为他号青莲居士，故称青莲。最后两句“此时此景幻莫传，顷刻变灭随云烟”，诗人直接抒发感，惊叹云烟变幻莫测、变灭迅速。

（杨　树）

早过大通驿

查慎行

夙雾才醒后,朝阳未吐间。翠烟遥辨市,红树忽移湾。
风软一江水,云轻九子山。画家浓淡意,斟酌在荆关。

鉴赏

唐末诗人皮日休赞颂孟浩然的诗作是"遇景入咏,不钩奇抉异"。倘若用这两句话来评价查慎行的旅游诗,倒也十分合适。"大通驿",在今安徽铜陵县大通河边。诗人于清康熙三十一年离开江西去北京路经此地,这时,晓雾初散,旭日东升,翠烟红树,清风淡云,江水青山,构成一幅浓淡空灵、十分潇洒的画卷。"挥毫落纸如云烟",诗人毫不费力,随笔写出他的所见所思,不但是"诗中有画",而且还认为这幅画就如后梁著名的山水画家荆浩、关同师徒精心用深浅的色彩绘制出来的。

"夙雾才醒后,朝阳未吐间。"时间是清晨,晨雾初散,朝阳未出。环境是安静的,空气是清新的。诗人的笔端给人以愉快的感受和美的享受。全诗就以此为基调,围绕题目"早"字来写。

"翠烟遥辨市,红树忽移湾。"这一联对仗工整。遥远青烟袅袅的地方,可辨别出那里是集市。前面的红树忽然又转移到水流弯曲的地方。树是不会随便转移的,只是因为人坐在船里,转弯时随着方向的变化,由于远近视差的不同而觉得转移了。诗人把静写成动,这是亲身的感受。

"风软一江水,云轻九子山。""九子山"在安徽青阳县南,也称九华山,山上有九峰状如莲花。这一联对仗也十分讲究,写清风、薄云、一江水、九子山;一个"软"字,一个"轻"字本是形容词,这里作动词用。一江水"软",是因为微风轻拂;九子山"轻",是因为薄云一缕。我们仿佛看到水波粼粼,浮光耀金,山色青青,白云轻飘。这仍然是清晨的山光水色,恬静迷人,真是美极了。诗人的情怀闲逸,对山山水水怀着一片眷恋之情。

"画家浓淡意,斟酌在荆关。"也就是说这首诗中描写的晓雾、朝阳、翠烟、红树、清风、薄云,山水景色就像后梁画家荆浩、关同师徒考虑再

三、反复取舍绘制出来的。

我国古代的山水画，讲究虚实、远近、淡浓、大小的处理。诗人也运用了这些技巧。这首诗的头两句点明时间，定下明朗清新的基调。颔联“翠烟”两句写得迷漫而又清晰，浪漫而富有动态；在色彩上是鲜明而又和谐。颈联更是绝妙，风轻水软，云绕山青，更体现清晨之美。

（杨　树）

敝　裘

查慎行

中道谁能便弃捐，蒙茸虽敝省装绵。
曾随南北东西路，独结冰霜雨雪缘。
布褐不妨为替代，绨袍何取受哀怜。
敢援齐相狐裘例，尚可随身十五年。

鉴赏

读查初白的诗，每令人有亲切之感。原因之一，是他善于从亲身经历和日常生活中的各种事物撷取题材，将深情流注其间。诗中写的是一花一草，一山一水，某一寻常事物，或诗人生活经历的某一个小片段，读者却可能透过诗中形象，看到作者的精神世界。有时，还包含着哲理、禅意，使人味之不尽。王渔洋为初白诗集作序云：“深情独写，孤韵一往，令人讽咏徘徊，乍不能已。”诚哉斯言。

就说诗人随身穿着的这件破皮袍子（敝裘）吧，他一生中，写过多次。每次他都写出了当时的特殊处境，使我们看到了蒙在“敝裘”中的诗人，看到了他当时的心境。

第一次写“敝裘”，是在康熙三十三年（1694）十一月。这时，诗人四十四岁，已莅中年。他从少年时期，便被人目为旷世人才；青年时期，诗名已遍天下。可是，奔波了半生，仍然只是一个举人，心情可想而知。因此，他写了《敝裘二首》，并将这年的诗集命名为《敝裘集》。此处所选为第一首。《敝裘集》序云：“羊裘已十五年，裘则敝矣，而行役尚不知止，可叹也！”诗中所抒发的，便是这种“可叹”之情。一件羊裘，追随诗人遍历大江南北，大河上下，远至黔贵。诗人对之如见老友，随时都能引起往事的追忆。“曾随南北东西路，独结冰霜雨雪缘。”敝裘中，包裹着诗人十五年的欢愉和辛酸，故虽敝而未弃。“中道谁能便弃捐，蒙茸虽敝省装绵”。敝裘给予诗人的，不仅是肉体的温暖，也有感情的温暖。因此，他在《敝裘》第二首中写道：“冷暖相关老倍知，黑貂何必胜羊皮。”“家贫旧物无多在，不忍吹毛更索疵。”这两首诗里写的是惜物之情，但又饱含着自怜自爱之意。

“绨袍”句，用范雎故事；“齐相”句，用晏婴故事。《史记·范雎蔡泽列传》载，范雎“家贫无以自资，乃先事魏中大夫须贾”，因使齐受赐激怒须贾，几死于魏。后逃亡秦国，变姓名为张禄，相秦。须贾使秦，范雎敝衣见之，自称“为人庸（傭）赁”。须贾意哀之，留与坐饮食，曰：“范叔一寒如此哉！”乃取其一绨袍以赐之。后来才知道范雎即秦相张禄。《史记·管晏列传》等书载，齐相晏婴，崇尚节俭，一袭狐裘，穿着了多年。诗人用范雎、晏婴事，包含有多重意思。一方面写自己家贫，尚俭，不慕奢华，不厌旧物。另一方面，又表现了诗人不为人知、怀才不遇的愤懑之情。“齐相”句，字面上似乎平平静静，不过是说自己愿效前贤，带着敝裘再过十五年。句底里却饱含着行役之叹，是一种含着眼泪的自我揶揄；裘已敝矣，“行役尚不知止”，这无休无止的碌碌行役，到什么时候才能结束？难道这一领敝裘还要再随我一十五年吗？其中含志士的悲哀与愤激。此外，作者以范雎、晏婴自比，也表现了作者虽尚未达而志气不凡。

此后不久，诗人写了《立春日同恺功侍讲作即用〈敝裘二首〉韵》《再叠前韵示恺功》。二十二年之后，康熙五十五年丙申（1716），诗人六十六岁，又写了一首《弃裘》：“御冬年已久，毛秃仅皮存。等是犬羊鞟，永辞狐貉温。留之意安用，弃尔似无恩。改作吾何望，茅檐去负暄。”在对于旧物的恋恋温情中，流荡着一个老年人因年老无用而被弃的哀伤。又过了十年，在雍正四年（1726），查初白七十六岁，又写了一首“敝裘”诗：“一裘四十年，鞟在毛全秃，狐貉不我温，随身作囚服。”这年，诗人幼弟查嗣庭任礼部侍郎，主浙江乡试，以试题中有“维民所止”，被人告发，说“维止”二字，意味着“雍正”去头，犯大不敬。查嗣庭被捕死于狱中，死后又被戮尸枭首。查慎行（嗣琏）与弟嗣瑮全家被捕，查慎行身为长兄，以“家长失教”罪名，率子姓辈少长九人同赴诏狱，当时生死未卜。查初白诗集中最后的这首敝裘诗，短短二十字，在貌似平静的叙述中，隐藏近似绝望的痛苦、忧伤、惊悸。“狐貉不我温”两句，颇耐寻味。作者身处满族（胡人）皇帝的统治之下；当时，又正是大兴文字狱的时期，作者一家因文字狱而家破人亡，身陷缧绁。当此之时，落井下石，邀功请赏之人多有。倘有人抓住这两句诗，深文周纳，后果将不堪设想！我读查初白诗集，读至此，不禁为诗人捏一把冷汗！不过，话说回来，艺术创作往往是作者在经受重大事故时潜意识的表露。作者会在自己不知不觉之中把隐藏在内心深处的某些欢欣、愤懑借艺术形象表达出来。愤怒出诗人。由此观之，"狐貉不我温，随身作囚服"，恐怕又真是一位被无端置于死地的囚徒极端愤怒的抗议之声。

一件敝裘，激发了诗人这样多的灵感。透过它，我们看到了诗人的一生。咏物诗写到这种份上，在古今诗集中似不多见。

（张　中）

池　河　驿

查慎行

古驿通桥水一湾，数家烟火出榛菅。
人过濠上初逢雁，地近滁州饱看山。
小店青帘疏雨后，遥村红树夕阳间。
跨鞍便作匆匆去，谁信孤踪是倦还？

鉴赏

"池河驿"，在今安徽定远县东池河南岸。清康熙三十四年（1695），诗人遍览河南胜迹，回归路经安徽时作此诗。

诗一开始，就置读者于僻野荒村之中。古老的驿站是古代供传递政府文书的中途更换马匹或休息住宿的地方，地僻人稀，冷落荒凉。池河驿通桥在水流弯曲处，在草木丛生的荒野，稀稀疏疏地点缀着数家烟火。环境是凄凉的。"榛菅"（zhēnjiān 针间），指丛生草木。头两句描述一幅荒郊僻壤图，可以断言，路途遥远，人迹稀少。这是从写景中显示出来的。

"人过濠上初逢雁，地近滁州饱看山。""濠上"，濠水之滨，在安徽凤阳境内。一个"初"字说明地远人稀，在此之前连雁鸟都没有遇见，可见旅途寂寞。一个"雁"字，点明时到秋天，正是北雁南归的时候。"滁州"，在今安徽滁县。欧阳修《醉翁亭记》"环滁皆山也"，说明环绕着滁州城的都是山。一个"饱"字，足以说明一近滁州，看到的除了山，还是山，未免有些单调。旅途寂寞之情，遥远艰辛之感，隐含在这联对仗工整的句中。

“小店青帘疏雨后，遥村红树夕阳间。”“青帘”，旧时酒店的青布招子。诗人在“初逢雁”“饱看山”之后，见到一个挂着青布招子的酒店，而且是在稀疏的秋雨停后；遥村的红叶与夕阳的余晖两相映红，绚烂夺目，艳丽鲜明。前句表面上只写小店、青帘、雨后，实际上内心洋溢着喜悦之情。空山新雨后的清新，小店酒香的醇厚都在意中。后一句点明时间，在图画上是鲜红绚丽的。这两句诗对仗工整，色彩对比鲜明，环境幽静绚丽，是一幅真实动人的僻郊酒店夕照图。

“跨鞍便作匆匆去，谁信孤踪是倦还?”上句已点明时间是夕阳西下的黄昏，将近暮色苍茫之际。这时孤独的游子还在征途上，还没有找到归宿。此情此景，怎不引起悠悠哀思，怎不跨上马鞍，匆匆赶路!“孤踪”，孤独的行踪，指诗人一人独行。诗人外出旅游，遍览胜迹，如今却带着疲倦身躯返回。这倒也是旅游归来时的真实感受，也是匆忙赶路的写照，也是诗人厌倦仕途、想归隐家乡心态的表露。

（杨　树）

秦邮道中即目

查慎行

不知淫潦啮城根，但看泥沙记水痕。
去郭几家犹傍柳，边淮一带已无村。
长堤冻裂功难就，浊浪侵南势易奔。
贱买河鱼还废箸，此中多少未招魂。

鉴赏

这首诗写于清康熙三十五年(1969)。祝穆《方舆胜览》：“高邮即秦邮，秦国高邮置邮传为邮亭。”诗题的意思是：以高邮路上所见的事物命题，写高邮水灾后的所见和感慨。

全诗八句，前四句写所见。“不知淫潦啮城根，但看泥沙记水痕。”诗人没有看到水灾泛滥的惨景，也没有看到水漫城根的情景，只看到城根上一线残存泥沙的水痕，作为积水侵蚀墙根的痕迹。从这一残痕上,可以想象到当时水患给人民带来的痛苦。水患虽已过去,城根痕迹犹存。诗人虽说“不知”,但只要看到城根上的“水痕”,就可以知道水患的严重。“去郭几家犹傍柳,边淮一带已无村。”这两句是对上面两句进一步的描写,也是水灾之后留下的惨景。水灾之后,不仅在城根上留下痕迹,而且到现在离城不远的地方,好几家还靠着柳树搭棚栖身,生活是艰辛的。你看,淮河边上一带被水灾冲击之后,已经没有村落了!由此可知,有多少人丧生于水患之中,即使是免于丧生的人们,也是流离失所,痛苦地在死亡线上挣扎。诗人如实地记述了见到的景象,在字里行间隐含着沉痛的叹惜!

“长堤冻裂功难就,浊浪侵南势易奔。”淮河堤岸冻裂了,没有修好,想修好,也很困难,滔滔的浊浪冲向南边,奔腾呼啸,一泻千里,极为容易泛滥成灾。诗人的感触是深沉的,在叙述中饱含忧虑。可以说这两句重于抒情。

“贱买河鱼还废箸,此中多少未招魂。”诗人看到的是城根“水痕”,几家“去郭”“傍柳”村落荒芜;想到的是长堤难以修好,水仍奔腾南流,水患依然存在。如今路过此地,纵然“贱买河鱼”,也是喜中含忧,仍然是吃不下,只好放下筷子,诗人不禁发出感叹:水灾淹死的老百姓,成为鱼鳖腹中物的真不知道有多少,都还没有招魂啊!诗人“废箸”,这一平常的动作,诗人叹息“未招魂”,这一深沉的慨叹,都凝聚着对人民生命的忧患和真挚的同情。

(杨 树)

初上滩

查慎行

建溪之恶恶无比,狠石高低势随水。
竹篙如铁船如纸,曲折蜂窠犬牙里。
南浦迢迢六百里,大滩小滩从此始。
黄河亦可滥觞耳,不到水穷行不止。

鉴赏

清康熙三十七年(1698),诗人到福建旅游,自福州北返,沿闽江初上滩时写了这首诗。“上滩”指从水口上滩。据《读史方舆纪要》,从古田县的水口起到浦城,“计程凡六百里”,险滩“以三百计”,由此可见险滩之多,航行之难,诗人运用比喻等手法作了生动的描写,并表示水路险阻再多,也有决心走完。

“建溪之恶恶无比,狠石高低势随水。”建溪系闽江北源,在福建省北部,南流到南平市与富屯溪、沙溪汇合为闽江。溪上有很多石滩,形势险恶,航行危险困难。诗的头两句极言建溪之险恶,险恶的滩石高高低低水流顺势奔流。这两句明白如话,通俗易懂,可以说是如实描述,直抒胸臆。

“竹篙如铁船如纸,曲折蜂窠犬牙里。”这里采用比喻的手法,形象生动地描写船夫的勇敢、航道的险恶、航行的危险。船工是那么勇敢,手中的竹篙如铁般坚硬,木制的扁舟却似一张薄纸,随时都有被戳破的危险。一个“如”字,一个“似”字连用两个明显的比喻,歌颂船工的勇敢和撑船技巧的高超。“曲折蜂窠犬牙里”,也就是说,如纸的小船在船工竹篙的撑驶下,弯弯曲曲地穿行在蜂窝犬牙似的溪滩里。“犬牙”形容滩石尖利,且杂乱无章,犹如犬牙交错;“蜂窠”,形容滩石之多,险滩密密麻麻,船过其间,危险万分。闽江自上滩以后,水道弯弯曲曲,滩石遍布犹如蜂窠,犹如犬牙交错。这两句比喻的描绘,把建溪的险恶十分形象地呈现在我们的眼前。

“南浦迢迢六百里,大滩小滩从此始。”“南浦”发源浦城县西北渔梁山,南流到建瓯县汇合崇明溪后称为建溪。南浦江有六百里长,所有的大小滩石都从水口开始。这两句可谓平铺直叙,平淡无奇。但是红花还需绿叶扶,这两句仍然是补充叙述建溪的险恶,点明《初上滩》这一诗题。

“黄河亦可滥觞耳,不到水穷行不止。”“滥觞”,江河发源地方,水少只能浮起酒杯,这里指事物的起源。滔滔黄河,势不可挡,但也可以探源。不管任何险阻,“不到水穷行不止”,表现诗人一种大无畏的精神,坚持到底的决心。

(杨　树)

大小米滩

查慎行

掀波成山石作底,风平石出波漷漷。
秋天一碧雨新洗,大滩小滩如撒米。

鉴赏

诗人于清康熙三十七年(1698)出游福建,自福州北返路过建瓯,看到建瓯县潭溪中滩石遍布,犹如撒米,故名大小米滩。照理说,寥寥四句的短诗,若要仔细地状物写景是有一定的困难,这首诗描绘大小米滩风浪涌起与风浪平静时的景象,特别是写风平石出时的情况,紧扣题目,悠然而止,让人幽思慢想,细加品味,倒也能想象出大小米滩的情景。

这首诗开头两句抓住狂风、波涛、滩石两相对比进行描写,狂风吹起,波浪成山,江石作底。这是波浪掀起时的景象,是动景,是诗人见到的眼前实景,是客观的真实。风平石出,水波弥漫,米滩滩石,遍布江中,突兀明显,平静安谧!这是静景。诗人以静写动,以安写险,倒也能说明潭溪的险恶!

后两句"秋天一碧雨新洗,大滩小滩如撒米"。时值秋天,天高气爽,万里碧空,明净澄清,特别是秋雨之后,万物好像刚刚冲洗过一样。天空是碧蓝的,空气是新鲜的;风平浪静,江水盈盈,大滩小滩,犹如撒米,遍布江中。"秋天一碧",写出江景之美,犹如撒米,比喻滩石之多,潭溪行舟之难。

沈德潜《说诗晬语》说:"短篇难以收敛,收敛能含蕴无穷,则短而不促。"这首诗的收敛处是"大滩小滩如撒米",可以说是"含蕴无穷"。一是切题《大小米滩》,滩石也因此而得名;二是富有蕴涵,给人们以思索的余地,让人们想到秋天新雨之后,大小米滩的清朗幽静,让人们想到大小米滩如撒米之多,航道难行,正如《初上滩》中写的"曲折蜂窠犬牙里",说明潭溪的险恶!

"短篇超然而起,悠然而止",沈德潜对短诗的要求很有道理,这首诗可以说是超然而起,"掀波成山"能说不是超然吗?"悠然而止"含有意味无穷的意思,给人们留有想象的余地。

(杨　树)

度仙霞关题天雨庵壁

查慎行

虎啸猿啼万壑哀,北风吹雨过山来。
人从井底盘旋上,天向关门豁达开。

地险昔曾资剧贼，时平谁敢说雄才。
一茶好领闲僧意，知是芒鞋到几回。

鉴赏

“仙霞关”，位于仙霞岭。仙霞岭乃浙江江山县一山名，高三百六十级，二十八曲，长二十里。宋朝时史浩入闽过此，招募人员铺建石路。其山形势险要，向来为闽浙陆路交通要道。

这是一首纪游诗，记述自己攀登仙霞岭时的经历与感受。登岭的时间既不是风和日丽之天，也不是天高云淡之时，而是冒着北风吹雨的恶劣气候攀援而上，不仅如此，一路上所阅尽是“虎啸猿啼”，似乎连万山群壑也发出哀鸣，这既可理解为群壑的回音，也可理解为作者在听到这虎啸猿啼时的心理感受。首联，作者没有写自己对山形的第一印象，而是通过写“北风吹雨”和“虎啸猿啼”，起到一种渲染的作用，仙霞岭形势之险峻在读者心目中，已有了强烈感受。颔联，极言山路之陡峭险峻，及登关后所见之景与感受。（原注“岭下有龙井”），作者是从岭下盘旋而上，而曰“从井底”，可理解为山路陡峭，狭窄，从山底攀登而上，有如从井底向上攀。直上直下，极为困难。当人从“井”底爬到岭上时，展现在眼前的是一片豁然开朗的景致。“天向关门”就是“关门向天”，这是言岭上仙霞关之高，也写出作者刚刚爬到山顶时的感受。

以上四句是通过对一路上山来的形势描绘，交代自己的行踪，又通过自己的行踪将山的形势描绘得更全面，更加有声有色，在客观的描述中。不时还点缀了自己的感触，使人读了有身临其境的感觉。

第三联转而抒发议论。作者登临山顶，环览四周，有感于如此险绝之地，联想到过去这里盗贼猖獗，险山峻岭为他们的活动提供了极大的方便，可是现在时局平稳，太平盛世，再也没有谁盘踞此地夸说自己的雄才大略了。之所以发出这种议论，是因为今日能登上仙霞岭，固然由于自己不畏艰苦、勇于攀登，也由于客观环境提供了条件——社会安定，盗贼销声匿迹。

末联，以寺僧“一茶”招待点题。“题天雨庵壁”，也许作者在饮茶之余，挥笔题此诗于寺壁，以答谢僧人的盛情。然而作者题诗于壁的意义还不仅此，诗末又补一句：“知是芒鞋到几回。”“芒鞋”，草鞋，这里指作者本人。这样险峻的地方，自己一生能来几回，留下首诗作纪念罢。

这首诗从整体来看，写的各有侧重，先是写山形和周围环境，继而写攀登情况及自己的感慨，最后是题诗致意。内容较丰满，写来层次清晰，又曲折有致。

（张文潜　欧阳少鸣）

八月十七日伊苏河源雪中闻雷，食顷雨霁

查慎行

云里初防挟雨来，俄看黍谷散寒灰。
千峰雪作漫天雾，万帐风兼动地雷。
红树一番残叶尽，碧空依旧夕阳开。
眼前变幻真奇绝，天果难将管见推。

鉴赏

清康熙四十四年（1705），诗人随从皇帝到承德避暑山庄，正好遇见黑云压顶，俄而挟雨而来，大风扬雪，大地闻雷。但是只有一顿饭的时间，红叶已被秋风吹尽，夕阳依然斜照着大地。气象变化无穷，十分复杂，诗人从忽雨、忽雷、忽雪、忽风、忽日中感到变幻奇绝，从而产生“天果难将管见推”的见解。事实正是这样：看到一部分，当然不能概括全体，狭隘的见闻，难以推知全面。这一见解，富有哲理。伊苏河，即伊逊河，系滦河支流，在承德西边。

开头两句写暴雨未来之时，一会儿，山区飘散着寒冷的白雪。“黍谷”，在河北密云县（今北京市密云区）西南，这里指山区。“散寒灰”，比喻下雪。刘向《别录》：“燕有黍谷，美而寒，不生五谷，邹子居之，吹律而通暖气。”这种现象在生活中是常见的：当暴雨来临之前，黑云密布，暴雨之后，又有白雪纷飞。

“千峰”两句写大风扬雪，兼闻雷声。遥望所有的山峰，大雪纷纷扬扬，一片迷漫；再看所有的幕帐，狂风大作，又听到惊天动地的雷声。如果说头两句是写雨雪，那么这两句就是写风雷。这时，不仅是满天飞雪，而且是“风兼动地雷”了。开头四句写云黑、雨来、雪飘、风狂、雷响，紧扣着“变幻真奇绝”进行铺写。

“红树”两句与上面的景象迥然不同，可以说是别开生面，景象一新。经过一番狂风雨雪的侵扰，秋天美丽的红叶陨落殆尽，但是这时，天空又变得异常晴朗，夕阳斜照，绚烂多彩。这是雨后的奇景，也是紧扣“变幻真奇绝”来写。

诗人面对变幻多端的情景，不禁发出“眼前变幻真奇绝，天果难将管见推”的赞叹。大自然的气象千变万化，变幻莫定，奇妙绝顶。所以，单凭狭隘的见闻是难以推知的。“管见”，像从竹管中看东西一样，比喻见识狭小。如《晋书·陆云传》：“苟有管见，敢不尽规。”

这首诗前六句是叙述、描写，后两句是归结。全诗围绕“变幻”两字来写，最后一句是哲理性的总结。诗人采用对照的手法，详细刻画黑云压顶、风狂雨急、漫天飞雪、大地惊雷的气象与“碧空依旧夕阳开”相映照。而“红树一番残叶尽”依然显得萧条冷落，但是这处“残叶尽”的萧条，却也给人以美的感受。

（杨　树）

发清江浦(录二)

查慎行

南来步步远风霾，川路展征一倍佳。
竹签蒲帆浑不用，橹声如雁下长淮。
编芦缚荻聚成堆，大舸多从江外来。
试问老堤堤外柳，年年辛苦为谁栽？

鉴赏

清康熙四十五年(1706)，诗人请假南归，这首诗写回家途中的愉快心情和旅途的见闻感受。“发清江浦”，意思是从清江浦出发。“清江浦”，今江苏省清江市，在江苏省北部，大运河沿岸。

第一首写诗人满怀喜悦的心情，离开风沙迷漫的北国，一步步向山清水秀的南方靠近，喜悦之情，隐含在“南来步步远风霾”的淡淡叙述之中。北国的风沙，确实使人厌烦，饱受风沙之苦的北方百姓说：“面缸盖得再严，也要多吃三两面。”确是如此，风沙一起，无孔不入；北风一吹，沙土扑面，混浊一团，确实使人感到难受。一旦离开北国，回到山清水秀的老家，呼吸着清新的空气，怎不感到欢愉亲切！诗人一大早就起来，从清江浦水路出发，景色分外美好！“一倍佳”，即加倍好，语言通俗易懂。头两句诗中的“霾”(mái埋)指混浊的烟尘。“川路”，即水路。北国的干燥黄沙，南国的水路清新，形成自然的对照。现在是远离风沙向南而来,怎不感到心旷神怡!

“竹篸蒲帆浑不用,橹声如雁下长淮。”“竹篸(niàn 念)”,挽船的竹索。“蒲帆”,即船帆。行船时既不用拉纤,也不用挂帆,看来是风平浪静。船夫有节奏地、慢悠悠地、轻松自如地摇着橹,橹声犹如雁鸟声声鸣叫直下淮河,向老家海宁摇去。这两句诗如同李白《早发白帝城》中的名句“两岸猿声啼不住,轻舟已过万重山”。李白的这两句诗写船驶得快,人又愉快,快船快意,空灵飞动;而这两句诗也有此意,但船驶得不快,诗人在橹声的陪伴下,悠然自得直下淮河,倒也别有一番情趣。

第二首诗写江中所见,写江岸的景象。江南的江口长着芦荻,秋天正是收获的大忙季节,有的芦苇已经编织好了,有的已经捆缚起来了。聚集成堆。这里是见物不见人。但不难看出忙碌的场面。“大舸多从江外来”,这就更忙更热闹了。大船运来了百姓日常生活的用品,运走了成堆的芦荻,看来此地是水上的交通要道,诗人只写“编芦缚荻”,只写大船从外江来,表面上很静,实际上隐蕴着繁忙。所以就有“试问老堤堤外柳,年年辛苦为谁栽”的感叹!老堤上,人来人往,年年承担着送来运往的任务。堤外柳,“年年辛苦为谁栽”为编芦缚荻的农民栽种,为大船运物的搬运工栽种,或者是诗人自身的感叹和写照。诗人远离家乡,犹如“堤外柳”,真不知道为谁忙!

(杨　树)

早过淇县

查慎行

高登桥下水汤汤,朝涉河边露气凉。
行过淇园天未晓,一痕残月杏花香。

鉴赏

“淇县”,属河南省。古朝歌地,商纣所都。附近有淇园,古代以产竹著名。《诗经》中有多处咏及这一带。《卫风·淇澳》云:“瞻彼淇奥,绿竹猗猗”“瞻彼淇奥,绿竹青青”“瞻彼淇奥,绿竹如箦。”《鄘风·桑中》云:“期我乎桑中,要(邀)我乎上宫,送我乎淇之上矣。”《卫风·

氓》云:"淇则有岸,隰则有泮。"《卫风·竹竿》云:"淇水悠悠,桧楫松舟。驾言出游,以写我忧。"《卫风·有狐》云:"有狐绥绥,在彼淇梁。"可见这一带风景多么优美。康熙三十三年(1768),查慎行在家居一年之后,北上还朝,经丹阳、仪真(征)、滁州、汴城等地,来到淇县。诗情油然,写了这首清丽如画的小诗。

高登桥、朝涉河,都是地名。诗人自注云:"皆在(淇县)城南。""汤汤",读伤伤(shāngshāng),大水急流貌。诗人清晨登程,过淇县时,天还没有大亮。路上行人较少,尘嚣尚未腾起。此时,露气清凉,残月在天,诗人吟鞭北指,襟怀畅然,诗遂脱口而出。

高登桥,使人想到自下而上、登高望远的情景。朝涉河,恰合题目《早过淇县》之"早过"。对于还朝之人,此类地名颇易引起愉快的联想。后面写到清凉的露气,前面写到"朝涉河",前后贯通一体,使人满心欢悦。这类遣词用语微细之处,乍看似妙手偶得,不甚经意,却表现出诗人的艺术素养。这里面包含着高超的语言技巧,却又使人读来不觉,此正大家手笔。

下面两句:"行过淇园天未晓,一痕残月杏花香。"颇有画意。前面流水汤汤,写听觉;露气清凉,写触觉;这两句,写视觉和嗅觉。天边,残月一痕;眼前,杏花满枝;耳边,流水汤汤;肤上,凉露清清;鼻中,花香沁人。在朦胧的晨光和露气中,这是一幅多么美丽的图画。我们仿佛能够感到,画面上那满纸的水墨还湿漉漉的没有干。

在短短的一首七绝中,能够调动眼、耳、身、鼻多种感官,而又写得这样自然天成。这样的诗,凡手难以企及。无怪人们视查初白为王渔洋之后的又一个大诗人。

(张　中)

邺下杂咏

查慎行

汤阴城外千杨柳,密罩征鞍过相州。
中有一株柔可爱,劝人系马拂人头。

鉴赏

这是一首纪游诗。纪游诗很容易落套。因为人们每经过一个地方,很容易先想到那里的名胜古迹,历史名人。譬如,到长安,想到汉唐帝业;到金陵,想到六朝兴亡;到河南汤阴呢,自然就会想到宋代民族英雄岳飞。岳飞是汤阴人,汤阴有纪念他的庙宇。过汤阴,写岳飞,似是顺理成章的事。于是你也写,他也写,写得好的,固然不乏其人,但多数千篇一律。纪游诗写成了纪念诗,了无新意。即使有人善于花样翻新,也往往只是因巧见长,真情实感无多,算不得真正的艺术品。

查慎行一生东南西北四方游,足迹遍于江、浙、鲁、豫、闽、粤、湘、赣。他写过大量的纪游诗,许多诗别具一格。譬如,他写《铜陵太白楼同韬荒兄作二首》,第一首完全写景,与李太白毫无关系。第二首虽写到李白,但着重写自己的人生感受,而不是仅仅借题发挥,纪念古人。他写《晚抵晏城次壁间韵》《从十里望抵晏城》通篇不着晏婴一字。这首《邺下杂咏》写到尽人皆知的岳飞家乡相州汤阴,也通篇没有涉及岳飞一个字。诗中所写的,全是诗人眼中所见,此时偶感,即景即兴,毫无套语。这种不落俗套的构思,显示了查慎行的诗人本色,也显示了他的才能。

"邺(yè 业)",古都邑名。故址在今河北临漳县西南邺镇附近。秦置县,汉后为魏郡治所。建安十八年(213),曹操为魏王,定都于此。后来长期是河北地区最繁华富庶的大都市之一。著名的铜雀台,即在邺下,唐代改相州置,治所在安阳。相州,北魏分冀州置,治所在邺县。辖境相当于今河北邢台、广宗以南,河南林县、汤阴以北。后渐缩小。诗人着眼于这一带繁密的杨柳,说它从汤阴城外,"密罩征鞍",直过相州,可见这一带风光多么可爱。后面两句"中有一株柔可爱,劝人系马拂人头",使人充满了亲切感,自然地表达了诗人对汤阴、相州以至整个邺下的热爱与留恋之情。现代一些心理学家指出,赞美一个人,贵在指出他(或她)的某一个具体特征,而不要仅是空泛地赞颂"你真伟大呀!""你真漂亮呀!"赞美辞越具体越好,这样才亲切感人,也才显得真诚。那么,赞美一个地方呢?当然也同样,越真诚越好,越亲切越好,越具体越好。你看查慎行这首诗,他完全摆开常用的套子,单写汤阴到相州的杨柳,并且具体到其中"劝人系马拂人头"的那"一株",这地方多么亲切可爱。这不比那些空泛的赞语好得多吗?

作者还写过一首《汤阴县北村家》(见《敬业堂诗集》卷二十),也是写得这样亲切可爱。他只写田家午炊,韭花枣实,而未及岳飞一字。至于岳飞故事,邺中古迹,留给读者去想吧,或者留待"咏古"诗中再写吧,何必一定要在纪游诗中饶舌呢。

(张　中　张小青)

晓过鸳湖

查慎行

晓风催我挂帆行，绿涨春芜岸欲平。
长水塘南三日雨，菜花香过秀州城。

鉴赏

春天了，一场好雨，满山遍野的油菜花一起开放，一眼望去，无边的大地上，到处一派金黄，使人心明眼亮，喝！高兴得想要叫起来。

这是江南一带十分动人的春景之一。没有到过南方的人，很难领略如此春光。且看，别的花，一朵朵，一树树，一丛丛，一片片，先先后后，高高下下，要陆陆续续，汇聚在一起，方能构成一部春光合唱。唯有菜花，能在短短几天里，组成千千万万名歌手的大合唱队。她们满山满野，以同样高低的身材，同样耀眼的衣装，同时跳到春天里来，一下子，布满春光大舞台，她给人带来的那种特有的惊奇和喜悦，是别的任何花卉都不可能给予的。查初白正是带着这种特有的情绪，写下了这首春光曲。

"鸳湖"，鸳鸯湖，一名南湖，在浙江嘉兴县南。康熙十三年(1674)，查初白的表兄、著名诗人朱彝尊曾写过《鸳鸯湖棹歌》一百首，鸳鸯湖由此名扬天下。这一带，风光美丽，居民富庶，"村边处处围桑叶，水上家家养鸭儿"。查初白《偶过鸳湖》云："村北村南绿满陂，溪山百里放船宜。鸠鸣葚熟蚕三起，燕掠风梢麦两歧……"可见其景色之佳。秀州城，即今浙江省嘉兴市。五代时，吴越置秀州，治所在嘉兴。宋庆元元年(1195)升为嘉兴市。州境滨海，宋时曾在境内置市舶司。自古以来，秀州向为名城。说"菜花香过秀州城"，会引起读者许多联想。题云："过鸳湖"，未云"过秀州"，日见绿涨春芜，长水塘南，挂帆徐行的动感便自然地传达了出来，春天的喜悦也自然地流溢于纸上。

前两句，写的是风，是船，是春水、春草，却令读者感到，诗人心中也已晓风拂拂，风帆满满，春潮洋溢，碧草茸茸。后两句，使人想到朴素的民歌。歌手直抒胸臆，不加雕饰，如同童子直言，肆口而出，歌声中充满了儿童一般的真诚与坦率，单纯稚拙而又有趣。

诗中除了用一个“绿”字，似乎别无颜色，但那风帆、春芜、雨幕、水塘，衬托着可以想见的油菜花的金黄，不已满纸是光和色了吗？

白描，是一种表面上不见技巧的技巧，诗评家们对于查初白在这方面的成就，极为赞赏。袁枚说：“查他山（查慎行号）先生诗，以白描擅长，将诗比画，其宋之李伯时（公麟）乎？”（《随园诗话》）“他山是白描高手，一片性灵，痛洗阮亭（王士禛）敷衍之病，此境谈何容易！”（《答李少鹤书》）。

这首《晓过鸳湖》便是擅长白描的佳作。

（张　中　张小青）

田家乐

汪　绎*

短篱矮屋板桥西，十亩桑阴接稻畦。
满眼儿孙满檐日，饭香时节午鸡啼。

作者

*汪绎（？-1711年左右），字玉轮，号东山，江苏常熟人。康熙三十九年（1700）进士。授翰林院修撰，曾奉命校《全唐诗》。工诗。有《秋影楼诗集》。

鉴赏

这首诗，摄取农村特有景象，构织了一幅极富特色的农家乐图画。

作者先从居家的位置和特征写起，篱笆是短短的，说明院落小，而且没有墙；房屋是矮矮的，当然也是小小的；"板桥西"，点明房屋院落的位置，坐落在用木板架放的桥的西面，说明居家的东面有条溪水。接着，作者把眼光放开，周围的桑阴和稻田连成一片。"十亩"，举其成数。"桑阴"，不写桑树或桑田，而写桑阴，表明桑树长得茂盛，枝高叶茂。同时，"桑阴""稻畦"，点明农民的主要劳动是养蚕和种地，也就是男耕女织。一"接"字写出桑田与稻田的连成一片，油绿可喜。孟子曰："五亩之宅，树之以桑，五十者可以衣帛矣。"（《梁惠王章句》上）显然这是个温饱自足之家。

温饱自足固然是农家安居乐业的前提，然而似乎还不足以表达出田家之乐。于是又添了一笔："满眼儿孙满檐日"，安居乐业加上子孙满堂，更有阳光普照、天气晴好。诗句暗示着劳动力多、人口兴旺、丰收在望。流露出一种心满意足的欢乐心情。

末句，"饭香时节午鸡啼"，是在前面优美的，然而是静态的图景上又增添了富有农村特色的声与味。

到了晌午时节,那锅里的米饭飘溢出诱人的香味,传来几声午鸡的啼声,似在告诉正在劳动的儿孙们,该歇工回来吃饭了。

四句诗分别写了四个典型的农村生活画面,静谧之中洋溢着生机与朝气。

前两句是静态的描绘,仿佛一幅静物画,笔触虽简约,却传达出农村特有的静谧气氛。后两句则调动了视、听、嗅觉,以五官感受,形象地丰富了“农家乐”的内容。从诗中可以看到一个坐在庭院中闲望的老农。

古代写田家乐的诗词相当多,其中脍炙人口的佳作亦不少,如辛弃疾的《清平乐》词:“茅檐低小,溪上青青草。醉里吴音相媚好,白发谁家翁媪? 大儿锄豆溪东,中儿正织鸡笼,最喜小儿亡赖,溪头卧剥莲蓬。”可以说是一幅农家生活的素描,细节生动,活泼清新。但这是从作者的角度写,是诗人眼中的田家之乐。《田家乐》诗却从老农角度,写的是老农眼中的田家之乐,读来更觉真切感人。清人王文濡评此诗说:“田家自有至乐,彼早朝时节候鸡啼者,焉能识此风味?”那些提心吊胆、等候鸡鸣去上朝的官员们,当然不可能享受到这种乐趣。

(张文潜　欧阳少鸣)

贾太傅祠

查嗣瑮*

陈书痛比秦庭哭，作赋情同楚奏哀；
已遣长沙忧不返，如何宣室召空回？
身逢明主犹嗟命，天夺中年亦忌才。
此日题诗还下拜，也如君吊屈原来。

作者

*查嗣瑮(1653－1734)，字德尹，号查浦，浙江海宁人。查慎行之弟。康熙三十九年(1700)进士，授翰林院编修，升侍讲。工诗。有《查浦诗钞》。

鉴赏

这是一首怀古凭吊之作，查嗣瑮遭贬谪时，曾游长沙，谒贾谊祠，触景感怀，遂作此诗。

首联概括了贾谊的文才和忠君爱国之心。“陈书”，贾谊曾向汉文帝上《陈政事疏》。“秦庭哭”，指春秋时楚大夫申包胥因吴将灭楚，赴秦告急求救，秦不许。申包胥立于秦庭，哭七日七夜，秦哀公怜之，遂遣车五百乘救楚击吴。事见《史记·伍子胥传》。在《陈政事疏》中，贾谊痛陈“可为痛哭者一，可为流涕者二，可为长太息者六”等，表现其关切国事，痛心疾首的情况，与申包胥有共同之处。贾谊被贬长沙后，曾作《吊屈原赋》《鹏鸟赋》等。和屈原的作品一样，表现了悲哀的感情。开篇两句写得极为简括全面，举例贴切。

颔联，写贾谊的坎坷遭际：被贬长沙时，为不能返回朝廷而忧愁；被召回京师，似应喜悦，可是希望又复落空。《史记·贾生列传》载：“长沙卑湿，自以寿不长，伤悼之”，故云“忧不返”；“宣室”是汉未央宫正室。贾谊在长沙四年，被召回朝廷，汉文帝在宣室接见他，但却没有任用他。两句均为否定语式，前句用“不”，后句用“空”，写出了贾谊的极不得志，及其感情的起伏变化，由失望到希望，复又失望。后句开头以“如何”的问语形式，带有疑惑不解的意味，表现了作者对贾谊的深深同情。

颈联，叹惜贾谊命短，无缘施展才华。“明主”，指汉文帝。旧史对汉文帝是颂扬的，称其与景帝的统治为“文景之治”。所以，“生逢”句并非含有讽刺意味的反语，但句中“犹”字，却透露出了作者的言外之意。即贾谊生逢明主，也就是说他生活在政治清明的朝代，尚且感叹命运不济；如果遇到昏君，那又将如何呢？这话写得非常含蓄，表面似为贾谊惋惜，实则联系自己的被贬遭际，流露了对时政，乃至雍正的微辞。

尾联，抒发感情。吊古，一般都是为感今，本首亦如此。但并不明讲，而是通过两个动作：题诗、下拜。其中有对贾谊的尊敬、惋惜和同情，而更主要的是对自己无辜遭贬的忧愤与不平。结句“也如君吊屈原来”语颇浅直，似乎淡淡提及，却起着强有力的勾连作用。贾谊吊屈原，作者吊贾谊，把相距上千年的三位人物联在一起了，这就显示了一个普遍的现象：在封建社会中，正直有才的知识分子的命运，往往是坎坷的。

这首诗偏于直述，缺乏形象的细节描绘，但作者运用贴切的典故，弥补了这一缺点，读来还是相当感人的。

（张文潜　欧阳少鸣）

秣陵怀古

纳兰性德*

山色江声共寂寥，十三陵树晚萧萧。
中原事业如江左，芳草何须怨六朝。

作者

*纳兰性德(1654－1685)，原名成德，字容若，号楞伽山人，满洲正黄旗人。康熙十五年(1676)进士，官一等侍卫，工诗文，尤擅长词。为清初著名的大词人。有《饮水词》《通志堂集》。

鉴赏

首句写自己登临观赏时的所见所闻。“山色江声”，开头即点出秣陵的形势特点。南京是有名的石头城，城内有蒋山、清凉山等，又地处长江岸边，地势雄伟。然而这雄伟的景色，在诗人眼中却呈现出一片寂寥、冷落的景象。或许这寂寥冷落之感，是诗人心情的折射吧。

次句，“十三陵树晚萧萧”，十三陵，乃明代十三个皇帝陵墓的总称，在今北京市昌平县北天寿山南麓。极富诗人气质的作者，其思维此时是相当活跃的。身在秣陵，却一下子联想到北京去了。这句不是眼前景的实写，而是想象，作者想象此时十三陵的景象同样也是萧瑟的，作者的思绪跳跃性极大，颇有些“思接千载”，“视通万里”的意味，南北两京千里空间，在作者的联想里连接在一起了。这样写，就不是泛泛地抒发怀古之情，而是具体有所指了。明太祖朱元璋建都南京，他的陵墓——孝陵就在南京中华门外的钟山脚下。明成祖驱逐了建文帝，登上皇帝宝座，将京都迁至北京。所以，只有南、北二京合在一起，才能代表整个明朝。

头二句一实一虚，互为补充，实

以眼前景物指代，虚则以十三陵地名指代，而以“寂寥”“萧萧”暗示整个明朝已成为历史的过去，留下的只是令人寂寥萧瑟的苍凉冷落之感。

三、四句，“中原事业如江左，芳草何须怨六朝”。“中原事业”，与“江左”相对而言，指统一的局面。此指明王朝的基业。“江左”，泛指长江下游以东地区，即今江苏省一带。这里的“江左”，有两方面含义：一指南明。明亡后，福王、鲁王、唐王、桂王先后在南部各省称帝，对诸王所建的政权，旧史称为南明。这里指建都南京的福王。一指第四句中的“六朝”。“江左”二字带历史特色，专指孙吴、东晋，及南朝的宋、齐、梁、陈的统治而言。他们均建都于南京，后人统称为“六朝”。第三句是说，“中原”与“江左”一样，即无论是统一的明王朝，还是偏安的南明，都同样地灭亡了。一个“如”字，加强语气。接着，自然而然地过渡到结句，作者认为，何必慨叹六朝的兴亡呢。六朝时代，统治者昏庸无能，战乱频仍，兴亡迅速。“芳草”，向来与怀人有关，在一些咏六朝的诗词中多采用之。窦巩《南游感兴》诗：“伤心欲问南下事，惟见江流去不回。日暮东风春草绿，鹧鸪飞上越王台。”王安石《桂枝香》词：“六朝旧事随流水，但寒烟、芳草凝绿。”都是以芳草长绿，来反射王朝兴衰，世事迭变犹如过眼云烟。作者却一扫以往怀古之作的忧虑情调而认为清朝取代明朝是理所当然的。以写景的前两句“寂寥萧瑟”，原本可以引向感伤的情怀，但作者却从历史的陈迹中感悟到王朝更替的必然性，这是一种新的境界。从这点看来，这首诗突破了前人的金陵怀古之作，既有新意，又有真情实感，颇为苍劲有力。

（张文潜　欧阳少鸣）

记征人语

纳兰性德

列幕平沙夜寂寥，楚云燕月两迢迢。
征人自是无归梦，却枕兜鍪卧听潮。

鉴赏

康熙十七年（1678）八月清兵击败吴三桂于衡州（今湖南衡阳），并进驻岳州(今湖南岳阳)。此诗即写于此时。它以记述出征军人话语的形式,反映了征人的生活与思想感情。

前二句以不同的视觉景象,把戍营地的场景勾勒了出来,既点明时间、地点,又渲染、烘托了气氛。诗的首句便把人们引入一个静寂冷清之夜,一个典型的战争间歇期间的寂寥之夜——夜幕低垂,星光稀疏,平沙无垠,连营千里,但没有战马的嘶鸣、刀剑的寒光。接下来,作者把视野从平视转成仰视。仰望苍穹,凝视着楚地的云月,很自然地便联想到了故乡燕地的云月。自古以来,征人思家和思妇怀远往往都离不开这个“月”字,如“秦时明月汉时关,万里长征人未还”(王昌龄《出塞》二首之一),“明月出天山,苍茫云海间……戍客望边色,思归多苦颜。高楼当此夜,叹息未应闲”(李白《关山月》)。作者用“楚云燕月”的互文修辞方法,即在有限的篇幅增加了表达内容,既暗示出人分两地,又很含蓄地流露了思念故乡的心情。“两迢迢”,则写出征人此时在默默计算两地远近的心理状态,它的潜台词是十分丰富的。

按常规写法,作者既然写“征人”联想到了燕地故乡,也许就要写他具体想象故乡的情景,家人的容貌、动作,抒发思乡的悲苦之情。但作者并没有顺着这条思路,而是点到辄止,在上句稍稍露出思念之情时,猛然刹住,转而写出:“征人自是无归梦。”当见月思乡的感情一冒头,征人猛然警觉:自己是军人,应以国事为重,不应做思归家乡之梦,也就是说,不应该思念家乡。这里多少带有强抑下去的意味,因为思乡是人之常情,往往触景而生;然而在战场上随时准备迎击敌人的紧张战斗现实,又不容许这种思乡之情久久地存在脑海之中。这在一定程度上,流露了征人的矛盾心情。

经过头二句的写景烘托,第三句的慨叹,征人的形象渐趋明朗。第四句选择了一个很富于典型性的细节:“枕兜鍪”,以典型的物件,典型的动作,将“无归梦”的“征人”形象化了。“兜鍪”,战士戴的头盔。古人以“枕干(泛指武器)”,形容复仇志切;以“枕戈待旦”,形容杀敌心切;以“枕戈寝甲”,形容经常在战斗之中。这里是以“枕兜鍪”的特有生活动作,写出征人随时准备战斗的壮举。句首用“却”字,与上句“自是”相呼应,还照应到第二句。意谓:不要望月了,还是枕着兜鍪吧。在豪语之后,又补充以壮举,征人的形象就更加鲜明、完整了。然而在结句,作者又写了一个细节:“卧听潮”。表现了战争间歇期间,战场上特有的寂静,与首句相呼应。同时,也表现了征人的难以入寐,既要警惕敌人,准备战斗,而思念家乡之情虽强压下去,却又如缕不绝,萦绕心间。征人就在这样的矛盾思绪中,等待着战斗的来临。

这首诗利用反拨的艺术手法，由感伤的景物描写，出乎意料地折到慷慨激昂的豪情抒发。以见物思人、怀乡等的常人常理，来反衬征人与常人常理有别的壮烈情怀。从这方面来看，这首诗打破了前人同类作品的框框，有所创新。

（张文潜　欧阳少鸣）

填　词

纳兰性德

诗亡词乃兴，比兴此焉托。
往往欢娱工，不如忧患作。
冬郎一生极憔悴，判与三闾共醒醉。
美人香草可怜春，凤蜡红巾无限泪。
芒鞋心事杜陵知，祇今惟赏杜陵诗。
古人且失风人旨，何怪俗眼轻填词。
词源远过诗律近，拟古乐府特加润。
不见句法参差三百篇，已自换头兼换韵。

鉴赏

这是一首论词的古诗。头二句，“诗亡词乃兴，比兴此焉托”，是说诗衰亡了，词随即发展起来，诗传统的比兴手法，在词中也得到了寄托与继承。开门见山，明确地提出自己的论点。比兴，是文学创作的两种手法。比是譬喻，兴是寄托。我国诗歌从《诗经》起就已开始运用。

次二句，随即揭示俗眼轻视填词的错误观点：“往往欢娱工，不如忧患作”。语出韩愈《荆潭唱和诗序》：“夫和平之音淡薄，而秋思之声要妙；欢愉之辞难工，而穷苦之辞易好也。”原意是说，表现欢娱的作品虽然工巧，但常常不如写忧患的作品来得感人。至清，朱彝尊在《紫云词序》中用以论词：“昌黎子曰：‘欢愉之言难工，愁苦之言易好。’斯亦善言诗矣。至于词或不然，大都欢愉之辞工者十九，而言愁工者十一焉耳。”朱说本指诗长于写忧患，词长于写欢娱。作者这里说轻视词者往往以此为据，说词只写欢娱，故不如诗写忧患为好。

接下去“冬郎一生极憔悴”至“何怪俗眼轻填词”八句，作者举了历史上两个例子来论证自己观点的正确。前四句以韩偓为例，“冬郎一生极憔悴，判与三闾共醒醉”，韩偓一生遭际极为坎坷，而他的忠君爱国可与屈原相媲美。“冬郎”，韩偓的小名。昭宗被韩全海等劫逼凤翔，韩偓有扈从之功，进兵部侍郎，翰林承旨。朱温篡唐时，韩偓逃至福建，依附闽王王审知以卒。“三闾”，三闾大夫之省略，指屈原。“醒醉”，《楚辞·渔父》：“众人皆醉我独醒。”这里指韩偓头脑清醒，忠君爱国。“美人香草可怜春，凤蜡红巾无限泪”，“美人香草”，即比兴手法。屈原作《离骚》，以美人比君王，香草比君子。王逸《离骚经序》：“离骚之文，依诗取兴，引类譬喻，故善鸟香草以配忠贞；恶禽臭物，以比谗佞；灵修美人，以媲于君。”韩偓的诗以律绝为主，多写艳情，辞藻绮丽，艳丽柔婉近于词。世称之为艳体之祖，说他“丽而无骨”“淫靡诗甚”。作者为韩偓翻案，以“可怜春”的同情口吻，认为他的诗表面香艳，实则运用比兴手法，寄托自己的悲哀。接着就以“凤蜡红巾”的史事，来证实韩偓对皇帝的忠心与思念之情。据《南唐纪事》载：韩偓死后，人们发现他的箱子里藏着当年唐昭宗赐予他的烧残的龙凤烛百余条，金缕红巾百余幅，“蜡泪尚新，巾香尚郁”。“无限泪”，形容韩偓被迫逃到福建仍思念唐昭宗的悲痛之情。这四句从韩偓的一生来考察，肯定他的所谓香艳诗是有寄托的。接着又以唐代大诗人杜甫为例：“芒鞋心事杜陵知，祇今惟赏杜陵诗。”杜甫《述怀》诗有“麻鞋见天子，衣袖露两肘”句。“芒鞋心事”，指杜甫诗中有深挚的忠君爱国、忧国忧民之情。但这种感情，只有杜甫自己知道。杜陵，杜甫曾自称“杜陵布衣”。但是今天人们只知道欣赏杜甫的忧患之作，却不理解杜甫诗中的比兴寄托。至此，作者不禁慨叹说：“古人尚且不能理解诗人运用比兴手法的用意，更莫怪世俗轻视填词了。”水到渠成，自然而然地论证了自己论点的正确性。

以上作者举历史上两个诗人为例，目的是要说明比兴与忧患的关系。两个例子角度不同，互为补充，使论证有力而全面，不容置疑。

最后四句，进一步发挥对词的看法：“词源远过诗律近，拟古乐府特加润。”指出词的发展比律诗早得多，肯定词继承了古乐府的传统而在形式和音律上更加婉丽绵密。结尾“不见句法参差三百篇，已自换头兼换韵”，以“不见”提起，加强语气，指出词直接继承《诗经》的传统。理由是：早在《诗经》中，已有长短不齐的句子和换头、换韵的诗篇了。所谓换头，即诗词过段或歇拍后另起，换头另起韵，叫换韵或转韵。

可以说这是一篇以诗的形式写成的论词短文，作者明确地阐述了对词的观点：批判世人对词的歧视，强调词有寄托，从发展与继承关系论证词在文学史上的正统地位。词自产生以来，博得不少人的喜爱，但也被许多人歧视和误解。无疑这篇《填词》能起到端正视听的作用，对词的发展有一定意义。

（张文潜　欧阳少鸣）

古北口中秋

曹　寅*

山苍水白卧牛城，三尺黄旗万马鸣。
半夜檀州看秋月，河山表里更分明。

作者

*曹寅(1658－1712)，字子清，号荔轩，又号楝亭，满洲正白旗人。官至通政使，负责江宁织造，并兼巡视两淮盐政。工诗有《楝亭诗钞》。

鉴赏

“古北口”，又名“虎北口”，为长城上的一个关口，古代军事要地，在今北京市密云县。这首诗编在《楝亭诗钞》第一卷中，大约作于曹寅任御前侍卫时。在中秋月明之夜，诗人登上长城古北口，登临送目，纵笔抒写所见，言语之中透露出一股豪迈之情。

首二句就以纵横开阖的笔力，写出月夜之下卧牛城一带的景象。“卧牛城”，即指古北口城。月色映照下，这里的山显得更苍茫、遒劲，水发出银色的光芒。这仅仅是自然界的形势。第二句写人的声威，在三尺黄旗之下，人声鼎沸，万马齐鸣。“黄旗”，这里指皇帝仪仗所用的旌旗。这可能是康熙皇帝御驾亲临视察古北口军事要地。前句是以静态的“山苍水白”，写出自然形势的宏伟寥廓。后句从动态，以“黄旗”飘扬、“万马鸣”，写皇帝的声威和军容之雄壮。

动静相间，笔法多变。更应注意的是，这两句运用色彩的细节，以白、黑、黄所构成的画面，显示了比较肃杀的气氛。

第三句点明时间是中秋之夜，照应了题目。地点是檀州。檀州是密云的故治，明清属顺天府，今属北京市。这里的“檀州”，即指古北口，是为避重复而变化。这是一个过渡句,即照应前二句,点明前二句所见皆为月下之景,尤其是中秋夜月下之景;又下启第四句:“河山表里更分明”,中秋明月照映下的山河,其形势之险峻、巍峨更显得分明。诗人的豪迈之情油然而生。

诗中含有“颂圣”成分,这在第二句中有所透露,但表面看不出来。读来只觉气势磅礴,格调苍劲。与唐初诗歌相比较,虽无那种蓬勃进取、豪迈恢宏的气度,但也不失为一首积极向上之作,这在清诗中还是少见的。

(张文潜　欧阳少鸣)

砚

顾陈埏*

端溪谁割紫云腴，万古文心向此摅。
小点墨池成巨浪，就中飞出北溟鱼。

作者

＊顾陈埏(xù)，生卒年不详，字玉停，号宾阳，江南太仓(今属江苏)人。康熙甲午(1714)举人，官行人。清诗人。著述甚丰。

鉴赏

古人往往借咏物诗来抒发个人怀抱。此篇即以文房四宝之一的砚为题，抒发壮志豪情。砚台素以端州所产为名贵，世称端砚。李贺《杨生青花紫石砚歌》形容采石作砚的情形道："端州石工巧如神，踏天摩刀割紫云。"此诗首句即从这里化得，着一"腴"字，则见砚石质地的厚润细腻，色泽的光洁可喜。面对这样的一块砚，诗人浮想联翩，想到自古以来的文章，都是靠这小小的文具之助写出来的，岂不令人感到惊异。"摅"，抒发。班固《西都赋》："摅怀旧之蓄念，发思古之忧情。""万古文心向此摅"句，将"万古文心"和小小砚台紧紧联系在一起，造成极大与极小的对立与统一，便有发人深省的惊异感。"盖文章，经国之大业，不朽之盛事"(曹丕《典论·论文》)，古人很早就将文章的地位提到与事功同等的高度。所以诗人在说到"万古文心向此摅"时，是对小小的砚台充满了虔敬之意的。他心里的礼赞是：啊，你多么渺小平凡，然而又多么伟大！这种激情直接引发了三、四两句。

"小点墨池成巨浪，就中飞出北溟鱼。"诗人忽发奇想，仿佛看到小小墨池掀起巨浪，从中飞出巨大的鲲鹏，直冲云天。《庄子·逍遥游》：

“北冥有鱼,其名为鲲。鲲之大,不知其几千里也;化而为鸟,其名为鹏。鹏之背,不知其几千里也;怒而飞,其翼若垂天之云。”后人常用鲲鹏来比喻伟大的事物,象征宏远的志向。两句意即别看小小墨池,凭它能摅发万古文心,作出极其伟大的文章。

古代人心目中的文章,狭义地指经世致用之文。诗人的本意也超不出时代的局限。顾陈垿这首诗原意所指虽然较狭,但它用形象思维的语言写出“小点墨池成巨浪,就中飞出北溟鱼”,这就给读者以引申发挥的自由。

(周啸天)

磷　火

徐　兰*

土雨空蒙著衣湿，磷火如萤飞熠熠。
须臾散作星满天，空际如闻众声泣。
有火独明必鬼雄，众鬼吐焰无其红。
约束群磷共明灭，无乃昔日为元戎。
别有火光黑比漆，埋伏山坳语啾唧。
鬼马一嘶风乱旋，千百灯从暗中出。
电光闪闪两军接，狐兔草中皆震慑。
一派刀声不见刀，髑髅堕地轻于叶。
血过千年色尚新，那知白骨化烟尘。
新鬼日添故鬼冷，无复寒衣送远人。

作者

*徐兰(1660？–1730)，字芝仙，江苏常熟人。康熙二十年(1681)前后入京为国子监生。曾为安郡王幕僚，并随之出塞。工诗。有《出塞诗》。

鉴赏

杜牧评李贺诗道："鲸吸鳌掷，牛鬼蛇神，不足为其虚荒诞幻也。"是就李贺诗中开辟了一种幽冷阴森的境界而言。徐兰的这首《磷火》就属于李贺一路。但诗中情景，连李贺也未曾写到。仔细揣摩诗意，乃是过古战场所作。因为其地白骨缠草根，故多磷火与萤火(诗着重写前者)。夜里路过，幽圹漆炬的阴森景象，令人不禁冷到背脊骨，而幻象迭起。他仿佛看到了一场鬼战：那当是昔日战场冤魂，死而不散，还在冤冤相报，没完没了。诗人就这样展开了有意味的冥斗场景。全诗四句一解，共五解。

一解写夜经古战场见到磷火明灭的阴森景象。“土雨”一词较僻，指毛毛雨（能湿土）。泰不华《陪幸西湖诗》：“春阴飞土雨，晓露浥天浆。”在一片旷野上，空中迷蒙着雨雾，使人衣襟为之沾湿，这时磷火如飞萤一样，随风腾起，一忽儿散落天际。前三句基本上写实，末句“空际如闻众声泣”则开始引起幻觉。“如闻”二字妙在疑似，这幻觉系从听觉而起的。当你身在荒野，四顾无人，然而空中却有“众声泣”，岂不令人毛骨悚然？这声音也许只是风声呜呜，也许来自往古，是一种神秘留声的自然现象，总之叫人毛骨悚然。通过这种神秘恐怖的气氛的烘托，引起下文的幻象。

二、三解写幻觉中出现的两队鬼雄。诗人在描写由磷火幻化的两队鬼雄时，笔墨饶有变化。磷火的色光本来是绿荧荧的，在幻觉中却有了红、黑的区别，似为两队冥军的标志。一方是“有火独明必鬼雄，众鬼吐焰无其红”，一方是“别有火光黑比漆，埋伏山坳语啾唧”。对于红方，诗人突出的是“鬼雄”：“约束群磷共明灭，无乃昔日为元戎，”由鬼雄而推测其生前必为将帅，颇有风趣。对于黑方，诗人突出的是兵众：“鬼马一嘶风乱旋，千百灯从暗中出，”由鬼卒联想到鬼马，也很逗人。挑“灯”夜战的设想，特有鬼趣。

四解写两队鬼军的接仗，这一段绘声绘色，更是神乎其技。“电光闪闪两军接，狐兔草中皆震慑”，电光闪闪亦由磷火幻出，黑暗中战斗激烈之状如见；狐兔惊避句则闲中着色，烘托鬼战的恐怖气氛。下两句的设幻为人所难到：“一派刀声不见刀，髑髅堕地轻于叶”，“一派刀声”句与“空里如闻众声泣”一样，有声无形，便见非人间的格斗。而髑髅堕地居然又无声，盖以其轻如叶，更是匪夷所思而又出神入化的妙笔。这才写出了鬼战的特异呢。

五解点出一篇主意。盖由磷火幻出的这场鬼战的参与者，并非一向是虚幻的鬼魂，它们过去也曾是人间好汉。只为在激烈的战斗中丧生，才失去了人形而化着鬼雄。“血过千年色尚新，那知白骨化烟尘”。句中暗用李贺《秋来》：“秋坟鬼唱鲍家诗，恨血千年土中碧”句意，意谓其身虽死，恨犹未消。末二句翻用沈彬《吊边人》“白骨已干沙上草，家人犹自寄寒衣”，沈诗写的是新做战鬼者的情形。随时间的推移，“新鬼日添故鬼冷”，则“无复寒衣送远人”矣。

诗卒章显志，最后点出了一点非战的情绪。然而此诗的价值，却并不在思想意义方面，而在于它的独特的艺术成就。全诗虚构了一场冥间的战斗，创造出一种前人未曾道过的怪诞的审美境界。“写磷火之忽聚忽散，鬼雄鬼马之光怪陆离，纸上几于有形声矣。后又写群鬼之接战，更幻更奇。吴道子善画鬼，亦未道此”(沈德潜)。这样写，也使此诗在命意上显得隐曲耐味。如只着意后四句，则落前人窠臼，不必作矣。

(周啸天)

出　关

徐　兰

凭山俯海古边州，旆影风翻见戍楼。
马后桃花马前雪，出关争得不回头。

鉴赏

康熙三十五年(1696)诗人曾随安郡王出居庸关出塞到归化，雍正初又远征青海，有《出塞诗》集。本诗是其中一首。

诗之开头，一笔勾画出边关之险要位置，乃依山傍海而建。其实，居庸关与大海相距甚远，青山可望，大海却不能进入作者的视野。但写诗无妨“视通万里”。另有一说，徐兰写的这次“出关”不是出居庸关，而是山海关，那就完全是写实了(山海关东临北海，北依角山，故以“山海”命名)。诗人一跨上边塞土地，首先映入眼帘的就是关上戍楼。还有高高竖立的旌旗，以山岭雄关为背景，最是鲜艳醒目。“旆影风翻见戍楼”给人以新颖别致的视觉形象。先让旌旆姑且将之遮住，大风过处方才现出“真面目”。于是，旌旗与戍楼相掩映，使旗帜更为耀眼，戍楼更见森严，造成了“犹抱琵琶半遮面”式的艺术效果。

“马后桃花马前雪，出关争得不回头。”二句显然运用了夸张渲染的手法。虽然“胡天八月即飞雪”，但马前马后，咫尺之间，自然环境、气候条件哪有如此的天壤之别？“马前”“马后”的夸张说法，是在强调塞南塞北所存在的差异之明显、悬殊之大，桃花、白雪当是作者选取的具有某种特定象征意义的具体意象，未必是老老实实告诉读者当时是关内桃花开，关外雪花飞。有了这一句，“出关争得不回头”的抒慨，便水到渠成。

《清诗别裁集》评末尾二句：“眼前语便奇绝语，几于万口流传。此唐人边塞诗未曾写到者。”至于“万口流传”恐有拔高之嫌，但说“此唐人边塞诗未曾写到”则是事实。

(秦岭梅)

建初弟来都省视,喜极有感(录三)

彭 桂*

相持莫下拜,拭泪认分明。讶尔颜何瘦?令余痛失声。
饥寒留剩骨,患难得余生。乍见浑无语,那堪悲喜并!

为致慈亲语,殷勤劝早归。叹余违井邑,况汝别庭闱。
每念尸饔苦,深惭弹铗非。向来多少泪,都染手缝衣。

更传儿女意,尽解忆长安。索饭啼堪念,牵衣别自难。
两人今旅次,八口在江干。此际愁何似?秋风暮更寒。

作者

*彭桂,原名椅,字爰琴,江苏溧阳人。诸生。康熙中荐举博学鸿词,因母疾不赴。文诗敏捷,诗文浩瀚淹博。有《泊庵诗词》传于世。

鉴赏

这三首诗以联章组诗的形式,用曲折细腻的笔触抒写游子的思乡之念,表达了作者对弟弟、父母、子女的真挚感情。

第一首写兄弟相见的感人场面。作者旅次京都,弟弟建初从家乡千里迢迢赶来探望。当两人对面之时,"相持莫下拜,拭泪认分明",弟弟历尽千辛万苦,好不容易找到哥哥,急忙要向哥哥行礼;哥哥突然见到时刻思念的、久别的亲人,尚未辨认清楚,早已泪流满面,急忙一手搀住来人,一手拭去满眼的泪花,仔细端详弟弟的容颜。句中的"认"字下得很重,按理说,兄弟朝夕相伴,情同手足,即使分别时间稍长,也不应存在相认的问题。这里用一"认"字,意在着重指明弟弟容貌变化很大,令哥哥险些认不出来,并自然转入三、四句哥哥对弟弟关切地询问:

"讶尔颜何瘦？令余痛失声。"弟弟容颜的瘦削使哥哥无限惊讶，令哥哥痛哭失声。两句出语平常亲切，关切痛惜之情溢于言表。五、六句是弟弟的回答："饥寒留剩骨，患难得余生。"生计艰难，饥寒交迫，所以饿得皮包骨头；世事动乱，旦夕祸福，保全性命已属万幸。这与杜甫《羌村三首》所云"世乱遭飘荡，生还偶然遂"一样备极哀痛。一结两句："乍见浑无语，那堪悲喜并！"在上面简短的对答之后，两人默默相对，竟无语凝噎。"浑无语"不是无话可说，而是千言万语、千头万绪一齐涌上心头，却不知从何说起！"那堪"是反诘语气，比"不堪"更为强烈。"悲喜并"犹言"悲喜交加"，此时此际，悲喜的感情非常复杂：兄弟相逢是一喜，庆幸"患难得余生"也是一喜；兄弟见面不敢相认是一悲，"讶尔颜何瘦"也是一悲。"悲喜"二字为全诗感情基调作了总结，也为下二诗张本。

第二首写对父母的思念。起二句"为致慈亲语，殷勤劝早归"，是弟弟转达父母的愿望。弟弟离家时，父母千叮咛、万嘱咐，不外一个心愿：劝兄早日归家。然而事与愿违，现实情况却是"叹余违井邑，况汝别庭闱"。一个"叹"字贯穿两句，既慨叹自己离乡背井，更慨叹弟弟又离开了父母的身边。父母的愿望与现存的事实形成了鲜明的对照，作者思念父母之情也就更为强烈。"每念尸饔苦"，"尸饔"典出《诗经·小雅·祈父》"有母之尸饔"。据朱熹《诗集传》的解释，尸为主持，饔为熟食，谓母亲主持劳苦之事。作者用此典，意谓自己每每念及父母操劳家务实在是太辛苦。"深惭弹铗非"，"弹铗"用战国冯谖事。据《战国策·齐策》，冯谖曾客孟尝君门下，不为器重，孟尝君的仆从也待之不周，冯谖三次弹铗，要求满足生活上的要求，孟尝君一一满足了他，冯谖知恩图报，为孟尝君解除了大难。后来用"弹铗"事比喻干谒希求于人。在我国封建社会中，士人壮年往往出外游历，希图通过科举或结交官宦而谋得一介出身，从而实现自身的价值，这也是一种"弹铗"。但是，在兵荒马乱之世，"文章亦可怜，不值一杯水"，士人的愿望往往落空。作者正是这样一位不得志的游子，他不由得深深惭愧自己出外奔走、谋求进身之非了。有人将此诗中的"弹铗"理解为"借指生活上的过分要求"，似嫌不够深入。作者之弟彭极有《得爰琴兄都门信》一诗，可以引来作证："床头空剑泣鱼肠，赋就三都价未尝。绝不待人惟岁月，最难为客是风霜。春山自洒啼鹃泪，慈母曾缝游子裳。今夜挑灯应独寐，好将归梦绕高堂。"诗的上半活画出作者在京求仕久不得志的情状；诗的下半写思念慈母，与本诗的末二句"向来多少泪，都染手缝衣"，可以参读。"向来"指明自从离家之后，无时无刻不在思念母亲。“手缝衣”语本孟郊《游子吟》：“慈母手中线，游子身上衣。临行密密缝，意恐迟迟归。”句中的“都”字说明思念慈母是作者伤心落泪的主要原因，“染”字说明母亲亲手缝制的衣裳上已是斑斑泪渍、泪渍斑斑，作者睹物伤情，自然倍觉心酸。全诗从转致慈亲语起始，至思念慈亲结束，首尾完具。

第三首写对儿女的思念。起二句“更传儿女意，尽解忆长安”，弟弟传达儿女的心意，他们都懂得想念在京都的父亲。杜甫《月夜》有“遥怜小儿女，未解忆长安”之句，这里反用其意。沈德潜评说：“比‘不解忆长安’更觉可悲，‘不解’悯其无知，‘尽解’又怜其聪慧也。”（《唐诗别裁集》卷十五）三、四句“索饭啼堪念，牵衣别自难”，写儿女饥寒的状况和依依惜别的情景，历历在目；“索饭”“牵衣”两个典型细节，更显出儿女的娇小可怜。五、六句由儿女又推及全家人，“两人今旅次，八口在江干”，“旅次”指旅途中暂住的地方，“江干”指家乡的方位在溧阳江岸。沈德潜评说：“弟传亲语，劝归而已，与弟转并滞客途，倚闾之思愈切矣。”领会诗意很准确。末尾两句以景结情：“此际愁何似？秋风暮更寒。”作者的思乡愁绪，恰如飒飒秋风、严寒迟暮，无论如何也难以排解了。

三诗都是格律严谨的律诗，但读起来却同古诗一样自然，显示了作者驾驭格律的高超技巧。诗中对偶句的主语往往是一个，读来可以一气贯串；章与章之间首尾衔接，将组诗结构成一个严密的整体。联与联之间，适当运用对话形式，使读者好像在亲聆哥俩之间的一席谈话，倍感亲切自然。作者作这样的艺术处理，是为表达其思想感情服务的。三诗蝉联而下，写尽了游子对家人的思念之情。这是一种人间的至情，可歌可泣、可喜可愕。作者一家的生活遭际，无疑是当时整个社会的一个缩影。作者刻意学杜，这不仅体现在他的诗篇中化用的杜句和抑扬顿挫的音节上，而且他的诗中游子之情的抒发、家庭状况的描写，在一定程度上逼近了杜甫那些描写家国之痛的诗篇，从而与那些仅仅模拟杜诗字句、空洞无物的诗作有着本质上的区别。所以沈德潜予以总结性的评说：“此种是真杜诗！”

（詹杭伦）

后纪蝗

赵执信*

蝗去还复来，飞飞十日不得息。
青天无风亦簸扬，赤地有土皆涌溢。
山间晓夕相招呼，白发黄头缀行出。
拼将妇子死前身，夺取螣螟口中食。
长竿缚衣五色新，蝗落如山不畏人。
但觉齿牙挟急雨，空悲禾稼失连云。
东家田多西家少，打扑不如东家早；
岂知灾至两难凭，高原且尽油油草。
传闻北飞将入海，形势苍皇那可待？
又闻吴楚沴气同，常恐东道由此通。
蝗乎蝗乎且莫殚我谷！
告尔善地栖尔族：
一为催科大吏堂，一为长安贵人屋！

作者

＊赵执信(1662－1744)，字伸符，号秋谷，山东益都(今青州市)人。康熙十八年(1679)进士，授翰林院编修，官至右春坊右赞善。后因佟皇后丧期内在洪昇处观演《长生殿》，被革职。工诗文。其诗清新峭拔，并能反映现实。有《饴山堂集》。

鉴赏

康熙三十年(1691)，山东淄博　　地区发生特大蝗灾，赵执信的家乡两度被蝗虫侵扰。第一次在夏至第二天,蝗虫仅仅过境,为害不重;第二次在秋天,蝗虫把庄稼与野草一并吃光,造成严重灾害。时诗人三十岁,罢职在家,目睹这两次蝗虫入侵的经过,写了《纪蝗》《后纪蝗》两首七古,这里选析《后纪蝗》。

首句"蝗去还复来",即指夏至蝗虫过后,第二次又复入侵。"飞飞"句言蝗虫之多,入侵时间之久。"青天""赤地",说入侵空间之大,天空簸扬,地上涌溢——像糠秕在天空飘飞,像泉水从地上涌出。这入手四句为一层,极写蝗来气势之大,恍如风至潮来。蝗虫本非从土中冒出,诗人却说"有土皆涌溢",仿佛是地下涌出来的水一般,给人一种变生顷刻、无地可避的恐怖感。

以下八句,写农民与蝗虫搏斗、虫口夺粮的悲壮场面,是诗的第二层。山间农民,彼此招呼,共同行动,连老人、孩子都出动了;而且自发地组成队伍,缀行而出,拼上性命,去驱打蝗虫。庄稼一旦被吃光,人也得饿死;与其坐以待毙,不如和虫相拼。这就是"拼将妇子死前身,夺取螣螟口中食"所写的驱蝗者的心态。之所以说这场面"悲壮",就在于这是一场生死搏斗。你看:"长竿缚衣五色新,蝗落如山不畏人。但觉齿牙挟急雨,空悲禾稼失连云。"人蝗之战的结果是"禾稼失连云"——大片茂密如云的庄稼,顷刻间被吞噬殆尽,农民彻底失败了。他们驱蝗的办法非常原始,把彩色的衣服缚在长竿之上去恐吓、抽打飞来的蝗虫,蝗虫却毫不在意,像泰山般直压下来。只听见牙齿咀嚼庄稼发出急雨般的声音,庄稼顷刻消失。在打蝗战斗中,有的行动快,有的行动慢,但结果都一样:庄稼与绿油油的野草同归于尽。诗用"如山"形容蝗虫下落,不仅表现出蝗虫数量之多,而且有一种重量感,压力感,仿佛山压下来天地一片漆黑,极具力量。写蝗虫咀嚼庄稼,用"齿牙挟急雨"来形容,不止声音酷肖,且使人产生风狂雨骤、天昏地暗的感觉;"挟"字犹见锤炼功夫。试将"挟急雨"改为"如急雨",一字之差,精警、平庸,判若泾渭。因为,"如急雨"只是单纯形容其声似急雨骤至,"挟急雨"则有声势。有力量的"急雨",也被虫口"挟"之而来,那虫口便有雷霆万钧之力,足以摧毁一切,席卷万物了。这一层八句写驱蝗正面,是全诗的高潮、一篇之警策。

"传闻"以下四句,为诗的第四层,诗情由一地扩展到海滨、吴楚,开拓了诗境。诗人关心的不只是家乡一隅,他由此及彼,推己及人,担心蝗灾扩展到更广大的地区。正像杜甫由自己的茅屋想到天下寒士之居一样,诗境至此升华。

结尾四句,忽如水穷云起,翻出天外奇想,诗人向蝗虫说话了。他请蝗虫不要吃尽这里的谷物,指引它们到最好的栖息之地:一是"催科大吏堂”，一是“长安贵人屋”！这个结尾，表现了诗人目击蝗灾后最沉痛、愤激的心底波澜，有摇山撼岳的力量。蝗虫本是自然灾害，不是“大吏”“贵人”招引来的；但诗人这样说，又是情所必至、理所当然。他说的话，代表了所有受灾农民的心情。试想：“催科大吏堂”“长安贵人屋”住的是一些什么人？“催科大吏”是催逼租税征徭的大官，“长安”指代首都北京，那里住的都是搜刮民脂民膏的高层统治者。这些人食人而肥，是遭得起灾的主儿，农民却没有这种承受力。诗人建议蝗虫，到那些人家去安家落户，让他们也尝尝滋味，懂得一点民间疾苦，体会一下民瘼民情，岂非顺理成章吗？再说，蝗灾虽不是谁招引来的，但那些“催科大吏”，华屋“贵人”，平日横征暴敛，削弱了农民抗拒天灾的能力；蝗害一起，这些官吏又不出来采取任何措施，坐视其蔓延扩展，诗人诅咒他们，唯愿蝗虫落到这些人家去，不是理所当然的吗？而且，蝗灾之来，农民在作生死搏斗；达官贵人则坐在家里，依然灯红酒绿，拥翠偎红；一旦蝗灾过后，他们照样出来压榨农民，敲骨吸髓。这种人，农民怎不恨之入骨？平素，他们官官相护，农民拿他们无可奈何；现在出现了人力难以抗拒的天灾，让天灾降临到他们头上，才消心头积恨，这不是“情所必至”的吗？结尾处寥寥数言，痛快淋漓，这是全诗聚光之所在。

赵执信学杜甫、白居易新题乐府，最见功力。杜、白乐府，惯在结处安排警句，振起全诗。如杜甫《茅屋为秋风所破歌》结尾的“安得广厦千万间，大庇天下寒士俱欢颜”，白居易《轻肥》的“是岁江南旱，衢州人食人”，《红线毯》的“地不知寒人要暖，少夺人衣作地衣”，都在卒章显志，临了奇光忽起，照亮了全诗。赵执信这首《后纪蝗》，师承杜甫、白居易，形迹宛然。白居易、杜甫这类乐府诗的结构，虽一路蓄势下来，到结尾两句，总是像天外飞来，健思突起，与前文似断似连，不粘有脱，有总结全诗、深化主题、扩大容量的妙用，又有跳荡飞动的艺术特色。赵执信这首《后纪蝗》的结尾，与前文也似乎并不密附，而是在读者毫无思想准备的情况下突然翻起，出人意表，入人心脾。这些地方，都可以见出赵诗学杜、学白而得其神髓。

（赖汉屏）

道傍碑

赵执信

道傍碑石何累累，十里五里行相追。
细观文字未磨灭，其词如出一手为。
盛称长吏有惠政，遗爱想象千秋垂。
就中文字极琐细，龃龉不顾识者嗤。
征输早毕盗终获，黉宫既葺城堞随。
先圣且为要名具，下此黎庶吁可悲！
居人过者聊借问，姓名恍惚云不知。
往者于我本无恩，去后遣我如何思？
去者不思来者怒，后车恐蹈前车危。
深山凿石秋雨滑，耕时牛力劳挽推。
里社合钱乞作记，兔园老叟颐指挥。
请看碑石俱砖甃，身及妻子无完衣。
但愿太行山上石，化为滹沱水中泥。
不然道傍隙地正无限，那得年年常立碑！

鉴赏

诗题中的"傍"，通"旁"。所谓"道傍碑"，是封建时代歌颂卸职地方官吏德政的石碑，也叫"思政碑""功德碑"。封建时代确曾有少数循吏，留德泽于地方，他们的政治措施深为当地人民感颂，因而人民自发地为他们立碑以志去后之思。但这样的官毕竟只是少数。许多无丝毫德泽可言，甚至贪残刻毒的官吏，卸任之后，也有人给他们树碑纪德。地方官在任日短，此去彼来；于是道旁石碑，一块接着一块。这不但滋长了溢滥之风，而且混淆良莠，颠倒是非，形成一种恶劣的社会风气。诗人有感于此，写了这首七言古诗，进行揭露讽刺。

诗的第一部分，先从碑文的内容揭露其虚伪性。道路两旁，碑石累累，十里五里，绵延不断。细看碑上文字，千篇一律，仿佛出于一人之手。那些碑文说：这位长官在这里任职时，做了许多施惠于民的好事；他在这里留下的勋名，将流传千秋万世而不朽。至于碑上所记的具体事迹。十分琐细，无关宏旨，而且前后矛盾(龃龉)，笑话百出。碑文中说，某某人在这里为官，征收赋税的工作完成得非常早；许多大盗案都在他任内破获；他关心教育，把学宫(黉宫)修葺一新；多年坍塌的城墙，也是他任中整修好的。修学宫即显示尊师重道，那时的"师"和"道"，首先是至圣孔子先师，孔孟儒家之道。因此诗人说："先圣且为要名具，下此黎庶吁可悲。"连儒家圣贤都成了这些官吏猎取声名的工具，身居下层的平民百姓被迫为他们歌功颂德，不就更为可悲了吗？以上是诗的第一大段。

第二大段，从对话中引出"居人"(居民，被迫为这些官吏立碑的平民)，用"居人"的话拆穿碑文的虚伪性。"居人过者聊借问"，诗人遇见当地居民，借问他们是否知道碑文上记述的事实；居民不但对碑文中记的德政一无所知，甚至连这些官吏的姓名也恍恍惚惚记不清了。这些居民说："此人在这里做官，其施政对我本无恩德可言；现在卸职离任，叫我怎样会思念他？"那么，这碑是什么人迫使居民树立的呢？原来，是出于接任官员的意旨。因为，不给卸任官员立碑，他们担心将来自己一旦去职，也会没有人为他立碑颂扬功德。诗中"去者不思来者怒，后车恐蹈前车危"，一语道破了道旁碑石累累的原因，揭露最为深刻。"居人"还说："记得当年立这碑的时候，深山凿石，又遇上秋雨路滑；石头太重，人运不动，就驱使正忙于耕作的牛去拉运石头。村里人没文化，没有人会作碑记文字，于是大家出钱，请来一位仅仅读过村塾启蒙课本的迂老头(兔园老叟)代笔，指挥立碑事宜。这位老夫子神气十足，哼哼鼻子，翘翘下巴，东指西点，煞有介事。碑文就这样写出来了，刻上去了，碑也立起来了，还修了个护碑亭。你看，这碑亭全是砖砌起来的(砖甃)。碑亭修得这样讲究，可我们这些为官员立碑的穷汉子和妻室儿女，身上却没有一件完整的衣裳！"这一段陈述，在戳穿功德碑的虚伪性的同时，还深刻地揭露了立碑给平民带来的经济负担。身无完衣的百姓和砖砌华美的碑亭构成鲜明对比，形象地说明这些官吏在任时不曾有德于民，卸职后还要立碑扰民，这就是他们留下的"德泽"，这就是他们留下的"去后之思"。

最后四句是诗人的感慨。他希望太行山上的石头变成滹沱河水中的泥沙。世间再没有石头，自然也就不会立功德碑了。不然，道路边上空地无限，那石碑也就年年立下去，没完没了。读者也许要问，希望山石化泥，未免过于渺茫。为什么不向朝廷当道揭露，以杜绝这种歪风呢？对！诗人应该那样做，却并没有那样做。这正是结尾的深刻之处。由于当时整个社会“大伪斯兴”，没有人过问这种事，诗人才不得已寄希望于幻想。这样作结，加深了主题，诗中由讽刺立碑一事扩大为讽刺整个社会风气。

《四库全书总目提要》评赵执信诗风，标举“思路劖(chán 铲)刻”四字。什么叫“劖刻”？“劖刻”意近“深峭”，“劖”又有刻薄嘲讽的含义。赵诗确实峭拔有骨力，语多深刻、辛辣。这首《道傍碑》的结尾，寥寥数言，语语沉痛，忧愤深广，嘲讽辛辣，表现出鲜明的现实主义诗风。

其次，赵诗学杜，在这首诗里也表现得非常鲜明。除了现实主义精神一脉相承外，在诗的构局上，也有仿佛之处。杜甫《兵车行》，先叙写送行场面，中以问答深化主题，最后出以感慨议论。这首《道傍碑》，结构与之如出一辙。《兵车行》中间记“行人”大段陈述，用“道旁过者问行人”一语勾起；这首《道傍碑》也是用“居人过者聊借问”一语，引出“居人”一段倾诉，写出凿石立碑的全部过程。在叙事诗中引入问答，好处在于使记叙文字不板滞，显得灵活多变。这也是赵诗的一个特点。

赵执信的现实主义名篇，如这首《道傍碑》和《氓入城行》，都有喜剧情调，这又是赵诗一个显著的特色。说道旁碑石之多，用“十里五里行相追”，仔细一看碑文，“其词如出一手为”。为什么那么多碑文竟然千篇一律？一方面，歌功颂德，尽出虚构，多是套语空文，自难免面目相似；二方面，此间碑记，又都出于“兔园老叟”笔下。此等冬烘先生，胸中有多少蹊径？写来无非陈词滥调，千人一面，千口一词。设想一下碑文内容，便使有识者忍俊不禁。“盛称长吏有惠政，遗爱想象千秋垂”，这是对碑文内容的概括。“盛称”一语，已够辛辣；连官吏的名字已很快被立碑人忘记，其“遗爱”居然“想象”千秋永垂，这不是有喜剧意味吗？写撰文立碑经过，“兔园老叟颐指挥”，仿佛画出了这位不学无术的冬烘先生，在农民面前自诩识文断字，念念有词，颐指气使的酸腐形象。一人摇头晃脑，众人莫名其妙，场面情节，都深具喜剧效果。碑文盛赞“父母官”，老百姓连他的名字也早已忘记，这些都是喜剧。——喜剧，无非是把人间的丑恶撕开给人看；强迫人民立碑颂德，不正是人间丑剧吗？

（赖汉屏）

山行杂诗

赵执信

岭路盘盘行欲迷，晚来霜霰忽凄凄。
林间风过犹兼叶，涧底寒轻已作泥。
马足蹙时疑地尽，溪云多处觉天低。
倦游莫讶惊心数，岁暮空山鸟乱啼。

鉴赏

赵执信二十八岁被革职除名后，从此浪迹天涯，漫游大江南北，以至终老。他的漫游，不仅在于探奇览胜，而且在于借山林逸气，消胸中块垒。但正如李白游览名山大川的那些诗作一样，精神上的苦闷总像影子一般跟随着他，浮现在他的诗行。他在《东向言怀》一诗中说："男儿负奇志，夙欲吞巨川。转侧在世网，焉能死草间？长风倘可驾，一上蓬莱颠。安期何用见，但取开心颜。""但取开心颜"，可见他苦于"不得开心颜"。他之所以"不得开心颜"，乃由于夙负奇志，不甘老死草间。怀着这样的心情去漫游，虽奇山异水在前，又怎能为他排遣胸中积忧？了解他这种心态，有助于理解这首纪游诗。

你看，诗一上来就是"岭路盘盘行欲迷"：山上的路弯弯曲曲，左右盘旋，使诗人简直迷惑了，感到无路可走。"马足蹙时疑地尽"：上有悬崖峭壁，下临无地，连健足的马尚且望而却步，人更觉得地已经走到尽头。"溪云多处觉天低"：由于云多，天仿佛压下来了。"岭路盘盘"，失去了长度；"马蹙地尽"：宽度也变得局促；云多天低：高度令人感到逼仄。读诗至此，不禁使人联想到孟郊诗"出门即有碍，谁言天地宽"，千古同心，何其相似！你能不为诗人偃蹇抑塞的心怀而停杯投箸，高唱李白《行路难》吗？

以上就空间描写作剖析，下面再看诗中的景物描写。

"晚来霜霰忽凄凄"：时当岁暮，天色向晚，霜霰之来，令人倍感凄凄寒意。试想，此时四野该如何苍莽阴沉？"林间风过犹兼叶"：林间的风，挟枯枝败叶而俱来，那风声该如何凄厉？那萧萧落木，该带来多少寂寞苍凉？"溪云多处觉天低"：溪涧之间，灰色的云层密布，把已经向晚的天色浸染得何等暗淡！“岁暮空山鸟乱啼”：那空寂山林中归巢的鸟，给这幅色彩暗淡的图画配上了何等凄凉的声音？看来，诗人此次山行，不只亲历天逼地蹙之境，而且所见所闻，无往而非寒冷，肃杀、凄凉。于是，诗人按捺不住了，站出来直接抒情：“倦游莫讶惊心数（shuò，多次）！”我是一个惯于漫游的人。这种触目惊心之境，已经多次经历，对此不必惊讶。这是强自宽解，强作矜持。他口中说“莫讶”，实际上传出的是心之震动的最强频率。他的心何曾一刻平静！

读赵执信许多纪游诗，你会感到这种心态在他的这类诗作中是一贯的，这一组《山行杂诗》其他二首，也莫不如此。像其二的“远寺钟鸣”“一灯明灭”；其三的“天风残雪”“落日登高”，其四的“连天白雪”“近郭空烟”，诗人描绘的几乎都是凄怆寂寞的境界。他漫游几十年，何境不历？怎能不接触到自然界的和煦春风，花光草色？但这些一经进入他的视野，经过心灵的酿造，便都变了颜色。所谓花亦溅泪，鸟鸣惊心，正由于伤心人别有怀抱。有时候，自然界百草千花，风晨月夕，作为审美感受的客体，百媚纷呈；而作为审美感受的主体，独取其险逼之境，幽悄之色，哀厉之声，以之作为意象，表现诗情。这就无怪乎我们在他的集子里老是看到秋天；或者，从春天里看到了秋天。

这就触及到这首诗两个显著的艺术特色，一是气氛浓烈，意境深邃；一是善用象征手法曲折传情。

先说第一点。这首纪游诗，八句中七句写景。诗人把盘盘岭路，凄凄霜雪，林叶因风，溪云低压，空山鸟啼等等组合在一起，酿造出一种凄怆的氛围，读之令人神寒骨凄；然后在第七句用“倦游莫讶”一点，使物、情融合，形成一种苍凉幽悄的意境。他在《谈龙录》这卷论诗专著中说：“因其诗可以知其人，而兼可以论其世。”读这首《山行杂诗》，入其境以窥其意。因其意而知其为偃蹇抑塞、郁结难通之人。这就是此诗感发力量之所在。

至于象征手法，本是诗人惯用的艺术手法。如《烈风行》以雨风雷电象征社会的动荡和黑暗，《清明前大雪》以冰雪中园花凋谢象征“风刀霜剑”的社会恶势力，都是显例。这首律诗，用岭路盘盘、马蹙地尽、云压天低象征他的社会处境，仿佛举足有倾危之虞，天地无容身之所。且其象征手法又与气氛、意境融于一体，这就大大加强了诗的表现力量。

（赖汉屏）

昭阳湖行书所见

赵执信

屋角参差漏晚晖，黄头闲缉绿蓑衣。
倦来枕石无人唤，鹅鸭成群解自归。

鉴赏

“昭阳湖”，又叫微山湖，位于江苏与山东之间。赵执信南游，途经这里，写了一组诗四首绝句，描绘水乡风光，这里选的是其中第三首。

昭阳湖本属鱼米之乡，盛产禾黍菰芦和水族动物，人民生活安定富足。时当康熙盛世，清王朝处于上升时期，江浙一带经济繁荣。从这四首诗看，诗人寓目的都是和平、宁静、悠闲的生活画面，诗表达了他对这种生活的赞赏，也体现了诗人淡怀逸致的美学追求。

“屋角参差漏晚晖”：先描绘主人公渔郎居处的环境。屋角参差不齐，他住的定然是茅屋。在参差不齐的屋角上，漏下傍晚的橙黄色的阳光。这阳光，是温暖的，疏落的，斑驳的。“漏”字表明，这阳光又不像直射的那样强烈，但也不是一片昏黄；“漏”下来的夕阳，显得温柔，静谧。写人先写其屋、写屋先写其光；诗人之意在先给全诗奠定一种安详、温馨的色调。

“黄头闲缉绿蓑衣”：“黄头”指船民(《汉书·邓通传》颜师古注)，这里的船民大都是渔民。这一句让主人公登场。渔民经常在风雨中撒网放钓，箬笠和蓑衣是不可缺少的雨具。“蓑衣”有棕制的，也有用箬叶缉成的，这里的“绿蓑衣”自然是张志和《渔父》中写的“青箬笠，绿蓑衣，斜风细雨不须归”的那种蓑衣。“闲缉”二字告诉我们，在这傍晚时节，这位渔郎一不忙于下湖，二不忙于晾网，“绿蓑衣”原不过备用，打发闲里光阴，因此他不急不忙。这一句写渔郎，仍然注重色彩、画面、气氛。称渔民为“黄头”意在与“绿蓑衣”映衬，取得色彩的和谐，衬托主人公的情态。黄和绿，都是温暖、和平、安详的色调，与上句“晚晖”的橙黄，共同烘托出一种安谧、温暖的环境气氛。

“倦来枕石无人唤”：“缉蓑衣”既是闲中之事，疲倦了就睡一会儿。闲中得一睡，原是中国劳动人民最大的享受；但这位渔郎，睡得颇为特别。他不是睡在船舱、床上，而是靠枕于石头之上，随便躺着。曹操《秋湖行》有“枕石漱流饮泉”的话，向来以指山林隐逸生活；诗人用在这里，既是即景，也有用典以喻隐逸之意。一个人靠枕在石头上，居然也能睡着，可见其睡意之浓，睡态之恣放。睡意之浓，又说明他心中无忧无虑，稳帖安详。“无人唤”意味着他家里没有许多人口，也意味着他心上没装多少事情，无人搅他美梦。他自食其力，独来独往，没有身外的拖累和羁绊，正所谓“赤条条来去无牵挂”，这是人间的至乐。古人把“花无人戴，酒无人劝，醉也无人管”当作人生一种乐境，就由于此中有解脱、逍遥、无待的意趣。诗中渔郎得此意趣。诗人追求的也是这种翛然自适的意趣。

末句“鹅鸭成群解自归”，是傍晚渔村生活的绝好图画，也是对那位枕石而眠的“黄头”的生活作补充描写。“鹅鸭”自是湖乡之物，“成群”说明这位渔郎相当富足，这是他之所以能“闲”，之所以能枕石入睡的物质保障。“解自归”：鹅鸭到傍晚懂得自己回来。它们那样自由自在，日出下湖寻觅鱼虾，黄昏时成群结队自己归来。这样的渔郎，这样的鹅鸭，相映成趣，构成了一幅相对凝定的图画，画中传出自然、和谐、无拘无束的理想生活的颂歌。

四句诗，像四幅图画，烘托、描绘这位渔郎的生活和心情，形成了一种恬静安谧的意境，洋溢着渔村生活的情趣。富于生活情趣是这首诗最显著的艺术特色。情趣凝铸在枕石而睡的渔郎和鹅鸭自归两个画面上。屋角漏下的阳光，黄头绿蓑衣相映成趣的色彩，则是为两个画面敷彩赋色。捕捉这种富于情趣的镜头，使之“定格”，在一瞬中把握永恒的情趣，是画家、摄影家的追求，也是诗人所向往而又难以达到的美学境界。捕捉一个镜头已经够难，把四个镜头组成一个整体，体现一种和谐、宁静、悠闲的意境，更是难中之难。王渔洋论诗，有“平淡中求真味”之说。所谓“真味”，也就包含了“情趣”。他的《真州绝句》写渔村，“好是日斜入定后，半江红树卖鲈鱼”，向来享誉极高。作为与王渔洋同时代且系王氏之甥婿而论诗互相抵牾的诗人赵执信这首七绝，又何让于“半江红树”？

（赖汉屏）

村　舍

赵执信

乱峰重迭水横斜，村舍依稀在若耶。
垂老渐能分菽麦，全家合得住烟霞。
催风笋作低头竹，倾日葵开卫足花。
雨玩山姿晴对月，莫辞闲澹送生涯。

鉴　赏

题中“村舍”，指诗人修建于故乡山东博山城东五十里的“红叶山楼”。这诗是他接近五十岁时所作。诗的第二句说：“村舍依稀在若耶”，“依稀”即“仿佛”之意。诗人说，他的红叶山庄虽地处山东博山，风景之优美则仿佛如绍兴的若耶一样。古人说：“吴长洲兮越若耶，芙蓉城兮菡萏花”，可知若耶多水。诗人既把他红叶山楼的风景比之若耶，可见这里的特色也是富于山光水色。诗的第一句“乱峰重迭水横斜”，写的便是山峰倒映水中的形象。“乱峰”映在水中，故呈“重迭”之象，乃有横斜之姿。这句用一个“水”字，把山峰种种姿态尽收入绿水清溪之中，诗一上来先对“村舍”风光作了一个极为优美的总体描绘，给读者深刻的“第一印象”。倘若把这一句理解为峰峦重迭、水流横斜，固无不可。但空中山峰，远不如水中峰影之美；且前说把山水融合为一，后解把山水分裂为二。结合下一句“村舍依稀在若耶”看，前说似更近诗人原意。正如谢章铤《赌棋山庄词话续编》所说：“虽作者未必无此意，而作者亦未必有此意”，我们又何妨如谭献所说的那样：“作者未必然，读者何必不然？”如此赏诗，才算不沾不滞。

不管对第一句如何理解，这首诗的诗眼在末句“闲澹”二字上，这大概不会有异议。“闲澹”是有条件的。第一，要有物质生活保障；第二，要心态安详。诗人能在风景如此优美的地方建造“红叶山楼”，这“村舍”定然不是真正的农民房舍。他临到接近晚年才能分清豆子和麦子（垂老渐能分菽麦），可知他绝非靠耕作为生的农民。正因为有这样的生活保障，才能感受到“全家合得住烟霞”的乐趣。假如终日苦于饔飧(yōngsūn,早饭和晚饭)无继,是虽住此山而无法领略"烟霞"之乐,也就没有心情去赏玩雨中山姿,静对晴夜明月的。其次说到诗人的心情。对此,诗的第三联作了象征性的暗示。"催风笋作低头竹,倾日葵开卫足花"两句,最堪玩味。从字面看,这两句写的无非是初夏村舍周围的景象。暖风吹拂,竹笋一天天长大,变成了嫩竹子。嫩竹子笋箨尚未完全脱落,顶部枝叶也没有完全散开,因此迎风作低头之状。向日葵的花开了,那花很大,似乎俯视根部,自护其足。据《左传·武王十七年》记:齐大夫鲍庄子,为人所谗,被齐君处以刖足(断足)之刑。孔子说:"鲍庄子之知(智)不如葵,葵犹能卫其足。"诗中"卫足花"用了这个典故。笋变成竹子,向日葵开花,诗人何独着眼于竹之"低头",葵之"卫足"?这自然象征了诗人一种心态。他自从二十八岁削职还乡,心中纵有许多牢骚,在康熙文网极密的时代,是不敢贸然发泄,自蹈死地的。异族的残酷统治,迫使这个正直的诗人,愈老愈懂得避祸全身。他从忤世、傲世转而变成避世。他在诗中欣赏那"低头竹""卫足花",正是自己"低头""卫足"以求自全的曲折体现。由于能"低头""卫足",才换得心态安详,才能享受那一分闲澹悠然之乐。

说"闲澹"是一种乐,而且是难以得到的至乐,是因为正直的知识分子类多忧国忧民;忧患心深,自然不能闲澹。赵执信写了那么多现实主义的新乐府式的古风,可知他的忧国忧民之心原是非常强烈的。临老,这份心情渐为风雨所消磨,才换得"莫辞闲澹送生涯"的生活态度的转变,才追求一种淡怀逸致的美感。这是付出了巨大牺牲之后的体认。作"低头竹""卫足花",对一个志士来说,原是无可奈何,因此用"莫辞"二字,曲曲折折地表现出他的选择是被动的,是辞谢不了的。

这样说来,这一首写"村舍"风光的诗,竟然是一首言志的诗。微言大义,藉景物描写,曲折见意,这是此诗一大特色。

其次,这首诗里写了村舍风光、山容水态、菽麦烟霞、暖风催发的竹子、卫足低头的葵花,而以雨中山姿、晴夜朗月作为最高境界。雨中的山,烟雾迷蒙,晴夜的月,清幽悄悄,两者都呈现淡远朦胧,"遇之非深,即之愈稀"(《诗品·冲淡》)的意境。但这种淡远之境,不是冷寂而是充满了生机的。暖风催长了竹笋,向日葵开了花,可知诗人欣赏"闲澹",其实未泯生机。这一点,在赵执信许多田园诗中,是一脉相承的。

(赖汉屏)

望匡庐不可见

赵执信

香炉烟散半湖云，舟入荷陂水又分。
却羡沙头双白鹭，潜随明月过匡君。

鉴赏

诗题《望匡庐不可见》，重点写一个“望”字。四句诗，一句写望中迷蒙之景；二句写望之弥远的惆怅；三、四句写极望之情。在章法上，与杜甫《望岳》相仿佛。“望”的立足点在小船。诗人舟行鄱阳湖，远望庐山而不及登临，诗写的就是这种眼里烟云，望中心境。

庐山在南，鄱阳在北，距离那么远，如何把两地联系起来，以表现“虽不能至，心向往之”的心情？诗人选用了烟云、白鹭、明月三者作媒介，构思很具匠心。首句“香炉”指庐山香炉峰，“湖”即鄱阳湖。“香炉烟散半湖云”，以烟化为云巧妙地联结两地。香炉峰因终年云雾缭绕而得名，并非真有仙人在山上烧香而散发烟雾。诗人却从“香炉”二字生发联想，悬拟出炉中瑞烟千顷，散入鄱阳。化作半湖云霭，概括地写出雾里庐山，暗点题中“不见”二字。不见庐山，令人失望；但眼前这半湖云霭，既是香炉峰上飘来的烟雾，也就算略亲山色，堪慰远怀了。这个起句，把庐山写得似远似近，依稀仿佛，极具神韵。

第二句“舟入荷陂水又分”，“荷陂”是湖中地名；“水又分”指诗人乘坐的船经过荷陂后将另入港汊河道，距庐山愈来愈远。一个“又”字，隐然道出瞻望弥切的心情。这一、二两句，写望中湖光山色，移步换形，很有层次。

三、四句“却羡沙头双白鹭，潜随明月过匡君”，极望生情，翻出一个新的境界，是全诗警策之所在。“却羡”二字，紧承上句作一陡转。舟行水分，愈走愈远，因望之不见而羡及双禽。“却”字承上启下，很有跳荡翻腾的力量。这一双白鹭有幸潜随明月，飞入匡庐，去看望匡君，反衬自己身不能至的惆怅，这就是上文说的极望之情。这里，诗人用“白鹭”“明月”把鄱阳、庐山两地联结。但湖上之物，所见者绝不仅仅白鹭而已。杜甫《望岳》，写极望之情，仅说“决眦入归鸟”，并没有特指什么鸟；何以诗人单单选了“白鹭”这一意象入诗？又为什么说白鹭“潜随明月”？难道仅仅出于写实，他看见的确实是一双白鹭？因为白鹭之飞不闻声，乃云“潜随明月”？或者说，诗人心有所属，意有所动，故而托此白鹭明月之意象以展示诗心？这是赏玩中值得留心的所在。否则，这首诗的佳胜，就难以品味了。

弄清这个问题，得从前人使用“明月”这一意象说起。李白遥寄王昌龄的诗说：“我寄愁心与明月，随君直到夜郎西。”李白怀友之心托诸明月，是因其心皎洁，其意幽深，其情浩瀚，而这时王昌龄正蒙不洁之名，白璧之污，因此以明月为愁心的载体，使情与物融为一体，互为表里，互相衬托，以取得和谐统一的艺术效果。王安石《泊船瓜洲》说：“春风又绿江南岸，明月何时照我还？”他何以预见还家之日必定是晚上，而且一定在月下？窥其诗心，也是用明月之皎洁以衬出自己“此心如月”的情操，独来独往、不矜不伐的气质。由此可见，诗中明月，往往不仅是客观物象，而是一种意象。

这就回到赵执信这首诗中“双白鹭”和“潜随明月”的意蕴上来了。“白鹭”之形近鹤，是一种高视阔步，纯洁高雅的禽鸟。这一双白鹭托身于白的沙洲之上，更显出“拣尽寒枝不肯栖，寂寞沙洲冷”的节操；白鹭潜飞入山，“潜”字见其不矜不伐，意态又极安详；随明月偕行，更见出一片澄明圣洁。白鹭之高洁，皓月之澄明，匡庐之神秘，三者融合，铸就了一个崇高圣洁的境界。诗人自削职后，或漫游，或乡居，其心如水，其志如月。现在对白鹭潜飞而兴羡，正因为他清白的胸怀与潜飞的白鹭这一意象和谐统一而形成了一种清高幽悄的意境。这正是这首小诗最耐咀嚼品味的地方。

（赖汉屏）

晓过灵石

赵执信

晓色熹微岭上横，望中云物转凄清。
林收宿雾初通日，山挟回风尽入城。
客路远随残月没，乡心半向早寒生。
惊鸦满眼苍烟里，愁绝戍楼横吹声。

鉴赏

这首诗是作者游经灵石时写的。从诗的第三联“客路”“乡心”看,这次出游离家很远,历时很久,产生了浓郁的乡愁。结联“愁绝”二字,点明全篇主旨。

这一天启行特早,在晓色微明的时候就出城,登上一座高山。所谓“晓色”,是天光、云色、山岚、晨雾的总和。这时山头笼罩在云雾之中仅能看清山腰山麓,山顶似乎被截去了一般。“晓色熹微岭上横”,一个“横”字,形象逼真地写出了山头积雾的景象。人到山头四望,但见万物均淹没在云雾之中,此之谓“云物”。由于时间绝早,山上既无其他行人,连鸟类也没有完全苏醒,望中迷蒙寂寞,因此诗人说:“望中云物转凄清。”“转”字说明,此山景色本来清幽可爱,只是由于淡云晓雾给抹上了一派灰色,才令人望之转生凄清之感。这一、二句“横”字、“转”字,均见锤炼功夫。

第二联写时间推移,山间景色变化。过了一会儿,宿雾渐收。初日从林间照射过来,万物轮廓渐渐清楚。此时,诗人心头不应再感“凄清”;但初秋季节,高山晨风凄厉。风在山间回旋,刚刚由晨曦带来的温暖,又被这回旋的秋风吹凉了。诗情通过景色,透出一片悲凉,回荡萦绕,迷漫全诗。

这里的“回风”,虽然是写山间回荡的秋风,也使人产生一种联想。屈原《九章·悲回风》说:“悲回风之摇蕙兮,心冤结而内伤。”联系“回风”二字这种特定的涵蕴,“山挟回风”一句,似又不仅限于山间悲风,而含有“冤结内伤”的意蕴。

以上两联,淡墨浓愁,景中见意。第三联改变笔法,由景中含情变为触景生情。晨曦虽上,残月仍未西沉,依然斜挂在西方遥远的天边;诗人旅行的路(客路),也正向西方延伸。残月慢慢西沉,渐归迷蒙;客路不断延伸,愈益隐约。残月望不到没落之处,客路望不到尽头。这“客路远随残月没”一句,把月的遥远,路的延伸,心的惆怅三者融合在一起,情景相生,摇曳不尽。下句“乡心半向早寒生”,也是极富涵蕴的好语言。秋天的早晨,又在高山之上,本来就寒冷,这是自然界的寒凄。思乡之心,内感凄清,寒自心生,这是心理上的寒意。诗人把两者糅合于一句之中,“乡心”由早寒而起,“早寒”因“乡心”而厉,两者相互渗透,深得炼句、炼意之胜。

三转四结,是近体绝句习用的章法。诗人却并不采用这种结构,尾联仍紧紧围绕景色展开。这种当转不转之处,是赵执信避熟就生,因拙见奇的独创,也是他诗风“劖

(chán)刻”的体现。“惊鸦满眼苍烟里,愁绝戍楼横吹声。”此际苍烟满眼,乌鸦避旅人而惊飞;供守望用的岗楼中,笛声忽起。此情此景,令人愁绝。“苍烟”的颜色是浓的,乌鸦的羽毛是黑的;满眼苍烟,惊鸦飞起,自然使人产生苍莽之意,“无枝可依”的联想,景中便隐然有人。“戍楼”上住的自然是征人。征人吹笛,更使人联想到“不知何处吹芦管,一夜征人尽望乡”和“笛里谁知壮士心,沙头空照征人骨”等等诗句,油然而生身世、壮怀、家国、乡思种种感慨。诗虽然点明“乡心”,结联之意,“愁绝”不限于乡愁。诗到这里,扩大了诗境,使“愁绝”之“愁”的内涵更加复杂,更为丰富,更觉深沉。

这首诗最大的特点是句句写景,却又句句含情。“晓色熹微,望中云物”,是景物因晨雾敷色而令人生凄清之感;“林收宿雾”“山挟回风”,是景物因古人旧章含摇落郁结之情;“客路”“乡心”,是观此残月之凄迷而感前路之迢递,因早寒之凛冽生乡愁之绵邈;“惊鸦”“横吹”,则是情景融会、浑然一体之境。八句四联,或以烘托,或藉联想,或情随景生,或情景交会,而始终不肯正面、直接抒情,使读之者但感全诗情浓如酒而触摸不到,把握不着。

其次要说到意境。这首诗意境深幽,极具感发力量。八句诗句句敷彩赋声,构成一种“凄清幽悄”的意境。“晓色”是灰色的;“云物”是迷蒙的;初日虽明而“回风”凄厉;再加上“苍烟”之浓,“惊鸦”之黑,“横吹”之凄怨苍凉。四面八方聚合,形成意境,烘托出苍苍莽莽的情怀,这是诗中第一等功夫。不了解赵执信心头的郁结,笔底的波澜,就只能感受到人皆有之的“乡愁”,领会不到诗人独具的无限复杂心意。

(赖汉屏)

秋暮吟望

赵执信

小阁高栖老一枝,闲吟了不为秋悲。
寒山常带斜阳色,新月偏明落叶时。
烟水极天鸿有影,霜风卷地菊无姿。
二更短烛三升酒,北斗低横未拟窥。

鉴赏

人言执信诗善于造景抒情,这首《秋暮吟望》堪称“造景抒情”的代表作。

从诗意推断,这诗当是他晚年之作。诗中“一枝”,出自《庄子·逍遥游》:“鹪鹩巢于深林,不过一枝。”“老一枝”即终老山林之意,“高栖”的“栖”字正与“鹪鹩”关合,可为佐证。这诗从自甘终老山林入笔,次句又承以“闲吟了不为秋悲”,点题中“秋”“吟”二字。“了不为秋悲”即丝毫不为秋天到来而悲怆。若单以这两句判断诗情,则望中秋色对这位诗人已全是身外之物,他毫不为这“悲哉,秋之为气也。萧瑟兮草木摇落而变衰”(宋玉《九辩》)的景物所动,写这首诗也不过是“闲吟”而已。看来,诗人真正甘心终老于这山林小阁,他的心已经如此超脱,或者已经像槁木死灰了。但你一路读去,便会恍然大悟,诗人是在说假话。——不,说反话。他的心,在“了不为秋悲”的反面!

让我们先对中间两联略加品味。因为,这是律诗的核心内容之所在。

这两联四句都写了些什么?寒山、斜阳、新月、落叶、烟水、鸿影、霜风、残菊:只要把这几件景物摆出来,你便会感到一股冷气,一阵心酸;再将这些景物组织入诗,便都是诗中意象,加起来便构成了意境。“寒山”和杜牧“远上寒山石径斜”的“寒山”同义,指高山;因为高而望之似有寒意。为什么说“寒山常带斜阳色,新月偏明落叶时”?要注意深孕诗情的“常”字和“偏”字。山是四时朝暮都存在的,晦明朝夕,仪态万千,决非“常带”斜阳之色。诗人这样说,无非表明,他只是在这暮色苍茫之际才远眺寒山,这时的寒山已被夕阳染上昏黄黯淡的颜色。“夕阳无限好,只是近黄昏”,诗人望之自不免生美人迟暮之感;更何况山高秋晚,一派森森寒意,这“寒山”“斜阳”,给诗人带来何种感受,还用辞费吗?至于“新月”,是上弦的弯环似弓的月亮。新月亮度不大;只有当木叶尽脱,野旷天清的秋天,才会觉得它“明”。但新月之明,为时很短,很快就要西沉。假如是春夜,是满月,或滟滟随波,或月照花林,那自然很美,现在却是昏黄的上弦月,而且偏偏照临在“无边落木萧萧下”的疏林之上,飒飒秋风之中(无风何至落叶!),这位偃蹇老去的诗人,看了那些落叶,已不胜摇落之悲,更何况又敷上新月凄迷昏黄之色?那个“偏”字,不正和苏轼中秋词“不应有恨,何事偏向别时圆”的“偏”字同一意蕴,透露出诗人心中的怨悱惆怅么?“烟水极天”是湖上月夜景色;“极天”即最远处。试看,在月夜,澄明的秋水之上,笼罩着一层烟雾;有孤鸿掠空,投影水上。这“鸿影”,即使你没有联想到“谁见幽人独往来,缥缈孤鸿影”(苏轼《卜算子》)的名句,那种超旷之境,幽约怨悱不能自已之情,你能不感受到吗?秋天正是菊花开日。现在,菊花都被卷地而来的霜风所凋残,黄金委地,全无姿态。我国古典诗词中,向来把菊作为君子的象征,诗人望着眼前这严霜凋尽的残菊,心里是什么滋味?他虽然不说,却尽得“不落言诠”的妙谛。

以上颔联、颈联四句中提供的意象,空间从远到近,从高到低,从水上到陆地;时间从黄昏到月明,从月明到深夜,无一物不是令人望而兴悲之色,无一时不是令人难以排遣之时,诗人为什么偏偏说“了不为秋悲”?难道说,“不为秋悲”竟是“深为己悲”的另一说法么?“他人有心,予忖度之。”作如是观,不无佐证。试看——

“二更短烛”,“短烛”表明夜深。他深夜还坐对短烛,无法入睡;“三升酒”,他一个人自斟自酌,借酒浇万斛秋愁;“北斗低横”,已是快天亮的时候;“未拟窥”,诗人连看都懒得看一眼,一经时间推移,自黄昏直到东方微晓。诗人之所以“未拟窥”,是因为他已经看了许多,感受强烈,心已经承受不了。可见开头说的“小阁高栖老一枝”,他的心其实是难以安然老死在山林之中的。志士块垒难平,正所谓“诗情如夜鹊,三绕未能安”。

我说过这首诗堪称赵执信“善于造景抒情的代表作”,除了前面已经粗略品析过的颔联颈联引进的那些饱含诗情的意象之外,还因为结联在“短烛”和“酒”,是极富涵蕴暗示。许多烦闷难以言传的情意,全都浓缩在这两者之中。全诗高远的意境,也赖此轻轻一点,境界全出。一支短烛、一壶残酒,连结着一个不安的灵魂。深得欲言不言、不言而尽得于言外的艺术效果。

回过头来想一想,诗人为什么一上来就说“了不为秋悲”,却句句透着“秋悲”?他何必取这样的构思?我想,最初,诗人是在努力忘却一切,故为超脱,强自矜持。但他是个真诚的人,他的挣扎流于失败,最终不但不能忘却,反而加重了心底秋悲。这也是他自己始料所不及的。于是我们知道,他无法自欺,更无意欺人,只是情随境迁,无法自已而已。

(赖汉屏)

氓入城行

赵执信

村氓终岁不入城，入城怕逢县令行。
行逢县令犹自可，莫见当衙据案坐。
但闻坐处已惊魂，何事喧轰来向村？
银铛杻械从青盖，狼顾狐嗥怖杀人。
鞭笞榜掠惨不止，老幼家家血相视。
官私计尽生路无，不如却就城中死！
一呼万应齐挥拳，胥隶奔散如飞烟。
可怜县令窜何处？眼望高城不敢前。
城中大官临广堂，颇知县令出赈荒。
门外氓声忽鼎沸，急传温语无张皇。
城中酒浓馎饦好，人人给钱买醉饱。
醉饱争趋县令衙，撤扉毁阁如风扫。
县令深宵匍匐归，奴颜囚首销凶威。
诘朝氓去城中定，大官咨嗟顾县令。

鉴赏

这首歌行体的叙事诗，是赵执信诗作中光辉的现实主义名篇。题中的“氓”，即农民。康熙六十年(1721)，苏州农民走投无路，被迫涌入城内，捣毁知县衙门。诗叙写了这个事件，深刻揭示了官逼民反的真理。写此诗时，执信已六十岁。

一开始，先用十句写县令逼迫农民的暴行。农民因为怕他，平日不敢进城；怕进城后在路上遇见县令，怕见他坐衙审案的淫威，更怕他下乡压榨农民，滥施刑逼。这里用了城中——县衙——农村三个画面，重点是下乡催逼租税的一幕，镜头渐渐推出中心。写县令下乡，先写其“喧轰”叫嚣，未见其人，先闻其声。次写县令“银铛杻械”（“械”，手铐脚镣），捕系一串农民紧随他轿子(青盖)之后的场面,然后推出"狼顾狐嗥"——像饿狼一般四处看,像狐狸一般号叫的大特写,逼真地画出这位县令指挥爪牙压迫农民交租纳税的凶残嘴脸。他们用鞭子抽打(鞭笞)农民,用木棒毒打(榜掠)农民,而且不限于一家一户,而是"老幼"难逃,"家家"如此。农民彼此相视,都被打得浑身流血。这第一层十句,用层层推进手法,写足"官逼"二字。

下面一层自然要写"民反"了。农民彼此商量:满足县令的苛求(官计),哪来这笔钱粮?哀求县令宽免(私计),县令怎会答应?想来想去,"官私计尽生路无"。既然非死不可,不如冲进城里去拼命。于是,一人大呼,万众齐应,就凭赤手空拳,扑向苏州城。那些刚才还逞凶作恶的小吏差人(胥隶),被吓得一溜烟跑了;知县藏得不知去向,不敢回城。这一节用六句诗,写出农民定计、入城、官吏闻风逃匿的全过程。统治者外强中干的本质,被揭露得淋漓尽致,刻画得入木三分。

下面六句,接写"城中大官"闻变的措施。"城中大官"指知府。苏州为府治所在,城里既住着县令,又住着统治几个县的知府。这位知府"颇知县令出赈荒"——他只听说县令下乡赈灾去了。原来,连知府大人也被瞒着。这一句从旁告诉我们,当时苏州农村正闹着灾荒,农民正等待赈济。县令不此之图,反而带领衙役下农村催逼租税,真是丧尽天良。诗中补上这一笔,把"官逼"二字又推进了一层,用笔十分经济。这位苏州知府听见衙外人声鼎沸,才知道农民已经反进苏州。他见形势不妙,马上采取绥抚政策,一面用温和的语调劝不要鼓噪,一面说,城里有好酒好面食("馎饦",面食),我给你们钱,让大家喝醉吃饱。知府之意,知民心不可犯,想软化群众,缓和矛盾,平息群情。结果却完全出乎这位知府大人意料之外。"醉饱争趋县令衙"以下四句,转入高潮。那些农民喝醉吃饱之后,劲头更足了。他们并没有被软化、被收买,而是一齐奔赴县令衙门,打破门扇,砸烂住房,其势如风扫落叶,彻底捣毁了县令的巢穴。诗的结尾处说:到了深夜,县令爬回县衙,一副丧家奴才、待决囚犯的面孔,平日欺压农民的威风一下消失得干干净净。第二天,农民胜利回村,城中秩序初定,知府大人望着县令彼此面面相觑,只有叹气而已。这便是"氓入城"的结局——农民闯出了生路,官府扫尽了威风。

这是一首纪实之作,当时确有其事。诗除了阐发"官逼民反"这一主题,思想特别深刻外,在艺术上也是很成功的。最突出的特点是具有戏剧的效果。戏剧要求情节紧张,矛盾冲突鲜明突出,具备发生、发展、高潮、结局的过程。这首诗所记述的故事,从县令下乡、锒铛杻械、狼顾狐嗥到鞭笞榜掠,一个镜头紧接另一个镜头,一个场面转换为另一个场面，情节逐步发生、发展，线索清楚。到"一呼万应""胥吏如飞""县官逃窜"，望高城不敢入，恍如风狂雨骤，天地变色，戏剧冲突，一浪高过一浪。随后村氓醉饱，捣毁县衙，以风驰电掣之势，把这幕戏推向高潮。有趣的是结尾：县令深夜爬回，农民走了，县衙毁了，知府望着知县直叹气，全诗至此戛然而止，像大幕突然落下，像电影突然定格，银幕上只剩下两个大特写头像：一个知府，一个县令；彼此相望，一个猪肝脸，一个白鼻子；一个张口，一个结舌；一个无可奈何，一个垂头丧气。这真是绝妙的人间悲喜剧。以农民的悲剧始，以官老爷的喜剧终；以农民的哭声始，以官老爷的叹息咨嗟终；以观众的愤恨不平始，以大快人心终；以农民不敢入城始，以入城胜利终；以官吏"喧轰"始，以县太爷哑口无言终。戏剧效果非常强烈，始终紧紧抓住读者的感情，使读者的心时张时驰，忧乐随之，哭歌迭起。仅此一端，这首诗已无愧于绝唱。

循着戏剧性这一念往深里探索，不难发现这首诗另一个特点：形象对比强烈——我说的是对立双方的形象。诗一开始描绘的县令形象，威严可怖，路上经过令人望而生畏，坐上大堂令人魂悸魄惊；下了乡像凶神恶煞。一旦农民起而反抗，他却不知逃窜到什么地方去了。当县衙被捣毁之后，深夜爬回，奴颜囚首，销尽凶威，一副丧家之犬的丑相，这不是鲜明的对比么？反观"村氓"，一开始那样老实，畏官如虎；到后来横下一条心，酒醉饭饱之后，"撤扉毁阁"，就像无畏的天神，梁山泊里的好汉，这不也是鲜明的对比吗？从对比中显示出官吏色厉内荏的本质，从对比中显示出唯有反抗，才是生路的真理，这种手法的运用，加强了戏剧性，也加深了诗的主题。

（赖汉屏）

金陵杂感

赵执信

深宫燕子弄歌喉，粉墨尚书作部头。
瞥眼君臣成院本，输他叔宝最风流。

鉴赏

"金陵"，现在的南京，是吴、东晋、宋、齐、梁、陈六代古都，也是明代最初建都之地。那里江山形胜，虎踞龙盘，且居江南富庶之地，金粉繁华。建都在这里的帝王，几乎都竞逐奢华，因此灭亡很快，给后人留下许多风流韵事，也留下许多历史教训。因此，“金陵怀古”几乎成了唐以后一千多年诗词创作中最常见的题目。钟山风云，台城烟柳，石头城下的潮声，秦淮河中的明月，成了墨客骚人笔下的诗材；“吊古伤今”则是大多数诗作共同的主题。赵执信六十三岁时，因儿子赵庆到金陵完娶，顺游金陵，写下了一组《金陵杂感》，这是其中的第五首。

诗咏叹的是南明一段史事。1643年，闯王李自成攻进北京，明思宗吊死煤山，吴三桂借清兵入关对付闯王，结果引狼入室，明朝江山从此落入女真贵族手中。福王朱由崧逃到金陵，拼凑南明政权，建号弘光。这个流亡政权搜罗了一批卖官鬻爵、贪财好色的军阀、权奸、政客，如颟顸(mānhan)跋扈的马士英，曾阿附魏忠贤不齿于士林的帮闲文人阮大铖等，居然在剩水残山中追求片刻的欢娱，像釜底游鱼般醉生梦死。结果，从甲申五月初一到乙酉五月初十，仅仅一个年头，这个政权就为清兵破灭；满族人的骑兵弓矢，结束了这班亡国君臣苟安江左的片时春梦。赵执信“深宫燕子”这首绝句，咏叹的就是这幕悲喜剧。

说是悲喜剧，也可说是闹剧。“深宫燕子弄歌喉”，“燕子”，指阮大铖的传奇《燕子笺》。这个戏写士人与妓女的遇合之情，暗寓明末东林党和阉党之间的斗争，为奸人回护张目。当明思宗吊死煤山，国破家亡之际，这个无耻文人阮大铖居然有兴致创作《燕子笺》之类描写艳情的传奇，此人心肝可以想见；位居金陵深宫的南明弘光帝朱由崧，居然有闲情逸致欣赏这样的歌舞剧，这位皇帝的昏庸也就可以概见。昏君佞臣，沆瀣一气；诗句一笔两写而侧重弘光。“粉墨尚书作部头”则专写阮大铖。他凭便言佞色足以济奸的小才，在熹宗朝依附魏忠贤，荼毒士林；思宗立，闲居十七年。在南明居然又爬上了“兵部尚书”的高位。这位“尚书”一旦复官，对弘光帝百般逢迎，不单写了《燕子笺》这个剧本，还亲率演员，组织演出(“作部头”即当戏班班主)，并亲自粉墨登场，扮演角色，自甘于“倡优所蓄，主上之所戏弄”的奴才地位。有这样的昏君，又有这样的佞臣，南明怎能不迅速灭亡？“瞥眼君臣成院本”：一眨眼，他们君臣自己也成为戏中人物。这“院本”便是孔尚任借侯李遇合，寄兴亡之痛的《桃花扇》。清兵南下，建立在金陵的南明政权覆亡。曾几何时，“眼看他起高楼，眼看他燕宾客，眼看他楼塌了”！弘光帝，阮大铖，这两个写戏、演戏、看戏的君臣，竟成了孔尚任《桃花扇》戏剧中鞭挞的丑角。这个翻天覆地的变化，发生在“瞥眼”(一眨眼)之间，这不是一幕悲喜剧吗？

诗人意犹未已，末句再重重地写一笔：“输他叔宝最风流！”这里，诗人引进了一千年前称帝金陵的另一个历史人物作对比映衬。“叔宝”即陈后主，他是建都金陵的南朝帝王中最后的一个。在所有建都金陵的国君中，他又是最荒淫的一个。他在皇宫中修建结绮、临春、望仙三座高阁，拥张丽华、孔妃于其上，寻欢作乐，并自制《玉树后庭花》等淫艳之曲，让宫女传唱为乐。他从不临朝听政。臣下奏事，例由太监转达。这个昏君把张丽华抱在膝上，与她共同处理国家大事。终于，隋将晋王杨广的大军瞬息之间攻下金陵，陈叔宝国破家亡，成了俘虏。唐代诗人刘禹锡诗“万户千门成野草，只缘一曲后庭花”（《台城》），写的就是这个昏君亡国的事。赵诗说：若论荒淫（诗中“风流”即荒淫之意），就连陈叔宝也要向这位弘光帝认输。这位南明皇帝，在这一点上，竟是后来居上了。诗的讽刺十分深刻。

上文说过，“金陵怀古”是个老诗题，在赵执信之前不知有多少著名诗人以此题写过脍炙人口的名篇，像刘禹锡“山围故国周遭在，潮打空城寂寞回”（《石头城》），韦庄“无情最是台城柳，依旧烟笼十里堤”（《台城》），杜牧“商女不知亡国恨，隔江犹唱后庭花”（《泊秦淮》），都是传诵千古的名篇。赵执信要在这个老诗题上翻出新意，是十分困难的，弄不好便落入前人窠臼。从这首诗看，赵执信果能别出机杼。这种“别出机杼”，首先体现在艺术构思上。试看诗人取材：写南明君臣醉生梦死，选用了演出《燕子笺》这个戏，写他们的可耻下场，又选用了《桃花扇》这个戏。看戏的、写戏的、演戏的人，到头来自己成了戏中人物。亡国之君，误国之臣，以喜剧始，以悲剧终，戏中套戏。这群亡国君臣既以江山社稷为儿戏，终于演出了一场“桃花扇底送江南”的大戏。诗以戏为纬，以人为经，深刻地表现了戏剧性的历史主题，这是前人名篇中不曾出现过的构思，是赵执信独辟蹊径之所在。

其次说形象。从字面看，这首小诗无一句有直观鲜明的形象；但这四句诗引发读者的联想，又句句有形象。首句有演出《燕子笺》檀板金樽的场景；次句有阮大铖粉墨登场的丑态；三句有《桃花扇》中昏君的嘴脸；四句有陈后主荒淫误国的镜头。四句诗，四个不同的场景，切换迅速，悲喜集于一炉，兴亡寄于顷刻，使这首小诗十分凝练紧凑，也是人所难及的地方。

（赖汉屏）

九　日

沈　畯*

有酒赏佳节，无烦白衣至。恐惊邻舍翁，谓是催租吏。

作者

＊沈畯，生卒年不详，字田子，江苏吴县（今苏州市吴中区）人。廪生。清诗人。

鉴赏

这首九日饮酒诗，在构思中巧妙地化用了两个著名的重阳典故，表现了诗人沈畯民胞物与的思想和对苛政如虎现实的不满情绪。

《世说新语》注引《续晋阳秋》说，东晋诗人陶渊明“九日无酒，宅边东篱下菊丛中摘（菊）盈把，坐其侧，未几，望见白衣人至，乃王宏送酒也，即便就酌，醉而后归”。此言“白衣”，乃指古代童隶所穿之衣，代送酒人。北宋诗人潘大临工诗而家贫，惠洪《冷斋夜话》载潘大临诗友谢无逸曾修书问有无新作，潘大临复信云：“秋来景物，件件是佳句，恨为俗氛所翳。昨日闲卧，闻搅林风雨声，欣然起，题其壁曰：‘满城风雨近重阳。’忽催租人至，遂败意，止此一句奉寄。”此言催租人败兴。《汉书·龚胜传》云：“闻之白衣，戒君勿言也”，注谓“白衣”乃官府公差所穿之衣。古汉语中，“白衣”一词既指童隶，又指差人，沈畯利用此词多重含义，把陶渊明与潘大临重阳故事组织起来，形成本诗奇特的构想。

诗的大意如下：佳节重阳，诗人自备薄酒邀邻舍老翁共饮，虽显得清寒一些，但自在无拘，别有一番野趣，正如老杜诗云：“肯与邻翁相对饮，隔篱呼取尽余杯。”在此兴浓之际，诗人暗自想到，此刻大可不必白衣送酒。使邻翁误以为催租吏至，败了佳节兴致。诗的前两句以“有酒”“无烦”反用陶潜九日故实,既写出了诗人九日欲畅饮之兴,又在“无须麻烦”的语气中,透露出其内心的担忧,故在佳节喜庆的气氛中,显出一层艰难时世的阴影。末二句将这阴影揭穿,说出诗人对民生多艰的感叹和对赋税严酷现实的不满。

这首五绝写的是诗人九日饮酒的心绪活动,从它可以见出诗人的人品和思想。“恐惊”二字在诗中举足轻重,由此二字,可窥见沈畯民胞物与的思想。从表面看,诗人是担心白衣送酒会惊扰邻翁,败了兴致,实际上,这很自然地透露出诗人对穷苦百姓的同情之心,老翁日日为完租一事股栗,诗人无力相助,只有希望催租吏能让老翁在佳节有一日安宁,其拳拳相顾之心可鉴别。由此二字,还可探知诗人平日的心态,平日里他对现实灾难忧心忡忡,难得舒心,本想借重阳一饮消愁解闷,正是“尘世难逢开口笑,菊花须插满头归”(杜牧《九日齐山登高》),殊不知催租吏的影子总在眼前转悠,邻翁一筹莫展的苦脸更使诗人无法忘记活生生的现实。国事至此,民生至此,怎不令诗人伤感。可以想象,这次饮酒,纵使无人惊扰,最终也只会有“举杯消愁愁更愁”的结局。

这首小诗,以其新颖巧妙的构思,化用熟典,以小见大,既深刻地反映了当时的苛政和赋毒,又表现了诗人对现实的忧虑不满,还揭示了诗人民胞物与的仁爱之心。寥寥二十字,容纳了如许内容,由此可见诗人功力。

(田耕宇)

虞　姬

吴永和*

大王真英雄，姬亦奇女子。惜哉太史公，不纪美人死！

作者

*吴永和，生卒年不详，字文璧，江苏武进(今属常州市)人。董玉苍妻。能诗。沈德潜《清诗别裁集》选其诗。

鉴赏

《史记·项羽本纪》记载：楚军被汉军围困在垓下，兵少食尽，四面楚歌。项羽在军帐中饮酒解忧。此时英雄末路，面对美人骏马，项羽百感交集，慷慨悲歌，大声唱道："力拔山兮气盖世！时不利兮骓不逝；骓不逝兮可奈何？虞兮虞兮奈若何！"项羽自歌数遍，美人和之，叱咤风云的项羽不禁感伤哭泣，流泪数行，左右诸将，莫不同哭而不能仰视。最后项羽带头突围，杀死汉兵无数。本来他是可以只身逃到江东去的，但感到无颜再见江东父老，便拔剑自刎于乌江西岸。至于虞姬的结局，司马迁不知出于何种动机没有交代。所谓"美人和之"，也不知是虞姬跟着项羽一同悲歌，还是虞姬另行创作一首来和项羽。根据《史记·高祖本纪》载刘邦唱毕《大风歌》之后，命令沛中少年一百二十人"皆和习之"推测，"和"可能只是一同歌唱。但唐张守节《史记正义》却按照后一种意思来理解。他引《楚汉春秋》说，虞美人的和歌是："汉兵已略地，四面楚歌声。大王意气尽，贱妾何聊生！"似乎结局是虞姬以死报答项羽对她的深情厚爱。从"虞兮虞兮奈若何"的感人力量来看，从项羽无牵挂的自刎来看，虞姬是极有可能在项羽自杀之前以死相报的。秦末的虞姬在如此仓促的时间内，能够脱口唱出如此成熟的五言诗来，似乎不太可能。但不管事实真相如何，霸王别姬终是一幕催人泪下的悲剧场面，使人联想起李清照的一首小诗："生当作人杰，死亦为鬼雄。于今思项羽，不肯过江东！"(《乌江》)李清照倾尽心力赞美的是项羽充满英雄色彩的死。吴永和则不同，这位女作家是江苏人，项羽则是在苏州(即江东)发迹，虞美人虽不敢肯定就是吴永和遥远年代的同乡，但吴永和的同情却不限于楚霸王，故对司马迁没有交代虞姬的死表示遗憾。诗中说："项王好一位失败的英雄！虞姬也是一位奇特的女子！可惜啊太史公，竟然不纪录美人的死！"言外之意便是虞姬具有英雄色彩，不愧于英雄项羽，值得史家多费一些笔墨。这个问题的提出，可以看做是中国古代女性主体意识觉醒的一种表现，是女性关注自我价值包括死的价值的情感流露。

（罗　漫）

晓经平江路

沈德潜*

晓经平江路，相遇逃亡民。非人亦非鬼，匍匐泥涂间。
老翁拄竹杖，老妻相牵攀。病妇布裹头，双足亦不缠。
儿女盛竹筐，其父担道边。行李芦叶席，坐卧无冬春。
十十与五五，邻里兼姻亲。问从何方来？云是衢州人。
比年遭大水，畎亩连通津。秋成乏籽粒，正课不得完。
天高官长酷，已令骨髓干。苟能免征求，岂辞行路难？
去住总一死，宁作他乡魂。闻之黯然悲，此邦亦无年。
昨者罹水灾，蔀屋少炊烟。强梁肆攫夺，礼让徒云云。
今岁滋多雨，复恐伤平田。公门贵仁恕，扑抉岂所先？
勿使怀乡民，胥效轻转迁。此意竟谁陈？气结不能言。

作者

沈德潜(1673－1769)，字确士，号归愚，江苏长洲(今苏州市)人。乾隆四年(1739)进士。官至内阁学士兼礼部侍郎。论诗主格调说，宗汉魏、盛唐。其诗亦多颂圣之辞。其选辑《古诗源》《唐诗别裁集》《明诗别裁集》《清诗别裁集》等颇有影响。有《沈归愚诗文全集》。

鉴赏

这首诗是诗人一次在清晨经过苏州某地所写。宋代之平江府，元代改为路，明清为苏州府，辖今苏州、吴县、常熟、昆山、吴江、嘉定等地。诗分三段，第一段写路途所见；第二段写因所见而问行人，由行人之口补述有关背景；第三段写因所见、所闻而有所感触。此诗通过一次在路途的耳闻目睹，反映了当时社会的一个侧面，诗人带着沉痛的感情写来，无论描述、抒情，皆极感人。

从开头至“邻里兼姻亲”为第一段，向读者展现了一幅哀鸿图。“晓经平江路，相遇逃亡民”点出时间、地点之后，由“相遇”二字引出以下文字。“逃亡民”是全诗的中心，虽系诗人一时一地所见，但却反映着一个重大的社会问题，因而以下作了详细的描述。一个“晓”字说明诗人是作为“早行人”而见到彻夜行走的灾民的。这些逃亡者披头散发、满身泥土，看上去全无人样。一个家庭的迁徙流亡，岂是容易之事。他们不顾老父、老母、病妇、幼子之困累而全家逃亡，则其家乡状况如何，可想而知。读此段以下各句，如闻叹息、呻吟、哀号之声。有的白发苍苍的老人以竹杖支撑着瘦骨嶙峋的身躯，气喘吁吁，但还搀扶着有气无力、老眼昏花、不辨南北的老妻；有的妇女头上裹布，一脸病容，由于挪步艰难，跌跌撞撞，两足早已失去了裹脚鞋袜；用竹筐担着小孩的，歇在路旁，孩子呼娘喊奶，要汤要饭；疲惫不堪的父亲汗水未揩，掉下辛酸的眼泪……这些人的全部家当，就是一对箩筐或一个包袱；或者只有一卷芦席，为全家人坐卧安息之处，风风雨雨，霜露尘埃，如何熬煎过来，又如何熬煎下去？他们或邻里，或亲戚，十十五五，成群结队，不绝于道。

这一段描写，诗人抓住了几个特写镜头，在选取题材、选取角度时，又注意到相互的照应，补充和联系，具有立体感、动态感，很能唤起人的联想与想象，读之如同亲见。

从“问从何方来”至“宁作他乡魂”为第二段，通过饥民之口，说明他们是衢州人，因连年水灾，原来的田地秋水茫茫，与渡口相通。庄稼颗粒无收，所谓“民之父母”者，不但不予赈济，反而催逼赋税，急如星火。“天高官长酷，已令骨髓干。苟能免征求，岂辞行路难？”苍天有眼，却看不到老百姓的苦难，这大约是天太高的缘故吧？就像那浩荡皇恩，老百姓常常听说，却总是得不到，百姓的切肤所受，只有官府豺狼般的吞噬和吸吮。衢州府北距平江路（苏州府）五六百里之遥，农民颠沛徙转，不怕死葬他乡，甚至抛尸道路，是因为留在家乡的悲惨景象他们看得更为逼真。第一段，通过诗人之眼向读者展现了一幅悲惨的画面，但读者对这个画面以外的情况，对造成这种状况的原因尚未能了解，因而对它的认识还是局部的、表面的，因而也是模糊的。因此，它还不能唤起读者感情的更为剧烈的冲动。第二段通过流亡的农民之口，让读者的认识由局部至于整体，由现象至于根源。明白造成这种状况的原因是旱魃（bá）肆虐、鱼龙为灾，但更主要的是“苛政猛于虎”。作品使读者由此及彼，在头脑中形成了更多的画面，想到农民可能遭受的其他种种苦难。诗人便是这样，通过读者之目，入于读者之心，深深打动读者。

第三段从“闻之黯然悲”至完，是诗人同读者进行情感交流。只用上面两段，让读者从具体描写和转述中去体会诗人之心，亦无不可，但那样写，似乎过于冷静，因而诗人又进一步通过自己的情绪来感染读者。同时，通过对这个重大社会问题的态度的表示，明确表现了自己以天下为己任的人格，从而也激发读者对劳动人民的同情和对贪官污吏的憎恨。

第三段在内容本身的表现方面，也是有所加深的。诗人将流民的想法同自己所了解的加以比较，知道他们所抱的一线希望，乃是水中之月。平江路并不比衢州府好多少。这里也同样遭了大水，穷人的草房上看不到炊烟。然而，“强梁肆攫夺，礼让徒云云”，江南礼仪之邦，变成了强掠暴取的世界，所谓“礼让”，不过是空话而已。衢州府的老百姓闻“鱼米之乡”“礼仪之邦”的虚名远路跋涉而来，其希望不是即刻要破灭吗？那么，这些人又将流转何处？还有平江路老百姓，又将流转何处？社会的一切灾难，最后的承担者都是农民，都是穷苦人民。诗的末尾对于公门的作为，有所评论。

“公门”四句以儒家思想来责备和劝导官吏。孔丘说：“已欲立而立人，已欲达而达人，能近取譬，可谓仁之方也已。”（《论语·雍也》）孔丘又提出“恕”作为一个人终生行事的准则，具体解释是：“己所不欲，勿施于人。”沈德潜此诗中所说“仁”，即孔子所谓“爱人”；所谓“恕”，即能设身处地为他人想。在阶级社会能按这些法则行事的人毕竟很少，把它作为人生信条而恪守的，那就更为罕见。孟轲使民有恒产的思想（《孟子·梁惠王上》），也包含着衣食足、免于死亡则民不轻转迁的意思在内。但孟轲仍然是视民为牛羊的，故说使其“从善”是“驱而之善”。沈德潜对老百姓的认识，自然未出孔孟思想的藩篱。不过后面这种局限性在诗中表现并不明显。由于诗人真实而生动地描述了他所见所闻，而且描写中以诗人的敏锐直觉选取了一些很能引起人联想、想象的镜头，使读者如同亲闻亲见，很有感染力。同情劳动人民，憎恨和揭露贪官污吏，这无论如何也是一种高尚的品质，一种伟大人格的表现。单就这一点说，本诗具有一种崇高美。这也就是这一首诗所以能够打动人的原因。

（赵逵夫）

天　都　峰

沈德潜

黄山天下奇，天都峰之特。绝地九百仞，陡如下斧劈。
势疑塞高空，体许镇地脉。无心拔众上，众自莫敢敌。
通体断寸肤，万石怒分拆。虬枝蟠千年，苍藓积五色。
石室开旷朗，甘泉流罅隙。或云仙人都，轩辕此游息。
浮丘与容成，飞行无留迹。斯理果不诬，长生归有德。
胡为学仙人，空闻炼金石。

鉴赏

语云："五岳归来不看山，黄山归来不看岳。"因黄山乃兼有泰山之雄伟、华山之险峻、衡山之烟云、庐山之飞泉、峨眉之清秀、雁荡山之巧石与崂山之变幻神奇也。如此胜景，领略则忘身之所在，描述则无从下笔。沈德潜遍游黄山，有《黄山游草》一卷，而《天都峰》与《下百步云梯过华沟穿鳌鱼洞》最堪传诵。

《天都峰》一诗可分三层：前八句写天都峰给人的总体感觉。第一句"黄山天下奇"，最概括地指出黄山的"奇"这个突出特点，"天都峰之特"，点出天都峰在黄山胜境中的地位。"特"字之意是突出、超绝，这里是说天都峰为黄山三十六峰中最为超绝者。以下从四个方面来写："绝地九百仞"言其高，"陡如下斧劈"言其险，"势疑塞高空"言其雄伟，"体许镇地脉"言其为东南灵秀之气所钟，无愧于此方主山。"绝地"即超出地面，"地脉"为古人所谓地的脉络，是古人在对山脉走向及横断山的地层结构等认识的基础上产生的一种概念，认为地脉关乎一方的政治、文化、人物等，一方地脉又有一主山为标志。"无心拔众上，众自莫敢敌"二句同杜甫《望岳》的"会当凌绝顶，一览众山小"一样，成了咏山脉的名句，因为它们不仅通过比较写出了所咏之山的不凡，而且表现了一种谦虚的精神、博大的胸怀和无比的信心。同时，它还蕴涵着人生的哲理，同《老子》的"上德不德，是以有德"一样，颇可耐人寻味。

天都峰为黄山三大主峰之一，海拔 1829 米，在黄山各峰中，最为奇险幻美。天开云低之时，由峰顶四望，茫茫云海之中，周围群峰只露出绿色顶巅，如海上小岛，天都峰则高浮太空之中，如“群仙所都”之地，这怎能不叫人感到造化的威力与巧智，不感到大自然的卓绝与伟大！

第二层“通体”以下六句，是作具体的描绘。上一层为宏观，此一层为微观。黄山有四绝：松、石、云、泉。云与黄山的整体雄伟气象相连，已暗含在上段的“绝地”“塞空”之中，此段“微观”镜头依次写山之体，山之衣，山之穴窍。诗人从无数奇景妙画中，选出最具特征、最能表现黄山景致的部分加以表现，而特别着意于石、松、泉的刻画。“通体断寸肤，万石怒分坼”，是说天都峰青石露体，呈奇效秀，各异情趣，“断寸肤”形容山石崩裂之状，“通体”言目之所触，在在皆是。“坼”即杜甫“吴楚东南坼”（《登岳阳楼》）之“坼”，为剖裂之意。这个“坼”字同“万石”相连，本来就造成了一个很开阔的意境，而加了一个“怒”字，更表现出悬崖危石给人的动态感觉，叫人觉得这些石头好像正在崩裂、飞迸、起伏、翻腾之中。这两句写黄山之“石”，将其形态之美与力之美生动地表现了出来。“虬枝蟠千年”，言松枝蜷曲如虬龙之状，或横伸，或倒挂，或弯曲回顾，或夭矫纠结，其错节老干，似乎经历了无数春秋。“苍藓积五色”，言覆盖青岩的苍苔，因为阴阳燥润的关系，积久而呈现五色。此两句上句写松，下句写苔，虽巨细相去悬殊，而俱为山之披戴。如果说“通体”二句是写山本身，纯写其形，则此二句是并形与色一笔绘成。天都峰顶平坦如掌，又有天然石室，可容百人，因室外奇险景致的衬托，竟叫人觉得其中十分空旷开阔。“石室开旷朗”即写此。山石裂缝中又溢出甘泉，洋洋洒洒，冲岚光而下，其色、其声、其清凉之气可使人疑为仙境。元代汪泽民的《游黄山记》中：“半壁泉飞洒巾袂，当新暑，凄然如秋”“甘泉流罅隙”正写此也。

第三层八句，由传说而及于感想。关于一座山的传说，也就是这个山的文化积累，是它的景致、历史等反映于人们心中，被不断地充实、加工，经过人们的联想、想象创造出来的。传说黄帝曾游憩于此山，又传说浮丘伯为黄帝炼丹于此，黄帝之师容成亦曾居于此山。总之，从渺茫往古，它便有着不平凡的遭遇，这才正同“天都”二字相称。同它美至奇绝的景致相称。至于是先有“天都峰”之名，后有神仙都会的种种传说，还是相反，则很难说清。仙人已经“飞行无留迹”，只有这些神话传说一直保留。诗人想：如果这些传说是真的，那便说明：长寿只归于黄帝、容成这样的有德之人。既然如此，为什么人们还要学仙而苦苦修炼呢？那些炼丹学仙的人，并没有听说哪一个成了仙啊！诗中说的“斯理”，指只有有德之人可以成仙之理。"不诬"即不假,非欺人虚语。"金、石",此指炼丹的原料。中国古代道家丹鼎派常拿了水银、硫黄等矿石加热研制各种化合物。

第三层的感想虽承接第二层对天都峰神奇美景的描绘,由"或云仙人都,轩辕此游息"四句引起,但并非随意言及。就其所表现的思想而言,实由第一层来,因为第一层是鸟瞰式的总写,便无形中表现了一个观景主体也即抒情主人公的高大形象。这个形象诗中未直接写,读者却可从诗外看出:无此高大身躯,如何能通观横空塞天的天都峰?正由于读第一层前六句已在读者心中隐隐约约出现了抒情主人公的高大形象,故读到"无心拔众上,众自莫敢敌"二句,便自然觉得它并非仅仅写山,同时也表现着人格、精神上的高尚、坚强与自信。全诗末四句表现的思想,不同此一致吗?

人们说,登山远眺可以心旷神怡,开阔胸襟。此诗所写,则同时表现了物我为一,主客相证的意念和思考,体现了一种纯正高尚的人格。因而,它不仅展现了自然美,也体现着一种崇高美,给人以哲学的启迪。

(赵逵夫)

制府来

沈德潜

客述制府始末甚详,因成乐府四解。志往事,儆后来也。

制府来,势炎赫。
上者罪监司,下者罪二千石。
属吏驱使如牛羊,千里辇重来奔忙,
鞠跽上寿登公堂。
制府赐颜色,属吏贴席眠。
破得百家产,博得制府欢。
制府之乐千万年。(一解)
扬旌旗,麾三军,制府航海清海氛。
声名所到,步步生风云。

居者阖户，行者侧足。
但称制府来，小儿不敢哭。
军中队队唱凯还，内实百货装楼船。
文武郊迎，次且不得近前。
制府之乐千万年。（二解）
制府第，神仙宅。夜光锦，披墙壁。
明月珠，饰履舄。
猫儿睛、鸦鹘石，儿童戏弄当路掷。
平头奴子珊瑚鞭，妖姬日夕舞绮筵。
赏赐百万黄金钱，天长地久雨露偏。
制府之乐千万年。（三解）
太阳照，冰山倾。
黄纸收制府，片刻不得暂停。
轺车一辆，千里无人送迎。
妇女戟手詈，童稚呼其名。
爰书定在旦夕，求为厮养，
厮养不可得。
盘水加剑请室间，从前荣盛如云烟。
制府之乐千万年。（四解）

鉴赏

本诗写两江总督噶札恶贯满盈、终于伏法自刭的事。制府是清代对总督的尊称(也称为“制台”)。

此诗原文标明有四解。“解”本是一种音乐术语，指唱完一段后所加的音乐，相当于今天的“过门儿”，后来成了乐府歌辞段落之称。诗人标明“一解”“二解”等，说明这首诗是用乐府的形式(当然乐府诗的特征主要体现在句式、结构、语言、拟题等方面)。

第一解写制府熏天的势焰。开头说：“制府来，势炎赫”，下面具体写其作威作福、无法无天、不可一世的状况。“监司”为官名，清代指督察府、州、县的高级官员。“二千石”

是汉代对郡守的通称(俸为两千石),此处借指知府。制府所到之处,上可以给监司加以罪名,下可以给州府长官找麻烦。地方官员闻风而动,运载着珍宝金银作为礼物,千里拜谒。他们鞠躬跪拜,献颂上寿,毕恭毕敬地登上公堂。制府略给他们一点好的脸色,他们心上的一块石头才会落了地。为了能求得制府的欢心,他们尽力搜刮,不知使多少人家卖儿鬻女,家破人亡。诗中"上者罪监司,下者罪二千石"两句点出了他之所以可以使地方官员千里奔忙、不敢轻怠的奥秘,而"破得百家产"一句则揭示了制府向地方官的敲诈,其灾难归根结底都落到了老百姓身上。

第二解是写制府的"政绩"。"扬旌旗,麾三军,制府航海清海氛"。这里指噶札在康熙四十九年(1710)十二月平定海盗郑尽心、郑茂、余国良等事。"声名所到,步步生风云",足见其声势之大。但他这烈烈武功的结果如何?"居者阖户,行者侧足,但称制府来,小儿不敢哭"!其贪婪、恶劣、狠毒、疯狂之程度,较之海盗,何止倍蓰(xǐ,五倍)!小儿闻之而不敢哭,可见老百姓视制府直如虎狼恶鬼。则军队之高唱凯歌,不过是制府搜刮抢劫、满载而归罢了。然而,他回到驻地之时,"文武郊迎,次且不得近前"。"次且"同趑趄(zī jū),举足不前的样子。这活画出一些官吏为了保住禄位,在上司面前奴颜婢膝、战战兢兢的样子。这一解先是从老百姓对于制府的直接感觉上写,末尾及于官吏,老百姓视为虎狼恶鬼,而官吏们视为衣食父母,不仅使得封建社会中官、民利害关系、立场观点显然易见,其感情之真伪、人格之高低亦判若泾渭。

第三解是写制府的豪奢。"制府第,神仙宅。"完全是民歌的语言。以下各句,亦采用民歌的表现手法,举轻以见重,侧面烘托,其穷奢极欲,殄害天物之程度,便昭然若揭。诗中写制府宅第,墙上挂的是夜间可以发光的锦毯,鞋上缀的是珍贵的明月珠;猫儿睛、鸦鹘石这些稀世之宝,制府家的儿童拿上在当路掷着玩儿。制府家奴才拿的马鞭,也是用珊瑚装饰的。漂亮的姬妾日夜歌舞,伴着制府华贵丰盛的宴席。因已有第一解、第二解在前,读者读至此便知那些被制府及其亲眷、孩童、奴隶视为瓦石、粪土的珍奇宝物,都是老百姓的血汗甚至性命换来的,贪官污吏为了给制府进贡一个明月珠、一个猫儿眼,不知使多少人家破人亡,呼天抢地。制府如此贪赃枉法、穷欲腐化,皇帝当时对他怎么样呢?"赏赐百万黄金钱,天长地久雨露偏"。浩荡皇恩,优渥雨露,也偏偏降在这些人的身上。人们也就只有仰天长叹。

第四解以"太阳照,冰山倾。"起兴。"黄纸收制府,片刻不得暂停"。

"黄纸"指收捕制府的诏书。黄纸一到,一切全完,制府转瞬间从天堂落到地狱,其跌落之速,使他来不及由梦中醒转。以下三句,写人们对他的态度的转变。"轺(yáo)车(一匹马驾驶的轻便车)一辆",同当年随员前呼后拥的景象相比,好不凄凉!"千里无人送迎"一句针对官吏而言。昔虽总督大人,今则槛中囚犯,避之尚且不及,谁还再去送他?以往趋之若鹜,敬若儿孙的大小官员,仅仅是不去送迎罢了。百姓的态度就完全不同:"妇女戟手詈,童稚呼其名。""戟手"即伸出中指与食指来指着,是居上临下怒斥的样子。诗人对官吏、百姓态度的描述,简练而形象。下面接着说:制府罪行的判决书在旦夕之间就要定下来,昔日气焰熏天的总督大人,此时要求做一名奴隶以保全性命也不可得。结果只能是"盘水加剑请室间。""请室",即请罪之室,指囚禁大臣的牢狱。古代国君令大臣自刭死,赐宝剑置盘水之上。盘水象征执法公平,加剑表示令其自刭。此时之制府,是否觉得以前的荣华富贵,不过是过眼烟云?所谓"地久天长雨露偏",不过是一枕黄粱;所谓"制府之乐千万年",不过是制府的白日美梦而已!

噶礼是满洲正红旗人,康熙三十八年(1699)任山西巡抚,四十八年任两江总督,四十九年负责平定海盗郑尽心等。五十一年被罢官,五十三年因谋杀亲母案诏令自尽。噶礼在就任山西时,贪污白银至数十万两,升为两江总督后,又伙同考官等于科场营私舞弊,得银数十万两,并怂恿投机商籴米外运,他坐收其利,致使米价高涨。任总督首尾仅四年,终因恶贯满盈而落得个可耻的下场。作者在诗前有一小序:"客述制府始末甚详,因成乐章四解志往事,儆后来也。""志",即记载。"儆",即警戒。诗人并未指出所写制府为何人,因为:第一,此类虐吏害民无法无天的达官贵人,不止噶礼一人;第二,此类人中受到"盘水加剑"处理是少数,而绝大多数仍然"雨露偏渥"。诗中写此,不只是要记一件往事,重要的是要警戒后人。所以,略去其名,在某种程度上也就使它脱离了具体的人事,而提升到普遍的意义上来,具有了一定的象征性。

(赵逵夫)

有　感

沈德潜

天上风雷过，人间气象新。狐群竟濡尾，象齿足焚身。
有愧文章伯，谁为社稷臣？尔曹堪一笑，回首等埃尘。

鉴赏

清王朝在康熙、雍正、乾隆三朝达于鼎盛，而迫害知识分子、钳制臣民思想的“文治”韬略与业绩，也达到登峰造极的地步。

“天上风雷过”，字面上说的是自然现象，从比喻意义上说，“风雷”可以比喻巨大的力量（如苏轼《和王斿》之一：“异时常怪谪仙人，舌有风雷笔有神。”龚自珍《己亥杂诗》之一二五：“九州生气恃风雷”），也可以比喻巨大的事变（《论语·乡党》：“迅雷风烈必变”）。此诗中因为第二句作“人间气象新”，故表面上用第一义，喻天子的英明决断和圣朝的政令威严。然而，联系下一联就可以看出，它是说天上一声巨响，便预兆人间有一场剧变，将有“濡尾”“焚身”之事发生。

“狐群竟濡尾”，语出《易·未济》：“小狐汔济，濡其尾，无攸利。”“汔”指水位降低。《正义》解释这一段话说：“小才不能济难，事同小狐，虽能渡水而无余力，必须水汔，方可涉川。未及登岸，而濡其尾。济不免濡，岂有所利！”诗中言“狐群”，这一个“群”字意味着因上层统治集团的内部矛盾和文字狱而未得善终者不是个别人。“象齿足焚身”，语出《左传·襄公二十四年》：“象有齿以焚其身，贿也。”（象遭焚身之祸因为象齿是财贿之故）后人常用以比喻因为多才或富有而致祸。这两句分开来看，上句是就尊显官宦而言，下句是就文伯名士而言。然细心揣摩全诗文意，此两句是指同一人或同一些人，它既是尊显权贵，又是文伯名士。作为“狐”，其力不足而欲挤，结果“濡尾”，这有自身的原因；作为“象”，焚身乃因其齿贵重，引起人的贪欲（它同妒害之心一样凶恶可怕），这在具有洁白珍贵双齿的大象是无可奈何之事。从诗人的用典上，可以体会到作者着重同情其具高才而得惨祸，桂折兰焚，玉碎珠埋。

“有愧文章伯，谁为社稷臣。”

"文章伯"指文坛魁首。顺着"象齿足焚身"一句的文意来看,这两句是说:"虽然身为文坛魁首,为天下文人学士所仰,而其命运不在自己手中。大臣被重用则在九天之上,打击则在十八层地狱,被怀疑则在九地之下,时有因轻言犯上、目谤心诽等罪被抄斩或削职者,则所谓'社稷之臣',所余有几?"据诗中所隐约透露,这里说的招祸者乃是既有才名,又有较高政治地位的人。有可能指的是曹寅家被籍没之事(曹寅为曹雪芹祖父,曾编刻《全唐诗》,康熙时官至通政使,久任江南织造),也可能是指明珠之事(明珠,纳喇氏,康熙时官至兵部尚书,武英殿大学士,曾力赞撤藩。康熙二十七年被革职)。诗中不能指得更明显一些,一则为避免触于文网,二则此类事在当时并非个别现象,只是这里引起诗人感触之事较为典型突出罢了。

"尔曹堪一笑,回首等埃尘。""尔曹",你们这些人。如果此诗果系因曹寅家被抄事而写,"尔曹"两字便含有双关"你们曹家"意思在内。杜甫《戏为六绝句》之二说:"尔曹身与名俱灭,不废江河万古流。"乃是痛斥那些讥笑初唐四杰的浅人。沈德潜此诗表现上虽恍惚迷离,但从第四句看,尚不至有意对致祸者用指斥语气。而含世事当变,上下无信,禄位难保等意思。

什么时代,产生什么样的诗。弦外之音,皮里阳秋,指东说西,言此意彼,这是古人在特定环境中委婉表现自己思想的一种技巧。而沈德潜的运用,似乎更为巧妙:他的诗所具有的表里两层含意,同他所处那个时代的表象同实质完全相应。只是此类诗须明眼人来读,不可皮相论之。

(赵逵夫)

夏日述感

沈德潜

旱潦频仍后,三吴风景殊。民贫轻揖让,力尽畏征输。
瘠土农皆散,平田麦已芜。吾生惭俯仰,触目总艰虞。

鉴赏

《夏日述感》组诗原共六首,"旱潦频仍后"为第一首。诗人看到往日鱼米之乡,礼仪之邦,莲红柳绿、渔歌唱晚之地,今则满目疮痍,心中激起波澜,凝为此诗。“三吴风景”四字,可以引起读者的无限美好回忆,然而,一个“殊”字引起的是完全不同的另一番景象。经过接二连三的旱、潦(lǎo,水灾)灾害,老百姓根本无力支撑官家的征赋,人们因为生存的本能需要,很自然地常常发生争夺斗殴。古人云:“衣食足则知礼义。”连肚子都吃不饱,何谈礼义文德、皇恩教化!“旱潦颇仍”,“征输”依旧,而“县官急索租,租税从何出?”(杜甫《兵车行》)背井离乡,甚至铤而走险,抗征夺仓,也就难免发生。

“瘠土农皆散,平田麦已芜。”水潦冲去地里的肥力,加之干旱交错而来,造成土地贫瘠,农民无力整治,且眼前饥荒难熬,只有四散逃命;平原之地,有些麦田因无人管理而荒芜。此联同上联从民风、民心、村庄、田野四个方面把广大苏南地区不少农村矿产、农业遭到严重破坏的情况表现了出来,虽只随意列举,但当时社会所潜伏危机之严重程度,已使人可以想见。

古人以为士须有忧民忧天下之心,而如欲申言,则文网如织。诗中虽未便明言,而悒郁、忧愁之情充满字里行间。“吾生惭俯仰,触目总艰虞”,“俯仰”犹言周旋、应付。诗人惭愧于碌碌浮生,徒事周旋,面对满目疮痍,而莫可如何。一个“惭”字把诗人当时种种情绪,俱概括在内。“总艰虞”的“总”,是说只要睁眼看,无非民生艰难困苦之状,没有一点可以使人宁静、宽慰、感到生活意趣与人生欢快的。诗的忧伤、悲愤是深沉的,它像铁板一样重重地压在心头,无法掀去。

(赵逵夫)

泊舟版闸

沈德潜

淮流清见底,爱此晚停桡。市闹知冬尽,僧闲叹客劳。
河壖儿祀灶,村店妇司庖。明日骑骡去,春风拂缊袍。

鉴赏

《淮南府志》:“满浦灞在府北门外四里,地接窑沟版闸。岁涝不常,长堤为障。”诗人所写,正是二百多年前满浦灞的景象。淮水东流入洪泽湖之后,与大运河相通。由于常常发生水灾,人们在这里筑有长堤,深深的淮水碧澄见底，平如明镜，行舟其中，真如在九天之上。“淮流清见底”，一个“清”字，写出水上景致“美”之所在。因版闸处蓄水厚，容易引起人之遐思；水停留较久，故较他处更为清澄，因而令人心醉。“爱此晚停桡（náo）”，诗人的小船容与徘徊，流连不去，至夕阳西下之时，终于决定宿于此地了。

中间两联写诗人下船在岸上所见。虽然已至下午时分，小小的集市上仍然熙熙攘攘，买者、卖者，都忙忙碌碌。从人们的脸上可以看出一个共同的想法，共同的心理，这就是：年关马上就要到来了。“市闹知冬尽”，一个“闹”字，把这个小小集镇的热闹景象和春节前夕人们的焦躁心情，生动地表现了出来，下一句不是从诗人自己眼中，而是从附近僧人的眼中，观察了人们为家中老幼吃穿而辛苦经营的情况。自然，如果没有家，也就没有累，但人总要传宗接代，不能在下一代中统统断绝消灭呀！所以，这出家人对于苦海苍生的感叹，也就侧面反映了这里老百姓的辛酸。僧人们闲着无事，可见，寺中也是香火冷落的。诗人要写这里的贫瘠，却不正面写，一从集市上的气氛来表现，一从僧人的“闲”与“叹”来反映，一侧面，一间接，看似平淡，却耐人寻味。

“河壖儿祀灶，村店妇司庖”。作者自注说：“淮上小儿祀灶，以其无过也。”“河壖（ruán）”，即河边空地。上一句点明具体时节，把春节前夕的气氛点了出来。父母兄弟们为全家人糊门及对付一年中最大的关门而去奔忙，小儿们按照大人们的安排，拿了香烛去祀灶神，以求灶君“上天言好事，下地降吉祥”。道旁村店里有妇女在浅浅的铺面里烧汤，做饭，张罗生意，以求在短短的几天腊月集市上，挣一点外地客商和过路人的钱来。儿童们自然是盼望过年的，就一般情况而言，春节前妇女也应是忙着备办全家特别是孩子们的新衣新裤、备办祝福用品和节日饮食的时候了。然而，这里的儿童、妇女却是另一种心思。如果说这是风俗，自然也是，但形成这种风俗的原因就在这里的自然状况。这里虽然靠着大运河，吃着淮河水，有时却因为旱而颗粒无收；有时呢，又被大水冲洗，弄得一无所有。农民们除了在地里经受风吹日晒之外，还得去想别的办法，才能免于饥寒。

“明日骑骡去，春风拂缊袍。”是写诗人自己的。他在版闸弃舟登陆，感到了此处的自然景色之美与人生之艰辛，于是联想及旅途中的自己：明日离此，虽然沐于春风之中，然而一裔粗丝麻的棉袍，也难御料峭春寒——虽说立春，实仍是冬季气候。这种节气上的“和暖”与实际上的凄冷、身份上的贫寒，是诗人在看到版闸附近小镇的景象之后才突出感受到的。同时，末二句是想象明日之事，纯属主观情绪的反映。此诗可谓情与景交融，达到物与我为一的境地。

（赵逵夫）

晚　晴

沈德潜

云开逗夕阳，水落穿浅土。时见叱牛翁，一犁带残雨。

鉴赏

既然题为《晚晴》，可见傍晚之前有雨。而从雨刚停住，夕阳已快下山，老农却抓紧时间犁田来看，大约有过一场春旱。总之，此诗字面以外有不少余意，读者须多加留意。

俗话道“早雨晚晴”，“云开逗夕阳”正是晚晴的景象。这时雨云渐散，夕阳的光辉便从薄云间隙出透射出来。“逗”即“漏”，但也有逗引的意思。“水落穿浅土”，可见虽然有一场雨，但还没有下透，雨水仅仅浸润了一层浅土。春旱的情形，便是从这句表现出来的。于是这一场未足的春雨，又显得弥足珍贵。那真是及时雨，救命的雨。农家是决不会白白放过这一耕种良机的，所以他们要出晚工了。

“时见叱牛翁”写的便是农夫趁此晚晴力耕的情景。“叱牛”二字，可见他们心情很迫切，嫌牛走得慢，不停地发出叱喝。但那喝声，严厉中又含有几分亲切的意味。连老农（“翁”）都出来了，青壮年自不消说。只说“时见叱牛翁”，实举隅而已。既曰“时见”，就不只一见，可见一带田园，皆已行动。最后的“一犁带残雨”是一个十分够味的特写镜头：在农夫湿漉漉的犁把上，还挂着些水珠儿，那是刚过的一场雨留下的痕迹。这画面至少包含两层意味，一以见那场雨虽没下够，但也很不小了，可以解燃眉之急，间接地表现了力耕人的喜悦心情；一以见正是农忙时节，这犁早就放在田地里，这才能淋上雨，间接地反映了农家紧张、勤劳的生产活动。而作者本人关心民情和喜雨悯农的思想情感，也通过画面，无声地流露出来。

（周啸天）

过许州

沈德潜

到处陂塘决决流，垂杨百里罨平畴。
行人便觉须眉绿，一路蝉声过许州。

鉴赏

这是作者过许州(今河南许昌)郊外即景抒情之作。画龙点睛的是一个“绿”字。虽然它只出现在第三句，但一、二句中已先具其意：“到处陂塘决决流，垂杨百里罨平畴。”从“垂杨百里”和“一路蝉声”的描写看，时间可能是初夏。到处的池塘都在溢水，可见是雨后。“决决”是流水声(卢纶《山店》“登登山路行时尽，决决溪泉到处闻”)。虽只写水声，但碧波荡漾之景如见，写出水绿。“平畴”即田坝，陶潜有“平畴交远风，良苗亦怀新”之句，它给人的感觉也是绿的。而阡陌之间垂杨成行，披拂掩映，更见得平野之绿。“到处”和“百里”，又从空间上展示出那“绿”的范围之大，可谓触目皆是，整个许州城外的初夏景色便以绿色为基调。

“行人便觉须眉绿”这句以新奇的感受，一下子抓住读者，使人觉得比王安石“春风又绿江南岸”的名句还要耐味。对王安石的那个名句，钱钟书先生评论说：“这句也是王安石讲究修辞的有名例子。据说他在草稿上改了十几次，才选定这个‘绿’字；最初是‘到’字，改为‘过’字，又改为‘入’字，又改为‘满’字等等(洪迈《容斋随笔》卷八)。但是‘绿’字这种用法在唐诗中早见而亦屡见，如丘为《题农父庐舍》：‘东风何时至，已绿湖上山’等。于是又发生了一连串的问题：王安石的反复修改是忘记了唐人的诗句而白费心力呢？还是明知道这些诗句而有心立异呢？他的选定‘绿’字是跟唐人暗合呢？是最后想起了唐人诗句而欣然沿用呢？还是自觉不能出奇制胜，终于向唐人认输呢？”(《宋诗选注》，有删节)此外，无论“又绿江南岸”还是“已绿湖上山”，都还是描写的视觉感受。而沈德潜的“行人便觉须眉绿”却又跳越一级，描写的是由那个视觉感受而引起的心理感觉。因为事实上须眉是黑色的，染也染不绿，映也映不绿。但行人在一片绿色(这是一种视感最舒适的颜色)的川原中走,心里充满绿色的快意,于是感觉到自己的身心与这片绿色融为一体,从而便有“须眉绿”的主观感觉发生(“便觉”)。它实际上表现的不是颜色,而是快感。所以对上述唐宋诗句有所出新。

于是最后一句也就水到渠成:“一路蝉声过许州。”它传达的也是快意的感觉,而且是前句快感的一种延续。许州地界那样宽,要走过还真不容易。然而作者一路上看水看树,心情舒畅,又有蝉声相送,颇不寂寞,所以觉得很快就走过来了。这“蝉”是蜕壳不久的新蝉,而非秋季的寒蝉,故其声音并不凄厉。即使是很凄厉的声音,只要人的主观上很愉快,感觉也就有所不同。如李白《下江陵》:“两岸猿声啼不住,轻舟已过万重山。”这一路猿声不但不使人掉泪,反倒衬托出诗人在轻舟中的愉悦之感。就此而言,“一路蝉声过许州”亦有异曲同工之妙。

(周啸天)

都下送同里陆实君往楚中

许廷镠*

北上同为客，南还不到家。三年留冀北，十月下长沙。

作者

*许廷镠，字子逊，江苏长洲(今苏州市)人。康熙五十九年(1720)举人，官福建武平知县。有政绩。晚居长洲郭外之陈墓河边，与沈德潜、王昶等往来。工诗，五律、七律尤佳。著有《竹素园集》。

鉴赏

这是一首客中送别诗，全诗采用对句分写之笔，通过对送、别双方境遇的叙述，抒写了作者送别时的情感活动，语言平浅而诗意简妙，深得绝句创作三昧。

诗中的"冀北"同题中的"都下"，专指清皇都北京。"同里"，犹言同乡，指作者与陆实的故乡苏州。诗的首句交代作者与陆实的关系既是同乡，亦复同道，且是同往京师求仕之伴。次句写陆实将离京南下。第三句叙述别后诗人的行迹；与友人在京三载为客之后，将继续滞留在此。诗的最后一句，在别者行踪上作结，"十月下长沙"明确写出别离时间和别者将去之处。诗的一、三句呼应，二、四句遥承，既使叙事连贯，又显出变化，深得断续之妙。

论者谓许廷镠诗风绮丽工切，然此诗却一反作者平素风格，写得朴实无华，初读似觉平淡无味，然细心推敲，便知话中有情，反复吟诵，渐渐感到此诗语意简妙。诗的一、三句说作者三年前去京师求任，三年后仍将淹流京师，看不出丝毫情绪，但作者写陆实在京三载后，"南还不到家"而"下长沙"，这两句就隐隐透露出二人在仕途上"俱是不如人"的悲愤。试想陆实之往长沙，如是谋得一官半职，则送别话中，必将写其春风得意之状，或将有诗人庆贺之意。古人有“衣锦还乡”“走马上任”之说，陆实南还而不到家，说明其往长沙，亦不过依人篱下而已，那么在这三年中，二人在京师求仕失意的境遇也就显见了。查为仁曾评许廷鑅诗“善学少陵，一时传诵”。说到杜甫，不难让人想到其在京师求仕的辛酸之状：“骑驴十三载，旅食京华春。朝扣富儿门，暮随肥马尘。残杯与冷炙，到处潜悲辛。”(《奉赠韦左丞丈二十二韵》)这几句诗写尽了杜甫失意京华的悲辛。这首送别诗之妙，确在“善学”杜诗，许廷鑅没有步步规矩于前人，优孟衣冠，他在叙述自己与杜甫相近的遭遇时，以简笔映衬之法，以陆实的不得意，暗写自己的失意，从陆实的遭遇中，倾诉自己的悲愤辛酸。他用含蓄精简之笔表达杜甫那种纵横铺张，直抒胸臆之情，其效果虽难与杜诗比肩，但与当时学杜诗者相比，其成功亦是显见的。

绝句贵含蓄，要在二十字中表现自己与朋友“俱是不如人”的失意悲愤，以及“同是天涯沦落人”的相惜之情，又要避免质实无味，实是难事。如果诗人絮絮叨叨地述说二人的遭遇、二人的别情，这样一首小诗，是断然容纳不下这许多内容的。而绝句体裁不容许铺张费辞，况且，表达这种失意之情的佳作原本不少，纵然费辞亦难讨好，故许廷鑅于此出之以简妙之笔，含蓄为诗，意在诗外，收到出人意料的效果。后之为绝句者，或许能从此诗创作中获得些许经验吧。

（田耕宇）

彭城道中

黄　任*

天子依然归故乡，大风歌罢转苍茫。
当时何不怜功狗，留取韩彭守四方？

作者

*黄任(1683－1678)，字莘田，号十砚老人，福建永福(今永泰)人。康熙四十一年(1702)举人，官广东四会知县。工诗。有《秋江集》。

鉴赏

咏史诗贵在有新颖独到的史识，也就是要求作者善于艺术地从人们熟悉的史实中发现新的认识意义。《彭城道中》是诗人赴江苏徐州途中所作，彭城即徐州，在秦末楚汉战争中，是项羽的都城，邻近刘邦故乡沛县丰邑(今江苏丰县)。此诗敏锐地捕捉到刘邦在杀戮功臣之后，又渴望拥有“猛士”的矛盾，讥讽他并不是一个全面的胜利者，为史家所未道。

公元前195年10月，汉高祖刘邦在武装平息淮阴侯韩信、梁王彭越，并击败淮南王英布的“谋反叛乱”之后，挟天子之势、大胜之威，回归故乡沛县。“依然”，跟从前一样，指刘邦泗上起义之后，在转战四方及“平叛”过程中安然无恙。“依然”看似平淡，实则大有深意在：楚汉相争，历经多少艰难；天下方定，又逢诸侯“乱”起，刘邦能够安然回乡，难道不是来之非易吗？试想当年项羽在火烧秦都咸阳之后，也曾一度“思欲东归”，并且认为“富贵不归故乡，如衣绣夜行，谁知之者？”(《史记·项羽本纪》)但终于没有如愿以偿。项羽想得到的天下被刘邦得到了。项羽想衣锦还乡的美梦被刘邦变为现实了。起笔所描述的，正是处在得意顶峰的刘邦。

《史记·高祖本纪》云：“高祖还归，过沛，留。置酒沛宫，悉召故人父老子弟纵酒,发沛中儿得百二十人,教之歌。酒酣,高祖击筑,自为歌诗曰:‘大风起兮云飞扬,威加海内兮归故乡。安得猛士兮守四方!’令儿皆和习之。高祖乃起舞,慷慨伤怀,泣数行下。”刘邦在故乡置酒招待父老乡亲,自称已经“威加海内”,但又顿感“威加海内”的同时,四方国土已无“猛士”戍守,不禁乐极生悲,从得意的情绪顶峰转入了苍凉、迷茫的心境,慷慨伤怀而起舞而泣下。这和项羽垓下被围之际,唱罢“力拔山兮气盖世”之后也起舞、悲泣,何其相似乃尔!历史的胜利者和失败者竟有如此相似的心境与表现,实在值得深深玩味。

《史记·萧相国世家》载刘邦封赏功臣时以打猎为喻说:“大猎,追杀兽兔者,狗也;而发踪指示兽处者,人也。今诸君徒能得走兽耳,功狗也;至如萧何,发踪指示,功人也。”刘邦曾以“谋反”的罪名杀害韩信与彭越。据《史记·高祖本纪》载,刘邦将张良、萧何、韩信三人并称“人杰”,认为三人是自己取得天下的主要依靠力量。对于韩信,他说“连百万之军,战必胜,攻必取,吾不如韩信”,所以三人中只有韩信有资格称为“猛士”。如此“猛士”,刘邦却把他像“功狗”一样地给宰了,他又到哪里去寻找真正的“猛士”呢?何以当初不留下“韩彭”这样的“功狗”,让他们戍守四方呢?清代诗选家、诗评家沈德潜非常赞赏这首咏史诗对刘邦矛盾心理的揭露,他在《清诗别裁集》中说:“泗上亭长,将何以答?”

诗人抓住刘邦喜极悲来、歌终泪落这一极富人情味的细节,将一个铁腕人物的残暴与空虚刻画于纸上。

(罗　漫)

秦　淮

黄　任

露凉江月初弦魄,风动秦淮正顶潮。
春水方生君早去,更无人倚木兰桡。

鉴赏

古人的水路送别,往往多在薄暮或初夜。白居易《琵琶行》云:“浔阳江头夜送客……别时茫茫江浸月。”柳永《雨霖铃》云:“对长亭晚……兰舟催发……念去去千里烟波,暮霭沉沉楚天阔。"《秦淮》是一首月下江边送别诗,离别之情有机地融入了秦淮夜景之中。

"露凉江月初弦魄",这是从大的时空角度来描绘送别的背景。夜露渐渐加重,透出浸人的凉意,上弦的江月发出朦胧的微光。"风动秦淮正顶潮",夜风从上流沿河吹下,翻卷的风浪正和从下流向上涌动的夜潮逆向而动,互相顶撞。写景中暗示友人此行风波险恶,舟船颠簸。这里的"潮"指夜潮。刘禹锡《金陵怀古》云:"潮满冶城渚,日斜征虏亭。"又《石头城》云:"潮打空城寂寞回……淮水东边旧时月。"可见"露凉江月初弦魄,风动秦淮正顶潮",正是写"海上明月共潮生"之景。

"春水方生君早去",《三国志注》引《吴历》说,孙权给曹操写信,中云:"春水方生,君宜欲去。"这里借春水指上涌的春潮。夜间行船,又遇风浪,只得打破惯例,不再以饯行话别之类的活动耽搁起程的时间,须抢在风潮之前快点离去,以便平安到达目的地。诗人关切之情溢于言表。

"更无人倚木兰桡",友人未走,诗人催促"春水方生君早去";友人既走,诗人又顿觉空虚落寞。这夜、这风、这潮、这微暗的初弦的月光,友人不能到船舱之外挥手致意,更增添了送行者的伤感。"木兰"是树名,"木兰桡"是对船桨的传统美称。

此诗纯写眼前之景,心中之情,自然朴素,真切感人。用典又浑然无迹,用古人之语如己出。尤其是后两句的感情跌宕,更使人感到余味无穷。

(罗 漫)

感春口号

金 农*

春光门外半惊过,杏靥桃绯可奈何!
莫怪撩衣懒轻出,满山荆棘较花多。

作者

*金农(1687－1764),字寿门,号冬心,又号司农,浙江钱塘(今杭州市)人。乾隆元年(1736)举博学鸿词,不就。工书画,好游山水,足迹半天下。亦工诗。有《冬心先生集》。

鉴赏

从题目和内容看,这首诗是有感于春光而随口吟成的咏怀之作,表达了诗人与世不合的人生态度,抒发了对险恶的现实生活环境极端不平的牢骚和愤慨。

"春光门外半惊过"系"门外春光惊过半"的倒装。春天是一年中最敏锐、最美好的秀节,春风春雨、春草春花、流莺戏蝶、绿水青山……充满生机的大自然是多么的富有,多么逗人喜爱呀!但诗人却错过了大好春光,这是为什么呢?"门外"云云,暗示他不曾出门。"杏靥桃绯"承"春光"而来,是对"春光"的概括描绘。"靥(yè)",本指人(特别是女性)面颊上的酒窝,后来也指妇女涂于颊上的妆饰物(如宋人高承《事物纪原》载:"远世妇人妆喜作粉靥,如月形、如钱样,又或以朱若燕脂点者,唐人亦尚之"),这里指代花瓣。"杏靥桃绯"写的是乐景,"可奈何"三字忽作反跌,与首句的"惊"字相呼应继写哀情,出语极沉痛。尽管门外花枝繁茂,煞是热闹,可自己却因心怀惊惧,不敢前去观览欣赏,这是何等的不幸啊!字里行间流露出诗人无限惋惜之情,而读者于这文字的背后,却能触摸到诗人那颗惴惴不安的心灵。

读了前两句，人们不禁要问：诗人何以如此这般呢？三、四两句用“莫怪”一转，含蓄委婉地揭示出自己不能，也不愿观花的缘由。“莫怪撩衣懒轻出，满山荆棘较花多”。诗人向人们解释道：不要责怪我懒得出门，你瞧，那满山遍野的荆棘比花还多呢！显然，“荆棘”在这里暗喻社会上的邪恶势力，而“满山”则意味着邪恶势力之大。一个社会如果纵任邪恶势力滋生蔓延，那么正直之士就会举步维艰，动辄得咎。诗人正是生活在这样一种险恶的社会环境中。为了远祸，就得避身，于是诗人索性闭户不出了。

从风格上看，这首诗颇似阮籍那些“言在耳目之际，情寄八荒之表”（钟嵘《诗品》）的《咏怀》诗，长于比兴，善用微词，委婉含蓄，耐人寻味。从写作技巧上看，诗中采用了欲抑先扬，反映对衬，以形象描绘代替直接议论等多种表达手法，形成了迂曲婉转，开阖多变，一波三折的结构特点。诗人细微的内心活动和深沉的思想感情，借助这种结构特点得到恰如其分的表现。一首短诗能做到这两点，没有一定的艺术功力是办不到的。

（杨希武）

过小孤山

金　农

古县萧条对岸开，大江行色榜人催。
水风多处轻抬眼，浮出青山似覆杯。

鉴赏

“小孤山”，俗名髻山，兀立于江西彭泽、安徽宿松两县之间的长江中，山势峭拔，风光殊佳，恰似一柱直插天半，有所谓“吴楚雄关此第一”（清陈大章《登小孤山》）的称誉。由于语音讹转，又叫小姑山。

诗中没有直接抒情的言词，但断不可由此得出纯然写景的结论。融情入景，本是古人作诗的惯用手法，此诗亦不例外。且看首句：“古县萧条对岸开。”“古县”即指江南之彭泽县和江北之宿松县，两县夹江对峙，故曰“对岸开”。就写景来说，可谓笔带崚嶒之势。要见抒情，则须细心体味。“县”前着一“古”字，后边饰以“萧条”，绝非等闲之词。

宿松县是汉初设立的皖县所在地(隋时改名宿松),彭泽县置于西汉高帝时。按说悠久的历史,应给两县带来繁荣才是,可当作者舟行至此,即目所见的竟是一派“萧条”景象,这同它们的“身份”未免太不相称了。不难看出,写景中隐含着作者吊古伤今的况味。既然两岸“萧条”而不堪入目,那就一任“榜人”(即船夫)努力摇橹,催促行程吧!经历过长途旅行的人,大概都有一种共同体验:沿途的景色倘若单调划一,便极易产生烦闷疲倦之感。长途旅行的作者,耳目之际老是“榜人催”赶之行色,恐怕也会恹恹欲睡的。次句背后所蕴涵的正是作者目无所适,意无所兴的倦怠情绪。正当作者闷闷不乐之时,他忽然发现船舷边风大了,流也疾了,不经意地一抬眼,只见波涛翻涌的前方,“浮出”了一座苍翠的“青山”,哦,原来那就是声名远扬的小孤山!你看它,多像一只倒扣着漂浮在江面上的绿色酒杯呀!读者在这描山摹水的诗句中,难道感受不出作者那澎湃不已的兴奋、欣喜之情么?由于诗中隐藏着作者亦忧亦喜的情感波澜,才使诗句于流走中见出起伏变化,而读者也才能因之受到感染,读至结句时,便会不由自主地同作者一起惊呼,一起赞叹了。

金农作诗,态度是非常认真的,曾自言甘苦道:“钟声断处攒眉想,日影趖(suō,指太阳跌落)时拥鼻吟。只字也须辛苦得,恒河沙里觅钩金。”(《冬心集》卷四《新编拙诗四卷手自抄录付女儿收藏,杂题五首》其二)这首诗也以炼字见长。如首句的“开”字,状两县夹江对峙的形势,就极有气魄,力量与李白“天门中断楚江开”之“开”字均敌。次句不说“长江”,而说“大江”,与“对岸开”呼应,见出江面之宽阔。在天气正常的情况下,江面宽阔则风平浪静,便于逆水行舟,于是才有船夫借此良机,用力荡桨,催促行程的景象。“催”字虽然下得较空灵,但读者不难想象出一叶小舟,疾飞江上的动态画面。用“多”形容风,也很准确。小孤山屹立江中,形成峡口。峡口易风,而风又不十分猛烈,故着一“多”字。结句的“浮”字,提炼得更是举重若轻,妙趣横生,既写出了作者“轻抬眼”时的意外发现,也化静为动,写出了“青山”似乎迎面漂流而来的真实感受。可谓“一字落下,境界全出”。当然,这里的“青山”与首句的“萧条”所产生的对衬效果,那又当归之于作者的艺术匠心了。

金农是清中叶著名的“扬州八怪”之一,他不光书、画能独创风格,自成一家,诗亦如此。这首《过小孤山》就颇有几分怪趣。

(杨希武)

大　洋

黄子云*

不觉舟如叶，随风入窅冥。潮来天宇白，日照海门青。
孤屿遥相认，危樯觉有灵。中流抚身世，万里一浮萍。

作者

*黄子云(1691－1754)，字士龙，江苏昆山人。早年诗作刻意为工，晚年稍颓放。有《野鸿诗稿》。

鉴赏

这首诗是黄子云随清朝册封使者入琉球(今台湾)时所作，写空阔壮美的大洋景色和海行感受。发端二句劈空而来，恰似异峰突起，高山坠石，形成劲捷冲荡的气势，笼罩全篇。挂帆起航时，风遂人意，不知不觉中船已像一片秋叶驶进大海深处。"不觉"而"入窅冥"，以感觉中时间的短暂和事实上船已远离海岸，暗示出风大船轻，行进速度极快。"窅(yǎo)冥"，深远貌，此指大海深处。

起笔不凡，令人称快，三、四句更是全诗精华所在，直令人警绝了。"潮来天宇白，日照海门青。"朝前看，汹涌澎湃的潮头一浪高过一浪，迎面奔啸而来，海天之间白茫茫一片；往后看，越来越远的海门(河流入海处)在日光的照耀下，愈发显得青苍惹眼。这两句，"潮来"取动态，"日照"取静态，动静互衬，相得益彰。"天宇""海门"，空间纵横交错，上下四方囊括无余。"白""青"二字，锤炼妥帖，似不费力，却能呈现出对比强烈的视觉色彩。寥寥数笔，就把大海特有的雄奇风光十分传神地描绘出来了。既不夸张，亦不渲染，惟用白描，只求简淡，而笔下的境界竟是那样地浩瀚开阔，雄浑壮美，那样地摇人心旌，动人心魄！看来这不仅仅取决于艺术功力，更重要的是一个生活体验问题。

检点古代诗歌，描写海景的作品难以计数，但真正能摄大海之魂，表现大海独特风貌的佳制并不多见。为什么呢？最主要的原因恐怕是没有谁实实在在地置身于大海之中，去感受大海，了解大海，向大海索取创作灵感和诗句。仅靠隔岸观望的肤浅印象或凭空设想而去表现大海，作出的诗总让人觉得搔不到痒处。黄子云有过漂洋过海的生活经历，见过大海波澜壮阔的景象，加之有比较深厚的艺术功力，因而才写出了前人不曾写出的意境。所谓“境奇诗安得不奇”（沈德潜《清诗别裁集》），“身之所历，目之所见，是铁门限”（王夫之《姜斋诗话》），说的正是这个道理。

船在茫茫无垠的大海中行进，四面空阔，除了水便是天，别的什么也看不到。突然，前方极遥远的海平面上，出现了一座孤岛，一下子吸引住了诗人的视线。他仔细地辨认着，揣测着——那大概就是目的地吧？一个“认”字把诗人专注的神态和惊喜的心情全盘托出。当他收回目光，看着眼前那高高的桅杆，忽上忽下，出没于浪尖波谷时，一种异样的感受油然而出，觉得好像有神灵在暗中护佑着这只“如叶”小舟，安全地驶向目的地。其实，这是诗人经历了千难万险，遥见“孤屿”之后暗自庆幸心理的形象表露。

诗的前六句奇思百出，一气浑涵，末二句忽作一转，即景生情，抒发游子飘零之慨。“中流抚身世，万里一浮萍”。从全诗看，这两句似与前六句气韵不大谐调，但是若设身处地地站在诗人的角度着想，就不难理解一个横渡大洋，漂流海上之人其时其刻的复杂心情。再说黄子云少负俊才，老大无成，此番随使入琉球，依然布衣未脱，面对这汪洋大海，渺渺孤舟，抚叹身世，产生出万里浮萍之感，自是情理中事。就章法而言，以转作结，戛然而止，平添猛截奔马之效。由于收拢得住，使得急流回溯，破堤而溢，更突出了前六句的壮浪气势，可见这两句诗不但感慨深沉，章法上亦有妙处。

黄子云的诗有前后期之分，前期诗殚精竭虑，沉着朗炼，长于白描，沈德潜谓之“无一语平庸，无一字轻浮，真堪压倒元、白”（《清诗别裁集》），评价极高。后期诗趋于颓放，前后如出二手。这大概与其仕途不遇的苦闷心情有关。《大洋》是黄子云的前期作品，在一定程度上能反映出他早年的诗风与特点。

（杨希武）

望潼关

峻德*

立马风陵望汉关，三峰高出白云间。
西来一曲昆仑水，划断中条太华山。

作者

*峻德，生卒年不详，字克明，一字填斋，满洲人。乾隆中举博学鸿词。有《云簃藏稿》《使秦集》。

鉴赏

峻德，在乾隆时举博学鸿词，曾奉命使秦(今陕西省)。此诗大概就是写于使秦途中，写诗人立马黄河风陵渡口，遥望关中山河的所见所感。

关中八百里秦川素来号称形胜之地，它拥崤函之固、雍州之地，故古人用"百二秦关"(意即秦地险固，二万人可挡百万大军)来称呼它，因此要写关中山河就离不开它的险峻。诗人是抓住了这一点的，开篇就用"立马风陵"(风陵渡，在今山西芮城县西南)来写出关中山河对他的引力：骑马昼夜兼程来到风陵渡口，扑入眼帘的是九折十八回的黄河和隔河可见的巍峨秦地关隘，盼望了多日的目的地终于就要到了，他止不住心中的惊喜而止住了马的前行，抬起头来遥望关中的山河。"望汉关"就是望潼关，潼关在汉以前称华阳，秦以前称桃林之塞，是陕西、山西、河南三省的要冲，历代皆为军事重镇。一个"汉关"，十分自然地唤起读者的一种深沉的历史感受。接下来，"三峰高出白云间"一句，将读者的这种感受更引向深入。"三峰"即华山三峰，这里代指华山。华山，是中国五岳中的"西岳"，素以高大险峻著称。写华山从何落笔？诗人在此只抓住其高大的特征进行描绘，说它高出白云，这是夸张，然而又并非夸张，华山确实很高，且加上诗人是隔河远眺，山峰高插入云，白云缭绕山间，这是每个望山观景的人都有的经验，所以这又是一种实实在在的景象。读这一句，我们还会引起一些联想：秦始皇灭六国而统一天下之后，曾经凭借黄河华山天险，“践华为城，因河为池，据亿丈之城，临不测之溪以为固”，妄图做他万世之皇帝梦。自秦以后，历代封建帝王差不多都选中这里为帝都，无一不是看中了它的险要。然而，险不足恃。秦据崤函，终不免轵道之灾；唐守潼关，仍难逃安史之乱；马超占西凉，亦被曹操大破于潼关……潼关，不知经历了多少历史的风雨沧桑，也不知看过了多少改朝换代！因此，读过两句诗，不单单是领略到一种高大雄壮的景物之美，更重要的是能唤起我们一种深沉悲壮的历史美感。眼前的自然景物似乎反倒退居其后，看似写景，怀古咏史之意尽在不言之中。

后两句写黄河。李白云：“黄河落天走东海，万里写入胸怀间”；“君不见黄河之水天上来，奔流到海不复回”，乃着眼于它那奔腾咆哮，一往无前的气势。诗人笔下的黄河，则没有重蹈前人的窠臼，却以另外的面貌呈现在读者的面前。《尔雅》有“河出昆仑”的说法，昆仑是古代传说中的“神山”，说黄河是“昆仑水”，自然就带有一点神话色彩。正因为如此，它就具有一种鬼斧神工的超自然力，能够将大山一分为二变成眼前河东岸的中条山和河西岸的太华山，一个“划断”，显得是那么轻而易举，那么毫不费力，它既十分夸张地写出了大自然的神力，表现出中华民族母亲河的雄伟气魄，也十分准确形象地描绘出两山隔河对峙、壁立陡峭的姿态。

这首诗写了华山的高峻和黄河的气魄，赞美了祖国关中山河的雄奇峻伟。诗人生当清代康乾盛世，这是一个生气蓬勃，各方面都很有作为的时代，江山一统，八方共域，黄河那种“划断中条太华山”的气魄，也可以说正是处在上升时期的封建统治者那种奋发向上的气魄，抑或是说诗人自己那种希望建功立业的气魄。全诗气韵沉雄，出语豪壮，有如挺拔华山居高临下，犹若滔滔黄河自天而降，飞花溅玉，掷地有声，是一首写黄河的好诗。

（蒋先伟）

杭州半山看桃

马曰璐*

山光焰焰映明霞,燕子低飞掠酒家。
红影到溪流不去,始知春水恋桃花。

作者

*马曰璐,生卒年不详,字佩兮,号南斋,安徽祁门人,家居扬州。国子监生,候选知州。清诗人。与兄曰琯同以诗名。有《南斋集》。

鉴赏

这首诗描绘的是杭州半山(今杭州市东北郊)桃花盛开的绚烂景色。古人写桃花,名篇佳什不少,《诗经·周南》中的《桃夭》一诗首创以桃花写婚姻爱情。历代诗人写桃花,最脍炙人口的有两首,都是唐人所作。"山桃红花满上头,蜀江春水拍山流。花红易衰似郎意,水流无限似侬愁。"(刘禹锡《竹枝词》)"去年今日此门中,人面桃花相映红。人面不知何处去,桃花依旧笑春风。"(崔护《题都城南庄》)这两首诗都以桃花写爱情的失落,传达出一种哀怨和怅惘的情绪,后人读此,总免不掉一番深长的喟叹和沉重的压抑。

马曰璐的这首桃花诗,以情写景,仍关合以桃花写爱情这个古老的主题,只是他反刘、崔二人之意而用之,颇具新意。诗人在诗中用一种"隐喻"的修辞手法,以溪水流不去桃花的倒影,写出桃花与溪水如人儿心心相恋,不忍分离,表达了生活在封建社会里的青年男女对婚姻爱情的寄托和向往。

诗以写景开篇,前三句紧扣诗题写了"半山看桃"。首句概括描写了桃花开放的盛况,用"青"写山之色,用"明"绘霞之艳,用"焰焰"状桃之鲜。特别是"焰焰"一词,改《诗经》"夭夭"之语，更能展现桃花盛开时像火焰燃烧那种艳红的色彩。这里青山、桃花、明霞组成一个画面，青山的光彩、桃花的色泽、霞光的明丽融而为一，互相映照，把一个杭州半山写得流光溢彩，十分的妍冶多姿。这一句既描绘了桃花之可爱，又为下一句作好铺垫。正因为有如是一片美丽的桃林，故而引来蜂忙蝶乱，莺歌燕舞。万花丛中，青山道口，一椽茅舍，几竿修竹，满泓清溪，燕子轻轻飞去又飞来，似乎翅膀都碰到了茅舍前的酒帘，一个"低飞"，十分传神地写出燕子赶趁春光的神态，给上面静止的画面平添了一番生气。以上两句，动静结合，总写了杭州半山看桃的情景，写桃花而加上燕子、酒家等景物的描写，使得整个画面活泼而不呆板，把一切山光物态在春天里所呈现出来的风姿都生动地描绘了出来。诗的第三句是一幅流水特写：酒家门前碧绿的溪水正汩汩流淌，溪边一片桃林，落英（刚开的桃花）缤纷，倒映清溪。尽管水波在不停地流去，然而桃花的影子却始终停留于水中。这本来是一个普通的画面，可诗人在此却把它放大，特地著上一笔，并从中捕捉到其不寻常的意蕴。从来的诗人写到花与流水的关系，总要牵惹起一番"落花有意，流水无情"的感伤，诸如"流水落花春去也"（李煜《浪淘沙》），"桃花流水杳然去"（李白《山中问答》）等等，可是诗人在眼前的物象中却悟出了新意——"始知春水恋桃花"。一个"始知"，推翻了从前的一切感伤情绪，生发出令人喜悦，既有理趣而又富情趣的议论。在诗人眼中，桃花的倒影之所以"流不去"，并非是流水无力，而是它对桃花怀有一种深深的眷恋之情，这种恋情，具有抗拒任何外力的作用。在这里，我们把"流不去"这种外力理解成封建礼教、封建宗法制度对男女青年爱情的摧残和阻挠亦未尝不可。

流水本是无情物。在这首诗里它却有了人的性格，人的感情，这是诗人把它人格化了。很明显，这是作为诗中抒情主体的诗人自己的性格和感情。在诗里，诗人是在借物写人，融情于景，这样就使全诗达到了物我合一的境界，所谓"不知何者为我，不知何者为物"，此诗是之也。

（蒋先伟）

进　峡

张衍懿*

峡自夷陵束，江从白帝悬。
两岸如剑立，百丈入云牵。
石出疑无路，云开别有天。
往来频涉险，千里正茫然。

作者

* 张衍懿，生卒年不详，字庆余，江南太仓人。

鉴赏

诗人，都力图用文字在平面上创造出一个具有立体感和雕塑感的艺术世界，《进峡》一诗，就具有这种效果。

中国的诗与画历来有着互相取资的传统，相通之处颇多。中国诗和画的特点之一，就是对时空处理的灵活性。这种灵活性，主要表现在以“移动透视法”（或称“散点透视法”“跑马透视法”“多重透视法”）来处理时间形象与空间形象。西洋画所遵奉的“焦点透视”，画面上只能有一个固定的视点，不能随意移动。而散点透视法的视点，则是不固定的，可以上下左右前后自由移动。换言之，一首诗或一幅画所描绘的景物，都似乎能随着读者（观众）视点的移动而移动。同时，诗人和画家在运用散点透视处理空间关系之时，还与所谓“三远”——高远（仰视）、深远（俯视）、平远（平视）结合起来。宋代山水画家郭熙在《林泉高致》中说：“山有三远，自山下而仰山巅，谓之高远；自山前而窥山后，谓之深远；自近山而望远山，谓之平远。”这一理论既是前人诗画艺术的总结，对后世的诗画创作也有深远的影响。李白的《送孟浩然之广陵》有如一幅横卷，景物由小而大，由近而远，这是一致倾向的散点透视法。“一滩复一滩，一滩高一丈。三百六十滩，新安在天上。”清代诗人黄景仁的《新安滩》好似一帧立轴，用仰视的角度，景物由低而高，由下而上，也是一致倾向的散点透视法。而这首《进峡》，则以倾向不一致的散点透视法结构而成。

“峡自夷陵束，江从白帝悬。”《进峡》首联即从“峡”与“江”落笔。“夷陵”即今之宜昌，为西陵峡之入口处。第一句为平视的近景。白帝城高，下临瞿塘峡，大江浩荡东去。第二句是平远之景。总之，首联由东而西，构成了长江三峡长卷图的轮廓画。颔联与颈联则从由低至高的仰视角度来写，但其中又有变化。“两岸如剑立”，分写左右群山之险峻；“百丈入云牵”，集中描绘纤夫拉纤之艰难；“石出疑无路”，写江流之狭，紧扣开篇的“束”字；“云开别有天”，表地势之高，照应前面的“悬”字。这两联是高远之景，颇具开启的层次和纵深感。结联以“往来”“千里”收束，从首尾与平面完成了长江三峡长卷的最后一笔。这首诗，运用了倾向不一致的散点透视法，极具雕塑性，因为雕塑艺术依赖三度空间展现物体的外貌和结构，而古典诗歌的多重透视法，最易产生主体效果，能使读者在欣赏中不禁产生“山随万转”的美感。

张衍懿，在清代并非知名的作手，我们只知道他字庆余，江南太仓人，《清诗别裁集》收录了他四首诗。他的《瞿塘峡》可以说是《进峡》的姊妹篇，后者是进三峡，主要写山，前者是下三峡，主要写水：“历数西南险，瞿塘自古闻。水从天上落，路向石中分。如马惊秋涨，哀猿叫夕曛。乘船千里疾，回首万重云。”对瞿塘之险和自己出峡的行程，作了平面同时又是深远的概括，极尽烟云缥缈之致。两首诗可以比较互参。

（李元洛）

秋宿葛岭涵青精舍

厉　鹗*

书灯佛火影清凉，夜半层楼看海光。
蕉飐暗廊虫吊月，无人知是半闲堂。

作者

＊厉鹗（1692－1752），字太鸿，号樊榭，浙江钱塘（今杭州市）人。少家贫，性不苟合。康熙五十九年（1720）举人。后屡试不第，潜心著述，刻苦工诗词。其诗多取法宋人。妍炼幽隽，自成一家。其词新隽，为浙江两词派的重要作家。有《樊榭山房集》《宋诗纪事》。

鉴赏

这是一首咏史抒怀的七绝。诗题中的"葛岭涵青精舍"，坐落在杭州西湖北，栖霞岭东。"葛岭"，相传是晋葛洪炼丹之所。"涵青精舍"，佛寺名，精舍即佛堂，原址是南宋末年权相贾似道的"半闲堂"，史载其权倾朝野，一应国事悉决于此。康熙五十三年（1714）的一个秋夜，作者夜宿读书于葛岭涵青精舍，面对佛寺今日冷落凄清，回想当年半贤堂奢靡豪华，写成此诗以抒发今昔盛衰之感。

诗起句写佛寺夜读。"书灯佛火"，灯、火同实而异名，为避重复而互用。灯照孤影，人伴残灯，时间又是秋夜，自然难免清冷凄凉之感。"清凉"照应诗题中"秋"字，既是外部自然景观和气候之写实，亦是夜读者内心情感世界的流露。诗一开始就造出一个情境交融的境界，为下面写佛寺冷落荒凉"蓄势"。接下一句写层楼观海。"夜半"是观海的时间，也是对上句佛寺夜读的补充，说明诗人读书之苦至半夜而不眠。史载厉鹗"少孤家贫"，"读书搜奇爱博"，于此看来是可信的。夜深了，人静了，书亦读倦了。可是诗人毫无睡意，于是起而登楼看月下的大海。这一句的“层楼”，字面上没有登楼的意思，但既然是层楼，就表明楼有多层，要看海，就得登上最高层方才视野开阔。另外，层楼还引起“欲穷千里目，更上一层楼”的联想。“看海光”，紧接下句“月”字，是指看月光下的大海。但这里的大海不是实指，杭州虽然靠海，但又并非能见，故此处是指钱塘江（古代内地人称江为海，唐张若虚“春江潮水连海平”诗句可证）。八月，正是钱塘江口潮水上涨的时候，钱塘江潮历来被描绘成十分壮观的景象。“海涌银为郭，江横玉系腰”（杨万里《浙江观潮》）；“来疑沧海尽成空，万面鼓声中”（潘阆《酒泉子》）。诗人笔下月夜的钱塘是怎样一番景象呢？这里，诗人没有具体地去描绘它，但读者可以凭自己的知识去想见。这是一首咏史诗，它只意在写佛寺的冷落来抒发感慨，故只点到为止。此句的目的在于通过夜半观海进一步写出佛寺的荒凉和自己的孤寂，所以此句的意象与佛寺夜读似断实连。诗的第三句切入诗题，正面描写佛寺凄凉境界——“蕉飐暗廓虫吊月”。“蕉飐（zhǎn）”，芭蕉在夜风中摇动。从来诗词中的凄凉景总离不开风吹芭蕉和雨打梧桐，南国佛寺多植芭蕉，韩愈《山石》诗有“芭蕉叶大栀子肥”写寺庙景色。芭蕉叶大而密，月光本不易穿透，加之植于房檐廓际，故曰“暗廓”；“虫吊月”，秋虫在月下鸣叫，犹如是在吊丧哀哭。这一句有声、有色、有形，采用拟人法把诗人对佛寺的心感作了极为形象的表现。

以上三句都是围绕诗题在写佛寺的凄凉冷寂，佛堂—层楼—暗廓，空间层面作了三次转换，一句深似一句，一层深似一层，扣住佛寺特有的景物进行渲染。一直等到把佛寺的败落写尽写足之后，最后诗人方以其对两宋典实之精熟，从容不迫地点明作意——“无人知是半闲堂”。这样一个寂寥荒凉之所，谁又知道它就是当年贾似道决定一应国事奢靡豪华的半闲堂呢？这一句议论画龙点睛，以少胜多，虽不言此地昔日光景，但一个“半闲堂”典实，足抵一篇《宋史》本传，稍有历史知识的读者完全可以对此进行补充。从而获得意在言外，言有尽而意无穷的审美愉悦作用。

这一首所反映的主题，与唐人刘禹锡《金陵五题》中的《乌衣巷》完全相同：“朱雀桥边野草花，乌衣巷口夕阳斜。旧时王谢堂前燕，飞入寻常百姓家。”刘诗寓议于叙，于平淡的叙述中见意蕴。此诗叙议结合，以叙铺陈，以议结穴，放得开，收得拢，非大手笔不能至此。两诗写法虽小有差异，而深度却是一致的。

“兰亭已矣，梓泽丘墟。”（王勃《滕王阁序》）古往今来，繁华不能长享，富贵亦不能久恃。清末诗人张维屏评此诗说："余爱诵樊榭(厉鹗字太鸿,号樊榭)葛岭绝句云:'蕉飐暗廓虫吊月,无人知是半闲堂。'古今来豪华喧闹之场,转眼间便是寂寞荒凉之境,半闲堂特千百中之一耳。"(《清诗人徽略·松庐诗话》)这,就是此诗主旨的最好发明。

(蒋先伟)

宿龙门山巢云上人房

厉　鹗

山楼出树杪,夜宿万山中。虎啸不惊定,钟声疑在空。
背窗栖鸟影,灭烛听松风。明日寻阶水,应添十二筒。

鉴赏

这是一首写夜宿禅房的五言律诗。巢云上人,僧人名,未详。龙门山,一名白龙潭山。作者自注:"山在钱塘(杭州)之西,俗名小和山。"其上有法庵,作者于康熙五十三年(1714)夏秋之际某日来游此山,夜宿庵中,领略了禅家的清境,以这首诗记述了当时的真切感受。

这首诗的特色有两点很值得玩味。第一,是全诗层层推进,一句一境。"山楼出树杪",言禅房之高;"夜宿万山中",言环境空廓。"虎啸不惊定",写上人的修行;"钟声疑在空",写诗人的感受。这两句联系密切,尤其不可分割。"定"是佛家语,指修行参禅,心凝于一境而不散乱,不为身外任何利害所动。"虎啸不惊定",是极言巢云上人修行之高。诗人来到这远离尘世的深山,更为上人修行的情景所感染,难免不洗心净虑,身心被带进一种禅家的"色空"境界,耳际梵钟在空中回荡,此时这物质世界的"空",也打上了释教的色彩,使人顿生超凡入圣之想。"空"字用得很见功夫,既包含着物理概念和佛教内涵,又照应了前文的"万山中"和"不惊定",有虚有实,虚实相生,把诗人所处的特定环境和特定心理都熔铸在一起了。

五、六两句写"夜宿"的近景。"背窗栖鸟影",是所见;"灭烛听松风",是所闻;"明日寻阶水",是因所闻而有所想。李商隐《因书》诗:"猿声连月槛,鸟影落天窗",冯浩注:"言其高"(《玉溪生诗集笺注》)。看来厉诗是暗中照应了第一句。《南史·陶弘景传》:"特爱松风,庭院皆植松,每闻其响,欣然为乐。"苏轼《定惠院寓居月夜偶出》诗云："自知醉耳爱松风。"就是说，"听松风"这是古代亲近浮图的高人们别有寄托的雅好。"灭烛听松风"，诗人仿佛整个地回到了自然的怀抱，与万物为一，沉浸到一片松风之中，身心俱散，万念俱空，除了一种禅境的体验，似乎一切都不存在了。

但又不完全是这样，诗人毕竟未能割断尘缘，所谓"禅境"只是刹那间的体验。"明日寻阶水，应添十二筒"，声声"阶水"（照应"山楼"），传入耳畔，诗人终于恍惚而觉悟，思绪又回到了现实的世界。朱自清先生描写自己夜宿松堂的情景说："外面是迷天漫地一片黑，海似的。只有远处几声犬吠，教我们知道还在人间世里。"（《松堂游记》）看来，超然物外的梦幻，总要受到感官的惊扰，这无论古人还是今人，都并无二致。

第二，是这首诗写声音的听觉感受极为精妙。因为是"夜宿"，视觉的形象便不是重点，因此，"虎啸""钟声""松风""阶水"，就成为诗人审美知觉的主要对象而被捕捉玩味，在超乎外物形色的状态下对声音作纯粹而直感的体验，使人获得了一种近乎佛家和老庄所说的"涤除玄览"的境界。

（蒲友俊）

灵隐寺月夜

厉　鹗

夜寒香界白，涧曲寺门通。月在众峰顶，泉流乱叶中。
一灯群动息，孤磬四天空。归路畏逢虎，况闻岩下风。

鉴赏

"灵隐寺"，在杭州西湖西北灵隐山麓，始建于东晋咸和二年（326），前临冷泉，面对飞来峰，古木掩映，山峦叠翠，清嘉无比，是西湖游览胜地。厉鹗这首诗描写灵隐寺清幽静谧的月夜景色，词洁意孤，颇有独得之趣。从诗中"夜寒""乱叶"两个词语看，诗当作于深秋。

起笔扣题，未及月亮，先写月色。"香界"，佛家语，后来成为寺院的代称。"夜寒"是所感，"香界白"是所见，而所见所感之间又包含着内在的因果关系。月辉流泻在寺院中，地上像落了一层白白的薄霜，使人感到本来已具寒意的秋夜更加寒冷。“白”字出语极淡，却深厚有味，很容易启迪读者联想到“明月皎夜光”“疑是地上霜”等诗句，仿佛自己也随着诗人步入清凉之境。次句是“寺门通曲涧”的倒装语。正因为月光如此皎洁、月亮，诗人才能透过寺门清楚地看见曲曲折折的山涧。故一、二句之间也是一种因果关系。

三、四句分承一、二句，继续从视觉和听觉两方面写月夜见闻。“月在众峰顶，泉流乱叶中”。这是全诗最富意境和美感的佳句。明月在天，众峰相攀，是幅静态画面；泉水流淌于乱叶之中，一则打破了秋夜的静谧，给画面平添了动荡不平的声势，二则以动衬静，使得静谧的月夜显得愈益空寂。联系一、二句，此时的诗人已不在院中，而当在寺门外。他一会儿伫望，一会儿谛听，俯仰之间，尽得妙趣。

接着诗人的视听由寺外再转向寺内：“一灯群动息，孤磬四天空。”“一灯”是指寺里的长明灯。“群动息”是挪用陶潜《饮酒》诗中“日入群动息”后三个字。“四天”，也是佛家语，即四禅天，此指整个天空。这两句的意思是说：夜渐渐地深了，只有寺里的长明灯还在亮着，一切都归于沉寂；僧人诵经时敲响的铜磬声，悠然远出，上彻天空。这里，诗人把见、闻、感受和想象糅合在一起，通过对衬，着力渲染山寺所特有的清穆、寂寥的气氛。“灯”而曰“一”，“磬”而曰“孤”，措词中微微表露了诗人孤独无傍的惆怅心境。山寺的气氛如此，自己的心境这般，似可适意，亦不便久留，于是他想到了离归。

末二句用进层的手法写出寺的夜风。灵隐山本名武林山，传说五代吴越时有异虎出此山，故又别称虎林。“归路畏逢虎”一句可能与这个传说有关，不过此处强调的并不是虎，而是风。俗谓“云从龙，风从虎”。诗人想到归途有虎出没，心中已不免忧惧，加之岩下风又一阵紧似一阵地呼呼作响，就更使他感到惊恐不安了。上句把前六句作一收束，以“畏”字逗下；结句以“况闻”翻进一层，引出“岩下风”。这样一来，“畏逢虎”的心态，就有力地衬托出“岩下风”的凄紧，暗中回扣了开头“夜寒”二字，做到了首尾照应，一气回环。

刘熙载谓：“诗要超乎空、欲二界。空则入禅，欲则入俗。”（《艺概·诗概》）这话是就诗的思想性而立论的。用今天的眼光来看，“入禅”之诗其所以不好，是因为它易使人产生消极避世思想，消磨奋发有为的精神。但若就反映社会生活的丰富性、多样性来说，此论亦未免绝对化。佛家讲究“空寂”二字，佛心空寂，佛境自然也是空寂的。厉鹗这首诗，正是通过对灵隐寺月夜各种景色和感受的抒写，突出了山寺空幽冷寂的环境与气氛特征，能给人以身临其境之感。诗的成功在此,不足亦在此。由于诗人过分地追求空寂的境界,遂使诗"失于神骨不俊,气格不高、力量不厚"(朱庭珍《筱园诗话》语)。这大概是不食人间烟火一类诗歌常见的通病。

(杨希武)

晚　步

厉　鹗

斜景忽已暝,流莺时一鸣。水光知月出,花落见风行。
僻地非遗世,新畦欲耦耕。孤吟少俦侣,发兴自江城。

鉴赏

这首五律写诗人对自然变化和春光流泻的敏感,表达了一种不甘孤独寂寞的思想感情。

前四句写景。一个暮春的傍晚,作者漫步郊外,斜阳西落,天色骤暗,林中有时传来一声宛转的流莺。水波上泛起阵阵银光,可知月亮已升上东山;落花纷纷飘坠,可以感到风儿在轻轻游荡。万物都悄悄地沉浸到这黄昏的宁静之中,不是诗人敏感的心弦,你几乎难以触觉到有任何细微的颤动。

后四句是抒情。作者当时或馆于汪氏听雨楼,或家居东园,一方面交朋结友,怡情自得,一方面埋头读书,准备两年后的乡试,企图在科举仕途上有所作为(两年后,他果然以乡试四十九名考中举人)。正如诗中所说:"僻地非遗世",他平居偏僻的一隅,不是为了超然物外,遗世独立。作者在这里明确地表白了自己积极入世的态度,流露出居陋巷而自命不凡的思想感情。但是,诗人的思想也很矛盾,"新畦欲耦耕",刚刚播种的土地,又唤起经营田舍的志趣来,"高歌非吾事,依依在耦耕"(陶渊明《辛丑岁七月赴假还江陵夜行涂口》),完全是一种陶潜式的心态。总之,目睹这黄昏时分的寂寂万象,诗人反而心情激动,内心萌动着有所追求有所作为的欲望,尽管这种欲望还并无明确的选择而处于矛盾之中,但无意于享受和满足于这种宁静,却是诗人此刻的心理现实。

"孤吟少俦侣",我内心的追求有人理解吗?"微斯人,吾谁与归"?

在这黄昏的宁静中,诗人的心情反而更不平静:“发兴自江城!”“兴”者,诗兴,即诗人的感情和冲动,再也抑制不住了,在这个时候:晚步中;在这个地方:“江城”——诗人僻居的杭州!这就无异于告诉我们诗人的思想已经从这里腾飞,向着外面的广阔世界。

全诗语言朴实,淡而有味,思想感情的表达含蓄而毫不费力,这种艺术风格在厉诗中是别具特色的。

(蒲友俊)

晓至湖上

厉　鹗

出郭晓色微,临水人意静。水上寒雾生,弥漫与天永。
折苇断有声,遥山淡无影。稍见初日开,三两列舴艋。
安得学野凫,泛泛逐清影。

鉴赏

此诗写晓雾中的西湖。开篇点题:在一个晓色初开、晨光熹微的冬日,诗人信步走出城郭,去到美丽的西子湖边。湖水在经过白天游客的喧腾烦嚣后,正处于静谧的安睡之中。诗人面对一碧万顷的西湖,心田也如潮水一般明澈、平静,水寒天冷,不久湖上就生出了白雾,一霎时弥漫开去,慢慢地笼罩了整个湖面,而与远天相接。这是前四句所写境界,迷蒙、苍茫、寒冷、幽静,是冬日西湖晨景。前人写西湖,以秋、夏之景为多。“三秋桂子,十里荷花”(柳永《望海潮》)是连金人都谙熟的秋景,“接天莲叶无穷碧,映日荷花别样红”(杨万里《晓出净慈寺送林子芳》)是不同于四时的夏景。诗人这一首诗,专就西湖冬景落墨,写得幽峭清冷。苏东坡咏西湖云:“欲将西湖比西子,淡妆浓抹总相宜。”只可惜历来写“淡妆”者少,而写“浓抹”者多,此诗可算是西湖的一只别调。诗人厉鹗,“少孤家贫”,其为人“孤瘦枯寒”(全祖望《厉樊榭先生墓碣铭》),其于仕途,亦蹭蹬命达。故其诗风“蹊径幽微,取材新则有独得之奇”(汪韩门《樊榭山房集跋》)。诗人这四句“西湖晓色”,就突出地体现了这种风格。

诗的五至八句,由静景写到动景,画面由湖岸转换到湖上。“折苇断有声”,写诗人离岸登舟。小舟,大概就系在岸边的芦苇荡里，诗人解缆放舟，不可避免地会折断冬日脆硬的芦梗，于是一根根芦梗断裂之声就打破了西湖的宁静。人在湖上，放眼远山，其为浓雾所罩，只能看到一点淡淡的轮廓，而见不到真实的影子。渐渐地，旭日从湖上升起，西湖卸去了浓雾裹罩的晨妆，重又展开了她那水光潋滟、一碧万顷的迷人风姿，湖面上排列着三三两两的小船，宁静的西湖骤然热闹起来。这里的“舴艋”（zéměng）是指小船，是前面诗中所指出的厉鹗诗中爱用替代字的又一类例子，前人用此例甚多，如张志和《渔歌子》“两两三三舴艋舟”，李清照《武陵春》“只想双溪舴艋舟”等，厉鹗此句，纯由张词化出。以上四句写泛舟游湖，由雾中的远山写到初日下的游船，作粗笔勾勒。

最后两句是写游湖的感触。诗人游湖，除上面见到的寒雾、芦苇、远山、初日、舴艋等景物以外，就是这两句写到的“野凫”，即野鸭，它们是初日湖面上最有生机的物象了。它们正在水中“泛泛”（浮游无定的样子）而游，一会儿浮在水面，一会儿又沉入水底，随同波浪上下，追逐影子沉浮。这里的野鸭形象，实指人世间那种蝇营狗苟、随波逐流的市侩小人。这两句是用典，托为屈原所作的《楚辞·卜居》云：“宁昂昂若千里之驹乎？将泛泛若水中之凫，与波上下，偷以全吾躯乎？”原诗是说屈子宁做气宇轩昂的千里驹，不做跟着波浪上下，保全性命的野鸭。厉太鸿在此隐括这一典故，以一“安得”设问，其否定野鸭似的为人处世态度不答自明。诗人自己的立身行事，据同时人记载“性情孤峭，义不苟合”（王昶《湖海诗传·蒲褐山房诗话》），完全是与诗中这种态度相吻合的。

这首诗作者通过写晓雾下西湖的景色，展现了西湖于秋夏“浓抹”风姿之外的冬日“淡妆”别致，抒发了作者坚守节操，不与世浮沉的清高品质。全诗语言虽平淡，但醇美，情、景、理三者统一，深得陶（渊明）诗三昧。

（蒋先伟）

理 安 寺

厉 鹗

老禅伏虎处，遗迹在涧西。岩翠多冷光，竹禽无惊啼。
僧楼满落叶，幽思穷攀跻。穿林日堕规，泉咽风凄凄。

鉴 赏

这是作者早年的一首纪游诗。

"理安寺",在杭州理安山南麓,原名法雨寺,有涌泉出焉。这里林木茂盛,风景清幽,历来是佛刹佳境,旅游胜地。李慈铭《越缦堂读书记》说厉诗"取格幽邃,吐词清嘉,善写林壑难状之景"。这首五古可为代表。

全诗句句写景,通过作者主体的审美感受将自然景观和人文景观融为一体,创造了一个多元统一的艺术意境。

据钟毓龙《说杭州》载,在理安寺路之右有猪头坞,相传为伏虎禅师化肉施虎之处。"老禅伏虎处,遗迹在涧西",就写其事,一下子把人带进一种佛陀世容的悲悯和虔敬气氛之中。岩壁冷翠生光,竹林野禽无声,环境之清幽,真有些令人产生"凄神寒骨"之感。而高高的僧楼上,满地落叶,人迹罕至,当向上攀登的时候,发出的声响,更觉空无寂寥,引人不尽的幽思。抬头远眺,透过丛林,可以看见圆规般的落日正在西沉,一阵阵凉风夹着幽咽的泉声,在耳边低吟,空气变得更阴冷了。这对于一个年轻的诗人来说,难免不生"其境过清,不可久居"(柳宗元《小石潭记》)的彷徨。

《清史稿·文苑传》评厉鹗的诗歌创作说:"幽新隽妙,刻琢研炼,尤工五言,取法陶(渊明)、谢(灵运)、王(维)、孟(浩然)、韦(应物)、柳(宗元),而有自得之趣。"厉鹗的作品,吸取前代山水诗人的长处,在自然景物的描写方面,常有自己独到的地方。这首《理安寺》表面看来是很朴实的白描刻画,读来却耐人寻味,引人遐思。

全诗并无什么明确的所谓主题,它只是刻琢般画出了诗人的所见所闻而已。诗人完全是在用自己"全部的感觉"(马克思语)直观一切,不曾给大自然打上任何理性的烙印。读着这样的诗,我们想到了谢灵运,想到了王维,但又不是谢灵运,不是王维。"密林含余清,远峰隐半规"(谢灵运),"返影入深林,复照空苔上"(王维),仅仅拿这么一两句来与厉诗比较,大自然的美,在他们的笔下确乎都呈现了某些共同之处:一切都是清新静谧的。但从作品的整体看来,厉鹗既无谢诗有意发挥的玄想,也无王维无意流露的禅意。至少在这首诗里,厉鹗对自然美的观照比他们都更纯粹地感性;但因为他描写的是以寺庙为中心的自然景观和人文景观,这种感性的直观和体验难免也就染上了佛刹的色彩,却不像谢、王的诗,有一种似乎在其中找到了寄托主体与客体的和谐。《理安寺》这首诗,显然表现了厉鹗对这种佛家清境有意无意地保持着一种距离,像柳宗元游小石潭一样,既喜爱它的美,又不能适应它的"清"。

(蒲友俊)

宝应舟中月夜

厉　鹗

芦根渺渺望无涯,雁落圆沙几点排?
明月堕烟霜着水,行人今夜宿清淮。

鉴赏

此诗作于康熙五十八年(1719)诗人北游途中。那是一个秋天的夜晚,诗人泊舟宝应县(在今江苏省)境淮河中。四望无际的芦根,欲落沙洲的雁阵,堕入云烟的明月,以及寒气袭人的夜霜,触发了这位客子的羁旅愁怀,写下了这首即景小诗。

题作"月夜",诗不从天上月、水中影写起,却先写黄昏时分水乡泽国的特有景色——芦根与落雁,并巧妙地点明节令。深秋,淮河两岸的芦秆尽被割去,只剩下低低的无边无际的芦根茬;暮色苍茫中,几只大雁正欲降落在水中的沙洲上。首句点出一个"望"字,领起全诗。"渺渺""无涯"两个近义词的连用,既写出视野的开阔辽远,也写出景物的单调萧索,同时微微流露出诗人因目无所适而产生的百无聊赖心情。次句中的"圆沙"指水中圆形的沙洲,语言精粹,富于形象感。"几点排"三个字化动为静,把欲落未落的雁阵用近似现代电影的定格摄影法拍摄下来,画面清晰,可与目接。"几点",语气虽是疑问式的,强调的则是落雁很少,以突出环境的清寥,进而衬托出自己夜泊野外的孤孑之感。

诗的前两句一句一景,写得比较疏朗,第三句密度加大,时间也由黄昏转入"月夜"。句中的"明月"是农历月初的新月,它升起得早,沉落得也早,入夜不久就堕入凄迷的烟霭里。在这四野阒寂,天地冥暗之时,夜霜越来越浓,团团围住了诗人泊宿的小舟,使他格外感到寒冷难禁。"霜着水"写的是近景,笔墨入微,近于逼真,实际上是想象之词(因为霜落水中是看不见的)。诗人不说舟上凝霜厚、夜气寒,而此意尽于言外传之，运思细密，造语高妙。

前三句以写景为主，成功地刻画、渲染出一派萧索辽阔，清寒静谧的典型环境和特殊氛围，同时读者又能真切地感受到境中有人，景中有情，这就为最后叙事抒情做了有力的映衬与铺垫。末句出语平平，意思浅显，却寄寓着诗人的无限感慨。在这月落、烟浓、霜重、星暗之际，萦绕于诗人心头的，绝不是对适才所见的淮河风物的甜美回忆，而是要在这荒郊野水中度过一个漫长秋夜的旅人所独有的凄凉愁绪。对此诗人虽然未曾点破，但读者完全可以由境会意，由事会意的。尤其是那个“清”字，该给人多少联想。这种诗是即兴式的，信笔写来，不费气力，而情景浑融，意境清远，自成妙谛，读后能给人留下深刻的印象。

（杨希武）

渡　河

厉　鹗

北来始作泛槎游，晚色苍苍望中收。
一线黄流奔禹甸，两涯残雪接徐州。
古今沉璧知无限，天地浮萍各自谋。
明日轻装又驴背，风前惭愧白沙鸥。

鉴　赏

这是厉鹗康熙五十八年(1719)北游，途经黄河之作，抒写黄河景观和一己感想。

历史上黄河屡屡改道，从明万历初至清咸丰五年(1855)以前，黄河下游主道经河南兰考北铜瓦厢，东流出徐州泗水由淮河入海(即今地图上所标明的废黄河)。厉鹗既是北游，诗中又有“两涯残雪接徐州”之句，可知渡河之地应在徐州以南江苏境内。

前四句写渡河所见，笔力遒劲，景象阔大，尺幅千里，短短数语，就把黄河的气势和风貌勾勒出来了。诗人一路北上，何尝未作“泛槎(乘舟)游”(前者《宝应舟中月夜》可证)？然而只有横渡这烟波浩渺的黄河，才使他精神为之一振，产生了新鲜的奇异之感和难抑的漂泊之情。一个“始”字，将这种微妙的感情隐约带出。首句破题，起笔简洁，次句入景，写对周围景色的总体印象。渡河之际，正值日暮，环望四周，但见大河上下，浑浑茫茫，大河两岸，天低野旷，天、地、水在晚晖中呈现出一派共苍苍的色调。“晚色苍苍”，写景兼点时间；“望中收”三字，一纵一收，笔致跌宕，气韵不凡，为下面写远景创造了开阔的视力条件。三、四句承“望”而来，具体描画黄河景象。“禹甸”，指大禹治理过的地域。寻绎诗意，前一句视线顺流而下，写出黄河裹泥挟沙，奔腾而去，不可阻挡之势；后一句视线逆流而上，写出黄河两岸残雪未消，晚照犹明，遥接徐州之景。这两句有动有静，气势壮大，境界开阔，而形式上对仗工稳，音韵铿锵，读来朗朗上口。

后四句抒发渡河感情，全从空处落笔，感慨多端，情思无限。五、六句由景入情，因景抒臆。由于黄河下游经常决口改道，古时常以玉璧沉到河里奉祭河神，以祈安流（如《史记·河渠书》记载汉武帝“沉白马、玉璧于河”）。诗人慨叹这样的事，古往今来不知有过多少次而于事无补。接着由泛滥之水，联想到处于天地间的芸芸众生，他们多么像飘转不定的浮萍，各人都在为自己的事奔波、营谋。这里，诗人以“古今”对“天地”，把本不相属的人和事连缀在一起，从时间和空间两个范畴拓展开去，加大诗的内涵，从而创造出了比三、四句更为悠远阔大的意境，表达了胸中的万千感慨。倘若说“天地浮萍各自谋”所咏的是一般的社会现象，概括了所有的人，那么，作为天地间的一个分子——诗人自己，当然亦在其中。于是，引出末二句，进一步抒发身世之慨。“明日轻装又驴背，风前惭愧白沙鸥”。写的就是想象中自己明日的陆行情状。刚刚渡过了黄河，便又风尘仆仆地去赶路，同那些安闲地在河边戏水的白沙鸥相比，自己不正像无根的浮萍一样，为了“自谋”生计、出路而奔波不息吗？想到此，他不禁油然生出不如沙鸥的惭愧之情。

这首诗从眼下渡河写到黄河壮观，继写观感，最后再一笔兜回到自己明日陆行情状，掉转自如，关合无迹，纵横恣肆而脉络贯通。诗的语言苍劲有力，写景气势壮阔，醒人耳目，抒感深沉多端，悲而不伤。在古代歌咏黄河的诗作中，此篇虽算不上上乘之作，但也自具特点，还是值得一读的。

（杨希武）

富 春

厉 鹗

富春县前江势奔，危楼如画俯山根。
林林人影向沙市，叶叶风帆下海门。
秋入遥空无寸翳，旱经焦土有千村。
田家正堕忧时泪，安得新酤倒瓦盆？

鉴赏

富春县城位于富春江北岸，“潮来直侵城根平”（黄景仁《富阳》），江水带城而过。故写富春景色，先从富春江入手。起句“江势奔”三字笔力豪健，写出了江流的猛急，而读者在这动态的画面之外，似乎还能感受到那夺人心魄的喧腾声势。次句点出观景的场所——“危楼”，并加以描绘。“危楼”是形容楼本身很高；“俯”即俯视；“俯山根”再写出所依地势之高。高上加高，足给人以凌空而起之感。斯楼傍山临水，已在画中，加之建筑又极精美，成为画中之画，既可供人观赏，亦可供人凭览，难怪作者要情不自禁地赞叹它“如画”了。

首联写楼上俯视所看到的自然风景，虽是粗线条地勾勒，但江山形胜，令人神往。颔联镜头渐渐推向远处，继而描写社会风情：上县赶集的人们络绎不绝地拥向沙头市场；入海捕捞的渔船成群结队扬帆直下海门（指江入海处）。结合黄景仁《富阳》诗“城门昼开闻市声”，“沙头愁杀捕鱼人”二句，可知富春县的沙头集市在城南门附近的江边上，来这里的人主要是售鱼的渔民。作者的目光离开山根后，先随着“林林（众多貌）人影”移向沙市，稍作停留，最后落到江面上，旋即被那下海门的“叶叶风帆”吸引住了。风帆无数，作者亦愈望愈远，乃至无尽。此联写人事活动，极具地方特色。作者犹如一位高明的摄影师，不断地变换着观察角度，调整着焦距，为我们拍下了一组真实生动、富有生活情调的富春风俗画面。而形式的属对精工，自然天成，更增添了诗句的音韵之美。

富春的自然风光是秀丽的，社会风情是迷人的。然而就在这片土地上，目前正经历着严重的干旱。

入秋以来,天上不曾出现过一块云彩。烈日炎炎,晒焦了万亩良田。颈联,“无寸翳”“焦土”极言旱情之重,“有千村”指出受灾面积之广。在如此严重的灾害面前,“农夫心里如汤煮”啊!眼睁睁地看着大片大片的禾苗干枯死去却束手无策,怎能不掉下苦涩的泪水呢?末句“安得新酤(即新酒)倒瓦盆?”想到大旱还要持续下去,粮食将会颗粒无收,田家哪里还能从瓦盆中倒出新酿的酒,招待我这远方来客呢?粗看,这似乎是作者自叹倒霉,实则表现了对农民困苦生活的热切关注和深深忧虑。

这首诗前半和后半简直是截然相对,难以融合的两种矛盾情景,一则是秀丽迷人的自然风光和社会风景,一则是目不忍睹的千村焦土和田家泪水。作者的成功之处,就是通过“我”之所见,将两者谐调起来,统摄在“富春”这一地名地域之下,从而创造了一个完整而又丰富的意境。内容决定了诗歌必须采取这种独特的形式,而形式的独特,也正表现了作者的艺术匠心。

(杨希武)

春　寒

厉　鹗

漫脱春衣浣酒红,江南二月最多风。
梨花雪后酴醾雪,人在重帘浅梦中。

鉴赏

这首诗艺术构思值得称道。全诗四句二十八字,没有出现“寒”字,却句句扣题,处处写寒。首句写因寒而饮酒,酒后又觉燥热,故暂且脱去春衣。“酒红”是指酒后脸上泛起的红晕。“浣”的本义是洗涤,这里可解作“消”字。次句写风。“江南”点地域,“二月”点时令。一提到“江南二月”,读者的脑海里便会浮现出“几处早莺争暖树,谁家新燕啄春泥。乱花渐欲迷人眼,浅草才能没马蹄”(白居易《钱塘湖春行》)的旖旎景象,那是绝不同于“二月初惊见草芽”(韩愈《春雪》)那种姗姗来迟的北国春光的。即便有风,在人们的印象中也是和煦骀荡的暖风。可是一联系题目,这“江南二月”之“风”,便成了一反常情的料峭寒风。

风不但寒冷，且不时刮起。一个“最”字将诗人厌风之情和盘托出。第三句承风写雪。“酴醿（túmí）”，亦作荼蘼，落叶小灌木，花白似雪，开于暮春时节。苏轼有诗道：“酴醿不争春，寂寞开最晚。”（《杜沂游武昌以酴醿花菩萨泉见饷》）这一句可作三层理解：梨花、酴醿花颜色都是白的，故借以喻雪；这两种花开放时，“千朵万朵压枝低”，极其繁茂，以此二花比雪，暗寓雪大之意；从梨花开到酴醿花开，中间有一个时间过程，即由二月到三月，说明整个春天都在时不时地下着雪。如此天气，能不寒冷么？二、三句已把寒冷的气候表现得十分突出，时间也超出了二月，让人感受到的实际上是“江南春尽尚春寒”（高翥《春怀》）这么一种反常气候。末句则撇开气候，又入人事，与首句相呼应。“人在重帘浅梦中”，出语平平，而用笔幽细、曲折。重重帘幕，暗暗深屋，该是温暖之家。可是带着几分醉意的诗人，依然魂梦轻浅，难以成眠。其个中原委，还不是由于天寒难耐么？

统观全诗，首句的“春衣”，次句的“二月”，第三句的“梨花”、“酴醿花”，无不切合一个“春”字；中间二句写风、雪，一、四句写饮酒，写“重帘浅梦”，无不体现一个“寒”字，通篇使用叙述口吻，不加描绘，略施比喻，却将“春寒”的题旨表现得非常充分，其构思之精巧，用笔之曲细，造语之含蓄，章法之圆紧，不能不令人叹服。

（杨希武）

秋夜听潮歌寄吴尺凫

厉　鹗

城东夜月悬群木，汹汹涛声欲崩屋。
披衣起坐心茫然，秋来此声年复年。
壮心一和小海唱，二毛不觉盈吾颠。
胸中云梦吞八九，要挽天河斟北斗。
倏忽晴空风雨来，杳冥水府神灵走。
时哉会见沧溟立，自是乾坤有呼吸。
轩辕张乐万耳聋，洞庭天远鱼龙泣。
须臾声从静里消，一蛩独语声萧萧。
天明作歌寄吴子，想子中宵夜听潮。

鉴赏

吴焯，名尺凫，钱塘诸生，是厉鹗的同乡好友，雍正十一年(1733)卒，厉鹗有《哭吴尺凫诗》序说他“学积行修，意气高爽”，诗云：“平生一掬知交泪，杯酒相和滴到泉。”可见其为人及他们之间感情之深。吴逝世前十年，即雍正元年(1723)秋，诗人夜听钱塘潮声，感情激动，不能自已，第二天便写下这首歌寄吴，抒发了自己满怀壮心的骚动和苦闷。

全诗共分三大段，第一段四句，写潮声汹涌，彻夜难眠；第二段十句，写满怀壮心和苦闷；第三段四句，写潮声消退，有一种茫然若失之感，点题并照应前篇。全诗的精彩部分是第二大段。

“西湖烟雨浙江潮”(苏轼《观潮》)，这是杭州两大名胜奇观。生长在杭州城东的厉鹗对浙江(即今之钱塘江)的八月潮声恐怕应是“听惯不惊”了吧：“秋来此声年复年。”但此夜，作者心潮与钱潮呼应：“壮心一和小海唱。”这个“小”是孔子“登东山而小鲁”的“小”。诗云：“汹汹涛声欲崩屋。”撼天动地的潮汐，似乎要把房屋都掀倒了，比起来海啸的声势算得了什么？此时，诗人的感情与之共鸣，内心深处与之唱和，不禁热血沸腾，激起阵阵狂澜，生命也仿佛变得年轻而充满了活力，忘记了自己两鬓已早生华发：“二毛不觉盈吾颠。”潘岳《秋兴赋》序：“余春秋三十有二，始见二毛。”黑发间白，本是衰老的象征，诗人这样说，既有对老大的悲伤，也有不服老的壮心在。

“壮心”二字既是第二段也是全篇的主旨。二年前，作者乡试中举，曾驱车北上，结果求仕不遑，怏怏而归。回到家乡，只能和文友们在山水游冶和诗酒唱和中度日，但胸中的苦闷，终究难以排遣，尤其当夜深人静之际，内心的骚动便像潮汐般涌来。这，与其说诗人在静听钱塘的潮声，不如说在静听自己的心声！

这首诗最突出的特点是浪漫主义的想象和夸张，这也集中表现在第二大段。

浪漫主义的特色，在厉鹗的诗中并不多见。但今夜“激情是想象的翅膀”，诗人思绪活跃，奇想联翩，夸张是那样大胆，想象充满了神话色彩。

“胸中云梦吞八九，要挽天河斟北斗。”就是大胆的夸张。“云梦”，远古大泽名，在古代诗文中它是一个若有若无的广阔天地，被赋予了特定的美学内涵而令人神往。我们知道，青年时代“心雄万夫”的李白，就因为读司马相如的《子虚赋》，见其“大夸云梦之事，云楚有七泽，遂来观焉”。据传“云梦”之大，跨连荆楚。“胸吞云梦”，自然是夸诞之词，但从中我们才可能形象地看到诗人宏大的襟怀和追求。“天河”即银河，诗人要以北斗七星为酒杯挹天河银浪而痛饮之，这又是何其英雄而豪迈的气概。由此，我们不禁想起陆游的诗：“要挽天河洗洛嵩！”或者张孝祥的词：“尽挹西江，细斟北斗，万象为宾客！”诗人的思想感情不是同古代这些志士仁人很有相通之处吗？至于“时哉会见沧溟立，自是乾坤有呼吸”，拿苏轼的“天外黑风吹海立，浙东飞雨过江来”（《有美堂暴雨》）与之相比，同是很类似的夸张，苏诗虽然更富于才气和神韵，但生动之处未必过之。

“水府神灵”“轩辕张乐”“洞庭鱼龙”等句，便是富于神话色彩的想象。《庄子·天运》记黄帝“张（演奏）《咸池》之乐于洞庭之野”，并借音乐说了一番道家的玄理。黄帝即轩辕，从潮声联想到轩辕奏乐，这并不自厉鹗始。苏轼有《六月二十日夜渡海诗》说：“空余鲁叟乘桴意，粗识轩辕奏乐声。”早有先例。“鱼龙泣”，可能是暗用《战国策》上龙阳君与魏王一起钓鱼而哭泣的典故，后世谓之“前鱼”或“泣鱼”，诗文中多用以比喻失宠被遗弃的人。这两句说，在震耳的涛声中，我听不出有什么轩辕演奏的乐曲，却听到了遥远的洞庭有鱼龙的哭泣，这不是失意者同声相应的共鸣吗？需要说明的是，黄帝在古代传说中实际上是一个半神半人的形象，《战国策》的典故在这里的活用也显然基于神话的幻想。

最后一段，用“一蛩（qióng，蟋蟀）独语声萧萧”来写涛声消失后的寂静，诗人怅然若失的情景生动可见，手法是很高的。

（蒲友俊）

荆溪道中

厉　鹗

如画云岚西复西，梁溪几折入荆溪？
舟师失道隔烟问，山鸟畏人穿竹啼。

鉴赏

这首诗是厉鹗乘舟从梁溪（在今江苏无锡）前往荆溪（在今江苏宜兴）途中的即兴之作。

梁溪发源于无锡惠山，起始一

段是向西流去的。出发的这一天，溪上云雾缭绕，一路不绝。若是别人，也许要为眼界不开而懊恼生怨。可作者反而觉得雾里行舟，倒有一种特殊的诗情画意。沿途饱赏着自由舒卷、变幻无穷的云气，诗人好不快意。首句，"云岚"前着"如画"二字，既是惹人遐想的精妙比喻，也流露出诗人唱叹不尽的喜悦之情。而"西复西"则写出了行进的方向与溪上云气的绵邈，并为后面的"隔烟问"伏下一笔。

首句以空灵的笔触写舟行所见，次句则出以疑问语气，笔墨愈见空灵。"梁溪几折入荆溪?"揣摸语气，是诗人询问舟师："梁溪还需经过多少道弯才能进入荆溪?"这一句问得好，使一个简单的诗句蕴涵了多层意趣：其一，此句含有两个河名，中间用疑问词"几折"和动词"入"字绾合起来，不但巧妙地交代了两溪相通的关系，点明题意，且给极易写得平直板滞的诗句注入了回荡不平之气；其二，问前途还需几折，说明已经过了不知多少折，写出了梁溪迂曲婉转之状；其三，因为梁溪十分曲折，溪上云雾弥漫，视野不开阔，被转懵了的诗人才去问舟师，表面写问，实则揭示了问因，同时又为下句"舟师失道隔烟问"张本。如此丰茸的笔意，却以问句道出，构思之妙，实在令人叹服。

三、四两句写舟师问道情状。按说经常往来于梁溪上的舟师，是不会"失道"的。说舟师"失道"，略带夸张，目的在于强调"西复西"之"云岚"是多么浓重，溪流是多么曲折。即使舟师真的"失道"了，在这种天气和水道中驾舟行驶，也不足为奇。奇就奇在他失道后并不知觉，经诗人一问，才恍然醒悟，醒悟了又回答不了诗人的问题，还要向岸上(确切地说是山坡上)人打探情况，用笔之曲，可谓奇绝。"隔烟问"三个字虽然语意浅显，但是从审美角度看，却能抵上一幅空蒙迷离的水墨画，让人玩赏不已。从章法上看，这三个字与首句的景色描写相呼应，行文针线绵密无缝。岸上人回答什么，诗人撇开不写，而摄取了一个细微的动态景色入诗中：安安静静地栖息在岸边竹林中的山鸟，突然受到舟师问道声的惊扰，啼叫着飞进竹林深处。这里人声、鸟声打破了静寂的川谷，给画面平添了喧闹的气氛和蓬勃生机。呈现在读者面前的境界是那样的和谐、清新、淡雅、美好，叫人心驰神往。

这首诗脱口而出，即兴挥洒，似不经意，却又匠心独运。诗的语言明快自然，质朴通俗，准确生动，收到了"状难写之景如在目前"的艺术功效。诗中的主要意象便是首句的"云岚"。为了突出这一意象，诗人在章法结构上颇费苦心，先是赞叹它"如画"，接着写其绵邈，再通过自己的迷茫，舟师的失道，山鸟的惊惧，以虚代实，写出云岚的浓重。结穴处则将人、烟、鸟、竹(当然还有山、水)有机地组合到同一空间,成功地描绘出一幅湿漉漉、雾蒙蒙的江南水乡行舟图。形象鲜明,情趣盎然,不失为一篇妙品。

(杨希武)

夜宿松寥阁用萨天锡韵

厉　鹗

深松耿禅灯,江黑疑有雨。平生托宿处,奇胜此堪数。
微闻金山钟,渐辨瓜州路。海色与西风,又将陈迹去。

鉴赏

元代著名诗人萨都剌(字天锡)元统二年(1334)秋八月,同淮东宪副朱舜咨、广东宪佥王伯循及京口鹤林寺僧人了即休,游瓜州,登金山,后来回到北方,追忆旧游,以"雨过江色静"五字各为一韵,写了《寄朱舜咨王伯循了即休》五首古诗。厉鹗来到这萨都剌数百年前曾经游览过的地方,用其第一首的诗韵(属"语""虞""遇"三个通押的韵部),写下这首诗。

有人对"步韵""用韵"很不满意,特别是"步韵",要求严格按照别人原诗韵脚的次第押韵,认为"只是做韵",而不是做诗,这是很有道理的。因为诗歌的押韵,毕竟主要是形式方面的要求,搞得不好,很可能成为表达思想感情的桎梏,何况是按照别人的韵律来写自己的心声!这是很难有所超越的。但厉鹗的这首诗却算得上"青出于蓝而胜于蓝"。

松寥阁在镇江东北长江中焦山东北侧松寥山上。这首诗描写松寥阁夜景,寄托了作者内心深处难以捉摸的奇思幽绪和幻灭之感,很有特色。

第一句点题:"深松耿禅灯。"在浓密、苍翠的松林深处,佛灯闪亮,一个"耿"字用得很突兀,很有分量。"耿"是闪光的样子。王维诗:"孤灯耿明天"(《班婕妤二首》),陆游诗:"细云新月耿黄昏。"这些"耿"字都有令人灼目之感,反照出环境的暗淡和寂静。而厉诗用远处的"江黑"与之对比,更构成一种奇特的意境,隔江传来金山声声暮钟,使人无端惊疑的心神逐渐平静,视觉便也慢慢地适应了周围的环境,远处瓜州的路陌依稀可辨。而向东望去一切又变得无边地迷茫,在沉沉的海色中,低吟的秋风,把往日的旧迹和记忆,带向寥廓的远处,弥散成不可捉摸的空虚,不留下一点痕迹。这难道是一种色空的禅境或人世的幻象?诗人的感觉,从眼前的"深松""禅灯"到远处的"海色"与"西风",耳目所及,在"耿""疑""奇""闻""辨"等直观体验中,经历了一个复杂过程而逐渐获得一种理性的超越,由近及远,由实而虚,远近虚实,浑然一体,给全诗的意境染上了浓厚的佛屠色彩。

这首诗写的是感觉中的夜景或夜景中的感觉,用古人的话说,就是"诗中须有人在"(赵执信《谈龙录》引吴乔语)。所谓"有人",并不是像叙事性文学作品那样去刻画人物形象,而是把人物的思想感情深深地烙印在景物的描绘中,写出"人化的自然",用吴乔的话来说,便是"诗而有境有情,则自有人在其中"(《围炉诗话》)。厉鹗这首诗,句句写景,句句"有人",读罢全诗,诗人此时的思想感情和精神境界仿佛可以触摸。

"我思故我在"。我的感觉便是我的存在,便是我的形象。

诗中有这样两句:"平生托宿处,奇胜此堪数。"厉鹗精于佛学,必然要影响到他的这种审美判断。但是,这种对于佛家胜地和出世人生的赞赏,未始不包含着自己入世不遇的感伤。

(蒲友俊)

初秋有感

厉　鹗

一室呼童净扫除,流尘深锁半年余。
履綦声已消闲砌,粉指痕犹印故书。
命似凉蝉偏易断,情如暮雨肯教疏。
惊心振触伤心候,正是苕姬秋病初。

鉴赏

这首七律是作者悼念亡姬朱氏的作品之一。

厉鹗早年娶妻蒋氏,无子。雍正十三年(1735)到吴兴,因友人沈幼牧介绍作伐,纳姬人(妾)朱氏满娘,以中秋月夜,舟迎碧浪湖口,同载而归。厉鹗给朱氏取名净居女士,字之曰月上。他们共同生活了七年,夫妻情感甚笃。不意乾隆九年(1744)秋,朱氏染病不起,为庸医所误,沉绵半载,至第二年正月而卒,时年二十四岁。作者为此异常悲痛,当时就写了《悼亡姬十二首》组诗,哀情至痛,凄恻动人。后来又相继写过几首追悼之作,《初秋有感》是其一。

这首诗的构思在时间上是倒序的。从呼童扫室,触景伤情,直到朱氏初病,在最后两句的点题中结束全篇。因为姬人是秋天发病的,所以更有一番"又是秋风萧瑟时"的感伤:"惊心振触伤心候,正是苕姬秋病初。"诗人用"惊心""振触""伤心"来描写这一时节,真是刻骨铭心的创痛!苕姬,指朱氏满娘。朱氏乌程人,其地苕水出焉,故称苕姬。魏王璜在《柳州遗稿》中记述了厉鹗与满娘以中秋月夜同泛碧浪湖而归的事,有诗云:"梦觉扬州已十年,却从苕水载婵娟。"又,苕本是一种花,古诗常用以喻美人。《史记·赵世家》:"王(武灵王)梦见处女鼓瑟而歌诗曰:美人荧荧兮,颜若苕之荣。命乎命乎,曾无我嬴!"厉鹗以"苕姬"称朱氏,是别有内涵的。

善于通过细节的描写和生动的比喻来表达深挚的感情和哀思,是这首诗的另一特色。

"流尘深锁半年余"。"流尘",又称"游尘",指散布的尘埃。沈约《悼亡诗》:"游尘掩虚座,孤帐覆空床";李商隐《昨夜》诗:"但惜流尘暗烛房。""流尘"这一细节,都意味着寂寞无人。厉诗说,苕姬死后,人去楼空,屋子里积满了灰尘,已经半年多没有打扫了,今天睹物增怀,情不自禁地勾引起种种往事的回忆。寂寞的台阶上,再也听不到你"履綦"(古代妇女鞋上的装饰物)轻快的声响;而你曾经翻阅过的诗书,还留下清晰的指印,似乎散发着淡淡的幽香。"履綦""指痕"都是很有典型意义的细节描写。厉鹗与朱氏成姻,厉四十四岁,朱十七岁,用"履綦声"来描写一个中年人眼中的年轻女子是很传神的。"粉指痕犹印故书",则刻画了满娘内在的精神品貌。据厉鹗《悼亡姬十二首》序说:"姬人除女工之外,喜近笔墨,影榻书格,略有楷法,从予授唐人绝句二百余首,背诵皆上口,颇识其意;每当幽忧无俚,命姬人缓声循讽,未尝不知吹竹弹声之悦耳也。"看来满娘是一个很有文学艺术修养的女子,使他们的夫妻生活进入了一个琴瑟和谐的境界。然而,这一切都永远地成为一个遥远的梦了:"命似凉蝉偏易断",想不到你年纪轻轻,却命如秋日的蝉声,凄凉而易断绝;"情如暮雨肯教疏",可是,我们之间的感情,却偏像那淅沥沥的暮雨,缠绵而未肯稀疏。"秋蝉"和"暮雨"是两个新颖而生动的比喻,它形象地告诉人们,这一时仅仅共同生活了七年的夫妻,感情是多么深厚。

袁枚《随园诗话》说:"悼亡诗,

必缠绵宛转，方称合作，东坡之哭朝云，味同嚼蜡，笔能刚而不能柔故也。近时杭浦太史《悼亡妾诗》远不如樊榭先生之哭月上也。”这种推许是应当包括这首《初秋有感》的，只是这倒并非仅仅什么“能刚能柔”的问题。庄子云：“不精不诚，不能动人。”因为诗人有真挚的感情，又表现得具体、形象（通过细节和比喻），所以生动感人。

（蒲友俊）

湖楼题壁

厉　鹗

水落山寒处，盈盈记踏春。朱栏今已朽，何况倚栏人！

鉴赏

这是乾隆七年（1742）厉鹗为悼念亡妾朱满娘而作的一首绝句。诗虽短，却写得精巧别致，深沉含蓄，情味隽永，很有艺术特色。

首先，作者采取“今—昔—今”的倒叙方法，形成亦实亦虚，首尾呼应，曲折回环的章法特点。起句写楼上即目所见，景象凄凉索寞，已寓感伤之意。次句启开一笔，因景怀人，回忆与亡妾在“水落山寒处”踏春乐事。“盈盈”摹写满娘当时的姣好仪态，生动传神，足以唤起读者的视觉形象。对这么一件平平淡淡的日常小事，作者即深深地埋藏在心底，若非两人恩爱笃厚，焉能如此？一个“记”字，何等情深，仿佛这事就发生在不久以前似的。第三句陡作转折，直承首句又写眼前景。作者登临之楼曾是两人踏春小憩之所，如今重游故地，形孤影单，满娘先前凭览过的红色扶栏已被岁月风雨销蚀坏烂。于是末句睹物思人，对长眠地下的亡妾今日那不堪设想的情状发出了深沉的叹喟。诗的一、三句写眼前景物，从实处落笔；二、四句忆往事，怀故人，皆由虚处着墨，造成虚实相间，顿宕开阖，首尾相应，一波三折的奇妙章法，读来让人回肠荡气。

其次，是对衬、象征和进层等手法的综合妙用。以乐写哀，倍增其哀。从大的方面说，作者写满娘的姣好仪态，写两人一起度过的美好时光，正是为了用昔日之乐，对比、反衬今日之哀。就小的方面说，首句写哀景，次句写乐事，两句间也有对衬作用。三、四句主要用的是象征、衬托和进层手法。“朱栏”与“朱颜”谐音，说“朱栏今已朽”，不言人朽，而此意已在其中，这是象征。以哀景写哀事，又是衬托。“朱栏”本不易朽，尔今却已朽，物尤如此，人何以堪？诗意透过一层。后边接着再用“何况”翻进，句中的蕴涵就更加突出了。

由于章法和手法的绝妙，使得这首小诗别具一种特色：凄婉悲伤之词，欲言又止，沉痛深至之情，含而不露。首句写望中之景，“寒”字明显地融进了作者的主观感受。当悲从中来，刚刚露了端倪，忽然刹住，转而去写先前乐事。第三句景象更加凄惨，几欲声泪俱下。末句写所怀之人，未吐先咽，不忍直言，故借朱栏作象征、衬托，深至沉痛的思念之情，尽于言外传之。整首诗含蓄委婉，情味隽永，愈读愈觉意蕴丰厚。

（杨希武）

蒙　阴

厉　鹗

冲风苦爱帽檐斜，历尾无多感岁华。
却向东蒙看霁雪，青天乱插玉莲花。

鉴赏

腊月的瑞雪纷纷扬扬，大地披上了银装。

一场大雪，赏赐给世界的有多么慷慨，且不说高山旷野、秦关蜀道、石桥朱塔全部焕发出异彩，就连平常的树木也显示出不凡的风姿，君不闻“忽如一夜春风来，千树万树梨花开”那著名的诗句么？

一场大雪，赏赐给人类的也十分慷慨：那数不胜数的迷人雪景给人们带来多么美的享受，而它又触发了古往今来多少骚人墨客的诗兴？优秀的咏雪诗词不仅丰富了历代诗坛，而且能给人们以充分的艺术享受。《蒙阴》就是一篇很有特色的赞美“披雪山峰”的写景小诗。

厉鹗写诗师法陶渊明、王维，作词师法姜夔，在诗词创作上总是追求清幽峻洁的境界而自成一家。他是浙江钱塘人，热爱祖国的壮丽河山，在离家北游时，每至佳山胜水，往往即兴赋诗，创作了不少优秀的山水诗篇。这首《蒙阴》就是在“北来始作泛槎游”期间游至山东蒙阴时写成的富于诗情画意的名篇。

“冲风苦爱帽檐斜”，诗的起句以粗笔勾勒的手法，先为自己画幅小像：严冬腊月，瑞雪初霁，他头戴遮雪防风帽，由南向北踏雪迎风而行。“苦爱”，就是极爱。他那么爱帽檐，正是为了含蓄地表明行游之艰难。诗的次句抒写自己的心情。“历尾无多”，就是历书临尾，一年将尽。诗人的“岁华”之感无非是叹惋年华虚度，颇有“远游无处不销魂”的意味。从全诗的主旨来看，诗的起句、次句只起引领、衬托的作用，但是，如果从全诗构成“雪山行旅图”这个总画面来考察，这两句诗也是不可缺少的组成部分。

“却向东蒙看霁雪”，诗的第三句才转到全诗的主旨上来，即赞美东蒙山群峰披雪的风采。“东蒙”，即东蒙山，又称蒙山，在山东省中部，山势起伏，绵延百余公里。蒙阴在东蒙山的北面，诗人由南向北而行，到达蒙阴以后要远望东蒙山，自然得回过头来。这里，诗人精心地选择了大雪新霁、天空晴朗这一最佳时刻回头遥望披雪的东蒙群峰，显然是为了给它铺上蓝天这一既广阔又有色泽的背景，以衬托出它那无比壮观的形象。

如何描绘披雪群峰的形状？如何展现它的风采？怎样才能使读者心悦诚服地和诗人一道同声赞美它？点明全诗主旨并结束全诗的最后一句尤为精彩：“青天乱插玉莲花。”呈现于诗人眼前的明明是连绵起伏的山峰披上了层层厚雪，而诗人却驰骋其丰富的想象，运用浪漫主义的手法，写尽了披雪群峰的景象和神采：似乎神降东蒙山，以其无形的巨手于青天之上随意乱插盛开的白莲花。那瓣瓣白莲不正是披雪的东蒙群峰么？那挺立于青天之上的朵朵莲花不正象征着东蒙群峰的性格么？以莲花喻雪山不正显示它的峻洁么？从艺术构思的角度来看，最后一句堪称点睛之笔，成功地创造了清幽俊逸的艺术境界。以全诗为素材，以这句诗意为侧重点，优秀的画家可以创作出一幅与众不同的“雪山行旅图”呢。

（张相儒）

归舟江行望燕子矶作

厉　鹗

石势浑如掠水飞，鱼罾绝壁挂清晖。
俯江亭上何人坐？看我扁舟望翠微。

鉴赏

厉鹗为诗学宋，而自成一家，主盟江南坛坫凡数十年，为"浙派"诗的领袖。《四库提要》说他的诗"吐属闲雅，有修洁自喜之致"，从这首《归舟江行望燕子矶作》可见一斑。

这首七绝取材于诗人舟行长江的一个瞬间情景，但从中却提炼出了一种清美多趣的诗情画意，很耐人寻味。

"燕子矶"，在今南京市北郊观音山上，三面环水，壁立惊涛，形如矫燕欲飞，所以得了这样一个很美的名字。矶上有俯江亭，若登之远眺，则"白云扫空，晴波漾碧，西眺荆楚，东望海门"，"春夏水涨，浪涛轰鸣于足下"，正是"吴头楚尾"的险要处，景观阔大，历来为骚人墨客乐于壮游或慷慨之吟的金陵名胜之一。正如王士禛《登燕子矶绝顶作》所云："岷涛万里望中收"，此种景象，"前人之述备矣"。厉氏未作老调重弹，而是以一叶扁舟，凌万顷波涛，于眺望之际，搜寻妙趣，着重刻画了燕子矶的生动形象，抒写了另一种闲淡清远的情怀，既独辟新境，又不失诗人的本色。这种在主体真诚的基础上的精思独创，比起那些故作豪语而落入窠臼的"率多巨制"（清吴应和语）的东西来，这一曲小诗，在艺术的品格上不知要高出多少倍！

诗的头两句是写景，形象十分鲜明、生动，用语极有锤炼功夫。同样将石矶视作飞燕，但诗人已不是重复"形如"的老生常谈，而是"势如"的生动刻画，"掠"字就用得极为准确而传神。明张岱《陶庵梦忆》卷二"燕子矶"条说："坐亭上，看水江潋洌，舟下如箭"，可知这里水流的迅疾。从"舟下如箭"的激流中望屹然不动的石矶，一种事物相对原理所造成的主观感觉，莫有比用"掠水飞"来形容它更恰当的了。而绝壁上挂满水珠的渔网，在日光中闪耀着一片清晖，这是一幅何其优美悦目的《江上鱼罾图》。"挂"字用得很贴切，与"掠"字相映成趣，别有一种闲畅的情调。

全诗构思精致而巧妙，关键在一"望"字。这有两个方面的含义：其一是以"望"作为线索把开阔的视野中，诸如石矶、绝壁、鱼罾、清晖、俯江亭、翠微等景物，"散钱"般贯穿起来，构成了以燕子矶为主景的有机整体，画意盎然；其二是以望中之望的精妙构思，表达了一种主客同一的闲情理趣。"俯江亭上何人坐？看我扁舟望翠微"，使人想起李白的名句"相看两不厌，只有敬亭山"，而厉诗似乎还别有一种情致和神韵。陈衍评这两句诗说："十四字中四转折，质言之，为我看他在那里看我在这里看他看我也。”(《石遗室诗话》)我看他,他看我,他看我看他,我看他看我,这四层意思用散文的语言来说太啰唆了,诗则通过“望”字熔铸于“十四字中”,且以疑问的语句出之,似求有答而又不必作答,流露了一种意在有意无意之间的雅趣,余味悠然。

“望”在这两层意思的表现手法上是一明一暗,一藏一露,前三句写望中之景而“望”字藏,第四句则“望”字露,读起来使人仿佛获得了一个具体的审美视角,有身临其境之感。

(蒲友俊)

淮城使风暮抵扬州

厉　鹗

西风作意送行舟,帆饱清淮碧玉流。
三百里程消一日,芦花吹雪到邗沟。

鉴赏

乾隆十三年(1748),作者暮春北上入都,秋返江南,这首诗即写于返杭途中。

一个早晨,作者乘船从淮城(今江苏淮安县)出发,沿运河而下,三百里水路,日暮便抵达扬州。厉鹗自然没有“腰缠十万贯,骑鹤上扬州”的阔绰、福分,但淮上风光却领略不少,在心旷神怡中写下了这首充满诗意和激情的七绝。

绝句是一种最精炼的文学体裁,而精炼的表现方式却多种多样,无固定模式。或以少总多,含蓄不尽;或传神写照,画龙点睛。这首诗则是抓住特色,着意抒写,在“删繁就简”(《诗法家数》语)中高度概括,竭尽功力。一天三百里的行程,所见所感,不会太多,也不会很少,即使写散文,也不能记流水账,何况是作诗!

什么是诗人此行感观的特色呢?两个字,一曰“风”,二曰“快”。诗中作者用拟人的手法把西风描绘成一个善解人意的多情伴侣,他作意(有意)送行,把帆儿鼓得满满的;而且吹散两岸雪白的芦花以壮行色,在碧玉般流动的古运河上飞舞。这是一幅多么使人意动神驰的美丽的画图!宋人不是有这样的诗句吗?“淡月轻云晓角哀,小风吹水碧鳞开”(苏轼《淮上早发》),“橹鸣无调乐,帆饱有情风”(吴元伦《舟中》)。厉诗与之相比,有多少逊色之处呢?在厉鹗的笔下,淮上的西风不更觉可亲、可感、可人吗?

“清风满帆不摇桨”(张来《海州道中》),这也是宋人的诗句。“帆饱清淮碧玉流”,在厉鹗的笔下,画面似乎更富于立体感、动感。岂止不摇桨,当你身临其境地去体验诗意时,想到在这样的舟中,一眨眼工夫便走过了三百里行程,不禁要发出“快哉此风”的赞叹吧!

风是快风,快是风快,“风”与“快”的统一造成了这首诗特有的美。而且,由于作者不是孤立地写风,抽象地写快,而是将二者有机地统一在运河秋色与舟行情景中来表现,一切就变得更具体、更形象、更生动可感了。

此外还有两点值得注意。其一是最后一句用了一个古地名:“芦花吹雪到邗沟。”春秋时期吴国在扬州筑城穿沟,把长江和淮河连在一起,这就是历史上有名的邗沟。邗沟南起扬州,北至淮安末口,是中国最早的运河。诗人用这一古地名,自觉地意识到自己行进在运河上,仿佛行进在历史的长河中,诗的意境一下子从空间的基础上向时间的深度开拓,发人历史的遐想,也启人现实的思索:千百年来劳动人民在与自然的斗争中所创造的奇迹,既是对后代的造福,也是一种超功利的美。

其二是这首绝句作为格律诗,以平声(“西风”)起调,使全诗音域开朗,对于表现诗人此时此境那种轻快的感情,起到了很好的配合作用,所谓“声情并茂”,内容和形式达到了完美和谐的统一。对此,读者只要反复吟诵,自会领略。

(蒲友俊)

古　怨

陈灿霖*

独卧绣窗静，月明宿鸟啼。不嫌惊妾梦，羡汝是双栖。

作者

*陈灿霖，生卒年不详，字雨岩，江苏长洲（今苏州）人。诸生。

鉴赏

本篇是唐人金昌绪《春怨》的翻案文章。

首句交代了产生“怨”的境况，在“静”与“独”。窗内的“静”，体现出阴柔之美，代表着女性幽居的典型特征，但在此外，应之以“独”，让读者体验到的，便不是令人倾慕的清幽恬静，而是一种引人愁思的冷寂虚静。次句“月明宿鸟啼”与“月明星稀，乌鹊南飞”（曹操《短歌行》）的寓意相反，全无战乱之中凄凄惶惶的景象，而是化用“月出惊山鸟，时鸣春涧中”（王维《鸟鸣涧》）的意境，以动显静，将囚笼般的绣窗朱户映衬得越发孤寂难耐。不过，仅为写“静”，此句还未见出奇制胜处。作者构思之奇，在于由鸟鸣而逗引出了戏剧性的情节。

月升惊起了巢中鸟，鸟鸣惊醒了闺中人。被搅扰的她，并未像“打起黄莺儿”的思妇一样恼怒，责怪那小精灵：“啼时惊妾梦，不得到辽西”（金昌绪《春怨》），而出人意表地产生了羡情。本来，室中少妇听鸟叫而辨出雌雄偕鸣之声；因自身之窗前独卧，羡宿鸟之月下双栖，感鸟尚双栖，愈伤人之独宿，对良人不归之怨便油然而生。这样复杂的连锁反应，在作者笔下，竟转化为潜台词，给读者留下了品味的余地。

“以鸟鸣春，以虫鸣秋，此造物之借端托寓也。绝句之小中见大似之”（刘熙载《诗概》）。本篇主旨在表现少妇之“怨”，却“正面不写写反面,本面不写写对面、旁面”(同前),抓住“独卧”作怨的因由,借助“双栖”为怨的触媒,借端托寓,取径深曲,有“睹影知竿”之妙。且篇中作为触媒的景象不是看见而是听到的。听觉转化为视觉,景象触发起情感,主人公那隐秘而复杂的心曲,便在寥寥二十字中得到了细腻而丰满的表现。

（程瑞钊）

扬 州

郑 燮*

画舫乘春破晓烟，满城丝管拂榆钱。
千家养女先教曲，十里栽花算种田。
雨过隋堤原不湿，风吹红袖欲登仙。
词人久已伤头白，酒暖香温倍悄然。

作者

*郑燮(1693－1765)，字克柔，号板桥，江苏兴化人。乾隆元年(1736)进士。历任山东范县、潍县知县。有政绩。后因赈济饥民，忤上司。以病乞归，寄居扬州，以卖画为生。为清代画坛“扬州八怪”之一。又能诗、书。其诗自成一格。有《郑板桥集》。

鉴赏

“扬州”，位于长江之北，淮河之南，西濒运河，东临大海。隋炀帝所开大运河经此，两淮盐利甲天下。漕运和盐业，使扬州成为东南一大都会。清康雍乾三朝，政局相对稳定，盐官盐商鳞集于此，商业发达，市面繁华，官商生活穷奢极侈，更多歌楼妓馆。自古以来，它就以其“多富商大贾，珠翠珍怪之产”，“号天下繁侈”而闻名。板桥系扬州府属兴化县(今属江苏)人，一生除中进士后在山东范县(今属河南)做官四年、潍县做官八年外，其余全部活动都在扬州。因此，扬州是他的第二故乡，正如他在潍县任上所作《满江红》词云：“我梦扬州，便想到扬州梦我。”并标题为“思家”。他对扬州很熟悉，很有感情，但也正因此，作为清醒的现实主义作家，眼见统治阶级的挥金如土，纵情声色，不免于热爱之中生出许多感慨来。所作《扬州》七律四首，歌咏扬州春夏秋冬四季风俗景物，吊古伤今，在外似客观的叙述中，常带有主观的批判色彩。这里是组歌中的第一首，写扬州之春。

“画舫乘春破晓烟，满城丝管拂榆钱。”开首即点明时令是春天，人们趁此大好春光作春游之乐。只只游船，装饰华美，竞相在晓烟中穿梭往来。清晨尚如此，整天情况可知。伴随视觉画面而来的，是满城丝竹之声盈耳的听觉感受。前句写眼见画舫“破晓烟”容易，后句写耳听乐声“拂榆钱”则难。妙在一个“拂”字，仿佛音乐之声也能肉眼可见，掠过榆荚而进入人耳。真是春暖花开，游人如织，满城丝竹之声，一派繁华景象！

当时的扬州，随着经济的发达，文化生活也兴旺起来，尤其是财力雄厚、附庸风雅的盐商们，不惜金钱，建筑园林，演奏戏曲，收藏书画古玩，乃至唱和宴集，这不仅使扬州这座古城更为绚丽多彩，而且改变了当地的民俗。故颔联云：“千家养女先教曲，十里栽花算种田。”养女必学乐，“千家”极言其人数之多，栽花算种田，“十里”极言其面积之广。据清人李斗《扬州画舫录》卷四载，扬州人无论贵贱皆戴花，花院、花市、花会甚多，故四乡名花集焉。学乐而达到千家万户，不种田而改栽花，可见扬州文化的发达，市容的美丽，也写出了市民生活的奢靡。此联明白如话，概括力极强，而又对仗工稳，常为后人介绍古城扬州的繁华时所引用，足见其所叙事很有代表性，因而影响深广。

“雨过隋堤原不湿，风吹红袖欲登仙。”据《开河记》载，隋炀帝大业元年(605)，开通济渠，翰林学士虞世基建议，沿渠筑堤(故名隋堤)，密植垂柳，一则护堤，二则遮阴。炀帝大喜，下令官民照办，并亲手先栽一株，又赐垂柳姓杨，故名杨柳。扬州著名风景，“第一是隋堤绿柳”(《满江红·思家》)，然而诗人却不点明，让读者从“雨过隋堤原不湿”的原因中悟出，同时又含蓄地表现了春雨润物后的一派清新葱茏的春意。下句承春雨而写春风。“风吹红袖欲登仙”，生动地再现了游乐中的年轻女子在春风吹拂下翩翩歌舞、妖艳如仙的形象。一个“欲”字，把那动态写得活灵活现。联系前二联，清晨即游春，满城皆丝管；养女先教曲，栽花算种田；终日作游乐，歌舞欲登仙等描写，都抓住了扬州风物人情的特点，繁华中却多少透露出一点畸形和病态。这就是当时扬州统治者及官商富豪们过的骄佚生活的真实写照。不但白天如此，而且夜以继日，自古皆然，正如板桥在《广陵曲》(扬州古称广陵)中所说：“长夜欢娱日出眠，扬州自古无清昼。”唐人王建诗云：“夜市千灯照碧云，高楼红袖客纷纷。如今不似时平日，犹自笙歌彻晓闻。”(《夜看扬州市》)又据《扬州画舫录》载：“城内富贵家好昼眠，每自旦寝，至暮始兴。燃烛治家事，饮食燕乐，达旦而罢。"更可见其贪官富商花天酒地的腐朽生活由来已久，已达荒唐至极地步。

以上三联，描述了当日扬州一片歌舞繁华的景象。然而全诗的重点并不在此，而在最后的尾联上，前三联都是铺垫，其叙事、写景都是为了最后两句的抒情："词人久已伤头白，酒暖香温倍悄然。""词人"，这里是诗人自指。"久已伤头白"是说因长时间的伤感而使头发都变白了。一个"伤"字使全诗陡转，可见诗人面对穷富悬殊的现实，感怀日久，隐忧日深，虽身居"酒暖香温"的闹市之中，然而却倍增忧愁。从表面看来，诗人在这里所表露的心态，似乎与前面所写的内容不相协调，然而这正是诗人的独特感受，通过这复杂而矛盾的心情和深深的感慨，正表明了诗人不为扬州表面上的繁华所迷惑，透过现象看到统治阶级腐败的实质，寓批判于"赞美"之中，引人深思和警觉。这在当时一班文人放弃"经世致用"的积极精神，提倡"清空""淳雅"，主张中正和平，温柔敦厚的歌咏升平的诗文中，不啻以石击水，荡起反思的微波。从手法上看，尾联承上，一笔荡开，有了前三联的蓄势，尾联的直抒胸臆就并不感到突兀，相反却将"悄然"之情落实到前三联的字句上，寄意无穷，韵味深长。

板桥写过不少类似《扬州》的诗，填过不少类似《满江红·思家》的词，还刻有一方闲章，印文为"歌吹古扬州"，都一再表现了他对繁华热闹的家乡扬州的热爱和隐忧。同时，我们又知道，板桥曾在扬州度过了他大半生坎坷不平的艺术生涯，以其洒脱泼辣、寓意深远的画笔，开艺坛一代新风，列入"扬州八怪"之一。这"怪"字，除了指他的绘画风格与当时的正统画家有所不同而实含革新之意外，也指他的思想行为与当时的习俗不大一样。读这首诗，不也使人感到有点"怪"味么？

（蓉　生）

绍　兴

郑　燮

丞相纷纷诏敕多，绍兴天子只酣歌。
金人欲送徽钦返，其奈中原不要何！

鉴赏

要理解这首诗，必须重温一下宋代的一段历史：金兵于宣和七年(1125)渡河南下，直取北宋都城汴京(即东京，今河南开封)。宋徽宗恐慌，一面向金朝屈膝求和，一面让位给儿子赵桓(宋钦宗)，迅速南逃。靖康元年(1126)，金人再度南下，次年进入汴京，俘虏了徽宗、钦宗等人，北宋灭亡。这就是历史上所谓的“靖康之变”。五月，金兵北撤，徽宗第九子赵构在南京(今河南商丘)称帝(宋高宗)，改元建炎，建立南宋王朝。从此开始了南宋与金朝南北对峙的局面。金人继续南侵，高宗偏安江南一隅，对金人屈辱求和，南逃扬州、杭州等地，其时，朝内文武官员如李纲、宗泽、岳飞、韩世忠等，积极抗金，尤其是岳家军收复失地不少。金朝节节失利，为取得喘息机会，故意扬言要把钦宗放回作皇帝，把徽宗的棺木也送回，并归还黄河以南的土地，从此与宋朝和好。高宗担心钦宗放回后理当重登皇位，因此迫不及待地与金议和，并重用秦桧为宰相。绍兴八年(1138)，南宋定都临安(今浙江杭州)。绍兴十一年(1141)，秦桧与金勾结，逮捕岳飞后，南宋与金朝签订和约，称臣纳贡，这就是历史上的“绍兴和议”。次年，岳飞被害。从此，南宋统治者把杭州当汴京，过着醉生梦死的生活，后于祥兴二年(1279)被元军消灭。

扬州曾是高宗南逃之地，又是板桥的第二故乡，因此板桥对这次历史事件非常熟悉，有所感而作此七绝。题为《绍兴》，不仅说明它是高宗继建炎之后的年号(1131—1162)，更重要的还在于表明诗的重心在写高宗偏安一隅，苟且偷生，不图恢复之事。“绍兴和议”、岳飞被害等，也都是在这段时间里发生的。因此，凡是熟悉这段历史的人，一提到“绍兴”二字，就会很自然地产生很多联想，比如金人的长驱直入、奸臣秦桧的卖国投敌、抗金良将岳飞等人可歌可泣的民族斗争精神等等，但更重要的还是想到高宗的昏庸误国，正如提到“靖康”二字而首先想到徽、钦二帝的屈辱被俘一样。可见诗人以此为题，含意深广，颇费匠心。

“丞相纷纷诏敕多，绍兴天子只酣歌。”“丞相”，指秦桧。此人是中国历史上的民族败类，早在“靖康之变”时被金兵掳去，随即屈膝投降，卖身投靠，充当金军参谋。建炎四年(1130)，金朝派他回南宋作内奸。他回到南宋，隐瞒真相，说是从金朝虎口里逃出来的，赢得高宗称赞，不久便从礼部尚书升为宰相。“诏敕”，专指皇帝诏书，这里指高宗皇帝的命令及文告。"纷纷",状"诏敕"多而杂,接二连三地发出。可见当时政局的混乱,形势的紧迫。这一句关键在最后一个"多"字,是说当时这"纷纷诏敕"多由秦桧发出。这就使人产生情理不通之感。"诏敕"本该由至高无上的皇帝颁发,怎么由秦桧发出呢?诗正是通过这一矛盾现象表示秦桧的专权已到了完全操纵朝政的地步。其所发"诏敕"之"多",姑且不说多次与金议和,多次阻挠主战派的正确意见等等,单就与金勾结、勒令岳飞火速退兵一事,就在一天之内借用皇帝的名义下了十二次紧急命令,迫使岳飞撤回,然后将其害死。秦桧的擅朝危害之大,由此可见一斑。那么,"绍兴天子"即高宗在干什么呢?为什么放纵秦桧如此胡作非为呢?"绍兴天子只酣歌"便是最形象的回答。可以说这前后两句诗互为因果。"酣歌"二字已把高宗偏安后沉醉于湖山之间,过着花天酒地的寄生生活,写得淋漓尽致,再加一个"只"字,就更把这位昏君不思恢复中原,"只"知荒淫享乐的精神状态刻画得入木三分。难怪当时有位诗人林升在临安旅店墙壁上极其愤慨地写下这样的诗篇:"山外青山楼外楼,西湖歌舞几时休?暖风熏得游人醉,直把杭州当汴州!"(《题临安邸》)板桥和林升的诗,都是对南宋王朝偏安局面的真实写照,也是对南宋统治阶级的有力揭露和讽刺!

第二联"金人欲送徽钦返,其奈中原不要何!"直承前一联而来,是前因后果的关系。正因为有昏君的贪图享乐、不思恢复和奸臣的专权以及与金人的勾结为害,才导致了国土的沦丧和中原的不得恢复。诗人在这里巧妙地借用了当时"金人欲送徽钦返"之事,把它写成真有其事,然而以高宗为首的统治集团早已决定"中原不要"了,奈何!反之,如果接受"徽钦返",那么高宗就不能享乐,秦桧也不能再专政,这对于南宋朝廷是万万不可能的事。既然"金人欲送徽钦返",南宋朝廷尚且无心接受以恢复中原,那么如果"金人不送徽钦返"又怎么样呢?那不更是幸灾乐祸以保全自身的权势与安乐么!诗人明知如此,但又故意要挑出这个问题来,一方面在于进一步揭露统治者早已不想恢复中原这一事实,让人们明白,并痛加斥责;另一方面又在"中原不要"的重大问题上加上"其奈……何"的反诘语式,造成强烈的讽刺,从而写出郁结在人们心头的愤恨,把对历史上只知荒淫享乐、甘心国土沦丧的昏庸统治者的鞭挞推向高潮!此诗写历史题材而又不受其限,于第一联之后,借用"金人欲送徽钦返",引出"其奈中原不要何",不但合乎情理,顺理成章,使人信服,而且紧扣题意,突出了全诗的中心,其构思上的巧妙,正在这虚实结合之中。

全诗明白如话而又逻辑严谨,

层层推理而又构思巧妙，提出了历史上一个由于统治集团的腐败而导致国土沦丧的重大问题，而又以莫可奈何的反诘语气结束，实在耐人寻味。处在阶级矛盾和民族矛盾都十分尖锐的清王朝统治下的郑板桥，写出此诗，除有鞭挞历史上的昏君误国之意外，似乎还别有所指，这就给人留下更多的思考余地。

（蓉　生）

江　晴

郑　燮

雾裹山疑失，雷鸣雨未休；夕阳开一半，吐出望江楼。

鉴　赏

《江晴》二首，今选其一。据王锡荣《郑板桥集详注》："这两首诗作于焦山。"查《郑板桥集》所附《年表》载："1735，（雍正）十三年乙卯，四十三岁。读书镇江之焦山。"次年中进士。可见此诗是板桥中进士前所作。板桥中进士前几年，曾多次在焦山读书，并有不少诗作和家书提到此事，其中能悟出最早至焦山时间的为《游焦山》诗。诗中有"老去依然一秀才"句，而板桥是在康熙五十五年（1716），二十四岁时中秀才，雍正十年（1732），四十岁时中举人的，可见临近中举之前就已"游焦山"了，再前则不见记载。以此推算，此诗当作于三十九岁至四十三岁之间，或是中举之前不久，或是中举之后准备会试中进士之前。今扬州博物馆藏郑燮扇面书此诗，落款云："乾隆乙酉，书似蔚起年学兄正。板桥郑燮。"乾隆乙酉是1765年，板桥已七十三岁，并于年底去世，显然这不是作此诗之年，而是书此诗赠人之年。焦山，在江苏镇江市东北，屹立大江之中，与西北的金山对峙，并称金焦，问为江防要地。古名樵山，相传东汉末处士焦先隐此，因名焦山。南宋岳飞、韩世忠曾驻此抗击金兵。有定慧寺、华严祠、三诏洞等名胜。

明白了此诗写作的大致时间和地点，再结合诗的内容看，所写"江"即长江，"山"即焦山，"望江楼"即在江岸望江中焦山时所见山上下临大江之雄伟建筑。由此可知这首五绝写的是夏日观江上骤雨初晴的焦山晚景，故题为《江晴》。

"雾裹山疑失，雷鸣雨未休"。雷鸣阵阵，大雨急来，落个不休，原来清晰的江面，顿时烟雾朦胧，一片迷茫。这正是夏日常有的气候和景象。原来屹立江中的美丽的焦山因“雾裹”而再也看不见了。既说“山疑失”,可见原来不但有山,而且清晰可见,只是现在才消失了。一个“疑”字正生动地写出了“雾裹山”、山顿失的情景。这既是以山写雾,又是以雾写山,明写雾,暗写山,一石二鸟。写雾,除用“山疑失”加以衬托外,又用一“裹”字状其浓密。写山,用一“失”字,是不写之写,更增添了山的朦胧美。至此,夏日雷雨的骤然而至,烟雾笼罩焦山,江面一片迷茫景象已历历如在目前。

第二联“夕阳开一半,吐出望江楼”。“夕阳”,既点明时间已是傍晚,并照应题目中的“晴”字,又为画面抹上一笔亮点。承上,雨还未完全住,突然西天边上露出了太阳,而大雨织成的雾网还未完全散去,只被太阳的热力打“开一半”,一束阳光从云隙里透出,刚好先照射在高高的望江楼上,则楼好像从空中吐出一样。“吐”字极妙,活画出了雾开楼现的生动形象,使本来静止不动的望江楼带上了动态美,又突出地表现了焦山和山上的望江楼的高耸入云。不仅如此,它既是雾“开一半”的必然景象,又生动地照应了前面的“山疑失”。如果没有前面的“山疑失”,哪来后面的“吐出”的“望江楼”?可见这“吐出”的“望江楼”正是植根于前面那“疑失”的“山”上的。反之,如果后面不写“吐出望江楼”,则前面的“疑失”之山,便真的“失”去了,则必失之空泛,又何来“疑”字呢?故结句之妙,不仅生动形象地活画出了夕阳之下、云雾之上的“空中楼阁”,又把前联的大“雾裹山”自然而巧妙地勾连起来,形成浑然一体的真实而生动的画面。真所谓“诗中有画”,极富情趣。

全诗构思的巧妙,在于围绕一个“雾”字写出诗人独特的“疑”情。在辽阔的江面上,因“雷鸣雨未休”而生“雾”,因“雾裹”而生“疑”,因“疑”而生“山”顿失其巍峨之感;当夕阳西下,余晖反照,雨渐止,云稍开,又因雾“开一半”而生“疑”,因“疑”而生空中“吐出望江楼”之感。诗人面对这“雾”中之景,雾裹雾开,引发出这“疑”中之情,时间短暂,变化倏忽,偶有所感即抓住不放,通过“雾裹”设“疑”,“雾开”则前“疑”释后“疑”又生,不经意写来,活脱脱一幅意境优美的彩色山水画,画出了祖国河山之美,令人赞叹不绝,其诗情画意,很耐人寻味。

(蓉　生)

渔　家

郑　燮

卖得鲜鱼百二钱，籴粮炊饭放归船；
拔来湿苇烧难着，晒在垂杨古岸边。

鉴赏

“民以食为天”。生活在封建社会的渔民，仅靠捕鱼为生。这首诗紧扣这个“食”字，句句写渔民生活的困苦，字字透露出诗人对贫苦渔民的深切同情。

靠自己的劳动度日的渔民，辛苦一天，捕得几尾鲜鱼，自己不能享用，赶紧拿到市场上去卖，以换取少许粮食糊口。诗一开始便从“卖鱼”着手，点明题意“渔家”。“卖得鲜鱼百二钱”，一个“鲜”字，可见渔民是旋捕旋卖，鱼多则喜，鱼少则愁，无鱼则只有饿饭了。“百二钱”，自南北朝以来，一枚铜钱为一文，千文为一吊，“百二钱”是一百多文钱，极言其少，并非确数。由此可知，鱼既少，价又廉，故劳累一天所得收入极其微薄。从画面上，我们仿佛看见一位年老的渔夫卖完鱼后正在颤抖着双手清点这难得的“百二钱”，隐约地表现出渔夫难言的心绪，暗示出渔家生活的清贫。紧接一句“籴粮炊饭放归船”。“籴粮”是买进粮食，“炊饭”是烧火做饭。这两个词，一方面说明渔民的生活来源，仅靠卖鱼的钱赶紧换成粮食；另一方面说明渔民等米下锅的生活。这就进一步暗示出渔家生活的困苦。“放归船”是驶船顺水归来。“归船”何急？是为了“炊饭”。可见渔民已饥肠辘辘，正赶紧带上三两升粮食，驾着一叶小舟匆匆归来。

当今有的古诗选本在解释“炊饭放归船”时，认为是渔人放船归来，船头炊烟袅袅。果如是，则何来下联“拔来湿苇烧难着，晒在垂杨古岸边”？可见“放归船”时尚无法“炊饭”，因为无烧饭之柴；而是写渔人的意念，想赶紧“放归船”回家去“炊饭”。从“放”字还可悟出渔人归心似箭的急迫心情。这样，“籴粮炊饭放归船”就有承上启下的作用，自然地带出后两句诗来。有了米可以下锅了，却又无柴，便去拔岸边的芦苇来烧。一个“湿”字，写出芦苇的颜色，刚“拔”下的青青的芦苇“烧难着”,怎能“炊饭”?于是只好先“晒在垂杨古岸边”。到芦苇晒干饭烧熟,又要等到什么时候呢?这就又从“炊饭”所遇到的一系列具体困难上,最后更进一步写出渔家谋生的艰难。

全诗处处紧扣渔家的生活环境——鱼、船、苇、岸;处处点明渔家的生活特点——卖鱼、买粮、放船、晒草;然后围绕一个“食”字,先写“卖鱼买粮”,后写“晒苇烧饭”,不枝不蔓,重点突出,历历如绘,特色鲜明,时时暗示出渔民生活的简朴、清苦和艰难。从这些栩栩如生的艺术形象和景物描写中,自然而然地流露出诗人的倾向性,那就是渗透在诗中的情——对渔民困苦生活深切的同情!板桥是一位同情和热爱劳动人民的诗人,小时住在扬州府属兴化县(今江苏兴化县)东门,对附近渔民生活极为熟悉,后来在山东当县官时,还念念不忘家乡劳动人民生活的苦处:“可怜我东门人,取鱼捞虾,撑船结网;破屋中吃秕糠,啜麦粥,搴取荇叶、蕴头、蒋角煮之,旁贴荞麦锅饼,便是美食,幼儿女争吵。每一念及,真含泪欲落也。”(《范县署中寄舍弟墨》)可见他反映人民疾苦的诗写得如此亲切感人,不是没有原因的。

诗用白描手法写出,叙事结合写景,语言通俗,形象生动,不假雕琢,不施彩绘,画面真率自然而又有运动感。先在市场,继而在水上,最后“定格”在岸边,使这首短诗具有“尺幅千里”之妙。它写出了渔家的日常生活和赖以生存的水乡泽国的特有风貌而又充满诗情画意,宛然一幅柳岸渔舟图,真不愧出自诗人兼画家的手笔。

(蓉　生)

潍县署中画竹呈年伯包大中丞括

郑　燮

衙斋卧听萧萧竹,疑是民间疾苦声;
些小吾曹州县吏,一枝一叶总关情。

鉴赏

这首诗是板桥任山东潍县知县时送给山东巡抚包括一幅墨竹画上的题画诗。“年伯”,指与父同年登科的长辈。明以后,泛称父辈,不问是否同年,都称年伯。“中丞”,清代对巡抚的别称。“大”是敬称。“包括”,字银河,钱塘(今浙江杭州市)人,康熙四十五年(1706)进士,乾隆初官山东登莱青道,七年(1742)迁山东布政使,署理巡抚。此“诗可能作于乾隆十一、十二年(1746、1747)”(林庚、冯沅君主编《中国历代诗歌选》、陈书良《板桥诗词撷英》),此时板桥刚自范县调署潍县,即遇山东大饥,人相食,灾民大量逃荒关外觅食,其状惨不忍睹。板桥此时作画题诗以赠山东巡抚,自有深意在焉。

从所赠画的画面上看,只是一幅普通的竹子,三两枝竹竿,淡淡疏疏地生长着一些竹叶,除此就什么也没有了。然而通过题诗,诗人却赋予它更多更深的内涵。诗人躺在官署中的书房里,听到风吹竹子的“萧萧”声,抒发的不是骚人墨客的闲情逸致,却“疑是民间疾苦声”。怎么会有这种感觉呢?为官者若时时把百姓的冷暖放在心上,处处想着人民的苦乐,即使听到风吹竹叶的声响,也会联想到民间的疾苦,百姓的呻吟。由此,诗人进一步又从竹子的“一枝一叶”,联想到作为地方上的我辈父母官们,地位虽低微,但却应该对百姓的每件小事都要体察入微,细细关心!这就暗寓着一个“当官应为民着想”的令人深思的问题。平时尚且应该这样,灾荒之年更应如此。诗人在这里,通过丰富的联想,形象的比喻,借题发挥,由衷地表达了封建社会里一位“读书志在圣贤,为官心存君国”,想为百姓做点事的亲民之官的虔诚愿望,为我们描绘了一位爱护百姓,“一枝一叶”都“关情”的优秀地方官吏形象。末句刻画尤为细腻,耐人寻味,感人至深!在画上题诗,“呈年伯包大中丞括”,可见诗里还含有讽喻之意,启发做大官的人更应随时想到人民的生活。“痛痒相关”(板桥印文),兢兢业业为人民办事,以解除民间疾苦为己任。这里,既有对自己的激励,又包含着对同僚的劝勉。这正是这幅以竹寄意的画和题画赠人的诗的深意所在。一位封建地方小官,能有如此心肠和胆识,能在诗画中寄托如此殷切的希望,真可谓语重心长,难能可贵,虽然这种愿望在封建社会是很难实现的。

板桥为人,目的在“立功天地,字养生民”。因此,他主张为文之道,在于“经世致用”,“歌咏百姓之勤苦”(以上见《潍县署中与舍弟第五书》)。作画,则“用以慰天下之劳人”(《题画》)。可见他作画,不是随意写生,而是寄寓深刻的思想;他在画上题诗,不是单纯为画面作注解,而是为了抒情明志。他的这种思想和创作,通过大量的题画诗就表现得更为明显,其艺术手法也极为高超。加上他独具特色的书法,所谓“六分半书”的板桥体,做到诗书画三趣合一,浑然一体,细细品味,真令人拍案叫绝,叹为观止。

这首题画诗，以画为题，缘画而作，又直接写在画上，因此“诗画结合”或叫“诗画合一”是它显著的艺术特色。板桥既是深通诗意的画家，又是深通画意的诗人。在他最擅长的墨竹画面上，题上含意深刻的诗句，画因题诗而使意境得以升华，诗因有画而使形象更为突出，“诗中有画，画中有诗”（王维语），互相丰富，阐发，提高，使人觉得赏画犹如读诗，读诗犹如赏画，交相映衬，相得益彰。这里，诗人巧妙地用比喻把诗与画中的情与景融为一体，把竹之“萧萧”声比喻成百姓的“疾苦声”，把竹子的“一枝一叶”比喻成百姓生活中的琐细小事，从而使画中之景与心中之情相融，妙合无间。于是诗人赋予竹画以特定的内容，然后就有形的画引出抽象的情，直抒胸臆。如果没有诗中贴切的比喻，诗中那关心人民的思想和情怀是无法用几竿竹子的画面表现出来的。正因为诗人在画竹的体会中，捕捉到画中之景与心中之情即“物”与“我”之间的某种异中之同，才能借题画为手段，达到抒情明志的目的。

这类配上题诗的画，常因题诗的点睛而画增趣；而这类为画而题的诗，又常因画的流传而诗益传。这首自画自题以赠人的诗，正因为其寓意深刻而向为人们所传诵。

（蓉　生）

竹　石

郑　燮

咬定青山不放松，立根原在破岩中；
千磨万击还坚劲，任尔东西南北风。

鉴赏

这是一首题画诗，是板桥咏竹的名篇之一。板桥画竹，不但神理俱足，画出竹的各种自然风采，而且常通过题诗赋予竹以人的刚毅的风骨和高尚的节操，从而表达自己的抱负和志向。因此，他常把竹比做君子：“竹称为君”，“唯有竹为君子伴”，“大君子，离不得”，“满堂君子之人”（《郑板桥集·补遗》）等等。这种比拟，在我国是源远流长的。最早赋予竹以人的品格，把它引入社会伦理美学范畴的恐怕是《礼记·礼器》:“其在人也,如竹箭之有筠也,如松柏之有心也。二者居天下之大端矣,故贯四时而不改柯易叶。”(王利华《竹与中国文化》)其后,魏晋有所谓“竹林七贤”,王子猷(微之)乃至声称:“何可一日无此君!”(《世说新语·任诞》)宋代以来的“四君子(梅兰竹菊)”,“可使食无肉,不可使居无竹”(苏轼诗),“岁寒三友(松竹梅)”,以至口语中的“玉可碎不可改其白,竹可焚不可毁其节”等等说法,都以竹的虚心、性直、根固、有节、清拔凌云、顶风傲雪、随处而安、四时不改柯易叶等独特之处,喻人美好的思想品德。于是,历代不少诗画家,敬竹崇竹,画竹颂竹,寓情于竹,引竹自况,蔚然成风。板桥便是其中的代表人物之一。(【注】板桥曾在多幅竹石图上题有此诗,文字略有差异,如“破岩”,又作“乱岩”“乱崖”“破崖”;“万击”,又作“万折”;“坚劲”,又作“坚净”;“东西南北风”,又作“颠狂四面风”“东南西北风”等,落款内容和时间也各别,详见《郑板桥全集》该诗“编者注”。1986 年国内几家报纸曾就此载文展开争论。现在看来,均出自板桥手笔。可见板桥常应邀作画题诗赠人,但求寄意,不拘字句,反复修改,不墨守成规的创作风格。)

明乎此,再来欣赏这首题画诗,就容易理解它的旨趣了。画三两竿青山翠竹,扎根破岩之中,然后题上这首诗。“咬定青山不放松,立根原在破岩中”,用拟人法形容竹子的扎根于散乱、破碎的岩石之中,不怕土薄石坚,基础不牢,却像锋牙利齿一般,一旦“咬定”就决“不放松”。“原”字有推其根源之意。正因为此竹“立根原在破岩中”,以“青山”为“家”,才生长得更为“坚劲”挺拔。这既“咬”而又“定”且从此就“不放松”,可见其扎根之深且稳。这就生动地刻画出了竹子坚劲、顽强的性格。这第二句既为第一句作了解释,又为下二句张本。第二联“千磨万击还坚劲,任尔东西南北风”。“还”字有仍然之意,又有反而之意。意思是说,任你四方八面的狂风暴雨,一年四季的霜打雪冻,千般磨折,万般打击,它反而更苍劲挺拔,泰然自若,坚韧不移,顽强不屈。这就进一步描绘了竹子无视环境压力的豪放气概。联想到诗人一生之中两任县令,求做“贤令”而不可得,因灾年赈济百姓而终致罢官的坎坷经历,以及宁可重返扬州卖画为生,洁身自好,而决不屈服于贪官污吏的压力,决不为五斗米折腰而同流合污的品格,我们就不难理解,板桥在诗里完全是借咏竹以自况,即通过对劲竹的热情赞美和歌颂,明白地表现了自己处于恶境而不随风倒的刚劲的风骨和高尚的节操以及顽强奋斗的精神。

诗全用寄托手法,意在言外,即借画寄意,绘景抒情。诗人“使笔如画”,遣词用字,尽在为竹摹形绘状,但与其说是写竹,不如说是写人。绘竹,在于配合画面,以真实感人的空间物象构成意境,所谓“无我之境”,而把诗人自己的主观感情融化于实景之中,所谓“融情于景”,然后通过景象自身引起读者的联想,从而借画意引出寄托之意来。值得注意的是,诗人为使自己的情志能突出地通过竹子的形象表现出来,不是机械地自然主义地摄取画面上的景物,而是有选择地对竹子进行“摹状”。此诗没有写竹竿如何,竹叶又怎样,而是只抓住岩竹的扎根之深,不怕狂风吹拂一点大做文章,加之用语通俗而有个性,粗犷而又质朴,形象鲜明而又寓意深刻,故能巧妙地寄托自己的情怀。这样的题画诗,缘于画面而又高于画面,不是“独守尺寸”的文字说明,而是画面景物的创造性的发挥,故能产生意在言外,耐人寻味的艺术魅力,很能代表板桥题画诗的艺术风格。

板桥如此善于借画竹咏竹以写人,是与他平时爱竹种竹以自娱分不开的。他的这种生活情趣,在同题为《竹石》的另一题画中曾有明白的记叙:“十笏茅斋,一方天井,修竹数竿,石笋数尺,其地无多,其费亦无多也。而风中雨中有声,日中月中有影,诗中酒中有情,闲中闷中有伴,非唯我爱竹石,即竹石亦爱我也。”于此可见,板桥与竹,竹与板桥,心相通也,情相连也,故能写出如此富于思想感情的“竹颂”来。

(蓉　生)

题　画　竹

郑　燮

四十年来画竹枝,日间挥写夜间思。
冗繁削尽留清瘦,画到生时是熟时。

鉴赏

这是一首题画诗,系板桥晚年总结自己“四十年来画竹枝”的历程和经验,重点在第二联上,属论画性质。收在《郑板桥集·补遗·题画竹》中,原诗无题,今姑以总题为之。落款云:“乾隆戊寅十月下浣,板桥郑燮画并题。”可知作于乾隆二十三年(1758)十月二十一日至三十日之间,时年六十六岁,六年后板桥去世。

从题诗所在画面上看，画的是三两竿“清瘦”的翠竹，旁立石笋数尺。从题画诗的内容上看，不是绘景抒情明志，而是由画生感，以画为媒介，阐述自己一生从事绘画（以画竹为例）的某些经验总结和艺术理论。这种题画诗，基本上与画意无涉（指具体的画面），而言及绘画理论，是题画诗的又一表现内容。它虽因画幅所限，不能作长篇大论，但透过这散金碎玉般的只言片语，也闪耀着某些艺术理论的光辉。

经验和理论来源于长时期的实践和总结。板桥一生，爱竹种竹，画竹颂竹。为了画好竹，掌握好竹子的形态、特点，他在自家茅屋南面种许多竹子，以供观赏和揣摩。风和日丽之时，日光月影之中，窗纸粉壁之上，“一片竹影零乱，岂非天然图画乎！”每当烟光日影雾气在竹子的疏枝密叶之间浮动时，他“胸中勃勃遂有画意”。于是，“磨墨展纸，落笔倏作变相”“浓淡疏密，短长肥瘦，随手写去，自尔成局，其神理具足也”。（以上见《题画·竹》）这说明他画竹，是如何从“眼中之竹”到“胸中之竹”，再到“手中之竹”的；也说明他十分注意向生活学习，师法自然，而又不跌进自然主义、形式主义的泥坑。不仅如此，他还注意向古人和同时代人学习，既博采百家之长，又不一概兼收并蓄；既避免走复古主义、教条主义的老路，又重在写意传神和创新。他画竹，学苏东坡，文与可；画兰竹，学郑所南，说自己“兰竹之妙，始于所南翁”（《补遗·题兰竹石》）；对徐青藤更是佩服，愿作“门下走狗”（板桥印文）；学徐青藤、高且园，说“师其意不在迹象间”（《靳秋田索画》）；学石涛，“学一半，撇一半”，主张“十分学七要抛三，各有灵苗各自探”（《题画·兰》）；他钦佩八大山人，但仍以为“八大是八大，板桥亦是板桥”（《靳秋田索画》）；主张“自树其帜”（《与江昱、江恂书》），坚持走自己的路，形成独特的风格。不仅如此，还注意把书法融入画中，认为书画相通：“要知画法通书法，兰竹如同草隶然。”（《题兰竹》）他曾以画竹作比说：“书法有行款，竹更要行款；书法有浓淡，竹更要浓淡；书法有疏密，竹更要疏密。”“以书之关纽，透入于画。”（《题画竹》）这就更具有独创精神。

这样，积“四十年来画竹枝”之实践经验（以一生计，板桥从事绘画达五十多年），又加上“日间挥写夜间思”地不断探索、思考、总结，终于悟出自己的绘竹理论。一曰“冗繁削尽留清瘦”，即由繁到简，“以少胜多”之法。他曾在《一枝竹十五片叶呈七太守》的画上题诗说：“敢云少少许，胜人多多许。”（《题画》）又在另一首题画竹诗中说：“一两三枝竹竿，四五六片竹叶；自然淡淡疏疏，何必重重叠叠？”（《补遗·题画竹》）提出这种精辟的见解，板桥是经历过一段艰苦的。他曾说：“始余画竹,能少而不能多;既而能多矣,又不能少,此层功力,最为难也。近六十外,始知减枝减叶之法。”(同上)可见一条重要的创作原则的提出,得来非易。“以少胜多”之秘诀,正是以最简练的笔墨表现最丰富的内容,是一种“以少总多”的高度的艺术概括力的表现,也是绘画中处理艺术形象的“形”与“神”关系的辩证统一,即“形”要简,“神”要足,以最少的“形”表现最丰富的“神”,收到“一叶知秋”的奇效。当然,这种“少”不是越少越好,而是以艺术化的典型形象努力创造一种气氛,给人以广阔的想象余地,通过读者的联想和再创造,从而达到“以少胜多”的目的。繁则易、简则难。正如清人恽正叔在《南田论画》中所说:“愈简愈难”。而板桥“冗繁削尽留清瘦”正是他“以少胜多”理论的形象说法。

二曰“画到生时是熟时”,即由熟到生,以有“趣在法外”的创新精神为贵。这个“生”字,即由熟到生的“生”,是指有了坚实的基础,动笔之前,意在笔先,反复酝酿,刻意求精;从“熟”中求“生”,才是真“熟”。因此,这个“熟”字,是指技法纯熟到了炉火纯青的地步,达到了自出新意的艺术高峰,从“生”中求“熟”,才达到艺术的自由境界。板桥曾说:“郑板桥画竹,胸无成竹”,“胸中之竹,并不是眼中之竹”,“手中之竹又不是胸中之竹也。总之,意在笔先者,定则也;趣在法外者,化机也。”(《题画·竹》)而所谓“法”,他也曾解释说:“画竹之法,不贵拘泥成局,要在会心人得神……不特为竹写神,亦为竹写生。瘦劲孤高,是其神也;豪迈凌云,是(其)生也;依于石而不囿于石,是其节也;落于色相而不滞于梗概,是其品也。竹其有知,必能谓余为解人;石也有灵,亦当为余首肯。”(《补遗·题画竹》)总之,“不泥古法,不执己见,惟在活而已矣”。(同上)故所作之画,乃“无古无今之画,原不在寻常眼孔中也。未画以前,不立一格,既画以后,不留一格”。(《乱兰乱竹乱石与汪希林》)这种不落俗套自出新意而能随心所至的画,才是上乘之作。由此可见板桥创作的严肃性和创新精神以及艺术技法的高度成熟。

板桥曾写过一副对联云:“删繁就简三秋树,领异标新二月花。”(《全集·对联》)可看作此诗的注脚。是说他作画,讲究删繁就简,如九月的树,秋季使它自然地删去繁枝冗叶,只留下主枝干;又提倡标新立异,如二月的花,春风一到,它第一个开放,新奇鲜艳。这首诗及这副联语,虽系作者自叙书画心诀,但其艺术经验,今天仍可借鉴,且有普遍意义。板桥之所以成为画坛“扬州八怪”之一,是有道理的。

(蓉　生)

道 情 篇(十首)

郑 燮

枫叶芦花并客舟,烟波江上使人愁。劝君更尽一杯酒,昨日少年今白头。自家板桥道人是也,我先世元和公公流落人间,教歌度曲。我如今也谱得道情十首,无非唤醒痴聋,销除烦恼。每到山青水绿之处,聊以自遣自歌;若遇争名夺利之场,正好觉人觉世。这也是风流事业,措大生涯。不免将来请教诸公,以当一笑。

老渔翁,一钓竿;靠山崖,傍水湾。扁舟来往无牵绊。沙鸥点点轻波远,荻港萧萧白昼寒。高歌一曲斜阳晚。一霎时波摇金影,蓦抬头月上东山。

老樵夫,自砍柴;捆青松,夹绿槐。茫茫野草秋山外。丰碑是处成荒冢,华表千寻卧碧苔。坟前石马磨刀坏。倒不如闲钱沽酒,醉醺醺山径归来。

老头陀,古庙中;自烧香,自打钟。兔葵燕麦闲斋供。山门破落无关锁,斜日苍黄有乱松。秋星闪烁颓垣缝。黑漆漆蒲团打坐,夜烧茶炉火通红。

水田衣,老道人;背葫芦,戴袱巾。棕鞋布袜相厮称。修琴卖药般般会,捉妖拿鬼件件能。白云红叶归山径。闻说道悬岩结屋,却教人何处相寻。

老书生,白屋中;说唐虞,道古风。许多后辈高科中。门前仆从雄如虎,陌上旌旗去似龙。一朝势落成春梦。倒不如蓬门僻巷,教几个小小蒙童。

尽风流,小乞儿;数莲花,唱竹枝。千门打鼓沿街市。桥边日出犹酣睡,山外斜阳已早归。残杯冷炙饶滋味。醉倒在回廊古庙,一任他雨打风吹。

掩柴扉，怕出头；剪西风，菊径秋。看到又是重阳后。几行衰草迷山郭，一片残阳下酒楼。栖鸦点上萧萧柳。撮几句盲辞瞎话，交还他铁板歌喉。

邈唐虞，远夏殷；卷宗周，入暴秦。争雄七国相兼并。文章两汉空陈迹，金粉南朝总废尘。李唐赵宋慌忙尽。最可叹龙盘虎踞，尽销磨燕子春灯。

吊龙逢，哭比干；羡庄周，拜老聃。未央宫里王孙惨。南来薏苡徒兴谤，七尺珊瑚只自残。孔明枉作英雄汉。早知道茅庐高卧，省多少六出祁山。

拨琵琶，续续弹；唤庸愚，警懦顽。四条弦上多哀怨。黄沙白草无人迹，古戍寒云乱鸟还。虞罗惯打孤飞雁。收拾起渔樵事业，任从他风雪关山。

风流家世元和老，旧曲翻新调。扯碎状元袍，脱却乌纱帽。俺唱这道情儿归山去了。

鉴赏

道情是一种说唱文学，本道士所歌，称黄冠体(见《啸余集》)。后来江湖上的歌者，依调谱词，多寓讽世劝善之意，沿门歌唱，唤住唱道情。这十首道情是郑板桥的一时游戏之作，一开始，就集唐人崔颢、王维、许浑等人诗句为上场诗，信手拈来，颇为浑成；道情的一头一尾，都戏称自己是唐人小说中人物、元人石君宝杂剧命名为郑元和者之后，这是因为郑元和曾狎妓沦落为挽歌郎。又遭其父鞭弃再沦落为乞儿。而“道情”原是沿门歌唱曲儿，正经文人所不屑为，作者居然为之，而且给自己找了这样一个不经的理由，赋本篇以不少风趣。

前六曲歌咏了六种江湖中人，依次为渔翁、樵夫、头陀、道士、塾师、乞儿，比起“争名夺利之场”中人来，他们生活相当清贫，然而却亲近“山青水绿”之大自然，而且取一种自然的生活方式即自食其力，从而绝无名利场中的是非、烦恼，反而活得快活自在，令人羡煞。后四曲则出以歌者口吻，他从往古历史中汲取材料，二予以评驳，第八曲极精要地叙述了从唐尧到南明数千年历史，于“空陈迹”“总废尘”“慌忙尽”

“最可叹”“尽销磨”见意，极精要地概括了一部廿四史就是封建统治“其兴也勃焉，其亡也忽焉”的循环史；第九曲指出历代宫廷、朝廷都充满复杂的矛盾，忠臣志士鞠躬尽瘁，演出的总是悲剧，唯有信奉老庄哲学，才能远祸全身。

上面这些思想内容前人也曾在诗词中表现过，但都不如道情这样洋洋洒洒、淋漓尽致、寓意通俗而文字优美。所以它比同类诗词更能安慰官场失意者的心情，近人如邓拓在受政治迫害丢官后，写《燕山夜话》，竟称赞郑板桥是“一枝画笔春秋笔，十首道情天地情”。评价不可谓不高。道情曲词在音节上很有特色，基本上由三言、七言句构成，行文上有骈散的变化，句群上有奇偶的变化。用韵有疏密的变化，七言句有上四下三、上三下四节奏的变化，在音调上备极摇曳多姿。近体七言诗是以单音步结尾，故尾音迤逦曼长；而道情曲词以两个上三下四的联语结尾，即双音步结尾，尾音找截干脆，很有新意。

（周啸天）

九 龙 滩

沈受宏*

我从建溪走千里，胆落魂消百滩水。
舟人更说九龙滩，绝险诸滩安足齿。
嗟子漂泊何为哉？今日亲到龙滩来。
恰闻昨日七舟下，两舟却破寻尸骸。
上滩犹比下滩好，人登崖岸且自保。
长索条分众挽舟，独把操篙付三老。
一滩水悬一丈高，奔雷卷雷舂怒涛！
舟尾向天舟倒立，还防巨石訇相遭。
欲上不上力再着，号呼互应愁一错。
我伫山根彳亍行，崚嶒石罅难移脚。
九龙九龙路折盘，尽日劳劳上几滩？
最有墓龙势尤险，过此相庆方平安。
呜呼上滩人自苦，下滩水急谁能主？
轻舟逐浪转如飞，纵有贲获勇何补！
清流之人水中生，弄舟惯与洪流争；
商旅乘舟漫侥幸，性命直比鸿毛轻。
我意欲将山路辟，下属安沙上铁石。
闲却九龙不复行，往来免误天涯客！

作者

*沈受宏，生卒年不详，字台臣，江苏太仓人。贡生。家贫不求仕进，以诗

受知于吴伟业。有《白溇集》。

鉴赏

形式,对于任何艺术作品都是十分重要的。没有无形式的内容,相反,也没有无内容的形式,内容作用于形式,形式反过来作用于内容。内容和形式的关系,是艺术辩证法的基本范畴。

艺术,要讲究形式美。戏曲表演就要求歌唱化、韵律化,动作舞蹈化,即所谓"无动不舞,有声必歌",前者是美观,后者是美听。绘画也很重视形式美,线条、色彩与构图,就是绘画形式美的主要因素。音乐,是更努力追求形式美的,不注意节奏、旋律、调式、和声等等之美,怎么会有使闻之者动心的乐曲?诗歌的形式也是如此,从沈受宏的这首《九龙滩》,也可看到形式的艺术表现力的独特性。

沈受宏是清代一位知名度不高的诗人,曾向名诗人吴梅村学诗。福建多山,滩多流急,九龙江在福建省南部,由北、西两溪合成,流入厦门湾入海,长达 258 公里,负山阻水,舟人视为畏途。沈受宏这首诗,就是写九龙江的险状和自己心悸而魄动的感受。开始四句是起调,高唱而入,诗人先以侧面烘托之笔,张扬九龙滩之险绝,先声夺人。接着二十句,随步换形,层波叠浪,极写上滩之险,"一滩水悬一丈高,奔雷卷雷舂怒涛!舟尾向天舟倒立,还防巨石訇相遭",行文极尽腾挪跌宕之能事,真是使人如见其事,如观其景,如入其境。第三部分的八句,风雨分飞,鱼龙百变,状下滩之险象环生,读来也令人凝神屏息。最后是诗人表白开辟山路关闭水道的愿望,有如一阕九龙滩的四重奏,悠扬摇曳,留下的是令人心有余悸的尾声。

这首诗,是古体诗中的七古,它源于《离骚》与汉魏乐府,始于曹丕《燕歌行》,发展于鲍照《拟行路难》十八首,到唐代而臻于极盛,李白、杜甫、高适、岑参、白居易、韩愈等才高气盛的诗人,都有许多佳作。这种体式正如王世贞《艺苑卮言》所说:"其发也,如千钧之弩,一举透革。纵之则文漪落霞,舒卷绚烂。一入促节,则凄风急雨,窈冥变幻,转折顿挫,如天骥下坂,明珠走盘。收之如橐声一击,万骑忽敛,寂然无声。"沈受宏《九龙滩》一诗,仿佛近之。清诗人黄仲则也有首写险滩的《新安滩》:"一滩复一滩,一滩高一丈。三百六十滩,新安在天上!"短小的绝句,只能表现审美对象最典型的特征和诗人最典型的感受,给读者留下思之不尽的余味,而不能浓墨重彩地铺陈,有丝毫旁逸斜出之处。从以上两首题材相似形式不同的诗作的比较中,可以看出不同形式的艺术表现力的独特性。　　(李元洛)

乌江项王庙

严遂成*

云旗庙貌拜行人,功罪千秋问鬼神。
剑舞鸿门能赦汉,船沉巨鹿竟亡秦。
范增一去无谋主,韩信原来是逐臣。
江上楚歌最哀怨,招魂不独为灵均。

作者

*严遂成(1694-?),字崧瞻,号海珊,浙江乌程(今吴兴)人。雍正二年(1724)进士,累官至雄州知州。工诗。长于咏物,尤擅咏史,尝自负为咏古第一。有《海珊诗钞》。

鉴赏

乌江(在今安徽省和县东北四十里长江岸边),原本并不出名,由于一个顶天立地的奇男子——西楚霸王项羽曾在此作过他辉煌而短暂一生的告别演出,故地以人传,成了后世人们代代向往和纪念之地。

公元前202年,历时四年的楚汉战争进入决战阶段,项羽兵败垓下,率八百余骑向南突围,汉军以五千骑追之。项羽逃至乌江,乃有二十八骑。他本欲东渡乌江以图东山再起,但性格刚毅、不肯屈从于人的西楚霸王终因愧对江东父老而伏剑自刎,走完了他那轰轰烈烈、悲壮慷慨的人生途程。项羽之死,成为千古诗人笔下的一个永唱不衰的题材。或赞美之,如李清照“生当作人杰,死亦为鬼雄,至今思项羽,不肯过江东”便是;或惋惜之,如杜牧“胜败兵家未可期,包羞忍辱是男儿。江东子弟多才俊,卷土重来未可知”便是……总之,喑呜叱咤的楚霸王,虽然兵败身亡,霸业不终,但他在后世人们的心中,仍然是一个战死的英雄,一个顶天立地的奇男子。诗人笔下的项羽,总是激荡着一股奇气,一种歌颂、哀婉的主旋律。严遂成此诗,便是以此为基调,颂扬了项羽的气度和战功,叹息了项羽的不能用人,从而对其不幸夭亡表示哀悼。

首联入题,写乌江项王庙为后世崇祀。"云旗庙貌"四字系指项羽死后成神。云旗,语出《离骚》:"驾八龙之婉婉兮,载云旗之委蛇。"原意是屈子驾驶插着饰有云霓的旗子,由八龙所御之车周游天国,这里象征神灵。庙貌,伟人死后立庙图貌以祀,此指项王庙。这两句说项王庙引来四方行人顶礼膜拜,其功罪是非千年以来评论不一。言其功者,说他"三年,遂将五诸侯灭秦,分裂天下,而封王侯,政由羽出,号为霸王,位虽不终,近古以来未尝有也"。言其过者,说他"放逐义帝而自立……自矜功伐,奋其私智而不师古,谓霸王之业,欲以力征"(见《史记·项羽本纪》)。孰是孰非,只有鬼神能够评判。其实,作者对项羽灭秦建楚的功劳是肯定的,项羽功过,历史事实明明摆着,要评判并非难事,何须问鬼神呢?此说鬼神,实际上是不需问鬼神。这从他死后为行人所拜即足以证明了。以上是对项羽一生功过的总评。

颔联和颈联是具体评价。"剑舞鸿门能赦汉"是写项羽在鸿门宴上不忍暗算刘邦而放虎归山之事,一个"能"字写出他的气度和磊落。"船沉巨鹿竟亡秦"是指项羽在巨鹿之战中身处逆境,破釜沉舟,以摧枯拉朽之势大破秦军主力章邯,从而奠定推翻暴秦的功劳,一个"竟"字表现了项羽能征善战,勇冠诸侯军的胆略。鸿门宴和巨鹿之战是项羽一生事业成败的关键,作者在此作浓墨重彩渲染,表明自己对项羽的由衷赞叹。接下来两句是对项羽不能用人过失的惋惜。汉高祖谋臣勇将之中,本来不少都是项羽部下,但后来却一个个地离开他而投到刘邦麾下,比如韩信、陈平、黥布等,其中特别是韩信,成了后来在军事上彻底摧毁他,置他于死地之人。始终忠于他而又谋略过人的只有一个范增,但项羽对他又若即若离,并不真正信任。鸿门宴上,由于他不听范增的安排,竟使谋杀刘邦的计划成为泡影;荥阳之围中,他又轻信陈平的反间计,赶走了范增,最后终于成了真正的"孤家"和"寡人"。项羽的不能用人,实在太叫人惋叹,就连他的劲敌刘邦也说:"夫运筹策帷幄之中,决胜于千里之外,吾不如子房;镇国家、抚百姓、给馈饷,不绝粮道,吾不如萧何;连百万之军,战必胜攻必取,吾不如韩信。此三者,皆人杰也,吾能用之,此吾所以取天下也。项羽有一范增而不能用,此其所以为我擒也。"(《史记·高祖本纪》)此正可作项羽不能用人的注脚。

总结了项羽一生事业成败的功过，作者对这个悲剧英雄寄予了无限叹惋，无限同情，无限哀思。尾联则是这种情感的明白流向——“江上楚歌最哀怨，招魂不独为灵均。”项羽是楚人，项羽的季父项梁，“梁父即楚将项燕，为秦将王翦所戮者也。项氏世世为楚将”（《史记·项羽本纪》）。当时民谚有云：“楚虽三户，亡秦必楚。”对于这个为楚国人民报了亡国之仇的战死英雄，楚人对他当然最同情，最哀痛了，他们用自己最喜爱的民歌形式——楚歌来哀悼他。楚歌，这里指《楚辞·招魂》一篇，与末句“招魂”关合。《楚辞·招魂》是屈原为招怀王客死于秦所作，也有人说是宋玉为招屈原生魂而作，这里当指后说。灵均，屈原之字。《离骚》说：“名余曰正则兮，字余曰灵均”。这里，作者把项羽与屈原相比，屈原是楚国之魂，也是中华民族之魂，楚国人民纪念屈原，也缅怀项羽。项羽的千秋功罪，自然不说自明。故尾联可说是对首联“功罪千秋问鬼神”一句的作答，首尾呼应，妙笔也。

此诗沉痛、悲凉、哀婉，短短二十八字，足敌一大篇史论，表现出诗人工于咏史（诗人自负咏古为第一）的特点。全诗融诗才、史识于一炉，再现了秦末汉初之际那一幅幅雄伟的历史画卷，是一篇浓缩了的《项羽本纪》。

（蒋先伟）

曲峪镇远眺

严遂成

地近边秋杀气生，朔风猎猎马悲鸣。
雕盘大漠寒无影，冰裂长河夜有声。
白草衰如征发短，黄沙积与阵云平。
洗兵一雨红灯湿，羊角鱿鱼堠火明。

鉴赏

这是一首边塞诗。写此诗时作者正出任山西临县知县。曲峪镇，在临县西，黄河东岸。关于此诗写作背景，作者在诗题下自注云：“时西陲方用兵。”西陲用兵，指雍正二年甲辰（1724）年羹尧代贝子胤禵为抚远大将军平青海罗卜藏丹津叛清事。诗写作者在曲峪镇所见边塞那种壮阔、肃杀的景象。

诗一起题即渲染边塞的战争气氛，言曲峪镇地近边城，又时临秋天。古人认为，秋主兵象，是战争的征兆，故古代用兵多在秋天。欧阳修《秋声赋》曰："夫秋，刑官也，于时为阴；又兵象也，于行用金；是谓天地之义气，常以肃杀而为心。"这里说"杀气生"，是说年羹尧用兵的气氛已传染到边城曲峪镇。边地早寒，塞草早衰，"北风卷地白草折，胡天八月即飞雪"（岑参《白雪歌》），虽然时间仅只是秋季，然而边城却早已是"朔风猎猎"天寒地冻了。在这样的时刻行军打仗，其苦况自不待言，连战马也发出阵阵悲鸣。马犹如此，人何以堪？不单是马，即使过惯北国苦寒生活的大雕，此时此刻也躲藏起来，浩瀚的大漠不见其踪影。这里，作者用"马悲鸣""雕无影"两个特写竭力渲染了边城的苦寒，马悲鸣是听觉听闻，雕无影是视觉所见，一写地面，一言天穹，六合之内，可说是一片悲凉肃杀之气。就在如此艰难困苦的环境里，参加平叛的将士却在夜涉冰河，诗人伫立边城，似乎听到了马踏黄河冰碎的声响，这是想象，是一个关心国家命运前途的诗人对这次"西陲用兵"的想象。虽然他不能亲赴前线，但其内心与征战的将士是相通的，正和陆游"夜阑卧听风吹雨，铁马冰河入梦来"的心境相似。按下来继续写远眺所见："白草衰如征发短"，白草，是产于北方关外的一种草，干枯时成白色，前引岑参《白雪歌》"北风卷地白草折"即是。白草已衰，说明气候之寒，言它衰如征夫头上的短发。"征发短"，是形容征夫头发稀疏，语出杜甫《春望》诗"白头搔更短，浑欲不胜簪"，这里，是言指将士征战之苦，连头发都掉光了。下句"黄沙积与阵云平"，"阵云"，云霞叠起如兵阵，言边地云如兵阵，这无疑又是在渲染战争气氛，作者抓住塞外风物特点，以黄沙堆积与云霞相齐写出战争之苦。在关内过惯青山绿水生活的战士，而今却在黄沙堆中厮杀，既无天时，亦无地利。以上两句，就大漠特有风物着笔写远眺中大漠景象，不言征战之苦而苦自明。

战争是残酷的，痛苦的，但正义的战争又是人民心甘情愿参与和支持的。尾联是诗人对这次战争的肯定和乐观预测：老天下雨助战，边疆红灯通明，城防固如金汤。"洗兵一雨红灯湿，羊角鱿鱼堠火明"，"洗兵"，典出《说苑》："武王伐纣，风霁而乘以大雨，散宜生谏曰：'此非妖欤？'武王曰：'非也，天洗兵也。'""红灯湿"，作者自注："前明（按：指前代之明朝）边堠（堠，古代瞭望敌情的土堡）挂红灯，其上鱿鱼皮为之，胶以羊角，雨湿不坏。"这两句说，天下大雨助我平叛之战，雨虽然打湿了报警的红灯，然而却无损其明亮。这明亮的堠火，正预示着边陲无事,国防安宁。这就预示出这次西陲用兵的胜利。这是诗人远眺所见,也是战争进行顺利的形象说法。全诗就在这样一种充满欢乐和光明的气氛中刹尾,留不尽之意于言外,使人遐想,引人预测……

这首诗以乐观的情调和必胜的信念写了诗人在边城曲峪镇远眺时所见所想。全诗笔力饱满,对仗精工,比喻精切,写边塞风光富于特色。吴应和评曰:"边塞之什,应作秋笳晓角之音,此篇绝似陈黄门(子龙)仿高岑诗。"

(蒋先伟)

三垂冈

严遂成

英雄立马起沙陀,奈此朱梁跋扈何!
只手难扶唐社稷,连城且拥晋山河。
风云帐下奇儿在,鼓角灯前老泪多。
萧瑟三垂冈畔路,至今人唱《百年歌》。

鉴赏

"三垂冈",也称三垂山,在今山西省潞城西。此诗是作者过三垂冈时有感于李克用之事而写的一首怀古诗。李克用,沙陀(西突厥的别部,居新疆天山北路)人,父原名朱邪赤心,帮助唐朝镇压庞勋起义有功,赐姓名为李国昌。黄巢起义,李克用率沙陀军帮助唐朝镇压,攻入长安,封晋王。事见《五代史·唐武皇纪》。

首联写李克用是起于沙陀族的马上英雄,虽然他骁勇善战,可是对朱温专横跋扈却无可奈何。"朱梁",指后梁太祖朱温。朱温初从黄巢,降唐后封梁王,唐僖宗赐名全忠,天佑末(906)篡位,弑唐昭宗及哀帝自立,改国号梁。曾与李克用为争夺割据地盘而长期作战,虽然克用长子李存勖(后唐庄宗)曾在三垂冈设伏兵打败他以解潞州之围,可并未伤其元气,致使其后来篡唐自立。英雄无奈朱梁跋扈,诗开篇就感慨良深,为全诗悲吊唐朝败亡定下基调。

颔联进一步抒发唐亡的感慨。写李克用只手难以扶持唐朝江山,阻止朱温废唐自立,只能保全自己的割据地盘和晋王地位。"晋山河”,语出《左传·僖公二十八年》“表里山河,必兀害也”。杜预注“晋国外河而内山”。此指李克用据有的山西一带地方。以上四句,是作者有感于朱温篡唐,而作为宗室的李克用不能保唐,只知割据的评骘,表现了对唐亡的无限感慨、无穷遗恨,可谓情见乎辞。诗斥朱温“跋扈”可说愤慨之极;称李克用“英雄”而无奈朱温其何,语含讥刺,笔伐口诛,严于斧钺。

由此,诗人很自然地想起李克用父子昔日的龙虎风云之气。当初,李克用破梁军孟立方于邢州(今河北邢台),还军上党,置酒三垂冈,令人奏《百年歌》,至于衰老之际,声辞甚悲,座上皆凄怆。时存勖在侧,方五岁,克用慨然捋须,指而笑曰:“吾行老矣,此奇儿也。后二十年,其能代我战于此乎?”克用死后,存勖继立为王,公元907年,又败梁军于上党,过三垂冈,感叹说:“此先王置酒处也。”(事见《新五代史·唐庄宗纪》)颈联两句,即概括以上史事,称引李克用父子昔日“气吞万里如虎”,实讽刺他们今日无能,只知自保,眼睁睁地看着唐室大好河山沦于朱温之手,能不慨然乎?诗说李存勖为“奇儿”,实则为豚子。虽然他灭掉了后梁而重建后唐,然风云龙虎之气不长,不久即骄恣荒淫于政事,在位四年,遭伶人郭从谦谋反,中流矢而死。言李克用“老泪多”,实是哀叹晚唐无可用之人,李伤感自己老矣,读者则慨叹大唐“无可奈何花落去”,“乱世之音哀以思”,不可不谓至理名言。

大唐亡了,后唐亦不能持久。英雄风云一时的李克用父子而今安在?八百年后的诗人来到了三垂冈,这个记录了李氏父子战绩的龙虎之地,当年是何等地显赫荣耀,引人注目,而今却是萧瑟秋风,满目凄凉。人们也许至今还没有忘记当年李氏父子在此置酒弹冠相庆的场面,也许令人凄怆悱恻的《百年歌》至今还在传唱,但江山易代,乾坤翻覆,李唐王朝早不存在了。

此诗凄恻哀婉,是唐王朝灭于藩镇割据的一曲无可奈何的挽歌,英雄无回天之力,历史的车轮必然按照自己的辙迹滚滚向前,这是真理,是一条永远颠扑不破的真理。此诗属咏史诗,咏史贵在借古讽今,但此诗对清代当时社会现实似无讽喻之意,故此诗还不能算是咏史诗的上乘之作。

(蒋先伟)

题临城公廨壁

严遂成

车马所不到，山墙带女萝。逼城河力大，吊古鬼雄多。
吏向衙前散，官于枕上过。爽亭碑尚在，剔藓一摩挲。

鉴赏

这是一首题壁诗，题于临城县衙壁。“公廨”，即官署，衙门。临城，在今河北省西南部，城临泜河。作者自注云：“陈余战殁于此。”陈余，秦末人，陈涉起义时，他与张耳从武臣北定赵地，武臣为赵王，他任大将军，后与张耳绝交。张耳降汉，与韩信击赵，陈余兵败，被韩信斩于临城泜水之上。诗写临城荒僻景象兼吊古。

首联写临城地处偏僻，车马不到，连官衙的山墙上也爬满了女萝。“女萝”，地衣类植物，也称松罗，全体为无数细枝，状如线，须依附他物生长。古诗常代指“妇托于夫”，《古诗十九首》“与君为新婚，兔丝附女萝”即此意。此用其本来之意，“山墙带女萝”是说女萝依附于山墙上生长。一个县城，没有一条能走车马的官道，衙门之内长满女萝，其荒凉冷落可知。接下来写城所处位置：“逼城河力大”，泜河迫近古城，以“奔流到海不复回”的气势绕城流过，汹涌澎湃，一泻千里，时常威胁着古城的安全。“吊古鬼雄多”，“鬼雄”，指陈余。这个在秦末农民战争中揭竿而起的草莽英雄，曾为保卫巨鹿贡献过力量，后因不附汉被杀于此，诗人写到泜河，于是很自然地联想起这件往事，诗人同情其遭遇，赞赏其气节，故称其死后变鬼也是一个英雄。这两句是情景相生的写法，古城荒凉，然有如此英雄，亦可堪告慰了。这是吊古。颈联回扣首联续写古城偏僻，写临城偏远无事，吏早散衙，县官也闲得无聊，只于睡眠中消磨时日。这两句看似不经意地叙事，但语含讥刺，“官于枕上过”，暗用唐传奇《枕中记》故实，指古城中官吏们不体恤民情，只知在枕上做升官发财的“黄粱美梦”，小城政事不修，官吏腐败无能，他们就是小城荒凉冷僻的制造者。婉讽微辞，需仔细涵咏，方能意会。尾联又暗接吊古：“爽亭碑尚在，剔藓一摩挲。”“爽亭碑”，作者自注：“县郭有普利寺，宋徽宗驻跸、赐额命蔡京书《爽亭》二字碑。”古城虽偏，所幸尚有不少古迹可供凭吊，在几百年的历史沧桑巨变中，古城的一切都湮灭了，只有爽亭碑还在，它是古城历史的见证。诗人来到古城，虽然身离魏阙，但“心远地自偏”，亦有一番尘嚣中难觅之乐趣。不是吗？你看诗人在用手一层层地剔剥掉碑上的苔藓，然后抚摸着那“苏黄米蔡”四大书法家之一的蔡书精品，久久地、久久地沉浸在往事的烟云之中。

（蒋先伟）

五人墓

桑调元*

吴下无斯墓，要离冢亦孤。义声嘘侠烈，悲吊有屠沽。
阘冗朝廷党，峥嵘里巷夫。田横岛中士，足敌五人无？

作者

*桑调元（1695－1771），字伊佐，号弢甫，浙江钱塘（今杭州市）人。雍正十一年（1733）进士，官工部主事。后因疾归，主讲濂溪书院。工诗。有《弢甫集》《五岳集》。

鉴赏

"五人墓"，苏州古迹，在虎丘山下山塘。明天启六年（1626），苏州周顺昌因斥责当时朝廷权臣、宦官魏忠贤，在苏州遭魏党逮捕，当时苏州市民激于义愤，纷起抗议。阉党捕杀了为首五人：颜佩韦、杨念如、马杰、沈扬、周文元。次年，魏阉畏罪自杀，苏州人民即废魏祠而将五人尸骨合葬于此，称五人墓。事见张溥《五人墓碑记》。

诗分两层。前四句写五人就义的价值和影响。首联说苏州如果没有"五人墓"，那么要离的埋葬之所也就孤独寂寞了。"吴下"，苏州也。苏州古称"吴"，是春秋时吴国的都城。"要离"，春秋时吴国剑客。吴王阖闾（即公子光）为夺王位使专诸杀掉吴王僚以后，又叫要离刺杀其子庆忌，事后要离亦伏剑自刎，死后葬苏州。这两句用映衬手法，赞扬五人与要离一样为苏州城增辉添彩。其实，要离之死远不可与五人同日而语。要离只不过是一个被统治者收买的剑客，是一个奉行士为知己者死，为统治者内部骨肉相残而充当的一个打手而已。则五人则不同，他们是为伸张正义，反对统治阶级的倒行逆施而献身。诗人在此作这样的并比,只是看到他们共有的豪侠义气,但并不明白问题的实质。这是需要指明的。

先哲有言,人固有一死,但死的意义有不同。或重于泰山,或轻于鸿毛。五人之死,其义烈之声叫人赞叹唏嘘,并为苏州人民永远悲恸哀悼,这是颔联就五人墓所发表的感慨。"义声",是指仗义执言,慷慨就义的名声。"嘘侠烈",使侠烈者为之赞叹。"屠沽",屠夫和卖酒的人,此泛指下层百姓。这里,不管是豪侠之士,或是"下贱"之人,莫不为五人精神所感动,可见五人之死的影响和价值。

后四句把五人与古今相对比。颈联先把五人与魏党进行横向比较:"阘冗朝廷党","阘冗",亦写作"阘茸",贾谊《吊屈原赋》:"阘茸尊显兮,谄谀得志",阘茸,是对人的鄙称,犹言小人。"朝廷党",指魏阉党徒。这一句说魏忠贤党徒都是一些小人。"峥嵘里巷夫","峥嵘",高峻貌,比喻品德出众。"里巷夫",普通百姓。这句说,普通人民中却有五人这样的高尚人物。作者爱谁,恨谁,在此联中态度尤为鲜明。尾联又把五人与历史人物进行纵比,说田横岛中的五百义士,都赶不上这五个人。田横,本齐国贵族,楚汉相争时,从其兄田荣占齐国旧地,自立为齐王,汉灭楚后,他与部属五百人逃入海岛(今山东省即墨县东大海中,即诗中的"田横岛"),汉高祖派人招他,他耻于事汉,在赴洛阳途中自杀。五百部属闻田横死讯,亦全部自杀。田横五百部属之侠义行径不可不谓高矣!然则,诗人却认为他们也不能和五人相比,这就足见五人之死意义和价值是如何重大了。

这一首诗,以议论见长。全诗语言精警简拔,采用对比手法,以诗论史,表现了诗人赞美正义,鞭挞丑恶的正义感。

(蒋先伟)

晓　行

胡天游*

梦阑莺唤穆陵西，驿吏催时雨拂衣。
行客落花心事别，无端俱趁晓风飞。

作者

＊胡天游(1696－1758)，一名骙，字稚威，号云持，浙江山阴(今绍兴)人。雍正时副贡，乾隆元年(1736)举博学鸿词科，以病未终试。后客游河北、山西等地。工骈文，亦能诗。有《石笥山房集》。

鉴赏

这首诗写清晨赶路时的心情，在一层淡淡的羁旅愁思中，隐含着触物兴感的凄迷怅惘之情，但却写得意态自然，具有轻松抒情的笔调，别致而有逸趣。

“梦阑莺唤穆陵西，驿吏催时雨拂衣。”这两句写早晨梦醒后从驿站被催上路的情形。但作者不是平铺直叙，而是委婉地曲陈其事，在一波三折中，充满了耐人寻味的诗情。第一句的本来意思是，在山东临朐东南大岘山上的穆陵关西面的驿站里，清晨，作者听到黄莺的鸣啭，不觉从梦中醒来。这样的意思，诗句“梦阑莺唤穆陵西”却完全是倒过来写的，首先点出了“梦”字，使“晓行”与迷离的睡梦相连，表明清晨起床之早。而“莺唤”二字，又进一步暗示出作者对梦境的留恋，因为莺并不会唤人，这是作者别有感觉，仿佛是黄莺惊破了他的好梦，在睡眼惺忪中还牵系着梦里的绵绵情思。到句末，方才点出梦醒的地方，原来是远离家乡(作者是浙江绍兴人)的“穆陵西”，作者此时在这陌生的地方茫然地掉头四顾的情景，以及由此而透出的异乡羁旅之思，全都默默包含其中了。这样写来，不仅符合生活的真实，生动地表现出客行早起的神情意态，而且读来颇有一种宛转顿挫之美，这正是诗歌的妙处所在。第二句接着写梦醒后驿站官吏的催促，作者开始出站，这时才发现野外正在下面，雨水飘洒到衣服上，带来春朝的寒意。这一句的“催”字，与上句的“唤”字连用，“唤”而又“催”，充分表现出旅行中的行色匆匆，艰难劳苦之意不言而喻。句中“雨”字与上句“莺”字相呼应，不仅表明了季节是春天，因为黄莺多在春季鸣叫，而且也表明昨夜正经过了一场春雨——“夜来风雨声，花落知多少?”(孟浩然诗句)雨打花落的情景，自然隐含于字里行间，意思深长婉曲。这两句读来轻松自然，好像是作者信手拈来，但仔细玩味后不难发现，其实经过了作者的惨淡经营。

由于前两句中已经包含着客行匆匆和雨打花落之意，到第三句的转折时，作者就明确地写出“行客落花”，似承似转，亦承亦转，巧妙而自然。不过，作者却不是把“行客落花”相提比并，而是进行对照反衬，指出他(它)们的“心事”有“别”。也就是说，行客的心事与落花的心事是不相同的。“落花”的心事是什么呢？在风吹雨打中，零落飘残，“更能消几番风雨，匆匆春又归去”(辛弃疾词句)，充满着凄然伤感之意。作者说“落花”也有“心事”，是将它拟人化，使自然之物变得更具情趣。与“落花”不同，“行客”却有着另外的心事。作者虽然没有具体写出自己的“心事”到底是什么，但根据作者身世可以揣度。他在乾隆年间举博学鸿词因病不终场而出，长期客游河北、山西、山东等地，飘飘然颇有“天地一沙鸥”(杜甫诗句)之意，则他的不得已而流落在野，又不得已而以客游消遣的心情，是不难想见的，这里面多少有一些悠然自得之意，自然与落花相异其趣了。然而，尽管“心事”有“别”，在这绝早的清晨，“行客”与“落花”却“无端”(没来由)地趁着晓风而“飞”。这里的“飞”字，对于“落花”来说，是因风雨摧残而飞落，而对于作者来说，却是在路上跨马疾行而走，两相映衬，虽然有别，却也有共同之处，那就是身世无处寄托，行踪飘忽不定，其间透露了作者的隐隐的行旅之思，特别是在“无端”二字中，有明显流露。但这意思，总的说来却非常迷离朦胧，似乎只可意会，难以言传，可谓婉曲之至而又神韵悠扬。

此诗虽然写得情韵悠长，有一种朦胧美，但在具体描写上却十分精细，后二句的同中见异，异中寓同，真是刻画入微，给读者留下了多少遐思远想！全诗虽然不以叙事为主，但仔细领会，包含其中的在驿站晓行的整个过程，都井然有序，纹丝不乱。首二句言“梦阑”“驿吏催”，则起床、盥洗、备马等情节自在其中,似乎连驿站一片忙乱的情景,以及人喊马叫的声音,都可想见;“雨拂衣”,则又说明已经出站、上路。三、四句的“行客”和“飞”,进一步说明已经在路上匆匆行走了。这些,诗中没有明写,却可以味而得之,深见含蓄之美,也见出作者长于剪裁的功夫,体现出精炼之美。

(管遗瑞)

晚秋游莲居、报国两招提

杭世骏*

秋深淡疑夕，幽兴任所选。野色迹鸟飞，翠影逐人转。
缘溪径石桥，散策入僧院。出林清磬圆，到水凉云变。
洗钵鱼不惊，坐树叶屡颠。不辞竹风吹，时得花雨溅。
了知佛香清，矧恋乡土善。视荫惜遍归，境过意频眷。

作者

*杭世骏(1695－1772)，字太宗，号堇浦，浙江仁和(今杭州)人。早年家贫，刻苦力学。雍正二年(1724)举人，乾隆元年(1736)试博学鸿词，授翰林院编修。以言事切直罢归。晚年主讲粤东、扬州书院。生平博通经史，尤擅长诗。有《道古堂诗文集》。

鉴赏

一个晚秋的日子，诗人步出杭州市东的庆春门，选游了莲居寺和报国寺。诗题是“招提”，系梵语，即寺院。此诗描写了两诗的幽秀景色，表现出一种宁静、淡泊、闲适的情致。

首四句写出游的天气、兴致和大自然的景色。时间是深秋，日色冷淡，虽是白昼，却令人有日暮天晚之感。诗人忽发郊游的“幽兴”，信步城东，选择了去莲居、报国两寺游览。杭州乃天下名胜，也是诗人的故乡，姑不说“三秋桂子，十里荷花”的西湖，也不说灵隐、岳庙，就是虎跑、钱塘，亦是奇趣无穷，令人缱绻流连。可诗人却选游了莲居、报国两寺，足见它们是极富魅力的。诗人出得城来，但见天高野阔，鸟在长空中随秋色而飞，人逐青山绿水而游，大自然的美景，实在令人心旷神怡。“野色迹鸟飞，翠影逐人转”是两个特殊的句法结构，实即现代汉语的"鸟迹('迹'作动词,有'跟踪'之意)野色飞,人逐翠影转",这里的"人",指诗人自己,但也包括所有郊游之人。接下来八句写出游的行踪、所见和兴致。诗人拄杖沿溪经过一座石桥,于是到了莲居、报国两寺。诗中的"缘溪",即"沿溪";"策",手杖;"散策",拄着手杖。虽然诗人年事已高,但游兴颇浓。他穿竹林,遥听古刹传来的僧人念经击磬声,觉得既清妙又圆润;他逐清溪,俯看明静的溪水中映照出的朵朵流云,似乎感到云都变凉了。诗人徜徉清流,看到寺僧在溪边洗涤盂钵,水中游鳞往来翕忽,在争逐钵中残羹剩肴,全然不为人所惊恐;诗人憩息树下,秋风吹落黄叶,树枝频频颤抖;风从茂林修竹吹来,花从老树枯藤飘洒,时不时地落下一阵"花雨"。此情此景,真是妙趣无穷,尽管秋风生凉,但诗人却流连忘返,"不辞竹风吹",正表明诗人醉心山水,爱好自然的幽趣。以上八句,写秋景秋色如画。风云、竹、树、溪、桥、寺、林,僧磬、鱼、水,一一争赴作者笔端,人在画图中,佳矣!美矣!

好山好水看不够。诗的最后四句,是对这次出游的眷恋。"了知佛香清","了知"是明白知道,"佛香"指佛寺宝刹。这句说通过此次郊游,诗人明白地知道了佛寺的清静。"矧恋乡土善","矧",况且,表递进的关联词。"乡土",故乡,此指杭州,同时也暗指佛国,与"佛香"对举成文。古人以为,人死成佛,归宿于西方极乐之乡,故称西方为自己的出生之地。这句说,佛寺乃清静无为之所,更何况它又是人们爱恋的乡土。这两句实为全诗的总结,杭城的秋景,诗人的幽趣,俱一并在此结穴。最后两句是写诗人对这次出游的留恋之情:诗人久坐树下,时间在慢慢地流逝,树荫变暗,天色已晚,出游之人也该回家了。这时,一种游兴未尽,但又不得不立即回家的惋惜之情油然而生。于是他只好重扶策杖,极不情愿地循来路步入归途,一路上他频频回首所过之境,无一不使他产生一种深深的眷恋。全诗也就在一片缠绵悱恻的意境中结束,给读者留下无限幽思,无限遐想。

(蒋先伟)

咏木棉花

杭世骏

目极牂牁水乱流,低枝踠地入端州。
最怜三月东风急,一路吹红上驿楼。

鉴赏

“木棉”，亦称攀枝花、英雄树，亚热带落叶大乔木，高达三四十米，早春先叶开花，形大，红色，广东、广西尤多此树，春日花开，一片绯红，为南国特有的景观。这首诗以生动形象的笔墨，歌咏了遍地木棉花，虽写暮春景色，却无伤春之意，洋溢着一片热烈情绪。

开始两句是叙事：“目极牂牁水乱流，低枝踠地入端州。”“牂牁(zāngkē)”，古代南方郡名，这里指广东地区。“踠(wǎn)”，屈曲之意。“端州”，古州名，治所在高要，即今广东肇庆。这两句说，作者一路向端州进发（杭世骏是杭州人，晚年主讲于粤东书院，此诗当作于此时），目光所及，但见到处是纵横交错、密如蛛网的河流，水边长满了高大、茂密的木棉树，枝桠弯曲下垂，直接地面，这样的景象一直连到端州。诗中“低枝踠地”四字是这两句诗的中心，表面看好像只写了木棉树枝的形态，其实是用曲折之笔写花，读者从低矮接地的树枝中，完全可以想象到树枝上花的繁密，大而且多，至有“重”的感觉（杜甫诗有“花重锦官城”之句），仿佛那踠地的低枝是被花压下来的，繁花的生动形象宛然在目。第一句的“水乱流”，则是为“低枝踠地”的木棉花预先安排的背景，这花团锦簇、色彩红艳的木棉花，经过碧绿的春水一映衬，就显得格外鲜艳了，更加生机蓬勃。第二句最后的“入端州”有两层意思，既是指作者的行踪，同时也是指在整个广东之地都有木棉花的芳踪，这绿水红花，好像跟着作者的脚步，相随相伴，一起走进了端州城，这就使城里与城外广大地区连成一片，在地域上给人以十分辽阔的感觉，而木棉花的无边无涯，花红似海，也就自在不言之中了。细味这两句诗意，一往情深，表现出作者对木棉花的赞美和喜爱，欣然之意溢于言表。

后两句在前面叙事的基础上深入一层，写木棉花最为引人入胜之处：“最怜三月东风急，一路吹红上驿楼。”作者仿佛在说，那“低枝踠地”、繁花似锦的景象，虽然已经够叫人叹赏的了，但那还不是最好的景象。到了暮春三月，你站在“驿楼”（驿站的楼）上看吧，广袤的原野东风浩荡，木棉花的花瓣被吹得随风起舞，扑面而来，满天飞动的红花与寥廓澄澈的碧空相辉映，才显得更加鲜艳夺目、瑰丽无穷呢！言词之间，透露出作者难以自抑的欣喜之情，叫人为之心动。这两句中的“一路”二字，用得十分巧妙。作者不是写一处所见，也不是写处处所见，而是用“一路”把一处一处的奇景一下贯穿、组合起来，形成了浩荡无垠的辽阔境界，让读者在这空灵阔远的诗境中，去领会那满空飞舞的花的世界的动人景象。这很像唐人高适《塞上听吹笛》中"借问梅花何处落，风吹一夜满关山"的手法，通过"风吹一夜满关山"而造成美妙阔远的意境，大大增强了诗的感染力。读了这首《咏木棉花》，我们仿佛置身于红色的花海中，那一望无际、随风起舞的木棉花，是这般火红热烈，它以特有的南国情调，激动着读者的心，人们也忍不住想要和作者一起，为木棉花唱一曲礼赞的颂歌了。

这是一首咏物诗。不少咏物诗都有寄托，特别是在清朝更有人通过咏红色的木棉花来表现对朱明王朝的怀恋。比如清初岭南诗人陈恭尹就有《木棉花歌》："粤江二月三月天，千树万树朱花开……祝融炎帝司南土，此花无乃群芳主？"诗中表面歌咏木棉花，而暗寓对南明的怀念。至于这首《咏木棉花》诗究竟有没有寄托，"一路吹红"中的"红"是不是在指"朱"，现在已经很难判断。不过，即使没有这层寓意，这首诗仍然不失为一首好诗。李渔在《闲情偶寄》中说："作词（本指戏曲，也泛指诗）之料，不过情景二字，非对眼前写景，即据心上说情，说得情出，写得景明，便是好词。"这首《咏木棉花》，通过大笔挥洒，以浓墨重彩渲染，不仅把眼前的殊方奇景写得十分鲜明，使人如睹其景，而且通过写景表达出了作者乐观开朗的情怀，激发了人们昂扬向上的精神，无疑是一首好诗。

（管遗瑞）

西　山

刘大櫆*

西山过雨染朝岚，千尺平冈百顷潭。
啼鸟数声深树里，屏风十幅写江南。

作者

*刘大櫆（1698－1779），字才甫，号海峰，安徽桐城人。雍正七年（1729）副贡生，官黟县教谕。工文章，为桐城派古文家。其诗好发议论。有《海峰集》。

鉴赏

桐城派古文大家刘大櫆为文极重“神气音节”，认为“学者求神气而得之于音节，求音节而得之于字句，则思过半矣”（《论义偶记》），世称“因声求气”说。这也影响到他的诗，像这首七绝，就以神气音节见长。西山，是北京西郊群山的总称，有百花山、灵山、妙峰山、香山、翠微山、卢师山、玉泉山等，为京郊名胜。此诗写西山春雨后的景色。

“西山过雨染朝岚，千尺平冈百顷潭。”诗云：“过雨”，可见雨持续的时间不长，但雨量不小。雨后青山为之一洗，显得分外青翠，就好像是重新染色过似的。这一个“染”字，暗中将春雨比喻为画师，直启第四句的画意。“染朝岚”重在绘色，而“千尺平冈百顷潭”则重在写西山的气势。这里群山连绵、峰峦之间竟有平冈千尺，上有深林茂树，气象何等开阔，而山下潭水空明，得雨而水位上升，景象亦远大。这又为第四句“屏风十幅”伏笔。

“啼鸟数声深树里，屏风十幅写江南。”本来一、二两句已展现出西山壮美如画之景色，接下去可直通“屏风十幅写江南”一句。但诗人没有这样直取，于第三句小作跌宕，写出“啼鸟数声深树里”一句，大有妙用。盖上一联和下一句都是视觉印象,这里添上小鸟数声,便有听觉的快感加入,丰富了诗情画意。上一联和下一句都是壮阔景象,这里加入细节刻画,也有映衬互成之妙。从声音上说,这一句中“数声——深树”在音节(字音)上构成回荡,而字形字义则完全不同,深宜吟诵。最后的一句虽然是总括上联的写景,但又推出新意。那就是将北国春光比作江南。读者准会记起杜牧《江南春》那首著名绝句:“千里莺啼绿映红,水村山郭酒旗风。”你看,西山连绵,平冈千尺,青葱如染,潭水澄清,鸟鸣深树,这气势,这色调不大类“江南春”吗?形之图画,一幅屏风不能尽收其美,故须“十幅写”之。这里诗句之妙,首先就妙在神完气足;而形之音节,则慷慨可歌;至于境界的清新可喜,亦足称道。

(周啸天)

偶然作

屈　复*

百金买骏马，千金买美人。
万金买高爵，何处买青春！

作者

＊屈复(1668－?)，字见心，晚号悔翁，陕西蒲城人。著有《弱水集》等。

鉴赏

这是一篇信手书来的小诗，不是什么精心结撰之作。但讨厌“粗派”的沈德潜却很欣赏，在《清诗别裁集》中给它一席地位，道理何在呢？

俗话道“花拳好打，棒喝难为。”这首诗好就好在给人当头棒喝，发人猛省。在拜金主义者看来，金钱是万能的，“有钱能使鬼推磨”，然而这里正有世人的一大误区在。所谓“看钱奴硬将心似铁，空辜负锦堂岁月”(马致远)，“终朝聚敛苦无多，及到多时眼闭了”(曹雪芹)，悠悠万世，能看穿的人又有多少！“公道世间唯白发，贵人头上不曾饶”(杜牧)，金钱最无能为力的，恐怕就是留驻青春了。即使在有了美容术的今天还是如此。诗人抉出了这一点，也就击中了拜金主义的致命伤，足以使人清醒。其实金钱不能买的东西还多，诗人只说“何处买青春！”但他的喝问是有启发性的，读者还可以加以演绎：金钱可以买骏马，但买不到高超的骑术；金钱可以买美人，但买不到甜蜜的爱情；金钱可以买高爵，但买不到快乐与长寿……

此诗前三句句式相同，排比中略有递进，“骏马”“美人”“高爵”，依“百金”“千金”“万金”逐次增价，免去了几分单调。到后一句却是冷冷地一跌，有“唯觉时之枕席，失向来之烟霞”(李白)之妙。写了一串儿能买，为的是写出最后一个不能买，最具擒纵之致。这是此诗在艺术上的特点。后来亦有学此体而入妙者，如陈毅《冬夜杂咏》中的好些五绝，其一云："一切机械化，一切电气化，一切自动化，总要按一下。"

（周啸天）

赠　友

赵关晓*

不向人间留姓名，草衣木食气峥嵘。
山深虎出伥声急，夜半长歌空手行。

作者

赵关晓，生卒年不详，字开夏，浙江归安人。诸生。清诗人。

鉴赏

这篇题为《赠友》的绝句，所赠何人，从诗的第一句可知作者是不肯透露的了。此人非无姓名，只是"不向人间留姓名"。一句话就表现了一种推到千古的价值观念。什么"豹死留皮，人死留名""心知去不归，且有后世名"，历来被视为人生最高追求目标之一的东西，在老兄是不屑一顾的。"不向人间"四字，就大有举世皆浊、我行我素的气派。"草衣木食"这个平中见奇的造语，表现的便是一种自甘淡泊的情怀。粗茶淡饭，亦足饱饥；素朴衣服，自具风流。而这种俭朴生活同时也是一种摄生之道，看来这人善养浩然之气，从"峥嵘"二字可以大体领略其神情气貌。读者猜想，这人必是一个修行有术、身怀绝技之士。

"山深虎出伥声急，夜半长歌空手行。"诗人撇开其人别的行事不说，专拣敢在猛虎出没的深山老林走夜路一个细节写来，真是兴会神到，画龙点睛的妙笔。前句夸张而层深地写山中深夜之险恶，不仅是山，且是深山，不仅有猛虎，还有专门引诱人给虎吃的伥鬼，真是险上加险。不说虎声急，而说"伥声急"，转令人毛骨悚然，亦是奇笔（伥比虎无形而尤可怖也）。突出山中的险恶目的在于烘托诗中主人公胆力之大。后句便从容而层深地写行路人的胆气，他不但在夜半走，而且空手走;他不是悄悄地走,而是唱着歌大步流星地走。这是一种见怪不怪的气派。“长歌空手行”之妙,在于绘声绘色,形容尽致。如果是胆小鬼,“夜过坟场吹口哨——为自己壮胆而已”,那口哨声必有几分胆怯。而此人是长歌,放歌而行,给人感到的只有凛然正气。

此诗似乎就写这样一个远离人间的草泽之士和深山老林环境,然而它却能构成一个象征的境界。使人联想到世上也有“虎”,也有为虎作伥的事,“江头未是风波恶,别有人间行路难。”而唯有那些不图名,不求利,不迷恋富贵;不怕鬼,不信邪;行得直,走得端,而又身怀绝招的人,才能够畅行无阻。这首诗便是为如此豪杰所作的“正气歌”。

为人物写真的绝句,从唐代就有,但能给人留下深刻印象的并不多,像杜甫《赠李白》、卢纶《病军人》那样的作品屈指可数。而就写人的形神兼备,境界颇高,具有理想色彩和浪漫气息而言,这篇七绝是绝不逊色于古人的。

(周啸天)

祖龙引

朱瑄*

徐福楼船竟不还，祖龙旋已葬骊山。
琼田倘致长生草，眼见诸侯尽入关。

作者

＊朱瑄，生卒年不详，字枢臣，江苏吴县(今苏州市吴中区)人。能诗。《清诗别裁集》录诗三首。

鉴赏

"祖龙"系秦始皇的代称。《史记·秦始皇本纪》："(三十六年)秋，使人从关东夜过华阴平舒道。有人持璧遮使者曰：'为吾遗缟池君(水神)。'因言曰：'今年祖龙死。'"使者奉璧以闻始皇，"使御府视璧，乃二十八年行渡江所沉璧也"，始皇不逾一年果死。"祖龙"之称即原于此。秦始皇在历代诗人笔下，是一个被批判的对象。咏始皇的诗，大都集中在写秦长城、焚书坑、阿房宫等史事上。这首《祖龙引》则就始皇生前觅不死之药一事立言。在朱瑄之前，则有唐人胡曾《咏史诗·东海》："东巡玉辇委泉台，徐福楼船尚未回。自是祖龙先下世，不关无路到蓬莱。"

徐福是由齐入秦的方士。秦始皇曾按他的意图，遣童男童女数千人随他乘楼船入海求仙。他入海求神药十年不得，乃居海上不归。胡曾就此事嘲笑说，不是没有求仙之路，只是始皇寿数太短，等不到徐福回来就先下世了。这也算就史实翻出一点新意，但他的冷嘲显得寡味，而且意义不大。而本篇不仅翻新史实，且有深刻的寓意。

"徐福楼船竟不还，祖龙旋已葬骊山。"据《史记·秦始皇本纪》记载，始皇即位之初，就在骊山为自己修筑陵墓,深穿三泉,下铸铜穴以护棺椁,广修宫殿楼观,贮藏奇珍异宝,并以水银为江河湖海。一面却又遣徐福出觅不死之药。而徐福此去作“赵巧送灯台”,“竟不还”三字道出始皇的失望。结果仙药没得到,骊山墓倒派上了用场。一个“旋”字,就是胡曾“先下世”三字之义,言其寿数何促也。这两句实已抵胡曾全诗。

“琼田倘致长生草,眼见诸侯尽入关。”据《十洲记》:“东方祖州上有不死之草,生琼田上。”此即“长生草”。“诸侯尽入关”则指秦二世元年(前209),陈胜吴广起义后,刘邦、项羽及六国诸侯的后人,纷纷起兵响应,所谓“秦失其鹿,天下共逐之”(《史记·淮阴侯列传》蒯通语)。刘邦率军先攻入函谷关,秦王子婴降,遂亡秦。这两句是说,如果秦始皇真的得到长生草而继续活下去,那么他一定会亲眼看到帝国的覆灭。那么,他求药不得,幸乎?不幸乎?

胡曾《东海》诗之所以浅薄,就在于他卖弄一番口角,却仍以始皇未得不死之药为憾事。朱瑄《祖龙引》的深刻,则在于他不限于批判始皇的迷信神仙,而把矛头指向秦代暴虐的政治,所以耐读也。

（周啸天）

同张玉李登雨花台作

王又曾*

手把浮丘袖，飘然占一台。人烟依塔上，龙气挟江来。
地险余兵垒，时清笑霸才。天花零落尽，不必首频回。

作者

*王又曾(1706－1762)，字受铭，号谷原，浙江秀水(今嘉兴)人。乾隆十九年(1754)进士，授礼部主事。迁刑部，后辞归。诗宗宋人，清新可喜。有《丁辛老屋集》。

鉴赏

日丽和风、天高气清时节，诗人携友人信步于六朝古都的郊野，不为寻觅迷眼乱花、长郊草色，而是登上了游踪无多的南京城外雨花台。"雨花台"，位于今江苏省江宁县境内。相传梁武帝时，有高僧云光法师在此讲经，天上飘飘洒洒骤降一阵花雨，因此便有了如此富于诗意的名字，这似乎也拨动了专来寻访的登临者一颗登高抒怀的诗心。"张玉李"，作者友人，生平不详。

"手把浮丘袖，飘然占一台。"诗人一开始就将读者引入一种特殊的氛围。起句飞天而来，突兀飘逸，体现出想象的张力。诗人幻想自己有如喜好吹笙作凤凰吟的五子乔，游伊洛时为道士浮丘携上嵩山一样，也为浮丘轻盈的衣袖所牵引，飘然而止，登临雨花台。以此着意渲染了一种超然飘逸带有神秘感的情境。"浮丘袖"，又可见郭璞《游仙诗》："左挹浮丘袖，右拍洪崖肩。"首联，第二句中"占"字的选用，颇具匠心，表明此地唯有诗人与其游侣，别无他人，似乎又透露出周围环境的幽谧与静寂。

"人烟依塔上，龙气挟江来。"此二句承前写诗人层楼更上，驰目所见。“塔”,指报恩塔。《方舆纪要》载:“明初改筑都城,雨花台无复旧观,而报恩塔高耸魏焕,可以尽城郭山川之胜。”今塔已无存。颔联首句极言塔之高,诗人缘塔拾级而上,身旁烟霞缥缈,随之升浮。此虽只看数字,却颇为传神,给人以亲历其境之感。身临绝顶,西南而望,扬子江浩浩荡荡,奔腾直下,仿佛为一片森蒙可感的帝王之气所笼罩、所裹挟。“龙气”,典出三国诸葛亮所言:“秣陵地形,钟山龙蟠,石头虎踞,真帝王之都也。”(《金陵图经》)“龙气挟江来”一句异峰突起,一个“挟”字尤写尽了一种逼人气势。如果说首联意欲描写某种脱俗超逸的情状,那么在这里诗人笔力所至,却营造出别一番高远寥廓、空蒙雄奇、声势夺人的气氛。

“地险余兵垒,时清笑霸才。”颈联二句由观景而抒感。南京石头城,山川形势为历代帝王所重,继三国吴、东晋、南朝宋、齐、梁、陈六朝而外,南唐与明朝都曾建都于此。萧萧故垒,于今依旧。雨花台北望,不远处即是以可藏甲兵三千闻名遐迩的明代聚宝门(今南京中华门),“兵垒”即指此。然而曾几何时,那些雄才大略图谋霸业的业主一去不返,而今留给后人唯余一“笑”而已。“时清”,系诗人对自己所处的清代乾隆年清明时世的赞辞,若不将此看成有谀世之嫌,那么从中确实也寄寓了作者厌倦战乱,期望保持和平安宁生活的意愿。

“天花零落尽,不必首频回”。诗人行将踏上归途,忽又想到那天雨花的传说。有感于雨花台前花雨不再,诗人劝慰自己,也似乎在劝勉读者,不必也毋须为此掉首顾盼,频频回眸。尾联二句即是对诗题的最后照应,同时又给人以曲终未尽、联想丰富的感受:纷纷繁繁的历史传说与故事不也同零落已尽的天花一般么?过去的且让它过去,不必频频掉头,重要的是看取前路。

这是一首登高赋感之作。全诗布局虚实相间,飘逸而不失凝重;幻想诡谲之中透出雄奇阔大;运笔挥洒自若,游刃有余;笔端情绪可谓感而不伤。然而正因此我们若有机会欣赏另一首清初诗人魏禧笔下的《登雨花台》,与那种“歌泣不成天已暮,悲风日夜起江声”的易世之痛的强烈感受相比较,也许会感到本诗在洒脱之余,毕竟还缺少了一些什么,这或者同诗人置身于所谓乾隆盛世的平淡生活经历有关吧?

(姚　申)

题余舫

王又曾

闲身天地沙鸥似，借得溪堂畅远襟。
白日尽吹残雨冷，碧梧高坐一蝉吟。
狂来飞动江湖思，懒极生疏礼法心。
枕上红酣秋梦阔，窈然三十六陂深。

鉴赏

羁旅客乡，赋闲无事，生活节奏开始变得缓慢；一下子拥有太多的余暇，身如寥廓天地间一只飞翔的沙鸥，是从何来，欲往何去？仿佛都显得不重要了。诗人在这种貌似松弛、散漫的心态中，或听雨，或闻蝉，或兴起狂思，或倦作秋梦；于是又有了这一首诗。

“闲身天地沙鸥似，借得溪堂畅远襟。”诗第一联的第一句，冠以一个“闲”字，当绝非偶然。这正是诗人在这段生活中捕捉到的最深切的感受。这一个“闲”字实则统摄了全诗，定下了本诗的基调。“飘飘何所似，天地一沙鸥”。这原是杜甫《旅夜书怀》一诗的尾联，表达了杜甫仕途不遇、转涉江湖、孤寂飘零的悲怀。而王又曾在此似乎反其意而用之，在咏叹适得其所的悠闲情致。客居他乡，寄身这水边小小书斋，却无妨作畅怀远思，一展襟抱。“溪堂”，水边的厅堂，即指题中的“余舫”。“借得”二字，说明诗人是处在客居生涯中。

“白日尽吹残雨冷，碧梧高坐一蝉吟。”一雨成秋，寂寞白日，西风吹断隔夜的残雨，已透出了秋凉；庭前梧桐，森森绿阴中高坐一只孤蝉，正单调地沉吟。这白日、残雨、深树、孤蝉画就了一幅秋日寂寥图，而这一切也只有一个独处静室、悠然无所事事的闲居者方能细细品味出的。“碧梧”一句是从苏东坡“绿槐高处一蝉鸣”（《溪荫堂》）中化出，然而改一个“坐”字却更传神地体现了蝉鸣的耐心，反衬出秋日的寂静与漫长。

“狂来飞动江湖思，懒极生疏礼法心。”如果说此前的一切在诗人感受中似乎都还处于一种平和静止状态，那么到此却静极生动，突起波澜。“狂来”句如天外飞来，一下打破了先前保持的平衡，一阵突然爆发的躁动引起思潮汹涌翻腾，直欲冲出这幽静的书斋，奔往江河湖海广阔世界。然而，这不过是一种偶然的躁动而已。一时兴起不敌早已种下深根的惰性。太疏懒了，懒到极处，甚至顾不上那些居家在外、处世为人必得维持的礼仪和章法。于是一切仍复归原状。那么，诗人真能对这种他乡孤客的生活怡然处之么？

"枕上红酣秋梦阔，窈然三十六陂深。"秋日正长，闲极思困，拥衾小眠，枕上梦中却透露出诗人内心深处不肯安宁的心绪。他在企盼、在思念着的究竟是什么？哦，那落日映照下的红色荷花，那微波荡漾的幽深流水，一切是多么熟识！秋梦辽阔，梦中的作者仿佛回到了自已遥远的故乡……"红酣"二句语本王安石诗："柳叶鸣蜩绿暗，荷花落日红酣。三十六陂流水，白头想见江南。"（《题西太一宫壁》）作者暗用此典，正是要借以寄托深藏着的思乡之情。

从整首诗看，诗人只是闲居静室，以斋名"余舫"为诗题，抒发闲居感怀，但全诗意象并未局限于这小小一方天地。作者不仅写出客居生活中的闲与静，更写了闲中之忙，静中之动。整首诗围绕闲居者的种种感触层层写来，如刻画所感，则天地沙鸥；所见，则冷雨摧秋；所闻，则蝉鸣高树；所思，则神游江湖。写闲极思困，卧榻之上更别是一番秋梦辽阔，这一切实际上都是为了反衬出诗人的内心实际并不安闲，最终这种不平衡的心绪，归结为一种绵绵的乡思之情，通过梦中的酣红荷叶与窈深流水表露出来。正因此，全诗读来又显得非常含蓄。总的说来，写斗室之居而能如此意象宏阔，淋漓酣畅，且开中有阖，放中能收，从中不难见出作者的艺术功力。这首诗当无愧是王又曾艺术创作中又一难得的佳品。

（姚　申）

汉上逢诸亲故累邀泥饮

王又曾

明灯高馆拍声催，大阮招邀小陆陪。
难得异乡逢密戚，可能良夜不深杯？
江连清汉分还合，人过中年乐亦衰。
珍重天涯老兄弟，淮南米贱好归来。

鉴赏

毕沅对王又曾诗作曾作过以下评价:“才本大而约之以归于切实,气最盛而敛之以底于和平”“取材于众所不经见,用意于前人所未及发。”(《丁辛老屋集》序)这首写客旅之中逢亲故招饮兴会的诗篇,就取材的角度与对象而言,在历代描写亲情友谊的诗歌中也是不多见的。它讴歌了亲故间热情诚挚的友爱,也透出了作者不堪仕官奔波、向往家居团聚的归隐之心。

首联写作者受到的真诚情谊:宴厅内明灯高照,乐拍声催,诸亲好友,无论长幼,都来热情迎接作者赴席。这里的场所,照明、声音,无不带上明朗热烈的情调。魏晋时文学家阮籍与兄子阮咸同著名于时,后人即用大小阮来称人叔侄,这里指长辈亲属。西晋文学家陆云与兄陆机称二陆,诗中用以指代作者的同辈亲故。“大阮小陆”的典故,避免了一般直呼称谓的板滞,体现了作者的欢乐情趣,节奏上也显出抑扬顿挫的效果。从清冷孤寂的旅途突然进入一种截然不同的氛围,作者怎能不在视觉、听觉乃至情感上感到一种强烈的反差?这一反差在诗人笔下得到了准确传神的表现,它使人领略并沉浸于充满人情味的美好欢快的气氛之中。

次联朴素地概括了宾主双方异地重逢的喜悦和亲切感。在作者饱尝了与满朝文武虚意周旋,“话不投机半句多”的仕宦苦果后,此联更显得别有深意,唐诗有“独在异乡为异客,每逢佳节倍思亲”(王维《九月九日忆山东兄弟》),本联似从此演化而来。不同之处在于,前者表达身处异乡,举目无亲时对亲人团聚的美好记忆和向往;后者却“异乡遇密戚”,美好向往忽然间变成现实,故亲好友竟如梦幻般地出现于眼前。诗人的激动之情,一时难以言表。此刻最合适的方式,莫过于深杯畅饮,在“酒逢知己千杯少”的融和温馨中共此良宵,排渲那客中思乡的一腔积绪。

第三联细致地刻画出诗人内心的复杂情感和欢聚中的隐忧。前句用汉水在武汉地区流入长江作比,表示对亲友重聚的欣慰。然后笔锋一转,借谢安所言“中年以来,伤于哀乐”(《晋书·王羲之传》)化出诗句。它既表达了作者对良夜深杯之后又将再次离别的愁情,也饱含了对自身仕途奔波而感受的辛酸。一个“哀”字细腻地表现了作者内心深处的感情波澜,而在意境表现上增加了一层难以尽言的苦涩意味,使其不同于单纯描写兴会的诗作。这一丝丝的愁绪,与欢宴的气氛显得很不协调,却又是难以排遣;它在作者心里郁积已经太久，却又无人可以诉说。此刻，这种既乐且哀的复杂感情，终于有了可以表达的机会。而胸中的千语万言，一经诗人道出，却又显得如此质朴、凝练："珍重天下老兄弟，淮南米贱好归来。""淮南米贱"语，出自杜甫《解闷十二首》："为问淮南米贵贱，老夫乘兴欲东游。"作者借此来表示对家居团聚与自身仕宦生涯的比较，在他看来，前者是何等可贵，后者又是多么无奈。在到达心目中的"淮南"以前，还有着漫长的路程。因此，作者要故亲密戚多加珍重以待重逢的叮嘱，更显意味深远。史载作者在官至刑部主事后告归还乡，隐居不仕。尾联正可看作是诗人对此行为写下的一个合乎人情的注释。

全诗将作者与亲故聚会中的复杂心境，表现得极富层次感。首联中，感情欢快而奔放；到了颔联，激情略趋平静，逐渐变为一种体味亲友团聚之欣慰的、和谐深沉的温情，酒酣之际，一种淡淡的哀愁又在颈联中渐渐隐现，而既乐亦哀的心态又在联尾中发展成显示乐观精神的对于未来的美好期望。这一切经诗人娓娓道来，显得十分委婉有致、真挚感人。写欢乐时未见狂放失态，写愁绪时亦非伤感过度，这或许正体现了"人过中年"时的一种较普遍的感情特征吧。同时，这首诗语言极为朴实，正如亲友欢聚的特定情境吻合。而典故的自然运用，又加深了作品的内涵。作者将典故化炼到了几近口语的境地，同全诗叙家常般的笔触配合得天衣无缝。于平易中见深远，质朴中显情韵。"看似寻常最奇崛，成如容易却艰辛"，（王安石《题张司业集》）正是这首诗的成功之处。

（吴　澄）

临平道中看白荷花同朱冰壑、陈渔所（二首）

王又曾

船窗六扇拓银纱，倚桨风前正落霞。
依约前滩凉月晒，但闻花气不看花。

皋亭来往省年时，香炊蓬筒醉不辞。
莫怪花容浑似雪，看花人亦鬓成丝。

鉴赏

这是王又曾在杭州东北处临平湖看荷花时作的两首和诗。前者写诗人身临其境，述景寓情。后者进一步触景吟怀，随遇而发。虽为二绝句，也可将其看作诗思贯通的前后两个部分。

第一首前两句，展现一幅令人神往的湖上泛舟图：六扇用银纱装起的船窗全部打开着，点明了时值夏日，正是荷花盛开季节，作者与友人正以游湖的方式，泛舟于洁白的荷花丛中。已是黄昏落霞时分，一阵阵凉爽的清风从湖面上徐徐吹来，吹拂在正倚桨静静地注视着满湖风光的诗人身上。至此，作者着意营造出一种闲适宁静的气氛。这种特定意境的刻意铺陈，方使下文的骤然进入正题不显突兀，使诗人角度独特的咏荷具备了合理的心理依据。

“依约前滩凉月晒，但闻花气不看花”，此时的作者，已经是“胸次洒脱，中无障碍，如冰壶澄澈，水镜渊停……故落笔无尘俗之气。”（吴宽《书画筌影》）他倚桨风前，凝望着满湖荷景，不知不觉地进入一种空灵活脱，恍惚迷离的艺术境界；满湖白荷，似乎隐约地变成了一片照耀在滩前水面上的月光，浑然一片，花色已经不见，只觉得被阵阵袭来的浓郁花气所笼罩。究竟是真的时已入夜，凉月遍洒前滩，诗人在悠然潇洒地品味花香？抑或是诗人产生了一般人在身形闲逸、心地空明之际容易出现的幻觉？这里，王又曾给读者留下了一幅“如蓝田日暖，良玉生烟，可望而不可置于眉睫之前”的“象外之象”（司空图《与极浦书》），让人们根据自己的生活体验，去想象、去思索、去咏味。无论如何，这虚实交融、浑然一体的写法，确实达到了“略形貌而取神骨”（许印芳《〈与李生论诗书〉跋》）的境界，氤氲着一种清新飘逸的神韵。

第二首绝句的开头，诗人忆起了昔日在湖边皋亭山中畅游的情景：那时正是年少气盛，诗人不断地喝着用莲筒所装的美酒，虽然醉了，却毫无归意。作者由湖中风光而想到湖边的山色，由荷花而思及用荷叶制成的酒器，十分自然地将现实与往事贯穿起来，联想的脉络清晰可见。在此追忆之中，诗人忽然又产生了一种感悟：今年的荷花，好像比往年的更洁白！在他看来，这并不奇怪，荷花如有灵性，它也将发现：看花人的鬓发之间，也已染上了缕缕银丝……

结尾两句，既显得诗思有序，合于情理，又似奇峰突起，出人意料。一方面，它用鲜明的形象，富于哲理地揭示了岁月的推移，境遇的变迁，会使人对相同的景象，产生不同的感受。含蓄地暗示了诗人对自己所走过的人生旅程的感怀。另一方面，它又显示出诗人此时正处于王国维所说的“无我之境”，他“以我观物，故物皆著我色彩”（《人间词话》）。白荷花上凝聚着作者主观的、浓郁的悲欢哀乐之情，这种审美感受上的移情现象，使诗人笔下的荷花似乎成了有着知觉、感情和美好资质的生命。作者以人喻花，仿佛花容也像人的鬓发一般，随着岁月增长而显苍白，通过这十分动情的联想，把荷花当成了看花人流逝年华的象征。同时诗人又以花喻人，借荷花洁白如雪的形象，寄托了一种玉洁冰清、出尘世而不染的情怀。第二首绝句与前一首的潇洒神逸相比，感情上有所转折，逐渐生出一缕惆怅之情。这正可说明作者毕竟生活于现实之中，宛如置身于上界清都般的沉醉，只能是十分短暂的。

“陶钧文思，贵在虚静”（刘勰《文心雕龙·神思》）。一种在虚静状态中引发的意境美，为诗人感情的自由抒发创造了广阔的天地，使他不拘泥于荷花形貌的描绘，而是以淡雅神逸的笔调，塑造了白荷花空灵蕴藉、莹彻玲珑的独特意象，使人产生无限遐思。如果用李白“清水出芙蓉，天然去雕饰”的诗句作为对王又曾笔下的荷花，以及整个作品艺术风格的评定，都是颇为恰当的。

（吴　澄）

秦淮绝句

王又曾

纨扇桃花细字明，黑头江令见须惊。
琼枝玉树根长在，触著东风会却生。

鉴赏

这首诗，是作者路过南京，有感于秦淮河畔发生的史事传说，所抒发的对于王朝衰亡原因的感慨。

前两句使用了两个典故，构成全诗的第一层次。为了弄清两个典故间的内在联系，有必要对其内容作一扼要陈述。

清康熙时剧作家孔尚任，根据南明弘光朝政权灭亡的史实，作《桃花扇》传奇。以明末复社文人侯方域与秦淮名妓李香君的爱情故事为线索，揭露了统治集团内部的矛盾与政治的腐败，突出描写了李香君为忠贞爱情和幸福生活的理想，而对阮大铖、马士英等权奸的反抗。她因拒绝权贵田仰的迫娶而以首触壁，血溅与侯方域定情的诗扇，杨文聪将血迹点染，画成桃花。首句中“纨扇桃花”就是《桃花扇》的代称。

“黑头江令”，指江总。他历仕梁、陈、隋三朝，在梁时，曾遇侯景之乱，流寓会稽，当时尚是少年，所以杜甫有“远愧梁江总，还家尚黑头”句。又因其仕陈时官至尚书令，故称“黑头江令”。他不持政务，日与一帮侍臣陪陈后主及妃嫔于金陵宫中游宴后庭，荒嬉无度，长于制作诗风浮滑的五、七言艳诗以取悦后主。

这样，看似互不关联的典故，被有机地贯穿起来，其涵义也就呼之欲出了。“黑头江令”之流的行径，与《桃花扇》的某些情节，是何等的相似：昏淫的君王，无视半壁江山的沦丧，只在“无有声色之奉”时才发愁，魏忠贤的余孽们却在“进声色、罗货利、结党复仇”，无所不为，即使在亡国开溜前，念念不忘的竟还是“一队娇娆，十车细软”，与之成为鲜明对照的，却是一名被侮辱的歌妓，她不为利诱，嫉恶如仇，敢于斥骂具有“丞相之尊”的权奸，甚至不惜“碎首淋漓”，血染桃花。这一切，如果让当年的黑头江令读到，想必他也会感到自愧弗如吧！这时，我们似乎可以听见作者的“画外之音”：那些在清廷中取悦邀宠的当今“江总”们，你们又该作何感想呢？作者在看似柔和的引典用字中暗含的讽喻之意，至此初露锋芒。

后两句，作者转而通过“玉树”的意象塑造，以“树”喻情，生发议论。“琼枝玉树”，在此指《玉树后庭花》（南朝艳曲名），大抵描写贵妃美姬的容色，有“璧玉夜夜满，琼树朝朝新”等句，极受陈后主青睐，终日持之与妃嫔相乐，不问朝事。后来“玉树后庭花”就被用作荒淫亡国的典故。如“一朝歌玉树，萧瑟后庭秋”（李白《月夜金陵怀古》）；“万户千门成野草，只缘一曲后庭花”（刘禹锡《金陵五题·台城》）；“玉树歌终王气收，雁行高送石城秋”（包传《再过金陵》）等。这类诗句多从歌、曲的角度直喻亡国之事，至《桃花扇·骂筵》，李香君斥马士英：“出身希宠贵，创业选声容，后庭花又添几种”，已将其从“曲”转化成物象。至本诗，艺术构思更为生动，作者将其转化为极须长在的视觉意象，再运用风吹花发的联想，以此暗喻清朝靡侈误国的根子并未清除，在权奸煽动下有可能再度萌发，并重蹈陈后主覆辙。无论从内容还是形式上，旧典都被翻出了新意。在那文网森严的年代，作者用“以情附物，以物动情”的比兴技巧，曲折地道出了对乾隆“十年王朝”的“盛世危言”，而这一预言，又终被此后历届帝王的"一蟹不如一蟹"、清朝渐趋衰亡的事实所验证。

本篇三句用了典故，却无堆砌之嫌，相反，作者借此表达了小诗通常所难以包容的丰富的内涵，将人、事、物三方面的形象组织在一起，看似繁乱无章，实则理丝有序，显示着严密的内在逻辑。所用典故又都与"秦淮"题名相扣。作者用"蓄愤以斥言，环譬以托讽"(《文心雕龙·比兴》)的手法来"补察时政"，从而避免了论史诗容易产生的抽象说理、一泻无余的毛病，富于含蓄、蕴藉的"味外之旨"。沈德潜《说诗晬语》言："七言绝句，以语近情遥，含吐不露为主。只眼前景，口头语，而有弦外音、味外味，使人神远……"此诗足可当之。

(吴　澄)

横塘曲

钱载*

吹瘦门前树，秋莺坐梦中。横塘雨犹可，不愿横塘风。

作者

*钱载(1708－1793)，字坤一，一字根苑，号萚石，又号瓠尊，晚号万松居士，浙江秀水(今嘉兴市)人。乾隆十七年(1752)进士。累官至礼部左侍郎。工诗。诗宗韩愈、苏轼，与王士禛齐名。有《萚石斋诗文集》。

鉴赏

"横塘"，古镇名，在姑苏城西南十三里，有"横塘古渡"之称。李白《长干曲》中那位少女唱道："君家何处住？妾住在横塘。"贺方回曾因在此地写下："凌波不过横塘路，但目送芳尘去……一川烟草，满城风絮，梅子黄时雨"(《青玉案》)，博得"贺梅子"的美誉。"横塘"早已是古典诗歌中一个美丽意象。

钱载有《横塘曲》二首，作于他年轻的时候。这是其中第一首。第二首写道："心寒捣衣石，不得杵声起。妾面湖中花，可怜照秋水。"可见他是写一位少妇的心事。

"吹瘦"这首与"心寒"那首同妙，圆转如弹丸。诗从"吹"字落墨，以"风"伴结。"风"在诗中如一缕丝线将"树""秋莺""梦""横塘"和"雨"联属起来，如同串连大珠小珠，很好地传达出一位姑苏女子的情思。

"吹瘦门前树，秋莺坐梦中。"写人物所处的情景。一夜西风不停地吹打，簌簌纷飞的落叶，想必早已将门前堂后铺满。明早再看那门前高树，一定瘦损不堪。夜莺啾啁不已，戚于飘摇，使这女子似睡非睡，梦生梦断。"瘦"，表面上写木叶尽脱的树，其实，与人物在此情此景下备受煎熬、身心瘦损和憔悴贯通起来。易安词中"知否？知否？应是绿肥红瘦。""莫道不消魂，帘卷西风，人比黄花瘦。”正同此情。“坐”，写梦中充满了秋莺在西风吹叶时的嘈杂、凄厉的啼叫，无法拂去。这自然使人想起唐人笔下的那位春怨女子：“打起黄莺儿，莫叫枝上啼。啼时惊妾梦，不得到辽西。”

“横塘雨犹可，不愿横塘风。”这好似女子喃喃自语，极好地透露了她的心声。“雨犹可”“不愿风”，会引起读者久久的琢磨与回味。

“人道横江好，侬道横江恶。猛风吹倒天门山，白浪高于瓦官阁。”（李白《横江词》）“昨夜狂风度，吹折江头树。淼淼暗无边，行人在何处？……那作商人妇，愁水复愁风。”（李白《长干行》）

这位女子听着一夜横塘风信，惦念着远行未归的人儿，也许此时正在汹涌的浪涛中颠簸，这自然使她惊魂不定，恨着西风，祈着西风。“横塘雨犹可，不愿横塘风。”活画出一颗系连着远方的心。

“五绝一体，极不易作。《萚石集》中，殊多佳作，非无、明后人所办。《横塘曲》颇有古意。”（钱仲联《梦苕庵诗话》）

（张中　韩石）

葑门口号

钱　载

灭渡桥回柳映塘，南风吹郭不胜香。
湖田半种紫芒稻，麦笠时遮青苎娘。

鉴赏

“葑门”，苏州城东门，有葑门桥横跨苏州外城河。西邻网师园。“灭渡桥”，又名觅渡桥，在葑门南，架于苏州外城河与运河上。“郭”，外城。葑门至灭（觅）渡桥一带，地处苏州外城，多为农田水塘，风从灭（觅）渡桥吹向葑门，稻香扑鼻，故云“南风吹郭不胜香。”“口号”，犹口占。用于诗的题目上，表示是信口吟成。钱载《葑门口号》，作于乾隆五年（1740）作者出仕前。原诗三首，此其一。

苏州，自古有“人间天堂”的美称。由于它是一座水乡城市，城内城外，水多，桥多。举目见桥，成为苏州一大特色。白居易在诗中写道：“绿浪东西南北水，红栏三百九十桥。”杜荀鹤写道：“君到姑苏见，人家半枕河。古宫闲地少，水港小桥多。”觅（灭）渡桥巍峨壮观，与姑苏城外寒山寺旁的枫桥、城南大运河旁风格奇特的宝带桥，均名闻中外。这首小诗从“灭（觅）渡桥”写起，看似信手拈来，实则因为它在葑门一带是一个重要标志，容易使读者联想到姑苏水乡种种。

苏州美景如画，似乎无处不可入诗。前人写苏州的诗名篇甚多，这为诗人造成一定的方便，但也容易变成障碍。写得不好，便容易落套。犹如前人曾以花比喻美女，后人看到美女，便很容易首先想到花，一时难以找出新词。钱载这首诗却别开生面，他既不去写这座古城中的古迹，也不去写这座名城中的名胜，写到灭（觅）渡桥，只是一笔带过，随即写柳，写塘，写香风，写湖田，写紫芒稻。写装束特殊的苏州农村妇女。这些物象，经过作者的巧妙组合，淡淡描绘，便活画山水乡苏州的天然本色，颇有传神之妙。

作者既是诗人，又是画家，他很善于用画家的眼光观察事物，又以诗人的手法再现出来。你看他在这首诗中用了多少种色彩：映塘之柳，是绿的；塘水映天映柳，有绿有蓝；夏天的稻，是绿的，也许绿中间黄；紫芒稻，紫穗稻，着一“紫”字，又多了一种色彩；“湖田半种紫芒稻”，那一半呢？也许空在那里，湖田之水倒映着天光云影，或蓝或白；麦笠，是黄的；麦笠下遮着的妇女，身穿青色苎麻夏布的衣裳。绿、黄、紫、蓝、青，构成了一部和谐的色彩的音乐。对色彩进行过深湛研究的著名艺术家康定斯基（1866—1944）说：“色彩直接地影响着精神。色彩好比琴键，眼睛好比音槌，心灵仿佛是绷满弦的钢琴，艺术家就是弹琴的手，它有目的地弹奏各个琴键来使人的精神产生各种波澜和反响”（《论艺术的精神绘画·色彩的效果》）钱载显然是在有目的地弹奏着这许多色彩的“琴键”，演奏着他们姑苏心曲。我们听到的是一支充满着柔情的色彩的音乐，就像法国后期印象派大师高庚（1848—1903）所说的那样：“从简单的色彩，光和影的分布里产生的印象却奏出画面的音乐。在观赏者尚未知道画中所表现事物之先，就立刻被它的色彩的魔术式乐奏所抓住了。这是绘画对于其他艺术的真正的优越性。”（《欧洲现代画派画论选》39页）

诗中有画，此之谓也！

（张　中）

梅心驿南山行

钱 载

坞里秋田罢稏平，田分涧水逐人行。
一行白鹭干于雪，落向松梢正晚晴。

鉴赏

钱载有一双擅长丹青的妙手，常常能使小诗如画。

“梅心驿”，安徽舒城的一个驿站。诗人于乾隆十二年(1747)游安徽舒城时作此诗。他通过对秋田、涧水、白鹭、青松的描写，表现了自己高洁真率、清新活泼的襟怀。

“坞”，指四面高中间低凹的山地。“罢稏”亦作“罢亚”，稻摇摆状，亦作稻名。杜牧《君斋独酌》：“罢亚百顷稻，西风吹半黄。”辛弃疾《水调歌头》词：“一水将绿绕，罢稏不胜秋。”查慎行《立冬后二日》：“映带丹枫罢稏村。”均写秋田稻禾。梅心驿，地名甚美，颇易撩人诗思。诗人在梅心驿南山中行走，看到眼前的一切，都充满了生机。秋田里金黄的稻浪，随风微微摆动。由于稻禾茂密丰壮，看去平整喜人，预示着一个丰收季节的到来。诗人心中为丰年之喜漾动，看自然界的万物，便都显得活泼。“田分涧水逐人行”，写涧水如有生命，依依恋人，实因诗人心波犹如涧水，清明活泼，生意盎然。后两句：“一行白鹭干于雪，落向松梢正晚晴。”既是对大自然美景的描绘，也是诗人心境的写照。

“白鹭”，水鸟名，又名鹭鸶，因鹭之胸背部羽毛毵毵如丝，故名。白鹭体形一般皆高大而瘦削，嘴皆强直而尖，颈与足较长，常活动于河湖岸边或水田、泽地。鹭与鹤有某些相似之处，飞行、降落、直立、行走，都显得相当优雅，予人以美感。因此，诗人、画家，常以白鹭入诗、入画。《禽经》云：“采寮雍雍，鸿仪鹭序。”张华注：“鹭，白鹭也，小不逾大，飞有次序，百官缙绅之象。”《诗·周颂·振鹭》云：“振鹭于飞，于彼西雍。”《诗·陈风·宛丘》云：“无冬无夏，值其鹭羽”，“无冬无夏，值其鹭翿。”陈与义《蒙示涉汝诗次韵》云：“知公已忘机，鸥鹭宛停峙。”陆游《乌夜啼》云：“镜湖西畔秋千顷，鸥鹭共忘机。”知道了这些，再来看钱载这首诗,便易得其妙。

钱载是一个具有鲜明个性的人,“襟情萧旷,真率自为”(王昶《蒲褐山房诗话》)。“先生吟诗,多率真任意,有夫子自道之乐”(袁枚《随园诗话补遗》)。这首小诗,写梅心驿,写稻浪,写涧水,写白鹭、青松,一切景语皆情语,都是诗人的“夫子自道”。诗中,一行比雪还洁白的白鹭,从天空中有次序地飞来,落在葱茏碧翠的青松的高处,背景是夕阳红暖,清亮明净的天幕,黄金的稻浪,闪亮的涧水,且地处梅心驿,这一切,构成了一幅光明鲜美的图画。诗人的心,也梅心芳洁,明丽光鲜,颇得大自然的机趣。读者试静坐品味,稍加想象,便不难想见其图景,得其意象。

“干于雪”,意谓像雪一样白,但却干燥不湿,故益显其白。杨万里《病中夜坐》:“病身不饮看人醉,干雪无端上鬓来。”这种造语方式,用笔拗折,力追险涩,颇能得宋诗中黄庭坚一派“瘦硬”之妙。

杜甫《绝句》诗中也写过“一行白鹭”:“两个黄鹂鸣翠柳,一行白鹭上青天。窗含西岭千秋雪,门泊东吴万里船。”杜诗中“黄”“翠”“白”“青”,诸色并用,绘出一幅美景。诗人是从室内向外看,是以静观动。他从“窗”与“门”两个取景框中取景,两点黄,一线白,背景是大片的青天,大片的白雪,大片的水面。杜甫的“一行白鹭”是往上飞,将要飞出取景框外。钱载的“一行白鹭”是往下飞,自画外飞来,飞向苍翠的“松梢”。钱诗的背景是大片的稻田(黄),大片的苍穹(青),被“田”分取的许多道“涧水”,闪着一道道亮光。白鹭下飞,散落于松梢,于是,一抹碧“绿”上显出斑斑“白”点。也许晴空中还泛着些夕阳的淡红。诗人行于南山,涧水逐人,一路看来,他是以动观动。杜、钱这两行白鹭,各有其美,皆富于画意。《昭代名人尺牍小传》评钱载诗:“精深于杜、韩、苏、黄,脱去蹊径,自名一家。”看来不是虚言。

(张　中)

题许秋曹道基《竹人图》

钱　载

人有竹德曰竹人,竹人虚直而精洁。
霍斋作图李锴题,邀我吟诗意空洁。
吾居城北君城南,欲往从之愁躄躃。

图留逾月频阖开，坐对移时转亲切。
城南叩扉未握手，城北含毫漫饶舌。
鸥乡旧阻十霜寒，筠卷今销三伏热。
昨宵窗雨风怒号，梦中吹折庭槐梢。
故园平安今好在，我非饥凤宁无巢！
一竿傥借钓鲂屿，涉海不羡神山鳌。
竹人竹人君自有，努力忘行秋穹高。

鉴赏

钱载的书画造诣为时人所推许，在诗歌创作上也卓然成一大家。他是清代著名女画家陈书的从曾孙，从学于陈书。诗人晚年致仕，曾靠鬻画为生。其设色花卉，简澹超脱，大有徐渭、陈淳遗意。所写兰石，天然逸致，兰叶纵笔偃仰，神趣横溢，石用飞白法为之，遒劲流动，绝无滞机。王昶赞其“长林修竹，极雨叶风枝之妙”（《湖海诗传》）。这样一位画师，其题画诗自然较多。

《题许秋曹道基〈竹人图〉》作于乾隆十五年（1750），钱载时年四十二岁。“竹人”，大竹中的实。皮日休《送羊振文先辈往桂阳归觐》云：“竹人临水迎符节，风母穿云避信旗。”自注：“曹毗《湘中赋》云：‘篔簹中实，内有实，状如人也。’”

“人有竹德曰竹人，竹人虚直而精洁。”题画起笔便从人写起，“其法全不在黏画上发论”（沈德潜语）。自然中美的事物，只有作为人的一种暗示才显示出美（车尔尼雪夫斯基语）。诗人欣赏赞美“竹人虚直而精洁”的特征，正是把它看作人的高尚精神的拟态，赞美竹人实际是在高扬与竹人特征相吻合的人。起首二句，诗人昭彰心志，高度肯定了许道基《竹人图》的作意，寓含着对画家人格的激励。“霍斋”以下八句是叙。霍斋，海宁许道基号。“李锴”，汉军正黄旗人，乾隆初尝举博学鸿词，不遇，隐于盘山。有《含中集》。“图留逾月频阖开”，反而使诗人有机会反复玩味熟悉画稿。所以说“坐对移时转亲切”，可以想象诗人面对竹图是渐渐形成感发，转而亲切，浮想联翩。但诗人仍觉遗憾的是“城南叩扉未握手，城北含毫漫饶舌”。承“欲往从之愁蹩躠”而言，意谓未能到城南画家宅中拜访，只好随意妄言了，此诗人自谦语。以下笔法转捩跌宕，忽从自己十年前的一桩心愿写起：“鸥乡旧阻十霜寒。”“鸥乡”，《世说新语》刘峻注引《庄子》“海上之人有好鸥者，每旦之海上，从鸥鸟游，鸥之至者数百而不止。其父曰：'吾闻鸥鸟从汝游，取来玩之。'明日至海上，欧鸟舞而不下。"鸥乡、鸥盟，皆谓隐逸生活。诗人为十年霜寒阻断归程不胜感慨。若联系诗人当时游京师十载而未成进士的处境看，可以理会，他于干谒仕进生活的厌倦，不能说没有。在这样的心绪下，时值炎热烦闷的三伏，而坐对绘有精洁竹人的画卷，就自然如入竹林，偃仰自得，神清气爽。这就更触动了诗人不如归去的念头。诗人在抒发自己的情志，也赞扬了许道基的画别传逸趣，富于感染。"昨夜"四句，另起顿挫，笔力清矫。补叙昨夜一场暴风雨以及梦中故园庭槐被吹折，强烈地表达了诗人的思乡之情。所以接着自怨自艾："故园平安今好在，我非饥凤宁无巢！""饥凤"，李白《古风》云："凤饥不啄粟，所食唯琅玕（竹）。焉能与群鸡，刺蹙争一餐。"《庄子·秋水》云："夫鹓雏（凤）发于南海而飞于北海，非梧桐不止，非练实（竹实）不食，非醴泉不饮。"由此可见，凤食唯竹。诗人言"我非饥凤"，正是说自己有狂狷高节，不能适俗。钱载个性，确是如此，"自少不耐为举业文，为之，辄崛奇不合时样，故不售"（朱休度《钱公载传》）。诗中引出"饥凤"故实，是对竹图的激赏，亦是对人格的再度高扬。所以"一竿"二句，直抒远态。"神山鳌"，语出《摭言》卢肇故事。后世因指登第。"一竿"，是从眼前图画奇想而出。诗人说，倘能借图中修竹一竿，与自己常相伴随，垂钓江湖，从此寄情海上，即不羡慕登科仕进。结尾又拗折本题，称赏画家有竹人之德，勉励画家令志节品行如秋日苍穹一般高洁、空明、爽人，诗人也以此自励。

吴应和说钱载学诗"尤得力于少陵"。又说："此种七古，得少陵之神而不袭其迹。"（《浙西六家诗钞》）这首题画诗颇有杜甫七古风神。可与少陵《奉先刘少府新画山水障歌》《戏题王宰画山水图歌》等参读。钱载这首诗粗看像是随笔式的，诗中忽议忽叙，似乎想到什么说什么，拉拉杂杂。但细细读来，层层顿挫，如冲波逆折，曲层回流。正是后人所评"箨石斋诗，造语盘崛，专于章句上争奇"（《石遗室诗话》）。这首诗结构奇崛错落，但意脉贯穿如一，体现出钱载题画诗亲切自然活泼的特色。这首诗也善于因小明大，借物寓怀。由"竹人"比况人格美，进而引发出对进退出处这些人生大问题的感慨，借画卷诗篇写尽胸中波澜。

（张中　韩石）

岳顶夜起

钱　载

清清天半气，夜清气更清。床下有万壑，屋上惟空声。
出看云而云，铁瓦露滴惊。滚滚照烛断，霏霏穿窗行。
仰瞻如浸月，漾漾含微明。此时岳麓村，人家鸡未鸣。

鉴赏

欣赏风景，往往需要"静"。日本著名风景画家东山魁夷说："西方习惯于客观地观察对象，东方则善于主观地把握对象。芭蕉（日本著名俳句诗人）说：'静观，万物皆自得。'他是以'静察'者的心理状态为前提的，但绝非脱离人，相反是建立在深入人之间内在的观点上，可见'静'大约意味着摒除个人的利害得失，而虚心观物的心境吧。"（《与风景的对话》第八章《东方与西方》）钱载于乾隆二十四年（1759）游湖南，登上南岳衡山，宿于峰顶，深夜起看风景，写了这首诗。这时，人间未醒，万籁俱寂，得寻常难得之静。诗人摒除万虑，虚心观物，如前引日本俳圣芭蕉所言："静观，万物皆自得。"因而，诗中充满清逸之气，令人有步出尘表之感。

"清清天半气，夜清气更清。"山高气清，这是常识。诗人夜宿南岳之顶，对此感受益深。"床下有万壑，屋上惟空声。"两句绝妙。"万壑"低于床下，扣合诗题"岳顶"；屋上唯有"空声"，更觉万籁无声。"有""惟"二字，以"有"写"无"，写出了无上之高，无比之静。夜，静得使人警醒，诗人遂"夜起"观岳，但见满山唯"云"，别无一物："出看云而云，铁瓦露滴惊。"眼中除了云，还是云，故云："云而云。"此身恍惚进入鸿蒙世界，混沌未凿，万物皆无。唯云气流经屋上铁瓦，遇冷凝聚成露，于极静中偶然一滴，其声足以惊心。"露滴"之声，其声极微；极微之声，已令人"惊"，这更显出高山之夜，万籁无声，何等静寂。此即前引东山魁夷所言："善于主观地把握对象。"中国古典诗歌中，此类写法常有。下写云之形态光色："滚滚照烛断，霏霏穿窗行。仰瞻如浸月，漾漾含微明。""滚滚""霏霏""漾漾"，几组叠字，将岳顶夜云独有的形态写得生动。云涛如水而非水，云气如雨而非雨，所以诗人这样写。室中灯烛之光，因云涛滚滚而过，时遮时见，时明时断，可见云涛光涌奔急之势。云朵“穿窗”而“行”，予人以细雨霏霏之感，可见山势之高，云气之湿之浓。此时正当夜深至极欲明而未明，诗人身立岳顶，仰观天宇云层，澹澹微光，朦朦胧胧，灏灏瀚瀚，如潮如涌，整个宇宙仿佛都倾浸在月光之中，微波漾漾，予人以神秘之感，使人在不知不觉中微醺微醉。诗人的心，这时也变得如浸月光，漾漾微明，在静静的深夜里放着光。这就是庄子所说的人心如镜的虚静之境。“正则静，静则明”（《庄子·庚桑楚》）。“万物无足以挠心者，故静也。水静则明烛须眉，平中准，大匠取法焉。水静犹明，而况精神”（《庄子·天道》）。“宇泰（即心）定（静）者发乎天光。发乎天光者，人见其人，物见其物”（《庄子·庚桑楚》）。此时，“视乎冥冥，听乎无声。冥冥之中，独见晓焉。无声之中，独闻和焉”（《庄子·天地》）。这时，人便进入了美学家所谓的透视洞察之境，如同瑞士诗人阿米尔（1821—1881）在其日记中所云：“心完全沉浸在静地陶醉之中。”（见徐复观《中国艺术精神》第二章第八节《心斋的虚、静、明》）东山魁夷所说的“风景顿悟”，大约就指这类时刻。人当此时，“灵魂受到强烈的震撼而陶然酣醉。我蓦然看到了，看到了生命那奥妙的光影”（《与风景的对话》）。

结尾两句：“此时岳麓村，人家鸡未鸣。”诗人从陶然酣醉中醒来，返回人间，但还有一半精神留驻在那静境的余醒之中将醒而未醒，写此时南岳山麓的农村中，鸡犹未鸣，人犹未醒，仍然是写静夜，只不过换了一个角度，从“岳顶”写到了“岳麓”，从山巅写到了山脚，显示了这位“静察”者的心理并未脱离人间，但这使诗中静境更加广漠，包容了整个天地上下。读者细加吟味，将会引起一丝恬静的喜悦。朱休度《礼部侍郎秀水钱公载传》云：“载诗凌纸怪发，险入复入，横出复出，于古不名一家，更历万里游，壮观岳渎，吸灵秀之气而张之。”这首《岳顶夜起》中，便喷薄着一股“灵秀之气”。

（张　中）

夜行将至柳前作

钱　载

柳前跋马经三度，雨后题诗剩一心。

滕县南来众山静，徐州东下大河深。
浮生那必关天地，转瞬真怜即古今。
明月落将沧海外，暂教不见鬓毛侵。

鉴赏

这首诗作于乾隆三十九年(1774)，作者时年六十六岁。此诗抒写夜行道中的心情以及对人生的感慨。

"柳前跋马经三度，雨后题诗剩一心。""柳前"，又作"柳泉"（今江苏铜山县北）。诗中以"柳前"借对"雨后"，将地名巧妙嵌入诗句中，使本无意味的地名，变得引人联想，富于美感。"跋马"，拨马，掉转马头。严武《巴岭答杜二见忆》诗云："跋马望君非一度，冷猿秋雁不胜悲。""一心"，佛家谓"一心者，心无异念故""言一念者，信心无二心，故曰一念，是名一心。一心者则清净报土嘉因也。"诗中或用此义。诗人带着回顾往昔的心情，说自己到柳前跋马已有许多回了，那也许是年轻时候的事，也可能有中年时候的经历。总之，这次再到柳前时，总有难以名状的心绪。旅程中，一场雨水刚过，夜竟像洗过一般，诗人心中此刻也只剩沉静空寂而已。"滕县南来众山静，徐州东下大河深。""大河"，指黄河。清代黄河流经徐州，故道与今不同。颔联二句写旅途景色，众山入静，大河不语。同时，也是承"雨后题诗剩一心"，写一路行来的主观感受。将"滕县南来众山"归于一"静"；将"徐州东下大河"著一"深"字。可见孤寂的征程，静默的心情，还有不停奔波的单调无聊。而且两句工对，读来颇有行进感。万籁俱寂，雨后兼程，诗人听着马蹄声，忽生感慨："浮生那必关天地，转瞬真怜即古今。"颈联是说，滕县南来众山，徐州东下大河，这些几度途经的山川，还有这几度跋马的柳前都依然如故。可是真正伤感、悲哀的是人生转瞬即将垂暮，过去的日子一去不复返了。这两句颇富哲理，"转瞬"即"古今"，这是对时光流逝的极度夸张，表达诗人感触之强烈。"明月落将沧海外，暂教不见鬓毛侵。"承颈联收结，点出夜行。李白诗云："今人不见古时月，今月曾经照古人。古人今人若流水，共看明月皆如此。"这是就古今人生常与变而言，若以一个人的一生看也莫不如此。那轮明月曾照着年轻的诗人走过这山川，如今，这位诗人仍然营营奔走在旧日走过的乱山之间，鞍马劳顿，已是老境霜鬓。诗人自嘲，幸好那轮明月今夜落将沧海之外，且教她不要看见我这一夜又添多少白发。

通观全诗，“浮生”“一心”与“滕县南来众山”“徐州东下大河”“天地”“古今”“明月”“沧海”这些广大宏阔的意象形成鲜明的对比，从而表现出夜行者的压抑以及人生的渺小。

（张中　韩石）

到家作

钱　载

久失东墙绿萼梅，西墙双桂一风摧。
儿时我母教儿地，母若知儿望母来。
三十四年何限罪，百千万念不如灰。
曝檐破袄犹藏箧，明日焚黄祇益哀。

鉴赏

《到家作》四首，是钱载的名作。此其二，写对亡母的怀念，是一首母爱的颂歌。《浙西六家诗钞》评此诗：“如怨如慕，如泣如诉，真是血性所发，故沉痛若此，不必于字句论工拙，气体辩家数。”张维屏评此诗云：“此诗具万钧力，总是少陵嫡派，香山、放翁则雁行耳。”又云：“字字沉实，字字动荡，其佳处未尝不从古人来，却能于古人之外自成面目。”（《听松庐诗话》）

“久失东墙绿萼梅，西墙双桂一风摧。”从故园庭院中的巨大变化写起，自然引起对于往事的追忆。东墙、西墙，概括了整个庭院，乃至家庭。绿梅，春来吐萼；双桂，秋至飘香。庭中春有梅，秋有桂，可见一年四季非常美好。这都是母亲在世时的情景了，它永远伴随着对于母亲的怀念，深藏在诗人的记忆中。诗人每当回忆起令人心魂飘荡的童年往事，就会想起母亲和儿时那些温馨的生活。作为一个失母者，他的悲哀也就会油然而生。“久失”“一风摧”，写的是树，传达的却是诗人追忆儿时，顿为悲摧的心情，“血性所发，故沈痛若此”。

“莫怪泪如雪，人生思幼日”（龚自珍《寒月吟》）。在人类情感世界中，母爱是最纯洁、最无私、最崇高、最永久的。在所有的人都忘了你的时候，母亲记得你。因此，只要是有正常情感的人,对于母亲的感情总是与生俱来,息止方止。即使母亲已经离开人世多年,你总是觉得她还在某个远处或不远处,总在内心深处痴痴地盼望着她的归来。这是人之常情。诗人说"儿时我母教儿地,母若知儿望母来",就是这种真情的表达。

"三十四年何限罪,百千万念不如灰。"这首诗作于乾隆三十九(1774)作者自江西归京途经浙江故乡时。作者的母亲朱氏逝于乾隆六年(1741),距作诗时已三十四年。"何限罪",诗人自感有负母亲的教育和期望,负罪甚深。想到这一点,感到十分痛苦,因此说:"百千万种念头,不如都化成死灰。"人在极端悲痛之时,便会有这种万念俱灰之想。

结尾两句:"曝檐破袄犹藏箧,明日焚黄祇益哀。"写感情稍得平静后的余悲,语调似渐趋平和,悲哀却深浃骨髓。"曝檐破袄",冬季暄暖之日,老年人和妇女常带着孩子在屋檐下避风向阳处晒日取暖,谓之"曝檐"。"箧",小箱子。"焚黄",封建时代,凡品官新受恩典,祭告家庙祖墓,告文用黄纸书写,祭毕即焚去,谓之焚黄。后亦称祭告祝文为焚黄。宋王禹偁《送密直温学士西京进葬》云:"故人垂泪看焚黄。"清查慎行《清明日西阡焚黄二律》《亡室柜前焚黄再作一首》云:"踏青诸父老,叹息看焚黄。""祇缘吾有愧,不谓尔无知。"读此可知当时的人们"焚黄"时的心情。

钱载于乾隆十七年(1752)中进士,后官至礼部侍郎。这时,其母已去世多年,未及看子成名。诗人到家后,检视旧物,在小箱子里翻检出儿时母亲抱着自己晒日取暖穿过的破袄,仿佛还能感受到母亲的体温。这使诗人极其激动,既引起他对母亲的怀念,也更加重他失母的悲哀。故云:"明月焚黄祇益哀。"

"树欲静而风不止,子欲养而亲不待"(《韩诗外传》),是人类常有的憾事。一些儿时贫困,后渐顺遂而双亲已经弃养的人,在这方面怆痛尤剧。封建社会里的读书人,自幼接受封建孝道的灌输,力主"百善孝为先",很重视孝亲;另一方面,却又不得不为科举功名营营奔走,长期离开父母,难承菽水之欢。及至功成名就(或功尚未成,名尚未就),双亲已不及待,辞别人世。这就使许多人在双亲过世之后,因未能常在膝下奉养而深感负疚、悔恨,甚至有沉重的负罪感。钱载这首诗所写的,就是这种感受。

钱载"笃于根本,孝悌忠信,至性至情,发而为诗,其旨敦厚,其气清刚,其意沉着,其辞排奡"(吴应和《浙西六家诗钞》)。"箨石集中,君亲师友,惓惓不渝。"(徐世昌《晚晴簃诗汇诗话》)这首诗,便表现了钱诗的这一特点。在语言风格方面,这首诗"苍莽之极,转似荒率","有一种浮噩真朴，不假修词属对为工”（吴应和）。论者容易，“以率易自之”。其实，诗人匠心独运，其“对法字法，无往不立异出奇，自别时流”。“‘儿时我母教儿地，母若知儿望母亲。三十四年何限罪，百千万念不如灰’，七律对仗如此流转，自亦难能。”（钱钟书《谈艺录》）“望母来”一语，如钱钟书评钱载其他作品时所云：“绝望中仍为期望之词”，有其独特的艺术效力，故读者觉其“元气淋漓，直欲雁行杜、韩”，能取唐、宋七律之长，“而出以自己之面目。浑灏流转，大气磅礴”（钱仲联《梦苕庵诗话》），甚至觉得“此诗具万钧力”（张维屏《听松庐诗话》）。

今天的读者，对于孝亲之说已渐生疏。但是，母子之爱，毕竟是人的天性，不会因时代与民族的差别而全然不同。今天的人，读孟郊的《游子吟》、蒋士铨的《岁暮到家》、黄仲则的《别老母》，依然会感动；中国的读者，读亨利希·海涅的《献给母亲》、扬·尼鲁达的《献给母亲》、赫尔曼·黑塞的《回忆母亲》等，同样会心弦振荡。梅曾亮《艾方来家传》云：“归熙甫（有光）撰《先妣事略》，皆琐屑无惊人事，失母者读之，痛不可止。”读钱载这首《到家作》及上述著名诗篇，也会使人有同样的感受。

（张　中）

观王文简公所题马士英画

钱　载

王师南下不多年，司理扬州句为传。
落尽春灯飞却燕，江山如画画依然。

鉴赏

钱载工于绘事，“好收藏，精鉴赏。顾其题咏书画，有议论，工描摹，而不掉书袋作考订”。许多题画诗，“朴厚中含灵秀”，佳句时见，“有俯拾即是之妙”（钱钟书《谈艺录》）。这首“观”画诗，亦属此类。

“王文简公”，清初著名诗人王士禛（1634－1711），谥号文简。“马士英”（约1591－1646），字瑶草，明末贵州贵阳人。万历进士。崇祯末任凤阳总督。李自成攻破北京后，马士英拥立福王朱由崧于南京，任东阁大学士，进太保，总揽朝政，横暴贪婪。他起用阉党阮大铖，深相结纳,排斥史可法等,有许多劣迹。南京陷落后,南走浙江,被清兵俘杀。孔尚任《桃花扇》中对马士英、阮大铖一伙有过生动的描写。马与阮,都属于"小人而多才者"。马擅长绘画,阮擅长戏曲,一时均有才士之名。两人才德不副,颇耐后人深思。周亮工《读画录》载:"马瑶草士英,罢凤(阳)督后,依寓白门(南京),肆力为画,学董北苑(源)而能变以己意。王贻上(士禛)曰:'蔡京书与苏、黄抗行,瑶草胸中乃亦有丘壑?'"唐熙元年壬寅(1662),王士禛曾写过《马士英画》诗:"秦淮往事已如斯,断素流传自阿谁?比似南朝诸狎客,何如江令擘笺时?"钱载观看了王士禛所题马士英画,追想明朝末年马、阮等多才小人弄权之事,不胜兴亡之感,写了这首七绝。

"王师南下不多年,司理扬州句为传。""王师",指清军。"司理扬州",犹言"扬州司理。"王士禛于顺治十六年(1659)任扬州推官(即司理),掌狱讼。作《马士英画》诗时(1662),上距顺治三年(1646)清兵南下攻陷金陵仅十六年,故云不多年。

"落尽春灯飞却燕,江山如画画依然。""春灯"指阮大铖戏曲名作《春灯谜》。"燕"指阮另一戏曲名作《燕子笺》。顺治元年(1644),福王朱由崧在南京被马士英等人拥立为弘光帝,终日沉湎于酒色歌舞之中。阮大铖以《春灯谜》《燕子笺》诸剧进奉宫中,作为内廷供奉戏曲。春灯落尽,燕子飞却,语意双关,犹言"落花流水春去也",无可挽回,巧妙地写了弘光王朝的覆亡。江山依然如画,马士英的画依然留在人间,当初创作绘画和戏曲的"艺术家"却都已成为历史上永留骂名的丑类!

钱载诗广学名家,既有清真馋刻、硬语盘空的一面,又有清新自然、妍秀入骨的一面。这首小诗,因读王士禛诗有感而作,其"风调绝似渔洋(王士禛)"(吴应和《浙西六家诗钞》)。"落尽春灯飞却燕,江山如画画依然"两句,含蓄蕴藉,富于神韵,造语极妙。当代著名学者钱钟书先生很喜欢钱载诗,慧眼有识,在《谈艺录》一书中多处论及(见《谈艺录》第175~195页)。

(张　中)

暮春

翁格*

莫怨春归早,花余几点红。留将根蒂在,岁岁有东风。

作者

*翁格,生卒年不详,字去非,江苏吴县(今苏州市吴中区)人。秀才。能诗。《清诗别裁集》录其诗。

鉴赏

暮春是诗人写烂了的题目,一般总容易从惆怅花飞,叹惜流年出发,像辛稼轩《摸鱼儿》:"惜春常怕花开早,何况落红无数。"张炎《高阳台》:"东风且伴蔷薇住,到蔷薇春已堪怜。更凄然,万绿西泠,一抹荒烟。"可以令人一唱三叹,他们有深沉的家国兴亡之感,所以特别动人,但从立意看,并没有超出感伤幽怨的范围。

翁格这一首却别出心裁,一开始"莫怨春归早,花余几点红",就出人意表。虽然春花已经只剩几点了,春天快要归去,但不要怨他归早。二句倒装,这样就跳出前人感伤的范围,使人耳目一新。只说"莫怨"尚不太难,如何能令人心服口服,真正不怨?这却很不容易。

"留将根蒂在,岁岁有东风。"说得多么从容自在。本来么,花今年落了,只要本根未毁,何愁没有春天呢?这两句表面上是说春花,但它却有深刻的哲理在。君子居易以俟命,尽其在我,有什么可愁怨呢?我们如果联系翁格的身世不过是"诸生",连举人都没考上,能有这样从容不迫的态度,就更为难得了。沈德潜评说:"安分俟时,意言俱妙。"确是中肯之言。

(周本淳)

题雅雨师借书图

李　菀*

旋假旋归未得闲，十行俱下片时间。
百城深入便便腹，直抵荆州借不还。

作者

*李菀，生卒年不详，字啸村，江南怀宁（今属安徽）人。诸生。

鉴赏

读书，当然是读自己买来的书最自在、愉快和有用。然而并非人人经济宽裕，可以坐拥书城。所以借书是读书人免不了的事。在印刷条件落后的古代尤其如此；古代贫寒的士子尤其如此。《借书图》画的就应是贫士所为。借书也有乐趣，那就是因为“有借有还，再借不难”的缘故，借了就必须马上读。读到兴味来时，就想动手抄。所以借书和抄书又是紧密联系着的事。看来题中的这位“雅雨师”颇知个中三昧，他的画中必有人在寒窗伏案抄书。李看了这画则深有感受，故又形之于诗。这诗必然也抒发着他自身的经验。

嗜读好学的人一旦找到了可以借书的主儿，那劲头是很大的。借来就翻，翻过就抄，或摘抄，或全抄，抄过就换。“旋假旋归”，直是迅速。到时说不定主人都感到吃惊：“你就看这么快？”口头虽这样说，借书也更加放心。所以抄书者虽然“未得闲”，不免手指僵直，但心里是美滋滋的。稍事休息，吟哦两声，越发飞快地抄写起来。“十行俱下片时间”。古人形容看书看得快是“一目十行”，这里翻出一个“十行俱下”，则是抄写风快。于是书也读了，字也练了，书也有了——真是一箭“三雕”的美事。诗人情不自禁，将抄书人的得意和盘托出：“百城深入便便腹,直抵荆州借不还!”“宋政和时,都下李德茂环集坟籍,名曰书城”(《太平清话》),此言“百城”,极形其多。“便便”本形容肚腹肥满的样子。《后汉书·边韶传》:“韶口辩,尝昼日假卧,弟子私嘲之曰:‘边孝先,腹便便,懒读书,但欲眠。’”贫士哪有大腹便便,这里是形容肚子里装的书多。“荆州借不还”是用刘备向东吴借荆州为据点,西取益州,北并汉中,奠定蜀汉基业故事。因为荆州是战略要地,故刘备曾迟迟不肯归还东吴。而读书人借书是不能不还的,怎么可以说“直抵荆州借不还”呢?殊不知个中大有奥妙。书的用处只在读,借来的书只要读过好比探取其珠;归还书便有如还椟,它对自己已没有使用价值了,这不是“直抵荆州借不还”吗?

这首七绝取材独到。它突破了一般写景抒情的格局,妙用比喻,写出读书人的一种很有意思的人生经验。

(周啸天)

澶　渊

袁　枚*

路出澶河水最清，当年照影见亲征。
满朝白面三迁议，一角黄旗万岁声。
金币无多民已困，燕云不取祸终生。
行人立马秋风里，懊恼孱王早罢兵。

作者

*袁枚(1716—1797)，字子才，号简斋，又号随园老人，浙江钱塘(今杭州市)人。乾隆四年(1739)进士，授翰林院庶吉士。历任溧水、江浦、沭阳、江宁等地知县。辞官后，于江宁小仓山筑随园，以诗酒为娱。论诗创性灵说，主张抒写性情。其诗奔放纵肆，清新自然，自成一家，颇有影响。有《小仓山房诗文集》《随园诗话》等。

鉴赏

此诗是袁枚二十一岁时北上应博学鸿词举时写的吊古诗。澶渊在今河南濮阳。宋真宗景德元年(1004)，辽萧太后与圣宗亲率大军南下，深入宋境。宋真宗想按王钦若、陈尧叟等计划迁到江南或四川去避敌。宰相寇准坚持抵抗，宋真宗不得已到濮阳(澶渊)亲征督战。这时辽孤军深入，背后宋军坚守城镇，害怕腹背受敌。澶渊前线宋军看到皇帝的黄旗大呼万岁，士气倍增，在澶渊城下打了胜仗，射死辽大将萧德览。辽主提出和议。本来应该乘胜前进，收复燕云十六州，但真宗害怕战争，力主和议，与辽订立和约，由宋每年输辽岁币银十万两，绢二十万匹，这就是历史上的“澶渊之盟”。路过澶州，不可能不想起这个历史事件，所以全诗以此事为中心发议论和感慨。

“路出澶河水最清，当年照影见亲征。

亲征。"从眼前的清水想到宋真宗当年御驾亲征渡河的事。

"满朝白面三迁议，一角黄旗万岁声。"这两句写当时的情况有声有色。满朝白面书生给敌人吓破了胆，只想迁都；而一旦一角黄旗象征天子出现时，军民欢呼万岁，勇气百倍。表示当时军民敌忾同仇，勇于卫国，这应该是收复失地的大好机会，可是却被和议所葬送。

"金币无多民已困，燕云不敢祸终生。"深深批判和议的失策，困扰百姓，遗祸后代。

"行人立马秋风里"照应首句，从历史回到眼前。"懊恼孱王早罢兵"收束五、六两句，为宋真宗的孱懦而无限懊恼。

八句从眼前写到历史，再从历史回到眼前。又以历史的懊恼作结，有几次回环，从起伏看，前四句是扬，特别是"一角黄旗万岁声"，高响入云，五、六两句一落千丈，最后称之为孱王，是抑，一扬一抑，对比强烈。

写澶渊的诗，过去总要提寇准，"承相莱公功第一"（王安石）也好，"可能功业尽莱公"（张耒）也好，都离不了寇准的功劳，而且都只赞美战争的胜利，不敢触及宋真宗的孱弱，这在宋人是不可能这样批判的。袁枚却把宋真宗的态度作为议论的焦点，不谈寇准等人，这一点是前人所未发的，也就是本诗的突出之处。尽人皆知的事实，他用"满朝白面三迁议，一角黄旗万岁声"两句形象地加以概括，虽记旧事，却也给人一点清新之感，这也是本诗在琢句上的成功之处。至于对仗新巧工稳，一目了然，无庸赘说。

（周本淳）

荆卿里

袁枚

水边歌罢酒千行，生戴吾头入虎狼。
力尽自堪酬太子，魂归何忍见田光？
英雄祖饯当年泪，过客衣冠此日霜。
匕首无灵公莫恨，乱山终古刺咸阳。

鉴赏

此诗是北上途中的作品。荆轲刺秦王的壮举，曾经引起多少文士诗人的感慨。《战国策》的内容为《史记·刺客列传》所承用。陶渊明《咏荆轲》:“惜哉剑术疏,奇功竟不成!”后人乐于传诵。“报恩不到头,虚作轻生事。”刘叉的《潮荆卿》又立一格。写这种题目,已经很难落笔了。袁枚从荆轲传里的事出发,写到今天:“水边歌罢酒千行,生戴吾头入虎狼。”两句概括易水悲歌送别,写荆轲视死如归的英雄气概。因为从当时情势看,荆轲无论刺成与否绝无生还之理,所以易水之歌自知“壮士一去兮不复还”。明知不还却义无反顾,所以为壮士。段秀实入郭晞乱军中自言“吾戴吾头来矣”,戴头就用这个典故。这两句写荆轲出发时的英雄气概,是扬。

“力尽自堪酬太子,魂归何忍见田光?”两句概括荆轲的失败,有无限惋惜之情,好像辜负了田光的举荐。以上四句写当日情事,先扬后抑。

“英雄祖饯当年泪,过客衣冠此日霜。”一句写当时,遥应“水边歌罢”的祖饯场面;一句写今天,衣冠上被霜沾白了,使人想象当时“白衣冠送之”的场面,今天的霜源于当年之白。

“匕首无灵公莫恨,乱山终古刺咸阳。”这两句安慰荆轲,却是前人所未道,特别是结句非常聪明,把当地的山形和荆轲事迹巧妙地联系在一起,好像山川有灵,都像荆轲刺秦王一样刺向咸阳。写荆轲的失败前人都是叹惜剑术之疏,认为是千古恨事,袁枚却从另一角度来安慰荆轲,因为“乱山终古刺咸阳”,足以弥补“匕首无灵”的失败。这首诗概括古事简练形象,把叙事抒情融为一体,一结尤其出人意表,在前期七律中是较好的作品。

(周本淳)

西　施

袁　枚

笙歌刚送采莲舟,重卷珠帘倚画楼。
生就蛾眉颦更好,美人只合一生愁。

鉴赏

西施就是西子,为春秋时越国的美女,家住苎萝山下,靠卖柴维持生计。今浙江省诸暨县苎萝山下有浣纱石,传为当年西施浣纱处。越王勾践被吴国打败,命取西施献给吴王夫差,吴王极其宠爱,不理朝政,终为越国所灭。袁枚所写的《西施》,即取材于历史。

西施出身寒微,不仅卖柴,而且采莲。今浙江绍兴县东南二十八里,有若耶溪,为昔日西施采莲之处。因其天生丽质,入宫而受宠。“笙歌刚送采莲舟,重卷珠帘倚画楼”,就描绘了西施由采莲女变为宫中王妃的过程。这两句诗,与王维《西施咏》中所写的“朝为越溪女(指采莲女——笔者),暮作吴宫妃”,实在是一脉相承的。可以说,袁枚描写西施,是深受王维影响的。袁诗中的“送”字,富于动作性,又耐人寻味。他显示出笙歌伴随小舟的动人情景,又暗示西施与采莲的生活告别,并对下句诗起了激活、启迪的作用,它自然而然地引起下面的诗情,西施失去了自由自在的劳动生活,而去当卷珠帘、倚画楼的贵妃了,这是多么明显的对比啊!一贫一富,一贱一贵,一弹指间,历史是多么有趣!权力是多么作弄人啊!

诗人紧接着描绘西施的肖像美:“生就蛾眉颦更好。”所谓“蛾眉”系指蚕蛾触须,它细长而弯曲,故用以比美女之眉,作为美女之代称。这里是特指西施之貌,倾城倾国,连西施“颦”,也是美的。所谓颦,就是指心胸疼痛而皱眉蹙额的情状。它是天生的,学不到的。袁枚抓住了“蛾眉”与“颦”这两大特点,去表现西施之美,可谓画龙点睛。

一个本来就纯洁无比的采莲女子,一旦过起这锦衣玉食、荣华富贵的生活,是否很幸福呢?袁枚的回答是否定的。诗的结句写道:“美人只合一生愁。”这是全诗的诗眼!也是袁枚描写西施时最有创造力的诗句,同时,也是不同于王维《西施咏》处。王维《西施咏》,当然脍炙人口,故被清代学者孙洙(蘅塘退士)选入《唐诗三百首》中。但它着力描绘的是西施之美,而袁枚着力描绘的乃是西施之愁,这可以说是他的《西施》诗的新颖独特之处。这种“愁”,不只是一时愁,而是一生愁,它典型地、真实地表现了中国古代劳动人民出身的青年美女的悲剧命运。西施之愁,具有多方面的涵义,给人以多种感受。尽管袁枚没有明确地告诉人们,西施愁在何处,因何发愁,但是,人们却可根据自己的审美经验,去理解作品,对作品进行再创造,从而得出符合作品实际的合乎逻辑的结论。人们可以认为,西施因失去纯朴的劳动生活,被囚在牢笼般的雕龙画栋的宫廷中而愁;也可以认为,西施因不堪忍受自己作为牺牲品而愁;也可以认为,西施因怀念久别的故国故乡而愁。总之,一个愁字,包孕着西施的无限情思,无限悲怆,无限惆怅。这就是袁枚笔下所点染的西施因美而愁的动人之处。

(王明居)

张丽华

袁枚

结绮楼边花怨春,青溪栅上月伤神。
可怜褒妲逢君子,都是周南传里人。

鉴赏

这是袁枚写的一组以历史上美妃为题材的绝句中的一首。张丽华是陈后主的宠妃。陈后主不顾国家危亡,一味酒色自迷。起临春、结绮、望春三阁,“阁高数丈,并数十间,窗牖、户壁、栏槛,皆以沉檀香木为之,又饰以金玉珠翠。外施珠帘、内有宝帐。其服玩之属,瑰宝珍丽皆近古所未有。每微风一至,香闻数里。朝日初照,光映后庭。其下积石为山,引水为池。植以奇树,杂以花果。后主自居临春阁,张贵妃居结绮阁,龚孔二贵嫔居望仙阁,并复道交相往来”(《建康实录》卷二十)。陈后主每日歌舞酣饮,为《玉树后庭花》曲,到了隋军进攻时,仍然以为长江天堑,敌兵不可能过江。等到隋兵入城,陈后主拉着张丽华、孔贵嫔等一齐下到胭脂井里,隋兵把他们弄上来,杨广把张丽华斩于青溪。

诗一共两首,第一首写亡国前:“景阳门外一声钟,唤起宫娥梦正浓。底事军中书告急,乱堆床下不开封。”这是第二首陈亡后的情况。

“结绮楼边花怨春,青溪栅上月伤神。”花月,平时赏心之物。“结绮楼”,青溪游乐之地,现在因为张丽华之被斩,所以“花怨春”“月伤神”,春花秋月,只令人悲,这是把作者的感情融入其中,为这种悲剧流下同情之泪。

“可怜褒妲逢君子,都是周南传里人。”这两句是精华所在,翻案有理。长期以来,有美女亡国论钳制人们的思想,老杜《北征》就把唐玄宗的失政归罪于杨贵妃,而认为危急关头能处死杨妃是唐玄宗的英明:“不闻夏殷衰,中自诛褒妲。”把夏、殷、西周的灭亡归罪在妹喜、妲己和褒姒身上。郑畋《马嵬坡》:“玄宗回马杨妃死,云雨难忘日月新。终是圣明天子事,景阳宫井又何人?”也有为杨妃鸣不平的,如李益《过马嵬》:“汉将如云不直言,寇来翻罪绮罗恩。劝君休洗莲花血,留寄千年妾泪痕。”这已经难能可贵了。袁枚这两句又进一层，认为这些美妃如果遭逢有德的君子，她们都可以列为《周南·关雎》诗传里所歌颂的有德的后妃。这比只辩无罪又进了一大步，而鞭挞昏君更为有力。借张丽华事为美女呼冤是这两首绝句的深意所在，也是袁枚一贯同情妇女的思想反映，耐人寻味之处也在这里。前面两句是写这类诗的人容易想到的，它既不如“感时花溅泪，恨别鸟惊心”凝重，也不比“春花秋月何时了”深沉。后面的议论在那种社会却石破天惊，而着“可怜”二字一点缀，使议论中带有浓厚的抒情气氛，尤为可贵。

（周本淳）

抵 金 陵（二首）

袁 枚

黄金埋老变烟霞，一片长江六帝家。
天意两回南渡马，秋痕满地故宫花。
荆襄形势上游远，辇毂规模大道斜。
我是荒伧来吊古，手挥羽扇问年华。

登临不尽古今情，无数青山入郡城。
才子合从三楚谪，美人愁向六朝生。
身非氏族难为客，地有皇都易得名。
八尺阑干多少恨，新亭秋老月空明。

鉴赏

袁枚乾隆四年（1738）中进士，选翰林院庶吉士，三年散馆，他却因习清书不合格，不能在翰林院供职，分发江南做知县。翰林院和知县相比，一天一地。他诗中说：“问到出身人尽惜，行来公礼我犹生。”（《谒长吏毕归而作诗》）心里未免牢骚。到江南溧水上任，先抵南京。《抵金陵》即到后不久之作。

金陵是历史名城，六朝旧都。相传楚威王听人说这里有王气就在钟山下埋黄金以镇压。“黄金埋老变烟霞”正是从这个古老传说着笔，以表现金陵历史悠久，风景秀丽。南京是六朝古都，六姓帝王都以长江为屏障而立国。“一片长江六帝家”，一六呼应，和上句一山一水对照，十分凝练，同时“六帝家”又引起下文的咏史。

“天意两回南渡马，秋痕满地故宫花”，从历史写到眼前景物。五胡乱华时，晋元帝渡江建立东晋政权，当时民间有“五马浮渡江，一马化为龙”的童谣。北宋亡时，康王赵构也到南京，后来建立南宋政权。这好像是天意安排的分裂局面，但都成历史陈迹，作者此时见到的只是“秋痕满地故宫花。”当时宫殿已不复存在，故宫基地只是秋花而已。这是作者眼前所见和历史对照而写出的。手法略同于刘禹锡“朱雀桥边野草花”。

五、六句一联写南京的形势。先写荆襄，“王浚楼船下益州，金陵王气黯然收。”上游荆襄对南京异常重要，这是泛论。“辇毂规模大道斜”，后写城中，辇毂之地指帝都，过去帝都规模已经变更不复旧观了，因为大道已斜。这个“斜”字不是趁韵，过去帝都的道路都是笔直的，现在这些大道都斜了，说明久已不为帝都了。

这以上是初到的所见所感，直接写南京历史和形势，自己没有出现，题目中的“抵”字还未交代，所以用“我是荒伧来吊古，手挥羽扇问年华”一收。“来”字交代题中的“抵”字，“吊古”二字承上启下。这两句表面自谦，说是“荒伧”实有自负在，“手挥羽扇问年华”，羽扇，六朝名士欢喜持握，这时袁枚才二十几岁，风华正茂，“手挥羽扇问年华”，既有怕年华虚度的感叹，也有年轻有为的豪情。

第二首从上首“来吊古”意思生发，“登临不尽古今情”既吊古又感今，本来可以接着写下去，他却用一句写景“无数青山入郡城”隔断，作一波折。“才子合从三楚谪，美人愁向六朝生”，表面上这只是吊古，贾谊谪长沙，其后历朝多少才子远遭贬斥。三楚泛指湖南、湖北、安徽、江苏一带，南京属东楚。联系作者从翰林院外放知县，这也同贬谪一样，这句诗即吊古又自伤。“美人愁向六朝生”，六朝多少美女不得善终，所谓天下事多不如人意。

“身非氏族难为客，地有皇都易得名”，上句从上首“荒伧”来，东晋过江都是些大姓豪强，如王谢氏族，侨寓南京，继续是名门望族，而平民百姓很难立足。这里是讲自己出身贫寒，没有钱势，所以难以在南京做客，可南京的名胜却数不清，因为昔是皇都。“地有皇都易得名”表面上写客观情况，但人事中何尝不是如此，反过来看，没有机遇，没有人吹嘘，就不易得名，这里也有为寒士鸣不平因素，带着这些不平，想到过去，发生这样的感慨。

“八尺阑干多少恨，新亭秋老月空明”，东晋时过江诸人的新亭对泣，辛弃疾《水龙吟》：“落日楼头，断鸿声里，江南游子，把吴钩看了，阑干拍遍，无人会，登临意。”多少有志之士在南京登览时充满愤懑，而现在呢？新亭只有“秋老月空明”，无复当时人物，一些感喟寄托景物中作结。

两首诗的结构，从紫金山写起，以新亭作结。中间用“我是荒伧来吊古”承上启下，用“登临不尽古今情”将历史和现实糅合起来。上一首重点写南京，下一首重点写才子远谪，为古人和自己抒愤懑，结构很谨严。南京是大地方，历史悠久，古迹名胜众多，如何着笔，很不容易，不谈历史不行，光谈历史又变成老套，因为“金陵怀古”之类的题目前人写得太多了。所以作者在命题时强调一个“抵”字，写初抵金陵的所见所感，就可以把自己放进去，不是单写怀古，处处用古今对写的方式来表现。袁枚有牢骚，但清朝的文字狱很厉害，转喉触讳，牢骚要发，但又不能太露骨，怎么办？他巧妙地把自己的牢骚和历史上才子的不幸写到一起，表面上是在吊古，实际上是自伤，关键在“登临不尽古今情”一句，古今糅合，使人不觉。这就是古人所谓含而不露。第二首重点在牢骚而使人不觉，可见用心之苦，也是成功之处。

（周本淳）

雨　过

袁　枚

雨过罢焚香，梅花落印床。原非栖枳棘，争敢薄淮阳。
有志为民母，无心学吏商。只嫌空鹿鹿，方寸旧都荒。

鉴赏

袁枚乾隆四年（1739）“入翰林”“玉堂”三年，出为“外吏”，历知溧水、江浦、沭阳、江宁等县。他在官清正，“结”“狱”“宁早”，“判妨多误”（《沭阳杂兴八首》）。乾隆九年（1774）“自沭阳移知江宁，别吏民黄河岸上”时，“吏民攀车走，父老泣且言”，一片依依难舍之情。

本诗是乾隆十一年（1746）冬在江宁之作。诗用首句头二字，“雨过”为题，主要抒发了官务虽闲，未忘为民兴利的情怀。

首联通过“雨过”散衙，“焚香”初“罢”，“梅花落印”书“床”两个细节，淡淡写出他的室内幽静生活：“雨过罢焚香，梅花落印床。”

接着连用四个典故表现自己官职虽卑，却勤政爱民的心志。次联写自己本非置身艰险环境，怎敢因县令官卑，不尽职责的心情：“原非栖枳棘，争敢薄淮阳。”上句化用《韩非子·内储左》“树枳棘者，成而刺人”语意。它本指枳刺二木多刺的自然现象，但东汉黄琼称颂光武帝“继统”“兴业”，“立足枳棘之林”(《临终疏》)，借“枳刺”二字寓指环境的艰难险恶，便给它赋予了政治的内容。诗人自称：我只不过是个县令，处境并不艰难，“原非栖”于“枳棘”之上。下句借《汉书·汲黯传》汲黯“不受”“召拜”淮阳太守的“诏命”，汉武帝“强”令“奉诏”，有“君薄淮阳邪”语事自况。诗人说：我也没有汲黯的威望，怎敢鄙“薄”淮阳太守，拒不“奉诏”。

三联更借汉代两个故事来表现自己只有为民造福之志，决无与民争利之心：“有志为民母，无心学吏商。”上句用《前汉书》《后汉书》召信臣、杜诗相继为南阳太守，为民兴利，时有“召父、杜母”之语的故事，喻指自己“有志”效法召、杜“为民”“父母”，与民之好恶相同。下句用《汉书·霍光传》桑弘羊力主郡国官卖盐铁的事，借指自己“无心”去“学”桑弘羊与民争利，“吏商”不分。

四联转而淡化一向怀有意愿，以只嫌平庸，难展心志的内疚作结：“只嫌空鹿鹿，方寸旧都荒。”上句自叹：我“只嫌”几年“为令”，平庸无能，“空”负一生抱负。下句的“方寸”，指心而言。语本《列子》“方寸之地”，却作了简化。这句说：谁知我的衷怀，全成虚话，有如耕地的荒芜不治一样。宋代有“但存方寸地，留与子孙耕”的俗语，是说一个人应存善心，教育子孙在这片心“地”上好好耕作，这里隐含此意。

“提笔先需问性情，风裁休划宋元明。”(《答曾南村论诗》)首重性情，全空依傍，此诗正好体现了袁枚创作的基本观点。中间两联是全诗的核心部分。诗以散衙后焚香赏梅的恬静生活开头，以碌碌无为，空怀抱负和内心歉疚收尾。但创作的主要意图是在突出二、三两联，把为民兴利除弊作为自己的唯一心志，这是古代勤政爱民的地方官精神风貌的真实写照。

两年前尹制府“奏擢”袁枚为“高邮牧”，因“停年”违“格”“不果”。但这并不妨碍他在创作上的不懈努力。作者《答曾南村论诗》所说“伶予官退诗偏进”的话，是这种矛盾心情的艺术表达。“一代都存雅颂声”，我们可以用他的诗句来评价此诗：不仅仅把它看作乾隆初年袁枚为令汉宁的政绩和抒情独白，还是堪与“雅颂”媲美的一代佳篇。

采取冷热适度结合的独特方法，是此诗在艺术上的一大特点。首尾两联写室内环境与内心惭愧，好像环绕着冷的氛围，显示出与“热衷”利禄的俗吏的原则区别。二、三两联表现为民兴利除弊心愿，都用了反对的形式，则涂抹上热的色彩。县令官品虽卑而职责非轻，故应志效召、杜，誓不与民争利。这是作者羞伍“热衷”于搜刮民脂的贪官恶吏的严正立场的艺术表白。正因此诗采取了骨冷神热的矛盾统一写法，便使亦冷亦热的不同生活感情层面，在艺术上取得和谐一致。这一特点值得加以指出。

（陶道恕）

不寐

袁枚

梦不分明醉不醒，春风料峭我伶俜。
孤篷打遍芦花岸，一夜江声带雨听。

鉴赏

袁枚“改翰林为令官江南”仅历六载。年才三十，便解组休官。他是钱塘人，却买山金陵，为此曾发“故土非忘西子，诸袁本重南朝”的咏歌。他告别江宁吏民归随园时，在《江行风雨》中，特写了舟中所见雨“大”风“狂”的景观。此诗是《江行风雨》的姊妹篇，作于乾隆十三年(1748)春，着重表现了舟中不寐的情景。

江行无事，偏宜饮酒。“梦不分明”，说明并未成眠。“醉”又“不醒”，说明已经中酒。首句表现了酒后不寐的似梦非梦状态。忽然一阵寒风，着肌战栗。这时吏民岸边送行的动人场面，早已落幕，唯有料峭春风，船头相伴。一时忆起“春风料峭，冻杀年少”的古谚，不禁吟成“春风料峭我伶俜”的诗句。次句写宵寒醉卧的真实感觉，把“春风”与“我”融为一体，强化了寒冻并未相欺的独特心态。江平水阔，傍岸芦花丛生，一似依芦作岸。孤舟夜泊，“雨脚大如乌鹊阵”，通宵打遍船篷。三句写的便是这样的场景。诗人不说芦花岸前春雨打遍船篷，却说“孤篷打遍芦花岸”，倒装成句，便显得矫健有力。这场夜雨虽给船工维舟带来不便，却为诗人提供了诗料。正因长夜不眠，才使作者获得雨夜听江声的生活实感。不是片时，竟是“一夜”，不是只听“江声”，竟是“带雨听”江声。四句“一夜江声带雨听”，就是他心中的诗的艺术闪光。七个字包含了多层意思，有高响遏云之妙。“带雨听”三字，锤炼尤精。

此诗以“不寐”为题，前两句写春寒中酒，是以不寐情由开端。似梦不醒，由于独饮成醉。睡不成眠，只缘料峭春寒。后两句才写因不寐获得的美的享受。孤舟中芦花岸晚泊，通宵春雨打遍船篷，使不寐的诗人得以带雨饱听江声，确是一生难得几回逢的机缘，自会极力加以表现。

袁枚写此诗时，刚刚进入壮年。他既非触忤权门，亦非贪墨受弹，仅仅由于同官县令的两位同年都已擢升，他却因“奏擢高邮牧，部议不果”，才自请休官。他休官时，既无失落感，也无负罪感。这首小诗表现出诗人平衡的心态和充实的情感，使人领受到一种积极、乐观的情趣。

此诗前句或许是从吴文英的“料峭春寒中酒，交加晓梦啼莺”(《风入松》)借取了意境。不过作者却不是为“一丝柳”和“秋千索”而牵“情”惹“愁”。后两句写带雨听江声，则远胜方回的“孤篷酒醒三更雨，滴碎愁肠是此声”(《江行大雨水涨》)。更表明作者对生活能持乐观的态度。

袁枚写诗，提倡“脱去归门户”，“不汩方寸灵”。此诗写江行不寐，能自立门户，自抒寸灵。选调、下字，更是反复锤炼，一丝不苟，首尾两句，尤见巧思。

(陶道恕)

咏　雪

袁　枚

空山雪坠一声钟，花落花开万万重。
窗外乱飞蝴蝶影，客来都带鹭鸶容。
人情应笑青云改，版籍全归白帝封。
我自瑶台甘小谪，三年只种玉芙蓉。

鉴赏

这是袁枚《咏雪》八首中的第一首诗，也是写得最富于情趣的一首咏雪诗。全诗着意描绘雪的动态美。

首联以“空山”起头，独具匠心。因为空山往往幽静深远，寂寞虚空，易于造成悠闲恬淡的境界。但袁枚却不愿赋予如此境界以更多的笔墨，而是紧接“空山”之后，描绘“雪坠”的情景，这就打破了空山的宁静，而使空山顿时活跃起来。从物理学的角度而言，空山雪坠必然引起强烈的震荡，产生巨大的声浪、音波，但它却非一般的空谷回音，而是猛烈异常，仿佛“一声钟”响。它有很强的力度，又有很厚的体积；否则，是不可能形成如此洪亮的声音效果的。可见，袁枚所写的雪，是运动中的雪；袁枚所写的山，是不平静的山。他与王维所写的空山，是有不同之处的。王维《鸟鸣涧》诗中有“人闲桂花落，夜静春山空”句，着意是写空山之静。其《鹿柴》中“空山不见人，但闻人语响”句，着重是以动衬静，它不过是空谷回音而已。当然，王维所写的空山，具有另一番冲淡、空灵，是袁枚所不及的。王维也写山中之雪，但辄偏重于表现静态，所谓“隔牖风惊竹，开门雪满山”(《冬晚对雪忆胡居士家》)，即是一例。

在袁枚笔下，一声雪坠之后，仿佛绽出无数的雪花，纷纷扬扬，四处飘零，尽情飞舞，密密层层，或开或落。它所织成的流动的雪的帷幕，岂止千万重？即使“万万重”也难以曲尽其态啊！

颔联继续写雪。如果说，首联偏重于就雪写雪。那么，颔联就是把雪和其他景物结合起来描绘。窗外飞雪，影似蝴蝶，闪烁耀眼；客从外来，身上落雪，容若白鹭。“窗外乱飞蝴蝶影，容来都带鹭鸶容”，就是此中情景的写照。诗中着一“乱”字，就把雪花飞扬的密度之大、速度之快及其不规则的运动状态，活灵活现地描绘出来了；用“蝴蝶影”来形容雪花，则就更强化了雪景之美。用“鹭鸶”以状雪白，可谓别出心裁。鹭鸶又叫白鹭，它的羽毛是纯白的。浑身落雪的人，都有点像雪白的鹭鸶的样子。诗人用了一个“带”字，就把仿佛鹭鸶又不是鹭鸶的情状，生动地表现出来了。这个“带”字，是多么具有分寸感啊！

颈联虽仍写雪，却用幽默的语调。意谓如此雪景，令人爱煞！情动于中，理应欢笑。老天(青云)改变了常态，才将大地(版籍)刷得这样雪白。正是“人情应笑青云改，版籍全归白帝封”。所谓“青云”，词义复杂。有的比喻高位(平步青云，青云直上)；有的指品行高洁的青云士；在这里，是指上天。“版籍”一词，或指书籍，或指户籍；在这里，是指疆域。“白帝”一词有的指蛇神，有的指五帝之一，有的指白帝城；在这里，是借用，比喻司雪之神。这些词，经过袁枚的改造，用以表现神奇美妙的雪景，更显新鲜、活泼，耐人寻味。

尾联为诗人的联想与想象。诗

人由歌咏雪景而联系到自身，甘愿权且谪居瑶台(仙人住所)，三年不栽他物，只种心爱的玉芙蓉。芙蓉一为落叶灌木，秋季开花，有红白黄诸色；一为莲花，颜色美丽。所谓“玉芙蓉”，系指洁白如玉的芙蓉花。诗人是借用玉芙蓉来咏雪。以上所述，便是“我自瑶台甘小谪，三年只种玉芙蓉”的涵义。

总之，首颔二联，是从客观的角度咏雪，颈尾两联，是从主观的角度咏雪；雪的洁白美与飞动美，如在眼前，毕现纸上。

(王明居)

马　嵬

袁　枚

莫唱当年长恨歌，人间亦自有银河。
石壕村里夫妻别，泪比长生殿上多。

鉴赏

袁枚乾隆十七年(1752)赴陕西，游览了周围风光。经过马嵬坡先后写了《马嵬》和《再题马嵬驿》各四首绝句。

白居易《长恨歌》是被人广为传诵的，那“七月七日长生殿，夜半无人私语时”的缠绵情意，结尾的“天长地久有时尽，此恨绵绵无绝期”的悲怆气氛，给人极深的印象。后人写马嵬的题材总是立足于杨妃和玄宗的恩怨。袁枚这一首却别出心裁，他用杜甫的《石壕吏》的惨景和《长恨歌》做对比：“石壕村里夫妻别，泪比长生殿上多。”震人心弦。他妙在用人民的疾苦和帝王贵妃的逸乐做对比，唤醒人们不要只着眼李隆基、杨玉环的悲剧，“人间亦自有银河”，多少家妻离子散！然后举出同时代的《石壕吏》中的翁媪作比，他们的痛苦比长生殿上的苦闷，简直不可同年而语。而《石壕吏》里的惨剧，正是唐玄宗迷恋贵妃，宠信禄儿的结果。“明皇不作苞桑计，颠倒四海由禄儿。”(黄庭坚《浯溪中兴颂》)前人已见及此，但直接把“石壕村”和“长生殿”对比，两句短诗表示这么深沉的内容，可以说是前无古人。袁枚写的大量吊古的诗篇，特别是有关男女之情的内容，也没有一篇比得上这诗的深沉厚重，这是袁枚绝句中最出色的作品。

(周本淳)

咏　钱

袁　枚

人生薪水寻常事，动辄烦君我亦愁。
解用何尝非俊物，不谈未必定清流。
空劳姹女千回数，屡见铜山一夕休。
拟把婆心向天奏，九州添设富民侯。

鉴赏

一般士大夫心虽好货而口耻言钱。袁枚却毫不讳言自己“解爱长卿色，亦营陶朱财”(《秋夜杂诗》)。这首《咏钱》诗也可看出他的坦诚和通达。诗于乾隆二十年(1757)作，时已辞官。

“人生薪水寻常事，动辄烦君我亦愁。”人们要生活，动辄要钱用，是很自然的事。这一点老实地说明自己离不了钱，联系第一首结尾：“莫说仙家最清冷，也须金液上丹霄。”神仙还要黄金炼丹，人要钱有什么奇怪。关键在于善用。

“解用何尝非俊物，不谈未必定清流。”俊物指好东西，包括人才都可以称“俊物”，这里说只要会用钱，何尝不是俊物，像晋王衍那种口不言钱的做作，也未必一定是“清流”名士。作者在第六首中说：“富徒悭守贫何异，来得分明去亦嘉。”可以作“解用”名注脚。

和“解用”相反，就是贪得无厌，死守钱财，最后却一场空。如汉灵帝永乐皇后死命敛钱，灵帝卖官鬻爵，当时童谣说：“东班班，入河间。河间姹女工数钱。以钱为室金为堂，石上慊慊舂黄粱。”汉文帝宠爱邓通，曾经赐座铜山让他铸钱大发其财，但结果邓通仍然饿死。“空劳姹女千回数”，用的桓帝初秦都童谣的典故，“屡见铜山一夕休”指铜山铸钱，暗使邓通的事。都是用来批判敛钱无度的贪狠。

“拟把婆心向天奏，九州添设富民侯。”从上面正反两种态度，提出自己的愿望：“九州添设富民侯”，希望全国老百姓多一些富民侯的长官，使免于饥寒之苦。汉武帝晚年封丞相田千秋为富民侯，是对自己过去穷兵黩武弄得民穷财尽忏悔。

这一组诗实际是对钱的议论，

以议论入诗很容易枯燥乏味，这首诗读起来却很有情趣。主要因为一是立意新，言当时人所不敢言，而却入情入理；二是语言清新流畅，用典非常自然，对语用流水时，毫不板滞。本来用议论入诗是宋人最爱的，但往往杈丫生涩，难以上口。袁枚自称自己的诗"下笔标新"(《答程鱼门》)，"纵笔先须问性情，风裁休宋未元明"(《答曾南村论诗》)。这一组诗从标题到语句都可看出"标新"和写真性情的特点。

杜甫诗："囊空恐羞涩，留得一钱看。"多少诗人说到财富都欢喜引用杜老此联，表示自己清贫自守。袁枚在本组诗的第五首里完全是自说自道，不肯依傍前人：

五铢衣薄称闲身，
绾罢铜符早闭门。
万选尽凭词赋力，
半文不受祖宗恩。
摇空扑满心原淡，
独饮廉泉休自尊。
记得清明分白打，
开元两字最销魂。

"摇空扑满心愿淡"，这是作者自述，也就是他认为对钱的正确态度，很能给人以启发。

(周本淳)

偶 然 作

袁 枚

颜回无宣尼，一瓢何足算！宰相三十年，虽庸有列传。
君子爱其名，名权非我擅。但看十七史，逊我者大半。

鉴赏

诗共十三首，这是第五首。这类诗题是指偶然触景触事有些感想写出来的诗，一般篇幅不长。袁枚这组诗是因读书而起的感慨。

司马迁在《伯夷列传》结尾说："伯夷叔齐虽贤，得夫子而名益彰，颜渊虽笃学，附骥尾而行益显，岩穴之士，趋舍有时，若此类名湮灭而不称，悲夫。闾巷之人，欲砥行立名者，非附青云之上，恶能施于后世哉?"这大概给袁枚以启发，名之传不传，往往并不由自己作主，看机会，看条件，于是他用两种人做鲜明对比。

“颜回无宣尼，一瓢何足算！宰相三十年，虽庸有列传。”孔子在众多弟子中独称颜回为好学，“一箪食。一瓢饮，在陋巷，人不堪其忧，回也不改其乐”。如果不是孔子的称道，一箪一瓢算得了什么呢？这是代表德行高尚的人也必须有人称道才能显名于后世。而另外一些达官，毫无足称，庸庸碌碌，只要做到三十年宰相，史家总要给他立传。

由这两种对照，可见出名之权非自己所能专有：“君子爱其名，名权非我擅。”出名并不一定高明，尽多庸碌之辈，回顾历史，不如自己的甚多，“但看十七史，逊我者大半！”

这是信手写来的小诗，近于议论。虽然观点受到《史记》的启发，但他在牢骚中表现十分自信，敢于说出“但看十七史，逊我者大半”的话，正是性灵的流露，有袁枚的鲜明的个性。这一年他四十岁（第十首“吾年正四十”），四十而不惑，卓然自信，使人佩服。小诗看似信笔写成，十分口语化。但结构仍然严谨。上文有“宰相三十年，虽庸有列传”，所以结尾说“但看十七史，逊我者大半”，相互呼应，表现对平庸的达官们的鄙视。这是十三首中之一，所以结尾又像完、又像未完。第一首起句“三寸鼠须笔，千秋争名家”是总起，强调不朽，全组最后一首说到“圣人重躬行”，结尾说“未必两庑坐，果然圣人徒，未必两庑外，都与圣人殊！对人不复生，我梦终蘧蘧”才是全诗的总结。联系全组诗，才能加深对所选这首诗的理解。

（周本淳）

陇上作

袁枚

扫墓先为别墓愁，此来又隔几经秋。
每思故国期还赵，忍向重泉说报刘。
华表风前乌绕树，纸灰烟里客回头。
怀中襁抱今斑白，地下相看也泪流。

鉴赏

此诗作于乾隆二十七年（1762）时，袁枚四十七岁。是年，袁枚回故乡钱塘,为祖母上坟祭扫,遂有《陇上作》诗。这里,“陇”同“垄”,系指丘垄。

袁枚儿时,深受祖母宠爱,情感至笃。故此诗寄托了袁枚对祖母的思念与挚爱之情。

首联强调了一个“愁”字。为何发愁?为别墓而愁。袁枚常年在外,久别故乡,久别祖母长眠之地,焉能不愁?是年虽回来扫墓,但终究要离去,此又不是别墓之愁吗?故未曾扫墓,已先有别墓之愁,至于扫墓之时,岂非更愁上加愁?况且又隔了好几年!这就是“扫墓先为别墓愁,此来又隔几经秋”的涵义。

颔联突出了一个“思”字。“思”,思念,怀念。思什么?思故乡!诗人借用了廉颇身在魏国犹期望返回赵国的故事,来表达自己的思乡之情。据《史记·廉颇蔺相如列传》载:“廉颇居梁(指魏都大梁,今河南省开封市——笔者)久之,魏不能信用。赵以数因于秦兵,赵王思复得廉颇,廉颇亦思复用于赵。”袁枚运用这个故事,并不是表明他还想重返仕途(因为他四十岁辞官闲居),而是寄托他的乡情。这就是“每思故国期还赵”的涵义。诗人在同年写的《舟近钱唐望西湖山色因感旧游》诗中说:“久客还乡夜不眠,望乡长自立帆前。一痕山送西湖色,万种情深故国天。”此可作为理解袁枚故乡之思的佐证。

至于“忍向重泉说报刘”句,则运用了李密《陈情表》中的说法。李密年幼丧父,母亲改嫁,全由祖母刘氏抚养长大。晋武帝封李密为太子洗马官,迭下诏书,李密不愿就任,因上表陈情,声称要侍奉九十六岁的祖母刘氏,以尽孝道。这就是袁枚所说的“报刘”。所谓“忍向重泉说报刘”,系袁枚自述:忍耐着悲痛、面对九泉之下的祖母祈祷,以尽自己的一片孝心。

颈联表现了一个“悼”字。“华表风前乌绕树”中的“华表”,系指墓上石柱,又称望柱。诗人扫墓时,于华表之前,如乌绕树,悼念祖母,以尽孝心。烧完纸钱,离开墓地,犹自回头,烟灰之中,仍寓哀思。此即“纸灰烟里客回头”之意。“客”,系袁枚自称。“回头”,一作回来,可以备参。

尾联显示一个“悲”字。忆往昔,祖母怀中被襁抱;思今日,年近半百鬓有霜。袁枚不禁感慨万分,悲从中来。在这里,生者与死者是个对比,生者自己也有个对比。驹光易逝,人生难驻,一转瞬间,老人死矣,婴儿老矣,黄泉相见,能不泪流?“怀中襁抱今斑白,地下相看也泪流”,就表露出袁枚的悲怆情怀。

袁枚还有一篇《陇上作》,也是悼念祖母(大母)的:“忆昔童孙小,曾蒙大母怜。胜衣先取抱,弱冠尚同眠。”这里,推写了祖母生前对自己的爱。“恩难酬白骨,泪可到黄泉。宿草翻残照,秋山泣杜鹃。今宵华表月,莫向陇头圆。”这里,流露出诗人对已故祖母的悲。

(王明居)

谒岳王墓(录二)

袁　枚

岁岁君臣拜诏书,南朝可谓有人无?
看烧石勒求和币,司马家儿是丈夫。

华表凌霄落照迟,一朝孤愤万年知。
梨花寒食烧香女,纤手都来折桧枝。

鉴赏

乾隆二十四年(1759)袁枚回到故乡杭州,写了很多诗。展谒岳王墓,写了十五首绝句,感慨岳飞的遭遇,痛斥宋高宗的蓄意投降。第一、二两首说:"灵旗风卷阵云凉,万里长城一夜霜。天意小朝廷已定,那容公作郭汾阳?""远寄金环望九哥,一朝兵到又回戈。定知五国城中泪,更比朱仙镇上多。"

绍兴十一年,岳飞已被冤杀之后,宋金和议成。宋对金称臣,金对宋的文件就变成天子诏书,宋君臣要拜接。"岁岁君臣拜诏书",多么可耻的屈辱行为!"南朝可谓有人无?"南宋一些有识之士,反对和议,有的被朝廷驱逐了,如胡铨等;有的被夺了权,如韩世忠等;有的被冤杀,如岳飞。这句诗概括这些史实,说南宋还能算是有人没人?不能直接说南宋无人,因为胡铨《戊午上高宗封事》何等激昂慷慨,那时是有人的,到此时屈膝称臣,就不能再说有人了。

"看烧石勒求和币,司马家儿是丈夫。"两句称赞东晋君主,也就是骂宋高宗。《晋书·成帝纪》:咸和八年,"石勒遣使致赂,诏焚之"(石勒死于咸和七年,纪年有误)。这是何等气概!一个是敌人求和送礼,也不屑接受,一个是岁岁跪拜称臣。两相比较,"司马家儿是丈夫",赵氏家儿直豚犬耳。这两句以历史史实对比,鞭尸三百,可称神来之笔。

"华表凌霄落照迟,一朝孤愤万年知。"就岳坟着笔。岳飞的忠义,为历史所公认,万民所景仰。坟前高耸云霄的华表,映着晚日光辉,令人起敬,在宋高宗一朝的满腔孤愤,万年以后永为人民所理解。一朝和万年对比强烈。一方面是主战为国为民的岳王永垂不朽,另一方面,那个和宋高宗狼狈为奸的秦桧呢，只留得千古骂名，不管男女，都以各种行为表示憎恶："梨花寒食烧香女，纤手都来折桧枝。"以折桧枝表示对卖国贼的唾弃和痛恨，举烧香女"都来"，何况其他。"人从宋后羞名桧"，是非自有公论。

这两首诗一以东晋君主对照，痛斥宋高宗，带有议论性。一以人民习俗的细节来鞭挞卖国贼秦桧，而以坟前华表日光来象征岳王英气长存。两首诗用两种写法，共同表现一种思想感情，痛恨卖国君臣，讴歌爱国英雄，可谓笔有风霜。"梨花寒食"顺带点出自己谒岳王墓的时节，令人不觉，也可见作者的技巧。

本组诗最后一首："江同也要伟人扶，神化丹青即画图。赖有岳于双少保，人间才觉重西湖。"用明代于谦作陪，说明伟人使江山生色，使人油然生崇敬之情。

（周本淳）

苔

袁　枚

白日不到处，青春恰自来。苔花如米小，也学牡丹开。

鉴赏

这是一首蕴涵哲理的咏物诗，是诗人寓目兴怀，涉笔成趣的小品之作。

苔藓是一种比较隐僻的低级植物，多寄生在阴暗潮湿的地方。但它也有自己的生命本能和生活意向，并不因客观环境的恶劣而丧失生发的勇气，诗人特为它唱出生命自强的赞歌。

"白日不到处"，使人想到这是一个阳光照不到的幽暗所在，一个不适于生物生存发展的地方。然而你瞧，这苔藓却长得绿意可人，颜色鲜美，展现着自己的青春。这青春从何而来？"恰自来"三字便点出了其中的奥秘。它是由于生命活力强旺，奋力拼搏，自我创造出来的啊。就凭这种坚强的活力，它突破了客观环境的窒碍，焕发出自己的青春光彩。世间哪有无花的春天。既然活了下来，就得向前发展，让世世代代绵延生存下去，于是它开花了。"苔花如米小"，花，开得怪可怜的，如米粒般细小，可是，是花又何须计较大小，难道细小就不是花吗？只要能够开放，结出种子，繁衍后代，便是胜利。因此，"也学牡丹开"，是谦虚，也是骄傲。是的，苔花如此细小低微，自然赢不得人们的青睐，不能同国色天香的牡丹相比，但牡丹是受人玩赏被栽培出来的，而苔花却是靠独力自强，争得和各花一样开放的权利，谁说大千世界只能让牡丹一花独占呢！“苔花如米小，也学牡丹开。”这世界可不是单为少数天才和英雄人物而存在的呀！

这首小诗言浅意深，让人从一滴水想到大海，一粒砂想到高山，懂得个体生命存在的意义与价值，克服自卑心理，发挥自强活力，以自己创造的春天，去繁荣大千世界。

（郑临川）

雨过湖州

袁　枚

州以湖名听已凉，况兼城郭雨中望。
人家门户多临水，儿女生涯总是桑。
打桨正逢红叶好，寻春自笑白头狂。
明霞碧浪从容问：五十年来得未尝？

鉴赏

乾隆三十年（1765），袁枚五十岁，出游浙江湖州，写下了这首诗。

首联为总写。湖州处太湖之滨，风景秀丽，气候温和，凉爽宜人。以湖名州，得天独厚。湖水性凉，扪之即知。今不以手触及，而凭听觉，即感湖州已有凉意。在这里，诗人把听觉和触觉的通道，连接起来，寓触觉感受于听觉感受，以听觉感受显触觉感受，这种感觉上的相互沟通现象，叫做“通感”。钱钟书先生在《通感》一文中说：“在日常经验里，视觉、听觉、触觉、嗅觉、味觉往往可以彼此打通或交通，眼、耳、舌、鼻、身各个官能的领域可以不分界限。颜色似乎会有温度，声音似乎会有形象，冷暖似乎会有重量，气味似乎会有锋芒。诸如此类在普通语言里经常出现。”又说：“通感的各种现象里，最早引起注意的也许是视觉和触觉向听觉的转移。”（《旧文四篇》第52页，上海古籍出版社1979年版）这种感觉挪移现象，在“州以湖名听已凉”中就表现出来了。且不说到过湖州没有，即使听到湖州的名字，也感到它的凉爽了。这种感觉，就是由触觉向听觉的转移的通感。实际上诗人已经超越触觉，而直接诉诸听觉了。之所以如此，乃是为了更充分地调动感觉器官的积极性，去观照湖州的美。湖州之美，岂止于此？诗人紧接着用一"况"字，就把审美视野骤然拓展开来。"况"字放在诗中，既起到转折作用，又强化了美的层次："况兼城郭雨中望。"湖州城郭，笼罩在雨中，别有一番情致。诗人没有点明落雨的情状，看样子雨势不大，甚至雨中城郭还隐隐地显现出一种朦胧美。如果说，"听已凉"是由触觉美感到听觉美感，那么，"雨中望"便是由听觉美感跨入视觉美感。总之，首联的描绘，紧扣诗题，显示了审美观照的多样性，表现了雨中湖州的整体美。

紧接着就是分写。颔联具体刻画湖州水乡的风情美。湖州人家，多数临水；男耕女织，蚕桑为本。"人家门户多临水，儿女生涯总是桑"，正是湖州风情的具体写照。它还表现了湖州民居的格局，富于水乡的明媚之美；湖州儿女，生活充实，喜爱劳动，性情淳朴。姜夔《琵琶仙》词小引有言："《吴都赋》云：'户藏烟浦，家具画船。'惟吴兴为然。春游之胜，西湖未能过也。"此言亦可描绘湖州人家。

水乡人家，以舟代行，来往自如，其乐融融。诗人雨过湖州，陶醉在山光水色中，情不自禁，乐不可支，故在颈联写下了"打桨正逢红叶好，寻春自笑白头狂"的诗句。舟桨击水，红叶逢迎，岂不美哉！袁枚五旬，鬓发已白，犹自寻春。笑逐颜开，欣喜若狂。这里，红叶长势茂盛，欣欣向荣，连白头老人也被催得年轻了。可见，红叶与白头，是个极美的对照。古人常用"狂"字来表现内心的超喜悦状态。李白《送贺宾客归越》诗中写道："镜湖流水漾清波，狂客归舟逸兴多。"杜甫《闻官军收河南河北》云："却看妻子愁何在？漫卷诗书喜欲狂！"司空图则在《诗品》中进行理论上的剖析："由道返气，处得以狂。"由此可推及袁枚，他的狂，正表现了他在观照湖州美景时的极度愉悦之情。

诗人怀着激动的心，在纵情游览。他那喜爱湖州的赤诚，似乎感动了湖州水乡的精灵，因而连明霞碧浪对诗人也一往情深，并舒缓地从容地对游客袁枚发出这样的询问：如此美景，五十年来诗人一直未曾品尝否？可见，尾联的"明霞碧浪从容问，五十年来得未尝？"采用了拟人化的描写手段。这使审美客体（明霞碧浪）更富于人情味，仿佛与审美主体（袁枚）能直接对话，从而在情感上融合为一体了。

《雨过湖州》诗，清丽自然，通脱爽口，以白描取胜，无雕琢之嫌，为袁诗之上乘。诗中虽然描绘了红、白、碧等颜色，但却不斑斓黼黻、绚彩夺目，而是清新明丽，淡雅净洁。

袁枚本人亦崇清妙之诗，对于初白老人的"诗之灵在空不在巧，诗之淡在妙不在浅"（《随园诗话》卷四·七六）一说，颇为敬佩。对于李白、白居易、李义山、杨万里等名家佳作，亦爱不释手。白居易的通俗，杨万里的明快，都深深地影响过袁枚。故袁枚之诗，往往白描，并称赞查慎行是"白描高手，一片性灵"（《小仓山房尺牍》）卷八：《答李少鹤书》）。试诵《雨过湖州》，水乡风情，任意点染，民间口语，随手拈来。令人一唱三叹，深感韵味无穷。

（王明居）

所　见

袁　枚

牧童骑黄牛，歌声振林樾。意欲捕鸣蝉，忽然闭口立。

鉴赏

"牧童骑黄牛"，诗句如他所描写的生活一样朴素无华。当然，我们也还可以想象，那"黄牛"一边缓缓地走动，一边不停地啃着青草，不紧不慢，津津有味，是牛的惬意，使得牧童心舒意畅呢，还是那好玩的孩子想招来嬉戏的伙伴呢？抑或是坐上牛背便想唱的习惯所致呢？还是……诗人没有说，我们也说不出，但这无关紧要。只见他放开犹带童声的嗓门，唱了一曲又一曲。舞台是天然的，演唱是随心所欲的，歌声更是无拘无束的，穿过树林，飘向四野。这田野牧歌的诗味，天然开阔的境界，实在令人心旷神怡。突然，歌声骤止，这突如其来的"静"使得诗人为之惊讶、注目，如果从目见而言，首先映入诗人眼中的该是牧童跃下牛背，闭口而立的身态，而后再从那眼神、举止中领悟出那原来是"意欲捕鸣蝉"。现在把两句加以颠倒，其用意何在呢？第一，这样描写是从人物本身思与行的内在关系出发，先有所思，后有所行，显得真实自然而又合乎逻辑；第二，还有体裁特点与艺术效果的需要。五绝，是最小的诗体，前不得枝蔓，后不得拖沓，也不能一览无余，一读即了。比如这首诗，"牧童骑黄牛"，开门见山，直书"所见"，结句"忽然闭口立"，更加精彩，因为它摄下了"最富包孕性的顷刻"。因此，虽是戛然而止，却余味不尽。这种构思与表现正是前人所总结的"急起急收，而含蕴不尽，五绝之最胜者"。称赞这个结句固然是有道理的，我们还想提醒一下,请不要忽视第三句。因为只有先点出"意欲捕鸣蝉",那小心翼翼,悄然而立,声息不张,四处搜寻,紧张专注,和务不惊蝉的神情、气氛,才能立即浮现在读者眼前,而且这一切还只是"捕"的前奏,那突然"偷袭"的场面,那"胜"的欢快,或者是"败"的懊丧,也都自然地成了读者想象和关心的下一幕的情节。可见诗的第三句,不仅为结句描绘的行为提供了心理依据,更为"包孕"的内涵作了定向的暗示。这就是第三句亦不可忽视的原因。

袁枚作诗、论诗都很讲究"真",他说:"诗难其真也。"(《随园诗话》)这首诗中的"牧童"确实写得很真,很真。你看那牧童想唱就唱,说停便停,兴之所至,行即随之,声、寂、动、静,无遮无掩,一派天真稚气毫无滞碍地流注其中,显露于外,字字"不隔",形神俱现。可以说《所见》虽小,却是诗人创作理论的一个生动而成功的体现。

(赵其钧)

鸡

袁　枚

养鸡纵鸡食,鸡肥乃烹之。主人计自佳,不可使鸡知。

鉴赏

这首五绝,作于乾隆四十一年(1776),作者时年六十。它是诗人多年深刻体验社会人生的艺术结晶。由于内容特出新意,虽是咏物,实含丰富的现实意义。

前两句生动地刻画了鸡主人的养鸡法:"养鸡纵鸡食,鸡肥乃烹之。"鸡主人"养鸡"的目的是饱口腹,他采取敞放法,"纵鸡"寻"食",待"肥乃烹",很是注重效益。二句对主人节省消耗的养鸡法作了艺术概括,这经验是值得推广的。

后两句是作者发的议论:"主人计自佳,不可使鸡知。"诗人指出:鸡主人为"计自佳",但此"计""不可使鸡知"道,否则它会采取对策加以抵制。

过去咏叹鸡的作品,往往注意到它报晓的本能。《诗经》早就有"风雨如晦,鸡鸣不已"的形容,人们一向把它看做黑暗即将过去,曙光就在前头的象征,这不仅孕育了李贺"雄鸡一声天下白"的名句,还给崔道融、司马光用"鸡"命题的名作以艺术启示。他们或期待"月黑风雨夜"的"近晓""啼""声",或太息"满室高眠"无人闻声起舞,都是作者感时忧国怀抱的艺术抒发。

此诗却别出心裁，由鸡主人的养鸡法引出议论。《楚辞·卜居》早有“鸡鹜争食”的描述，杜甫《缚鸡行》又写了“鸡被缚急相喧争”的求生之欲，韩偓《观斗鸡》更表现了鸡的“唯将芥羽害同群”的特技。诗人大约意识到鸡除了报晓，还有争食、求生和喜斗的本能。面对“养”“肥”当“烹”的严峻时刻，鸡的这种本能，会不会有所表现？此诗虽只说了此“计”“不可使鸡知”，但人们读后自会把它同统治者的驭民术联系起来。这样，在这首咏物诗中，已隐含讽喻现实政治的深曲用意。先“纵鸡食”等“肥乃烹”，这颇近似养鱼人“竭泽而渔”的做法。诗人似乎在暗示：不要以为鸡仅仅是为主人报晓，供主人烹食的驯善家禽。主人养肥烹食它的“计”谋，它虽不“知”道，但它既具有与鹜争食，缚急喧争和残害同群的本能，临命时安知不会与主人作拼死的“斗”“争”呢？这层意思作者虽未点明，细心的读者却能心领神会。

在艺术构思上，此诗虽从屈原、杜甫、韩偓的作品中受到启发，却有诗人自己的独创。这正是此诗难能可贵之处。它在艺术表现上的特点，是通过养鸡这一日常生活现象刻画，毫不着力便和现实政治挂起钩来，从而深刻把握住问题的本质，实现了借咏鸡来为民请命的创作意图。它揭示出一种发人深省的道理。很可能是针对当时清王朝的严酷统治而发。耐人玩味的，是落想不凡，出笔务新，使作者独抒性灵的才能得到充分展示。在古代五绝诗中，堪称轶群出类的典范之作。

（陶道恕）

十二月十五夜

袁　枚

沉沉更鼓急，渐渐人声绝。吹灯窗更明，月照一天白。

鉴赏

袁枚热爱生活，是一位“穷追诗句获方休”（《三十年》）的诗坛“老将”。辞官后侨居江宁，“小住仓山畔，悠悠三十年”（《松下作》）。此诗是乾隆四十二年（1777）袁枚六十一岁时作。他因“右足忽病疮”，曾为“望山无时登”，“妒杀竿垂钓”而生“六十已先耄”的喟叹，但却能保持“静处光阴多，闲中著作妙”（《病足》）的自得其乐的心态。这首五绝便是此种心态下制作的艺术精品。

在一年最后一个"十五夜"映雪赏月,人们往往会产生月圆人寿的良好祝愿。何况作者"堂前九十四龄亲"(《元旦》)还健在,自己又刚过花甲,当然更要发挥创作优势,力争"诗向枕边工"(《山中行乐词十二首》),而写成这一精美作品了。

这是一首仄韵五绝。它以二对偶句开头,首先制造了更深人转静的环境气氛:"沉沉更鼓急,渐渐人声绝。"它以"更鼓""人声"的一"急"一"绝",形成对照,更深人静的过程,借助"沉沉""渐渐"四叠字便生动形象地传达出来,使人仿佛听到夜神走动的脚步声。它又以两散行句结束,特意突出雪映月增明的绝妙景致:"吹灯窗更明,月照一天白。"灯本以照明,吹灯而窗更明,是因为夜空正高悬明月,大地又洒满白雪。末句不言雪而雪自见,诗人这时也许已和衣上床,却又欹枕待月。一年最后一个"十五",既有明月当空,又有白雪洒地,很可能是诗人一生少遇的良宵。这时一盏寒灯,显已成为多余。不由起坐吹灯,临窗赏玩。由于白雪映衬,月光显得分外皎洁。真是天上地下,照耀如同白昼。"月照一天白"五字,准确地表现出诗人映雪赏月的独特感受,既写了实景,又传出真情,全诗就因有了此句而大增光彩。

此诗由于使用了对偶、散行句式交替出现的艺术手法,而收到了语言清新简净的效果。后两句的艺术灵感,也许是受张九龄"灭烛怜光满"的诗意的诱发,但它不是"望月怀远",而是映雪赏月,则显属诗人的创造。它也不像韩愈、苏轼因有谪迁经历,而生发"一年明月今宵多,人生由命非由他","此生此夜不长好,明月明年何处看"的情思,只是直写这年最后一个"十五夜"雪中看到的月色。此诗所写腊半雪夜赏月的景致,可能会给人"幽冷"的印象,但它与柳宗元"孤舟"独钓的"孤独"心态迥然不同,因为作者并无柳氏南迁后的幽禁遭遇。它乃是一个生活安定的诗翁,"十二月十五夜"映雪赏月的真实感受,可以用诗人"景是众人同,情乃一人领"(《老莫作诗》)的艺术自白来说明。

不过,在艺术结构上,柳宗元的《江雪》无疑对诗人起了某种导向作用。柳的千山、万径,鸟飞绝、人踪灭和孤舟独钓,与袁的更鼓急、人声绝和吹灯月照,就写雪说,确有神似之处。但柳写的是渔翁雪中垂钓,袁写的是诗翁雪夜赏月,又分明显示出"这一个"的各自特点。

袁枚一向主张读古人书,"宜读不宜仿"。他更强调"面异斯为人,心异斯为文"(《读书二首》)。如果认为袁枚专主性灵,便可不必师古,就必然会堕入束书不观,唯炫新奇的"恶派"。这与袁枚的本意,并不符合。

(陶道恕)

湖上杂诗

袁 枚

凤岭高登演武台,排衙石上大风来。
钱王英武康王弱,一样江山两样才。

鉴赏

袁枚回到杭州,曾经几次移居,最后住到西湖边:"浮家泛宅几回迁(先迁德生庵,再迁陈庄),迁得西湖到榻前。从此栏干凭不了,雨余风定月明天。"他随所闻所见所感,连上诗在内一共写了二十一首绝句,题为《湖上杂诗》。"凤岭"是其中第十三首。

"凤岭高登演武台,排衙石上大风来。"演武台是钱镠演武的地方,一块大石像可以排衙似的,叫排衙石。作者高高地登上凤岭上的演武台("凤岭高登"是因平仄关系倒置,义同"高登凤岭"),排衙石上大风劲吹。作者使用"大风"二字使人联想"大风起兮云飞扬"的诗句。既是演武台,又想《大风歌》,不禁感慨万端。杭州,为吴越王钱镠的根据地,在唐末扰攘之地,钱镠崛起阡陌,雄踞一方,也可以算一世之雄。而南宋康王赵构忝颜事仇,苟安旦夕,何其孱弱!从演武排衙自然想到往代杭州的君主,发出"钱王英武康王弱,一样江山两样才"的浩叹。他不称高宗而称康王是有微义的,因为赵构不能算是全国君主,充其量不过像吴越国而已。从句法上看,有意用两个"王"字对比,和下句两个"样"字对称,增加情味。如果换成"钱王英武高宗弱,一样江山两种才",意思完全未变,但情趣大为逊色,可以领略作者修辞的技巧。

(周本淳)

桐 江 作(录二)

袁 枚

桐江春水绿如油,两岸青山送客舟。

明秀渐多奇险少，分明山色近杭州。

久别天台路已迷，眼前尚觉白云低。
诗人用笔求遒峭，何不看山到浙西？

鉴赏

乾隆四十七年(1782)袁枚已六十七岁。他在晚年，一年有半年出游。这年去浙江玩天台，归来过桐江写了四首绝句《桐江作》，此处所选为首尾两首。

浙东江水素以清秀著称。作者从天台返回，愈走愈近杭州，第一首就抓住这个特点："桐江春水绿如油，两岸青山送客舟。"两句写归舟所见，水碧山青，而山又多情列岸送客。本来只是舟从丛山中穿行，但写成"两岸青山送客舟"就把山拟人化了，这是诗词中惯用的手法。

"明秀渐多奇险少，分明山色近杭州。"这是就上句来评论这些山的特点，在天台可以说是"奇险多而明秀少"，愈向杭州走近，山就愈来愈小巧玲珑而奇险之态少了，"明秀渐多奇险少"，对山的评论简括而形象。"分明山色近杭州"，语有双关，既说这些山色近似杭州，又说路程已靠近杭州。这后二句可以看出作者的笔力。

"久别天台路已迷"，表面只是写别天台归来已久，记不清路了，实际他还暗用刘阮入天台的神话，使人不觉。"眼前尚觉白云低"，这句写对天台的怀念，虽然别久路迷，但是人好像仍在高峻的天台山上，俯视白云。"诗人用笔求遒峭，何不看山到浙西？"太史公历览名山大川而为《史记》，杜甫读万卷书、行万里路而成诗圣，古人都认为为诗文应得江山之助，前人云："诗章易得，遒峭难为。"遒峭指文势曲折奇险多姿，绝无平板之嫌。这两名诗根据前人经验，说明要想得到遒峭的诗章，必须到浙西看山得江山之助。这两句一方面表明浙西之山多遒峭，一方面暗示自己的诗篇正得江山之助，用笔遒峭。这是回应总结这次游天台一路山水的体会。现在地理的观点，钱塘江之西、杭州、嘉兴、湖州为浙西，天台雁荡等山水奇奥险绝处都属浙东范围。此诗第一首："明秀渐多奇险少，分明山色近杭州。"表明杭州山是明秀而少奇险，天台等地山多奇险，此诗所指"浙西"即今浙东山区，如天台等地，应该注意。

《桐江作》一共四首，一、四两首主要写山，二、三两首写舟行。舟行桐江，所写不只桐江景物，特别是末首完全不提桐江而回味天台的感受,这是玩山归来桐江舟中所想,题目不作《桐江》而作《桐江作》,正是因为这末一首的总结不在桐江,只不过告诉读者,这几首诗是桐江写的而已。这里可见命题的考究。

(周本淳)

独　秀　峰

袁　枚

来龙去脉绝无有,突然一峰插南斗。
桂林山水奇八九,独秀峰尤冠其首。
三百六级登其巅,一城烟水来眼前。
青山尚且直如弦,人生孤立何伤焉?

鉴赏

此诗作于乾隆四十九年(1784),时袁枚六十九岁。是岁,诗人重游桂林,雅兴大发,写下了这首脍炙人口的佳作。

首联写的"来龙去脉"句,是指桂林迤逦起伏的群峰呢,还是指别的什么呢?若指前者,则谓桂林山脉亘绵,不见首尾,所谓"绝无有",则断然表明不见山势的来龙去脉。若"来龙去脉绝无有"句是描绘独秀峰的,则意在表现独秀峰的孤耸独拔、峻峭挺劲。见仁见智,鉴赏有别,何说为佳?可以择善。但是,我们却可看到诗句丰富的内涵和难以言传的包孕性。"绝无有"三字,说得斩钉截铁,掷地有声。它像电影镜头一样,把独秀峰昂首天外的风姿,从远处一下推进到前面。忽见奇峰突起,直插南天,突兀峥嵘,岂不雄哉!在诗人笔下,独秀峰的壮丽景色,仿佛就在眼前。这是开门见山、单刀直入的写法。它集中地突现了独秀峰的"绝"!

如果说,首联是客观地描绘的话,那么,颔联就是主观地描述。首联是写它的"绝",颔联是写它的"奇"。当然,这种"绝",包含着它的"奇";这种"奇",也表现出它的"绝"。桂林山水甲天下,就在于它以奇著称;在桂林山水中,独秀峰却独占鳌头,就在于它是奇中之奇。这种奇,除了表现它的峭拔以外,还表现出它的秀丽。

如果说,首联和颔联的描写,还偏重于概括性的话,那么,颈联与尾联的描写,就是偏重于具体性的。诗人亲自登攀,体察其高峻,观照其秀丽,感受其奇绝。登高远眺,桂林山水云烟,尽收眼底。再看独秀峰,既青且直,挺直如弦。总之,后两联集中地具体地描绘了独秀峰的“秀”。诗人触景生情,由挺拔的山势,联想到孤立的人生,发出了青山犹且劲直,人生何必伤怀的赞词。这种调子,是积极的、乐观的、向上的、进取的。

作为“南天一柱”的独秀峰,险峭峻拔、壮丽秀美,不仅风姿潇洒、飘逸,而且伟岸、雄奇。既富于优美的特质,又含有崇高美的成分。唐代诗人张固,在《独秀山》诗中,就赞美它:“孤峰不与众山俦,直入青云势未休。会得乾坤凝结意,擎天一柱在南州。”袁枚的《独秀峰》诗,与张固的《独秀山》诗,是有一脉相承之处的。袁枚笔下的独秀峰因其秀丽而表现为优美,因其峭拔而显示为崇高。

但是,独秀峰毕竟只是桂林山水的重要组成部分,而不是整个的桂林山水。桂林山水,是以优美著称于世的。唐代诗人韩愈,早就用“江作青罗带,山如碧玉簪”(《送桂州严大夫同用南字》)来比喻桂林的漓江和青山,从而形象地揭示了桂林山水柔媚的特性。独秀峰虽然含有崇高的阳刚美,但在总体上却被划入桂林山水柔性美(优美)的范围。它本身原来所具有的优美特质也得天独厚地充分地突现在人们眼前。它的优美仿佛是南国的王后,连周围崇高的景物也得向它顶礼膜拜了。

(王明居)

遣　兴(录二)

袁　枚

爱好由来下笔难,一诗千改始心安。
阿婆还似初笄女,头未梳成不许看。

但肯寻诗便有诗,灵犀一点是吾师。
夕阳芳草寻常物,解用多为绝妙词。

鉴赏

这两首诗,是从《遣兴》二十四首中选出来的,它形象地描述了袁枚的认真写作态度和创作观点。袁枚写这两首诗时,已经七十六岁(乾隆五十六年，公历1791年）。可以说，它是袁枚一生诗歌美学观点的形象概括。由于它是诗歌艺术，因而必须富于形象性，由于它要表述诗学观点，因而必须富于概括性。因此，它体现了形象性与概括性的有机统一。它是融会在遣兴的抒情笔调之中的。所以，不仅是理性的，而且是情感的。它寓理于情，以情显理，情理交融，亦情亦理。它是诗化的悟性，又是悟性的诗化。我们似乎也可说它近乎哲理诗。

袁子才乃是风流倜傥的才子，酷爱写诗，居然也感到下笔困难，岂不怪哉？难道他没有下笔万言、倚马可待的才思？难道他捉襟见肘、文思枯涩？若作此种理解，那就误入歧途了；稍作揣摩即不难看出，这是表明了袁枚严肃的创作态度。袁枚虽然才思敏捷，但在写诗时，并不像平时喝茶那样容易，而是匠心独运，经过千锤百炼的。他熟知中国文化典籍，先辈艺术大师的创作经验对他产生过很深的影响，因而他下笔时，不是轻率的、草草了事的，而是认真的、深思熟虑的。杜甫云："新诗改罢自长吟，颇学阴何苦用心。"（《解闷》）"为人性僻耽佳句，语不惊人死不休。"（《江上值水如海势聊短述》）这些，都是诗化的创作体验，对于袁枚当然要发生潜移默化的影响，故袁枚在写作时权衡损益、斟酌浓淡、反复琢磨，所谓"一诗千改始心安"是也。

袁枚是注重文采的诗人，他在表现哲理、抒发情感时，总是把握着诗的形象特征的，因而他在描述自己的创作过程时，便运用了比喻，把自己说成是"阿婆""初笄女"。前面已经说过，袁枚此时已逾古稀之年，故戏拟"阿婆"的心态，是贴切的。老太婆梳头，一丝不苟，仍然像刚刚成年（及笄）的女子，头未梳成，是不让别人看的。袁枚修改诗稿，也是如此，不到改好，也是不愿拿出来的。人到老年，还有一颗童心，莎士比亚称之为"返老还童"。所谓老天真，所谓老少年，就表明了老人的赤子之心。这是非常难能可贵的。袁枚却以少年女子精心梳头的情状自况，既真实地描述了他年迈的心态，又加强了他那诗的形象性和感染力。

年刚及笄的女子，才华出众者，代不乏人。年未及笄者，也有能诗之才女。《随园诗话补遗》卷五中说："'钱林，字昙如，吾乡玙沙先生之幼女也，年未及笄。《偶成》云：独坐西窗下，萧萧雨不成。芭蕉三两叶，多半作秋声。'《落花》云：'觅路乍迷三里雾，含情如怨五更风。'皆佳句也。"（《随园诗话》下，第678页，袁枚著，人民文学出版社，1982年版）这个故事，有助于理解袁枚写的《遣兴》诗。

袁枚不仅提倡改诗，而且重视性灵。因此，他强调："但肯寻诗便有诗，灵犀一点是吾师。""寻诗"，表现了对诗的境界的执著追求；"有诗”,显示出诗的创作的收获。从寻诗到有诗,是个艰辛的磨炼过程。寻诗的目的,是为了有诗;有诗的关键,在于寻诗。在探索中,既要仰仗修改,又要依靠性灵。李商隐《无题》诗云:“身无彩凤双飞翼,心有灵犀一点通。”所谓“灵犀”,乃是指犀牛角中心有一条白色的纹路,直通两头,故曰“灵犀一点”,这是袁枚所师宗的性灵,故曰“是吾师”。其实,袁枚所提倡的“灵犀一点”与李商隐所说的“心有灵犀一点通”并不完全相同。袁枚是用创作实践(写诗)去印证他的性灵说的,因而不仅有其情感的丰富性,而且有其理论的深邃性。所以,光是皮相地一般地描写夕阳芳草,并无多大意义,必须懂得运用,以显现人的性灵,则才可成为绝妙好词。总之,袁枚的“灵犀一点是吾师”,就是诗化的性灵说。

性灵说看起来很玄乎,其实是有其实际内容的。它提倡真情实感,机灵活泼,新颖独特。所谓真情实感,就是写作时不矫饰,戒虚伪,要表露自己的心声。他在《续诗品三十二首》中将“葆真”列为一种风格,来阐明真的要义。他说:“貌有不足,敷粉施朱,才有不足,征典求书。”这种状态,便是失真。所谓机灵活泼,就是要写出活泼流动的生机来。他说:“一切诗文,总须字立纸上,不可字卧纸上。人活则立,人死则卧,用笔亦然。”(《随园诗话补遗》卷五·十七)这种“立”,便是活的表现。所谓新颖独特,就是有独造性,不陈旧,不落套,不人云亦云。他说:“司空表圣论诗,贵得味外味。余谓今之作诗者,味内味尚不能得,况味外味乎?要之,以出新意、去陈言、为第一着。《乡党》云:‘祭肉不出三日;出三日,则不食之矣。’能诗者,其勿为三日后之祭肉乎!”(《随园诗话》卷六·四七)又说:“字字古有,言言古无,吐故吸新其庶几乎?”(《续诗品三十二首·著我》)这些都是求新的意思。

袁枚的性灵说,虽以求真、求新、求活为具体内容,但却染上了神秘的色彩。他说:“鸟啼花落,皆与神通,人不能悟,付之飘风。惟我诗人,众妙扶智,但见性情,不著文字。”(《续诗品三十二首·神悟》)这里所谓的性情,是属于性灵的,它与神相通,足见其玄妙了,也可看出“灵犀一点”与“神悟”的关系了。

但性灵又不能完全从神悟中得到,它与后天的琢磨也有关系,故袁枚又提出“勇改”的口号。他说:“人贵知足,惟学不然,人功不竭,立巧不传。”(《续诗品三十二首·勇改》)这里所说的“人功”,是指写诗时的“勇改”之功;怪不得诗人在《遣兴》中高呼“一诗千改始心安”了。

通过以上论析,不难看出,袁枚在《遣兴》二首中所提倡的,一是尚勇改,一是崇性灵。这两者又是有机地结合在一起的。

(王明居)

乌石滩

王鸣盛*

滩声欲驱山，山势欲束滩。水石本无情，相触因成喧。
悠扬止复作，决决还潺潺。静听恍有会，仙籁非人间。
梵呗流寒空，风松响层峦。有时急瀑来，一泻云涛翻。
不知水何猛，磨得石尽圆？磊磊错鹅卵，其色黄朱殷。
或作大篆文，或作古锦斑。篙师与水斗，舸艚溯惊湍。
石滑不受篙，尺寸进转难。平生敛退心，苇间每延缘。
好语慰篙师，且让邻舟先。

作者

*王鸣盛(1722－1797)，字凤喈，号礼堂，又号西庄、西沚，江苏嘉定(今上海市)人。乾隆十九年(1754)进士，授翰林院编修。历官内阁中书、礼部侍郎、光禄寺卿等。精治史学，亦工诗文。有《十七史商榷》《西沚居士集》等。

鉴赏

“乌石滩”在今浙江省建德县乌石山下，作者生前曾到此来过，此诗便写了他路过此地的所闻所见和切身感受。

诗的开篇两句极佳，滩声简直要把山赶走，这虽是夸张，但这乌石滩水声音之大，已可令人想见了。而山势简直就像是要把这乌石滩捆绑住一般，这虽也是夸张，但也可见这乌石滩是处在群山环抱之中。诗人就是通过这种拟人化的手法和想象，既写出了乌石滩的方位和滩声之大，又相当形象地写出了滩声、滩声与山势相持相争的活景。第三句的“无情”二字，实际也是从起二句的想象而来的。

在简约地说明了滩声成喧的原因之后，作者把笔墨集中在对乌石滩水声的描写上，水声悠扬，乍停乍起，忽为决决之音，忽为潺潺之声，凡听过山涧水滩流淌声音的人，恐怕都能体会到这种描写的真实和确切，然而作者似乎比一般人更注意聆听滩水的声音，当他静心而仔细地听了以后，恍然有所领悟，竟感到这种声音如同“仙籁”一般，非人间手工所能奏出；一会儿又觉得这滩声犹如佛教所唱的赞偈，随着风的吹拂，响遍了层层山峦和松林。王鸣盛生前对音乐的修养如何，我们一时还难以考出，但从以上十句对乌石滩水声的描写来看，功夫不会太浅，至少他对滩声的兴趣很大，并展示了他对这种声音所特有的一种丰富想象力。

在描写了乌石滩的水声后，接着便描写乌石滩的急湍和滩石。不过，那种犹如云涛翻泻的急湍很难像滩声那样静听，也不能像滩石那样静观，所以，作者还是把注意力和笔墨都集中在对滩石的描写上。由于长期的急湍冲击，这里的滩石都已磨成圆形，就如鹅卵一般，颜色则有黄、红、暗红等，有的则被冲出条纹，就如刻在卵石上的大篆文字一样，有的则如古锦上的斑纹。

当时作者是坐着小船去的，同行的还有一只木船，“舸艚(tóngcáo)”都迎着急湍逆水并进，撑篙的人则左撑右撑，互不相让。但那滩石皆成圆形，滴溜光滑，根本就撑不住，所以两只船连尺寸之地都难行进。这几句描写虽然觉得琐碎一些，但却引出了作者最后的一段感想。觉得自己生平的处世态度都很谦让，决不争强，现在“舸艚”争先，反而造成“尺寸进转难”的局面。《庄子·渔父》尝云：“乃刺船而去，延缘苇间。”所谓“延缘”，即顺着次序行进的意思，眼下何不就让“舸艚”前后顺序而进呢？于是他就好语劝慰篙师，就让邻舟先行吧。

此诗之妙，固然与作者对滩声和滩石的入神描写分不开，但细品下业，结尾的一段感受也颇重要，因作者开篇即言滩声与山势的相争，结处又写到“篙师与水斗”，“舸”与“艚”之间的相争，以及作者所主张的顺序而进的道理，这不仅使全诗首尾呼应，连成一气，同时也在写景之中寓有一种哲理，使全诗并不停留在单纯的写景上，而含有更为丰富的内容。

（孙琴安）

卢　沟　桥

王鸣盛

卧虹终古枕桑乾，泱漭浑河走急湍。
马邑风烟通一线，太行紫翠压千盘。

唤人喔喔荒鸡早，照影苍苍晓色寒。
沙际闲鸥应笑我，又听铃铎送征鞍。

鉴赏

卢沟桥在北京广安门西十八公里，跨越永定河上，初建于金大定二十九年(1189)，后屡经修改建，旧时为出入北京的交通要道之一。中国现代史上著名的“七七”卢沟桥事变，就发生在这里。而此诗作于二百多年前，叙述了作者清晨匆匆路过此地的情景。

这是一首七言律诗，金圣叹选批唐人七律诗，老是将七律前四句分为前解，后四句分为后解(见《贯华堂选批唐才子诗》)，固然有其欠妥之处，但从这首七律来看，倒的确可以分为前解、后解。因为这首七律的前四句写卢沟桥的景致和地理方位，后四句写诗人晓过卢沟桥的情景，结构相当分明，在前后之间并没有太复杂的内在联系。

应该说，此诗的前四句是写得相当有力的。首句以“卧虹”喻桥身，一下就把卢沟桥的桥身形状勾画了出来，因天上的彩虹是瞬现即逝的，而此地的“卧虹”却是“终古”卧枕在桑乾(河名，源出山西省北部管涔山，在河北怀来县境同洋河会合，称永定河)之上，既与天上飞虹形成了鲜明的对照，又暗示了此桥的悠久历史。次句仅七字，但“泱漭”“急湍”等字，已足以表现出卢沟桥下水势的阔大和凶猛。

也许王鸣盛主要是一个历史学家，他对卢沟桥的地理方位似乎更感兴趣，也许他这次行色匆匆，无法对卢沟桥作更为仔细的观察，所以他三、四句并没有对卢沟桥本身作更为细致的描绘，而是转到了对该桥地理交通上的重要性的描写。“马邑”即今山西朔县，“太行”即太行山，在山西高原与河北平原之间，而北京西郊的西山又属太行山脉，故此处借此点出了卢沟桥的交通位置。由于作者用了“风烟”“一线”“紫翠”“千盘”等词汇，所以这些描写一点也不嫌刻板，仍使人沉浸在芦沟风光的领略之中。

平心而论，此诗的后四句似不及前四名有力。三、四句若依现在的文法和读诗习惯来说，应该是“荒鸡喔喔唤人早，晓色苍苍照影寒”。但这里为了平仄和谐，才有此倒文。这在古诗中是常有的。至于“喔喔”“苍苍”这些叠词的运用，在七律诗中也是常见的。唯独末句的“又听”二字，细品下来，反觉更有味一些，因为“又”者，当然是不止一次了，作者的旅途辛劳、憔悴面容，均可由此想见。

如果比较确切地说，此诗并不

是专咏卢沟桥,而是过卢沟桥,因为后四句分明是写作者的行旅之况,鉴于这一缘故,诗题若标为“过卢沟桥”,可能更为贴切。不过,古人作诗,虽有讲究题目的,但大多数还是随意命题,远不及对诗本身的讲究。

(孙琴安)

夷陵远望

王鸣盛

古戍标荆塞,危城见蜀津。云移三峡暮,江接百蛮春。
行役何时已,音书总未真。登楼欲有赋,感激独伤神。

鉴赏

毫无疑问,这首五言律诗的神气风貌,都极接近于唐音。

夷陵本是春秋战国时楚国先王的墓名,后为县名,在今湖北省宜昌市境内。据《史记·白起列传》载:“白起攻楚……拔郢,烧夷陵。”故唐刘禹锡《松滋渡望峡中》有“夷陵上黑有秦灰”之句。而此诗则是写作者在夷陵远望的情景。

由于夷陵在秦楚之战中也是兵家激争的重镇之一,作为一个精通史学的历史学家,王鸣盛当然更比一般人清楚。故首联便有怀古之意,给人以苍凉之感,古代驻军的城堡标明了这是当年楚国的关塞,而登上残存的高城,则可以望见长江自四川流入湖北时的浩浩荡荡的气概。而三、四两句,正是承二句中的“见”字,具体描写了从夷陵城楼远望“蜀津”的一派风光。这两句虽是远望之景,但却摹写得相当入神。凡路过三峡的人,都可以感觉到云彩对三峡景色晴阴明暗的影响,而“云彩三峡暮”,真是活生生地写出了云彩飘过三峡时所引起的短暂的景色变化。“江接百蛮春”之句,虽较上句逊色了一点,但凡领略过自三峡至武昌一带春光的人,也大致可以设想出长江两岸春意盎然、花木盛放的缤纷景象。

在前半首的写景之后,作者因景触情,后半首便转入了对自身感情的抒发。五、六句固然有它的真切古朴之处,但七、八两句似乎更耐人寻味。

自东汉王粲作《登楼赋》,后人登高怀古,或感慨时事,或太息人生,总要援引此例。而此诗的末联虽也涉及，却并不作过多的发挥。从“欲有赋”三字看，作者当时自然也是怀古伤今，百感交集，慨叹万端，很可以发泄一番，而从全诗看，以上六句也为这里作了充分的铺垫。如果是一首五言排律，诗人很可以一气鼓荡，铺张扬厉，将自己胸中的万千感慨一泻无余。然而作者写的是首五律，也许他也只想作首五律从快了事，后面只允许有一句，于是他便只写了“感激独伤神”五字作结。但这种从简虚写的效果，未必比从繁详写的效果差。而且我们可以这样说，如果一个人铺述的本领不是太高，还不如像这样敛笔一收的为好。因为这“独伤神”三字，实际上正与“欲有赋”相照应而相矛盾，想写而又一时写不出，不知如何写为好，这是不少人登高感慨时常有的心情，而作者正巧妙地写出了这种心情，此所以为妙也；一语而隐括万语，此又所以为妙也。

总之，此诗的首联固有古意，三联亦有古朴真切处，然笔者终究喜欢二联和末联。

（孙琴安）

西湖葛岭有嘲

王鸣盛

忙里能闲号半闲，相公胸次本来宽。
襄樊失守成何事，不抵秋虫胜负看。

鉴赏

这是王鸣盛游西湖葛岭有感，嘲笑宋代宰相贾似道的一首诗。

葛岭在杭州西湖北面，栖霞岭东面，相传是晋代葛洪炼丹的地方。贾似道为南宋理宗、度宗时宰相，因善于献媚逢承，上曾将葛岭赐给他，于是他便在其中筑一半闲堂，常在里面消闲取乐。作为一个著名的历史学家来说，王鸣盛对贾似道这一历史人物及其不问国事的浪荡生活当然是十分熟悉的。于是便借机对他进行了十分辛辣的讽刺。

按理说，作为一朝的宰相，每天需日理万机，上至君王、下至臣民的各种大事，都可在他过问范围之内，然而，这贾似道在国难当头、半壁江山、“臣民泪尽胡尘里”的情况下，居然能忙里偷闲，自筑“半闲堂”以取乐，这实在是历朝宰相中所罕见的。所以作者第一句便以筑“半闲堂”事来嘲笑他。

俗话说:“宰相肚里好撑船。”这本来是褒语,是说做宰相的人都是很有气量的,而作者在这里虽然也说贾似道“胸次本来宽”,但却是反语,是明褒暗贬。因为贾似道尽管身居相位,却从不把收复失地和朝政大事放在心上,从不忧国忧民,所以作者巧妙地套用了这一俗话,作为双关语来讽刺他,显得十分含蓄。而此句虽然尊称他为“相公”,这一方面是为了平仄和谐的缘故,但另一方面也有调笑的成分,实际上也是一种“明褒暗贬”,一种假客气。

据史载,宋度宗时,元军包围襄阳、樊城(皆在今湖北省境内)两地数年,襄、樊军民困战多时,而身为宰相的贾似道却隐匿军情,仍与群妾、宾客在葛岭斗蟋蟀取乐,以致最后使襄、樊两地失守。王鸣盛正是抓住了这一历史事实,承首句中的忙里能闲和次句中的胸次之宽,浓缩成三、四两句,对贾似道这一不问国事的挂名宰相进行了更为辛辣的讽刺。

应该承认,作者对贾似道的误国行径是十分激愤的,但有趣的是,作者却偏偏借贾似道的口气,以“成何事”三字轻描淡写地悄悄带过,又以“不抵”二字作转,这样一写,其中嘲笑和含蓄的意味就显得更浓。

七绝由于篇制短小,容量不大,故往往只能以一事点化,达到讽刺的目的,如杜牧的《华清宫》“长安回望绣成堆”等几乎都是用的这种手法。而此诗的重心在后二句,大致也是用的以一事点化的讽刺手法,只是前二句以一种议论的文字出现罢了。

以七绝的形式来进行讽刺、嘲弄,这在唐代就已开始,刘禹锡、杜牧、李商隐等不少著名诗人都曾以七绝的形式写过讽刺诗,都获得了相当的成功,有的甚至流传至今。从王鸣盛的这首七绝诗来看,虽未必像唐代名家的同类作品那样流传,但实在也是篇绝好的讽刺佳作。

(孙琴安)

九江舟中

王鸣盛

渺渺浔阳烟树齐,萧萧湓浦雁行低。
长江九派东流去,何事孤舟独向西?

鉴赏

王鸣盛的有些七绝小诗,往往前二句看似平淡,到末句则轻轻一转,逗出情趣,令人觉得有些意味。《西湖葛岭有嘲》是如此,本篇也有这个特点。

此诗题为"九江舟中",实际上就是写他一次乘船长江逆水西行,在九江时见水东流,一时感慨,挥成此诗。前二句是作者由舟中向外望去所见的景致。句中所谓的"浔阳""溢浦",就是指现在的九江市和龙开河。首句写浔阳一片烟树迷蒙的样子,次句写溢浦上雁儿低飞的样子。需要一提的是,这里用的是对句,而且各用了"渺渺""萧萧"这两个叠词。绝句中以对起的面目出现本也是常见的,杂有叠词的情况也不罕见,这样可使诗句显得对称工稳,避免某些描写上的瑕疵。如这两句写景,虽说不上绝妙和精彩,但也的确无懈可击,找不出什么瑕斑。

长江自庐江、浔阳开始,便分为九派,仍向东流去。王鸣盛是嘉定(今上海市)人,老家在浔阳的东面,正与江水东流的方向相同,他见江水朝东向自己的故乡流去,而自己却偏偏乘一孤舟,与自己的故乡背向而行,于是触景伤情,引起自己对旅途奔波的感叹,触动自己对故乡的思念,这是再自然不过的了。这里的"何事"二字问得最妙,是问东流之水,也是作者心中的自问。而且句中又以"九派"这种喧喧哗哗、热热闹闹的样子,与"孤舟"这种冷冷清清、孤孤单单的样子相对照,以"东流"与"向西"相对照,更反衬出作者当时寂寞孤独的凄凉心情。

实际上,如果我们再回过头来重温一下,其实首句的"渺渺"二字和烟树之景,已经暗示了作者行旅奔波中的迷茫之感,而次句的"萧萧"二字和雁飞之状,也已经透露了作者远离家乡的孤独之感。此即所谓诗歌的整体联系,写景与抒情的有机结合。这是诗中,特别是五七言律绝中常有的现象,而绝不是什么牵强附会和生搬硬套。

(孙琴安)

富春至严陵山水甚佳(录二)

纪　昀*

沿江无数好山迎,才出杭州眼便明。
两岸蒙蒙空翠合,琉璃镜里一帆行。

浓似春云淡似烟,参差绿到大江边。
斜阳流水推篷坐,翠色随人欲上船。

作者

*纪昀(1724－1805),字晓岚,一字春帆,号石云,直隶献县(今属河北)人。乾隆十九年(1754)进士。官至礼部尚书、协办大学士。卒谥文达。学识广博精深,曾任《四库全书》馆总纂官,删定该书总目提要。有《纪文达公遗集》。

鉴赏

纪昀从杭州出发,沿富春江南行,直到桐庐以西的严陵(东汉名士严光隐居垂钓处)。这一段山水,就是梁代吴均在《与朱元思书》中所描绘过的那一段奇山异水:"风烟俱净,天山共色,从流飘荡,任意东西。自富阳至桐庐,一百许里,奇山异水,天下独绝。水皆漂碧,千丈见底,游鱼细石,直视无碍。"

才从钱塘江进入富春江的相当长一段水路,江面是很开阔的。离开了大都市杭州,就迎来两岸青山,风景自然一新,第一首写的就是初入富春江的新奇感受。"沿江无数好山迎,才出杭州眼便明。"本来"仔细看山山不动,是船行"(《敦煌曲子词·浣溪沙》),但由于诗人坐在船上,人与船相对静止,这时"看山恰似走来迎'(同前)了。好山"无数",令人目不暇接。"眼便明"三字,不但写出眼界一新的感觉,而且也流露出旅游中心情的愉快。富春江两岸虽然多山，由于江面开阔，又不像峡中行船似的险隘。故两岸青山都远远地在天边合围起来，呈现出“天山共色”的奇观。所谓“两岸蒙蒙空翠合”的“空翠”，就有天色，有山色。由于江面很辽阔，水的流速很慢，船行十分平稳，又大有“春水船如天上坐”（杜甫）的奇异感受。诗的末句“琉璃（即玻璃）镜里一帆行”绝佳。它首先写出了江水之平，所谓水平如镜。又写出了江水之清，所谓水明如镜。还写出了船在水中的倒影，两岸青山和天空在水中的倒影——这些本来是很难描写的景色，全赖“琉璃镜里”四字，间接地，空灵地得到了反映。

人在富春江上行船，感觉天是青的、水是绿的、山色与水天亦相淆乱，总是一片青翠欲滴。第二首诗就写这种奇妙感觉。“浓似春云淡似烟”，既有两个“似”字，就不能说这里写的一定是云烟。那么这浓云淡烟似的，究竟是什么？看来是“天山共色”形成的一片空翠。这一片空翠，就“参差绿到大江边”。绿到江边的空翠，必然倒映于碧水中，呈现“碧色全无翠色深”（雍陶）的类比效果，特美。“参差”二字，正见色的浓淡近远绝非“一刀切”。这景致引人入胜，遂有“斜阳流水推篷坐”的情事。夕阳西下，又给这片绿色为主的图画涂上一笔对比色彩，不免“半江瑟瑟半江红”（白居易）。但这并不破坏绿的基调。“流水”固然是写富春江水，但又含有“从流飘荡”，借风帆自行的潇洒意态。遮盖舱顶的船篷，是活动的，可以推动重叠起来。诗人不钻出船舱观望江景，而是“推篷坐”在舱中观赏之。为的是想要一路看山看水，直到严陵。故此三字亦有意味。最后的“翠色随人欲上船”一句又是佳句。“翠色”能够“随人”，这是船行时的主观感觉，和“沿江无数好山迎”一样，既是视觉上的错觉，又赋景物以人情味。沿途好山相迎，富春江是多么好客哟！而一路翠色随人，富春江又是多么好客哟！这“以翠随人”，依依不舍，乃至于“欲上船”来。诗人妙用拟人法，不但写活了江上景物，也惟妙惟肖地写出了对大自然的热爱。

显然这两首纪游诗某些辞句和手法也受到王维的影响，如“山路元无雨，空翠湿人衣”（《山中》），“坐看苍苔色，欲上人衣来”（《书事》），这些名句，作者无疑是很熟悉的。但诗中塑造的开阔清丽的境界，则得自于独特的旅途感受。

（周啸天）

潼　关

王　昶*

鹑首星芒照九垓，规模百二自秦开。
关山苍莽争天险，文武飞腾出将才。
日软旌旗横戍逻，云连城堞抱烽台。
登高立马休凭吊，看取三峰翠色来。

作者

*王昶(1724—1806)，字德甫，号兰泉，江苏青浦(今属上海)人。乾隆十九年(1754)进士。累官至刑部侍郎。辑有《湖海诗传》，是清代著名的诗歌总集之一。亦工诗文。其诗宗杜、韩、苏、陆。有《春融堂诗文集》。

鉴赏

这是王昶在任陕西按察使时，路过潼关而写下的一首七律。

"潼关"是我国的历史名城，自古咏潼关的诗很多，此首无疑是其中的佳作之一。潼关在今陕西省境内，在秦国时便以地势、关隘的险要著称。即使在唐代，它也是唐都城长安的主要屏障。所以，此诗的开篇便先从潼关的地理方位和建关之始写起。所谓"鹑(chùn)首"，据《周礼·保章氏》中郑玄的注说，是指星名，古代以配秦的分野，而潼关战国时属秦地。所谓"九垓"，即指中国。首句实际上就是写秦之潼关在中国地理位置上的重要，次句则进一步说明这险要的地形是在秦国时被发现的。所谓"百二"，据说秦地险要，其军队能以二敌百，秦地尚如此，而潼关是秦地的要塞，当然更具有以二敌百的险要规模了。

在介绍了潼关的地理方位后，作者次联便转入了对潼关本身的描写，第三句写潼关的山势，第四句写潼关内历朝所出的文才武将。三联则写了驻守潼关的军队巡逻的情景和城堞、烽火台的高峻。

在历数了潼关的险要地形之后，依照诗人的通常惯例，末二句总不免要感慨或凭吊一番，抒发一下自己的怀古之情，但作者在此处却故意与众不同，一反前人的怀古陋习，偏偏在登高立马之际不去凭吊，而是别有兴趣地去欣赏华山三峰的苍莽翠色。这样一写，既不落俗套，又表现了作者豁达大度、超身世外的独特风范。

清人姚鼐说："七言今体，句引字赊，尤贵气健。"(《五七言今体诗抄》)自唐代以来，诗人们在作七律时便有意识地追求雄浑、劲健或骨力，但对大多数的七律来说，仍都失之于弱，晚唐尤甚。真正能一气呵成，豪壮有力而又笔力刚健的七律并不多。此诗出于清人之手，但从头至尾，一气直下，八句中无一败句、弱句，都显得气势刚健而甚有骨力，这实在是十分难得的。王士禛的《潼关》诗结尾处也难免抒发一点怀古之意，而此诗却自出机杼，偏不怀古，诗意却反在怀古之上，这也是十分难得的。所以，此诗无论从气势、笔力、诗意等各方面来检点，都无懈可击，可以说是一首比较完整的七律。

(孙琴安)

上津浦

王昶

处处枫林叫画眉，薄寒正是中人时。
江山莽苍同秦栈，烟树萧条入楚辞。
石濑忽鸣波似雪，秋云渐合雨如丝。
须添欸乃孤舟里，荡桨声中唱竹枝。

鉴赏

这里的"上津浦"，恐怕就是上津堡，在湖北省郧阳县。这是一首行旅七律，主要写作者在上津浦道中所看到的景致和感受。

首句的"处处"二字极妙，所谓"处处"者，即目之所触，全是鲜红的枫林，耳之所闻，全是画眉的叫声，文笔虽淡，而风景实丽。次句通过薄寒袭人，说明此时正是深秋季节，作者是在这特定的季节中去津浦的。

如果说前二句写的是近景和气候的感觉，那么三、四句则一下把镜头拉开，扫瞄到远景：但见这里的江山莽莽苍苍，就如同从陕西通往四川的栈道上所看到的景色一样；而那烟雾缭绕着的树丛中，全是一片草木摇落的衰飒景象，就像楚辞中描写的悲秋气氛一样。

然而，就当作者站在船头，望着远处的江山和烟树出神遐想的时候，山间涧水的轰鸣又惊动了他，他移目下视，但见涧水撞击在石上所激起的水花，就如同白雪一般。此时作者又觉得有雨点落在身上，他抬头仰视，只见几片秋天的乌云正渐渐地合成一片，即秋雨正如无际的丝缕，悄悄地飘落下来。

面对津浦道中的这一派秋天景象，从诗的结构上来说，在完成了以上六句的景物描写后，作者不禁设想到：此时若有渔民常唱的棹歌《欸乃曲》，荡桨声中又有《竹枝词》的歌声相和，那一定是会更有情趣的。有人或以为《欸乃曲》诚为渔民摇橹时所唱，而《竹枝词》乃刘禹锡根据巴渝一带民歌所改，专咏风土人情，在荡桨时所唱，似不甚当。其实，《竹枝词》在初创时，就常在荡桨时所唱，如刘禹锡《洞庭秋月》诗中就有"荡桨巴童歌《竹枝》"之句，宋胡仔《苕溪渔隐丛话》后集卷十二也曾说他"尝舟行苕溪，夜闻舟人唱《吴歌》"时，就有《竹枝词》的歌声，而王十朋《梅溪王先生文集》后集卷十二《五月四日与同僚南楼观竞渡，因成小诗四首，明日同行可，无章登楼，又成五首》之二云："舟人鼓楫呼何在，声似湘沅江上声。更听刘郎《竹枝曲》，不论南北总伤情。"凡此都说明了荡桨中唱《竹枝》在唐宋时是很常见、很普遍的。

这首七律，虽不如《潼关》那首浑厚劲健，但在写景方面是相当出色的，特别是中二联，的确是描摹出了津浦道中所特有的自然风光，读之令人神往，结处固未必及中二联的写景之句，但也的确别具一格。

（孙琴安）

拟秋怀诗

蒋士铨*

文字何以寿？身后无虚名。元气结纸上，留此真性情。
读书确有得，落笔当孤行。数语立坚壁，寸铁排天兵。
苟非不朽物，谁复输精诚？入隐出以显，卓荦为光明。
庶几待来者，神采千年生。

作者

*蒋士铨(1725－1785)，字心馀，又字苕生，号藏园，江西铅山人。乾隆二十二年(1757)进士，官翰林院编修。后主讲绍兴蕺山书院。其诗初爱李义山，后学杜甫、韩愈、苏轼、黄庭坚，长于七言。与袁枚、赵翼并称为"江右三大家"。亦好戏剧，著有杂剧、传奇十六种。有《忠雅堂集》。

鉴赏

中国古代文人向有重视立言的传统。三国魏曹丕《典论·论文》说："盖文章经国之大业，不朽之盛事。年寿有时而尽，荣乐止乎其身，二者必至之常期，未若文章之无穷。是以古之作者，寄身于翰墨。见意于篇籍，不假良史之辞，不托飞驰之势，而声名自传于后。"可谓最明白中肯的表述。

基于这种认识，蒋士铨也十分看重文字的不朽功效。这首写于乾隆十一年(1746)家居时的五言古诗，即抒发了他立言的志向，宣泄了他重性情、贵独创的文学见解。诗题《拟〈秋怀诗〉》，系模拟南朝宋谢惠连的《秋怀诗》，盖取其五言古诗的形式，抒写秋日感怀。

前四句肯定文章为"不朽之盛事"，强调抒写"真性情"。起句"文字何以寿"，劈头一问，警醒有力。接以"身后无虚名"，似觉突兀难解，其实是诗笔狡黠之处。这两句语序颠倒,使设问显豁,全诗神气为之一振。人死后,生前的虚名都不复存在,如曹丕所说"年寿有时而尽,荣乐止乎其身"。既然如此,文章何以却能长存不朽呢?三、四两句"元气结纸上,留此真性情",正面作答,是诗人审美理想的真切流露。哲人的精神,思想的精华,一一凝结在白纸之上,留下一个人真实的秉性、情感。"真性情"语出杜甫《赠王二十四侍御契四十韵》:"由来意气合,直取性情真。"作者论诗重性情,曾提出"文章本性情"(《文字四首》)的见解。"留此真性情",是他标举的审美理想,也是他企望达到的美学境界,更是文字所以能长存不朽的根本原因之所在。曹丕所谓"寄身于翰墨,见意于篇籍,不假良史之辞,不托飞驰之势,而声名自传于后"的精义,经过提炼、熔铸,竟全部浓缩、包含在这两句中。

次四句申述应有的创作态度,五、六两句"读书确有得,落笔当孤行",主张文学要有独创。"孤行",语出张衡《思玄赋》"何孤行之茕茕兮,孑不群而介立",指特立独行。要从事创作,就要读书,但有口无心地泛泛而读又绝无益处,必须思考、钻研,确有卓尔不群、不随俗浮沉的心得。挥毫落笔,有见诸文字,就应当是这样新异的机会、独创的见解。一句话,文学要有独创性。这两句翻用杜甫"读书破万卷,下笔如有神"(《奉赠韦左丞丈二十韵》)句意,又与之各有侧重,互为补充。七、八两句"数语立坚壁,寸铁排天兵",提出以少胜多的原则。确有心得的独创文字,片言数语就如筑起一堵坚不可摧的铁壁铜墙,又如手执寸铁击退神勇的天兵,其势锐不可当。九、十两句"苟非不朽物,谁复输精诚",强调对文字的"精诚"。文字被视为"不朽物",语出《左传·襄公二十四年》:"太上有立德,其次有立功,其次有立言,此之谓不朽。"假如文字无传世不朽的功效,谁又肯以真诚的态度从事这一事业呢?以反问的口吻出之,语势更遒劲,语气更确定不移。

末四句表明人生志向。十一、十二两句"入隐出以显,卓荦为光明",申明夙志,磊落光明。"入"指归隐,"出"指出仕。"光明",语出《诗·周颂·敬之》:"学有缉熙于光明。"无论入隐或出仕,为着光照乾坤的大业,都要卓绝不凡地大干一番。最后两句"庶几待来者,神采千年生",展望身后,充满自信。干一番光辉卓荦的事业,留一些特立独行的文字,也许将来即使千年之后,他的精神、风采也仍然活在人间。这就是曹丕所谓"声名自传于后"的境界。

这首诗咏志抒怀,笔势豪健。全诗纯以议论行之,冲口而出,直抒胸臆,意脉贯通,一片神行。诗中用典不着痕迹,语语如同己出,体现其"文章本性情,不在面目间"(《文字四首》)的论诗主张。虚词的运用能于虚处传神。“确”“当”“庶几”“苟非”“谁复”等词,或揣摩,或推测,或假设,或反诘,曲尽其妙地摹写作者的口吻、神情,又恰如其分地传达诗作的思想内涵。立意高远,议论警拔,堪称力透纸背的佳制。

(吉明周)

岁暮到家

蒋士铨

爱子心无尽,归家喜及辰。寒衣针线密,家信墨痕新。
见面怜清瘦,呼儿问苦辛。低徊愧人子,不敢叹风尘。

鉴赏

母爱,这普通而伟大的人性美,是古往今来讴歌不尽的不朽主题。深挚的母爱,是人类繁衍生息的源泉;圣洁的母爱,是人类最美好感情的体现。唐代诗人孟郊极口赞叹:“谁言寸草心,报得三春晖”(《游子吟》),是歌颂母爱的绝唱。此诗亦为吟颂母爱的佳篇。乾隆十一年(1746)岁暮,作者远游归家,见到久别的慈母。诗中呈示的,就是母子重逢的真实情景。

“爱子心无尽”,总起一句,极赞母爱的宽广博大。俗话说,儿行千里母担忧。任凭天涯海角,天各一方,游子无时无刻不在母爱的萦怀之中。这爱,是骨肉的连结,是情感的沟通;这爱,倾注细微的关怀,包含深挚的思想,无边无涯,无穷无尽。次句“归家喜及辰”,叙述游子的归来和慈母的喜悦。一个“喜”字包蕴丰富:一喜游子安然归来,二喜归家及时,赶在新春佳节之前。合家团圆,守岁迎春,共享天伦之乐,这“喜”自是不言而喻的。

三、四两句“寒衣针线密,家信墨痕新”,侧面叙写慈母爱子之心。御寒的棉衣,针线细密,浸透了母亲深深的爱。一针针,一线线,是母亲挑灯缝制的见证。刚写的家信,墨迹犹新,凝结了母亲绵绵的情。一字字,一行行,是母亲夙夜思念的流泻。这新发的邮件——寒衣和家信,凝聚着母亲感人至深的爱。

五、六两句“见面怜清瘦,呼儿问苦辛”,正面描叙慈母爱子之情。“清瘦”,是母亲久久端详归子后的直觉;一个“怜”字,是慈母爱心的流溢。“呼儿”,是母亲内心郁积的情感的倾洒。一个“呼”字,是心的呼唤,是情的迸发。母子久别重逢,母亲首先想到的,不是自己的劳累和忧伤,而是归子的“清瘦”和“苦辛”。细细的端详,深深的怜爱,惊喜的呼唤,体贴的问候,寥寥十字,写尽慈母爱子之心。

末两句“低徊愧人子,不敢叹风尘”,倾吐游子爱母之情。作为儿子,常年浪游在外,未能孝敬母亲,报答母亲的养育之恩。一旦归家,母亲不但毫不怪罪,反而慈爱相加,怎不受到良心的谴责而自愧自疚呢?“低徊”,形容踌躇徘徊的沉思情态,曲曲传出作者复杂的内心波涛。“不敢”二字,又准确而有分寸地描画游子体贴、爱怜慈母的心态。饱尝风尘苦辛,终于返回母亲身边,该有多少人世感叹要向慈母倾诉啊!可是,想到因此会给母亲带来更大的忧虑和不安,又悄然吞下满腹话语,独自咀嚼这生活的苦涩。

诗人论诗强调“忠孝节义之心,温柔敦厚之旨”。这首颂扬母爱的诗就是这种传统意识的体现。人类的至情至性表现于质朴和平淡之中,却产生了震颤心灵的感人力量。这是源于崇高人性美的难以企及的艺术境界。苏轼曾有“诗从肺腑出,出辄愁肺腑”(《读孟郊诗》)的赞词,移来品藻此诗,亦称的评。

(吉明周)

杭　州

蒋士铨

桥影条条压水悬,凤山门外带城偏。
一肩书剑残冬路,犹检寒衣索税钱。

鉴赏

杭州东南,北临西湖、南接江滨处,有一座形若飞凤的山丘,这就是南宋皇帝大内禁苑所在的凤凰山。皇城北端的城门,即凤山门。凤山门东侧,有一座水城门,雄踞于中河之上,即凤山水门,史载为元至正十九年(1359)张士诚据浙西五郡、改筑杭城时所设的五座水城门之一。当时,大江之水,“自龙山闸入凤山水门”,由南而北,纵贯杭城而过,直出武林水门,与大运河相通。乾隆十二年(1747)冬,诗人过凤山门,作七绝二首抒怀。这一首抒写了他亲见关卡扰民的感慨。

前两句“桥影条条压水悬，凤山门外带城偏”，描摹景色，交代地点、环境、氛围。昔日南宋皇城的外城附近，虎踞水上的古城门凤山水门外，如今多么偏僻冷落！一种幽深的怀古之情寄于言外。一座座石桥横跨水上，一道道桥影倒映水中。这是江南特有的佳丽景致。然而，在诗人眼中，这江南景观却呈现另一种情感色彩：石桥凌空架设，就像是巨大的载负沉重地压迫水面。一个“压”字，正是诗人此时压抑心情的深刻流露和真切写照。

后两句“一肩书剑残冬路，犹检寒衣索税钱”，点明时间，叙述事件。“书剑”为古代文人随身携带之物。唐代陈子昂《送别出塞》诗有句云：“平生闻高义，书剑万夫雄。”高适《人日寄杜二拾遗》诗也有句云：“一卧东山三十春，岂知书剑老风尘！”残冬严寒时节，诗人肩负书籍和长剑，一路风尘，来到杭州凤山门外。谁料即便是他这样一无所有的书生，竟也逃脱不了官府的重税盘剥，关卡上的官兵毫不客气地搜查他身上的棉衣，向他勒索名目繁杂的税钱。索钱时的凶神恶煞，搜身时的奇耻大辱，虽只字未提，却能透过纸背得到深切感受。一个“犹”字，深刻揭示清朝廷税收的苛刻、繁重，凝聚了诗人深沉的愤慨。

杭州素有“天堂”之称，城中西湖更有“水光潋滟晴方好，山色空濛雨亦奇”（苏轼《饮湖上初晴后雨二首》）之赞。诗人途经杭城，何以却无心描摹它的旖旎风光？这是因为凤山门外设卡搜身索税的那一幕，对他刺激太深，让他难以忘怀。他按捺不住满腔愤懑，命笔纪实，以自己的亲身经历，从一个侧面揭露清朝廷的残酷压榨，反映人民的深重苦难。诗人在平实的描述中注入深邃的情愫，寄托深切的义愤，却含而不露，蕴而未发，实在是他“忠孝节烈之心，温柔敦厚之旨”的艺术体现。

（吉明周）

润州小泊

蒋士铨

孤城浪打朔风骄，铁瓮阴阴锁丽谯。
微雨夜沽京口酒，大江横截广陵潮。
船胶涸水帆俱落，人击层冰冻未消。
小泊不妨侵晓去，海门寒日射金焦。

鉴赏

这首诗是乾隆十二年(1747)作者游江苏,小泊润州(州治在今江苏镇江市)时所作。

首两句"孤城浪打朔风骄,铁瓮阴阴锁丽谯",描写润州远景,烘托氛围。"铁瓮",镇江子城的别名,相传为吴大帝孙权所建,内外皆以甓(pì,砖),因其坚固如金城,故号称铁瓮城。一说镇江子城深狭,其状若瓮,故名。时值严冬,强劲凛冽的北风呼啸,滔天的急浪拍打着江边孤寂的镇江城。远远望去,镇江城像一尊阴沉沉的大铁瓮,紧紧封锁着美丽的城楼。透过风浪、城楼的描写,酿造出一种凄冷、孤寂、阴森、抑郁的氛围。

三、四两句"微雨夜沽京口酒,大江横截广陵潮",追叙小泊前的行踪,展示作者豪放的情怀。微雨霏霏的夜晚,作者曾在京口(今江苏镇江)沽酒豪饮;舟行江上的时候,作者曾在广陵(治今江苏扬州市)观赏了闻名于世的广陵潮。广陵潮是天下一大奇观。汉枚乘《七发》曾这样描述广陵潮:"其始起也,洪淋淋焉,若白鹭之下翔;其少进也,浩浩溰溰,如素车白马帷盖之张。其波涌而云乱,扰扰焉如三军之腾装;其旁作而奔起也,飘飘焉如轻车之勒兵。"当大潮横截长江江面时,其气势之浩大,景象之壮观,自不难想象。《七发》中的吴客于八月之望,往观涛乎广陵之曲江,已足以骇矣。他恍兮惚兮,谬兮栗兮,忽兮慌兮,俶兮傥兮,虹洞兮苍天,极虑兮崖涘,汩乘流而下降,或不知其所止。那么,作者舟行江上,目睹这一壮丽景象,心胸必当为之开阔,情怀必当因之豪迈。

五、六两句"船胶涸水帆俱落,人击层冰冻未消",交代小泊的原委。潮退水涸,船只搁在浅滩上,难以起航,因而纷纷降下风帆,停泊待发。由于天气奇冷,河滩积冰未消融,船工得冒着寒冷敲冰开道。北风刺骨,层冰坚厚,凿冰者的辛苦和劳累,自不言而喻。这里对水上船工寄托了深切同情。

末两句"小泊不妨侵晓去,海门寒日射金焦",抒发清放旷达的情怀。镇江江中有二山,一为金山,一为焦山,简称金、焦。焦山东北有二岛对峙,谓之海门,破晓时分,天气放晴,但船只仍不能开航。作者一时兴起,以为不妨下船去海门,观赏冬日初升的太阳照射金、焦二山的壮观景致。日出天晴,开船有望。一种悠闲、潇洒、欣喜、兴奋的情绪溢于言表。

全诗句句写景,时间从夜至晨,天气由雨而晴;呼啸的朔风,细微的夜雨,初升的旭日,狂卷的急浪,奔涌的大潮,坚实的层冰,孤寂的江城,雄丽的城楼,对峙的山丘,景色雄奇壮阔;但又笔笔写情,孤城的寂寞，铁瓮的压抑，饮酒的豪兴，观涛的振奋，落帆的无奈，层冰的忧虑，天晓的喜悦，日出的兴奋，情绪由郁闷而豪放而开朗，妙在含而不露，非细味者不能觉察。

（吉明周）

象　声

蒋士铨

帷五尺广七尺长，其高六尺角四方。
植竿为柱布作墙，周遭着地无隙窗。
一人外立一中藏，藏者屏息立者神扬扬。
呼客围坐钱入囊，各各侧耳头低昂。
帷中隐隐发虚籁，正如萍末风起才悠扬。
须臾音响递变灭，人物鸟兽之声一一来相将。
儿女喁喁昵衾枕，主客刺刺喧壶觞。
乡邻诟詈杂鸡狗，市肆嘲谑兼驰骧。
方言竞作各问答，众口嘈聒无碍妨。
语入妙时却停止，事当急处偏回翔。
众心未厌钱乱掷，残局请终势更张。
雷轰炮击陆浑火，万人惊喊举国皆奔狂。
此时听者股栗欲伏地，
不知帷中一人摇唇鼓掌吐吞击拍闲耶忙？
可怜绕帷之客用耳不用目，途说道听亡何乡。
颠风忽缩土囊口，寂然六幕垂苍苍。
反舌无声笑耳食，巧言惑众真如簧。

鉴赏

这首诗是乾隆二十五年(1760)作者任翰林院编修时所作《京师乐府词十六首》之一，描述民间象声艺术。

“象声”，即口技，因常隔壁表演，也称隔壁戏，是传统杂技节目之一。清李声振《百戏竹枝词·春宫

·序》云:“俗名象声,以青绫围,隐声其中,以口作多人的嘈杂,或像百物声,无不逼真,亦一绝也。”这首《象声》诗,即绘声绘色地再现了清代口技表演艺术的风姿。

象声的表演道具和场所极为简易。五尺宽、七尺长的帷布,围成一个高六尺的长方形。插竹为柱,围布作墙,四周的布墙一直垂到地面。布墙上没有窗户,也没有空隙。整个布置简单,却颇有几分神秘气氛。

象声的表演方式相当奇特。一人站在布墙外,神情自若,意态扬扬;另一人隐藏在布墙内,寂不作声,呼吸仿佛也暂停。布墙外的人收齐了戏钱,招呼听众们围坐在长方形的布墙周围。听众们探头侧耳,全神贯注,静候表演开始。

象声表演,纯以声音描绘形象,作者以传神的妙笔,将精彩纷呈的表演艺术历历展现在眼前。表演开始,只听到布帷中隐隐发出微微风声,仿佛产生于青萍之末。不一会儿,风声停歇,随之而起的人声、鸟声、兽声,有时像衾枕间窃窃私语,儿女情长;有时像酒席上宾主举杯劝酒,人声喧嚷;有时像乡邻间吵闹骂街,鸡狗不宁;有时像市井上百马奔驰,喧闹繁杂,市人嬉笑嘲嘘,操各种方言,你问我答,人声嘈杂,但话语仍清晰可辨。正当妙语四起时,口技声戛然而止;说到紧要关头时,突然回旋绕圈,使人丈二和尚摸不着头脑。原来,这是演员在故意卖弄关子。听众哗然,纷纷掷钱,要求再演。演员改弦更张,一时雷鸣声、炮击声,轰隆隆,呼喇喇,震耳欲聋,仿佛是陆浑(故城在今河南嵩县东北)大火,万人惊喊,全城人狂奔乱跑。原来,这是帷中演员摇唇吐吞,击节鼓掌,不亦乐乎地表演着口技!声响到达高潮时,突然寂灭,只剩下布帷低垂。听众也如噩梦初醒,从惊异中恢复过来。

如果说,精湛的象声艺术,经过这摹声摹色的直接描绘,已得到淋漓尽致的展示,给人身历其境的真实感,通过听众如醉如痴、如惊如恐的神态举止的间接描叙,更令人信服地展现出它非凡的艺术魅力。正当听众全神贯注地沉浸在象声创造的艺术境界之中时,表演突然中止,他们岂肯罢休?于是将手中的铜钱雨珠般地飞掷场中。这种狂势的场面,反映听众对象声表演的激赏,是象声艺术的成功所在。而当演员模仿陆浑失火的情势时,听众双腿乱颤,惊惶伏地的狼狈相,又是象声艺术形象逼真、效果强烈的体现。

作者对象声艺术的赞赏别出心裁而又意味深长。他没有径直地献上几句炽热的赞美词,只是淡淡地表白这些确是亲身经历而并非出于传闻。传闻是靠不住的。古代曾对《礼记·月令》所云“仲夏之月,反舌无声”中的“反舌”产生歧解。郑玄注云:“反舌,百舌鸟。”而《太平御览》卷九二三引《风土记》云:“麋信难曰:案《纬书》,反舌,虾蟆也。

……则郑君得过乎。乔凤答曰：虾蟆五月中始得水，当聒人耳，何云无声？是知虾蟆非反舌鸟。”明明仲夏（农历五月）时分，百舌鸟不再鸣叫，却听信传闻，认为是正当聒噪人耳的虾蟆停止乱叫。这种人轻信传闻，十分可笑。但亲见亲闻象声演员凭借美妙如笙中之簧的巧伪声音，能迷惑这么多人的事实，就不能不对象声的艺术效果和艺术魅力深信不疑。在这平平的表达中，人们不难体会到深藏其间的极度赞赏之情。

但作者的笔致并不肯就事论事地停留在象声艺术本身，他似乎还有一种深广的意蕴要宣泄。他可怜那些只用耳朵听不用眼睛看的人们，可怜那些只相信来自世上并不存在的“亡何乡”的道听途说，因而被巧言所迷惑的人们。谁又能说，这仅仅是针对那些痴迷的听众，而没有包含某种对于盲目轻信传闻的批评和对于巧言惑众的愤慨，因而具有更深更广的社会意义呢？

王昶《蒲褐山房诗话》谓蒋士铨诗“诸体皆工，然古诗胜于近体，七言胜于五言，苍苍莽莽，不主故常”。这首七古笔力坚劲，句式多变。全诗以七言为主，杂以九言（如“万人惊喊举国皆奔狂”）、十一言（如“可怜绕帷之客用耳不用目”），最多的竟达十七言（“不知帷中一人摇唇鼓掌吐吞击拍闲耶忙”），极尽参差错综之致。节奏的急迫徐缓，语调的激昂舒展，与象声演出的气氛转换和听众的情绪变化相契合。尚溶云：“苕生（蒋士铨字）诗有不可及者八：才大而奇，情深而正，学博而醇，识高而老，气豪而真，力锐而厚，格变而隐，词切而坚。”以此诗观之，信然。

（吉明周）

极　目

蒋士铨

江山奇胜总偏安，天堑茫茫固守难。
史册事随春梦过，皖公青入酒杯看。

鉴赏

乾隆三十年（1765），诗人从南京返回江西，途经安徽，远望滔滔长江和巍巍皖公山，有感于南唐亡国旧事而作此诗。

前两句“江山奇胜总偏安，天堑茫茫固守难”，是诗人综观历代王朝兴亡史，从历史高度发抒的深邃感喟。眼前皖公山，山奇水胜，正如李白《江上望皖公山》诗所云:“奇峰出奇云,秀木含秀气。清宴皖公山,巉绝称人意。”然后,诗人却无意流连风景,他思绪联翩,想到了历史上偏安一隅的小朝廷。长江万里,阻隔南北,是一道天然防线。他又想到固守不易。他在寻思、求索这样一个严峻的命题:江山特别佳丽的胜地,何以却总是成为王朝偏安的所在?长江历来号称天堑,地势险要而不易逾越,古人曾发出“长江天堑,古来限隔,虏军岂能飞渡”(《南史·孔范传》)的豪言。可是,茫茫天堑,何以竟也难以固守?这里,风物和偏安,天堑与守备,究竟有无必然联系?也许,留恋风物,荒于国事,迷信天堑,疏于守备,正是偏安小朝廷覆灭的诸种原因之一?

后两句“史册事随春梦过,皖公青入酒杯看”,切入咏史主题,以皖公山故事影射南唐中主李璟。李璟割让江北之地后,迁都南下,“龙舟至赵屯,举酒望皖公山曰:‘好青峭数峰,不知何名?’(李)家明前对曰:‘此舒州皖公山也。’因献诗曰:‘皖公山纵好,不落御觞中。’”(事见陆游《南唐书》卷十七)皖公山,即皖山,一名潜山,在安徽潜山县西北,绵延深远,与霍山接界。山上最高峰峭拔如柱,称天柱,为历来游览胜地。南唐中主李璟擅词,面对这青山如碧的风景名胜,怎能不激发他勃郁的诗情?然而,皖公山色再好,也不属于一个割地南迁的亡国君主。他已不能长久流连,一边举杯畅饮美酒,一边纵目观赏皖公山秀丽风光了。世事无常,繁华易逝。悠悠南唐旧事已伴随春梦逝去,转瞬无踪无影。当年南唐中主不能享受的乐趣,而今诗人却轻易地享受到了:他观赏名山,品尝美酒,看那青翠的皖公山色,清晰地映入满怀澄碧的美酒之中。这是怎样的人世沧桑啊!“皖公青入酒杯看”,造语清隽,不啻是诗家妙手偶得的佳句。

这首诗纵论历史上的兴亡得失,主题重大、严肃,但诗笔却轻快、幽默,又不乏冷峻与深刻。江山奇胜之地,总是适于偏安;长江天堑之险,却难以固守,其中讽刺意味尖刻、强烈。而将自己的举杯纵览山景,与南唐中主欲赏皖公山佳妙而不能相映照,调侃中又寄寓深邃的历史感慨。这无疑是诗人史识与诗情的浑凝与升华。

(吉明周)

江　泛

蒋士铨

二百里江光,群山绕建康。滔滔随眼白,荡荡接天黄。

战骨多沉海，芦花又戴霜。六朝先后灭，何处说兴亡！

鉴赏

乾隆三十三年(1768)，诗人从绍兴蕺山书院由水路返回南京。他泛舟江上，纵览江景，写下两首五言律诗。这首怀古诗，抒发了诗人深沉的兴亡之感。

诗人舟行二百里，来到群山环绕的古建康城南京，一路饱览长江壮丽风光。白浪滔天，浩浩荡荡的江水滚滚流向大海。放眼望去，空阔的江南远与天边相连，呈现一片苍黄。江边芦花开放，与雪白的秋霜相映。这素白的景象，仿佛酿造了一种哀悼江上历代将士英灵的氛围，他们的骨骸早已沉埋海底。南京自三国吴建都以来，历经东晋、宋、齐、梁、陈历朝，号六朝古都。多少盛衰兴亡的历史壮剧在这里搬演，六个朝代先后灭亡。可是，历史已被人淡忘，诗人又对谁去感慨历代兴亡呢？

这首诗风格质朴，用笔精练。首句“二百里江光”，一笔带过二百里江泛过程。颔联“滔滔随眼白，荡荡接天黄”，“白”“黄”用字准确、精审，“滔滔”“荡荡”状尽江上水宽浪急、苍茫空阔的景象，又与诗人此时此刻的浩茫心绪契合。颈联“芦花又戴霜”，以拟人手法描摹深秋芦花盛放的情景，而“戴霜”既形象，又点明节候，更与吊古的感伤之情吻合：芦花犹知披白悼念战骨，而人呢？青翠的群山，苍黄的江天，似雪的白浪，如霜的芦花，色彩素净，与怀古情调相谐和。质朴中不乏形象描绘，精练中蕴涵深沉情思。

张维屏云：“心馀(蒋士铨字)先生诗，篇篇本色，语语根心，不欲英雄欺人，不肯优孟摹古。”同为金陵(今江苏南京，又名建康)怀古，唐刘禹锡指出“兴废由人事，山川空地形”(《金陵怀古》)，放眼历史，揭示六朝兴亡的原因在于“人事”；宋王安石嗟叹“《黍离》《麦秀》从来事，且置兴亡近酒缸”(《金陵怀古》)，揭橥朝代兴亡出于骄奢淫逸，劝诫后人不必徒然感伤；蒋士铨针对现实生活中对于前师之鉴的淡忘，感慨“六朝先后灭，何处说兴亡”，因而更富现实感，更有现实意义。潘德舆《论诗绝句》云“稍喜清容(蒋士铨字)有风骨”，以此诗观之，不无道理。

(吉明周)

杂　题

赵　翼*

每夕见明月，我已与熟悉。问月可识我？月谓不记忆。
茫茫此世界，众生奚啻亿！除是大英豪，或稍为目拭。
有如公等辈，未见露奇特。若欲一一认，安得许眼力？
神龙行空中，蝼蚁对之揖。礼数虽则多，未必遂鉴及。

作者

*赵翼(1727－1814)，字云松，又字云崧、耘松，号瓯北，江苏阳湖(今常州)人。乾隆二十六年(1761)进士，授翰林院编修。官至贵西兵备道。后辞官归乡，主讲安定书院。精治史学，考订史实，时称精赅。论诗主张独创，反对模拟。其诗与蒋士铨、袁枚齐名。有《瓯北诗文集》《瓯北诗话》《廿二史札记》《陔余丛考》等名于世。

鉴赏

这组诗大约作于乾隆四十三年(1778)，原题《闲居读书作》，此时作者早已辞官隐居阳湖家中。赵翼说过："诗非苦心作不成，佳处又非苦心造。"他还说过："吟咏出兴会，万物供驱驰。"这首杂题正是诗人出奇制胜的杰作，既自然朴素，又苦心经营，精巧构思，在平凡晓畅的语言中，包含了深刻的人生哲理。

构思巧妙，通过人识月而月不识人的风趣对话的描写，揭示了一条普遍规律。"每夕见明月，我已与熟悉。"通俗明白的诗句，似同白话，然而这便是好诗佳句，平中见奇，引起下文诗人问月而月来回答。"问月可识我？月谓不记忆。"一问一答，情趣无穷。我每天晚上看见月亮非常熟识月亮，可是月亮并不认识我。这其实是常情，一经诗人写入诗中,便风趣横生,哲理闪光。试想,“茫茫此世界,众生奚啻亿!”如此大千世界,众人何止上亿?芸芸众生,人太多了,哪里都认识呢?除非你是大英豪,或者我稍为拭目而看,像你等一般人物,并没有什么奇特之处,假如要一一认识,哪里有如许眼力?月亮回答真是妙极了!这不是一条规律吗?在人类的历史长河中,真正杰出的人物并不多,因此随着时间的流逝,大多数人物便不留什么痕迹,能留在人们记忆里或记载在史书上的,只是少数几个“露奇特”的风云人物。

“神龙行空中,蝼蚁对之揖。礼数虽然多,未必遂鉴及。”“神龙行空”比喻高高在上的大官,“蝼蚁”比喻普通百姓。百姓按照规定的礼数(古代剥削阶级按名位而定的礼仪等级制度),对统治者行礼,但当官者未必就都能看到。《楚国先贤传》说“神龙朝发于昆仑之墟,暮宿于孟诸,超腾云汉之表,婉转四渎之里”,蝼蚁对神龙行礼,神龙未必看到,老百姓对当权者致敬,当权者未必施报。这也是一个规律。

人月对话,构思巧妙;神龙蝼蚁比喻新颖,揭示的哲理耐人深思。

(方伯荣)

偶　得

赵　翼

文人逞才气,往往好论兵。及夫事权属,鲜见成功名。
古来称儒将,惟有一孔明。寥寥千载后,虞雍王文成。
此外白面徒,漫诩韬略精。河桥二十万,惜哉陆士衡。
深源令仆材,声名丧北征。房琯陈陶斜,车战旋摧崩。
忠如张魏国,五路败富平。由来非所习,奴织婢学耕。
如何纸上谈,辄欲见施行?君看云台上,何曾有书生?

鉴赏

《文人逞才气》是《偶得十一首》中的一首,诗人以史学家的眼光,历举大量史实,论述了知识分子脱离实际而好夸夸其谈,结果必然失败的道理。这似乎是一篇以精警的诗句形式写成的议论文,正反论据充分,逻辑性强,具有极强的说服力。“文人逞才气,往往好论兵。及夫事权属,鲜见成功名。”一开头诗人直截了当提出了自己的看法:知识分子喜欢炫耀自己的才气,常常爱吹嘘,喜爱谈论军事,好像自己非常精通军事知识,是一个了不起的军事指挥家似的。可是一旦真的掌握了兵权,却很少能够建立功业留下英名的。这可视作“论点”。一个“逞”字一个“好(hào)”字,就把文人的最大弱点暴露出来了,逞能,逞强,逞才气往往过高地估计了自己;“好论兵”也只是空口说说而已,或纸上谈兵罢了。“及夫”,等到;“事权属”,掌握了权力所属的范围,即掌管了军权;“鲜见”,少见。这四句诗奠定了全诗的基调,充满了不可动摇其观点的气概。

接着,诗人先从正面论述历来文人出身的将领不多:“古来称儒将,惟有一孔明。寥寥千载后,虞雍王文成。”自古以来真正称得上文人出身的将领,只有一个诸葛亮(字孔明)。孔明是三国时期杰出的政治家、军事家,他不仅提出了取荆州建立根据地联吴抗曹的隆中对策,而且舌战群儒,草船借箭,协助周瑜,火烧赤壁,大破曹军,建立了卓著的战功。可是历史上“惟有一孔明”,只有一个诸葛亮,作者感慨不已。从历史上来考察,真正称得上理论联系实际的“儒将”仅孔明一人而已,实在是凤毛麟角,世属罕见。从三国到宋明,漫长的一千多年历史长河中,寥寥无几,只有虞雍王文成尚可称为儒将。虞雍即虞允文,字彬甫,南宋高宗时以中书舍人参谋军事,在采石矶督战,大破金兵。孝宗时封雍国公。王文成,即王守仁,字伯安,明朝著名理学家,曾平定宁王宸濠的叛乱。官至南京兵部尚书,卒谥文成。虞允文、王守仁,一个宋代一个明朝,一个中书舍人一个理学家,他们指挥打仗,建立过功名。可是这是自孔明之后“寥寥千载”才有这么一二人,而且他们与孔明相比,又差得太远了。“寥寥”,极为稀少。可见从历史上来看,称得上儒将的太少了。

“此外白面徒,漫诩韬略精。”诗人似乎对白面书生颇多鄙视,他认为除了上面提到的三人以外的白面之徒,不要自夸自己如何精通用兵的谋略了。“漫诩(xǔ)”,不要自夸吹嘘;“韬(tāo)略”,用兵的谋略,《六韬》是古代的兵书。从这两句以下,作者一口气历举了四个纸上谈兵临阵败北的文才例子,从反面论述了自己的观点。“河桥二十万,惜哉陆士衡。”西晋文学家陆机(字士衡),在成都王司马颖讨长沙王司乂(yì)时,作为后将军河北大都督,统军二十万,列队自朝歌至河桥(在今河南孟津县西,晋杜预所筑)。等到双方交战时,陆机大败。一个“惜哉”，表达了作者对陆士衡的惋惜，更有讽刺意义在，浩浩荡荡二十万大军，临战不堪一击，你陆士衡怎么指挥的？你这不是纸上谈兵么？“深源令仆材，声名丧北征。”殷浩，字深源，东晋穆帝永和年间任扬州刺史，年轻时有美名，后统军北伐，在许昌附近为前秦所败；次年在安徽蒙县北面山桑一带遭姚襄伏击，又大败。“令仆”，指中书令尚书令，仆射，相当于宰相的高职。诗人说，像殷浩这样具有宰相天才的人，竟然失败在北伐之中。一个“丧”字，把只有书本知识（令仆材）而缺乏实际指挥才能的文才丧失声名的狼狈相写得淋漓尽致。“房琯陈陶斜，车战旋摧崩。”“房琯”，字次律，天宝之乱，随玄宗赴蜀，肃宗立，参决机要，自请将兵讨伐安史，至陈陶斜（在今陕西咸阳东）遇敌，他使用春秋战法，列车为营，马步兵夹之。敌方纵火焚车，房琯大败，死者四万人。看来他也只是一个口头空谈家。一到实际战场，就“车战旋摧崩”，马上遭到惨败。“忠如张魏国，马路败富平。”宋徽宗时的进士张浚，字德远，在高宗时力主抗金，曾率领刘锡、孙渥、刘琦、赵哲、吴玠五路之兵以抗金兀术，结果在富平（今陕西省）一带战败。孝宗时封魏国公。忠心耿耿的张浚，自请兵抗金，可是他同样理论不切实际，最终败北。赵翼是史学家，对史实了如指掌，因此，历举史实如数家珍，铺排张厉，气势不凡，具有说服力。一正一反，论据充分，逻辑严密，有力地说明了迂腐论兵不切实际的文人无不失败的道理。

诗人写到此意犹未尽，还要进一步找一找他们失败的原因：“由来非所习，奴织婢学耕。”原来军事指挥是他们所不熟悉（非所习）的，正像女去耕田男去织布一样，是脱离实际的。《南史·沈庆之传》说：“为国譬如家，耕当问奴，织当问婢。”而现在却颠倒了，“奴织婢学耕”那当然要失败了，一个形象的比喻，点明了文人不切实际的后果必然要失败的道理。他们只是纸上谈兵，哪里就想到马上付诸实施呢？“如何纸上谈，辄欲见施行？”作者是加以鞭笞的。正因为书生只会纸上谈兵，并不想实行，所以“君看云台上，何曾有书生？”“云台”，汉时台名，在洛阳宫中。汉明帝追念东汉初年功臣，乃画邓禹、邓戒、吴汉等三十二人将领于云台，可是其中没有一个书生出身的功臣。这就更说明了“文人逞才气，往往好论兵。及夫事权属，鲜见成功名”。

这首诗议论精辟，论述深透，结构严谨，有独特见解。正如袁枚所说：瓯北这些诗，“穿天心入月胁，说理愈精，英光愈迸露，真足为天地间另辟一境”。

（方伯荣）

幽 寻

赵 翼

幽寻不知疲，意行度遥陌。昔游所未经，数折地愈僻。
忽至野水岸，路断行迹绝。欲问空无人，一鹭草边白。

鉴赏

乾隆四十三年（1778），赵翼在《答友》一诗中曾经写过："一缕心香息众嚣，已甘门径掩蓬蒿。"他真心诚意辞官归田，隐居阳湖家中读书著作，他对于仕途上的"众嚣"不息，已经厌烦，他要追求一种宁静安闲淡泊清心的境界。这首《幽寻》正是诗人这种心情的最好表达。

"幽寻"，实际上是寻幽。诗人不知疲倦地想寻找一个幽静僻静之地，从思想上行动上都想跨越到遥远的小路上。开头两句"幽寻不知疲，意行度遥陌"即行点题，而且使我们看到诗人为了找寻一个人迹罕至的偏僻宁静的地方，已经不知疲劳地找寻了很久很久。言简意赅，留给读者想象的艺术空间很大。诗人为什么要如此不知疲倦地顽强不息地去遥远的陌路小道去寻找幽僻之处呢？诗人又是怎样一个形象呢？他的内心世界又是如何呢？读者尽管可以联系诗人的生平及人生态度去进行合理的联想和想象。"昔游所未经，数折地愈僻。"诗人七折八弯终于来到了一个更加偏僻的地方，而以前这里还没来过。我们仿佛跟着诗人的踪迹一步步来到曲曲折折的十分幽僻的地方。

以上四句诗重在写"寻"幽。"度遥陌""地愈僻"，是诗人所"寻"的"幽"地。

"忽至野水岸，路断行迹绝。"是"地愈僻"的具体描写：诗人忽然来到了"野水岸"，没有人利用的僻野之河叫野水，突出了一个"幽"字，这里偏僻到路都断绝也没有行迹了。人迹罕至没有道路可通的野水岸，当然是非常幽深僻静之地了。一种冷清、孤寂的心绪不禁索缠在诗人心头。"欲问空无人，一鹭草边白。"也许诗人感到这里太寂寥了，要想找人问一问，可是这里空无一人，哪里去问讯呢？这时，诗人却在草边发现了一堆白色物，原来是一只白鹭。白鹭是一种与世无涉、过着悠闲恬静生活的水鸟，在远离人群的幽僻之地，竟然安闲地生活着一只白鹭，更加突出了此地之“幽”。清幽之景，安闲之物，悠适之人，三者融为一体，形成了一种独特的诗的意境。以白鹭不惊，悠闲自得，衬托了环境之幽静，也衬托了诗人幽静的内心世界。以白鹭入诗者，有杜甫的“两个黄鹂鸣翠柳，一行白鹭上青天”（《绝句》），有陆游的“水满有时观下鹭，草深无处不鸣蛙”（《幽居初夏》），有唐庚的“说与门前白鹭群，也宜从此断知闻”（《白鹭》）等等。大都以白鹭的与世无争、悠闲自乐来表达诗人所要表达的淡泊、宁静、安适的感情。赵翼在《幽寻》一诗中也是如此。

这首诗层层深入，步步探幽，创造了一种清丽秀美的意境。

（方伯荣）

山行杂诗

赵　翼

山云才滃起，顷刻雨点飘。乃知云变雨，不必到层霄。
只在百丈间，即化甘澍膏。君看云薄处，曦影如隔绡。
自是此雨上，仍有赤日高。

鉴赏

这首诗是赵翼在乾隆五十三年(1788)从福建北归，行经浙江山区时所作组诗的第六首。诗中表现了对自然界的细致观察和认真思考。

诗中所描述的，是盛夏山区特有的自然景观。云雨倏忽变相，对于生长于江南水乡的诗人来说是十分新鲜的。作者以往的经验，也许只是“天油然作云，沛然下雨”罢了，因此这次的经历大大地出于他的认识范围了。山坳间的翠岚竟是刚刚腾涌而起，瞬息却化为甘霖降落下来。这云雨变化只有百丈之间的距离，相去九霄真是太遥远了。诗人的观察还未尽于此，他仰头而望，透过云层，惊异地发现太阳还露着笑脸呢。“君看云薄处，曦影如隔绡。”这两句是作者对同行者夸耀他的发现，我们完全可以想象得出，那指顾之间的有如孩童般的惊喜神情。“曦影”一句写得极美，雾縠烟消之后，一丸红日，若隐若现，这是一种朦胧的美感。只因光淡而得以逼视，他才能恍然悟出云雨之上，赤日依然高悬的道理。

本诗由低处写到高处,这与作者观察的视线是保持一致的。其所以采取与《渡太湖登马迹山》截然相反的写法,乃是因为某一奇特现象吸引了诗人的注意力,才使他产生寻绎探求的兴趣,而山巅观湖则首先为雄浑的气势所震慑,久之神倦才会用看周围的景物以尽游兴,所以写法都是情势使然。

诗中用了很多虚词,严格地说,它们大都属于时间副词(才、顷刻、即、仍)和范围副词(只)。尽管这样便使诗味偏重于说理,带有以文为诗的倾向,但似乎不如此,将不足以写出作者对一种持续的现象的彻悟过程。

(曹宝麟)

静　观(录二)

赵　翼

谓气从理出,众口同一辞。理从何处来?非虚悬两仪。
有气斯心知,有知斯是非。是非方是理,而气已生之。
岂非气在先,早为理之基?况或理所无,而为物所有。
有知变无知,连理木不朽;无知变有知,老枫或成叟。
试问此何理?磅礴出气厚。为语诸腐儒:陈言未可守!

鉴赏

这组诗以"静观"为题,显示出非游戏文字的特点。诗人通过对某些事物或现象的细致观察和冷静思考,或明辨是非,或评判得失,或辟陈言,或出新说,都能做到持之有故,言之成理,充分体现赵翼的不尚虚夸的务实精神。本诗探讨的问题属于哲学的范畴,但由于用诗的语言表达出来,因而丝毫不觉枯燥。

关于"理""气"关系的争论,是古代哲学史上的重大课题。以程、朱为首的"理学",宣扬"气从理出",亦即主张"理"(精神)是第一性的,"气"(物质)是第二性的。这种客观唯心主义的思想体系,在明、清统治者的竭力推崇下,一直处于主导地位。尽管清初王夫之等人提出反对意见,但面对强大的封建营垒,他们的声音毕竟是微弱的。赵翼这首诗公然为船山张目,在当时无疑需要有很大的勇气。

“谓气从理出，众口同一辞”，诗开门见山地勾画出抱残守缺、人云亦云的世态学风。那班“腐儒”慑于程朱的钦定权威，不愿也不敢用自己的脑子想一下，提出自己的看法，他们所缺乏的正是静观的态度。既然大家都说气是从理中生出，那么诗人完全有理由反问一句：“理从何处来?”按照程朱的理论，理是先于万物而存在的。《二程遗书》卷十八说人和物“都从这里（指理）出去”。朱熹发展了这一观点，他说：“未有天地之先，毕竟也只是理，有此理，便有此天地；若无此理，便无天无地，无人无物，都无该载了！”又说：“且如万一山河大地都陷了，毕竟理却只在这里。”（皆见《朱子语类》卷一）这样说来，理便是无限永恒的了。然而他确实难以对“理从何处来”的诘问自圆其说。赵翼认为，理并非是虚无缥缈地悬浮在天地之间而无处不在的东西，这其实是王夫之“气外更无虚托孤立之理”的换一种说法。接下来诗人以认识论的常识申述王夫之“理在气中”的观点：“有气斯心知，有知斯是非。是非方是理，而气已（以）生之。”不是吗?人是由气构成的，人死气散，活着便有感觉和思维，同时也就有判别是非的能力。是非之类才属于“理”，即所谓道理、情理，所以“理”是凭借“气”才得以体现的，也就是说理生于气。“岂非气在先，早为理之基?”诗人再一次用反诘语气毫不含糊地对“气在理先”的唯物观点表示赞同。为了使结论坚不可拔，赵翼又提出两个论据，就是：于理不可思议的事，而实际上却是存在的。第一个例子是木成连理。人活着的时候（有知），夫妻离散，死了以后（无知），两人坟上长出的树却合抱交互了。第二个例子是枫化老叟。枫树是植物（无知），却能成精，化成老人（有知）。可见世间万物并非是按着理所规定的在行事。正因为磅礴的大气充斥宇宙，所以气之所钟才无奇不有，出于理外，如果“气从理出”，那就不会出现上面截然相反的两种结果。最后诗人寄语那些没有脑髓的迂腐儒生：再也不要墨守成规，食人唾余了！这一结力挽千钧，何啻当头棒喝。

本诗议论恢恢，说理充分，有很强的思辨力。可惜论据采用的是两则志怪传奇，使严密性受到损害，这也暴露出诗人思想的局限。

两间无用物，莫若红紫花。食不如橡栗，衣不如纻麻。
偏能令人爱，宴赏穷豪奢。诗词亦复然，意蕊抽萌芽。
说理非经籍，记事非史家。乃世之才人，嗜之如奇葩。

不惜钵肺肝，琢磨到无瑕。一语极工巧，万口相咨嗟。
是知花与诗，同出天精华。平添大块景，默动人情夸。
虽无济于用，亦弗纳于邪。花花年年开，诗亦代代加。

鉴赏

赵翼对文化的贡献，主要在史学方面，其次才数文学。作为一个生活在清代中叶文字狱阴影下的文人，钻故纸、搞考据或许是远祸立身的最好办法。赵氏自身思辩能力的优势，也决定了他在史学上的卓著成就。然而他的性格幽默机警，喜新炫奇，使他按捺不住要在诗坛上争一头地。虽然他的诗略逊丰富瑰丽的想象和纵横捭阖的才气，但在思辩的严谨方面依然发挥出他的优势。从这首为诗词的存在意义辩护的作品，就不难看出这一特点。

“两间无用物，莫若红紫花。”诗先从“花”入题。天地之间，最没有用的东西莫过于红紫的花了，因为它既不能当饭吃，又不能作衣穿。在这点上，它连橡栗和纻麻也比不上。但是它却惹得人们不惜一掷千金，如痴如狂。可见花对食不果腹、衣不蔽体的穷人来说是“无用”的，它的“用”体现在另外的时、地和对象中。不过这点诗人没有说出，也不用说出。接下“兴”起“诗词”。“亦复然”三字，省去了诗词也是无用物这样的闲笔墨。诗人认为，由于诗词的精练，就不可能像文章那样把道理说透，又由于句式和篇幅的限制，也难免拙于记事的详备。但诗词却是“才人”逞露其才的事业。它的构思酝酿过程，像花蕾的孕育萌发。赵翼在这儿使用了“意蕊”一词，不仅新颖奇特，而且双关地写出诗词在“无用”和“萌芽”这两方面与花“亦复然”的特征。“不惜”以下四句，则是“意蕊抽萌芽”的具体描述，诗人雕章琢句、镂肺刻肝，不用说“价争一句之奇”，即是“吟安一个字”，也会“捻断数茎须”的。“诗家好作奇句警语，必千锤百炼而后能成。”(《瓯北诗话》卷一)“一语极工巧，万口相咨嗟”，是啊，这样呕心沥血，还不是为了博得别人的喝彩吗？花的吐艳，要经风饕雪虐的考验；诗的无瑕，也须字斟句酌的推敲。正因为二者体现了天工人巧，所以才不愧是精华所聚的瑰宝啊！一个装点大地的美景，一个潜称人们的性情，它们尽管于实用无补，但却满足了更高层次的精神上的需求。因而花和诗词只会有增无已，永不会为人们所捐弃。

这首诗在写法上很有特色。首

先，作者用的是欲擒故纵之法，故意说花和诗词的无用，却又不惜篇幅证明它们的有益。这种似贬实褒的手法显然比平铺直叙更见波澜，而且耐人咀嚼、意味深长。其次，诗从花儿起意，重点说诗，又句句关合花儿，兼比兼兴，上下错综。正因为这两点都似乎是创格，所以使人耳目一新，涵咏不尽。

（曹宝麟）

套　驹

赵　翼

儿驹三岁未受羁，不知身要为人骑。
跳踉川谷龁原野，狂嘶憨走如骄儿。
驱来营前不鞍辔，掉尾呼群共游戏。
傍看他马困鞦靮，自以萧闲矜得意。
谁何健者番少年，手持长竿不持鞭。
竿头有绳作圈套，可以络马使就牵。
别乘一骑入其队，儿驹见之欲惊溃。
一竿早系驹首来，舍所乘马跨其背。
可怜此驹那肯絷，愕跳而起如人立。
如人直立人转横，人骣而骑势真急。
两足夹无叉上钩，一身簸若箕前粒。
左旋右折上下掀，短衣乱翻露裤褶。
握鬃伏鼠何晏然，衔勒早向驹口穿。
才穿便觉气降伏，弭帖随人为转旋。
由来此物供人走，教驰非夸好身手。
骤旋不嫌令太速，利导贵因性所有。

鉴赏

乾隆二十一年（1756），作者随从皇帝至木兰围场。围场在今河北,乾隆皇帝来此,蒙古诸藩皆从。此诗即当时所作《行围即景》之一,主要叙述蒙古少年驯马的技术。题材别致,描写生动,颇具生活哲理。

诗的前八句写儿驹(小牡马)在衔勒穿口之前种种逍遥自在的神情,看它跳跃川谷,狂嘶憨走,掉尾呼群,矜视他马的情状,完全是野性未驯,自然放任的样子,诗人用揣度的语气谓之"傍看他马困鞦靮,自以萧闲矜得意"。这就为下文少年驯马非易预作铺垫,备极细致。

从"谁何健者番少年"到"弭帖随人为转旋"共二十句,写蒙古健儿驯马的经过,是诗的中心段落,写得十分精彩。蒙古少年才接近儿驹时,那马见竿本能地惊惧了,正欲撒野狂奔,说时迟,那时快,竿头圈套早已落到它的头上。诗人对套马的工具和办法作了细致而简洁的描绘说明,使读者如亲临其境,目睹套马之全过程。那工具是一长竿,"竿头有绳作圈套,可以络马使就牵"。套马的办法是,驯马人"别乘一骑入其队",当儿驹授首之后,他便"舍所乘马跨其背",其动作是那样敏捷娴熟。从套驹到驯驹,有一个必经的折腾过程。在这里读者看到了最令人兴奋激动,也是诗中描写最富动感、最为出色的场面:儿驹不惯受缚,先有一番挣扎,一会儿愕踏人立,使人横空几堕;一会儿右旋左折,上下乱掀。这是一场人与马的智勇的较量,如果骑手挺不住,被摔了下来,那他就休想征服这匹马;反之,如果他坚持下来,而那马自然技穷从此服帖。诗中健儿艺高胆大,以逸待劳,胸有成竹,他只握伏,稳夹马背。直到儿驹招数使尽,方才因势利导,为之戴勒穿口,最后驾驭自如。赵翼此诗无疑借鉴了唐代卢纶《腊日观咸宁王部曲娑勒擒虎歌》的手法,如同高明的摄影师运用高档次快门抓拍下最关键的镜头,使人惊心动魄。高适有"舍鞍解甲急如风,人忽虎蹲兽人立"的奇句,以"人虎互形,毛发生动"(沈德潜);赵翼则有"如人直立人转横,人骣而骑势真急"之句,可说是人马互形,毛发生动。其下以"一身簸若箕前粒"形容骑手上下颠簸而终在马背,写难状之景,更是富于创造性的奇喻,其笔力之健,亦可仿佛太史公叙钜鹿之战。

最后四句写诗人的观感,他觉得蒙古少年技术诚不寻常,尤贵于了解马的本性,并能因势利导,掌握运用规律,方稳操胜券。这四句本可不写,但写了也不是画蛇添足,它把眼前的生活事件作了理性的概括,并得出"利导贵因性所有"的结论,是富于哲理性的,可以给人以生活的启迪,而不是叫人徒然看了一场热闹。因此,这也是一首以理趣见长的诗。

这首诗在驾驭语言方面是很出色的。套马这样一个动作性很强、技术性很强的活动,现象瞬息万变,可使人眼花缭乱,本来很难下笔。

诗人却适当借鉴散文的语法，从容道来，井井有条，令人觉其笔端有口，善于追捕。无论叙事、议论、说明，都能恰到好处，称得上是清代叙事诗短篇力作。

（周啸天）

将至朗州作

赵　翼

滇黔山为天所械，万山围在青天外。
今朝眼界豁然开，出得山来天始大。
经年坐守深山幽，岂知山乃尽朗州。
万山送我却私笑，此人去竟不回头。
独嫌山尽水复壮，前途又狎稽天浪。
洞庭湖阔汉江深，一叶扁舟两枝桨。
已遍天南万里行，归途翻更切心旌。
山平水软江南路，屈指还须一月程。

鉴赏

"朗州"，隋唐时的州治，在今湖南省常德市。这首诗作于乾隆三十七年(1772)，作者辞贵西兵备道回江南途中，从云贵高原到长江中下游平原，沿途风光尽收诗中；同时诗里也反映了诗人的内心波澜。

乾隆三十三年五月，赵翼奉调至云南参加对缅甸的军事行动；三十五年三月，被调往广州任知府；三十六年四月升任贵州分巡贵西兵备道；三十七年底因广州谳狱旧案一事受到弹劾，部议降一级调用。于是，诗人借故因母亲年迈申请回乡。这几年他几乎都生活在云贵高原万山丛中，对这里的一切都十分熟悉。这次他要辞别云贵山水，心情复杂，既有依恋之情，又有无限感慨；既有对前途的担忧，又有返乡的焦急。

赵翼于三十七年十月，从贵州镇远沅阳启程(有《舟发沅阳》三首)，沿沅江支流㵲水入沅江，至常德，再由常德乘船进长江。诗人启程时内心是很不满的："上滩迟如牛，下滩疾如鸟。上滩恨滩多，下滩恨滩少。""逆风恨风大，顺风恨风小。人情例贪得，就肯平心较？"(《舟发沅阳》)

诗人正是“上滩”人，逆风而行。

“滇黔山为天所械，万山围在青天外。今朝眼界豁然开，出得山来天始大。”云贵高原万山林立，但万山却围在青天外。“山为天所械”，山被天束住了。“械”，桎梏。苏轼诗《与胡祠部游法华山》：“嗟予少小慕真隐，白发青衫天所械。”久在万山丛中，抬头所见天亦小，今日离开崇山峻岭出得山来，才觉天是如此之大，顿有一番忽然眼界开阔，“豁然开朗”之感。诗人用简明晓畅的语言，既描绘了滇黔万山之状，又刻画了自己此时的感受。

“经年坐守深山幽，岂知山乃尽朗州。万山送我却私笑，此人去竟不回头。”一年到头坐守在幽深的高山深谷里，哪里会知道山延伸到朗州附近才完尽。诗人辞别时，“万山送我”但暗地里却在笑我：这个人怎么连头也不回一下。这两句诗隐含多少丰富的感情，甜酸苦辣五味俱全。“万山送我”却无人送；万山“却私笑”，它们怎能知晓诗人此时的内心世界？“此人去竟不回头”，青山似乎还有点儿不满情绪。明明是写人写己，却从“山”着笔，用拟人化手法来写，以写山来写人，妙不可言。“不回头”表示诗人辞贵西兵备道态度坚决。此后，从乾隆三十八年至四十五年，赵翼都在阳湖家中隐居著书。

“独嫌山尽水复壮，前途又狎稽天浪。洞庭湖阔汉江深，一叶扁舟两枝桨。”离开云贵高山到了湖南常德，山尽水壮，诗人不禁感慨万千。一个“嫌”字描绘了此时诗人内心的忧虑，此去前途如何呢？“狎”，作轻忽解；“稽天浪”，及至上天的浪涛，言其浪高。《庄子·逍遥游》：“大浸稽天而不溺。”赵翼因降级调用而不愿才辞别归家的，因此当他走出崇山进入大江时，深深感到自己的前途轻忽漂泊，犹如水浪拍天。那宽阔的洞庭湖那深深的汉江，仅靠一舟二桨，能行吗？诗人不禁在担忧，读者也在为诗人捏一把汗。沅江源出贵州，在湖南境内东北流经黔阳、常德到汉寿入洞庭湖。汉江是长江最长的支流，赵翼一生道路虽然并不十分坎坷，但也有风波，他对人世生活之难艰颇多感触，在《漓江舟行》中曾发过感慨：“舟行连日上滩迟，稍喜扬帆痴若驰。才得顺风河又转，世间那得称心时。”赵翼刚刚升任贵西兵备道，却因广州旧案事受弹劾，前途多舛(chuǎn)，犹如山尽水壮，不可捉摸。但诗句仍然写得坦然自若；一叶扁舟两枝桨，将在大江深水中泛流。

“已遍天南万里行，归途翻更切心旌。山平水软江南路，屈指还须一月程。”诗人行程万里，归家心切。“翻”同反；“心旌”，心神不定如旗摇，《国策·楚策》：“心摇摇如悬旌。”心旌摇荡，归心如箭。可屈指一算，从朗州至家乡，还要一个月的路程，那“山平水软”的江南路，多么吸引着诗人的心哪！诗人的内心既焦急又喜悦，从“滇黔山为天所械”，到

"独嫌山尽水复壮",一直至想象中的"山平水软江南路",诗人的情绪波澜起伏,紧紧地揪住了读者的心。

全诗语言晓畅,情景交融,耐人寻味。

(方伯荣)

渡太湖登马迹山

赵　翼

元气混茫间,雄观上碧孱。无边天作岸,有力浪攻山。
村暗杨梅树,津开苦竹湾。离家才廿里,垂老始跻攀。

鉴赏

与赵翼同时的袁枚在《黄生借书说》中有云:"非独书为然,天下物皆然。非夫人之物而强假焉,必虑人逼取而惴惴焉,摩玩之不已,曰:'今日存,明日去,吾不得而见之矣。'若业为我所有,必高阁束焉,皮藏焉,曰:'姑俟异日观云尔。'"这段确实讲出了人之常情:容易得到的东西,往往不甚看重,而艰难力致者,态度则截然相反。赵翼在此诗末尾所发的感慨,不也正证明了这个"天下物皆然"的道理吗?"马迹山"是离诗人家只有二十里的名胜,竟使登临之志迁延至垂暮之年方得实现。但诗人总算去了,才没有留下终身的遗憾。

太湖号称三万六千顷,是东南巨浸。诗人纵一叶扁舟,凌万顷烟波,向湖心的马迹山驶去。在这玉界琼田之中低昂,人显得多么渺小,他只觉得被一片混茫的元气所包裹,分不清哪是天哪是水。及至跃上翠微,凭高四望,他才能脚踏实地地欣赏湖山的胜景。这时似乎非"雄观"二字不足以概括那种胸襟豁然开朗的惊喜感受。首联二句紧扣题目,不仅把渡湖登山的过程、湖宽山峻的形势浓缩在十字之中,而且也使读者分享到诗人初游的喜悦。

"无边天作岸",这一句极状太湖的浩渺阔大。站在马迹绝顶,纵令决眦,目力所穷也茫无际涯。但见水天相接之处,莽莽苍苍,浑然一色。这自然而然地会给人以乘槎可直上星河的瑰奇想象。但诗人不说"天入岸"或"天接岸"而炼为"作"字,这就使想象的无尽延伸带有一种"何似在人间"的现实意味,因为诗人所想到的毕竟是一个实实在在的彼岸。等到收视反听,荡人心神的更是一派宏伟的声势:天风挟浪拍击山根,整个马迹山似乎也为之震颤。那有力的浪头,后浪推前浪,呼啸翻卷,真有千军万马斩关夺隘的声威。“有力浪攻山”,一个“攻”字不愧句中之眼。

“村暗杨梅树,津开苦竹湾”,诗人的目光由远及近,最后落到了岛上。杨梅是太湖诸山的特产,马迹山的八角杨梅尤为著名,因此触目无非此树。那漫山遍野的树林,繁密得把村落也遮住了。如果走在村中的石径上,一定是绿荫蔽日,光线微弱的。一条小溪从林间穿过,在山湾的苦竹丛中注入太湖。如果沿着这条小溪走,只有到入湖处才会骤然开阔。此联“暗”“开”二字下得极妙,向人们眼前展现出一幅晦明变化、色彩浓丽的画图。

本诗先从大处落墨,然后细心收拾,这种写法本身就与泼墨山水的创作过程相似。但“无声之诗”,又怎能敌得上“有声之画”呢?诗所涵容的东西,包括启人遐想的魅力,毕竟是丹青莫办的。

(曹宝麟)

生　事

赵　翼

生事渐萧然,年荒剩石田。薪烧连叶树,饭待作碑钱。
僮少将儿使,家空恣犬眠。微闻奴仆话,列鼎服官年。

鉴赏

这首诗作于诗人四十六岁“乞归”之后。“生事”犹今之所谓生计,作者以此二字为题,通过眼前平常景物的描写,将失官后生计的贫困窘迫刻画得淋淋漓尽致。

首联即破题,直接点出生计的日见萧疏。一个“渐”字,明白地告诉读者,他的隐退已经不少日子了。但这“萧然”,与其说是坐吃山空、入不敷出,还不如说是天公不作美所致。对于一个归隐的朝廷官员来说,养拙不可能没有广田的自奉,但因“年荒”,田租恐怕也难以收到,所以,剩下的只有“石田”——砚台了。这平时吟风弄月的伙伴,现在却成了维持生计的唯一希望。首联诗人只用十字,便把境遇的变化和穷蹙的缘由透底交出,可见作者行文遣词的简洁老到。

“薪烧连叶树,饭待作碑钱”,颔

联上句承“年荒”，下句承“石田”，进一步具体描写生活的艰辛。江南一带，通常以稻草为能源，但因天灾，连这也不易觅得。可以充灶的不是干燥的束薪，而是刚砍下的带叶的树枝。这句很容易使人想到杜荀鹤《山中寡妇》诗里“旋斫生柴带叶烧”的苦况。柴是湿的，不忍弃叶，焰微而烟多，则厨下的狼狈失措宛在目前。下句的写出，使人觉得如此这般尚不足为忧，因为灶中有爨(cuàn)，毕竟还不是无米之炊。但可悲的是，米的下锅却要等作碑的钱来才能实现。尽管为人“谀墓”事出无奈，但即便伤雅，也还有如株守，纯属偶然，所以吃了上顿断下顿的情况是不言而喻的了。当然这还得庆幸于剩有石田啊，如果连这长物也没有，那么真是彻底的曲突无烟、空甑生尘了！这一句显然从王禹偁《寒食》诗的“酒钱犹有撰碑钱”翻出，但经过作者的熔铸，便把捉襟见肘的口腹之虞曲折写尽。

颈联更竭情铺陈家道中落，僮仆也相继解雇，不敷差遣，不得不将少爷权补空缺；家徒四壁，看门狗也无所事事，可任意躺卧而不必顾忌了。一个“少”，一个“空”，描绘出破落荒寂的“萧然”之状。

最后两句一笔宕开，借风闻奴仆忆旧的私语，来反衬眼前“饭待作碑钱”的困境。在这儿诗人还是归结到“吃”，因为吃确实最能体现生活的水准。想当年服官之时，还不是钟鸣鼎食、水陆并陈，哪有今天般的饮食不周呢？这联虽然难免有“摆谱”之嫌，但对先前阔绰的回味，不正是对今日潦倒的咨嗟吗？这一盛衰的强烈对比，显然是深化主题的神来之笔。

如果认为此诗表达了赵翼对昔日的不胜向往之情，那就错了。赵翼的退隐归田出于自愿，他是熟睹了官场的险恶才激流勇退的。在《答友》诗中，他就表露出“一缕心香息众器，已甘门径掩蓬蒿”的不复东山再起的思想。看到昔年的同僚飞黄腾达，他发出“生前不如他，死后不如我”的豁达之言，表明了耕耘砚田、潜心著述的志向。只要对诗人的心事有一深刻了解，也就能明白本诗无一悲苦自艾之词的道理。

（曹宝麟）

渡　江

赵　翼

又指瓜州渡，轻舟狎暮涛。江山长不老，名利两空劳。

稍喜张帆稳，宁夸击楫豪？前途有兰若，一访远公高。

鉴赏

“京口瓜洲一水间”，自古从江南到扬州，皆在瓜洲渡江。作者嘉庆二年(1797)重游扬州，从他的家乡常州阳湖(今武进)出发，走的也是这条路线，是年诗人已七十高龄了。

“又指瓜州渡，轻舟狎暮涛”，开首二句就点出了渡江的时间、地点以及当时的心情。暮色映照下的宽阔江面，波光粼粼。一叶轻舟，船头直指对岸的瓜洲渡口破浪前进，有这样的景致，本来足以使人心旷神怡了，何况作者此行的目的只是访僧悟禅，因而他的心境是冲远恬淡的。一个“轻”字，一个“狎”字，准确传神地表现了这种悠然自适。舟船之小，自可谓之“轻舟”，但用在这里，却有双关的修辞作用。这显然借鉴于李白“轻舟已过万重山”一句。“狎”是戏弄之意。赵翼曾到过台湾，“曾经沧海难为水”，一衣带水自然履险如夷了。

江流不尽，青山常在，这也许最能引发岁月不居、人生易老的浩叹。与江山的永恒相比，人世的功名利禄真如云烟过眼了。以前执迷不悟，为此枉抛心力，现在韶华似水，逝者如斯，时不我与，还有多大意思呢！“江山长不老，名利两空劳”，这强烈的对比，凝聚着诗人多少沉痛的教训和深刻的忏悔啊！

“稍喜张帆稳，宁夸击楫豪”，颈联上句既写实景，又富暗喻。五两风轻，布帆无急，既稳稳当当，有什么必要去抒发击楫的豪情呢？字面如此，但底蕴却不然。这里尽管有老境平稳，非复少年使气的含义，但似乎还有更深一层的意思在。顾炎武《京口即事》诗有“祖生多意气，击揖正中流”之句，抒发了誓清中原、恢复故国的豪情。赵翼却用反问使典，否定这种空想。在同一个京口，用同一个典故，不能说是偶然的巧合。事实上，异族统治早就站稳了脚跟，再中流击楫无疑已属虚夸。

末联结出此行的目的：“前途有兰若，一访远公高。”据诗人自注，“远公”是指“高旻寺鉴和尚”，从此也可知那是一个高僧。相传晋庐山东林寺高僧慧远与隐士陶渊明、道士陆修静，结社友善。显然赵翼是以渊明自况，因为他们在弃官归隐这点上确有相似之处。但陶可在东晋灭亡后不书刘朱年号，不向刘朱称臣，而赵就生在清朝，毕竟已无切肤之痛。民族的屈辱，只能隐约地从明末遗民的诗文中感受到。他行至中流，便想到祖逖，正是欲说还休的矛盾心理的冲突表现。被残酷的现实所困扰的文人，历来大多成为居士，似乎只有佛教的虚幻才能使自己得到解脱而求得清净。诗中名利空，雄图空，难道不正是“四大皆空”的彻悟么？

这首诗总的来看，情绪有些低沉消极，但我认为它言近而旨远。对于一个斫轮老手来说，这确实显示了高超的手段。

（曹宝麟）

赤　壁

赵　翼

依然形胜扼荆襄，赤壁山前故垒长。
乌鹊南飞无魏地，大江东去有周郎。
千秋人物三分国，一片山河百战场。
今日经过已陈迹，月明渔父唱沧浪。

鉴赏

赵翼于乾隆三十七年（1772）底自常德经洞庭入长江，经过湖北武昌赤矶山（赤鼻矶）时，触景生情写下了这首《赤壁》诗。赤壁之战发生在汉献帝建安十三年（208）十月，这是确定三国鼎立局面的一次关键性战役，赤壁之战以孙刘联军击败曹操而结束。

描写赤壁之战的诗歌在赵翼之前有两首为最著名，一首是唐朝诗人杜牧的《赤壁》：“折戟沉沙铁未销，自将磨洗认前朝。东风不与周郎便，铜雀春深锁二乔。”诗人从一把断戟引起联想，从反面进行思索，突出了周瑜在赤壁之战中用火攻取胜的历史功绩，构思十分巧妙。另一首是宋代诗人苏轼的《赤壁怀古》词：“大江东去，浪淘尽，千古风流人物。故垒西边，人道是，三国周郎赤壁。乱石穿空，惊涛拍岸，卷起千堆雪。江山如画，一时多少豪杰！……”这首《念奴娇》词以宏伟雄壮的气魄赢得了千百万读者。一贯主张诗歌要创新的赵翼，曾经宣称过：“李杜诗篇万口传，至今已觉不新鲜。江山代有才人出，各领风骚数百年。”如今赵翼也要以“赤壁”为题作诗，显然要花费一番心血了。确实，赵翼这首诗既不同于杜牧的诗，也不同于苏轼的词，自有赵翼别出心裁处。

说它别出心裁，主要是指：一朴素，二自然，三耐味。“依然形胜扼荆襄，赤壁山前故垒长。”赤壁之地，地理形势十分优越，它仍旧像三国时期那样扼守着通往荆州和襄阳的要道。赤壁山前依然延绵着三国时孙、刘、曹修筑的旧营垒战壕。起句十分自然，又切题，“依然”一词突出地置于句首，强调了几千年过去赤壁地势仍然非常险要。两句诗用词朴素，诗意隽永，一下子把读者的思绪拉到三国时代，联想翩翩。接下去诗人十分巧妙地引用了曹操和苏轼的诗句，描绘了赤壁之战的结局："乌鹊南飞无魏地”是说曹操大败无立足之地。曹操《短歌行》:“月明星稀，乌鹊南飞。绕树三匝，何枝可依。”曹操曾为魏王，故云“无魏地”。“大江东去有周郎”，是引用苏轼诗句来赞美赤壁之战中周瑜成了英雄。这两句工整对，巧引古诗，自然浑成，不露痕迹。苏轼在《念奴娇·赤壁怀古》后半阙中写道:“遥想公瑾当年，小乔初嫁了，雄姿英发。羽扇纶巾，谈笑间，樯橹灰飞烟灭。”这就是三国时东吴名将周瑜的形象，他在赤壁之战中指挥若定，谈笑风生，赢得这场战争。赵翼仅信手拈来，便突出了周瑜的战功。

赤壁之战奠定了魏、蜀、吴三国鼎立局面，那时有流传千古的风流人物如诸葛亮、刘备、孙权、周瑜、曹操、鲁肃等等，这些英雄人物在许多战场上大显身手，所以诗人说“千秋人物三分国，一片山河百战场”。

但是这一切都已成为历史，“今日经过已陈迹”，在这一堆遗迹边，诗人看到和听到了什么呢？“月明渔父唱沧浪。”哦，诗人看到了月明照大地，听到了渔父唱沧浪。《楚辞·渔父》:“沧浪之水清兮，可以濯吾缨；沧浪之水浊兮，可以濯吾足。”“沧浪”，青苍色的水。英雄大显身手的赤壁古战场，尽管地形依然险要，但如今似乎变得宁静安逸，渔父逍遥捕鱼歌唱，何等自由！这样的结尾耐人寻味。诗人为何要这样来描写呢？恐怕同他当时正辞官返乡准备过渔隐生活有关。

以地名“赤壁”为诗题，总是怀古抒情，赵翼也不例外。他能把广阔的历史画卷浓缩在短短的几行诗中，熔史实与现实于一炉，抒发了自己的感慨，全诗基调高亢有力，气魄壮阔，诗意盎然，耐人寻味。这首诗受苏轼《赤壁怀古》影响明显，苏轼词结尾调子较为低沉:“故国神游，多情应笑我，早生华发。人生如梦，一尊还酹江月。”而赵翼诗结尾含蓄，给人的感受是逍遥自在，自得其乐，并不消极。

赵翼主张写诗贵在自然，不要过于雕琢，“生平得意处，却自自然来”(《佳句》)。这首《赤壁》诗中的佳句“乌鹊南飞无魏地，大江东去有周郎”，正是自然得来。

(方伯荣)

题元遗山集

赵 翼

身阅兴亡浩劫空，两朝文献一衰翁。
无官未害餐周粟，有史深愁失楚弓。
行殿幽兰悲夜火，故都乔木泣秋风。
国家不幸诗家幸，赋到沧桑句便工。

鉴赏

清代的汉族文人，总对异族统治下的生活难以泯灭屈辱之感，尽管清代历朝的统治者采用文字狱和科举的软硬兼施政策，使文人的抵触情绪和抗争思想，有如压在磐石下的竹鞭，仍在曲曲弯弯地生长，总在寻找破土而出的机会。赵翼这首诗，便是这样的一支竹鞭。

元好问（1190－1257），金元之际的文学家，字裕之，号遗山。祖系出自北魏拓跋氏（后改元氏）鲜卑族，金宣宗兴定五年（1221）进士。哀宗天兴初入翰林、知制造，官至尚书右司员外郎。金亡不仕，在家筑野史亭，记录了金代的大量史料。元好问的诗风沉挚悲凉，在文学史上占有重要的地位。赵翼对遗山极为敬佩，他的《瓯北诗话》特辟一卷论元遗山诗（兼及人品），认为是继苏轼、陆游后的又一座丰碑。赵氏既是文学家，又是历史学家，所以他能站在比较公正的立场上对遗山作出全面的评价。也正因为本诗是读罢《遗山集》后的兴感之作，所以格调和遣词上无疑受到元氏的若干影响。

"身阅兴亡浩劫空，两朝文献一衰翁。"首联即概括地写出元好问所处金元易代的时代背景和他在保存文献上的功绩。元好问是"代王言"的近臣，他是亲眼看到哀宗自缢、国破家亡的惨祸的。这场浩劫使金朝的皇家图籍档案毁于一炬。元遗山痛感保存史料是史官的职责，因此才能忍辱含垢地活下来，凭着记忆和采访，写下了《壬辰杂编》等著作，为后人编《金史》提供了很多宝贵的资料。金朝文献，尤其是元氏身历的宣哀两朝的群臣言行，实赖遗山的著述而得以为后世所知，所以赵翼予以极高的评价。

颔联紧承上句，进一步为遗山

的行为辩护。对于这一联的构思，《瓯北诗话》有一段作出了很好的说明，他说："于是构野史亭于家，凡君臣事迹，采访不遗，至百余万言。所著《壬辰杂编》等书，为后来修《金史》者张本，其心可谓忠且勤矣！中崔立功德碑一事，不免为人訾议；然始终不仕蒙古，则确有明据，故郝经所撰墓志及《金史》本传，皆云'金亡不仕'，是可谓完节矣。乃李治、徐世隆二序，俱以其早死不得见用于元世祖为可惜，此真无识之论也。设使遗山后死数年，见用于中统、至元中，亦不过入翰林、知制诰，号称'内相'而已，岂若'金亡不仕'四字，垂之史册哉！余尝题其集云：'无官未害餐周粟，有史深愁失楚弓。'颇道著遗山心事矣。"这确实反映了赵翼的进步历史观。不做元朝的官，已经不玷名节了，又何必效伯夷叔齐的愚忠，为不食周粟而饿死呢？何况遗山的苟活，是生怕楚弓——金朝的文献失散，那么他的活难道比殉节这种无谓的死逊色么？这种观点，其实是对二程以来"饿死事小，失节事大"理论的痛斥。

"行殿幽兰悲夜火，故都乔木泣秋风"这一联补叙"浩劫"，一悲一泣，写尽元遗山的创巨痛深。上句描绘了幽兰夜火这一标志金亡的画面。天兴三年(1234)，宋和蒙古南北对蔡州(今河南汝南)合围，城破，哀宗自缢于幽兰轩，旋为部下火葬。可见这幕悲剧在遗山是刻骨铭心的。下句则用社稷坛边的大树在秋风中哀泣它的凋零，想象遗山对故国的眷恋。金朝自太祖完颜阿骨打定鼎会宁(今黑龙江阿城南)至蔡州国亡，历一百二十年。立国时种植的树木当已参天了，但它们已为敌国所有，树若有知，一定在泣诉它的不幸呢。这句脱胎于遗山"乔木他年怀故国"(《壬辰十二月车驾东狩后即事五首》)一句，但由于寓情于景，显然比原句要更胜一筹。

末尾结穴到《元遗山集》上，专对元氏的诗歌创作给予评价。在赵翼看来，国家的沧丧虽是大不幸，但对爱国诗人来说却正相反，原因是他的心灵在经受激烈的撞击后，必能迸发出耀眼的火花，因此这富有真情实感的诗篇也必然具有诗史的价值。沧桑的变故，反而成就了诗家的名声，这岂非大幸？《瓯北诗话》云："盖生长云、朔，其天禀本多豪健英杰之气，又值金源亡国，以宗社丘墟之感，发为慷慨悲歌，有不求而自工者，此固地为之也，时为之也！"又云："此等感时触事，声泪俱下，千载后犹使读者低徊不能置，盖事关家国，尤易感人。"皆可为此联注脚。

赵翼之所以对遗山诗"低徊不能置"写下了如此动情的感想，我以为是因为不久前也曾发生过一场浩劫，也出现过一批"赋到沧桑句便工"的诗家之故。如赵氏十分推崇的吴伟业，就是其中之一。再远一些的，文天祥何尝不是如此。赵翼都用与元好问相似的笔调歌颂过他们，这就不得不怀疑赵翼有以古人酒杯浇胸中块垒的深刻用意在。

（曹宝麟）

晓　起

赵　翼

茅店荒鸡叫可憎，起来半醒半懵腾。
分明一段劳人画，马啮残刍鼠瞰灯。

鉴赏

此诗写的是早起时所见，村市旅社的一个生活片断。“茅店荒鸡叫可憎，起来半醒半懵腾。”茅草盖的一家小客店，突然半夜里鸡鸣，实在叫人可恶。“荒鸡”，夜里不按时啼叫的鸡。首句诗从温庭筠《商山早行》中化出，温诗曰：“鸡声茅店月，人迹板桥霜。”全用名词组成诗句，描绘了早行情景，达到了“状难写之景如在目前，含不尽之意见于言外”的境界。赵翼主张写诗贵在创新，“诗文随世运，无日不趋新”。他这句诗虽从温诗中化出，然有自己的新意在，“茅店荒鸡叫可憎”，不仅写出了村市茅店的萧条冷落情景，而且写出了自己的感受，荒鸡啼鸣令人可恶可憎可厌，真可谓是情景相生了。荒鸡半夜啼叫，“起来半醒半懵腾”，早行人被鸡叫吵醒，起来时半醒半迷糊。“懵腾”，迷糊不清的样子。半醒半懵腾，写出了旅人早起时睡眼朦胧的状态，于此我们看到了羁旅在外的艰辛。温庭筠《商山早行》重点写“早行”：“晨起动征铎，客行悲故乡。”赵翼诗则重点写“晓起”，一、二句写的就是晓起时的情景。这是从旅人的自身感受来写的。

“分明一段劳人画，马啮残刍鼠瞰灯。”这是从旅人的眼光来观看这家小茅店的主人及其店里的情况的。分明一段劳人画，是说当时的店主人十分劳碌，仿佛情景如在画中。《诗经·小雅·巷伯》中有“骄人好好，劳人草草”的诗句，劳人犹言劳碌辛苦之人，茅店主人半夜劳碌不止，荒鸣啼叫主人得早起为旅人开门送行，生活当然是劳苦的。旅人在迷蒙中环顾一下这家小客店，他看到了什么呢？哦，他看到了马棚里的马正在吃草,“马啮残刍”,可见连马也够辛苦的,没有好的饲料,只有残剩的杂草;而店里的老鼠呢,却正在“瞰灯”,窥看油灯想偷油吃。“马啮残刍鼠瞰灯”,真是一幅绝妙的画图,透过这幅画面,我们看到了这家村市旅店是多么简陋不堪,穷苦清贫。

简陋的茅店,劳碌的店家,清贫的生活,加上旅人的羁愁苦况,交织成这首小诗的主旋律——劳累。诗人善于从平凡的生活中选择几个生动的细节以形象鲜明的简练诗句,描绘了村市茅店晓起图,诗行里流露了诗人对穷困的下层人民的同情。

(方伯荣)

论　诗(录三)

赵　翼

满眼生机转化钧,天工人巧日争新。
预支五百年新意,到了千年又觉陈。

李杜诗篇万口传,至今已觉不新鲜。
江山代有才人出,各领风骚数百年。

只眼须凭自主张,纷纷艺苑漫雌黄。
矮人看戏何曾见?都是随人说短长。

鉴赏

诗坛上创新和复古的两军交战自宋后就从未间断。明代“前后七子”以摹拟相尚,一时蔚为风气。但既有人复古,亦必有人反对。“公安派”健将袁宏道是抨击最力者。他在《与张幼于》的信中痛斥当时的没落文人云:“记得几句烂熟故事,便曰博识,用得几个见成字眼,亦曰骚人。计骗杜工部,屯扎李空同(梦阳)。一个八寸三分帽子,人人戴得。以是言诗,安在而不诗哉!”确是辛辣有力,鞭辟入里。他们提出的文学主张,可归纳为几点:1. 文学有时代性,即随时代而发展,反对崇古非今;2. 反对尊古派的摹拟剽窃,认为文章无固定格式,要发人所不能发,方为新奇;3. 重视文学的独创性,提倡抒发性灵。这在当时确是振聋发聩的言论。到了清代,在诗歌创作上,也有尊唐和尊宋两派,各不相让,自矜正宗。叶燮《原诗》对他们进行了批判。但是由于复古倒退的倾向历来受到封建统治者的支持,因而这种斗争彼此消长、层出不穷。继"公安派"和叶燮之后,奋起抨击复古主义的代表人物,即是袁枚和他的挚友赵翼。

赵氏的进步主张,主要见于《瓯北诗话》。这儿选的"论诗"三首,不仅阐发创新宏旨,而且在立意和语言上都是履行这一主张的。

第一首鼓吹推陈出新的必要性。"满眼生机转化钧,天工人巧日争新。"开头两句就高屋建瓴,从"争新"是宇宙间的普遍规律这一大处着眼,说明"人巧"也应受到这个规律的制约。古人从生产经验而获得生活经验。陶轮(钧)飞转,周而复始。日月推移,四时代序,也是如此。所以造化又称"化钧"。自然界处于永恒的运动之中,每时每刻都有新生的事物出现,新陈代谢,变动不居,于是自然界便永远保持着旺盛的生命力。"天工"既然如此,那么"人巧"难道应该停留在某一水平上吗?"人巧"本来就是人类聪明才智的结晶,如果有谁安于现状,不思进取,那谁就必将被时代所抛弃。何况"人巧"有着不可逆转的性质,人类住进了高楼决不会再去尝穴处的味道;出门有了玉辂,又何必重制椎轮呢?《瓯北诗话》卷十二有一段话与上两句诗的含义相同:"盖事之出于人为者,大概日趋于新。精益求精,密益加密,本风会使然。故虽出于人为,其实即天运也。"赵翼是把诗看作"天精华"的,所以应同样遵循物竞天择的至道。"预支五百年新意,到了千年又觉陈",这接下的两句进一步阐发"争新"的必要。"预支"当然是一种假设,诗人立足于当代,所反映的只是一时之事,出的"新意"充其量也只是较前为新,谁又能得五百年后的"风气之先"?诗人在这儿用根本不可能的事情作立论的基点,推开一步,意思是说,即便如此,那到了一千年后再返视五百年前的"新意",也是丝毫没有新意可言的。这样写,显然比任何正面的说教更为雄辩有力。赵翼另有一首五古的《论诗》,其中有"诗文随世运,无日不趋新。古疏后渐密,不切者为陈"的句子,则不特高唱争新,而且简直是力倡"笔墨当随时代"了。

第二首可以看作是足成上首未尽之意的。"李杜诗篇万口传",诗人说出了一个公认的事实。但探究一下人相争诵、震古烁今的原因,不正是因为李杜继往开来,前无古人的缘故吗?不过,李杜再好,毕竟只是一个历史的里程碑,他们的"新意”早已定格，不可能再激起今人的亢奋了。“江山代有才人出，各领风骚数百年”，事实正是如此，不是说“五百年必有王者兴”么？那雕虫的诗人更不在话下了。山川毓灵，必然有英雄继起，主盟诗坛，促进诗歌的向前发展，又何必在李杜之前气短，自叹弗如！这两句不愧是警世名言，它能使懦者立，智者勇，催人不断开掘自己的潜力，向历史上的巨人挑战。它又何啻是一帖清凉剂，使沉迷于唐人唾余中讨生活的时辈幡然易辙。这种无畏的精神和发展的观点，在《瓯北诗话》中是一以贯之的。此书以李杜开头，接武依次是韩愈、白居易、苏轼、陆游、元好问、高启、吴伟业和查慎行，韩后显然即是他确认的后出而“各领风骚”的“才人”。《诗话》卷十有一段议论，颇能看出他高人一筹之处：“故梅村（吴伟业）后，欲举一家列唐宋诸公之后者，实难其人。唯查初白（慎行）才气开展，工力纯熟，鄙意欲以继诸贤之后，而闻者已掩口胡卢（笑貌）。不知诗有真本领，未可以荣古虐今之见，轻为訾议也。”正因为他没有荣古虐今的陋见，所以才敢于说出李杜的过时，也正因为他揭示了历史发展的必然，所以这首诗历百年而尚具有积极的社会意义。

第三首虽涉及诗歌评论，但与前者也有一脉相承的关系。“只眼须凭自主张”，是说对待古人的作品也应抱有实事求是的态度，要充分调动自己的主观能动性，通过细致的分析，作出恰如其分的评价。与这种正确的态度相对立的，即是“纷纷艺苑漫雌黄”。标新立异以哗众取宠，不负责任地胡乱吹捧，不加分析地一概抹杀，如此等等都是艺苑内习见的“漫”的表现，这其中最为可悲的莫过于鹦鹉学舌，随声附和，他们无非似矮子看戏，趁人起哄罢了。“矮人看戏”的比喻，出自朱熹，但组织入诗，便觉妙趣横生。《瓯北诗话》卷二也有引用这个妙喻的一段评论：“黄山谷谓：‘少陵夔州以后诗，不烦绳削而自合。’此盖因集中有‘老去渐于诗律细’一语，而妄以为愈老愈工也。今观夔州后诗，唯《秋兴八首》及《咏怀古迹五首》细意熨帖，一唱三叹，意味悠长；其他则意兴衰飒，笔亦枯率，无复旧时豪迈沉雄之概。入湖南后，除《岳阳楼》一首外，并少完璧。即《岳麓道林》诗为当时所推者，究亦不免粗莽；其他则拙涩者十之七八矣。朱子尝云：‘鲁直只一时有所见，创为此论。今人见鲁直说好，便都说好，矮人看场耳！’斯实杜诗定评也。”我们应该看到，赵翼所倡导的评论须出己见，也是他鼓吹“争新”“独创”的文艺思想的组成部分。如果置于一个大的文化氛围中去考察，这其实充斥着乾嘉年间的朴学精神。

这三首诗，语言通俗为一大特色。除了“化钧”“风骚”“雌黄”三个成语,其余都是俚语,句子也有白话倾向。通俗平淡,赵翼称为"坦易"。在坦易和艰涩之间,他是宁取前者的。《瓯北诗话》卷四:"中唐诗以韩(愈)、孟(郊)、元(稹)、白(居易)为最,韩孟尚奇警,务言人所不敢言;元白尚坦易,务言人所共欲言。试平心论之,诗本性情,当以性情为主。奇警者,犹第在词句间争难斗险,使人荡心骇目,不敢逼视,而意味或少焉。坦易者多触景生情,因事起意,眼前景、口头语,自能沁人心脾,耐人咀嚼。此元白较胜于韩孟。世徒以轻俗訾之,此不知诗者也!"既有如此精辟的认识,那么我们对他这样写也可不足为怪了。

(曹宝麟)

野步

赵翼

峭寒催换木棉裘,倚杖郊原作近游。
最是秋风管闲事,红他枫叶白人头!

鉴赏

这首七绝显然作于诗人退居乡园之时,从诗中传出的悲秋情调感知,这无疑更是风烛残年的作品。

"峭寒催换木棉裘",时序更迭,秋气渐凛,料峭的霜风,阵阵中人,已使夹衣也难以御寒,必须换上木棉重裘了。枫叶红了的时候本不甚寒,正是"已凉天气未寒时",但老人气血衰竭,已非此莫办。江南深秋,棉袄也足可应付,但作者已换上更为保暖的木棉重裘,可见畏寒之极。这句中,一个"催"字下得很有分量,它写出了光阴如箭,抛人无情的主观感受,实为三、四两句张本。

"倚杖郊原作近游",这第二句点出题旨。它通过几个短语,形象地刻画出诗人自己的龙钟老态。"倚杖"并非"拖筇","近游"也非"远足",那么脚力不济,只能就近盘桓散心的情形已是不言而喻。寥寥七字,把人物的情态和活动范围交代得十分清楚,我们仿佛能看到一个在秋风中踽踽独行的伛偻老者的形象。

有了上面两句的蓄势,于是接下来"最是秋风管闲事,红他枫叶白人头"的怨悱,就绝非强说闲愁的调侃之词了。秋风遽至,木叶凋疏,一岁将尽，“惟草木之零落兮，恐美人之迟暮”，由物念己，悲从中来，可以说是一种普遍的情感，但对于一个年齿已暮的人来说，这层惆怅就是加倍的了，赵翼是个生性豁达的人，对此也还难以释怀。他尽管仍不忘幽默，出语诙谐，但终因上面两句的自形其貌而使读者笑不起来。

作者以拟人化的手法来写秋风，虽不算首创，但却十分奇妙，唯其如此，诗人也就找到了宣泄的对象。秋风有信，年年如期而至，这似乎已像一个守约的君子，但你为什么非要把枫叶吹红，青发染白不可呢？这难道不是“管闲事”、煞风景吗？“红他枫叶”尚不足恨，明年还可重发返青，“白人头”却是无从再黑了。所以，最后两句透出一种浓重的悲秋情调，读后使人黯然。

末句采用“句中对”的形式。“红”与“白”的对照，使人感到衰飒之中犹不失清丽。诗意或脱胎于蒋捷《一剪梅·春思》的“流光容易把人抛，红了樱桃，绿了芭蕉”，但蒋词是写春景，伤春未免无聊；赵诗是写秋意，悲秋更觉沉挚。二者意境毕竟是不同的。

（曹宝麟）

五　月

钱大昕*

五月秧针绿，兼旬雨泽稀。瓯窭干欲坼，布谷暮空飞。
米价频年长，田园生计非。老农占甲子，辛苦候荆扉。

作者

*钱大昕(1728－1804)，字晓征，号辛楣，又号竹汀，江苏嘉定(今属上海市)人。乾隆十九年(1754)进士，授翰林院编修。官至少詹事。辞官后主讲钟山、紫阳等书院。精治经史、文字、音韵，是清代著名的学者。诗文有《潜研堂诗文集》。

鉴赏

有清乾隆之时，“考据”学风至甚(诗风转变原因之一)，诗风由清初的表现民族意识反映民间疾苦为主转向复古、形式主义发展。杭世骏说：“自吾来京都，遍交贤豪长者，得以纵览天下之士。大都琢章绘句，顺以取宠者，趾相错矣。其肯措意于当世之务，从容而度康济之略者，盖百不得一焉。”(《道古堂文集》卷十五《送江岷山知晋州序》)然在如此诗风的笼罩下，也不乏“措意于当世之务”的诗家。钱大昕乃是其中之一。钱氏前后有郑燮、舒位、鼓兆荪等关心民瘼的诗人。钱氏本是有清一代成就卓著的学者，不以诗名。“大昕始以辞章名……既乃研精经史……文字、音韵、训诂、天算、地理、氏族、金石以及古人爵里、事实、年齿，了如指掌。”(《清史稿·儒林列传》卷四百八十一)但其《五月》诗在清诗中仍是一首值得一读的诗篇。

“秧针”谓稻秧初茁，颖细如针。《史记·滑稽列传》正义：“瓯窭谓高地狭小之区。”“秧针”是“绿”，“雨泽”是“稀”，一“绿”一“稀”，忧虑之情暗示其中。高地快要干裂了,但劝耕之鸟布谷在夜间仍不停地鸣着:“布谷”“布谷”。进一层对照使忧与急的情绪尽量地表现了出来。“米价频年长,田园生计非。”米的价格上涨,但不是十天半月,而是年年月月地涨。清诗人还有形象的描绘:“市粜一日一腾踊,斗米四百青铜钱。”(沈名荪《悯旱》)“老农占甲子,辛苦候荆扉”出王维《渭川田家》:“野老念牧童,倚杖候荆扉。”钱大昕借鉴了王维的诗句,但却没有王维那种游离于现实之外的悠闲情调。其辞虽有本,却是点化创新。“占”,《方言》:“占,视也。凡相窃视,南楚或谓之占。自江而北,凡相候谓之占。”“甲子”,指天。《汉书·律历志》:“历数三统,天以甲子,地以甲辰,人以甲申。”世代与土地作伴的老农,知当播种却种不下,难言的苦衷忧虑交织心田,盼望、等待、祈求天公开恩,满脸愁云、辛苦翘首的老农形象,把前数句孕含的忧虑情绪,具体生动地点了出来。诗从题材、结构、情调到笔法都有可取之处,关心民间疾苦,更是难能可贵。

(陈春平)

村中记所见

钱大昕

小小茅檐曲曲篱,墙欹聊借石头搘。
日高编箔烘烟叶,雨歇携枷打豆萁。
香稻已催千顷割,残荷犹见一枝垂。
由来气候山中别,试补豳风七月诗。

鉴赏

首联开眼便是:“小小茅檐曲曲篱,墙欹聊借石头搘。”茅檐矮矮小小,篱笆弯弯曲曲。真切生动而具体地写出了山村农家的房屋之象,与平原高高大大的房屋形成了鲜明的对比,选用“小小”“曲曲”是实写,又使诗句染上了情感的色彩。小小的、曲曲的,玲珑而形象,自然而真切。墙斜了,却姑且用石头支撑着。小小的茅檐,曲曲的竹篱,倾斜的茅舍,原始,简陋,狭僻的房屋形象活了起来。而这原始、简陋的形象却渗透着一股质朴、纯正而清新的气息,陋中有质,朴中含美。

"日高编箔烘烟叶,雨歇携枷打豆萁。"《齐民要术·种桑柘茅》:"薄布薪于箔上,散蚕讫,又薄以薪覆之。""箔"即是蚕箔,养蚕用的竹筛,竹席。但山里人编竹席却不是做蚕箔,而是用来盛烟叶烘晒。"枷",连枷,一种用来脱粒的农具。雨刚停,就急急忙忙拿起连枷打豆子。两句分写了不同的劳动,上句是晴天的情形,下句是雨天的情形。展示出来的情形是无休无止的辛勤劳作。与此同时,颈联的山村旷野景色便觉得浓香,可爱。而其句法和对仗更妙。"香稻已催千顷割,残荷犹见一枝垂",用"一枝"与"千顷"相对比,衬托出香稻的满山遍野,硕果累累。本来这一联是对仗,具有平衡对称、整齐一律之美。然而在对比时,千顷香稻与一枝残荷却构成了一与多的数量上的对立关系,又打破了已经形成的平衡、对仗之美。但平衡与不平衡、对称与不对称、整齐与不整齐之间达成一种更巧妙的更新的结合,量的差异并存于一个和谐的整体中,从而更真实更完美地反映出生活。"香稻"又是一个富有情韵的词汇(《南都赋》:"香稻鲜鱼。"杜甫《秋兴》其八:"香稻啄余鹦鹉粒。")。"千顷稻"是所见,稻子香是所闻。黄澄澄的稻子在诗人眼里好像美味佳肴一样,把稻子看成是香稻,于是就唤起一种稻香的感觉、视觉通于嗅觉,巧妙地使用了通感的艺术手法,感动人意。至此,诗人排出茅舍、竹篱、石头、烟叶、豆萁、香稻、残荷等意象,并由"所见"串连起来,汇成了一个清新和美的境界。渲染出乡村的秋色。《诗经·豳风·七月》写周民一年四季的劳动、生活、祭祀等情况,描绘出了周代劳动人民终年的悲惨生活。前三联的景物是和穆秋色,尾联对句化出的意蕴却是悲凉苦辛的。所以,也如王夫之说"以乐景写哀""一倍增其哀乐"(《姜斋诗话》卷上)。大肆渲染和乐秋景,是为了反衬哀情,而哀情又用《七月》篇而点出,韵味更长。

《村中记所见》,诗人自谓"试补豳风《七月》诗",补写在有清乾隆形式主义诗风炽盛之际,补得及时,补出了新意。既扬厉了"饥者歌其食,劳者歌其事"的现实主义精神,也承继了杜甫创造性地赋予律诗以深广社会内容的传统。

(陈春平)

劚 石 粉

韩梦周*

三日不食眼花黑，七日不食四体直。
安知泥土不得餐，且携长铲劚山石。
东舍老翁西舍娘，劚取石粉更无粮。
饥来便就山中吃，石粉为饭泉为浆。
道旁过者泪如麻，可怜石粉满家家。
木皮糠核尔何物，致使枵腹拼泥沙。

作者

*韩梦周(1729－1798)，字公复，一字理堂，山东潍县(今潍坊市)人。乾隆二十二年(1757)进士，官安徽来安县知县。有《理堂集》。

鉴赏

“石粉”，指白善土，俗称“观音土”，白色，质软，有糯性。据李时珍《本草纲目》记载，它可作画粉，也可用来浣衣。灾民饥饿难忍，便用它来填塞饥肠。但吃时难咽，排泄困难，一些人往往活活撑死。这首诗就是记叙灾民挖白善土、吃白善土的情景。

民以食为天，首二句以格言似的诗句写出吃饭的重要；三天不吃饿得眼发黑，七天不吃要饿死。也即俗话所说，“三天不吃饿得慌，七天不吃死得硬邦邦”。人要生存，得要吃粮，无粮可吃，怎么办？“安知泥土不得餐，且携长铲劚山石。”三、四句紧扣诗题：挖石粉充饥。怎么知道泥土不能吃呀，你看挖泥土的“大军”，人人扛着长铲、挎着背筐，正上山挖石粉。“安知”，接得陡峭，也问得十分奇怪。人所熟知，人非蚯蚓，怎能吃泥土？无粮，则可吞糠咽菜，或者啃草根树皮呀。可见草根树皮也没有了。接着四句是一组老年人挖石粉、吃石粉的特写镜头:"东舍老翁西舍娘",在修辞手法上是互文(即东舍老翁东舍娘,西舍老翁西舍娘),这里泛指老人。他们亲自出来了,是否子孙已被饿死?或者自身难保?"石粉为饭",可见"饥火烧其肠"(白居易诗),饥饿难忍!"泉为浆",写出泥土难咽,要借助泉水送进饥肠。照自然规律,老人已日薄西山,消化功能衰退,哪能消化这种根本无法消化的泥土!可以想见,他们的下场不仅逃脱不了"四体直",还要多增加一份死前的痛苦。诗中取材老人挖石粉,吃石粉,字字含悲,十分惨痛!"石粉满家家",可见这种惨况已相当普遍,"道旁过者"(自然也包括诗人在内),眼见此种情景,止不住"泪如麻"了!结尾二句把议论、抒情融在一起,借饥民之口说出:"木皮糠核尔何物,致使枵(xiāo)腹拼泥沙!"饥民吃泥土,十分惨痛,他们所希望得到的食物不是米饭、白面,更不是山珍海味,而是"木皮糠核",可见灾情之重,之久,连粗糠、树皮早已被吃光,只有拼命吃泥沙。一"拼"下得何其沉痛,在行文上照应前文,说明"劚山石"的原因。

这首诗通过灾民挖石粉、吃泥土的情景,十分深刻地反映了灾民的悲惨生活。明显地看出,诗人继承了汉乐府民歌叙事、反映现实的优良传统,把它放在白居易的"新乐府"诗中,也毫不逊色。

(曹方林)

鸥鹭饥

韩梦周

鸥鹭呼其群,飞飞满稻畦。
饥时食鱼虾,饱时戏流澌。
去年鸥来水拍岸,今年鸥来田无泥,
东飞西飞无所栖。
不如去他乡,可以疗我饥。
鸥鹭饥,去有时,身有翅翎能高飞。
嗟我灾黎将安归!

鉴赏

鸥、鹭,均为水鸟。常生活在河湖岸边或水田、泽地,主食鱼虾、昆虫和其他多种水生物。这首诗通过鸥、鹭等水鸟在洪灾后的无食无居,巧妙而曲折地反映了灾民的悲惨生活。

全诗十三句。首四句描写鸥鹭在丰年时的生活。它们呼唤同伴,成群结伙,欣然飞来。这里是富饶之地、鱼米之乡:有飘香的稻花(“稻畦”)、成群的鱼虾(“鱼虾”)、潺潺的流水(“流澌”)。诗句中的“呼”“飞飞”“食”“戏”等动词状出了鸥鹭饥食鱼虾、饱戏流水的情景,好不快活自在!也暗示了这一带的百姓在风调雨顺之年,经过辛勤的劳动,还能过活——虽然他们索取的只不过像水鸟一样的简单可怜!接着三句是写洪灾之后。“去年水拍岸”“今年田无泥”,指连年水灾,一年重似一年!田中之泥已被冲走,鱼虾自然无法生存,没有鱼虾,鸥鹭则闹饥荒。这里紧扣着诗题的“饥”。“东飞西飞”,是惶惑不安貌,写出鸥鹭寻找居所之苦,并与前面“飞飞”的悠然自得貌形成对比。鸥鹭觅食在水边,栖息在水边,却不能找到居处,可见灾情之重。明写水鸟无食无居,暗寓灾民无法生活!鸥鹭面对这种处境则“不如去他乡,可以疗我饥”,办法简单容易,高飞他乡、远离灾区。而灾民呢,诗人未即刻说出,为结尾的议论、抒情作了有力的铺垫。“鸥鹭饥,去有时,身有翅膀能高飞。”这种议论,似乎人人明白,在这里起着强调作用,因而不显得多余。“嗟我灾黎将安归!”点出中心:灾荒之际,人不如水鸟,鸟能高飞他乡,逃离灾荒,人却无路可走!结句写得何其沉痛!不仅表达了诗人对灾民的深刻同情,也给读者留下了丰富的想象:人虽没有鸟的翅膀,但为万物之灵呀,为何不能远走他乡?是阶级的重压?是拖老带小无法离开?是舍不得残破的家园?是无亲可投,无路可走?只有留给读者去想了。

这首诗构思奇巧。反映灾民的悲惨生活,却不正面描写灾民及灾区的残破荒凉、饿殍遍地,十三句诗中用了十二句写鸥鹭的生活、感受,以鸥鹭的惶惑、无食、无居,来表现灾民的痛苦不堪。在修辞上用了对比、衬托的手法:写鸥鹭之饥,用其“饱”作对比;又用鸥鹭之饥,衬托出灾民之苦;鸥鹭高飞,反衬出灾民的无路可走。全诗脉络清楚,语言流畅自然,颇有民歌风味。

(曹方林)

金陵晓发

姚　鼐*

湖海茫茫晓未分，风烟漠漠棹还闻。
连宵雪压横江水，半壁山腾建业云。
春气卧龙将跋浪，寒天断雁不成群。
乘潮鼓楫离淮口，击剑悲歌下海渍。

作者

*姚鼐(1732－1815)，字姬传，一字梦谷，安徽桐城人。乾隆二十八年(1763)进士。官至刑部郎中，记名御史。历主江宁、扬州等地书院凡四十年。曾受业于刘大櫆，为“桐城派”古文集大成者。博通经史，并工诗文。主张为文须义理、考据、辞章合而为一。诗以清雅为宗。有《古文辞类纂》《惜抱轩集》。

鉴赏

严冬的清晨，大雪纷飞，从古都金陵顺江而下，颇为壮举。这首诗就是写江上所见景象，借以抒发豪情壮志。全诗八句，分作两层。前四句为第一层。“湖海茫茫晓未分，风烟漠漠棹还闻”，紧扣诗题，描述了“晓发”时所见长江水面上的迷茫、壮阔景象：烟雾一片，江水无边无际，只有船行的桨橹声。“湖海未分”，指江面广阔。由于刚“晓”，加之“风烟漠漠”，错把江面当作湖海了。以上两句写近景。“连宵雪压横江水，半壁山腾建业云”，写远景。“横江水”，在金陵的上游，以风浪险恶著称。李白《横江词》是这样写的：“一风三日吹倒山，白浪高于瓦官阁。”第一句是从时间的久长、飞雪的气势写出大雪弥空，连往日波涛汹涌的横江水也被压住了。“半壁山”，在湖北阳新县，这里用来指代江南一带山岭。一“腾”，描绘出了江南一带上空如同南京一样阴云密布，彤云翻滚。两句写出南京一带的雪天景象，意境开阔。第二层是抒情言志。“春气卧龙将蹴浪”，是想象，也是希望之光。尽管眼前是隆冬严寒，而严冬之后，必定春回大地。那时长江水涨，江水如卧龙醒来，乘浪前进。“寒天断雁不成群”，是自喻。诗人冒着严寒，下海渎，像一只寻春的早雁独自在寒空中飞翔。结尾二句抒写壮志。“乘潮鼓楫”“击剑悲歌”，写出诗人乘风破浪、毫不反顾的情志。末尾紧扣题目“发”。

（曹方林）

南昌竹枝词（录二）

姚　鼐

南昌南去尽山溪，白石清沙不见泥。
一到波阳风浪里，行人那更出江西？

城边江内出新洲，南北弯弯客缆舟。
莫上滕王阁上望，青天无地断江流。

鉴赏

竹枝词，本为民歌，是巴渝（今四川东部）“特产”。其内容多歌咏当地风物及男女爱情，土色土香，颇有韵味。唐代诗人刘禹锡出任夔州刺史（治所为今四川的巫山县）时，依照旧曲，改作新词，留下了十余首脍炙人口的佳篇。其诗体受到历代文人的喜爱，多有仿作。本诗题前贯有“南昌”，当是仿《竹枝词》的格调，描写南昌风物。

第一首描写南昌城外风光。“南昌南去尽山溪，白石清沙不见泥。”南昌南边的特点是山林多，溪流多。“尽”，全、皆的意思。这里引申为多。诗人用夸张的手法，写出了溪流纵横交错。“不见泥”，指溪水清澈透明。树木葱葱，溪水潺潺，白石清沙历历可见，其景色是那样幽静、恬美。北边呢？“一到波阳风浪里”，“波阳”，即鄱阳湖，位于南昌东北面，北通长江，水面宽阔，长风鼓浪，波涛汹涌，这和南昌南边的平静、幽美的景色形成鲜明的对比。结句是揣度语气，江西境内的鄱阳湖已是风浪不息，再往北走，则可想而知，更突出了对南边景色的喜爱。

语言清新自然，保持了《竹枝词》风格的本色。

第二首写南昌城边的景色：水泽之乡，古迹闻名天下，游人络绎不绝。首二句抓住了“新洲”及游览的客船。“新洲”，为“百花洲”。在状元桥和三道桥之间的东湖一带。小洲被湖水潆回环抱，风景秀丽。相传为宋代隐士苏云卿灌园处，名为苏翁圃。清乾隆十一年(1746)修葺一新，布政使彭家屏书“百花洲”，故诗云“出新洲”。这里为游览胜地，前来观光的客人不断。末尾二句写南昌另一名胜滕王阁。此阁为唐显庆四年(659)滕王李元婴所建，前临赣江，风景壮丽。“山原旷其盈视，川泽盱其骇瞩”“落霞与孤鹜齐飞，秋水共长天一色”(王勃)，是描写滕王阁的名句。韩愈《记》云：“江南多临观之美，而滕王阁独为第一。”这里诗人未正面描写滕王阁，结句是正话反说。在滕王阁上远望，赣水北入长江，浩渺无际。“青天无地断江流”，意境开阔，造语自然，给读者留下了想象的空间。

(曹方林)

岳州城上

姚鼐

高接云霄下石矶，城头终日敞清晖。
孤筇落照同千里，白水青天各四围。
山自衡阳皆北向，雁过江外更南飞。
人间好景湘波上，却照新生白发归。

鉴赏

“岳州”，治所在巴陵，即今岳阳市。下临洞庭，景物宽广，为历代才士登临赋咏之所。像孟浩然《临洞庭湖赠张丞相》、杜甫《登岳阳楼》、范仲淹《岳阳楼记》，都是千古传颂的名篇。这首诗写城上所见，借以抒发自己的感慨，也有它的特色。

全诗八句，前六句写景。前二句写城楼之高。“高接云霄”，用夸张的手法写出城楼的雄伟壮丽，而“终日敞清晖”，是城高的具体化，城头终日照射阳光。“敞”，这里用作动词。“孤筇落照同千里，白水青天各四围”，写登临的时间、人物、心绪及所见的壮阔景象。夕阳西下，诗人独自拄着筇杖，登上城楼，面对着万里晴空，千里夕照，荡漾的碧波，心头有一种羁旅的孤凄、迷茫之感。本是“人间好景”，到这里该是激动、喜悦，“登斯楼也，则有心旷神怡”“喜气洋洋者”，为何产生忧愁？从“孤筇”句可知，是独自拄杖登临；从末句得知，已新生白发；面对夕照，自然产生一种“夕阳无限好，只是近黄昏”的淡淡哀愁。“山自衡阳皆北向，雁过江外更南飞。”“山”，指衡山。起于衡山县西北，绵延于湘水、资水之间，周围八百余里，飞雁到江外衡山的回雁峰，不再南飞。结二句是总写景，抒发感慨。“人间好景”，呼应前面所写的天光水色、山峰；“新生白发”，也照应前面的“孤筇”。全诗八句，写城高、天光、夕阳、碧波、远山，层次井然，抒发其淡淡轻愁也恰到好处。

（曹方林）

望罗浮

翁方纲*

只有蒙蒙意，人家与钓矶。寺门钟乍起，樵客径犹非。
四百层泉落，三千丈翠飞。与谁参画理，半面尽斜晖。

作者

*翁方纲(1733－1818)，字正三，号覃溪，又号苏斋，直隶大兴(今北京市)人。乾隆十七年(1752)进士，授翰林院编修。官至内阁学士。以治经学、金石学著称，并擅长考证。论诗提倡"肌理"说，主张诗以学问为根底，为一代诗坛之领袖。有《复初斋诗文集》《石洲诗话》。

鉴赏

罗浮山，在广东博罗县境内东江之滨、山跨博罗、增城、龙门三县，纵横五百里。山由罗山与浮山组成。传说罗山自古有之，浮山由东海浮来，由横贯的铁桥峰将两山相连。从山顶俯瞰，层岚积翠，云气缭绕，四百余个大小峰峦，形态各异，气象万千；山中有悬崖怪壑、乱石丛林、飞瀑幽泉。此山又为道教圣地，东晋葛洪曾炼丹于此。南朝梁武帝时将佛教引上山，相继建有华首、明月等五个佛寺。这首诗所写的，便是山中景色。

诗题曰"望"，所写景色，皆从望中而来。前六句是远望罗浮所见之景，首句"只有蒙蒙意"，是傍晚("半面尽斜晖")伫立远望所产生的那种朦朦胧胧的感觉。"蒙蒙意"，又是全诗的基调，以下的所见、所闻都有这种感觉，映入诗人眼帘的首先是绿树丛中的房舍、钓矶，悠扬的钟声忽然传来，似乎打破了这静谧、和谐的气氛，却又增加了几分神秘之感。弯弯曲曲的山间小道也模糊不清，只有飞瀑幽泉，倾泻而下。"四百层"，指泉水多；"三千丈”，指水势高，用夸张手法写出了飞瀑的特色。结尾二句写夕晖给山中之景涂上了金色，也点明瞭望的时间是傍晚，与首句呼应。诗人描绘的是一幅罗浮山的风景画，而钟声、泉水的飞溅声，恐怕画中也难以表达。“与谁参画理”，问得天真！这是大自然的杰作，要探出这个“理”，恐怕要待科学家了！

（曹方林）

赵北口

翁方纲

瀛鄚之间半烟水，村间如画接渔船。
记从鸿漉溪头望，诗思蒙蒙三十年。

蟹簖湾湾罫布棋，霜空老柳照横漪。
枯萍折苇萧寥意，转胜浓云蘸翠时。

鉴赏

“赵北口”在今河北任丘县北五十里，位临白洋淀，诸水所汇，风景秀丽。这首诗写作者三十年中两过该地的景色，第一段是回忆三十年前所见的春景。首二句“瀛鄚之间半烟水，村间如画接渔船”，先从广阔的画面写出瀛鄚之间多为水乡泽国，一眼望去，春水盈盈，白雾缭绕，村间如画，渔船点点，有如江南风光！“接”，连接，靠近。渔船连着村间，村间之外又是渔船，风景如画。三、四句点出记忆最深的是在鸿漉溪头远望，这像电影中的镜头，先摄下赵北口的背景，后出现鸿漉溪头的特写镜头：这里青山绿水，无不充满着诗情画意。“诗思蒙蒙三十年”，三十年了，那儿的美景还朦胧记得。三十年后又如何呢？第二段是写旧地重游所见的深秋景色。如果说春天是希望，那么秋天则是收获。首先映入眼帘的是道道港湾布满了捕捉鱼蟹的竹栅。“罫布棋”，星罗棋布的渔网，像围棋盘上的格子一样密，渔民的忙碌则可想而知。此时已霜飞木落，粼粼的秋水映照着落叶的老柳，枯萎的浮萍、断折的苇草，增添了几分冷落稀疏之感。结句诗意陡转，一扫文人的那种悲秋嗟老之叹。面对这苍劲的秋景，胜过浓郁的春色。

（曹方林）

韩庄闸二首

翁方纲

秋浸空明月一湾，数椽茅店枕江关。
微山湖水如磨镜，照出江南江北山。

门外居然万里流，人家一带似维舟。
山光湖色相吞吐，并作浓云拥渡头。

鉴赏

“韩庄闸”在山东峄县西南六十里，临近微山湖。这两首诗是描写韩庄闸风光的。第一首写微山湖的夜景：秋色如水，夜空明净，皓月辉映一湾湖水，几家茅店坐落在江关。一“浸”，指在渐变之中，把无形的秋色写活了。一“枕”，写出茅店坐落的位置，紧靠闸堤。“茅店”，指简陋的客店。说明来往的过客稀疏，湖边人家的贫穷。首二句像电影的镜头，先摄出了“明月”“一湾湖水”“茅店”“江关”。三、四句专写湖面。微山湖水明净浩渺，像一面巨大的明镜，照出了大片河山。“江南江北”，非实指，泛指湖边的风光，四句诗像一幅画，把微山湖的景色形象地展现在读者的面前。

第二首诗是描写韩庄闸边的运河风光。首二句是写韩庄闸的人家都住在运河边。“万里流”，指运河之长而望不见尽头。“似维舟”，比喻贴切而又新颖，坐落在运河岸边。“维舟”，还有一个意思，指岸边人家多以打鱼、运输为生。末尾二句是写渡头的风光。山中的岚气、湖上的水雾，互相容纳，交相辉映，气象万千，化着浓云拥向渡口上空，景色更加迷人。

（曹方林）

葬花辞

曹雪芹*

花谢花飞飞满天，红消香断有谁怜？
游丝软系飘春榭，落絮轻沾扑绣帘。
闺中女儿惜春暮，愁绪满怀无着处。
手把花锄出绣帘，忍踏落花来复去？
柳丝榆荚自芳菲，不管桃飘与李飞。
桃李明年能再发，明年闺中知有谁？
三月香巢初垒成，梁间燕子太无情！
明年花发虽可啄，却不道人去梁空巢已倾。
一年三百六十日，风刀霜剑严相逼。
明媚鲜妍能几时，一朝漂泊难寻觅。
花开易见落难寻，阶前愁杀葬花人。
独把花锄偷洒泪，洒上空枝见血痕。
杜鹃无语正黄昏，荷锄归去掩重门。
青灯照壁人初睡，冷雨敲窗被未温。
怪侬底事倍伤神，半为怜春半恼春。
怜春忽至恼忽去，至又无言去不闻。
昨宵庭外悲歌发，知是花魂与鸟魂？
花魂鸟魂总难留，鸟自无言花自羞。
愿侬此日生双翼，随花飞到天尽头。
天尽头！何处有香丘？
未若锦囊收艳骨，一抔净土掩风流。

质本洁来还洁去,不教污淖陷渠沟。
尔今死去侬收葬,未卜侬身何日丧?
侬今葬花人笑痴,他年葬侬知是谁?
试看春残花渐落,便是红颜老死时。
一朝春尽红颜老,花落人亡两不知。

作者

*曹雪芹(? -1763),名霑,字梦阮,号雪芹,满州正白旗"包衣"人。著有《红楼梦》。

鉴赏

《红楼梦》中诗词曲极多,而以黛玉《葬花辞》为第一。这首歌辞在小说中,是完成黛玉这一人物形象的重要一笔。

黛玉早失父母,可谓薄命。她心性甚高,住在贾府,常有寄人篱下之感,所以小性儿。到了情窦初开的年龄,周围男性,除了一个宝玉,全是浊物。尽管两人彼此倾心,但由于种种原因,难于相互表白,只能不断试探,一会儿好了,一会儿又恼了。葬花的前一天,她到怡红院去,恰好晴雯和碧痕拌了嘴,听见敲门也不问是谁,硬是不开。善感的她在情感上受到了伤害,接下来就有葬花和《葬花辞》。歌辞的关键词是"孤""洁"二字。

从"花谢花飞飞满天,红消香断有惟怜"到"怜春忽至恼忽去,至又无言去不闻"三十二句写感春、惜花、自伤身世。诗中出现了暮春落花和少女葬花的感伤场面。这位少女望着满天白雪红雨般的飞花,十分痛心,她不禁手把花锄,想要收葬销香殒玉,徘徊久之,怆然泣下,然后回到冷冰冰的闺房中拥衾假寐。这幅图画虽然是曹雪芹构思的,但其语言材料和某些情节,却并非一空依傍。唐刘希夷《代悲白头翁》云:"洛阳城东桃李花,飞来飞去落谁家?洛阳女儿惜颜色,行逢落花长叹息。今年落花颜色改,明年花开复谁在?……古人无复洛城东,今人还对落花风。年年岁岁花相似,岁岁年年人不同。"这中精髓,几乎都被曹雪芹吸收了,那文采,那句调真正像煞:"花谢花飞飞满天,红消香断有谁怜?……闺中女儿惜春暮,愁绪满怀无着处。手把花锄出绣帘,忍踏落花来复去？柳丝愉荚自芳菲，不管桃飘与李飞。桃李明年能再发，明年闺中知有谁？”明代唐伯虎祖刘诗作《花下酌酒歌》：“今日花开又一枝，明日来看知是谁？明年今日花开否？今日明年谁得知。”《一年歌》云：“一年三百六十日，春夏秋冬各九十。冬寒夏热最难当，寒则如刀热如炙。”都可在本篇中看到影响。不同的是，这里的描写更细腻（如“游丝软系飘春榭，落絮轻沾扑绣帘”），铺叙更恣肆汪洋（如“独把花锄偷洒泪，洒上空枝见血痕”前后十余句），特别是有更多的情节性——主要是“葬花”这一构思，可谓绝妙之至！

不过，真正全部地属于曹雪芹锦心绣口的，是从“昨宵庭外悲歌发，知是花魂与鸟魂”直至篇终二十句，即诗的后半部分。简直是翻空出奇！曹氏真不愧是伟大的小说家，他这里虚构了一个夜半歌声的细节，令人毛骨悚然。就像第七十五回“开夜宴异兆发悲声”所写的那从祠堂墙下传来的令宴会众人毛发倒竖的长叹之声。女主人公猜测，那悲歌不是出自花魂便是出自鸟魂，这猜想的奇妙，然而正合符她的心情和个性特点。以下便从花魂鸟魂的难留突发异想，希望像鸟那样生出翅膀，好随落花远飞天涯，然后用短句作顿挫：“天尽头！何处有香丘？”看来天边也找不到归宿安息的场所，还不若锦囊葬花的好。“未若锦囊收艳骨，一抔净土掩风流。质本洁来还洁去，不教污淖陷渠沟。”这几句将黛玉的洁癖真是写绝了。她就是那样一个“世外仙姝寂寞林”，为了保全芳洁，不惜求全之毁。这几句造境虽然很虚，但联系到她周围那姓贾姓薛的公子哥儿们组成的肮脏的男性世界。这“不教污淖陷渠沟”一句应有非常实在的内容。这一段写花写人，若即若离，颇有“花面交相映”之妙。“尔今死去侬收葬，未卜侬身何日丧？侬今葬花人笑痴，他年葬侬知是谁？”便花自花、我自我，然而由惜花转入顾影自怜，最是黄绢幼妇，痴绝妙绝。十分传神地刻画出一个心地善良而身世不幸的，多愁多病的，美丽的少女形象，楚楚动人。从此黛玉的形象便深刻在读者的心目中，一辈子也忘不掉。“试看春残花渐落，便是红颜老死时。一朝春尽红颜老，花落人亡两不知。”这里又花人合一，陷入极度的感伤之中。这用血泪铸成的诗句，后来竟成了这位纯洁少女的诗谶。

“春尽”！“花落”！“人亡”！美好的事物不免遭受无情风雨的摧残，人间无法长保花好月圆。天道为什么这样无情？人间为什么这样冷酷！这就是作者通过黛玉这个少女之口发出的“天问”。全诗的中心形象是葬花的人——抒情女主人公黛玉，而陪衬的形象是被葬的花——暮春时节的落花，背景是即将消逝的春天。似乎这三者是各不相干的。然而“忽至忽去”的青春，容易飘零的桃李，对于红颜薄命的女主人公，无一不具象征的妙用。所以。春、花、人，在这个意义上又是三位一体的。这里读者又看到诗人善于造境的才能。《葬花辞》的韵度基本上属于“四杰体”变格，具有回环往复而又一气贯注之节奏旋律；而全诗的语言，是明转天然而又富于文采的，十分符合一个受过较高层次的教育的大家闺秀的身份。曹雪芹不愧为一代语言大师。

（周啸天）

红　拂

曹雪芹

长揖雄谈态自殊，美人巨眼识穷途。
尸居余气杨公幕，岂得羁縻女丈夫。

鉴赏

《红楼梦》第六十四回“幽淑女悲题五美吟”，是曹雪芹代笔下人物林黛玉写的诗。《五美吟》其他四首分别题为“西施”“虞姬”“明妃”“绿珠”，均哀感顽艳之作，很符合林黛玉纤细敏感的性格。唯独这首“红拂”属于刚健之作，似乎不是林黛玉所道得出的。可以看做曹氏自己咏史怀古的作品。严格说，红拂并不算一个历史人物，她是唐代小说家杜光庭《虬髯客传》中的风尘三侠之一，姓张，原为隋炀帝时大臣杨素的家妓。李靖（唐代开国功臣）当时只是一介布衣之士，欲上奇策于杨素，遭到踞见，遂当面批评道：“天下方乱，英雄竞起，公为帝室重臣，须以收罗豪杰为心，不宜踞见宾客。”当时杨素身边罗列的姬妾中就有红拂，她一眼看准李靖是位英雄，当夜即相私奔。后来二人遇到一位奇侠虬髯客，得到一笔厚赠，成为李靖赞助李世民建功立业的资本。

“长揖雄谈态自殊”一句即写李靖上谒杨素当庭骋辩的事。“长揖”是直身作揖而不拜，态度不卑不亢。《汉书·高帝纪》载郦食其见刘邦就是这样子。李靖以一介布衣敢对司空大人杨素耳提而面命之，竟使杨素敛容而谢之，可见其态不凡，也有郦生之雄风。据杜光庭描写，当时杨府侍婢甚多，唯“一妓有殊色，执红拂立于前，独目公”。好个“独目公”！盖杨府之侍婢看惯天下达官贵人，何尝将一介布衣放在眼里。唯有红拂能知人于未显之际，别具慧眼，非徒貌美而已。“美人巨眼识穷途”一句之精彩，就在于将“巨眼”与“美人”连文。初看似乎很不协调，细味正表现出这“美人”的不凡。大抵“美人爱英雄”，这还不足称道；唯美人能识“穷途”之英雄，才值得大加表扬。

唐伯虎有题画的《红拂妓》诗云：“杨家红拂识英雄，着帽宵奔李卫公。莫道英雄今没有，谁人看在眼睛中。”四句只抵得此诗“美人巨眼识穷途”一句，相形之下，诗句亦俗气可掬，怎及曹雪芹此作之英姿飒爽！

红拂私奔之夜，便对李靖说：“妾侍杨司空久，阅天下之人多矣，无如公者。然丝萝非独生，愿托乔木。”李靖道：“杨司空权重京师，如何？”红拂答：“彼尸居余气，不足畏也。计之详矣，幸无疑焉。”“尸居余气”语出自《晋书·宣帝纪》“司马公尸居余气，形神已离，不足虑也”，意谓比死人只多一口气。可见红拂逃离杨府追随李靖，是洞察形势，预见未来，弃暗投明，择木而栖，极为明智果敢的举动。没有大识见大勇气者，难以断然处置如此。所以诗人情不自禁地以“女丈夫”许之，并对权重京师的杨府嗤之以鼻：“尸居余气杨公幕，岂得羁縻（笼络）女丈夫！”“美人——巨眼”的造语是一奇，“女——丈夫”的造语又是一奇。通过这样的造语，诗中再现了红拂这位传奇中的侠女形象。

红拂另一惊世骇俗的方面，就是她敢于自媒，即在婚姻上主动出击，连李靖都为之逊色。读者不要忘记了曹雪芹笔下也有这样一位刚强的女性，敢于大胆议论婚姻并自行择婿，那就是尤三姐。对红拂的歌咏，和对尤三姐的赞美，都表现了曹雪芹思想中反封建的民主性精华。

（周啸天）

寄怀曹雪芹

敦　诚*

少陵昔赠曹将军，曾曰魏武之子孙。
君又无乃将军后，于今环堵蓬蒿屯。
扬州旧梦久已觉，且着临邛犊鼻裈。
爱君诗笔有奇气，直追昌谷破篱樊。
当时虎门数晨夕，西窗剪烛风雨昏。
接䍦倒著容君傲，高谈雄辩虱手扪。
感时思君不相见，蓟门落日松亭樽。
劝君莫弹食客铗，劝君莫扣富儿门。
残杯冷炙有德色，不如著书黄叶村。

作者

*敦诚(1734－1791)，姓爱新觉罗，字敬亭，号松堂，满洲人。敦敏之弟。乾隆二十二年(1757)管理山海关税务。后又任宋人府笔帖式、太庙献爵等官。工诗。有《四松堂集》《鹪鹩庵笔记》等。

鉴赏

这首诗是写给作者的好友曹雪芹的。据载，作者敦诚及其弟敦敏与曹雪芹均有交谊。在诗中，诗人高度地赞扬了这位伟大文学家的才华、品德，对其怀才不遇、家境的穷困深表同情，并告诫朋友不要寄食权门，要乐于贫贱，安心著述。

全诗十八句，分三层。第一层为前六句，叙述曹雪芹出身名门，但遭到不幸，家境穷困。六句诗用了三个典故。先从杜甫赞扬曹霸说起。他在《丹青引》中云："将军魏武之子孙，于今为庶为清门。”曹霸是盛唐画家，曾为左武卫将军，玄宗末年获罪，削籍为庶人。杜甫颂扬曹霸是名门之后，文武兼备，遭遇又是那样不幸：“君又无乃将军后，于今环堵蓬蒿屯。”这里，作者结合曹雪芹的身世，引申杜诗的说法，你莫非是曹霸将军的子孙，文武全才，却又遭到如此不幸！据载，曹雪芹生在贵族世家，曾祖、祖父、父世袭江宁织造，后获罪，家道衰落。曹雪芹时，“举家食粥”，过着“蓬藤茅椽，绳床瓦灶”的穷困生活。“扬州旧梦”是化用杜牧“十年一觉扬州梦”（《遣怀》），指昔日的荣华富贵只不过是南柯一梦，醒来时，眼前依然是一片凄凉，穷困。“久已觉”，点明曹雪芹早已看穿，不再留恋往日的繁华。“且作临邛犊鼻裈”，用西汉司马相如的故事作比。据《汉书·司马相如传》载，大文学家司马相如穷困时，与妻卓文君在临邛（今四川邛崃县）卖酒，文君当垆，司马相如穿着牛鼻短裤，与杂工一起干粗活。这一层中用曹霸、司马相如作比，表现了作者对友人的深刻同情。

第二层是中间六句，赞扬曹雪芹的才华、品德、风度及他们之间的友谊。“诗笔有奇气”，不仅指诗，也包括文。其诗文的风格渊源于李贺的奇诡，又能冲破其“篱樊”，自有创造。“当时”以下四句是作者回忆与曹雪芹在“宗学”时朝夕相处，形影不离及曹的谈吐、风度。据载，曹雪芹曾在宗学任职，他们之间有一段很深的交谊。“西窗剪烛风雨昏”，借用李商隐的诗句“何当共剪西窗烛，却话巴山夜雨时”（《夜雨寄北》）；“接䍦”，古代的一种头巾。“接䍦倒著”，用晋代山简的故事写醉后狂态。据《晋书·山简传》载，山简镇襄阳时，出游醉归，儿童歌曰：“日暮倒载归，酩酊无所知。复能骑骏马，倒著白接䍦。”“高谈雄辩虱手扪”，用前秦名相王猛作比。据《晋书·王猛传》载，王猛出身贫寒，却才华横溢，参见东晋桓温将军时，披着破旧短衣，一面谈论国家大事，雄辩滔滔，一面扪虱，旁若元人。用山简、用王猛作比，写出曹雪芹的傲岸不屈、才华出众。

第三层是写对朋友的思念和希望。“感时思君”，起过渡作用。这二句之下作者自注，在青峰口（长城关口，在今河北迁西县北），而曹雪芹在北京，故云“不相见”，由于思君，自然想起往日的友谊；想起在蓟丘（今北京）同看落日、在松亭（在今河北）对酒畅饮的日子。“劝君”以下四句是劝勉。“食客铗”，用《战国策·齐策》冯谖为孟尝君门下客，三弹剑铗而歌的故事。富儿门，是化用杜甫诗句“朝扣富儿门，暮随肥马尘，残杯与冷炙，到处潜悲辛”（《奉赠韦左丞丈二十二韵》）。劝诫朋友不要寄食权门，也饱含了作者在官场中的辛酸！“著书黄叶村”，是活用苏轼诗句“扁舟一棹归何处，家在萎南黄叶村”（《书李世南所画秋景》）。这里殷切希望朋友要发挥其天才，安心著述，不能在贫穷中倒下！

全诗写曹雪芹的身世、才华、品德、风度及他们的友谊和作者的希望，层次井然，语言质朴，感情真挚，用典虽多，但贴切而自然，没有枯燥、生僻之感。

（曹方林）

五更渡洛水

钱维乔*

翠羽明珰梦未真，寒皋空有水粼粼。
马头一片将残月，曾照黄初作赋人。

作者

*钱维乔（1739－1806），字树参，号竹初，江苏武进（今属常州市）人。乾隆二十七年（1762）举人，官浙江鄞县知县。善画，工诗文。有《竹初诗稿》。

鉴赏

这首诗是诗人渡洛水时怀想曹植作《洛神赋》而写。“洛水”，今称洛河，源出陕西华山南麓，流经河南，入黄河。关于洛水，古代有一个美丽的神话，传说宓羲氏的女儿宓妃，因渡洛水溺死而被封为洛水的女神。屈原在《离骚》中也曾提及过宓妃之名。三国时著名诗人曹植于黄初三年（223）入朝京师，归藩时渡过洛水，于梦幻中见到洛水女神，写下了光耀于文学史册的抒情小赋《洛神赋》。自此，洛神的故事就成为诗人、文学家笔下的常见题材。

诗的首句以十分精练的语言概括了曹植《洛神赋》的意境。“翠羽明珰”四字，隐括曹赋中“或系明珠，或拾翠羽”，“无微情以效爱兮，献江南之明珰”等句意义，曹赋原写自己与洛神邂逅相爱，由于“人神道殊”不能结合，故离去时洛神以“翠羽”“明珰”效爱。此事纯属虚构，似真似幻，故而作者用“梦未真”表示自己对《洛神赋》一文的见解。关于《洛神赋》，传说中还有这样一个故事，说是曹植当初曾向美丽的甄氏求过婚，未能遂愿。而后来曹丕却娶了甄氏，于是曹植一直心怀不平。黄初年间曹植入朝，这时甄氏已死，曹丕把甄氏留下的陪嫁枕头赠给了曹植，曹植这次归藩途经洛水时在梦中见到了甄氏,于是写下了这篇赋,名为《感甄赋》,后来又被魏明帝曹睿改为《洛神赋》。用这个故事来解释《洛神赋》的写作动机和思想内容显然是后世猎奇文人的一种附会。其真正的创作意图恐怕还是何焯所言:“植既不得于君,因济洛以作为此赋,托词宓妃,以寄心文帝,其亦屈子之志也。”

正由于《洛神赋》系寄托之作,其梦不真,所以事隔一千五百余年之后,当作者也来到洛水边上时,就只见荒寒的岸边一片粼粼的清水在月下闪光,当年曹植所见洛水女神又在哪里呢?因此诗的第二句是紧承首句发表感慨。一个“空有”,既是对上句意思的引申,又表现了作者的一种失意怅惘之情,从前的曹子建虽然不遇于魏文帝,可到底还有梦中的洛神以寄哀思,而今自己呢?却只是“寒皋”清水为伴,其凄凉冷落之意,不言自明。

以上两句紧扣诗题“洛水”发表感慨,第一句写古,第二句言今,是借古讽今的笔法。第三句“马头一片将残月”,又暗自关合“五更”诗题,同第二句一样是写今。诗人早起渡洛,马头上挂着一钩残月,表明旅途的辛苦劳顿。诗人为什么有此境况?诗中没有说。但是我们观照下句“曾照黄初作赋人”就不难看出,他也许像曹植一样“不得于君王”(诗人一生官不过县令而已),这里,诗人对自己的遭遇未明言,只是“帷灯匣剑”,暗用“春秋”之笔,但诗人仕途失意的心境我们仍是不难察觉的。末二句仍是今古对照、以古写今的手法。这种手法,刘勰在《文心雕龙·神思》篇中称为“思接千载,视通万里”,自然界的永恒无穷,强烈对照出人世间的悲剧代代重演,曾照过黄初作赋人的残月,而今又照着乾隆时代的诗人。最末一句可谓点睛之笔,表现了一种古今同慨的深沉历史感受,传达出一种古今有志之士的共同命运和遭遇。此外,末二句在写法上属点化前人成句,李白《苏台览古》中“只今惟有西江月,曾照吴王宫里人”就是它的原版,而诗人顺手拈来,显得熨帖恰切,杳无痕迹。

总言之,此诗语言悲壮深沉,意境幽邃深远,以古观今,咏古迹以写现实,写今事而再现古史,隐括点化前人诗文,既简括而又含意深刻,表现出渊厚的学识和高超的艺术功力。

(蒋先伟)

磁　涧

崔　述*

际晓发洛阳，亭午出磁涧。水流砂石间，青山失两岸。
突兀摩云霓，一径自中断。诘屈随山行，十步不相见。
入谷天忽小，上阪山复乱。迤逦循水涯，倏忽登天半。
山合疑无路，将近势复变。忽闻重霄中，人声若相唤。
仰见穴处民，午烟起炊爨。群羊如蚤虱，蠕蠕略可辨。
极目惬幽情，登临遂志倦。更欲凌绝顶，乘风扪河汉。

作者

*崔述(1740－1816)，字武承，号东壁，直隶大名(今属河北)人。乾隆二十七年(1752)举人。官福建罗源知县。好考据，著有《考信录》。亦工诗文。有《知非集》。

鉴赏

这是一首登山诗，描写作者从磁涧曲折登山的经过情景。“磁涧”，镇名，在今河南新安县东三十里，镇临涧水。全诗二十四句，前四句写登山前的路途经过；中间十六句写登山；末四句写登山的兴会，完全按登山的时间顺序写出，是一篇诗化的登山游记。

首两句写登山的时间，作者晓发洛阳，午出磁涧，因山就在磁涧镇旁，故从正午开始登山。接下来两句是对登山前来路的回顾，诗人大概是从洛阳乘船来到磁涧，一路上青山夹岸，水流穿行于沙石之间。“青山失岸”写舟行之速，两岸青山在船后消逝。以上四句，简劲明了，交代了登山前的路途经过。

第二段切入正题，写起脚登山即遇险阻：“突兀摩云霓，一径自中断。”山势高峻，上与云接，虽有一路可上，却又在半山断绝。游人至此，只有姑且随着“诘屈”的山道寻路而行，要想一步登天势所不能，山路之曲，即使是十步之内，也难于互见。进入山谷，则又是一番景象，从下往上望去，只觉天穹也顿时变小。这是写山高。上得山坡，但见乱山重叠，山外有岭，岭外有山，不知路从哪里起，山自何处登。这是写山势纵横，重峦叠嶂。于是登山者只好沿着山涧，一路曲折地行进，走走停停，停停走走，路越走越险，山越登越高，忽然之间，只觉登上了半天之中。但是，山仍是那样的高，路还是那样的险，前面的路程更艰苦，要继续前进，已是万山重叠，无路可上，真是“山重水复疑无路”了。可等到走近面前，又小路横斜，出现一条“远上寒石”的石径，真是“花明柳暗”，绝处逢生了。以上写登山途中的各种不同感受，可说是一波三折，极尽回旋跌宕之妙。先是“一径自中断”，继则“上阪山复乱”，再继之“将近势复变”，它们写尽了登山时的种种艰难，种种意想不到的曲折。接下来六句，写登山中的闻见。作者登到半山，已觉“山合疑无路”，殊不知山外有山，人外有人，就在他迟疑寻路之时，蓦然间“重霄”之中传来呼唤之声。这里的“重霄”，指作者头上更高的山峰。于是他抬头望去，但见山上的洞穴之中还住有人家，时近中午，山民们正做中饭，冉冉炊烟正从窑洞中升起、弥漫，再远看更高山顶上，一群群细如跳蚤、虱子的羊羔正在蠕动，人眼只略可分辨。这几句写人的活动，于静中显动，使整个画面添上了生气，出现了活力。

最后一段写登上的感触。看到高山之巅那些穴居野处的山民生活，诗人深为此次寻幽探胜的活动感到满足，他极目高山之巅，不由增添了进一步登攀的勇气，刚才崎岖曲折的山路所带来的劳累似乎一下都忘得干干净净，他决心再进一步攀登——“更欲凌绝顶”，“绝顶”，就是最高峰。这一句化用了杜甫《望岳》“会当凌绝顶”诗句，表明诗人不畏艰难，胸存大志，他要乘风用手去触摸天河，这，就是此次登山所激发起来的壮志豪情。

（蒋先伟）

过龙江关

汪 中*

井邑千家夹岸喧，浮桥列楫望关门。
鱼盐近市商人喜，鼓吹临江榷吏尊。
春水蛟龙浮旧窟，夕阳乌雀下荒村。
华衣掾史须眉老，会计雄心长子孙。

作者

＊汪中(1744－1794)，字容甫，江苏江都(今扬州)人。乾隆四十二年(1777)拔贡。以治经学著名。文宗汉魏六朝。诗风朴茂。有《述学》内外篇，《容甫先生遗诗》等。

鉴赏

“龙江关”，在南京市西兴中门外，明清时设户部钞关于此，专门管理粟帛杂用之税。江南乃历代封建王朝税收的支柱，唐时其税收即已占天下“十九”(十分之九)，明清之时当亦不在此数之下，残酷的赋税剥削，使人民陷于水深火热之中。诗人汪中，清代著名学者，工骈文，诗亦朴茂。七岁而孤，曾以贩书为业，一生未官，过着清苦生活。由于这种生活经历，其诗文多有同情人民疾苦的表现，其中尤以《哀盐船文》为著。这一首诗是叙述他过龙江关所见，作者以犀利的笔触揭露了官商和税吏对人民的残酷剥削，用形象的画笔描绘了人民生活的惨状，反映了所谓“乾隆盛世”时深刻的阶级矛盾。

诗的首联写南京的繁华和雄伟。“井邑千家”极写南京住户之多，古制八家为一井，后引申为人户聚居处。“夹岸喧”是指南京人家夹岸而居，因住户众多而喧嚣热闹。古代南京，秦淮河流经市区西入长江,沿河两岸都住有人家,市廛林立,歌楼舞馆,最是繁华,因此前人多有以秦淮代指南京的,如王士禛十四首《秦淮杂诗》。接下来的一句继续写南京之繁华,“浮桥列楫”写商船云集。“浮桥”是用船筏做桥墩或桥身的桥,用来起运船上货物和供行人登岸。“列楫”,是指排列成行的船只,楫本为船桨,这里代指船。南京是东南重镇,货物集散之地,更兼清廷设户部钞关于此,所以凡过往商船都必须一律在此交税。“望关门”,关门就是“龙江关”,它雄踞长江口岸,封锁了一切水上交通,一切船只都望而止步,望而生畏,一个“望”字,准确而又形象地写出了它高高在上的淫威,交代了其地理位置的重要。

正由于此,到这儿经商和做官就是一个肥缺。南京操鱼盐之利,经营盐务渔业的官商无疑是有利可图,有钱可赚,他们把持了江南的经济命脉,正如龚自珍《咏史》所揭露的“牢盆(本是煮盐之具,此指经营盐务的官商)狎客操全算”。而到这里做一个税官,即“榷吏”,自然就更是位尊职显,颐指气使了,他们出门去江边收税,一路前呼后拥,鼓角歌吹,好不威风。这是颔联两句所写的内容,作者采用漫画手法,给官商和税吏画像,一“喜”一“尊”勾勒出他们渔利的欢乐和声威。

以上四句,前两句用空镜头,后两句用特写画面,全面而具体地从一个侧面展示了南京的繁华。但是,这只是一种表面的、虚假的繁华,它的一边是商人、税官的天堂,另一边则是穷苦人民的地狱。接下来,同情人民疾苦的诗人把他的摄影镜头摇向了另外两幅画面:一幅是春水泛滥,洪水滔天,无情的大水正淹没着千村万落的破旧房舍,断壁残垣浮于水面。另一幅是大水退后的广袤原野,到处荒无人烟,夕阳映照下的村庄残破不堪,成为乌鸦雀鸟的栖息之所。一个“春水蛟龙浮旧窟”,写出大水的肆虐,揭露了统治者河政不修,置人民生命于不顾;一个“夕阳乌雀下荒村”,表明了人烟稀少,富庶的江南原野成了鸟兽的世界。这真叫人触目惊心,真是眼中疮痍、笔底波澜,叫人佩服其构图的巧妙。

在人民遭受如此惨重灾难的情况下,那些被称作“民之父母”的官员们何在?他们在干着什么?诗的尾联以无比深沉的笔触指控了他们的罪状:这些税官,即“椽史”,他们身着华贵的衣服,虽然头发胡须都花白了,但敲诈钱财、算计发财的“雄心”依旧在无限地膨胀,他们还妄图捞一笔大钱去长养子孙,永享那种不劳而获的寄生虫生活哩。真是贪得无厌,毫无人性。这两句诗很冷峻,诗人对那些披着一张华丽人皮的禽兽只作了淡淡的勾勒,即把他们那种衣冠禽兽、毫无人性、毫无同情心的阶级本质揭露无遗。

本诗采取对比手法，描绘出了十八世纪时代的南京一边是繁华的街市，一边是萧条的荒村那种真实的社会画卷。全诗画面感极强，可说是一句一个画面，有大勾勒似的全景图，也有毫发毕现的特写镜头；有淡淡的粗笔写意，也有精工细描的工笔渲染。另外，全诗语言警策，属对精工，具有深刻的讽喻力量。

（蒋先伟）

梅　花

汪　中

孤馆寒梅发，春风款款来。故园花落尽，江上一枝开。

鉴赏

这是一首乡情诗，写作者因在客地见梅花而牵惹起对故乡的怀念之情。

以梅花写乡情，在古代诗词中为人熟悉的有以下两首：一首是魏晋南北朝时陆凯的《赠范哗诗》："折梅逢驿使，寄与陇头人。江南无所有，遥寄一枝春。"另一首是唐代王维的《杂诗》："君自故乡来，应知故乡事。来日绮窗前，寒梅著花未？"加上汪中的这首，三首诗均属五言，并系同一题材，表达同一情思。陆凯诗通过折梅寄友的细微行动，表达对友人的深厚情意。王维诗通过对故乡来客询问家中窗前梅花开花与否，表现出对家乡的眷恋。这两首诗都写得自然亲切，看似不经意而发，但却十分隽永，很耐人寻味。

汪中这一首诗，以故园和客馆梅花开放的早迟不同，表现出客居异地的孤凄和对故乡的深切怀念。诗首句写客地见梅。梅开报春，一元复始，万象更新，照理说自有一番喜庆之气，可诗人的心态却不甚佳妙，表现出的是"孤"，是"寒"，一开篇就流露出深重的乡思乡愁。诗曰"孤馆"，表明诗人是做客他乡，馆居异地。出于一种水是家乡美、月是故乡明的感情。诗人甚至觉得客馆的春风也来得特别迟，它是款款而来，姗姗而至，大有"可堪孤馆闭春寒，杜鹃声里夕阳暮"那种难耐的孤凄。以上两句写客地见梅，不言乡思而乡思自浓，不写乡愁而乡愁自现。可谓"不着一字，尽得风流"。

接下来两句写怀念故乡。"故园花落尽"，是说故乡的梅花早已凋落殆尽。这里的"花"，承首句的"梅"，当指梅花而非言他花，如指他花落尽，就显得与事实不符。汪中故乡在江苏扬州,江南春天虽早,亦不至于百花凋残而客馆寒梅始花。这一句以故乡花落,反衬客馆始花,进一层写出作者客居他乡的孤苦意绪。“江上一枝开”,这一句是回过头来写客馆的梅花,故园花已落,客馆花才开,以两地花开时差作比,突出表现出“哪里都没有家乡好”这种中国人民的传统心态,抒发了热爱家乡,怀念家乡的思想感情。

汪中这首诗,从题材上说并无新颖之处,只不过是一首极为普通的乡情诗。但从艺术上看,却能以极平淡之语表现最浓烈之情。我们如果把它和前面所引的两首诗放在一起进行一个粗略的比较,就可发现,前两首有点像一出独幕剧,都有两人物出现在诗中,陆凯诗托语驿使代问朋友,王维诗是迫不及待地问讯故乡来客家中情况,而汪中诗则是独白,没有对象在诉说自己的思乡之情,那种做客他乡的孤苦之情也就更加溢于言表了。

(蒋先伟)

宜沟行

洪亮吉*

宜沟驿中逢节使,三日马蹄声不止。
冲途驿马苦不多,役尽民马与民骡。
民骑不给官家食,更要一骑增一卒。
马行三里力不支,马病乃把民夫笞。
长须压后尤无忌,急选官骡访官伎。
民田要雨官要晴,一日正好兼程行。
车前舆夫私叹息,曾与此官居间壁。
官前应试苦力疲,百钱得驴诧若飞。
君不见人生贵贱难如一,不是蹇驴偏有力。

作者

*洪亮吉(1746-1809),字君直,一字稚存,号北江,江苏阳湖(今常州)人。乾隆五十五年(1790)进士,授翰林院编修,施督学贵州。嘉庆初年因批评朝政,被流放伊犁(今属新疆),不久赦还。精通经史、音韵、训诂之学。亦工诗。有《洪北江全集》。

鉴赏

这是一首揭露封建官吏压迫剥削人民的现实主义力作。全诗可分两部分,采用对比的写法,表现了封建官僚在贵贱时的不同情态和形象,宛若两幅对比鲜明的漫画。

先看第一幅画面。在宽阔的河南省宜沟镇(今汤阴县南)的官道上,一位手持旌节的清廷要员,坐着五匹高头大马所拉的华丽帷车,前呼后拥,正急如星火地赶路。钦差大臣所过之处，地方上都为之准备了换乘的马匹。由于宜沟位处交通要冲，往来官员甚多，官家驿马早已难于敷用，只好征用民间的马匹和骡子。这些被征的马、骡，官家不仅不供给草料，就连马夫也得自带。生活在那个剥削深重时代的人民，本身就“无衣无食”，不能卒岁，又哪里还有饲料来喂这些被征用的马骡呢？所以这些可怜的畜牲走不上三里就无力支撑而饿倒官道。马病无力民夫何辜？然而官差的板子却打在了他们的身上。呜呼！“哀我征夫，独为匪民?”以上是前八句描绘的景象，采用的是全方位、鸟瞰式的画面，先把钦差大臣及其仆役们在往来宜沟镇时那种大规模地，挨家挨房征用民马、民骡的扰民行径进行粗笔勾勒，然后对官差殴打民夫作工笔描绘，一粗一细，活现出一幅钦差节使扰民图。接下来两句，写一个长着长胡子的奴仆，大概是钦差大人的总管吧，正跟在赫赫威势的仪仗队后面压阵，他狗仗人势地显得十分无理和肆无忌惮，一忽儿在众多的马骡中挑肥选瘦，一忽儿又在查访供他们沿途寻欢作乐的官妓。面对着一幅幅丑恶的画面，眼看着中原大地上“野田禾稻半枯焦”的千里赤野，正直的诗人已难于忍耐心中的怒火，不由发出了“民田要雨官要晴，一日正好兼程行”的长叹。人民盼雨，官们却要出太阳，他们需要晴天，只不过是为了便于赶路，一天走上两日之路罢了，为了一己私欲，竟置天下苍生于不顾。用这两句来作第一幅画面的结尾，正把那位钦差节使放到朗朗白日之下曝光，其虐民扰民罪行暴露无遗。

下面再看第二幅画面。面对钦差节使那种肆虐无忌的气势，这时候，一位车夫忍不住发话了，他向同行者无情地揭露了这位炙手可热的大员在从前的狼狈相。想从前，他曾经住在这个大员的隔壁，那时候，该员只不过一介寒儒，去赶考时累得精疲力竭，万分无奈地用一百文钱雇了一只驽劣的驴子，还竟然连声赞叹那驴子行走如飞。现在呢？又是马，又是骡的，在千万中供他选用犹嫌不快。难道是从前的“蹇驴”就真的有力而今天选来的马骡就不善于跑了吗？非也！而是他的地位起了变化，现在再也不是从前的穷书生。这是多么深沉的感慨！一幅“车前舆夫私语图”，为我们十分逼真地勾画了这个扰民钦差节使“小人得志，忘乎所以”的丑恶嘴脸。

这首诗采用了前后对比、揭老底的写法，对封建官吏的罪行作了鞭辟入里的揭露。稍类似于元曲中睢景臣的《高祖还乡》，具有较强的喜剧效果。然而，诗庄曲谐，作为一首诗，它不可能像套曲那样可以写得那样幽默，那样逗趣，那样活泼，它毕竟要显得凝重些，深沉些，典雅些,温柔敦厚、怨而不怒的传统诗教压抑了诗人的一部分愤怒。虽然如此,本诗仍然表现出通俗化、漫画化的特色,是一首具有较强讽刺力量的现实主义诗作。

(蒋先伟)

宗忠简祠

洪亮吉

六百年来气不磨,江干遗庙郁嵯峨。
迎门九派东归海,卧榻三呼北渡河。
梦里铜驼余涕泪,望中铁骑敢经过?
刘琨祖逖应同传,未了忠心尚枕戈。

鉴赏

“宗忠简祠”,在江苏镇江市。“宗忠简”,即北宋抗金名将宗泽。靖康元年(1126),他募集义勇,抗击金兵,曾任东京(今河南开封)留守,用岳飞为将,屡败金兵,金人惮其威望,呼为“宗爷爷”。他的抗金大计为投降派所阻,忧愤成疾,临死时还接连三次呼喊渡河,卒谥“忠简”。这首诗,以瞻仰宗泽遗庙而缅怀了他一生抗金的业绩,歌颂了他至死不忘恢复国土的爱国主义精神。

诗的首联写宗泽遗庙的巍峨壮丽和宗泽爱国精神的永垂不朽。“六百年”是指宗泽出生距作者的时代约为六百年,尽管“大江东去,浪淘尽千古风流人物”,可宗泽那种爱国抗金之“气”却不能磨灭,后人为纪念他而修筑的祠庙依然壮观宏丽,高高地矗立于长江岸边。“其人虽已灭,千古有余情”。祠庙六百年仍然嵯峨壮观,这当然全靠后世代代修葺,这里,一个世世受人景仰膜拜的民族英雄形象可谓呼之欲出了。

颔联和颈联是诗人对宗泽一生战斗生涯和至死不忘恢复疆土大业的概括描写。先写祠庙面临长江,以长江支流众多而最终东流归海的眼前实景,联想起整个中华民族也终究会四海一统,八方共域。从宋至清,虽然六百年间朝代更迭,但最终还是分久必合。诗人生活的乾隆时代,是多种民族共存的大一统封建帝国。由此诗人想到,宗泽的一生志在恢复,至死不忘北伐,甚至临终之际还在卧榻上三呼北渡黄河,这种爱国精神实在感人至深。诗人在此似在以长江九派归海告慰烈士:中华民族终归要统一。宗泽是一个杰出的爱国者,但又有别于一般空有爱国抱负的书生,他之爱国,是以其金戈铁马的实绩而彪炳于史册的,在国家破败、金瓯残缺之际,他有深广的忧愤,也有奋勇杀敌的实际行动。诗的颔联用两个典故表现了这层意思。“梦里铜驼余涕泪”,事见《晋书·索靖传》:“靖有先识远见,知天下将乱,指洛阳宫门铜驼叹曰:‘会见汝在荆棘中!’”这个典故用以指宗泽对国家危亡的关切和对投降派误国的痛心。“望中铁骑敢经过”,用宗泽任东京留守,金人惮其威望事。“铁骑”是指善于骑马射箭的金兵,“敢经过”就是不敢经过。宗泽为将,金兵不敢复犯东京。以上两联,连用三个典故,十分典型而具体地表现出宗泽的爱国主义精神和能征善战的功绩,可以说是对这位民族英雄一生最好的总结。

作为一个爱国主义者,宗泽只不过是我们中华民族千百个最优秀者中的一员。在我们民族辉煌的史册上,还有许多如宗泽一样的杰出人物,他们都以其高尚的爱国情操赢得了世世代代人民的敬仰。其中特别是那些在国难当头、民族分裂的非常时期而奋起保家卫国的民族英雄,更值得人们永远怀念。西晋时代的刘琨、祖逖,少年时即胸怀大志,相邀闻鸡起舞,当他们在捍卫北方边疆,与当时的异族统治者作战时,都曾有过可歌可泣的事迹。祖逖渡江击楫,发誓“不清中原而复济者,有如大江!”于是大破石勒兵。刘琨闻听祖逖打了胜仗,与亲故写信说:“吾枕戈待旦,志枭叛逆,常恐祖生先我着鞭。”他们都用自己的生命和鲜血,在史册上写下了辉煌的一页。他们在生前忠心未了之时,一个是不清中原就不回渡长江,一个是枕戈待旦随时准备奔赴前线杀敌,《晋书》把他们归为一传确实是应该的。而宗忠简呢?当然也毫无疑义地属于刘琨、祖逖一样的爱国志士了。诗的尾联,用刘琨、祖逖的典故,将宗泽以比二人,这自然是对这位民族英雄的由衷赞叹和最高评价了。

这一首诗,大气凛然磅礴,充满激越清刚之气。它歌颂了宗泽和历史上所有的杰出的爱国人物。全诗八句中有五句用典,既形象鲜明具体,又毫不晦涩难懂。这首诗虽然主要是写宗泽一生的戎马经历和爱国事迹,但由于诗人用了历史人物与之参照比较,它就成了一张中华民族的爱国历史人物谱,供我们这些后世的读者浏览、游历展望和瞻仰,可以毫不夸张地说,它就是一部形象生动的爱国主义教材。

(蒋先伟)

悯　旱

洪亮吉

镇日帷车坐，偏愁云气晴。客行殊望雨，敢说为苍生。

鉴赏

这首诗采取第一人称的手法，叙述了自己在行车途中因见旱情严重而产生的心态，真实地反映了作者同情人民疾苦的思想感情。

首句写整日坐车赶路，交代了诗作者的身份。“帷车”，是挂有布幔的马车，这表明车中人并非寻常之辈，诗人曾任翰林院编修，又曾督学贵州，其地位当然是不低的。第二、三两句写他在行路中的心态，由于天旱，所过之处皆是“野田禾稻半枯焦”，诗人与广大农夫一样，也是心如汤煮，意似油煎。原指望“其雨其雨”，到头来竟是“杲杲出日”。“偏愁”之“偏”，是“偏偏”“反倒”之意，诗下此字，表现出一种事与愿违的懊恼心绪。作为一个行路之人，有谁不希望一个风和日丽的晴日呢？可是，诗人却在迫切地希望天降甘霖。这里的“客”，是诗人自指，诗人因公务而客行他乡，就自身利益而言，天雨天晴，于己本无干系，他完全是一个局外之人。但同情人民疾苦的诗人，却是那样迫切地望雨。诗人的这种感情，十分难能可贵，这与其在《宜沟行》所描写的那个钦差节使，完全判若两人，一个是置自身利益于不顾而“偏愁云气晴”，而另一个呢，却是置天下苍生于不顾，“民田要雨官要晴，一日正好兼程行”，真是对比鲜明，给人深刻印象。诗的最后一句，“敢说为苍生”，“敢说”，就是不敢说。诗人上面“愁晴望雨”的心态，其实完全是和广大人民相通的，相一致的，但这里却十分自谦地说自己以上想法不敢自我称许是为了天下的黎民百姓，这又表现了诗人对自己的严格要求。一个封建官吏，能够根据自己的切身感受，说心里话，表现真实感情而又不自我标榜“爱民如子”，实在是不容易的。

全诗只有四句，通俗、明白，除第一句交代诗的写作背景外，余三句均为心理描写，在描写中，长于炼字。“偏”“殊”二字，精当恰切，含意深刻，耐人咀嚼、回味，使诗在情感上造成回旋跌宕的美感。

（蒋先伟）

安宁道中即事

王文治*

夜来春雨润垂杨，春水新生不满塘。
日暮平原风过处，菜花香杂豆花香。

作者

*王文治(1730－1802)，字禹卿，号梦楼，江苏丹徒(今镇江)人。曾任翰林院编修、侍读及云南临安府等官。

鉴赏

“安宁”即今云南省安宁县，“即事”即以当场所见入咏所成的诗。这是作者在春日郊行中即景兴感，描绘春天郊野美丽风光，抒发内心愉快的作品。

“夜来春雨润垂杨，春水新生不满塘”二句写春雨之后塘边景色。由于夜雨的洗涤，柳条显得格外娇嫩，而池塘的贮水也略有增多。这里的“润”“生”两字都值得细细咀嚼。春雨初霁，杨柳不但色泽更鲜，而且柳叶也应有所滋长。所以“润”字不但有润色之义，也有滋润哺育之义。把柳条柳叶的质感都写出来了。池塘一冬也应有水，但在枯水季节，那水也给人以萎缩冬眠的感觉。而在春雨之后，池塘水位增高，水色变绿，确乎又给人以质变的感觉。又仿佛从一冬的沉睡中醒来，恢复了生机，获得了“新生”。“不满塘”三字，见得春雨时间不长，雨量也不很大。虽“不满塘”，但毕竟使人感到塘水的增高，“正是一年春好处”。如果满塘甚至溢水，须是夏日暴雨后的情景。

“日暮平原风过处，菜花香杂豆花香。”前二句所写全属视觉愉悦感，这两句则写春的气息，全是嗅觉的快感。春日郊原，百花盛开，桃李飘香。而诗人偏偏只抉出“菜花香”

和“豆花香”来写，是很有别趣的。读者不难想见，他是身在田野阡陌上，而庄稼地里菜花与豆花的开放，是成畦成片，有时是连绵数里，桃李花哪有这样的气派。他这时只嗅到菜花、豆花的清香，应是实感，拈来自好。一个“杂”字写出辨味之细。而在此同时，诗人为农家将有一个好的收成而喜悦，也不言而喻。此外，上句的“风过处”三字亦下得好，盖庄稼的花粉和气息是随风传送的，往往在风过的时候，香味最浓，最使人心醉。诗句虽然直接写香，但“菜花”“豆花”间接也能表现色。读者仿佛也能看到如郭沫若歌咏的，司春的女神来了，把黄的菜花、蓝的豆花，还有许多不知名的草花，散在路上，散在地上，散在农人的田上，使人感到美不胜收。

（周啸天）

观夜潮

吴锡麒*

高楼极目大江宽，为待潮生夜倚阑。
隔岸忽沉灯数点，如山涌到雪千盘。
鱼龙卷地秋风壮，星斗摇天海气寒。
明月暂低声已歇，一枝塔影卧微澜。

作者

*吴锡麒(1746－1818)，字圣征，号榖人，浙江钱塘(今杭州市)人。乾隆四十年(1775)进士，授翰林院编修。迁国子监祭酒。擅长骈文，诗亦隽秀，也工散曲。有《正味斋集》。

鉴赏

此诗描写钱塘江潮壮丽雄奇的景色。钱塘江潮，历来为骚人墨客所激赏，其潮势极为湍急悍猛，潮头壁立，波涛汹涌，有如万马奔腾，成为自然界的奇观。白居易《忆江南》词其二曾十分眷恋地提起过它："江南忆，最忆是杭州。山寺月中寻桂子，郡亭枕舟看潮头。何日更重游。"钱塘江潮竟使得素以现实著称的大诗人也浪漫流连，缱绻怀思，其魅力何在？读过此诗，你就会找到答案。

"高楼极目大江宽，为待潮生夜倚阑。"首联写在一个月明之夜(也许就是阴历八月十八日，这一天钱塘江潮势尤大)，诗人为观赏钱塘潮水而"独上高楼"，斜倚栏杆("阑"，即栏)。他极目眺望开阔的大江，企望着奇观的出现。这两句写候潮，表现出诗人候潮时的迫切心情。

等待着，等待着，忽然，奇观出现了！只见对岸无数的灯火沉入了江底，像山一样的潮水铺天盖地席卷而来，大有"乱石穿空，惊涛裂岸，卷起千堆雪"的气势。这里，诗人不说"千堆雪"而说"雪千盘"，盖因钱塘江入海处地势低平开阔，潮来无涯岸阻隔，故而波翻浪卷，势不可挡，形成千万个磨盘状的波澜。说灯大沉江，形象地状写出了潮头之高，岸上人家好似霎时被淹没到了海底。潮来之迅猛，激烈，一个“忽沉”，一个“如山”可知矣。这是颔联，写潮至之气势，既写实又有所夸张。接下来的颈联继续就潮至落墨：“鱼龙卷地秋风壮”，潮水所过，江里鱼鳖虾蟹及其他各种水生动物无不席卷于岸，秋风起处，钱塘江潮洪波涌起。“秋风壮”，暗用曹操“秋风萧瑟，洪波涌起”（《步出夏门行·观沧海》）句意，说潮水之起系秋风威力所致。其实，潮起潮落主要原因在于日月星辰之引力，说秋风掀动潮水只是古人在科学知识不发达时对这一自然现象的表象认识。“星斗摇天海气寒”，写潮势震撼霄汉，连天上星斗亦为之动摇。这个夸张句既奇特又符合实际，潮来如山，使人头昏目眩，大有天摇地动之感。“海气寒”，并非指海气寒冷，而是指海潮使人心惊胆寒。以上两联，作者采用了比喻和夸张手法，十分形象地描绘了钱塘江潮的气势，是全诗的主要部分。读后使人感到心骇神惊，为大自然的神力所倾倒，具有一种阳刚之气，雄壮之美。

翻江倒海是美，阒寂宁静亦是美。钱塘江，怒则如雄狮蛟龙，静则如淑女处子。在经过一二时辰的喧嚣奔涌之后，它又复归于安静寂寞。“明月暂低声已歇，一枝塔影卧微澜。”这是尾联所描写境界。“明月暂低”表明夜已过半，经过刚才一阵“力拔山兮”的表演，钱江累了，该歇息了。江边的六和塔也拖着它那长长的疲惫已极的身影俯卧于江心的微波之中。这时，江天一色，月影朦胧，星斗横斜……静后思动，想起刚才那惊心动魄的一幕，诗人也许尚存一丝余悸哩。

（蒋先伟）

虎　丘（录二）

吴锡麒

虎气消沉鹤市荒，东风容易客回肠。
真娘墓上年年柳，画了春愁画夕阳。

水阁家家风幔开，画栏曲折粉塘回。
冶香轻似落花过，快橹瞥如飞燕来。

鉴 赏

"虎丘",在今苏州市,为著名风景名胜。传说为春秋时吴王阖闾的墓葬处。据《吴越春秋》记载:"阖闾冢在阊门外,葬三日而有白虎踞其上,故曰虎丘。"此诗原为三首,这里选析二首,诗以"虎丘"为题,实咏苏州,第一首吊古,第二首写景。

第一首开篇就扣住与诗题有关的两处古迹:"虎气""鹤市"。"虎气",指吴王阖闾墓。吴王阖闾,即位前称公子光,用专诸刺杀吴王僚登上国君宝座。即位后用楚国亡将伍子胥伐楚,曾一度攻占楚都郢,后又与越王勾践争霸,战败受伤而死。葬三日而坟上金精之气化作白虎。观吴王阖闾一生,不可不谓雄心勃勃,虎气生生。但是他开创的事业而今安在?早已消亡而荡然无存,只徒留虎丘之名而已。接下来的"鹤市",亦言阖闾事。同据《吴越春秋》记载:阖闾女名胜玉,自杀而死。阖闾葬之于阊门外,葬时舞白鹤于吴市中,令吴民往观。待白鹤与吴民俱入墓门,就开动机关将一应人众活埋。所谓"鹤市",应当指此。诗言"鹤市荒",是说当年热闹的鹤市到而今也荒废无存了。兴亡之感,可谓溢于言表。接下来一句"东风容易","东风",即春风,一年四季,周而复始,岁岁如此,年年相同。春风去了,又接回复,所以说是"春风容易","容易"者,容易回复之谓也。但是,吴王之霸业和虎气却是一去不复了。两相比较,实在叫人感伤不已。"客回肠","客"是作者自指,"回肠",悲伤之意,语出太史公《报任少卿书》:"肠一日而九回。"

以上两句,一句吊古,一句伤今,以自然之永恒而伤人生之短促。诗的第三句回扣苏州古迹"真娘墓"。据唐人范摅笔记小说《云溪友议》:"真娘者,或国之佳人也。死葬吴宫之侧,行客感其华丽,竞为诗题其墓树。"真娘已矣,然其墓上柳树却年年花开花落,较之不可一世的吴王阖闾,这个普通的红粉佳人应该说是可堪告慰了,因为南来北往的客人都争相前来悼念她。这里的"画了春愁画夕阳",就字面上讲,是说春天有人来这里消愁,傍晚有人来这里遣闷,但实际上是以"春"代指四季,以"夕阳"称说早晚。它表明真娘死后并不寂寞,得到了后世人们的怀念。

这首诗采用了两组对比,一是以春风年年来以比吴王一去不回,二是以普通红粉佳人之受人怀念以比吴王"虎气消沉",它讽刺了凶狠残暴的统治者不得人心,被人唾弃,赞美了美丽和善良的永恒价值,是一首颇具人民性的作品。

第二首诗是一幅古城苏州的风俗画。苏州地处江苏水乡,与太湖相去不远，运河穿城而过，城中家家枕河而居。水，可以说与苏州人民结下了不解之缘。写苏州风景，当然不可不写水，也不可不写船。因此第二首开篇第一字就是“水”——“水阁家家风幔开”。这是说苏州家家有水阁。“水阁”，是临水的阁楼，用木板构建而成，为遮挡河风，阁内门窗都挂有帐幕，称“风幔”。这是一幅苏州古城特有的画面。第二句是拉开“风幔”所见的苏州河上景色——“画栏曲折粉塘回”。苏州，素以人工园林的雕琢景色著称，即使连河堤——“粉塘”，也被精巧的人力装饰得别有风致，河堤是由一片银白色的石料修砌而成，堤岸为曲折的雕花栏杆所环绕。人工的雕琢，使得具有两千多年历史的古城苏州更加显得风姿绰约和婀娜多姿，这又是一个只有苏州才有的特写画面。以上两句是写苏州城市的建筑特色，诗人用浓墨重彩对苏州作了精心的雕绘，给人留下了十分深刻的印象。

如果说，苏州仅仅是以其特别的建筑格局引人瞩目的话，那么，它还不能算是真正的苏州。“上有天堂，下有苏杭”，苏州之美，还表现在其自然的魅力，表现在大自然对苏州的特殊赐予。首先是花——“冶香轻似落花过”。站立于水阁之上，你会时不时地嗅到一股浓烈的香味。香从河来，当然是来自堤岸的花丛，来自城内数以百计的园林。一阵异香随风扑来，你还以为是落花从你面前轻轻地飘过。其次是船——“快橹瞥如飞燕来”。船，是水乡人民不可或缺的生产、生活工具，苏州家家有水阁，亦户户有船舟，穿城而过的运河，乃是船舟的天下。拉开水阁的风幔，扑入眼帘的就是船只，它们来来去去，去去来来，其轻快，其神速，简直如同河上翻飞的燕子，瞥眼之间，就飞到你的面前。苏州，是花的世界，是船的王国，爱水、爱花、爱船的苏州人民，将世世代代永享这上天的优厚赐予，愿苏州永远美如天堂！

（蒋先伟）

雨中过七里泷歌

吴锡麒

苍苍茫茫江一面，雨入江光吹不见，
前滩后滩白如练。
有风倾刻七里过，无风奈此七里何！

忽然雨势挟风至，但听来船争唱顺风歌。
我船甘让来船走，画本留看黄子久。
望穷寒水竹回环，洗出青山橹前后。
牧童自驱黄犊回，渔郎正放鸬鹚来。
笠檐蓑袂尽邻舍，对江几扇柴门开。
丹青未见今见此，水外是山山外水。
客到先愁无路通，何况迷离烟雨里。
山头雨作山中泉，蜿蜒都在树杪悬。
东峰一泻落千丈，雷霆乃毁西山颠。
此时忆杀严先生，羊裘孤拥寒不轻。
我欲松门一杯酹，苔荒路滑无人行。
传闻名利人，不泊钓台下。
扁舟独纵横，问我何为者？
玉壶买春雨堪赏，尺半白鱼新出网。
饮酣抱瓮卧船头，听得舟人齐拍掌。
数枝柔橹划玻璃，百幅蒲帆眼底齐。
夕阳乍明风亦转，行行一路画眉啼。

鉴赏

“七里泷”，一称“七里滩”“七里濑”，在浙江省桐庐县城南十五公里处的富春江上，江岸山峦夹峙，水流湍急，连亘七里，故名。北岸富春山（亦名严陵山），相传为东汉严子陵垂钓处。富春江上有“严陵八景”，七里泷为其中之一。此诗以歌行体形式详尽地叙述了诗人雨中过七里泷所见的秀丽山川景色，抒写了诗人不慕名利，心怀淡泊的情趣。

全诗分两部分。第一部分写七里泷雨中景色，分三层着笔，首写乘船过七里泷。在一个有风有雨的春日，诗人乘一叶扁舟路过七里泷峡谷，江面为烟雨所笼罩，一片苍茫，但见风吹细雨，雨洒江面，滩前滩后的流水犹如一匹白练。小船顺风而下，想到顷刻就会走完这七里的行程，诗人心里十分惬意。忽然，大风挟着暴雨卷来，江面顿时波翻浪卷，但见后面来船顺风疾驶，一个个你追我赶，好一幅千帆竞渡，百舸争流的壮丽图景。但是,诗人却无意与来船争渡,心甘情愿地让来船一一超越自己,而独自留在后面静静地欣赏元代著名画家黄子久的山水画本。这一层描绘的画面有动有静,动静结合,表现出诗人闲适淡泊的情绪,为后面写诗人不慕名利预作伏笔。次写行船时雨中所见峡谷景象。小船,在七里泷峡谷中缓慢地前行,诗人的目光在两岸细细地流连。船过之外,四面青山被雨洗得一片干净,目力所极,"寒水"尽头有一个竹树环合的村庄。青山下,牧童正各自驱赶着黄犊往回走;河滩上,打鱼的小伙正把鸬鹚放到水里;水田里,穿蓑顶笠的农夫正冒雨栽插;江对岸,几扇柴门正迎着风雨打开……春天的江南原野,正是一年中最繁忙的季节,"乡村四月闲人少,才了蚕桑又插田",一幅幅"烟雨劳作图"在诗人眼前一一展开,简直令他目不暇接,美不胜收。这大自然的真实画卷,不是山水画中所能见到,然而诗人今日却有幸见此,他止不住心中的狂喜,情不自禁地念出了"丹青未见今见此,水外是山山外水"的诗句。这一层描绘的画面,既灵活跳跃,又新鲜有趣,十足是一幅雨中山村风情图。最后写山中景色。面对图画中所不能领略的大自然美景,诗人此时已无意于舟行赶路,勾起了欲去山村作客的念头。然而,四处烟雨迷茫,路在何方?怅望山头,雨仍在不停地下,它已汇成了泉水,从万壑千沟蜿蜒流出,远看就像挂在树枝的梢头,真是"山中半日雨,树杪百重泉"(王维《送梓中李使君》)。众多的泉流中,最壮观的莫过于东山那一处了,但见它从千丈高崖倾泻而下,其声势壮若雷霆,简直就是把西山顶给炸毁!这一层写山上泉流,声形毕肖,极有气势。以上写过七里泷所见山川景色,由近至远,层次分明,先写江中,次写岸边,最后写山上,各层所写重点不同,但都紧紧围绕一个"雨"字,多层次,多角度,多侧面地写了雨中七里泷的迷人风光,唤起了游人对它的欣羡之情。于是诗就十分自然地过渡到第二部分。

第二部分写游七里泷的感触和狂放行动。亦分三层落墨。先写触景生情。"此时忆杀严先生"一句承上启下,用"此时"关合上文所写之景,用"忆杀严先生"引起下文对古人的怀想。"忆杀严先生",是说对严先生怀想之甚,"忆杀"即"忆煞";"严先生",字子陵,浙江余姚人,东汉隐逸之士。据《后汉书·逸民列传》载:严光少时曾与东汉光武帝刘秀同学,后来刘秀即位,请他至洛阳,除授谏议大夫,严光不受,辞归耕隐于七里泷侧的富春山,其垂钓处,后人名之曰"严陵钓台"。诗人过七里泷,当然就会想起这个爱山川而不爱名利的高士。严光其人,志廉行洁,《后汉书·逸民列传》还载其"披羊裘钓泽中",光武"遣使聘之,三反而后至”的一段佳话,诗中“羊裘孤拥寒不轻”即指他宁肯独自披着羊裘在“寒不轻”的江边垂钓,也不肯攀龙附凤,进入污浊的官场。诗人想起严光的高风亮节,实在倾慕不已,竟然也想仿效严光去高山松林过那种“一杯酒”的隐逸生活,但“苔荒路滑”,愿意过此清苦日子者,其有几人欤?传闻世上那些“争利于市,争名于朝”的小人,是连“严陵钓台”也不肯停靠的,更莫说仿效严先生的为人了!这一层吊古伤今,表现了诗人对东汉严光的怀想和倾慕,抒发了诗人不慕名利,心志淡泊的情趣。接下来一层写诗人面对世风浇薄,人心不古的现实社会,只好独驾一叶扁舟,纵横“严陵钓台”之下,诗人这种与世不偶的举动,引起路人的疑难,问他来此“何为”?诗人答曰:自己是来买酒寻春的。这里的“玉壶买春”,就是玉壶买酒,唐宋人称酒为春,见司空图《二十四诗品》:“玉壶买春,赏酒茅屋。”诗人停舟钓台,喝着从农家买来的新酿,吃着刚刚出网的尺半长的白鱼,真是惬意之极,满足之甚,酒酣之后,竟然抱着酒瓮醉眠船头,朦胧之中,似听船夫在齐声拍掌哄笑他那一副憨痴狂放之态。这一层写醉眠船头,宛然一副“天子呼来不上船,自称臣是酒中仙”的世外狂人相,活泼逗趣,表现出山林生活的闲适和无所拘束,是承上继续写其不慕名利的思想。最后四句是写诗人酒醒后继续赶路的情景。“数只柔橹划玻璃。”“柔橹”,柔弱之橹,意为划船时用力甚轻,故舟行缓慢。这时,风停了,雨住了,江面就像玻璃一样清澈平静,先前那些湾进山崖避雨的数百船帆一下又齐刷刷地驶向江面,开始了它们新的航程。突然,夕阳的光辉从西边山上斜射过来,雨后的青山格外苍翠,夕照掩映下的大江格外明洁,诗人的小船在缓缓地前行,一路上画眉鸣啭,岸树成荫,真是“绿阴不减来时路,添得黄鹂四五声”(曾几《三衢道中》)啊!

全诗语言流转,描绘细腻,写雨中七里泷景色如画,读后使人产生一种愉悦的美感。

（蒋先伟）

龙 门 滩

黎 简*

西江几千里，有力使倒流。狞石张厥角，直欲砺我舟。
竹缆如枯藤，袅袅山上头。失势倘一落，万钧亦浮沤。
浔州两江水，其北导柳州。上逼铜鼓滩，下握相思洲。
龙门在其中，神物居其幽。往往一夕泊，晓不辨马牛。
龙堂洞壑夜，瑶天风雨秋。翳予屡经历，不为风波愁。
肃然慎前途，毋为二人忧。

作者

*黎简(1748－1799)，字简民，一字未裁，号二樵，广东顺德人。乾隆拔贡。工书画，诗词亦著名。其诗峻拔清峭，刻意新颖，自成一家。有《五百四峰草堂诗文钞》。

鉴赏

黎简诗由山谷入杜，镵刻奇秀，在乾嘉诗坛上自成一家。这首五言古诗，以劲峭有力的笔触，描绘了龙门滩壮丽险峻的山川景色，也流露出在险恶的风波中小心谨慎的心情，颇具深意。

诗歌大致可以分为三个段落。第一段为前八句，写龙门滩山势的高峻奇险。开始两句"西江几千里，有力使倒流"，以夸张手法，突出了龙门滩险峻的特点。龙门滩在广西桂平县黔江上，西江远在它的下游，浔江流至梧州和桂江合流，始称为西江。两句说，龙门滩简直有力量使那汹涌澎湃奔泻几千里的西江之水，往上倒流回来。自然，西江之水并未倒流，两句只是虚拟之词，但从这种大胆而豪迈的虚拟中，却十分生动地突出了龙门滩的"力"，其奇险无比令人惊心动魄。沈德潜说：

诗歌"起手贵突兀"(《说诗晬语》)。这两句发唱挺健,突兀奔放,是有大气包举、笼盖全篇的作用。接着,作者连用比喻手法,从三个不同的方面,来描写山势的高峻,衬托龙门滩的险要。一是写山石:"狞石张厥角,直欲砺我舟。"那奇形怪状的石头,突出的棱角就像牛一类动物奋张的犄角,好像要伸过来磨我的船。这一比喻显然受了黄庭坚《题竹石牧牛》诗的启发:"石吾甚爱之,勿遣牛砺角。牛砺角尚可,牛斗残我竹!"比喻用在这里十分贴切,舟行滩中,两岸山石迎面而来或擦身而过,好像在朝自己走动,作者自然而然产生了这样的感觉,很富于生活的实感。二是写竹缆:"竹缆如枯藤,袅袅山上头。"这两句紧接上面的"舟",作者从船里往上看,那牵船的竹绳就像干枯的藤条一样,细弱而摇动地直上山顶。本来,牵船过滩的竹缆是粗壮结实的,这里把它比喻为细弱的枯藤,往上仰视时它却是那么细,这是进一步突出了两岸的高不可攀。三是写下落:"失势倘一落,万钧亦浮沤。"这两句作者又把视线从山顶收下来,回到滩面和船上。他想,那看上去细弱的竹缆假如忽然在山顶上断了,即使乘坐的是万钧(三十斤为一钧)大船,也会在湍急的滩水中撞上礁石而崩裂,就像浮在水面的一个小水泡会轻易破碎那样。这里仍然是比喻,把船比为水泡,包含着夸张之意。这三个比喻次第而下,而又回环交织,都造语确切,从不同方面极为形象地写出了山势之险,显得奇警飞动。从诗中视角的上下移动中,我们还可以想见作者过滩时是以多么惊奇的眼光在上下打量、审视这里的一切,不住地从内心发出惊叹,并且隐怀着懔懔然、惴惴然的心情。山势之险,以及当此险境的作者内心,被表现得淋漓尽致。

第二段,从"浔州两江水"到"瑶天风雨秋",共十句,写龙门滩的重要位置和夜泊情形。作者在第一段写了山势之险后,到第二段拓开笔势,上溯下连,首先写出了它在整条江上的重要地理位置:"浔州两江水,其北导柳州。上逼铜鼓滩,下握相思洲。""浔州"是府名,治所在今广西桂平县,县内有两条大江,即南面的郁江和北面的黔江,在桂平合流后称为浔江。从黔江上溯,就导向更北的柳州了。在这样广大的地域内,龙门滩对上直逼黔江上游的铜鼓滩,向下控制着黔江下游的相思洲,可称是整条江上的咽喉要道。"逼""握"二字,下得力重千钧,读来铿然有声,充分显示了龙门滩极其重要的位置。接着,作者通过"龙门在其中,神物居其幽"二句一转,不仅进一步写出了龙门滩的幽僻,仿佛其中藏匿着怪异的东西,显示出几分阴森可怖,而且巧妙地把上下拓开的笔触收回到龙门滩上,自然地引出夜泊情形："往往一夕泊，晓不辨马牛。"晚上在此泊船，到天明时但见茫茫一片，往往连岸上的牛马也分辨不清，滩水十分宽阔。"晓不辨马牛"一句，用了《庄子·秋水》中的典故："秋水时至，百川灌河，泾流之大，两涘渚崖之间，不辨牛马。"通过这个典故，使人想到"百川灌河"、秋水浩渺的情形，形象地表现出了滩上水面的宽阔。最后，作者不接写"晓"，而是倒挽一笔，把夜泊的情景补足："龙堂洞壑夜，瑶天风雨秋。""龙堂"，传说中龙神所居的殿堂，这里指龙门滩中。"瑶天"，瑶池天空，这里指桂平大瑶山一带瑶族居民区。这两句说，秋天的夜晚在此泊船，整个瑶区风雨满天，那呼啸的风声雨声，与滩水的奔腾咆哮连成一片，在两岸洞壑的共振下，响声震天，真好像虎啸龙吟。这两句笔致恢宏，而又意境壮阔、幽邈，再一次以十分形象生动的笔墨写出了龙门滩的奇险，也曲曲传达出了作者对这奇特的山水的半是惊惧、半是赞叹的心情。

最后四句为第三段，写作者对龙门滩的感慨。"翳予屡经历，不为风波愁。肃然慎前途，毋为二人忧。""翳"，语助语，无义。"二人"，指父母，语出《诗经·小雅·小宛》："明发不寐，有怀二人。"朱熹注："二人，父母也。"这四句是从前面两个大段的具体描写中，自然引申而出的。作者说，像龙门滩这样奇险的地方，我是多次经历过了，决不会为风浪而发愁。不过，行船还是应当谨慎的好，免得发生意外的事故，让家里的父母担忧。这最后四句，意味深长。一方面，从"不为风波愁"中，暗示出这里的风急浪大和舟行的艰难，以深曲的笔致，扣紧题目《龙门滩》，进一步表现出此地山水的奇险。另一方面，作者在这里也隐然以"风波"比世路，他似乎在历经坎坷之中，尝够了人生的艰难，在当时的政治高压、动辄得咎的情况下，作者也在自我提醒，还是小心谨慎为妙，采取明哲保身的态度，免得闯出祸事。这首诗不仅有对山水壮丽险峻的描写，动人心魄，而且也隐含着人生哲理，给人以深深的启示。

全诗从头至尾，一韵到底，浑灏流转，一气直下，风格雄健壮阔，直有黄钟大吕之响。诗中不少句子有散文化的倾向，在奇崛奔放中不乏自然之姿。但作者又时有精心安排，间出对句，如"上逼铜鼓滩，下握相思洲""龙堂洞壑夜，瑶天风雨秋"，在一路散行中，又有精致新巧的感觉，足见作者手法变化之妙。

（管遗瑞）

小园

黎简

水影动深树，山光窥短墙。秋村黄叶满，一半入斜阳。
幽竹如人静，寒花为我芳。小园宜小立，新月似新霜。

鉴赏

这首五言律诗以“小园”为中心，把园里园外的景象融成一体，表现了深秋时节山村幽深、静美的景色，读来形象感人。

全诗从时间上看，是从傍晚写到初夜。作者之所以要这样安排，是因为深秋时节的山村，本是一种萧索、荒凉的景象，气氛肃杀。但是，这些景象在夕阳和新月的映照下，却又会幻化出幽静深邃、优美动人的新姿，引人流连不已。作者正是抓住了这一稍纵即逝的时机，把小园置于夕照和新月的交替之中，通过生动传神的描绘，从而展示出它动人的风采，给读者以品味不尽的美的享受。

前三联的关键是“斜阳”二字。它虽然出现在第二联的末尾，但细玩全诗，却有着融贯一切的重要作用。傍晚时分，晴朗的天空余光返照，它那淡红、橙黄的颜色给整个山村抹上了一层诱人的色彩。此时，小园的一切，都因它而顿然增色，显得分外美好。你看，园中高树的影子倒映在池水中，在幻成金波的水中荡漾。四围丛山被夕阳照得分外明亮，它们透过矮矮的围墙在向园中窥视。园子里那满树、满地的黄叶，与村外相连，有一半在夕照中更加色彩斑斓。园中的修竹，就像袅袅婷婷的人儿，相依相傍，多么娴静美好！深秋寒气中的花朵，也散发出淡淡的幽香，仿佛是在特别为我开放。这一切，构成了多么幽静美丽的小园！这六句，诗人不仅将园中的水、树、竹、花井然不乱地交织在一起，而且还将园外的山光、黄叶与园内景色相融合，在夕阳的余晖中连成一片。这金色的夕照，使得小小山园盖上了一层薄纱，朦胧隐现，含蕴着深沉、静美的幽韵。

在这三联中，作者给静的景象赋予动态，让冷寂的小园充满了生机。“深树”本是静景，但倒映在微动涟漪的池水中，却荡漾而有了动感。“黄叶满”，不仅表明已非“铿然一叶”的初秋，点明了深秋季节，而且也有纷纷下落的感觉，同样具有动势。“山光”与小园相邻，似乎各不相干，著一“窥”字，就把它们巧妙地联系在一起，并且相互显得情态依依，增添了几多活泼的气氛。作者还采用拟人的手法，把园中的竹子比为“人”，这显然是受了杜甫《佳人》诗的影响，从“天寒翠袖薄，日暮倚修竹”中脱化而出。特别是“寒花”句，不仅赋予了花以人的感情，并且以嗅觉来陪衬视觉，在一片幽芳中，夕照从视觉上显得更加美好，也更加亲切，整个园中的一切景物，都富有不尽的情意，从中体现出作者对小园的难以言喻的深情。这一切，作者写得极其自然，好像全是客观描绘，像高明的画家，用淡淡的油彩，画出了一幅秋园夕照图，让人们自去欣赏，但在画图深处却满含着作者的一片深沉的情意，表露出对山村小园的赞美。

这首诗单看前六句，已经组成了一幅美好的画图，清新而又绚烂，如果接着这个意思再写两句，让诗意始终笼罩在夕照的余晖中，也未尝不可。但是，作者却并不这样处理，到最后一联，却出人意料而又入人意中地引出如霜新月，转换景色，在结尾处把读者带到了一个新的境界。前一句“小园宜小立”，既承上又启下，在“夕阳无限好”（李商隐诗句）的黄昏时刻，作者被美景所陶醉，不禁伫立园中，依依不舍地观赏景色。在不知不觉中，夕阳渐渐隐没了，那淡红、橙黄的颜色也逐渐消退，而清冷、银白的月光却洒满了园中，给池水、深树、修竹、寒花等等，披上了一身新装。此时，那小园仿佛褪去红衣，换上了一身素雅的淡妆，这新的景色似乎比刚才更加迷人。不难想见，作者此时被新的景色所吸引，更加不忍遽然离去，他在园中伫立、徘徊，与天上的新月遥遥相伴。诗在这里结尾，留下了想象的余地，像半夜钟磬之声，清亮悠扬，而又余音袅袅。

全诗从傍晚写到初夜，从日光和月光的变化中，赋予小园以不同的色彩，充满了诗情的转换美。为了表现小园中这种迷离朦胧的色彩，诗歌在结构上也颇具特色。按照五律的规定，首联一般是散起，然后二、三联对偶，尾联散结。但这首诗一开始就是精致的对偶句，给人以精巧的感觉。第二联本该对偶，但却不对，似乎是任其自然，稍稍一放。第三、四联却又连用对偶句，而且尾联中前句连用两“小”字，后句连用两“新”字，对得更为新巧。透过这种精巧的形式，人们仿佛从中感受到了园子的精致小巧，而夕照和新月笼罩中的这小小的园子，它的景色就格外耐人寻味，而显得韵味无穷了。在这些方面，体现出了作者的精思巧构，可谓匠心独运。

（管遗瑞）

夜将半南望书所见

黎　简

乍冷初冬密云黑，忽惊万丈曙霞红。
远知何处中宵火，低拜前头北海风。
五岭三年千里内，多时十室九家空。
已怜泪眼啼饥尽，更使无归作转蓬。

鉴赏

这首诗作于乾隆五十二年(1787)冬天，作者客寓广东佛山之时。写所见火灾，并即小见大，想到岭南广大地区十室九空的社会现实，表现了作者对人民疾苦的深切同情，具有深刻的社会意义。

前四句写所见火灾情形。在一个初冬乍冷的夜晚，诗人也许是偶然出户，只见黑压压的乌云布满天空，到处一片漆黑。忽然，远处大火冲天，烈焰熊熊，就像天亮时火红的霞光。诗人突然一惊，明白了这是远方不知何处半夜失火，酿成如此灾害，于是，同情之心驱使着他，低身向从北而来的呼啸的海风叩拜，希望能降下大雨，止住风势，使烈火尽快扑灭。这四句从季节、天气写到火光，再写到希望降雨救灾，笔墨简练，又极为生动形象，读来如身临其境。第一、二句是互相映衬，前句先写出初冬乍冷之时，云浓月黑，与第三句的"北海风"联系起来看，风势也紧，这真是一个"月黑杀人夜，风高放火天"，未见火起，先已有了阴森恐怖的感觉。后一句作者连用了两个修辞手法：一是夸张，用"万丈"来形容火头之高；二是比喻，用"曙霞"来比火焰之红。再加上月黑风高的衬托和推助，这突然而起的火灾之大，火势之猛，也就可想而知了。在远处大火的映照中，那无边无际的暗夜，又被衬托得更黑；火生风威，那呼啸的北海风似乎也更加猛烈。两句交相映衬，火灾在特定的环境中得到了充分的表现。第一、二句起势迅猛，第三、四句即就势而下，作进一步的描写，但作者又改变了完全直接描写的手法，暗用了《后汉书·儒林传》中的典故："时县连年火灾，(刘昆)向火叩头，多能降雨止风。"其中"低拜"二字，令人想见当时情状，作者的虔诚之心和希望降雨止风的迫切愿望,被表现得十分深刻,流露出对灾民的深切同情。另外,四句中接连用了“乍”“忽”“何”等虚字,造成一气流转之势,如瓶泻水,读来十分自然流畅。

后四句写由所见火灾生发出来的无穷感慨。诗人见到眼前大火,感慨万千,想起了“五岭”(即在广东与江西、湖南交界处的大庾、骑田、都庞、萌诸、越城等岭,这里指广东省)地区三年来连遭各种灾患,人民或死或逃,已经十室九空了。大家因为饥饿已经哭干了眼泪,已够使人不忍心的了,如今又遭此火灾,烧光了房屋,无家可归,那就要像随风飘转的蓬草一样,又要到处流离漂泊了,想到此更加令人伤心。从诗句中,流露出了作者深厚的同情人民之心。后四句之所以要这样写,发抒感慨,而不继继去写火势,是因为晚上从远处观看,所见的只能是那些,前四句已经表现清楚了,如果勉强再写,那就无异画蛇添脚。而颇有经验的作者深知其中道理,因而后四句宕开笔锋,以前四句的具体描写为基础,来写自己的思想活动,从而拓展视野,另开新境,给读者以新的启示。同时,客观上也起到了深化主题的作用。这样的处理,那就不是单纯地、孤立地只描写这场火灾给灾民带来的痛苦,而是由此夜某处的大火,扩大到了三年来千里之内的广大地区的各种各样的灾害,从而表现出十室九空的惨绝人寰的情景,给人以更加触目惊心的感觉。这就把点上的现象与面上的情况联系了起来,把偶然性的灾害与必然性的社会结果相互打通,表现出社会的苦难和时代的苦难,从更深的层次上揭示了社会的疮痍,暴露了所谓“乾隆盛世”的黑暗统治,为我们今天认识当时的社会,提供了一份生动形象而又充满诗人激情的材料。至于诗中表露的对民生多艰的同情,充满了炽热的忧国忧民的情感,更具有感人的力量,激动着读者的心灵。从形式上看,后四句也有不同于前四句之处。“五岭”二句,对偶工巧,其中每句嵌以三个数字(“多”字不是具体数字,但也含有数字意味,是转对),更显得精致。不过这一联却并不纤巧。一方面,是因为全诗的句子大多有劲峭之感,从总体效果上看,笔力仍然不弱。另一方面,是因为两句中包括的内容,是极其丰富而又沉重的,因而并不单薄。作者恰到好处的运用,反倒丰富了全诗的表现手法。另外,最后一句“更使无归作转蓬”,通过“无归”二字,把诗意绾结到前面对火灾的描写上,补足前意,留下余味,给人以更多的深思的余地。这在结构上也显得谨严,浑然一体。

(管遗瑞)

村饮

黎简

村饮家家醵酒钱，竹枝篱外野塘边。
谷丝久倍寻常价，父老休谈少壮年！
细雨人归芳草晚，东风牛藉落花眠。
秧苗已长桑芽短，忙甚春分寒食天？

鉴赏

“黎简诗往往锤炼过甚，失之幽涩。此诗则较为秀丽自然。”（钱仲联、钱学增《清诗三百首》）这首诗在轻松愉快的气氛中，描写了村民在春季农闲时间聚餐饮酒的情形，表现了淳朴可爱的民间风习和清新秀丽的自然风光，但也含蓄地反映了当时物价倍涨和农民生活的艰难，在微带甘甜的诗味中掺和着苦涩。

刘熙载在《艺概·诗概》中说：“律诗之妙，全在无字处。每上句与下句转关接缝，皆机窍所在也”。这首诗在描写村饮时，显著特点是把客观的描述与村民们的交谈，不着痕迹地融合在一起，通过“转关接缝”，且叙且议，不仅形象地表现了村饮的场面，生动感人，而且还深入地揭示了村民的心理，透视隐忧，从一个侧面真实而深刻地反映了农村的社会情形。在“无字处”，给人以丰富的联想和启迪。

前两联直接入题，写村民们聚餐饮酒的场面。首联“村饮家家醵(jù，凑也)酒钱，竹枝篱外野塘边”，是诗人的叙述。春天农闲时节，乡村向有聚饮的习惯，于是，村民们家家都凑点钱，来共同备办一顿酒席，大家趁闲共饮。这酒席就设在村旁篱笆外的水塘边，竹枝掩映，塘里正荡漾着一泓碧绿的春水，说不定塘中还有几只鹅鸭正在游水嬉戏哩，它们高高兴兴，时而拍翅鸣叫，似与饮者相乐。这是多么具有田园风光的优美景象啊！两句交代了村饮的筹备经过和酒席的地点，十分切合农村情况。“家家醵酒钱”，与“一掷千金”的豪饮相比，未免显得小家子气，但这正是村饮的特点。钱要一点一点地凑，凑足了才能做酒席，这一方面说明农民收入甚微，经济拮据；但另一方面也说明，即使在艰窘情况下家家也都自愿来凑，见出民风的淳朴，以及大家对聚饮兴趣的浓厚，村饮的欢乐情景也就可想而知了。地点虽不如在高楼华屋中那样有气派，但“竹枝篱外野塘边”，却自有它的情趣，句中的“野”字，透露出了村饮时那种无拘无束，人人共乐的情景。在这样的情况下共饮，大家当然要畅所欲言，借机倾诉一番了。于是颔联就写谈话内容：“谷丝久倍寻常价，父老休谈少壮年！”大家在席间谈到农村的收入，年岁大些的“父老”都感到眼下的乾隆年间，谷价、丝价都比康熙年间有成倍的增涨(由于农产品涨价，其他需要购置的生活必需品也随之涨价，对于原本就收入不多的农民，生活自然也就越过越难了)；于是有人就劝说，父老们休要再去谈过去了，那种较为过得去的日子是永远不会再来了。这两句是村民们席间的闲谈，前句平平叙说，显得稳健持重，是父老们对过去满含深情的追忆；后一句语气强烈，显然是年轻气盛的后生们的愤激之言，把席间对话摹写得声口毕肖。而两句的共同点，都是对当时社会现实的不满。但在诗中，这两句又好像不单是村民的谈话，而像是作者的叙述，其间包含着诗人的强烈感情。这样，叙述与谈话水乳交融，转接自然而又包蕴无穷，作者的感情与村民的感情合而为一，诗情更为动人。而那席间谈笑对话，以至热烈争论的情景，也都宛在目前，收到了意在言外的良好效果。

后两联写村民们饮罢归家途中所见的景象和言谈。颈联“细雨人归芳草晚，东风牛藉落花眠”。上句“晚”字，说明大家饮的时间很长。一年中难得这样一次聚会，村民都流连不舍，直到天色向晚，又下起细雨来，才各自踏着芳草归去；一路上，春风徐徐吹来，农舍边的耕牛正躺在落花上熟眠。这一联是承“竹枝篱外野塘边”句，进一步描绘农村风光，十分工巧细致，将眼前景色写得历历如绘，十分可爱。从章法上说，这样穿插描绘，避免了平铺直叙，显得参差错落，摇荡生姿，体现了作者的艺术匠心和纯熟技巧。在归途中，大家当然也要谈话，尾联就写村民边走边谈的内容：“秧苗已长桑芽短，忙甚春分寒食天？”大家似乎在说，你看，秧苗都长那么高了，用不着再多费力气来管理，桑树的叶子却才刚刚长出，还不到采摘喂蚕的时候，在这春分和寒食节的二月底、三月初，正是农闲时候，有什么可忙的呢？这一联如同颔联一样，既是写谈话，同时也是诗人的描述，收到了二者得兼的效果。“秧苗已长桑芽短”一句，既与农时，又兼写景，使人想到那满地嫩绿的秧苗和刚刚冒出新芽的满山的柔桑，进一步写出了乡村的优美可爱景色。这一句还与“谷丝”句暗通关节，意蕴丰富，暗示出言外之意。既然稻谷、蚕丝早就倍涨其价，什么东西都贵,生活也只能这样将将就就地过下去,再辛苦勤劳又有多大用处呢?不如趁此农闲季节,清闲一下,得过且过算了。这些话,好像是在借以自慰自解,其实,里面深藏着村民们对眼前现实的怨愤,以及无可奈何的心情。最后以问句结束,似乎是一声长叹,将篇中前面写到的村饮的暂时欢乐一笔扫空,而留下耐人寻味的深长的意思。在“无字”之处,读者体会到了丰厚的意蕴,并将引起深入的思考,得到深刻的启示。

唐代诗人王驾有一首《社日》,也是写村民饮酒的:“鹅湖山下稻粱肥,豚栅鸡栖半掩扉。桑柘影斜春社散,家家扶得醉人归。”那情景则迥然不同,春社散后,庆祝社日而喝得醉醺醺的村民,被家人邻里搀扶着回家,极尽热闹欢乐。而这一首虽然以“村饮”为题,按说应当在酒上多着墨,但却并没有直接写饮酒,也没有暗示那种“会须一饮三百杯”的豪情,并且最后也没有出现酒醉的情形,只是写“细雨人归芳草晚”,喝了大半天仍然都是很清醒的。这就明确地表示出,在当时农村境况不好,村民生活艰难的情况下,尽管大家也希望在共饮中得到欢乐,但人人心中都怀着忧虑,饮酒也就不能没有节制,怎能畅饮而醉呢?作者用十分婉曲之笔,从一次小小的村饮中,反映出了当时农民生活的痛苦,感慨至深,具有深刻的意义。

（管遗瑞）

别　意

黄景仁＊

别无相赠言，沉吟背灯立。半晌不抬头，罗衣泪沾湿。

作者

＊黄景仁(1749－1783)，字汉镛，一字仲则，江苏武进(今属常州市)人。曾游安徽学政朱筠幕。乾隆三十年(1765)秀才。清高宗东巡召试名列二等，以英武殿书签官，例得主簿。后纳资为县丞，在京候选。贫病交迫，欲往西安依陕西巡抚毕沅，途中病死。早孤家贫，平生怀才不遇。工诗。多写牢愁抑塞之情，以奇肆新警沉挚见长，颇有李白之风。亦工词。著有《两当轩全集》。

鉴赏

这诗不知所别何人，但可断定是一位女性，很可能就是诗人的妻子。从“别无相赠言”看，这一次分手是远别。

诗题“别意”二字标得很好，诗写的就是这份“意”。这“意”，指情意，也指意态。四句诗，写足了伊人的离情别意，写活了她的意态，因此读起来就觉情意流溢，意态毕呈。也就是说，感情饱满，形象鲜明。

光看情意流溢这一点。二十个字的五言绝句，要把有情人之间黯然销魂的离情别意写得饱满流溢，是很不容易的。既是远别，居人自不免有许多话要向行人说。比如，希望他出了门“努力加餐饭”，珍重身体；祝愿他此去“直挂云帆”，功成名遂；叮咛他不要为儿女之情，消磨英气；告诫他不要被“浮云蔽日”，另结新欢；恳求他“记取绿罗裙，处处怜芳草”，不要忘了闺中人……真是千言万语，要一首长诗才容纳得下。诗人却举重若轻，用“别无相赠言”突然而起，前面似乎省略了“除此之外”四字。仿佛什么当说的临别赠言早已说完了，再没有别的什么要说了，诗是从说完了这些话之后拉开帷幕的。于是，把那千言万语的赠言,一股脑儿推到大幕开启之前,推到读者的想象之中。这是何等经济的手法!相赠之言,诗不再写;言中万缕情丝,却可以通过这位女性的具体行动来表达。你可以从"背灯立""不抬头""罗衣湿"中间,体味出她诉说千言万语后意犹未尽的缠绵情意,悱恻心肠。诗写的只是她沉吟无语的一瞬,但效果却是"此时无声胜有声"。刘禹锡说过:"常恨言语浅,不如人意深。"(《视刀环歌》)人与人之间的情意本来就不是语言所能全部表达的,何况在这黯然远别之际?既然"意不可尽",就"以不尽尽之";"正面不写写反面",赠言不写写沉吟。(引文均见刘熙载《艺概》)那流溢的情意,就从沉吟不语中来。这样写,有更大的容量,更强烈的感发效果。

再看意态毕呈这一点。所谓"意态",就是神情态度,是通过形象反映出来的一种精神状态。"天寒翠袖薄,日暮倚修竹"(杜甫《佳人》)是一种意态;"云髻半偏新睡觉,花冠不整下堂来"(白居易《长恨歌》)也是一种意态。意态最难描绘,因此王安石有"意态由来画不成"(《明妃曲》)的名句。黄景仁于此,倾注了全部力量,一连用了"沉吟背灯立""半晌不抬头""罗衣泪沾湿"三句写她的神情态度。"沉吟"是默默深思的神态。由于默默深思而悲从中来,又不忍对方在远行之前为自己的悲戚而痛苦,因此转为背灯而立,低头不语的神态。诗人见她背灯而立,走到她对面去安慰她。一看,她身上的薄薄罗衫已经被眼泪沾湿了。此时,人如泪烛,又该是何等凄苦的神态!三句诗,句句写态,句句蓄意;态中见意,意中生态。三句是三幅特写,三幅特写又融成一个总体形象:一个深沉内向,温柔多情而又强忍矜持的女性形象。她显然不是感情奔放的女人。其哀婉沉吟,又别具楚楚动人之致,低回缱绻,万种风情。诗人把这位女性的神情意态写活了,达到了"此中有人,呼之欲出"的境界。

这首小诗,除了情意流溢,意态毕呈之外,其浸人心魄之处,还在于它体现了一种无言之美。我们常说诗尚含蓄。无言,便是最大的含蓄。无言是子弹在枪膛里的沉默。《庄子·外物篇》说:"言者所以在意,得意而忘言。"语言是表意的,其意既达,何在于言?这首小诗写"别意","意"既已经写得浓浓的,心有灵犀,又何必一定要诉诸女主人公的口舌?且无言比任何语言都能包涵更多的情意,又何取于语言?柳永《雨霖铃》说:"执手相看泪眼,竟无语凝噎",古诗《迢迢牵牛星》说:"盈盈一水间,脉脉不得语",都是以无言胜有言的名句。严羽《沧浪诗话·诗辨》说:"不涉理路,不落言筌者,上也。"以此权衡,这首小诗不失为不落言筌的上品。

(赖汉屏)

少年行

黄景仁

男儿作健向沙场，自爱登台不望乡。
太白高高天尺五，宝刀明月共辉光。

鉴赏

此诗作于乾隆三十一年(1776)冬，仲则时年十八年。是年游学扬州，结识了南昌名士闵季心，与季心一道踏雪清游，挽弓射雕。其《浪淘沙·怀闵季心》词云："交识满浮生，健者惟卿。忆从相识在芜城。一揖四筵皆失色，气是幽并。荷戟靖边庭，归去呼鹰。生憎脆管与繁筝。箭叫一声雕落地，笔绝冠缨。"《少年行》实际上也是写"荷戟靖边庭"之情。诗人登上高台，四顾苍茫，想起《企喻歌》中"男儿欲作健，结伴不须多。鹞子经天飞，群雀两向波"的诗句，遂油然而起驰骋沙场之想。常人登台，总不免有故乡之恋，但作为一个想建功立业的"男儿"来说，就必须割断万缕乡愁，以飘然远举，奋然前行。"不望乡"者，非不思念故乡也，乃控抑自已的故园之思，强制自已"不望乡"也。李贺诗云："男儿何不带吴钩，收取关山五十州。请君暂上凌烟阁，若个书生万户侯"(《南园》)，仲则之情，殆近乎此。

"太白高高天尺五，宝刀明月共辉光"二句，是借去天尺五的太白山映衬自己豪迈的气概，以共明月争光的宝刀刻画自己飒爽的雄姿。或谓太白山乃秦岭主峰，远在陕西，身处扬州的仲则安能见之？其实，这只是虚拟之笔。盖时维冬季，大雪弥漫，诗人想起《三秦记》中"武功太白，去天三百""城南韦杜，去天尺五"之类的古谣，便顺手拈入诗中。由眼前的飞雪，联想到山顶积雪终年不化的太白山，并借此烘托豪情、点明时令，其构思之巧，文心之细，令人惊叹。不仅如此，诗人还由"韦、杜"豪门之赫赫之势，自然而然地引出"宝刀"(所谓"宝刀欲挫权门焰"是也)，又用"明月"进一步烘托出宝刀的锋利，联系到首句"男儿作健向沙场"，则一位欲为国效力、驰骋沙场、建功立业的英雄少年形象，就栩栩如生地出现在读者面前了。全诗激昂慷慨，堪称仲则少年时代的佳作。

(熊盛元)

和仇丽亭

黄景仁

多君怜我坐诗穷，袱被萧条囊橐空。
手指孤云向君说，卷舒久已任秋风。

鉴赏

“仇丽亭”名养正，是杭州名士，工诗词。黄景仁十九岁时，应浙江观察潘恂的邀请，去过杭州，因得与仇相识，两人唱和很多。两年后，诗人二十一岁，再游杭州。丽亭把自己在秋间写的五首诗赠给黄景仁。景仁看了后，深感于仇对自己的理解和关心，写了五首和诗，这里选的是第四首。

“多君怜我坐诗穷”，感谢你同情我因为写诗而误了功名，弄得走投无路，生活困难。“多”是感谢之意；“穷”是“穷达”之穷，即功名之路难通的意思。仇的原诗我们读不到，从这句和诗看，他倒是把问题看准了的。黄景仁多次应乡试，却连一个举人也始终没有考上，是什么原因呢？原来，他生当乾隆年间，盛行考据之学，文人提笔动辄引经据典；而黄景仁自恃才高，专攻诗词，把考据丢在一边，文虽高却得不到试官的承认。再说，当时诗坛，为沈德潜、翁方纲“格调”“肌理”之说所笼罩，讲究以学问为诗，以温柔敦厚相尚。景仁却独抒性灵，与袁枚同调。以袁枚诗名之大，况且被视为“野狐禅”“旁门左道”；黄景仁的诗不是“学人之诗”而是“诗人之诗”（万应馨《味余楼剩稿》序），就更难邀试官青睐。因此，尽管他少年诗赋名动江南，却总不能通过考试，取得功名。对于这一点，仇丽亭可谓旁观者清。

诗的第二句是夫子自道。由于仕途不通，诗人只落得行装（“袱被”）萧条，袋子里（“囊橐”）空空的，一无所有。这句补足上句“穷”字，形象地写出眼前穷愁潦倒，是诗人当时生活的真实写照。

多次应考全归失败的原因既明，穷困的现实又无情地摆在眼前，诗人如何对待？是我行我素，还是翻然改图？要知道，以景仁之才，这后一条路是完全可以走通的。在这严峻的考验面前，诗人微笑着，轻松而坚定地表明了自己的选择——

“手指孤云向君说，卷舒久已任秋风！”

诗人的眼望着天上，心也飞到了天上。他指着天上飘浮的云朵对丽亭说：我就像这片浮云，聚散曲伸（展舒），一任秋风。

认真说，诗是从这第三句才开始的，或者说，打这一句起，才顿起诗情，进入意境。“孤云”，象征漂泊，也象征高洁。漂泊人所难堪，高洁则聊堪自慰。你看，茫茫尘世，似无诗人立足之地，浩荡青天，却那样广阔无垠，任我凭虚御风，纵横驰骋。卷舒一任秋风，固然意味着身不由己，却也消遥自适，无拘无束。诗中出现了这一片“孤云”，现实的处境，理想的升华，全部融会其中，境界全出。你可以从中体会到诗人的可悲身世，也可以从中看到他孤高的品格，旷荡的心胸。朋友怜他“坐（因为）诗穷”，示意他改途易辙；诗人却说他已久惯于“卷舒任秋风”，丝毫不把穷达浮沉放在心上。他委婉地表达了自已不肯随波逐流的志节。诗中虽然含有缕缕哀愁，但淡泊、坚定、自信、轻松，才是感情的主旋律。“黄生抑塞多苦语，要是饥凤非寒虫。”（张树屏评黄诗语）“孤云”之喻正是饥凤长吟、孤清独往的境界，绝非寒蛩之泣，咽露之声。这才是黄景仁，而不是孟东野。我们读古人诗，常常发现以水上青萍象征飘零身世。试与这里的“孤云”一比，轩轾判然。青萍遭雨，不离水泽；孤云高举，飘飞太空。一个离不开尘浊，一个托身于太清，显出两种境界，两种心胸。

说诗是从第三句才开始的，是因为这一句完全翻出了一种新的境界。前面两句，那么灰暗，那么低沉；三句一翻，四句一接，又如此明丽，如此轻清。强烈的对比，巨大的反差，使读者眼睛突然一亮，心头忽然一喜，然后回环讽诵，击节称赏。试想，假如三、四句承前一味低转下去，岂不全是蹙蹶之声，变徵之调？那固然也是黄景仁，却不是完整的黄景仁。有这么一个转折，你的心才获得一种安慰，一种平衡。诗人是微笑着吟出这两句诗的，我们也是微笑着赏玩这两句诗的。所以说，诗至此才进入意境，顿起诗情。

（赖汉屏）

别　老　母

黄景仁

搴帏拜母河梁去，白发愁看泪眼枯。
惨惨柴门风雪夜，此时有子不如无。

鉴赏

古代诗歌中,以游子愧对母亲为题材的作品甚多,其中最为脍炙人口的,除了唐朝孟郊的《游子吟》外,大概就算黄仲则的这首《别老母》了。

此诗作于乾隆三十六年(1771)初春,仲则时年二十有三。由于当时仲则"家益贫",拟往安徽投奔太平知府沈既堂,遂不得不辞别家人,"出为负米游"(仲则诗集《自叙》)临行前,写了这首《别老母》,以及《别内》《幼女》《老仆》等诗。

诗的首句写自己掀开帘帏,拜别老母,踏上征程。"河梁",犹河桥也,是古诗中送别之地的通称,典出李陵《与苏武诗》:"携手上河梁,游子暮何之。"这里借用"河梁"一词,暗示了这次分别之地是在水边,分别之时是在薄暮。

按照一般思路,首句写了自己拜别老母之后,下面接着就该写临别的心情。然而,仲则不写自己,而写老母的神情:白发老母含愁相送,以至泪眼欲枯。老母泪眼欲枯,则游子之愁肠欲断可知。此情此景,正是"眼枯即见骨,天地终无情"(杜甫《新安吏》)。

"惨惨柴门风雪夜"一句推出特写镜头:茫茫的风雪之夜,破敝的柴门之外,一位泪眼欲枯的老妪,惨惨地目送着远去的儿子,凛凛的寒风吹拂着她花白的头发,她全然不顾,只发呆地倚在柴门前,向远处凝望……那萧疏的白发上,浸渍着多少辛酸;那欲枯的泪眼中,饱含着无限深情。面对这凄惨欲绝的景象,诗人深感内疚:哀哀老母,生我够苦,而我不仅不能尽儿子的赡养之责,反而要辞母远去,令高堂老母伤心不已,这真是"此时有子不如无"啊!

"此时有子不如无",是刻骨的情语,它不仅刻画了仲则当时辞别老母的沉痛心情,也震撼了千千万万游子的心灵。明朝归有光《先妣事略》中有这样几句:"世乃有无母之人!天乎,痛哉!"写的是对亡母的愧疚,而仲则此句写的却是"悲莫悲兮生别离",较之归有光,似乎更加沉痛。

仲则对他的母亲是拳拳挚爱、深深愧疚的。《两当轩集》中有不少写此种心境的作品,如"今夜别君无一语,但看堂上有衰颜"(《别内》),"袍少故人脱,绵余慈母装"(《舟夜寒甚,排闷为此》),"似水才名,如烟好梦,断尽黄齑苦笋肠。临风叹,只六旬老母,苦节宜偿"(《沁园春·二十四岁初度》)……唯其情深,故能为此催人泪下之诗。徐世昌评仲则诗云:"真若泪流鲛客,悉化明珠;米掷麻姑,俱成丹粒"(《晚晴簃诗汇》),可谓知言。

(熊盛元)

老　仆

黄景仁

飘零应识主人心，仗尔锄园守故林。
数载相随今舍去，江湖从此断乡音。

鉴赏

这首诗是黄景仁二十三岁离家赴安徽时所作。头一年秋天，他应江宁乡试，又告落第。“不信真愁门户难”，他穷得没法支持门户，养活家口了，才决心去安徽太平知府沈业富那里找工作机会，觅斗升以养家口。这次出门，心情很坏，写了几首告别家人的绝句，有“惨惨柴门风雪夜，此时有子不如无”（《别老母》），“今夜别君无一语，但看堂上有衰颜”（《别内》），“此行不是长安客，莫向浮云直北看”（《幼女》）等至为沉痛的诗句。他身体本来就孱弱多病，二十三岁的青年人，已经像个老头子，在本年所作《秋兴》诗序中说：“昔潘黄门以三十二见二毛，为赋〈秋兴〉。余则二十有三耳。临风揽鉴，已复种种；早凋如此，其何以堪！……”病足以损人，忧更能伤人。这首《老仆》，也是这次辞家时所作，同样表现出浓厚的忧伤。

“飘零应识主人心”起笔便说飘零，可知诗人虽然才二十三岁，已经在外游学、应试、为幕客多年。他到过杭州、扬州、徽州，又曾远游湖南按察使王太岳之幕。为了求功名，找出路，糊家口，年纪轻轻就浪迹江湖。此刻，他告诉老仆，你应该知道，这些年主人飘零如此，乃是生活所迫；这次留你在家，也是出于不得已。诗一上来就透着凄惶沉痛，调子低沉。接着说明这次不能带老仆出去，是因为家里没有人照料，要靠他“锄园守故林”。诗人门衰祚薄，家世孤零。四岁丧父，十二岁祖父去世，十三岁死了祖母，十六岁又失去了唯一的亲哥哥。此刻，母老家贫，妻弱子幼，家里本来就不能没有一个老仆来应付家务劳动。“仗尔锄园守故林”一句，质朴真挚，如话家常，又见家世伶俜，饱含沉哀茹痛。

诗的一、二句是向老仆说的，温语脉脉，是分别前的叮咛嘱咐。三、四句则转写自己，预想这次离家以后的索居生涯。从“数载相随今舍去”看，过去出门，诗人是带着这位老仆偕行的；这一次才将他留在家里，一人远行。现在的青年人出门，都是独来独往，出了门不管读书还是就业，过的都是集体生活，不会感到不方便，也不用担心孤单寂寞。古人可就不一样，离家读书、工作，绝大多数要赁屋而居，自办伙食，少不得一个仆人照料生活，相依为伴。诗人这一次不带老仆去，固然由于家事要人照料，少不得他"锄园守故林"，另外也有一层原因，诗里不肯明说。多带一个人出门，旅途就多一份开支；到了地方就多一个人的费用。何况自己也是去依人门户，怎好意思再带一个仆人去麻烦别人？可见，事非得已，情难以堪。

黄景仁的诗，总是涵蕴丰厚，最耐咀嚼。像这句"数载相随今舍去"，看似平常语，中间也是极富蕴涵的。那"数载相随"四个普普通通的字，便含无限深情。这些年，诗人出门，老仆做伴，种种客况，老仆看得清清楚楚。晨昏朝夕，主仆形影相随。此刻要留下老仆，"数载"中许多往事，便猛然兜上心头；那味道，是苦涩的。这许多往事，只隐隐用"飘零"一语概括；但读来便觉萦回在字里行间。这种涵蕴丰厚的特点，不由人工，无关诗法。情真则其意自丰，情深则其所蕴必厚，是自然而然的。

末句"江湖从此断乡音"，也是极平常、极直遂而又极沉痛的语言。"江湖"二字与篇首"飘零"遥相照应，不经意中自有"首尾相衔，开阖尽变"（刘熙载《艺概》）之致。从此身边没有老仆，一个人飘零江湖，想起来自有许多不便，许多难堪。这些，诗人一概不说。他担心的是"从此断乡音"——从今往后，身边再也听不到本乡本土人说话的声音了。不便，难堪，是料想得到的来日生涯的实况，乡音则是虚涵的。诗人以虚写实，借虚见实；实则有限，虚则无穷。这正是使简短的绝句扩大容量的方法。而且，这样一结，语淡情长，不沾不滞，如秋风穿树，摇曳无穷，更觉余韵哀远。

黄景仁还有一首《新仆》，其中有"新买孤雏瘠不肥，未来先为制寒衣"的蔼然仁者之言，也有"尔辈所求唯一饱，主人无奈亦长饥"这种感慨之句。不少人说，这类诗表现了他对仆人的深情。我则以为，不论写新仆也好，老仆也好，诗人总是在写自己——他提笔便忘不了自己。

（赖汉屏）

舟夜寒甚排闷为此

黄景仁

春江异风候，今昔变炎凉。袍少故人脱，绵余慈母装。

寒醒五更酒，浓压一篷霜。此际惟珍重，谁怜在异乡？

鉴赏

此诗的写作年代与《别老母》一样，也是在乾隆三十六年（1771）的初春。诗人拜别老母之后，登上客舟，寒夜难耐，遂作此诗，以排解心中的烦闷。

“今昔变炎凉”一句，是理解此诗的关键。表面看来，此句只是写时序的推移与物候的变化，但联系颔联“袍少”二句，便可知道，它主要是写人情的冷暖与世态的炎凉。昔日在家中，蒙受母亲的爱抚，享受天伦之乐趣，是何等的温暖；今宵在客舟，饱受路人的冷眼，无人可倾情愫，又是何等的凄清。于是乎，诗人不禁发出深沉的慨叹：“袍少故人脱，绵余慈母装”。

上句借用《史记·范雎蔡泽列传》中“绨袍之赠”的典故。战国时期，范雎给魏国中大夫须贾办事，受须贾毁谤，被打成伤。后范雎改名张禄，入秦为相。须贾出使秦国，范雎扮成穷人见他，须贾说：“范叔一寒如此哉！”遂脱绨袍为赠。范雎认为须贾“绨袍恋恋，犹有故人之意，因释旧怨。”下句化用孟郊《游子吟》中“慈母手中线，游子身上衣”之意。这两句用典贴切，反映出仲则客中的情怀；世上交情淡薄，唯有母恩深重难忘。

“寒醒五更酒，浓压一篷霜”，是诗人精心锤炼出来的佳句。由于“舟中寒甚”，心中闷极，因此诗人举起酒杯，借以驱寒排闷。然而，五更酒醒之后，心中之愁闷依然还在，舟中之寒气更加浓重。舟中寒甚，其原因是浓霜“压”着船篷；心中闷极，不也是由于有比寒霜更浓的“乡愁”重重地“压”在诗人的心头吗？这两句之所以绝妙，不仅仅是因为用了那个“压”字将情景融为一体，还因为它用了拗拗的声韵和倒装的句法。按五律的格律来说，“寒醒五更酒”应用“平平平仄仄”，但仲则为了表现心中的抑郁之气，故意选用了“平平仄平仄”（“醒”读平声）这种拗体的格式，能收声情并茂之效。从这十个字的排列顺序看，前句宜为“酒醒五更寒”，后句宜为“浓霜压一篷”，仲则为了突出“寒”“浓”二字，故意将这两个形容词置于句首，这是宋诗中典型的句法，虽略嫌纤巧，但用在此诗之中，却与全诗情调颇为一致。

最后两句是自我劝慰语：漂流异乡之人，既然得不到亲人的照料，那就只能自我珍摄，自我保重了。如此收束，不仅照应了前面六句，而且点明题中“排闷”二字，结构可谓严谨。

（熊盛元）

金陵杂感

黄景仁

平淮初涨水如油，钟阜嵯峨倚上游。
花月即今犹似梦，江山从古不宜秋。
乌啼旧内头全白，客到新亭泪已流。
那更平生感华屋，一时长恸过西州。

鉴赏

诗题《金陵杂感》，这首诗所感确实非常杂。诗中有历史兴亡的感慨，有飘零念归的乡愁，有知己零落的长恸。景仁《都门秋思》云："四年书剑滞燕京，更值秋来百感并"。这首《金陵杂感》也是百感交并之作。

不管感情有多么复杂，一读便知确是声情慷慨的好诗。这是第一印象。你看，秦淮河（平淮）涨起了秋水，岸柳还没有凋尽，映得水面绿油油的。钟山（钟阜）巍峨，位居金陵上游，金陵城就像倚靠在它的怀抱。起笔两句，先写河山形胜，大处落墨，气局开扬。秦淮、钟山，几乎是金陵怀古诗必写的内容，诗人于此，另出机杼。他先写"平淮"，显示地形的开敞，次写钟山，显示地势的高峻。写秦淮，着眼于水滑如油，显得柔美；写钟山，着眼于嵯峨万仞，显得壮丽。柔美与壮丽相呼应，平面与高度相结合，便显得有立体感，有宏远阔大的气象。而且，用河山发端，暗逗二联"江山"，三联"山河"（见后"新亭"注），金针暗度，组织绵密。

次联"花月"，用李后主"春花秋月何时了，往事知多少"句意，紧扣金陵史迹。花月似梦，往事如烟，管领六代繁华的许多帝王，第一个浮现在诗人脑子里的就是建都于金陵的才华绝代的南唐后主李煜。往日的繁华消失了，风流人物长逝不复返了，眼前这金陵风物，入目总觉得黯然失色。但诗人不直说江山失色，只说"江山从古不宜秋"。秋天百草千花零落变色，诗人用季节更迭带来的花草失色象征这座名城的今昔巨变，站在历史的高度俯瞰古今，发出喟然长叹。这一句，托词委婉而寄兴深遥，语言清淡而感情悲怆，对仗流走而毫不费气力，音调浏亮而悠然有远韵。有了这一句，诗就从起笔的气局开扬进入感慨深沉,像平湖孤帆驶入峡口,波澜隐隐,诗境渐渐起了变化。

三联用典,转出漂泊念归,诗意的表达非常曲折。"乌啼旧内头全白"一句中两用故实。据《史记·刺客列传》引司马贞《索隐》记载,燕太子丹为质于秦,求归。秦王说:除非乌头白,马生角,才能放你回国。丹仰天长叹,果然乌头尽白,马亦生角。后来常用"乌头白"比喻不可能实现的事。李商隐《人欲》诗用这个典故,参以新意:"秦中久已乌白头,却是君王未备知。"君王不知乌头已白,不放燕丹归去;隐喻自己不得志,求归亦不可得。黄景仁这一句即用李诗之意,宛转表示自己游幕不得志,思归不能归。"客到新亭泪已流",说诗人重到金陵,即不免流泪。"新亭对泣"这个典故,一向用来表示江山易代,怆怀故国。要说这位生活在清代建国已历百年的诗人有什么山河之感,故国之思,征诸景仁一生言行出处,是难以使人信服的。"新亭"用在这里,只是切金陵地望,起代言作用,不必牵合什么故国兴亡。上句说,思家不得归;这句说,重到金陵不免流泪,诗意不过如此而已。为什么诗人重到金陵就"泪已流"呢?景仁十九、二十、二十二岁,曾三次到金陵应乡试,那是他十载寒窗的希望之所在。结果三次落第,备尝辛酸。现在故地重游,往事前尘,历历在目,故而怆然泪下。这首诗最难说的就在这一句。都由于拘泥"新亭对泣"的习惯用法,刻意求深。其实,诗中用典,往往为了属对。("旧内"对"新亭")有时只取典之一义,不一定切合出典的全部内涵,这在诗词中也不是绝无仅有的。萧子显所谓"借古语申今情",杨万里说的"全用古人语而不用意",此即其例。

三联感慨生平,已如上述,结联转写知己零落之恸,依然承上句触景生情,一气流转。"华屋"出自曹植《箜篌引》:"生存华屋处,零落归山丘。"有慨叹盛时不再和哀悼故交零落两重意思,这里取第二义。"西州"在金陵朝天宫西面。"西州之恸"典出《晋书·谢安传》。谢安生前有大功于东晋,为人所爱重。病中被召还晋都金陵,用车载入西州门,从此一病不起。他的外甥、名士羊昙曾受知于安,自安死后,不忍再过西州路。有一次喝醉了酒,无意中走到这里,当随人提醒他之后,他用马鞭敲打城门,高诵曹植"华屋"之句,大恸而去。这诗中"一时长恸过西州",即取羊昙感恩怀旧的故事,痛悼荐师凯龙川。(【注】清代乡试,在正副主考官下设同考官多人,分房批阅考卷,选出佳者推荐给主考官。士子称这种曾经推荐自己试卷的同考官为"荐师",也称"房师"。有的黄诗选本疑"长恸西州"乃为其恩师邵齐焘而发,恐误。邵与黄的关系确实比龙川深,但邵死距此诗作已三年,凯龙川死仅一年,记忆犹新。又,邵与景仁仅仅是师生关系,其交往未涉及金陵;凯龙川荐景仁,事在金陵。当景仁重到金陵时,想起力荐过他的凯龙川,更合情理。)上一联说,路过金陵,想起在这里多次参加乡试累累失败的往事而流泪,这句又从考试失败而想起在乡试中曾为他力争的凯龙川,"长恸"即因此而发。凯音布字龙川,隶籍汉军旗人,官全椒知县。乾隆三十三年戊子(1768),景仁二十岁,秋天参加金陵乡试,凯龙川以同考官身份,担任分房阅卷工作。他曾把黄的考卷推荐给主考官,建议录取。主考官不同意,龙川为之力争不果。两年后,景仁二十二岁,秋到再度参加乡试,龙川也再度任同考官,中途得病。同事劝他辞去同考官工作。龙川说:"这些考生读书辛苦,我为他们死了也在所不惜。"揆其用心,乃拳拳属意于景仁。不幸终于去世。景仁二十五岁时所作《过全椒哭凯龙川先生》诗序中言此甚详,诗中有"生无一面死未哭,此恸不比西州门"之句,与本诗"一时长恸过西州",同一出典。龙川死于乾隆三十五年庚寅(1770),景仁此诗写于距龙川之死仅一年,两次乡试地点均在金陵,因而触景生情,痛哭知己,兼伤自己功名失意。看来,金陵对于这位短命诗人来说,不止是六代名都,而是一片伤心地!诗到结尾,愈转愈深,愈深愈痛。现在,诗人的心帆所历,不再是峡口微波隐隐,而是进入波涛汹涌的峡中狂浪区了。

本文开头说过,这首诗所感甚杂,但决非杂乱无章。在章法上,倒是很有讲究。全诗先写形胜,然后凭吊历史,再抒个人身世,结到长恸荐师,由大而小,由远而近,由泛言而转到切身,使诗情由平缓渐起微澜,由微澜而轩然大波,一浪高过一浪,因而胜境迭出。这在结构上是很富特色的。

作诗一如作画,黄景仁这首诗由于所感甚杂,转见层次丰富,色彩斑斓,不同于单线平涂之作。色彩斑斓,乃见感慨遥深,百忧交集,歌哭非只一端。

作诗一如奏乐。清人吴蔚光叙《两当轩诗钞》曾说:"仲则秋声也。"秋之为声,"初淅沥以萧飒,忽奔腾而砰湃"(欧阳修《秋声赋》)。黄景仁这首诗,正由于所感甚杂,便像一支交响曲,既有淅沥萧飒,哀笳激管之音,又有奔腾澎湃,天风海涛之气,声情慷慨,读之四顾苍茫。

但,这只是天籁,出之自然。

(赖汉屏)

稚存归索家书

黄景仁

只有平安字，因君一语传。马头无历日，好记雁来天。

鉴赏

题中“稚存”，是与黄景仁同时的著名作家洪亮吉的别字。他是常州人，黄的小同乡，幼时同居白云溪上，两小相识，时相过从，是黄的生平挚友，多次同行共事。写这首诗时，洪、黄都在安徽游幕，洪将回故乡去，临行时问黄有什么家信带回去，黄便写了这首五绝以寄意。诗题中用了“索”字，表明仲则原无意写信回家，是洪出于乡谊友情，催之再三，逼着他写家书。这个“索”字，隐然透露了一种情绪。

二十个字，诗意一目了然，诗情却藏得很深，但觉氤氲满纸，而又很难指实。

赏析这首五绝，最好与唐代大诗人岑参那首脍炙人口的七绝《逢入京使》对读。岑诗是这样四句：“故园东望路漫漫，双袖龙钟泪不干。马上相逢无纸笔，凭君传语报平安。”

这两首诗何其逼似，又多么不同！所谓“逼似”，指诗的内容，十分相似；所谓“不同”，指两诗的艺术构思与表现手法，各不相同。就在这种同与不同之间，可以看出黄景仁“能从古人出而不为古人所囿”（吴兰雪《石溪诗话》）的创作特色。

两首诗写的都是托人带口信。口信的内容又都是“平安”二字。但岑参之所以托人带口信回长安，是由于西行中偶然遇到入京的使者，马上相逢，没有纸笔，来不及写信。黄景仁却是有条件写信，且被回乡的朋友“索”之再三，才带这个口信的，情况便很不相同。岑诗说：“凭君传语报平安”；景仁说，“只有平安字，因君一语传”，语意也不抵相同。黄诗却多了“只有”二字，刚一起笔，诗情就非常饱满，意在笔先，这又是一个大不相同很值得细玩的地方。旧时写信，有个习用语，叫“乏善堪告”。意思是分别以后，没有什么好消息足以告慰对方。黄诗在“只有”二字之前，实际上省略了这样一层意思。他离家游幕，浪迹四方，原为了觅升斗，求出路。现在，这一切都毫无成就。离家时种种幻想，留给家里人各种期望，都一一云散烟消；能告诉家里人的，便“只有”人还平安地活着这样一句话。诗人仅仅在岑诗的基础上添了“只有”二字，而且用在全诗发端的地方，便把各种追求、幻想都包孕进去了。多么神奇的中国诗！多么神奇的黄景仁！他虽从不学江西诗派，却真有点铁成金、死蛇活弄的本领。

后面两句，岑诗说，“马上”，黄诗说“马头”，无非写临歧匆匆，没有什么区别，但岑说“马上相逢无纸笔，凭君传语报平安”；黄说“马头无历日，好记雁来天”，含蕴就大不一样。先说“无历日”。字面上的意思是：身边没有历书，无法确定捎这个口信是哪月哪天。为什么人活着连日子也弄不清楚？岂不是生活潦倒烦忧，天天在愁和酒中度日的人一种特殊的精神状态吗？岑参与使者“马上相逢无纸笔”，因此只有托他带口信，这是一种正常的状态；黄诗因“无历日”而弄不清时间，反映的是一种不正常的精神状态。也许有人会说，不屑斤斤计时数日，只是反映了诗人性格中洒脱豪爽的一面。但这样说不合于全诗的感情色彩。

再说“好记雁来天”。字面上说，只消好好记住我捎这口信是北雁南飞的时候就行了。但我们一读，就立刻透过字面，看到了诗人心头的层层涟漪。“雁来”当然切“鸿雁传书”和“人归雁后，思发花前”之意，这还只是皮相。须知，“雁来”之日，时当暮秋，风高天迥，落木萧萧，这正是一个最令羁旅天涯的诗人百感交集的时候。诗中出现“雁来天”三字，仿佛一幅素描突然着了色，变成了色调灰暗的水墨画。诗人万千心事，都由此雁群挑起；心随北雁，漠漠南飞，缕缕乡情，缥缈无极。

这两首诗内容逼似而涵蕴各异，略如上述，至于构思，表现手法，区别显然。岑诗构思，用“无纸笔”以写浩浩乡愁；黄诗构思，用无心作家书以写客况潦倒。岑诗用逆笔开篇，本因逢入京使而起乡思，因乡思而“双袖龙钟”（泪痕湿袖不干）；却先从“双袖龙钟”写起，突出抒情主人公形象。黄诗入手，以“只有”二字劈空而起，使意蓄笔先。两诗的表现手法，岑诗取直寻，把怀乡心事说得明明白白，不假雕琢，在平易中见精工；黄诗却用含蓄、暗示手法，把游幕生涯，潦倒客况，写得幽微隐约，“使味之者无极，闻之者动心”（钟嵘《诗品·序》）。岑诗语浓而情真，特点在一个“真”字；黄诗语淡而意深，特点是一个“深”字。

（赖汉屏）

安庆客舍

黄景仁

月斜东壁影虚龛，枕簟清秋梦正酣。
一样梦醒听络纬，今宵江北昨江南。

鉴赏

乾隆三十七年(1772)夏，仲则随安徽学政朱筠，历游黄山、九华之胜。入秋，又"随学使历徽州、宁国、池州、安庆、庐州、凤阳"(黄逸之《黄仲则年谱》)。此诗就是这年秋天在安庆(今安徽安庆市)客舍中所作。

诗从客舍的夜间环境写起。"月斜东壁"四字，暗示月已偏西，天色将曙。"龛"，指供奉佛像的木椟或石室。月光斜照着空寂的佛龛，可见客舍是何等寂静与孤凄，这种环境的描写，烘托出诗人旅怀之凄清。

时值深秋，枕簟(簟，指竹席)清凉，本该早就酣然入梦。然而，对于漂泊异乡，行踪不定的仲则来说，秋夜的一切细微之物都会成为牵愁惹恨的东西。那深宵的明月，幽光冷冷，照得他彻夜不眠；那窗外的络纬，如泣如诉，更使他愁绪满怀……

"络纬"，是一种虫的名字，又名"莎鸡"，俗称"络丝娘"。在古代诗人的笔下，"络纬"似乎是一种献愁供恨的秋虫，例如："络纬声声织夜愁，酸风吹雨水边楼"(周密《西塍秋日即事》)；"谁遣缫车彻夜鸣，频催云锦织当成。送来枕上萦诗思，听向庆头系旅情"(利登《络纬》)……仲则本来就是一位多愁善感的诗人，现在又独宿在凄清的客舍之中，听到这如泣如诉的络纬的鸣声，怎能不引起他无边的哀愁呢？

"一样梦醒听络纬，今宵江北昨江南"，这两句诗细腻地写出了行踪已易而虫声依旧的独特感受；今宵江北而昨夜江南，可见仲则之行踪不定；今宵与昨夜听到的络纬声毫无二致，可见忧愁是无处不在。这样描写，就把仲则的羁怀旅愁形象地表现出来了。宋代蒋捷有一首《虞美人》词："少年听雨歌楼上，红烛昏罗帐。壮年听雨客舟中，江阔云低断雁叫西风。而今听雨僧庐下，鬓已星星也。悲欢离合总无情，一任阶前点滴到天明。"就其表现手法来看，与仲则似乎相同，但细加辨味，便可发现二者的区别。蒋捷之词通过“听雨”这一相同的动作，写出不同时期、不同地点的不同心情，抒发的是不胜今昔之感；而仲则之诗则是通过“听络纬”这一相同之事，写出不同时间、不同地点的相同心情，表现的是寂寞的无处不在和愁绪的无时不有。

此外，这首诗三、四两句的句式也很别致：第三句的句首用“一样”作为提示语，第四句则述说两种相对或相反的情况。这种句式，在古诗中时有所见，如“一样玉壶传漏点，南宫夜短北宫长”（张泰《汉宫词》）“一种爱鱼心各异，我来施食尔垂钓”（白居易《观游鱼》）“一种尊前沉醉客，解听争似不曾听”（刘绩《听胡琴》）……但相比之下，似乎都不及仲则那两句来得新颖。

（熊盛元）

归　心

黄景仁

归心日夜压征骖，霜雪残年景不堪。
多少重山遮不住，淮南行尽又江南。

鉴赏

二十三岁这一年的冬天，黄景仁与挚友洪亮吉一道，为安徽学政朱筠延揽入幕校文（阅卷）。这一年他生活比较安定，精神也比较愉快。朱筠是个很有学问又礼贤重士的人，他幕府中集中了王念孙、章学诚、戴震兄弟、汪中、洪亮吉等著名的学者、诗人，他们都是一时俊彦。黄景仁曾随朱筠及诸名士同游采石矶，凭吊李白坟墓，写下了著名的五言古诗《太白墓》，轰动士林。二十四岁这一年，他仍留安徽学使署中。三月上巳，在朱筠带领下与诸名士再为诗酒之会于采石太白楼。赋诗的有十多人。景仁在这些人中间年纪最轻，穿着白色上衣（白袷衣），站在日影之中赋诗，顷刻数百言立就。诗写得极成功，座客为之搁笔。当时安徽士子尽集当涂，准备参加词赋考试，听说学使举行这样的盛会，群集楼下观看。景仁《太白楼醉中歌》成，士子争着抄写，一日纸贵。后来他又与诸名士畅游黄山、九华山、齐山，备极登临之乐。这一年。诗人算是过得比较痛快的。十一月，洪亮吉先回故乡武进过年，景仁继至，到家时已是年底了。归途中写了这首《归心》。

"归心"，思归之心，是一种抽象的情绪。如何把它写得饱饱满满，能够看得见，摸得着？这自然得靠比喻，靠衬托。民间有一句流行的话："归心似箭"，听惯了，也许不觉得这话有多么好，多么确切；仔细想一想，你会称赞第一个创造这话的人简直是天才。因为他不仅说出了这种情绪像什么，而且具有动态感、速度感，像箭一般，永远飞在归人的前面。黄景仁这首小诗，好就好在写出了这种动态感、速度感，使我们似乎看到那颗火热的心在日夜飞驰，飞向故乡。心仿佛不是长在他身上，而是流星一般飞在天空。

在诗人笔下，他那飞驰的归心是有重量的。"日夜压征骖"，重重地压在他那匹坐骑上。既有重量，自然是实实在在，能见能触的。当然，这写法不自景仁始。宋代女词人李清照说："只恐双溪舴艋舟，载不动、许多愁。"（《武陵春》）要不是那愁有重量，她怎会担心压沉小舟呢？元代戏剧家王实甫《西厢记》中说："遍人间烦恼填胸臆，量这些大小车儿如何载得起？"那"烦恼"重得连马车也载不起了。黄景仁说得不同之处是，他的归心是"日夜"——时时压在马背上的，不仅显示了重量，而且表现了日夜兼程赶路的情景，多一层意蕴。

为什么要日夜兼程？因为快要过年了，已经是"残年"——一年将尽的日子。想到过年，一家人团聚，听诗人讲述这一年在外的生活情况，讲述太白楼前赛诗的快意事，该多么温暖甜蜜！但他不能不想到，老母妻儿固然爱听他讲述他在诗坛上的成功，但也更希望他在经济上有实际的帮助——诗毕竟不能吃和穿！想到这些，诗人的心蓦然一冷。他觉得，这归途，到处都是霜雪！真是残景凋年，人何以堪！腊月将尽，霜雪载途，本是生活中常见之事。现在诗人如此触目惊心，你能说这全是由于怕冷么？

霜雪载途，自然会给赶路的人带来困难。但那只能延缓马的奔跑，不能阻滞心的飞驰。你看，"多少重山"都"遮不住"。"遮不住"什么呢？如果说，这是辛弃疾"青山遮不住，毕竟东流去"的借用，恐怕不全对。辛弃疾说的是青山遮不住他的望眼，黄景仁说的是多少重山阻绝不住他的归心。"遮"字本来就是阻绝之意。前面说过，他的归心像流星一般在空中飞驰。要不是飞在空中，山怎么会遮不住呢？这样写，抽象的情绪就有了动态感、速度感。

于是，我们领会到"淮南行尽又江南"，是流星上的摄像机为地面拍下的快照——几百里路程，镜头一瞬之间就闪过去了。那速度，不是"飞"，是"闪"。一开始，他的归心就沉重地压在马背上；诗情发展，归心在飞。飞还嫌慢，终于成了闪电。看来，诗人的归心是以加速度前进的。

速度这样快，语如走珠，跳跃流动。尽管途中仍有“霜雪”，但“轻快”仍是这首绝句的主调。黄景仁一生写的诗，绝大多数是“苦语”，是沉重的，哀伤的。这首小诗，可说是诗人一生中少有的“快诗”，就像李白的“千里江陵一日还”（《早发白帝城》），杜甫的“即从巴峡穿巫峡”（《闻官军收河南河北》）一样。

（赖汉屏）

富阳

黄景仁

晓天曈曈江漠漠，估帆四开估客乐。
樟亭饮来酒未消，已在富春城下泊。
潮来直侵城根平，城门昼开闻市声。
人居此间亦何好，水光山色餐不了。
沙头愁煞捕鱼人，捕得鱼多卖钱少。

鉴赏

仲则的一生是在贫病与漂泊中度过的，漂泊的生涯，使他有机会接触一些下层的人们；贫病的生活，使他能同情下层人们的疾苦。“富阳”，在今浙江省。这是个风光明媚的地方：“奇山异水，天下独望。不皆缥碧，千丈见底，游鱼细石，直视无碍……”（吴均《与宋元思书》）仲则于乾隆三十八年（1773）来此游览，以他诗人独有的慧眼，发现了这风光明媚的地方也有着不那么美好的一面，于是写了这首诗，代富阳的渔民吐露了心中的不平。

全诗共十句，可分为两个部分。前一部分共八句，用较多的笔墨来描写渔商（就是诗中的“估客”）之“乐”；后一部分只两句，用简洁的语言突出了“捕鱼人”的“愁”；一乐一愁，对比鲜明，诗人虽然没有对此加以评论，但其思想倾向却通过冷静的叙述与强烈的对比充分表现了出来。这种通过对比反映贫富对立、社会不公的写法，在前人的诗中也不乏其例，如：“赤脚人趁兔，著靴人吃肉”（唐代谚语）“陶尽门前土，屋上无片瓦；十指十沾泥，鳞鳞居大厦”（梅尧臣《陶者》）“昨日入城市，归来泪满巾；遍身罗绮者，不是养蚕人”（张俞《蚕妇》）……不过，这些诗大抵都是平列两种对立的情况，对矛盾的双方平均使用笔墨。而仲则此诗却不然,它虽然也列举了两种对立的现象,但并非平均分配笔墨,而是用绝大多数的篇幅写估客之乐,用极少的篇幅写渔民之愁,这就形成一种强烈的反差,使整首诗显得怒拗不平。由于此诗的主旨是表现社会的不公平,因此,这种怒拗不平的形式更能适应主题的需要。可见,仲则在构思此诗时,是颇费了一番匠心的。

让我们来寻绎一下作者的思路吧:拂晓时分,旭日曈曈,江天漠漠,贩鱼的商船纷纷扬帆向富阳进发。那些来自樟亭(地名,在杭州附近)的快乐的渔商们,在出发前都喝了酒,当他们抵达富阳城的时候,身上的酒气尚未全消。这些渔商们到富阳有何贵干呢?诗中没有交代,但我们从第六句的"闻市声"与最后一句"捕得鱼多卖钱少"可以知道,他们是到这里购买廉价的鲜鱼的。"潮来直侵城根平",一语双关,从字面上看,此句是指江潮上涨,水浸城脚,但联系全诗看,此句又是暗喻渔商为逐利而像潮水般涌来。"人居此间亦何好,水光山色餐不了",这两句极写"乐"字;富阳城山清水秀,风光秀丽,一乐也;富春江船来船往,交通便利,二乐也;集市上人声沸腾,买卖兴隆,三乐也;渔商们"估帆四开",财源滚滚,四乐也……按照一般的思维定势,人们估计作者接着会紧扣"乐"字,"懿矣休哉"地来一番赞美,以收束全篇了,殊不料诗人的笔锋却骤然一转,出人意料地写出这样两句:"沙头愁煞捕鱼人,捕得鱼多卖钱少。"乃知前面的描写、渲染全为这两句而设,前面的"乐",是为此处的"愁"蓄势。这样的结尾,笔力千钧,奇峰突起,不仅使全诗波澜起伏,而且起了"卒章显志"、耐人寻味的作用。

(熊盛元)

山馆夜作

黄景仁

长夜山窗面面开,江湖前后思悠哉!
当窗试与燃红烛,要看鱼龙啖影来。

鉴赏

黄景仁一生曾多次游杭州。二十五岁这年春天,他在安徽学使朱

�幕中校文(帮助主考阅卷)。夏初,因与同事议事不合,一气之下出了使署,到徽州拜访郑诚斋,不久转赴杭州,畅游西湖名胜。《山馆夜作》便是游杭州时写的。这天晚上,诗人住在杭州吴山绝顶的山馆,彻夜不眠,写下了一组三首绝句,这里选析第三首。

吴山在西湖边上。住在山顶,打开所有的窗户乘凉,东南面可以看见钱塘江,北面可以俯瞰西湖,这就是诗中“江湖前后”的意思。但这“江、湖”二字,虽切钱塘江、西湖地望,也含有漂泊江湖的双关含义。因此,“思(sì)悠哉”一语便也有两种色彩。“悠”本有“闲适”和“遥远”二义。陶渊明“悠然见南山”,取“闲适”之义;杜甫《龙门》“往还时屡改,川水日悠哉”,则取遥远之义。夏天酷热,住在山顶上,时间已到深夜,暑气尽消;又处于江、湖之间,水汽蒸腾,长窗四开,夜风习习便有悠然之乐,那心境是悠然自适的。浪迹江湖,身如不系之舟。俯仰随人,辛酸备历。四应乡试,终未得一第。功名之蹭蹬如此,又复穷愁多病,家中母老子幼,事畜无资。在这不眠之夜,反复思量,顿感萍梗飘零,百忧交集,那心境是凄惶痛苦的。

诗的后两句“鱼龙啖影”是写实,也可能是用典。在两面临水的山头,当窗燃起高高的蜡烛,把水中鱼类逗引拢来(鱼在夜间有趋光性,故夜渔常设灯火),围着烛影来去觅食,那情景一如“花港观鱼”,非常有趣。又《晋书》温峤传,有牛渚燃犀的故事,火光在水中可以形成种种幻影。诗中“鱼龙啖影”,也可能是烛光映在水中呈现的幻象。那幻象也是壮丽多姿的。

但“鱼龙”还另有涵义。它往往用来比喻各种各样的人物,包括自喻在内。如,杜甫“鱼龙寂寞秋江冷”是自况;“鱼龙杂处”,形容各式各样的人混在一起,为衣食而奔逐。奔逐而终归落空,就像“鱼龙啖影”,到头来都归于空幻。景仁这些年,不也是为了追求功名而苦恼奔忙吗?他这个人中之“龙”,与多少“鱼族”升沉竞逐,觅升斗,找出路,结果只是梦幻泡影。因此,诗中“要看鱼龙啖影来”,何尝只是写闲情逸致!中间有生活的投影,失望心情的折光。这组《山馆夜作》第二首有“城郭人民别想劳,看来身世总秋毫”之句,感慨深沉,与“鱼龙啖影”的心情是一致的。

这样看来,此诗虽小,蕴涵也相当复杂。总之,身在江湖之上,难忘忧患相仍,这就是“思悠哉”的全部心态。

、这首诗字面字里,两副面目。从字面看,一派悠然自适,冷眼阅世。语言清雅俊逸,诗境淡远轻清,简直飘飘欲仙,绝无尘俗。从字底细味,思量身世,又有许多难以说清、说尽的复杂情怀。一底一面,如此不同,读之者可以各凭兴会,玩华得实，自作揣摩。因此这首小诗耐人咀嚼，味之不尽。这就是它的艺术特色。于此可见，本文开头对“江湖”一词的两重意义，仅仅列举而不加可否评断者，也正是因为两者兼而有之，不必执其一端，把活蛇弄死。

（赖汉屏）

新安滩

黄景仁

一滩复一滩，一滩高十丈。三百六十滩，新安在天上。

鉴赏

浙江自桐庐以上，一直在安徽的新安（今安徽歙县），均名新安江。这条江上下游地势高低相差极大，江中横着三百六十个滩。仲则此诗用浅显的语言，夸张的手法，有力地表现出新安江势的险峻，富有乐府民歌的风味。

这首诗写于乾隆三十八年（1773）的秋天，仲则当时从杭州坐船去新安。由于是逆水行船，随着地势的逐渐增高，每经过一滩就像增高十丈，按此推算，新安江共有三百六十个险滩，那么新安城就该在高入云霄的天上了。“新安在天上”，以极度夸张的语言，突出了江势的险峻。“一滩复一滩，一滩高十丈”，这复沓回环的诗句，显示出逆水行舟的艰难。

逆水行船是很难的，那“一滩复一难”的激流，那“一滩高十丈”的险阻，乃是对逆水行船者的考验。只有冲破这些激流险阻，才能最终到达目的地。——这，或许就是《新安滩》一诗的主旨之所在吧？

读着仲则的这首诗，我们很自然地会想起宋朝诗人杨诚斋的几句诗：“峭壁呀呀虎擘口，恶滩汹汹雷出吼。溯流更着打头风，如撑铁船上牛斗。”（《檄风伯》）就语言风格来说，两诗差异很大，但就其所表现的内容及所蕴涵的道理来看，二诗却颇相类似。“恶滩汹汹”，妙在拟声；“一滩复一滩，一滩高十丈”，妙在复沓；“如撑铁船上牛斗”句，想落天外，可谓“眼明手捷，踪矢蹑风”（钱钟书《谈艺录》）；“新安在天上”句纯乎天籁，可谓“凭虚御风，不可捉摸”（徐世昌《晚清簃诗汇》）。

清朝道光年间诗人郑子尹有一首《望乡吟》，其首段云：“一滩高五尺，十滩高五丈。行尽铜陵四百滩，铜崖应在白云上。崖上还有千万山，一重高出一重巅。待到铜崖望乡国，始似从此看云间。”前面四句完全是化用仲则的这首诗，后面四句则从诚斋“正入万山圈子里，一山放出一山拦”（《过松源晨饮漆公店》）之句化出。诚斋的这两句诗的意境也颇与仲则的《新安滩》相似，只不过彼山此水而已。郑珍把仲则与诚斋的诗意糅合于一处，可见他也看出了仲则与诚斋之间的渊源关系。

（熊盛元）

癸巳除夕偶成（二首）

黄景仁

千家笑语漏迟迟，忧患潜从物外知。
悄立市桥人不识，一星如月看多时。

年年此夕费吟呻，儿女灯前窃笑频。
汝辈何知吾自悔，枉抛心力作诗人。

鉴赏

这两首七绝，是乾隆三十八年癸巳除夕（已入1774年），诗人从安徽学政幕府返回故里阳湖（今江苏武进）过年时作。这一年诗人二十五岁。

前首写一种隐约深潜的忧患感。首句写除夕的热闹气氛：千家万户，欢聚一室，笑语喧哗，共度一年中最为热闹欢乐的节日。冬夜漫漫，漏声迟迟，时间就在“千家笑语”中默默流逝。“漏迟迟”三字，既烘托出除夕在守岁过程中千家万户的欢乐无忧，又暗透了清醒而孤独的诗人在耳闻千家笑语和迟迟更漏的情况下浮动萦绕的思绪，兼有双重作用。

次句接写自己在上述情景下产生的忧患。“物外”，指具体的事象物象之外，犹所谓冥冥之中。就在这千家笑语、无忧无患的除夕之夜，诗人却隐隐约约地从冥冥之中感觉到了某种深刻忧患的预兆，产生了一种模糊的天下将要发生变故的预感。说“潜从”，正因为它深藏于耳目所不能接的“物外”，是一种来自社会历史深层的讯息。鲁迅诗“于无声处听惊雷”，内容实质固与黄诗大异，而其敏感捕捉到来自深层的讯息则类似。

这种忧患感既隐约模糊，又深刻强烈，迫使敏感的诗人去思索、探寻其底蕴。“悄立市桥人不识”，这里所展现的正是一个避开千家笑语、独自静立于市桥之上沉思默想的诗人形象。说“人不识”，意在显示自己那种异于常人的清醒、孤独与忧思不为人所理解，颇有举世皆醉而我独醒的意味。

“一星如月看多时”，这是对沉思默想中诗人神情心态的传神描写。一颗明亮的星吸引了他的目光，但目虽长久专注于如月的明星，心则驰骛于物外冥冥之域，沉思默想，不觉时间之推移。这句写景，似有象征，实则并无寓意，它不过是对一个有潜在忧患感的诗人沉思默想时既专注而又恍惚的神情的描写。如刻意以求“一星如月”的象征涵义，不免全失语妙。

这种“潜从物外知”的“忧患”，是一种比一般的具体忧患深广得多的忧患。它并非单纯的个人命运的忧患，局部问题的忧患，甚至并不完全是对清王朝命运的忧患，而是一种对封建末世总体危机的预感。诗人生活的时代，表面上还是所谓“盛世”，但从整个封建社会的行程看，却已到了衰朽的阶段。隐藏在表面繁荣昌盛下的一系列深刻的危机以及由此形成的整个社会氛围，敏感的作家是会感受到的。曹雪芹是如此，与他大体同时的黄景仁也是如此。“忧患潜从物外知”正表现了当时敏感的作家对“遍布华林”的“悲凉之雾”的深切感受。而这种潜深的忧患的内容与实质又是他们所无法明确认识的，因此诗中所表现的忧患感自然带有隐约模糊，可以感知，却无法明白地表述。

后两句的构思似从冯延巳词“独立小桥风满袖，平林新月人归后”化出。但冯词的忧患要轻淡得多，远不如黄诗深潜而强烈，这自然是由于所处时代不同的缘故。

第二首是对自己“枉抛心力作诗人”的感慨。除夕例必赋诗，赋诗则必苦心构思推敲，短吟长呻，故说“年年此夕费吟呻”，隐逗末句“枉抛心力作诗人”。看到自己这副吟诗入魔、拈须沉吟之状，不解事的小儿女们每每在灯前偷偷暗笑。这“窃笑频”三字不但画出了小儿女在父亲面前既天真顽皮，又有几分畏惧的情态，而且透出了诗人对儿女的亲切之情。这种苦心经营的努力和灯前窃笑的温馨又正成为下两句愤激语的一种反衬。

“汝辈何知吾自悔，枉抛心力作诗人。”小儿女只感到父亲对吟诗的执著与费神，却并不了解诗人的内心痛苦。所谓“自悔”，当然不是真正的后悔，而是对“吟诗作赋北窗里，万言不值一杯水”的现实的愤激。诗人怀才不遇，生活穷困。“全家都在风声里，九月寒衣未剪裁”，正是他穷愁潦倒生活的真实写照。

社会对诗人的冷漠和诗人命运的多蹇，才使他发出如此愤激的感慨。“枉”字下笔很重，其中凝聚了诗人的切身生活体验和对社会的不平。

此诗末句直接从唐温庭筠诗《过蔡中郎坟》“莫抛心力作词人”化出，只改动了其中两个字。温庭筠是有感于“今日爱才非昔日”而发此感慨，虽心中愤愤，却仍寄希望于统治者的“爱才”，而黄景仁则是由于深切感受到封建末世整个社会对诗人的冷漠。费尽心力作诗，除了换得“儿女灯前窃笑频”之外，什么也不会得到。这正是封建末世诗人的极大悲哀。

（刘学锴）

将之京师杂别

黄景仁

翩与归鸿共北征，登山临水黯愁生。
江南草长莺飞日，游子离邦去里情。
五夜壮心悲伏枥，百年左计负穷耕。
自嫌诗少幽燕气，故作冰天跃马行。

鉴赏

乾隆四十年（1775）秋，二十七岁的黄仲则动身去北京，在与亲友告别时，他写了《将之京师杂别》七律六首，这里选的是其中的第一首。据仲则的好友洪北江说，仲则“平生于功名不堪置念，独恨其诗无幽并豪士气，尝蓄意欲游京师，至岁乙未乃行”。

诗的首联是说自己将与翩然回归的鸿雁共同北行，临歧分手，不免黯然愁生。“归鸿”点明时节是秋天；“登山临水”，语出宋玉《九辩》：“憭慄兮若在远行，登山临水兮送将归。”仲则用“登山临水”一词，不仅是指自己的行踪，更主要的是借以表达“送将归”的意思，这种“歇后”的用法，在古诗中是极为常见的。这一联的“翩”字用得极妙。“翩”，鸟疾飞貌，用以状“归鸿”自然是贴切的，但这里说“翩与归鸿”，则明明是说“我翩然与归鸿”。以状鸟之词状我，人耶？鸿耶？浑然一体，我即是鸿，鸿亦是我，倘套用王静安的一句名言，那就是，著一“翩”字，而境界全出矣。

颔联一气贯注，用的是流水对。

可能有人会问:仲则别时,序属清秋,何来“草长莺飞”之景乎?如此理解,未免过于拘执字面。其实,“江南草长莺飞日”一句并非写实,而是用典。丘迟《与陈伯之书》云:“暮暮三月,江南草长,杂花生树,群莺乱飞。”仲则移用于此,盖欲以表现其恋恋于故乡之情也。由此可知,颔联的两句乃是悬揣离别之后的情景,是说自己此番去后,每至春日,就会想起江南莺飞草长的春日,就会牵动自己思念家乡的情感。此种情怀,在这组七律的第六首中表现得更为清楚:“已是旧游如梦境,况经远别更天涯。马头细草茸茸碧,来岁相看可忆家?”

颈联上句用曹操《步出夏门行》诗意:“老骥伏枥,志在千里。烈士暮年,壮心不已。”“五夜”,即五更。下句的“穷耕”,暗用诸葛亮《出师表》中“臣本布衣,躬耕于南阳”之意。“左计”,意谓不适当的策划(范成大《秋日》诗:“无事闭门非左计”)。这两句揭示了仲则内心深处的出处行藏的矛盾。仲则夙怀骐骥之志,希图为世所用,观其“祖郎自爱中宵舞,不为闻鸡要著鞭”(《夜起》)之句可知,然而他空有一腔“壮心”,就像伏枥的骏马一样,不能施展才华,此其所以“五夜”不眠而“悲”者也。此番离别亲友,远走京师,就是因为厌倦了这种“长铗依人游未已,短衣射虎气难平”(仲则《杂感四首》)的生活,但此番一去,是否就一定能够实现自己的壮志呢?恐怕也未必。想起挚友洪北江的赠行诗里有“姑溪夜雨剪春蔬,归计频番说荷锄”(《送黄大景仁至都门》)之类的句子,仲则又转而萌发归隐的念头——“百年左计负穷耕”。究竟是“出”还是“处”?是“行”还是“藏”呢?这两种思想在交战,最后还是前者战胜了后者,仲则决计还是去京师。

“自嫌诗少幽燕气,故作冰天跃马行。”尾联两句表明了仲则之所以要去北京的原因。我们知道,仲则之诗凄苦悲切,“如咽露秋虫,舞风病鹤”(洪稚存《北江诗话》),虽然“超逸有余,而博大似未足也”(张维屏《诗人征略》)。仲则自己对此也是很清楚的,他在一首题为《杂感》的诗中曾说:“莫因诗卷愁成谶,春鸟秋虫自作声。”为此,他决定北上,使自己的诗风也沾上一些慷慨悲歌的幽燕之气。诗的末句颇有豪宕之致,“冰天跃马”四字富有表现力,不仅刻画出诗人雄健的形象,抒写出诗人豪迈的气概,而且还同第五句的“悲伏枥”和首句的“翩”字作了照应,使整首诗由凄婉化为沉雄,由低回化为高亢,可以说是“清窈之思,激哀于林樾;雄宕之气,鼓怒于海涛”(吴锡麟《与刘松岚书》)。

(熊盛元)

二十夜

黄景仁

破窗焦雨夜还惊，纸帐风来自作声。
墨到乡书偏黯淡，灯于客思最分明。
薄醪似水愁无敌，短梦生云絮有情。
怪煞邻娃恋长夜，坐调弦柱到三更。

鉴赏

乾隆三十九年(1774)腊尽，黄景仁在江宁随园袁枚家度岁。过了年，先到安徽太平府学使朱筠幕中，夏天应寿州知州张佩芳的延请，主讲于正阳书院。这首诗是九月二十夜在正阳书院所作，时景仁年二十七。

在正阳书院教书，诗人写过几首盛夏纳凉杂咏的五言古风，其中有一首写乌鸦，结尾说："日出鸦四飞，日入群就宿，吁嗟复吁嗟，我岂如此鸦！"又有一首写竹子。寿州少竹，书院寓斋中稍有几根，诗人十分爱重，诗的结尾写道："故山足千亩，一一惊春雷……其下坐故人，念我应徘徊。"诗句中透露出浓厚的思乡情绪。这首《二十夜》写的也是这种乡愁。但这时不再是纳凉的溽暑盛夏，时序已经到了"悲乎哉，秋之为气也"的凉秋九月了。

首联便写助人凄凉的秋雨秋风，渲染环境气氛。破窗之外，雨打芭蕉，深夜传来，使人暗惊——又是一个肃杀的秋天到来了。那阵阵秋风，吹在纸制的帐子上，哗哗作响，使诗人感到深深的凉意。在这风雨交加的秋夜，浩浩乡愁，悄悄升起。诗人想到，该给家里人写封信了。但是——

"墨到乡书偏黯淡，灯于客思(sì)最分明"！

你也许会说，这诗未免不大合事理。为什么一写家信，连墨色也变黯淡了？为什么一想家，那灯也变得分外光明？这是不是一种心理作用，一种幻觉？

不！这是写实！这是真正的诗，真正用泪写成的诗！不知你有没有在大雨中行走的体验？雨打在脸上，顺着眉睫往下流，遮住了眼帘。这时你看四周景物，轮廓变得模糊了，色彩也变得黯淡了，你会自然地抹一下脸上的雨水。现在，雨虽打在窗外芭蕉，泪却流在诗人脸颊。他在噙着热泪写家书。用泪眼看纸上的字，岂不如雨中观物，一切都变得模糊黯淡吗？一边写信，一边想家，用饱含着泪水的眼睛看桌上灯光，那灯光因泪水的折射自然也变得分外光明了。这不是真正用泪写的诗么？本来分明的变黯淡了，本来黯淡的却变得分明，两者都因泪水折光而变化，两者形成鲜明的对比。诗人体验到这种实境，加以细节描写，写出了前人未曾写过的特殊境界。本来，含泪作家书，事属多有，诗词中常见。但谁曾用色和光的变化来写此景此情？唐代诗人有“书被催成墨未浓”的名句。那只写心情急促，墨淡情浓。北宋人有“泪眼问花花不语”的名句。那是“问”而不是“观”，而且明点“泪”字，妙处只在痴情。黄景仁这一联，与他们写的全不一样。他把自己的真实体验用曲折见意的手法写出来，使人乍读之以为无理，细味之却见真情，这真是呕心沥血，令人不忍卒(zú)读的好语言。

第三联，上句无非说借酒消愁愁更愁，近乎俗滥。但诗人也写得别开生面。他不说情太浓了，却埋怨消愁的酒太淡了，淡得像水一样。愈感酒淡，愈见情浓。下句更奇特：“短梦生云絮有情。”由于絮被有情，给我温暖，我做了一个飘忽的短梦。唐人薛能诗有“道心生落日，乡思羡归云”(《麟中寓居寄蒲中友人》)之句。黄景仁用其意，可见他的短梦是回乡之梦。唯其回乡之好梦难得，因此觉得絮被之多情可感，这都是从反面着笔、构思奇特的好句。

诗写到这里，乡愁已经写足，再缠着写下去就是蛇足赘疣了。不料，诗人忽然撇开自己，引进了一位邻居女郎(邻娃)。于是，将结之际，又起波澜。这位女郎到了三更还不曾入睡，还在弄柱调弦。此时诗人短梦初回，听到那如怨如慕、如泣如诉的隐约琴声，他想，这位姑娘一定也是个多情人，失意者。他一定有无穷心事，要在这夜深人静时通过琴音来倾诉。伊人虽杳，琴音可接，突然，诗人把自己的身世与这位姑娘的命运联系起来了。他并非进入了琤琮琴声的音乐境界，而是进入了姑娘寂寞凄凉的感情世界；他仿佛遇到了知音，他们之间似乎产生了强烈的共鸣。起初，诗中还只是一缕乡愁；此刻，比乡愁复杂得多的天涯沦落之感，猛然涌上心头。所谓百感交并，情深一往，进入了一个更加幽怨凄惶的境界。

这首诗开篇用“雨”“风”酝酿气氛，结处以邻女琴声传出无限幽情暗恨。雨是蕉雨，淅淅作响；风是秋风，飒飒有声。结处又传出一阵隐约断续的琴声，首尾相和，形成了一支三重奏的秋夜奏鸣曲，烘托出这漫漫长夜和长夜里不眠的诗魂。有这样的乐曲作伴奏，再实之以乡书墨淡，客思灯明，愁浓酒薄，短梦生云，使情景相生，声情相应，八句诗句句精警，整首诗境界浑成，真不愧天才名作。有人说，景仁诗“希踪太白”（清·汪佑南《山泾草堂诗话》），有人说他“宗法少陵昌黎，亦时时染指昌谷”（洪雅存《玉麈集》）。从这首诗以及这类诗看，我以为，他是从昌谷以入昌黎，从义山以入老杜，风格更近于李义山。

（赖汉屏）

都门秋思

黄景仁

五剧车声隐若雷，北邙惟见冢千堆。
夕阳劝客登楼去，山色将秋绕郭来。
寒甚更无修竹倚，愁多思买白杨栽。
全家都在风声里，九月衣裳未剪裁。

鉴赏

据陆继辂《春芹录》载，“秋帆（毕沅）宫保初不识君，见《都门秋思》诗，谓值千金，姑先寄一百金，速其西游。好事惜才，亦佳话也。”由此可知这首诗的影响之大。

诗作于乾隆四十二年（1777）秋。是年，仲则移家来京师（北京）。题中“都门”指北京，“秋思”，谓秋日的愁思。

诗的首联是写京城四通八达的道路上，车声隆隆，仿佛隐隐的雷声；北邙之外，却荒坟千堆，凄凉一片。“五剧”，指纵横交错的道路（语出《尔雅·释宫》注：“今南阳冠军乐乡，俗呼之五剧乡”）。“北邙”，山名，在河南洛阳县北，汉魏以来，王侯公卿贵族多葬于此，后因常以泛指墓地。这两句对比鲜明，寄慨遥深：“五剧车声隐若雷”，是何等繁华热闹！“北邙惟见冢千堆”，又是何等荒凉冷落！然而，今日荒冢中的枯骨，乃当年显赫之公卿王侯；那么，此时五剧之上的达官贵人，他年不也将化为一抔黄土么？世事变幻莫测，富贵何能长保？彼乘高轩、策肥马、汲汲奔走于“五剧”之上的达官贵人，“胡为乎来哉”？这种深沉的感慨并非直接抒发，而是通过强烈的对比隐隐透露出来，使读者思而得之，其表现手法，可谓高妙。

又，第二句中的"惟"字用得极准确，极传神。"惟"者，只也，全部包括，无一例外之谓也。着一"惟"字，便将仲则蔑视达官之情曲曲传出，极见锤炼功夫。

颔联两句融情于景，化静为动，意境十分优美，情感极为凄苦。"夕阳劝客登楼去"，着一"劝"字，就使"夕阳"注入诗人的主观情感，构成静安所说的那种"物皆著我之色彩"的"有我之境"(《人间词话》)。夕阳是壮美的，那绚烂的色彩，柔和的光线，衬以寥廓的空间，确实能给人心灵以慰藉；然而，"夕阳无限好，只是近黄昏"(李义山《登乐游原》)，转瞬之间，这壮美的夕阳就会融入昏暗的暝色之中，从而又使人产生一种精神上的失落感。这样对夕阳既迷恋又怅惘的心情，通过"劝"字，很好地表现出来。其言外之意是：夕阳多情，劝我登楼，就该永远陪伴着我，为什么在我登楼之后，你却匆匆逝去了呢？仲则在《偕王秋塍张鹤柴访菊法源寺》一诗中有这样两句："暝色上衣挥不得，夕阳知在那山红？"其机杼与此相同，可以同参。

"山色将秋绕郭来"，着一"将"字，遂使静物化为动态。"将"，携也。王安石"一水护田将绿绕，两山排闼送青来"中的"将"字，亦是"携带"之意。本来"山色"与"秋"，均为无生命的静物，仲则用"将"字把二者联系起来，就使这个句子流动飞扬，构成一幅"秋山暮霭"图。那莽莽苍苍的山色携着秋意把城郭包围得严严实实，谁还能冲出这重重的包围圈呢？《西厢记》中有句云："四围山色中，一鞭残照里。遍人间烦恼填胸臆，量这些大小车儿如何载得起？"说的是离愁别恨。仲则这里没点明"愁"字，但透过其所渲染的意境，我们分明把握到仲则内心深处的忧愁之广袤。如果说，"夕阳"一句还稍许给人一些慰藉的话，那么，"山色"一句给人的却只有浓重的悲哀甚或窒息之感。

这两句还点明了诗人写此诗时的立足点(都门的城楼上)和具体时间(秋天的一个傍晚)。反观首联，可知"五剧"之车，"北邙"之冢，都是诗人从城楼上看到的景物；以下四句，也都是诗人在城楼上发出的感慨。可知，颔联在全诗中起了承上启下的作用。

颈联二句借"修竹"与"白杨"以表现诗人的节操与愁思。"修竹"乃高操劲节之象征。杜甫诗云："天寒翠袖薄，日暮倚修竹"(《佳人》)。少陵笔下的"佳人"，虽然"袖薄"寒甚，却仍然倚着修竹，其节操之高可知。而仲则虽然也有着与那位"佳人"同样的凛然高节，但此地却"更无修竹"可倚，怎不令仲则慨然？这种加倍形容的写法，不仅表现出诗人孤高自洁的节操，而且也暗示了当时京都环境之恶劣，此仲则所以有"侧身人海叹栖迟"(《都门秋思》第四首)之叹也。"白杨"是一种落叶乔木,其叶甚大,其干极高,风起则作“萧萧”之声,《古诗十九首》中就有“白杨多悲风,萧萧愁杀人”之句。又,白杨多栽于坟墓之旁,陶渊明《挽歌》云:“荒草何茫茫,白杨亦萧萧。严霜九月中,送我出远郊。四面无人居,高坟正嶕峣。”仲则说“愁多思买白杨栽”,似乎隐含着“愁多思死”的念头,这与他《绮怀》一诗中所说的“茫茫来日愁如海,寄语羲和快着鞭”,颇相仿佛。

“全家都在风声里,九月衣裳未剪裁。”尾联二句是历来传诵最为广泛的佳句。《诗·豳风·七月》:“七月流火,九月授衣。”仲则反用其意,说自己全家都在秋风中瑟缩。现在时维九月,该是“授衣”的季节了,但家人的寒衣至今还未剪裁呢。

这两句是不假雕饰,出自肺腑的真率之言,表现了仲则家境的极度贫寒,读之令人潸然泪下。这种贫寒窘迫的景况,在仲则《移家来京师》中也有所表现:“江乡愁米贵,何必异长安?排遣中年易,支持八口难。毋须怨漂泊,且复话团圞。预恐衣裘薄,难胜蓟北寒。”需要指出的是,这两句诗不仅仅表现了诗人贫寒至极的窘况,也从侧面表现了其蔑视权贵的傲岸性格。试想,如果仲则肯降节取容、趋炎附势,难道会落到如此贫寒的地步么?联系到首句的冷对“五剧”和第五句的“更无修竹”,可知仲则确实是一位不同乎流俗的、高标自树的正直诗人。晚清李伯元尝称赞这两句诗“意极荒凉,而语极雄健”(《李伯元研究资料》),应该说是比较贴切的;正因为仲则能不以贫寒而易其高节,所以才能以“雄健”之笔写“荒凉”之意。古人云:“诗如其人”,信夫!

(熊盛元)

岁暮怀人(录二)

黄景仁

打窗冻雨剪灯风,拥鼻吟残地火红。
寥落故人谁得似?晓天星影暮天鸿。

鉴赏

诗中“拥鼻吟”出自《晋书·谢安传》并见于《世说新语·雅量篇》。谢安的鼻子有毛病,吟诗带浊音,很像洛下书生读书的声音。由于谢安负盛名于当时,江南名士争相仿效用这种声音吟诗,可又学不像。于是有些人便故意捂着鼻子发出浊重之声来吟诗,叫"拥鼻吟"。用在这里,有附庸风雅、强学吟诗之意,是自谦之词。

在《两当轩集》中,这诗是一组七绝二十篇的第一篇。总题《岁暮怀人》。从二首至十八首下,均注明所怀思的对象,一人一首,不另标分题。只第一首("打窗冻雨")和最后两首下未作标注。揣其诗意,这首尾三章都是自抒幽独,泛言怀人,而不是怀思某一具体的人,因此第一首当是组诗序曲,最后两首当是尾声。

这首诗给人的总体印象是什么?充塞于诗行的是一种什么感情?诗呈现出一种什么色彩?我吟讽再三,总的印象是,这诗非常冷,诗中有一股幽悄浸人的寒气,读之仿佛能看到病榻诗人幽独、索寞的形象;笼罩于诗行的则是一种凄惶、孤寂的感情;全诗呈现一派黯淡、昏黄的色调。这三者融合在一起,形成了清窈迷惘的意境。

要问何以获得如此感受,还得作一些具体分析。诗中描写环境,室外,写了"雨"和"风";室内,写了"灯"和"地火"(炉火)。那雨,是"打窗冻雨"。"冻雨"就是寒雨,苏东坡所谓"冻雨霏霏半成雪";可见,这种雨着物成冰,有时则化为雪霰,敲窗有声。那声音不似急骤的金戈铁马之声,而是时作时息,簌簌然,沙沙然。天气本来严寒,夜深人不寐,听到这种声音,身寒之外,更添一份心寒。再加上一阵阵"剪灯风"。冻雨敲窗在外,寒风则穿穴入室,吹得昏黄的灯光摇曳不定,终于熄灭。残灯无焰,四顾幢幢,已觉有鬼气。诗人以多病之身,历此情境,更感生命也如灯焰临风,谁知几时熄灭?这样的深夜,况复急景凋年,客况潦倒,他怎能不感到凄惶?更何况,孑然一身,既无家属,眼前也没有可以"说彼平生"的挚友,他怎能不感到孤寂?百无聊赖,只好吟诗,以消永夜,以抒忧怀。但"吟"而曰"残",可见取暖的火炉子已将成灰烬,诗不成章而搁笔。这都是由于心绪紊乱,灵感抑塞之所至。在这一间小小的屋子里,填塞了多少寂寞凄凉?黑沉沉,阴惨惨,唯见地上一点炉火,半明不灭;像磷火映得一切都是惨绿昏黄。这便是诗中展示的诗人此时此刻所处的环境和心境。

《唐音癸签》引杨仲弘之言曰:"绝句多以第三句为主,而第四句发之……至如宛转变化工夫,全在第三句。若于此转变得好,则第四句如顺流之舟矣。"仲则这首绝句,在写足寒夜索居,斗室之中逼仄、压抑、凄寒之感后,第三句忽起故人之思,诗心陡然飞出室外,飞向天涯。这样一转,便漾出层层沦漪。他想到,生平故旧,大多寥落,有如辰星暮鸿,不能接席。用晨星孤鸿来形容故旧寥落，本已熟烂，但诗人这样一转一结，则见心随晨星孤鸿一齐飞到辽阔的天边，诗人从逼仄压抑的斗室之内飞出来了。只是，正如东坡词说的那样，“高处不胜寒”。他进入了一个更加缥缈、寒冷、凄迷的世界。可见，他的心并未从高举中得到解脱，只是忧思飘忽，化作游丝飞絮，飘飘然不知所止。岁暮怀人，自不免回忆生平身世。始则感旅怀之幽独，终则驰心于晓天星影之间，暮天孤鸿之侧，寥廓虚空。铸而成诗，形成了一种清窈迷惘的意境。钟嵘所谓“言在耳目之内，情寄八荒之表”；吴锡麒评仲则诗所说的“清窈之思，激哀于林樾”，读此信然。这诗极写一个“怀”字，予怀渺渺，直贯以下各首。

兴来词赋谐兼则，老去风情宦即家。
建业临安通一水，年年来往为梅花。（袁简斋太史）

鉴赏

“袁简斋”，即袁枚，字子才，简斋是其号，浙江钱塘（今杭州）人，清代乾隆诗坛的领袖。他比黄大三十三岁，与黄为忘年之交。景仁二十六岁到江宁（今南京），曾在袁的寓所随园度岁，可见二人交谊之笃。本诗列于《岁暮怀人》组诗之四，诗后自注“袁简斋太史”，是怀袁枚之作。

袁枚二十四成进士，入翰林，素负奇才，官却只做到知县，最后一任在江宁。当时他才三十三岁，辞官卜居于江宁小仓山畔，修筑随园，一直住到八十三岁老死于此，因此又号“随园老人”。“建业”即江宁，“临安”就是杭州。诗中“建业临安通一水”，是说袁枚住在江宁回故乡极方便，只消从江宁舟行到镇江转运河，就可直达临安。

要理解黄景仁为什么那样崇拜、怀思袁枚，先得了解袁枚为什么那样激赏后进诗人黄景仁。

袁枚在清代诗人中思想比较开放。他论诗力主性灵。“性灵”说的核心内容是重真情，讲个性，强调天才灵感。袁枚自己的诗，感情浓烈，真挚动人；黄的诗也以情胜。袁枚强调个性（“诗之中有人”），反模拟，重独创；黄的诗也是“不主故常”“不以蹈袭剽窃为能”（语见《湖海诗传》《黄景仁墓志铭》）。袁枚是一代天才，九岁时借阅几本《古诗选》，就无师自通，跟人游杭州吴山，写出了“眼前两三级，足下万千家”这样的警句（《随园诗话补遗》卷六）；无独有偶，黄景仁也是在九岁的时候应学使试，住在江阴小楼，拥被吟成“江头一夜雨，楼上五更寒”这样的好诗。从这三方面看，袁、黄都是有真情，有个性，有天才的诗人。袁枚引他为同类，同气相求，怎能不格外奖掖他？就为人看，袁枚任性而行，放荡不羁；黄也是“性豪宕，不拘小节……辄使酒恣声色”的人(翁方纲《悔存诗抄序》)，这些地方，也与袁枚暗合。所以，袁枚激赏景仁，称他为“今李白”(《仿元遗山论诗绝句》)。而景仁《呈袁简斋太史》四首七律，说袁枚“文章草草皆千古”，赞他的诗足以“唤起文人六代魂”，对于这位老诗人，又是何等推崇折服！此刻，黄景仁憔悴京华，又遇上一年将尽，深感故交零落，写诗怀念这位曾经赏识过、提携过他的诗坛耆宿，自然别有知己天涯之感。

怀人之作，离不开怀思其人的盛德，怀思过去与他难忘的交游。景仁这首诗，全不取此蹊径。他怀思的是对方的创作个性、生活作风和内在品格。“兴来词赋谐兼则”，是说袁诗有时诙谐，有时典则，也就是通常说的“亦庄亦谐”。袁枚论诗既力主性灵，兴之所至，直抒怀抱；为人又深恶程朱理学，有魏晋名士的风度，因此发为诗作，有时嬉笑怒骂，隽谐可喜；有时端庄典则，灵巧清新，极具情韵。把袁诗的特点概括为“谐兼则”，一语道出袁枚的创作个性。“老去风情宦即家”，指袁枚做江宁知县后，就以江宁为家，终老不出。为什么说“宦即家”是“老去风情”？袁枚在江宁随园退居期间，所言所行，大与流俗异趣，确实饶有风情。他离经叛道，大胆怀疑儒家经典“未必其言皆当”“未必其言皆醇”(《答惠定宇第二书》)。他毁佛，曾“怒取观音像掷地足踏之”；他开先例广收女弟子传诗，还刻印过《随园女弟子诗选》；他甚至把真话说到“枚平生爱诗如爱色，每读人一佳句，有如绝代佳人过目，明知是他人妻女，于我无分，而不觉中心藏之，有忍俊不禁之意”(《答彭贲然先生》)这样的地步，并公开承认自己好名、好财、好色，认为“人欲当处，即是天理”(《再答彭尺木书》)。他在江宁，刻了一方私印“钱塘苏小是乡亲”，盖在自己的诗稿上。“苏小”本是南齐时代著名歌妓，葬在钱塘。一位尚书(清代一品大官)索看袁的诗稿，无意中看见了这方私印，认为袁枚引妓女为乡亲，太不自重，严加诃责。袁枚对这位尚书说：“今天您是一品大官，苏小当然比您贱多了；只怕百年之后，人家只知道钱塘曾有个名妓苏小小，不再知道您的名字了。”(《随园诗话》卷一)这番话惊世骇俗，却又确是真理，一座为之展颜。凡此种种，都体现了他独特的生活情趣，因此誉之为“老去风情”。以上两句，一句评他的为诗，一句写他的为人，寥寥十四字，生动地刻画出这位大诗人不同于流俗的风流自赏，雅量高致。

三、四两句写袁枚优游林下的生活。他定居江宁，故乡在钱塘。据龚自珍《病梅馆记》载，江宁的龙蟠，钱塘的西溪，都盛产梅花。每到梅开之日，袁枚匆匆来往其间，观赏梅花。他有“月映竹成千个字，霜高梅孕一身花”“只怜香雪梅千树，不得随身带上船”等咏梅名句(《随园诗话》卷二)。袁枚好梅，当然不仅在于梅之香雪如月明林下的美人，还因为它像雪拥山中的高士，有凌风怒放的风骨。年年来往，只为梅花，正如王维问故乡消息，只问倚窗红梅一样。尘世生涯，浮沉宦海，何尝有半点在意念之中？此其人的精神境界，可以想见。轻轻一点，写出了袁枚高标绝俗的内在品格。

景仁岁暮怀袁，怀此公的为诗，怀此公的为人，怀此公的品格，说明自己欣赏袁枚，正在这些方面。于是，在写对方的同时，也展示了诗人自己的襟抱。袁枚如此，景仁也如此，这就写出了他们的交谊植根之深厚，显示出他岁暮怀袁的原因。这都是不写之写。

这首诗，乍读似乎全不写对方感德，全不及两人交谊，只是淡墨素描，点而不染，却于无意中把要写的都写到了；而且写得那么轻快，那么自然，那么富于情韵。只此一端，不能不令人叹服黄景仁的诗笔，他竟能在二十八个字中装下如许丰富的内容。无怪乎一代骚坛领袖袁枚那样激赏他，痛惜他的早逝，写出“叹息清才一代空，信来江夏丧黄钟”那样的悼诗。

（赖汉屏）

圈虎行

黄景仁

都门岁首陈百伎，鱼龙怪兽罕不备。
何物市上游手儿，役使山君作儿戏？
初舁虎圈来广场，倾城观者如堵墙。
四围立栅牵虎出，毛拳耳戢气不扬。
先撩虎须虎犹帖，以棓草地虎入立。
人呼虎吼声如雷，牙爪丛中奋身入。
虎口呀开大如斗，人转从容探以手。
更脱头颅抵虎口，以头饲虎虎不受，

虎舌舐人如舐彀。
忽按虎脊叱使行，虎便逡巡绕阑走。
翻身踞地蹴冻尘，浑身抖开花锦茵。
盘回舞势学胡旋，似张虎威实媚人。
少焉仰卧若佯死，投之以肉霍然起。
观者一笑争醵钱，人既得钱虎摇尾。
仍驱入圈负以趋，此间乐亦忘山居。
依人虎任人颐使，伴虎人皆虎唾余。
我观此状意消沮，嗟尔斑奴亦何苦！
不能决蹯尔不智，不能破槛尔不武。
此曹一生衣食汝，彼岂有力如中黄，
复似梁鸯能喜怒？
汝得残餐究奚补，伥鬼羞颜亦更主。
旧山同伴倘相逢，笑尔行藏不如鼠。

鉴赏

《圈虎行》是乾隆四十五年(1780)黄仲则三十二岁时在北京写的。他在京生活贫困，后来为债家所逼出京，病死于山西解州道中。写这诗时，他已深深地领略了功名蹭蹬、浮沉下僚的窘穷辛酸的况味，阅历了炎凉威福的人情世态，所以诗篇通过对当时京师的"圈虎"之戏的描写，抒发了他的嫉世、讽世之情。

开头四句是诗的总冒。前二句提示这首叙事诗所写的事件的背景，地点是当时的首都，时间是初春，此时此地，街市上热闹异常，曼衍鱼龙，驯服怪兽，各式各样的卖艺杂耍无不具备。它一方面反映所谓乾隆"盛世"的京师盛况，另一方面从不能务本业、务正业的卖艺人之多，反映了当时下层人民生计的艰难。作者本无意在这两句中反映复杂的社会矛盾，但由于真实反映生活，却把这种矛盾自然透露出来，也许就是所谓"形象大于思想"吧！后二句，由面紧收到点，由背景紧接着点明诗篇描写的对象。那种被世俗称为"百兽之王"、这里称为"山君"、后文称为"斑奴"的老虎，竟被市上的"游手儿"役使着作为表演把戏的角色。“游手儿”与“山君”相映成趣,也进一步透露了这些人的身份及其活动的社会原因,无意中补充上文对矛盾的反映。“何物”二字,加重诧异的语气,表示虎受人耍的把戏的不平常。

第二段描写“圈虎”之戏的具体情景,是全诗的中心,既极细致又极简练,表示作者艺术修养的高度圆熟。它顺着眼观过程的次序写,层层递进,又善用反跌衬托手法。“初舁”四句写虎戏的开始,戏场的布置,观者的众多,以及老虎出场时的狼狈相。虎须是最不好惹的,人们把干危险的事比为“捋虎须”。“先撩”一句写这里情况特殊,耍虎戏的人不畏虎,一开始就去干这勾当,并且是慢慢地“撩”着拨弄,但虎却不敢发怒,依然“帖服”。这对老虎来说,还是消极地不敢发作本性而已。这是第一层。“以棓”一句,写虎的受人指使,人把木棒直立,它也就学着“人立”起来,不但人不畏虎,而且是虎畏人并积极听命于人的行动了。这是第二层。“人呼”一句,写观众看了奇状而惊呼,虎也偶示威风,随着怒吼起来,虎声人声,一片雷动。这里观众与老虎并写,但以观众的喝彩衬老虎。“牙爪”一句,写耍虎戏者敢于在虎声怒吼、虎爪张舞、虎威发作之时,奋身近虎,危险更大,是第三层。“虎口”二句,写老虎张巨口作食人状,其势更为凶恶可怖,而耍戏者更是不慌不忙,把手“从容”探入虎口,这是第四层。“更脱”三句,写耍戏者更把头颅伸进虎口,虎不但不敢咬,反作爱抚之状。舐人头如舐小虎(彀),这种动作是很出人意料的,因而“虎舌”一句的精警之处也是很出人意料的。这一句把老虎的“媚人”之态写得生动可掬。这是第五层,是耍戏者惊险表演的高潮。这五层一层紧似一层,观众的心理当已高度紧张。诗只写耍戏者与老虎而不写观众,但从读者读诗时所受的吸引和反应来说,也完全可以体会到这一点。再说上文对老虎的怒吼和张口舞爪的描写,渲染紧张气氛,也全是为耍戏者的驯虎技能张本,以前者衬托后者。“忽按”二句,写耍戏者按着虎背,一声吆喝,虎便绕阑巡回而走。这是本段的转捩之笔,从对耍戏者的活动为主的描写转入对老虎的活动的描写。“翻身”四句,写耍戏者不必指挥,老虎自己就在“冻尘”中“翻身踞地”,抖动皮毛之美,学作“胡旋”之舞,“媚人”之态又更进一步,诗到这里结以“似张”一句,既是水到渠成、适应行文气机要求的不得不然之笔,也是揭示老虎一系列表演的可悲本质的画龙点睛之笔。孙星衍评:“仲则《圈虎行》为七古绝技,‘似张虎威实媚人’,奇句精思,似奇实正。”实在不错。就老虎方面来说,这四句又是它的表演的高潮。“少焉”六句,写虎戏的结束,“佯死”和“霍然起”是老虎表演高潮和

"媚人"的余波,增加了诗的姿味。"人得钱""虎摇尾"是一场把戏表演的目的,是人与虎、人与人之间的复杂关系的说明。"此间"句又继"似张"句之后对老虎再进行讽刺。

最后一段以议论作结。"依人"二句,感叹养活人的反而受人"颐指气使",吃人的"唾余",这是一种不公平、不正常的现象。这种现象不但存在于人和虎之间,且更多地存在于人和人之间,这就是下一句作者所说观看后"意消沮"的缘故。"不能决蹯"五句申明"嗟尔"句的感叹和斥责的理由:要戏者并没有像《尸子》中所说的搏虎勇士中黄那样的武力,也没有像《列子》中所说的驯养禽兽者梁鸯那样的技能,一生靠老虎的要戏谋"衣食",而老虎却丧失原来的"虎性",那样畏惧他们,不敢绝足(决蹯)以去,破槛而走,真是"不智""不武"之极。结尾四句从对"伥鬼"和"旧山同伴"的设想来总述老虎行动的可"羞"、可"笑"。虎与鼠对比,"伥鬼"与伥主对照,叙事与议论结合,表面上写得既辛辣又有谐趣,实际上是愤激而又沉痛的。

这首诗是当时北京社会的一幅绝好的风俗画。可以和它相比的,只有蒋士铨的《京师乐府词》的一些篇章。但这诗比蒋诗的"比兴"意义更为深刻复杂,它既可以是受制于人的失足"英雄"的写照,也可以是一些本性凶恶、善于施展威风,又甘心受控制他的人的"役使"并要尽各种手段以讨好主子的人的写照,更不必再谈上面所说的"养活"与"役使"关系的颠倒的问题了。上述可以写照的两种人,是统治阶级中所常见的,诗篇对老虎的描写,也是对这种人的穷形尽相的揭露。所以,这首诗就具有极为广泛而又深刻的典型意义。艺术上,生动、细致的白描,简洁精练的语言;结构严整而又有错落之处,如"更脱"句和"此曹"句俱以三句成片,和一般古诗常以两句成层的不同;奔放激动的感情和劲挺的笔势在客观冷静的描写中透现出来……这些都很值得我们体味和学习。

黄仲则诗,似唐代的三李,它有李白诗的豪放,李贺诗的瑰奇,也有李商隐诗的缠绵工丽。他自己有一段《诗评》说:"愚见欲岑嘉州与李昌谷、温飞卿三家诗汇刻,似近无理;然能读之烂熟,定有绝妙过人处,亦惟解人能知之也。"这是他"夫子自道"的创作心得之谈,不容忽视。他的古诗得力于二李和岑参,近体又得力于商隐和庭筠,故古近体兼工,奔放、瑰奇与绵丽兼擅。至于《圈虎行》一诗,白描细腻的功夫,则更为近似白居易的《琵琶行》一类诗篇。由此可知潘瑛《诗萃》所说的仲则诗"自汉魏六朝下逮唐宋,咸能采撷精华,自成杼轴",并非泛泛之谈。

(陈祥耀)

春 兴

黄景仁

夜来风雨梦难成，是处溪头听卖饧。
怪底桃花半零落，江村明日是清明。

鉴赏

题曰“春兴”，意指因春天的景物而触发的情思。诗中对春日之景并未多费笔墨，主要是紧扣“梦难成”三字，来写自己内心的感受。

诗的首句看似平易，实则婉曲。风雨连宵，难成好梦，可见诗人彻夜未眠。那么，诗人何以会“梦难成”呢？这当然是由那彻夜不止的风雨所致，按理来说，风风雨雨，乃自然现象，何预人事？但仲则乃凄苦的诗人，故风雨每每牵其忧怀，惹其愁绪，形诸吟咏，便有“忽风忽雨喜愁客”（《春日楼望》）、“久病花辰常听雨”（《春日客感》）之类的句子。更何况此时的风雨是彻夜侵晓的风雨，是使得“桃花半零落”的风雨，这当然就使诗人枨（chéng，触动）触无端而“梦难成”了。

诗的第二句插入“卖饧”之声，似与首句不接，其实联系仍很紧密。“饧（xíng）”，指用麦芽或谷物熬成的饴糖。古人习俗，多在寒食这一天卖饧，例如“岭外无寒食，春来不见饧”（沈佺期《岭表逢寒食》），“萧声催暖卖饧天”（宋祁《寒食假中作》）。仲则以“卖饧”二字，一方面点明这天是寒食（清明前一天或两天），使第四句“江村明日是清明”不至突兀。另一方面，又与第一句相互映衬：夜来风雨，愁人不寐，何其清冷孤独；溪头处处皆闻“卖饧”之声，又是何其热闹喧嚣！不仅如此，饧者，饴糖也，其味甘甜，这不更衬出仲则苦涩的心境么？放翁“小楼一夜听春雨，深巷明朝卖杏花”（《临安春雨初霁》），也是以浓郁的春光来反衬情怀之孤寂，机杼与此相同。仲则之句，盖源于此，只不过易“卖杏花”为“卖饧”而已。

三、四两句，进一步申说“梦难成”的原因。“怪底”一词，其义有二：一为“惊怪”“疑怪”之义，如杜甫“堂上不合生枫树，怪底江山起烟雾”（《奉先刘少府新画山水障歌》）；一为“难怪”之义，如杨万里“今年春在腊前回，怪底空山见早梅”(《梅花下小饮》)。仲则此诗,用的是第一义,作“惊怪”解。其意若曰:此时正是寒食,明天才是清明,按理来说,应是桃花盛开的季节,可为什么桃花竟大半零落了呢?诗人运笔至此,便戛然而止,却留有深长的余味:首先,从结构上看,它扣住了第二句的“听卖饧”三字,又与第三句的“怪底”呼应,文心极为细密。其次,从渊源方面看,此诗显然是从放翁的《临安春雨初霁》中受到启示。而放翁那首诗的尾联是“素衣莫起风尘叹,犹及清明可到家”,仲则以“清明”煞尾,大概也寄寓着“京洛风尘,素衣化缁”的慨叹,表现出他不愿与世俗同流合污的高洁情怀。另外,从全诗的意境看,是凄冷峭寒的,而“清明”乃春光明丽之时,说“江村明日是清明”,似乎隐含着一种期待,这就使峭寒的意境中透出一丝温馨,与仲则另一首诗的结尾“峭寒犹似许,不道人春深”(《春晓》)相比,显得更为含蓄,更有韵致。

(熊盛元)

老翁卖牛行

袁承福*

老翁卖牛手持饼，持饼食牛抱牛颈。
念牛力作多年功，洒泪别牛心不忍。
今年有牛无田耕，明年有田无牛耕。
今年牛贱人皆卖，明年牛贵人皆争。
此牛卖去田难种，恨不与牛同死生。
洪水滔滔四宇逼，人兮牛兮两无食。
劝翁努力活荒年，卖儿卖女尤堪惜。
回首视牛牛眼红，吐饼不食心恋翁。
买牛人自鞭牛去，老翁泪湿东西路。

作者

*袁承福(1759－1818)，字成之，江苏东台人。诸生。

鉴赏

此诗写在严重自然灾害肆虐之下，一位老农被迫卖牛的悲痛情事。通过一个典型事例反映了民生凋敝的社会现实。

耕牛是农民从事生产活动的最重要的生产资料，同时又是农民的亲密伴侣。遇到严重的自然灾害，如诗中所写的“洪水滔滔四宇逼”，农民无法从事正常的生产活动，为了维持生计，苟全性命，往往不得不“医得眼前疮，剜却心头肉”，将心爱的耕牛贱卖给牛贩子，甚至屠户。至于明年的春耕生产如何进行，他们是顾不上了。或许由于耕牛的减少，明春的牛价将十分昂贵，到时也许不得不再设法买或租用，眼下牛价虽贱,可是还有人急于脱手。这就是无情的社会现实。没有对社会生活的深入了解,对民情的深入洞察,写不出如此深刻有力的现实悲剧:“今年有牛无田耕,明年有田无牛耕。今年牛贱人皆卖,明年牛贵人皆争。”这绝不是一般的拨弄文字生情,或笔墨游戏,而是揭露生活中一种怪圈,可悲的恶性循环的最简妙传神的语言文字。在封建时代,在以小农经济为主的时代,这种挖肉补疮的悲剧无法避免。

诗人抓住荒年卖牛这一典型事件予以解剖的同时,还借旁人宽解的口气涉及更多更悲惨的社会现实。他说,像诗中这位有牛可卖的老翁还算不坏的呢,因为当时“卖儿卖女”的事也层出不穷,到处可见。通过这种侧面微挑的办法,大大增加了这首诗的含蕴,使之深厚有余,耐人寻味。

以叙事为主,却兼有议论,而且时时伴随着抒情。诗用较大篇幅刻画老翁与牛难分难舍的依恋之情,“念牛力作多年功,洒泪别牛心不忍”。诗人通过老翁在卖牛出手时最后一次用饼喂牛,抱持牛颈而止不住泪流的细节,形象地显示了人与牛的感情是多么深厚,也可见老翁一向把牛爱惜得多么好。无怪他目送“买牛人自鞭牛去”时伤心欲绝,痛哭失声。尤为感人的是,这里双管齐下,还写了牛对老翁的恋旧之情,它居然也“吐饼不食”,与老翁泪眼相看。使人感到人间生别,亦不过如此。

此诗在修辞上的显著特点,是重复的运用,最突出的是“牛”字,出现达十六次之多,有时一句中竟出现两个“牛”字,造成一种反复唱叹的韵味,强调了老翁卖牛的违心与不忍,其摇头叹气,喁喁自语之态,纸上如见。而此诗以老翁持饼饲牛开端,而以牛的吐饼不食,人牛分手结尾。前后照应,在结构上裁缝密合,滴水不漏。

(周啸天)

宿江上

孙星衍*

朝行空江中，暮宿空江里。
江头一痕山，日入化烟水。
波心月出天荡摇，欲上不上知天高。
游鱼吹沙作飞雨，露气逼树分秋毫。
橹声咿哑若惊雁，人语冲寒不能辨。
横洲镫影红万条，接舵水纹明一线。
渔歌入梦心四飞，忽复梦断歌声微。
舟人摇客梦中去，魂在寒江醉吟处。

作者

*孙星衍(1753－1818)，字伯渊，号渊如，江苏阳湖(今常州)人。乾隆五十二年(1787)进士，授翰林院编修，历官山东督粮道、布政使，后告病辞官归。早年有诗名，后精治经史、文字、音训、校刊之学。有《芳茂山人诗录》。

鉴赏

这首诗作于乾隆四十年(1775)前后，是诗人青年时代的作品。全诗从"日入""月出""夜深""入梦"四个方面，层层展开，把舟行江上，风景依次变幻，人随舟摇而入梦的情景，写得意象鲜明，层次井然。

第一层描绘日入时的江上景色。诗人首先交代舟行"空江"，由朝而暮，点明题旨"宿江上"。两次出现"空江"，暗示了江景的萧寂。张泌有诗："空江浩荡景萧然。""空山"并非实指杳无人迹，这里是指秋日江天一色、山水一色，烘托出一种空蒙幽美的境界。当此斜阳西归、暮色四合之时，诗人伫立船头，但见江头山形渐次模糊，只剩下隐隐的“一痕”，终于在日落后隐入江面蒙蒙的雾气之中。仅此淡淡的一笔，却反映出诗人善于捕捉刹那间变幻中的动人画境，真可谓潜心默会的神来之笔。

第二层写月出时江面明净的景色。这里诗人分别写水中月，天上月，以及从侧面描绘月色的皎洁。写水中月，把月轮倒映水中说成是月自波心而出，整个天体、星辰都在波心荡摇，这是何等神奇瑰丽的一笔。写天上月，把一轮初升之月，“欲上不上”，写得简直宛若羞怯的仙子，袅娜多姿，令人神往。从“欲上”而未上，勾画出天穹的浩渺深邃。写月色的皎洁，一从江面游鱼唼喋、如雨打江面来表现，一从江边秋露凝树、秋毫毕现来表现，莫不意象鲜明。

第三层写江上夜深的情景。先从听觉形象来表现，江夜俱寂，咿哑的橹声如惊雁鸣叫；寒气凝重，但闻人语喁喁，不能细辨。再从视觉形象来反映，水滨灯火映照江中，如万条红光荡漾，船舵接水之外，水面划起一道明亮的水脊，拖得很远很远。由于注入了细细地观察、感受，诗人笔下的江面夜景，煞是新颖动人。

第四层写“入梦”之情。隐隐的渔歌，咿哑的橹声，好似轻柔的催眠曲，诗人似睡还醒，思绪无定，舟行空江，百般感触，江上所见所闻，似乎都令诗人咀嚼回味。终于，在船儿轻轻地摇晃中，诗人渐渐进入了江夜之梦。但自己却魂系寒江，梦绕秋山，留恋起这江上的幽美景色，因此梦中也想到“微吟”。“寒江”，回应开头的“空江”，但有意无意，关锁自然。

王夫之《姜斋诗话》说：“情景虽有在心在物之分，而景生情，情生景……互藏其宅。”这首诗前三层状秋夜江上之景，写得连环承转，意脉相连，而且迂徐从容，曲尽情致。后一层写心绪四飞之情，又写得细腻婉转，托出了幽美的意境，而且照应主旨，不离“宿”与“江”。这正是这首诗结构上的精妙之处。

（丁稚鸿　陈定康）

湖居后十首(录四)

宋　湘*

岁月去如电，磨牛迹陈陈。扫却湖上雪，再看湖上春。
春来今几日，湖草俱已新。新草续旧草，今人续昔人。
人在天地间，岂不如草根？一鸟从东来，啄啄庭树皴。
侧睇似相识，似笑湖居民；去年湖居民，今年湖居民。

破晓披衣山，出看屋后山。山光照旧绿，湖色亦依然。
回看手种树，既喜还自怜。昔我种树时，树才及我肩；
今我来看树，我不齐树巅。树年长一年，人年老一年。
一年犹自可，年年何可言？

名山好著书，著书何为者？当其结撰时，古今及天下。
书成取自读，不如无书也。事理如牛毛，揽之才盈把。
家家十万言，累人读欲哑。请君行看湖，尘埃与野马。

无妙观里道，栖禅寺里僧。彼皆识我姓，我不知其名。
名虽我不知，相过无已时。初不为茶瓜，亦不为桃花。
各住一角山，同抱一湖水。难得山水间，往来一艇子。

作者

*宋湘(1756－1826)，字焕襄，号芷湾，广东嘉应州(今梅县)人。嘉庆四年(1799)进士，授翰林院庶吉士、编修。出任贵州乡试正考官。迁云南曲靖康知府。道光五年(1825)充湖北督粮道，第二年卒于任上。工诗文。其诗沉郁顿挫，直追杜甫，为广东诗人之巨擘。著有《红杏山房诗钞》。

鉴赏

此诗为作者居家乡丰湖(亦称西湖)时作。因前有《湖居十首》,故此为《湖居后十首》。这里选其中四首。

前二首抒发人生短暂的感慨,暗示当抓紧时间做事。时光过得多快啊——自己年复一年像牛拉磨一般踏着去年的足迹。春来草根儿发了新芽,手种的小树也长高长大了。可人生只有老去,连草根小树也不如啊。看吧,飞过的那只小鸟正斜眼嘲笑呢:你这位只知湖边转的“湖居民”啊!

将自己按部就班的生活老样子,比之“磨牛”,用湖草的发新、小树的长高,更用鸟儿的嗤笑——蕴涵着不甘心及上进心。诗如家常语,虽浅俗却意趣盎然。

第三首写家居丰湖欲著述的心理矛盾感。写书时夸夸其谈,一大堆道理,归纳起来却没什么东西;此种书——自己也觉得“不如无书”;又何必“累人读欲哑”去写呢?还是到大自然去观赏风景吧。似当把此首看作自我讽刺诗。

第四首写赏爱大自然并与僧道往来。不为烹享林泉美茶浓,不为品味山间瓜果鲜;既不像唐人刘禹锡那样去玄都观赏新桃旧桃,亦不像白居易那样到大林寺惊羡桃花晓。到底为什么时常去那道观与寺院呢?答案在“各住一角山,同抱一湖水。难得山水间,往来一艇子”。要害是“山”“湖”“艇”三字。“住一角山”“抱一湖水”之“角”“抱”二字,状出山湾水曲之势,可谓炼字。

“作者在居官时目睹社会黑暗,生灵涂炭,而又回天无力”,退隐后欲著书立说,又不愿写那些“累人读欲哑”之作,便投向大自然的山水之美中了,并“无已时”地与僧道交往。小艇往还湖山间,脚迹印遍庙门槛。长此以往,诗人只觉得“山光照旧绿,湖色亦依然”,而湖草已新,小树长高;人呢,年老一年……诗人就是在这种思想矛盾中生活着,并写出了一首首山水诗,而诗中无疑又透出这种感情的烙印。如王夫之《姜斋诗话》云:“景者情之景,情者景之情也。”而诗人批判自己如“磨牛”,甚至遭受飞鸟的斜眼嘲笑——这“幽默感是自尊、自嘲与自卑之间的混合”(车尔尼雪夫斯基《论崇高与滑稽》),诗人正是生活在这自尊、自嘲与自卑中。

(宋万学)

舟泊岳阳郭外

宋 湘

楚山千里来江上，秋色三分入洞庭。
初夜星辰粘渚白，落帆天地扑船青。
客心无寄吟山鬼，舟路多闲检水经。
明日移桡向何处，岳阳城郭树冥冥。

鉴赏

本诗叙描舟泊岳阳城外的所见所感。

“楚山千里来江上，秋色三分入洞庭。”乃舟始泊时的第一眼印象。“楚山千里来江上”，洞庭湖与长江相连，这里的“江”即是“湖”（“江上”与“洞庭”互文），洞庭湖边、长江两岸多山，此乃古楚地——楚山沿长江从千里外一直绵延至此，用一“来”字拟活楚山，读来便不平板。“秋色三分入洞庭”，状洞庭湖初秋若无一个“入”字，便敌不住上句了。如此，对仗工稳的首联，描写出景观的动感。

“初夜星辰粘渚白，落帆天地扑船青。”乃泊舟入夜时所见。时当初夜，大地始暗不暗，星辰也不像半夜那般明灿，星月之微光落映在白茫茫的沙洲上，只迷蒙一气——似沙之白色与星月之光“粘”在了一起，这色感与光感的统一，正如杜牧所描“夜笼寒水月笼沙”的迷蒙景象。而此中“粘”字，真是百炼而得，传神之至。待船帆一落，便陡增了旅人的入夜感——先前的暮色走了，船上显得黑多了（“扑船青”的“青”，为“青出于蓝”的“青”之义；这里用“青”不用“黑”，是为协韵需要）。白帆速落——这种猛然感下，诗人锻出个“扑船青”的“扑”字，可谓体物入微，句倍精神。

“客心无寄吟山鬼，舟路多闲检水经。”旅程几天，又逢天黑，客心无寄——本一路“多闲”，此际无所事事中，便吟诵起《山鬼》，翻阅起《水经注》来。为什么吟的是《山鬼》，阅的是《水经注》，而不是别的？洞庭湖一带本楚人屈原行吟之地，洞庭湖中召山上有湘妃墓，洞庭湖边有湘夫人祠，作者来此——地逢洞庭，时当入夜，吟诵起富有当地神话色彩的屈原诗歌《山鬼》，便顺乎情理。

当年杜甫在过湘夫人祠时，便吟诗曰："山鬼迷春竹，湘娥倚暮花。"（《祠南夕望》）诗人乘舟"一路千里"而来，或许沿途之地多有引起他兴趣者——而对这一段水路多有记述的地理志《水经注》，乘此闲暇翻阅浏览，正是情理之中了。

"明日移桡向何处，岳阳城郭树冥冥。"吟诗阅书都是填补空隙时间之为；今夜泊舟，自然会想到明天的去处——城郭树冥冥的岳阳城了。想到那有"天下第一名楼"岳阳楼的岳阳城，或许诗人的心情微微有动呢……

此七律旅游诗，乃观山水赏景物之作。"遇景入韵，不拘奇抉异"（皮日休《孟亭记》），而"自出手眼"，用字妥帖，收到"眼处心生句自神"之效。晚清诗人黄遵宪称誉作者宋湘为"卓然名家"，不虚也。

（宋万学）

宝珠洞

法式善*

行到翠微顶，翠微全在下。峭壁不洗濯，孤青自淡冶。
山声石上来，暮色天际写。土灶燃松柴，放出烟一把。

作者

*法式善(1753－1813)，字开文，号时帆，又号梧门，蒙古人。乾隆四十五年(1780)进士，官至侍讲学士。工诗。有《存素堂诗集》。

鉴赏

"宝珠洞"，在北京西郊翠微山，为山中佳景。这首诗写暮日洞前景物，恬淡自然，意兴清幽，是法氏五言律的代表。

诗一开头，诗人就取鸟瞰视角，摄下了一个大全景镜头："行到翠微顶，翠微全在下。""行"中所见，不事勾勒，笔触下指翠微极顶。乘兴攀上极顶的诗人，纵目俯视，翠微山色，尽收眼底，一片悦目的淡绿。两个"翠微"，前者指山名，后者巧借山名，概括出了山色的特征，翠而不浓，绿而不艳，是何等清新可喜，不难感受到诗人登高望远的勃勃兴致。

在满山浅翠的大背景中，诗人紧接着摄取了一个特写镜头："峭壁不洗濯，孤青自淡冶"。宝珠洞外，奇峰秀拔，壁立千仞，在诗人心目中，它竟如时常把玩的爱物，不经洗涤，依然清新明洁，不染一尘。峭壁间，一株遒劲的青松，衬着石壁、蓝天，兀自独立，青翠素雅，绿阴未浓。"淡冶"一词含蓄有味，本自《画品》评郭熙所画山色："春山淡冶而如笑。"诗人巧化入诗，虽未用"春"字，而自然点出春的特征，展示出一种朴素清丽的境界。一个"自"字，用得空灵娴熟，把"孤青"人格化，突现出"孤青"悠然自适，澄净高洁的风姿。如果把那些名山胜景所特有的姹紫嫣红的景致比作浓妆艳抹的丽人,那么,诗人笔下的翠微山则像是一位明眸皓齿、天然妆成的楚楚少女了,这是多么清新明净的自然美!

诗的前两联,纯用白描手法,随意写来,不加雕琢,淡淡的景观山色,淡淡的峭壁孤青,却写得真切生动,自然隽永。探其内蕴,分明可以感受到诗人追求。"翠微""淡冶",正是诗人追求的洁净纯朴的理想氛围;"峭壁""孤青",也正是诗人希冀洁身自好情操的写照。

美好的时刻似乎永远是短暂的,诗人正陶然自乐之际,"山声石上来,暮色天际写"。倏忽间,鸟儿归巢的呼唤声,牧童赶牛的吆喝声,游人匆匆下山的脚步声……汇集成山间傍晚特有的和弦声响,在山间石壁上撞击;暮色,像一片飞瀑,正由天边急速地倾泻过来,山间的夜晚来临了。这一联紧扣住山间傍晚的特征来写;唯其石壁林立、峭拔,傍晚的山野又格外静谧,所以"山声"才从石上反射传开;唯其山势的遮蔽,太阳一下山即见暮云四合,加之景色的幽美使人迷恋忘返,才感到暮色来得太快,有如从空泻(写)下一般。诗行看似平常,却包含了诗人深刻的生活体验,表达得又如此确切、简洁。

暮色已至,似乎应该返程下山了,但余兴未尽的诗人,却又"土灶燃松柴,放出烟一把"。垒起简陋的土灶,点燃松柴,一股浓烟袅袅升腾,窜向空际,诗人要在这里美美地品尝一餐山间野炊了。在淡淡的氛围中,诗的结句生发出一阵难以遏止的豪兴,诗意跌宕,顿生摇曳之姿,幽静的画面添上了这样极富生活情趣的一笔,在我们面前展现出一个动静和谐、浑然天成的艺术境界。

这首诗行笔自然,用语清新,在淡淡的点染中,表现出一种清幽淡雅、明洁和谐的自然美,其中又包孕着诗人洁净纯朴的理想追求,显得清幽而不死寂,恬淡而富情趣,诚如王昶的评说:"质而不癯,清而能绮。"(《蒲褐山房诗话》)

(丁稚鸿　陈定康)

扬　州

伊秉绶*

扬州绿杨郭，十室九歌舞。舟荡邯郸倡，市列洛阳贾。
岂知郭外民，避荒饱风雨。浊沟藜藿慕，高门酒肉腐。
老不如凫翁，幼不如童羖。凫翁畅春波，童羖习草土。
居民咸我知，客民亦我与。思欲绘图献，博济病自古。
感此不能食，长叹究何补！

作者

*伊秉绶（1754－1815），字组似，号墨卿，福建宁化人。乾隆五十四年（1789）进士，任刑部主事。后官广东惠州、江苏扬州知府。善隶书，亦工诗、词、文。有《留春堂诗钞》。

鉴赏

伊秉绶做过广东惠州和江苏扬州两地知府。这首诗即诗人在扬州知府任上所作的《扬州》三首中的一首。“扬州”，自隋代以来即为佳丽形胜之地。它风光旖旎，气象繁华，珠光宝气，名冠江南，为历代诗人所激赏，曾留下许多脍炙人口的诗篇。但如此诗这样能一针见血，撕破虚假繁华的面纱，反映尖锐对立的社会现实和诗人深深忧虑之情的，却不多见。

全诗可以分为三层，分别记城内的奢华，述郭外的凄苦，咏诗人的感慨。

第一层为前四句，诗人以高度凝练的笔墨，撷取富有特征的景象，勾画出了一幅歌舞升平、贾妓云集的扬州市井图。被杨柳环抱的扬州城，十里长街，歌舞倾城，秦楼楚馆密集，美女娇娃如云。舟船上，载来四方名妓；市井山，豪商巨贾万头攒动，车水马龙，花枝招展，好一派盛世景象。诗人从室外、室内、水中、市井着墨,把个扬州城的富丽豪奢气派渲染得淋漓尽致,为后面述郭外凄苦作了有力的铺垫,看来仅是勾勒景象,实际上却蕴涵着诗人深深的隐忧。

第二层为中间的八句,是诗人要着重刻画的扬州现实的所在。劈头一个“岂知”,既将城内歌舞升平的场面引向了郭外,又饱含着诗人对达官巨贾的深深的愤懑与诘责。一边是十室九歌,纸醉金迷;一边是逃荒者啼饥号寒,饱尝风雨;一边是高门深院,脑满肠肥,酒肉臭腐;一边是浊沟饥民,野菜难觅,冻饿待毙。咫尺之隔,有如天渊。特别是“浊沟藜藿慕,高门酒肉腐”二句,显系从杜甫千古名句“朱门酒肉臭,路有冻死骨”化出,同样一针见血地揭露了封建社会尖锐的阶级矛盾,触目惊心,撼人肺腑,有着极强烈的感染力。接下来诗人抓住贫民中的“老”“幼”的悲惨境遇等细节来写,说他们甚至不如水鸟、羊羔,人不如鸟兽的生活,似乎已经说到了极点,可诗人意犹未尽,用“进层”手法,点出鸟尚有水可游,羊尚有草可吃,那么,作为大自然的精灵的“人”呢?诗人心势如潮,笔势如潮,一腔悲怆,至此戛然刹住,留给人们的,却是不可遏止的悲愤与痛苦的沉思。

第三层为末六句,由惊心动魄的悲惨场面的描述转入了沉静的反思、感叹。诗人作为扬州地方官,对当地人与客籍人的情况都了解,人民也愿与他交朋友。他多么想把贫民悲惨的境遇向上呈报,就像宋代郑侠绘“流民图”献给宋神宗那样,但又想“博济病自古”,博施济众,普救苍生只不过是美好的愿望,从古到今又有谁能实现呢?他只能“感此不能食,长叹究何补”了。这和白居易《观刈麦》结句“念此私自愧,尽日不能忘”一样,表现出一种自责心理。这是诗人的悲哀,这是历史的局限。尽管如此,诗人在诗行中跳跃着的对贫民悲惨生活的深深的同情、怜悯,以及作为“父母官”却于事无补的内疚,在封建士大夫中是难能可贵的。

这首诗题名“扬州”,诗人善于捕捉富于表现力的扬州风物、特征,着墨不多,却形象鲜明,感情浓烈,含义丰富,尤其是诗中善用对比,既有大场面城内豪奢与郭外凄苦的强烈反差,又有“浊沟”“高门”,人与鸟兽的鲜明对衬,使诗人几多同情之感、怜悯之意得以淋漓尽致的宣泄。

(丁稚鸿　陈定康)

官道柳

王芑孙*

临清官道柳,采掇有饥妇。
年年旱魃杀五谷,客米千钱仅一斗。
有饭柳作奩,无饭柳作糜。
阿夫河南趁工死,妇食老姑兼哺儿。
春风飘飘春已深,枝叶老梗伤人心。

作者

*王芑孙(1755－1817),字念丰,号惕甫,又号铁夫,江苏长洲(今苏州市)人。乾隆五十三年(1788)举人,官华亭教论。擅书法,亦工诗。其诗学韩、孟。有《渊雅堂诗稿》。

鉴赏

王芑孙一生仅作过一个小小的华亭教谕。仕途的不幸,使他的诗风也显得瘦硬清迴。能标举其风格的,当以五言为最。这首《官道柳》,虽属歌行,却别具意蕴。

古人咏柳篇章可谓多矣,或咏柳赠别,或摹柳风姿,或惜柳画春,但大多脱不了抒写离情别意的旧旨。这首《官道柳》却与众不同,这里的柳并非诗人描绘的主体,而以柳为客体,表现饥民以柳叶为食延续生命的悲惨遭遇。

诗一开始,就展现出这样的场景:临清(今属山东省)大道旁,垂柳成行,一妇人正不停地采摘柳叶,但所采何为?一个"饥"字透露了个中情由:原来是采叶充饥呢!诗人一开始就接旨入题,揭示出如此强烈的反差:官道柳本为造景观赏之物,而今却成了饥民聊以充饥之食,使人不得不带着沉重的心情思索,这悲剧是如何造成的?

接下来，诗人揭示了造成悲剧的社会原因："年年旱魃杀五谷，客米千钱仅一斗。""旱魃"，是传说能致旱灾的怪物。连年不断的大旱灾，无情地吞噬了庄稼。一个"杀"字，足见遭灾之烈，让人联想到赤地千里，饿殍遍野的悲惨场面；而囤积居奇的奸商们，乘机大发横财，"千钱一斗"的粮食，老百姓又岂敢问津？其实，这里隐含的意蕴却又在无言中道出了更深刻的社会动因：统治者为什么对处于死亡线上的人民熟视无睹？这就揭示出了封建社会统治阶级与被统治阶级的根本矛盾所在。

"有饭柳作齑，无饭柳作糜。"这就是连年遭灾，颗粒无收的灾区人民生活的必然结果。诗人看来只是客观地披露了饥民的悲惨生活，实际上包含着他无声的叹息与深深的同情。

"阿夫河南趁工死，妇食老姑兼哺儿。"诗人接着进一步剖析饥妇不幸的家庭遭遇。丈夫去河南帮工客死他乡，留下了一老一小要靠她来供养。真是天灾人祸集于一身，沉重的生活担子她怎能挑得起？诗人把妇人的苦难写到了极致，形成一种浓厚的悲剧氛围，这实际上是清中叶后，民不聊生的黑暗现实中的一个缩影。

"春风飘飘春已深，枝叶老梗伤人心。"如果说，前面只是客观描述，那么结尾则是诗人情感的渗透，心灵的呼唤。诗人刻画劳动人民的这种特定的变态心理是何等细致入微！春寒已去，春风拂面，莺飞草长，柳丝弄碧的春深时节，该多令人惬意，可偏偏是"伤人心"——"枝叶老梗"，唯一的充饥之食断了，这和《卖炭翁》中"可怜身上衣正单，心忧炭贱愿天寒"及《观刈麦》中"力尽不知热，但惜夏日长"的变态心理有异曲同工之妙，叙事绘情，融为一体，诗的主题也进一步得以升华，所以格外震撼人心。

此诗写柳意在写人，通过一妇人之悲惨境遇，透视出更广阔的社会现实，当是这首诗语浅意深的一个重要缘由。特别是结束两句春风飘飘的美景和柳老伤心的悲叹，对比强烈，使人读之情动。诗人对采柳的饥妇及其趁工而死的丈夫的同情心态，跃然纸上，对时代造成的这种悲剧虽未明言，但其愤激之情亦溢于言表。诗中五、七言交替出现，跌宕有致，而"饥""杀""死""老""伤"等字的运用，同样表现了诗人自己那固有的清瘦风格。

（丁稚鸿　陈定康）

推车谣

李銮宣*

只轮车，双足趼。夫为推，妇为挽。
老妪稚子坐两头，黄土满身泪满眼。
问从何处来？曰从山东来。
问从何处去，乞食远方去。
车上何所有？破毡裹敝帚。
车中何所施？草根兼树皮。
欲行不行行蹒跚，昨日今日并无粒米餐。
长跽乞怜，求施一钱；一钱不救君饥寒。
只轮车，车转毂，老妪呜呜抱儿哭：
“卖汝难抛一块肉，不如老妪经沟渎。”

作者

*李銮宣(1758－1817)，字伯宣，号石农，山西静乐人。乾隆进士，官至云南巡抚。工诗。有《坚白石斋诗集》。

鉴赏

在封建社会中，每遇灾荒战祸，贫苦农民在家乡无以为生，往往扶老携幼，举家离乡，沿途乞讨，构成一幅幅极为悲惨的“流民图”。这首《推车谣》所展示的画面，即是其中较为典型的一幅。

诗歌一开始，像是从远到近，推出了一个特写镜头：一条通往集镇的山路上，伴着嘎吱、嘎吱的令人心碎的车轮声，一辆独轮车缓缓行来，越来越近。一对衣衫褴褛的夫妻正吃力地引车前行，丈夫在后费劲地推着，妻子在前，肩挎车绳，弓着腰一步一步地往前拉，他们的双脚，早已磨出一层厚茧。车上，一老妇、一孩童分坐两头，身上，扑满了黄土；眼中，饱含着泪水。这里，只寥寥几笔,由一辆独轮车,引出了一个家庭的辛酸:写夫妻,由一"推"一"挽",勾画出他们胼手胝足,为求生计拼命挣扎的形象;写老小,则通过黄土覆身、泪流满面的情态描写,活脱脱地表现出他们内心的悲怆。这样,给读者以强烈的视觉感受,集中展现出背井离乡、举家逃难的悲剧,令人产生深深的同情。

接着,从"问从何处来"开始,诗人通过设问的方式,连发四问,通过逃难人之口,揭示了这一家此行的缘由——家境的贫寒。"乞食远方去",虽然不知这家人遭了天灾,抑或人祸,但仅以小车一辆,举家去远方乞食。要是在家,或许尚有一线生机,决不至落到这般田地的。而车上的"所有""所施",更是令人目不忍睹。全部的家当,不过仅有一些破毡烂被;而吃的呢,仅有草根树皮。这悲切的所答,借逃难人之口道出,不仅增加了诗的真实感,也分明蕴涵了多少哀怨、愁苦与倾诉。

问答至此,诗人笔锋一转,道出了主人公的更为严酷的现实。"欲行不行行蹒跚",直把主人公那种矛盾的心理、极度的困乏、内心的凄苦表现得淋漓尽致。整整两天了,他们粒米未进,肚空人乏,哪里还能推车起步?于是,全家人只有长跪于地,向路人乞讨施舍。但是,"一钱不救君饥寒",包括诗人在内的路人,直端端地指出了这样一种必然的结局,所施这点儿钱,又哪里能解决你们的衣食于万一呢?诗人用这一预言式的感慨,真实地指出了逃难人就连离家乞讨这唯一的路也走不通这一事实,但不直接道出,给读者留下了极大的想象的空间,这就加深了诗的表现深度。

最后,诗人用老妇惊心动魄的哭诉,将逃难人悲惨遭遇推向了高潮。车轮一圈圈缓缓地转着,逃难人又上路了。车声嘎嘎,哭声呜呜,老妇人怀抱孙儿,泪眼模糊,乞讨生活对于有老有小的四口之家,已绝难维持,她彻底绝望了。孙儿是自己的亲骨肉啊,怎肯抛出,还是自己跳下山涧,省却家里的负担吧!这撕肝裂肺的呼喊,是封建时代劳苦人民对悲惨命运的强烈控诉。儿孙满堂的老妇,不能安度晚年,只能以自杀去换取儿孙们的暂时生存,这就使全诗的主题遽然升华,自然地激发起人们对那个不平的黑暗社会的无比愤懑,也表现了诗人难以言说的悲愤之情。

全诗寓情于事,无论是对逃难人动作、情态的描绘,悲切的答语,还是路人的感慨,老妇的哭诉,都始终融会着诗人焦灼的不安。忧心如焚的强烈感情,寄托着诗人深挚的同情与怜悯。同时,诗中娴熟地运用了民歌的技巧,对"只轮车"的反复描写,如泣如诉;四问四答的叙述,简洁明了;大量口语的采用,更是自然清新,明白如话,正如前人所言:"语杂歌谣,最易感人,愈浅愈切。"

(丁稚鸿　陈定康)

登白云栖绝顶

孙原湘*

一峰插云云不穿，云中忽漏山左肩。
一峰穿云欲上天，乱云又复蒙其巅。
峰低峰昂云作怪，云合云离变山态。
殷勤挽山入云中，倏忽推山出云外。
隔云看山山不青，入山看云云无形。
但觉雨疏疏，烟冥冥。
不知深林积翠外，白日自在空中行。
我径拨云出其顶，始觉云高不如岭。
足踏云头万朵飞，下方看作青霄影。

作者

＊孙原湘(1760－1829)，字子潇，号心青，江苏昭文(今属常熟)人。嘉庆十年乙丑(1805)进士，授翰林院庶吉士，充英武殿协修。《清史稿》评他“以才气写性灵，能以韵胜。”有《天真阁集》。

鉴赏

在我国古代散文中，写云山万态、气象千端的莫过于清人恽敬的《游庐山后记》了。而在诗歌中，把云貌云态写得离合万状，有情味，有个性，自然神妙的，恐怕孙原湘的这首七言歌行《登白云栖绝顶》，堪称绝致了。

“白云栖”，庙名，在诗人家乡江苏常熟西北的虞山上。虞山群峰耸峙，白云常住，故而得名。

全诗共分四层，诗人下笔不凡，一入手便从大景着墨，展现出一派云海茫茫，白云四合的壮阔背景。“插云”“穿云”“欲上天”，极写峰之高；“云不穿”“蒙其巅”，极写云之厚。一个是威武豪壮，竭尽全力要挣脱白云的纠缠；一个情意缠绵，千方百计要将群峰搂入怀抱。真可谓构想奇特，比喻生动，引人入胜。

接下来诗人通过“云合云离云作怪”一个“怪”字关合全篇。“怪”字可谓全诗之“眼”。正因为“云作怪”，才使得“峰低峰昂”“变山态”。正因有白云的幻化无穷，才会有群峰的千姿百态，使不变的、静态的山，变得多情好动了，所以诗人以他那生花妙笔描绘白云道：“殷勤挽山入云中，倏忽推山出云外。”多像一个天真活泼而又喜怒无常的佳人对自己的丈夫：一会儿情浓意笃，殷勤挽臂拉入帐中；一会儿娇嗔佯怒，遽然变脸，又推之出怀。诗人妙语迭出，波俏幽默，读之令人忍俊不禁。

以上二层写诗人“隔云看山”，远眺所得之景。既有大笔勾勒，又有细部描绘，亦情亦景，形象动人。“隔云看山山不青”，厚重的云层遮住了那群峰耸翠、万壑流绿的群山深壑。“入山看云云无形”，先前那流絮堆棉、浪涌涛翻的景象再也不见了。他一路行去，眼前白云消退，头上浓翠蔽日，真个是“白云回望合，青霭入看无”。诗人化用王维《终南山》句意，自然妥帖，如天马行空，无迹可寻。进过大森林的人都有一种“纵使晴明无雨色，入云深处亦沾衣”（张旭《山中留客》）和“山路无雨，空翠湿人衣”（王维《山中》）的感受。而在云封雾锁之时，深山老林中，就不仅是“沾衣欲湿”，而会感到“雨疏疏，烟冥冥”，在烟雾迷蒙中仿佛下起了小雨。也许人们真的以为下雨了吧！但“不知深林积翠外，白日自在空中行”。原来在丛林深树之外，炽烈的太阳仍然在这云山雾海之上自由运转，洒下缕缕光辉。“不知”一词与上句的“但觉”相呼应，说明这“疏疏”的小雨并非真正下雨，这既是一种生活的实感，又是“入山深处”的错觉。而正由于“深林积翠”，浓叶覆盖，没有一丝儿阳光透进来，所以“白日”高悬的情景才会为入山者所“不知”。这一层写入山深处的观察和感受，真切、细腻，体验深刻，既是写实，又是化典，显得十分和谐自然。

最后一层写诗人登峰造极之所见所感：“我径拨云出其顶，始觉云高不如岭。足踏云头万朵飞，下方看作青霄影。”诗人拨开云头，登上极顶，头上烈日高照，足下白云万朵，在飘飘飞驰的白云下边，那影影绰绰的青绿背景，仿佛蓝色的天幕，故诗人说：我几乎把下方看成是青碧无际、白云翻飞的万里云天了。可以说，“我径拨云出其顶，始觉云高不如岭”这两句诗，意味隽永，令人咀之而味不穷。这既是诗人生活实践中的感受，又含有某种生活哲理。没有亲身登临绝顶，是绝不会有此体验的;一旦登上最高峰,走出山的怀抱,便有了新的发现。诗人高瞻远瞩,才真正识得“庐山真面目”。“脚踏云头万朵飞,下方看作青霄影。”境界壮美,想象别致。这是一种变化角度的视物方法。分明天在上头,诗人却抓住主观感受上的错觉,把天地倒置,而自己置身霄汉,但见脚下白云飘飞,几乎分不出头上是天或脚下是天了。一种飘飘欲仙的感觉,把入山者的喜悦心情揭示无遗。结句诗人似乎要告诉人们这样一个道理:云高,山更高;山高,人更高。再高的山也高不过攀登者的双脚。这里是否向读者透露了一种向上的志趣呢?

全诗可分为两个大层次。前八句为第一层,诗人置身山外,主要写景,写云山变态。第二层为后十句,诗人已置身其中了,因而写景兼写情。先是站在远处、低处看云,继而身临其境进入大山看云,最后是登上绝顶看云。题名《登白云栖绝顶》,处处不离云,句句不离云,紧扣登、云、顶三字运笔,移步换形,姿态纷呈。由于比喻生动,形象鲜明,角度新颖,情景交融,使无情的云、山,在多情的诗人笔下变得那样活泼可爱,那样有感情、有个性了。这种移情手法的运用,大大增强了诗歌的艺术美,给人以不尽的美感享受。

(丁稚鸿　陈定康)

吴　中

孙原湘

梧宫梧叶响萧萧,王醉王醒暮复朝。
敌国已深尝胆恨,倾城只觉捧心娇。
非关鸟喙能为沼,谁遣鸱夷怒作潮。
父夺江山儿断送,九原都愧见王僚。

鉴赏

“吴中”即今之江苏省苏州市,是春秋时吴国的都城所在地。这是一首咏史诗。诗人借人人悉知的三件事——勾践卧薪尝胆,夫差贪恋女色,杀害忠良,揭示了吴国灭亡的本质,虽往者之恨,亦来者之鉴。

“梧宫梧叶”,既是写景,又是化典。任昉《述异记》:“梧桐园在吴,夫差旧园池也。一名琴川,在句容县。古乐府云:‘梧宫秋,吴王愁’是也。”诗人来到当年吴国首都，但见秋风瑟瑟，梧叶萧萧，于是他触景生情，想起了吴宫当日的情景：秋天来了，吴王宫中梧叶萧萧作响，一派凄凉景象。而夫差却荒于国事，醉心女色，朝朝暮暮，醒而复醉。“王醉王醒”乃偏义复指，即单指一个“醉”字。起势由景入情，既有浓郁的诗味，又极富意蕴。用秋风萧瑟，梧叶凋落，暗示王朝已临末日，而吴王却沉溺于女色之中，岂不令人悲叹！

第二联便就吴国衰败的具体史实运笔。公元前522年，楚人伍员（字子胥），因父伍奢、兄伍尚被楚平王所杀，伍员逃往吴国，帮助阖闾杀掉暴虐无道的吴王僚，使吴国强大起来。公元前506年，一度惨败强楚。公元前494年，阖闾的儿子吴王夫差在会稽山击败越王勾践，勾践请和，夫差许和退兵。返国后，勾践“乃苦身焦思，置胆于坐，坐卧皆仰胆，饮食亦尝胆也。曰：女（汝）忘会稽之耻邪？”“敌国已深尝胆恨”即指此。为了消灭吴国，勾践用大夫范蠡计，献美人西施予吴，夫差深爱之，可谓“三千宠爱在一身”。他朝日游乐，不理国事。“倾城”，指西施，她是我国古代的著名美人，苏轼曾借她比喻西子湖“淡妆浓抹总相宜”。“捧心娇”典出《庄子·天运》：“西施病心而颦其里，其里之丑人见而美之，归亦捧心而颦其里。”黄庭坚所谓“今代捧心学，取笑于东施”，即俏此。此联意在说明：勾践正卧薪尝胆，深怀会稽之耻，而夫差却整天与西施寻欢作乐，沉醉在西施那“轻颦浅笑娇无奈”的风韵之中，忘了国之将亡、危在眉睫的现实。“已深”“只觉”，对比鲜明，讽刺强烈，鞭辟入里。

第三联“非关鸟喙能为沼，谁遣鸱夷怒作潮”承上而来，一针见血地指出吴国灭亡的实质，不是因为勾践生相能灭吴，而是夫差不听忠谏，杀害忠臣，自取灭亡。《史记·越王勾践世家》载：“越王为人长颈鸟喙，可与共患难，不可与共乐。”“为沼”，即废为池沼。《左传·哀公元年》载伍员劝阻夫差接受勾践求和，夫差不听，伍员“退而告人曰：‘越十年生聚，而十年教训，二十年之外，吴其为沼乎！’”公元前484年，吴与鲁在艾陵打败齐军，伍员反对攻齐，夫差怒而赐剑，伍员自杀。相传，员死后夫差命人用皮囊（鸱夷）盛之，浮尸于大江之上。后越进兵攻吴，大江泛潮，越兵不能竞渡。那么是“谁”遣鸱夷怒作潮的呢？是吴王。吴国一度用伍员为相，孙武为将，强盛一时，但虽有贤臣良将，而无圣德明君，故很快被越国打败。面对当时白莲教徒纷纷揭竿而起的现实，诗人来到吴中，难道没有触景生情，借古鉴今之意么？“非关”“谁遣”，判断斩钉截铁，诘责十分有力，揭示吴国灭亡的本质一针见血。

最后一联说吴王阖闾从吴王僚手中夺得江山，仅短短41年（公元前

514—前473),就被夫差所断送。诗人代人设想,说夫差死到阴间也愧见败在他父亲手下的吴王僚。“九原”,指坟地,此指(夫差死到)阴间。这一联,上句纯叙事,下句纯议论。批评中肯,指责有力。“都愧”一词,把诗人心中的愤激之情揭示无遗。

咏史诗自汉以降,多不胜数,到了唐代盛极一时。因此,要写出新意,使咏史诗不至成为历史的纪实文字,而要成为形象化的艺术品,则是十分困难的。孙原湘在揭露和鞭挞之中,却把这首诗写得意象鲜明,耐人寻味。除首句的写景外,即使在叙事议论中的“王醉王醒”“尝胆恨”“捧心娇”“鸟喙”“鸱夷”“怒作潮”等等,也都包含了鲜明的意象。全诗熔写景、叙事、议论于一炉,显得沉着冷峻,痛快淋漓,体现了诗人主张要以“性情”为“诗歌之主宰”的创作思想。

(丁稚鸿　陈定康)

西陵峡

孙原湘

一滩声过一滩催,一日舟行几百回。
郢树碧从帆底尽,楚云青向橹前来。
奔雷峡断风常怒,障日峰多雾不开。
险绝正当奇绝处,壮游毋使客心哀。

鉴赏

长江是我国第一大江,由西向东,奔流而下。其中以三峡(巫峡、瞿塘峡、西陵峡)最为驰名。北魏郦道元在《水经注·山峡》里写道:“至于夏水襄陵,沿泝阻绝,或王命急宣,有时朝发白帝,暮到江陵,其间千二百里,虽乘奔御风,不以疾也。”李白也有诗云:“朝辞白帝彩云间,千里江陵一日还。”“西陵峡”属三峡之一,西至秭归,东到宜昌,全长120公里,江水湍急,峰高滩险。前人写三峡多是顺江而下,而孙原湘在这首诗中写的则是溯流而上,领略与汹涌江流正面搏击的奇异风光。

首联“一滩声过一滩催,一日舟行几百回”起势平平,交代西陵峡滩多声大,舟行艰难。“声”,既指滩声,又指船工们的号子声。滩声澎湃,而船工们的号子声则更大。他们齐心协力,拉着船儿,穿过一个险滩又一个险滩。号子一声比一声紧,险滩也一个比一个急。一天里,要过数不清的险滩急流。“催”字写出了西陵峡中滩之密、浪之高、水之急、声之大和船工们的心情之紧迫。他们小心翼翼,刚冲上一个险滩,正想松口气,但又一个险滩扑到眼前。所以“催”字用得极见功夫。刘白羽在《长江三日》里写道:“西陵峡比较宽阔,但江流至此,变得特别凶恶,处处是急流,处处是险滩。”我们可以想象:诗人一定是一个敢于闯险、乐于求奇的人。面对一个比一个急的漩涡,也许他正面带微笑,神情怡然地沉浸在这激烈的撞击中吧!

“郢树碧从帆底尽,楚云青向橹前来。”紧承首联,上句写所历,下句写所望。诗人用景物的变化,进一步渲染了西陵峡两岸的险奇风光。“郢”,今湖北江陵西北,春秋时楚文王定都于此,这里是泛指。楚江两岸那葱葱郁郁的江树已渐渐隐没于帆后,而楚怀王与巫山神女幸会的阳台,又遥遥在望。那里,青山白云,莽莽苍苍,仿佛已通向船头。“楚云”,亦称“楚山云”或“巫山云”。诗人借此,极写三峡风光之秀美,写得形象飞动,绮丽动人,虽身历险境而不觉其险。这里诗人采用了化静为动的手法,用“尽”“来”两个动词,赋青山白云以情感,把树影、山色写得饶有生气。

“奔雷峡断风常怒,障日峰多雾不开。”上句写江流之急,江风之大。下句写山峰之高,山雾之厚。“大江来从万山中,山势尽与江流东”。江水从天而降,飞流直下,气势磅礴而激越。由于水面窄,落差大,江水发出的声音更大。诗人把江涛比作奔雷,似乎并不觉其夸张,莽莽高山竟被江水切断,一分为二,如刀削斧砍,笔直对峙,水挟着风,风推动水,呼啸奔腾如万马西来,这就淋漓尽致地写出了水的凶猛气势。“奔”“怒”两字赋江水、峡风以个性。我们仿佛看到了两个发怒的巨人(江涛、江风)在狂奔、在怒吼、在搏击,令人心寒胆裂。至此,西陵峡的险峻,长江水的浩大,完全展现在读者眼前,它感染了诗人,也感染了读者。从客观景物的雄奇中我们可以找出诗人此时心灵外射的影子。“风常怒”又作“江常怒”。相比之下,“风”比“江”含义更多一层。这时诗人不禁抬头仰望,那巍峨的群峰被云雾笼罩着。“风常怒”而“雾”犹“不开”,可见云雾之厚重。这里,峰与雾织成了一道厚厚的屏障,遮天蔽日,使峡谷里不见一丝阳光,正如郦道元所说:“江水又东,经西陵峡,山水纡曲,两岸高山重嶂,非日中夜半不见日月。绝壁或千许丈,林木高茂,猿鸣至清,山谷传响,泠泠不绝。”(《水经注·山峡》)这就平添了无限险奇、阴森与幽寂之感,所以接下来诗人写道:“险绝正当奇绝处,壮游毋使客心哀。”这是自然与人的融合,是物与我的交会。

这里，壮美的景色与诗人激越的心情融为了一体。因此他不禁叹道：最艰险的地方有最奇妙的风光。正如毛泽东所写的“无限风光在险峰”。能身临其境，瞩目这壮丽的风光，怎会使远出的游子感到悲哀呢？面对如此壮丽景色，它更会使人油然升起一股不断追求、勇于攀登的激情来的。“险绝正当奇绝处”，这深含理趣的诗句，不禁令人想到人生的漫漫征途和坎坷行程。这是诗人心灵自然震颤所发出的美妙乐音，而拨动这琴弦的，正是西陵峡的奇景。

顾炎武说：“诗主性情，不贵奇巧。”袁枚也写道：“诗人者不失其赤子之心者也。”孙氏写诗重性情而轻格律，主张要写真情，要有个性，写生活的真实感受。这首诗正是他的“性情说”的很好体现。诗人就眼前景，抒胸中情，景是信手拈来，情是自然流淌，这就构成了一幅自然和谐的壮丽的山水画。

（丁稚鸿　陈定康）

太湖舟中

孙原湘

只有天围住，清光万顷圆。
四无云障碍，一气水澄鲜。
日映鹭皆雪，风吹帆欲仙。
莲花波上立，知是莫厘巅。

鉴赏

“太湖”在江苏省境内，水抱山环，一碧万顷，雄秀相济，号称“八百里太湖”，是历代旅游胜地。

这是一种描写太湖风光的作品，写得清新明快，淡而有味，在历代描写太湖的诗中，虽非上乘之作，但也不失为佳品。

诗人笔下的太湖是美丽的。请看，在一个天高气朗、风和日丽的好日子里，诗人驾舟湖面，但见，天似穹庐，笼罩着一碧万顷的太湖。抬头望去，蓝天如洗，湖水浩瀚，波平似镜，在阳光映照下，悠游江面或展翅碧空的白鹭，更显出它的洁白可爱，此情此景，抒胸展怀，怎不叫诗人感到风顺帆张，飘忽欲仙呢？

首联“只有天围住，青光万顷圆”，从大处落笔，写天、写水。如范仲淹《岳阳楼记》中所写:“上下天光,一碧万顷。”“万顷”,言其大,太湖其实不止万顷,此取其整数。“圆”字状其形。太湖是圆是方,诗人驾舟湖中,是不会识其真面目的。这种“圆”,仅仅是从一望无边的湖面和穹窿形的天空笼罩下所展示的一种主观感受,而非写实。

颔联紧承首二句,仍从大处落笔。“四无云障碍”,写天之蓝,承首句;“一气水澄鲜”,写水之洁,承次句。正因晴空如洗,映照着万顷波光,所以空气才显得更清新,更明洁,更令人心旷神怡。

颈联“日映鹭皆雪,风吹帆欲仙”。这一联从细部作具体描写。上句写鸟、写日,下句写人的活动和心态。蓝天、碧水连成一气,白鹭或翔于天,或游于水,在阳光照耀下,显得更皎洁、更明艳。一个“雪”字,极写鸟之白,并反映出日之丽,水天之蓝。蓝天、碧水、红日、白鹭、银帆,还有穿红着绿的舟中游人,真是对比鲜明,好一幅扣人心弦的立体彩色画卷。好风送游帆,人在画图中,这怎不叫人心畅情舒,大有飘飘欲仙之感呢?

最后一联写望中之景:“莲花波上立,知是莫厘巅。”“莫厘”,人名,隋炀帝时大将。此借指东洞庭山。太湖湖中多山,成为一大特色。尤以这东洞庭山最为奇特,状若莲花,波涌浪簇,甚是圣洁可爱。大概诗人早有所闻,故一见其状,亲临目睹,欣然有“知是”之语。望天望水,观鹭观帆,而今又亲览莲花山势山色,诗人欣喜之情达到顶点后,便戛然而止,意留言外。

这首诗情酣意畅,意在笔先,其笔势有如在波峰浪巅疾驶的一叶轻舟,轻快急速,一发而不可收。诗人览胜景,抒壮怀,把八百里太湖风光勾画得令人神往,应该说,这首诗也正像太湖那样,清新明洁,澄净宜人。

(丁稚鸿　陈定康)

焦山夜泊

王昙*

华严灵馆压嶕峣，一片风烟接寂寥。
大地星河围永夜，中江灯火见南朝。
鱼龙古寺三秋水，神鬼虚堂八月潮。
独上数层扪北极，满天风露下银霄。

作者

＊王昙(1760－1817)，一名良士，字仲瞿，浙江秀水(今嘉兴市)人。乾隆五十九年(1794)举人。其诗纵横豪放。有《烟霞万古楼集》。

鉴赏

“焦山”，在江苏省镇江市西北长江中，因东汉陕中焦光隐居此山而得名。七律《焦山夜泊》描绘了雄奇壮阔的焦山夜景，是王昙诗中十分成功的纪游之作。

前四句写登楼前所见，大都是目力所及。“华严灵馆压嶕峣”，从建筑物的位置来描述，实写焦山的雄姿和气势。夜泊焦山，登上山头，只见华严阁高高地矗立其上。“嶕峣(jiāoyáo)”，高耸貌。“压”字表明华严阁之高大。“一片风烟接寂寥”，从大全景写焦山远望所见，“一片风烟”已经够苍茫无际了，再加上“接寂寥”三字，更显其夜色广大无边。“大地星河围永夜”，从焦山四周写万家灯火彻夜不熄，点缀出明亮、神秘而又美丽的灯光星彩。星河闪烁，大地生辉，唯有焦山一片漆黑，诗人环顾四周灯火，感受非同一般。如果说上一句是写焦山四周空间的寥廓，那么下一句“中江灯火见南朝”就是写焦山古今的巨变，时间的久远。“南朝”，宋、齐、梁、陈四朝的合称。“见南朝”意思是说，可以想见南朝时繁华的景象。至此，前四句偏重从视觉形象上写夜泊焦山所见。

紧接下来，后四句主要从心理感受上写登华严阁所想。“鱼龙古寺三秋水，神鬼虚堂八月潮”，紧扣夜泊时令，极写进入华严阁后感到的阴森可怖和所听到的大江浪潮之声。“神鬼虚堂”出自朱彝尊《题南昌铁柱观》诗中“虚堂神鬼昼无声”一句。“虚堂”，空堂。“三秋水”“八月潮”的声响不时传来，更增添了“神鬼虚堂”的阴森可怕。这与“僧寮绳床平，涛声在席底。倾耳来睡情，平心得坐理”（俞明震《焦山松寥阁夜坐》）那平静、安详的情调迥然不同。最后两句写登高极目，壮怀银霄，十分精彩。“独上数层”不单写华严阁之高，更主要的是突出了诗人不为神鬼虚堂所阻，独自一人勇敢登高的无畏。“扪北极”虽是想象之辞，却很好地表现出了诗人登高之时的壮思奇想。“满天风露下银霄”紧承上句而来，把诗人因奇想而生发的美妙感受用诗的语言传导给了万千读者，博大、瑰丽、高远，令人浮想联翩，激奋不已。

这首诗一连选用了“压”“接”“围”“见”“扪”“下”等极富表现力的动词。八句中有六句都是同一句式，变化虽少，但给人留下的感受却极其强烈、集中。通篇以焦山华严阁为主景、中心和制高点，处处写夜色，句句写夜色。首联写夜色的浓重和寂寥，颔联写夜色的美丽和变幻，颈联写夜色的惊心和可怖，尾联写夜色的壮丽与神奇。

读了王昙这首奇诡恣肆的律诗，好像跟随作者去焦山经历了一次夜泊登览的生活体验：时而举目远望，时而四顾星河，时而古寺听潮，时而登楼扪天，令人感到妙不可言。

（吴丹雨）

晓　行

张问陶*

人语梦频惊，辕铃动晓征。飞沙沉露气，残月带鸡声。
客路逾千里，归心折五更。回怜江上宅，星汉近平明。

作者

*张问陶（1764－1814），字仲冶，号船山，四川遂宁人。乾隆五十五年（1790）进士，授翰林院检讨。历官吏部郎中、山东莱州知府。论诗主张抒写性情，诗风与袁枚相近，所作清新空灵。有《船山诗草》。

鉴赏

乾隆四十九年（1784），方及弱冠之年的张问陶，辞别四川故乡负笈远行，孤身一人独去江河湖海之中"闯世界"。此诗即写于诗人由汉阳入都途中。路途迢迢，其心昭昭。晓起早行，新的一天又开始了，这也意味着离家乡又远了一程。诗中娓娓传达出的，就是这样一种于旅途中无处不在的征人怀乡的悱恻心情。

"人语梦频惊，辕铃动晓征。"首联两句，是为全诗引子。暮宿客店，一夜数惊，晓梦何以难圆，是因为诗人时时惦念着一早行期在即，倦意朦胧中，莫辨梦中人语，还是谁在长夜漫话？犹带着未曾散尽的梦，推门而出，那备好的车马已等候在拂晓的夜色中了。"辕铃"，系挂在车辕上的铃铛。"晓征"，指早行出发。上路了，车轮动处，寂静的黎明中抛下一串分外清脆而有节奏的铃声；这悦耳铃声似在宣告：漫漫长旅又开始了——次句中一个"动"字，兼有启动、催动、响动三义，同时又似传达出一种早起晓行的兴奋，用得非常巧妙熨帖。首联由第一句人语惊梦到次句铃催晓征，如同运用"蒙太奇"节奏，取镜由睡榻之上一下摇向户外，紧接着的画面已在行程之中了。就中省去了一系列动作过程，却不给人以突兀之感。首联紧扣“晓行”诗题，用语十分洗练。

“飞沙沉露气，残月带鸡声。”颔联两句写晓行所见与所闻。呼吸着黎明湿润的露气，便道轻车，马蹄后，轮辐下，霜迹犹新，尘沙不飞。远远的，几处鸡鸣高低；天际，一弯褪了色的残月正渐渐下行。“露气”与“飞沙”间接一“沉”字，是驿道上尘沙不飞的原因。“残月”与“鸡声”间着一“带”字，更道出月渐下带起鸡鸣声的奇妙关系。“飞沙”两句连在一起读，即十分传神地写出早行人眼中黎明的独特景观。句法上，颔联用的是倒装句，正常语序应作“露气沉飞沙，鸡声带残月”。所以如此，不仅是由于全诗韵脚应和的需要，同时也为更着意突出一种语言警策的效果。

“客路逾千里，归心折五更。”颈联两句转入诗人内心感受。从汉阳到京都，其间需要路经多少山山水水？迢递陌路，此行一去，欲问归期未有期，诗人因此顿生百般思绪，真可谓离家愈远而思乡之心愈切。“归心”即思乡之心。而一个“折”字，便写尽了那种愁肠百结的感情。愈是远去，离情愈是在这未央夜、五更天曲曲折折百般萦绕。颈联两句由“景”入“情”，刻意托出诗人那种辞家初征、客路怀乡的心情，是为全诗重心所在。

“回怜江上宅，星汉近平明。”尾联紧承上联，续写诗人五步一太息，十步一回首的情形，渐行渐远的驿车已经走出第几程了？掉首复回望，那江畔曾经投宿暂居过的客舍，远远看去就如同影影绰绰浮在烟波浩渺的江面上，让人依依留恋。而此时的天际，晨星阑珊；远处那一片朝霞正渐渐扩展，天就要放亮了。“平明”即天亮的时候。尾联“回怜”一句，既是颈联怀乡思绪进一步诉诸动作化的表现，同时又于暗中对首联起句所写的客店夜宿作出了照应，而末句所表现的天近平明的情形，实际上也暗寓了诗人天即晓、且振作精神抖擞上路的自我劝慰。

“晓行”一诗，前半首重在写动态，写景色，笔触生动清警，白描中且能翻出新意。后半首重在写心态，写乡思，所叙低回曲折、沉郁悱恻又不失含蓄，整首诗特别表现出一种对词语的敏感，如首联中的“动”，次联中的“带”，颈联中的“折”等字，都反映了诗人于铸词的刻意锻炼。而在写景上，第二联犹堪称佳句。清人评张问陶诗曰：“船山诗生气涌出，生趣飞来，”“近体则极空灵，亦极沉郁；能刻入，亦能清超；大含名理，细阐物情；或论古激越，或言情宛曲。”（张维屏语）这些议论或能有助于读者进一步欣赏张问陶的诗。

（姚　申）

芦　沟

张问陶

芦沟南望尽尘埃，木脱霜寒大漠开。
天海诗情驴背得，关山秋色雨中来。
茫茫阅世无成事，碌碌因人是废才。
往日英雄呼不起，放歌空吊古金台。

鉴赏

有清一代诗人中，以题咏"芦沟"入诗者，并非张问陶一人。稍先于作者的便有嘉定诗人王鸣盛"卧虹终古枕桑乾，泱漭浑河走急湍"（《卢沟桥》）的诗句。然这一首《芦沟》，于意境、于气象、于胸臆直抒中，却能别创一番格局。

此诗于乾隆四十九年（1784）秋作者过卢沟桥时所作。卢沟桥，在北京广安门西三十六里，跨永定河上，旧时为出入北京的交通要道之一。诗人自川鄂腹地迤逦北上，漫漫长旅，终至此番行程的最后目的地——都城北京，我们可以想见眼前这样一幅图画：秋风细雨，卢沟桥头，一位英气勃发的少年，征尘满衣，勒马吟鞭，把栏杆拍遍，一曲豪唱——"卢沟南望尽尘埃，木脱霜寒大漠开……"首联破题，即写诗人于卢沟桥头回首南来路：风烟滚滚，尘埃弥天，仿佛犹闻一路急驰而来的马蹄踏踏声。紧接第二句中，虽未明写眺望方向，但从诗中描写可坐实是背南之瞻：寥廓霜天，天尽处似能望见浑莽阔远的无际沙漠；萧萧木落，已然是西风紧、黄叶地的暮秋时节。"木脱"指树叶脱落，语出谢庄《月赋》："木叶微脱。""大漠"即沙漠，芦沟北部即接近沙漠地区。首联两句，写诗人立马桥头，驰目所见，一南一北，天底景色似已半收眼底。

颔联"天海诗情"两句，着笔酣畅有致，是首联意境的延续与扩展。"天海诗情"与"驴背"形成对比，相映成趣，略带戏谑兼有解嘲意味。此句语出孙光宪《北梦琐言》：唐郑綮以诗句，其位官宰相时有人问以近来有无新篇，他便答说："诗思在灞桥风雪驴子背上。"诗人化用此典，既自言来自天海之间广阔世界，同时也意在阐明辽天阔海的喷涌诗情与闭居斗室、面壁苦吟绝无缘分，读万卷书更当行万里路。“关山秋色”一句,已无论南北东西望。句中所言“关山”既可作为神州关塞山川泛称,亦可指实:“关”即北京附近绵延而来的长城关隘。“山”指北京的象征——燕山山脉。“秋色”二字上承第二句,是首联“木脱霜寒”进一步的明确注脚。而首联起句尚“尘埃”弥“望”,此处已是“秋色雨中”,可见诗人于空间描写之外还写了时间的延续。颔联两句兼及“驴”与“秋雨”,又暗关诗人孤骑远游,与陆游名句“此身合是诗人未,细雨骑驴入剑门”(《剑门道中遇微雨》)况比,或能看出作者在此另番的新意。

如果说诗的前半首道出一种指点江山、精骛八极的少年奋扬意气,那么至颔联两句则为之一抑:“茫茫阅世无成事,碌碌因人是废才。”浩渺茫然的人间世态仿佛历经阅尽,至今依旧一无成事,碌碌庸常而只缘他人方能出人头地,不过废才而已。“阅世”,即经历世事。“碌碌”,平凡貌。“因人”“成事”,指靠别人力量成事。语出《史记·平原君列传》:“毛遂召十九人曰:公等碌碌,所谓因人成事者也。”此两句悲天悯人,语带讥意,写得苍凉老辣,不似出于一个年方弱冠的少年之口,或给人以“为赋新诗”的感觉,实际上这是诗人那种欲凭借自己才华建立功名的迫切愿望隐晦曲折的表露。

尾联两句是诗人英雄无觅、负才何去感慨的进一步流露。燕赵自古多雄杰,历史在这个古老舞台上,幕起幕落,曾上演过多少惊天地泣鬼神的壮剧。于今凭吊竟为何人,悲歌任与谁听?荒草青冢,英雄长呼不起;尘锁阶阑,昔日金台空在!“金台”:燕京八景之一,相传战国燕昭王筑此台,上置千金,以延天下士,故名。诗人以一介布衣书生之躯,征尘满衣,辗转南来,正是希冀在此地舒展雄图,一酬少年壮志。而今空有金台,那平生壮志当缘何实现呢?我们于作者吊古伤今中似可看到后来者敢问天下兴亡事的豪情,亦可窥见诗人负才初来、前途未卜的那种不安与困惑。末句中一“空”字即已将此复杂心情写足矣。

全诗四联八句,以少年老成的笔力一气呵成。“芦沟”只作为一个借题,前四句信马由缰,放开写沟河烟尘、大漠寒霜、天海情诗、关山秋色。运笔纵横捭阖,气象不凡,于豪情毕现中又可见到诗人漫漫长路已至终旅的某种释然与不吐不快的心情。至于五、六、七、八四句,则一跌而以沉郁感慨入诗,稍抑前半首的激昂之色。以阅望中景色联想到阅茫茫世情,由一已遭际而推及千古人事,过渡十分自然,托出了几分无奈,几分感慨,为全诗平添一种成熟感。尾联终句,以一曲豪唱总收全诗,那二十岁少年的勃发英气与种种慨然之情似都尽在其中了。

(姚　申)

望太白山

张问陶

形势抗西岳，尊严朝百灵。雪留秦汉白，山界雍梁青。
鸟道欺三峡，神功怀五丁。峨眉可横绝，归梦记曾经。

鉴赏

这首诗系诗人秦中纪游之作。

乾隆五十四年(1789)，作者自北京西归，途经陕西郿县。猛抬首：一峰兀起，横绝眼前，险峻秀色，扑面而来。这便是秦中著名秀峰——太白山。

“太白山”，位于陕西郿县东南约四十里，为秦岭山脉与汉江渭水间主峰之一。当地传有民谣：“武功太白，去天三百”，极言其高。历史上不少诗人曾为之倾注笔墨，如唐代大诗人李白就曾留下《登太白峰》、《古风其五》等名篇。那么，此刻作者眼中的太白山又是如何呢?

“形势抗西岳，尊严朝百灵。”天下奇峰，五岳为最。而五岳之中西岳华山尤以峻峭高险著称。首联第一句，诗人欲极言太白山之高之险，却不从正面描述入手，拖来西北名山华山与之比较，一个“抗”字不尽言外之意，写出两峰不但堪与匹敌，且太白山还要胜过一筹。首句即写太白之高，次句则更极言太白之尊。太白山以山秀峰高，又有“太乙”神名之封。第二句中的“尊严”即言此。“朝”即朝拜。“百灵”指百神。太白山以神名相召，引来各路神仙纷纷前往朝拜，其至尊至严当可想而知。

“雪留秦汉白，山界雍梁青。”三、四两句另辟意境，仿佛徐徐展开一卷意味隽永的画轴。悠悠千年雪，雪峰霜白应是秦时汉岁留得，终古犹在；绵绵万里山，山色葱青横亘雍州梁州界城，四季如春。“雍梁”，属古九州之列。雍州，约在今陕西北部、中部与甘肃及其以西地方。梁州，约在今四川与陕西汉中一带。雪而言其为“秦汉”时所留下，可见诗人想象十分丰富；山之雄阔界跨雍梁两州，当知太白山确实名不虚传。颔联寥寥十字，不仅使我们看到了如画山色，而且还强烈地感受到太白山的山寿久远与地域的无限广袤。

“鸟道欺三峡，神功怀五丁。”笔至五、六句，诗人又锋毫一折，先踅入太白山错综盘桓、险隘莫测的山间狭路之中。“鸟道”指飞鸟才得以过的小道，形容山路之险狭。“欺”是胜过，压倒之意。“三峡”即长江瞿塘峡、巫峡、西陵峡的合称，自古以险道闻名。作者在太白山的险隘鸟道与素有“鬼门关”之称的三峡之间，以一个“欺”字，写足了前者对后者在险夷上的压倒之势。行笔至此，诗人意犹未尽，信手又嵌入一个离奇的神话：这山川形势如此险胜，让人不由想起“五丁”的神功！“五丁”系传说中的五个力士，因受蜀王之遣，入秦迎回五位女子。过梓潼，遇有大蛇钻入山洞，五力士相拽蛇尾，忽然山崩分成五岭，遂开出了蜀道（见《华阳国志·蜀道》）。诗人信手拈来太白山形成史上的这一传说，不啻为整首诗敷上了一笔极富传奇意味的瑰丽色彩，并推动读者也随之进入一个充满想象的神话世界。

“峨眉可横绝，归梦记曾经。”“峨眉”，即峨眉山。诗人由京回川，取道秦中，过太白山何以在归梦中突又浮现出峨眉山？秦蜀之间自古峰峦拥塞，群山相接，由秦入蜀，作为关中第一峰的太白山正首当其冲，见太白而倍思乡本在情理中；峨眉系蜀中名山，而李白《蜀道难》一句：“西当太白有鸟道，可以横绝峨眉巅”，更使作者将眼前景与故乡情联结起来了。尾联中“横绝”是横越的意思。“曾经”指曾经经历过。日有所思，夜有所梦。因此诗人在归途的睡梦中又重现了当年横越峨眉山的情景，这也就不奇怪了。

从本诗题目中著一“望”字，可推知诗人尚未登临太白之上。然而于一驻足一长望中，那如潮诗思便和着满目青山纷沓涌来，使诗人欲罢不能。本诗前六句构思不俗，其中以太白而抗西岳，乃一奇；以鸟道而欺三峡，又是一奇；连带出五丁开山的神话故事，使人又见出奇外之奇。最后梦绝峨眉，似离题甚远，但作者所思，又都尽在欲言之中。张问陶向以善写秦中风光著称，于此诗中，我们亦可稍窥豹斑。

（姚　申）

咏怀旧游

张问陶

风流淘尽大江空，终古匡庐在望中，
踪迹易随彭蠡雁，文章难借马当风。
宅边松菊功名淡，水面琵琶际遇穷，
回首浔阳余梦影，木兰舟上月融融。

鉴赏

智者乐水,仁者乐山。而无论于水于山,真正的游旅之乐,却往往不在涉水跋山的游踪亲历之中,而在于事后的追忆、把玩与细味。本诗便是这样一首追忆之作。乾隆五十五年(1790)诗人居于北京,回忆旧日游踪,写下十首一组总题为《咏怀旧游》的组诗,此诗即为其一,内容系写旧日江西之游,兼以寄慨。

全诗一开始,作者便推出一组对比强烈、注有理念色彩的景物:一边是"风流淘尽大江空",一边是"终古匡庐在望中"。当年苏东坡凭阑一曲:"大江东去,浪淘尽千古风流人物",铜琶铁板之声,几成绝响。而至于诗人笔下,却少了些许豪迈,多了几分惆怅。诗人泛舟浔阳江上,面对浩瀚长江,大浪淘沙;一山飞峙,终古雄踞——一种怆然怅惘之感陡然袭上心头。首联起于苏轼《念奴娇·赤壁怀古》词意,写岁月倏忽,多少风流人物被历史大潮淘尽吞没,而望中庐山却葱葱茏茏,长峙江干亘古不变。"匡庐",即庐山。首句中一个"尽"字以外,更著一个"空"字,与次句庐山的永恒意象成相向迫力,使那种"庐山终古、英雄难得"的说不尽道不完的无限感慨突兀毕现于字面之外。

颔联两句夫子自道,又是一组意想比照:"踪迹易随彭蠡雁,文章难借马当风。"诗人经年奔波旅途,行迹漂泊,就像追随鄱阳湖上萍踪不定的大雁。"彭蠡",即鄱阳湖,在江西九江南面。作者成年后为赴京应试,屡屡奔波于蜀道秦栈,转徙于天地江湖之间,曾发出"三年三度过陈仓"之慨。然"彭蠡雁"易学而"马当风"难借。颈联次句引出初唐王勃路过马当山,神人托梦允诺助风行船,一夜七百里而至洪州刺史阎伯屿宴上,即席挥毫一气呵成名篇《滕王阁序》的传说。马当山,在今江西九江彭泽县东北。表面看似乎作者借此慨叹自己未得神助,文字无灵,其实反映了诗人屡试未第、功名无着、怀才不遇的不平与牢骚。

那么功名于人于我究竟何用?诗人仿佛自己设问自己作答:"宅边松菊功名淡,水面琵琶际遇穷。"君不见,东晋陶渊明挂冠而去,浔阳郊外东篱之下,培松莳菊,其澹远恬适,不亦生活得很好?"宅边松菊"语出陶渊明《归去来辞》:"三径就荒,松菊犹存。"而就在同一处地方,唐朝白居易却因官贬江州司马,只能借浔阳江面夜半琵琶,曲抒自己飘零憔悴、天涯沦落的暮途遭际。"际遇"即遭遇。一个"穷"字,于此极写白居易仕途潦倒状。如此再一番比较,诗人于心头已见宽慰与释然。

多少朝代过去了。作者今番游于斯，那彭蠡之雁，马当之风，宅边松菊，江面琵琶，想当也曾一一寻觅叩访。而此刻日已暮，月已西，当是离去的时刻了。“回首浔阳余梦影，木兰舟上月融融”，诗人泛舟独去，渐去渐远。蓦然回首，浔阳古城仿佛带着那些纷纷传说，在夜色中慢慢消隐，只留下远处似梦非梦的朦胧幻影；而天边一轮明月，正以温柔和煦的清辉洒向这条兀自横江而泛的木兰舟。“木兰舟”，语出《述异记》：“木兰川在浔阳江中，多木兰树，鲁班刻为舟。”末联两句可见，诗人已复归于一种平和安详的心境之中了。就在纪作此诗的同年，诗人以二十六岁年华进士及第，从此走上漫漫仕途，这当是题外话了。

全诗既为江西纪游，因此诗中风物掌故，出入引证几乎无不与江西特别是浔阳有关，作者对此并未作泛泛陈列，而是有所选择，紧扣个人心境与遭际。上半首诗可说是借景物、借传闻以浇心中块垒，怅茫与不平之情跃然纸上；下半首却渐趋超脱，于先贤作比于自我宽释中实现了心境的平静。整首诗短短五十六个字，展示了作者由骚动渐趋平和的一段心路历程，而实际上却反映出作者面临“入世”还是“出世”这一问题时的困惑，对于一个封建时代的知识分子，这可能意味着是一个永远无法解决的矛盾。

（姚　申）

赠韩介堂廷秀同年时新选陕西平利县

张问陶

慷慨论交不厌深，愧无好语作官箴。
入关诗要英雄气，经世人须父母心。
钱跃囊中防痛哭，书题判尾费沉吟。
褒斜是我还乡路，他日来听单父琴。

鉴赏

这是一首赠别友人出任官职的诗。“韩介堂”，名廷秀，是作者同榜登科（同年）的进士，新近被铨选出任陕西平利县的官职，行前作者写此诗送他。

首联从两人的私交友谊说起。“慷慨论交不厌深，愧无好语作官箴。”是说彼此是肝胆相照交情很深的朋友,抱歉的是没有什么好的箴言向你提供建议。"官箴",做官应该恪守的准则。中间两联即集中写出自谦说的临别赠言。次联上句就所去地区的山川形胜启发友人的事业雄心,陕西古称关中,因它在函谷关境内,地理形势极为壮丽,是汉唐两代建都所在。"诗要英雄气"无非是从文字写作的气象来鼓励友人去那边要振作精神,在政治上有一番出色的建树。下句接着提出"经世人须父母心"的从政纲领。意思说在县里处理民政事务的时候,要像治家一样对子女关心体贴,来不得官僚主义。三联更具体提出居官最重要的两件大事:第一,要切戒贪污。"钱跃囊中防痛哭",如果苛敛民财中饱私囊,将会导致穷苦百姓的遍野哭声;第二,要谨慎办案。"书题判尾费沉吟",指审理案件题写判决书的时候,要仔细斟酌,不要冤屈一个好人。两联的具体建议,都是出于爱民和对好友政治前途的关心爱护,体现了古人君子爱人以德、赠人以言的优良传统。那么前面的"愧无好语"一句话,就不仅是一般的谦虚客套,也该是实指后面这番近于直率的药石之言吧。尾联表示良好的祝愿:"褒斜是我还乡路,他日来听单父琴。""褒斜",山谷名,由陕西去四川的唯一通路。作者是四川遂宁人,还乡必经此路。"单父(音善甫)",春秋时鲁国县名。孔子学生宓子贱曾主此县,以教化安民为本,身不下堂,鸣琴而治,受到孔子的称赞。这两句说,将来我回四川路过陕西境内,希望能听到你美好的仁风德政,像古代良吏宓子贱鸣琴而治一样把平利县治好。要是深一层理解,两句似乎还隐含着警惕意味,即今天向你进献的忠言,是否承蒙采纳,将来我还要来检验的哟!

诗以说理为主,却从敦劝好友一片真情出发,寓情于理,言虽直率,但能感人。中间两联把为官清要的道理写入对仗整齐的形式,情理兼胜,尤见文字驾驭本领。此诗不仅为当时好友贡献了良好官箴,也给后世为官者揭示了严正的楷模典式。

(郑临川)

读《桃花扇》偶题

张问陶

竟指秦淮作战场,美人扇上写兴亡。
两朝应试侯公子,忍对桃花说李香。

鉴赏

孔尚任一本《桃花扇》传奇，情节委曲，寓意深邃，文采斐然，当时曾倾倒多少读剧人，一时争相传看，洛阳纸贵，叹息者有之，唏嘘者有之。乾隆五十六年(1791)，作者在京供职时也读到了《桃花扇》剧本。掩卷凝思，不禁感上心头，于是命笔挥毫，寄感素笺，竟欲罢不能，一气写下以《读〈桃花扇〉偶题》为总题的八首绝句，这首诗便是其中的一首。

“竟指秦淮作战场”，首句仄起，劈面道出一件看似南辕北辙、风马牛不相及的悖怪之事。南京城中秦淮河两岸，历来青楼迢递、画舫相望，是粉黛馆娃、风雅骚客麇集游冶之处。何以《桃花扇》一声檀板，那秦淮河竟成了战场？这须得稍稍说一说《桃花扇》本事。剧本所据线索是明末复社文人侯方域与秦淮名妓李香君的一段爱情故事，实则反映了南明弘光朝复社与阉党之间的一场剧烈斗争，兼以表现明末社会的动荡与腐败。剧本描写阉党阮大铖企图借李香君美色买到侯方域，为己所用。不料却为香君识破。侯李一见倾心，于是阮遂勾结当朝权奸马士英对两人进行了一场迫害。本诗一开始，作者用“竟指”两字，兀现出那种十分愕然的感觉：剧本真格儿把个秦淮河歌馆舞榭当作了战场？作者于此意在强调“秦淮”与“战场”之间原本毫无干系，同时又通过“战场”二字充分突出了侯、阮之间在秦淮河畔展开的一场不见血光硝烟、不闻劈杀呐喊的殊死较量。从而在读者心灵上造成一种强烈震撼。

诗中第二句由首句叙述场面气氛转入集中描写《桃花扇》中一件关键道具，香君手中的一柄团扇。轻轻纨扇，可以送凉，可以题诗，可以扑流萤，可以半遮美人娇羞的面影，却又何以会被剧作者冠作剧名，乃至成为哀婉奇丽的剧情象征呢？剧中之扇，本为方域所有，侯李相爱，方域以此作信物赠予香君。后权贵田仰迫娶香君，香君不从，以首触壁，血溅纨扇，剧中另一人物杨龙友将扇上血迹点染画成桃花。清军破南京，江山易主，侯李相会栖霞山，慨叹“不因重作兴亡”于是遂有撕扇掷地、侯李相约出家之举。凄绝动人如此，真乃檀板一声，悲歌一曲！而这一切，诗人却用寥寥数字从容一笔“美人扇上写兴亡”全部带过。这看似不经意的一笔，却写得好沉重！正是通过诗人这洗练凝聚、言简意赅的提示，使读者深悟：一把轻轻的美人扇原来竟也荷载着社稷江山兴亡的重负！于是也不由感到了心头的沉重。诗的上半首不过两句十四字,实际上却对全剧剧情作了高度的概括和提炼。

如果说上半首诗写的是剧中事,那么,三、四两句则已笔涉剧本以外的关目了。一本《桃花扇》,终于侯方域与李香君在金陵栖霞山相会,共约出家。而青史作证,事非若此。本诗第三句中,作者口称方域"侯公子",其实已语带不恭。剧作者或出于为剧中人遮羞的缘故,未提及朝宗晚节。而诗人则于此轻轻一点,将侯公子"两朝应试"的行为揭破了。侯方域曾于明朝应试,入清后非但未出家,且又在顺治九年(1652)应河南乡试,中了副榜举人。第四句紧接上句,设一问语:晚节不终的侯公子,有何脸面对着血染桃花提及李香君的名字呢?"忍对"一词犹正语反用,含蓄地表现出诗人扬李贬侯的观点。末句中值得细味的妙处还在于巧将"李香"对"桃花"。在我国古典诗词中,桃与李是被经常引用、结伴出现的一对形象,本不足奇,而本诗末句里的"桃"和"李"却别有深意,诗人从中暗暗嵌入了纨扇血迹(桃花)与香君姓名(李香),使得一句看似平常的诗句寓入了无穷回味,体现出诗人的匠心独运。

《桃花扇》剧作者孔尚任曾言其创作旨意实为"借离合之情,写兴亡之事"。至于本诗作者写作《读〈桃花扇〉偶题》八绝句时,基本仍是寄慨于山河兴亡之中。而在关于民族气节(褒李贬侯)的思考中似又暗关潜意识中某种不能忘情于前明的思绪。由读《桃花扇》而产生这种"情结"的,在清代诗人特别是汉族士大夫中当不在少数。如王又曾的一首《秦淮绝句》:"纨扇桃花细字明,黑头江令见须惊,琼枝玉树根长在,触著东风会却生",触及的也是这个题目。

(姚　申)

阳湖道中

张问陶

风回五两月逢三,双桨平拖水蔚蓝。
百分桃花千分柳,冶红妖翠画江南。

鉴赏

乾隆五十八年(1793)冬,诗人应故友折简之邀,从客居的苏州来到扬州小住。转眼已到翌年春季，于是抱一抱拳，惜别友人与那一片维扬灯火，渡江东归。这首诗便是诗人自镇江回苏州途中路经阳湖时所写。

“阳湖”，即今日江苏常州。

烟花三月，春江水暖。在这样的季节，这样的时分，把归旅当作一次短途踏春旅游，不啻是一番赏心悦目事。“风回五两月逢三”，首句以一种轻松的口吻，道出诗人归旅中的最初印象。三月阳春，小风扑面不觉寒。微风中，高高的船桅顶上那白色的候风羽正在飘动，吸引了诗人的注意：哦，正是东风送暖的季节呢。“五两”，指候风羽，用羽毛做成，挂于桅杆顶上以示风向。“月逢三”，指适逢春季三月。首句似诗人随口吟得，即交代了时令，又借飘动的候风羽，告诉读者归途走的是水路。

归去来兮——诗人那怡然自乐的心情仿佛使小船也受到了感染。第二句中“双桨平拖”的描写尤为传神，使我们仿佛看到小船识路，一任春潮涨水推着自己行进；那停划的桨楫双双平拖，在蔚蓝色的水面划出白练般的一脉脉水痕。第二句紧承上句，视点从船桅“风回五两”下移到船尾水际，具体形象地刻画了碧水行舟的轻快情形。

三、四两句写诗人的视线投向岸边。

一年一度，春风又绿江南岸。暖风徐来，似在为诗人洗尘；碧水桨声，似在为诗人鸣琴——罢了罢了，最惹人爱的却是三月里那夹岸而来的桃与柳。诗中所写三月是为农历三月，正是桃花绽开、柳树抽叶时节。三步一柳，五步一桃，桃柳分植，柳树当多于桃树。故此在诗人眼里便有了“百分桃花”和“千分柳”的感觉。

“冶红妖翠画江南”，那一路桃红柳绿装点着诗人的归旅，没有比这轻舟熟道更让人心旷神怡了，也没有比这望中景色更撩拨人心了。末句之中，桃红而曰“冶”柳绿而曰“妖”，可见在诗人眼里，桃与柳似乎都具有了人性：桃花艳美，如青春少女妩媚的笑靥；柳枝婀娜，似妙龄姑娘婆娑的舞姿。正是这一片片、一簇簇“冶红”的桃花与“妖翠”的柳叶，描画出一派“千里莺啼绿映红”的三月江南绮丽春色。

这首小诗写得清新明丽，活泼轻松，当是旅途之中口占而成。诗人未作刻意求工，不露雕琢痕迹，但此诗的景物描写又非随便拼凑。在看似随意剪裁的几个片断中却寓于诗人独具的匠心，从三笔两笔勾勒之间，便托出了春天独特的形象：春风中飘拂的一尾候风羽，春水里拖曳荡漾的一双桨楫，而那满眼的桃红柳绿则是这一片如海春色中最让人心神迷醉的主旋律。如果说善于剪裁景物是本诗的一个特点，那么诗中另一个特色便是擅长运用数字了。短短四句诗里竟用了“五两羽”“三月”“双桨”“百分桃”“千分柳”等一连串与数字有关的词，这又使得诗歌在看似随口吟得之中不失观察的细微和缜密，这也许是本诗所以值得一读的又一个原因所在。

（姚　申）

过黄州

张问陶

清舲一叶独归舟，寒浸春衣夜水幽。
我似横江西去鹤，月明如梦过黄州。

鉴赏

如洗月色。夜阑人静时分，沐浴在柔和月光下的夹岸青山与一江春水已然都如进入了梦乡。前面不远处便是湖北名镇黄州了。那望得见的若有若无几星灯火似乎亦已隐去。千里澄江如练，唯有天际一轮皓月静静地一泻无余，以及一叶睡意矇眬的小小客舟，在静静的江面上缓缓漂行。然而，此刻有一个人却不愿睡去，他就是诗人——舟中客子。是船近黄州，使他想起了什么？

“黄州”，地处湖北省东部，长江北岸，即今黄冈县。

本诗开笔，即把读者带到一片浩浩渺渺的江面上。“舲”，指有窗户的小船。《楚辞·九章·涉江》有“乘舲船余上沅兮”的句子。“舲”而曰“清”，在此意为船中旅客稀少。举目而望，江鸥不惊，一切过往的桨声帆影都已无迹可寻。唯有诗人寄身其间的小小客船在茕茕而行，如同一片小小树叶飘落在辽阔的江面上。如果说作者以“一叶”写行船意在突出其于茫茫大江中的渺小，那么紧接一个“独”字则强调了小船与舟中客子的孤单和寂寞，与此同时，也烘托出一种静谧辽远的独特氛围。首句末，“归舟”两字，道出了何以在这静夜孤舟独行的缘由：原来，这是一艘正在往家乡赶路的归船。

“寒浸春衣夜水幽”，次句写诗人卧坐船舱，夜半无眠，于是披衣独上船头，一下子却感到江上潮湿的夜寒，如水一般浸上衣襟。那白昼春日艳阳下十分可体的单薄衣衫已耐不住这夜间骤临的料峭凉意。“春衣”两字，既点明诗人衣衫单薄，又交代了时令与季节。抬望眼，夜幕下那静静的江水，光影迷离，幽深莫测，长流无声，让人又平添几分感慨。“寒浸春衣”，或许还使诗人想起出门在外的诸多不便——若在家中，此刻早就拥被熟眠了吧！

“我似横江西去鹤”，此句异想兀起，使诗意另翻出一番境界。水天空阔，夜色弥深，似梦非梦之间，诗人突发幻想，想象自己有如横江而起的孤鹤，悠然西去。从字面看，“我似”一句，语出宋代诗人苏轼《后赤壁赋》：“时夜将半，四顾寂寥，适有孤鹤，横江东来。翅如车轮，玄裳缟衣，戛然长鸣，掠予舟而西也。”然诗人何以在此时此处忆及苏东坡的名篇，且更以其中的西去孤鹤自况？原来《后赤壁赋》正是苏东坡谪官黄州时所写。而诗人自比赋中之鹤，恐怕还系于自己独特的感受。夤夜舟行，已透出兼程还家的急迫；而联系此番旅程，诗人缘江回蜀，当是逆流而上，不似出川那般可“千里江陵一日还”，诗人欲化鹤而去，正是嫌舟行缓慢，而西去方向不又正朝着他的故乡么？那种切切思乡之心于此洞然可见。

“月明如梦过黄州”，此句点出“月明如梦”四个字，为这幅未完成的“江舟月归图”点染了不可或缺的月色和最后含蓄朦胧的一笔——何梦？归梦？是梦？非梦？在皎洁月光和着夜半湿凉雾气织就的迷蒙中，在江面一片无声的世界里，那思归的旅人，那幽幽的夜水，那幻想中横江而起的孤鹤，那朦胧月，那独行的夜航船……究竟是梦从舟中生，抑或是舟在梦中行？不知不觉中，船已过了黄州。

本诗通篇描写出月夜舟行一片静谧氛围，但读毕全诗却找不到一个“静”字。而静极之中又寓入诗人内心的飞动情状。虽仅短短四句，却分别营造了四种不同的意象：从大处落笔者，则孤舟独行，宛如就在眼前；从细处刻入者，则寒浸单衣让人感同身受；忽而兀起奇思异想，仿佛那种飞动、高扬、飘逸之态可感可掬；忽又归诸朦胧一片，于是就有明月如梦和着一江春水缓缓而来。而这一切又都暗扣一个“归”字，在“过黄州”的标题下，通过一段特定时间和空间加以表现出来。于是诗歌的意象由此得到凝聚和升华，生发出独特的、回味无穷的意蕴。

（姚　申）

吴兴杂诗

阮　元*

交流四水抱城斜，散作千溪遍万家。
深处种菱浅种稻，不深不浅种荷花。

作者

*阮元(1764－1849)，字伯元，号芸台，江苏仪征人。乾隆五十四年(1789)进士。历官两广、云贵总督，体仁阁大学士，卒谥文达。平生以治经学、考据著称。编刻书籍甚多。其诗出入中晚唐及两宋。有《研经室集》。

鉴赏

在江南水乡，地处太湖南面的吴兴(今浙江湖州)是最美丽的城市之一。苕溪、霅溪、苎溪、吴兴塘等四水在这里汇流，这些干流又有无数分支遍布城外农郊。临水屋舍毗连，人烟稠密，人们利用天然的水利资源和肥沃的土地，发展生产，美化环境，把家乡变成米粮之仓。诗即描写吴兴的田园风光。

“交流四水抱城斜，散作千溪遍万家。”写吴兴地处水乡的特殊自然风光。读者首先注意到两句中的三个数量词，它们写出了密而不紊的一片水系。“四水”是主干，“千溪”是支流，“万家”则意味着更多的支流。通过“交流”“散作”“遍(布)”等动词勾勒，读者仿佛凌空鸟瞰，一望收尽吴兴水乡风光。被这密如蛛网的水系所分割，江南绿野就变成许多色块组成的锦绣。“抱城斜”是指环城的干流与城墙有一定走向上的斜度，是自然形成的一种势态，大大小小的水流都是活水，它们给江南原野带来了生机。

“深处种菱浅种稻，不深不浅种荷花”两句写水乡农作及其特点：人们在水深处种菱，水浅处种稻，而在不深不浅的地方种藕。它首先给读者呈现的是一派富庶的景象，难怪“人人都说江南好”（韦庄），难怪有“苏杭熟，天下足”的俗谚了。这两句还给人更多的美感，在前二句的背景上描绘了更加生动的景物，即各种作物互相间杂，组成缤纷错综的图案。不说种藕而说种“荷花”，固然是为了字数韵脚的要求，但也使人从经济价值观念中跳出来，从审美价值角度来审视这幅图景。待到夏秋之交，绿的菱叶，黄的稻浪，红的荷花交相辉映，那是何等一幅宜人的图画！从语言风韵看，这两句也极有意趣，上句以“句中排”形式，揭出一“深”一“浅”，相反相成，已给人有唱叹宕跌、无限妍媚之感。殊不知作者能事未尽，又写出一个“不深不浅”，似乎对上句来了个折中，表现出绝妙的平衡；而在“深”“浅”字面上前分后总，又推出一层唱叹之音，使此诗洋洋乎愈歌愈妙。

（周啸天）

梅花岭吊史阁部

舒　位*

一寸楼台谁保障？跋扈将军弄权相。
已闻北海收孔融，安取南楼开庚亮。
天心所坏人不支，公于此时称督师。
豹皮自可留千载，马革终难裹一尸。
平生酒量浮于海，自到军门惟饮水。
一江铁锁不遮拦，十里珠帘尽更改。
譬如一局残棋收，公之生死与劫谋。
死即可见左光斗，生不愿作洪承畴。
东风吹上梅花岭，还剩几分明月影？
狎客秋声蟋蟀堂，君王政事胭脂井。
中郎去世老兵悲，迁客还家史笔垂。
吹箫来唱招魂曲，拂藓先看堕泪碑。

作者

*舒位（1765－1815），字立人，号铁云，直隶大兴（今属北京市）人。乾隆五十三年（1788）举人。曾游贵州军幕。其诗近体清峻，尤擅长歌行，亦工曲。有《瓶水斋诗集》《卓女当炉》《桃花人面》等。

鉴赏

这首诗是作者于清嘉庆八年（1803）游扬州时所作。“梅花岭”，在江苏扬州市旧广诸门外。“史阁部”，即史可法，南明时官大学士（内阁大臣），督师扬州。清兵南下，他率部抵抗，因孤军无援，寡不敌众，城破死难。他的遗体未能找到，后用其衣冠袍笏葬于梅花岭上，称为衣冠冢。因史可法死得英勇壮烈，忠贞可嘉，表现了崇高的民族气节，所以后代文人多有咏叹。舒位的这首诗是其中较好的一首。

第一层(1—4句):写朝廷昏庸,将帅非人,南明岌岌可危,表明史可法面临极其险峻的政治形势。作者以一尖锐而重大的问题作为全诗发端,为下文点明史可法的地位和作用,作了有力的铺垫。且首句中是借代兼夸张:"一寸"极言南明小朝廷疆域之狭小;"楼台"代指长江以南之半壁江山。第二句是对首端问句的回答,然而是肯定中有否定。因为尽管是"一寸楼台",又岂是"跋扈将军"和"弄权相"之流所能保障的?这句表现了诗人对马士英、阮大铖、左良玉、高杰、黄得功、刘泽清等南明大臣祸国殃民行径的轻蔑和愤慨。第三、四句则通过用典,写当时朝廷在马、阮等的把持下,排除异己,打击忠良,不能用人。孔融,东汉末任北海相,为曹操所忌,诬陷下狱,被杀。这里是以孔融比雷缜祚等。雷缜祚曾守德州,后被马士英逮捕。庾亮,东晋人,任征西将军,曾平息苏峻、祖约叛乱。南楼是他在武昌登临赏月之地。此二句中,"已闻"与"安取","北海"与"南楼","收"与"开"等语,对仗工稳,用典妥帖,堪称佳句。

第二层(5—8句),作者笔锋一转,正面颂扬史可法。写他在国家危难之际,挺身而出,自请督师扬州,为国尽忠,英名永垂,然却不能裹尸而还,诚为千古憾事,表达了他对忠臣死难的深切悼念。"豹皮""马革"句,均出自历史典籍。《新五代史·死节传》:"豹死留皮,人死留名。"《后汉书·马援传》:"男儿要当死于边野,以马革裹尸还耳。"

第三层(9—12句),进一步写史可法。前两句谓史可法以国事为重,尽职尽责,严于律己。诗中用史酒量浮于(超过)海,在军中却只饮水这样一个细节来衬托他的英雄性格。可谓以小见大,形象鲜明。后两句说史可法孤军作战,狂澜难挽,南明小王朝的灭亡,是不可避免的。这里,作者也是巧于用典,工于对仗。"一江铁锁"句,由唐刘禹锡"千寻铁锁沉江底,一片降幡出石头"(《金陵怀古》)句中化出;"十里珠帘"句,则脱胎于唐杜牧"春风十里扬州路,卷上珠帘总不如"(《惜别》)。

第四层(13—16句),前两句"譬如一局残棋收,公之生死与劫谋",说史可法出镇扬州,如收拾围棋残局,已报决死之心。"劫",围棋术语。指双方轮番提取被包围的棋子。后两句"死即可见左光斗,生不愿作洪承畴",通过史可法在生、死问题上的选择,歌颂他宁为玉碎、不为瓦全的崇高气节和大义凛然、视死如归的献身精神。左光斗,字遗直,明天启时任左佥都御史,因反对魏忠贤而遭迫害,死于狱中,谥忠毅。史可法是他的门生。洪承畴,崇祯末任蓟辽总督,与清兵战于松山,兵败降清。诗中对此二人一褒一贬,感情色彩非常鲜明,从中也可窥见作者的生死观和荣辱观。

第五层(17—20句),首句写梅花岭上东风吹拂,暗示史可法的衣冠冢上青草碧绿,鲜花常开;次句"还剩几分明月影",写战后扬州的残破景象,连明月也不肯映照。此句从唐徐凝《忆扬州》诗中"天下三分明月夜,二分无赖是扬州"的句子变化而来。以一问句"还剩几分"言扬州得月光之少,以喻该地城破后的萧条和凄凉。这句格调悲凉,恰与上句"东风吹上梅花岭"的春意盎然形成了强烈对比。这两句虽为写景,实则借景言情,景中寓情,包含着诗人深沉的感慨。第三、四句"狎客秋声蟋蟀堂,君王政事胭脂井",是用史实喻南明君臣的昏庸、荒淫。前句以南宋权相贾似道比马士英、阮大铖。"蟋蟀堂",指贾似道曾筑半闲堂与姬妾、狎客斗蟋蟀取乐,后句用南朝陈后主喻福王。"胭脂井",指后主荒于酒色,隋兵攻入南京,他与宠妃张丽华、孔贵嫔藏于井内被俘。此二句可谓借古讽今,对明末耽于淫乐、荒于政事的昏君奸臣作了有力鞭挞。

第六层(21—24句)全诗最后四句,作者高度赞颂:史可法虽死,然英名永垂青史,同时抒发了自己凭吊英烈的悲愤之情。第一句中的老兵指孔融。据《后汉书·孔融传》,孔融与蔡邕素善,邕卒后,有虎贲士(武士)貌类于邕,融每酒酣,引与同座。这是诗人用古人古事隐喻自己对史可法的感情。"迁客",因罪谪贬之人。这里指吴兆骞。《池北偶谈》说:"吴汉槎(兆骞)自宁古塔归京师,驻防将军安某语之曰:'子归,可语史馆诸君,昔王师(指清兵)破扬州时,吾在行间(军队中),亲见城破时一官人诣军营,自云:我史阁部也。亲王劝之降,终不从,乃就死。吾所目击者,史书不可抑此人。'"这里,作者借吴兆骞所闻之事,写史可法死后赢得后人的尊敬。末尾两句,是诗人写自己在史氏墓前凭吊,沉痛、哀切之情,溢于字里行间……句中的"吹箫""堕泪碑"等语,都是化用。

舒位的这首诗,思想性、艺术性都较强。作者借凭吊古人,抒发感慨,总结了南明亡国的历史教训;歌颂忠良、抨击权奸,表达了强烈的爱憎感情。诗中塑造出史可法这一可歌可泣的光辉形象,生动感人。此外,从写作上看,全诗以问句发端,格外醒目;尾句写凭吊之情,呼应题目;首尾连贯,一气呵成,结构谨严。诗中或叙事、或言情、或写景、或议论,兼用夸张、比喻、借代、对偶、排比、对比映衬等艺术表现方法,手法娴熟多变。特别是他大量用典而十分妥帖,显示了渊博的才学和善于熔铸前人典故、提炼语言的能力。有人评舒诗云"奇博闳恣,横绝一世"并不过分。

(宋子俊)

杨花诗

舒　位

歌残杨柳武昌城，扑面飞花管送迎。
三月水流春太老，六朝人去雪无声。
较量妾命谁当薄，吹落邻家尔许轻。
我住天涯最飘荡，看渠如此不胜情。

鉴赏

这是一首咏物诗，看似题咏杨花，其实引起作诗的感兴只在"我住天涯最飘荡"一句。当时是乾隆五十七年(1792)，作者侨居湖州，怎么能说是"天涯"呢？原来舒位是直隶大兴(今北京市)人，"江南虽好是他乡"，故有天南地北异乡之感。

在前人众多的杨花诗中，有一首别具风情的作品，那就是唐代武昌妓续韦蟾的七绝，此诗开篇就从这故事咏起，所以说"歌残杨柳武昌城"。后一句则摘出武昌妓"杨花扑面飞"一意，绾合刘禹锡"长安陌上无穷树，唯有垂杨管别离"(《杨柳枝词》)，写出"扑面飞花管送迎"，可谓善于熔铸，依汉唐折柳送别习俗，杨柳也可以说是管得别离之事的。然而，"他家本是无情物，一向南飞又北飞"(薛涛)，杨花柳絮本身就给人以身世飘零之感，它真个也能"管送迎"吗？由此看来，"扑面飞花——管送迎"一句，包含的意味是微妙的；这专管送迎的杨花呀，怕是自身难保呢。紧接二句继续化用前人诗意，"三月水流"出自韦应物"三月江头飞送春"(《杨花》)。"六朝人去"指东晋的谢道韫，她曾有过"未若柳絮因飞起"的咏雪名句。本来是柳絮过老而飘落，堕地无声，诗句却说"春太老""雪无声"，妙在借代。明明是暮春，绾入"雪"字，便妙。"三月水流""六朝人去"又暗暗映带前文"送迎"字义，故有行云流水、脉络自然之感。

因为杨花柳絮有轻薄而易为飘零的特性，故古人往往用拟薄命的女郎，如苏轼《水龙吟·次韵章质夫杨花词》"萦损柔肠，困酣娇眼，欲开还闭。梦随风万里，寻郎去处，又还被，莺呼起"，就拟为思妇形象。而乐府旧题《妾薄命》，也多写思妇之情。诗人即拆"妾薄命"字面，将杨花和薄命女性对比,意言杨花更苦:“较量妾命谁当薄,吹落邻家尔许(如此)轻!”上句语有出处,而下句纯属白描。一个即景伤怀的抒情主人公形象呼之欲出。末二句“我住天涯最飘荡,看渠如此不胜情”,是说像“我”这样天涯漂泊的游子,本来自以为处境最为凄苦了,殊不知看到你这样子,怜惜之心也油然而生,几不自持了。

诗由咏杨花而渐渐打并入身世之感,最后物我合一。这种写法也见于高士谈《杨花》诗:“我比杨花更飘荡,杨花只是一春忙”,但辞气仍有细微区别。高诗将杨花与“我”的身世比较,言“我”更苦,这就将诗的本位转移到诗人抒情上来。此诗也将杨花与“我”的身世比较,言物我情。这就保持了咏物始终以杨花为本位,尤为得体。

(周啸天)

白　苗

舒　位

折得芦笙和竹枝,深山酬唱妹相思。
蜡花染袖春寒薄,坐到怀中月堕时。

鉴赏

春天的傍晚,劳动了一天的苗族青年和往常一样,去同情人约会。他们三三两两,走进深山,男的编芦管为笙,女的手拿竹枝,一唱一答,倾诉着心中的情和爱,真挚感人的《妹相思》曲调在山林上空飘荡。后来,他们一对对、一双双地携手隐没在树林中……月亮似玉盘高挂在天上,潇洒英俊的小伙子和美丽多情的姑娘幸福地依偎在一起,亲昵细语。皎洁的月光下,姑娘身上蜡染的白底彩绘的衣服格外好看。月亮渐渐落下,寒意阵阵袭来,而热恋中的青年男女还是那样依依难舍……

这就是舒位的《白苗》诗给我们描绘的一幅少数民族的生活画面。

诗于嘉庆二年(1797)在贵州时作。

首先,这首小诗充溢着浓烈的生活气息和民族风情。诗中所写当是作者亲见亲闻的苗家生活习俗。诗人自注云:“白苗之习,略同花苗。其服先用蜡绘花于布而后染之,既染去蜡,则花见焉。芦笙者,编芦管为笙，有簧。男女相会，吹以倚歌。歌曲有《妹相思》《妹同庚》者，率淫奔私昵之词，贵定、龙里皆有。衣尚白，故曰白苗。"可知，诗人对他所歌咏的对象是非常熟悉的了。但生活并不等于诗，诗歌艺术有自己的特点和规律。我们看到，作者善于捕捉生活中具有典型特征和极富于情趣的镜头，予以放大和突出，并把它们一个个自然地衔接起来，成为一组少数民族生活的风情画，给人以如临其境、如闻其声的感觉；苗族男女青年甜美的笑容、依偎的身影、青翠的竹枝及衣袖上鲜丽的彩绘宛然在目；芦笙的吹奏和着动人的歌声仿佛可闻……题材之新颖，形象之生动，色彩之鲜明，意境之优美，生活气息之浓厚，在同时代的众多诗作中也是不多见的。

其次是语言清新、明快而鲜丽，具有民歌风味。全诗二十八字，不尚雕饰，信手拈来，明白晓畅，浑然天成，尤其是"折得""坐到"等句，更似口语。然此本色语，正是诗家妙语，它清新自然、亲切有味、沁人心脾，耐人咀嚼。"蜡花染袖"句于平淡中见工丽，达到了"清水出芙蓉，天然去雕饰"的艺术境界；"坐到怀中月堕时，"则相当传神地表现了苗族青年谈情说爱时的眷恋情态，真是形神俱现，余韵悠长。全诗虽然是信手拈来之句，却不觉意浅境拙，而是诗中有画，意深境新；诗中对苗家青年男女真挚、热烈的爱情生活表达得那样有声有色，婉曲细致，使人在动态的画面中驰骋想象，久久回味，正是"状难写之景如在目前，含不尽之意见于言外"。作者用经过精心提炼的民间口语表现少数民族风情，可谓本乎性情，发自天籁，使诗歌的形式与内容极其和谐地融为一体，标志着舒位诗歌艺术风格多样化的一个侧面。

（宋子俊）

花生日诗　魏塘道中作

舒　位

啼莺如梦送归艎，日子平分夜未央。
愿取鸳鸯湖里水，酿成春酒寄花尝。

鉴赏

古时相传，农历二月十二为百花生日，又称"花朝"。这年，诗人乘船来到魏塘(在今浙江省嘉兴市)即兴写了这首花生日诗。诗人以精练、朴实的语言,含蓄有味地抒写了对江南春色的感受和他爱花、赞花的美好感情。

首句"啼莺如梦送归艎",仅仅七字,就写出了江南二月鸟语花香的迷人春色。"啼莺如梦",引发读者以丰富的想象:莺啼声声,柳暗花明,诗人乘舟东下,为大好春光所陶醉,渐渐进入了梦乡。诗人动中取静,无限惬意,这是多么美妙的意境!句中的"送"字,赋予啼莺以人的感情和动作,这种"拟人"手法,使诗意盎然,情趣横生。次句"日子平分夜未央",是说时序正是春分前后,昼夜各半,而夜未到正中。这句进一步明确交代了具体时间。第三、四句"愿取鸳鸯湖里水,酿成春酒寄花尝",是抒情。"鸳鸯湖",一名南湖,在嘉兴市城外,有名胜曰烟雨楼。句中的"愿取""酿成"和"寄"等语,突出了作者强烈的主体意识,使诗人爱花、敬花的思想感情表达得相当生动、形象,且与诗题"花生日"成呼应之势,也使这首诗的抒情色彩更浓。这首小诗的艺术特色主要有三点。

首先,诗人善于选取美好的事物来表达美好的感情,如啼莺、归艎、春酒、鸳鸯湖水等,它们本身(包括名称)是美好的,同时又可引起人们对其他美好事物的联想,使人们感受到春天的气息,感受到对花的热爱之情。

其次,作者在诗中一再运用拟人的手法来抒情达意。如莺燕啼鸣,好像是在为人送行;湖水酿酒,百花竟可尝饮,皆是把物(莺、花)人格化了。拟人,这在古典诗歌中是常见的,但在一首短短的绝句中两次用此法,却比较少见。由此可知诗人的奇思妙想。

又次,文笔清新、自然,情景交融,意境优美。诗人无论是写景、抒情,皆娓娓道来,既含蓄有味,又明朗易晓,没有矫揉造作,也不雕章琢句,把人与物、情与景、动与静、听觉形象与视觉形象,有机地统一于一体,从而显示了作者的艺术功力。

(宋子俊)

近代诗歌

小云栖石屋

吴 震*

一碧豁岩罅，仰窥如井深。泉源太古雪，天气四时阴。
红日不能到，白云何处寻？偶闻人语聚，满谷答清音。

作者

*吴震，字寿之，号瘦青，江苏常熟人。生活于嘉庆时。有《元益斋五律》。

鉴赏

“小云栖石屋”是江苏常熟虞山的一处名胜，位于虞山西麓，为虞山有名的岩洞之一，洞深丈余，上有石崖覆盖如屋，右面泉从石坎中溢出，风景清幽雅致。这首诗是诗人游览此洞的纪游之作。

“一碧豁岩罅，仰窥如井深。”首联破空而来，省略了上山、外观诸多程序，直接从洞底仰视的角度写起。“一碧”即一线天空，“岩罅”即岩洞。从洞底望出只能见到一线天空，极写岩洞之小，同时又为下文“天气四时阴”埋下伏笔。“如井深”即深不过丈余，极写岩洞之浅。既小且浅的岩洞皆由“仰窥”见出，寥寥十字已将石屋的全景态势描写无遗，可见“仰窥”正是观察石屋全景的最佳角度。

次联移步换形，描写泉水和天气：“泉源太古雪，天气四时阴。”言泉源古老，则泉水常流不断可知；言泉源于积雪，则泉水清冽刺骨可知。不直接描写泉水而写其推想的源头，避实就虚而实景自现。由泉水的冷清又联想到天气的阴晴，无论春夏还是秋冬，洞中常年都是阴天，则洞中凄神寒骨，悄怆幽邃，令人不可久居之状，可以想见。

在这宽不见天，深仅丈余的岩洞里，诗人心中不禁产生了一丝纳闷：“红日不能到，白云何处寻？”这里常年阴晦，阳光照不进来，自然也见不到白云,初看起来是那样不起眼,但前人为什么欣赏它?为什么给它起这么美的一个名字——“小云栖石屋”?这白云栖歇在什么地方呢?诗人思索良久,末联就是对这些疑问的一个巧妙的回答:

“偶闻人语聚,满谷答清音。”诗人不正面回答上述疑问,却让山谷代为作答,便产生出无限的情趣。就字面意义而言,此联不过是说,当诗人一行为白云的去处发生争执时,整个岩洞都响起了清亮的回音。但这样理解可能太浅,更深的一层含义落在“清”字上。这石屋的好处就在一个“清”字,“偶闻人语聚”,正说明此地人迹罕至,清静幽僻。宋人黄庭坚曾代天下诗人立言:“天下清景不择贤愚而与之,然吾特疑端为我辈设。”天下的文人学士、骚人墨客最崇尚的是一个“清”字,最喜欢的是清幽景致、清静去处,所以尽管这小石屋宽不见天,深仅丈余,泉水冷冽,天气常阴,红日不到,白云难寻,但它好在清幽静谧,因而惹得骚人墨客在此流连忘返,为它题名吟诗。“美不自美,因人而彰。”难道不是这样的吗?

(詹杭伦)

夜过据梧轩

吴　震

风起不知处,泠然飘过林。如何老梧叶,声已似瑶琴?

所得偶相肖,欲求无可寻。徘徊望明月,清绝见诗心。

鉴赏

世上有这样一种审美现象:有时候,人们在特定的环境和特定的心境的交互作用下,无意之间会突然发现一种美,它是那样的赏心悦目,奇妙无比,令人心尖为之颤抖!但这种美转瞬即逝,事后有意寻觅,却无论如何再也找不到它了。诗人吴震就曾有过这样的一次审美体验,此诗所记即是。

一个深秋的夜晚,诗人独自在他的书斋外徘徊。书斋坐落在一片梧桐树林里,因而取名“据梧轩”。“据梧”,语本《庄子·齐物论》:“惠子之据梧也。”谓倚靠在梧几上休息。本诗有“梧叶”之句,“据梧轩”命名当有取于实景。明月朗照,洒下一片清辉,整个环境显得清幽静谧,诗人的心境也格外安宁恬适。

此时此刻,不知从什么地方吹来一阵清风,轻轻地飘过树林,老梧桐叶随风摆动摩擦,不知怎么一来,竟发出一阵像瑶琴演奏般美妙动听的声音,令诗人惊奇不已。诗的前四句写的就是这时的情形。

可是,当诗人集中注意力侧耳倾听仔细欣赏的时候,那瑶琴般美妙的声音却突然消失了。诗人不无惋惜地在树林里来回踱步,试图再次捕捉到那美妙的琴音,但徒劳无益,清晰地传到耳边的,只有风吹树叶的声音,那奇妙的琴音再也找不到了。这是什么原因呢?诗人沉思良久,将他对这一现象思考凝结成富有哲理的回答:

"所得偶相肖,欲求无可寻。"

话语虽然平常,道理却很深沉。"所得"是无意所得,表明这种美妙的声音是诗人无意之间听到的,若是有意寻求,反而无处可得;"相肖"是偶然相肖,表明风吹梧叶之声同瑶琴之声在诗人的意念里偶然之间相似,若是有意将二者联系起来,反而泾渭分明,无从混融。这里所谈的"无意"和"有意"的区别,其实就是审美认识和逻辑认识的区别。美感常常是在无意之间通过直觉形式获得的,而且也不经过一种有意识的、明确的推理、思考过程。这种审美直觉现象在中国古代美学里就叫做"触物感兴""天机骏利""兴会萌发"。作为审美活动,欣赏自然美景和从事文艺创作是相通的。诗人把他偶然获得的"风吹梧叶,声似瑶琴"的审美经验推及到诗歌创作上,进而领悟到诗歌及其创作的奥妙:

"徘徊望明月,清绝见诗心。"

所谓"诗心",既指诗歌的精神实质,又指诗歌创作的奥妙秘诀。诗人徘徊梧林,眼望明月,由欣赏自然美景联想到诗歌创作,猛然之间恍然大悟,思想产生了实质性的飞跃:"清绝见诗心。""清绝"既指环境的清静绝响,又指心境的虚空明净,在这一自由和谐的审美状态中,诗人认识到"风吹梧叶,声似瑶琴"的偶然发现就是诗;换言之,诗就是诗人对特定审美对象的独特发现;诗得自于"兴会神到"的无意之中,而不来自苦心孤诣的有意寻觅。

在中国诗史上,许多著名诗人都经历过同吴震(相似的)"一朝悟罢正法眼,信手拈来皆成章"的创作飞跃阶段。吴震把这一审美认识过程形象地表现出来,对后学者不无裨益。

(詹杭伦)

有感

陈沆*

传闻南海事全非，十室炊烟九室稀。
须识治兵先治吏，自来防盗在防饥。
鳄鱼大可为文遣，沙蜮终难出水飞。
寂寞江湖风雪里，有人投笔念征衣。

作者

*陈沆(1785－1826)，字太初，号秋舫，湖北蕲水人。嘉庆二十四年(1819)进士，官翰林院编修，转迁四川道监察御史。工诗。诗学唐代的韦应物、柳宗元。有《简学斋集》《诗比兴笺》。

鉴赏

此诗作于嘉庆十四年(1809)，首联即作者“自注”所云：“闻广东荒歉，海寇未平。”

以灾荒为题材的同期作品，有王省山的《剥榆歌》：“朝剥榆皮，暮剥榆皮，手持斧柯，身困腹饥；道旁累累不忍睹，老幼相携面如土，家贫岁荒不得食，聊借榆皮充肺腑。吁嗟乎！山中榆皮能有几，荒村破屋半逃亡，何处叫阍天万里？”(《清诗铎》卷十四)具有典型性，读之催人泪下！广东荒歉的情景也就可以想见了。

关于海寇，除了粤海穷渔伺劫商船并登陆肆扰，为害最烈的是，海盗头目蔡牵以闽海为根据地，大肆劫掳；又勾结陆地帮会，使其阴济船械米粮，得以储蓄较富，俨然握海上之霸权。后与粤海盗头目朱渍组成联合舰队百余艘，与浙江提督李长庚对抗，势甚猖獗，纵横海上多年。

对此，作者提出“治兵先治吏、防盗在防饥”的政治主张和具体措施。治兵的关键在治吏，防盗的关键在防饥。治吏、防饥是治本而非治标。治标则头痛医头，脚痛医脚，治本须正本清源，通体关照；倘若本末倒置，必误入歧途。

治本的首要尤在治吏。如何治吏？作者认为，当取法于唐代著名文学家、哲学家韩愈（768—824）的政绩。这里主要指《祭鳄鱼文》。这篇祭文表面上似乎针对“飓风鳄鱼，祸患不测”（韩愈《湖州刺史谢上表》），实质上却针对一切祸国殃民的恶势力。这是具有象征性的鳄鱼形象。许多“弊事”都是那些恶势力造成的。为了“除弊”，韩愈是不怕死的：“欲为圣朝除弊事，肯将衰朽惜残年！”（《左迁至蓝关示侄孙湘》）对于惩治鳄鱼这类的恶势力，他作了一系列的具体措施和步骤，这就是：“安抚劝告——出路——惩罚。”先给以食品，使其照常生活；再讲道理、摆事实，耐心劝说；并指明出路，使其得以长期生存，倘若顽抗不改，就别无选择，最后只得加以致命的打击！这是对犯罪者采取的“剿抚并用”的吏治方针。在某种程度上，这个吏治方针是行之有效的。韩愈还有不少良好政绩，如整顿长安社会秩序、改革令史的旧例规定等等。正如张籍（约769—约830）称赞韩愈那样：“学无不该贯，吏治得其方。”（《祭退之》）

吏治意味着法治。《管子·明法》说：“吏者民之所县命也。”《韩诗外传》云：“据法守职不敢为非者，人使也。”吏治搞好了，像沙蜮那样的恶势力也就不可能含沙射人为灾了。

《有感》写得颇有特色，它把现实与历史、议论与抒情相互结合，融为一体，它不说空话，不玩弄辞藻，从最引人关注的海防和民生的重大事件出发，指出治吏是治兵、防饥的根本所在。

清代有不少抒情诗的辞句，写得相当漂亮；惜其审美情趣浮浅，往往缠绵于身边琐事，无病呻吟，较之《有感》，其品格高下，一目了然。

（赁赏彬）

河南道上乐府四章

陈　沆

河南一片荒荒土，满眼流离风又雨。
年荒父母竟无恩，卖尽田园卖儿女。
可怜父与母，泪落心内苦。
岂不恋所生？留汝难活汝。

往年生儿如得田，今年生儿不值钱。
卖女可得青蚨千，卖儿不足供一餐。
大车小车牛马走，儿啼呼父女呼母。
役夫努目刀在手，百口吞声面色朽。
此时父母死更生，食尽还增骨肉情。
月黑风寒新鬼哭，饥魂一路唤儿声。
（卖儿女）

汝南人瘦万狗肥，前有饿者狗后随。
忽然堕落沟中泥，狗来食人啮人衣。
顷刻血肉无留遗，残魂化作风与灰。
狗饱狗去摇尾嬉，余者尚充鸦雀饥。
我行见之心骨悲，徒有恻怆无能为。
大官北来何光辉，清道翼以双绣旗。
从者飞语里卒知，为我亟去道旁尸。
毋使不祥触公威。
（狗食人）

怪底春光二月好，踏青千里无青草。
草根当作麦粮餐，草色都如人面槁。
家家妇女驱出门，手皲脚软声暗吞。
乐岁欢歌芣苢子，凶年苦劚苣蒿根。
毕竟天心仁爱汝，枯田尚有萌芽吐，
谁云小草是虚生，功在饥荒非小补。
夕阳归去一肩挑，饱食居然腹不枵。
此时长吏方沉醉，可惜不曾知此味。
（吃草根）

救荒古有良有司，今者逃荒官不知。

一路嗷嗷男挈女，纷纷避荒如避虎。
饿腹况兼行路苦，清晨冲风夜戴雨。
只知四方口可糊，谁料饥荒无处无。
官府捉人牛马驱，慎莫乞食门前呼。
家乡腊前见三台，且可归来食新麦。
（逃灾荒）

鉴赏

清代灾荒连年不断，历史记载不多，诗歌领域却有不少的反映，如康熙年间的严启煜《榆皮行》、沈名荪《晋饥行》、杨端本《岁饥行》、蒋廷锡《六荒诗》、陈章《哀饥民》等等，咸丰年间的万开燧《沿途见饿殍》、陆费瑔《灾农谣》等等，嘉庆年间的吴慈鹤《救荒新乐府五首》、吴振棫《岁歉感怀》等等，道光年间的黄燮滑《灾民叹五首》、曹德馨《纪灾诗》、夏之盛《纪灾行》等等。

至于陈沆这篇组诗中所描写的“卖儿女”“狗食人”“食草根”“逃灾荒”等，在其他诗作中也有类似的反映，例如吴慈鹤《平粜》：“后村闻死丧，前村鬻子女。”胡旭《三左道中》：“老弱饿死何人埋？眈眈狗豕啄其肉。”王雨春《鬻儿行》：“儿掘草根，母斫树皮；草寒不生，树枝无枝。”陶誉和《逃荒行》：“淮徐大水凤颍旱，千人万人争逃荒……道遇行人过前渡，报说江南逃荒多。”

上述这些反映灾荒的诗篇有一个共同点：就事论事，如实描述，近似韵文的新闻报道，缺乏诗味。陈沆的这篇组诗则颇具特色，有一定的艺术感染力。

嘉庆十九年（1814）河南灾荒。诗人在河南境内亲眼看到灾民卖儿女、吃草根、逃饥荒以及狗食人等等惨状。一般的写法是，把这些惨状分别表现，各自成篇。而本诗作者却用组合的方式，把这些不同时间、不同地点的惨象，集中起来，平列展现，似乎给人一个“错觉”；这些惨象都发生在同一时间，同一地点，凝成一种浓重的凄惨情景，紧扣心弦。这有点类似电视剧中惯用的一个蒙太奇手法：在几条结构线上横向并行，围绕一个中心基调，展示一幅广阔的生动画面。当然，它们也可以分开，各自独立；只是诉诸感情方面，不如组合方式那样的浓烈罢了。

值得注意的是，作者并非仅仅为灾荒而写灾荒，其主旨在于着重揭示大官的丑态，虽然寥寥几笔，却可使人从中体会到耐人玩索的讽刺意味。

"狗食人"的场面本来是"恻怆""心骨悲"的,但在惨淡的图纸上却涂上一点喜剧色彩。诗人巧妙地把饿狗与"大官"并列对应;吃饱了人肉的狗摇尾嬉戏,洋洋得意;而在尸体横陈的路上,绣旗招展,威风凛凛,"大官"来了,容光焕发,神气十足,一声令下,便清除了道旁尸体,以免臭气污染了"大官"的吉祥意识。

如果说对"大官"是带笑的嘲弄,那么,对"长吏"则是含泪的讥刺:明明是青草都吃光了,偏偏说二月正是踏青的好时光;明明是挖苣蒿根来填肚子,偏偏说丰年欢唱车前子,不育妇人吃了可以生孩子;明明是王土枯荒不产粮,偏偏说感谢天心的仁爱,枯田似乎有一点小草在发芽了;明明是小草虚生,偏偏说它不无小补,可以饱腹;明明是"长吏"大吃大喝,沉醉不醒,偏偏惋惜他不曾品尝草根的滋味。

末章刻画了一个诈骗的"官府"形象。这里的"官府"非官署,也是指"长官"或"长吏"。《唐书·姜謩传》说:謩"擢秦州史,人喜曰:'不意复见太平官府。'""其实饥荒无处无","官府"当然是清清楚楚的;所谓"逃荒官不知",就是明目张胆地在铁的事实面前说假话,只报喜不报忧。瞒上必然欺下,其手段是:一是逮捕乞食的灾民,用牛车马车拖走;二是编造谎言,说什么腊月前降三次雪,为丰年之兆,回家即可吃到新麦。这是历代统治者实施愚民政策的惯技。

需要补充的一点是:所谓"官府捉人牛马驱",不是"官府"亲自去捉人,亲自去捉人的即首章中的"役夫"。《字汇》说:"官曰职,吏曰役。""役夫"即小吏,是"官府"的狗腿子。这种奴才的奴才,媚上压下,狐假虎威,"努目刀在手",便入木三分地勾勒出那副令人恶心的狰狞面目了。

(赁常彬)

刈　藤

潘德舆*

种藤十余年，蟉曲如蛇龙。开花满墙头，为我招好风。
何苦痛斩刈？不使缘蒙笼。蒙笼良可喜，侵陵太无穷。
一割当其罪，适以全乃功。掷锄坐清阴，俯仰恬心胸。
幽居殊寡绩，持斯翊天工。

作者

*潘德舆(1785－1839)，字彦辅，号四农，江苏山阳(今淮安市)人。道光八年(1828)举人。十五年补安徽知县，未到任卒。论诗重质厚，强调教化作用。有《养一斋集》《养一斋诗话》等。

鉴赏

藤是一种蔓生植物，春季开紫花或白花，人们常常栽培于庭院中以供观赏。"刈藤"即割藤，诗中指对藤进行修割、整治。这首诗即写刈藤的过程和感触。

全诗可分刈藤前、刈藤中和刈藤后三个层次，诗人的情感也随之变化发展。前四句为第一层次，主要写藤的美好可爱及诗人对藤的深情厚意。你看：一棵辛勤栽培了十余年的老藤，枝叶繁茂，茎干屈曲盘绕，其势如蛇似龙，妙不可言。春天，它把蝶形花冠撒满墙头，使整个庭院耀眼生辉，夏天，它又遮蔽炎炎烈日，招引来惬意的习习凉风，珍惜、伶爱之情，溢于字里行间。然而，正当读者也为藤之美好、藤之可爱而欣然的时候，诗人却陡转笔锋，发出一个问句："何苦痛斩刈？"回答是："不使缘蒙笼。""蒙笼"，形容藤茎攀援而覆蔽的样子。这就是说，不让老藤的茎干、枝叶一味攀援而过于覆蔽。因为"蒙笼良令喜，侵陵太无穷"——老藤覆蔽成荫诚然可喜,但对周围空间的侵逼欺凌无休无止就会令人讨厌。这两句貌似就事论事,脱口而出,平淡无奇,实际上却蕴涵着许多弦外音、言外意:首先,这不巧妙揭示了事物总是有利必有弊的哲理?同时还提醒人们,不能偏爱一物的“利”而无视其“弊”。明乎此,诗人从兴利除弊出发,不能不痛下决心,全力割去老藤多余的枝蔓,以抵消它“侵陵”的罪责,而成全其“花满墙”“招好风”的功绩。后四句为第三层次,表现诗人为自己的兴利除弊之举而感到宽心、泰然、欣慰。这里,值得一谈的是结尾的“幽居殊寡绩,持斯翊天工”。就字面而言,无非是说自己归隐一隅,无所作为,只能做一点刈藤之类的事情,以辅助自然造化之力。但在字面的背后,我们难道不能感受到一颗不甘寂寞、不愿虚度光阴的心灵?一种雄心不遂、无可奈何的抑郁和哀怨?毫无疑问,诗人是心存“补天”之志的,但仕途坎坷,报国无门,于是借题发挥,聊以自慰。所以,这两句既顺理成章,呼应全篇,又巧妙地深化、开拓了诗的境界。

前人论诗云:“用意要精深,下语要平易。”(《漫斋谈录》)以此衡量这首《刈藤》,可说是当之无愧的。全诗纯以白描手法,不事藻绘,不用典故,也不假纤巧雕琢,语言浅白平实而意蕴精深,情韵动人,堪称“用常得奇”的佳制。

(王许林)

雨后看山

潘德舆

远山雾后近,近山雨中远。厓隒叠回薄,朝岚郁不散。
谷云藏日华,苍茫忽疑晚。但觉青濛濛,一气抱徐兖。
葱茏万草木,佳境掩何限。讵识晻霭中,天地合苍浑。
峰峦爱刻露,所保毋乃浅!

鉴赏

诗的开篇很奇特:“远山雾后近,近山雨中远。”这是回环、蝉联等修辞手法的巧妙运用,诗人一上来就构造了一种视觉迷乱:山是远耶?近耶?似乎失去了客观标准,而取决于天气的阴晴变化。“厓隒叠回薄,朝岚郁不散。”这是描写层叠的山崖回旋起伏,清晨山林间的云气郁结不散，虽展现了一幅清晰、生动的画面，却又以“郁不散”为后面作铺垫。接着的“谷云藏日华，苍茫忽疑晚。但觉青濛濛，一气抱徐兖”，突出山谷云雾掩盖了日光，山上山下一片迷迷茫茫，这在视觉画面中已经渗透心理感受了。一个“疑”，一个“但觉”，顿时给自然景象染上浓重的主观色调；尤其“一气抱徐兖”句，说整个徐州和兖州即江苏北部和山东南部都笼罩在一片苍茫云气中，分明是视野所不及了。这一句着意仿效杜甫的“齐鲁青未了”（《望岳》），所表现的都是一种心理揣摩和心理体验，只不过杜甫用来形容山势之高峻，潘氏则以此烘托山云的旷远。至此，诗人还觉得意犹未尽，进一步加以渲染：“葱茏万草木，佳境掩何限。讵识晻霭中，天地合苍浑。”岂止徐、兖，千山万壑的茂盛草木，百态千姿的种种美景，都被云雾吞没了，乃至整个宇宙天地都变得浑浑茫茫、缥缈难识了。

诗人用尽笔墨写山，却又始终不让其露出真面目，用意何在呢？结尾点明了题旨：“峰峦爱刻露，所保毋乃浅！”意思是说：观赏山景的人如果喜爱或满足于显豁呈露的话，那么他的收获必定是浮泛、肤浅的。是的，欣赏自然山水本是主体的道德观念寻求客体再现的过程，必须善于发掘自然山水所蕴涵的道德的、精神的、伦理的价值，达到心灵的感应、默契和共鸣。因此，一览无余，一目了然也就一无所获，而愈是朦朦胧胧、若隐若现的景象，往往愈能激发丰富多彩的想象和联想，从而获得无限的兴味、无穷的情趣。在这里，诗人似乎对我国传统的“含而不露”的美学观念作了形象阐发。再放开来看，诗人又好像在告诫自己和世人：为人处世忌讳锋芒毕露、毫无保留，要讲点心机、涵养，学会“韬晦养性”，否则将处处碰壁、一事无成。这是否为潘德舆的切肤之痛和人生经验之谈呢？其中包蕴的深层寓意只好有待后人去揣测，去思索了。

古代诗人常借山水抒写玄旨、理趣，潘德舆也会这样。当然，我们不能把《雨后看山》同“淡乎寡味”的玄言诗相提并论。如前所述，它具有客观景象与主观意象、视觉感触与心理感受浑然一体的特色，能够熔生动的景致、真挚的情感和深邃的理趣于一炉。全诗由景生情，由情入理，在感性愉悦的基础上进入哲理沉思，三者在诗人的胸间、笔端相互渗透、相互辉映，称得上“景非滞景，景总含情，神理流乎两者”（王夫之《古诗评述》）的佳作。

（王许林）

即事一绝

程恩泽*

荷涩雨纤珠叠叠，柳长风软线槎槎。
窥鱼台鹭先藏影，避雀苍蜩屡易柯。

作者

＊程恩泽(1785－1837)，字云芬，号春海，安徽歙县人。嘉庆十六年(1811)进士。道光时累官至户部右侍郎。博学多才、工篆法。其诗雄深博雅。有《程侍郎遗集》十卷。

鉴赏

绝句有两联皆对，一句一景者。起源于晋顾恺之《神情诗》："春水满四泽，夏云多奇峰；秋月扬明辉，冬岭秀孤松。"唐代杜甫七绝最多此体，亦以写景为主，后继者向乏佳作。而程恩泽此诗沿用此体，清新可喜，值得一读。

从诗中描写的物象看，大约是夏日微雨天气的景象。前两句纯写荷塘上下景色，是宏观的远景。"荷涩雨纤珠叠叠，柳长风软线槎槎。""雨纤""风软"系互文，写出当日是和风细雨天气。"荷涩"的"涩"字较费解，一般作为"滑"字的反义词，则是指荷叶质地较密，能聚无数水珠，给人的心理感觉。故与"雨纤珠叠叠"连文。"槎槎"疑当作"搓搓"，描摹修长茂密的柳丝互相因依的样子。"珠叠叠""线槎槎"这两个有重叠字缀的比喻意象，十分生动地形容出荷叶与垂柳在风雨中楚楚动人的样子。

后两句则在荷塘的大背景上，更加细致地刻画其中景物细节。涉及四种动物，两两成对："窥鱼白鹭先藏影，避雀苍蜩屡易柯。"杜诗云："细雨鱼儿出"，鱼儿即白鹭窥伺捕食的对象。正因为雨细，所以茂密的柳树上还有蝉子的声音，这又招来了黄雀的觊觎，大自然中充满了“天敌”关系，构成的食物链，鱼儿与白鹭，苍蜩与黄雀，只不过是其中的两例。而动物都有捕杀猎物与逃避危险的本能。诗人的巧妙在于细推物理。在第一组动物中，他着意描绘了前一种本能的表现，即白鹭为了捕食鱼儿，遂先在柳荫下白莲边伪装起来，诱敌不备，以便嘴到擒来。在第二组动物中，他着意描绘了后一种本能的表现，即苍蜩为了躲避黄雀，不断地更换树枝栖身，利用自己的保护色和叫几声换个地方，有效地迷惑了敌害，保全了生命。于是在首二句所描写的荷塘上下的平和景色中，读者通过这些特写、微观的镜头，看到了并不和平的内容，看到了平静的表象下充满杀机和斗智，这是何等生机勃勃、真实生动的“动物世界”！

程恩泽这首寓生存竞争于和平景象的小诗境界，似乎还有更深的意蕴，它甚至可以使我们联想到伏契克的名言：“人们，我是爱你们的，你们可要提高警惕呀！”（《绞刑架下的报告》）诗情画意与理趣并茂，使这首绝句具有动人的魅力。

（周啸天）

邳州道中

程恩泽

十六年来此重过，石梁全圮水增波。
树如客鬓凋疏早，路似人心坎廪多。
但使耕桑欢畎亩，不劳词赋动关河。
行踪已踏天涯半，岂斜羸骖困碨窝！

鉴赏

“邳州”，今江苏邳县。这是诗人重过邳州，触景生情之作。诗人以感伤的笔调，描绘出一片衰败的景象，抒发了自己困顿失志的幽怨与不平。

“十六年来此重过”，言路经邳州，并非初次，而是旧地重来。特地点明“十六年”，说明时间相隔之久，隐含年光易逝、沧桑变迁之感。“石梁全圮水增波”，便推出历尽沧桑的典型镜头。“圮”，倒塌。昔日曾过的石桥，完全倒塌，行人不至，寂寞荒凉，连桥下之水，亦无复旧时景象。唐朝诗人贺知章少小离家老大回，于慨叹人事全非之余，尚说："惟有门前镜湖水，春风不改旧时波。"相比之下，诗人眼前的变迁之迹，心底的怅惘之感，更甚于贺知章。首写石桥，既切合诗题"道中"二字，又便于借断桥逝波的苍古画面，传达出物换星移的沉重悲凉之感。

"树如客鬓凋疏早，路似人心坎廪多"，续写途中所见之景，但不像"石梁"句那样单纯就景物着笔，而是采用以人喻景的手法，将人与景、情与物有机地融合在一起。诗人"以我观物""物皆著我之色彩"。树木凋零，恰似自己鬓发稀疏。"凋疏"本是物理，可叹来得太"早"。路途坎坷，正如自己心中不平，非但"坎廪"而已，且又特"多"。一"树"一"路"，皆途中所见所经，紧扣题意，信手拈来，与稀疏的鬓发、不平的内心联系起来，比喻贴切，物我不分，妙合无垠。一"早"一"多"，着意渲染，力透纸背，感慨深沉。华发早生的悲凉，困顿失志的抑郁不平，表现得入木三分。诗人意在以景况人，却反过来以人喻景，写法新颖，读来令人耳目一新。对仗工整，情调凄婉，亦是两句妙处所在。

颈联紧承颔联而发抒感慨。既然像这样奔波于旅途之中，失志于官场之上，鬓衰于未老之时，还不如回到农村去，过耕桑生活。"畎亩"，有水渠连通的田地。"但"字表明只此便获满足，别无他求，既深化了失志的幽怨不平之情，又表现了对安居家乡的强烈向往。"不劳词赋动关河"，则用南朝诗人庾信事。庾信初仕南朝，后出使西魏被留，曾作《拟咏怀》《哀江南赋》等诗赋，自悲身世，怀念故国，杜甫《咏怀古迹》称"庾信平生最萧瑟，暮年诗赋动江关"。此活用，言只要能安居家乡快活务农，就无须到处奔波，写诗作赋。用事而不显枯涩，行文流畅，韵味隽永。

尾联发出深深的喟叹：十六年来，两过此地，行踪不定，足迹遍布半个中国。"已踏天涯半，"既言空间之广，亦含时间之长。劳碌路途，多历年所，本应春风得意宏图大展，却依然如衰弱老马，始终围着碾台转，无所作为。"羸"，瘦弱。"骖"，驾在车两旁的马，此泛指马。"岂料"二字，道出了诗人的失意，道出了诗人的不平。

诗作感情真挚，寄托深厚，景物萧瑟，情调悲怆。眼中所见，心底所感，浑然一体，密合无间。善用比喻，形象鲜明，写法独特，新人耳目，是作者集中不可多得的佳作。

（卢烈红）

大雪望峄山湖

程恩泽

清极一湖水，雪来改其色。
四面白皑皑，但觉波影黑。
平极一湖水，雪来使之高。
琉璃突中心，不关风起涛。
一绳南雁拍波急，惊起老鱼沙上立。
片帆渺渺何处投？已裹烟云万重湿。

鉴赏

“峄山湖”在山东邹县境，今已湮。这是一首写景之作，描写望中所见湖上雪景，意境空阔，动静相生，充满诗情画意。

远望湖上，诉诸视觉的首先是颜色的改变，首四句即围绕“色”字着笔。晴朗之日，湖水清澈，表里晶莹，大雪飞来，水色顿改，在四面皑皑白雪之中，只见一片幽黑的波光。诗人善于进行颜色的调配，以平时的明澈对比雪中的浓重，以四面白雪的皎洁映衬中间水色的幽黑，在对比映衬之中，波影之“黑”便突出地展现在读者面前。强调平时的清“极”，正可见颜色改变之大，著一“觉”字，则标明“波影黑”只是雪中的特殊感觉。淡淡几笔，将湖上独特的雪景，写得历历在目。

“平极一湖水”四句变换角度，转入对“高”的描写。湖水平时与岸相齐，大雪飞来，湖面在仿佛变高。这“高”，当然不排斥雪入湖中的因素，但主要是雪中远望形成的错觉。无边白雪中镶嵌一片深黑的湖水，浅色托深色，远远望去，仿佛中间高出四面。因向日之平“极”，使这种错觉更容易形成。平时，湖面也有高出湖岸之时，那是因为“阴风怒号，浊浪排空”，现在，与大风掀起波涛无关，只因大雪，深黑的湖水就像一大块琉璃凸现在皑皑白雪的环抱之中。欧阳修《采桑子》词咏颍州西湖，有“无风水面琉璃滑”之语，此处亦以“琉璃”状雪中湖面，显出湖水虽无向日之澄碧，仍不失晶莹之美，而无风方觉水如琉璃，这又正与“不关风起涛”句吻合。

诗写到这里，呈现给读者的一

幅静谧的画面，一个安恬的雪中世界。“一绳南雁”的飞入，划破了画面的宁静，增加了画面的立体感。雁飞状如“一绳”，显示是远望所见，用“一绳”形容雁行，使人殊觉新鲜。群雁南飞，一会儿高入云天，一会儿急速地掠过水面。雪中南归，实属太迟，故不能不“急”；由于拍波之“急”，使湖中老鱼受惊而蹦上沙滩。“急”字在此，有承上启下之妙。“立”字则状出老鱼在沙滩上扑棱棱乱跳、时或直立的生动形象。在湖天之间点缀一行归雁，在沙滩之上勾出几条老鱼，使湖上雪景更加充满诗情画意。

在这充满诗情画意的画面上，诗人并未止笔，他还要引入孤帆，涂上最令人神往牵人遐思的一笔：“片帆渺渺何处投？已裹烟云万重湿。”湖面空阔，烟云浩渺，孤帆一片，裹着轻烟，裹着薄霭，裹着雪花，投向何处？“渺渺”使人想到湖面的空远迷茫，“裹”则状出烟云笼罩湖面、笼罩孤帆之景。帆之“湿”非望中所能见，它是诗人从帆影凝重不动之中，从帆为烟笼雪裹之中推想出来的。有此“湿”字，便见出动中之静。“湿”而冠以“万重”，帆影的凝重不动之态和烟云笼罩的迷茫之感，得到了强化。在片帆渺渺、不知投向何处的迷惘之中，似乎也溶进了诗人的一丝乡愁。

诗作描写湖上雪景，观察入微，独有所得。“但觉波影黑”“琉璃突中心”，雁飞如绳，孤帆湿重，这一切诗人没有通过细致观察、潜心默会是写不出来的。诗人精通书画，这里与其说是在写诗，还不如说是在作画。他着意于颜色的调配，以白衬黑，以平时对比雪中。他更在画面的动与静上大显身手，首先推出无边白雪、一片琉璃的恬静画面，次由静及动，引入长空征雁，沙上老鱼，将整个画面点活，最后，烟笼雪裹，帆湿万重，渺渺孤帆实动而看似不动，动中有静，意境深邃，复归静谧。全诗就像一幅在雪中湖上点缀着归雁孤帆的水墨画，韵味深长，美不胜收。

（卢烈红）

能令公少年行

龚自珍*

序曰:龚子自祷祈之所言也,虽弗能遂,酒酣歌之,可以怡魂而泽颜焉。

蹉跎乎公!
公今言愁愁无终,公毋哀吟娅姹声沉空。
酌我五石云母钟,我能令公颜丹鬓绿而与少年争光风。
听我歌此胜丝桐。
貂毫署年年甫中,著书先成不朽功,
名惊四海如云龙,攫拿不定光影同。
征文考献陈礼容,饮酒结客横才锋。
逃禅一意皈宗风,惜哉幽情丽想销难空。
拂衣行矣如奔虹,太湖西去青青峰。
一楼初上一阁逢,玉箫金琯东山东。
美人十五如花秾,湖波如镜能照容。
山痕宛宛能助长眉丰。
一索钿盒知心同,再索斑管知才工,珠明玉暖春朦胧。
吴歈楚词兼国风,深吟浅吟态不同,
千篇背尽灯玲珑。
有时言寻缥缈之孤踪,春山不妒春裙红。
笛声叫起春波龙,湖波湖雨来空蒙,
桃花乱打兰舟篷,烟新月旧长相从。
十年不见王与公,亦不见九州名流一刺通。

其南邻北舍,谁与相过从?
佝偻丈人石户农,
嵚崎楚客,窈窕吴侬;
敲门借书者钓翁,探碑学拓者溪童。
卖剑买琴,斗瓦输铜;
银针玉薤芝泥封,秦疏汉密齐梁工;
佉经梵刻著录重,千番百轴光熊熊,
奇许相借错许攻。
应客有玄鹤,惊人无白骢。
相思相访溪凹与谷中,采茶采药三三两两逢,
高谈俊辩皆沈雄。
公等休矣吾方慵,天凉忽报芦花浓,
七十二峰峰峰生丹枫。
紫蟹熟矣胡麻饛,门前钓榜催词筩。
余方左抽毫,右按谱,高吟角与宫,
三声两声棹唱终,吹入浩浩芦花风,
仰视一白云卷空。
归来料理书灯红,茶烟欲散颓鬟浓,
秋肌出钏凉珑松,梦不堕少年烦恼丛。
东僧西僧一杵钟,披衣起展华严筒。
噫哦!少年万恨填心胸,
消灾解难畴之功?
吉祥解脱文殊童,著我五十三参中。
莲邦纵使缘未通,他生且生兜率宫。

作者

*龚自珍(1792－1841),一名巩祚,字璱人,号定庵,又号羽琌山民,浙江仁和(今杭州市)人。道光九年(1829)进士。历官内阁中书、宗人府主事、礼部主事、主客司主事等职。年四十八辞官南归。五十岁卒于丹阳云阳书院。少有才

略，博学多闻，精通经史地理，兼工诗词。由于处于清末动乱之际，力图改革，其诗多含政治内容。议论纵横，词采瑰丽，堪称近代开风气的思想家与文学家。有《龚自珍全集》。其中《己亥杂诗》三百五十首，最为人称道。

鉴赏

龚自珍是我国近代史上的启蒙思想家和开一代新风的文学家，他以锐利的目光，洞察了处于总崩溃前夜的封建社会的腐朽黑暗，对它进行了大胆的揭露批判，同时倡言变革，并要求抗御外侮。他的这种思想，对资产阶级改良主义思想家们有着振聋发聩的作用，但在当时却被视为异端邪说。他厌恶黑暗现实，热烈追求理想，希望能经世致用，有所作为，但又"名高谤作"，功名蹭蹬，这就使他经常处于"平生进退两颠簸"的思想苦闷和矛盾之中。这种苦闷与矛盾，又往往更加深了他对黑暗现实的愤懑和对理想的热烈追求，他在三十岁时写的这首《能令公少年行》，就很形象地抒发了这种郁闷与追求。

序中所谓"祷祈之所言"，含有对理想追求的意思，明知是一种"弗能遂"的理想，还要"酒酣歌之"，可见，"祷祈"之殷切；因理想无法实现，只好借酒来聊以"怡魂而泽颜"，又表现了苦闷的深沉。

诗的头七句是序曲性的抒情。诗中的"公"和"我"都是作者自指，"公"是饱罹忧患、苦闷彷徨的作者，"我"是追求理想、向往光明的作者。用"我"来劝"公"，不只是以"我"的旷达、洒脱来为"公"排烦遣闷的自宽自解，也是为了以"我"的理想来与"公"所处的黑暗现实进行对抗。诗以"蹉跎乎公"开头，起势迫促，是由"我"向"公"猛喝一声，且含有岁月悠悠、蹉跎难再的无限感慨。接着便由"我"向"公"劝解：你越是倾诉愁苦，愁苦越是无尽无穷，还是别让你那咿哑哀吟的声音沉寂在那毫无反响的空中吧。请用云母石的酒杯为我斟上五石美酒，我就能使你变得青鬓红颜，直可与少年争比"光风"，因为我这首能使你精神焕发的歌，比琴声更为动听。这里看来是反用"举杯消愁愁更愁"之意来自我安慰，其实在旷达中包含着强烈的愤懑，正是这种旷达中的愤懑和愤懑中的旷达，构成了全诗的主旋律，它又是通过轮廓鲜明而又富于变化的曲调美表现出来的。

八至十五句是自负性的叙述，以"我"之有才而如此不见容于世来反衬现实的黑暗，揭示现实与理想的矛盾："我"正当中年，就写下了不朽的著作，虽然名惊四海，像云龙那样令人瞩目，但同时又像浮光掠影那样虚幻不定，难于捉摸；我虽然博古通今，善于考证文献和陈列礼制仪式，虽然豪放好客，才华横溢，但在这贤愚不分、黑暗如漆的年代里，又哪有用武之地？所以就只有一心一意去佛理中寻求解脱，皈依在天台宗门下去消磨岁月。

一个年富力强、经纶满腹而又迫切要求有所作为的人却不得不"逃禅"学佛，这就深刻地反映了当时的社会是一个容不得人才、扼杀人才的社会。在龚自珍看来，这也是当时社会积弱不振、岌岌可危的一个重要原因，所以他曾大声疾呼："我劝天公重抖擞，不拘一格降人才。"他希望能有"山中之民"起来，以改变那"日之将夕，悲风骤至"的"衰世"局面。正因为如此，他也不能心安理得地"逃禅"，也无法真正摆脱对理想的执著追求以及由此而产生的"幽情丽想"。"惜哉幽情丽想销难空"句，正是以故作可惜的语气来强调这种追求，同时也自然地过渡到下文对这种追求的形象描写。

从第十六至三十四句，诗人开始展开想象的翅膀，运用象征的手法，让"我"向着理想世界飞升。在那绿水青山、楼台比连、箫管悠扬的地方，"我"终于找到了理想的知音，她就是一位像春花那样美丽纯洁的少女。在湖光山色的映照下，她是那样的绰约多姿，妩媚动人。她向"我"索取定情的钿盒，互相以心相许了；再向我索取斑竹毛笔，可见出她的才高志洁了。她和"我"就像明珠暖玉那样志趣相投，互相爱慕，我们的这种高洁爱情，就像迷蒙的春天那样令人陶醉。她喜爱吟咏各种诗篇，念起来是那样抑扬顿挫，有声有色，她勤奋好学，过目成诵，在玲珑的灯光下，一背就是百篇千篇。我们时而遨游于山巅水涯，她身着红裙与美丽的春山互相辉映，而毫无妒意。我们在这"山色空蒙雨亦奇"的大自然怀抱里，泛舟湖上，吹起笛管，那悠扬的声音，使静卧在春波下的鱼龙也奔跃出来谛听。这时，两岸的桃花，也随着春风春雨，拂打着小舟的船篷，我们就是这样在晨烟月夜中，相从相伴，永不离分。

在这里，作者所极力描绘称颂的这位少女及其生活，正是作者所追求的理想的象征。在现实生活里，作者感触到的是"四海变秋色，一室难为春"的死寂，是"牢盆狎客操全算，团扇才人居上游"的恶浊，是"沉沉心事北南东，一睨人材海内空"的窒息。而在这富于诗情画意、远离尘世的世界里，他却在被世俗所鄙视的女性身上发现了人的美和美的人，而且还与她永结同心，共享愉悦，这正是对以美人香草喻理想的传统手法的成功运用。在龚诗中，还可以找到不少采用这种手法的作品，比如，他曾把自己比喻为"化作春泥更护花"的落红，也曾用"愿得黄金三万两，交尽美人名士"

来抒发“华年心绪”。而在这首诗里，这种手法运用得更为集中、精彩，他越是把美人写得那么丽绝生辉多才多艺，越是把环境写得那么春水春花，诗意盎然，就越能表现出对理想的执著追求和对现实的厌恶，这就是这一段幽情中所包含的实质内容。

紧接着从第三十四到五十四句，则以更为洒脱的笔墨，描写由这种幽情所生发出来的奇思丽想。既然找到了一个理想境界，就可以与龌龊现实隔离开来，长年累月见不到那些耀武扬威的王公贵族，也没有那班追名逐利的名流拿着名片来要求相见。在这个乌托邦世界里，除了那位志同道合的美女外，与“我”交往的南邻北舍，是古朴曲背老者，是遁隐于农、石屋而居的高士，是像屈原那样形象高大的“楚客”，还有那窈窕纯朴的吴地女子，渔翁时来敲门借书，溪童也来寻访古碑和学习拓碑。与这些人生活在一起，可以卖去象征武勇的刀剑，买来借以抒发幽情丽想的瑶琴；和他们在一起可以研讨或交换各种珍贵文物，这里有瓦铜一类的器皿，有用印章泥封的银针和玉薤体文字及其他不同风格的碑板文字，也有卷轴重叠、光焰夺目的佛经；大家切磋讨论，好的书籍互相借阅，新奇的见解互相借鉴，错误的地方互相批评。以上是描写文化生活，接下去再写其他生活情趣：客人来了有玄鹤迎接，却没有骑着高头大马的官吏来纠缠；想念朋友了，便去溪凹中寻访，就是采茶采药时，也是三三两两在一起高谈论辩。这些描写，与对美人香草的描写互相映照，与“十年不见王与公”的笔墨紧相呼应，进一步形成了理想与现实的鲜明对立，也把那种来去自由、不拘形迹的生活写得相当酣畅了。

诗人的想象仍在继续驰骋。但从行文看，若一气写下，便觉宣泄过直，这里需要停顿转换，以增加曲线美。“公等休矣吾方慵”一句便是稍作停顿，意谓大家都需要休息，“我”也感到疲劳了。这就将上文结住，然后转入另一番生活描写。第五十六至六十七句便是写这种生活。“天凉忽报芦花浓，七十二峰峰峰生丹枫”两句，与前面所写春水春花相比，既显示出春去秋来的时序变化，又很形象地描画了那芦花洁白、枫叶丹红的千里秋光。在这样的季节里，别是一种生活情味：煮熟的螃蟹，热腾腾的胡麻饭，正在享受时，门前驶来了向“我”索诗的渔船。“我”便左手握笔，右手按拍引吭高吟。这时断时续的渔歌声，在浩荡的芦花中随风飘荡，“我”抬头一望，它又飞入了正翻卷着片片白云的辽阔天空。这是写白天的生活情况，然后又稍作转折，写泛舟归来后的晚间生活：当“我”在书灯下阅读各种书籍的时候，温柔的“情侣”端来了散发芳香的清茶，她头发微微松散，臂上露出金钏，就像珑松花那样清凉可爱。生活在这样的环境里，连做梦也不会堕入往日的烦恼中去。在这一段里作者将日常生活情趣与大自然的风景交织描写，又以优美的情思贯穿其中，因而更具诗情画意。

以上四层，都是诗人用以与恶浊现实相对抗的理想境界，在那里，人们都有高度的文化修养和高尚的情操，他们的生活是那么丰富多彩，感情是那么真挚和谐，而“我”还找到了一位高洁而又美丽的“情侣”。诗人愈是笔歌墨舞地描绘这种生活，便愈使人感到他与现实的矛盾。这不是“万重恩怨属名流”的那种个人矛盾，而是反映了那些怀瑾握玉、要求变革的智能之士与那些戴着“王公”“名流”桂冠的贪官污吏、庸夫俗子之间的矛盾，是在当时具有进步意义的理想与糜烂的末世封建社会之间的矛盾。然而，在诗人所生活的年代，这却是一种无法解决的矛盾。所以，当我由“幽情丽想”回到现实时，又不能不猛然感到一切追求不过是空中楼阁，水月镜花，因而也就必然要坠入“少年烦恼丛”中。

诗的最后一段，便是写由这种无法解决的矛盾而引起的“烦恼”及其所追求的解脱之道。当寺庙的钟声把“我”从美好的梦幻世界惊醒过来的时候，“我”就披衣而起，去诵读《华严》佛经。因为梦幻的世界固然令人陶醉，但毕竟排除不了由于现实黑暗积郁于心的千愁万恨。怎么办呢？那就只有皈依佛门，听从文殊菩萨的指示，参遍观音菩萨、弥勒菩萨等五十三位获得道术的人，以解脱尘世的烦恼。即使今生无缘解脱，也盼望他生能进入佛所居住的兜率宫。这种“逃禅”解脱的思想，显然是消极的。我国封建社会有不少进步的思想家、文学家在遭受挫折和看不到前途的时候，常常从佛教思想中去寻求解脱和避世之道，龚自珍也未能摆脱这种影响。但从他的整个思想体系和作品倾向来看，经世致用、干预生活的一面仍是主要的，而在“出世”“逃禅”的思想中，也包含着对黑暗现实的否定因素。

这首诗的艺术构思是从现实的苦闷出发，通过幻想的驰骋，向着理想世界飞升，尽情抒发幽情丽想后，再回到现实的苦闷中来，从这里可以看到《离骚》的影响。但这首诗不像《离骚》那样对黑暗现实进行许多直接的抨击，而是着力于对理想世界的描绘，只是画龙点睛地在关键处将理想与现实对比，末尾虽又回到现实，但随即逃入禅宗。这种构思，前后呼应，寓强烈的郁愤于狂热的追求之中，从而形成了浓厚的浪漫色彩，而这种色彩，又带着启蒙主义者的独有特点：虽然敢于正视当时百孔千疮的黑暗现实，呼唤着变革的风雷，但却无法真正把握历史的动向与具体的道路。于是便只有去追求乌托邦式的理想,而当这种理想幻灭时,又不能不产生消极避世的思想。这首诗的积极面与消极面,正是作者这种思想矛盾的反映。

这首诗的句式以七言为主而又参差变化,其间抑扬顿挫,纵横开阖,都是随意驱使,手到便成,因而全诗具有一种舒卷自如、蜿蜒而不就捕的汪洋恣肆美和言之长短与声之高下皆宜的节奏美。有人认为龚自珍的七古不可学,因为"才太横也",这也正是这首诗的艺术特色。

(唐富龄)

咏　史

龚自珍

金粉东南十五州,万重恩怨属名流。
牢盆狎客操全算,团扇才人踞上游。
避席畏闻文字狱,著书都为稻粱谋。
田横五百人安在,难道归来尽列侯?

鉴赏

本诗作于道光五年(1825),当时龚自珍在杭州守母丧期满,客居江苏昆山。旧传诗是为两淮盐政曾燠罢官而作,但曾燠罢职回京在道光六年,此诗作于前,旧说显然不能成立。诗托名咏史,实际上除末二句与史有关联外,其余都直接针对现实而发,具有深广的现实政治内容,凝聚着深沉的忧愤。

"金粉东南十五州,万重恩怨属名流。"起首大笔勾勒,总起全文。"金粉",本指旧时妇女化妆用的铅粉,后用来形容繁华绮丽。"东南十五州"即长江下游江南一带富庶地区,这一带自古以来歌舞繁华,是所谓"六朝金粉地"。在这里,名流云集,这些自我标榜为"名流"的统治阶级头面人物,为争名夺利,忽而狼狈为奸,忽而互相倾轧,相互之间产生了重重恩怨。"金粉"二字,表明此地正是统治阶级追名逐利、纸醉金迷的理想场所,而"十五州"之广,则说明政治黑暗处处皆然。"恩怨"纠结,至有"万重",又可见社会污浊程度之深。首二句概括写出当时社会的黑暗状况,境界阔大,笔力雄放。

接下来对当时的腐朽政治进行

具体描写。“牢盆”是铁制的煮盐器具,“狎客”指达官贵人的帮闲。“团扇才人”,用东晋丞相王导的孙子王珉之典。王珉,二十多岁就当上了中书令,他品行很坏,喜欢手拿白团扇,过着放荡的生活,根本不懂政事。大官僚门下善于阿谀逢迎的狎客,掌握着盐业的全局决策大权,不学无术的纨绔子弟,凭借自己的特殊出身,占据高位。“黄钟毁弃,瓦釜雷鸣。谗人高张,贤士无名”,政治的黑暗,吏治的腐败,从这些具体而概括的描写中深刻地展现出来。这些描写既是对首二句的具体展开,又为颈联作了铺垫。东南一带是我国古代重要的产盐区,团扇才人之典出自偏安江南的东晋,诗人叙事用典,都紧扣“东南”,突出了地方特色,语意集中紧凑,颇具匠心。

正是在政治黑暗、世情险恶的背景下,一般士大夫养成了苟安庸怯的习气,士风颓靡,志节之士荡然无存。“避席畏闻文字狱,著书都为稻粱谋”,就是当时士林状况的生动写照。古人在地上放置席子,各坐一席,“避席”指的是离座而起。“稻粱谋”,则谋求衣食之意。在残酷的文字狱面前,士大夫谈虎色变,一听到有关文字狱的事情就心惊肉跳,离席而起;埋头著书,只是为了谋求衣食,不敢接触现实,涉笔时政。这一方面说明清朝统治者的政治迫害是多么残酷可怕,它造成了“万马齐喑”的局面,另一方面对一般士大夫苟且偷安、丧失道德气节的可鄙行径是深刻的揭露。

面对社会的黑暗,文士的堕落,诗人忧愤之情,郁积于胸,不禁要问:“田横五百人安在,难道归来尽列侯?”“田横”,秦朝末年人,齐国旧贵族,楚、汉相争时,曾自立为齐王。刘邦称帝后,率部下五百余人逃居海岛。刘邦派人招降,说:“田横率部下归降,大者可以封王,小者可以封侯。若不归降,我要派兵诛杀。”田横无奈,只好带着两位从人前往洛阳,离城三十里,终因耻于向刘邦称臣而自刎身死,手下人随后也全部自杀。事见《史记·田儋列传》。司马迁在传末的赞语中对“田横之高节”备极推崇。本诗借用这个故事,寓意深刻。当年田横及其手下五百人哪里去了呢,难道都一个个归来接受了列侯的爵位?事实上,当年那些义士并没有为苟活而屈膝,为讨取封赏而丢掉气节,他们舍生取义,杀身成仁,高风亮节,赢得了后人的赞誉。可是如今,社会上这样的义士都到哪里去了呢?言外之意,现在阿谀苟且之徒充斥,再也没有一个守节的义士了!缅怀古代义士,对比今日士林,世风颓靡,国中无人,诗人感慨万端,忧愤深广,难怪后来在《己亥杂诗》中他大声疾呼:“我劝天公重抖擞,不拘一格降人才。”

南村诗人姚锡钧《论诗绝句》评龚自珍:“艳骨奇情独此才,时闻謦欬走风雷。"确实,龚自珍诗的价值和魅力主要不是表现在写景状物、遣词造句方面,而在于它们包含深厚的现实政治内容,表现了强烈的忧患意识和救国救民的历史使命感,风格奇伟,气韵沉雄。本诗的特点亦在于此。它揭露当时政治的黑暗,思想统治的严酷,士大夫的庸怯,叹惜国中无人,愤慨之情,不平之气,充溢其间;敢于面对现实的勇气,忧国忧民的志士情怀,感人至深。全诗用语平直而雄健,内容集中而深厚,正气荡胸,别有一种感染力在。

(卢烈红)

西郊落花歌

龚自珍

出丰宜门一里,海棠大十围者八九十本。花时车马太盛,未尝过也。三月二十六日,大风;明日风少定,则偕金礼部应城、汪孝廉潭、朱上舍祖毂、家弟自谷出城饮而有此作。

西郊落花天下奇,古来但赋伤春诗。
西郊车马一朝尽,定庵先生沽酒来赏之。
先生探春人不觉,先生送春人又嗤。
呼朋亦得三四子,出城失色神皆痴。
如钱唐潮夜澎湃,如昆阳战晨披靡;
如八万四千天女洗脸罢,齐向此地倾胭脂。
奇龙怪凤爱漂泊,琴高之鲤何反欲上天为?
玉皇宫中空若洗,三十六界无一青蛾眉。
又如先生平生之忧患,恍惚怪诞百出难穷期。
先生读书尽三藏,最喜维摩卷里多清词。
又闻净土落花深四寸,冥目观想尤神驰。
西方净国未可到,下笔绮语何漓漓?
安得树有不尽之花更雨新好者,三百六十日长是落花时。

鉴赏

伤春悲秋，似乎早已成为我国古代文人墨客的一种固定程式，其实不然。唐代刘禹锡便有“我言秋日胜春朝”的情致，令人耳目一新。龚自珍这首《西郊落花歌》更是尽扫送春的低沉悲切，以奇特的想象、优美的笔触捕捉春末自然界的感人魅力、勃勃生机，显示了超逸尘俗的心怀和卓越的才华，创造了一个明丽绚烂又扑朔迷离的艺术胜境，给读者以巨大的审美愉悦。

诗前小序云：丰宜门（今北京右安门与丰台之间）外一里，树冠大十围的海棠树有八九十株。海棠花色浅绛如胭脂，盛花之时当是绵亘数十亩的一片花海，真个“紫陌红尘拂面来，无人不道看花回”。三月将尽时，一场大风，想必这些海棠花不外李清照描述的那样——“绿肥红瘦”吧。次日，风力稍减，诗人便约了朋友携了酒食前去赏花。

诗的头二句云西郊落花乃天下之奇观，应有以作；然古人只知赋写伤春之诗，这里便透出诗人之赋落花将断与前人迥异的消息。接下来四句却先不写落花而是写“先生”我对“春”如何一往情深。“先生探春人不觉”，也许当“草色遥看近却无”时诗人便时时关注嫩芽新蕾，对赏海棠一事也早就有意，只为避开车马大盛的高峰期，才于三月二十七日“西郊车马一朝尽，定庵先生沽酒来赏之”。急切，倾心，对春色的向往依恋如孩童般纯真直率，不加掩饰，所以朋友们要善意地讪笑他：“先生送春人又嗤。”这便是诗人见到西郊落花前的心情。岂料一旦亲眼见到落花，同来的“三四子”“出城失色神皆痴”，为眼前的景象震慑和征服，变色失态，心动魄惊，呆立不语，如醉如痴。正是在这种迷醉痴狂的状态中，落花的自然奇景拥抱了诗人的身心，诗人又把这景象融入自己的心灵。刹那之间诗人浪漫不羁的艺术思维已如排山倒海的浪涛，回旋奔放的飘风，疾似闪电流星，灿比彩虹云霓，闪展跌宕，幻化衍生，展开了下面的动人诗篇。

从第九句至第十八句，以一层比一层更空灵、神奇的想象描绘出一个流光溢彩、变化万千的落花世界，不是仙境却又胜似仙境。第一层“如钱唐潮”四句包含三个比喻，从滂渤怫郁的气势、横扫千军的声威和嫣红夺目的色彩三方面写落花给人的感觉。“钱唐潮”即钱塘潮，中秋月夜海潮与江涛相激，乃著名的天下奇观。这里诗人把扑入眼帘的落花形容为“际天而来”“吞天沃日”（周密《观潮》）的钱塘潮，读者顿觉没身落花之海。昆阳之战指东汉光武帝刘秀以八九千人大破王莽四十万军队的著名战役。“披靡”是说军队的溃败如草木望风而倒。这是诗人用刘秀精兵突进、锐不可当，敌军四十万人马在一个早晨全线溃败，土崩瓦解、兵败如山倒的情景气氛写春风造就的落花。这两句各以一个“如”字领起后面六字，这六字又分为上三(主语)下三(谓语部分)，节奏活泼，音调畅朗，十分上口。紧接着再以一个“如”字领出两个颇带散文味道的长句：“如八万四千天女洗脸罢，齐向此地倾胭脂。”排比中有变化。“八万四千”是佛经中形容“很多”的习语。这样描绘红云般的花雨，既有杜牧《阿房宫赋》“渭流涨腻，弃脂水也”的夸张，又有佛经中天女散花的飘逸。

第二层写风中的落花和海棠林。春风阵阵，或疾或徐，翻飞飘舞的落花似奇龙怪凤，漂泊不定，乍停又起。“琴高”，传说中的人物，曾乘鲤鱼入水(据《列仙传》)，后世便以“琴高”代指鲤鱼。梅圣俞诗云：“古有琴高者，骑鱼上碧天，小鳞随水至，三月满江边。”诗人在这里极写遍地胭脂色的花瓣与春风相嬉，酷似无数赤鲤顺水追逐，锦鳞闪动，活泼欢快。说“反欲上天”，一是因典故中有鲤鱼载琴高入水之说，二是比状落花纷纷飘飞的样子，似赤鲤从水面起飞。句末“为(wéi)”字表疑问语气。“玉皇”即天帝，是道家至高无上的尊神，住在玉清三元宫中。“三十六界”也是道家的说法，谓天地间有三十六重天。“青蛾眉”，古时女子用黛青染画的秀眉，指美女，李白《拟古诗》：“融融白玉辉，映我青蛾眉。”这里，用以比拟娇艳无比的海棠花。“玉皇宫中空若洗，三十六界无一青蛾眉”两句，写出大风过后的海棠林，繁花一朝落尽，满眼望去竟不剩半朵鲜花，传达出一种乾坤若洗，洞天空有的惊讶与畅快交织的微妙体验。以上四句集中了神话传说的若干种意象与境界，造成一种神妙的氛围，令读者以兴奋的情绪心向往之。

更逼真和绝妙的是第三层，把落花奇观与诗人观赏之感受比作“先生平生之忧患”，既似三十六年生活经历中宦海浮沉的曲折险难不可逆料，更像“国事家事天下事，事事关心”的忧患意识。在诗人浩瀚深广的心海中片刻不息地起伏明灭、变化莫测，真是“恍惚怪诞百出难穷期”。形容落花的奇境还有什么比忧国忧民、“生年不满百，常怀千岁忧”的诗人的精神活动更神似的呢？全诗在这里撼人心魄，达到高潮。

从“先生读书”句起至结束，是全诗尾声部分。以下的文字表明，诗人不仅“既文既博，亦玄亦史”，而且精熟佛典。佛学经义中美文美景自然涌上心头，与此情此景相交会。

“三藏”，是一切佛教法义的总称，包括经藏、律藏、论藏。“维摩卷”指《维摩诘所说经》，里面有天女散花的故事。“净土”“净国”即阿弥陀佛净土，是西方的极乐世界。诗人说自己精研过所有佛经，最爱维摩诘经的清丽词句。《璎珞经·普称品》说“……空中而兴微云，雨诸香花……花积至于膝。”这种难以到达的净土乐国当然让人“冥目观想尤神驰”了，可是眼前的实景却已令诗人文思如泉，妙语连珠，喷薄而出，何等酣畅淋漓！“绮语”，佛家谓一切杂秽不正的言词，为佛戒十恶之一，文人诗词之香艳者均属绮语。此指自己以上歌咏落花的华美诗句。“漓漓”，犹言淋漓。最末二句，“更雨新好者”是用《妙法莲华经》的成句：“香风吹萎花，更雨新好者。”更雨即经雨，哪里有那么一种佛经里所说的，落花让香风一吹，细雨一淋重又盛开的神树呢？要真有，一年三百六十日，天天都能看到美妙的落花了。诗人这种愿此景常有常在的依恋之情为全诗留下一个美好、悠长的余音。

经过诗人的再造、升华，本诗所反映的已不仅仅是北京丰宜门外海棠林中的落花之海，更是龚自珍心中的“阿弥陀佛净土”一片纯美的、可感而不可触、可望而不可即的艺术圣地，谁能说本诗的意境、眼光、情趣、格调，不是诗人内心世界、人格情操的折射和流露呢？本诗的浪漫奇想、瑰丽文采，正如新安女士程金凤的精辟概括：“变化从心，倏忽万匠，光景在目，欲捉已逝，无所不有，所过如扫。”（见《己亥杂诗》后所附程女士的跋）“物之至也无方，而与之为无方。”（同上）这是对龚自珍诗歌创作艺术的高度抽象，也是我们欣赏其诗作的不二法门。

（宗小荣）

美　人

龚自珍

美人清妙遗九州，独居云外之高楼。
春来不学空房怨，但折梨花照暮愁。

鉴　赏

本诗是作者在道光六年丙戌（1826）三十五岁时作。这年，他参加会试不第。这科，刘中受参加审阅试卷，得浙江湖南考生二卷，经义策论都很深博，他说："此必仁和龚君自珍，邵阳魏君源也。"极力劝主考官录取，不听。他作了《伤浙江湖南二遗卷》诗。这是作者被主考遗弃。诗说："美人清妙遗九州，独居云外之高楼。"不说代表封建统治者的主考官抛弃了他，却说美人抛弃了九州，九州指中国，指中国的封建统治王朝。这是为什么？陶渊明在《归去来兮辞》里说："世与我而相违"，世俗的要求与我的志趣相违反，所以只好辞官归去，这是就世俗的需求和我的志趣来说的，是比较客观的说法。到李白《古风》十三："君平既弃世，世亦弃君平。"先提出严君平弃世而不仕，再提出世亦弃严君平而不用。这就把严君平的不仕放在封建统治者的不用之上，自珍再进一步，光提美人抛弃的封建王朝而不仕，不提封建王朝抛弃他而不用。自珍在三十岁时，在内阁充国史馆校对官。以他的才智学识，清王朝只用他做个校对，等于抛弃他，他到三十五岁参加会试，又被主考官抛弃，他也看不起那样的主考官，不屑于说他的被抛弃，说是他抛弃那样的王朝，因此比喻"独居云外之高楼"。李白《古风》十三里说："安知天汉上，白日悬高名。"指天上银河上的仙人知道严君平，赞美严君平的高名。这里"独居云外之高楼"，也讲美人处境的高出世俗，跟李白诗的用意相似。

再看下联："春来不学空房怨，但折梨花照暮愁。"他自比美人，他的弃世，也含有"世亦弃君平"的意思，即含有被遗弃的含意。曹丕《燕歌行》："贱妾茕茕守空房，忧来思君不敢忘，不觉泪下沾衣裳。"弃妇就不免有空房的悲哀。他既然认为是他要抛弃这样的王朝，所以不学弃妇守空房而怨恨，"但折梨花照暮愁"，这个愁是因为生在那样时世而哀愁，为自己不得已弃世，自己的才华无从施展而发愁。这里用了"折梨花"，用周邦彦《水龙吟·梨花》："雪浪翻空，粉裳缟夜，不成春意。"梨花是洁白的，所以可以照夜，可以"照暮愁"。因为有愁，所以"不成春意"，正与梨花相合。

这首诗设想奇特，不用弃世的旧说，新创"遗九州"的新说，就显出独创来。既说"不学空房怨"，是不怨了，但又说"照暮愁"，还是"愁"的。不怨而愁，这时就可供体味。又用"折梨花"，梨花缟夜，既与暮相应，又梨花如雪的皎洁，可与美人的志趣高洁相应。再就这首诗的音律说，前二句用古诗体，后两句用律调，也显出奇特来。

（周振甫）

秋 心

龚自珍

忽筮一官来阙下,众中俯仰不材身。
新知触眼春云过,老辈填胸夜雨沦。
天问有灵难置对,阴符无效勿虚陈。
晓来客籍差夸富,无数湘南剑外民。

鉴 赏

"忽筮一官来阙下,众中俯仰不材身。"古人迷信,在出仕之前,用蓍草占卜以问吉凶,称为筮仕。"忽筮一官"即忽然获得一官之意。"阙下",宫阙之下,指京城北京。作者嘉庆二十五年(1820)入京为内阁中书,中间几年以母丧离职,至本年春复回京城为官。起首两句,虽然没有正面写出自己的不平,但暗藏锋芒,颇多弦外之音。内阁中书不过是个冷官闲职,不可能一展怀抱,只能随众俯仰,与俗浮沉。"俯仰"二字正透露了作者的苦闷和不甘心,同时又与下文"阴符无效勿虚陈"句遥相呼应。"不材",既是自谦没有才德,实际上又深寓雄才大略不为世所知,不为世所用的愤慨,与孟浩然"不才明主弃"同义。

接下来两句叙写自己的官场生活。新认识的同僚,如同过眼云烟,一触即逝,不留痕迹;旧结交的前辈,音容笑貌填满自己心中,然人皆谢世,如同夜雨沦落。一方面对庸俗不堪的官僚十分鄙视,不屑与处,一方面对志同道合的老前辈非常仰慕,充满怀念之情,爱憎取舍,对比鲜明。从艺术角度看,这两句属对精工,用词亦极妥帖。"触"以双目则转瞬即逝,"填"于胸中则永志不忘,两个动词选用得十分恰当。"春云""夜雨",一轻丽,一沉郁,上下句不同的风格与各自表达的不同感情十分吻合。夜雨沦落的比喻,强化了对前辈逝世的悲悼之情,并传达出一种沉重的孤独感。

"天问有灵难置对,阴符无效勿虚陈",颈联集中而强烈地表现了一个洞察封建国家新危机的有识之士的困惑苦闷,一个空怀经世之志,满腹治国谋略无从施展的志士仁人的愤懑不平。当年屈原作《天问》，对宇宙社会人生大胆地发出种种疑问，如今，面对千疮百孔的社会，我有满腹疑问，但即使上帝有灵，也难以作出解答。从这里，可以看出作者对国计民生的深切关怀，对社会弊病的敏锐观察力，而从上帝亦难置对中，亦可窥见当时社会危机的深重。“阴符”，即《阴符经》，古代的一部兵书，这里指治国的谋略，改革的方案。我纵有一整套治国谋略，但无人采纳，因此也不必徒劳地陈述出来。“勿虚陈”比直接说无处可陈更深一层，它表现了作者的失望，愤激之情，溢于言表。这两句借助《天问》《阴符》，以极少的字词容纳进极丰富的内容，以少胜多，耐人寻味。

尾联于悲凉愤懑之际，宕开一笔，聊作自慰。“客籍”，登记来客的册子。“差”，尚。“富”，多。“剑外”，剑阁之外，指四川。一清早便有无数来自湘水之南或剑阁之外的人来访，来客登记簿上有一长串名字，倒还值得夸耀。怀才不遇，壮志难酬，落寞之际，与这些人的真诚交往，是唯一的安慰。

诗作感情起伏跌宕，风格沉郁顿挫，言简而意赅，体洁而旨远，遣词属对，甚见功力，在思想和艺术性两方面，都堪称佳作。

（卢烈红）

自春徂秋偶有所触拉杂书之漫不诠次得十五首（录二）

龚自珍

黔首本骨肉，天地本比邻。
一发不可牵，牵之动全身。
圣者胞与言，夫岂夸大陈？
四海变秋气，一室难为春。
宗周若蠡蠡，嫠纬烧为尘。
所以慷慨士，不得不悲辛！
看花忆黄河，对月思西秦。
贵官勿三思，以我为杞人。

鉴赏

道光七年(1827),作者在北京,自春及秋,偶有所感,即援笔挥写,得古诗十五首。或揭露社会黑暗,或表达志向抱负,或发抒身世感慨,内容广泛。这是其中的第二首。

这首诗以饱含哲理的语言,从个体与整体的关系这一视角切入,指明了清王朝的岌岌可危,向统治者敲响了警钟,表现了诗人忧国忧民,以天下国家为己任,不愿独善其身的阔大胸襟。

首六句强调个体在整体中的地位、整体的不可分割。"黔首",老百姓,百姓本来是我们的骨肉,首句即言国家与百姓的关系,点明主旨。次句引天地本来是我们的近邻为陪衬,进一步说明世界的统一性。"一发"二句,则以牵一发而动全身的比喻,形象地说明国家与人民相互依存,全体与局部互相制约。为了强化自己的观点,作者紧接着征引前贤之言。"圣者"指宋代思想家张载,他在《西铭》中说:"民,吾同胞;物,吾与也。""与"即党与、同类之意。古代贤哲的这些话语,揭示了深刻的道理,岂是夸大之辞?通过比喻和引证,作者的观点十分令人信服。

"四海变秋气"以下四句,转换角度,突出整体对个体的影响。整个世界秋气肃杀,一室之中难以保持春色。这又是一个形象有力的比喻,它以自然界季节变换的常理,暗喻国家社会衰败,个人亦难安生。"宗周若蠢蠢,嫠纬烧为尘"是引用典故,进一步申明国家危难,个人势必受害。"宗周"指周王朝。"蠢蠢",动乱貌。"嫠(lí)"即寡妇。《左传·昭公二十四年》:"抑人亦有言曰:'嫠不恤其纬,而忧宗周之陨,为将及焉。'今王室实蠢蠢焉。"寡妇不担心自己织布机上纬线不够,而忧虑周王朝覆亡,那是因为国破则家亡,祸及自己,覆巢之下,焉有完卵?由此反推过来,就是"天下兴亡,匹夫有责!"因此,从上面对人民与国家关系的多方论证,到这里就国家危难对个人影响所进行的反复申明,目的是告诫统治者要明白事理,改变态度,关心人民疾苦,挽救国家命运,呼吁有识之士不要独善其身,要以拯救危亡为己任。

当时的清王朝,实际上已经危机四伏,大厦将倾,"所以慷慨士,不得不悲辛"。最后一层,由议论转入抒情,抒发了作者悯时伤世、忧国忧民的情怀。"慷慨士",有抱负之士。"不得不",表明"悲辛"之情决非无病呻吟,乃是正视现实的必然产物。诗人面对现实,忧心如焚,花前月下,国难民瘼,仍难忘怀。看花之时,不禁想起黄河,它经常泛滥成灾,给两岸人民造成深重的灾难;面对明月,难免念及西北地区,它近年很不平静。道光初年,黄河水患极为严重,道光六年谕旨即称“现在淮扬及安东海沭一带皆成巨浸,小民荡析离居,饥寒交迫”。新疆回族上层分子张格尔于道光年间,里通外国,发动叛乱,纷扰八九年之久。此诗写作的前一年,张格尔在新疆扩大叛乱,占据喀什噶尔等城。花月本是悦目赏心之物,看花对月之时,仍深系忧国忧民之念,平时就可想而知。这两句对仗工丽,情调幽古,感情深沉,韵味绵远。令人痛心疾首的是,达官贵人并不能正视现实、对我所忧虑的再三思考,反以为我是杞人忧天。《列子·天瑞》载:“杞国有人忧天地崩坠,身无所寄,废寝食者。”引用“杞人”之典,实际上反面说明清王朝之“天”确实有“崩坠”之险。危难之际,倘能保持清醒的头脑,变法革新,或能“补天”。真正危险的就是对危难熟视无睹,依旧歌舞升平。如今的朝廷权贵恰恰如此,这就不能不使诗人感到愤懑,也更加感到忧虑。尾二句出语平淡,而忧愤之情转深。

诗作闪耀着哲理的光辉,多议论而无板滞之感,言事理而十分令人信服,这些均得力于作者借助生动形象的比喻,以具体的生活现象揭示深刻的道理。一发之于全身,四海秋气之于一室春色,既最恰当不过地说明了人民与国家、社会与个人的关系,又可感可触,给读者以生动的形象,使行文新鲜活泼。即使是织布嫠妇的典故,也被用来说明天下兴亡乃个人安危所系的生动事例。在偏重议论说理的诗作中,本诗是应该有独特地位的。思想深刻,感慨深沉,它给予人的也是一种深层次的感染。

(卢烈红)

戒诗者有诗,庚辰诗语繁。第一欲言者,古来难明言。
姑将谲言之,未言声又吞。不求鬼神谅,矧向生人道?
东云露一鳞,西云露一爪。与其见鳞爪,何如鳞爪无!
况凡所云云,又鳞爪之余。忏悔首文字,潜心战空虚。
今年真戒诗,才尽何伤乎!

鉴赏

这首诗是《自春徂秋偶有所触拉杂书之漫不诠次得十五首》组诗

中的第十五首，表现的是作者在清王朝文化高压政策下，面对险恶的社会环境，不得不再次戒诗的苦衷。

言戒诗，必然回想起自己曾有过的戒诗经历。庚辰年(1820)，诗人曾作《戒诗五章》，表示要从此戒诗。首二句即点明此事。因披露戒诗心迹之作，有五首之多，故称“诗语繁”。但“气悍心肝淳”的诗人，不平则鸣，怎么能捆得住自己的手脚？第二年夏，在考军机章京落选之后，便破戒作诗。此后七年间，作品颇多，而诗人在文化专制下窒息之感日深，痛感作诗吞吞吐吐，东鳞西爪，有悖自己诗史合一、表现真情的初衷，遂再次萌发戒诗之念。

接下来就细细道出不得不再次戒诗的缘由。诗人心地纯真，文学创作方面亦重视“真情”，曾提出“尊情”之说(《长短言自序》)，认为“文章虽小道，达可矣，立其诚可矣”(《识某大令集尾》)。当他少年气盛，涉世未深时，确实这样实践过：“少年哀乐过于人，歌泣无端字字真。”他还指出，“诗与史，合有说焉，分有说焉，合之分，分之合，又有说焉”(《张南山国朝诗征序》)，认为诗与史一样，职责皆在于对社会历史进行批评。可是当时世情险恶，文字狱极其严酷，诗人步入官场之后，屡遭打击，深感贯彻自己文学主张之难。“第一欲言者，古来难明言”，最想说的最重要的话，自古以来都是难以明白说出来的。这不是泛泛之论，而是诗人的切身体会。既难“明言”，那就姑且“谲言之”，也就是隐晦曲折地把它表达出来吧，可是“未言声又吞”！此一句，沉痛之至，含不尽之意，见于言外。为什么连“谲言”也想想又咽回去呢？原因是统治者并不采纳自己的意见、主张，纵然“少年揽辔澄清意”，纵然“我有《阴符》三百字”，但“《天问》有灵难置对，《阴符》无效勿虚陈”，说出来又有什么用呢？“不求鬼神谅，矧向生人道？”既不求鬼神理解，又何必向活人陈述？愤激之语，道出满腹酸楚，道出深沉而强烈的愤懑不平。

“东云露一鳞”以下六句，以龙为喻，描写自己多年来被迫“谲言”的具体情形。龙游天空，云遮雾障，东露一鳞，西露一爪，不能显露全貌，作诗不敢把深刻的内容全面地、直率地表达出来，只能吞吞吐吐，藏头露尾，这是封建文化专制的罪恶，是黑暗社会中文人的悲剧！“与其见鳞爪，何如鳞爪无”，诗意转进一层，与其弄得思想面目全非，还不如不说为好。“况凡”二句再进逼一步：何况所说的种种，连鳞爪都算不上，不过是“鳞爪之余”，那就更没有说出来的必要了。层层递进，步步进逼，水到渠成，戒诗之举，势在必行。

末四句正面道出戒诗的决心。

“忏悔首文字”，表示要忏悔过去所写的文字。诗人的部分作品，确因被迫“谲言”，曲折含蓄过甚，以至艰深晦涩。今既悔而不作，从此心中的抑郁之气无从表达，生活将益发空虚寂寞，今后就只好用心同这种空虚搏斗。诗人戒诗，实是出于不得已，他对失去诗的陪伴后心灵的痛苦有很清楚的估计。“空虚”一语就体现了这一点。“今年真戒诗”，著一“真”字，是针对庚辰戒诗未能坚持而言，突出了此次戒诗的决心。结句借江郎才尽之典，故作旷达之语，但诗人心底的悲愤，仍掩藏不住。

诗作表现了诗人文士在险恶的社会环境中备受压抑、创作备受摧残的悲惨境遇，控诉了清王朝文化高压政策的罪恶。艺术上也有特色。龙处云中的比喻，生动而贴切。行文注意腾挪，笔底翻出波澜。“姑将”句退一步，“未言”句则可说是进两步，无声胜有声，托出诗人心底的无限隐痛。“东云”以下六句，层层深入，步步进逼，妙用虚词，有一气呵成之感，又具摇曳之姿。

（卢烈红）

菩萨坟并序

龚自珍

菩萨坟者，亦曰公主坟，辽圣宗第十女墓也。小字菩萨，未嫁而死。《辽史》无传。北方海棠少，此地始生之。自是海棠之盛，逾于江国，土人因以海棠谥主云。坟在西山无相寺。

菩萨葬龙沙，魂归玉帝家。
余春照天地，私谥亦高华。
大脚鸾文勒，明妆豹尾车。
南朝人未识，拜杀断肠花。

鉴赏

本诗是作者在道光七年丁亥(1827)三十六岁时作。这是写辽公主菩萨坟的诗。《序》称公主是辽圣宗第十女，《辽史》无传。按《辽史》卷六十五《公主表》，辽圣宗十四女，十四女中亦无菩萨，《序》称“菩萨”

是小字,查《公主表》,圣宗第十女名十哥,下嫁奚王萧高久,亦非菩萨,是菩萨亦不见于《公主表》,菩萨坟在西山无相寺。序中说得之传闻。

首联:“菩萨葬龙沙,魂归玉帝家。”“龙沙”,泛指边塞地区。按辽圣宗统和四年(986)正月,“讨女真,所获生品十余万,马二十余万及诸物”(《辽史》卷十一《圣宗记》)。说明圣宗时,辽已与北方女真族发生战争。在对宗时,西山一带已成为边塞,所以称为龙沙。作者赞美菩萨“魂归玉帝家”,即生前是帝王家的公主,死后升入天宫,到了玉帝的家里。次联写出作者写这首诗的动机,即听那里的人传说,菩萨死后,葬在西山无相寺,那里始生海棠,盛极一时,胜过江南。那里的人当认为是公主的光辉借海棠花的色彩照耀天地,因称菩萨为海棠公主。这是民间的私下称号,所以说“私谥”。用海棠来称公主,海棠花的光彩照耀天地所以称为“高华”。这样赞美公主,是根据那里人的传说来的。作者这样赞美公主,不光是用那里人的传说,还有他的用意。

三联:“大脚鸾文靿,明妆豹尾车。”作者赞美辽国妇女不缠足,所以公主也是大脚,穿着有鸾鸟纹的筒靴。本指靴筒,这里指有筒的靴。公主出外时,是明妆,妆饰鲜明,坐着有豹尾装饰的车子。这就显出跟当时汉族的妇女不同了。汉族妇女那时缠足,穿三寸金莲的小鞋,出外坐有帽遮蔽的车子。作者赞美公主的大脚,穿筒靴,正含有反对汉族妇女缠足的意思。作者写《病梅馆记》反对把梅花残害。那他的赞美大脚,则含有反对汉族迫使妇女缠足的意思,比他反对残害梅花的感情当更为深切。他赞美公主穿筒靴,坐豹尾车,显出跟男儿具有相类的美姿。这里含有批评汉族让妇女坐着有帏蔽的车,不敢见生人,恹恹无生气的意思。显出作者具有冲破世俗的谬见和陋俗的见解。

末联:“南朝人未识,拜杀肠断花。”“肠断花”为秋海棠的别名,见《广群芳谱·花谱·秋海棠》,即指《序》里讲的“海棠”,为当地人所称道。“南朝人”指宋人,即汉族人。西山一带是汉族人聚居处。汉族人不识公主的大脚和英姿而不去赞美,却极其赞美在那里盛开的海棠花,说成是公主的“余春照天地”,加以高华的私谥,作者认为从这里看出汉族并不真正认识公主,只是尽力赞美海棠花。“拜花”是崇拜之极的意思。

这首诗的特点,主要是作者有破除陋俗,使汉族妇女从残害她们的缠足中解放出来的思想,有反对把妇女关在有帏子的车中,使妇女能够具有与群众相见的英气。这是龚自珍的特点之一。再说作者有历史眼光。在作者游西山无相寺时,那里是京都的西郊,不是什么边塞,但作者从辽代来看,因为辽和女真族发生战争,那里当时已成为边塞,所以称那里为“龙沙”了。还有作者运用映衬手法,是虚和实的映衬。说公主的“余春照天地”,是那里人的说法,是虚的。因此那里人的私谥也是虚的。他说公主的大脚,说公主坐豹尾车,是实的。辽国的公主都是这样的。虚是那里人的想法和私谥,实是作者的看法,这又是一种对照,最后点明前一种的看法是未识公主,作者的看法才是识得公主,这又构成一种对照。在“未识”和含蓄地暗示自己的识得里,含有作者深刻的用意,值得体会。作者不仅在这首诗里赞大脚,还在《罗门望》中,有“娶妻幸得阴山种,玉颜大脚其仙乎!”赞美少数民族妇女的大脚,他更反对缠足,在《己亥杂诗》一一七首里说:“侯王宗庙求元妃,徽音岂在纤厥趾。”认为侯王选择元配,元配的美德难道就在这双小脚上吗?这更是对小脚的反对。

(周振甫)

梦中作

龚自珍

不是斯文掷笔骄,牵连姓氏本寥寥。
夕阳忽下中原去,笑咏风花殿六朝。

鉴赏

本诗作于道光七年丁亥(1827),作者时年三十六岁,写在这首诗的前一首,可以作为这首诗的发挥,那是《歌筵有乞书扇者》:“天教伪体领风花,一代人才有岁差。我论文章恕中晚,略工感慨是名家。”这是说占领一个时期的诗是伪体,即认为乾嘉诗坛的诗是伪体,好比每年冬至太阳所在的位置有变动成为岁差,乾嘉诗是诗坛上的岁差。是天教伪体来占领诗坛。他要起来破除这种伪体。认为中晚唐诗中略工感慨的诗,是名家的诗,不是伪体,自珍贬低乾嘉时代诗是伪体,主要是他们的诗缺乏创新的时代精神,他要用创新而反映时代精神的诗来破除这种伪体。他认为略工感慨的中晚唐诗是有它自己的面目的。中晚唐诗的绮丽与六朝诗的绮丽相承接,那他是不是肯定六朝诗的绮丽呢？杜甫《偶题》:“前辈飞腾入,余波绮丽为。”仇兆鳌注:“前辈如建安,黄初诸公飞腾而入,至六朝尚绮丽,亦其余波,不可少也。”这是说杜甫认为六朝的绮丽,也是不可少的。自珍的看法与杜甫相似。他认为乾嘉诗坛的伪体不是斯文,即不是正宗的诗,所以“掷笔骄”,表示感叹而要破除它们的伪体,有傲视它们的意思,所以称“骄”。牵连到乾嘉诗人的姓氏,可取的本是寥寥无几。这说明他对乾嘉诗人并不完全否定,只是认为可取的不多,他对乾嘉诗坛总的倾向说,认为是伪体;就少数的诗来说,认为还是有可取之处,只是不多。

下联:“夕阳忽下中原去,笑咏风花殿六朝。”夕阳下山,指没落,这是说乾嘉时代的伪体正在没落。他破除了伪体,来咏风花作为六朝的后殿。即认为六朝的绮丽不可废,联系上一首,“略工感慨是名家”,他要用六朝的绮丽,加上针对当时时代所发的感慨,结合起来,用来作出绮丽而能反映时代精神的诗。就他的绮丽说,可以作六朝诗的殿军。这样的诗,实际上是杜甫说的“前辈飞腾入,余波绮丽为”的结合。因为在“略工感慨”里感慨当时时代的黑暗,人才的被埋没等,要用诗来反映时代精神,这就同于“前辈飞腾入”了。他又有取于六朝的绮丽,这就是“余波绮丽为”了。

这首诗,实际上是自珍的诗论,他生在“万马齐喑”的黑暗时代,他要召唤“九州生气”的“风雷”,在乾嘉的伪体以外,独辟新的境界,开创了一个诗的新时代。他要在乾嘉诗坛没落的时候,“笑咏风花殿六朝”,这个“笑咏风花”,正是针对“天教伪体领风花”来的,打破了“伪体领风花”应该自己来“领风花”了。着一“笑”字,与上文的“骄”字相对,前者是傲视伪体,后者是喜咏风花,而敢于说“殿六朝”,这也显出他的识力,这也说明他的奇情绮思,映照一时。

(周振甫)

梦中作四截句十月十三夜

龚自珍

黄金华发两飘萧,六九童心尚未消。
叱起海红帘底月,四厢花影怒于潮。

鉴赏

这首诗是作者在道光七年丁亥(1827)三十六岁时所作，是四绝中的第二首。

首联：“黄金华发两飘萧，六九童心尚未消。”《己亥杂诗》九四首：“黄金脱手赠椎埋，屠狗无悰百计乖。”他曾经把黄金送给那些盗坟杀狗的人，如今跟他们的同欢，百事无成。“椎埋”“屠狗”指在社会上，下层作奸或劳动的人，跟这些人交结，把钱送给他们，想靠他们的帮助有所作为，因此黄金花得差不多了。《己亥杂诗》二八五首：“嘉庆文风在目前，记同京北鹿鸣筵。白头相见山东路，谁惜荷衣两少年。”作者在嘉庆十五年十九岁时应顺天乡试，中试副榜贡生，与王海门同中副榜，同在北京参加宴会，称鹿鸣宴，当时是两少年，如今头上都有了白发，所以称“华发”。“飘萧”是稀疏，黄金花得差不多了，头发稀疏了。六九指六十九岁，他当时只有三十六岁，应该称六六童心，六六正三十六，为什么称六九呢？因为他听算命先生说，可以活七十岁，因此在《志未逮箴》里说：“有躬七十年，假诸皇王。”认为王使他活到七十岁。怕不能活足七十岁，称作六十九岁，其实他只活到五十岁。他有《童心箴》：“轲亦有言，大人赤子。”指孟子说的，“大人者不失其赤子之心者也”(《孟子·离娄下》)。赤子之心即童心。这句指他到死还保留着童心。明代李贽主张童心说，创作要保留童心，即保留真诚，不虚伪。

下联：“叱起海红帘底月，四厢花影怒于潮。”“海红”即红色的山茶花，“海红帘”即红色的帘子。把帘子卷起，在月光照耀下，四边的花影像怒潮那样扑来。在帘子放下时，花影只映在帘子上，帘子卷起后，花影才向人扑来。不说卷起海红帘，却说“叱起海红帘底月”，是叱起月亮，这是想象，是说月影本来照到帘子上的，卷起了帘子，看到月亮在天上，好像月亮被叱起来了，四边的花影，本来映在帘子上的，现在向人扑来。花影扑来比作怒潮，这已是极夸张的写法，还嫌不够，说“怒于潮”，是胜过怒潮，再加夸张。这里显示出龚诗独特的风格。近人沈曾植在《书龚定庵集后》说：“其幽灵殊异之心，疏通知远，体物无遗之智，如电入物，如水注地，积微造微，泯然藏密，不可思议。”这首诗就是这样，月可以叱起，花影怒于潮，这样描写，真是“不可思议”。这里确有“幽灵殊异之心”，这个心就是充满着花影，爱月下花影；这个心就是要除去帘子的遮隔花影，不要月移花影上帘来；这个心就是把月下花影比作有知对诗人有强烈的感情，向诗人扑来那样。这样人的心智就不同于一般人的心智。这样写出来的诗,同上又说:“其声非寻常之声也,其色非寻常之色也”,确实开创了新境界,新的声色。

(周振甫)

己亥杂诗(录六)

龚自珍

浩荡离愁白日斜,吟鞭东指即天涯。
落红不是无情物,化作春泥更护花。

鉴赏

本篇是《己亥杂诗》的第五首,抒写辞官南归时的离愁和积极的人生态度。

首句明点“离愁”。诗人与北京,可以说结下了不解之缘。他的祖父、父亲都在北京做过官。他自己幼年在京入塾就读,后来又多次赴京参加会试,直至在京做官。离开与自己生活关系如此密切的京城,产生“离愁”原很自然。但这里用“浩荡”来形容“离愁”的广大无边,用“白日斜”这种带有象征色彩的描写来点明“离愁”产生的背景,却使人感到,这并不单纯是离开一个生活过多年的地方时的眷恋、惆怅之情,而是有着更深广的内涵。从诗人自身遭际看,他这次辞官南归,无论是由于“才高动触时忌”(吴昌绶《定庵先生年谱》),或是由于“忤其长官”(汤鹏《赠朱丹木诗》自注),甚至如近人张尔田所说,是由于“为粤鸦片案主战,故为穆彰阿所恶”,都确如他自己所说,是“事不如意”(《与吴虹生书》)。从与本篇内容密切相关的《己亥杂诗》(之三)“罡风大力簸春魂,虎豹沉沉卧九阍”,可见此次辞官离京的政治背景。从客观形势看,清王朝的统治已进入“衰世”,呈现出“忽忽中原暮霭生”的景象。对照“日之将夕,悲风将至,人思灯烛,惨惨日光。吸饮暮气,与梦为邻”,“钟簴(jù)苍凉行色晚”等句,可以看出句中的“白日斜”并不单纯指离京的时间,而是象征着当时的国运与局势。正因为有这样深广的家国之忧,身世之感,这“离愁”便包含着政治的内涵,正像屈原“离骚”中所说:“余既不难夫离别兮,伤灵修之数化。”这里的“离别”就首先是政治性质的。

次句说自己一离京师，从此便如远隔天涯。诗人此次离京，先东行至通县，再沿运河南下，故说“东指”。“吟鞭”，是挥响马鞭的意思。“即天涯”，用刘禹锡诗“春明门外即天涯”之意，谓一出国门，即同天涯。这里有对朝廷的眷恋，也有对国事的忧念。从“浩荡离愁”和“即天涯”，便自然引出下两句来。

“落红不是无情物，化作春泥更护花。”诗人离开北京的时间，是阴历四月二十三，这正是北京地区春意阑珊、落红无数的季节。诗人在距国门七里的路上就看到“班骓冒落花”的情景，因此由眼前飘零的落花联想到沦落的身世，原很自然。但这里引出的并不是对落红零落成尘碾作泥的消极感伤，而是一种积极的人生态度。说“落红不是无情物”其实并不新鲜，历代诗词中有许多描写落红情意的名句，但那大都是对美好青春和生命消逝的感伤与哀挽，充满了无可奈何的情味。而诗人却从日常生活中落花——春泥——护花的现象中得到启迪，创造出“化作春泥更护花”这一警动千古的名句，将“落红”的深情升华到一个更高的带有自觉奉献精神和人生哲理的境界。尽管诗人的本意，也许只是表示虽然辞官南归，却还要尽力做一些有利于朝廷的事情，正像他在组诗之三中所说：“终是落花心绪好，平生默感玉皇恩。”或者像另一首中所表示的“颓波难挽挽颓心”。但一经创造出这一富于哲理意蕴的名句，其客观的意义和由此引发的联想便远远超越了诗人的本意。“落红”自身生命的消逝并不可悲，它将在“化作春泥更护花”的过程中使自身的精神成为培育下一代的养料，从而使生命得到新的延续，那种自觉的无私奉献精神正是从这里生发出来的。既然生命的意义在于为下一代提供“春泥”，既然“落红”会转化为新花，那又何必为“落红”的命运而伤悲呢！这里正包含了对自身生命的超越，也体现出对人生价值更深更高一层的肯定。

（刘学锴）

只筹一缆十夫多，细算千艘渡此河。
我亦曾糜太仓粟，夜闻邪许泪滂沱。

鉴赏

清王朝每年要通过水路从南方各省运粮四百万担进京，储贮之太仓(京都设置的粮库),称为漕粮。龚自珍南归途经淮浦(今江苏清江市),亲眼看到成千只粮船沿运河北上的情景。当他深夜听到纤夫们沉重的拉船号子,想到自己也曾食用过这些漕米,不禁惭感交并,心潮翻滚,无法平静,于是写下了这篇发自肺腑的悲歌。

这首绝句在写法上完全摆脱现成套路,随兴挥洒,在音情上颇有特色,它通篇运用反思的语调。运河上拉粮船的民夫不计其数,诗人无法点清,只在心中算了一下。如果一条缆绳十多人,那么千艘粮船该耗用多少人力!一个"只"字,表明"十夫多"仅仅是掐紧计算。"细算"句是一个省略的句子,将后半没有写出的话补足,便是:细算千艘渡此河将用民夫几何?总之,诗人面对惊心动魄的巨大劳动场面,对人民痛苦的感受比任何时候都更加深切。这才引起上述那番认真的思考。

接下去诗人并没有发表更多的议论,只就个人切身感受抒发感情:"我亦曾糜太仓粟,夜闻邪许泪滂沱。""邪许(yéhǔ)",号子声。他想到自己也曾消耗("糜")过这些粮食,而今亲见这些粮食的来之不易,看到人民为之付出的血汗,不禁泪如雨下。邹在衡《观船艘过闸》:"漕船造作异,高大过屋脊。一船万斛重,百夫不得拽。上闻登岭难,下闻流矢急。头工与水手,十人有定额。到此更不动,乃役民夫力……邪许万口呼,共拽一绳直。死力各挣前,前起或后跌。设或一触时,倒若退飞鹢。再拽愈难动,势拗水更逆。大官传令来,催攒有限刻。闸吏奉令行,鞭棒乱敲击,可怜此民苦,力尽骨复折。"览此,可知龚自珍泪流为何了。诗中"我亦曾糜"云云,大有意味。一是因为诗人此时是辞官南归。回想自己也曾为官坐食俸禄,无任惶愧,所以这样说。二则是意味自己仅仅是"曾糜太仓粟"的统治阶级的一员,应该为此愧怍的,还大有人在。这两句实际上是一个有良知的士大夫,面对劳苦民众产生的一种负罪之感、反思和忏悔。也是用他的滂沱热泪和沉痛的诗,对上层统治者发出的警告和呼吁。它使读者联想到白居易《观刈麦》中的几句诗:"今我何功德,曾不事农桑。吏禄三百石,岁晏有余粮。念此私自愧,尽日不能忘。"能写出这样诗句的人,在为官时必然能替百姓办几件好事的。白居易如此,龚自珍也如此。他们虽然都找不到解决民间疾苦的根本办法,但他们的诗所表现的博爱的仁人之心,仍是令人感动的。

(周啸天)

不论盐铁不筹河，独倚东南涕泪多。
国赋三升民一斗，屠牛那不胜栽禾。

鉴赏

这首诗揭露当时赋税剥削太重，使江南农业遭到破坏的社会弊端。清政府明文规定的田赋不重，并曾扬言永不加赋。据冯桂芬《请减苏松太浮粮疏（代作）》：“伏查大清户律载：官田起科每亩五升三合五勺，民田每亩三升三合五勺”，但实际征求时，由于加成色、打折扣、贿赂勒索，使浮收之数，数倍于正额，“苏州府长洲等县，每亩科平粮三斗七升以次不等，折实粳米，多者几至二斗，少者一斗五六升，远过律载官田之数。”这就是此诗写作的社会背景。

“不论盐铁不筹河，独倚东南涕泪多。”“盐铁”指盐铁生产与专卖，汉桑弘羊与地方豪强的代表曾就此问题展开辩论，后由桓宽结集为《盐铁论》。“筹河”即治理黄河，这即是兴修水利，治服河患的事业，又是疏通漕运、发展交通措施。这二者都是开辟国家财源的根本办法。如果不讲这个，而向民间，哪怕是素有粮仓之称的东南民间搜刮诛求，都是舍本逐末，竭泽而渔。人民不堪其苦，而国用亦将匮乏。所以首二句表面似乎是说自已不在其位，故“不论”“不筹”，只能为东南斯民放声一哭。而实际上是指责肉食者既不从发展生产上开辟财源，又不注意兴修水利，而一味剥削压榨，致使东南人民涕泪长流。措意在显与隐之间，故耐寻味。

“国赋三升民一斗，屠牛那不胜栽禾！”上句直接指出这样一个严酷现实，即人民实际上遭受的盘剥，远远超出国家律法之明文规定。“国赋三升”和“民一斗”的句中排比形式，强调了税收名实相距甚远，鞭挞了封建统治者对人民的伪善、狡诈。指出这样做引起的结果是严峻的，它使农业生产遭到破坏：“屠牛那不胜栽禾”！“栽禾”是形象地表示农业生产；“屠牛”则是形象地表现对农业生产的破坏。由于农民负担太重，在不堪忍受的情况下，宰杀耕牛，另求活路，那也比种田好啊！同时“屠牛”的更深隐的意味是人民逼急时也会铤而走险，因为历代农民起义，多以屠牛酾酒的仪式号召群众。龚自珍这里实际上已深刻地指出，统治者不重视发展生产，一味加重剥削，也是在挖自己的墙脚。后果将不堪设想。

诗中运用句中排比（一、三句）和反诘语气构成唱叹，使议论富于情韵，也增加了作品的形象说服力。

（周啸天）

九州生气恃风雷，万马齐喑究可哀！
我劝天公重抖擞，不拘一格降人才。

鉴赏

这首《杂诗》是作者在路过镇江时，应道士之请而写的祭神诗。诗末有一个绝妙的自注："过镇江，见赛玉皇及风神、雷神者，祷祠万数，道士乞撰青词。"所谓赛神会，是指当地百姓举行迎神赛会，迎的是玉皇、风神、雷神这三位尊神。这种迷信活动盛大，隆重而热烈，竟有万余人参加。龚自珍替道士写的青词，是供道教徒在斋醮仪式上献给"天神"的奏章表文，它是用朱笔写在青藤纸上，所以称青词，又叫绿章。

龚自珍这首诗就是作为青词的形式出现的。如头两句："九州生气恃风雷，万马齐喑究可哀"，就是赞美风神、雷神，说整个宇宙就是靠这二位神灵施威，才打破了沉闷空气，带来了风雷激荡的生气。后二句："我劝天公重抖擞，不拘一格降人才"，是向玉皇大帝祈祷，恳请他开开恩，可怜可怜下界芸芸众生，降生有本领的人来为下民消灾降福，确保国泰民安。

按说，给道士写青词，其内容自是"不问苍生问鬼神"的，而我们这位清代文坛的奇才，偏偏反其道而行之。他借鬼神，说苍生。回过头来重读这首青词，不难发现头二句实是以自然喻人事，说要使中国重新生机勃勃，就得依靠疾风迅雷般的威力，来打破死气沉沉的政治局面。后两句用的是同样的手法，所谓"天公"，明指天上主宰一切的玉皇，暗指人间至高无上的皇帝，他希望清朝皇帝能奋发有为，打破一切陈规旧制，放手让各种各样的优秀人物发挥才能，拯救中国。通篇语意双关，表面上祈祷神灵，实际上议论人事，利用由风雷的震动宇宙的强大力量，引起人们一种对政治风云的联想，把一个充满迷信色彩的祭神诗，一变而为呼风唤雨、鼓动性很强的政治诗了。作诗需要奇气，在这里，不能不使人佩服诗人的这种奇气、奇笔！同时，从这里也可以看到诗人想象丰富，驰骋自由，气魄雄深，表现出奔放不羁和浪漫主义的奇情壮采。

当然，龚氏写政治诗，如此迂回曲折，实是当时高压的文化政策使然。诗人自己说："一箫一剑平生意，负尽狂名十五年。"其诗情往往是"来何汹涌须挥剑，去尚缠绵可付箫"。剑气与箫心统一，刚与柔结合。在万马齐喑的局面下，他不能尽情地慷慨陈词，有时不得不"姑将谲言之，未言声又吞"。这样一位经天纬地"医国手",终其身只能"才尽回肠荡气中",拿笔杆子作作诗而已,不能不说是时代的悲剧。

(汤高才)

陶潜诗喜说荆轲,想见停云发浩歌。
吟到恩仇心事涌,江湖侠骨恐无多。

陶潜酷似卧龙豪,万古浔阳松菊高。
莫信诗人竟平淡,二分梁甫一分骚。

鉴赏

龚自珍《己亥杂诗》有"舟中读陶诗三首",这是选前二首。第一首诗专论陶潜《咏荆轲》,第二首诗则概论渊明其人其诗。从特例到一般,可以相互补充。

"陶潜诗喜说荆轲"或被解为"淘潜在诗中喜欢提到荆轲"。但陶潜只有一首《咏荆轲》的诗,别的诗中并没有提到荆轲。即使把《读山海经》的精卫刑天加上,他的金刚怒目式作品为数也不多,似乎就不能说是"喜说荆轲"了。其实,只要不用习惯的文法解诗,这句的意思本来是清楚的,那就是:"在陶潜诗中我特别喜欢《咏荆轲》这一首。"从而接下去又说:"我甚至能够想象他高歌遏云的慷慨激昂的样子。""想见停云发浩歌"这句,借用陶潜《停云》诗的篇名字面,形容浩歌激烈的程度。按《停云》系四言诗,序云"思亲友也",其本身并非"浩歌"。从下文"恩仇""侠骨"等说法看,此诗是专为《咏荆轲》而发,不得阑入内容迥乎不同的他作。三、四句是作者继续想象陶潜作完《咏荆轲》高声吟诵时的内心活动:"吟到恩仇心事涌,江湖侠骨恐无多。"荆轲刺秦王是为了遏止秦的扩张侵略行径和报答燕太子丹的知遇之恩,故云"吟到恩仇"。作者认为陶潜咏荆轲不是发思古之幽情,而是借古人酒杯浇自己块垒,故又云"心事涌"。其所以如此,是因为当时像荆轲一样行侠仗义的人怕已不多了。"江湖侠骨恐无多"的"恐",与前文"想见"呼应,仍是揣想的语气。此诗从头至尾,全是想象陶潜写作《咏荆轲》时的神气和心情,栩栩如生地塑造了一个刚肠疾恶的陶潜形象。它不仅指出《咏荆轲》是豪放之作("浩歌"),而且探讨了它的创作动机。

第二首劈头一句就是"陶潜酷

似卧龙豪”,不但指出了渊明骨子里那个“豪”字,而且将他和诸葛亮相提并论。原注:“语意本辛弃疾。”辛词《贺新郎》云:“把酒长亭说。看渊明、风流酷似,卧龙诸葛。”作者同意并化用了这一说法。陶渊明酷爱菊花,松、菊等形象在陶诗中屡见不鲜。它们都有傲霜耐寒的特性,故成为高洁坚贞的象征。诗人就用“万古浔阳(今九江)松菊高”来比喻陶潜其人的高尚品格。从钟嵘《诗品》以陶潜为古今隐逸诗人之宗以来,历来论陶诗,统称其平淡。如葛立方《韵语阳秋》、蔡宽夫《西清诗话》等皆是。作者都以“莫信”二字一概抹倒,认为如将陶诗三分,则有二分近于《梁甫吟》,一分近于《离骚》。《三国志》载诸葛亮“躬耕陇亩,好为梁甫吟”,《梁甫吟》本古乐府楚调曲名,内容多感慨世事之作。《离骚》则是屈原的杰作。二句意谓陶潜也是有政治抱负,热爱祖国,感情激烈的诗人;不能认为他浑身静穆或平淡。这种陶潜观较之朱熹又有深化。后来鲁迅先生说,即以陶诗而论,“除论客所佩服的‘悠然见南山’之外,也还有‘精卫衔微木,将以填沧海;刑天舞干戚,猛志固常在’之类的‘金刚怒目’式,在证明着他并非整天整夜的飘飘然。这‘猛志固常在’和‘悠然见南山’的是一个人,倘有取舍,即非完人,再加抑扬,更离真实。”(《题未定草》〔六〕)这样评价陶潜,自然更加全面。

(周啸天)

望庐山

祁嶲藻*

我出黄梅六十里，隔江已见江西山。
人言此是庐山背，熨眼顿觉超尘寰。
屏风几叠照江水，夕阳万皱明斓斑。
不知香炉瀑布在何处，但见侧峰横岭高下云回环。
云中五老似回首，一一闯露青髻鬟。
有如蒲阪道中看太华，三峰飞影过潼关。
黄河曲折走关下，亦如大江横锁浔阳间。
山川灵秘造物惜，每为好事破其悭。
我昔西游今南涉，胜境两遏非偶然。
书生行縢苦不办，况骑驿马囊官钱。
游山如此亦大好，只惜过眼空云烟。
买田筑室吾不愿，但愿归途住此三日穷跻攀。

作者

*祁嶲藻（1793－1866），字叔颖，一字淳甫，号春圃，山西寿阳人。嘉庆十九年甲戌（1814）进士，官至体仁阁大学士。有《䜱䜴亭集》。

鉴赏

自古以来咏庐山诗甚多，这首《望庐山》却别具一格。诗开头四句是写远望庐山时的总体印象。隔江所见虽是所谓“庐山背”，却已使人觉得“超尘寰”，这就为下面的具体描绘定下了基调。

九叠屏是庐山名胜之一,李白《庐山谣寄卢侍御虚舟》云:“屏风九叠云锦张,影落明湖青黛光。”“屏风”二句极言九叠屏之美。重重叠叠的山峰映照在清澈的江水中,在夕阳的余晖中,微波闪烁,明丽多姿。

李白曾有《望庐山瀑布》(二首),其一云:“两登香炉峰,南见瀑布水。”其二云:“日照香炉生紫烟,遥看瀑布挂前川。”因本诗作者是远眺,故曰:“不知香炉瀑布在何处。”而苏轼《题西林壁》“横看成岭侧成峰,远近高低各不同”也是写远望时庐山的概貌,故本诗曰:“但见侧峰横岭高下云回环。”也就是说整个庐山均在云雾缭绕之中。

五老峰因五峰相连,山势险峻,形似五位长老,故名。作者用“似回首”状之,把五老峰写活了,而“一一闯露表髻鬟”(闯露:显露)更十分形象。以上六句对庐山既有整体概括,又有对有代表性的胜景的具体描述,使人读后有一个清晰、全面的印象。作者曾西游西岳华山一带,华山是五岳之一,山势之奇险堪与庐山媲美,作者在“有如”三句中运用对比的手法,以远望华山之美来衬托庐山之雄奇壮丽。以上各句虽从各个不同方面描写庐山,但作者紧紧扣住题目,即扣住一个“望”字,也就是写远望所见。“黄河曲折走关下”固然气势磅礴,但“大江横锁浔阳间”也是造物者创造的奇迹,然而造物者却不轻易将山川的奇珍异宝显示人间,但是为了成全人间好事,每每会毫不吝惜地把奇迹贡献出来(“山川灵秘造物惜,每为好事破其悭”)。作者在惊叹之余,不觉进行了哲理性的思考。作者西游南涉,两遇胜境,正说明作者热爱山水景物。但作者并不满足于仓促的远眺,宁愿不“买田筑室”,而要住此三日穷跻攀!作者热爱祖国山水之深,由此可见。(【注】蒲阪:在今山西永济县境内,隔黄河与潼关相对,距华山百余里。太华三峰:指华山莲花、落雁、玉女诸峰。行縢:行李。)

祁嶲藻长于咏物、写景。清人陈衍认为他是“道(光)咸(丰)间巨公工诗者,素讲朴学,故根柢深厚;非徒事吟咏者所能骤及”。

(赵祖堃)

牛行迟

王正谊*

牛行迟,马行疾;
骑马逐贼常苦后,以牛随马焉能及!
昨日里胥征牛车,运送军装如火急。
今日宛转泥淖中,泥淖没轮行不得。
将士震怒挞牛立,鞭牛不起杀牛食。
牛死车敝身杖创,归来独向牛栏泣。

作者

*王正谊,生卒年不详,字筱佺,号小泉,四川达县人。道光十二年壬辰(1832)进士,历官户部郎中。有《惜心书屋诗钞》。

鉴赏

在中国历史上,兵祸是司空见惯的现象,清代的兵祸也很严重。此诗从一个侧面反映了清道光年间,兵祸给百姓带来的深重灾难。

全诗可分三个层次。前四句为第一个层次,篇首点题,也就是白居易新乐府诗的“首句标其目”。到清代后期,清兵已日趋腐败无能。因此在骑马逐“贼”时,而“常苦后”;至于牛就更追不上了。这四句是议论,为第二个层次作好铺垫。

“昨日里胥征牛车”后六句为诗的主体。由于“逐贼”而“征牛车”去运送军装,急如星火。“牛行迟”,加之“泥淖没轮”因而必然会“宛转泥淖中”,在烂泥中辗转挣扎,无法前进。“宛转”“没轮”突出了牛车在泥淖中行进的艰难。“将士震怒挞牛立,鞭牛不起杀牛食。”“挞”,鞭打。“挞牛立”,极言鞭打之惨重。但是由于牛过度疲乏,虽残酷鞭打而仍不起,因而官兵将士则趁机“杀牛食”。自古以来,牛是农民的命根子,“挝牛立”已使老农痛心不已;“杀牛食”则断了农民的生计,使他们无法活下去了。

“牛死车敝身杖创,归来独向牛栏泣。”这最后二句是事件的结局。“杖创”,仗刑之伤。牛被杀了,牛车被毁了,老农还受了棍棒之伤。“牛死车敝身杖创”这七个字非常形象地说明了兵祸之惨烈。

在封建社会,百姓受了官兵的残害,是无理可讲的。老农负伤、空手“归来”后,只有“独向牛栏泣”了。“独”言老农之孤苦无告。“向牛栏泣”言老农对牛感情之深。

此诗以叙事为主,在叙事中,表现出作者强烈的愤激之情。正如符葆森评王正谊诗云:“王筱佺郎中诗,感抒时事,寄意殊深,慨叹之余,流为愤激。”

(赵祖堃)

三 元 里

张维屏*

三元里前声若雷，千众万众同时来。
因义生愤愤生勇，乡民合力强徒摧。
家家田庐须保卫，不待鼓声群作气。
妇女齐心亦健儿，犁锄在手皆兵器。
乡分远近旗斑斓，什队百队沿溪山。
众夷相视忽变色，黑旗死仗难生还。
夷兵所恃惟枪炮，人心合处天心到。
晴空骤雨忽倾盆，凶夷无所施其暴。
岂特火器无所施？夷足不惯行滑泥；
下者田塍苦踯躅，高者岗阜愁颠挤。
中有夷酋貌尤丑，象皮作甲裹身厚。
一戈已揕长狄喉，十日犹悬郅支首。
纷然欲遁无双翅，歼厥渠魁真易事。
不解何由巨网开，枯鱼竟得攸然逝？
魏绛和戎且解忧，风人慷慨赋同仇。
如何全盛金瓯日，却类金缯岁币谋？

作者

*张维屏(1780－1859)，字子树，一字南山，号松心子，广东番禺(今广州市)人。道光二年(1822)进士。历任黄梅、广济等县知县，迁同知，权署南康府知府。工书，通医学，尤工诗。与林则徐、黄爵滋、龚自珍、魏源等组织“宣南诗坛”。晚年隐居故里，闭门著述。其诗气势磅礴，意境开阔。有《张南山集》。

鉴赏

“三元里前声若雷，千众万众同时来。”整首诗一开始，诗人便以漫山遍野雷鸣般喊“杀”声震撼人心，统领全篇，笼罩着一种历史剧般慷慨悲壮的气氛，点明诗题并交代事件发生的场景和过程。

1841 年 5 月，英国侵略军占领广州附近的泥城和四方炮台，奕山请降。统治者的软弱无能激起了人民强烈的爱国义愤。当英军四出骚扰掳掠，经过三元里时，三元里附近一百零三乡农民高举“平英团”的大旗，自动组织起来与英军展开激战。人们将敌人诱至牛栏冈一带，像拦住闯入菜园的野牛一样，埋伏的乡民一齐冲出，漫山遍野，重重叠叠，高举锄犁，拉开了中国近代人民团结御侮和反侵略斗争的序幕。

三元里前，平地何来雷声？不是雷声是呼声。是众神震怒，声贯天宇，地动山摇。因“义”生“愤”，因“愤”生“勇”，乡民合力，无坚不摧。围绕三元里斗争的正义性和群众性这一主题，诗人始终扣住“千众万众”，并把他们放在全诗的中心来写。因为人各有家，“家家田庐须保卫”，当然“不待鼓声群作气”。随着诗笔描绘，事件次第展开，细节更为具体，情势日益迫切。以下二句，让我们看清了某些局部：

前进队伍中竟然有妇女——“妇女齐心亦健儿”。

乡民有什么新式武器——“犁锄在手皆兵器”。

一百零三乡列阵远近，四面八方，条条长龙般的队伍沿溪山鼓噪而进，旌旗斑驳，色彩绚烂。一面是犁锄在手，刀剑如林，乡民因义愤而生勇，万众不待鼓鼙而合力；一面是大特写：“凶夷”一张张惊慌失措的脸。诗人自注说：“夷打死仗则用黑旗，适有执神庙七星旗者，夷惊曰：‘打死仗者至矣！’”这里，诗人以“忽变色”三字，既写“凶夷”恐慌惧怕的心理，又巧妙地从敌人眼睛里反衬出乡民的阵势和声威。

一场遭遇战即将开始了。一方，是嗜血成性、豺狼般凶残的英国侵略军，手持洋枪洋炮；另一方，是三元里一百零三乡的男女老少，高举耕耘用的犁锄。从力量对比看，后者似乎逊于前者，落后的农业生产工具毕竟不是现代洋枪洋炮的对手。在这些远射程、杀伤力极强的火器面前，奕山率领的清朝正规军和各地征调来的虎狼之师尚且望风披靡，不堪一击，何况是自发组织、仅以犁锄刀矛为武器的乡民！但是，战争的胜负，不只决定于武器，还决定于天时、地利、人和诸因素，决定于战争的正义和非正义性。诗人突出地描写了这一点，让人们信服地看到，为保卫自己家室田庐的乡民作为正义的一方，占尽了天时、地利、人和的优势而必胜。

三元里前，黑云压阵，鼓角相闻。带电的云层在奔驰，愤怒的雷鸣在轰响，乡民正与英夷激战，忽然间，狂风四起，天地共鸣，如注暴雨自天而降。是自然的巧合？还是张天师唤来雨师风伯前来助阵？诗人的回答是——天人感应——“人心合处天心到”。于是乎，凶夷所有的枪炮全哑了火。三十六计莫如走，但谈何容易，牛栏冈的烂泥，硬是咬住侵略者的牛皮鞋，使它沉重得难以拔脚。或滑得前仰后翻，于是乎，在田塍边的，只能双手抓泥，踯躅爬行；在岗阜上的，挤成一堆，瑟缩发抖。束手待毙，等待围歼便是唯一的出路。人民痛打侵略者的时机到来了。

“中有夷酋貌尤丑，象皮作甲裹身厚”，但乡民人多势众，一拥而上。“一戈已揕长狄喉，十日犹悬郅支首。”此用汉陈汤破康居，割郅支单于头悬十日示众之典，显示了英国侵略军的可耻下场。“纷然欲遁无双翅，歼厥渠魁真易事。”诗至此，可谓笔墨淋漓，豪情酣畅而民气大张，人心大快。

然而，意外的事发生了。“不解何由巨网开，枯鱼竟得攸然逝？”三元里战斗从上午激战至下午四时，英军仍处包围中，派来增援的部队也陷入重围。英军统帅义律向奕山求救，奕山命广州知府余保纯用欺骗、威吓等手段驱散三元里义军，让侵略军逃出重围。“不解何由”，这里，诗人明知故问，语意冷峻，看似平淡，表达了甚于裂眦的愠怒之情。

“魏绛和戎且解忧，风人慷慨赋同仇。”这里，“魏绛”用春秋晋国大夫魏绛与山戎之盟以利家邦之典作反语，以“风人”自居，慷慨而赋，“修我戈矛，与子同仇”，表现出与三元里乡民所持同一立场。末二句“如何全盛金瓯日，却类金缯岁币谋？”以有力的反诘句，对自诩强大，却又每年以金缯资敌谋求太平的清政府，作了深刻的讽刺和揭露。

艺术上，此诗首尾贯注，一气呵成，是一首叙事诗，或者更像一篇“诗报告”，是以诗歌形式写成的战地新闻。诗人仿佛是一个战地特派记者，及时描写和报道了当时斗争的场景和全过程，客观而多元地反映了这一重大的历史事件，塑造了人民群众的英雄形象。其次，《三元里》语言质朴平易，明白中见简括，晓畅中呈劲健，不事雕琢，挥洒自如，炽热的感情以淡淡语道出；四句一换韵，平仄相通，读来铿锵有力。以反映三元里斗争的根本特征——人民群众反侵略斗争这点上，成了梁信芳《牛栏冈》、朱琦《感事》、魏源《寰海十一章》等同类题材中的执牛耳之作。

（曹　旭）

出嘉峪关感赋

林则徐*

东西尉侯往来通，博望星槎笑凿空。
塞下传笳歌敕勒，楼头倚剑接崆峒。
长城饮马寒宵月，古戍盘雕大漠风。
除是卢龙山海险，东南谁比此关雄。

作者

*林则徐（1785－1850），字少穆，一字元抚，福建侯官（今福州市）人。嘉庆十六年（1811）进士，选庶吉士，授编修。累官至湖广总督。道光十八年（1838）被任命为钦差大臣，往广州办理海事，查禁鸦片。鸦片战争爆发后，被撤职戍守新疆伊犁。后复起用为陕西省巡抚，云贵总督。不久因病告归。卒赠太子太傅，谥文忠。工诗词。其诗气势雄伟，洋溢着强烈的爱国主义思想。有《云左山房诗钞》。

鉴赏

“嘉峪关”，是我国西北的军要之地。自汉至清，这里常常战火延绵，多少志士在这里抛头颅，立功勋。曾几何时，从这片土地上滚过“愿将腰下剑，直为斩楼兰”（李白《塞下曲》）的雄健之音，发出过立功报国的“不破楼兰终不还”（王昌龄《从军行》）的豪迈誓言！因而诗人在怀着报国无门的悲愤踏上这片土地时，抚今追昔，任自己的思绪越过这片旷野的地平线而走进历史，历史的一幕幕便引发诗人心灵深处的感慨，从而使他发而为诗。

诗人面对嘉峪关，眼光渐渐地由眼前移入历史，依稀所见的是“东西尉侯往来通，博望星槎笑凿空”。这里展现在我们面前的，是战事稍息时的情形。嘉峪关口，那些守尉们及迎送宾客之官们来来往往，络绎不绝，而在这土地上，想起当年张骞出使西域寻找黄河源头，曾到达天河的传说，是多么令人可笑。“星槎”，即是指传说他曾到过天河一事。作者通过这一深入历史之笔，展现了嘉峪关自古以来的风貌，同时又借张骞探寻河源的虚无来反衬自己虽遭流放仍矢志报国之决心。颔联诗人把眼光自然转入对眼前所见现实的描写：在这片广袤的塞野上，那支古老的“敕勒歌”远远传来，萦绕、回旋在山峰相邻的嘉峪关头。这一横面的延展与纵向的矗立，正如王维的“大漠孤烟直”一样，很好地烘托了嘉峪关的雄阔气势。这里似虚而实，似实而虚，妙笔传神，使得那歌声像从远方飘来，又像从历史中飘来，幽远缥缈。诗人正是沿着这一点，继续对嘉峪关加以描绘：“长城饮马寒宵月，古戍盘雕大漠风。”冷风凄凄，寒月高悬，战马静静地吸着清冷的河水，而空中的雕鹰正在大漠上空向下俯视，冷冷的天宇下，只有夜风静静地吹过大漠。这是怎样的一幅景象啊！这悲凉、这苍劲，都在这阴柔与阳刚的对比中得以强化。这里，从诗中的悲凉看，似乎暗含着诗人对遭贬的浓重感伤。“长城饮马”是借用汉乐府《饮马长城窟行》的字面，描绘寒宵月下饮马长城的情景。这里嘉峪关已经不是它自身，而被诗人赋予了人格精神，面对雄踞千古的嘉峪关，诗人所感受到的，是它血雨腥风的悲怆历史，是它以沉默显示的捍卫祖国的一如既往的决心和意志。因而，在被赋予了人格力量与精神的嘉峪关面前，诗人除了赞叹，还能有什么呢！“除是卢龙山海险，东南谁比此关雄。”“卢龙”，古塞名，以形势险要著称，在今河北喜峰口附近，以卢龙与嘉峪关相比，更见出嘉峪关几近独领风骚于天下的雄姿。这是诗人对它的由衷的礼赞，同时又可从中见出诗人暗含的爱国热忱。“东南”一句，事实上正透露了诗人对东南海防的关切。那里曾写下他生命中最光辉的篇章，因而面对同样久经战火洗礼的嘉峪关时，诗人的思绪又怎能不从西北飞向东南呢！这里“东南”意味深长，耐人寻味，远远地超越了其地理方位的意义。

这首诗，通篇激荡着诗人悲壮雄健的情感，处处跳动着一颗感时忧国的灵魂，具有强烈的情感力量。同时，这首诗在艺术上善于抓住典型景物来烘托、渲染气氛，比如塞下笳声、楼头倚剑、长城饮马、古戍盘雕等，这些最能体现边塞苍凉，最能烘托嘉峪关雄伟气象的意象，很好地表现了诗人遭贬时内心的孤寂、悲凉，收到了所谓“含不尽之意，见于言外”（梅尧臣语，见欧阳修《六一诗话》）的审美效果，这也就是这首诗时至今日依然具有沉甸甸的艺术力量的原因。

（阮堂明）

赴戍登程口占示家人

林则徐

力微任重久神疲，再竭衰庸定不支。
苟利国家生死以，岂因祸福避趋之。
谪居正是君恩厚，养拙刚于戍卒宜。
戏与山妻谈故事，试吟断送老头皮。

鉴赏

道光二十年(1841)，林则徐领导禁烟抗英运动，因受琦善等投降派谗言而获罪。这首诗是道光二十二年七月林则徐被贬伊犁，由西安启程作别家人时，随口吟诵而成的两首诗中的一首。全诗抒发了诗人在即将流放边疆时刻，仍以国家利益为重，不计个人得失的高尚情怀，同时也委婉地表达了诗人对最高统治者昏庸无能的不满。

首联，诗人叙写自己本是一个力微却久负重任而神疲，再也不堪驱使的人了。

但接下的第二联"苟利国家生死以，岂因祸福避趋之"，却语意急转，与上联形成情理上的悖逆。然而正是这种对立，更突出地表现了诗人无私无畏的爱国情怀。"苟利"一句，化用《左传》典故，《左传·昭公四年》载：郑国大夫子产当政，因改革赋税制度受到国人攻击。他说："何害？苟利社稷，生死以之。"由于含意激烈、深远，这两句诗成为诗人的得意之句，常吟诵不离口。由此亦可见诗人志趣襟抱的不凡。

然而，"岂为一身惜"(《次韵答宋漆楼稷辰赠行》)的诗人，又"将如时事何"(出处同上)？能为国家利益置生死于度外的诗人却也难免谪居边陲的厄运。但即使如此，根植于诗人心灵土壤里的爱国之情却是不可移易的。虽然再也不能承担国家大事了，那么，革职充军就刚合适吧，"但祝中原静，奚辞绝塞艰！只身万里外，休戚总相关"(出处同上)。这第三联写得尤其婉转感人，在自谦中含蕴的是诗人无可奈何的自我安慰。

以上三联，语意曲折，且承且转，把诗人报国无门、无辜受罚的苦涩心理曲曲折折地寓于坚定的爱国襟抱中，使人读来欲哭无泪！

最后一联豁然荡开，诗人以达观而又酸楚的心境想象着谪居的生活。诗人在诗末自注："宋真宗闻隐者杨朴能诗，召对，问：'此来有人作诗送卿否？'对曰：'臣妻有一首云：更休落魄贪杯酒，且莫猖狂爱咏诗。今日捉将官里去，这回断送老头皮。'上大笑，放还山。"又有"东坡赴诏狱，妻子送出门，皆哭，坡顾谓：'子独不能如杨处士妻作一首诗送乎？'妻子失笑，坡乃出"。诗人以前述故事自况，表现了中国士人失意时，一脉相承的洒脱精神。林则徐被解职时，禁烟运动功败垂成，投降派卖国偷安，侵略者气焰嚣张，不难想象，诗人是在怎样忧虑着国家民族的前途命运！然而，诗人不仅壮志难展，更遭排挤，在忧国忧民的沉郁心情中又加上了与亲人的离别，这时的"赴戍登程"该是多么巨大的痛苦！但诗人却出人意料地表现出了一分旷达、幽默的处世态度，而那悲怆的内在感情却深嵌在"含泪的微笑"中，欲掩却露。其深沉、凝重直入人肺腑。

综观全诗，表达出了"但求福国利民与除害，自身生死尚且付诸度外，毁誉更不计及"（《与妻郑夫人家书》）的爱国之心。在抒写忧愤之情时，多用弦外之音、言外之意，准确地表达了诗人身处逆境欲吐又止的复杂情感。整首诗呈现出苍凉深沉的艺术风格。

（何艳玲）

湘江舟行

魏 源*

乱山吞行舟，前樯忽然没。谁知曲折处，万竹锁屋闼。
全身浸绿云，清峰慰吾渴。人咳鸥鹭起，净碧上眉发。
近水山例青，湘山青独活。无云翠蒙蒙，烟林尽如泼。
遥青一峰显，近青一峰灭。眼底青甫过，意中青郁勃。
汇作无底潭，遥空蔚蓝阔。十载画潇湘，不称潇湘月。
今朝船窗底，饱览千嶒崒。他年载画船，鸥鹭无汝缺。

作者

＊魏源(1794－1857)，字默深，湖南邵阳人。道光二年(1822)举人。例纳为中书舍人。道光二十四年(1844)成进士。历任东台、兴化等县知县。后补高邮知。学识精博，并力图经世致用。工诗文。其诗风朴素，雄浑有力。著有《古微堂诗集》《海国图志》等。

鉴赏

湘山如染，湘水如奔，乱山夹水，飞动雄奇。读魏源《湘江舟行》，仿佛随诗人乘小舟行驰在一条翡翠的河流上，眼前展开了一幅幅境界飞动的绿色长卷。

湘江，发源于广西，纵贯湖南省境，由南而北，注入洞庭湖，两岸平野坦荡，青山逶迤，景色十分宜人。可诗人截取了自然景色中最有表现力的镜头，概括提炼集中，硬毫健笔，着力描摹。一开始，便以一种突兀、惊险、摄人心魄的气势笼罩全篇，给人以雄奇飞动的强烈印象："乱山吞行舟，前樯忽然没。"描绘群山，用一"乱"字，回旋万马，本已气势非凡，水在乱山中奔流，其湍急之势已可想见，再著一"吞"字，乱山夹水，大山"吞"舟，更是咄咄逼人，顿时使人避闪不及，生惊骇咋舌之叹。只见万峰攒天处，奔涌曲折的水势，舟随峰峦隐现，山随峡谷回旋，刚与前面的船只衔尾而行，忽然一个曲折，两峰闭阖，已不见前面船只踪影，仿佛连同帆樯都给大山一口吞去。一个“没”字，写尽了这种情势。

同样写山、水、舟之间的关系，李白的《早发白帝城》：“朝辞白帝彩云间，千里江陵一日还。两岸猿声啼不住，轻舟已过万重山。”意在使山、水、舟之间形成大与小，动与静，粗犷与细腻的对比，用山之巍峨，舟之迅疾，表现自己流放夜郎中途获释的愉快心情；而魏源的《湘江舟行》写山、水、舟之间的关系，意在描写湘山之奇诡绝伦，湘水之湍急清冽。写法上，李诗写“舟”“过”“山”，魏诗写“山”“吞”“舟”；李诗关键的字词是“过”，通过万重山一晃而过，写出长江三峡一泻千里的浩荡水势；魏诗的关键字词是“吞”，写尽湘山之奇崛，湘水之曲折，流急滩险。两者都十分奇绝，其中这一“吞”一“没”飞动，雄奇皆有之，神来之笔，可与李白的诗篇相媲美。

“谁知曲折处，万竹锁屋闼”，“闼”者，门也。山峻水险，但诗人并没有忘记山麓水滨景色的描绘，就在曲折的水滨，万竿翠竹正簇拥着隐隐露出脊背的房舍。如果说，魏源的山水诗笔法与韩愈相似，喜欢以奇崛险僻的字词，表现大自然雄伟和充满力度的美，那么，《湘江舟行》中的用色则是魏源的独创风格——即在绿色的基调上，表现出深浅、浓淡、远近、虚实等多种层次的色相，或绿得浓重，或绿得透明，或绿得鲜活，或绿得淡远。你看，“全身浸绿云，清峰慰吾渴”，用“绿”字形容自然界的“云”，这一修饰奇特而又合理。这里的“绿云”，与“碧云天，黄花地”中的“碧云”不同，所谓“绿云”，实际上是“白云”，是缠绕在山腰，弥漫在江面轻纱般透明的云雾，由于青山碧水的映染变成“绿云”，小舟驰进轻纱般透明的云雾之中，舟中人当然就会产生“全身浸绿云”的感觉了。“清峰慰吾渴”一句是利用通感的写法，青青的山峰，本来是视觉印象，可诗人把它转换成味觉印象，秀色可餐，用看一眼可以清心解渴的味觉印象极写湘山之“清”，这种手法确是十分高妙的。

透明的纱雾轻笼着江面，江岸乱山如削，四无人声，境界雄奇而阔大，因为身置乱山峡谷之中，人的咳嗽声都能引起山鸣谷应，发出很大的声响。为什么一滩鸥鹭突然惊飞？是因为——“人咳鸥鹭起”。舟行江中，青山送迎，整个画面都在移动。而鸥鹭纷飞，则是在动态的大布景上的飞动，可谓“动中之动”。向江面俯视，由于湘山湘水的映染，不仅白云变成绿云，更“净碧上眉发”，连船上人的脸庞和须眉都给染绿了。

也许会有人说：“近水山例青”，近水的山峦大都一派青翠，本也不足为奇。这里荡开一句，为的是写湘山与众不同——“湘山青独活”。因为湘山不同于一般近水山峦，青得格外鲜活逗人，所以“无云翠蒙蒙，烟林尽如泼”。著一“活”字、“泼”字，而湘山青翠欲滴的鲜活之态则闭目可以想见，山容水貌，境界全出。

虽然湘山鲜活欲滴，青翠逼人，同是一片青青翠色，然而，近处的山峰和远处的山峦在色彩上却有浓淡之分和深浅之别，并不完全相同。同是一片青翠，同样使用一个“青”字，如何区分这种色调上的微妙差别呢？这里，诗人利用汉字字词特有的高度组合能力，创造性地用“遥青”和“近青”加以描摹概括。我们完全可设想，近处的山峰与碧绿的湘水互相映衬，青翠的色块十分浓郁，化也化不开，而远处的山峰只是淡淡的一笔，并逐渐融入青苍的天色之中。更值得注意的是，诗人并未孤立、静止地加以区分描画，而始终是把色彩放在动态中表现：“遥青一峰显，近青一峰灭”，通过“遥青”“近青”的“显”“灭”，写出绿色基调上色彩的丰富性和层次的变化，给人以转眼看山山不定，色彩在飞动中变幻奇妙的艺术效果。

“眼底青甫过，意中青郁勃。汇作无底潭，遥空蔚蓝阔”，“甫”是“刚才”的意思。舟行山逝，虽然眼前逼人的翠色消失了，然而心胸里却灌满了浓郁青翠的山色，仿佛人的整个身心和灵魂都浸没在一片透明的绿色之中，汇成了无底的深潭。看！舟过巍巍夹峙的峰峦了，千山过后天远大，山峰渐渐隐退，头顶的天空才显得格外蔚蓝，格外辽阔。

不身临其境，不饱览湘山翠色，描画不出潇湘月的真正色彩，这是“十载画潇湘，不称潇湘月”的原因。“瀑近春风湿，松多晓日青”（赵师秀《桐柏观》），从晓日变青中可以想象，既然白云染成绿云，净碧染绿须眉，潇湘月的真正色彩就绝不会是通常所见的昏黄或银盘般的铮亮皓洁，也许只是青青的一轮。多么幸运！“今朝船窗底，饱览千嶒崒。”山川之美，足以陶冶人心，诗人想到“他年载画船，鸥鹭无汝缺”，“无汝缺”是“无缺汝”的倒置，“汝”指鸥鹭。以后能隐居此地，确是心满意足。诗人想象那时候便可以摒弃世虑，忘却机心。与江边鸥鹭为伴，终老此身了。

综观全诗，我们可以看出，诗人十分善于选择各种富于表现力的字词，充分发挥汉字字词的弹性、暗示和组合能力，在我们眼前展开了一轴奇诡飞动的山水长卷：写山势，则吞行舟，没樯橹；写山色，则遥青近青、峰显峰灭；写湖水，则净碧之色上眉发；写近水湘山，则青而独活。整首诗中，写山川形势奇诡飞动的字词有“乱”“吞”“没”“锁”“浸”“显”“灭”等；写色彩的有“绿”“清”“碧”“青”“翠”“蔚蓝”等，写色彩变幻的有“活”“泼”“遥青”“近青”“意中青”等，诗人实在是语言和色彩的大师。其他如通感的运用，主观色彩的描绘，潇湘月改变色调的暗示，都仿佛是印象派画师的杰作，收到出人意表、摄人心魄的艺术效果。

魏源是湖南邵阳人，是喝惯湘水，看惯湘山，在湘山湘水摇篮里长大的近代著名诗人。除写了不少反映鸦片战争时期尖锐复杂的社会矛盾、充满爱国主义激情的政治诗外，还擅长山水诗。自称“昔人所欠将余俟，应笑十诗九山水”，以为描摹、吟咏祖国的自然山水是他义不容辞的职责。从这个意义上说，诗人数百首山水诗，大都抒发了对祖国壮丽山河的挚爱，是诗人爱国主义感情的又一表现形式，而这首《湘江舟行》，除了是对大自然的礼赞外，更是对故乡山水的一支深情颂歌。

（曹　旭）

江南吟

魏　源

阿芙蓉，阿芙蓉，产海西，来海东。
不知何国香风过，醉我士女如醇酴。
夜不见月与星兮，昼不见白日，
成长自夜逍遥国。
长夜国，莫愁湖，销金锅里乾坤无。
溷六合，迷九有，上朱邸，下黔首，
彼昏自痼何足言，藩决膏殚付谁守？
语君勿咎阿芙蓉，有形无形瘾则同。
边臣之瘾曰养痈，枢臣之瘾曰中庸；
儒臣鹦鹉巧学舌，库臣阳虎能窃弓。
中朝但断大官瘾，阿芙蓉烟可立尽！

鉴赏

这是魏源仿效白居易新乐府诗体所作的一首诗。

前四句总写阿芙蓉（即鸦片烟）的来源及毒害性质。阿芙蓉盛产在英殖民地的印度，十九世纪中叶输入中国，即成席卷之势，“香风一过”，就使亿万华夏子民如酗浓酒。中国近代历史的悲剧也正是从鸦片的“入侵”揭开序幕的！

接着三句，用“夜不见”“昼不见”的连举，入木三分地描绘出了国民不舍昼夜地在袅袅烟雾中如痴如醉的情状。这样的国民还能是健康正常的吗？“长夜国，莫愁湖，销金锅里乾坤无。”天昏地暗，毒品使人沉醉，令人忘忧，挥金如土只求过烟瘾，哪管乾坤有与无！

接下六句，进一步写鸦片的巨大危害。鸦片的广泛流行，首先弱化了国民性，随之而来的是更可怕的灾难：国门失守，财富殚尽！“六合”“九有”鸦片无处不在！“朱邸”“黔首”鸦片无处不有！全民性的吸毒必然使民族走向危亡！

然而，鸦片作为一种毒品，它能在中国如此猖狂横行又是为什么呢？作者在尽数阿芙蓉的危害后，开始挖掘内在的根源：“语君无咎阿芙蓉，有形无形瘾则同”，单刀直入，一针见血地指出了最根本的祸源在于与嗜毒同样严重的官场不良现象的存在！

“边臣之瘾”以下四句，作者一一列举朝中上下，内臣外将，吞噬国家的各种“病瘢”。请看，边臣纵敌，重臣无能，儒臣人云亦云，财臣自守自资：这一切，才是国难根源所在呵！

“中朝但断大官瘾，阿芙蓉烟可立尽！”诗人以痛心疾首的呼喊作结，深中弊端。但可悲的是，这只能是一种幻想，腐败的清王朝已是摇摇欲坠，哪里还有起死回生之力！

全诗以沉痛的笔触有力地控诉了鸦片带给中国的深重灾难，并正确指出，要想彻底禁绝鸦片的危害就必须根除政治上的种种弊病。在题材内容上，充分体现了新乐府诗体强烈的现实性。语言明白晓畅，琅琅上口，极易入乐歌唱，便于广泛流传，大大增强了诗作的“警世”功用。

（何艳玲）

寰　海

魏　源

城上旌旗城下盟，怒潮已作落潮声。
阴疑阳战玄黄血，电挟雷攻水火并。
鼓角岂真天上降？琛珠合向海王倾。
全凭玉气销兵气，此夕蛟宫万丈明。

鉴　赏

“寰海”，即环海，沿海。《寰海》组诗，为七言律诗，共十一首，作于

1840－1841年鸦片战争时期。在组诗里,作者通过艺术手法,把环绕在我国沿海地区进行的鸦片战争的一些重要历史镜头,通通摄取下来了。这里选的一首,就反映了1840年林则徐领导广大中国人民进行轰轰烈烈的禁烟抗敌斗争和以琦善为首的投降派卖国求荣的重大历史事件。

"城上旌旗城下盟,怒潮已作落潮声。"1840年,林则徐以钦差大臣的身份在广州领导禁烟运动,坚决抵抗英国殖民主义者的入侵,但很快受到投降派的干扰。1840年9月道光皇帝亲谕坐罪林则徐,琦善继林之职,为"得外洋欢心""一切力反前任所为",采取了一系列投降措施,为侵略者大开方便之门。稍后,奕山为靖逆将军,主持广东军事,昏聩无能,为苟全性命而派人向英军祈降,答应七天内交赎城费六百万元,赔偿英商损失三十万元。"城上"与"城下","战"与"盟",鲜明的对比,反映出了面对外敌侵略,人民的浴血奋战与投降派贪生怕死,签订屈辱之约的卖国行径是多么的不同!而且,由于投降派的得势,爱国运动的滚滚怒潮已渐渐化作消退的落潮。

接下两联进一步对举人民的"战"和投降派的"降"。"阴疑"句化用古语《周易》有"龙战于野,其血玄黄",这里"玄黄"指血。古人还以为:阴气盛,侵凌阳气,势在必战。面对侵略者的军舰大炮,是可忍,孰不可忍?中国人民操起了长矛土枪,似闪电,似雷鸣,如洪水,如烈火,一起卷向侵略者,爱国民族运动如火如荼!然而,为什么这场正义的反侵略战争却走向了低潮呢?——"鼓角岂真天上降?琛珠合向海王倾。"英军进攻广州时,刚发空炮几响,清守兵即落荒而逃,英军轻而易举地占领了四方炮台,然后直轰广州城。这一可悲的事实说明,广州失守哪里是因为侵略者如神兵天降不可抵御,分明是清朝将领的怯弱无能所致!"鼓角"句,用汉周亚夫平吴楚七国之乱的典故。当时有人建议周率领部队由敌守备空虚之路"直入武库,击鸣鼓,诸侯闻之,以为将军从天而下也",亚夫用此计获胜。这里诗人反用其意,讥讽至极。在侵略者的枪口下,投降派吓破了胆,为了活命,他们除了求和,别无选择。于是他们转过身来,把掠夺的手伸向了自己的祖国和人民,然后媚笑着向侵略者呈上了民脂民膏的厚礼!

但是,纵然倾家荡产,又岂能填满远渡重洋而来的殖民主义者的欲壑?"宝气"不能"销兵气",软弱无能只能使侵略者气焰更盛!

魏源作诗,无论是以画入诗,还是以史为诗,都表现了深厚的爱国热情。这首诗,就饱蘸激愤之墨,歌颂了人民的反侵略战争,斥责了投降派的卖国罪行。行文多用典故、比喻和反语,增强了全诗意境的悲壮色彩。

(何艳玲)

迁延

张际亮*

百万金缯贿寇还，明州父老痛时艰。
捷书忽报中朝贺，优诏仍蒙上赏颁。
浪跋鲸鱼腥壁水，血分鸩鸟污珠囊。
舟山鬼泣君知否？无数楼船瘴海间。

作者

*张际亮(1799－1843)，字亨甫，福建建宁人。道光十六年(1836)举人。一生不得志，放浪山水。工诗。有《张亨甫文集》六卷。

鉴赏

在我国近代史上，鸦片战争牵动了千千万万的中国人，更牵动了当时爱国诗人，因此，歌颂人民的抗英斗争，揭露清政府的腐败无能，以及揭露英侵略者的凶残，就成为爱国诗人的共同主题。本诗正是这样的一首诗。诗题的"迁延"，是指1841年10月，英军攻陷定海、镇海、宁波；清朝廷命奕经为扬威将军，赴浙抗敌，可奕经却在苏州玩乐三个月之久，军队迁延不进。诗人正是由于强烈的义愤，发而为诗。

这首诗主要从清军迁延不进所造成的后果着笔，发抒自己对"迁延"的强烈愤慨，对清廷官僚腐败的愤怒之情。首联，着笔于"明州父老"，以此代指广大人民。"明州"，指宁波。对于军队迁延不进，竟以"百万金缯"才"贿寇还"，人民则"痛时艰"，显然，这种"痛时艰"，是包括了诗人自己在内的。"寇还"是因为"贿"，而且是"百万金缯"之"贿"，从中可见诗人的强烈义愤而又无可奈何的情状。"捷书忽报中朝贺，优诏仍蒙上赏颁"，颔联着笔于清朝廷。正当英军进攻南京而放弃宁波的时候，奕经奏称“大兵进攻宁郡，逆夷逼慎窜退，现在派员收复”。英军放弃镇海时，奕经又谎奏大获胜利，于是道光皇帝便滥施赏赐，朝廷内外一片庆贺之声。这一联点出一“贺”字，与上联“痛”字形成鲜明对照，可见朝廷的昏庸无能与醉生梦死。“浪跋鲸鱼腥璧水，血分鸩鸟污珠鬟”，这一联着笔于英侵略者。这一联有诗人自注：“逆夷毁文庙为宰牲之所。”意指英军拆毁学校用作杀牲之地。“璧水”，又作辟水，古时皇帝设置的大学，因其四面环水，形圆如璧，故称学校为璧水。“血分”句，诗人自注：“妇女不从奸者鞭挞凌辱之，哭声震天，饮以药酒即哑矣，死复截其下体。”“血分”即指“死复截其下体”。这一联诗人以“鲸鱼”和传说中的“鸩(zhèn)鸟”这种毒鸟，来比喻英军侵略者，体现出诗人对英军残暴的强烈愤怒。这是对英军的愤怒，更是对朝廷官僚的愤怒，是对奕经迁延不进的愤怒。诗人围绕“迁延”，从人民、朝廷、侵略者三个角度来体现“迁延”的后果。“迁延”正体现了清政府对抗英的软弱、妥协与腐败无能。诗人抓住“迁延”正是一针见血地抓住了清政府的要害。面对这种迁延不进，诗人无可奈何，只能严厉指责：当你们在朝廷内外庆贺胜利的时候，你们是否听见了舟山岛上死去的冤魂在哭泣，是否看见海面上依然停留着侵略者的军舰！这是对清朝廷的警告，更是对他们的谴责。整首诗在这种无法平静的愤慨心境下结束了，却留给我们很长很长的思考。

（阮堂明）

山　雨

何绍基*

短笠团团避树枝，初凉天气野行宜。
溪云到处自相聚，山雨忽来人不知。
马上衣襟任沾湿，村边瓜豆也离披。
新晴尽放峰峦出，万瀑齐飞又一奇。

作者

*何绍基(1799－1873)，字子贞，号东洲，湖南道州(今道县)人。道光十六年(1836)进士，授翰林院庶吉士，编修。出任四川学政。后因故罢官。在山东、湖南、浙江等地书院讲学。工书法，精小学。工诗。其诗宗苏、黄。为晚清宋诗派主要诗人。有《东洲草堂诗集》。

鉴赏

道光二十四年(1844)作者为贵州乡试主考官，诗即赴任途中所作。贵州为山区，谚云："天无三日晴，地无三尺平。"不要看是晴天，雨说来就来。但遇雨也不要大惊小怪，说不准一忽儿又要放晴。诗人就用一支生龙活虎的笔，捕捉了"山雨"前后气候瞬息万变的景色，深得东坡《有美堂暴雨》诗趣。

作者写途中遇雨，共分四层叙。"短笠团团避树枝，初凉天气野行宜"二句写雨前天气很好，一点也没有雨意。作者在山林中穿行，虽只戴短笠，还是被茂密的树枝挂缠和阻挠，他一路观山望景，兴致很好，只觉天气凉爽宜人，没有想到下雨。这一层告诉读者，"山雨"之来，确乎是出人意料的。以下两句写山雨的到来。作者看到溪上云雾四起，渐渐连成一片，只觉得山光物态的迷人，而没有意识到这就是雨来的信号。在别处"山雨欲来风满楼"(许浑），雨前的征兆十分显著，而在贵州山区全然不同。云雾恰起，阵雨就来了。“溪云到处自相聚，山雨忽来人不知”二句写出雨来迅速，使人回不过神来，不知怎么凉爽宜人的轻阴天气就变成了下雨天。好奇之感，通过“忽来”“不知”等词语，自然流露出来。

正因为出乎意料，作者事先没有准备雨具，只有一领遮头的短笠，衣襟不免要被打湿了。但反正遇上了，“莫听穿林打叶声，何妨吟啸且徐行”（苏轼）罢。看到雨中村边瓜豆蔓藤散乱纷披，作狼狈状，使他的注意力转移到观望雨中景色，浑忘沾湿之苦。“马上衣襟任沾湿，村边瓜豆也离披。”一个“也”字，从物我同情中得到几分慰藉，而一个“任”字则表现出雨中人的从容与泰然。突然，雨脚为之一收，天就放晴了。这时比雨前轻阴中的物象，又有一番清丽：云雾全失，峰峦尽出，斜阳相迎，红霓随之，一片明朗璀璨景象。山雨虽然住了，但雨水化成无数山泉奔流下山，跳坡注涧，又作“万瀑齐飞”的壮丽景观。“新晴尽放峰峦出，万瀑齐飞又一奇！”是这首写景诗推出的新境界，令读者情绪为之一振。好个“又一奇”！雨前的溪云四起是一奇；雨中的瓜豆离披是一奇；而雨后的万瀑映日是又一奇。全诗境界层出不穷，恰似张镃赞“诚斋体”所谓：“造化精神无尽期，跳腾踔厉及时追。目前言句知多少，罕有先生活法诗！”（《携杨秘监诗一编登舟因成二绝》）何绍基此诗亦得诚体之精髓，不过诚斋多施之七绝，此作七律，尤见新奇。

“溪云到处”——山雨之兆，“万瀑齐飞”——山雨所成，来龙去脉，皆扣题面。重心所在是写“山雨”，而非写雨霁。“山雨”非川原如烟之雨——后者是绝不可见“万瀑齐飞”之奇观的。

（周啸天）

卖耕牛

鲁一同*

卖耕牛，耕牛鸣何哀！
原头草尽不得食，牵牛踯躅屠门来。
牛不能言但呜咽，屠人磨刀向牛说：
“有田可耕汝当活，农夫死尽汝命绝。”
旁观老子有幅巾，戒人食牛人怒嗔：
“不见前村人食人！”

作者

*鲁一同(1804－1865)，字通甫，江苏清河(今淮阴市)人。道光十五年(1835)举人。有大志，好言经世，却终生不得志。工诗文。其诗风朴实，不少反映民生疾苦。著有《通甫类稿》四卷，续编二卷。

鉴赏

《荒年谣》五首，此其一，原序云：“饥沴荐叠，疮疣日甚，闻见之际，愍焉伤怀，爰次其事，命为《荒年谣》。事皆征实，言通里俗，敢云言之无罪，然所陈者十之二三而已。”作于道光十三年(1833)。

这首诗突出的成就是在短短几句诗中，展现了灾荒年间人情之面面观。诗人几笔就勾勒出几个生动的形象。首先是“耕牛”，在正常岁月，它是农家的命根子，终年卖力拼命，只求一口草吃，人们闻其声不忍食其肉，“变了牛还遭雷打”，一向被认为是天道不公的表现。然而在灾荒中，在“人兮牛兮两无食”的情况下，牛竟被牵向屠门，作了彻底的牺牲。其情可愍。

其次是屠夫，职业造就了其冷酷，他一面磨刀霍霍，一面向牛宣布“罪状”：“有田可耕汝当活，农夫死尽汝命绝!”似乎没有田耕,就是牛的过错。需要时可以让牛生,不需要时就让牛死。在屠夫看来这都是“天经地义”的。就像“劳心者治人,劳力者治于人。治于人者食人,治人者食于人”(孟子)一样天经地义。面目可憎。

再次是戴幅巾(方巾,儒生或缙绅常服)的老头子。这是一个慈善家的形象。他在那里劝说人们不要食牛。“衣食足而后知礼仪”,在饥荒中“仁慈”是一种奢侈,所以这老头的说教找错了地方,活该遭人抢白。

最后是吃牛肉的人。他们是些普通人,但“三日无粮,父不父,子不子”,他们对宰杀耕牛,食肉寝皮,也早已无动于衷。饥饿早已使他们感情麻木了。所以他们对慈善家的说教很反感,不客气地顶了回去:吃牛算得什么罪过,“不见前村人食人”!这里又连类而及前村食人之“人”,和他们一样的普通人。他们的人性丧失更为彻底,他们在“吃人”。

这很容易使人联想到鲁迅《狂人日记》中的话:翻开历史一查,这历史没有年代,从字缝里看出字来,满本都写着两个字是“吃人”!鲁一同《卖耕牛》就通过饥荒一景,写出了冷酷的时代,冷酷的心。其形象确乎是大于思想的。

(周啸天)

卖菜妇

姚燮*

卖菜妇，街上行。上有白发姑，下有三岁婴。
卖菜卖菜，叫遍前街后街无一应。
昨日宜单衣，今日宜棉衣。棉衣已典，无钱不可赎。
娇儿瑟缩抱娘哭，娘胸贴儿当儿衣，娘背风凄凄。
但愿儿暖儿勿哭，儿哭剜娘肉。
莫道赎衣无钱，床头有钱，床头有钱三十馀。
买得一升米，煮粥供堂上姑。馀钱买麦饼，为儿哺。
得过且过，明日如何？
明日天晴，卖菜街头行；明日天雨，妾苦不足语，姑苦儿苦。

作者

* 姚燮（1805－1864），字梅伯，号复庄，浙江镇海人。道光十四年（1834）举人。通戏曲，好音乐，善画，工诗词。有《大梅山馆集》。

鉴赏

《卖菜妇》写一位卖菜为生的农妇的悲惨境遇，为旧社会贫苦善良的劳动妇女传神写照。

诗中的“卖菜妇”是位寡妇。上有白发苍苍的婆婆，下有三岁学语的孩子，唯独没有提到丈夫。一家三口的生活负担就沉重地压在她一个人的肩上。为了糊口，她不得不沿街叫卖。然而由于气候缘故，有时买主甚少，以至“卖菜卖菜，喊遍前街后街无一应”，这几句虽是纯客观的轻描淡写，却以其高度的真实性，唤起读者的关切。使人联想到宋代范成大《雪中闻墙外鬻鱼菜者求售之声甚苦有感》,正是:“岂是不能扃户坐,忍寒犹可忍饥难!”

然而“忍寒”也不容易。诗韵一转写道,天气尚未转暖,棉衣就先行典当出门,一旦风寒袭击,首先叫苦的则是孩子。这以下读者惊奇地看到诗人描摹农妇口吻惟妙惟肖:“娘胸贴儿当儿衣,娘背风凄凄。但愿儿暖儿勿哭,儿哭剜娘肉。”从这些平凡的絮语中,流露出伟大的母爱。这位妇女生活在社会底层,有说不尽的辛酸,然而在她身上,劳动妇女的美德却熠熠生辉。从她走街串巷的叫卖中,可感到她的吃苦耐劳;从她对床头仅剩的三十文钱的分配上,又可见她的精打细算。她不仅是一位慈母,同时也是一位孝顺的儿媳。在她的计划中,卖菜得来的一点钱,首先要“买得一升米,煮粥供堂上姑”,而“馀钱买麦饼,为儿哺”,唯独忘记了她自己。

“床头有钱,床头有钱三十馀”这两句有重复,这十分形象地表现出贫苦中人数米而炊,恨不得一个铜板掰两半儿用的心情,这钱来之不易。卖菜妇用它对付了今宵,然而她又怎样打发明朝?诗人于是沉痛地写道:“得过且过,明日如何?”明日的命运全看天气,“明日天晴,卖菜街头行”,兴许可以少得生资。要是“明日天雨”呢,诗的结尾之妙,在于不笼统地说一家三口将陷于困厄之中,而是以农妇的口吻,将这苦分两层述,一是自己的苦,不值一提;二是“姑苦儿苦”,这才叫她五内俱摧呢。紧紧抓住人物的心理剖析,遂有入木三分的深刻。

这首诗笔力相当集中,仅通过卖菜妇一天的境遇来表现其生活的疾苦,概括而洗练,令人窥斑见豹。诗人采用了民间口语入诗,人物语言的描摹尤为出色,在不到二百字篇幅中塑造了一个有血有肉的形象。无论就现实主义精神,还是就其叙事艺术而言,它都继承了汉乐府和唐代新乐府的传统而又有所发展。

(周啸天)

双鸩篇

姚　燮

郎心爱妾千黄金,妾身事郎无二心。
郎年十七妾十六,圆转朱轮得华毂。
与郎生小闾门里,与郎结褵在燕市。

阿爷爱妾郎爱娘，但看郎欢为妾喜。
与郎同水为一池，与郎同木为一枝，
与郎为带同一结，与郎为茧同一丝。
郎命妾所依，妾命郎所与。
不愿与郎分，但愿与郎聚。
郎为飞雁妾作云，郎作垂杨妾为雨。
妾身金缕衣，比郎光与辉；
妾腕玉条脱，比郎颜与色；
妾佩明月珰，比郎不断宛转肠。
妾妆郎共肩，芙蓉出渌摇晚妍；
妾眠郎共枕，鸳鸯回波落春影。
东邻窈窕女，对郎盈盈眉欲语；
西邻轻薄儿，对妾依依神为驰。
郎但知有妾，妾但知有郎；
明镜不掩帏灯光，牡丹不夺兰草香。
郎心与妾相始终，妾心与郎相终始。
不必同日生，但愿同日死；
不必同日死，但愿郎生妾先死，
不愿郎死遗妾生。妾为影，郎为形；
妾如珠，郎手擎，妾为郎妇身份明。
妾为郎妇天鉴之，为郎之妇千人知。
郎饱妾共饱，郎饥妾共饥，
一饥一饱与郎共，山崩川竭无更移。
阿爷日久嫌郎贫，日日要郎离妾门。
阿娘恨郎不赚钱，要郎远客三城边。
三城何嶜崒！三城何岧峣！
三城溪水深，水毒溪无桥。
三城黑沙黑，黑沙同鸣髇。
三城多劫贼，劫贼凶咆哮；

劫贼杀人如杀獒，白骨堆积城门高。
三城多白杨，白杨风萧萧，
萧萧飒飒啼怪鸮，其下有穴狐狸嗥。
老客停马不敢过，年轻出门郎奈何！
摘妾胸前玑，为郎换棉衣；
脱妾足下履，为郎易食米；
典妾金缠臂，为郎市鞍辔；
卖妾珊瑚翘，为郎置宝刀。
思郎光与辉，妾身尚有金缕衣；
念郎颜与色，妾腕尚有玉条脱；
忆郎不断宛转肠，妾佩尚有明月珰。
出门七月期，初六是良吉，
置得一杯酒，与郎作离别。
杯中一滴酒，心中一滴血。
不饮愁郎饥，饮之恐郎咽。
秋烟在镜芙蓉凋，秋风在衾鸳鸯影，
秋云不行雁影独，秋雨不雨杨枝憔。
阿爷向郎訾："不得千金弗还里！"
阿娘从郎嗤："千金不得毋来归！"
妾手掩面啼声低，妾手不敢牵郎衣；
向郎不语心依依，欲语又恐爷娘疑。
见郎屈一指，似郎为妾经年期。
十月开梅花，二月开桃李，
六月菱荷香，青青出蒲苇，
但愿郎得千金归，先向爷娘买欢喜。
卸妾玉条脱，何有颜色强！
何有辉与光，解妾明月珰！
脱妾金缕衣，为郎折叠空竹箱，
譬如生小不嫁郎，见之徒令心悲伤。

视妾双眉蛾，归来记取青不多；
记郎领中扣，归来与郎验肥瘦。
为郎不下堂，为郎不出房；
为郎安慰爷，为郎安慰娘；
为郎日焚香，焚香祝告天苍苍。
正月梅花残，三月桃李红，
七月出菱荷，蒲苇青茸茸。
日高听铃马，铃马辚辚过楼下；
日落闻行车，行车却向东南驱。
半年得一信，一年不得郎边书。
有客三城来，闻之欲语还嗫嚅。
三城多白杨，三城多劫贼，
三城溪水深，三城黑沙黑，
老客停马不敢过，年轻出门那归得！
阿爷从妾言："负汝青春年！"
阿娘向妾语："是汝命生苦。怜汝命生苦，
为汝重剪红罗襦，紫为绣凤青天吴。
复帐六尺八，菡萏四角垂流苏。
画箪六尺三，缘以鸾锦椒泥涂。
东家郎，好光辉，劝汝弗爱金缕衣；
劝汝弗爱玉条脱，西家郎，好颜色。
东家西家郎，手中累累千金黄，
心中不断宛转肠，汝还弗爱明月珰。"
稽首爷娘前："爷娘听妾语：
爷娘之爱何敢逾！妾心区区当鉴取。
妾心区区天可盟，妾为郎妇身份明，
不能郎生妾先死，忍因郎死偷妾生！"
与郎不终始，妾身尚何俟？
不得郎骨归，妾心犹狐疑。

沉沉白日鸺鹠啼，暗暗夜色蝙蝠飞。
梦郎向妾笑，如郎同居时；
梦郎向妾哭，如忧出门无还期。
梦郎三城归，黄金百笏青騧骊；
梦郎流落不得归，面目黧黑无完衣。
阿爷逼妾嫁，朝呵暮骂相摧靡；
阿娘逼妾嫁，长荆短棘来鞭笞。
爷呵骂，岂不恫！娘鞭笞，岂不痛！
思郎生死犹未明，妾不轻生为郎重。
前门鸣乌鸦，后门鹊声喜，乌鸦何悲鹊何喜？
十月开梅花，二月开桃李，
今年六月无菱荷，蒲苇凋残北风起。
见郎入门来，见郎如梦里。
视囊不得米，视衣衣无襟；
马死弃鞍辔，茧足徒步如炮烙；
顾彼腰下刀，霁无光彩生愁霿。
郎归不止黄金千，那愿郎得千黄金！
记妾领中扣，与郎量肥瘦；
记妾双眉蛾，为郎憔悴青不多。
郎真死矣还如何！
望郎减光辉，光辉不如金缕衣。
望郎苦颜色，颜色不如玉条脱。
幸郎不断宛转肠，佩之还似明月珰。
爷娘怨郎身手穷，因妾不使郎衾同。
生不同衾死同穴！妾虽无言妾已决。
含笑语爷娘："妾有玉条脱，亦有明月珰。
簇新金缕衣，折叠空竹箱。
为郎市卖赎郎罪，抵郎归有千金装。"
阿爷笑语妾："还尔鸳鸯飞。"

阿娘笑语妾:"看尔连理芙蓉枝。"
鸳鸯遭网罗,安能到头白!
芙蓉经狂飙,狂飙摧之易狼藉。
朱绳三尺垂,不得高挂梧桐枝;
下有千丈池,可惜池水多淤泥。
为郎置鸩酒,鸩酒甘如饴;
但得生死常追随,此酒不减同心杯。
妾饮琉璃杯,郎饮白玉盏。
以斧斧木木不离,以刀断水水不断;
同茧之丝不可剪,同结之带两头绾。
稽首谢阿爷:不必悲咨嗟。
稽首辞阿娘:阿娘不必中心伤。
有婿长贫贱,有女不遂爷娘愿。
但愿爷娘寿考同百年。
郎死不值千黄金,妾死不值黄金千。
西邻来看妾,密纫条条罗袴褶;
东邻来看郎,仪容皎皎明月光。
东邻西邻长叹息:"虾蟆抱桂光彩蚀,朽绠龙渊黝谁测!"
东邻西邻语我前,要我制作双鸩篇。
天缺不得女娲补,海缺不得精卫填。闻我歌者当涕涟。
郎年二十妾十九,郎姓黄,妾姓柳,郎掮畚,妾箕帚。
双芙蓉,何恻恻;双鸳鸯,地下守。
朝打孔雀夜逐狗,孔雀雌雄狗牝牡,
天上所无陌路有,陌路何能避梃杻!
闻我歌者泪一斗,不谱吴筝谱燕缶。

鉴赏

这是一首长篇抒情叙事诗,是　　一曲宛转动人的爱情悲剧。它记叙了一对青年男女在只重金钱的父母的逼迫下,始而分离,继而双双服饮以鸩(zhèn)鸟的羽毛浸制的毒酒而自杀的悲惨故事,歌颂了他们坚贞不渝的爱情和宁死不屈的反抗精神,揭露了专制礼教和世俗观念的罪恶,这在一定程度上反映了当时的社会现实。诗歌作于道光十六年丙申(1836),作者三十二岁,当时正在北京参加会试。

全诗以这对青年男女的爱情悲剧的发展变化为线索,有着首尾完具的故事情节和鲜明生动的人物形象,作者以饱含深情的弦索,弹唱出了他们的欢乐和悲哀。诗歌大致可以分为五段。第一段从开头"郎心爱妾千黄金"到"山崩川竭无更移",记叙他们结婚之初的情形和誓同生死的恩爱。这对"郎年十七妾十六"的小夫妻,男的姓黄,女的姓柳,幼年共同生长在南方的"阊门"(即苏州),后来到了全国的政治和商业贸易中心的"燕市"(即北京)"结褵"(即结婚。"褵",读 lí,同缡,古时女子出嫁时所系的佩巾),相亲相爱,并且双双立下了"不必同日生,但愿同日死"的誓言,两人决心形影不离,即使高山崩塌、大河枯竭,也永不改变。这一段写得欢快活泼,充满喜悦的气氛,为以下的悲剧,作了有力的反衬。第二段从"阿爷日久嫌郎贫"到"年轻出门那归得",诗歌陡起波澜,写黄郎、柳女的被迫分离和柳女对黄郎的无限思念。由于"阿爷日久嫌郎贫"和"阿娘恨郎不赚钱",黄郎在阿爷、阿娘的逼迫下,不得不到荒远的"三城"(在四川省松潘县城外西山上)去做客经商。柳女在"杯中一滴酒,心中一滴血"的伤痛欲绝的悲愁中为黄郎饯行,而父母却进一步凶狠威逼:"阿爷向郎訾(zǐ,责骂):'不得千金弗还里!'阿娘从郎嗤:'千金不得毋来归!'"黄郎终于伤心地离去,相约一年后归来。于是,柳女在闺中度日如年般焦灼地等待,然而一年时间过去了,黄郎却音信杳然。这是整个悲剧的开始,揭示出了悲剧的原因,纯真的爱情像一朵娇嫩的鲜花,在金钱无情的亵渎和摧残下,受到严重威胁,开始衰萎。第三段从"阿爷从妾言"到"妾不轻生为郎重",诗歌的情节进一步发展,再起变故,写狠心的阿爷、阿娘见黄郎久久不归,于是逼迫柳女改嫁:"阿爷逼妾嫁,朝呵暮骂相摧靡(折磨);阿娘逼妾嫁,长荆短棘来鞭笃。"这位女子受尽种种屈辱和痛苦,而忠于黄郎之心仍然坚如磐石,她忍辱负重,决不屈服,一心等待黄郎的归来。悲剧在发展中,产生曲折变化,把情节步步推向高潮。第四段从"前门鸣乌鸦"到"妾死不值黄金千",是整个悲剧的高潮和结局。在柳女急切的期待中,黄郎终于从远地归来,这对饱尝离别之苦的夫妻,本来可以团圆了。然而出人意料的是,黄郎经商不成,回来时囊空如洗,这招来了贪恋金钱的父母对柳女与黄郎的爱情的粗暴干涉，先是囚禁柳女，不许黄、柳夫妻团聚，同时对柳女施加冷嘲热讽："阿爷笑语妾：'还尔鸳鸯飞。'阿娘笑语妾：'看尔连理芙蓉枝。'"最后，这对夫妻在冷酷的催逼下，走投无路，知道已经无法实现偕老到白头的夙愿，于是，双双饮下鸩酒，以死殉情，来实践他们早已立下的同生共死的誓言。他们的爱情之花，虽经"狂飙"的摧残而零落，但"零落成泥碾作尘，只有香如故"（陆游词句），那纯真的情意、坚贞的品格和崇高的精神，将为人们所称道。从诗歌中，也明确地表露出，那只认金钱、不讲情意的邪恶势力，在那样的社会中是多么强大，它可以置人于死地，暴露了世俗观念的狰狞和罪恶。第五段从"西邻来看妾"到最后"不谱吴筝谱燕缶"，是全诗的结尾，是作者对悲剧结束后的补叙，记叙了人们对这一爱情悲剧的叹惋，也说明了自己写作此诗的原因，更表明了自己对纯真爱情的赞美，唱出了激愤悲恸的不平之声。全诗扣紧爱情悲剧的发展线索，在波澜起伏中，把各种矛盾的冲突与人物性格的刻画交织在一起，从而自然地推动了情节的发展，深刻地揭示了人物的内心世界，诗歌充满了感天动地的巨大力量，从思想内容到艺术形式，都具有新的特点。

首先，这首诗具有明显的时代特色。在中国古典诗歌中，长篇叙事诗虽然不是没有，例如在爱情方面汉代有《古诗为焦仲卿妻作》（即《孔雀东南飞》），明代有《梁山伯歌》等，不过并不多见。但是到了清近代，文人创作的长篇大作忽然多了起来。其中一个重要原因，是受了当时颇为流行的说唱艺术中"鼓词"和"子弟书"的影响。"鼓词"又名"鼓儿词"，"子弟书"又叫"清音子弟书"，都是民间演唱的通俗艺术形式，取材于小说、戏曲和社会生活，以韵文为主，边说边唱，明白易懂，一般都有故事情节，篇幅较长，有的是长达几十回的长篇。就韵文方面说，以五、七言为主，很近于诗歌。这种民间文学形式，对于当时写作诗歌的文人来说，极富新鲜感和吸引力，不少文人都有学习模拟之作。"鼓词"和"子弟书"在清代都流行于北方，特别是在北京更为流行。这首《双鸩篇》，正是作者（浙江镇海人）从南方到北京后所作，显然是在听"鼓词"和"子弟书"的演唱后，受到了形式上的启发（诗中有"不谱吴筝谱燕缶"之句，包含这个意思），因而使全诗在形式上颇有"鼓词"和"子弟书"的新特点。从内容上看，这首诗与《古诗为焦仲卿妻作》和《梁山伯歌》相比，也有不同。后者的主题是反对专制礼教，追求婚姻自由，而这首诗除了有反对专制礼教的内容外，主要的还在于表现金钱对人性的扭曲，由于父母贪恋钱财，做着经商赚钱的美梦，于是残忍地拆散鸳鸯，最终逼得女、婿饮鸩而死，导致了一出悲剧的产生。当时，由于清朝中期的长期安定，生产有了恢复，商品生产也有了一定程度的发展，随之而来的商业贸易也逐渐发达起来，不仅南方的苏、杭，北方的北京，就是地处西南边陲的打箭炉（今四川康定）等地，也成了商业贸易的重要集散地，这自然引起了人们对于金钱利益的追逐。像《双鸩篇》中这样的情事，为了获取金钱而不顾一切，在当时显然不只是个别的偶然现象，而是包含着一种普遍的人情心态。这首诗表现了当时的社会现实，同时也批判了只顾金钱、不要爱情的世俗思想，这和《古诗为焦仲卿妻作》《梁山伯歌》等相比，都有了新的时代意义。

其次，由于这首诗采用了“鼓词”和“子弟书”的写法，因而在描写时，不仅语言通俗易懂，明白晓畅，而且剪裁得当，详略合宜，不少地方描写得十分细腻。诗中的略处，主要是省去了那些读者可以意会的过程，例如：写结婚前后的情况只有两句，“与郎生小闾门里，与郎结褵在燕市”；写阿爷、阿娘日久嫌贫，要郎远出经商的巨大变化，也只有四句，“阿爷日久嫌郎贫，日日要郎离妾门。阿娘恨郎不赚钱，要郎远客三城边”；写黄郎经商失败归来，也只有“见郎入门来，见郎如梦里”等几句，等等。这就大大压缩了时间和空间，给读者留下了想象的余地，增大了诗歌的内涵，显得笔墨简洁利落。更重要的是，通过省去过程，然后腾出笔墨来对人物的内心世界作细腻描写，这就使人物形象更为生动、丰满，也使诗歌的主题发掘得更加深刻。例如第一段写结婚时双方的恩爱情形，就细致地分了四个主要层次：一是写“阿爷爱妾郎爱娘，但看郎欢为妾喜”，用父母的爱怜，来衬托“燕尔新婚，如胶似漆”（《诗经》句）的情形；二是写柳女对黄郎的依恋，“郎命妾所依，妾命郎所与。不愿与郎分，但愿与郎聚”，正面写出双方的恩爱；三是写“东邻窈窕女”对黄郎、“西邻轻薄儿”对柳女的挑逗，然而夫妻双方坚不为动，只知互有对方，表现出对于爱情的极其专一；四是写生死不渝、形影不离之志。通过这样细致描写，新婚的幸福和双方的深情厚爱，表达得十分深刻，给人以无比真挚之感，对整个悲剧也衬托得更加有力。又如第二段写柳女为黄郎远客“三城”送别，极为悱恻动人，更为细致地分为五个层次：一是先想象“三城”环境的险恶，写了“三城”的溪水、黑沙、劫贼、白骨、白杨、怪鸮、狐狸等，造成十分恐怖的印象；二是写为黄郎“换棉衣”“易食米”“市鞍辔”“置宝刀”，对不得已而远行的丈夫体贴入微；三是写“置得一杯酒，与郎作离别”，临行前对酒伤怀，痛楚欲绝；四是插写阿爷、阿娘的催逼、骂詈，为送别增加了紧张而又悲苦的气氛；特别是第五层六句，“妾手掩面啼声低，妾手不敢牵郎衣；向郎不语心依依，欲语又恐爷娘疑。见郎屈一指，似郎为妾经年期”，把双方的动作、心理、形象，以及人物之间的微妙而又复杂的关系，都表现得细致深微，入木三分，真可谓一字一泪，使人不忍卒读，悲剧气氛充溢字里行间。像这样细腻的描写，在程度上大大超过了清代以前的一些叙事诗，有了在清近代勃兴的“鼓词”和“子弟书”的显著特点。

再次，为了深入地表现人物内心，诗歌还采用了故意重复的手法，造成一种回环往复、反复咏叹之势，增强了缠绵悱恻的感染力。第一段中的“妾身金缕衣（金线织成的衣服），比郎光与辉；妾腕玉条脱（玉制的手镯），比郎颜与色；妾佩明月珰（dāng，一种宝玉的耳饰），比郎不断宛转肠”，这是用结婚时身上的穿戴，来表示柳女要永远记住值得珍视的爱情，同时也暗示自己要像身上的“金缕衣”“玉条脱”“明月珰”那样，与黄郎长相厮守，永不分离。这是整首诗的“主旋律”，它在以后各段中反复出现了五次，每出现一次，在“旋律线”（故事情节）的发展变化中都使感情得到了深化，其悲哀伤痛处，直欲催人泪下。在夫妻双方分离而又终于相会的痛苦过程中，作者用“十月开梅花，二月开桃李，六月菱荷香，青青出蒲苇”来暗示时间的推移，同时也表现柳女在等待中焦灼的心情，在诗中既有叙事的作用，也有烘托气氛和情绪的作用，这几句在诗中也反复变化，出现了三次，有力地加强了诗情的表现。像这样反复咏唱的诗句，诗中还有不少例子，这就使全诗造成了一种回环往复的气势，给人以回肠荡气之感。

另外，诗中的女主人公是“妾”（即柳女），也就是第一人称的“我”。作者之所以要选择这样一种第一人称的叙述方式，其目的，一方面是为了增强诗歌的亲切感，在叙事中加强抒情的意味，由悲剧中的不幸者来自道身世，更具有打动人心的力量。另一方面，也是为了更好地揭示人物内心，塑造女主人公的形象。开始一句，女主人公就说“郎心爱妾千黄金”，这在全诗中具有重要作用。意思是丈夫爱我犹如千两黄金。这里不以别的贵重宝物作比，而以“千黄金”作比，显然正是针对当时世上崇拜金钱的风气而言，一开始就表明了女主人公蔑视金钱、以爱情为重的可贵的思想品德。到最后，女主人公在敌不过金钱的摧残而不得不饮鸩自杀时，又愤然发出了“郎死不值千黄金，妾死不值黄金千”的呼喊，这显然不是对命运的低头，更不是对过去认识的忏悔，而是对邪恶势力的有力揭露和控诉，前后呼应，表现出女主人公始终一贯的铮铮硬骨。在中间各个段落中，女主人公的自诉采用了内心独白、大段铺叙排比的手法，例如从第四句开始，就用“与郎”二字领起作排比句式，稍作跳跃后，一路直下，显得气势流贯。又如第二段“三城何崷崒（qiúzú，险峻貌）”以下数句，又以“三城”二字领起作排比，气势极为浩荡。诸如此类的铺叙排比，诗中比比皆是，并且变化多端，整饬与散行相间，滔滔乎其来，真有江河奔泻之势，显出极为豪迈的气魄，充分表现出女主人公柳女那种热烈、豪爽、坚强的性格。读了这首诗，掩卷默想，一位年轻、热情、善良，对爱情坚贞执著，宁死不向金钱屈服的女子形象，浮现在我们眼前，唤起了人们无尽的同情，也引起了大家新的深思。诗歌的形式与内容做到了高度的统一，在长篇抒情叙事诗的创作中，开启了新的门径。

（管遗瑞）

村　居

高　鼎*

草长莺飞二月天，拂堤杨柳醉春烟。
儿童散学归来早，忙趁东风放纸鸢。

作者

*高鼎，生卒年不详，字象一，又字拙吾，浙江仁和（今杭州）人。

鉴赏

高鼎诗善于描写自然景物，而这首《村居》写春天郊外即目所见的景象：春光明媚，一群儿童正迎着东风，把风筝放上高高的蓝天，具有新鲜浓郁的生活气息。

“草长莺飞二月天，拂堤杨柳醉春烟”两句写春景。当是作者即目所见，遇景入咏。字面上使人想起丘迟《与陈伯之书》中名句：“暮春三月，江南草长；杂花生树，群莺乱飞。”感到风光美不胜收。二月较三月略早一点，这时季节之风——东风已起。“拂堤杨柳醉春烟”句除“醉”字很形象，很新颖，生动状出杨柳丝丝飘飘然使人陶醉的感觉外，还有“拂堤”二字，已有春风吹拂之意。春风风向是稳定的东风，而风力不大不小，因此一年四季唯此时最宜于放风筝。放风筝是民间群众自娱活动之一，做纸鸢也早已成为一种民间技艺。每到春季，即有专店出售。而各家各户，也有自制“豆腐干”一类简易风筝。所以前二句虽主要写景，已给放风筝的情景预作铺垫。

“儿童散学归来早，忙趁东风放纸鸢”两句即写放风筝。放风筝虽然老少咸宜，但毕竟要跑跑跳跳，是天然最宜于少年儿童的活动。所以诗人专门描写少年儿童。要在平时，他们放学以后，必定不肯及时回家，不免在路上逗留，想方设法地玩耍。而这几天却是急忙回家，因为家里的“纸鸢”在等着他们放呢！恐怕上课时都“一心以为鸿鹄将至”，早就盼着散学呢！所以末二句不但直接描写着放风筝的场面，而且通过“归来早”“忙趁东风”写出一片童心。诗写到“放纸鸢”三字为止，而读者却浮想联翩，仿佛看到一个个淡墨色的蟹风筝、淡蓝色的蜈蚣风筝或淡赭色的鹞鹰风筝，在天空比高，而寂寞的瓦片风筝，没有风轮，又放得很低……拂堤的杨柳丝丝弄碧，杂花生树，草长莺飞，和孩子们的天上的点缀相照应，打成一片春日的温和。

（周啸天）

长水竹枝词

黄燮清*

杏花村前流水斜，杏花村后是侬家。
夕阳走马村前后，料是郎来看杏花。

作者

*黄燮清(1805－1864)，原名宪清，字韵珊(一作韵甫)，浙江海盐人。道光十五年(1835)举人。长期家居，筑拙直园、砚园，又修葺倚晴楼，以著述自娱。咸丰十一年(1861)，太平军攻克海盐，辗转逃至湖北。工诗词。著有《倚晴楼诗集》十六卷、《倚晴楼诗馀》四卷。

鉴赏

黄燮清仿刘、白《竹枝词》作《长水竹枝词》五十三首，多写作者故乡(浙江海盐县城西长水乡一带)的山川风物、人民的劳动和爱情生活。这首诗是其中之一，作于清道光十三年(1833)，是一首爱情诗。

诗的开始是少女的眼前所见：村庄周围杏树环抱，粉红色的杏花缀满了枝头，绿叶青翠，花叶相映，十分的鲜丽，一条弯弯的小溪从村前悠悠地流过，偶尔一两片花瓣飘落水中，随波荡漾而去。作者曾自注："城之东南隅，多杏树，号杏花村。"这里正是抓住了这一地方特色，以极为简洁的笔墨将杏花村的景致勾勒了出来。其实，在这幅画面里，作者还留下一个逗引读者遐想的空间，使其仿佛看到了一位双手绞着衣角，或低头沉思，或举头眺望的少女踽踽独行在杏树掩映的小溪边。

走着走着，少女又不由地透过密密丛丛的杏树向村后看了看。她的家就在村子的后头，院子里也像这村前一样，盛开着杏花。……夕阳渐渐西下，村边的路上，有个英俊的少年正骑着马兴致勃勃地向溪边的杏林走来，呵，那不正是他吗！少女禁不住心旌摇曳起来。她知道是心上人又来看杏花了。“村前后”即村周围。少年“走马村前后”是要来看杏花，但是这只是一种借口，其目的是要到村后会见心爱的人。就少女来说，她当然知道少年的心意，但是初恋的羞怯使她不好意思明说，所以故作猜想，以掩饰内心的激动和羞涩。“料”一词用得很妙。料者，估计，料想也。它所产生的猜测、不肯定与少女对少年明确的称呼——“郎”相对照，表明了少女的聪明与狡狯。整个结句也显得既像是少女的内心独白，又像是她的低声自语。

这首诗以写景起兴，生动地表现了少女盼望同少年相会的心情。全诗形式近似七绝，情调却绝似民歌。杏花村、杏花、村前、村后组织在一起，不但带有浓厚的地方色彩，而且所形成的音调重沓的效果更增强了全诗的音乐性，富有更浓郁的民歌风味。但是，在内容上，这首诗和民歌又有很大的区别。民歌特别是表现男女恋情的情歌在感情的表达上，一般都是直率而大胆的，这首诗却含思婉转，蕴藉风流，给人们留下了隽永深长的意味。

（吴劭文）

广陵吊史阁部

黄燮清

沿江烽火怒涛惊，半壁青天一柱撑。
群小已隳南渡局，孤臣尚抗北来兵。
宫中玉树征歌舞，阵上靴刀决死生。
留得岁寒真气在，梅花如雪照芜城。

鉴赏

这是作者在道光十八年（1838）入京应试途经扬州时作。“广陵”，扬州的古称。明朝制度，大学士入阁办事（即参预机务），称阁臣或阁部。“史阁部”，即史可法（1602－1645），字宪之，一字道邻。崇祯时，官至南京兵部尚书。南明福王立，加武英殿大学士，受命督师扬州，清兵南下，他拒绝清将的多次诱降，孤军抗敌。

后城破被俘，慷慨就义。城外雪岭有其衣冠冢。

首联起势突兀，一下子将人们的思绪拉回到明朝末年战火纷飞的时代。1644年初，李自成领导的农民起义军推翻了明王朝。同年4月，吴三桂迎清兵入关，镇压农民军，占领了中原广大地区，清王朝开始定都北京。5月，明福王朱由崧在南京称帝，史称南明。这一联即以形象的画面概括了当时的严峻局势：清兵南下，长江沿岸烽烟滚滚，连天的战火映红了汹涌的江流。保有江南半边天下的南明王朝岌岌可危。面对这强兵压境、朝野惶遽的局面，史可法以擎天气概独立支撑着南明王朝的垂危政局。“半壁青天”句比喻史可法的临危赴难，砥柱中流，虽然不是正面刻画他的形象，但是他的精神、气节却令人想见。

颔、颈两联通过极为强烈的对比，具体描绘了史可法一柱撑天的动人事迹。“群小”，指当时把持南明朝政、破坏史可法抗清的马士英、阮大铖等一班权奸。“隳”，同毁。“南渡”，西晋末年，匈奴等五族入侵，晋元帝司马睿渡江，迁都建业（今南京），史称南渡；又北宋时徽宗、钦宗为金人所虏，高宗赵构渡江，建都临安（今杭州），亦称南渡；这里指福王在南京建立的政权。“群小”“孤臣”两句意谓就在这群小误国、南渡政局危在旦夕的关键时刻，史可法不顾阻挠，孤军抗敌。1645年，清豫亲王多铎率兵攻扬州，史可法率全城军民坚决抗击。这里的“北来兵”即是指多铎率领的清兵。“已”“尚”两个副词相对，寓意极深，前者意谓南明政权腐败至极，已无法挽救，后者足见史可法誓死报国的坚强决心。“宫中”句承“群小”句，“阵上”句接“孤臣”句，一状福王君臣寻欢作乐，荒淫误国，一写史可法军将士临危不惧，与敌人血战到底。“玉树”，即《玉树后庭花》曲。南朝陈后主（叔宝）荒淫好声色，曾自制艳曲《玉树后庭花》，令宫中美人歌舞尽日，不理朝政，不久即为隋所灭。征歌舞，征召宫女表演歌舞。这里借陈后主的沉溺声色暗指南明君臣的寻欢作乐。“靴刀”，唐朝名将李光弼平定安史之乱时，常纳短刀于靴中，以示决死之志。这里借指史可法军与敌军的血刃之战。“宫中”“阵上”这严酷的对比，一如高适《燕歌行》中所描写的“战士军前半死生，美人帐下犹歌舞”的诗句震撼人心。上下两联，一写群小误国，孤臣赴难；一状误国君臣恣意逸乐，报国将士拼死苦战。或挞伐鲜明，或沉吟悲壮。作者有意在声调的对偶中，使内容相间，从而很好地传达了跌宕起伏的感情。

最后一联总束全篇，谓史可法虽死，其正气尚存，犹如盛开似雪的梅花，照耀着扬州。感慨深沉而豪放。“寒”，喻时局阽（diàn）危。“真气”,即正气。“芜城”,广陵的异称。“梅花”,性不畏寒,严冬开放,常被人们借用象征坚贞不屈的气节。史可法殉国后,扬州人民在其衣冠冢周围种梅万株以作纪念。所以,这里取梅花以象征,实际也是诗人的即景生情了。

全诗以咏史吊古的形式,通过鲜明的对比,颂扬了史可法坚决抗敌、英勇殉国的精神和气节,同时也痛斥了南明福王君臣的荒淫误国。悲壮的历史故事和深沉豪放的情调交织在一起,赋予这首诗以深深的感染力。

(吴劭文)

武陵烧书叹

郑　珍*

十二月朔，泊桃源。夜半舷破，水没半船。翌抵武陵，启箱簏，皆透渍。烘书三昼夜，凡前所钞述者，或烧或焦，半成残稿，为之浩叹。

烘书之情何所似？有如老翁抚病子。
心知元气不可复，但救无死斯足矣。
书烧之时又何其？有如慈父怒啼儿，
恨死掷去不回顾，徐徐复自摩抚之。
此情自痴还自笑，心血既干转烦恼。
上寿八十能几何？为尔所累何其多！

作者

*郑珍(1806－1864)，字子尹，晚号柴翁，贵州遵义人。道光十七年(1837)举人。官至荔波县训导。精经史训诂之学，亦工诗。其诗宗盛唐，不少反映民间疾苦和官吏的暴行。但对太平天国也有诋毁。著有《巢经室诗钞》。

鉴赏

记叙生活琐事，描述日常生活，为郑珍诗作中又一重要内容。本诗记述其旅途烘书小事，描画烘书时作者心理，是一首生活小诗。

此诗系道光十四年(1834)冬，诗人北上途中之作。诗前小序，独立成文，可视为一篇简洁明快的叙事小品。序中记载了诗作的明确时日、地点、起因及诗中所写事端的来龙去脉、始终原委。

道光十四年腊月初一，诗人北上，至湖南桃源县，停舟暂歇。半夜间船舷破裂,水进船中,半船皆水。次日船行,及至武陵,诗人启箱,始发现自己所携书籍全为水浸透湿。诗人架火烘书,又或被烧掉,或为烤焦,多年辛勤抄录,半数成了残稿。诗人不胜感慨,为此作诗。诗中对诗人这种复杂多端的心理活动,作了极形象逼真的表现。

诗人《论诗示诸生》中曾云:“言必是我言。”不作无病之吟,言必有物,也为诗人一贯的文艺主张。此诗正是这样。不作闲言空语,劈头直入正题。全诗提出两个问题,诗情也由此生发。

诗题“烧书叹”,诗人所叹者有二:其一是烘书之叹。首句即已提出“烘书之情何所似”?提出问题,诗人却又不作正面回答,乃以比喻之笔作出形象的阐释。俗语道“幼年丧父,中年丧妻,晚年丧子”为人生三大悲事。诗人用老翁抚摩病重垂危之子为喻,揭示自己烘书时的心情。年迈老翁,却有病危之子,其唯一的希望,也便是保住儿子一命不死,免得自己晚景凄凉。明知儿子元气不可恢复,自是不敢奢望其康复痊愈。一个“抚”字,极生动形象地刻画出老翁复杂痛苦的心境。诗人以此为喻,其烘书心情于不答之中也便有了极具体的答案。

诗人所叹之二:“书烧之时又何其?”爱书如同爱子,书湿自是心如刀割之疼。诗人既知烘复原样已不可能,而烘干保其大致,即成其最大的愿望。岂料不如意事多有。烘书时书竟被烧,连其大致也不可复得,诗人的心情当然伤心万分。在此,诗人于其心情依旧未作直面描叙,同样运用了比喻手法。慈父怒啼儿,恨极直欲将他弃掷不顾,而一旦弃掷,闻儿啼声,却又会禁不住回头,抱儿爱抚不止,痛悔自己寡情鲁莽。弃之不甘,丢之不忍,这也正是诗人手捧已被烧坏了的书籍时所有的心情。不分寒暑,手不辍笔,劳苦所录。其中浸满了诗人的汗水,也浸渍着诗人深沉的热爱,诗人有此感情,亦自是常理常情。

痛定思痛,理智之后,诗人自觉犯痴。书终不比人。书坏尚可重抄,人死不可复生,岂可作同义而语!“此情”二句,便是痛定之语。

结尾二句,为诗的自慰自解。“上寿八十能几何”,书籍自不能永不毁损。八十上寿有多少?短暂长久终归一途,所以痛苦烦恼俱可不必。况且,此书随行,为其所累已是不可尽述。

通观此诗,涉事极小,但诗人却从中写出了如此深挚的感情和如此复杂的心理,确是难能可贵,郑诗叙事述理,多喜用比喻手法,本诗也明显具此特点。

(冯保善)

网篱行

郑　珍

公安五年水，民食于渔。而居稍高地，其种菜即以败网为篱，亦奇观也。

公安民田入水底，不生五谷生鱼子。
居人结网作耒耜，耕水得鱼如得米。
高田鱼落田反芜，生鱼之地变生蔬。
网亦从之变其用，环葱绕芥如围鱼。
以蔬佐鱼生已餍，以网作篱还诧目。
苟且穷算得新创，何遽丝乃不如竹？
蔬花簇簇蔬叶披，猫戏网中鸡隔窥。
想见鸬鹚与猵獭，出入篱际驱鱼时。
不愁网破篱无补，但惧水反鱼游圃。
此时篱倒蔬亦无，顿顿餐鱼奈何许。

鉴赏

这首诗为道光十五年(1835)春，诗人应试后南归途中，道经湖北公安县时所作。诗写接连五年遭遇水患的公安县灾情及公安灾民艰难困苦的生活，也表达出了诗人有感于现状而产生的深沉的忧患。诗前小序一节，交代了五年水灾后公安县的情况。

诗起二句即予公安严重的灾情作了如实叙写。公安一地，原为鱼米之乡，但此时已是民田尽没水底，放眼一片汪洋，五谷不生，仅产鱼子。遭遇如此灾患，衣食不继，生活维艰，自是可以想见。灾民生计之窘也属必然。三、四两句，乃写百姓灾后自救。民以食为天，农田变作湖海一片，耕作自然无法维持，灾民要生活，要吃饭，只是刀锄不得不换作渔网，耕田却代之以捕捞；无米为食，也仅能以鱼相代。

“高田”以下四句，诗人更换了视角，从低地转向高田。昔日高田也曾遭遇水淹，可见水害灾难的严重。诗人到了公安，高田已经水退，但却剩下了一摊烂泥，五谷依然无法播种。虽能种菜，又因水淹日久，竹篱柴栅无法栽插，也只能以网代篱。葱芥之地，网篱相绕，恰如水中围鱼。诗人在此以幽默闲适的笔调叙出，寄托了深切的同情与深沉的悲凉。

“以蔬”以下四句为诗人主观议论，从中不难看出诗人对灾区灾民的同情关切。诗人觉得总是用菜拌鱼为食，生活确是困窘；以网代篱的做法，毕竟不如竹。“何遽”一句语设反问，不答中已作了否定答复。《晋书·孟嘉传》有载：“桓温问：‘听妓丝不如竹，竹不如肉，何谓也？’嘉曰：‘渐近使之然。’”诗人化用此典，即在于说明灾民尽管想尽办法，作了许多弥补，但水灾带来的损失危害，终究不可挽回。丝不如竹，竹不如肉，渐近使然，灾后终难与灾前一切相比。

“蔬花”以下四句，诗人用对比手法，将灾后、灾中两种状况作了对比描写。前二句写水退后情状。网篱中，小猫嬉戏相斗，网篱外，家鸡隔篱相窥。这确是一幅太平闲适景象。后二句以“想见”发起，却将场景推向以前，这是正患水灾之际的状况。与灾后情景亦有不同，此时有鸬鹚（水鸟）、猿獭（水獭）出入篱际，驱赶游鱼。漫地是水，鸡猫却不知躲向何方。在对比描写中，诗人又为诗意的转换作了过渡之笔。

“不愁”句至全诗收尾，诗人由本诗前部分对水退后情状的描写转向对自己目击后内心感受的描述。大水退后的现实情状，诗人感到惊心，而更让他深为忧虑不安的却是一旦洪水再来后的灾难。篱网被冲倒，蔬菜也不存。待到那时，百姓之苦将又如何？“顿顿餐鱼”，连菜也无，生活便会更加困苦不堪。诗中诗人于其忧患作了叙写，而于其所忧患的原因，就表层看，似乎没有申述。实际上，在诗前部分之中，却仍有表露。诗人写灾民为生计作种种设想弥补，却是仅顾眼前，而于防患未来并未作出任何措施，故诗人不能无忧。

郑珍出身贫家，与百姓比较接近，所以在他的诗中，便能较多地体察下层民情。此诗对公安灾民所表现的同情、忧虑便是这一倾向的自然体现。另外，本诗于灾区灾情、灾民生计自救等等客观描述中，也有意无意地揭露了封建官府对灾民的漠然冷视、置若罔闻。

形式体制上，此诗仿乐府古体，造语自然清新。以诙谐之笔叙庄严之事，也为本诗主要艺术特点。

（冯保善）

归化寺看山茶

郑 珍

小花团团火齐珠，大花轩轩红盘盂。
高花烧天天为枯，低花照地地为朱。
丹霞大帝御花国，气象想见唐与虞。
沐日浴月烂百宝，春风冲瀜元气粗。
荡荡海天照金碧，山门桧柏排千夫。
我来看花适正月，更有小妹相携扶。
眼迷不认一切佛，兴热欲返巢经庐。
口谈树高向母赞，指形花大为母娱。
但恐此景未亲见，卤莽而言终谓诬。
题花要令现纸上，正为此花天下无。
吁嗟此花天下无！

鉴赏

这是一首咏物诗。诗咏茶花，极写归化寺山茶盛放时迷人的景象。

“归化寺”，位于云南省昆明市。诗人于道光十七年(1837)春，从舅父黎恂在云南幕府时，曾经往游归化寺中。诗中所写，即诗人此游所见之景。

诗起四句以铺陈夸张的手法，从大小高低不同角度写归化寺春日山茶开放之盛，又以有形有色之物作譬，极写山茶颜色的引人注目，也给读者造成具体的形象感。“团团”，圆形。班婕妤《怨歌行》：“裁为合欢扇，团团似明月。”“火齐珠”，玫瑰珠玉。左思《吴都赋》：“火齐之宝，流辉含英。”刘逵注“《异物志》曰：‘火齐如云母，重沓而可开，色黄赤，似金出日南’”。“轩轩”，轩昂貌。“盘盂”，盛物之器，圆者为盘，方者为盂。圆圆的小花如同玫瑰珠玉，色呈黄赤；轩昂的大花恰似盘盂，色泽红艳。一片金黄，一片火红。高花烧天，天为烧枯；低花照地，地成朱红。这是花的海洋，火的世界，格外动人，分外娇人。读者读此，自不能禁得一片游兴萌动。

“丹霞大帝”以下四句，进一步写置身海中的氛围。诗人想象，花国之中，自也应有御花大帝主持。道家有三十六洞天之说，小洞天第二十八即为丹霞天，此乃王真人所治。丹霞大帝是作者虚构的掌管彩霞的天帝，也即山茶花花神。以唐、虞盛世，喻花国气象，便给人以具体可感性。置身花海，如沐日浴月，感觉到春风荡漾，这是何等的惬意舒心！“荡荡海天”二句，又写归化寺山寺景象。海天荡荡，金碧辉煌，山门外苍松翠柏，排立两旁，如同千夫护卫，众军镇守，亦自雄壮开阔，气象宏大。

“我来看花”以下至结尾，抒发了诗人见景生情，期望与母共赏此等佳丽风景的心情，也反衬出归花寺盛开山茶的盛大诱人。诗中既点出了诗人自己看花的时间（正月）及同伴（小妹），同时也暗示出花开之日。此为一箭双雕、一石二鸟手法。

花海世界，远近高低，游目之处，无不红艳，无不动人。故此诗人也有“眼迷不认一切佛”之举止神情。诗人在花的海洋中，简直着了迷，发了呆，佛像为何，已置之思绪之外，不复相认。然而诗人毕竟是一位极富感情、极讲孝道的士人，尽管眼迷兴热，留恋不舍，不愿离去，然而老母在堂，如此盛景，岂有不让老母来此一游，饱饱眼福之愿？“欲返巢经庐”与“兴热”依恋，看似矛盾，实却一致。诗人兴热，却又极欲回归书斋，此为拟将此景速告家中老母，请她也来欣赏。“口谈树高向母赞，指形花大为母娱”，这是诗人信中向母亲所作的描述。独乐乐，与母共乐更乐。诗人将自己目中所见，诉呈与家中老母，让她也高兴高兴。然书不尽意，空纸无凭，眼见方能为实，单是信中所言，终不足完全令母取信。诗人愈加渴望老母来此，亲眼观之。

期望老母能来，然老母还在遥远的家乡。此花之盛，此处又为天下独具。以诗体咏，状其形貌，令其毕现纸上，既可让老母先读为快，亦可传世，为天下人共赏！“吁嗟此花天下无”，再次表达了诗人观此盛景后不能自抑的感慨和快意。

艺术上本诗有不少特色，诗人采纳了民歌及古诗的某些手法。铺陈、排比、比喻、夸张等多种技巧，多种手法，在诗中均有比较恰当的运用。

（冯保善）

下　滩

郑　珍

前滩风雨来，后滩风雨过。滩滩若长舌，我舟为之唾。

岸竹密走阵，沙洲圆转磨。指梅呼速看，著橘怪相左。

半语落上岩，已向滩脚坐。榜师打懒桨，篙律遵定课。
却见上水船，去速胜于我。入舟将及旬，历此不计个。
费日捉急流，险快胆欲懦。滩头心夜归，写觅强伴和。

鉴赏

这首诗为诗人道光十七年(1837)冬，自黔阳(今湖南黔阳县)前往澧州(今湖南澧县)，道经清浪滩下滩时作。诗中对湍急的水流及瑰幻奇险的滩势均作了绘声绘色、生动传神的描述，堪称一首较为出色的写景之作。

诗起句即由滩上风雨写起，虽未正面刻画滩上形势，而滩势的奇幻却已写出。诗人乘舟下滩，一路风雨相迎，小舟始终在风风雨雨中飘摇。此等风雨，所来何处？显然非由天降，滩势奇险，舟行滩中，时或受阻，时或疾行，舟滩相激，风起水溅，自然便似风来雨至。此二句，诗人极写清浪滩的瑰幻莫测，奇险复杂。

三、四两句，诗人进一步刻画清浪滩的滩势险恶。诗中以长舌比喻险滩，以舟之为唾拟舟行滩中，更将行舟滩中的危险情势与滩中地形的险幻多艰写得活灵活现。如若说，诗在起二句尚为虚笔描写的话，此二句则为实笔实写。

“岸竹”以下四句，更由形象之笔转入具体描写。小舟过处，只见两岸密竹遍布，形同军人走阵、滩中沙洲，此时亦如圆圆的磨盘，转来转去，滩上沙洲及两岸密竹，更增添了行舟滩中的紧张气氛，也增加了滩中形势的复杂神秘。此中行舟，或快或慢，全由地势决定。

“指梅”二句，诗人以看梅、著橘等动作来写舟之疾行。这里，梅、橘成了测量舟速的参照物体，指梅“呼速看”，“呼”“速”二字均有强调急快之意；而“著橘怪相左”，刚碰到橘树，不及细观，已然错过，同样讲的是舟行之疾。一个“怪”字，写出了舟行滩上时的非同寻常，总是出人意料的情况。

“半语”以下四句则是相对成文，写了两种对立的情势：急与缓，快与慢。前二句以声出形隐、声见形潜来写疾写快。后二句却以船工懒怠，荡舟呆板极写其怠慢持稳。

滩势既险又奇，变幻莫测，舟人却又如此弄舟，这似乎很不协调，也不合一般常规。至此，我们不能不为舟中的诗人担忧，为诗人捏一把汗。不过我们似也不必过于杞人忧天，君不见诗人同样沉稳，无丝毫慌张神情！其实，诗人如此叙写，却是在为下文作过渡铺垫，此谓明修栈道,暗度陈仓。

“却见”二句,笔势顺转而下,不再写速,改写迟缓。逆水行船,不进则退,本为行水一般常识,但在清浪滩中,情势恰非如此。“却见上水船,去速胜于我”,正是此种情态。至此也可见出,前面所写疾速,乃为局部,非是全局。清浪滩地形奇险复杂,舟行其中,虽是水流后涌,却又有险滩前阻,下水行船,较之上水,更多困难,湍流所激,非但无益行舟,只能增加舟行难度。此等情势,上水行船,自然较下水更为方便。这里还有一层内涵,所谓上水快于下水,另有诗人的心理因素作用。舟行下水之中,既慢且险,自不如上水安稳,心理上的错觉更使诗人感觉自己所乘小舟行走的缓慢,在此二句诗中,同样也具有刻画滩势奇险的作用。

“入舟”二句点出了诗人这次下滩之行的时间长久,也有暗示舟行其中,行速缓慢的意思。同时,句中也揭示了此时诗人焦躁不安的心理。

在漫长多险的滩中行舟,忽疾行如飞,忽缓如滞留,忽上岩滩,忽下深流,诗人一根敏感的心灵琴弦,不时地被拨动挑起,心提胆跳,难以宁静,连日来紧张的舟中生活,令诗人在情绪上受尽了煎熬折磨,“费日”二句,正是诗人这一心理感受的表现。

度过了十多个不安的日日夜夜,经历了艰险的漫长历程,终于到了滩头。一颗不得平静的心平稳了下来,不再受提心吊胆的磨难,诗人却又反觉百无聊赖。漫漫长夜,何以消遣?诗人捡起了诗笔,“写诗强伴和”,以诗排遣无聊,即为此诗所作的缘由。

整首诗中,诗人刻画清浪滩奇险形势,逼真传神,惟妙惟肖,虽为诗笔,却如画工。诗中所表现的诗人行舟滩上的复杂心绪,入木三分,淋漓尽致。诗人妙手巧用正笔反笔、明比暗喻、比照烘托等多种技巧,状难写之景如在眼前,达到了呼之欲出的审美效果,这显然是一首艺术上较为纯熟的诗作。

(冯保善)

候涨退

郑珍

朝看水缩寸,暮看水缩寸。不知高几丈,何日见涨尽!
篙桨了无策,趁风即稍进。或数里而舍,或数里而信。
游子难缓程,长年怨徒饭。青天白日中,寂寂一船顿。
憎听子规啼,厌看下舟迅。岸树尽相熟,枝叶无一紊。

入篷坐未定，又出验水印。明知不能缆，却怪舫师钝。
舫师益气塞，指水但增恨。旧时至武陵，视家真觉近。
兹难如上天，坐令行李困。人事非所料，于此悟时运。

鉴 赏

此诗作于道光十八年(1838)诗人由京返乡途中。诗人这次京师之行，原为会试前往，无奈时运不济，到京即遭病厄，故而未能与试。诗人的心境可以想知。这首诗抒发了诗人行次武陵，为潮所困，不得速归时焦灼烦躁的心绪，寄寓了诗人对自己坎坷人生不幸遭际的深沉感喟。

首、次二句，着两“看”字，诗人焦灼急切的心情已经毕现，一个焦急不安的诗人形象亦顿现纸上。读者仿佛看到，诗人从舱篷中走出，带着期待的目光，走近船舷，望着浩渺的潮水，从早到晚，总是这般神情，似乎一直在寻觅着什么。

三、四两句，却写出了几多失望。诗人一次次地察看水位，希冀顷刻水落，以便起船，却又一次次地发现，水势汹涌，波涛滚滚，总不见有落潮的迹象。诗人该是何等的失望，何等的遗憾！潮水滔滔，其深几丈，何日涨尽？这是诗人急欲探得的谜底。

在大自然面前，人的力量，竟是如此微不足道。面对大潮，舟船却也没有些许办法。借助风力，得进稍进，数里即停，又数里即止，篙桨又怎能奈何得涨潮？

烦躁的气氛此时已然笼罩了船上每一个角落。游子亟待还家，片刻的耽误足以令其不快，更何况为潮久困，如此延误，这怎能不使诗人烦恼！不过，船上烦恼的显然不止诗人一位，船工也在其列。以摆渡为生的船工同样经不起久困的折磨。白白吃饭，以何物养活家小？“青天白日中，寂寂一船顿。”“寂寂”一词，并非野渡无人。但虽是有人，却又“寂寂”，船上的气氛可以觇知，船工及乘客各自的情绪亦可想见。小船寂寂，船中人各有各的心事，互不理喻，形象绝妙地写出了久困船中尴尬的气氛及人们尴尬的神情。

唐代吴融《子规》诗有云：“湘江日暮声凄切，愁杀行人归去船。”黄昏日暮，子规啼血，其声凄切，船中归人自是愁上加愁。对于举业上失落归来的诗人郑珍，心急还家却偏船阻不行，此时闻听子规啼鸣，其忧郁愁苦，悲伤凄凉，更是自然。“憎听”与下句的“厌看”联对，恰切地表现了诗人此刻的心境。

"岸树"二句,表示小船停留之久。久久的停泊,诗人毫无心绪和人闲聊,唯一的消遣,便是观看沿途景色。但诗人显然于风景也无多大兴趣,便将目光集中在沿岸树上,以至岸树尽熟,枝叶可辨,这实在令人感到无聊。试想,终日盯着死树,该是如何的情景?毫无生机,死气沉沉,用以喻此,也许算得贴切。

"入篷"二句,照应开头,暗示诗人尽管失望,却还不曾绝望。转还尚未坐定,却又出篷验水,表明诗人仍不死心,仍然不断萌生出新的希望。这二句另有一个作用,即再次呼应诗题"候涨退",避免离题走远,此处也可见诗人的诗心绵密。

次次验看,次次失望,诗人不免懊丧,迁怒于人。诗人明知不能行船,却怪船工迟钝怠惰,船工本也不快,这却又是火上浇油。但等级有别,身份不同,一个是举子,一个是船夫,细民怎能与贵人分辨?所以虽是有气,他也只能"指水但增恨",指水以辩,虽然无言,却也刻画出身份卑贱的船夫并不屈服于举人老爷斥责的神情,这里确是传神诗笔。

诗人虽非圣人,却也知不该迁怒于人,但现实又实在难以让其接受。往日还家,及至武陵,便觉家乡近在眼前。此次返乡,竟是艰难如此。徒然被困,欲行受阻,终究令诗人感到困惑。时也,运也?诗人最终似乎找到了答案:"人事非所料,于此悟时运。"一切均由命安排,时运不济,人又奈何?

这首诗虽以"候涨退"为题,却于潮势及潮退本身用墨极省。其主要笔墨,则在于揭示诗人"候涨退"时的心境。写景辅以写人,人为中心,景为辅助,避开了有物无人的大忌,顿使诗中潮水活了起来。诗结尾二句,归于言理,显然接受了南朝诗歌的影响,但其立意不高,却为败笔。

(冯保善)

重经永安庄至石堠

郑　珍

稻畴两岸溪百转,阿母平生此行远。
篮舆送侄我后从,一步低回一肠断。
秋雨烂涂度阡陌,婿乡未到天暮色。
每逢曲处便看我,远听慈声唤窗槅。
当时归去自洗泥,女嬃詈我冠犹儿。

抛书寸步不离母，随母应到须过脐。
而今我须正如此，再欲母随不得矣。
此身何以过百年，茫茫哭向路旁水。

鉴赏

清道光二十三年(1843)秋，诗人重经家乡永安庄往石堠，一经所见，少年往事又历历在目，一一浮现于脑海。本诗正为诗人触景有感而作，诗中于往事的追忆，生动细腻，逼真感人。

起句为诗人沿途所见之景：小溪委蛇迂曲，千回百转；两岸稻田相接，交错纵横。诗人多年远游客地，今日漫行家乡小径，自然觉得一切都倍感熟悉和亲切。而此行更又不同，脚下这条小路，数十年前，也曾留下过母亲的踪迹。母亲这次行迹，又为她生平最远外出。诗人对母亲有着极深挚的感情，母亲走过的最远的道路，当然会引起他的纪念回忆。

三、四两句交代了母亲此行的起因，同时也谈到这次自己也曾随行。“篮舆”意指竹轿，篮舆送侄，则是指送侄女远嫁他乡。旧时闺阁中清规最多。足不出户，目不窥园仅是其一。如此森严的戒律，女儿出嫁后要想随便回归娘家，却亦极是困难。所以女人之嫁，虽不能说是与亲人生离死别，确也具有类似的性质。正因如此，侄女出嫁，也便极为伤心。“一步低回一肠断”，真切地再现了旧时代女人远嫁时悲凄的场面。

本诗实为一首纪念亡母之作，故而诗人也很快从嫁侄的描写中抽笔出来，转写母亲对自己的悉心关切和精心照顾。“秋雨”以下四句即为写此。“秋雨”二句为过渡之笔，既顺写侄女嫁地之远，又转写遥远路途之中，母亲关照自己之多。而烘托母亲对自己的关怀殷切，却为重心所在。“每逢”二句为写母亲之爱的专笔，诗人用了两个细节：一是每遇曲处母亲总不忘看一下自己的儿子，流露出担心和不安；二是诗人不时听到母亲隔着窗槅呼唤着自己，关照着自己。视为母视，听为己听，但所听之声也由母出，分开描写，终归一处，均在刻画母亲之爱。

母亲是整个身心扑在了娇子一身，儿子却未必能体察母亲的感情。“当时”二句，诗人用对比手法，进一步衬托了母爱的高尚。母亲于儿子可谓关怀备至，儿子对母亲却大不及此。送侄归来，诗人自顾洗去身上的泥污，却未考虑到为疲惫了一天的母亲擦洗，这便招致了姐姐的责备。姐姐指责弟弟年虽及冠，却同小儿，一点也不知孝顺母亲。姐姐的责骂，其实也正是今日诗人的自责。

《论语》子云:“父母在,不远游,游必有方。”治经穷年,精通四书五经的诗人深解此义。今日追想,当年辞母远游,追求举业,却又与先儒之义相去何其之遥!老莱子七十犹侍母身旁,娱亲养亲,而自己却早年即已离别母亲追逐蜗角功名,诗人对此深感内疚。“抛书寸步不离母,随母应到须过脐。”于今追夕,诗人不无悔意。“而今”二句正为诗人追悔之语。本应随母须过脐,今日须始过脐,欲养亲而母不待,慈母已经逝去。早年可以侍亲养亲而错过,而今欲要如此却不能,诗人的悲世痛悔心情不难理解。

“人生非金石,岂能长寿考?”(古诗《回车驾言迈》)人的生老病死,终究无可抵御。纵使长寿,生年满百者又有几何?母亲去了,诗人虽希望母亲能够寿比南山之石,这却终非事实。他也只能以歌当哭,对着路旁流水,茫茫哭泣,仅此而已。

诗人与母亲有着极深厚的感情,在他的诗中,悼念亡母之诗名也每每出现。而这一类诗作,也多写得真切感人。本诗又为一例。

(冯保善)

晚　望

郑　珍

向晚古原上,悠然太古春。碧云收去鸟,翠稻出行人。
水色秋前静,山容雨后新。独怜溪左右,十室九家贫。

鉴赏

这是一首登临写景之作。

“向晚古原上,悠然太古春。”时近傍晚,诗人来到了古原上,悠闲地驰目远眺,思绪悠悠,古原上的景物还是上古时代就留下的呢。李商隐的《乐游原》说:“向晚意不适,驱车登古原。”郑珍在这里表现的却是决然不同的心境:意适而悠然。古原上的自然景色和宁静的气氛使诗人顿时有遗尘嚣而出世之感,思绪一下子伸展到悠远的太古。但是,这种神思的飞越只是瞬间的,诗人没有工夫做过多的玄想,他被周围的景色迷住了。

“碧云收去鸟,翠稻出行人。水色秋前静,山容雨后新。”碧空下,浮云高翔,归巢的飞鸟从眼前掠过,渐渐没入遥远的云端。翠绿的稻禾间，阡陌纵横，行人匆匆，那是劳作了一天的人们开始回家歇息了。秋水明净，微波不兴，浅蓝色的长空倒映在水里，融为一色，更加清澈可鉴。雨后的远山，一片黛绿，一片金黄，显得清新如沐。这四句诗写古原上望中所见，景色如画。诗人以白描的手法，从天空、田野、近水、远山等不同的角度进行勾勒，虽然着墨不多，却是景物鲜明。诗人用词非常精妙。三、四两句一用"收"字摹写飞鸟远去，渐为浮云所遮没的景象；一以"出"字状翠稻满畴，人行其间，如升出稻禾之上，生动而形象，赋予了画面生机勃勃的动态感。"翠稻出行人"的境界和宋人范成大《初归石湖》中"行人半出稻花上"的诗句简直是同出一辙。五、六两句中，以听觉效果的"静"状视觉中的"水色"，既可见秋水无波，又写出了水色的清莹澄湛。山本无新旧之别，但着一"新"字，便使雨后的山容如洗过一般的清新爽目之感形象地呈现了出来。

"独怜溪左右，十室九家贫。"诗人收回远眺的目光，愉悦的心情一下子被农家的惨状所冲淡了。望着清溪两岸"十室九家贫"的萧条境况，诗人油然而生怜悯之情，同时并为之感到了深深的震惊。田野上是那样一片丰饶的景色，眼前却是普遍贫困的惨状，这一强烈的反衬，深刻地反映了当时的社会现实，同时也表达了诗人忧戚民生的赤诚之心。结束两句这一出人意料的转折，不但在写法上给人以平地奇峰突起之感，而且它所展示的情景更给人留下了难尽的沉思。

全诗扣住一个"望"字，以极凝练的诗笔，描画出了一幅以原野上的自然景色和溪边农家的贫困景况为映衬的晚望图。整个画面写得清新淡远，颇有盛唐王、孟诗风。

（吴劭文）

留湘佩内妹

郑　珍

欲归何事真无说，饮过菖蒲不汝留。
算待明年方见汝，明年又识果来不？

鉴赏

这首诗写挽留湘佩内妹，看似平淡无奇，细细读来，却是言浅情深，意味隽永。

“湘佩内妹”，诗人之妻黎孺人的妹妹黎氏。湘佩内妹在诗人家里做客，小住了一些日子，同他一家相处得非常融洽。现在突然要归家了，作为姐夫，诗人感到很意外，更觉得依依不舍。他反复劝说着湘佩内妹，希望她再多住些日子。但是，湘佩内妹归心似箭，她编织了种种理由，解释自己不得不尽早回去的原因。一个真诚地挽留，一个恳切地要走。最后，诗人作出了让步，答应湘佩内妹的要求，同意她回去，不过这得有个小小的条件。他对湘佩内妹说：你要回家，不管是因为什么事，都不要说了，饮过菖蒲酒就不留你，好不好？“菖蒲”，即石菖蒲，水生植物，可入药。旧时习俗，端午节悬菖蒲以驱邪。这里指菖蒲酒，端午节时饮用。“饮过菖蒲”，即过了端午节。这便是诗人的一个小小的条件。诗人为什么这样苦苦相留，不忍分别呢？且再听听诗人的劝说：“算一算这一次分别后，还要待到明年才能见到你，但是明年这个时候，你还是否果真记住要来么？”相见时难别亦难。湘佩内妹难得来一次，这次归家后，还要待到明年才能相见，离别经年，这已经足以使人伤感，更何况待到明年湘佩内妹还不一定记得住现在的预约（据此，湘佩内妹可能还很小），相见的期待说不定还要落空，这对情感深笃的诗人来说，怎能不离情缱绻，别绪依依呢！

这首留客诗只以平淡、质朴的话语表达真挚、深厚的惜别情谊，全诗紧扣一个“留”字，由对湘佩内妹的挽留，转对明年重见的盼望以及对重见能否如约的担忧，诗人的感情层层转折、层层深入。“明年又识果来不？”最后还轻轻地一问，既是对明年重见的期待，也是对现在预约的叮嘱。对诗人的这一问，湘佩内妹是怎样回答的呢？待到明年，她还记得如约再来么？诗人搁下了笔，却把这些疑问带给了读者，也给这首诗留下了醇厚深长的韵味。

全诗不加任何修饰，也没有托兴喻意，留客的话语纯自口出，质朴自然，平淡隽永。

（吴劭文）

经死哀

郑　珍

虎卒未去虎隶来，催纳捐欠声如雷。
雷声不住哭声起，走报其翁已经死。

长官切齿目怒嗔，吾不要命只要银。
若图作鬼即宽减，恐此一县无生人。
促呼捉子来，且与杖一百。
陷父不义罪何极，欲解父悬速足陌。
呜呼！北城卖屋虫出户，南城又报缢三五。

鉴赏

咸丰四年(1854)起，贵州苗民起义绵延不绝。六年(1856)，湄潭、瓮安一带，兵燹益炽，湄潭起义军曾攻入遵义，至十一年(1861)，战氛未靖。清朝政府为镇压农民起义，国库空虚，于是向人民加紧勒索，以致民不堪命。诗人感于时事，就见闻所及，在这一年里写了《西家儿》《东家媪》《僧尼哀》《经死哀》等七首新乐府诗。“经死”，吊死。这首诗通过贪官酷吏催纳捐欠，不惜逼死人命的罪恶事实，揭露了封建统治者的横暴与残酷，反映了人民走投无路，欲生不能，转而求死的悲惨命运。

首二句单刀直入，直叙其事。贪官酷吏们一批未走，一批又来，轮番催逼着贫民缴纳捐欠，咆哮如雷。诗人这里以极其形象并带有感情色彩的如“虎卒”“虎隶”“声如雷”等词语，摹写贪官酷吏们如狼似虎，叫嚣隳突的残暴行径和横蛮气势，为下文的逼死人命创造了气氛。“雷声不住哭声起，走报其翁已经死。”面对这一群虎狼之徒蛮横无理、气势汹汹的怒吼，一家人悲从中来，恸哭声撕人肺腑。但是，哀痛欲绝的哭声并不能感动这一群虎狼之徒，他们继续吼叫着，催逼着：老妇无奈，只好一边饮泣，一边断断续续地诉说着她家老翁走投无路，已经吊死了的悲哀。“走报”，急趋向前禀告。可见被催逼之甚。她想长官们该会动恻隐之心，高抬贵手了。不料这些长官已灭绝人性，不但不予以丝毫的同情，反而怒目切齿，大发雷霆：“你老翁吊死关我什么事？我不要人命只要钱！如果以为做鬼就能减免赋税，恐怕这一县都不会有活着的人。”从这惨无人道的怒叱中，我们不难看出这其中的另一层含义：即使人死了，也仍然逃脱不了赋税的催逼。人民竟已经被逼到了求生不得、求死不能的境地！残酷至此，何以聊生！

“促呼捉子来，且与杖一百。陷父不义罪何极，欲解父悬速足陌。”这四句具体描写长官对这一家的进一步逼迫。“促呼”与前面的“雷声不住”相呼应。其翁虽死，其银未交。所以，长官们仍不肯罢休，吼叫着要把老妇的儿子抓来，先杖责一百。这位如狼似虎的长官不但不择手段地威逼老妇的儿子，而且还给他扣上了一顶“陷父不义”的帽子。父亲不缴捐欠，已是“不义”，犯下了不可饶恕的罪行，儿子不替父代缴捐欠，尽事父之道，是陷父于不义，罪行更是至极。因此，儿子要解除父亲不义的罪名，将吊着的父尸解下来埋葬，必须迅速缴足欠捐。“足陌”，亦称“足钱”。“陌”，通“佰”，钱一百文。足陌，即每贯钱十足支付一千文。语出《梁书·武帝纪下》，这里指足够的钱。这些虎狼之徒，明明是他们逼死了老翁，反而诬赖其子“陷父不义”，继而对其子继续进行威逼胁迫，刻毒、凶暴至极！这样残暴的剥削迫害，其结果可想而知。

“呜呼！北城卖屋虫出户，南城又报缢三五。”这是多么悲惨的事实！诗人禁不住发出了沉痛的叹息。北城、南城，互文见义，指的是城周围，包括东城、西城、南城和北城。“虫出户”，指人死尸腐，蛆虫爬出了门。《管子·小称》载：齐桓公死，多日未葬，虫出于户。“卖屋虫出户”，是说人死后（是被逼死，亦是饿死耶），家人无力安葬，以致尸腐蛆虫出户，不但如此，还要卖屋缴纳欠捐，可见已经是家破人亡。“缢三五”，且是“又报”，足见被逼上绝路上吊自尽的人已非个别的现象了。上文通过一家人的不幸遭遇对封建统治下的暴政作了比较典型的纪实描写，揭示了人民生不如死的悲惨命运；最后，以简括的叙述结束全篇，交代“虎卒”“虎隶”暴虐的严重后果，点明了题旨，自然而完整地挽束了全篇故事的脉络。

在艺术表现上，这首诗表现了两个特色。诗题曰“经死哀”，即是抒发对那些在苛政迫害下被迫走上绝路而吊死的人民的哀痛。但是，全篇虽也间有议论，却以叙事为主，并无抒情语。然而，实际上，诗人却是通过叙事以抒情。诗人继承了杜甫、白居易的新乐府诗的传统，寓褒贬于叙事之中，爱憎十分强烈，倾向性亦非常鲜明，此其一。诗人运用带有感情色彩的词语，并通过人物自身的神情、语言及行动，淋漓尽致地刻画了贪官酷吏凶狠歹毒、灭绝人性的狰狞面目，形象地展现了贪官酷吏残害人民、草菅人命的罪恶行径，揭示了人民纷纷“经死”的客观原因。笔力犀利，入木三分，此其二。

（吴劭文）

咄咄吟

贝青乔*

瘾到材官定若僧，当前一任泰山崩。
铅丸如雨烟如墨，尸卧穹庐吸一灯。

作者

*贝青乔(1810－约1863)，字子木，江苏吴县(今属苏州市)人。诸生。曾在奕经军幕抗击英军。长于诗。后游历京师、浙江、云南、四川等地。有《半行庵诗存》。

鉴赏

《咄咄吟》是一组由120首绝句组成的纪事讽刺诗，系作者在扬威将军奕经营中陆续写成。起于1841年冬奕经奉命东征，止于1842年末奕经于苏州被“拿问进京”。每首之后有一则短文叙事，对清军将士的昏聩庸懦、可笑可愤之事给以无情的揭露和讽刺。题义取自晋殷浩被黜，常终日书空作“咄咄怪事”(《世说新语》)。此诗之后文曰：“骆驼桥距镇宁二城约二十余里，故张应云屯兵于此，以为两路后应。廿八日夜半，瞭见二城火光烛天，胜负莫决。继闻炮声四起，或请于应云曰：‘我兵不带枪炮，而今炮声大作，恐或失利，急宜远赴前队以助战。’而应云素吸鸦片烟，时方烟瘾至，不能视事。及廿九日天明，探报四至，迄无确耗。日中，镇海前队刘天保等败回。傍晚，宁波前队余步云、李廷扬自慈溪带兵至，知其未进城，而段永福等已败入大隐山，讹言蜂起，加以败残军士乏食，哭声震野。或谓再进，或谓宜速退，聚谋至黄昏不决。而英夷旋从樟市来犯，先焚我所弃火攻船以助声势，继闻发枪炮，豕突而至。我兵望风股栗，不敢接战，咸向慈溪城退避。而应云犹吸鸦片烟半时许,始踉跄升舆而去。"

鸦片是一种毒品,主要含量为吗啡,有止痛镇定作用,但易上瘾,故只能作药用而不宜长期服食。清代鸦片传入中国,不少人吸毒上瘾,极大损害了人民身体健康,也削弱了军队的战斗力。诗中讽刺的那位武官张应云,便是一位"瘾君子"和"双枪将"(当时对军人携烟枪的谑称)。此人是奕经的门生,反攻宁波镇海战役中,奕经以之为前营总理,驻扎在慈溪县东南的骆驼桥镇。此诗即讽刺他嗜毒成瘾以至贻误军机的丑行。

"瘾到材官定若僧,当前一任泰山崩。"《文献通考》卷一五〇谓汉继秦制,置材官(即武官)于郡国。这里"材官"即指身任前营总理的张应云。"定若僧"是说像和尚坐禅入定一样安然无事。本来,"指挥若定""泰山崩于前而色不动,麋鹿兴于前而目于瞬"(苏洵《心术》)是形容军中稳操胜券、纪律严明。而张应云的如僧之定和"当前一任泰山崩",却是因素吸鸦片,临危不能视事,贻误军机,导致兵败如山倒的惨重局面。所以这里诗人用的纯属反语。反语的运用,增强了诗歌的鞭挞丑恶的力量。

"铅丸如雨烟如墨",这是两个鲜明对照的画面。"铅丸如雨",是指英军洋枪洋炮,攻势猛烈,清军在枪林弹雨中,局势危急。"烟如墨"则是指张应云吸鸦片时的吞云吐雾,又暗关战阵硝烟,其妙有如"蒙太奇":两军鏖战,枪炮大作,硝烟弥漫。在烟雾中,镜头转换为屋内卧榻,张应云贪婪地吸食鸦片。鸦片烟的吸法是,将烟土少许填入烟枪,凑火而吸之,称为"一灯";再吸,又是"一灯"。当清军望风股栗,向慈溪败北的时候,张应云"犹吸鸦片烟半时许,始踉跄升舆而去"。可见当其瘾来之时,连命也不顾了,这是何等荒唐的"材官"啊!"尸卧穹庐吸一灯",末句之妙,在双关。"穹庐"指军帐,"尸卧"则是热骂,视其人如行尸走肉,故痛快之至!

反语、"蒙太奇"式语言的运用,冷嘲热骂交加,使此诗的讽刺既明快又含蓄,故不失佳作。绝句体制短小,使所要表达的丰富内容受到限制。诗人受说唱文学的启发,采用了就诗作注、先诗后文、诗文结合的手法,解决了上述矛盾。

(周啸天)

傲奴

曾国藩*

君不见萧郎老仆如家鸡，十年笞楚心不携。
君不见卓氏雄资冠西蜀，颐使千人百人伏。
今我何为独不然？胸中无学手无钱。
平生意气自许颇，谁知傲奴乃过我。
昨者一语天地睽，公然对面相勃谿。
傲奴诽我未贤圣，我坐傲奴小不敬。
拂衣一去何翩翩，可怜傲骨撑青天，
噫嘻乎，安得好风吹汝朱门权要地，看汝仓皇换骨生百媚。

作者

*曾国藩(1811－1872)，字伯涵，号涤生，湖南湘乡人。道光十八年(1838)进士。授检讨。累官至兵部侍郎。太平天国军起义后，在乡办团练，扩充为湘军，任两江总督，镇压起义军，封毅勇侯。卒谥文正。论学主张义理、辞章、考据三者缺一不可。古文卓绝一代，其诗宗江西诗派。后人辑有《曾文正公全集》。

鉴赏

奴颜与媚骨原是紧紧相连的，奴而能“傲”，这立题就新鲜。从诗中所写境况看，当是曾国藩早年的作品。径取生活中偶发事件入诗，题材不落窠臼，先就赢得几分。

萧颖士是唐开元进士，对策第一。有老仆事之十年，捶楚严惨，或劝其去，答云：“非不能去，爱其才也。”西汉临邛(今四川邛崃)巨富卓王孙，家中奴仆甚众，无不服。此诗写傲奴，先就从这两个关于奴仆的故事说起，不特有反衬的作用，而且可以引发读者联想，产生兴趣，妙在以书卷气使诗境增厚。“君不见萧郎老仆如家鸡，十年笞楚心不携（没有离心）。君不见卓氏雄资冠西蜀，颐使千人百人伏。”这种长句排比开篇的格局，得法于唐代李、杜，能收到先声夺人的效果，增加歌行气势感。

以下言归正传：“今我何为独不然？胸中无学手无钱。”无学，则不如萧郎，这是牢骚话；无钱，则不如卓氏，这才是大实话。综上四句，已大有“今生何事更如人”（江湜）之感慨，令人色惨。以下紧接一句“平生意气自许颇（颇自许）”，驳上句“无学”。不因穷困而志短，大丈夫当如此也。又接一句“谁知傲奴乃过我”，又驳上句“自许”。以奴傲主，以下凌上，没这本书卖！以上一句驳一句，语未了便转，最有跌宕奇突之致。“傲奴”二字点题，以下才进入叙事。

“昨者一语天地睽，公然对面相勃谿。”原来昨天主奴两个闹翻了脸。“天地睽”本指天高地卑，上下悬隔。《易·睽》：“天地睽而其事同也。”用在这里有翻了天的意味。“公然对面相勃谿（争斗）”一句从杜甫《茅屋为秋风所破歌》“忍能对面为盗贼，公然抱茅入竹去”化得字面，形态毕露地写出不意遭到自下而来的欺凌之羞愧。奴才受了主子的气，背后嘀咕已属不敬，何况对面抢白！太叫人受不了。“傲奴诽我未贤圣，我坐傲奴小不敬”，是据实直书口角交锋，也是极其生动诙谐的速写笔墨。须知主人自许颇高而尚未宦达，被傲奴当面骂为“未贤圣”，实在是戳到伤疤，十分难堪。这样的奴仆，实在是大不敬，而诗人只责他“小不敬”，先已气短，这也反面见出傲奴气焰之高，实过于我。从这番勃谿，读者不难推测，这主奴两个积怨已非一日。平素纵然不曾如此大干，至少也有所摩擦或腹诽。爆发是迟早要来的，只差一根导火索。一旦爆发，主奴情分也就断绝。主人固然不肯再用打翻天印的奴才，而傲奴也不屑服侍穷要面子的主人。看他“拂衣一去何翩翩，可怜傲骨撑青天”，“合则留，不合则去”，哪里有半点奴气！这话当然是反语。于是他愤愤然想到，你这样欺我无钱无势，算得什么！要欺你去欺那有钱有势的主子去！诗的结尾极为精彩：“噫嘻乎，安得好风吹汝朱门权要地，看汝仓皇换骨生百媚！”“换骨”二字画龙点睛，即脱胎换骨，即换“傲骨”为媚骨。

此诗以不长的篇幅活画出生活中两号人物。诗中的“傲奴”之“傲”，并非“安能摧眉折腰事权贵”（李白）式的傲，而是“墙倒众人推”，对穷困中的主子打翻天印。连分手也没个好声气，亦可谓绝情了。这种“傲”与谄上而骄下的“傲”，倒是一脉相通的。“势利”二字足以尽之。人世上有弟子出卖老师者,有儿子出卖生父者,有亲信投井下石者,多类此。故这个形象是够典型的。诗中的“我”受下人之气,无可奈何,报以反讽,聊以解嘲。这也是人间常有的情态。主奴二人,实相映成趣。奴性本媚,而以“傲”名篇,本已耐味;而写到拂袖而去,兀傲之极外,忽又跌出那个“媚”字,揭示出这看似相反的两种现象本质上的一致。由生活中偶发事件而揭示出世态炎凉、人情势利之一般,这就使此诗具有典型性。全诗行文既挥斥又简劲,颇具阳刚之美。

(周啸天)

述志诗

洪秀全*

手握乾坤杀伐权，斩邪留正解民悬。
眼通西北江山外，声振东南日月边。
展爪似嫌云路小，腾身何怕汉程偏。
风雷鼓舞三千浪，易象飞龙定在天。

作者

*洪秀全(1814－1864)，广东花县人。道光二十三年(1843)创立农民革命组织"拜上帝会"，自称是"天帝"次子。咸丰元年(1851)，在广西桂平县金田村与杨秀清等起义，建号太平天国，秀全称天王。咸丰三年建都南京，后因内部分裂，加之清军的疯狂镇压，起义失败，秀全自杀。

鉴赏

道光十七年(1837)，二十三岁的洪秀全在广州应试落第。回到花县后，他为忧愤所激，患了一场大病，卧床四十多天。传世的这首《述志诗》，据说就是他在患病时所写的。

洪秀全自幼生长在农村，过着清贫的生活，还直接参加过农业生产劳动，这使他对民间的疾苦和农民的革命要求有着深切的了解。他同广大农民群众一样，对清朝的黑暗统治极度不满，对外国资本主义的鸦片侵略切齿痛恨。科场的失败加深了他对现实的认识，使他把个人的坎坷遭遇同社会的昏暗腐朽联系在一起了，开始树立起了推翻清王朝统治的雄图大志。

诗歌开头即直言自己的革命理想，想象揭竿而起，替天行道的情景。"解民悬"，《孟子·公孙丑上》："当今之时，万乘之国，行仁政，民之悦之，犹解倒悬也。"历来封建宗法制度尊崇帝王至高无上的权力,而作者明确表示要夺取它,目的是消灭邪恶,伸张正义,救黎民于水深火热之中。

颔、颈两联以龙自喻。颔联极言自己眼光远大、声威振天。“眼通西北”暗用“举头西北浮云,倚天万里须长剑”(辛弃疾《水龙吟》)句意,表示要以武力夺取“江山”。“声振东南”扣洪氏为广东客家人,后来即起事于广西紫荆山区金田村。“日月”则有象征新政权之意。颈联两句谓天空尚嫌狭小,不够展其身手;一旦腾空而起,何惧清廷无道。“汉程”,银河的河道。谶语有“王者有道,则河直如绳”之说,此处说“汉程偏”,就是王者无道的意思。

最后两句以风雷喻革命风暴,以“飞龙在天”喻改朝换代,表示了对农民革命必定胜利的坚定信念。《法言·先知》:“鼓舞万物者风雷乎。”《周易》乾卦九五爻辞:“飞龙在天,利见大人”,比喻圣人有道而登王位。

这首诗是观点鲜明的政治宣言,它具有彻底的推翻封建专制体制的立场,明确表示要夺取最高统治权力,扫荡旧制度的污泥浊水,建立新政权。太平天国领袖们在革命的酝酿、发起和进行过程中,一贯重视政治宣传,用诗文和其他形式来组织和教育群众。洪氏本人现存诗歌十余首,绝大多数都是直接宣传革命的,此诗可谓其发轫之作。

除了明确的述志外,此诗的另一特点是充分利用了中国传统文化意识中的权威崇拜。自古中国以世袭君主相继承,政治上是典型的“传统型权威”结构。皇帝是天子,代表神权来统治凡世。而龙,则是皇帝的象征。作为农民出身的知识分子,洪秀全尽管接受了西方文化的影响,但天命思想依然是比较浓厚的,所以他以龙自况,强调飞龙在天,从而发动群众,给农民革命以强有力的精神支柱。这固然属于落后因素,但也是由农民革命的性质和历史条件所决定的。

全诗紧扣“述志”,以“手握”“眼通”“声振”“展爪”“腾身”相呼应,大笔勾勒出一个具有浪漫色彩的、化身“飞龙”的抒情主人公形象,这就是后来的太平天国的天王,洪秀全自己。此诗乃英雄自抒豪情壮怀,以气概胜人,不能与寻常文士作并论。

(王德邻)

果然英雄

杨秀清*

英雄盖世出凡尘，天国人才萃聚均。
拔地参天皆勇将，安邦定国尽忠臣。
冲锋恐后常虞我，遇事争先讵让人？
韬略久娴真莫比，任它关赵岂同论！

作者

*杨秀清(1820？-1856)，先世广东花县人。咸丰元年(1851)，与洪秀全等起义于广西桂平金田村，转战各地，屡建奇勋。建立太平天国后，封为东王。后与洪秀全有隙，为韦昌辉所杀。时与洪秀全并称为洪杨。

鉴赏

太平天国文学中有不少密切联系战斗实际，歌颂起义将士的革命精神，教育群众，鼓舞斗志的宣传鼓动诗。这类诗的主题鲜明，特别富有战斗精神和爱国思想，形式多样，语言朴素明朗，近似民歌体，深为人民群众所喜爱。其中，写得较多且成就较大的是杨秀清。在《天情道理书》中记录的便有《果然忠勇》《果然雄壮》《果然英雄》《果然坚耐》等五十余首。该书云："今日我们众弟妹忠勤苦耐，英雄豪杰，东王……因赋诗章以奖之。"可见，这些宣传鼓动诗是天国重要领袖杨秀清为赞颂和激励太平军将士而作的。

这首诗凡八句，分为两层意思。

前四句充满着无比自豪的感情肯定太平天国事业兴旺发达，蒸蒸日上。集聚在革命旗帜下的都是出类拔萃的英雄，他们能文能武，既惯于征战，又善于治理。天国有这么一批杰出人才，定将无往而不胜。

自1851年1月金田起义至

1856年6月,起义军先后大败周天爵、向荣、乌兰泰所部清军,平南县官村大捷,克复永安,挺进两湖,夺取汉口、武昌等重镇,直捣南京,占领镇江、扬州等地,发动北伐和西征,直到击溃清军江北大营、江南大营,向荣丧命。在这千百次征战中,太平军里涌现的英勇将士何止万千!在军事征讨的同时,太平天国进行了建立革命政权的卓越尝试,在起义之初,洪秀全就颁布了五条行动准则,永定时期刊刻了《天命诏旨书》《天条书》《太平条规》,在南京则颁布了《行军总要》《天朝田亩制度》等革命文件。他们既严格军事训练,又重视政治教育,"天晴则操练兵士,下雨则习读天书"。行政上建立乡官制度,经济上建立"诸匠营""百工衙"制度,文化上把儒家经书宣布为妖书,"敢将孔孟横称妖,经史文章尽日烧",外交上主张平等互惠、互通有无,同外国侵略势力进行了针锋相对的斗争。

诗人用"英雄盖世""人才萃聚""皆英雄""尽忠臣",写出了一种为天国将士人才济济而由衷产生的自豪感,充满着深厚的阶级情谊。

后四句是对抽象判断的具体化,即述说太平军将士的文韬武略和大无畏的战斗精神。太平军由军帅负责"操练士卒,条分队伍,屯营结垒,接阵进师",他们利用行军战阵之隙"鼓角宣阗",进行各种操练,习传各种阵法和枪炮火器的使用,练习肉搏和"渡不测之渊,登壁立之山"。严格的训练和严明的纪律使太平军"齐一心志,誓以死斗",广大将士成为"身临矢石而不惴,膏涂草野而无悔"的钢铁战士。连曾国藩、张德坚之流也不得不发出哀鸣:太平军"无不以一当十""莫不奋勇争先""以敢死为技,以能耐劳苦饥渴为技""我军往往不敌"。

值得一提的是末句"任它关赵岂同论",这用了民间流传极广的《三国演义》故事,认定任它关羽、赵云又怎能和天国的勇将相提并论!这就更加显示出了波澜壮阔的太平天国革命运动的战斗风貌,表现出了一股无穷无尽的人民革命的力量。

从这首诗歌中,我们不仅可以看出太平天国重要领袖杨秀清本人的英雄气概,同时也可以深切感受到天国将士那种气吞山河的英勇战斗精神和对革命事业的赤胆忠心,昔日沙场硝烟,仿佛就在眼前。

(王德邻)

白龙洞题壁诗

石达开*

太平天国庚申拾年，师驻庆远，时于季春，予以政暇，偕诸大员，巡视芳郊，山川竞秀，草木争妍，登兹古洞，诗列琳琅，韵著风雅。旋见粉墙刘云青句，寓意高超，出词英俊，颇有斥佛息邪之概，予甚嘉之。爰命将其诗句勒石，以为世迷仙佛者警。予与诸员亦就原韵立赋数章，俱刊诸石，以志游览云。

挺身登峻岭，举目照遥空。
毁佛崇天帝，移民复古风。
临军称将勇，玩洞美诗雄。
剑气冲星斗，文光射日虹。

作者

*石达开(1831－1863)，广西贵县人。咸丰年间，从洪秀全起义，封翼王。为太平天国著名将领之一。韦昌辉杀害杨秀清后，受到猜忌。率部十万，单独行动。转战于江西、浙江、福建、湖南、广西、贵州等地。后在四川大渡河安顺场失败，被清军杀害。平素有大志，有诗传于后世。

鉴赏

太平天国翼王石达开，在杨、韦内讧后，因遭洪秀全猜疑，于1857年6月带兵出走，辗战九省，历时七年，1863年在四川大渡河畔战败被害。他不仅勇猛多谋，而且工诗能文，可惜现在所能见到的诗文多是后人伪托，唯一可信的便是这首《白龙洞题壁诗》。

"白龙洞",在广西省庆远城(今宜山县)近郊。石达开于1859年9月攻克庆远。序文中"庚申十年",指太平天国十年,即1860年。此诗创作并勒石后不久,石氏便率军离开了该城。

"挺身登峻岭,举目照遥空。"这两句是写实。结合序文,可知是石氏在季春时节,适值政务闲暇,与麾下大员们巡视近郊。他身手矫健,登高远眺,心中风云翻滚。或许他回想起了义旗高举,浴血沙场的战斗岁月,或许他在瞻望今后的艰苦征程,任重而道远。尽管他离开了天京,但他的斗争意志和革命理想丝毫未变,这就引出了下面的诗句:"毁佛崇天帝,移民复古风。"它鲜明表达了石达开对太平天国事业的赤胆忠心。太平天国只信奉上帝教,将儒、佛、道等教均视为妖邪,予以排斥。而按照上帝教的说法,它所崇拜的"皇上帝",与中国古代诗书中的"天帝"相同。中国古代人与西洋人一样,只崇奉独一真神"皇上帝"。自秦始皇以来,世人已经舍弃上帝而信奉各种邪神,因此这里说要"移民复古风",也就是要反抗乃至消灭旷时已久的封建迷信。"民",民俗、民风。这两句诗,直接由刘云青"斥佛息邪"的诗句所引发,由于刘诗内容得到石氏的嘉许,遂激发了石氏"就原韵立赋"的雅兴。

后四句,写自己广有文武之才,表达了太平军领袖的自豪感。

"临军称将勇,玩洞美诗雄",这是诗人对自己的评价。早在金田起义前,石达开就是"拜上帝会"的骨干成员;太平天国革命爆发后,他为天国事业鞠躬尽瘁、屡建奇勋。连清军重要将领左宗棠、曾国藩也不得不承认:在军事上,石达开"谋次杨逆,而勇比萧朝贵";在政治上,他"素得群贼之心,其才智出诸贼之上,而观其所为,颇以结人心,求人才为急,不甚附会邪教俚说,是贼之宗主,而我之畏忌也","其诳煽莠民,张大声势,亦以石逆为最谲"。石达开不仅在战场上大智大勇、刚强敢死,而且在生活中有深情、有文采,富有审美情趣,他实在是可以无愧地以"将勇"自负,又以"诗雄"自命的。

末两句是作者进一步肯定自己的文才武略,自是气势非凡。"剑气",《晋书·张华传》载:张华见斗牛之间常有紫气,问雷焕是何征兆,焕答道:"宝剑之精上彻于天耳。"这里,以"剑气"来比喻自己的革命雄心,表现了诗人那种"英雄义侠、勇敢无畏"的气概和风格。

全诗风格遒劲而激越,韵调铿锵,运用了古诗这种比较自由的形式,又注入了新的内容,在太平军将领的诗文中可谓上乘之作。

(王德邻)

围城纪事(盟夷)

金 和*

城头野风吹白旗,十丈大书中堂伊。
天潢宫保飞马至,奉旨金陵勾当事。
总督太牢喑不鸣,吴淞车偾原余生。
九拜夷舟十不耻,黄侯自分已身死。
十万居民空献芹,香花迎跽诸将军。
将军掩泪默无语,周自请盟郑不许。
声言架炮钟山巅,严城顷刻灰飞烟;
不则尽决后湖水,灌入青溪六十里。
最后许以七马头,浙江更有羁縻州。
白金二千一百万,三年分偿先削券。
券书首请帝玺丹,大臣同署全权官。
冒死入奏得帝命,江水汪汪和议定。

作者

*金和(1818－1885),字弓叔,号亚匏,江苏南京人。邑诸生。太平天国军攻克南京后,曾密谋配合清军做内应,事不成。其诗中有不少诬蔑太平军之作,但对清军的腐败也有揭露。有《秋蟪吟馆诗钞》。

鉴赏

道光二十二年(1842)八月,英国侵略军在攻陷吴淞、镇江后,直逼南京,列舰八十余艘于下关江面,并运大炮置钟山之巅。清廷钦差大臣耆英、伊里布、牛鉴与英方全权代表璞鼎查进行谈判，签订了结束鸦片战争的《南京条约》。条约共十三款，主要内容为：中国向英方赔款二千一百万银元；割让香港；开放广州、福州、厦门、宁波、上海五处为通商口岸。从此西方列强用武力打开了中国的门户，使中国逐渐沦为半殖民地半封建社会。金和的《围城纪事六咏》就真实反映了中国近代史上这一重大事件。“盟夷”是原诗第五首，记叙了这丧权辱国的城下之盟的签订经过，将当时清廷一干要人钉上了历史耻辱柱。

诗篇一开始就把镜头对准城头竖起的一面表示停战议和的“白旗”，十分醒目：“城头野风吹白旗”。以下便历举耆英、伊里布等一干钦差，正在进行洽谈和议的不光彩行径。“十丈大书中堂伊”句自注云：“前协办大学士伊里布在浙江时，为夷所感服，故以此缓夷。”原来这伊里布在鸦片战争爆发时即受命钦差大臣，前往浙江。英军进攻定海时，他不仅不加强海防，反与之通款，致使定海失陷，他本人亦被革职查办。而当清政府看到已抵挡不住英军的枪炮时，伊里布又成了议和代表的最佳人选，同耆英代表清政府签订了《南京条约》。（“中堂”是明清时对大学士的称呼）以下两句则交代耆英。此人系清之宗室，满洲正蓝旗人，为太子少保（“宫保”）。“天潢”（天池）指皇族。“勾当”即办理。“天潢宫保飞马至，奉旨金陵勾当事”，此人身份不比一般，领旨而来，实为首席代表。第三个全权代表是两江总督牛鉴。诗中用不敬的称呼呼之，按“太牢”本为供祭祀用的牛羊猪三牲，此专指牛，以切其姓。又说他“喑不鸣”，是条不会叫的牛，笔调尖刻，表现出憎恶的情感。还揭短道“吴淞车偾原余生”，原来他在吴淞之役中败逃，侥幸脱身；怪不得见夷吞声。还有一个江宁布政使黄恩彤。据耆英等奏稿，此人于八月十四日夜亲赴英舰，谈妥投降事宜，接受一切条件。此人既已“九拜夷舟”，惯于取悦洋人，故无防十拜，真恬不知耻（“十不耻”）。“自分已死久矣”，《汉书·李广苏建传》，本是苏武拒绝劝降时说的话。这里反其意而用之，讽刺色彩极浓。以上用八句写盟夷诸将，不厌其烦地一一勾勒其丑恶嘴脸，用意极深。就是要把他们的行径刻在诗碑上，教其磨灭不得，以警后人。

十万南京居民本对诸位大员寄予热切抗敌希望，谁知白白地欢迎他们一场。（“献芹”语出《列子》。）“将军掩泪默无语”写出诸将怯敌。“周自请盟郑不许”典出《左传·僖公二十四年》，此处以周指清朝，以郑指英国，似不伦不类。然当时“尊王攘夷”的观念如此，又与下文“羁縻州”之说法一样，反映了一种典型的阿Q心态。媾和只能建立在实力和备战的基础上,清政府示敌以弱,而英方遂趁机要挟:"声言架炮钟山巅,严城顷刻灰飞烟。不则尽决后湖水,灌入青溪六十里。"("后湖"指玄武湖)英人这样出言嚣张不足为奇,诗人自注此四句"皆当日奏章中语也",耆英等人奏章转述这些威胁性的语言,则表现出一种恐敌的倾向,实际是向清帝施加压力。中国近代史上第一个丧权辱国的不平等条约就这样签下了:"最后许以七马头(即码头,通商口岸),浙江更有羁縻州。白金二千一百万,三年分偿先削券(立契)。"条约签订五口通商,"七"系笔误。"羁縻州"见《新唐书·地理志》,为制伏异族而给予的居住地,此处指定海。(自注:"浙江定海县许夷侨居一年。")

"券书首请帝玺丹,大臣同署全权官。"自注云:"盟书首帝宝,次其国王印,次诸大臣下,次其酋长押。其酋长署衔曰全权公使。"诗人用史笔记下了签约程序上的细节,无意中却构成讽刺。鸦片战争的结局实际上是清政府认输,割地赔款,损失惨重,偏偏对签字形式上的先后尊卑很在乎,似乎从这上面捞回了一点面子。在这上面英国人倒宁肯谦让。他们得到了实际利益,无妨满足一下清廷的虚荣心。联想到历史上宋辽澶渊之盟,宋金隆兴和议,莫不让步于实利而计较于名分。自欺欺人,遗患深远,值得后人反思深省。诗的结尾意味深长:"冒死入奏得帝命,江水汪汪和议定。"要向皇帝提出妥协投降的建议,是有触犯圣怒的危险的。但耆英们审度情势的结果,宁肯去冒这个死,也不敢去冒触怒洋人的那个死。其实道光皇帝在鸦片战争中的表现一开始就是动摇不定的,虽然有时也很强硬,但心里还是虚着的。耆英们对这一点揣度得很准,所以"入奏"终于"得帝命"。"江水汪汪"暗含泪水汪汪如一江春水的比喻,足见国人之羞愤,作者的羞愤。

(周啸天)

饲 蚕 词

金 和

阿娘辛苦养蚕天,娇女陪娘瞑不眠。
含笑许缝新袜裤,待娘五月卖丝钱。

鉴赏

《饲蚕词》原五首,作于咸丰二年(1852)。诗中写到母女二人。母亲是一位辛苦的农妇,养蚕有着丰富的经验。“陌上柔桑破嫩芽,东邻蚕种已生些”(辛弃疾),春蚕一出,蚕妇就开始忙,采桑换叶,洗刷蚕箪及察看蚕种,是相当费时费神的活儿,所以难免熬夜。女儿既称“娇女”,可见尚小。她看见妈妈弄蚕,很兴奋,不愿先睡。“瞋”,瞪目看的样子。“阿娘辛苦养蚕天,娇女陪娘瞋不眠”,两句既无华美辞藻,又无夸张形容,却朴素地表现出劳动者之家母女情深的感人场面。

“含笑许缝新袜裤,待娘五月卖丝钱”,大约是看见蚕宝宝长势很好,母亲心头高兴,就早早许下一愿,使女儿乐得嘴都快合不上:“等娘五月卖丝得钱,就给你缝制一双新袜套,一条新裤子,好不好?”这完全是生活中信手拈来的话语,但如此耐人玩味。也许母亲讲这话还有一个先决条件,就是女儿必须表现乖些,现在赶快去睡。也可以想象那小女孩终于带着甜甜的微笑,上床去做穿新衣的梦了。

然而,这一愿是不是许得太早,有些“二月卖新丝”(聂夷中)的味道?要是遭了天灾呢?要是蚕丝掉了价呢?这都是说不准的事儿。善良的读者希望那母女的“含笑”能持续到五月,可千万不要让“新袜裤”成了画饼!

(周啸天)

独登杜拉山绝顶

王　韬*

济胜渐无腰脚健，探幽陡觉心胸开。
泉声若共石头激，岚影时与云徘徊。
眼前已觉九霄近，足底忽送千峰来。
天悦羁人出奇境，家乡不见空生哀。

作者

*王韬(1828－1897)，字紫铨，一字仲弢，号天南遁叟，江苏吴县(今属苏州)人。少有奇志，所交多海内名士。太平天国军起义后，在上海谋做内应，被清军追捕，逃亡海外。历英、日等国，回国后，先居岭南，后迁上海，主持格致书院，建弢园，以著述终老。博学多才。工诗文。有《蘅华馆诗录》《淞隐漫录》等。

鉴赏

这首山水诗，是清诗中少有的描写外国山水风光的作品。作于1867—1870年，作者王韬旅欧期间。“杜拉山”，是英国一山名。该诗歌咏异域他乡的山光秀色，抒写诗人独登杜拉山的感受，颇具特色。

首联“济胜渐无腰脚健，探幽陡觉心胸开”先写作者因脚腰不健，力不从心，游兴不高；继而登高探幽，游兴为之渐浓，心胸也为之大开。首句借典出自《世说新语·栖逸》：“许掾(询)好游山水，而体便登陟，时人云：‘许非徒有胜情，实有济胜之具。’”表面上诗人惭愧自己腰脚不健，无济胜之具，其实他并非实为此而减游兴，才近不惑，并无老迈之态，只是一生辗转，如今又远渡重洋，来这英伦三岛暂栖，不愿济胜也在情理之中。既来之，则游之，探幽访奇的结果的确开阔了诗人心怀。

颔、颈联写眼前美景迭出，气象万千。先是按登攀过程由下与上：

“泉声若共石头激，岚影时与云徘徊。”先写泉声，从听觉着笔写山的幽寂，诗人登山时听到阵阵泉声传来，这当是潺潺泉流在奔流中与溪中山石相碰激发出的，以泉声传来间接写山的清静；后写岚影，从视觉上见出山的耸峻，诗人渐近山顶，山间岚气云蒸，幻影阵阵，与时涌时聚的云朵相交织。岚气是泉水与山石相激产生的水汽，而山只有高峻才会有云朵时时涌来。颈联则由“云”这个话题写去，写在云的作用下诗人站在山的绝顶处的真切感受：“眼前已觉九霄近，足底忽送千峰来。”由于山势高峻，诗人被山顶浓云团团围住，恍恍惚惚有如贴近云霄，飘然若仙之感；忽而一阵疾风吹过，云被吹散，周围重又映入眼帘，脚下依然千峰并峙，由于云的飘动，作者产生错觉好像是云风把众峰送到了自己的脚下。这两联把杜拉山景色写得饶有兴味，令人神往。

尾联从诗意上分为两层，而又浑然一体。“天悦羁人出奇境”是在铺写了杜拉山绝妙景色后，总写此山此景是所谓“出奇”之境，是老天有意成全诗人，让诗人遍观美景，这句与前面“陡觉心胸开”相映照，顺理成章地抒写出杜拉山探幽后的总体印象。末句“家乡不见空生哀”是全诗诗眼，真情俱凝聚在这句当中。前面尽写杜拉山美景秀色，作者大为赞赏，心胸为之陡开，但眼前景色再美，诗人细细想来更觉极度痛苦。大好风光却不在祖国家乡，自己飘零在外，触景而生情，一阵阵哀痛自然袭上心头。这一句中游子之心、思乡之情立见，真乃画龙点睛之笔，使此诗顿脱寻常山水诗窠臼，显示出独特风韵和丰富的内涵。

这首诗属山水诗范畴，但它又并非是平常的山水诗。从前七句看，人们可能醉心于作者笔下的杜拉山景色之优美，末句点出这是诗人在写异域他乡的山色，让人们深察漂泊海外游子的哀痛之心：“家乡不见空生哀”，融进了诗人怀念祖国大好河山的积极情绪，刻画出游子思乡的真切情愫。表现的内涵远高于其他山水诗篇。

作者布局谋篇颇具匠心，前后映照使情绪倍出。诗人因逃避朝廷追捕，不得不离家赴欧，寄身海外情绪低落，首句写自己无济胜之具，实际在写心境不佳因而无甚游兴。而后写探幽访奇使自己心胸陡开，也是欲扬先抑，埋下伏笔。末句是对前面的回应，作者既由衷赞叹杜拉山“出奇”绝境，更由此产生极为哀痛的情绪，使刚刚平静的心绪跌入思乡怀家的沉痛之中不能自拔。这种抒写跌宕变化起伏的真情的诗篇，体现了王韬诗歌创作中主“情”（抒写自己真实性情）、主“变”（创作形式的多样变化）的主张。这首咏欧名山的诗作，在清诗坛上可谓别开生面。

（张晓春）

丁丑九月京邸大风感怀

李慈铭*

流水游龙日夜驰，品题豪竹与哀丝。
谁云饥饿苍黄日，犹是承平宴饮时！
天乐瞢腾如昨梦，杞忧涕泪有谁知？
只须一醉生涯了，莫忘高阳旧酒卮！

作者

*李慈铭(1830－1894)，字炁伯，号莼客，浙江会稽(今绍兴)人。光绪六年(1880)进士。累官至山西道监察御史。博学多才，诗文尤负重名。著作甚丰。其《越缦堂文集》最为著名。又有《白华绛跗阁诗集》。

鉴赏

一场深秋时节北京寻常的大风，何以成为诗家李慈铭吟咏抒怀的对象呢？读完组诗四首才知，原来诗人并非写风，实对时事政局有感，同时也把一生中仕途失意等愁绪一齐铺放进去，直接放笔开来，抒发情怀有如决堤洪水，滔滔汩汩，一泻千里。这里略析其中一首。

丁丑年，即公元1877年。是年李慈铭已近半百，但仕途未遂心愿，已过不惑之年(1870年)才中举，尚不知京试如何，故而情绪不振，郁闷寡欢。辗转京城以应举业，目睹上层社会豪华奢侈糜烂，亲历普通百姓饿殍遍地的惨境，洞察当朝风雨飘零的政局，诗人很受刺激。他百感交集，因风感怀，奋笔抒发激愤之情。

开首"流水游龙日夜驰，品题豪竹与哀丝"两句直接描绘京城上流社会的生活，"流水游龙"是"车如流水，马如游龙"的缩语，指车马来往交织的繁忙。"品题"，评其高下，定其名目。"竹""丝"，分指两类乐器，丝指弦乐器如琴、瑟等，竹指管乐器如箫、笛等。首句写京城中整天车水马龙，达官贵人携妻带妾，花天酒地，沉溺于声色犬马的感官刺激。第二句一改前句总写，仅抓住一个侧面依旧写来，起到举一反三的作用。品题是极闲适的举动，有着悠悠自在的心境才能来品评管乐器与弦乐器演奏的情绪差异，即诗中所谓豪放与哀怨之分。这两句给读者展现了一派歌舞升平的太平盛世景色，日夜奔驰的车马，士大夫们细细品出的粗豪、哀婉，无不在强化这种印象。

现实生活又如何呢？难道果真这么乐观吗？接下来诗人触及到了这个问题："谁云饥饿苍黄日，犹是承平宴饮时！"有人据实指出现实中已是饿殍满世，政局不稳了（苍黄，急遽翻覆，指时局动荡）。诗人假意驳之，谁说是那样的，现在仍然是太平无事，依旧可以安然宴饮。这两句饱含作者激愤。爱之愈深，责之愈切，但责之何用，不如用反诘说出，以倾泻激情。一个"谁云"含多少深情，一个"犹是"更有多么愤慨。五、六句接写"承平宴饮"的情景，以引出诗人直抒情愫。"天乐瞢腾如昨梦"是说承平宴饮的声乐虽然美妙如仙乐，却毕竟如昨日梦中的消极颓废，算不上是盛世之音。"天乐"，即钧天广乐，神话传说中天上的音乐。作者对阵阵仙乐的感觉是如坠旧梦，模糊难辨（瞢腾，模糊意）。实际显示诗人对时局的忧虑。"杞忧涕泪有谁知"，杞忧是"杞人忧天"成语的化用。李慈铭以敏锐的观察力，早已对表面繁荣的景象存有忧虑，这里又深写对政治局面动荡乃至王朝覆亡的思考。诗中用杞人忧天来解嘲，当然也饱含愤激之情，自己对政局民情的关注、忧虑，有谁能理解？洒下的掬掬泪水又有谁能深察？

于是乎，作者不无悲愤地喊出末尾两句以抒情志："只须一醉生涯了，莫忘高阳旧酒卮。"欲沉沦醉乡，了此一生，又自比高阳酒徒，愤愤不平。这两句对比写来，诗意坐在末句上，报国无门。仕途不遇，虽有酒中浇愁之意，却真心倾慕那能为刘邦定下兴国大计的高阳酒徒郦食其（史见《史记·朱建传》），"莫忘"二字倾泻出诗人盼得知遇的激情。

这首诗写得浅显朴素，择字句自然恰当，用典事妥帖浑然，富有较强的感染力。中国古典诗歌中感慨时局，忧虑民情的作品很多，李慈铭继承这一传统，因风感怀，借景抒情，于表面畸形繁华中看到了世纪末的端倪。自己的忧虑又没人能解。只得借酒以消愁，麻醉自己。可以说，一股激愤之情笼罩全篇，活画出晚清那个特定时代文人知识分子的典型之境。

（张晓春）

惠山游记(二首)

李慈铭

孤塔衔惠山,清晖别尘境。春晚湖气新,晴浴九峰影。

二泉结岩趺,密藻一泓养。潭色浮春空,山静游鱼响。

鉴赏

"惠山",在今江苏无锡市西郊,号称"江南第一山",是著名的游览胜地,向为文人墨客遣兴歌咏之地。诗坛名家李慈铭也慕名寻访,游兴大发之际,写了五绝组诗《惠山游记》以记观感。这里选了其中两首。

第一首诗描绘了诗人对惠山、锡山、龙光塔等风景的总体印象。"孤塔衔惠山"一句,从字面上看去,颇不合乎情理。"孤塔",是指建在与惠山相隔不远的锡山上的龙光宝塔。诗篇开篇实是用倒装笔法,作者遥望锡、惠二山,宝塔隐融入惠山,是以为"衔",这个字用于联结,使独立的惠山与同样著名的锡山风景交相辉映,更增添惠山美色。"清晖别尘境"承上句,来写自己对整个惠山风景区的感觉,这种感觉分层次道来:先是远望,只觉草木葱茏,山清水秀,颇似仙境;然后置身景中,周围鸟语花香,幽娴清雅,恍若飘然如仙。这两句所写,与人间的嘈杂似乎相距太远,这就先总括出惠山绝佳处。开篇两句作者铺写惠山地理环境之清幽,来诱发读者想象,创造出文人雅士所倾倒的超凡脱俗的氛围,实为大家手笔。"衔""别"动词的运用,静中有动,意境清幽又不沉寂。

三、四句意境更为优美、恢宏:"春晚湖气新,晴浴九峰影"两句中点明了晚春季节,交代了晴朗天气,既写了潋滟湖光,又绘出蜿蜒山影。李慈铭这里把笔触放开去,抓住季节天气特征,捕捉湖山景物出众之处,写来随意洒脱,颇具神韵。诗中的湖,就是江南著名的太湖,虽说已到晚春季节,天气该转向燥热的夏季了,但一湖太湖水依旧那么烟波笼罩。"新""晚"两字从意义上讲是矛盾的,作者正突出这种矛盾,给人醒目鲜明的感觉。如果说"春晚湖气新"是写从惠山远眺太湖美景,那么"晴浴九峰影"就是置身惠山之外来看晴空之下阳光沐浴着的九龙山(惠山有九峰,蜿蜒若龙,故名)。春意融融,阳光也融融,一个“浴”字那样富有温情,并且回映季节特点,自然妥帖。

写惠山记游览,当然不会忘记为惠山增名添著的“天下第二泉”,第二首就是紧紧扣住二泉来写,一反前诗大起大落而集中命笔,饶有情趣。相传唐代茶仙陆羽曾遍品天下名泉,以惠山泉定为“天下第二泉”,是以闻名。二泉在惠山何处呢?第二首诗开篇解答了读者心中的疑问:“二泉结岩趺。”“岩趺(fū)”,山脚。这句扼要介绍二泉地理位置,次句紧跟着进一步介绍二泉具体情况:“密藻一泓养。”紧傍惠山的一泓泉水中密密的水草摇曳,使二泉增加了一番动景。这两句看上去平淡无奇,实笔写出二泉地理位置及具体情况,其实这种写法对欣赏者来说是很需要的,同时也为后面两句创造了背景。“潭色浮春空,山静游鱼响”就是对静美意境的延续,把春季寂静清幽的惠山景色二泉风光点染出来。二泉平静的水面映衬着晚春淡淡的浮云,空灵疏淡。惠山的静与幽,在作者笔下是用游鱼争先抢食泉中水草发出的响声映衬出来的。读到这两句,我们不禁会联想起王维的《辋川组诗》中许多“空山”的词语。“浮”字颇堪玩味,由于年长日久,青苔遍布池底,使泉水几近于碧绿,这深色的潭水映衬着蓝蓝的天空,洁白的云朵。“浮”字在此,就使画面活泼起来,这与末句效果相同。末句可说是“空山不见人,但闻人语响”的套用,但在诗中非常自然,融为一体,不使人觉得牵强生硬。游鱼争食声响何等细微,而作者竟能历历入耳,可见惠山幽静、空寂,用笔非常传神。游鱼同样为这静美意境增添活力,使晚春的空山,清冽的二泉都在静美中不失生机,体现出作者对惠山风景的喜爱之情。

两首绝句在一起比较:作者在前诗中把静美与壮美相融,因为这首是组诗第一首,故而作者用笼罩全部的气势,大笔泼墨,实写虚笔,错落有致,给我们勾勒出一幅超凡脱俗的“惠山鸟瞰图”;而后诗则针对“天下第二泉”这一景点,侧重写其静美,然而静中有动,颇露生机,显现作者由衷爱惜的情绪。

(张晓春)

望月忆女

谭　献*

生汝过三岁，从无百里分。月如娇女面，人倚秀州云。
索果耶频唤，敲门笑已闻。今宵依母膝，不见母欢欣。

作者

*谭献（1832－1901），原名廷献（一作献纶），字仲修，号复堂，浙江仁和（今杭州）人。同治六年（1867）举人。官含山知县。曾游历河北、河南、山东及江南等地，并广交名人。工词，诗文亦佳。有《复堂文集》《复堂日记》《箧中词》等传于世。

鉴赏

古往今来，月亮照着你，月亮照着我，望月怀远，成为诗歌吟咏的一个永恒的主题。在朗朗的月光下，有人思念父母，有人思念妻子，有人思念朋友，盼月光传递自己的情思。本诗写望月忆女，在想象中生动地描述出小女的形象，流露出诗人对小女深深的怀念之情。

在月光的朗照下，诗人仿佛面对小女娓娓而谈："生汝过三岁，从无百里分。"从小女呱呱坠地，到喃喃学语，到欢蹦乱跳的三岁幼童，父亲从未远距离地、长时间地离开过。父女俩感情之深，自不待言；同时也说明，此次却是远距离地、长时间地离开了小女，父亲思女心情之切，也自不待言。在父亲的想象中："月如娇女面，人倚秀州云。"那天上的一轮明月，仿佛幻化成了小女娇憨的面庞；那月旁的云彩，仿佛幻化成了小女可爱的身影。成语有"面如满月"之说，诗人反说"月如人面"，便觉新警动人。"秀州"为诗人家乡。一个"倚"字用得妙绝，说人倚云，犹如是秀州的云彩为小女披上了一件美丽的纱衣，小女可爱的身姿倩影就凸现在人的眼前了。接下来,由小女的形象又进而联想到她的动作、声音:“索果耶频唤,敲门笑已闻。”在父亲记忆的屏幕上,小女向父亲讨果子吃,连声呼唤:“耶、耶!”《古文苑·木兰诗》注:“俗呼父为耶。”杜甫《北征》也有“见耶背面啼”的诗句,可见叫“耶”,正是小女对父亲的爱称。小女儿还很调皮,她模仿大人敲门的动作,人未进门而朗朗笑声已飘进父亲的书斋。“索果”“敲门”的动作,唤耶、朗笑的声音,即具体又非常符合幼儿的特点。这样活泼逗人、天真可爱的小女儿,怎不叫人思念?诗人想象的翅膀飞越千山万水,他好像已回到秀州的家乡,看到了一个特写镜头:“今宵依母膝,不见母欢欣。”平时活蹦乱跳的小女儿,今晚安安静静地依偎在母亲的膝头上,很懂事的一声不响,因为她看见母亲脸上没有一丝欢欣的笑容。母亲是在望月怀远,思念身在异乡的父亲;小女是否也懂得思念父亲呢?诗人没有明说。其他诗人对这种感情有不同的体验。杜甫说:“遥怜小儿女,未解忆长安。”彭桂说:“更传儿女意,尽解忆长安。”沈德潜认为:“尽解”比“未解”更觉可悲,因为“未解”仅悯其无知,“尽解”则更怜其聪慧(《清诗别裁集》卷十五)。其实,无论是“未解”“尽解”,还是像本诗这样不予明说,在传达遥忆儿女之情上,皆能各臻其妙,不必强为轩轾。

《清史稿·文艺传》评谭献诗“优柔善入,恻然动人”,本诗很好地体现了这种抒情特色。

(詹杭伦)

得子久闽中书感赋

曹寿铭*

云树隔江关，霜高梦百蛮。朝闻南雁下，忽报一书还。
会发瓯宁道，言寻邵武山。因依诚得地，所惜鬓毛斑。

作者

*曹寿铭，生卒年不详，字文孺，初名炳言，字烺斋，浙江会稽(今绍兴)人。优贡。有《曼志堂遗稿》。

鉴赏

诗人的老朋友子久到福建游幕依人求职谋生去了，友情深厚的朋友一旦分别，不免格外思念。一天，忽然接到朋友寄自福建的来信，禁不住忧喜交加，感而赋诗。

首联写自己日夜思念朋友。“云树隔江关，霜高梦百蛮”，“云树”，指远望山上云遮雾绕的树；“江关”即江南。杜甫《咏怀古迹》：“庾信平生最萧瑟，暮年诗赋动江关。”仇注：“庾信初在江南，江关正其地也。”此指诗人家乡所在地浙江会稽(今绍兴)，与下文百蛮相对。“霜高”点明时值深秋；“百蛮”旧指与华夏对称的南方少数民族，此借指福建。全联意谓，诗人思念朋友，天天引颈南望，但是，远方山上那云遮雾绕、朦朦胧胧的树挡住了视线。是啊！诗人所在的浙江同友人所在的福建两地之间，不知隔着几多山、几多水，又怎能望得见呢？日有所思，夜有所梦。晚上，诗人托梦给远在福建的朋友，时值深秋，天气渐凉，游幕求职之事怎么样了？两句虽是写景叙事，却深深地浸透着诗人对朋友的思念关切之情。有了首联的日望夜梦，下联的“闻雁”“书还”皆有了依据。

颔联紧承首联，“朝闻南雁下，忽报一书还”，“南雁”指秋天由北向南迁徙越冬的大雁。诗人仰望南天,听大雁声声鸣叫着向南飞去,心想,古人有借雁传书之说,大雁能否替我给远方的朋友捎去一封信呢?然而,大雁并不领会诗人的心意,没有停下它们的翅膀,更何况,朋友去后,音信杳无,行踪不详,即便大雁愿意传书,书信又送达何处?想到这层,诗人心中不免更添一重惆怅。正在百无聊赖之际,忽然接到朋友的来信,诗人欣喜之情可想而知。一个“忽”字传达出诗人喜出望外的心情。“一书还”与“南雁下”相对,点明这是南方来信,用笔简练,表意贴切,并为下联张本。

颈联便紧接“一书还”,写诗人急切地展读来信。“会发瓯宁道,言寻邵武山”,“瓯宁”即今福建省建瓯县,“邵武”即今福建省邵武县。朋友在信中告诉诗人,已经决定到邵武游幕依人,眼下正从瓯宁出发,往邵武方向去。信中内容自然不止一事,诗人仅择此叙说,表明他最关心的是友人游幕求职之事是否有了着落。

末联为朋友感到欣慰和惋惜。“因依诚得地,所惜鬓毛斑”,“因依”指游幕依人,“得地”即得所。诗人为朋友感到欣慰的是,朋友到邵武去可以找到一个好的靠山,就像杜甫遇到了严武一样,如鱼得水,得其所哉。想必当时的邵武幕府也是一位严武一样的礼贤下士、喜接宾客的官僚,诗人才有这样欣慰的感觉。然而,乐极生悲,诗人想到朋友贫穷潦倒一生,到老仍然离乡背井,游幕依人,虽然现在可望找到一个好的靠山,但可惜已经双鬓花白、时不我待了。全诗就在这种既欣慰又惋惜的气氛中结束,留给读者无尽的回味。

诗人的同乡著名学者李慈铭曾分析此诗的艺术特色说:“起结旋折,纯乎大家,可称四十贤人矣。”所谓“起结旋折”,是指诗中情感的起伏不平。具体来看,首联望断云树、梦寄百蛮,是忧;颔联闻雁书还,则由忧转喜;颈联诵读来信,是喜;末联欣慰惋惜,又由喜转忧。情感的脉络在字里行间运行,浑灏流转,感人至深。所谓“四十贤人”,是指此诗锤炼字句的精工稳切。以圣贤喻字,始自五代人刘昭禹,其云:“律诗最难工,五十六字皆如圣贤,中有一字不经炉锤,便如一屠沽儿厕其间也。”刘氏指七律而言,故称“五十六字皆如圣贤”;本诗是五律,故称“四十贤人”。仅以诗中“忽报一书还”的“忽”字为例,唯有这个“忽”字,可以传达出诗人喜出望外之情,试换用其他字,竟移易不得。杜甫《闻官军收河南河北》有“剑外忽传收蓟北”之句,两诗的“忽”字用法全同,都能恰切地表现出那种突然得到意外好消息时欣喜若狂的心情。通过与诗圣用字的比较,我们更能体会到本诗字句锤炼的精工。

(詹杭伦)

题陈衡山梧月山馆图

谭宗浚*

落叶已萧槭，况兼庭月斜。黔阳秋万点，一半在君家。
穷巷绝宵柝，高城闻暮笳。遣愁定何物？除是读《南华》。

作者

*谭宗浚(1846－1888)，字叔裕，广东南海(今广州市)人。同治十三年(1874)进士。授编修。官至云南盐法道。喜游历。工诗文。风格可追踪太白。有《古堂诗总集》《外集》《荔村草堂诗钞》等行于世。

鉴赏

这是一首题画诗。画的主人叫陈衡山，湖南黔阳人。此画画的是他在家乡的居处环境。诗人描绘出画中萧瑟凄凉的意境，并展示了画主不戚戚于贫贱的胸怀。

全诗可分为三个层次。

首四句为第一层，描绘山馆秋色。“落叶已萧槭，况兼庭月斜。”“萧槭(sè)”，树枝光秃的样子。据画题可知，这是一株树叶已掉光的梧桐树。试看：在山馆的庭院里，孤零零地矗立着一株已被秋风刮光树叶的梧桐树，更何况枯枝上还斜挂着冷月一弯，这是一幅多么萧瑟凄凉的画面！前两句直赴画题，已为全诗笼罩上一层浓烈的秋意，次二句便直接点出“秋”来。“黔阳秋万点，一半在君家”，“黔阳”是画主的家乡，“秋万点”语本杜诗“一片花飞减却春，花飘万点正愁人”(《曲江二首》)，意谓黔阳深秋时节，落叶纷飞，卷地狂舞，一派萧瑟的景象；“一半在君家”是夸张的说法，极写画主的梧月山馆集中了黔阳萧瑟的秋意。“秋万点”已为下文埋伏下“愁”字，“君”字又作为下文“遣愁”的主角。一番紧锣密鼓之后，画面的中心人物该上场了吧？

中二句诗人却轻轻宕开一笔,转而描写山馆的背景。"穷巷绝宵柝,高城闻暮笳","宵柝",指夜间打更;"暮笳",是傍晚吹笳。山馆外连着一条僻静的小巷,夜间听不到打更的声音,显得空旷而死寂;山馆后是一道高高的城墙,傍晚响起胡笳的声音,是那样悲凉而凄切。这两句用声音给画面增添了萧瑟荒凉的气氛。

经过一番外景的回旋,诗人再把目光收拢来对准画面的聚焦点,推出画面的中心人物。"遣愁定何物?除是读《南华》",这画面的中心位置画的是一位在窗下捧书夜读的书生,这书生自然就是梧月山馆的主人了。诗人设想,生活在如此萧瑟凄凉环境中的人,心中一定充满忧愁,用什么来排遣满腔愁绪呢?恐怕只能是读《南华》了吧!《南华》即《南华真经》,是《庄子》的别称。中国士人信奉"达则兼济天下,穷则独善其身",而阅读《庄子》,正是独善其身,旷达外世的不二法门。占据这幅萧瑟荒凉的《梧月山馆图》中心位置的,是一位专心捧读《庄子》的士人形象。这样,画主不戚戚于贫贱的旷达胸怀也就和盘托出了。

此诗在章法上很有特点,就景别层次来看,首四句是中景,中二句是远景,末二句是近景,层次清晰,使画面富有纵深感;就表现手法来看,首四句是写环境(其中前二句是具体描写,后二句是概括描写),中二句是写声景(其中上句写无声,下句写有声),末二句是议论(景在其中),富于变化,使画面显得生动有致。清人许印芳说:"凡写画景,以真景伴说乃佳。"(《律髓辑要》卷一)此诗句句在说画,又句句在写真景,既实写画面中的梧树、庭月,又加入想象中的宵柝、暮笳,造成了画景、真景混融莫分的艺术效果,读之,可悟题画之法。

(詹杭伦)

杂　感

黄遵宪*

大块凿混沌，浑浑旋大圜。隶首不能算，知有几万年。
羲轩造书契，今如岁五千。以我视古人，若居三代先。
俗儒好尊古，日日故纸研。六经字所无，不敢入诗篇。
古人弃糟粕，见之口流涎。沿习甘剽盗，妄造丛罪愆。
黄土同抟人，今古何愚贤。即今忽已古，断自何代前。
明窗敞流离，高炉爇香烟。左陈端溪砚，右列薛涛笺。
我手写我口，古岂能拘牵。即今流俗语，我若登简编。
五千年后人，惊为古斓斑。

作者

*黄遵宪(1848－1905)，字公度，广东嘉应州(今梅县)人。光绪二年(1876)举人。历任日、英、美、新加坡等国外交官。官至河南按察使。参加戊戌政变，失败后，免去官职。毕生倡导诗歌革命。其诗气势雄伟，纵横上下，通俗易懂。著有《人境庐诗草》《日本杂事诗》等。

鉴赏

杂感、杂兴一类的诗题，古人常用。例如杜甫的《秋兴》8首，龚自珍的《己亥杂诗》315首，实际也是一种杂感。此种诗可以是多首，可以是古体，也可以是近体。题材不拘，主题不一，大抵即兴感怀，因事而发。一般都与作者接触的现实联系紧密，较鲜明地反映了作者的思想倾向。本诗作于同治七年(1868)，为五首之一。

这是一首五言古体诗。语言明白易晓，主题鲜明突出，通篇贯穿着对盲目崇古的批判，并阐明自己的“我手写我口”的诗歌创作观点。古体诗受格律声调的限制较小，相对地比较自由，一般可以写得较长。这样，它就不得不注重层次和章法，否则就会含混不清，粘连一片。本诗按作者思路，似可分为四个小段。首段“大块凿混沌”至“若居三代先”，表明作者作为维新派知识分子，已具有初步的自然科学知识和新的时空观。此段提出宇宙原始状态和地球生成问题，一下子突破了人们旧的时间观念，展开了新的视野。“大块”旧释为“地”，“大圜”旧释为“天”。这里，作者给予新的解释。“大块”即物质的宇宙，“混沌”是它的原始状态。自从这种状态被凿开以后，才产生了庞大的、不停旋转着的大圜地球。这个过程究竟经历了多少时间，隶首也算不清，谁知道有几万年或几亿万年。但是羲轩造书契，迄今不过五千年，那么什么才算是“古”？今人视今人以为是今，后人视今人又成了三代以上之“古”。可见在时间的长河中，古今是相对的，很难给予绝对的界限。此段对“盲目崇古论者”的批判，立足于科学认识的基础上，在作者那个时代，确实是一种新思想，显得立论高远，眼界开阔。这就成为全诗的基本思想和结构上的出发点。次段“俗儒好尊古”至“妄造丛罪愆”，指出俗儒盲目“尊古”，必然泥古。他们在诗歌创作上，对古人亦步亦趋，不敢稍有逾越。把古人的糟粕当作精华，甚至甘愿剽窃，而对在诗歌的内容与形式上敢于革新者，则斥为妄造，横加指责。第三段“黄土同抟人”至“断自何代前”，对“崇古论者”进一步加以批评。作者借用女娲抟黄土做人的神话说明：人的愚贤，不应以古今来区分，历史不断发展，古今很难截然割断。末段正面阐明作者自己的诗歌创作观点：“我手写我口，古岂能拘牵”，不避流俗语，不避新名词，感事而发，直抒胸臆。作者风趣地说，按照自己这种观点来进行诗歌创作，当然会被“崇古论者”斥为“流俗之语”，但是五千年以后，也许又会被人们惊为色彩斑斓的古代珍品呢！

此诗以论诗为内容，可以说就是一篇诗论。然而不枯燥，不生涩，无说理气，相反倒使人感到诗味很浓，关键在作者能寓理于某种真实的情境。语言通俗流畅，而生动简练，诗中表达了新的思想内容，但又能恰当地运用旧的格律声腔，而且诗中随处漾动着一种幽默和风趣。这一切都增加了诗情和诗味，做到通俗而不浅陋，流畅而不轻滑。应该说，此诗在某种程度上，不仅表达了作者的诗论，而且也表现了他的诗风。作者是同光间的维新派诗人，政治上主张资产阶级的改良主义，反映在诗歌上也带有浓厚的改良色彩，从而形成一种不同于旧体的新派诗。这种诗基本上不突破旧体的框架和格律，然而表现了当时十分突出的新内容、新思想、新的格调气派和爱国激情。它与政治上的改良运动配合，对社会产生了很大的影响。新派诗人以黄遵宪、康有为、梁启超为代表，提倡“诗界革命”。所谓“革命”实质上只是一种改良。但从社会发展和诗歌发展的角度看，它仍然是有积极的进步意义的。与此同时，陈三立、陈衍等人，力主宋诗，刻意求新。但他们的“新”，实际上仍是一种旧体，他们称为“同光体”的诗，并无任何时代特色，较之旧体，某些地方似乎更为空虚晦涩。所以“同光体”这个提法如果能成立的话，把它用来称呼黄遵宪等人提倡和创作的新派诗，也许更恰当些。

（刘锋晋）

纪　事

黄遵宪

甲申十月，为公举总统之期。合众党欲留前任布连，而共和党则举姬利扶兰，两党哄争，卒举姬君，诗以纪之。

吹我合众笳，击我合众鼓，擎我合众花，书我合众簿。
汝众勿喧哗，请听吾党语：人各有齿牙，人各有肺腑，
聚众成国家，一身比尺土，所举勿参差，此乃众人父。
击我共和鼓，吹我共和笳，书我共和簿，擎我共和花。
请听吾党语，汝众勿喧哗：人各有肺腑，人各有齿牙，
一身比尺土，聚众成国家，此乃众人父，所举勿参差。

此党夸彼党，看我后来绩。通商与惠工，首行保护策。
黄金准银价，务令昭画一。家家田舍翁，定多十斛麦。
凡我美利坚，不许人侵轶。远方黄种人，闭关严逐客。
毋许溷乃公，鼾睡卧榻侧。譬如耶苏饼，千人得饱食。
太阿一到手，其效可计日。彼党斥此党，空言彼何益！

彼党讦此党，党魁乃下流。少作无赖贼，曾闻盗人牛。

又闻挟某妓，好作狭邪游。聚财叶子戏，巧术妙窃钩。
面目如鬼蜮，衣冠如沐猴。隐慝数不尽，汝众能知不？
是谁承馀窍，意欲粪佛头？颜甲十重铁，亦恐难遮羞。
此党讦彼党，众口同一咻。

某日戏马台，广场千人设。纵横乌皮几，上下若梯级。
华灯万千枝，光照绣帷彻。登场一酒胡，运转广长舌。
盘盘黄须虬，闪闪碧眼鹘。开口如悬河，滚滚浪不竭。
笑激屋瓦飞，怒轰庭柱裂。有时应者者，有时呼咄咄。
掌心发雷声，拍拍齐击节。最后手高举，明示党议决。

演说事未已，复辟纵观场。铁兜绣裲裆，左右各分行。
宝象黄金络，白马紫丝缰。橐橐安步靴，林林耸肩枪。
或带假面具，或手执长枪。金目对方相，黑脸画鬼王。
仿古十字军，赤旆风飘扬。齐唱爱国歌，曼声音绕梁。
千头万头动，竞进如排墙。指点道旁人，请观吾党光。

众人耳目外，重以甘言诱。浓绿茁牙茶，浅碧酿花酒。
斜纹黑普罗，杂组红氍毹。琐屑到钗钏，取足供媚妇。
上谒士雕龙，下访市屠狗。墨屎与侏张，相见辄握手。
指此区区物，是某托转授。怀中花名册，出请纪谁某。
知君有姻族，知君有甥舅。赖君提挈力，吾党定举首。
丁宁复丁宁，幸勿杂然否。

四年一公举，今日真及期，两党党魁名，先刻党人碑。
人人手一纸，某官某何谁。破晓车马声，万蹄纷奔驰。
环人各带刀，故示官威仪。实则防民口，豫备国安危。
路旁局外人，各各捩眼窥。三五立街头，徐徐捻颔髭。
大邦数十筹，胜负终难知。赤轮日可中，已诧邮递迟。
俄顷一报来，急喘竹筒吹。未几复一报，闻锣惊复疑。

抑扬到九天，啼笑奔千儿。夜半筹马定，明明无差池。
轰轰祝炮声，雷响云下垂。巍巍九层楼，高悬总统旗。

吁嗟华盛顿，及今百年矣。自树独立旗，不复受压制。
红黄黑白种，一律平等视。人人得自由，万物咸遂利。
民智益发扬，国富乃倍蓰。泱泱大国风，闻乐叹观止。
乌知举总统，所见乃怪事。怒挥同室戈，愤争传国玺。
大则酿祸乱，小亦成击刺。寻常瓜蔓抄，逮捕遍官吏。
至公反成私，大利亦生弊。究竟所举贤，无愧大宝位。
倘能无党争，尚想太平世。

鉴赏

此诗作于光绪十年（1884），时作者在美国任旧金山总领事。此年美国大选。美国自1877年以来，长期由共和党执政，1884年大选时，总统为布连。但大选前二年美国国会选举时，民主党已取得国会多数，故此次大选民主党获胜。诗序中“合众党”（即民主党）二句有笔误。应为“共和党欲留前任布连，而合众党则举姬利扶兰，两党哄争，卒举姬君”。《纪事》所记，就是关于这次大选的见闻，“赋到中华以外天”，在诗坛上别开生面。所谓“茫茫诗海，手辟新洲，此诗世界之哥伦布”（丘逢甲）。诗分八段。除末段诗人抒发感慨以外，其余各段，皆叙述诗人亲见亲闻的一场驴象之争，如“西洋镜”。

一段写大选前两党竞选宣传，形式很奇特。前半写民主党的宣传，奇句押平韵，偶句押仄韵。后半写共和党的宣传，则只将前半部分的对句和出句交换位置，奇句转作仄韵，偶句换为平韵。前后除改“合众”为“共和”，及语句次第颠倒外，几乎一字不差，意思雷同。击鼓、吹笳、书簿、擎花四句写竞选宣传大吹大擂的热闹场面。紧接八句的宣传撮述资产阶级国家学说。这并非实录文字但有艺术的真实性。通过漫画化的概括、夸张，重复手法的运用，暗示两党宣传内容和手法的彼此彼此，吹得天花乱坠，目的乃在于推销。古诗中重复的修辞一般比较单纯，像这样大段的重复，重复中有排比、有回文错综的复杂形式，是一种创造。

二、三段写两党的自我吹嘘和相互攻讦。一段以“此党夸彼党”（即此党夸耀于彼党）起，一段以“此党讦(攻击)彼党”起。这里不必坐实孰为民主党,孰为共和党。这两段属“互文”,读者不妨将任何一方派作“此党”,而另一方则为“彼党”,而角色可以互换。与前段的重复修辞,异曲同工。此党向选民许愿,有保护通商,实行惠工利农种种政策。限制、排斥华工,以解决劳力过剩问题。“卧榻之侧,岂容他人鼾睡”出《宋史》赵匡胤语,此借用作竞选者保护国家安全之许诺。耶稣分饼分食数千余众,事见《新约全书·马太福音》。古典与“洋”典杂用,浑成无迹。彼党攻击此党,则专在揭发其党魁的隐私:“少作无赖贼,曾闻盗人牛。又闻挟某妓,好作狭邪游。聚赌叶子戏(斗牌赌博),巧术妙窃钩。面目如鬼蜮,衣冠如沐猴。”“馀窍”语出《列子·仲尼》,谓七窍之中除嘴以外之馀窍。“承馀窍”就是不知屁臭竞相附和。佛头放粪,典出《景德传灯录》,此谓玷污总统职位。“惭颜厚如十重铁甲”语出《开元天宝遗事》。诗人拉杂用之,如自己出。为在竞选中击败对手,中伤造谣无所不用其极的事,读者只要联想一下马克·吐温的《竞选州长》,就可以心会。这两段中,二段以此党夸口许愿为主,而结以彼党反唇相讥:“彼党斥此党,空言彼何益”,过渡到下段;三段则以彼党攻讦拆台为主,而结以此党的恶言相向:“此党讦彼党,众口同一咻”,挽结住上文。

四段写两党竞选演说,演说的目的在于公开施政主张,扩大政治影响,在群众面前树立候选人的形象。这在竞选活动中举足轻重。“戏马台”本中国古迹(在今江苏徐州),为刘裕饯送孔季恭处。这里借用作政党举行会议的场所。“广长舌”出佛经,此借用形容演说者的善辩。此段中对演讲者及其演讲,绘声绘色,备其生动。“盘盘黄须虬,闪闪碧眼鹘”,写演说者神采飞扬,目光射人如见。“开口如悬河,滚滚浪不竭。笑激屋瓦飞,怒轰庭柱裂”,写演说者滔滔不绝,谈笑风生如闻。“有时应者者(赞同声),有时呼咄咄(惊叹声)。掌心发雷声,拍拍齐击节”,使人如见党徒听众如痴如醉的狂热场面。“最后手高举,明示党议决”,又使人如见表决时的庄严肃静场面。作者取“戏马”字面,称演讲的讲坛,又称演说者为“酒胡”(卖酒胡人),以及对演说场面闹剧般的形容,都表现了一种不以为然的情态。

五段写街头游行。首行仪仗队,戴着头盔(“铁兜鍪”),身着背心(“裲裆”),作两行并进。骑兵披挂整肃,步兵步伐矫健。其中亦有假面化装者。《周礼》载方相式“黄金四目”,《阿毗达摩大毗婆沙论》载鬼世界王名粃多,此借以为形容。十字军东征,是公元十一世纪罗马教皇发动的一次野蛮的宗教战争,以从征者衣服上缝有红十字标志得名。这里冠以"仿古"二字,形容游行队伍声势浩大,竟至"千头万头动,竞进如排墙"。最后写街旁观众的兴高采烈,为其党摇旗助威。

六段写贿选丑行。竞选中投入大量经费以行贿争取选票,是资产阶级政党为竞选获胜施展的重要手段之一。虽说于"众人耳目外,重以甘言诱",其实是个公开的秘密。"甘言诱"语本《左传·僖公十年》:"币重而言甘,诱我也。""浓绿茁芽茶,浅碧酿花酒。斜纹黑普罗(织品名),杂俎(指花纹斑驳)红氄毦(织品名)",列举四种行贿物品,以概其余。以下六句写行贿对象遍及各阶层:"媚妇"指上流社会女士;"士雕龙"即雕龙之士,指知识分子;"市屠狗"指市井平民;"墨屎"指无赖之徒(语出《列子》);"侏张"指强暴之徒。"指此区区物,是某托转授"到"丁宁复丁宁,幸勿杂然否"数句,模拟贿选者甘言引诱声口,惟妙惟肖。

七段写大选经过。美国总统四年一换届,首先公布总统候选人名单。"党人碑"本是宋徽宗时蔡京当权排斥打击旧党之所为,此纯借用字面。"人人手一纸"当指选票。"环人"本是周代职官名,掌军事联络、迎送外宾、持节出使等事,此借指警察。"喘如竹筒吹"系韩愈诗句,此化用。"夜半筹马定,明明无差池"二句写清票得出结果。姬君当选。于是放礼炮,升国旗。大选结束。

八段写诗人的观感。自1783年英国承认美国独立,华盛顿任第一任美国总统,距作此诗时,正好过百年。故云"吁嗟华盛顿,及今百年矣"。1776年美国大陆会议通过的《独立宣言》,宣称所有的人都是平等的,故云"红黄黑白种,一律平等视"。"人人自由"四句反映了诗人对资产阶级国家的憧憬,认为发扬民主,使国富强,有其进步意义。但作者不赞成竞选,直斥之为"怪事",把它看成是"怒挥同室戈,愤争传国玺",以为它会导致国家的动乱,出现刺杀政要、株连无辜等恶性事件,于是把它比成我国封建社会的党争,这其实是不伦不类的,表现出作者对西方多党政治制度的隔膜。至于认为资本主义制度如果没有"党争"、竞选,就能达到完美的"太平世",就更幼稚。由于他是站在向往君主立宪制的立场上看待竞选制度,所以也就不可能揭示资产阶级两党政治的实质。

尽管有上述认识上的局限性,《纪事》仍然不失为"新派诗"中的佳作,不失为中国古代叙事诗的一朵奇葩。它毕竟是睁开眼睛看世界,且用宏大的篇幅,完整地展示了美国总统大选的过程,以犀利敏锐的目光和笔触,戳穿了一些"西洋镜",揭示了资产阶级民主的阴暗面,又像八幕一出的活报剧。从内容到形式,都突破了传统古诗的格局。作者在语言运用上熔古今中外于一炉,充分表现了卓新诗风的精神。毋庸讳言，其中某些古典运用还不够恰切，也表现出以旧体诗写新世界所固有的局限。

（周啸天）

八月十五日夜太平洋舟中望月作歌

黄遵宪

茫茫东海波连天，天边大月光团圆。
送人夜夜照船尾，今夕倍放清光妍。
一舟而外无寸地，上者青天下黑水。
登程见月四回明，归舟已历三千里。
大千世界共此月，世人不共中秋节；
泰西纪历二千年，只作寻常数圆缺。
舟师捧盘登舵楼，船与天汉同西流。
虬髯高歌碧眼醉，异方乐只增人愁。
此外同舟下床客，梦中暂免供人役；
沈沈千蚁趋黑甜，交臂横肱睡狼藉。
鱼龙悄悄夜三更，波平如镜风无声。
一轮悬空一轮转，徘徊独作巡檐行。
我随船去月随身，月不离我情倍亲。
汪洋东海不知几万里，
今夕之夕惟我与尔对影成三人。
举头西指云深处，下有人家亿万户；
几家儿女怨别离，几处楼台作歌舞；
悲欢离合虽不同，四亿万众同秋中。
岂知赤县神州地，美洲以西日本东，
独有一客欹孤篷。
此客出门今十载，月光渐照鬓毛改。
观日曾到三神山，乘风竟渡大瀛海。

举头只见故乡月，月不同时地各别；
即今吾家隔海遥相望，彼乍东升此西没。
嗟我身世犹转蓬，纵游所至如凿空；
禹迹不到夏时变，我游所历殊未穷。
九洲脚底大球背，天胡置我于此中？
异时汗漫安所抵，搔首我欲问苍穹。
倚栏不寐心憧憧，月影渐变朝霞红，
朦胧晓日生于东。

鉴赏

光绪十一年(1885)，作者解驻美国旧金山领事任，从太平洋乘船归国途中，时值中秋，他仰望如镜明月，俯视茫茫海水，回顾人生际遇，悲欢离合各不相同，个人身世漂泊无定，不禁感慨系之，于是写成了这篇佳构。

整首诗以中秋明月作为一条主线，贯穿始终。时而描写海天月色，时而叙述船上的种种情形，时而又从明月联想到祖国人民，进而写出自己的怀归之志和个人浩茫无际的复杂心情。全诗在朦胧月色笼罩中，显得幽邃深沉而又变化多端，极具纵横排宕之致。

从“茫茫东海波连天”到“今夕之夕惟我与尔对影成三人”为第一大段，二十八句，描写海上中秋明月的景色，从中流露出漂泊异域的孤独愁怀。开篇八句从月出写起，第一句先点出地点，是在茫茫无际、波涛连天的东海中，这和下文提到的航行其间的一苇孤舟，大小悬殊，形成强烈反差，即此一句，已有孤独之感暗寓其中。接着就写海上中秋明月的特点：一是“大”，二是“圆”，三是月光分外明亮(“今夕倍放清光妍”)。笔墨非常简练，但那与海浪共生的一轮中秋明月，已经跃然纸上。然后才写了周围的环境和航船的去向。此时，除了这只船而外，四周没有一寸土地，空中是湛蓝的青天，下面是黑沉沉的海水，像这样航行，从起程到现在已经有四个月了，走过了遥远的三千里。从这些具体的描写中，海上的中秋明月更为形象，作者的弦外之音也自然流露出来：在异域的海上航行了这么久，居然碰到了今夜这个中秋佳节，月光又是这么好，这该是多么引人兴奋的事情啊！这八句中，虽然有淡淡的愁怀，却也有难以掩饰的高兴心情。作者在诗中有意吞吐，让人吟味得之，诗意倍觉深厚。

然而，以下二十句，作者却不再写那一闪即逝的高兴心情，而是从三个方面，来着重渲染自己漂泊海外的孤独和悲愁。一是从中西风俗不同来做对比："大千世界(佛教语，指现实世界)共此月，世人不共中秋节"，"泰西"(西欧)从公元以来近二千年，从来不管什么中秋节，因此，航海人员仍然捧着罗盘到"舵楼"(驾驶舱)开船，不肯稍息。"虬髯"(卷曲的胡须)、"碧眼"的白种人正在醉酒高歌，那异方的音乐听来只增人愁闷。二是从我国华工("下床客")的酣睡来与自己做对比：他们虽然懂得中秋的意义，但在海外谋生太辛苦了，只有在睡梦中才能免于被人驱使，此时就像众多的蚂蚁一样，挤在下等舱中横七竖八地进入沉沉梦乡("黑甜"，指睡眠)。三是继续描写明月，来突出孤寂心情：由于"泰西"不懂中秋之意，同胞又沉沉入睡，孑然一身的作者无人可语，只好到船舷边徘徊。望眼所见，"鱼龙悄悄夜三更，波平如镜风无声"。一轮明月静静地悬在高远的空中，照着海上的这艘轮船不停地航行。作者只能与明月为伴，"今夕之夕惟我与尔对影成三人"(李白《月下独酌》："举杯邀明月，对影成三人。")，倍觉情亲。通过这三个层次的侧面烘托，异域情调十分浓厚，海上中秋明月的景象也更加生动，而作者的孤独与深藏心头的愁绪，也自然地显露出来，这就为下一段扩大描写的范围，抒写更多更深的感慨，预作了充分的准备。

从"举头西指云深处"到全诗末尾，二十九句，是第二大段，从想象祖国四亿人民的悲欢，联想到自己的孤独和漂泊不定，表现出对祖国的无限眷念和对自己前途的迷茫。前六句，从第一大段对中秋明月的描写自然引出，那茫茫大海西面是什么地方呢？那是我魂牵梦萦的祖国啊，那里的四亿骨肉同胞，虽然各有悲欢，但都正在过着一年一度的中秋佳节。作者只身海上，从一轮明月想到祖国人民，表现出感人的赤子之心。从"岂知"以下十一句，作者更加紧密地把自己与祖国联系起来，抒发长期漂流在外的愁苦。先是从正面着笔，"岂知赤县神州地，美洲以西日本东，独有一客欹(通倚)孤篷(即孤舟)"。好像在埋怨祖国对自己不了解，其实是深情的诉说，表现对祖国的思念。自己出门已经"十载"(作者自同治十三年[1874]春北上应廷试，至光绪十一年[1885]解任归国，实为十二年，此为约数)，曾经到过"三神山"(传说中神仙居住的三座山，此指日本)，又渡过"大瀛海"(古人认为九州之外有此海，此指太平洋)，无论在日本还是在美国，只要见到明月，就会勾起对故乡的无限思念。在诉说中，"即今"二句又从对面着笔，想到自己的家人（作者是广东梅州市人），此时也正在望月，正在隔海遥遥地盼望自己早些归来呢！那月亮也正在不停地运转，就要西沉了。这些情景交融的描写，满怀深情的诉说，无论是正面叙写还是对面着笔，都无一不饱含着对祖国、对亲人眷念的深情，读来感人极深。

从“嗟我”以下八句，作者从怀念祖国的深情中，进一步想到自己的今后，不免又深深地牵动了愁怀。作者把自己比为随风飞转的蓬草，多年来像张骞开通西域那样地艰难奔走（即“凿空”。《史记·大宛列传》：“于是西北国始通于汉矣，然张骞凿空。”集解：“苏林曰：凿空，开通也。骞始开通西域道”），连大禹治水没有到过的地方，不依夏历记时的异国，都已经去过了，然而世界是如此之大，毕竟还没有走完啊，“异时汗漫（无边无际之意）安所抵”，今后还会要到哪里去呢？想到这里，作者心中一片茫然，不禁搔首徘徊，想问问那冥冥之中的上苍，到底怎样安排。然而，天意从来高难问，在这“鱼龙悄悄夜三更，波平如镜风无声”的茫茫大海中，清光弥漫的青天又怎能给自己以确切的回答呢？我们可以想见，此时的作者，眼望中秋明月，再环顾左右，思绪如潮，内心该有多么烦乱。于是，全诗的最后三句，就写出了这种情形：“倚栏不寐心憧憧（chōngchōng，心意不定的样子），月影渐变朝霞红，朦胧晓日生于东。”作者靠在船舷边的栏杆上，各种愁思触绪纷来，心神不定，渐渐地，中秋明月西沉、隐没，朦胧中一轮晓日从东方升起，满天朝霞把茫茫海水映照得一片通红。这三句与开篇照应，从明月东升写起，直到它渐渐西沉，以朝日出海作结，在日、月的交替变化中，展现了在大洋中航行的特殊而新鲜的情景，首尾贯通一气，浑然一体。同时也说明，作者在中秋之夜，一夕未眠，那孤寂的心境，深沉的思乡情怀，以及种种难以排遣的愁绪，都一齐涌上心头，奔来笔底，蕴涵诗中，深深地打动着读者的心灵，产生出感动人心的巨大力量。

不过，这首诗虽然是以写思乡情怀和个人际遇为主，具有感伤的情绪，但是从整体上看，却没有悲戚之感，仍然显得感情豪迈，气势雄放，这在同类诗歌中，开辟出了一个新的境界。这原因，从内容上看，作者摄入诗中的意象，是茫茫大海，明月青天，加上远航的轮船和“虬髯”“碧眼”等等，构成了一种阔大无比的景象，并且具有前所未见、令人耳目一新的异邦情调，这些，自然起了消融悲伤情绪的重要作用。从风格上看，作者信笔直书，明畅通达，在元气淋漓中，显得慷慨激越，气势奔放，明显地表现了阳刚之美，使人不觉其悲。特别是最后结尾的安排，“月影渐变朝霞红，朦胧晓日生于东”，用海上日出的壮丽景象来代替夜间幽暗的色彩，那红彤彤的灿烂朝霞,仿佛将夜来的悲愁一扫而空,随着朝日的升腾,依然是十分明朗的气象。这些,使得全诗有一种豪爽、雄伟的气概,读了令人感奋。

全诗以描写海上中秋明月为线索,从开始的“天边大月光团圆”到最后的“月影渐变”,一直通贯全首,使得全诗在结构上一气流转,十分谨严。不过,它真正的妙处还在于恰到好处的断续、穿插,使诗歌更饶顿挫之致。比如开始四句本是写此夕海上中秋明月的景象,第三句忽又横插“送人夜夜照船尾”一句,拉回到今夕以前去。接下来四句,“一舟”两句写眼前情形,而“登程”二句又回溯到过去。这样,就造成了跌宕的效果,更富诗趣。至于以下把对月色的描写和船上情形、祖国人民、个人际遇、抒发感慨等等,交叉穿插起来写,多管齐下,那就更有峰断云连、不接而接之妙。作者运思于笔,穿插多姿,不枝不蔓,表现了独运的艺术匠心。

(管遗瑞)

都　踊　歌

黄遵宪

西京旧俗,七月十五至晦日,每夜亘索街上,悬灯数百,儿女艳装靓服为队,舞蹈达旦,名曰都踊。所唱皆男女猥亵之辞,有歌以为之节者,谓之音头。译而录之,其风俗犹之唐人《合生歌》,其音节则汉人《董逃行》也。

长袖飘飘髻峨峨,荷荷。
裙紧束兮带斜拖,荷荷,
分行逐队兮舞傞傞,荷荷,
往复还兮如掷梭,荷荷。
回黄转绿兮同挼莎,荷荷,
中有人兮通微波,荷荷,
贻我钗鸾兮馈我翠螺,荷荷,
呼我娃娃兮我哥哥,荷荷。
柳梢月兮镜新磨,荷荷,
鸡眠猫睡兮犬不呵,荷荷。
待来不来兮欢奈何,荷荷。

一绳隔兮阻银河，荷荷，
双灯照兮晕红涡，荷荷，
千人万人兮妾心无他，荷荷，
君不知兮弃则那，荷荷，
今日夫妇兮他日公婆，荷荷。
百千万亿化身菩萨兮受此花，荷荷，
三千三百三十二座大神兮听我歌，荷荷。
天长地久兮无差讹，荷荷。

鉴赏

黄遵宪对于民歌一向有比较浓厚的兴趣，曾采土俗男女赠答之歌，为《山歌》若干首，并仿而自作数十首。此首《都踊歌》，如序所云，是据日本男女载歌载舞时所唱之辞"译而录之"的，有较鲜明的民俗性。"西京"，系指日本平安城，该地历史上一度为京都，故有此称。《合生歌》的特点是"咏歌舞蹈"而合为一，"异曲歌声，哀思淫溺"，且言辞"浅秽"，很适应释泄奔放的和缠绵的感情。唐时流传颇广。所以他以为《都踊歌》与《合生歌》"风俗"相似。梁启超认定译录后的此诗为"绮语"，而诗人自己也明言之，毫不避忌"猥亵之辞"，倒是相反地对之钟爱有加，类此之举实为诗坛吹拂起一股清新之风。但序末"其音节则汉人《董逃行》也"之说，乃诗人误记，与《都踊歌》似者当为《董逃歌》而非《董逃行》。

《都踊歌》中，男女表白情愫的行为和心理，尽管来自异域，但中日文化的同源却也在此中得到证明，我们可从中国古代诗歌特别是乐府中见到不少其风貌、精神与此相近相似的篇什。同时，不难推想，诗人可能于其间掺和进他自己的意愿，进行了适当的艺术加工。

每句句尾后的"荷荷"，是鸣辞中的感叹之声，"荷"与"呵"通，古人用为语气辞。这给全诗带来生动的接近生活的真实感。诗句中多有"兮"字，无疑地，这易令人对此产生有文绉绉与民风不合拍的感觉。所以，句末缀以"荷荷"二字，确可起活化整首诗的作用。

在艳装靓服的女儿队伍中，开始展现的是人们的动作，舞袖束裙之时，就暗蕴了吸引异性眼光的心思。如果说，分行逐队时，重在摆弄自己的身段和舞姿，那么，如"掷梭"

般的一往返,就提供了男女接近的机会。随后,队中人有的就送起了“微波”(微妙而难以言传之秋波)“微波”中传达了千言万语和火一样的热情。“微波”开通了两人的心扉;你贻我馈,又加固了他们之间用眼波架起的桥梁。吴俗谓好女为“娃”,以“娃”“哥”相称,表明男女已经成为一对有情之人。在“都踊”中神速地建立起的爱情,可能不同于一般在循规蹈矩中形成的男女关系。所以,“都踊”之时,年轻儿女才着意装扮,通宵达旦地舞蹈欢唱。

随后,是对那有了心上人的女子的情怀的描绘。月上柳梢,她还在不停地端详自己投射在镜中的容貌;周围的一切都已沉入静寂中,连鸡犬都识趣地进入梦乡。与此相照应的是,她的心情却那么紧张,心在激烈地跳动。心上人应该来了,她在盼望中……然而,他还是没有来。在那个时刻的某一点上等候是最令人焦急和伤感的。他不会再来了,虽然失望不可遏止地涌上心头,这一结局总要接受,“奈何”一声叹,内在的压力多少会减缓。那个“哥哥”,在千千万万个可人的小伙子中,只有他才会打动她的心,使她心潮激荡。今夜,不知什么把他们阻隔了开来;但是,想起他,特别是忆念以往“通微波”的情景,她虽然是一个人在沉思默想,仍是难以自持,双灯映照下,她的面颊飞起了一片红晕。同时更加坚定了对他的爱恋。最后数句,可能是日本诗歌中常用的祈祷语,让菩萨和大神的在天之灵保佑她吧!

总的来说,因是移译的缘故,这首诗在艺术上属平平之作,比较而言,黄遵宪动手作这首诗比诗本身的价值更有意义。

(刘　诚)

以莲菊桃杂供一瓶作歌

黄遵宪

南斗在北海西流,春非我春秋非秋,
人言今日是新岁,百花烂熳堆案头。
主人三载蛮夷长,足遍五洲多异想。
且将本领管群花,一瓶海水同供养。
莲花衣白菊衣黄,夭桃侧侍添红妆。
双花并头一在手,叶叶相对花相当。

浓如旃檀和众香,灿如云锦纷五色。
华如宝衣陈七市,美如琼浆合天食。
如竞笳鼓调筝琶,蕃汉龟兹乐一律。
如天雨花花满身,合仙佛魔同一室。
如招海客通商船,黄白黑种同一国。
一花惊喜初相见,四千余岁甫识面;
一花自顾还自猜,万里绝域我能来;
一花退立如局缩,人太孤高我惭俗;
一花傲睨如居居,三更妩媚非粗疏;
有时背面互猜忌,非我族类心必异;
有时并肩相爱怜,得成眷属都有缘;
有时低眉若饮泣,偏是同根煎太急;
有时仰首翻踌躇,欲去非种谁能锄;
有时俯水瞋不语,谁滋他族来逼处;
有时微笑临春风,来者不拒何不容。
众花照影影一样,曾无人相无我相。
传语天下万万花,但是同种均一家。
古言猗傩花无知,听人位置无差池。
我今安排花愿否?拈花笑索花点首。
花不能言我饶舌,花神汝莫生分别。
唐人本自善唐花,或者并使兰花梅花一齐发。
飙轮来往如电过,不日便可归支那。
此瓶不干花不萎,不必少见多怪如橐驼。
地球南北倘倒转,赤道逼人寒暑变。
尔时五羊仙城化作海上山,亦有四时之花开满县。
即今种花术益工,移枝接叶争天功,
安知莲不变桃桃不变为菊,回黄转绿谁能穷?
化工造物先造质,控抟众质亦多术。
安知夺胎换骨无金丹,

不使此莲此菊此桃万亿化身合为一。
众生后果本前因,汝花未必原花身,
动物植物轮回作生死,安知人不变花花不变为人。
六十四质亦幺么,我身离合无不可,
质有时坏神永存,安知我不变花花不变为我。
千秋万岁魂有知,此花此我相追随。
待到汝花将我供瓶时,还愿对花一读今我诗。

鉴赏

光绪十七年(1891)秋,黄遵宪出任新加坡总领事一职。二年后,他借居当地潮州富豪佘家养疴,佘家临潴水池边筑一楼,三边环水,“杂花满树,无冬无夏,余手摘莲、菊、桃、李同供瓶中,亦奇观也”。可见,诗乃从整日相伴他的几束花枝生发而成,诗人从眼前那婀娜多姿的花的静态形态中,扩展自己的思绪,作了种种妙不可言的联想,在人们对这种联想的摄入和思索中,不时悟出他深蕴于其中的种种悠长的意味。

“南斗在北”,先点明了作者所处的地理位置,新加坡地处低纬度,靠近赤道。古人所谓“开北户以向日者”,即意指极偏南之地,日行在北。如此,“百花烂熳堆案头”,方为可能。莲、菊、桃,三种植物开花的季节在热带以北的广大区域中是不一致的,只有在赤道附近有限的范围中,才有这种群花竞放的奇异景观。而且,“浓如旃檀”“灿如云锦”,兼之馥郁的香味。诗中美化花色花香的词句层出不穷;甚而以“笳鼓”喻其音律,以“琼浆”况其滋味,真是“足遍五洲多异想”。“如招海客通商船,黄白黑(按:一作红黄白)种同一国。”是表达这一位足迹遍世界的诗人的宏通视界,而且嵌入比况花色同聚的构想的特色语言。

诗句至此,姑可作为引子。以下的描述真不愧是妙笔生“花”。连用“一花”又“一花”句:“惊喜初相见”,“自愿还自猜”,“退立如局缩”,“傲睨如居居”,仪态万方,摇曳生姿,不仅极尽变花之静态为动态之能事,而且以拟人手法将人生旅途和社会生活中人们的种种不同面相,不同举止,一一展陈,阅者感觉到花枝招展的同时,又如面对芸芸众生的一副副可掬之容态。如对一串“有时”三句再加端详、揣摩,那么,这样的印象无疑会加深一层。“非我族类心必异,”“欲去非种谁能锄?”这是对于现实政治的影射,把清朝统治者的居心端了出来。“谁滋他族来逼处?”这一疑问,谁都不易解释清楚,其内涵过于繁富,“于人何所不容”(孔子语)。中国古代先圣的胸襟弘阔,黄遵宪对此亦有同感,“同种均一家”的愿望非胸狭窄者所能望肩。排斥异种、异类、异族并不高明,“唐人本自善唐花”,但“唐人”同时也使兰花梅花一齐发,此“唐人”所以伟大之处。但是,这一思想和见解易于堕入禅窟,“曾无人相无我相”,发挥了佛家消弭一切差别的宗旨。“同种均一家”自有其积极的意义,不全如“莫生分别”;“安排”得当,通过流血和斗争,才能填平沟壑,异种共享春风,如四时之花一时绽开。否则,南北倒转,寒暑变更,位置又会产生新的参差不齐。

意犹未尽,笔底再生波澜。“花术”是体现在植物学和园艺学中的人力和技术。“安知莲不变桃桃不变为菊”,不是物种的根本变化,而是通过人工“移枝叶”的结果。“回黄转绿”“轮回生死”继由前意。非唯如此,“人”“花”亦能互相转换:“安知人不变花花不变为人。”《庄子·齐物论》中述“庄周梦为蝴蝶”,“不知周之梦为蝴蝶与,蝴蝶之梦为周与”为诗语所本,这种“齐物我”的境界的沿用,除有传统的思想来源作为根据外,还由于诗人立足于残酷的现实环境中,从万事万物的和谐生长、存在中,比附出人类应与自然共处并从而达到人群本身的和平共处。他所追求的这境界当然是空想,但却出于一种改良社会的意图。由“花”“人”互变,推演到“花”“我”互变,诗人觉得,应与自己投身于其中的大千世界融为一体。固然,这一方面和当时流传的关于物质之“原质”(元素)的新知识有关,也和古人深信的“形有靡而神不化”的观念有关;但是,更主要的,是为了和前述意旨贯通一气,结住“花”题,并由外及内地将他的种族团结思想“寄托”在对花的描摹以及与之有关的一系列联想中。

梁启超在介绍黄遵宪此诗时说:“半取佛理,又参以西人植物学、化学、生理学诸说。”良然。但这一切又无不是为了寄托其“种族团结思想”。(钱仲联《人境庐诗草笺注》)

(刘　诚)

山　歌(录三)

黄遵宪

人人要结后生缘,侬只今生结目前。
一十二时不离别,郎行郎坐总随肩。

买梨莫买蜂咬梨，心中有病没人知。
因为分梨故亲切，谁知亲切转伤离。

一家女儿做新娘，十家女儿看镜光。
街头铜鼓声声打，打着中心只说郎。

鉴赏

在这组诗的前面，作者有一段小序："土俗好为歌，男女赠答，颇有《子夜》《读曲》（六朝间产生于江南一带的民歌曲调）遗意，采其能笔于书者，得数首。"但在题记中，又有"仆今创为此体"之语，可知这些山歌，是他在民歌的基础上经过再创作的。这些诗语言通俗如话，构思巧妙新颖，极富民间生活气息，在作者为数众多的诗歌中，显得别有情趣。

第一、二首都是以女子口气，来诉说对爱情的极端珍视，表现对恋人的深情挚爱。第一首中的这位女子，十分大胆，有着超越常人的魄力和胆识。在当时，一般的男女，都要通过许愿等形式缔结来世姻缘，即使今生离别，也好下一辈子后会有期。而这位女子却全然不管这些，她只想在今生今世把眼前的姻缘缔结得更加美好，"一十二时"（古人把一天分为一十二时），不管"郎行郎坐"，都与他并肩相随，永不分开。其中"只"字，语气斩钉截铁，毫不游移，表现出对爱情的执著追求。而"总"字，又表现出对情人的如胶似漆的深情厚爱，那火一般的赤诚，简直到了白热化的程度。更加难能可贵的是，从对"后生缘"的轻蔑中，表现出这位女子对当时迷信的世俗观念的否定，她热烈追求今生的真实的幸福，也就是对虚无缥缈的来世的唾弃，这种大胆的思想，令人在感动之余，不禁肃然起敬。

与第一首中这位大胆泼辣的女子相比，第二首中的女主人公，却就较为温柔、多情而含蓄了。第一句好像是起兴，其实是比喻。是用被蜂咬过的内部受到损伤的梨，来比"心中有病"的人。心中是什么病呢？联系后两句来看，原来是怕与情人分离。因此，"买梨莫买蜂咬梨"，因为"梨"字与"离"字同音，这里运用谐音双关，就暗含了不愿与情人分离之意。第三句的"分梨故亲切"，是指男女双方分吃一个梨子，显出互相体贴之心，相敬如宾，故而有亲切之感。但因为"梨"与"离"同音，男女"分梨"，也就可能兆示着以后的分离，所以最后一句说,“谁知亲切转伤离”,点出了“离”字,把前面谐音双关的谜底轻轻透出,让人从中体味深切的含意。在民间,至今还有夫妻不分吃一个梨子的习俗,顾忌的就是怕“分离”。这里面多少带有一点迷信的色彩,然而更多的却是一种痴情,一种对于忠贞爱情的向往。如果说第一首的诗意是十分明白热烈的,那么,第二首就较为含蓄委婉了,在深深的爱恋中,表现出绵绵情思。

第三首是作者客观叙述的口气,写待嫁女子对新婚的期望和对未来郎君的想念,内心的刻画十分细腻深刻。前两句用动作传神:一家女儿出嫁去做新娘,牵动着十家女儿的心,她们拿着光亮的镜子,反复地照看自己。在这个简单的动作中,既有女儿家对自己青春的爱惜,也含有几分羞怯,但总也掩饰不住对未来新娘的憧憬,那种喜上眉梢、乐不自禁的心情,表现得多么生动。后两句写心中的活动:此时,街上传来送嫁的“铜鼓”(中国古代南方一些少数民族使用的一种乐器,由用作炊具的铜釜发展而成,铜质而形状似鼓,故名)的敲打声,那“琅琅”的响声,一声声叩击着女儿们的心,引起她们对未来的郎君的一往情深的想念。“打着中心只说郎”一句,既用了意义双关,“中心”不仅指铜鼓的中心,也指女儿的“中心”(即心中);又用了谐音双关,“琅”字转换成了“郎”。这种双关修辞格的运用,使诗中女儿们从“琅”想到“郎”,把内心那种由错觉而造成的对未来郎君的思念,表现得何等淋漓尽致。这首诗在刻画人物的心理上,手法新颖,细致入微,收到了很好的艺术效果。

三首诗都明白易懂,这正是山歌的本色,但构思却又十分巧妙,在明白如话中,颇耐人寻味,给人以艺术的启迪。第一首没有使用双关,但第一、二句却使用了对比的写法,把“侬”(即我,诗中女主人公)与“人人”(即世人)相提并举,从对人生的判然不同的态度中,表现了这位女子对今生爱情的坚定与执著,这就比平铺直叙要突出得多,深刻得多。第二、三首都运用了双关手法,但又各自有别。第二首前三句都是在写真正的“梨”,使人浑然不觉,到最后才一语点破,让人恍然明白,是在说“离”。如果不点出最后这个“离”字,就有些令人费解,很可能成为哑谜了。第三首“郎”的谐音双关字“琅”却没有写出,比第二首隐晦些,但由于前面已经点出“铜鼓”,并且辅以“中心”的意义双关,人们就可以循着诗中提供的线索,找到它的真实的意义。在这些方面,作者处理得极有分寸,表现了高度的艺术技巧。

(管遗瑞)

赠梁任父同年

黄遵宪

寸寸山河寸寸金，伛离分裂力谁任？
杜鹃再拜忧天泪，精卫无穷填海心。

鉴赏

"梁任父"即梁启超，号任公；父（也写作甫）是旧时加在男子名、号下面的美称。"同年"，科举时同榜考中的人。但据钱仲联先生《人境庐诗草笺注》说："案：公度与任公并非举人同年，题称同年，疑是从其季弟遵楷之称，遵楷与任公为举人同年。"从诗题上看，已经表现出黄遵宪对当时维新派首领梁启超的尊重与敬爱。这首诗作于光绪二十二年（1896）四月，当时作者正约梁启超到上海办鼓吹维新的《时务报》。诗歌表达了作者对祖国面临危亡的深深忧虑和变法图存的坚定决心，充满着热爱祖国的精神。

前两句表现作者殷切希望制止瓜分惨祸的心情，推许梁启超能够担此重任。第一句"寸寸山河寸寸金"，是用《金史·左企弓传》典故："太祖既定燕，企弓献诗，略曰'君王莫听捐燕议，一寸山河一寸金。'"用黄金来比喻国土，表现出对祖国山河的深深热爱。然而，就是这样如同金子一样珍贵的国土，如今正在遭受到列强的蚕食，大片大片地被侵吞，怎不叫人痛惜呢！所以第二句紧接着表现渴望结束这种惨剧的意思："伛离分裂力谁任？""伛（kuā）"，离绝之意。全句说谁有力量制止世界列强瓜分中国的图谋呢？句中暗含着两层意思：一是慨叹清政府当权者庸碌无能，不能挽救国家的危局；二是寄予梁启超以极大信任，希望他在国难当头之时，能够挑起拯救祖国危亡、避免瓜分的重担。这既是对梁启超的推重，表现出相知甚深之意，也表露出作者真诚而急切的报国之心。两句一叙一问，语句看似平常，但那强烈、深沉的感情，却蕴涵在字里行间，耐人反复体味。

后两句巧妙地把几个典故糅合到一起，含蓄地表达出了对祖国前途的忧思和为拯救祖国而奋斗的坚强决心。前句中的"杜鹃"，据《寰宇记》说:“蜀王杜宇,号望帝;后因禅位,自亡去,化为子规。”它的啼叫声十分悲伤。“忧天”,据《列子·天瑞》,春秋时杞国有个人担心天要塌下来,忧愁得不能吃饭和睡觉。这两个典故合起来,表现自己对祖国命运的悲伤和极度忧虑。而全句诗又用了杜甫《杜鹃》诗中的意思:“杜鹃暮春至,哀哀叫其间。我见常再拜,重是古帝魂。”“再拜”,是古时的一种礼节,连拜两次,表示郑重。这里连续用典和化用古诗,在反复致意中,作者的忧世之泪和报国之心,得到了十分突出的表现。下句单用《山海经·北山经》中的故事:“发鸠之山,其上多柘木,有鸟焉,其状如乌,文首,白喙,赤足,名曰精卫,其鸣自诶。是炎帝之少女,名曰女娃。女娃游于东海,溺而不返,故为精卫。常衔西山之木石,以堙于东海。”“精卫填海”这个故事,已经表现了坚定不移、坚韧不拔的奋斗精神,然而作者尚嫌不够,在句中还嵌以“无穷”二字,把那种为祖国的振兴而奋斗不息的决心,表现得更加深刻。如果说前两句重在表现对梁启超的期许,那么后两句则侧重在表现共同的决心,既是鼓励别人,也是自勉,诗人的一颗赤子之心,在这里完全袒露出来。读至此,我们不禁要为作者的爱国精神深深地感动了。

黄遵宪有的诗用典过多,流于艰涩和枯燥。这首诗在短短四句中,虽然也用了好几个典故,但总的看来,在含蓄中意思还是清楚明白的,绝没有索解为难之病,也没有堆砌之感。这原因,一方面是感情真挚,在充沛的激情中,自始至终气脉流贯。另一方面,是作者巧妙的安排结合,特别是用典较多的句子,在词语的组合上力求自然,这样就避免了生硬之弊。在这里,作者显得驾轻就熟,游刃有余,体现了较高的艺术技巧。

(管遗瑞)

夜　起

黄遵宪

千声檐铁百淋铃,雨横风狂暂一停。
正望雄鸡天下白,又惊鹅击海东青。
沉阴曀曀何多日,残月晖晖尚几星。
斗室苍茫吾独立,万家酣梦几人醒?

鉴赏

黄遵宪是清末维新派的重要人物之一,戊戌变法失败后,受到清王朝迫害,放归广东嘉应(作者家乡,即今梅州市)。但作者关怀国事的一腔热血仍在沸腾,时时表现出对每况愈下的时局的深深忧虑。这首七律《夜起》,作于放归之后的光绪二十七年(1901),集中表现了这一时期作者的思想感情。

题目《夜起》,说明诗人睡而又起,夜不成寐,两字中已经包含着满腹心事,透露出忧愤和悲凉。前四句围绕题目,用婉转曲折的笔法,写夜起的原因。"千声檐铁百淋铃,雨横风狂暂一停。"作者在狂风骤雨之夜,只听见"檐铁"(即檐马,用金属制成,悬挂在屋檐下,风吹时撞击发声)不停地传来"泠泠"的响声,就像一曲曲悲哀的《雨淋铃曲》,使人心中顿生凄凉之情。"淋铃",即指《雨淋铃曲》,据《太真外传》,相传唐玄宗入蜀,雨中于栈道闻铃声,因采其声为此曲,以悼念杨贵妃,这里是借喻檐铁的声音;同时,"淋铃"也是檐马相击时"泠泠"的谐音。"千""百",极言声音之多且久,衬托出风雨的猛烈。作者在床上辗转反侧,难以成眠,也不知过了多久,在焦急的期待中,风雨终于暂时停息了下来。这两句,情绪从紧张趋向松弛,到"暂一停",诗意也稍微一纵。"正望雄鸡天下白,又惊鹅击海东青。"这两句的诗意却又正好相反,从稍稍松弛后,立刻又趋向紧张。作者在漫漫长夜中,愁苦难言,多么期望雄鸡快些高唱,东方早点发白啊!(诗本李贺《致酒行》中"雄鸡一唱天下白"句)"正望"二字,表现出焦灼等待、热切盼望的心情。但是,下句却又猛然一转,"又惊鹅击海东青",从表面意思看,是鹅在扑击"海东青"这种雕,使作者稍稍平息下来的心情,又重新惊动起来。其实,诗意并非如此,而是另有所指。作者在句下有自注:"元杨允孚《滦东杂咏》:'新腔翻得凉州曲,弹出天鹅避海青。'自注曰:'海东击天鹅,新声也。海东青者,出于女真,辽极重之。'"海东青是雕的一种,产于辽东,这里是借指我国东北领土。鹅与俄谐音,指帝俄。光绪二十六年(1900),八国联军侵略我国,沙俄在参加八国联军的同时,七月又借口保护中东铁路的修筑,调兵分六路侵入我东北,先后攻占哈尔滨、吉林、奉天等地,十月东北三省全部被沙俄侵占。原来,这句是说作者在风雨之中想起帝俄出兵侵占我国东北广大领土,这种丧权辱国的重大事件,真叫人震惊,心情怎能平息得下去呢?在前四句中,"又惊"句起了画龙点睛的作用,点出了诗歌的真正含义。联系前三句来看,檐铁声声、"雨横风狂"显然是指清末风雨飘摇的政治局势,以及作者自己的忧虑情怀,而"正望"句,这显然是希望时局尽快好转,作者的满腔忧国之心,在诗中得到了极为形象真切、含蓄深沉的表现。四句起伏变化,一气旋转,读来有一种江河奔流之势,在浑灏汪洋的气势中,有一种悲痛苍凉的情绪,分明感受到作者心潮的翻卷。

想到这些痛心的事情,加上满天风雨的呼号,作者的心情格外伤痛,他当然是睡不着的,只好起床徘徊踯躅了。

后四句即写夜起所见,进一步写出时局的危殆,表现自己的孤独的忧愤。"沉阴曀曀何多日,残月晖晖尚几星。"前一句合用《诗经·邶风·终风》"曀曀(yì,云气阴沉)其阴"和《诗经·邶风·旄丘》"何多日也"句意,是说在风雨暂停之后,室外尚弥漫水气,天气阴沉得可怕,用以比喻当前时局的暗淡,当然,其中也折射出作者自己阴郁的心情。后一句写空中逐渐转晴,出现了"晖晖"(huī,明亮)月儿,然而却是一钩残月,点缀在它周围的只有几颗稀疏的星星。从"残"字中,我们可以想见国家的残破,时局的艰危,其中仍含有比喻的作用。最后,诗意在经过多层次的曲折变化后,作者终于直接写到了自己,抒情主人公出现在读者面前:"斗室苍茫吾独立,万家酣梦几人醒(读平声,xīng)?"狭小的屋子里(即"斗室"),作者独自站立着,眼前是一片迷茫的夜色,什么也看不清楚;此时,周围是死一般的沉寂,人们都还在梦中酣睡,有几个人在像我这样的醒着呢?这收尾一联,把作者的孤愤情怀推向了顶点。想到四郊多垒,国家被人瓜分宰割,已经叫人痛心的了,然而更加令人痛心的是,对于这种危险的局势,对于国家的可悲的前途,却很少有人清醒地认识到,更难有人采取拯救的措施了,这怎不叫人焦急、痛心和忧虑呢?最后一句以问句作结,流露出诗人不能自抑的炽热的感情,表现出作者希望大声疾呼,振聋发聩,以唤起国民,为恢复祖国的领土、为国家的振兴而奋斗的可贵精神。一腔爱国情思,自始至终激荡在诗行中,令人感动不已。

在写作上,这首诗有一个显著的特点,就是把眼前的自然景色与国家的政治局势紧密结合起来,通过对自然景色的描写来暗示出国家的形势,两者结合得十分巧妙、自然。写夜间风雨阴晴的变化,针线细密,有条不紊。开始是风雨大作,接着是"暂一停",然后是"沉阴曀曀",最后才是"残月晖晖尚几星",夜中情形,先后次序,交代得清清楚楚,扣紧了题目《夜起》,其中也隐含着作者心潮的起伏变化。而这一切景色,又无一不与国家的局势紧密相关,作者通过谐音双关("鹅"谐"俄")和借代("海东青"代指东北),把两者的关系自然打通,一支笔直书而下,而在意义上亦此亦彼,密不可分,全诗达到了高度的情景交融,把拳拳的爱国之心和忧时忧国之念,表现得极为动人而又深刻。

(管遗瑞)

闽中新乐府·村先生

林　纾*

村先生，貌足恭，训蒙《大学》兼《中庸》。
古人小学进大学，先生躐等追先觉；
古人登高必自卑，先生躐等追先知。
童子读书尚结舌，便将大义九经说，
谁为《鱼跃》孰《鸢飞》，且请先生与析微。
不求入门骤入室，先生学圣工程疾。
村童读书三四年，乳臭满口谈圣贤，
偶然请之书牛券，却寻不出上下论。
书读三年券不成，母咒先生父成怨。
我意启蒙首歌括，眼前道理说明豁：
论月须辨无嫦娥，论鬼须辨无阎罗。
勿令腐气入头脑，知识先开方有造，
解得人情物理精，从容易入圣贤道。
今日国仇似海深，复仇须鼓儿童心。
法念德仇亦歌括，儿童读之涕沾襟。
村先生，休足恭，莫言芹藻与辟雍；
张国之基在蒙养，儿童智慧须开爽，
方能凌驾欧人上。

作者

* 林纾（1852－1924），原名群玉，字琴南，号畏庐、冷红生，福建闽县（今福

州市)人。光绪八年(1882)举人。任京师大学堂教习。依靠懂西文者口述,用古文翻译多种欧美著作。工诗文,兼从事小说、戏剧创作。晚年思想守旧,反对新文化运动。著有《畏庐诗存》等,译著有《巴黎茶花女遗事》等几十种。

鉴赏

林纾,字琴南,是著名的翻译家和"桐城派"古文家。他一向不以作诗为重,对诗作抱着无所谓的态度,"不存必传之心,不求助传之序"(《畏庐诗存·自序》)。但他涉足诗坛所作《闽中新乐府》五十首,值戊戌变法之前,鲜明地表现出作者前期思想中的维新倾向。整部诗集都贯穿着学习西方,改良社会,救亡图存的思想,爱国热情溢于言表,具有晚清新诗派标榜爱国、鼓吹维新的共同特点。其中《村先生》一诗,以对儿童的启蒙教育入笔,强调其重要性,并且由此倡导爱国主义教育,在整部诗集中具有代表性。

《村先生》题下自注:"讥蒙养失也。"蒙养,就是对儿童的启蒙开化教育。林纾感慨村先生(乡村私塾中对儿童进行启蒙教育的老师)在教育中的错失,作此诗以讽之,并且提出自己的看法,寄托自己的爱国主义情愫。

全诗可分为几个层次:

开首"村先生,貌足恭,训蒙《大学》兼《中庸》"句,给我们描绘一个乡塾先生的情状,表面上甚是谦恭,他给那些鸿蒙未开的蒙童们传授儒学经典要义,以期迅速培育出才华卓绝的天才。这位开篇谋面的"村先生",实际就是作者要讽刺、鞭挞的对象。接下来,作者就来写村先生的错失。

自"古人小学进大学"至"先生学圣工程疾"是写村先生不顾教育对象的具体情况,揠苗助长的错误方法。"古人小学进大学,先生躐等追先觉;古人登高必自卑,先生躐等追先知"两句是用古人正确的教育方法来映照村先生方法的错误。由"小学"家塾(或党庠)而进"大学""登高必自卑"都是写古人学习是循序渐进,从初级到高级,逐渐积累知识。村先生则躐等(越级)地"追先觉""追先知",想把高深莫测的道理知识(如前面提到的《大学》《中庸》等类)灌输在蒙童脑子里,结果必然是适得其反。"童子读书尚结舌,便将大义九经说"是补充实例来写村先生的盲目教育。传授精深古奥的"九经"(一般指四书五经)要义给这些懵懵懂懂的"尚结舌"的儿童,必然使他们如堕云里雾里。下句作者就借蒙童们无法弄懂的要义来为难村先生,"鱼跃""鸢飞"这些典故,众人认为玄奥,村先生也无法解释清楚,正是自酿苦酒自己喝。所以作者概括村先生的错误方法是：“不求入门骤入室，先生学圣工程疾。”其结果是使蒙童深受其害，变成对社会无益的“多余人”。

接下来三句，揭露其造成的不良后果及恶劣的社会影响。“村童读书三四年，乳臭满口谈圣贤，偶然请之书牛券，却寻不出上下论”，用这种教育方法训导出来的蒙童们，满口圣贤之道实际却丝毫不得其解，并且所学内容更丝毫无益于社会，即使请他写一个买卖牛的文契，也没法下笔，不知怎样论证。这种不良后果造成了极恶劣的社会影响：“书读三年券不成，母咒先生父成怨。”在这里，作者是以诗中这位村先生作为剖析对象，实际在展示当时社会上普遍存在的脱离实际、不求甚解、扼杀儿童才智的错误教育方法，这和作者创作《闽中新乐府》的意图是完全一致的。林纾《〈闽中新乐府〉自序》中说：“儿童初学，骤语以《六经》之旨，茫然当不一觉，其默诵经文，力图强记，则悟性转窒。”《村先生》前半部分就形象地描绘了这种问题严重的教育状况。

针对时弊，作者提出自己的看法，强调诗歌的教育作用。《自序》中又道：“入人以歌诀为至，闻欧西之兴，亦多以歌诀感人者。”《村先生》后半部分就正面倡导诗歌的教育作用，表达了作者的理想。

“我意启蒙首歌括，眼前道理说明豁。”正面提倡以诗歌特殊的感人力量教育儿童。并且作者还提出要把科学知识融进教育事业之中，“论月须辨无嫦娥，论鬼须辨无阎罗”。只有让科学知识占据蒙童们洁净的头脑，才能杜绝当时社会上陈腐透顶的学术空气毒害天真无邪如同白纸的少年儿童，才能造就出真正于国有益的栋梁之才，这就是诗中的“勿令腐气入头脑，知识先开方有造”句之意。“解得人情物理精、从容易入圣贤道”是作者主张教育要循序渐进，由易到难，并且要向儿童灌输科学知识，这样才能“易入圣贤道”而为维新变法，维系统治的人才。这里作者虽出于阶级局限，肯定“圣贤之道”，倡导“中学为体，西学为用”的改良维新思想，但针对村先生陈腐误人的教育方法来说，还是有其时代进步性。

下面一个层次针对时事，结合欧洲振兴的实例，进一步强调在启蒙教育中诗歌教育的重要性：“今日国仇似海深，复仇须鼓儿童心。”作者联系当时中国大地上列强争霸割据的惨痛现实，把救亡图存的思想寄托在儿童少年的教育上，要报国仇，必须加强爱国主义教育，对儿童从小予以正确教育，使他们成长为兴国拒敌的栋梁之才。他从欧洲复兴的实例出发，强调爱国主义宣传中诗歌教育的巨大感染作用：“法念德仇亦歌括，儿童读之涕沾襟。”普法战争中法国战败，割让大片土地给德国(普鲁士),法国人民就用诗歌的形式来启发少年儿童的爱国情绪,作用非常显著。因为诗歌这种抒情文学样式,通俗易懂,艺术感染力极强,通过诗歌教育可以使少儿易于接受爱国主义思想,自觉地为振兴国家民族奋斗。

最后用一个奇句。诗人回应诗题,首先奉劝村先生"休足恭,莫言芹藻与辟雍"。"芹藻",原是两种水草,因《诗经·鲁颂·泮水》称泮官之水生芹、藻,故而借指泮官。"辟雍"同泮官一样,都是古代高级的学校。这句是说不能再脱离实际不顾教育对象,而应从启蒙孩童开始。末句"强国之基在蒙养,儿童智慧须开爽,方能凌驾欧人上"。和上句意思相承续,提出不能再用陈腐沉闷的学术空气窒息儿童的智慧发展,只有着重加强启蒙教育,充分开启儿童爱国主义的激情,用科学文化知识武装他们,我们的国家才能得到振兴,才能屹立于世界强国之列,不再受列强欺凌,点明了全诗深邃丰富的主题。

总观《村先生》这首诗,给人的感觉是作者把深沉的主题与颇具感染力的形式较好地结合,显现出大家手笔,是《闽中新乐府》的代表性作品,给晚清诗坛上吹来一阵清新的空气。

这首诗有这样几个方面的特色:

一、"即事名篇","全创新词"。《闽中新乐府》作于戊戌变法之前,当时变法维新之风很盛。维新派一员的林纾自然地踊跃挥笔。他在诗作上继承白居易、元稹等唐代著名诗人倡导的"新乐府运动"精神,"借旧瓶装新酒",以旧体诗形式,创新诗歌内容,成就卓著。《村先生》以一位乡塾先生为描写对象,以之命题,由他采用的揠苗助长式的辛勤教育方式,谈及给社会带来的贻害无穷的恶劣后果;下面倡导加强启蒙教育,着重强调以诗歌教育和科学知识教育,达到爱国主义教育的目的,把国家民族振兴的希望寄托在少年儿童健康成长上。这种思想主题是非常深刻的。

二、感情真挚深沉。林纾此时有着强烈的爱国之心,富于维新精神,他的诗论主张和诗作同"诗界革命"潮流是合拍的。反映在作品当中,借题发挥,从当时社会问题的一个方面——少儿启蒙教育着笔,抒发其内心激情。诗人在当时民族危亡之际,出自一片爱国之心,"平生倔强不屈人下,尤不甘屈诸虎视眈眈诸强邻之下"(林纾《爱国二童子》),把真挚深沉的感情凝聚在诗句中:"今日国仇似海深,复仇须鼓儿童心""强国之基在蒙养,儿童智慧须开爽,方能凌驾欧人上。"这首诗是一个爱国者在国难当头之际从内心迸发出的感人诗章。其感人之处就在于突破了个人狭隘感情的抒发,而能面对残酷现实,抒写反帝爱国的一腔激情。

三、通俗浅显，感染力强。林纾力辟的"同光体"当时占据诗坛，影响巨大，但多数人诗风生涩奥衍，清新通俗的诗着实不多。《闽中新乐府》中不少作品写来通俗易懂，明白晓畅，一改诗风。《村先生》中，或纠偏，或讽刺，或倡导，或号召，无不通俗亲切，如叙衷肠，作者用语并不避俗避熟，而是"俚词鄙谚旁收杂罗"（魏瀚：《闽中新乐府》序），如"书读三年券不成，母咒先生父成怨""法念德仇亦歌括，儿童读之涕沾襟""强国之基在蒙养，儿童智慧须开爽，方能凌驾欧人上"等，无不通俗上口，同黄遵宪的一些诗歌异曲同工，这与作者重视诗歌的教育作用分不开。这首诗确实也达到了这样的高度，能够激发起读者的反帝爱国激情，有着巨大的感染力。

（张晓春）

晓上空泠峡

王闿运*

猎猎南风拂驿亭，五更牵缆上空泠。
惯行不解愁风水，瀑布滩雷只卧听。

作者

＊王闿运(1832－1916)，字壬秋，一字壬父，号湘绮，湖南湘潭人。咸丰二年(1852)举人。曾参曾国藩军幕。先后在成都尊经书院、长沙思贤讲舍及衡阳船山书院等地讲学。后又主办南昌高等学堂。归故乡后于湘绮楼讲学授徒。宣统年间授翰林院检讨。辛亥革命后，任清史馆馆长，兼任参议院参政。好经学，主张学以致用。诗文师法汉魏，为晚清一大家。著作颇丰。有《湘绮楼全集》。

鉴赏

“空泠峡”，在湖北省宜昌市东南长江之中，《水经注》：“江水自建平至东界峡，盛弘之谓空泠峡，峡甚高峻，即宜都，建平二郡界也。”这首诗写诗人船过空泠峡的实际感受和他傲岸自适的豪迈情怀。

首句“猎猎南风拂驿亭”，不仅交代了诗人夜宿的具体地点，而且从听觉和视觉的结合上写出了天亮时空泠峡一带的环境、气氛，给人以丰富的联想。山高月小，天色将明，万籁俱静，只有阵阵南风，吹得驿舍的窗户簌簌作响。诗人不顾旅途的劳累，起身上路。晓风拂面，送来丝丝凉意。诗句中的“猎猎”，是风声。“驿亭”，古代设在各处的、供传递公文的人或来往官吏休息的地方。此句中“拂”字用得极佳，它把风吹物的动态表现得极其形象、生动，使无情无形之物成为有情有形之物，富有情趣。

次句“五更牵缆上空泠”，与诗

题呈呼应之势。"五更"点明上船时间(与"晓"呼应);"牵缆"说明行舟方式(是逆水行舟。由下游往上行,与"上"呼应)。这句既是叙事也是写景,诗人用极其简洁、平实的笔墨,为我们描绘了一幅山峡行舟图,而且这幅画面是那样的空阔、缥缈:山势险峻、江流湍急,在迷蒙的晨雾中,依稀看见一行人拉着纤缓缓前行,在此伏彼起的纤夫号子声中,船儿渐行渐远,慢慢消失在远方……这句诗,造语平淡,貌似无味,实则寓有画意,可谓"平淡有思致"了。

第三、四句"惯行不解愁风水,瀑布滩雷只卧听",当是抒情,却极富于形象性和哲理性。"惯行",是说常年奔波于旅途,已成习惯。"不解愁风水",是说不知道为风浪发愁。这第三句表述了诗人自已久经风浪、无所畏惧的经历和豪情;而第四句则是通过景物的描绘,进一步渲染、烘托了他"不管风吹浪打,胜似闲庭信步"的悠然自得之态。句中的"滩雷",指瀑布落地或水流过滩头时发出的响声如雷。瀑布高悬,水声如雷,这是何等壮观的景象!而诗人乘船过滩,竟然是"卧听"其声而毫不介意,又是何等的悠闲自在!这需要多大的气魄和胸襟!人物形象是多么鲜明和生动!末句的描绘,正是对前句"不解愁风水"最充分的体现。尤其是句中的那个"只"字,乍看毫不起眼,仔细体味一番,顿觉气势非凡,力生千钧,因为它把诗人的一腔豪壮之气,从容不迫之态,表现得淋漓尽致,于此可见作者炼字之功。

王闿运在当时以文章著称于世,然其诗才亦高绝。钱基博论王诗云"雅健雄深",可谓确评。在这首《晓上空泠峡》诗中也得到具体印证:虽然短短四句,然格调高雅、健朗,语言朴素、清新,意境开阔、雄奇,且诗中有画,寓意深远,非大手笔不可为。狄葆贤谓此诗"音节浏亮,殊类太白、龙标",当之无愧。

(宋子俊)

细　雨

袁　昶*

小窗明灭梦痕轻，江柳江花未放晴。
细雨如烟初叶嫩，客中浑忘过清明。

作者

*袁昶（1846－1900），字爽秋，号重黎，浙江桐庐人。光绪二年（1876）进士。历官徽宁池太广道，江宁布政使。官至太常寺卿。庚子义和团事件中，因反对当权者，被害。工诗。追慕鲍照、谢灵运。有《浙西村人初集》。

鉴赏

这首绝句是光绪癸未年（1883）的作品。该年诗人三十七岁，正以“户部主事，充总理各国事务衙门京章”（《清史稿》卷四四六，列传二五三），应是仕途“春风得意”的时期。这首七绝大约是诗人任上公务外出时的即景吟咏，诗中就流露了这种政治上的快意。

袁昶的诗集中有不少写雨的诗，诸如《雨》《积雨》《喜雨》《旅窗听雨》等，是以不同的侧面写出诗人的不同感受，表达了诗人某种情怀，但都不如《细雨》写得自然、清新、意蕴绵渺，别具特色。

诗的开头两句，就写景寓人。“小窗明灭梦痕轻，江柳江花未放晴。”小窗前，孤灯一盏忽明忽暗，闪烁不定；旅人痴坐窗前，似梦非梦地遐想。孤灯“明灭”就已创造了梦境，而沉沉的夜色就更加重了梦的气氛。但旅人并没有进入酣梦，而是似梦非梦地遐想。“梦痕轻”就极恰当地描绘出这种遐想如痴似梦的情态。“未放晴”是说夜色阴沉沉的，这显然是旅人的感受，但诗人却移情于“江柳江花”，赋予景物以生命的活力。“梦痕轻”与“未放晴”构成反差对比。这里，诗人运用反差对比和移情手法，描绘出梦境似的夜景和似梦非梦的旅人的情态，把读者带进梦幻的意境。

“未放晴”已交代了阴沉沉的夜色，就暗示了下雨的可能性。但无“气挟云雷战”（《安般簃诗集》续乙

《喜雨》)的雷和风,因此不会有来势猛烈的大雨,只能是"春雨细如丝"(《安般簃诗集》续辛《雨》)的小雨。春雨的特点,就是来得缓,下得细。"细雨如烟"正好抓住了春雨的这一特点,写出了迷蒙的毛毛细雨的神韵。来得缓,下得细,"润物细无声",对万物的滋润就立见其功。春天刚刚吐露的嫩叶,一经"细雨"滋润就显得湿润润,翠生生,嫩闪闪,生机盎然。"细雨如烟初叶嫩"和杜甫《春夜喜雨》诗中"随风潜入夜,润物细无声"异曲同工,意趣浓郁,透露出旅人的喜悦心情。和"梦痕轻"联系起来看,显然展示出旅人在做着美丽的梦——遐想!

旅人在遐想什么?诗中并没有明白回答。但"客中浑忘过清明",已微微透露了心意。"浑忘","几乎""简直"的意思。旅人身在客舍遐想似梦,几乎忘了已过清明,但无羁旅之苦乡思之愁,仕途之不平,却有坦然、轻松、适意之情态。

历来写羁旅的诗很多,但是离不了孤寂、愁苦。这一点连唐代大诗人杜甫也摆脱不掉。杜甫《旅夜书怀》诗:"细草微风岸,危樯独夜舟。星垂平野阔,月涌大江流。名岂文章著,官应老病休。飘飘(一作零)何所似?天地一沙鸥。"杜甫借景抒情,展示了诗人内心漂泊无依的伤感,可谓字字是泪,感人肺腑。袁昶《细雨》同样是旅途吟物抒怀,但丝毫没有孤寂、漂泊的感伤。杜甫一生坎坷,漂泊无依;袁昶仕途峥嵘,春风得意;杜甫《旅夜书怀》写于去蜀乘舟东下的漂泊途中;袁昶的《细雨》写在京章任上公务外出的途中,不同的境况自有不同的感受,表达出不同的情怀。

王夫之说:"关情者景","情景虽有在心在物之分,而景生情,情生景,哀乐之触,荣悴之迎,互藏其宅。"(《姜斋诗话》卷一·十六)"关情者景",情景互生,"互藏其宅",即寓情于景和寓景于情。前者把情寓寄于景物之中,使表达的感情物化,富于形象性;后者把景物寓寄在情中,使景物富于意趣。两者相谐,"景生情,情生景",相得益彰。袁昶的《细雨》可谓深得这种奥妙。

(孙丕文)

春行湖堤上(录二)

袁昶

春行湖堤上,堤上积芳草。宛转双翠虹,欲向孤山抱。

濯濯前夜雨,丝丝今日风。垂杨弄薄雾,著衣何濛濛。

鉴赏

《石遗室诗话》评“爽秋诗根柢鲍、谢,而用事遣词力求僻涩”(陈衍《近代诗钞》袁昶评介)。谢灵运性喜游览,酷爱山水,写了大量的山水诗,用词富丽精工,是我国山水诗的开创者。鲍照的诗格调高昂,情感充沛,风格俊逸清拔。鲍、谢两人诗的风格并不完全一致,但俊逸、清越却是一致的。通观袁昶的诗,风格并不完全统一,有的“用事遣词力求僻涩”,大有谢灵运喜用典故、夸耀学问之风,如《宿留》等;有的则喜山爱水,写得活泼、娟美,确有鲍、谢质秀、俊逸之遗风,《春行湖堤上》即是这类。

第一首活似一幅春行观景图:闲步湖堤,适意而游,任目而观,近处湖堤芳草丛生,郁郁葱葱。一个“积”字写活了这一景色。远处,苏堤、白堤曲折宛转犹如双虹,把西湖中的孤山环抱怀中。堤上芳草葱郁,故有“双翠虹”之描绘。近景、远景相迭,把游人、长堤、芳草、孤山,收入笔端,绘出一幅浓淡相宜的西湖游人图。

表面看,写的都是静景:湖堤、芳草、孤山。其实,细心品味,静中有动。景中有人,人行景变,赋予景物以流动的生机;湖堤曲折、宛转;环抱湖中孤山,本是静景,但诗人用一“抱”字形容,把景物人格化了,使景物有了生命力。这样,静中有动,动中有静,动静相映,妙趣横生。

第二首诗写夜雨的景致。夜雨、晨风、垂杨、薄雾,和谐地构成有机的完整画面。洁净的夜雨之后,空气清新,微微晨风吹拂,垂杨曼披柔丝,抚弄着薄烟似的轻雾,犹如衣著娟秀的美人,迷迷蒙蒙,不见倩影,逗人遐想。

“濯濯前夜雨,丝丝今日风。”“濯濯”,状物之明净、清新,用来状雨,表明雨很轻很细,且洁净,有视感;“丝丝”,状物之细,用来状风,表明风很小、很微,有触感。两相配合,把雨轻、风微描绘得绘形绘神,微极难言。“前夜雨”“今日风”,雨前风后,夜、晨有序,更显得夜寂晨清,雨洁风凉;而且形式上又对仗极为工整,更有艺术魅力。吟咏品味,如啜佳茗,令人神清气爽。

“垂杨弄薄雾,著衣何濛濛。”夜雨后,清晨往往有薄雾似烟,这是极自然的景色。人们习以为常,并没有注意到这一景色之美妙。诗人却超凡化俗,抓住夜雨过后的晓雾这一特定景色,并与垂杨、晨风和谐地融为一体,展示了它的魅力。“垂杨弄薄雾,著衣何濛濛”,正是这一特定环境之中的特定景色。“垂杨”,又名垂杨柳,历来是文人、骚客的“宠物”,吟咏不绝。在这里,我们会自然地想到唐代诗人贺知章的那首《咏柳》诗:“碧玉妆成一树高,万条垂下绿丝绦。不知细叶谁裁出,二月春风似剪刀。”贺诗咏的是早春二月的杨柳。诗人贺知章用拟人化的手法把杨柳比做美人,写得活神活现:如玉的肌肤,曼披的秀发,迎风起舞,婀娜多姿。袁袓显然借鉴了贺知章的手法,但又有所创新。贺知章把杨柳与“似剪刀”的春风相连,写出生机勃勃的春意,以衬托出垂杨的青春活力;先柳后风,是反衬。袁袓把杨柳与夜雨后的晨风、晓雾相连,写出特定环境之中的特定景色,写出景物的和谐美。先夜雨,后晨风,尔后再写杨柳,是烘托。写杨柳,连用“弄”“著”两字,把夜雨洗涤过的杨柳美人化了。“弄”字写出轻盈抚弄的神态;一个柔发披拂的美人倩影飘飘而至。一个“著”字,更把美人神秘化了,身着素洁轻纱的美人,朦朦胧胧,闪忽不定,倩影难见,撩人神驰。由此,可见诗人艺术构思之巧。

两首诗虽都是即兴的写景小诗,但各有侧重。第一首人在景中,景随人变,景物是流动的;第二首人在景外,景已人格,有了生命意识,比流动更有生机。王国维在《人间词话》中提倡境界说。他说“境非独谓景物也,喜怒哀乐亦人心中之一境界。故能写真景物真感情者,谓之有境界”。这两首即景小诗,写了“真景物真感情”,所以创造的意境也是很美的。

(孙丕文)

秋晚野望

陈玉树*

余霞红映暮云边，村北村南少夕烟。
远树捧高沧海月，乱鸦点碎夕阳天。
野人乞食扃蓬户，渔父施罛入稻田。
满地哀鸿听不得，江淮何处是丰年？

作者

*陈玉树(1853－1906)，又名玉澍，字惕庵，江苏盐城人。一生未获一官，但坚决反抗外族侵略。在中法、中日战争期间，写了不少诗作反映其爱国热情和人民疾苦。

鉴赏

陈玉树，人们熟悉他，是因为他在治经学史学方面颇享盛誉。其实陈玉树的诗也写得耐人咀嚼，艺术风格谨严朴素。虽然他是一个守旧的封建文人，但对帝国主义的侵略却常拍案扼腕，不少诗篇含有慷慨激昂的爱国主义情绪，尤其在中法、中日战争中每为诗文必抒感情。还有一些诗篇以自己家乡现实生活状况为题材，间接写出战乱频仍、民不聊生的苦难，如这首《秋晚野望》。

诗题为“秋晚野望”，决定了诗人无外乎写秋天傍晚田野中的所见所感。所以诗人先是描述观景，逐渐过渡到写自己的感受。全诗前三联都围绕“野望”来写，衬上秋晚凄凉的背景环境，为末联抒发感慨做了铺垫。

首联“余霞红映暮云边，村北村南少夕烟”，直写秋天傍晚特有的景色：太阳的余晖依旧映照着天上的云朵，大块浓云边沿镶上一圈闪耀的光环，这是秋天独有的日暮时分的天空景象。在这略染凄惨色彩的背景下，作者的视线由天上移到地下，本来应当与晚霞相交织的袅袅炊烟不见了。诗中“村北村南”是代指村庄各个方位，也就是指整个村庄都没有了炊烟，这就引起了人们的思索：本来秋天傍晚，农夫们收割完毕荷锄而归，迎接他们的是农妇们准备饭食的袅袅炊烟。为什么这收获季节没有了人烟了呢？颔联仍按诗意继续写去“远树捧高沧海月，乱鸦点碎夕阳天”。作者遥遥东望：东海中月亮已悄然升起，在远处众多树木拥簇下渐渐上升，“捧”字点染出众树衬月的壮景；诗人回首西看：夕阳西下的寂静冷清的画面被一群上下翻飞的乌鸦搅破。前两联刻画出秋天傍晚日下月上的自然景观，同时也写出这收获季节不正常的现实状况：少夕烟，乱鸦翻飞。这两联是诗人“野望”的自然内容，颈联就自然而然地过渡到写“野望”的现实内容：“野人乞食扃蓬户，渔父施罛入稻田”。“野人”，在这里指没有固定住所的乞食者。他们靠乞讨为生自不为怪，但作者看到他们叩门乞食却一无所获，原来这些简陋破败的房子（“蓬户”）里的人都家家闭户（“扃”，关闭）逃难去了。更有甚者，接下来诗人抓住一个典型情节来写：渔父居然带着渔网（“罛”，渔网）到稻田里张网捕鱼。这个细节说明：这本应长满待收割的稻田的田里早已没有人耕种了，天长日久，鱼都把这儿当作栖身之地了。这具有极其强烈的批判揭露意义！

第三联从自然景观与现实所见来刻画灾年惨景，尾联则直接抒写自己所闻所感，显示出诗人对百姓遭难的深切同情和对制造灾难的统治者的谴责之意：“满地哀鸿听不得，江淮何处是丰年。”“哀鸿”，指哀雁，《诗·小雅·鸿雁》“鸿雁于飞，哀鸣嗷嗷，”以哀鸿来喻流民。现实生活中处处都是逃荒乞食的流民，一片乞讨声使诗人难以心安，不觉愤然责问：江淮大地哪里才有一块丰收之地？

诗人抓住特定时节特定景物来抒写深刻的现实社会生活。诗人笔下秋天的夕阳创造出一个凄惨暗淡的意境，在这个背景下写江淮大地灾年的残破景象，就更具有批判揭露意义。村庄断绝夕阳、乱鸦上下翻飞、野人乞食蓬户、渔父施罛稻田、满地流民乞食声……这种种同秋天这个收获季节格格不入的事物，在读者心中引起强烈震荡，人们不禁为诗人的情绪所左右而首肯他的同情与激愤。这首描写现实社会生活内容非常深刻的诗篇显现出作者忧国忧民的儒生本色。

由于陈玉树以学问名世，故而其诗也写得功底深厚，谨严周详，以学问入诗不显艰涩牵强。如这首诗写诗人家乡盐城附近灾年惨景，所以诗中毫不放笔，紧紧围绕苏北这一地域来写。“沧海”即指东海。水灾为苏北大患，而苏北百姓多在遭灾之年以乞讨为生。所以渔父施罛稻田、满地哀鸿声声就带有鲜明的地域特征。末句更以“江淮”直接点明。又如诗人写方位，东南西北面面俱到，写村北村南，写月上东天、夕阳西下，丝毫没有勉强之感，非常自然流畅。凡此种种，又都足以证明陈玉树以大学问家而兼诗人的独特身份。

（张晓春）

戊戌八月感事

严　复*

求治翻为罪，明时误爱才。伏尸名士贱，称疾诏书哀。
燕市天如晦，宣南雨又来。临河呜犊叹，莫遣寸心灰。

作者

*严复(1854－1921)，原名宗光，字又陵，又字几道，福建侯官(今福州市)人。早年留学英国，回国后任北洋水师学堂总办。辛亥革命后，任京师大学堂校长。早期主张改革，曾译述《天演论》《原富》等书，介绍欧洲资产阶级思想；晚年思想趋于保守。工诗。有《严几道诗文钞》。

鉴赏

1898年9月(即农历戊戌年八月)，当时已回天津水师学堂的严复，惊悉"维新六君子"无辜被杀，百日变法维新运动失败，百感交集。在忧心如焚之中，写出这首感慨时事的政治抒情诗。

首联"求治翻为罪，明时误爱才"，为维新派和支持变法的光绪皇帝鸣冤叫屈，开篇即显露出作者明朗的政治态度。"求治"，即指变法维新运动。"翻"，同"反"。这里作者诉说维新派企图改良政治，反而被顽固派指为大罪。"明时"，这里用来形容光绪帝执政时期，意为贤明君主如明日普照，含恭维之意。后句是说光绪帝要变法启用人才反而被顽固势力诬为错误之举。首联可以说定下了全诗的基调。作者参与了戊戌变法维新，他以被害的"六君子"为自己的同志，视遭禁的光绪帝为知遇的"伯乐"，已把自己置于变法维新这一集团之中，当然毫不掩饰自己的观点。

诗意在颔联继续发展："伏尸名士贱"叙述事实，名噪天下的谭嗣同等"六君子"竟然被顽固派任意处死，横尸于地，血的事实使作者无法冷静地描述；"称疾诏书哀"更是写严复的悲痛难以自拔,西太后那拉氏囚禁了光绪帝并矫诏称帝病不能亲临政事,音讯传来,积极参加变法维新运动的严复痛感变法无望,内心陷入极度的悲哀。“贱”“哀”的对称连用非常恰切地描述了他此时内心悲哀痛心的情感。

颈联语意与颔联相仿,手法有所不同。颔联直书史实,借以抒发悲悼之情。而颈联则以明喻来铺写出沉沉如夜的黑暗现实和风雨如骤的政治局面。“燕市”,北京古称燕京,这里代指清朝京城,“如晦”,如同黑夜。“宣南”,指宣武门南,这是“六君子”被杀害的地方。京城如同黑夜的天日,宣武门楼上欲来的风雨,客观上已给人心理上以沉重压抑的感觉,读者加深印象是作者通过借用比喻手法来实现的。形象的比喻,把读者带入现实生活之中,感受现实的沉闷;同时也表明了作者对现实的强烈不满与叹息。二、三联,一实一虚,但其意贯通,加深印象,为第一联作者情绪的宣泄作了补充,也为尾联在逆境中作者吐露坚定信心做好了心理准备。

尾联作者化用典故,鼓励自己虽处逆境毫不灰心的自信心。“临河鸣犊叹”,把自己比作孔丘圣贤,借用典故说明自己虽经努力,终无所成,只能临河兴叹。典出《史记·孔子世家》:孔子欲去晋国求政,走到黄河边,听说执政的赵简子杀了孔子尊为“贤大夫”的窦鸣犊,感到此去茫然,就叹息着改变行程。因为严复积极参与变法,曾受光绪帝召对,并有《上皇帝书》献上良策,所以他用“临河兴叹”的典故来自比,用典信手拈来,非常贴切自然。而“莫遣寸心灰”则直吐胸中块垒,正面表达自己对待时局的坚定态度:不要因此而灰心丧气,今后还要努力奋斗。在重压之下的严复,能及时吐露心曲,旗帜鲜明,当为同辈榜样。

作为政治家兼诗人的严复,时时注意把现实政治斗争作为他诗歌创作的主要题材内容。这篇《戊戌八月感事》是他政治诗中的佼佼者,其成功之处在于:其一,直接反映时事,现实针对性很强。当时政治形势十分严峻,严复站出来表明支持变法维新运动的坚定态度,在同辈文人中堪称壮举,字里行间流露出对顽固派的深恶痛绝,充满了对现实的批判精神。其二,直抒胸臆,铺写情愫。此篇写作时间距他惊悉噩耗不久,难以抑制的情绪使他拿起笔来。可以说,这首诗是严复真情实感的流露,并无许多矫饰,字字悲切,句句感人,人们不禁被作者真挚情感所牵动,诗篇颇具魅力。另外,比喻的形象生动,用典的贴切自然,对仗的工整贯通,等等,无不显示出作者深厚的功力和驾驭情感的能力,使这首政治抒情诗不仅含蕴深刻,而且艺术感染力也相当强。

(张晓春)

夜舟泊吴城

陈三立*

夜气冥冥白，烟丝窈窈青。孤篷寒上月，微浪稳移星。
灯火喧渔港，沧桑换独醒。犹怀中兴略，听角望湖亭。

作者

*陈三立(1853－1937)，字伯严，江西义宁(今修水)人。光绪年间进士。曾任吏部主事。工诗。风格奇崛。著有《散原精舍诗集》。

鉴赏

作者是晚清同光间宋诗派的著名诗人。他的诗追踪韩愈、黄庭坚一路，以冷涩尖新为高，力避俗语熟语，追求意境上的高远朦胧和形式上的精巧工细。其弊是冷涩易流于隐晦，尖新则难免险僻。内容上很少直对现实，往往曲折隐约地表达了士大夫阶层在特定历史条件下的一种颓唐失望情绪和空虚迷茫的心境。但是本诗却没有明显地表现出这些缺点，相反，它倒是比较能体现宋诗派的某些艺术特色。

首二句用对句，这是律诗特别是五言律诗中常见的。但这里却见出作者在用词遣句上别具匠心。不用“夜雾”而用“夜气”，显然是避熟或者避实。《孟子》所说的“夜气”，是另一种意思，作者用以指代“夜雾”必然引起读者一点曲折的思索，这就避开了“近”和“实”，而显出这种朦胧的意味。下句的“烟丝”，在诗词中，一般指柳丝、柳烟、烟柳等。但这些词语常用于春日，很少用于夜景和寒夜。当然，寒烟衰柳一类的话，也是用过的，但在夜间特别是寒夜，就很难看出“窈窈青”的颜色。所以这里的“烟丝”，当指夜舟或岸上人家的炊烟而言。在一片茫茫白雾中，缕缕青烟，轻柔飘动，环境本非孤寂，然而却衬出了作者孤寂的心境。作者不用“茫茫”而用“冥冥”,不用“袅袅”而用“窈窈”,就是为了把诗意推得深远一些,给自己留下抒写心曲的余地。如果把这两句改为“夜雾茫茫白,炊烟袅袅青”,就显得比较浅近,而且太实。尽管意思也差不多,但却没有什么可咀嚼的意味了。

“孤篷”与“微浪”一联,用语也是常见的。它的新意和不同寻常处,在于这些用语的特殊组合。而这种组合恰恰是作者的艺术追求和某种心境的体现。例如:“寒上月”“稳移星”等语,就颇耐寻味和推敲。寒气紧压孤篷,朦胧的月却升起来了,境况显得更加凄冷。江上的微浪本是荡动的,但从泊岸的孤舟上望去,它似乎仍是稳定的,只有水中映出的星星在闪烁跳动。“孤篷”之“孤”,“微浪”之“微”,都增加了幽独、寂静的气氛。这一切构成了特定的诗境。而这种诗境,也正是作者的心境,通过诗的语言的低声诉说,尽管声音低微,但在读者心中,仍然可以引起某种颤动。

“灯火喧渔港”一句,使诗的情调有了一点转折和跌宕,让人感到一点温暖的气氛,但是时局的激烈动荡和沧桑变迁,又使作者感到一种无可奈何的悲凉。他觉得眼前的渔港灯火,远处的人声喧哗,都不过是“众人皆醉”,昏昏然犹在梦中。只有自己经过沧桑变化,换来稍许清醒。但是清醒徒增苦恼,更加感到前途茫茫,不知托身何所了。

诗的结尾:“犹怀中兴路,听角望湖亭”,显然是作者觉得调子太低沉,强思振作,希望拔高一点。但由于全诗的情调和作者的心境已成定格,末两句就显得空虚无力,使人感到这只不过是强自解嘲和自我安慰罢了。

(刘锋晋)

晓抵九江作

陈三立

藏舟夜半负之去,摇兀江湖便可怜。
合眼风涛移枕上,抚膺家国逼灯前。
鼾声邻榻添雷吼,曙色孤篷漏日妍,
咫尺琵琶亭畔客,起看啼雁万峰巅。

鉴赏

这首诗在造句遣词上比较平实。但是,它仍然体现出清末宋诗派的艺术特色,力求追逐一种深远的意境,于平实处仍具匠心。此诗只有两处用典,即“藏舟夜半”句和“琵琶亭畔”句,其余全是写实。但是它的“写实”,其实是“不实”的。“藏舟夜半”,表面是用庄子语意,写夜间行船去九江,实际是说,自己命运莫测,漂泊不定,譬如有力者夜半负之而去,无可如何。接句用“摇兀江湖”直承上句,显得自然而有情致。因为“藏舟夜半”尽管活用,而且寄寓另一层意思,但从字面看,毕竟太实,所以接句必须具有一种摇曳的情思,才能加以补救。作者在用字上下了功夫,不用“遥荡”“摇落”,或“漂泊”“摇落”等字,而在“摇兀”二字上加以锤炼。因为“摇荡”“摇落”等字,都较熟较实,这是作者所要避开的。“摇兀”显得生涩,生涩反而虚活,诗意的容量也就更大一些。“摇兀”不可释为“摇荡”,“摇”指飘零,“兀”指孤独。“摇兀”也不是指船在江上摇荡,即使有这个意思,也只不过沾了一点。诗句主要的、深层的意思,是写作者自己飘零孤独的身世和坎坷的处境。正因身世飘零,孤独无依,作者也就自己可怜自己了。“便可怜”的“便”不能用“最”“更”等字代替,这也是为了避实避熟。作者在此处选用意义较虚的“便”字,只是表达一种情致,可以会其意,不必以言说。

诗的中间两联,都是写舟中实境和实感,但是作者的意中之境和言外之感,却是和首两句突出的飘零孤独的心境紧紧相连的。飘零孤独从何而来?有了这种心情,又会随时想到什么?这一切都是因为时局发生了剧烈变化。1901年作者写此诗时,他和父亲陈宝箴,已于戊戌变法(1898)失败后,同被清政府革职,永不叙用。而在前一年(1900),又发生了八国联军入侵北京的巨变。一种皇皇不知所措的失落感和抚膺切齿的家国之痛,压在心头,他怎能不感到时局风涛移来枕上,家国惨变逼在灯前呢?在孤寂怅恨的境况下,邻榻鼾声更使他心情烦乱。他觉得许多人不识不知,仍在做着好梦,实在可悲。希望在哪里呢?这时船头露出曙色,孤篷漏下可爱的日光,作者感到了一点暖意。但是到了九江,琵琶亭近在咫尺,又使他想起,自己也和白居易一样,“同是天涯沦落人”。翘首远望,万峰之巅,雁阵哀啼。它们也是漂泊天涯的匆匆过客,命运将把它们带往何方呢?

(刘锋晋)

黄公度京卿由海南人境庐寄书并附近诗感赋

陈三立

天荒地变吾仍在，花冷山深汝奈何！
万里书疑随雁鹜，几年梦欲饱蛟鼍。
孤吟自媚空阶夜，残泪犹翻大海波。
谁信钟声隔人境，还分新月到岩阿。

鉴赏

“黄公度”即黄遵宪，是同光间新派诗人。在诗体与诗风上和陈三立有着明显的不同。他们的诗论甚至恰好相反。陈三立要求诗歌避俗避熟，力求生涩，黄遵宪则主张“以手写口”，不避流俗语和新名词。尽管如此，他们却在诗艺上各行其是，并不互相排斥。黄和梁启超等人对陈的诗甚至还很倾倒。这是因为黄遵宪在诗歌创作上，虽然起了积极的革新作用，但基本上不脱旧体框架。而且他对旧诗有很深功底。所以他对陈三立走宋诗路子所取得的某些艺术成就，仍然是能够欣赏的。同时，戊戌政变前，他和陈三立都在湖南办过新政，同样支持维新运动。政变后，两人的处境都很艰难，甚至危险。所以他们互相关心，作诗赠答，是很自然的。

此诗表达了作者对朋友的关切，对时局的担忧和自己的悲凉心境。“天荒地老”是熟语，作者稍加改动，不用“老”而用“变”，这就使全句获得作者需要的一层意思：经过巨变，自己劫后余生，值得庆幸，但是朋友的命运又引起作者的深深忧虑。“花冷山深”并不生涩，它却暗示了朋友处境的险恶，推出了一层深意。“万里书”和“几年梦”一联，是旧典的较好运用。汉代苏武被留匈奴，上林射雁得书的故事，通过一个“疑”字给读者以联想，让读者领会到黄遵宪在广东家乡的处境，和苏武一样，实际是被拘留，被监视。黄的万里寄书，本来是不可能的，作者怀疑这是不是随着雁鹜才能带来。如果把这里的“疑”字换为“来”字，那就成为一般“鱼雁传书”的熟用词语，意思显得平平，当然就不可能有较宽的意境了。从这些地方可以看出，陈三立的诗，在炼字上确实肯下功夫。这不只是字句的雕琢,更重要的是一种意境的追求。"几年梦欲饱蛟鼍"句和上句相对,不止是工稳的问题,它实际是诗意的扩展和深化。作者借用杜甫《梦李白》的诗意,恰当而深刻地表达了对朋友的深深怀念和担忧。"孤吟"句究竟是指作者自己的"感赋"还是指黄遵宪的吟诗?从全诗的情调看,作者的心境是悲怆凄凉的,他随时担心朋友会不会饱蛟鼍之腹,恐怕不会孤吟自媚。所以此句理解为黄在艰危处境中,仍然作诗自娱,较为恰当。尽管黄有如此心情,而作者却想到,政变之后,友朋星散,志士被杀,家国屈辱,自己痛定思痛,残泪犹如大海的波涛,翻腾不尽。他实在没有想到,远隔数千里外,黄还会寄诗给自己。诗的结尾正是描写了作者的这种心情。诗句把用典和写实灵活地交织起来,足见工巧。这里用了《江南野录》所载,金轮寺僧夜半咏中秋月,得句鸣钟事,表面说,远离人境的钟声。实际是说,黄在他的书斋"人境庐"吟诗,竟会把他咏月的佳句分一点清光到我的幽居来,谁能想得到呢?此处不仅表达了作者在愁苦中的一点喜悦心情,还应看到,作者在诗句的锤炼上确实刻意求工。当然,这种写法容易流为纤巧或隐晦。但是,只要处理恰当,它的艺术性还是应该承认的。

(刘锋晋)

采茶词

樊增祥*

分龙雨小不成丝,晏坐斋中试茗旗;
乳燕出巢蚕上蔟,山家又过炒青时。

作者

*樊增祥(1846-1931),字嘉父,号云门,别字樊山,湖北恩施人。光绪三年(1877)进士,出补陕西渭南知县。累官陕西江宁布政使。民国时,与周树模、左绍佐称"楚中三老"。工诗,好为艳体。其《前后彩云》二曲尤有名。死后,遗诗多至三万余首。有《樊山全集》传于世。

鉴赏

仿佛悬一轴图画,山家初夏雨景,逼人眼帘。读《采茶词》,使人嗅到一股强烈的泥土味和山区农家特有的生活气息,感觉到生活的节奏和旋律,一种蕴涵在平和、宁静、闲适中的可喜的生命搏动。

樊增祥曾师事张之洞,是晚清中晚唐诗派的代表人物。学诗初好温庭筠、李商隐、韩偓诸人,又嗜随园、瓯北诸大家,专取清新,强调创作个性和自我发抒。佳制"如美女簪花,高僧说法"(南社鹓雏语),风姿绰约、富于唐韵,堪称诗藻富丽的才子。曾作《采茶词》三首,清新的笔触,饱蘸山家浓郁的泥土气息。

"分龙雨小不成丝",描摹山家初夏景色,诗人首先着笔于"雨"。雨,往往是季节变换的外在表现形式和光阴荏苒的象征,大自然千变万化,绚丽多姿的四季布景,常常在雨帘下更换——初夏景色雨中来。"不成丝",指如丝如织的小雨。所谓"不成"者,只是比"如丝"小雨更稀疏罢了。何以知道这"不成丝"的是初夏小雨?因为前有"分龙"二字。把雨与季节巧妙地绾结在一起,以表现不同的情绪天地,是古代诗人常用的艺术手法。王维的"云里帝城双凤阙,雨中春树万人家"(《奉和圣制从蓬莱向兴庆阁道中留春雨中春望之作应制》),用雨中树的"春树",表明下在树上的雨是春雨;司空曙的"雨中黄叶树,灯下白头人"(《喜外弟卢纶见宿》),用雨中纷纷坠舞的黄叶,表明声催黄叶离枝的是秋雨。同样,僧志安的"沾衣欲湿杏花雨,吹面不寒杨柳风"(《绝句》)、陈与义的"客子光阴诗卷里,杏花消息雨声中"(《怀天经智老因访》),都将雨与杏花联系在一起,从而暗示读者是早春雨。樊增祥此句同样用了暗示和点染的方法。江浙一带山区,以夏历四月二十日至五月二十日前后称"分龙",这一时期的雨称"分龙雨",谓时节入夏,雨势转暴,龙分域行雨,阴晴隔一辙而异。因此,此句既表明了雨量,又暗示了雨的时间性和地域性。

在春夏转换的生活节奏里,山农正"晏尘斋中试茗旗"。"晏"是安然的样子,"斋"是山农的茅庐瓦舍。农舍里又是一番情景——"乳燕出巢乔上蔟",宛然一幅山家初夏情趣盎然的生活图画:远远近近,浓浓淡淡的山峦;茅屋上织成一层烟雨;山农在农舍里静静地品茶,屋梁上几只燕窝,架上数盘蚕匾,燕子毛羽将丰,春蚕昂首脱皮,整个山家生活写得那么亲切细腻。我们闭目可以想见,也许一连下了几天雨,也许春蚕即将上蔟,最忙碌的季节已经过去,山农不必再冒雨采摘嫩桑饲蚕或炉边焙茶,可以安闲地坐在茅屋中稍事休息了。且将新火煮新茶,正可以度过这段细雨霏霏的光阴。从"试茗旗"的"试"字上,我们可以知道,所试"茗旗",正是今年焙制的新茶。品试的目的,既是享受劳动成果,也是检验劳动成果。看看今年焙制的情况,明年要不要改进等等。

从"山家又过炒青时"一句可以看出,诗人笔下的山家是闭塞的,没有日历,不解数甲子。"山中无日历,寒暑不知年";"山僧不解数甲子,一叶落知天下秋"。但山农毕竟与山僧不同,山僧既日以化缘诵经为能事,一切任其自然,不用也不必去精确地计算时间。山农不同,一年四季,该种的要种,该收的要收,不知节气就要误了农活,时间观念往往与生产方式结合在一起。著"炒青时"这一模糊概念,则山区之闭塞,民俗之淳厚,劳动的喜悦,都跃然纸上,其意蕴比"山家又过晚春时"隽永得多。

眼下,一切都是恬淡、安闲的,乳燕刚刚出巢,青蚕开始上蔟,品茶人有轻轻的呷水声,炒青时节一过,晚春便在分龙雨中结束,与前来接班的初夏在冥冥中充满默契却没有一句语言。只有小雨,带着微微倾斜的不大的动势,像浅浅的铅笔涂线，中和了强烈的阳光，使整个天地显出一片透明和朦胧，使人对笼罩在小雨中宁静、淡远的意境神往不已。但正在这平和、宁静的外表之下，蕴藏着强劲的生活旋律；在闲适静谧之中，潜伏着可喜的生命搏动——哺乳了一春的雏燕，学着试飞；饲养了一春的蚕儿，试着上蔟；生命出现了新的节奏和转折。试茗旗，看起来是悠闲地品茶，实际上是前一个农忙结束，后一个农忙尚未到来之际的片刻闲暇，是两个生活强音符号之间一段休止符号。试上、试飞、试品，预示着生活新节奏的开始，而这种生命的搏动，生活的节律，又是在晚春与初夏交替的总的自然节奏中进行的。我们读这首诗，同样可以听到诗人曾经听到过的生活和自然搏动的胎音。

（曹　旭）

入衡山县境

陈　锐*

雨过朱亭水，山回紫盖风。怒泷千里下，奔障万牛东。
云缺初窥岳，淞寒半掩篷。孤舟吾恋汝，愁绝夜飞鸿。

作者

*陈锐，生卒年不详，字伯弢，一字伯涛，湖南武陵人。光绪十九年癸巳(1893)举人，官江苏试用知县。湖湘派诗人。有《袌碧斋集》。

鉴赏

晚清湖湘派诗人陈锐，为王闿运弟子，其诗古体宗法晋宋，近体出入三唐。这首诗是他湘江放舟途经衡山县时所作，描绘了沿途的风雨山水，抒写了游子的离情羁愁，是一首颇具唐风的五言律诗。

前四句描写雄奇壮观的衡岳山水。“雨过朱亭水”，写一场骤雨掠过朱亭一带水面。“朱亭”即合江亭，在衡山县郭的朱陵洞旁边。韩愈《合江亭寄刺史邹君》诗有“红亭枕湘江”之句，可见此亭朱红漆面，倚江矗立的态势。“山回紫盖风”，写高矗入云的紫盖山使风势回转。“紫盖”是衡山七十二峰中著名的五峰之一，韩愈《谒衡岳高遂宿岳寺题门楼》诗有“紫盖连延接天柱”之句，可见此山的巍峨壮观。“怒泷千里下”，写湘江怒涛澎湃，一泻千里。“千里”语本李白诗句“千里江陵一日还”。“奔障万牛东”，写山势如飞像万头野牛一齐奔向东方。“万牛”语出黄庭坚《秋思寄子由》诗“挽着沧江无万牛”。这前四句写法上很有特色，就描写的重心来看，首句着重写雨，次句着重写风，三句着重写江，四句着重写山；就结构上的承接呼应来看，三句承接首句，四句承接次句。骤雨倾江，才造成江涛怒涨；风力回旋，方显出山势奔腾。四幅画面重叠交合，构成了一幅富有立体感的风雨衡山湘江图。这幅图又是流动的，而非静止的，因为它是由身在舟上的诗人眼中观察出来的。

腹联便交代了一流动的观察点：“云缺初窥岳，凇寒半掩篷。”那是一艘苇篷上凝着冰花的小木船，可以想见，诗人冒着寒风挺立船头观赏山光水色的景况：船过合江亭，遭遇到一场骤雨；接着，又扑面袭来一阵强烈的山风；江流湍急，船行甚速；急风推开了厚重的云层，诗人从云隙中看到了衡山群峰如万牛奔腾般的雄姿。“初窥岳”的“初”字含义很丰富，表现出诗人久立船头突然窥见衡山真面目时惊奇震慑的心灵感受。“凇寒半掩篷”又透露出诗人现实处境的凄寒，自然转入尾联的抒情。

“孤舟吾恋汝，愁绝夜飞鸿。”乍一看来，诗人直言眷恋孤舟是不合常理的，按理说，风雨行舟奔波一天，到晚投宿，理应舍舟登岸，觅一酒家小酌驱寒才是，但诗人竟恋舟不去，其中奥妙，值得探求。说眷念孤舟，则作者认为世上人事无可眷念；说眷念孤舟，则作者孤傲气节可以想见。中国古典美学所谓“无理而妙”者，此之谓也！诗人似乎刻意要体验人生最大的孤独感，他夜宿孤舟，听飞鸿声声哀鸣，强烈的离情别绪涌上心头，不禁为之“愁绝”，愁到极点而难以自已了。明杨士奇《汉江夜泛》诗云：“孤鸿从北来，哀鸣出云间。时迁物屡变，游子殊未还。”所写情景，所抒离愁，与本诗略同。

《平等阁诗话》评作者诗，谓其“少壮之作，多神理内含，如春雨岩茗，苏门长啸；近作则风骨泠然，有秋气矣”。作者自序《蜕僧余稿》，也有“贾岛孟郊，销湖海风云之气，得毋更形衰飒”之语。本诗似乎能体现出这种情感与诗风转换的契机，前半写景句，确如苏门长啸，格韵高绝；后半抒情语，则如贾岛孟郊，转形衰飒，风骨泠然。读此诗，作者生平情事，可以想见。

（詹杭伦）

定兴道中

杨　锐*

自入幽燕地，平沙不见春。日高尘过马，天阔树如人。
驿路遥通蓟，河流并向津。惭非游侠客，长剑亦妨身。

作者

*杨锐（1857－1898），字叔峤，又字钝叔，四川绵竹人。光绪二年（1876）举人。官内阁中书，耿直尚名节，加四品卿衔，参与新政。后被害，为“戊戌六君子”之一。工诗。有《说经堂诗草》。

鉴赏

杨锐是一位天才俊逸的蜀中诗人，为“戊戌六君子”之一。其诗亦如其人，时见豪爽之气。光绪十五年（1889），诗人考内阁中书，进京后升侍读学士。此诗即进京途中所作，描写北地风光，抒发其怀抱志向。

题中的“定兴”，即河北省定兴县。在定兴道中，表明诗人已进入北方境域。

首联写初入北地的感受，“自入幽燕地，平沙不见春”。“幽燕”本是古州名，在今河北省，此处泛指北地。诗人自从进入北地以来，极目所见，都是一马平川、一片辽阔无垠的平整的沙地，完全看不到像蜀中那样的蓊蓊郁郁的春山春水。此联恰切地写出了蜀人初入北地的第一印象。

颔联继续描写沿途风光。“日高尘过马，天阔树如人。”烈日高照，车马行人扬起的尘土似乎要盖过马头；天地空阔，原野上一排排的树远看起来，像人一样竖立着。这种北方特有的景色，令诗人感到新鲜有趣。孟浩然曾有句云：“野旷天低树，江清月近人。”此联的句法正从孟诗化出，而与孟诗有异曲同工之妙。

腹联表明此行的去向和自己的抱负。“驿路遥通蓟,河流并向津。”“蓟”是北京城的旧称,“津”是天津城的简称。驿路遥遥,直通北京;河流荡荡,齐奔津门。这不仅是在写景,而且也暗示出北京是封建政治文化的中心。诗人要想实现自己远大的政治抱负,那就必须深入到封建政治文化的中心地带,在那里可以一展身手,干一番事业。可以想见,奔驰在定兴道中的诗人,此时胸中一定勃动着跃跃欲试的豪情壮志,这壮志就是要在中国实行变法图强的宏伟心愿。联系到诗人后来的政治活动,作这样的设想,大概不是毫无根据的吧?

尾联点明自己的身份。“惭非游侠客,长剑亦妨身。”诗人惭愧自己不是身怀高超武艺的游侠,并且也不习惯于随身携带长剑。言下之意自己不过是一介儒生,此次进京也是从事文职工作,只能以文而不能以武在政治中心驰骋身手。诗人在此似乎敏锐地认识到了不通武艺是自身的局限,但天生我才,必有所用,诗人指望此番进京,能在文笔方面,有所建树。后来“戊戌变法”之所以失败,其中一个很重要的原因,就在于六君子未能掌握兵权。当然,这是后话了。杨锐当时不可能认识到这些。

王文才先生评杨锐诗云:“其诗由杜入苏,歌行宛转多致,近体高畅宏朗,不为艰深,声调尤存,抒怀纪事,慷慨激越,时见豪气。”(《近代诗史稿》)本诗正是一首抒怀纪事、慷慨激越、高畅宏朗的近体诗。

(詹杭伦)

由常山至开化山行绝句

江 湜*

由常山至开化，折回江山，凡山行四日，共录绝句三十首。

修路环溪十里强，篮舆摇兀似车箱。
坐吟浑忘斜阳晚，只见舆夫影渐长。

作者

*江湜，字弢叔，江苏长洲(今属苏州市)人。约清文宗咸丰末年(1861)前后在世。官浙江候补县丞。工诗。由于身世坎坷，诗多写穷苦之状。著有《伏敔堂诗录》。

鉴赏

王夫之论诗的情景关系时说："情景虽有在心在物之分，而景生情，情生景，哀乐之触，荣悴之迎，互藏其宅。"(《姜斋诗话》)情景相生，互藏其宅，确为精论，此录山行绝句一首，正是采用这种艺术手法写成。

常山、开化、江山三县，均在浙江西南山区，那里冈峦叠嶂，风景秀美，清溪回环，景物宜人，江湜曾往来其间，写有绝句三十首，描绘此处山区美景，为当时人传颂，本诗即为其中之一。

诗的前两句写山行。首句写山间小路，修长曲折，伴着淙淙小溪，蜿蜒伸展，足有十里远近。次句说坐在竹轿中，行进在这段山路上，悠悠晃晃，摇摇荡荡，犹如坐在马车箱中一般。这两句诗乍读平淡，稍加推敲，即能品味出诗人沿溪而行的那种优游自得之趣。一路走来，如行山阴道中，风景秀美，令人眼目应接不暇，物色摇荡，心旷神怡。诗人巧妙地将这种心摇神荡之状，用竹轿的摇晃形象地传达出来，轿摇、身摇、神摇，实际都是这十里山路溪色引起的愉悦之情的传神写照。

末二句描写观景忘时之情。山光水色如此迷人，加之竹轿吱呀摇兀，舒适自在，诗人一路观景，吟哦不止，全然忘却了时间。偶然一瞥，但见山路上轿夫的身影长了许多，回首而望，只见夕阳近山，暮色将至，诗也悠然结束。

这首山行小诗，所要描写的是浙西南山区鲜为人知的风光，但诗中除去“修路环溪”四字，竟无一处写景。或云杜牧之《山行》“远上寒山石径斜，白云生处有人家。停车坐爱枫林晚，霜叶红于二月花”以及梅圣俞《鲁山山行》“好峰随处改，幽径独行迷。霜落熊升树，林空鹿饮溪”方为山行佳作，这首山行小诗全不写景，岂能称道。此问听似有理，其实不然，杜牧、梅尧臣之诗写景之美，堪称名篇此不言而喻，但艺术表现并非只此一途，江湜此诗之所以这样写，有两个原因。其一，本诗只是山行绝句三十首之一，三十首可视为一组完整的写景之作，相互补充，绘出了三县山区秀美景色，本诗只是这大型画卷中的一个片断，要见出其妙，本应与其余诸首参读。其二，江湜意本绘景，却偏偏言情，是利用情景关系的相生特点，以“互藏其宅”的手法加以表现。刘熙载云：“绝句取径贵深曲，盖意不可尽，以不尽尽之，正面不写写反面，本面不写写对面、旁面，须如睹影知竿乃妙”（《艺概》），可见“睹影知竿”（即“互藏其宅”意）亦不失为一种令人推崇的艺术手法，尤其适合绝句体裁。试想如景色不佳，观景者在摇摇晃晃的竹轿中，除去产生时光难捱、昏昏欲睡之感，岂能有心旷神怡，悠然自得，坐吟忘时之理？从诗人抒写的情绪，不正说明此地景致优美，令人陶醉么？以情见景，以情衬景，正是诗人匠心独运之处。从单独一首诗观之，通过诗人陶然之情，可以见出景色之佳。从一组诗看，在大型山水画卷中，那望景坐吟，陶然似醉的诗人，不也正是画面的一个有机部分？并且，有了这一部分，整个画卷才显得更加迷人，更富有诗意，韵味也更加悠长。

由此可见，艺术表现手法是极其丰富的，“排比铺张特一途，藩篱如此亦区区”，如忽视了这一点，许多本有韵味的好诗，将会被埋没，这样岂不辜负了作者的一番苦心？

（田耕宇）

五月二十日生一女

江　湜

中年心迹两沉沦，只望生儿救晚贫。
得女他时翻是累，今生何事更如人。
直愁诗卷无藏处，莫论饥躯不贷身。
一段凄凉客中意，封书还去恼衰亲。

鉴赏

人云居贫贱者工于说饥寒。诗人江湜，早年苦读乡里，欲图一展其才，殊不知半世碌碌，中年方为浙江候补县丞。官职卑微，已违初衷，且为“候补”，更觉心寒，故郁澹之情发之于诗多穷愁语。苏轼论孟郊“诗从肺腑出，出辄愁肺腑”（《读孟郊诗》），移之以论江湜诗亦如此。江湜之诗，多出于心底，汩汩流出，读之如听友人泣诉衷曲，情真意挚，感人至深。这首感事抒怀诗，写的虽是一己私事，然却折光地反射出封建没落时代下层知识分子的悲剧命运，并从一个侧面揭示了晚清社会现实与心理。

诗从作者中年境遇和心绪写起，如泣如诉，令人鼻酸。人到中年，力壮年富，正值一生中施展才干之际，而江湜却遭逢“心迹两沉论”的落魄不偶，心志行事的失意，导致他处在窘迫境地。瞻前顾后，壮心零落，老境将至，穷困显见，诗人不寒而栗。况眼前膝下无子，欲平安度过清贫的晚年，唯盼一子，使自己老有所养，精神有所寄托。开篇两句诗，明白地写出了诗人落魄失意的现状和即将到来的晚贫。“只望”“救”数词，道出他中年盼子的急切心理。读至此，想来善良的读者都会为诗人祝福，希望他中年得子吧。

“得女”二句，写诗人初闻得女时的心理，话语中充满失望懊丧之情。中年失意，老年穷困，势单力孤，欲求一子以慰孤寂，以救晚穷，此愿实不为过，然天不作美，偏偏妻子生下一女，哺养之苦自不待言，他日嫁女更是恼人之事。诗人通过闻知得女时迅速产生的苦恼尴尬心理描述，将自己后半生最直接的忧虑揭示出来：理想落空已令其伤感不已，而后嗣无人，“不孝有三，无后为大”的打击，更让他悲哀难禁，直接的经济困窘和强大的传统意识压迫着诗人，使他感到从今往后，自己在他人面前似乎矮了三分，事事皆不如人。沉重的累赘感和自卑感由颔联传达出来，读者是不难体悟到这些悲戚之情的。

“直愁”二句更深一层抒写得女的烦恼。司马迁申言其著《史记》“藏之名山，传之其人，通邑大都”，江湜这一联诗的出句化用司马迁意，以“直愁”与“莫论”兼用，将悲哀烦恼写得十分深沉，其意谓：眼下与往后生计的艰难且不论，自己生不逢世，不能以诗书立名于生前，只望有子相承己业，光大门庭，可这最后一线希望也因得女而破灭。这两句诗几乎是以血泪写出的诗人一生万事不如人的悲戚。

诗的最后两句，以层递手法再写生女引起的悲哀。“一段凄凉客中意”总说以上诸种悲凉意绪。客中生活原已十分凄凉，诗人只望中年得子能添几分生活乐趣，一慰其悲，岂知得女又徒增无穷烦恼，此时他的心绪已难以为述，而更令他不安的是，如今还要"封书前去恼衰亲"！江湜家贫，童年厉学夜读，"是时老母坐相课，端为缝衣睡更迟"，望子成龙之心可知。中年无成，诗人深感惶恐悲痛，"已矣余生无报答，又将呜咽写成诗"(《冬夜》)，不能报慈母三春之晖，反令老人晚年伤心，这凄凉悲伤、内疚羞惭之情，更与何人述说。诗在沉重的忧情中结束，但愁情却久久萦绕在读者心中。

谭献说江湜诗"苦读使人不欢"，其意虽含贬薄，但也从另一侧面说准了江湜诗的情感特征，即读后令人为其悲剧命运叹息，易使读者沉浸在诗中幽怨泣诉的哀痛气氛里，产生情感共鸣。本诗以平易通晓的语言，层递复出的手法，先写盼子之情，次写得女之愁；由生前写到身后；由自己的悲哀写到老母的伤心，将得女给家庭带来的苦恼和自己复杂的心态一层层抒写出来，正是"曲折洞达，写难状之隐，如听话言"(金天羽论江湜诗语)。

晚清时期，朝政腐败，吏制极滥，统治者各为稻粱谋，下层知识分子既无产业，又难登仕途，命运悲惨，江湜一类穷窘儒生何止千万。在此日薄西山之际，人们要想老有所养，就不得不考虑人丁问题，重男轻女的社会心理也就比以往任何时代更突出，江湜这首诗所写得女的悲哀，正好反映了那个时代的现实和心理。

(田耕宇)

夏夜二首

江　湜

夜坐自钩帘，飞入一蝙蝠。方便杀明灯，摊书不能读。

渴鼠案上行，饮水及吾墨。眼弗见之时，睡耳有独得。

鉴赏

这是两首既各自独立又互为补充的小诗。言其各自独立，是说它们都有完整的意境和诗意；言其互为补充，是说将其视为一体，可以更加全面地了解诗人的创作心理。

诗题为"夏夜"，其一写诗人夏夜苦读所见，其二言其夜深不眠所闻。诗人先叙其夜读小憩卷帘时蝙蝠入室扑灭油灯，使诗人不能继续夜读，再写上床辗转反侧难以入寐，通过细微的响声，猜想黑暗中渴鼠上案吸墨之状。二诗情节简单，初读难见其妙，然悉心咀嚼，揣摸诗人这一见一闻描写之意，渐觉味长。诗人在此，旨在通过夏夜生活的两个片断，复现其穷困潦倒、孤寂无味的生活；抒发其枯寂冷落、百无聊赖的情绪。蝙蝠、老鼠皆夜间觅食动物，其出没活动处，多荒芜凄凉之地。蝙蝠入室可见室内蚊虫之多，渴鼠吸墨可知室内荒凉。岂闻深宅大院、高堂华屋、人声鼎沸处有蝙蝠进户，老鼠据案之事？在诗人笔下，蝙蝠入室的就势（“方便”）灭灯，渴鼠上案咂然吸墨的描写，主要想通过动物的肆虐于人的世界，写其居所的冷落。蝙蝠的气势、老鼠的猖獗，俨然视人而无畏，这都激起了诗人心中的悲凉感。按理，诗人如想继续夜读，灯灭可以再点；如想安卧，鼠扰，可以惊之、赶之，但他既无意续灯，又无心驱鼠，听之任之，其心绪灰冷，举止怠惰之状也就浮现于诗外。

诗人何以灰心怠惰至此，诗中虽不曾点破，但也不无蛛丝马迹可寻。其诗云“夜坐自钩帘”，又云“睡耳有独得”，开篇一“自”字结尾一“独”字，所表现的只是一种孤独感。同时室内全无一点生活气息，蚊虫之多，招来蝙蝠，室内无水，鼠渴唯有吸墨，这显然是写一种生活的危机感。正是由于心中的悲凉、孤独和危机诸般感受的侵扰，使诗人难以解脱，加之昼夜苦读，并没有给他的生活带来希望和转机，由此而使他灰心怠惰，对阴类恶物的骚扰，采取听任态度，而这种态度恰好揭示了诗创作时的心态。

江湜写诗多言穷苦之状，其表现的苦闷酸楚多仿郊孟郊，而又过之。孟郊虽有“出门即有碍，谁谓天地宽”（《赠崔纯亮》）的哀恸之音，但亦有“春风得意马蹄疾，一日看尽长安花”（《登科后》）的心花怒放之声。江湜则不然，他一生穷困失意，诗中多苦语、危语、寒语和孤寂语，偶有闲适语，但在貌似自得的背后，始终拖着一条忧患的黑影。正因为潜在的忧患威胁，其诗独具穷愁如山、使人窒息的情感特征，此选《夏夜》二首，读后就明显给人这样一种感受。

（田耕宇）

湖楼早起二首

江　湜

西湖楼好纳朝光，夜梦分明起辄忘。
但记晓钟来两寺，一钟声短一声长。

湖上朝来水气升，南高峰色自崚嶒。
小船看尔投西岸，载得三人两是僧。

鉴赏

这两首小诗，以虚实不同的笔法描写了西湖清幽淡雅的晨景。

虚实关系的处理，在我国古代文艺和古典美学中，是极受重视的。如绘画理论谈画面上有画部分与空白之间的关系，就有“画中之白，即画中之画，亦即画外之画”(华琳《南宗抉秘》)和“虚实相生，无画处皆成妙境”(笪重光《画筌》)之说。诗画本相通，故虚实相生的原理在山水诗中，自唐以来也得到广泛运用。此选二诗，就较典型地运用了虚实原理。

第一首小诗采用以虚出实之笔，传神地描绘西湖晨景。西湖胜景颇多，如“雷峰夕照”“苏堤春晓”“三潭映月”“双峰插云”“柳浪闻莺”“平湖秋月”“花港观鱼”等等，不一而足，在一首不足三十字的绝句中，要把诗人对西湖晨光整体观照的印象逐一绘出，绝非易事。面对美不胜收的湖光山色，江湜巧妙地以虚实之笔传达出了自己的观照。诗的前两句切题，且大笔勾画西湖秀景。首句提起，虚写楼居湖上，晨起所见西湖的整体印象。“纳朝光”三字描绘天光、水光、山色浑然一体的湖楼景象，诗人没有精雕细镂地刻画某一处景色，而是将楼上所见一笔掠过，写得极虚。次句由眼前景而追忆梦中事，诗人仿佛觉得梦中所见与眼前所见依稀相似，但“起辄忘”说明梦境已不分明，难以描述。这两句写西湖景色，用墨淡远，似有许多美景，但却朦朦胧胧，飘忽不定。“但记晓钟来两寺，一钟声短一声长”二句，空外传音，写出西湖神韵。梦中之景，实难寻觅，但诗人依稀记得的是从南屏方向凤林、慈净二寺一长一短的钟声在梦中萦绕，此刻他还觉得这钟声仍旧在湖光山色中回荡。西湖南岸的“南屏晚钟”为西湖胜景之一，江湜利用人们对这一胜景的熟知，以钟声来唤起人们的审美回忆和沉思。钟声原本无形，况是梦中所闻，其缥缈虚远更令人不可捉摸，而读者所熟知的南屏景色却相对钟声而显出其“实”，所以有声无形的钟声，可视为一种虚的“空白”，这种空白所引起的联想，也就再现了“实”的西湖画面。

第二首与前一首似脱实粘，但却采用的是以实写虚之笔，“双峰插云”是西湖十景之一，本诗通过对南高峰周遭景色描绘，曲曲传达出诗人观照西湖时的心态。诗的前两句写晨曦水气升腾中突兀入云的南高峰色,从垂直方向上用上升的水汽和直插云霄的南高峰敷设背景。诗的末二句是一大镜头,宁静的湖西上一只小船向西划去,这“三人两是僧”的小船,和开阔的湖面,是横向铺开的中景和前景。这样的意境与前诗袅袅飘荡的佛寺钟声融为一体,究竟表现了诗人什么情绪?本诗实景背后所暗示的又是什么?刘熙载云:“山之精神写不出,以烟霞写之;春之精神写不出,以草树写之。”(《艺概》)西湖西岸有佛教名刹灵隐寺,小船载着僧人径投西岸,加之前诗中由南屏方向风林、慈净二寺飘散的钟声,从表面上看,只是为西湖晨景增添了几分神秘淡远的色彩。但在诗人心底所观照的西湖,除去晨色的优美,或许更重要的是潜意识中的皈依佛门的呼唤,它是通过本诗实景暗示出来的。

这两首诗以不同的手法处理了虚实关系,写法看似大相径庭,然殊途同归,其艺术效果是一致的。它们把西湖的实景和联想的虚景结合起来,不仅较全面地从整体上描绘了优美的西湖晨光丽景,而且引出了诗人在审美观照中激发出的对世俗生活厌倦和对佛门向往的心绪。这样就使诗歌情味显得幽淡隽永,诗情画意俱足。

(田耕宇)

闻邓铁香鸿胪安南画界撤还却寄

康有为*

山河尺寸堪伤痛，鳞介冠裳孰少多？
杜牧罪言犹未得，贾生痛哭竟如何！
更无十万横磨剑，畴唱三千敕勒歌？
便欲板舆长奉母，似闻沧海有惊波。

作者

*康有为(1858－1927)，原名祖诒，字广厦，号长素，又号更生，又号西樵山人，广东南海(今广州市)人。近代改良派领袖。后为保皇会首领。光绪二十年(1894)进士，授工部主事。甲午战争后，曾联合赴京会试举人一千三百余人“公车上书”，要求维新变法，受到慈禧太后镇压，逃往海外，组织保皇会。主张君主立宪，反对民主革命。辛亥革命后，以遗老自居，死于青岛。工诗文。其诗丰富，瑰丽奇伟。著有《大同书》《南海诗集》《新学伪经考》等。

鉴赏

清光绪十年(1884)，法帝国主义侵占安南(越南)，引起了中法战争。当时任鸿胪寺卿的邓铁香，竭力主战，事实上中国在战争中也非战败国。然而清政府却派李鸿章于光绪十一年(1885)在天津与法国议和，承认法国侵占安南，并派邓铁香与法方勘定中越边界，画界中，尽管邓铁香据理力争，清政府却屈服于法方的压力，撤回邓铁香实行妥协让步。这个事件表明，1840年鸦片战争之后，西方帝国主义列强侵略中国正步步深入。当时的爱国有识之士，越来越清楚地看到帝国主义的狰狞面目，清政府的昏庸腐败，中国的岌岌可危。他们对时局表现出极大的忧虑和愤慨。康有为此诗就是在这种背景下写作的。

这是一首七言律诗，句句紧扣时局，充满了愤激的爱国热情。首两句自然衔接，一气流转，直抒胸臆。对于爱国者来说，祖国山河，即使是寸土尺地的丧失，也会使人感到切肤之痛。帝国主义侵占安南，这是打开中国的屏障，对中国的直接威胁与侵略，怎么能认为无关紧要呢？“鳞介冠裳”一语，借用了西汉贾捐之建议元帝放弃珠厓的故事，扬雄《法言》肯定贾捐之的意见，认为不值得以“鳞介（南海化外之民），易我冠裳（中华礼仪之邦）。”本诗作者却认为在帝国主义侵略面前，这种看法是迂腐之见，也是妥协投降、丧权辱国的一种借口。诗的中间两联，对时局展开激烈批评，表示极大愤慨。作者认为，当时的有识之士，包括邓铁香和作者自己，都曾发出振兴民族、奋发图强的呼号，正如唐代杜牧作《罪言》一文，提出削平藩镇割据势力，巩固中央政权的建议，汉代贾谊向文帝上书陈政事，痛哭流涕，指出当时政治和经济上存在的严重危机。但是他们的建议，都未被统治者采纳，终于无可奈何。革新内政的要求，既未能实现，那么，抗御外侮的行动总该有吧，结果是，清朝统治者在外敌入侵的情况下，不敢言战，而实行屈膝投降政策。十万横磨之剑，三千敕勒之歌，这些面对强敌发出的豪言壮语和慷慨悲歌，历史上曾经有过，但是现在看不到了。“更无”和“畴唱”二语，前后呼应，充分表达了作者对国土沦丧，国家危于累卵的痛惜和焦急心情。但是作者当时毕竟是一介书生，“手无斧柯，奈龟山何”。所以他也曾想过，避开现实矛盾，回家奉养老母。可是矛盾是不能避开的，对国家民族的责任感，又使他预感到帝国主义来自海上的侵略，绝不会终止，更大的民族灾难还在后头，沧海还会惊波再起。这样他就不得不振奋精神，唤起国人，力求走变法图强之路了。

本诗在格律、用语和情调上并未离开旧体诗的规范，而且它还是一首相当工整的七言律诗。但是，由于它密切结合现实，感情激昂充沛，真挚自然，诗的形象具有一定的思想深度，触到了近代中国历史上牵动人心的重要问题，这样就使旧体诗歌表现出一种迥异往昔的色彩、风格和气派。它是旧体诗，又不同于传统的旧体诗。这正是近代诗歌，特别是近代许多爱国诗人的诗歌的特点。全诗多处用典，然而自然恰当，既使诗句更加凝练，又使诗境更加开拓，用旧事而一如新事展现眼前，使读者获得更丰富的感受和联想，这是旧诗用典的佳妙之处。

（刘锋晋）

出都留别诸公

康有为

沧海惊波百怪横,唐衢痛哭万人惊。
高峰突出诸山妒,上帝无言百鬼狞。
岂有汉廷思贾谊,拼教江夏杀祢衡。
陆沉预为中原叹,他日应思鲁二生。

鉴赏

光绪十四年(1888),作者在北京参加顺天乡试,第一次上书清帝,提出变法图强的主张,被顽固派阻挠,书未能上达。次年,即光绪十五年(1889),作者离京,作诗五首,留别诸公,这是其中的一首。"诸公"当是泛指,不必专指亲友,也包括在朝当权者而言。实际上是作者通过此诗向国人表明自己的政治态度和对当时危急形势的看法。作者此诗自注云:"吾以诸生请变法,开国未有,群疑交集,乃行。"留别诸公的提法,恐与"群疑交集"有关。

诗的首句概括了当时的形势:沧海惊波,百怪纵横,帝国主义列强的侵略来自海上,中国危在旦夕。此句引起全篇,笼罩全篇,显得雄健有力,激昂悲愤。旧体诗很重视起句,犹如音乐定调,调子低了,就高不上去,掀不起波澜。本诗全篇气势雄浑,感慨万千,固然与作者的识力和功力有关,但与起句的突兀有势,气象开阔,也是分不开的。接句正好与起句相承,所谓承得住,宕得开。这句是说,作者面对危局,上书清廷,痛切陈辞,引起了万人的震惊。因为作者以"诸生"的身份,竟敢向皇帝指陈时事,倡言变法,言辞激切,怎么能不引起朝野上下极大的震惊呢?"惊"字的含意是丰富的。其中有当朝顽固派的惊恐和反对,也有不少人士的惊诧莫名,当然还包括更多人的同情和支持。"唐衢痛哭"本来是唐人笔记《桂苑丛谈》中所说的个人怀才不遇的故事,但是作者却把它引申为壮志未申、救国无门的悲痛。由于全诗格调激昂,主题明显,而且诗句中还用"万人惊"取代了旧典中"闻者泣下"的词语,这样就使旧典新用成为可能,改造了旧典,增加了新的意蕴。中间两联在旧体诗中起了展开诗境的铺陈作用。高峰突出，诸山怀妒，上帝无言，百鬼狰狞，这些本来是古往今来现实生活和诗歌写作中常有之事，熟用之语，但是作者把它用在这里，却增添了新的色彩，使人丝毫不觉其旧，反倒容易想到变法维新，阻拦重重，皇帝无权，后党专横那种特定的情境。问题的关键仍在于作者对现实生活的深切感受和对问题实质的敏锐观察力，以及由此产生的满腔激情，并且把它们融入到整体的诗情诗境之中。思绪发展到这样的高潮，下一联诗句的涌出就是很自然的。既然救亡图强的意见不被采纳，出都之后，像贾谊那样"受召宣室"的希望就很渺茫。但是作者对变法维新的信念，仍未动摇。他甚至宁愿像三国时祢衡被江夏黄祖所杀那样，为实现变法而献出生命。"拚教"二字和前句"岂有"相对，十分贴切，充分表达了作者舍身救国的决心。尽管如此，作者对大陆沉沦、中原涂炭的预感仍然存在，所以他说，变法不能实现，国家危亡很难避免，将来总有一天你们会想起我的这些意见的。这个结句，调子有点低沉，然而意味是深长的。《汉书》中记载，叔孙通定朝仪，征召儒生，鲁两生不肯行。原意是说，鲁二生"不达时务"。但是作者反其意用之，借喻自己不肯追随流俗，粉饰太平，苟且偷安。这样的用典，诗歌中是常用的。本诗用语，颇有重复之处，如"沧海惊波""万人惊""百怪横""百鬼狞"等等。这在旧体诗中是一种忌讳，这样的重复，唐宋人律诗中，极为罕见。但近代许多诗人，重在诗的思想内容与格调气派，往往在某些地方突破旧的框架。本诗不避重复，即是一例。

（刘锋晋）

闻意索三门湾，以兵轮三艘迫浙江有感

康有为

凄凉白马市中箫，梦入西湖数六桥。
绝好江山谁看取，涛声怒断浙江潮。

鉴赏

鸦片战争后，列强入侵，接踵而至，民族危机，日益深重。一切有识之士和爱国者，对此无不满腔激愤，亟思奋起图强。光绪二十五年

(1899),意大利以武力威胁清政府,要求租借三门湾。康有为于1898年戊戌变法失败后,流亡日本。他远在异国,闻此消息,愤而写作此诗。

“素车白马”和“吴市吹箫”,是神话传说和历史记载中伍子胥的形象。作者以伍子胥自喻,忠而获咎,流落异国,吴市吹箫,藉抒愤懑,境况是凄凉的。但作者始终不忘祖国,他在帝国主义入侵浙江之际,尤其想到了西湖的六桥。绝好江山,强敌凭陵,谁还有心思来观赏呢?只有钱塘江的怒潮,奔腾澎湃,表达了中国人民爱国反帝的正义之声。本诗是一首七言绝句,只有二十八字。这就要求诗句高度凝练而又意蕴丰富,包括尽可能多的内容。本诗确实做到了这一点。旧体诗很重视炼字,主活而忌呆滞,主虚而忌太实。要点在于艺术地把握某种特定的诗情诗境,给人留下涵咏体味的空间。诗中如“数六桥”的“数”,绝不可机械地理解,它比实际生活中的“数”,内涵要宽广一些,带有较多的感情色彩,即一种吟赏、欣喜的意味。再如“谁看取”中“看取”,“涛声怒断”中的“怒断”,都是一种文学语言或诗的语汇。“看取”不能用一般语汇对译为“看住”或“看守”;“怒断”也不能落实为“怒煞”或“怒极”。诗词中用到的“看取”“记取”“惊断”“望断”“梦断”等字,其中的“取”和“断”都是动词的虚化,类似词尾。它们使前面的词语蒙上一层感情氛围,或者获得新的含意,而这种氛围或含意,则是由诗中的特定情境来规定的,当然,它还应包括读者的感受和鉴赏的因素。所以对这些“字”或“诗的语汇”的解释,不可单纯追求落实。落实则泥,反而限制情思,以致意味索然了。

(刘锋晋)

双飞桥

刘光第*

天际双虹挂,何年堕劫尘?泉分太始雪,人立过来身。
绝壑晴雷午,深山乱石春。遥知白龙洞,云气烂如银。

作者

*刘光第(1859-1898),字裴村,四川富顺人。"戊戌六君子"之一。光绪进士,官刑部主事。参与戊戌维新运动,失败后,被杀。博学能诗文,笔力雅健。有《介白堂诗集》传于世。

鉴赏

这是作者峨眉纪游诗之一。"双飞桥"在峨眉山牛山岭清音阁前。岭东有白龙江,岭西有黑龙江,二流汇合处有一状若牛心的褐色大石,名牛心石。石上不远处,有石拱桥二,分跨黑白二水,即双飞桥。峨眉十景之一——双桥清音即谓此处。此诗描绘了双飞桥飞瀑流云的景色。作者另有五言古体同名诗一首,可参阅。

诗的起句"天际双虹挂",是用"比"的手法,将双飞桥喻为挂于天际的两道彩虹。我们中国的石砌拱桥,由于其特殊的力学结构,造成了它呈弧形的外观,因而文人们常以虹来比喻它。如李白的《登宣城北楼》诗中有"两水夹明镜,双桥落彩虹",庾信《看治渭桥》诗有"跨虹连绝岸"等。

作者既然喻双飞桥为挂于天际的彩虹,自然就产生了"何年堕劫尘"的疑问。从诗句的字面含义看,是问天上的彩虹什么年月落到人间,变成了这分跨黑白二水的拱桥。实际上却是说双桥的修建年代较为久远,已无法确考它的具体建造时间了。"劫",佛教用语,为梵文音译劫波之略;谓世也,时间也。"劫尘",犹言尘世、人间。

作者提出了问题,却没有回答,也用不着回答,问而不答地写了下去。接下来是诗的颔联:"泉分太始雪，人立过来身。”出句言“太始”，指远古时代。根据峨眉山的地质资料，表明该山的成山时期大约在十九亿年前的震旦纪至二亿五千万年前的二叠纪，年代是相当的久远。当然，作者选用这个词，并不是根据峨眉山的地质资料。《列子·天瑞》：“夫有形者生于无形，则天地安从生？故曰有太易，有太初，有太始，有太质。太易者，未见气也。太初者，气之始也。太始者，形之始也。太质者，质之始也。”从这段引文可以得知，“太始”所指远古时代，远到天地形成之始。

颔联的两句诗，出句写桥下，言桥下的黑白二水源远流长，对句写桥上，言桥上过往之人大都饱经沧桑。对句中与出句“太始”相对的“过来”一词，是以前、经历过的意思。人们在口语中常说“过来人”，是指某人经历过某事而取得了经验，或者是说某人经历过的事很多而具有非常丰富的经验，对句用“过来”一词，就是取的这个意思；是作者自谓，亦是泛言。

颈联“绝壑晴雷午，深山乱石春”二句，语言精练。此二句仅用十字，便将双飞桥的地理环境，黑白二水的声势和作者游览的时间描述得一清二楚。句中“晴雷”一词，是形容桥下激流奔腾飞泄，声若晴天之响雷。明人曹学佺言，双飞桥“一桥受一水，一水自一洞来，有黑白之分；若挟而舞，若搏而赴，势不相下”(《蜀中名胜记》卷十一)。则“晴雷”一词深解其意，正好是“若挟而舞，若搏而赴”的注脚。

“遥知白龙洞，云气烂如银”二句，和诗的首联一样，是作者的想象。不过两种想象之间还是有所区别的；首联是看到具体实物而引起的联想，尾联则是根据当时情景所作的推想。白龙洞，在峨眉山低山区，从诗文看，当是白水，白龙江的发源。白龙江在牛心岭之东，岭东向阳。可以想见，在春日正午阳光的照射下，白龙江源头水汽蒸腾，银光灿烂。

此诗虽然仅有八句四十字，读来却也朗朗上口，颇有些起伏跌宕。而虚实结合、富于变化，则是此诗的另一特点。

(刘新生)

大小云壑

刘光第

绝壑骄阳亦冻姿，云如潮白涨无时。
倒嘘人影龙初过，半没松身鹤不知。
涌地佛光喧震旦，浮天海色照西夷。
入山渐觉衣裳薄，擘絮兜绵转栗饥。

鉴赏

这是作者峨眉纪游诗之一。诗以清健的笔调描绘了峨眉云海和“佛光”的奇特景观。在峨眉山息心所西石碑岗下，有一道天然石梁，当地人称之为观音桥。桥下云烟霭然，幽深莫测，是谓云壑。然游览峨眉而欲观“云海”“佛光”诸景，当至其金顶之舍身崖。其处风起云涌，景致极为壮观，不负“浮天海色”之美誉。由是推之，则观音桥下为小云壑，而金顶之舍身崖当为大云壑。

此诗之首联奇险，且别具手眼：“绝壑骄阳亦冻姿，云如潮白涨无时。”“绝壑”，谓沟谷极深，此词给人以从上向下望的视觉官感。常人游山，所得之总体印象是“高峻雄伟”一类由下向上看的视觉官感。作者于此用此词，将绝高的山变为极深的谷，不啻奇兵突出，以奇制胜也。“骄阳亦冻”，显其高寒；云如潮涨，见其势大。若非站立于高之处，断难得此观感。

首联之对句写云海，作者意犹未尽，紧接着颔联又落墨于云海：“倒嘘人影龙初过，半没松身鹤不知。”出句由韩愈《杂说一》之首句“龙嘘气成云”意化出，但较原句更为形象。梁启超说：刘光第“诗在韩、杜之间”(《刘光第传》)，此即一例。“人影”，谓投映在云层之上的人像。对句言云气升腾的情形；“鹤不知”，状其轻盈。《周易》曰：“云从龙。”(《上经·乾》)，故作者有“龙初过”之说。不唯如此，在作者笔下，人影、松鹤皆可用以形容云海，给人以强烈的实感，如觉身临其境。

峨眉山的佛光，是一种少见而奇特的自然光学现象。佛光的出现，首先要有大量的云层和较强的阳光。当阳光从云层相对的方向照射云层，人背太阳而立，光线经过空气中雾状水滴衍射，人就会在云层上看见一个七彩光环，环内显现出活动的人影。前人不了解这一自然现象产生的科学原理，认为是神佛在显示着法力，因而称之为佛光。正是因为佛光奇特而不多见，所以作者要书上一笔：“涌地佛光喧震旦，浮天海色照西夷。”此二句言峨眉佛光名扬中华，云海冠照西南。“喧”，通烜，显赫貌。“震旦”，梵文之音译，即中国。“西夷”，旧谓我国西南地区为西南夷，这里作者是省称。

诗的末尾二句抒写入山感受，构想新奇，独辟蹊径。作者饱览峨眉奇景，精神上得到极大满足。随着这种满足，物质的匮乏突出了。具体地说一是衣裳穿少了，二是没有带干粮。面对这种情况，作者的感受是：“入山渐觉衣裳薄，擘絮兜绵转粟饥。”为何“渐觉衣裳薄”？只因“高处不胜寒”（苏轼《水调歌头》）！顺手擘来白云披上，随即又觉冷得起鸡皮疙瘩和饥肠辘辘了。“兜绵”，即兜罗绵，佛经中称草木之花絮，比喻山中白云。“粟”，即小米，此指冷得发抖时皮肤上出现的小米似的疙瘩；取苏轼《雪后书北台壁》诗“冻合玉楼寒起粟”句意。

峨眉山向有“秀甲天下”之称，景色秀美自是不言而喻。不少文人力图将其美用文字移到纸上，使更多的人来领略它的美。正因为它太美，所以用寻常的模山范水状之，则难以取胜。作者抓住峨眉奇景，以奇伟之笔掘幽凿险，开境独行，遂成此奇佳之作。胡先骕曰：“《介白堂诗》最精之作，为其峨眉纪游诗……古今来作者咏山水之什，殆未有若此者。唯太白兴到之作，仿佛似之耳。故即有此一卷峨眉诗，已是藏之名山，传之无穷。仅就写景一端而论，《介白堂诗》已不难独步千古也。”（《评刘裴村〈介白堂诗集〉》）胡氏评语虽有过甚之嫌，却也道出刘诗特色，不失为一家之言。

（刘新生）

瞿　塘

刘光第

尽唤蛮山压客舟，甲盐飞去入空道。
双崖云洗肌如铁，一石江穿骨在喉。
风静鱼龙排日睡，水还巴蜀接天流。
涨时倒海枯时涧，安稳哦诗答棹讴。

鉴赏

这首诗生动描写了长江三峡之一——瞿塘峡的壮丽风光。瞿塘峡，又称夔峡，西起四川省奉节县白帝城，东至巫山县大宁河口，全长33公里。其中白帝城至巫山县大溪镇一段为峡谷，长8公里，是三峡中最短的峡。两岸悬崖壁立，江面最狭处仅百余米；江流湍急，山势险峻，号称“天堑”。大溪至大宁河口为宽谷。诗人们常咏的是峡谷那一段。

诗的前二联，作者抓住瞿塘峡地貌的特点，形象地描绘出两岸山势的雄险和峻拔：“尽唤蛮山压客舟，甲盐飞去入空道。双崖云洗肌如铁，一石江穿骨在喉。”首联二句以动写静，描写的是舟行峡中，人们获得的视觉官感。两岸凝重不动的大山似扑压而来,欲飞空而去,若不是险峻高拔万分,断然不会使人产生如此感受。"甲盐",即赤甲、白盐二山,在奉节城东十余里,夹江水相峙立。颔联二句则描写了另一种官感,一种类似触觉的官感。高耸入云的巨人般的双崖,岩石有如它那铁一样的肌肉;横卧江心的滟滪巨石,正似骨鲠在喉。这里作者用拟人的手法,非常形象、逼真地描画出瞿塘峡口的地理环境,给人以身临其境的感觉。句中的"双崖",指瞿塘门,亦称夔门,在瞿塘峡入口处,二山笔立相对如门,故称之。"一石",谓滟滪堆,《水经注》云:白帝城"水门之西,江中有孤石,为淫预石,冬出水二十余丈,夏则没,亦有裁处矣。"同书引李膺《益州记》云:"滟滪堆,夏水涨没数十丈,其状如马,舟人不敢进。又曰犹豫,言舟子取途不决水脉,故犹豫也。"

诗的后四句,作者的笔锋转向峡中的江流:"风静鱼龙排日睡,水还巴蜀接天流。涨时倒海枯时涧,安稳哦诗答棹讴。"这四句诗,一句一层意思,相互独立亦相互联系,充分显示了作者细致的观察力与丰富的想象力。第一层意思,即颈联的出句,描写江水风平浪静时的景象。鱼、龙之属可连日大睡,足见水流之平稳。庾信《哀江南赋》云:"鱼龙之逢风雨",此则反其意而用之。第二层意思,即颈联的对句,言江水往复回旋、源远流长,谓江水是接天西来,又接天东流而去。句首云:"水还巴蜀",意似杜诗"西南万壑注"(《瞿塘怀古》)。第三层意思,言峡中之水涨落时景象殊异,是作者的联想。末句为第四层意思,表达了作者的内心活动。江水的涨落是必然的,人的情绪不应受这必然现象的干扰。不管是峡中水势盛大时如海水倾倒,还是枯落时水势衰败如山涧,诗人总能安稳地坐在舟中吟咏着诗歌,与船家划船时的歌声相呼和。句中的"答"字,还有另一含意。作者能乘舟泛江,饱览峡中壮丽的风光,自然是仗舟子之力,故"哦诗"以答谢之,体现了作者对劳动者的尊重。

从这首诗的语句和内容看,可以推断出此诗是作者记叙自己乘舟泛江的亲身感受。一首七言律诗,仅能容纳五十六字,一次壮游的感受,无疑是相当丰富,很难用数十字表达清楚的。然而作者就是用这寥寥数十字,抓住瞿塘峡最有特征、最典型的景物,从形、神两个方面下笔,将瞿塘峡的壮丽、险奇和雄浑写得神态飞动、逼真欲现。譬如首联的"尽唤""压客舟""飞去",是写"神";颔联的"肌如铁""骨在喉",是写"形",而"排日睡"是写"神","接天流"是写"形",等等。这些都是夸张的比喻,通过这种夸张,景物得到了更为真切的描绘。刘勰所云"壮辞可以喻其真"(《文心雕龙·夸饰》),就是这个道理。

(刘新生)

远　心

刘光第

远心无杂迹，随在得真还。阅世摩孤剑，围书坐万山。
雪天生气出，人海寄身闲。愧少匡时略，梅花且闭关。

鉴赏

这首诗当作于北京。诗题取首句前二字，颇似无题诗。此类诗多寓意深远，表达作者内心不可名状的比较复杂的思想感情。如唐人李商隐的无题诗"相见时难别亦难""昨夜星辰昨夜风"等，诗中交织诗人的希望、失望以至绝望的各种复杂心境；用他自己的话来说，是"借美人以喻君子"(《谢河东公和诗启》)。刘光第此诗以"远心"为诗题，表现了作者意欲匡时济世的高远志向。诗中亦流露出由于封建专制的压迫和局限，作者报国无计的愤懑。可参阅他的七言古体诗《白雪吟》。

全诗的中心，是诗的首联"远心无杂迹，随在得真还"二句，这二句诗是作者表明自己心怀远大志向、心地坦荡而无杂念的心迹，亦反映了他无时无刻不在追求着真、善、美的情怀。"随在"，犹随处、随时随地。"真还"，意为回归于真朴，亦即回复到真实质朴的精神境界。见卢谌《览古》："荆玉亦真还。"

我们知道，清朝末期的政治是何等的腐败，官场是何等的黑暗，像作者那样正直的文人，是很难立足其间的。正是因为作者的理想和言行与当时污浊的客观社会现实大相抵牾，使他明显地感到孤独，或者说明显地感到孤立。基于这种情绪，诗的颔联吟出了"阅世摩孤剑，围书坐万山"的慨叹。出句显示了作者的冷峻与豪气；句中言摩剑，寓有出世之意。对句格调低沉，孤独感自在不言之中。

诗的颈联"雪天生气出，人海寄身闲"二句，其出句意较隐晦。句中"生气"一词，应用词之本意——发怒。语出《国语·晋语四》："未报楚惠而抗朱，我曲楚直，其众莫不生气。"和前二句串讲，则可引申为不快或者烦闷：欲用世而苦于施展无术，避入书斋斗室所产生的孤独感，使他如置身于万山丛中；雪天冒着严寒外出遣闷，又觉得人海茫茫的京城,自己不过是聊以存身其间的闲人罢了。“人海”,谓京城。语本苏轼《病中闻子由得告不赴商州》诗:“唯有王城最堪隐,万人如海一身藏。”

颈联体现了作者的一种自我感觉,一种政治上的失落感。作者的本心是想改变自己的境况,但在当时的政治气候和客观条件下,却又是不可能的。因而作者于尾联吟道“愧少匡时略,梅花且闭关”。明里说自己没有救世的良策,暗中表达了看不见出路的愤懑,只好暂且关上梅花丛中的家门,韬光养晦,待时而出。“闭关”,佛家语,意为谢绝人事而潜心修养。语出《禅余内集》:“闭关学道”。

通过上面的分析,我们可以看出作者当时的心情,是处于一种压抑的状态。这种由当时政治大气候所造成的压抑,作者自感无力与之抗争,因此产生了失落感。诗中“围书坐万山”“人海寄身闲”诸句,便是作者这种心情的反映。从另一角度看,作者受中国传统观念的影响甚深,政治上的失意并不会导致其自甘堕落。封建士大夫洁身自好的思想意识,使他在没有出路的情况下,亦不愿与黑暗势力同流合污,而是采取无可奈何的消极态度,退求完善自我。这首诗格调的低沉,便是由上述因素所决定的。

固然诗的格调低沉,但作为一首咏怀诗,作者却也能直抒胸臆,说出了自己的心迹、愤懑、苦恼和失望。其同朝人叶燮在《原诗》外篇中云:“诗是心声,不可违心而出,亦不能违心而出。”刘光第此诗,正是这样一篇流露心声的作品。

(刘新生)

梦　中

刘光第

梦中失叫惊妻子,横海楼船战广州。
五色花旗犹照眼,一灯红穗正垂头。
宗臣有说持边衅,寒女何心泣国仇!
自笑书生最迂阔,壮心飞到海南陬!

鉴赏

这一首感时七言律诗,作于光绪二十四年(1898)春末。这年四月，法国以广东雷州人杀其士兵二人为借口，派兵舰强据广州湾逼迫清朝政府租借广州湾及附近海岸给法国，同时要求清朝政府不得将两广及云南租让与他国（事见《清史稿》卷二四，卷一五五及《中国近代史大事记》）。刘光第身为封建朝廷的一员，闻此丧权辱国之事，岂能无动于衷？此诗即就该事而发。

诗的起句突兀：“梦中失叫惊妻子”，读此句不禁使人要问：“何事令作者寝寐不安？”很自然地要产生悬念。紧接此句作者奋笔书道：“横海楼船占广州。五色花旗犹照眼，一灯红穗正垂头。”原来这就是令作者寝寐不安之事——广州海战。从这四句诗看，这次海战的结果显然是以清军失败而告终。作者虽仅是一名小小的京宫，却也“位卑未敢忘忧国”（陆游《病起书怀》）。所以向来“性端重敦笃，不苟言笑”（梁启超《刘光第传》）的作者，亦夜半失态，呼叫之声惊醒妻室。忧国之心可谓诚矣！忧国之情可谓深矣！首联颇似陆游《楼上醉书》中“三更抚枕忽大叫，梦中夺得松亭关”二句意。“楼船”，有楼的大船，古时多用于作战；此指清军战船，颔联对句中所云灯、穗，是战船上的信号之物。颔联出句言敌舰耀武扬威；“五色花旗”，谓法舰上的旗帜，代指法舰。对句低沉，是叹我方武备之不修，国势之不振，有“每愤胡兵入，常为汉国羞”（陈子昂《感遇诗三十八首》其三十四）意。

诗的颈联对仗颇为工稳，二句一褒一贬，寓意相当含蓄。我们先来看其出句：“宗臣有说持边衅。”“宗臣”，指康有为。康有为，字广夏，广东南海人，光绪二十一年（1895）进士，力主变法维新，是著名“百日维新”运动的促成者。光绪二十四年初，即作者写此诗的前两个月，康有为上清帝《应诏统筹全局析》书，其略云：“四夷交侵，覆亡无日，非维新变旧，不能自强，变法须统筹全局而行之……”（《清史稿》卷四七二）。出句即就此事而发。句中所言“边衅”，即康氏所云“四夷交侵”之意。

此联对句云：“寒女何心泣国仇。”此句是贬，是对西太后擅权卖国的指斥。“寒女”，谓西太后叶赫那拉氏。叶赫那拉属正黄旗，原是满洲各部落中最高贵的一族。因其反对皇室爱新觉罗氏，至西太后入宫前，这一族已相当衰落，其娘家已属贫寒，故作者以“寒女”称之。作者写此诗的当年，虽然西太后已归政于光绪，但她仍通过各种渠道干预朝政；而光绪亦“事太后谨，朝廷大政，必请命乃行”（《清史稿》卷二一四），不过是一傀儡而已。请看，这年2月11日，英国迫使清政府声明不以长江流域各省割让或租与他国；3月6日清政府与德签订《胶澳租界条约》；3月27日，清政府与沙俄签订《旅大租地条约》;紧接着是4月法国强租广州湾事发。短短的两个月,竟发生如此多的丧权辱国事!作者指斥西太后无心泣国仇,乃情理中事也。

诗末二句云:“自笑书生最迂阔,壮心飞到海南陬。”此二句意甚明白,作者虽是一介书生,却也有爱国之心愿到海南杀敌报国。“书生”,乃作者自谓。“陬(zōu)”,角落。

综观全诗,体现了作者的爱国热忱,反映了作者崭然的志节,亦有报国无门的愤懑。胡先骕说:“裴村刺时之作,虽亦《小雅》之怨,而予常觉其失之过怨。……大非臣子所宜出者。”(《评刘裴村〈介白堂诗集〉》)未免失之公允。

(刘新生)

览武汉形势

谭嗣同*

黄沙卷日堕荒荒，一鸟随云度莽苍。
山入空城盘地起，江横旷野竞天长。
东南形胜雄吴楚，今古才人感栋梁。
远略未因愁病减，角声吹彻满林霜。

作者

*谭嗣同(1859－1898)，字复生，号壮飞，湖南浏阳人。"戊戌六君子"之一。曾纳资为候补知府。后以徐致靖荐，被征入京，官四品衔军机章京，积极参与戊戌变法。失败后，被害。工诗。风格雄健，富于爱国精神。后人辑有《谭嗣同全集》。

鉴赏

雄踞在长江中游的武汉，是一座历史名城，人杰地灵，历代许多诗人都来到这里低吟高唱，一抒怀抱。但是，历史上任何优秀的诗章，都无一不打上时代的和诗人个性的深刻印记。谭嗣同的七律《览武汉形势》，是作者年方二十四岁时的作品。这首诗，清晰地传达了那历史巨潮即将来临的讯息，也闪烁着这位时代的弄潮儿艺术个性的光辉，是在中国近代史上的一个严峻时刻，由志士兼诗人所唱出的一曲高歌。

谭嗣同著有《莽莽苍苍斋诗》，存诗近二百首。从诗集的题名，就可以想见他的诗风。《览武汉形势》是七律，律诗的写作当然可以在规矩中求自由，变化万千，不拘一格，但元气浑成而又神韵悠远，却是对七言律诗的一个基本要求。或有名句可摘而无全篇，或流于小巧纤弱，或偏于粗犷空疏，都不是七律的上乘境界。谭嗣同《览武汉形势》一诗,格调雄浑而韵味悠远,且让我们随着诗人的描绘,去领略他诗作的壮美风光。

“黄沙卷日堕荒荒,一鸟随云度莽苍。”首联突兀不凡,气势磅礴。荒荒大野、漠漠风沙中的一轮落照,莽莽苍苍的天地间随云远去的一只飞鸟。那落照是对景兴起,但是不是也象征艰危的时世?那飞鸟是眼前所见,但是不是也暗示诗人自己展翅奋飞的壮心?诗人虽然没有明言,但毕竟引人联想。元代诗人杨载在《诗法家数》中谈到律诗的起句时说:“要突兀高远,如狂风卷浪,势欲滔天。”这首诗的起句就是如此,笔力豪雄,有笼罩全篇的声势。

“山入空城盘地起,江横旷野竞天长。”颔联由远而近,点醒题目。一句写“山”,勾勒主体的形象,“入”字本来已使山化板为活了,再辅之以“盘地起”,更是化静为动,把龟、蛇两山描绘得活龙活现;一句写“江”,描画平面的图景,“横”字本来已经显示了江水的风神,再加之以“竞天长”,就更表现了大江的浩荡声威和与天俱远的混茫情状。这两句诗,承接首联的远景大景,确是写出了“武汉形势”的独具特征,不可移易于他处,同时,也显露了诗人豪迈的胸怀和渺远的情思。

“东南形胜雄吴楚,今古才人感栋梁。”颈联对景生情,抒怀寄慨。律诗重在对偶,这首诗对偶的妙处就在虚实相生,别开胜境。颔联摹景,是实写,如果颈联再来写景,就不免重复难出新意了。“三四贵匀称,承上陡峭而来,宜缓脉赴之,五六必耸然挺拔,别开一境。”(沈德潜《说诗晬语》)谭嗣同由江山胜状而想到栋梁之才,于是颈联就出之以抒情的警句,议论风生,虚实相参,颇具时代感,大大提高了全诗的思想艺术境界。

“远略未因愁病减,角声吹彻满林霜。”尾联“实下虚成”,悠然不尽。这首诗,因结句佳妙而成全璧。“远略”句承上而来,拯救时艰的壮志豪情跃然纸上。然而,它和颈联都同属诗中议论,如果结句还是以议论收束,诗的形象就可能会不够饱满,感染力就可能会有所削弱。于是,诗人在前面的直叙情事(实下)之后,终之以“虚成”——以景结情,将读者的想象引向更深远的天地。是的,那满林霜色,那悲壮角声,不是能引起人们不尽的遐思吗?

谭嗣同这首诗是景物抒情诗,在流连风物之中,表现了时代的风云和诗人独特的雄浑劲健的艺术个性,拔起千仞而高唱入云,具有美学中所称的“崇高美”。同时,它又有余地,有余情,情味悠永如平湖秋水,如曲涧幽林,因此,它完全可以说是景物抒情诗中的上品。

(李元洛)

崆　峒

谭嗣同

斗星高被众峰吞，莽荡山河剑气昏。
隔断尘寰云似海，划开天路岭为门。
松拏霄汉来龙斗，石负苔衣挟兽奔。
四望桃花红满谷，不应仍问武陵源。

鉴赏

从诗题上看，这是一篇纪游的作品。“崆峒”，即崆峒山，在甘肃省平凉县城西30公里，海拔2100米，泾河流经山下。其山林木茂盛，景色秀丽，古迹甚多，历来是我国著名的游览胜地。谭嗣同成年后曾从军新疆，入巡抚刘锦棠幕府；刘辞官后，谭嗣同亦多次来往新疆、甘陕、两湖、江浙一带，察视风土，联络爱国志士。这段时期，大约是光绪四年(1878)至光绪十五年(1889)。因此，这首诗的创作时间只能大体定在这一时期内，具体的时日尚待进一步的研究。

诗的首联二句“斗星高被众峰吞，莽荡山河剑气昏”描述了崆峒山高拔苍茫的气势。第一句言山高是毋庸置疑的，但高到何等程度，作者用了一个比喻。“斗星”，星宿名，属天市垣共五星，在武仙座内。《易经》曰：“日中见斗。”疏云：“处日中盛明之时，而斗星显见。”据此，作者以“斗星”泛指星斗，谓星斗被众峰吞没，更突出了山势的高兀。第二句慨叹崆峒山与泾水的青苍迷茫，能使“剑气”为之昏晦。“剑气”，是我国传统文化中一种抽象概念，随上下行文而有褒、贬两种不同的具体含义：其贬义为兵气，暴戾之气，其褒义为正气，侠义之气。此处是用其贬义。

崆峒山之气势如斯，其山景又如何呢？接下来，作者的笔锋转向山中景物的描绘。崆峒山的景色是丰富的，迷人的。

颔联承前，绘出了山景的雄浑：“隔断尘寰云似海，划开天路岭为门。”茫茫的云海，要隔断青山与人世的联系，免其遭受人世间尘埃的污染。“上天梯”是登达山顶的必由之路径，两侧石峡壁立，望之如门，中砌石梯，似上天之路。因此路径穿峡而至峰顶，故作者云“划开”，非常形象。此联描述的是作者远望所得的印象。

颈联“松拏霄汉来龙斗，石负苔衣挟兽奔。”描绘山景的神奇，是作者进入山中近距观察所得的印象。松林挺拔直冲霄汉，有如飞龙争斗；苔藓覆盖着奇形怪状的山石，恰似野兽奔腾。作者的手中似挥动着一支神笔，所指点之处，立即化静为动，使山中景物更富生趣。出句中“拏霄汉”，由李贺《致酒行》诗“少年心事当拏云”句之“拏云”稍加变化而来，谓能上干云霄。

尾联“四望桃花红满谷”一句，描绘出山色的妍丽。由此句可知作者是春游崆峒山。放眼望去，四下里树树桃花盛开，映红了整个山谷。美好的春景春色，勾起了作者对老家湖南的怀念之情，故于末句吟道：“不应仍问武陵源。”“武陵”在湖南省，为汉代之郡名，即今之长德县。晋人陶渊明写过一篇脍炙人口的《桃花源记》，其略云：“晋太原中，武陵人捕鱼为业，缘溪行，忘路之远近。忽逢桃花林，夹岸数百步，中无杂树，芳草鲜美，落英缤纷……”文章描述了一个与世隔绝，不受战祸的安乐而美好的地方。后人据此文而常称不受外界影响的地方或幻想中的美好世界为“世外桃源”。作者触景生情，用此典以托乡情；另一方面，作者用这一典故寄托自己渴求消弭外祸的良好愿望。

从表面看，这首诗似乎是单纯的写景。其实任何一个仔细的读者，从作者刻意勾勒的画图中，都会感到字里行间洋溢着作者对祖国河山的热爱之情。正是由于在自然景物中作者熔铸进了自己的情感，赋予了自己的美学理想，自然景物才显得如此雄浑生动。诗中所表述的艺术形象，正是作者自己对祖国、对生活热爱的艺术体现。

（刘新生）

邠　州

谭嗣同

棠梨树下鸟呼风，桃李溪边白复红。
一百里间香似海，孤城掩映万花中。

鉴赏

这是作者入甘省亲途中所作纪游诗之一。“邠(bīn)州”，即今陕西省彬县,在西安市西北约二百五十里。境内山明水秀,颇多古迹,以全省最大、最完整的石窟寺大佛寺石窟最为著名。此诗描述了邠州春暖花开时节的秀美。诗中洋溢着盎然的春意,作者热爱生活、热爱祖国的赤子之心表露无遗。

人们常要问,最能体现春之所在的是什么?南宋著名的思想家、文学家陈亮说得好,“春在万花深处鸟声中”(《南歌子》)。此诗的起句即抓住这一特点,落笔写道:“棠梨树下鸟呼风”,春意扑面而至。“棠梨”,一称杜梨,多年生落叶乔木。棠梨树应变能力极强,黄河、长江两大流域各地野生极多。树开白花,阳春之时,繁花满枝,煞是喜人。句中作者言鸟在树下呼和着春风,是日常习见的现象,却使人自然而然地联想到生趣勃勃、鸟语花香的景象,显得朴实而亲切。若非细心体味景物的特点,是不会于寻常之处显见出作者的匠心的。接下来的一句:“桃李溪边白复红”,向我们展示了更为浓郁的春意。红的桃花,白的李花,都是春天里普通的花。诗句利用这两种普通春花色彩的更替,一方面描绘了桃李争春,各不甘弱的春色,另一方面暗示了作者在不断地行进。行进之中所见,一会儿是红花,一会儿是白花,真个是行行重行行,红花复白花。句中“复”字浑如脱口而出,毫无雕琢,却传神入化,兼顾了含意的两个方面。

“一百里间香似海”,充分体现了春天是花的海洋,春天是花的世界。句中的“一百里”,并非确指,按常理推之,当是作者一天的行程的概略估计。如果说前句是暗示作者在不断地行进,此句则明白地说出了这层意思。一个官宦出身的贵公子,经过一天的鞍马劳顿,毫无疲惫之感流露于字里行间,是何原因?答案非常清楚,是无边的花海散发出的芬芳,如甘美的醇酒令作者陶醉,旅途的疲劳消失在花间林下,消失在春天引起的亢奋之中。

诗的末句“孤城掩映万花中”,承上句的“香似海”。经过一天的驱驰,离邠州城已是很远。作者驻马回首,眺望来路,但见桃红李白,无处不是盛开的鲜花,邠州城楼为鲜花所簇拥,所包围。“香似海”,自然花也似海。无数的鲜花掩映着城楼,使之如大海汪洋中的一座孤岛。城孤更显花之盛开,万花盛开而愈见城之孤立。作者用一个“孤”字,突出了春意的浓郁,突出了鲜花的繁盛,可谓是状物传神,夸张而不失真切,给人以美的感受。

作者这首七言绝句,热情地赞颂了祖国的大好河山,诗中表现出诗人优美、健康的感情。今天读来,无疑会激发人们热爱祖国的情感。就其艺术特点而论,也有一些值得借鉴的地方。

全诗语言清新,不加雕饰,是最大的特点。诗中没有一个典故,没有一个冷僻词汇,读来明白如话,但却表现出大自然盎然的生机,描画出春光的秀美。李白对诗歌的创作有一个原则,即"清水出芙蓉,天然去雕饰"(《书赠江夏太守韦良宰》)。此诗实践了这一原则,是作者善于观察,认真体验生活的结果。另一方面,虽说此诗在炼字上下了一些功夫,如文中提到过的"复""孤"等,却忽略了谋篇的精练。刘勰云:"文约为美。"(《文心雕龙·铭箴》)就是说诗文当以精练简要为佳作。若此诗改为五言绝句,照样能达到理想的艺术效果:树下鸟呼风,桃李白复红。百里香海间,孤城万花中。陆放翁晚年有回忆成都生活时所作《梅花绝句》一首,作者此诗与其意境相似,则陆诗无一赘言。录后以兹比较:"当年走马锦城西,曾为梅花醉似泥。二十里中香不断,青羊宫到浣花溪。"

(刘新生)

儿缆船

谭嗣同

北风蓬蓬,大浪雷吼,
小儿曳缆逆风走。
惶惶船中人,生死在儿手。
缆倒曳儿儿屡仆,持缆愈力缆糜肉。
儿肉附缆去,儿掌唯见骨。
掌见骨,儿莫哭;
儿掌有白骨,江心无白骨。

鉴赏

诗前作者有一叙:"友人泛舟衡阳,遇风,舟濒覆。船上儿甫十龄,曳舟入港。风引舟退,连曳儿仆。儿啼号不释缆,卒曳入港,儿两掌骨见焉。"读此叙言,有助于对诗文的领会。

此叙述讲了作者写这首诗的缘由。作者送友人在衡阳乘船,遇上刮大风。风力很大,船几乎要被刮翻。船家一位刚刚十岁的少年,为了乘客的安全,顶风奋力牵引船只入港。风刮得船只连连后退,使少年数次跌倒，但他仍不松开手中的船缆。当少年将船拉入港后，双手上的掌肉被缆绳勒掉，掌骨都现了出来。作者此诗，刻画了船家少年，“迴狂澜于既倒”（韩愈《进学解》）的英雄形象，亦体现了作者对劳动人民艰苦生活的深切同情。

诗的开始，就使读者进入一个险象横生的危急场景：“北风蓬蓬，大浪雷吼，小儿曳缆逆风走。”你听，北风呼呼作响；江浪汹涌，有如雷声轰然怒吼。你看，在风浪之中，一位船家少年正奋力拼搏。这位船家少年，据诗叙所说，方才十岁。风疾浪险，船只快要倾覆，如此危急的情况，偏要这位少年来独当一面；死生一线，乘客惶惶不安，如此重大的责任，却靠这位少年来力挽狂澜。此时此刻，此情此景，不由得作者不惊呼：“惶惶船中人，生死在儿手！”“惶惶”，是惊惧不安的样子。由此二字，可以想见乘客们是何等的惊慌失措。

在上述的危急情况下，这位船家少年是如何应付的呢？紧接着，作者笔锋一转，描写了少年怎样排忧解难。虽然“缆倒曳儿儿屡仆”，即是“风引舟退”，倒退的船缆一再将少年拉倒在地，但这位少年却“持缆愈力”，以至于“缆糜肉”。因用力持握船缆而掌肉被缆绳勒烂。不仅双掌被勒烂，而且掌肉还被后退的缆绳磨去，掌上显露出白骨。肉体上超出常人所能忍受的巨大疼痛，并不使这位少年的斗志稍懈。他啼号着，决不松开手中的缆绳。正是他奋不顾身的努力，终于把船只安全地拖入港内，满船乘客得以脱离险境。

诗的结尾，作者没有就满船乘客劫后余生的欣喜加以描述，而是着墨于对这位勇于牺牲的船家少年的勉慰和旌扬。作者写道：“掌见骨，儿莫哭，儿掌有白骨，江心无白骨！”掌肉脱去而白骨显现，如此巨大的痛楚，焉能使人不哭？然而以一己之苦，换得满船乘客的性命，值得。诗末二句，虽是对少年的旌扬，亦是作者世界观的体现。梁启超在《谭嗣同传》中写道：“被逮之前一日，日本志士数辈劝君东游，君不听。再四强之，君曰：‘各国变法，无不从流血而成。今日中国未闻有因变法而流血者，此国之所以不昌也。有之，请自嗣同始！’卒不去，故及于难。”作者这种不为瓦全，甘愿以热血唤起民众的志节，是力行“江心无白骨”之己说；慷慨义烈之气，足以彪炳千古。

就该诗的艺术特点而言，归结起来主要有以下三个方面。一是句子参差错落，不拘一格，形式非常自由。二是措辞上保持了口语的真面目，给人以真实质朴感。三是叙事性强，通过具体事件的描述来抒发感情。有此三点，使该诗读来如同汉之乐府诗，从中能得到享受和启迪。

综合全诗,虽语言平实无华,却体现了一种崇高的民族精神,体现了中华民族坚韧不拔,勇于献身的优良传统。这也就是作者写此诗的目的所在吧。

(刘新生)

和仙槎除夕感怀

谭嗣同

年华世事两迷离,敢道中原鹿死谁。
自向冰天炼奇骨,暂教佳句属通眉。
无端歌哭因长夜,婪尾阴阳剩此时。
有约闻鸡同起舞,灯前转恨漏声迟。

鉴赏

这首诗作于光绪二十年除夕(1895年1月25日),为四首一组诗的最末一首。

诗的首联紧承第三首尾联"飞光自抚将三十,山简生来忧患中"二句意。"山简",晋河内怀县(今河南武)人,山涛幼子。出为征南将军时,匈奴陷洛阳,山简招纳流亡,欲往救之,事阻,郁郁而死(事见《晋书》卷四十三)。光绪二十年年底,中日甲午战争已进行几近半年。由于清政府的无能,清军节节败退,水陆二军损失惨重,丢失了大片领土。组诗的第三首有"谈兵心逐海潮东"句,即言其事。是年十二月十日(1895年1月5日),清政府派张荫桓、邵友濂前往日本议和,结果尚未可料。俗语云,除夕是岁末。在这一年行将结束的日子,作者回顾过去,慨叹时光如飞流逝,自己年近而立尚无建树;深愤朝廷积弱不振,致使大好河山不知将由何人主宰。有感于怀,托之于诗,喟然吟道:"年华世事两迷离,敢道中原鹿死谁。"其间的寓意含蓄,感慨甚深。

颔联"自向冰天炼奇骨,暂教佳句属通眉"二句,是作者自状。作者素有振兴中华之志,深知成事的艰难,故常有意识地磨炼自己。这一联的出句即述此意,是说只有在艰苦、恶劣的环境中,才能锻炼出百折不挠的拼搏意识,才能锤磨出坚忍不拔的顽强毅力。句中"冰天"一词指艰苦、险恶的客观外界,这是很明确的。至于"奇骨"一词,主要是形容人的气质、风姿的非凡与脱俗;偏重于“神”方面的修养,“形”则较为次之。

对句以唐人李贺自喻,有怀才不遇之感。《新唐书》卷二百三载:李贺“为人纤瘦、通眉、长指爪、能疾书”。后人常以“通眉”代指李贺。李贺少时才能出众,以远大自期。由于封建礼教的限制,不能应进士试,只做了一个九品小官应侍郎。他的诗作中有相当部分流露出怀才不遇的愤懑与牢骚。其《致酒行》有云:“我有迷魂招不得,雄鸡一声天下白。少年心事当拿云,谁念幽寒坐呜呃?”可看出他的远大抱负和无情现实之间的尖锐矛盾。作者写这组诗时,尚不得志(至光绪二十二年方为江苏候补知府),其心境无疑当与李贺相似。

颈联出句“无端歌哭因长夜”,承上句意。可以看出,作者思绪纷繁,情绪相当低落。送旧迎新的除夕之夜,长歌当哭,何也?作者虽有经天纬地之才,奈何生不逢时,夜长则难明,暗示着国家和个人前途的渺茫。正是这种壮志难伸的烦闷,使之心如枯兰(李贺《开愁歌》有云:“我当二十不得意,一心愁谢如枯兰。”),不“歌哭”无以排遣。同时,作者亦知黑夜再长,总会有尽头;况且“婪尾阴阳剩此时”,一年所余的时光无几,一个新的开始即将来临。“婪尾”,唐代称宴饮时巡酒至末座,引申为最后。婪尾阴阳,犹说最后的时光。

诗的尾联“有约闻鸡同起舞,灯前转恨漏声迟”二句,说出了作者感慨之余的思想。如前所说,虽然在过去一年之中,“世事”不尽如人意,且“年华”又似“飞光”,唯有奋进不止,方可“唤起幽潜共好春”(组诗第二首之末句)。此二句说明作者不甘碌碌无为,体现了振作奋发、自强不息的斗争精神。末句“漏声迟”,由颈联对句中“长夜”而发;句中一个“恨”字,道出了作者心中的紧迫感。

此诗在艺术上无甚特色,却也委婉地道出了作者忧国忧民之意。此诗和这一组诗,正如诗前叙言所云:“鸣邑陈言,所感深焉。”

(刘新生)

狱中题壁

谭嗣同

望门投止思张俭,忍死须臾待杜根。
我自横刀向天笑,去留肝胆两昆仑。

鉴赏

这首七言绝句,作于光绪二十四年(1898 年)秋。是时,作者因参与“戊戌变法”而被捕入狱。

“甲午战争”以后,清王朝日益衰落,民族危机日益严重。光绪二十四年四月二十三日(1898 年 6 月 11 日),光绪皇帝颁布“明定国是”诏书,开始维新变法。变法期间,资产阶级改良派和以光绪皇帝为首的“帝党”,构成当时具有进步倾向的政治势力。康有为、谭嗣同等人大力倡办新政,是这次运动的激进派。

变法引起顽固派和以慈禧太后为首的“后党”的嫉恨,宣称“宁可亡国,不可变法”,采取了各种卑劣的手段破坏和镇压维新运动。八月六日(9 月 21 日),慈禧策动宫廷政变,囚禁光绪于中南海。同时,“后党”假光绪的名义,发布吁请太后临朝训政的诏书,下令搜捕维新派和“帝党”分子。“戊戌变法”遂告失败。

八月十日(9 月 25 日),谭嗣同被捕入狱,八月十三日(9 月 28 日),以“大逆不道”的罪名与康广仁、刘光第、林旭、杨锐、杨深秀等六人同时遇难于北京菜市口。谭嗣同入狱后,自知不免一死,于狱中壁上题下此诗,告诫维新志士要忍辱负重,保存实力,以图再起。诗中体现了作者视死如归的英雄气概。

诗的首句“望门投止思张俭”,借用历史故事,告诫爱国志士要暂避“后党”的嚣张,不能坐以待毙;虽然变法维新失败,尔等遭到“后党”的追捕,但广大民众的内心是支持和拥护变法的,甘愿冒着生命危险来保护尔等。“望门投止”,谓人在窘迫之中,见有人家,即去投靠,暂求安身。语出《后汉书·张俭传》:“俭得亡命,因迫遁走,望门投止。”“张俭”,东汉末高平人,字元节。曾为东部督邮,弹劾残害百姓的侯览。侯览怀恨在心,反诬张俭结党营私,逼得他只好逃亡。人们敬重张俭的人品正直,都愿冒着生活危险接待他。

“忍死须臾待杜根”,再次借用历史故事,进一步深化前句意。“杜根”,东汉中定陵人,字伯坚。时和熹邓后临朝,权在外戚。杜根以汉安帝年长,宜亲政事,乃上书直谏。邓后大怒,令于殿上扑杀之。执法者素知根名,私使行刑者不加力,载出城外,根得复苏。逃为宜城山中酒家保,积十五年,及邓氏诛,方得归乡里,征诣公车,拜侍御史(事见《后汉书·杜根传》)。同治以来,慈禧把持朝政,统治中国达半个世纪。她仇视资产阶级改良派的维新运动和光绪皇帝推行的新政。作者用此典,指斥慈禧擅权之意甚明。

接下来的一句:“我自横刀向天笑”,慷慨激昂,豪气干云。“后党”密谋政变,光绪传密诏康有为等设法相救。谭氏“拔刀以救上自任”,夜访袁世凯,请其发兵相救。袁佯应允,旋即向“后党”告密,政变遂起。康有为称谭氏此举是“横刀说袁诏”(《六哀诗》)。谭氏临刑有绝命词云:“有心杀贼,无力回天,死得其所,快哉快哉”,即取此句意。

末句“去留肝胆两昆仑”,表达了作者对同志的怀念。言不论是活着的还是死去的,留下的还是离去的,彼此志同道合,肝胆相照,两如昆仑之巍。据梁启超《饮冰室诗话》谓,两昆仑者,一指康有为,一指大刀王五,即谭氏《吴铁樵传》中所称王正谊者是也,作者羡其人品武功,少年时曾随其学习刀术。谭氏入狱,王五曾组织营救,不成。

政变发生后,作者曾对梁启超言:“不有行者,无以图将来,不有死者,无以酬圣主。今南海先生死生未卜,程婴杵臼,月照西乡,吾与足下分任之。”此诗即体现了作者这种以死明志的决心和天下事尚可为之的信心。

(刘新生)

疏松

陈曾寿*

坚瘦入松骨，疏疏天色中。何心动鳞甲，无力补秋空。
叶动风犹满，翎寒鹤未丰。冷筇久孤倚，寥阔思何穷。

作者

*陈曾寿(1870－1949)，字仁先，湖北蕲水人。光绪二十九年癸卯(1903)进士，历官刑部主事、学部郎中，都察院广东道监察御史。后筑室杭州南湖。有《苍虬阁诗》十卷，续一卷。

鉴赏

陈曾寿爱松，也善于描绘松。但《疏松》却是一首托物言志之作，通过对疏松的描绘，表现了辛亥革命前夕，腐朽的清王朝即将覆灭之际，清政府中的有识志士和封建知识分子的思想状况。他们已预感到清王朝的覆灭，但又无能为力，只有深深感慨而已。

首联“坚瘦入松骨，疏疏天色中”写松的形态。“坚瘦”二字突出了松的风骨，而且坚瘦已深入到松的骨髓之中。“坚瘦”也是作者的风骨，是作者的自我写照。坚瘦的古松在秋风中挺立，而透过稀疏的枝叶，秋空天色，明朗可见。

颔联“何心动鳞甲，无力补秋空”，表面写松，实是写人。在《天宁寺听松》中，陈曾寿描绘古松是“老龙动鳞甲”，以喻其动态，而在此诗中，疏松已无心“动鳞甲”，疏松稀疏的枝叶也难以遮蔽秋空。这里暗用了女娲补天的寓言，表露了作者对清王朝的即将覆灭已感到无能为力，意气十分消沉。

颈联“叶动风犹满，翎寒鹤未丰”进一步补足上联“无力”之意。疏松稀疏的枝叶虽无力遮蔽秋空，但仍强劲有力，能招聚秋风，而作者自感羽毛未丰,无力挽狂澜。

尾联"冷筇久孤倚,寥阔思何穷"是作者直抒胸臆。面对凄清的秋色和疏松,作者倚杖徘徊,冥思良久,思绪万千,不能自已!

(赵祖堃)

戒坛卧龙松歌

陈曾寿

戒坛之松天下奇,寻常所见皆十围。
一松据台独下垂,横出十丈犹躨跜。
健鹏探爪风在下,渴蛟饮涧鳞之而。
缒幽欲引阴蛰出,承欹力负苍崖危。
万钧压空不危殆,反走潜根疑过倍。
冻雨洗干未濡足,眼底浑河犯高垲。
云开穿枝落日黄,万里暮色浮孤觞。
欲凭咫尺精灵意,贯入冥搜百怪肠。

鉴赏

"戒坛"即万寿戒坛寺,位于北京门头沟区马鞍山。寺始建于唐武德五年(公元622年)。寺内古松姿态各异。据《郭嵩焘日记》载:"阁前松括立。最奇者,左松一株,横卧阶基上,枝皆倒垂,名为卧龙松。"此诗即以丰富的想象,生动的比喻,出神入化地描绘了卧龙松奇谲的姿态。

诗的一、二句总摄全诗,突出了一个"奇"字,"奇"字也贯穿全诗。戒坛松不仅奇,而且"寻常"之松,亦有"十围"之数,这也可见其"奇"了。

"一松"以下八句专写卧龙松的姿态,处处紧扣"奇"字。在戒坛众多的松树中,唯有卧龙松"独"据台而下垂,实是奇中之"奇"。它不仅"横出十丈",而且犹如虬龙之盘屈飞举:"横出十丈犹躨跜"("躨",动貌)比喻十分形象、生动。以下又连用两个比喻:松枝如雄健的大鹏,在风云之上,正欲探爪取物("健鹏探爪风在下");松枝如干渴的蛟龙,正伸颈欲饮深涧之水,而龙须毕张("渴蛟饮涧鳞之而")。古松矫健屈曲之态,跃然纸上。作者善于以动写静，动态感十分强烈。

“縋幽欲引阴蛰出，承欹力负苍崖危。”松枝下垂伸入幽谷，好像在逗引潜伏在阴暗潮湿处的虫豸之类，而树干又似乎承受着向外斜伸的高崖的重压。一下一上，各显神通。“万钧”二句，一写树干，一写树根。屈曲的枝干，承受者自身的巨大压力而不会抓断，与枝干反向生长的树根无疑比枝干更长。根深干壮，也才能“承欹力负苍崖危”。

以上八句把卧龙松的形状、姿态描绘得活灵活现，一条苍老的卧龙，如在眼前，千姿百态，似欲腾空而起。

在常人眼里，千年古松，似乎应只剩下光秃秃的枝干，犹如古稀之老人，毛发全脱。可是卧龙松却是“冻雨洗干未濡足，眼底浑河犯高岂”。在暴雨如注、永定河水暴涨、连岸边高燥之处都被淹没之时，而卧龙松却连根也尚未淋湿，可见古松枝叶之茂盛，这又是一“奇”！

结尾四句是抒情。雨过天晴，夕阳映照在古松上，树影斑驳，随风摇曳，真是夕阳无限好！在一片苍茫暮色中，作者面对自然界的奇迹，举杯独酌，不禁要把眼前奇妙的境界，融化进构思奇特的诗肠中了。

（赵祖堃）

游西溪归湖上，晚景绝佳，同散原作

陈曾寿

行尽西溪三百曲，忽开天镜晚晴中。
仙山楼阁无限好，碧海银河何处通。
落日千峰横紫翠，中流一叶在虚空。
时无小李将军手，奇景当前付散翁。

鉴赏

古人咏西湖之作多矣，如苏轼《饮湖上初晴后雨》（水光涟滟晴方好）就是脍炙人口的名篇。陈曾寿这首七律，写西湖的晚晴景色，情景交融，亦独具特色。

诗人在历尽西溪的曲折后，才进入西湖。首联下句中的“忽”字应是豁然开朗之意，也就是一种“山重水复疑无路，柳暗花明又一村”的境界。“天镜”喻西湖波平如镜，范成大有“掉入湿银天镜中”之句。夕阳晚照中的西湖，真是美不胜收。首联是写初入西湖时的总体印象。

红花还须绿叶扶，写西湖如不描绘湖周围的景物，就会显得单调乏味。而暮色中西湖周围的群山和亭台楼阁，影影绰绰，更有一种朦胧美，犹如戴面纱的美女，所以说“仙山楼阁无限好”。广阔的湖，一望无涯，似与天上的银河相通，故曰：“碧海银河何处通。”从人间到天上，更容易引起人们的遐想。

此时，在夕阳中的“千峰”呈现出美丽的紫翠色，一个“横”字，便突出了群山连绵起伏之态。而“落日千峰横紫翠”使“仙山”“无限好”增添了具体内容。至于第三联下句“中流一叶在虚空”则与上联“碧海银河何处通”相关联。“一叶”，小船。小船在湖中轻漾，使人感到仿佛是泛舟于银河之中，而“虚实”二字更加强了空灵之感。

末联“时无小李将军手，奇景当前付散翁”。唐人李昭道，善画山水，时称小李将军。上二句意谓当今已无小李将军这样的丹青圣手，只有陈三立（号散原）的山水之作才能描绘出西湖的“奇景”。这是溢美之词，但也紧扣了题目“同散原作”。

这首七律是纪游写景之作，对仗工整，音韵和谐，虚实相衬，情景交融，把西湖的晚景描绘得绚烂多姿，令人神往。

（赵祖堃）

八月乘车夜过黄河，桥甫筑成，明灯绵亘无际，洵奇观也

陈曾寿

飞车度险出重扃，箭激洪河挟怒霆。
万点华灯照秋水，一行灵鹊化明星。
横身与世为津渡，孤派随天入杳冥。
地缩山河空险阻，朝来应见太行青。

鉴赏

此诗作于1909年，作者年方三十，正是风华正茂、以天下为己任之时，其时黄河铁桥初建成。此诗写出了作者乘火车夜渡黄河所见所感，抒发了自己献身的理想和对未来的希望和信心。

首联破题。上句“飞车度险出重扃”写火车，飞速的火车冲出了重

峦叠嶂。"扃",门户,关隘。下句"箭激洪河挟怒霆"写黄河河水奔腾咆哮,波涛汹涌。这两句是写实。

次联"万点华灯照秋水,一行灵鹊化明星"写黄河铁桥,特写桥上灯火。上句视线向下,写灯火与河水相映照,交相辉映。"万点"言明灯之多。下句视线向上,写桥上的灯火,犹如秋空中闪烁的明星。这里化用了牛郎织女鹊桥相会的故事,以鹊桥喻铁桥,使黄河铁桥夜景抹上了一层神话的色彩。

第三联"横身与世为津渡,孤派随天入杳冥"。上句写桥,暗寓作者愿像桥一样为普度众生而献身。下句写黄河。"派",支流。"孤派",指黄河。自己愿像黄河一样奔流向浩渺的远方,只身奋斗。咏物言志,壮心不已。

末联"地缩山河空险阻,朝来应见太行青"。上句写现代交通工具铁路给交通带来极大的方便,好像缩短了地的距离,即使山川险阻,也是徒然。下句云夜渡黄河后,明朝即可见到青翠雄伟的太行山。末句亦表明作者对未来充满希望。

黄河是中华民族的象征,有着悠久的历史,而铁路却是现代科技的产物,一旧一新,作者却能把二者融合在一起,描绘得浑然一体,十分自然贴切。

此诗与作者另一首诗《疏松》相比,虽为同年之作,亦同为咏物之篇,但诗的基调却大相径庭。一明快、开朗,朝气勃勃;一低回、消沉,忧思满腹。诗人思想的复杂性,可见一斑。

(赵祖堃)

七　绝

陈曾寿

曩岁住武昌,有卖饼叟作秦声,寒夜过深巷,其音幽咽以长,爇小炉担间,以竹筒炊饼令爇,焦香喷鼻。自予入都,遭世变忽忽二十余年,今以事复来城中,闻声呼之,果叟也。询其年,已七十,自言业卖饼四十年矣。感念旧事,为作一绝。

华表峥嵘不住尘,望门呼旧只酸辛。
霜街一担油酥饼,犹是当年皱面人。

鉴赏

此诗作于辛亥革命后(1913年)。作者通过重见卖油饼老叟一事,抒发了伤时感世之情,也流露出对清亡的悲痛。

“华表峥嵘不住尘”,“华表”是清代的遗物,是设在宫殿、城垣或陵墓前的石柱。“峥嵘”,高峻。二十余年后重见华表,依然如故,而清王朝却覆灭了。景物依旧,人事全非,怎不引起诗人的感伤?因而当听见旧识卖饼叟深夜凄凉的叫卖声时,必然会“望门呼旧只酸辛”了。“旧”与“酸辛”是此诗的中心。

三、四句则更深入一层,由听到见,卖饼叟的形象就愈加鲜明。作者感伤之情更浓。深夜里,在铺满冷霜的寂静的小巷中,寒气凛冽,而老态龙钟的卖饼叟,挑着担子,以“幽咽以长”的秦声,叫卖油酥饼,情景与二十年前相同,但这二十余年时世的动乱、政局的变迁,使人恍有隔世之感,怀旧伤感之情,就更加强烈了。

(赵祖堃)

黄州江干旅夜

陈曾寿

崩岸村移感旧经,荒江独夜酒微醒。
万端空后观忧患,结念孤时赘影形。
霜气穿篷灯飐飐,角声挟浪月冥冥。
天亲回首余抔土,陌路逢人泪自零。

鉴赏

陈曾寿是清代旧臣,辛亥革命前曾想挽救摇摇欲坠的清政府,而无能为力,辛亥革命后,乃以遗老自居,其诗作多有怀旧、感伤之情。而羁旅行役,在古诗词中,多有孤寂之感,陈诗《黄州江干旅夜》则尤甚。清人陈三立曾评此诗云:“构思杳冥,如奏哀弦,如听孤唳。”

首联“崩岸村移感旧经,荒江独夜酒微醒”。江岸崩塌,村镇迁移,本是自然界变化的正常现象,而诗人却有沧桑之感。“旧经”,过去的经历。今昔对比,引起诗人的伤感。诗人在江边船中过夜,孤寂感、沧桑情交织在一起,“何以解忧,唯有杜康”了。“荒”字极言环境之荒凉、寂静。“独”,孤独,是羁旅中的常情,在荒江之夜,就更令人难堪,而当酒微醒时,简直使人难以忍受了。

此诗写于1928年,作者已年届五十。作者在青年时期是颇有抱负的,清亡后,日渐消沉。次联“万端空后观忧患,结念孤时赘影形”即反映了这种心情。“万端”千头万绪,指种种意念、思绪。“结念”心所专注,思想集中。以万念俱空的心情,冷眼观察人生和社会现实;学心有所专注的、孤独之时,身影都是多余的了。

第三联“霜气穿篷灯飐飐,角声挟浪月冥冥”是写实景。“飐”,风吹物使颤动。柳宗元有“惊风乱飐芙蓉水”之句。泊在江边的小船,在寒霜之夜,冷风透过篷隙吹得孤灯摇摆不定;在昏暗的月色中,凄凉的号角声随着浪涛阵阵袭来。景语即情语,凄清之景正反映了诗人凄凉孤寂的心情。

此情此景不禁使诗人想起已逝的双亲:“天亲回首余抔土。”“天亲”,指父母亲。但双亲留下的只是一堆黄土而已,在羁旅中的诗人,也只有“陌路逢人泪自零”了。

(赵祖堃)

离台诗(录二)

丘逢甲*

宰相有权能割地,孤臣无力可回天。
扁舟去作鸱夷子,回首山河意黯然。

英雄退步即神仙,火气消除道德编。
我不神仙聊剑侠,雠头斩尽再升天。

作者

*丘逢甲(1864-1912),又名仓海,字仙根,号蛰仙,台湾苗栗县人。光绪十五年(1889)进士。未任官,赴台湾各地讲学。后抗击日寇,兵败内渡,居广东镇平。辛亥革命后,赴南京,为参议院参议员。长于诗,尤擅长篇歌行,内容多表现反帝爱国的思想感情。著有《岭云海日楼诗钞》。

鉴赏

此诗作于光绪二十一年(1895)。中日甲午战争之后,1895年4月,清政府钦差头等全权大臣、直隶总督李鸿章在日本马关(今下关)与日本政府订立了丧权辱国的《马关条约》,除了赔偿日本军费库平银二万万两外,还割让台湾全岛及所有附属各岛屿、澎湖列岛和辽东半岛给日本。从此,台湾沦为日本的殖民地。出生于台湾苗栗县的作者,当时三十二岁,悲愤之中毅然毁家,组织起义军抗敌护台,被举为义军大将军。但迫于当时形势,不久离台内渡。作者怀着悲愤和眷恋之情,写下了这组《离台诗》,这里选的是其中两首。

第一首一开始就充满愤慨之意。"宰相"指李鸿章。身为宰相的自然有权,但他的权却用来割让土地,卖国求和,以苟延残喘,这是怎样的宰相呢!句中饱含对李鸿章辛辣的讽刺,以及对清政府的强烈不满,同时又表现出自己愤然不平的心情。第二句就说到自己,顺承而下。“孤臣”是作者自指,台湾沦陷之后,自己虽然作了坚决的斗争,但也无法挽回颓势。这里面隐含着不由自主的叹息和深沉的伤痛。这两句对仗工整,但又十分自然,强烈的激情回荡其间,充满着磅礴的气势。第三句一转,既然回天无术,故乡不可久居,那就只好像“鸱夷子”那样,驾一叶扁舟(小舟)而去了。“鸱(chī,革囊)夷子”即范蠡。据《史记·越世家》:“范蠡浮海出齐,变姓名,自号鸱夷子皮。”《汉书·范蠡传》注:“范蠡自号鸱夷子皮者,言若盛酒之鸱夷,多所容受,而可卷怀,与时张弛也;鸱夷,皮之所为,故曰子皮。”这里是以浮海而去的范蠡自比,说自己乘着小舟,离开台湾,向茫茫大海中远去了。最后一句又回归到第一句中的“地”字上,“山河”即指被清政府拱手出卖的土地台湾。此时作者从海上回望那割让的大好河山,想到过去曾是养育自己的故乡,如今却沦人敌手,遭受蹂躏,今生不知何时才能回来,在这告别的时候,不禁倍加黯然神伤了。诗歌在悲愤中含着深深的眷恋,最后如游子之离开慈母,在一步一回首中,流下伤心的泪水,感人至深。

第二首表现报仇雪恨的坚强决心,充满着怒发冲冠的堂堂正气。但开时两句却先一抑,似乎是对自己满腔悲愤的宽解。作者想到,当此丑类甚嚣尘上之时,即使是叱咤风云的英雄也须作退一步计啊,那就只好通过读“道德编”来强压心头的“火气”,作忘情世事的神仙了。“道德编”即《道德经》,亦名《老子》,春秋时老聃所作,道家的主要经典,大抵主张清静无为。但透对表面的意思,我们不难看出,这是作者极度悲痛时的无可奈何之语和愤激之言,那心中的“火气”(亦即亡地丧家之恨)又怎能强压得住呢?果然,这种“火气”不仅没有压住,到第三、四句,反而像火山喷发一样,更加冲天而起,直冲霄汉了。作者明确表示,他要做那种精于剑术、见义勇为的“剑侠”,把仇人(指李鸿章之流)的头斩尽(“雠”是仇的异体字),再升天去做神仙。这最后十四个字,字字力重千钧,诗情极度奋发昂扬,表现出作者豪迈的胆气和炽热的报国热情。诗歌在前两句的一抑之后,后半部分激情更加翻腾,显得气冲斗牛,慷慨悲壮,具有回肠荡气的巨大力量。

两首诗都写得明白畅达,用典极少,即使偶尔涉及,也都化用灵脱,不露斧凿之痕,使人读来一气直下,毫不滞碍。而悲歌慷慨之气,笔挟风雷之势,却一寓其中,把深哀巨痛表现得入木三分。作者振笔直书,在才气横溢中,显露出锐不可当的锋芒,表现出凌厉雄迈的风格,具有鲜明的艺术个性。

(管遗瑞)

春 愁

丘逢甲

春愁难遣强看山，往事惊心泪欲潸。
四百万人同一哭，去年今日割台湾！

鉴赏

光绪廿一年（1895）三月十三日，李鸿章代表清政府和日本签订了《马关条约》，条款之一即割让台湾给日本。丘逢甲当即毅然辞家，组织义军抗敌护台，被举为大将军，并屡次上疏清廷，维护台湾主权。护台义军失败后，他内渡大陆，越明年作此诗。从唐代杜甫于安史之乱中写出大量以伤春寓伤时之情的杰作（如《春望》："国破山河在，城春草木深，感时花溅泪，恨别鸟惊心"）后，诗人忧国伤时之作，就多沿用这一思路。晚唐李商隐《曲江》"天荒地变心虽折，若比伤春意未多"、《杜司勋》"刻意伤春复伤别，人间唯有杜司勋"、宋代陈与义《伤春》"孤臣霜发三千丈，每岁烟花一万重"，皆为著例。丘逢甲此诗题为"春愁"，也显然沿用这一现成思路。

此诗末句的"去年今日"四字，最须痛下眼看，那就是指《马关条约》签订的日子。因而读者可以推定，此诗当作于光绪二十二年（1896）三月十三日左右。四字殊非泛泛，表明诗是国耻日作。明乎此，读者就不难体味"春愁难遣""往事惊心"八字所包含的沉痛思想感情了。

户外明明是莺啼花香，春光大好，可诗人却感到"春愁难遣"。这可不是士大夫"每到春来惆怅还依旧"（冯延巳）的闲愁，也不是妙龄仕女"良辰美景奈何天，赏心乐事谁家院"（《牡丹亭》）的寂寞。这"春愁"不是系于作者一身而是关乎天下忧乐的，具有十分沉重的现实内容。回想到义师失利，台湾陆沉等等惊心的往事，叫诗人如何能够平静呢！即使"强看山"，眼中的山水风光，可能消减他胸中丝毫的愤懑么？"泪欲潸"三字，有一种强忍不禁的情态，令人难堪。为下文"同一哭"蓄势，颇佳。

诗的前两句着重渲染"春愁"，并不点明愁的具体内容，却为三、四句的点题做好了准备。"四百万人同一哭，去年今日割台湾"，便水到渠成。原注："台湾人口合闽粤籍，约四百万人也。"按说，诗人时已内渡，对台湾的现实社会情况，难于亲闻亲见，不免隔膜，然而他又深知，有良知的台湾沦陷区的人民，及唇亡齿寒的闽粤同胞，凡我族类，在这个国耻周年的纪念日，绝不可能无动于衷。而作者又将这样的意念，化为一个寥廓悲壮的意象，即四百万人同发一哭。那哭声应该惊天动地，振聋发聩吧。这样写，就使诗中的抒情特别强烈，成为一种集中的夸张。唐李益《从军北征》："碛里征人三十万，一时回首月中看。"后蜀花蕊夫人《述国亡诗》："十四万人齐解甲，更无一个是男儿"，已开先例，可以参会。可资横向比较的，康有为"千古伤心过马关"（《九月二十四日夜至马关》）的名句，亦为国耻而发。"千古伤心"云云，是从时间范畴着意夸张，而"四百万人同一哭"则是从空间范畴着意夸张，各有千秋。

此诗的末句也值得深味："去年今日割台湾"，这是直书国耻。尽管是国人皆知的事实，诗人却无意隐讳含蓄，而更昭著揭示，其意深矣！盖知耻者，不为耻，唯于国耻无动于衷，厚颜无耻者，最可耻；不忘国耻，方能洗雪国耻。故此七字，真字字掷地有声，读之令人不忘。"去年今日"四字，出自唐崔护《题都城南庄》："去年今日此门中，人面桃花相映红。"诗所言情事与此诗无关，但它通过今年今日与去年今日场面的对照，达到深化意境的效果，却与此诗同致。就此诗言，"割台湾"是"去年今日"事，而"四百万人同一哭"则是今年今日情景。比照之下，可见同胞骨肉，敌忾同仇，悲愤实深。三户亡秦，希望正在于此。

（周啸天）

往　事

丘逢甲

往事何堪说，征衫血泪斑。龙归天外雨，鳌没海中山。
银烛鏖诗罢，牙旗校猎还。不知成异域，夜夜梦台湾。

鉴赏

此诗写于1896年，即由台湾败退还乡的第二年。他怀着台湾沦丧的深痛巨创，抗战失败的悲愁苦恨，心情万分激动，写下了这首怀念往事的抒情诗。

“往事何堪说，征衫血泪斑。”首联悲愤填膺，是痛定思痛的慨叹。守土抗日失败的往事说来不堪回首，看到衣衫上残留着的斑斑血泪，更是难以为情。这是国土沦丧造成的悲剧啊！次联即表达这耻辱的痛心事件：“龙归天外雨，鳌没海中山。”上句用比喻说，大陆的龙已收回天外降雨的恩泽，实际是暗讽清政府主动放弃台湾。下句又通过神话隐喻台湾从此丧失。“鳌没”的神话是这样的，古代在渤海东面有五座山，随着潮水起落，天帝特命十五头巨大鳌鱼分三批轮流举头顶往使之稳定，后来有龙伯国人钓走六鳌，其中两座山失去支撑流往北极，在海中沉没了。这是用海山的沉没借指台湾的沦陷。两句使用比喻和神话是对丧权失地国耻的讳饰，表示作者不忍明言而又最不甘心的恨事。他怎能忘记在那片土地上生活的日日夜夜，即引起第三联的追忆：“银烛鏖诗罢，牙旗校猎还。”“鏖诗”，斗诗。“牙旗”，用象牙装饰竿头的将旗。“校猎”是穿木为栅，遮拦野兽，以供猎取。这里是形容大规模的射猎活动。他回想在海山沉没之前，在那里晚间同朋友们在明烛光前吟诗斗胜，夜久才散；白天大张旗鼓举行射猎满载而归，那是多么称心快意呀！可是，如今这一切都成了泡影，只可能在梦中出现，所以尾联他痛心疾首地说：“不知成异域，夜夜梦台湾。”往事历历在目，怎料得这块宝岛，竟成了异国的疆土，我哪能不抱恨早晚思念，夜夜从梦中回去呢！结句“夜夜梦台湾”表明作者刻骨铭心的仇恨，不复国土誓不罢休的志愿。

对往事的追念，从“何堪说”“血泪斑”的沉痛语开始。“龙归”“鳌没”一联，显出欲言又忍无可奈何的心情。转而以“银烛鏖诗”“牙旗校猎”作反衬，加重“不知成异域”的失落感，和“夜夜梦台湾”的怅恨复仇情绪。全诗写忧国伤时情怀，沉郁苍凉，哀歌当哭，深得杜诗遗韵。

（郑临川）

送颂臣之台湾

丘逢甲

亲友如相问，吾庐榜“念台”。全输非定局，已溺有燃灰。
弃地原非策，呼天傥见哀。百年如未死，卷土定重来。

鉴赏

台湾廪生谢道隆,字颂臣,曾参加丘逢甲在台湾领导的抗日军事活动,担任“壮字营”统带。起义失败后,同作者一同离台内渡。1896 年(光绪廿二年)初夏,他重返台湾,图谋举事,作者特写下八首组诗送他,这是其中的第六首。

谢颂臣是作者患难与共的战友,这次重回台湾,为收回失地再举义旗,他当然极力支持赞助。写诗送行,既表示对战友的热情鼓励,也是向台湾父老表明自己壮心犹在,待时再起的心迹。这首诗尤其写得言峻气盛,激动感人。

首联以托人捎口信的语气向颂臣说:“亲友如相问,吾庐榜‘念台’。”“榜”是木牌。“念台”,指作者在家乡镇平县淡定村建造的住宅“念台精舍”,他嘱托颂臣回到台湾向关心他的亲友说:我决忘不了那边的父老乡亲,不信请看我家门首就高高悬挂着“念台精舍”的匾额。次联再说到自己起义失败后的反思:“全输非定局,已溺有燃灰。”军事斗争尽管完全失败,但像古人所说“死灰还可以复燃的”。“溺”是用小便浇灭死灰,不让它复燃,表示对人轻蔑侮慢。这里反用其意表示不甘屈服,要反抗到底。三联提出自己恳切的希望:“弃地原非策,呼天傥见哀。”他认为忍辱放弃自己的国土本是最大的失策,但只要广大的台湾臣民一致向朝廷呼吁,或者可以挽回上意,得到支持,复土雪耻的愿望还是能够实现的。因此,他在尾联庄严宣誓:“百年如未死,卷土定重来。”“百年”指人的一生。“卷土重来”截用杜牧诗句:“江东子弟多才俊,卷土重来未可知。”(《乌江亭》)原诗是批评项羽不该因失败自刎,他可组织家乡的优秀人才,起来再干。这两句说,只要我还活在人世,一定要会同家乡的有志之士打回老家,和敌人血战到底,直到取得光复国土的胜利。话说得极为激昂慷慨,充分表现了作者壮怀激烈的爱国深情。自从返回大陆后,他积极兴办新学,同时同情支持维新变法,最后还秘密参加了孙中山领导的同盟会,直到去世,一切都为了“卷土重来”作准备。可见他是写得出,也做得到的。

丘逢甲的诗,多以光复台湾为主题,往往情胜于辞,气胜于辞,本诗可为代表。爱国诗人黄遵宪称他的诗是“天下健者”,近代诗人柳亚子《论诗六绝句》论他的诗说:“战血台澎心未死,残笳寒角海东云。”“心未死”三字尤足以表现“烈士暮年,壮心不已”的豪迈气概。

(郑临川)

谒明孝陵

丘逢甲

郁郁钟山紫气腾,中华民族此重兴。
江山一统都新定,大纛鸣笳谒孝陵。

鉴赏

据丘琮《仓海先生丘公逢甲年谱》载:"南京临时中央政府成立,复被举为参议院参议员。"南京临时中央政府成立于民国元年(1912)元旦,2月15日临时大总统孙中山率领文武百官谒(yè,拜见)明孝陵(明太祖朱元璋陵寝,在南京钟山南麓独龙阜玩珠峰下),以清帝退位、民国统一祭告明太祖。据《黄兴年谱》载:"清晨,文武百官在总统府集合……乘车骑马,经明故宫,出朝阳门,夹道欢呼,声震屋瓦,循四方城陵前御道,抵拱桥下车。大总统齐齐步入,至前殿更衣少息后,穿内殿,进甬道,上高陵,乐声大作,海陆军大炮齐鸣。行礼如仪之后,大总统述明太祖之丰功伟烈,勖勉同志。指点陵殿之倾圮处,以时修建。"这次谒明孝陵活动,是辛亥革命胜利后一次十分隆重的庆典,作者作为参议员参加了这次盛典,写下了这首具有纪念意义的诗歌,抒情叙事,辉映生色,表现了兴奋喜悦的豪情。

第一句是写景。"钟山"即紫金山,在南京市区东。全句说,虎踞龙盘的钟山长满了茂盛的树木,有一种祥瑞的"紫气"正在腾腾上升,今天显得更加巍峨雄秀。"紫气"系用典。司马德操《与刘恭嗣书》:"黄旗紫气,恒见东南。"又《关令尹内传》:"关令登楼四望,见东极有紫气西迈。喜曰:'应有圣人经过京邑。'至期乃斋戒,其日果见老子。"后人因以紫气表示祥端。作者用在这里有双关意义:一是指早晨灿烂的朝霞,把钟山一带映照得通红;二是南京临时中央政府终于成立,象征着事业的兴盛和气氛的喜庆。所以下句就直接披露了作者喜悦的情怀:"中华民族此重兴。"这一句直白的议论,简直就是作者兴奋的高呼:经过无数仁人志士前仆后继的英勇奋斗,终于推翻清朝,中华民族重新振兴起来了!在这里,诗句愈是直白,便愈见真情,那种按捺不住的喜悦,充溢于字里行间,使人仿佛亲眼见到了作者那种欢欣鼓舞的情态。

第三句继续写喜悦心情。不仅临时中央政府成立了，国家也实现统一，已经决定定都南京，这当然是十分可喜的大事。据史料记载，2月14日参议院开会，由于部分人的反对，否决了孙中山先生关于“临时政府地点设于南京”的意见，打算定都北京。当晚，孙中山、黄兴力排众议，到2月15日早上，已经正式决定定都南京。作者在前往明孝陵时听到这一消息，心情十分高兴。从诗中可以看出，作者显然是赞成定都南京的。句中“新”字用得十分准确，反映了这一重要历史事件。最后，诗句回绾题目，正面写谒明孝陵的活动。但笔墨非常简练，只点出了仪仗队中的旗子(即“大纛”。纛，dào)和一种乐器胡笳，然而，那迎风招展的各种旗帜，浩浩荡荡的谒陵队伍，以及吹吹打打的众多乐器，和震响全城的欢乐的声音，都一下子纷呈到读者面前，响彻耳畔。这是多么威武雄壮之举啊！谒陵的场面，人们的心情，得到了清晰而充分的表现。

这首诗一扫离台时胸积沉郁的情况，一任感情的放纵奔流，写得精神振奋，扬眉吐气，集中地反映了辛亥革命刚刚胜利时人们的精神状态。全诗在结构上颇有值得注意之处：第一、四句写谒陵的环境、气氛和行动，是实笔，而二、三句穿插其中，或发抒议论，或叙述背景，都作为谒陵活动的陪衬，是虚笔。这种虚实结合，交叉安排，使全诗形成跌宕、顿挫的气势，使欢乐喜悦的情怀得到了有力的表现，形式和内容的结合做到了有机的统一。

(管遗瑞)

山村即目

丘逢甲

一角西峰夕照中，断云东岭雨蒙蒙。
林枫欲老柿将熟，秋在万山深处红。

鉴赏

丘逢甲离台内渡后，定居祖籍粤东镇平(今广东蕉岭)澹定村。“村在镇平县北之文福乡。乡之西，翼然而起者庐山也。其山多松，山之主峰曰松光峰，其麓有林，曰松林，湾曰松湾，而澹定村在焉。”(作者未刊稿《松山书屋图书》）此诗作于光绪二十五年（1899），诗中所写山村当即澹定。

这是一个深秋傍晚，刚刚下了一场过路雨，西边雨脚已收，夕照辉映了西面庐山一角，而东边的山岭，还被雨云笼罩，蒙蒙小雨，尚未全停。“一角西峰夕照中，断云东岭雨蒙蒙”，写的就是即目所见的一山之中气候不齐的自然奇景。使人感到西山是“晴方好”，而东岭是“雨亦奇”，这又恰似刘禹锡所歌咏的“东边日出西边雨，道是无晴却有晴”（《竹枝词》）。不过这里的两句诗主景，故尤具画意。

前两句所写，偏于秋夕山中的气候，而真正描绘山村即目所见的景色，还在下两句：“林枫欲老柿将熟，秋在万山深处红。”秋已深了，正是枫叶变红，柿子成熟的时候。这时的山中，不仅枫林如醉，柿子也透出橙红的颜色。“看万山红遍，层林尽染”，正是最典型的秋色。故诗云：“秋在万山深处红。”末句之妙，在于那个“秋”字。“秋”本是季节，没有色相。通常可以说“秋叶红”，却不可说“秋红”。诗人山村放目，所见“在万山深处红”的本来是枫老柿熟的山林景色。然而他偏不说“林枫欲老柿将熟，都在万山深处红”——那样写本无可指责，然而一切落实，反不如“秋在万山深处红”一句为灵妙。因为“秋”可以囊括枫、柿等秋叶、秋实，而不局限于枫叶柿实。这样写使本不具形色的“秋”有了形色，变得赏心悦目。如果将写诗下字比作弈棋，诗人这就是棋高一着，一字下去，全局皆赢。

此外不可忽略的，还有第三句的“欲”“将”二字。“枫老”“柿熟”，都指向末句的“红”字。然枫过老则叶枯，柿过熟则实稀。唯有欲老未老之枫叶，将熟未熟之柿实，才红得富于生机，红得耐人寻味。只让人感到欣喜，而不会引起感伤。

（周啸天）

今子夜歌(二首)

夏敬观*

侬欢各天涯,莫道离别苦。
虽云不相见,朝朝帖耳语。

思欢隔欢面,情不绝如线。
侬唇帖欢耳,闻声不相见。

作者

*夏敬观(1875－1953),字剑丞,号盥人、吷庵,江西新建人。光绪二十年(1894)举人,官浙江提学使。辛亥革命后曾任浙江教育厅长。晚居上海。有《忍古楼诗集》。

鉴赏

《子夜歌》系南朝乐府民歌,属吴声歌曲。相传为晋代女子(名子夜)所创制,多以"侬"(我)"欢"(爱人)为词,写男女欢爱与相思之情。形式为五言四句,常用双关、隐语等修辞手法。夏敬观的这两首诗即以古题写新事,颇有意趣。"多情自古伤离别"(柳永),对于年轻的情侣尤为难堪。《子夜歌》云:"夜长不得眠,明月何灼灼。想闻欢唤声,虚应空中诺。"《子夜四时歌》云:"秋风入窗里,罗帐起飘扬。仰头看明月,寄情千里光。"可谓曲尽其致。自从西方科技传入中国,有了电话这玩意,真为青年男女解除了不少烦恼,尽管暌隔天涯,只要在电话里听到"我爱你"和"你爱我吗"那样重复过千百遍的话,心的距离一下就缩短了,真的感到"天涯若比邻"(王勃)。仿佛侬欢依然"脸儿相偎,手儿相携"(《西厢记》),感到由衷的快活。这两首诗如加上今题,便是

"打电话"。

第一首劈头就道"侬欢各天涯，莫道离别苦"，一反古人诗词中写到离别的愁态。这得感谢爱迪生发明了电话。在往昔，想爱人想得痴狂时，耳朵会发生错觉，仿佛听到那熟悉亲切的呼唤，从而有"回头错应人"或"虚应空中诺"的尴尬。如今这是什么境界："虽云不相见，朝朝帖耳语。"虽然不能对面，但拿着听筒咬耳朵，就比和想象中的爱人对话心中实在，也自在。听到那熟悉亲切的声音，仿佛还耳鬓相磨似的。末句的"朝朝"二字不要草草放过。这等于说天天打电话，是热恋中人的常态。与《子夜歌》时代的女子比较，诗中女主人公真是幸福多了。

第二首开头就用双关："思欢隔欢面，情不绝如线。"这个"情不绝如线"，字面看犹如说藕断丝连，沿袭古乐府以"丝"谐音双关"思"的套路。其实这不绝的情线，又双关着电话线，使"千里姻缘一线牵"那句老话，有了新的意味。后两句则将前首"虽云不相见，朝朝帖耳语"二句掉转来说："侬唇帖欢耳，闻声不相见。"句次颠倒，意味顿殊。正由于电话缩短了侬欢的空间距离，有天涯咫尺之感，所以恨不得马上见面，然而这是不可能的，打完电话不免思念倍添。

前首道："虽云不相见，朝朝帖耳语。"是憾中有慰，后首道："侬唇帖欢耳，闻声不相见。"是慰中有憾。这样两方面相互补充，就把年轻恋人打电话的复杂心态和盘托出。可谓搔到痒处，令人解颐。

（周啸天）

宿凉州

俞明震*

云与雪山连，不如山向背。残日在寒沙，婉娈得月态。
群羊去如水，远色倏明昧。此景夙未历，垂老临绝塞。
地远古愁多，草枯残垒在。天山一线脉，盘旋走关内。
流泉满驰道，千里有灌溉。巍然古重镇，四郊如拥戴。
风吹大月来，南山忽沉晦。莽莽天无根，静与长城对。

作者

*俞明震（1860－1918），字恪士，号觚庵，浙江山阴（今绍兴市）人。官至甘肃提学使。工诗，好苦吟。有《觚庵诗存》。

鉴赏

此诗作于宣统三年辛亥（1911）深秋，写诗人客宿凉州所见，以及引起的联想。写景状物，凝结着诗人浓烈的感情。时俞明震正在甘肃提学使任上，经常奔波于河西走廊的大漠雪山之间。

前八句着重写自然景观。边塞凉州的深秋时节，极目远望，高耸入云的祁连山与天上的白云紧密相连，浑然一体，已不能分辨山的正面和背面。每当夕阳西下，可以看到即将沉没的落日斜晖，映照在辽阔的荒沙上，形成一片苍莽景色。入夜，则可以尽情领略月笼寒沙的迷茫夜色。成批的群羊，如流水一般疾驰而去，放眼望去，在落日的余晖中忽隐忽现，蔚为壮观。最后两句由景及情，说这般西域景色，诗人以前所未见到过，而今已是垂暮之年（时年52岁），却来到这遥远的边陲地区，得以目睹这奇异的边塞风光。"垂老临绝寒"，深刻反映了诗人内心的苍凉感情。

中间六句，转向主要写社会生

活，是由景及情的联想。这荒僻的“绝塞”，正是“地远古愁多”的境域。自古以来，这里战争频仍，给无数的征夫和思妇造成了无限的愁怨和哀伤。至今，在衰败的枯草荒丛中，仍可看到古代军营的“残垒”断垣。接着，诗人以“天山一线脉，盘旋走关内”为转折，语意双关。一个意思是说，祁连山脉，从西方蜿蜒而来，入嘉峪关，经酒泉、张掖、武威等地，绵亘千余里。另一个意思是，祁连山脉一带，嘉峪关内外，如今都是在大清帝国的版图之内，今天，这里已经是“流泉满驰道，千里有灌溉”，到处是流水潺湲，广阔的地面上都可以引水浇田，从事农耕。诗人写此诗时，已是辛亥革命的前夕，腐败的清政府，正处于风雨飘摇之中。但是，作为一个地方的学官，他还不得不对自己供职的政府给以一定的粉饰。对此，今天的读者是可以理解的。

最后六句又回到写景。古城凉州，在四野的拥抱中巍然高耸。秋夜的寒风，从西域古国大月氏的方向吹来，令人感到凉意袭人。城南的山峦在朦胧的月色中隐约可见。寥寂无边的夜空，与嶙峋静卧的万里长城默默相对，使边塞古城的深秋月夜充满了静谧而沉闷的气息。

（别廷峰）

大雪登乌稍岭

俞明震

古浪河西流，庄浪河东注。两水各西东，中立此天柱。
昨夜雪嵯峨，长城万峰聚。眩光鸟雀静，构相龙虎踞。
瓒岏露空隙，是水湍行处。东水奔黄河，西水穿沙去。
群峰列玉屏，神工施斧锯。不见马牙山，呼风作哮怒。

鉴赏

“乌稍岭”（今作乌鞘岭），在甘肃古浪县南，河西走廊的东部。向西北过乌稍岭以后，雨量急剧减少，可见其高峻绵亘的气势。冬日，乌稍岭积雪皑皑，景色蔚为壮观。本诗作于宣统三年辛亥（1911）初冬，写大雪后登乌稍岭所看到的奇丽风光。

前四句写乌稍岭的地理位置。它的东北面有古浪河水向西流去，经过内蒙古阿拉善右旗,潴(zhū,水积聚)为泽。它的西南面有庄浪河水东流,经皋兰县境流入黄河。在两水中间,乌稍岭像一个顶天立地的天柱,巍然屹立在西北高原上。

中间十句写雪景。一夜的飘絮大雪,使高峻绵亘的乌稍岭披上了莽莽银装。伏越乌稍岭,向东西两个方向蜿蜒延伸远度的万里长城,时而爬上险峻的山巅,时而卧伏低回的峡谷,把千山万壑都聚拢在它的腋下。耀眼的晶莹冰雪,白茫茫的大地山川,再也听不到鸟雀的喧鸣。"山舞银蛇,原驰蜡象",好一派西域风光,真是虎踞龙盘,雄伟壮观的险要所在。

在这漫天白雪覆盖的崇山峻岭之中"瓒屼露空隙",可以看到两条飘舞着的锦带,使到处铺满白雪的山川,裂开两道缝隙。这就是古浪河和庄浪河的水流,一支向东,奔向黄河,一支向西,穿越沙漠。"群峰列玉屏,神工施斧踞。"白雪覆盖的乌稍岭,像一架高耸的玉屏风一般,挺立在两水的中央,两河的水流只能在层层山谷中艰难地穿行。这奇丽壮观的大自然之美,使诗人禁不住发出由衷的赞美,这真是鬼斧神工,令人惊叹,令人神往。

最后两句抒情,表达了诗人苍凉的心情。

"马牙山",当为马衔山,在距乌稍岭数百里的临洮县西南。宋大中祥符年间,宋和夏曾在这里发生战斗,甘、凉二州被攻占。作者写此诗时,清王朝正处于风雨飘摇的崩溃前夕。内地各省的抗清起义活动接连不断,甘肃因地域偏僻,波及较少。但是诗人对当时的严峻政治形势,还是有所了解,因而心情是极不平静的。诗人不由想到凉州地区,在历史上曾多次为外族所攻占。马衔山一带曾多次发生战斗。在这里,作者是用马衔山泛指甘肃地区。"不见马牙山,呼风作哮怒。"暗喻国事的动荡。站在乌稍岭上,虽然看不到百里以外的马衔山,但是,呼啸的朔风,像咆哮的狮虎,严峻的形势,使诗人抚今追昔,感慨万千,在心情上不能不感到怅惘、悲凉。

(别廷峰)

雨夜醉归

林　旭*

桃蹊无语叶如帏，淞水东流剪不归。
时世画眉将半额，春寒呵手不成围。
雨声月色和同好，马足镫光一并飞。
只合腾腾随俗去，休论西子与南威。

作者

*林旭（1875－1898），字暾谷，福建侯官（今福州市）人。光绪十九年（1893）举人。官内阁中书。参加维新运动，特加四品军衔，入军机参与新政。失败后，与谭嗣同等同时被害，为"戊戌六君子"之一。工诗，宗黄山谷。著有《晚翠轩诗集》。

鉴赏

林旭是清末维新派。光绪二十一年（1895）任内阁中书。他参加了"公车上书"和戊戌变法活动。1898年变法失败遇难。年仅二十四岁，是"戊戌六君子"之一。本诗应是写于二十一岁进京应试任官以前。写诗人在一个春雨之夜，酒后回归的路上，看到的景象和引起的联想，表达了诗人力志改革，从事新政活动的决心。

首联写诗人骑马行走在开满花朵的桃林深处的小路上所看到的情景。繁茂的树树桃叶，互相连缀，绵延不绝，犹如张在路边的帐幕。四周悄然无声。上句里的"桃蹊无语"隐喻"桃李不言"之意。《汉书·李广传赞》："谚曰：桃李不言，下自成蹊。"意思是桃李以其果实诱人，非有所召唤，而人争趋之。由于人们往来不绝，树下面踩成了小路。比喻只要人能怀有诚信之心，必能潜有所感。下句"淞水东流剪不归"表面上看是写汹涌的吴淞江水奔流东去,这奔腾的水流,是人力所无法斩断,使之返回的。同时也是紧承上句的寓意,说只要人们抱有诚信之心,就必能干出一番事业。语意双关,含蕴深邃。

颔联,进一步发挥首联的寓意。"时世画眉将半额",本想为自己的爱侣精心画眉,但是"春寒呵手",春寒料峭,手冻得厉害,无法进行,只好在"将半额"时停下来,使画眉不能"成围"。这里表现出的深婉情意和"妆罢低声向夫婿,画眉深浅入时无?"(朱庆余《近试上张水部》)所表现的深沉意境是相同的。在这里"时世""春寒"正是诗人用来隐喻清末黑暗的政治和社会环境的。慈禧太后的擅权,政府的腐败,给国家、民族带来了深重的灾难。表达了诗人热爱祖国,以及报国之心难以实现的愤懑之情。

颈联,又回到写景,写实。"雨声月色和同好",淅沥的雨声和夜月的景色,都是这样的美好,自己正是在这雨后月夜,如画美景中策马回归的。"马足镫光一并飞",奔驰中的马足,交替起降,马足落地时,发出有节奏的和谐声响,和马鞍下面金属脚蹬发出的微光交织在一起。"雨声"和"马足"是通过听觉;"月色"和"镫光"是通过视觉,两种感受也是同时交织在一起。"一并飞"则是从听觉感受到的马足和谐的音响,和从视觉感觉到的马镫闪烁的光亮,一同在低空飞舞着,活画出诗人在夜晚策马奔驰时的生动情态。

尾联,承前两联的深刻思想蕴涵,表达了诗人对"时世""春寒"的深切慨叹。"只合腾腾随俗去,休论西子与南威。""西子"和"南威"都是春秋时的著名美女。意思是说,还是懒散地随着大流生活下去吧,不必再去认真地评论、计较"西子""南威"两人究竟是谁更美了。这又有什么意思呢?而这一联的深刻思想内涵,则是恰恰相反。诗人是反对同流合污、无所事事地生活下去的。这充分反映了诗人报国无门的苦闷情怀,对清末黑暗社会现实的不满。

本诗以《雨夜醉归》为题,其实是借题发挥,以"醉"寓清醒。诗中既没有着意写雨夜情景,也没有写因喝酒过多,以致神志不清的醉意、醉态。恰恰相反,它写出了诗人对清末"春寒""时世"的清醒认识。表达了作者立志改革,从事新政活动的决心,犹如"淞水东流剪不回",也反映了诗人对芸芸众生"腾腾随俗"的不觉醒状态的不满和慨叹。

(别廷峰)

久　思

蒋智由*

久思词笔换兜鍪，浩荡雄姿不可收。
地覆天翻文字海，可能歌哭挽神州？

作　者

*蒋智由（1865－1929），字观云，号因明子，浙江诸暨人。曾参与梁启超在日创办的《新民丛报》编辑工作。工诗。诗中直接宣传西方的民主、自由、平等思想。语言自然通俗。

鉴　赏

"久思"什么？久思1840年鸦片战争以后，帝国主义者用洋枪大炮打开了中国的大门，腐败的清王朝对内镇压农民革命运动，对外屈膝投降帝国主义，先后同英、美、法、日、俄签订了《南京条约》《望厦条约》《天津条约》《北京条约》《马关条约》……这些条约的签订，使中国的大好河山被帝国主义的蚕食鲸吞，满目疮痍，中国人民正处在水深火热之中。中国的一批爱国知识分子面对帝国主义的侵略，无比愤慨。如梁启超诗云："辜负胸中百万兵，百无聊赖以诗鸣。谁怜爱国千行泪，说到胡尘意不平。"丘逢甲诗云："春愁难解强看山，往事惊心泪欲潸。四百万人同一哭，去年今日割台湾。"他们经过"久思"酝酿之后，决心拿起手中的笔作为"兜鍪"（即武器）以宣传人民，组织人民反抗帝国主义的侵略行径。正如谭嗣同诗云："我自横刀向天笑，去留肝胆两昆仑。"这是一支抗击侵略者的队伍，一支"浩荡雄姿不可收"的队伍。

"地覆天翻文字海，可能歌哭挽神州？"诗人们用词笔汇成的文字海洋，时时卷起惊涛骇浪，有让地覆天翻的气势。斗争如此激烈，这个文字海洋能葬送帝国主义于汪洋大海之中,把天地翻过来吗?“可能歌哭挽神州?”诗人对这场斗争的前途是充满胜利信心的,只要坚持不懈地斗争,取得胜利的可能是有的。只要把帝国主义驱出中国的大门,就可避免中国这块神圣领土被人分割的危亡局面,也就可拯民于水火。

这首诗头两句写得壮怀激烈,从“久思”引出作者的时代背景和创作目的,接着“浩荡”“雄姿”两个词把这支队伍的飒爽英姿和一往无前(即不可收)的精神很形象地勾绘了出来。诗的后两句作者仅用了一个“挽”字承上句的“换”字就把这首诗的抑扬顿挫的感情变化和上下关系全部调动活了,并给读者留下了无穷的遐想。从此,可以看出作者的艺术表达能力。

这是一首具有反帝反封建的爱国激情诗。全诗描写得酣畅淋漓,文字简练,神形俱备,字里行间浸透着诗人的鲜明的爱憎情感。

(戴炜群)

有　感

蒋智由

落落何人报大仇,沉沉往事泪长流。
凄凉读尽支那史,几个男儿非马牛。

鉴赏

这是一首反帝反封建的爱国激情诗。

“落落何人报大仇?沉沉往事泪长流。”诗一开头就向读者提出了这样一个问题:诗人有什么仇要报?诗人为什么要流泪?要解答这个问题就得追溯到诗人所处的年代。1840年鸦片战争后中国逐步沦为半殖民地、半封建社会,经过中法战争、中日战争、八国联军侵华、帝国主义者步步逼进,清王朝统治集团日益腐败堕落。1842年8月清王朝同英政府签订了丧权辱国的《南京条约》;1844年7月又同美国政府签订了《望厦条约》;1856年6月又同英法美俄签订了《天津条约》……这些卖国条约的签订,把中国的大好河山搞得支离破碎,民不聊生。诗人耳闻目睹这个时代的悲剧,怎么不“沉沉往事泪长流”呢?这个仇和泪不单是诗人自己的仇和泪,“四万万人齐下泪,天涯何处是神州”(谭嗣同诗),而是全中国人民的仇和泪。

“凄凉读尽支那史,几个男儿非马牛。”当今的清王朝这样黑暗,难道中国几千年的历史都是如此吗?诗人带着这个问题,以凄凉的心情读完了中国的历史。他看到了中国自奴隶社会以来约四千年的历史,在漫长的奴隶社会和封建社会里,没有哪一个朝代的统治者不是在残酷地对奴隶、农民进行经济剥削和政治压迫。因此,他得出了“几个男儿非马牛”的结论。这时的诗人再也抑制不住内心的愤慨,立志要改革这个腐败的清王朝,为中国人民报仇。可是,诗人感到做牛马的人多,虽郁愤不平,而能挺身起来报仇的人却“落落”无几,因此,他向全中国人急呼:你们甘当牛马吗?! 为何不起来反抗这腐败的清王朝呢?

诗的作者以无情的笔墨,愤怒地谴责帝国主义侵略,反对封建统治,不同程度地表现了爱国主义和资产阶级民主主义精神,对当时以康有为、梁启超推行的改良主义运动起到了推动作用,被梁启超视为“近世诗界三杰”之一。

这种将身世之感和家国之痛统一结合起来,悲伤而不颓丧,沉痛而不绝望的诗作表现出作者的激情,更有回荡不尽的艺术风格。如诗首句的“落落”二字和末句的“几个”二字给人以很多联想,这种联想加强了诗歌内容的深刻性和艺术的感染力。诗的第二句仅“沉沉”两字就把中国几千年的黑暗社会的深度和广度表现了出来,这就是这首诗创作艺术上的成功之处。

(戴炜群)

纪事诗

梁启超*

猛忆中原事可哀，苍黄天地入蒿莱。
何心更作喁喁语，起趁鸡声舞一回。

作者

*梁启超(1873－1929)，字卓如，号任公，别署饮冰室主人，广东新会人。光绪十六年(1890)举人。会试不第，受业于康有为，主张维新变法。失败后，逃亡日本，创办《新民丛报》。辛亥革命后，曾任北洋政府财政总长，参加了讨袁运动。晚年弃政讲学，在清华大学研究院任教。积极主张小说、诗歌革命，影响巨大。工诗。有《饮冰室文集》。

鉴赏

梁启超是近代卓越的思想家、政治家和文学家，他年轻时即有感于清廷政治腐败，与康有为一起积极从事维新变法运动。戊戌变法失败后，他曾东渡日本，这首诗便是当时写的，诗中强烈反映了他对国事的关怀和振兴中华的决心。

诗中化用了著名的“闻鸡起舞”的故事。据《晋阳秋》和《晋书·祖逖传》，晋代祖逖和刘琨均怀壮志，且同辟司州主簿，情好绸缪，中夜闻鸡鸣而俱起，曰：“此非恶声(古人以半夜鸡鸣为不祥)也”，遂舞剑习武。后代用这个故事，皆借以抒发有志之士及时努力之豪情。

作者在百日维新失败后，东渡日本，远离神州是非之地，已经得到政治上的避难场所，可以暂享片刻安宁。他既可以潜心学问，也可以享受个人家庭生活乐趣。于是他的生活中也就有了一些日常的，与政治无干的话题。然而，作为一个爱国志士，亡命的生活并不能使他意志消磨，也不能使他完全忘记国家民族的苦难。

“猛忆中原事可哀”中的“猛忆”两字，就写出了他内心潜伏着深刻的不安。尽管平时未能表现出来，但这种不安却深藏在他的潜意识中。有时中夜梦回，便会突然想起祖国国内的情况，而深感哀痛。“苍黄”一词源出《墨子》，本谓丝经染色则易变，引申义为天翻地覆。孔稚圭《北山移文》云：“苍黄反复。”就是天翻地覆。“苍黄天地入蒿莱”则是说中国政局动荡，百事荒废，有待治理。诗人还有什么心情低低地谈说儿女私情呢？三、四句便写到：“何心更作喁喁语，起趁鸡声舞一回。”诗人将闻鸡起舞的情事安排在燕婉温馨的闺房内，更见得他的顽强意志和英雄本色不可消磨。

（周啸天）

读陆放翁集（录二）

梁启超

诗界千年靡靡风，兵魂销尽国魂空。
集中什九从军乐，亘古男儿一放翁。

辜负胸中十万兵，百无聊赖以诗鸣。
谁怜爱国千行泪，说到胡尘意不平。

鉴赏

先回溯一下历史。北宋自开国以来，由于统治者的短见、失策，武备方面已远远不及汉、唐开国时之盛，以致北宋末期金兵南下而不能自保，南渡而后，更成积弱之势。因此，反映这个时代的诗歌，确乎也缺乏汉赋唐诗的开廓恢宏气象，更难听到金戈铁马之声。另一方面，北宋文人政治地位高，尹洙在《儒林公议》中就说，只要状元及第，虽统兵数十万，恢复幽蓟，献捷太庙的将帅荣宠，也比不上。所以许多士子，不惜白首穷经，万里应试。这样，便形成士大夫阶层脱离群众的书房习气，以学问相高，以清论相尚。写诗，则“以文字为诗，以才学为诗，以议论为诗”（严羽《沧浪诗话》）的江西诗派风靡一时，诗歌脱离现实的倾向有加无已。梁启超说它是“诗界千年靡靡风，兵魂销尽国魂空”，确也无失当之处。

再看看梁启超所处的时代。清统治者对文人名士，在施行羁縻政策的同时，大兴文字狱。这对文学（包括诗歌）的消极影响是很大的。另外，清代诗坛，王士禛的“神韵”说，沈德潜的诗主“温柔敦厚”说，翁方纲的“肌理”说（考据学对诗的影响），都使诗逐步脱离现实，脱离群众。因此当时清代诗坛，金鼓之声，激励之气都寂焉无所闻见，说它是“诗界千年靡靡风，兵魂销尽国魂空”，也无什么不是。而就梁启超言，所指更多还是后者。

但是，历史总不会一成不变，人也不会只是一个模式，诗风也不会一无进展。赵宋南渡之后，金的入侵加剧，激起无数志士仁人奋发抗击，文臣武将慷慨悲歌，陆放翁便是其中突出的一个。他自幼受家庭爱国思想熏陶，长与爱国志士交往，出仕后力主北复中原，曾为王炎（四川宣抚使）襄赞军务，亲临前线，始终不忘恢复北土。这种澎湃的爱国热情，激烈的战伐声音，均见诸诗中。“集中什九从军乐，亘古男儿一放翁。”概括得精当。当然，从军乐，是有深刻爱国重义和强烈战斗性的内涵的。他在早年的《夜读兵书》中说：“平生万里心，执戈王前驱。战死士所有，耻复守妻孥。”他“常恐埋山丘，不得委锋镝”（《书悲》）。他说：“国仇未报身先死，匣中宝剑夜有声。”（《长歌行》）又说：“夜阑卧听风吹雨，铁马冰河入梦来。”（《十一月四日风雨大作》）也就是在这个意义上，他才认为“从军乐事世间无（《独酌有怀南郑》）”。梁启超誉之为“亘古男儿一放翁”，正表现了对陆放翁的无比崇敬。

但梁启超却也有以放翁自况之意。清代，自帝国主义打开中国的大门后，帝国主义的侵略到19世纪60－90年代日益加剧，亡国之祸迫在眉睫，此时，改良主义思潮迅速掀起，维新变法运动随之而兴。文学范围内也发出了“改良”的呼声，“诗界革命”的口号提出来了，梁启超等的创作实践也能反映出近代史上一系列重大事变，表现出强烈的爱国主义精神。如梁启超本人在东渡日本之初，就有一系列这类诗作：“丈夫有壮别，仗剑行复仇”（《壮别》）；“人歌人哭兴亡感，潮长潮平日夜声”（《澳亚归舟杂兴》）；“何心更作喁喁语，起趁鸡声舞一回”（《纪事》）；“悲歌不尽铜驼泪，魂梦从依敬业旗”（《赠别郑秋蕃兼谢惠画》）。这些，确也从“靡靡风”的诗界里撑出了一面现实主义的旗帜。诗的风格也显得苍凉悲壮，差拟放翁了。

但是这种“从军乐”是不易实现的。转入下一首，便是“辜负胸中十万兵”了。南宋自绍兴（高宗）至嘉定（宁宗）二年（1209）陆游死时，偏安朝廷对金始终采取投降政策，在“公卿有党排宗泽，帷幄无人用岳飞”(《夜读范致能揽辔录……》)的情势下,是一片“朱门沉沉按歌舞,厩马肥死弓断弦”(《关山月》)、“剩水残山无态度”(辛弃疾《贺新郎、陈同甫自……》)的局面,诗人只好“起倾斗酒歌出塞,弹压胸中十万兵”(《弋阳道中遇大雪》)了。自然,“百无聊赖以诗鸣”是一场悲剧,但字里行间对南宋朝廷也隐施鞭挞。因为陆游诗中饱含的是爱国有心,报国无从的痛苦之泪。

“谁怜爱国千行泪,说到胡尘意不平。”事实就是如此。陆游说:“自恨不如天际雁,来时犹得过中原”(《枕上偶成》)、“天下可忧非一事,书生无地效孤忠”(《溪上作》)。这种爱国热情,谁能理解,只落得说到金人入据中原时,生出了“胡未灭,鬓先秋,泪空流”(《诉衷情》)、“中原干戈古亦闻,岂有逆胡传子孙”(《关山月》)、“生逢和亲最可伤,岁辇金絮输胡羌”(《陇头水》)的抑郁不能自已的长叹。

这里,梁启超诗中也有自己的影子。他说了:“诗思惟忧国,乡心不到家”(《壮别》),“猛忆中原事可哀,苍黄天地入蒿莱”(《纪事》),“大愿未酬时易逝,抚膺危坐涕纵横”(《澳亚归舟杂兴》),“誓拯同胞苦海苦,誓答至尊慈母慈”(《赠别郑秋蕃兼谢惠画》)。这个时期的梁启超,爱国热情高涨,也是“说到胡尘意不平”的。

自然,陆游始终将希望寄托于南宋朝廷,梁启超则将希望寄托于资产阶级改良主义,理想均不能实现。这是历史的悲剧,也正是二人诗所以感人者。

(谢守清)

太平洋遇雨

梁启超

一雨纵横亘二洲,浪淘天地入东流。
却余人物淘难尽,又挟风雷作远游。

鉴赏

短短二十八字,却有气吞海陆,笔挟风雪之概。诗的风格宏阔豪雄。

诗里有三个动词及其所施事对象的三个名词(动宾短语)极其醒目。先是“亘二洲”。“亘”,有贯串、连接意。“亘”,所表现的实体形象诉诸视觉往往使人有长大而又连绵不断之感。不错,因为所连接的是亚、美两大洲,其宏阔可知。次是“淘天地”。“淘”义为冲洗,并含有冲洗对象至净尽之意。这里,冲洗的是什么呢?是天和地,高高的青天,茫茫的大地。而且这天和地似乎也要被冲洗得干干净净以至于消失得无影无踪了。其雄劲可知。最后是“挟风雷”。“挟”,(两腋下)夹持。能夹持之物常小。孟子向梁惠王举例说:“挟太山以超北海”,所挟虽大,究竟可见,而这里所挟的却是无形的风雷,迅猛的风,暴怒的雷,其雄豪几到不可思议。

但是,片言只语的夸饰,人人能作,是否真的宏阔豪雄,还要看形象整体。太平洋上先是天地蔚蓝,晴空如洗,忽而大雨如倾,混茫一片。万缕千条有如乱箭,从大洋东到西,南到北,纵横射下。(“纵横”,既指地域,也指雨向)就是这绵亘不断的大雨,让天海迷蒙,把亚美两大陆连成浑然一体了。大洋上风掀浪激,雨助浪高,毫不留情地冲洗着天,冲洗着地,好像要把它们冲洗成一片片,卷流东去。人世本来如此,昔之沧海,今为桑田;兴亡荣辱,也会被时间冲刷而终至淡无。这激浪不正在冲洗着一切吗?然而人物,有雄才大志、荡荡胸怀的人物,是无论如何也淘不尽的。(此处反苏轼的“浪淘尽千古风流人物”意)他挺立着,迅雷风烈,正被他夹持在腋下,向东飞驰,转眼便在千里之外了。宏阔背景,豪迈心情,结成一体,形象、气概是雄健非凡的。

梁启超此诗写于1889年从日本赴美途中。这时已是维新变法失败后的次年,流亡国外,仍然不减壮志,顾盼自豪,不是没有心志基础的。梁到日本后即与冯镜如等在横滨办《清议报》,先后发表了《戊戌政变记》部分章节,抨击慈禧、荣禄,用他自己的话说,即“明目张胆,以攻击政府,彼时最烈矣”。梁此时二十七岁,热血沸腾,大有此志不酬,誓不罢休之概。从《志未酬》也可看出这段时期他的思想是进步的。加上他所交往的大都是兴中会的革命志士,所接触的是明治维新后走上资本主义道路的日本环境。这些都大大地丰富了梁启超的进取形象,诗中流露出一种英气豪情,是符合梁启超的性格逻辑的。

(谢守清)

挽刘道一

孙 文*

半壁东南三楚雄，刘郎死去霸图空。
尚余遗业艰难甚，谁与斯人慷慨同！
塞上秋风悲战马，神州落日泣哀鸿。
几时痛饮黄龙酒，横揽江流一奠公。

作者

*孙文(1866－1925)，字逸仙，号中山，广东香山县(今中山市)人。我国近代伟大的资产阶级民主革命家。辛亥革命期间，他领导人民推翻帝制，建立了共和国。晚年，受十月革命和中国共产党的影响，把旧三民主义改造为新三民主义，提出联俄、联共、扶助农工三大政策。其诗，今存一首。

鉴赏

这是一首极珍贵的诗篇，因为它是我国近代伟大的民主主义革命家孙中山先生留给我们的仅存的一首完整诗作。它悲壮凝重的感情基调，沉着坚定的历史眼光和坚毅博大的革命胸怀把我们带回到二十世纪初哀鸿遍地的神州大地，带回到革命烈士带镣赴刑场、碧血化长虹的历史风烟之中。

二十世纪初年，湖南在全国各阶层人民奋起参加的救亡图存爱国运动与资产阶级民主革命中，是革命势力发展得最早最快、最有基础和力量的中心地区，曾被称为“小法兰西”。而湖南革命所孕育的众多英才之中，刘道一是很突出的一位。他二十岁就参加了黄兴组织的兴华会，积极投身反清革命。后来留学日本，1905 年在东京参加同盟会。1906 年在《汉帜》上发表《驱满酋必杀汉奸论》，慷慨激昂地呼唤：“嗟嗟！虏尘滚滚……抵黄龙其何日？”

(黄龙指历史上辽金的军事重镇黄龙府。南宋抗金英雄岳飞曾与部下相约:“直抵黄龙府,与君痛饮尔!”此指推翻满廷。)“嗟嗟!朔风怒号,白杨萧萧,失国之戚,与子同袍。憾之结兮望帝,魂之来兮卢骚!”对清廷蹂躏之仇恨如古代的望帝化为杜鹃啼血,对国家前途之构想欲招来卢骚(即卢梭)资产阶级民主自由理论之精魂。从以上所引的不足原文千分之一的只言片语中,就可看出这位青年革命家忧国忧民,誓与清朝封建统治者血战到底的激愤之情,创建民主自由新中国的拳拳之意,已经热辣辣地喷涌出来了。同一年,刘道一回国,与哥哥刘揆一同时为革命奔走。他在水陆洲的木船上向几十位革命同志传达黄兴对武装起义的部署,联络会党,鼓动清军。年底爆发了萍(乡)、浏(阳)、醴(陵)武装起义。刘道一留在长沙进行革命活动,负责与东京联系。起义队伍很快发展到三万人,给清廷以沉重的打击。但湘赣两省清军迅速把这次轰动一时的大起义镇压下去,刘道一也在长沙被捕入狱。面对清朝统治者的严刑拷打,他大义凛然,始终不屈。1907年1月,年仅22岁的刘道一在长沙浏阳门外英勇就义,为民主革命流尽了最后一滴鲜血。

寒凝大地,血沃中原。历史每前进一步,不知要付出多少志士侠女的生命。刘道一牺牲的消息传出,立即引起国内外革命先锋分子强烈深沉的哀痛和惋惜。和孙中山同为同盟会轴心的另一位革命领袖黄兴,在东京听到这一噩耗也写下一首悼念诗:

英雄无命哭刘郎,惨澹中原侠骨香。
我未吞胡恢汉业,君先悬首看吴荒。
啾啾赤子天何意,猎猎黄旗日有光。
眼底人才思国士,万方多难主苍茫。

在以上背景材料的帮助下,便可以深入领会孙中山先生的这首挽诗。“半壁东南三楚雄”,“三楚”即战国时的楚国,秦汉时分为东楚、西楚、南楚,此指位于三楚故地的湖南。在革命浪潮汹涌澎湃的二十世纪初年,湖南革命形势最好。所以孙中山先生以纵观全局的气概,形象地说它为东南半壁江山之冠。“刘郎死去霸图空”,以“驱除鞑虏,恢复中华,创立民国,平均地权”为目标的资产阶级民主革命,比之历史上任何帝王的霸图更恢宏伟大得多。孙中山先生代表的革命力量对湖南在革命斗争中应起的作用抱有很大的期望,而刘道一又是一位很重要的领导人。可是“刘郎”之死竟使革命伟业落空了。这里使用的夸张修辞格并不给人以任何夸大之感,只是让人们对孙先生的无限珍惜哀婉之情产生了深刻而真切的印象。三、四两句继续强化对烈士的追怀,并对他的满腔革命激情,高度革命觉悟再次给予崇高评价:“尚余遗业艰难甚,谁与斯人慷慨同!”痛惜之情溢于言表。五、六两句用一联工稳的对仗,勾勒出战马在秋风中悲鸣,哀鸿在神州落日下啼泣的景象。低回沉郁,像色调苍茫的油画,像音调厚重的大提琴曲。其中“战马”可以同时隐喻誓将悲痛化力量,更加勇敢去战斗的志士,“哀鸿”在古典诗词中更是常常用来象征流离失所的百姓。对这两句乃至全诗,我们只要正确地体会,把握了它的历史感、内容和情感基调,便应该而且能够对原诗进行适当的再创造,领会出无尽的但又是符合作品宗旨的含意。最后二句:“几时痛饮黄龙酒,横揽江流一奠公。”这里不仅用典故喻反清斗争的胜利,也是与上文所举的刘道一《驱满酋必先杀汉奸论》中所云:“抵黄龙其何日”相呼应,表示了完成烈士遗志、革命到底的决心。胜利一定会到来,那时将横揽大江,截住汹涌的激流当作酒浆,祭奠烈士英魂。

这首诗沉痛却不失豪迈,典雅但不显陈腐。孙中山先生以旧诗体裁和相当考究的传统诗词习语、典故,来表达近代资产阶级革命家的情愫襟怀,使我们对刘道一有了一种永恒的纪念,也使我们对伟大的革命先行者孙中山先生的精神世界又多了一层了解。这是我们的幸事,也是可使刘道一烈士含笑九泉的。

(宗小荣)

狱中赠邹容

章炳麟*

邹容吾小弟,被发下瀛州。快剪刀除辫,干牛肉作糇。
英雄一入狱,天地亦悲秋。临命须掺手,乾坤只两头。

作者

*章炳麟(1868－1936),又名绛,字枚叔,号太炎,浙江余杭(今杭州)人。我国近代著名的资产阶级民主革命家、思想家。早年痛恨清政府,不应科举,受业于俞樾。甲午战争后,参加"同盟会",主编《民报》。辛亥革命后,任总督府枢密顾问,积极讨袁,因而被捕。出狱后,任护法军政府秘书长。后弃政治学。在苏州设立"章氏国学讲习会"。其学识渊博。对经、史、音韵、训诂之学都有研究。亦工诗文。其诗苍劲浑厚,富于革命激情。后人辑有《章氏丛书》《章氏丛书续集》。

鉴赏

十九世纪末、二十世纪初,摇摇欲坠的清王朝面对迅速兴起的资产阶级民主革命,惊恐万状。光绪二十九年闰五月(1903 年 6 月),上海《苏报》发表了资产阶级民主主义革命家和思想家章炳麟公开斥责皇上的文章,又发表了他为邹容所著《革命军》一书写的序。正如这篇序中说的《革命军》是震撼社会的"雷霆之声",使清廷受到了极大的震动,从中央大学士,军机大臣张之洞,到省、道、府、县乃至密探们,为了剿灭《苏报》,封锁革命舆论,镇压革命党人,短短数日密电就达 189 封之多。因《苏报》在租界里,清政府向上海租界会审公廨提出了对《苏报》的公诉,同年闰五月初六(1903 年 6 月 14 日)逮捕了章炳麟。第二天清早,邹容得到消息便毫不犹豫地挺身而出,为救援革命同志,独自步行到租界，自报名姓，也求与章太炎生死与共。章、邹两志士的被捕入狱即震惊中外的《苏报》案，就是本诗创作的背景。

章炳麟、邹容在狱中以英雄的气概，跟帝国主义和清政府作斗争，在迫害面前毫不畏惧，常写诗唱和，抒发革命情怀。入狱刚刚三周，章炳麟即写了这首诗赠给比自己小十六岁的亲密战友，年仅十九岁的邹容。诗中充满对同自己生死与共的年轻革命家邹容的赞叹和关切，表现了对镇压革命的反动势力的蔑视和激愤，相约携手赴难，视死如归，豪气逼人，感人至深。

"邹容吾小弟，被（披）发下瀛州"。只有十个字，就以一位慈爱亲切的兄长口吻，勾勒出邹容十七岁时为追求革命真理东渡日本的勃勃英姿。古时男子二十岁前头发披于体后，满二十岁行"冠礼"表示成年，这里所记"被发"即指未成年。"瀛州"，乃传说中东海的仙山，此指日本。邹容自幼极为聪慧，并富有反抗精神。十二岁时曾以退出考场拒考抗议考官出偏题怪题刁难童生，并对父亲说："衰世功名，得之又有何用！"表现出向旧社会挑战的初生牛犊不怕虎的胆识气魄。十三岁即学日语、英语，阅读中外进步书刊。十四五岁就冒死悬挂慷慨就义的谭嗣同遗像，并题了"赫赫谭君故，湖湘士气衰。帏冀后来者，继起志勿灰"的悼诗，以革命的"后来者"自励。十六岁，邹容为学习革新的本领，跋涉十日来到成都，参加官费留日考试，以优异成绩被录取。但清四川总督奎俊竟以"聪颖不端谨"为由，于临出国前取消了他的资格。邹容毫不动摇，一边进修日语，一边冲破社会、家庭重重阻力，于1901年冬出夔门，穿三峡，来上海广方言馆学日语，并抄写蒋智由所著的一首诗，抒发在上海十里洋场所见所闻而产生的忧愤心情："落落何人报大仇，沉沉往事泪长流。凄凉读尽支那史，几个男儿非马牛！"1902年春，他到达东京，投身于以孙中山为核心的中国留学生革命的浪潮之中，成为其中最年轻与最激进的一员。是革命的形势造就了他，是新与旧的冲突砥砺磨炼了他，使他如一柄寒光闪射的利剑，新发于硎，其快可知。

果然，在东京，邹容积极行动起来了。本诗紧接头两句，用了前三拍、后二拍两个五言诗句，造成一种新奇突兀的声情："快剪刀除辫，干牛肉作糇。"仅以"剪辫事件"和为革命奔走不顾饮食、聊以干牛肉充饥的细节，就概括出了邹容为革命所作的努力。当时清朝派驻东京的"南洋学生监督"姚文甫多方迫害留学生，疯狂地破坏革命，作恶累累，民愤极大。邹容与另外四位留学生乘姚文甫与另一学监的小老婆私通时前往捉拿，把这禽兽痛打一顿，并声称要杀头以惩。姚贼磕头求饶，出尽洋相。邹容喝道："纵饶尔头，不饶尔辫发。"拿出剪刀"嚓"的一声将其辫子齐根剪掉，并悬于留学生会馆正梁上示众，于旁大书"禽兽姚文甫之辫"。这就是轰动中外的"剪辫事件"。姚贼串通清廷驻日公使蔡钧，加害于邹容。蔡钧一看又是这个"凡遇学生开会，必争先演说，犀利悲壮，鲜于伦比"的危险分子，便发布了"近日留学生宗旨变坏，应推邹逆为首"的镇压令。邹容不得已避于大阪，又带头揭露日本政府在大阪博览会中表现出的对中国的领土野心。这次抗议胜利了，但邹容仍然被迫返国避难。一年多的留学生活虽然艰苦到"干牛肉作糇（hóu，干粮）"，即几条牛肉干、半块凉饼子凑合一顿的程度，但邹容所作的贡献，已经十分引人注目了。

邹容这样聪颖、觉悟，为国家民族的新生全力以赴的有为青年，在一生中不知可以为革命作出多少成就。仅以他着笔于东京，1903 年完成于上海的《革命军》为例，这本薄薄的小册子像重磅炸弹，投向了清廷封建专制统治，成为呼唤革命的"国民教育之第一教科书"；"文极犀利，语极沉痛"，读了无不"拔剑起舞，发冲眉竖"。应将此书"普及于四万万人之脑海"（以上引文均见 1903 年 6 月 9 日《苏报》）。它先后共印行 110 多万册，成为清末革命书刊销售量最大的一种。可是，万恶的封建势力容不得他，而他对封建统治者的卑鄙狠毒也缺乏足够的认识。他竟挺身走向了吃人的牢狱。章炳麟用"英雄一入狱，天地亦悲秋"来表达对邹容凛然大义的钦佩和身陷囹圄的悲痛，不仅是人，就是天地鬼神也为之悲怆感动。其实，此时作者自己也同样被关在铁窗之中，备受折磨。但他关注的却是自己年轻的同志邹容。读到这两句时，人们不能不为这种高尚情谊所感动。

章、邹二人被捕之后，清政府就多方买通，勾结帝国主义，想把他们引渡出租界，处以极刑，以绝后患。他们的生命时时刻刻都处于危险之中。所以在末二句，章炳麟以兄长和同志的亲切口吻，告诉自己可敬可爱、果敢刚毅的小弟弟："临命须掺（chān，拉）手，乾坤只两头。"临到死时我会与你手拉着手，迎接那最后一刻。没有什么了不起，天地那么大，不就是砍了你我两颗人头吗？真是"捐躯赴国难，视死忽如归"（曹植《白马篇》）。何等镇定自若，气贯长虹。这与邹容原先所写《革命歌》中两句诗"纵使不成头被砍，也教人间称好汉"一样悲壮有力。至此，年轻的革命家，生时的"革命军中马前卒"（邹容语）、死后的革命军中"大将军"（孙中山先生任临时大总统时追赠）邹容的不朽形象，已跃然纸上，而章炳麟先生与邹容同生共死的革命情谊和为革命捐躯的豪情壮志，也得到了充分的表达。

全诗选取邹容革命生涯中富有典型意义的事件，以亲切赞赏的口气，勾画出邹容留学东瀛、全力投入革命的形象，高度评价了他在《苏报》案中敢于斗争、不畏强权的英雄性格，表现了革命者笑傲死神、鄙视敌人的无畏精神。深味本诗结尾二句，总觉有一种充满宇宙的正气和必胜信念。历史果然证实了这一点，此诗写出八年之后，清王朝的大限就到了。

（宗小荣）

狱中闻沈禹希见杀

章炳麟

不见沈生久，江湖知隐沦。萧萧悲壮士，今在易京门。
魑魅羞争焰，文章总断魂。中阴当待我，南北几新坟。

鉴赏

《狱中闻沈禹希见（即“被”）杀》写于前面那首《狱中赠邹容》之后十余天，即光绪二十九年（1903）六月十二日。“沈禹希”名沈荩（jìn），原名克诚，字愚溪，又作禹希，湖南善化人。1889年戊戌政变失败后，他在上海组织正气会（后改名为自立会），从事革命活动，任维新派的自立军右军统领，与自立军实际领袖唐才常感情非常好。唐才常在武汉起义失败遇难后，沈禹希密潜回北京进行革命活动。1903年4月，他侦知李鸿章代表清政府和帝俄政府签订了七条卖国密约，立即在日本报刊上将它公布于天下，给了清政府沉重的打击。三个月后，他被叛徒吴式钊等出卖，清政府以唐才常同党的罪名将他逮捕，凶残的慈禧太后亲令将他“捶毙”。7月13日，沈禹希被连续杖击两小时而惨死在刑部狱中。当消息辗转传到章炳麟、邹容耳中时，身在狱中的他们悲愤交加，马上写了悼诗追念这位可敬的烈士。

祭吊亡友，自然沉痛。但这沉痛的程度，只有我们知道了诗人的处境，才会有更深切的体会。章炳麟和邹容在狱中被迫从事苦役，经常遭到狱卒毒打。他们还多次被捆绑起来，胸膛被锥子刺，手指被桎梏钳，被折磨得昏死过去，再用冷水给冲醒。章炳麟是位文弱的学者，但他奋不顾身、赤手空拳同挥舞警棍的狱卒格斗。他时刻准备为推翻清政府封建专制统治献出自己的生命。这样的人在这种处境下所作的悼诗，当然化进了他全部的爱憎、血肉以至生命，所以格外哀痛惨烈，悲壮豪迈。

诗的开头，身陷魔窟而与世隔绝，还时时挂念战友行踪消息的作者，深情地说“不见沈生久”。这许久以来，他无论去了何方，都不会中止革命，放弃斗争。“江湖知隐沦”，他浪迹江湖，混入人群，幽隐沉沦于社会底层，隐姓埋名，继续为革命拼搏战斗。多少信任、多少敬佩在一个“知”字里，在看似平淡无奇的诗句中悄然溢出，感人肺腑。

“风萧萧兮易水寒，壮士一去兮不复还。”这是战国末年卫人荆轲为燕太子丹行刺秦王，易水饯别，“凌厉越万里”“飞盖入秦廷”之前的绝唱，千百年来不知令多少志士为之动容。章炳麟用“萧萧悲壮士”暗示沈禹希的壮举一如荆轲，是抱定了牺牲的决心，“心知去不归”的。沈禹希去哪里了？去的正是清王朝的老巢——北京。为了表现出不承认清朝的正统地位，诗人以极大的蔑视说他“今在易京门”。用汉末军阀孙瓒坐镇易县，以人力筑起高高土台（这就叫“京”）的“易京”代指北京。这两句诗的字面点到了荆轲诀别歌词中的“萧萧”“壮士”和易水的“易”等字词，而沈禹希在北京壮烈就义的情形与荆轲义举也十分相近，更兼化用原诗那肃杀悲凉高昂雄壮的氛围，使诗人的感情得到含蓄贴切、执著深沉的传达。

“魑魅（chīmèi，山中害人的怪物）羞争焰”，意为羞于跟魑魅争光。晋朝名士嵇康一日在灯下弹琴，忽有一个身长丈余，着黑衣革带的怪物到他灯下来。他盯住此物看一阵，就吹灭了灯，说：“羞与魑魅争光！”沈禹希视清朝统治者为吃人的魑魅魍魉，而不愿与他们共存。“文章总断魂”，读沈禹希的遗作，想到他的精神永存，更觉音容宛在，怎不使人伤心痛楚，动魄惊魂。

“中阴（佛教语，指人死到投胎前这段时间）当待我，南北几新坟”。这两句沉痛呼唤沈禹希去之不远的英魂，你稍稍等我一等，我不久当到中阴与你同行。在那北边的新坟中，你已然长眠，南边即将垒起的新坟就是我的！生则共同战斗，被敌人杀害之后也要挽手同行。这是诗人与被悼念者的生死情谊，也是牺牲自己的思想准备和矢志不渝的决心。

全诗格调悲愤而昂扬，凛然正气溢于言表。章炳麟写完这首诗，邹容马上步其原韵和诗一首，这便是《和西狩（章炳麟的署名）〈狱中闻沈禹希见杀〉》：“中原久陆沉，英雄生隐沦。举世呼不应，挟眼悬京门，一暝负多疚，长歌招国魂。头颅当自抚，谁为墨新坟。”同样表现了至死不渝的革命勇气和献身革命的壮烈襟怀，以及一种孤寂感伤的情绪，令人无限感叹。这是真实的献身，那荒草漫漫的烈士墓才是真正的丰碑！

（宗小荣）

狱中答西狩

邹 容*

我兄章枚叔，忧国心如焚。并世无知己，吾生苦不文。
一朝沦地狱，何日扫妖氛？昨夜梦和尔，同兴革命军。

作者

*邹容(1885－1905)，字蔚丹，四川巴县人。青年时曾留学日本，积极参加中国留日学生的爱国活动。回国后，在上海写作并刊行《革命军》一书，热情歌颂革命，于当时产生了很大的影响。不久章炳麟因在《苏报》上发表《〈革命军〉序》等文章而被捕入狱，邹为救护同志，挺身而出，也被捕入狱。在狱中受尽折磨，病逝于狱中。他的诗作今存数首，散见于《苏报》等杂志。

鉴赏

这是邹容仅存的数首诗作之一。“西狩”，章炳麟的笔名。这首诗是答章氏所赠“邹容吾小弟”那首诗的，作于1904年。

诗中写道：章枚叔(即章炳麟，这是他的别号)兄啊，你为国家前途、人民命运日夜操心，忧心如焚。我在这个世界上除了你，便无知心的好友了，而我又苦于缺少文采，难以同你更好地赠答唱和。一旦你我陷入地狱阎罗殿一样的监牢，流血砍头都不可怕，最让人痛心的是不能参加扫除清妖的斗争了。昨夜我又梦到附和(hè)、追随于你，共同高擎“革命军”的大旗，千军万马杀向清朝封建统治者！

作者当时是一位瘦骨嶙峋、未满二十岁的青年。他入狱一年也许头发已长得很长，囚服也很脏，面有菜色但目光坚定。也许他昨夜又读了秘密传递过来的、严加珍藏的章炳麟赠诗，心情激动，在阴暗潮湿的牢房里辗转难眠，直到天快亮时才沉沉睡去。他梦见自己和章炳麟一道，横刀跃马，奔驰在千千万万革命军的洪流之中。邹容眼前一片金灿灿的阳光，心中充满战斗的兴奋。可是，也许这时突然一声铁门响，凶暴的狱卒把他骂醒，从门缝里塞进一碗霉臭的稀饭，几条咸菜干和一块石头样的粗饼子。邹容手提着镣铐上沉重的铁链，怒视这丑恶的帮凶，那铁链撞击的声音就是他内心愤怒与仇恨的回答！凝视着铁窗外的一线天空，他多希望梦中的情境是真的，多想马上亲手把这吃人的魔窟，吃人的封建王朝和帝国主义统治摧垮！

邹容这首诗直到他牺牲的第二年，即1906年才刊于留日学生主办的革命刊物《苏报》第五号，章炳麟是否在狱中就见到了此诗，也难知究竟了。

这是一位年轻战士的心声。在如此险恶的情况下，丝毫没想到自己的安危。这是何等伟大的心胸，高尚的境界。虽然邹容不久便病死（疑是被当局毒死）狱中，但真正面临灭亡的是清朝，邹容、章炳麟以及千千万万的革命者就是它的掘墓人！邹容献出了自己年仅二十岁的宝贵生命，却是虽死犹荣，虽死犹生——在革命事业中，在烈士纪念碑上，特别是在人民的心里。

（宗小荣）

大坪

赵 熙*

天外一峰开，金银晃法台。崖经大斧劈，云涌怒涛来。
秋尽花犹发，天青玉作胎。洪荒留海色，左股折蓬莱。

作者

*赵熙(1867－1948)，字尧生，号香宋，四川荣县人。光绪十六年(1890)进士，授编修，转江西道监察御史。有《香宋诗前集》。

鉴赏

赵熙为晚清蜀中诗坛巨擘，其生平行迹半天下，七出巫峡，五游峨嵋，模山范水，造语多奇。此诗为峨眉纪游之作，诗人娴熟地运用神话传说，描绘出了大坪雄奇的景色。

“大坪”是峨眉山峰之一，在天池峰洪椿坪的东面。诗一起手就渲染大坪神奇的来历：“天外一峰开，金银晃法台。”大坪峰自天外飞来，峰顶是供佛祖演讲的法台，金碧辉煌，极其绚丽壮观。“法台”本是佛家语，谓佛说法之处；此用之，正符合佛教名山的身份。据《列子·汤问》篇说，渤海之东有五神山，第五座叫蓬莱，“其山高下周旋三万里，其顶平处九千里”，“其上台观皆金玉”。联系本诗末句来看，诗人正是把这一神话传说作为大坪的来历。之所以不用“金玉”而用“金银”字样，一则照顾到格律，二则与下文将出现的“玉”字避复。“金银台”也有来历，郭璞《游仙》诗“神仙排云出，但见金银台”，李白《梦游天姥吟留别》“青冥浩荡不见底，日月照耀金银台”，是其用字所本。如此等等，可见诗人精心锤炼字句的独运匠心。

颔联描写山势景色：“崖经大斧劈，云涌怒涛来。”山势陡峭险峻，悬崖壁立万仞，似刀劈斧凿，见鬼斧神工，山间云雾弥漫，风起云涌，似渤海浪潮，铺天盖地，滚滚而来。此联写景，境界宏阔，气势壮大。“大斧劈”让人们联想起“五丁看山”“玉斧修月”的神话传说，它又是一种国画技法(见《珊瑚网·画法·破石法》),用来形容山势,既显其雄奇,又不失秀丽,十分贴切。“怒涛来”既使人感受到云势之汹涌澎湃,又与此山的来历相关。《列子·汤问》说:“五山之根,无所连著,常随波上下往还。”既然大坪系蓬莱迁来,当然伴随着渤海汹涌的浪涛。诗人用典而令人不觉,堪称自然高妙。凡是游过峨眉的人,无不慨叹“舍身崖”之险峻、“云海”之壮观。此联写出了人人眼中所有笔下所无的境界,令人叹为观止。陈衍称赵诗“甚肖蜀中山水”(《香宋诗集序》),正可于此等用笔处见之。

颈联接写山上的植物和天色:“秋尽花犹发,天青玉作胎。”山上有着特殊的植被环境,其他地方秋尽花谢,这里却郁郁葱葱,秋尽花发,仿佛永远是春天;山上有着特殊的自然气候,盆地其余地区常年阴霾难散,这里的天空却格外的清朗,仿佛是玉石作的底子,蔚蓝一片。《列子·汤问》说五神山上,“禽兽皆纯缟,珠玕之树皆丛生,华实皆有滋味,食之皆不老不死”。大坪山秋尽花发,天青似玉,大概也沾上了五神山的仙风灵气吧!

尾联绾合首联,点明大坪起源的古老和来历的不凡:“洪荒留海色,左股折蓬莱。”在传说中开天辟地的洪荒时代,天帝似乎有意留下了这片海洋般的绿洲,它或许就是蓬莱山那折断的左腿吧!苏轼有《白水山佛迹岩》诗云:“何人守蓬莱?夜半失左股。浮山若鹏蹲,忽展垂天羽。”苏诗本称罗浮山是蓬莱左腿移来,赵诗借用此典来渲染大坪神奇的来历,思路与东坡略同。

王文才先生评赵诗“风骨峻整,气格颇近岑参。于东坡尤有玄悟”(《近代诗史稿》)。确实,赵诗对峨眉山水奇观的渲染与岑参对边塞景物的描写差可比美;而指认大坪同罗浮一样系蓬莱的左股的思路,也深契东坡借赤壁怀古之法。此诗将景物描写同神话传说紧密结合起来,既肖貌山水,又浪漫夸张,神奇而不失真实,虚空而不失具体。由此可见其山水诗“旷逸雄沉”(狄平子《平等阁诗话》评赵诗语)的风格特征之一斑。

(詹杭伦)

峨眉绝顶观日出

赵　熙

朝气净东方,地衔鸡子黄。微升万壑雾,静袅一钟凉。
呼吸余秋色,虚空荡水光。摇摇日天子,红处认扶桑。

鉴 赏

峨眉山位于四川省中南部峨眉市境内。《犍为郡志》形象地描绘出峨眉山的秀丽:"此山云鬟凝翠,鬒黛遥妆,直如螓首峨眉,细而长,美而艳也。"历来不少骚人墨客为之赋诗填词,更为此山增添了不少迷人的风姿。晚清诗人赵熙生平行迹半天下,七出巫峡,五游峨眉。这首诗描绘出峨眉山顶"日出"这一奇特的景观,为峨眉日出的美好瞬间剪影,给读者带来美的享受。

首联"朝气净东方,地衔鸡子黄,"峨眉山绝顶海拔三千多米,高峻雄伟,耸入云霄。诗人置身于峰巅观日出,只见东面天空氤氲朝气一扫而净,大地衔着蛋黄色的太阳,将它一点点地吐出来。它是那样圆润、形象,比说地平线上蹦出半个像蛋黄似的太阳更显得形象、生动。这样准确细致简洁的描绘,既来自细致深刻的观察,也凭借作者深厚的艺术修养。我们不禁想起姚鼐《登泰山记》对日出所作的描绘:"极天云一线异色,须臾成五采,日上正赤如丹,下有红光动摇承之。"而本诗描绘峨眉日出时瑰丽的景致更为简洁、形象、独特。

颔联"微升万壑雾,静袅一钟凉",太阳已跃上天空,诗人没有继续写冉冉升起的太阳,却转而描绘太阳升起时山顶周围的奇异变化:绝崖沟壑纵深不见底,只见白色的浓雾起落翻卷,像游龙腾蛇似地往上蹿,形成了雾的海洋;雾海苍茫,浩渺无垠,没有惊涛裂岸的巨响,却令人感到寒透肌骨,令人感到空旷寂静。"万籁此俱寂,惟闻钟磬音"(唐·常建《题破山寺后禅院》)。寺庙的钟声传来,余音袅袅,使久留山顶的游人感到钟声也有一种凉意。

颈联"呼吸余秋色,虚空荡水光",诗人面对着滚滚云涛,空蒙薄雾,呼吸着清爽而新鲜的空气,感受到秋天的气息,感受到站在群山雾海之巅,虚渺旷远的空间给人以水光荡漾之感觉。

尾联"摇摇日天子,红处认扶桑","摇摇"状太阳扶摇而上的姿态;"日天子"本是佛教中观世音的别名,此即指太阳。"扶桑"是神话中太阳升起的地方。《淮南子·天文篇》说:"日出于旸谷,浴于咸池,拂于扶桑,是为晨明;登于扶桑之上,是为朏明。"从首句的"黄"到末句的"红",既是日出的全过程,又体现了结构上的接续。回环照应,妥帖自然。

这首诗在艺术手法上极其高妙,尤其是"微升万壑雾,静袅一钟凉"一联,"万"与"一"形成空间上的强烈对比,人为的钟声在宏大的宇宙自然空间显得那样的细弱,却又能给寂静的大自然增加无限生机;同时,又恰当运用了通感手法。把清晨山顶寒气的凉,与钟声联想到一起,袅袅钟声用“静”来形容,说明钟声产生了“鸟鸣山更幽”的效果。《香宋诗前集》陈衍序云:“尧生,豪于诗者也,观其诗,疑若縋凿甚力,而为之则甚乐而易。”本诗就体现了这种精心縋凿之后归于平淡自然的特色。

(雷　敏)

携眷登南岳观音岩作

曾广钧*

宝山珠殿插青天，万朵红莲礼白莲。
一片空岚罩云海，全家罗袜踏苍烟。
烧香愿了花侵马，礼佛人归月上弦。
更忆南海千叶座，天风引舰近真仙。

作者

*曾广钧，生卒年不详，字重伯，号觙庵，湖南湘乡人。曾国藩之孙。光绪十五年(1889)进士。由翰林院编修，官至广西知府。有《环天室诗集》。

鉴赏

这是首纪游诗。“观音岩”，在南岳衡山半山亭附近，登临鸟瞰，群峰罗列，气象万千，为衡山一大景观。诗人曾广钧是湖南湘乡人，湘乡距衡山颇近，此诗乃曾广钧闲时携家游山礼佛所作。

首联二句写观音岩自然和人文景观。开篇写观音岩佛寺。“宝山”，犹言藏宝之山，佛教用以喻佛法深藏之地，此处用之，以切诗题中“观音”一词。观音岩直入云霄，位于山巅的佛殿，飞檐翘角那种直插青天的气势，也就更加引人注目。“宝山”与“珠殿”连用，描写庙宇的庄严华赡，且以“插青天”状之，起笔挺健，有高屋建瓴之势。次句继之以俯视万象之笔，写登岩所见。古人以赤帝为南方之神，南岳衡山赤帝处之，故诗人在此以“万朵红莲”形容衡山诸峰。观音，在佛教中又称白衣观音，着白衣，坐白莲，以其白衣白莲表示菩萨救苦救难的纯净之心。这句的“观音”形容观音岩。登岩俯视，但见群峰环伏其下，如千朵红莲簇拥一朵白莲，恰似诸罗汉伏于白衣观音莲台之下顶礼膜拜之状。这句既形象传神地绘出了观音岩俯观之景，又将首句所写佛寺的庄严肃穆之色，敷染得愈发醒豁。从章法上看，这一起笔虽为写景，但也将进山游览朝圣者那种新奇虔诚的心理刻画了出来。

颔联由写景进而叙事。出句再写登岩所见，俯视山下，众峰环伏，极目浏览，云海茫茫，在一片空翠的山气缭绕下，起伏流动，似海涛滚滚涌来，气势壮阔。对句由写景转而写全家人的游兴。“全家罗袜起秋尘”（李商隐《病中早访招国李将军遇挈家游曲江》）一句，是诗人所本，曾广钧为晚清西昆诗派代表作家，对李商隐诗深谙熟知，故在此化用李商隐诗句，写自己全家出入高下，脚踏苍烟之状，显得十分自然。脚踏苍烟的描写，进一步将观音岩峭峰逼进，俯视万象，绘得如画一般，使人如临其境，如游其中。

以上两联一起一伏，一挺健，一壮阔，且衔接自然，很见功力。

颈联由进山游览转为写礼佛归去情景。“花侵马”“月上弦”与“烧香愿了”“礼佛人归”虽分属两句，但却互文见义，同写归途所见。“侵”，渐进、侵寻。“花侵马”三字写得极巧妙，山花遍地，信马踏去，本是马踏山花，诗人偏说花侵马蹄，既写出了归途中信马悠悠之状，又抒发了宝山中物与人亲近之感。一勾上弦月挂在天边，在满山野花的馨香中全家信马归去，心中满装着游山余兴和烧香愿毕的满足。这是一幅多么优美甜蜜而饶有韵味的南岳晚归图哟。

尾联关合全诗，抒发诗人归途中的遐想。一天的游赏，既饱览了南岳胜景，又了却了进香还愿之心，一举两得。一般游山者在此场合，或津津谈论所见所闻，或默默地回味游兴，而诗人的思绪却不同常人，由观音岩的美景和白衣观音形象的激发，此刻，他的思绪正随着奇妙的佛经传说飘去，他仿佛觉着自己乘海船，在天风飘引下，来到南海普陀山，在缥缈之中看见足踏千叶莲花的白衣观音，正在彩云中端详着人间。全诗以神奇的遐想作结，使意境更加迷人。末两联转合前两联，章法严整而诗意连贯，转得自然，结得巧妙，使全诗浑然无间。

作为西昆诗的倡导者，曾广钧的诗显得富艳精工，典雅凝练，章法严密，颇爱用典，但又因其学识渊博，才气横溢，所以在学西昆的同时，其诗又保持了自己惊才艳丽，浓中寓淡的特色，这一点，在晚清西昆诗派诸诗人中是别具一格的。这首纪游诗正好展示了他的创作风格。

（田耕宇）

剪春罗

秋瑾*

二月春风机杼劳，嫣红染就不胜娇。
而今花样多翻复，劝尔留心下剪刀。

作者

*秋瑾(1879－1907)，字璿(xuán，同"璇")卿，别号竞雄，又号鉴湖女侠，浙江绍兴人。1902年随丈夫进京，在新思想、新文化的影响下，立志革命。1904年赴日留学，参加光复会、同盟会，进行革命活动。两年后回国在上海创刊了《中国女报》，提倡妇女解放。后回绍兴，主持大通学堂，组织起义。事泄被捕，英勇就义。工诗词。其作多抒发革命豪情，风格慷慨激昂。后人辑有《秋瑾集》。

鉴赏

这是一首格调高雅、意境深远的咏物诗。字面上吟唱的是一种名叫剪春罗的小花，短短四句不到三十个字，含蓄而又鲜明地表现出来的却是作者自己的个性才情。

农历二三月间，春回大地，和风习习。在我国中部和北部的庭院花圃，一种石竹科草本花卉剪春罗，正与百花争奇斗艳。它花朵如绒似缎，上有变化无穷的花纹，更加之边缘全是秀气的锯齿，如妙手精工剪出，十分可爱。这是造化的神功，非人力所能。故诗人开始二句说："二月春风机杼(zhù，机杼是手工织具)劳，嫣(yān)红(娇艳的红色)染就(染成)不胜娇。""二月春风"，点出剪春罗中的"春"字。因为"罗"是一种丝织品，便用"机杼"喻造化如一位辛勤而高明的织工。而这种花的颜色皆为深深浅浅各种红色，又名"剪红罗"，所以诗人继续运用拟人手法，说春天不仅织得好，而且染就了这无比娇艳鲜丽的红罗。

“而今花样多翻复，劝尔留心下剪刀。”这两句扣紧剪春罗中的“剪”字，写得贴切，大胆，耐人寻味。把春风比作剪刀，是我国诗歌中传统的构思和表现手法。唐代诗人贺知章有“不知细叶谁裁出，二月春风似剪刀”的佳句；此后徐凝有“勾芒言树已先开，珠蕊琼华斗剪裁”的描写；温庭筠则说“远水斜如剪，春莎绿似裁”；还有宋代黄庶的“东风便试新刀尺，万叶千花一手裁”等等。这些句子写尽杨柳细叶，宫树琼花，绿茸茸的草地乃至横斜远方的一江春水，都是“东风便(pián，习，熟练自如)试新刀尺”的结果。在他们笔下，万物对化育它们的春风感戴不已，赞颂有加。而本诗却反其意而用之，深入下去，投出一瞥审视的目光，寄托一腔不甘被外力任意摆弄，力求自己主宰命运的衷情——在春风“下剪刀”之前告诫它：现在的花样不是老一套了，你可要留神。不然，剪坏了就会“伤心铁铸九州错”(《东志群》)而不可挽回了。

花为什么红？草为什么绿？造化的意志似乎不可左右。人为什么这样活着？自古以来就是这样，似乎用不着去思考。可是“天若有情天亦老，人间正道是沧桑”。新的生命、新的意识、新的文化风习、新的社会制度，不是实际上正在有声有色地涌入这片天地，改变着(哪怕是极缓慢地改变着)世界的几乎每一个角落吗？诗人在运用传统的文学形式吟咏春景时，并非简单重复“前朝曲”，而是融进了对于生活深邃的思考，显示了自己不满足于现状，不因循守旧的个性特征。

这首诗作于1902年，是秋瑾早期的作品。同年，这位二十五岁左右的少妇还写了许多诗，如《菊》《梅》《梧叶》《春草》《秋雨》以及《重阳志感》《喜雨漫啾》等。作为大家闺秀，写些吟风弄月、歌花咏草之作是十分自然的。但秋瑾绝不是抒发一下浅薄的喜怒哀乐，更不是无病呻吟。她赞菊“铁骨霜姿有傲衷”，叹梅“冰姿不怕雪霜侵”，表现出自己美好的品德和高洁的人格。她“无端身世茫茫感，独上高楼举一觞”(《重阳志感》)，“十分惆怅灯无语……尚为吟诗坐漏残”(《梧叶》)，把郁郁不平之气寄托在诗里。梅、菊、梧桐等，寓意十分明显，在古诗中历来作为孤高坚贞的象征。而小小的草花剪春罗，因为太平凡，很少有幸入诗，可是艳丽的小花与春风虽默默不语却绝对不容违拗的剪裁主宰之间，有一种无形的力，一种无可奈何的关系。诗人那自尊、善感的心深深地被牵动了，她为这小草，也为自己，写下这首《剪春罗》。

诗人天生丽质，聪颖过人。九岁时“偶成小诗，清丽可喜”，十一岁已雅擅诗文。十六岁“渐习女红(女子针线功夫)，尤擅刺绣，顾(只是)性不乐此，旋即弃去”。这位十六岁的少女却热切地向表舅学会了"使棒、舞剑等许多武艺和骑马驰骋的本领"(以上均引自《秋瑾年谱及传记资料》)。二十一岁时,由父母包办嫁给湘潭巨富王氏幼子为妻。王某是一个俗不可耐的纨绔子弟,只知吃喝玩乐,寻花问柳,根本不理解秋瑾,夫妇感情很不好。这样一位才情奇高、坚强豪爽的人,却身为女子,被三从四德等吃人的封建宗法、礼教死死地钳制着。她内心深处充满恨("恨煞无力回天")和悔("侠骨前身悔寄身"),对婚姻也极不满("可怜谢道韫,不嫁鲍参军")。这位聪慧顽强的女性,在命运面前,在古老而严峻的传统面前不甘沉沦。尽管创作本诗时她还不像1903年寄寓京师,特别是后来冲出家庭留学日本以后,有了对国家命运的忧虑和立志革命的觉悟;或许落笔之时她并没想那么多,但血管里流出的毕竟是血,她企望跟命运抗衡,不愿让人摆布的倔强,对独立自由的向往,却成为这首咏物小诗的潜台词。清新委婉的诗句透着刚强不阿的态度,温和的语气里吐露出不肯驯服的意志。在秋瑾前期的诗作中,本诗是一首精巧、清丽和内涵丰富的咏物述志之作。

(宗小荣)

赤壁怀古

秋　瑾

潼潼水势响江东,此地曾闻用火攻。
怪道侬来凭吊日,岸花焦灼尚余红。

鉴赏

秋瑾的诗词,以1904年去日本留学时为界,可分为前后两个时期。前期的作品,虽然其中也表现了她高洁的情操和对光明的向往,但内容还比较单薄,离愁别恨、春兰秋菊是她笔下的主要题材,而婉约幽远则是这一时期的主导风格。后期的诗词,多抒写忧国忧民的怀抱,感时伤世的爱国胸襟,风格也一变为豪迈高亢,——这一点,我以为中国诗史上任何一位女诗人都无法和她媲美。但是,柔肠侠骨,秋瑾虽是一位"晴明天气吟诗地,畅好娥眉作隐居"(《杂兴》)的女诗人,但又毕竟是"漆室空怀忧国恨,难将巾帼易兜鍪"(《杞人忧》)的爱国歌手,由她豪迈侠义的性格与她的生活经历所决定，因此，她的作品兼有阴柔之美与阳刚之美这两种美的形态。“吾济得此添生色，始信英雄亦有雌”，“诗思一帆海空阔，梦魂三岛月玲珑”，她的诗风，正可用自己的诗句来写照。

《赤壁怀古》一诗，是秋瑾1903年春末由湖南湘潭进京途经赤壁时写成的，1911年湖南的秋女烈士追悼会筹备处所印行的《秋女烈士遗稿》，列为第一篇，当是秋瑾现存的早期作品之一。在这首诗里，我们也可以领略到刚劲的笔力与柔婉的风韵。

“潼潼水势响江东，此地曾闻用火攻。”这两句全用刚笔。“潼潼”，象声词，形容水势盛大，水流湍急。宋玉《高唐赋》：“巨石溺溺之瀺灂兮，沫潼潼而高厉。”秋瑾随手拈来，切合时地描绘长江奔泻的壮观。“响”字补足了长江惊涛拍岸的气势，让人们在听觉形象中更感受到大江的雄浑之美，而“江东”则进一步写出大江东去的景象，具有形象的延展性。在开篇腕力劲健的现实实写之后，诗人运笔如龙，以“闻道当年”转入对千年前那一场永铭历史的赤壁之战的虚写。诗人抓住赤壁鏖兵的特征，只用了“用火攻”三字，那火光烛天、刀剑轰鸣的场景，就映现在读者想象的荧光屏上。这两句，气魄豪壮，笔力开张，场景壮阔，具有激扬奋厉的美学力量。

“怪道侬来凭吊日，岸花焦灼尚余红。”这两句全用柔笔。战士挥戈，英雄斗智，早已化作历史烟云，而当年动地的鼙鼓，惊天的呐喊，也早已随流水一同逝去。今天，诗人到古战场来凭吊，她见到了些什么？有哪些纷至沓来的联想？“怪道侬来凭吊日”一句，已经是变豪壮为低回，变开张为掩抑了。诗的结句，紧承前面“用火攻”的构思线索，描绘了似乎仍闪耀着当年火光的焦灼的岸花。这一移情于物的联想意象，幽丽清婉的楚楚动人，在形象和场面上与前面两句均构成了鲜明的对比，而且由于意象含蕴的不确定性，又留给了读者广阔的想象余地。秋瑾写这首诗时，中国正逐步沦为殖民地半殖民地，中华民族正处在危急存亡之秋，凭吊孙、刘联合以弱胜强的古战场，追昔抚今，她难道不会百感丛生吗？

读秋瑾的《赤壁怀古》，令人想起清代诗论家赵翼的七律《赤壁》：“依然形胜扼荆襄，赤壁山前故垒长。乌鹊南飞无故地，大江东去有周郎。千秋人物分三国，一片山河百战场。今日经过已陈迹，月明渔父唱沧浪。”两首诗虽然体式不同，但同为凭吊之作则一。当然，它们除了内蕴有别之外，在风格上也各有不同，赵翼的诗畅达而豪壮，秋瑾的诗在刚健之中透露出女性诗人的细腻柔婉，是金钲与洞箫谐和的合奏。

（李元洛）

对 酒

秋 瑾

不惜千金买宝刀，貂裘换酒也堪豪。
一腔热血勤珍重，洒去犹能化碧涛。

鉴赏

诗酒的结缘所来自远，陶潜以来以饮酒为题的诗篇不少，其中大有“醉翁之意不在酒”的托兴深远的作品。秋瑾女士的这一篇，可算是晚近的杰作。

初读此诗，读者很可能只注意到那个“豪”字，将全诗看成这样的三部曲：一是“千金买宝刀”，豪举也。二是“貂裘换酒”，亦豪举也。两句中的“不惜”和“堪豪”是互文，也就是说，不惜金钱，去购买宝刀，堪豪；不惜珍贵的貂皮衣，去换取美酒，也堪豪。三是洒热血“化碧涛”，意指革命者不惜牺牲去争取胜利，更属豪举。这两句用了一个典故。相传周代有忠臣名苌弘，死后三年，其血化作碧色。此后人们就常用碧血来形容烈士的血。看来，首句的“不惜”和次句的“豪”，还兼管第三、四句，这比一般的互文修辞，显然有所创新。

其实这首诗的味道，还并不出在那个“豪”字。试把第三、四句改成：“一腔热血莫珍重，洒去犹能化碧涛”，全诗意思不变，诗味却大失了。所以此诗最关键的是第三句“勤珍重”三字，它似乎是针对前两句的“不惜”而言的。意言金钱可以不惜，貂裘可以不惜，然而生命却不可不惜。不过诗人的用意，又和唐人《金缕衣》的“劝君莫惜金缕衣，劝君须惜少年时”大相径庭。因为这里的“珍重”即爱惜，最终转出的意思仍是“不惜”，“一腔热血勤珍重，洒去犹能化碧涛”，其所以要珍惜这一腔热血，不是为活着而珍惜，而是为革命而珍惜。也就是说，这一腔热血要洒得是地方，要能化成一股巨大的冲击力量。诗人在“不惜”之后，写出这个“勤珍重”，是诗意的跌宕和顿挫，是将拳头攥紧抽回，当其再打出去，转出又一个“不惜”时，也才更见有力。杨仲弘说绝句之法“宛转变化工夫全在第三句，若于此转变得好，则第四句如顺流之舟矣”！秋瑾此绝之妙，正在于此。而在这样一篇豪情满怀的作品中，有了"勤珍重"这样的款语叮咛或自我告诫，使抒情主人公的性格也增添了几分温润，读来沁人心脾。这也可以说是刚柔互济之妙吧。

（周啸天）

黄海舟中日人索句并见日俄战争地图

秋　瑾

万里乘风去复来，只身东海挟春雷。
忍看图画移颜色？肯使江山付劫灰！
浊酒不销忧国泪，救时应仗出群才。
拼将十万头颅血，须把乾坤力挽回。

鉴赏

清光绪三十三年(1907)六月初六凌晨，灯光烛天，兵士如临大敌，列队押着一位三十岁左右的年轻妇女。她脑后挽髻，鬓无乱发，白衣绸裤，虽被反绑双手却神态自若，稳步走向绍兴古轩亭口。晨四时，在黎明前最黑暗的时刻，刽子手举起万恶的屠刀，白光过处，这位名垂千古的"巾帼英雄"(孙中山语)献出了自己的青春、头颅和热血。这便是中国近代史上妇女为革命被斩头的第一人。

纵观几千年中国历史，自《诗经》中爱国的许穆夫人起至今，女诗人何止万千。然而谁人的诗里有这样多关于为革命献出头颅的铿锵诗句？"赤铁主义当今日，百万头颅等一毛。""大好头颅求善价，不知谁是沽屠人。""卢梭文笔波兰血，拼把头颅换凯歌。""头颅原大好，志愿贵纵横。""好将十万头颅血，一洗腥膻祖国尘。""头颅肯使闲中老？祖国宁甘劫后灰！"(以上引诗均见秋瑾遗作)这不是吟风弄月、无病呻吟，也不是故作豪放、纸上谈兵。头颅从项上滚落，赤血从腔中喷出，连同她冰清玉洁的心和火一样的爱，都化作了诗句，化作了尸去魂留的苦恋，永远献给了苦难的祖国。我亲爱的祖国，我骨肉的姐妹，我们每一个有血性的中国人，怎不为这样的女杰自豪、骄傲！

光绪三十年(1904)，日本、俄国为争夺我国东北，竟然在中国领土上进行了一场可耻的战争。而腐败无能的清政府，甘为鱼肉任人宰割，居然宣布"中立"。这场战争还在进行时,1905年,茫茫黄海波翻浪卷,一艘远洋轮船在春雷、疾雨中向东驶去。一位仪态娴雅俊秀的年轻妇人却紧锁双眉,凝视着远方。这就是秋瑾。她出身官宦,嫁与富商官僚,完全有条件养尊处优,安享荣华。只因目睹了国家民族的危难,政府的腐败,为寻求救国救民的真理,也为做一个真正觉醒的、与男人平等的人,她毅然抛家弃子,冲破重重阻力,只身奔赴日本。这是她从日本返国筹集学费后第二次赴日。"万里乘风去复来,只身东海挟(xié)春雷。"正是秋瑾不远万里两度到日本求学、横渡黄海(因在我国大陆以东,泛称"东海")真实的写照,更是她"乘长风破万里浪"(南宋宗悫语),大志在胸、向往革命的激情之流露。"忍看图画移颜色?肯使江山付劫灰!"每句前二字均是否定语气,即不忍、岂肯之意。诗人用地图改变颜色,来形象地表现国土被别的强国割裂、霸占的事实。"劫灰",乃佛教用语,原指天地经历劫火后烧剩的灰,也指变乱之中被破坏的事物。这里主要指日俄战争的战火将我大好河山烧成一片焦土。这两句紧承乘风浪、挟春雷的起句之下,以无比沉痛、愤慨的心情,大声疾呼:我岂能忍心看着祖国的领土被他人侵夺?我怎能听任祖国山河被日俄强盗烧成灰烬!读到这里,我们不能不为女诗人爱国忧民的拳拳之心所感动,不能不对她高远的目光、廓大的胸襟充满钦佩与崇敬。

"浊酒不销忧国泪,救时应仗出群才。"是的,忧国伤时,英雄洒泪,岂是几杯浊酒可以消解的?虽然,期待"出群才"来匡时救世带有英雄史观的色彩,有它的局限性,但泪为忧国洒,英才思救时却是积极、可贵的。不为救国救民,诗人何必抛弃个人的一切,奔走于万里东洋?尽管国家沉沦,民族危难,不还是有那么多人醉生梦死,活得有滋有味吗?秋瑾却为国为民忧心如焚,以出群之才自期,希望能为天下兴亡尽一份力量。可是挽狂澜于既倒谈何容易!既然任何一个新社会的诞生从来都要以千千万万头颅为代价,那么,好的!给你!既然历史的祭坛要以人头为供果,以鲜血为酒浆,那么,好的!给你!"拼将十万头颅血,须把乾坤力挽回。""须"字,意即定然、定要。"十万",极言其多,与上举"百万头颅"意思相同。今天,只要看看我们中华人民共和国的创立,先烈们付出了两千万人头,就懂得这"十万""百万"的涵义了。这两句悲壮决绝的诗,是一位二十多岁的女子、一位资场阶级革命的女英雄向清王朝发出的战斗檄文,是给封建专制制度敲响的丧钟。

"拼-将-十-万-头-颅-血,须-把-乾-坤-力-挽-回。"字字金石,落地生根。是诗人的心声，也是她的行动。在她被捕前夕，革命党曾派人赶往绍兴营救，劝她立即转移。她说：“我怕死就不会出来革命，革命要流血才会成功。如满奴（指清政府）能将我绑赴断头台，革命成功至少可以提早五年，牺牲我一人，可以减少后来千百人的牺牲，（被斩头）不是我革命失败，而是我革命成功。”（王璧华《秋瑾成仁经过》，引自《秋瑾年谱及传记资料》，中华书局1983年版）垂死的清朝统治者有枪炮、刑狱，秋瑾这些革命者只有一条命、一颗人头、一腔鲜血。一个“拼”字，早将一切置之度外。至于乾坤能否被挽回，秋瑾对此有深刻、清醒的认识：可使革命提早成功，可让同志减少牺牲。这“力挽”乾坤的勇气、决心和实际作用，都足以使魔鬼的殿堂震颤发抖！

本诗以它勇毅恢宏的气势、雷霆万钧的力度和深沉的历史感，动人心魄，催人泪下。而在情调上，首尾两联明朗、直捷，中间的颔、颈两联深沉、委婉。万里乘风、挟雷东海，真是横空出世、叱咤风云。它引出了中间两联：国家危难对内心的折磨熬煎和产生的巨大张力，而沉痛的决心又引出决断的行动：抛头洒血义无反顾，力挽乾坤一往无前。短短八句诗，五十六个字，就这样起伏波折，前呼后应，直如河出潼关，因有太华阻挡而水力益增其奔猛，又似风回三峡，因有巫山为隔而风力益增其怒号。革命的正气、为国牺牲的豪迈与使命感足以垂范青史、激励后昆。

笔墨写下的誓言，又用生命饱蘸热血写向了大地河山，永远铭刻在历史之中。我们做后代子孙的当然也必须有同样火热的心才能对得起秋瑾烈士为之献身的朗朗乾坤。

（宗小荣）

日人石井君索和即用原韵

秋 瑾

漫云女子不英雄，万里乘风独向东！
诗思一帆海空阔，梦魂三岛月玲珑。
铜驼已陷悲回首，汗马终惭未有功。
如许伤心家国恨，那堪客里度春风？

鉴赏

本诗为秋瑾留学日本期间(1904—1906)所作。“石井君”,一位日本朋友。“索和”,写诗赠人以求答诗。这首诗就是秋瑾用石井原诗的韵写成回赠与他的。

与诗人许多诗作(尤其是后期诗作)一样,本诗也充满冲决家庭社会束缚的勇毅顽强、匡时救世的英雄气度和渴望为国建功立业的革命热忱。但它并非革命口号,而是诗人怦然跳动的心,飘逸不定的魂,凝结着她人格的美。虽悄悄地落在纸上,一旦映入人们眼帘时,却立刻迸发出耀眼的光。

如果强劲的弓弩才射得出飞箭鸣镝的话,那么,诗起首的两句以横绝流俗的气概勾画出一位乘风万里的女性,而她的刚强豪迈与遗世独立的孤寂恰似这样一张强弓。“漫云女子不英雄,万里乘风独向东!”休要徒然地说女子只能守在家里,生儿育女侍奉男人。“肮脏尘寰,问几个、男儿英哲?算只有、蛾眉(借指女子)队里,时闻杰出。”(《满江红》)秋瑾,就是这样一位杰出的女性。她敢于冲破一切阻力,借巨轮乘风浪,独自一人闯东洋。这巨轮,这风浪,是物质的,也是精神的——是载得起几千年封建传统势力重负的心理承受力,是冲得出金的玉的硬的软的形形色色禁锢妇女牢笼的无比勇气。难道这传达铮铮傲骨、浩浩正气的诗句不是在全诗构架上起到了一张待挽的强弓之作用吗?

当亿万男男女女浑浑噩噩地生活在帝国主义、封建主义淫威下时,这位觉醒的女性,已赴万里东洋寻求救国真理。她毅然身着男装,英姿飒爽;连名字也改叫“竞雄”,不以女中豪杰为满足,而要与世上男儿决一雌雄。她的高尚情感、优美格调,在诗的三、四两句中得到了形象的写照。在她比一般人,尤其是一般女子远为宽广深厚的胸怀中,“诗思一帆海空阔,梦魂三岛(即日本)月玲珑”。诗情如鼓满清风的白帆,寥廓海空任遨游;梦魂缕缕,在月光明亮的夜晚,远在日本三岛的诗人对故国想念殷殷。宁静的海天之间有诗人超绝时空的内心活动,空灵的月光之中融合着她“魂一夕而九逝”的执著追求。这两句诗对仗比较工稳,意象精巧优美,浓郁的诗意梵阿林一样细腻深情,水彩画一样明丽清新,真是美不胜收。以它们的轻利、超逸,在诗的内在结构上,犹如搭在弦上、引满待发的箭,将诗的意境向更高更深处开拓发展。

以下四句,是诗人张弓搭箭之后连株射出的具体的家国之思。“铜驼已陷悲回首,汗马终惭未有功。”“铜驼”,是一个典故:《晋书·

索靖传》说索靖有“先识远量”，知道天下将乱，曾指洛阳宫门前的铜驼叹道：“会见汝在荆棘中耳!”这里用铜驼代指国家。“汗马”，喻战功。这两句说国家早已落在清廷反动统治者手里，回首往事令人悲愤；而自己终因没有为国立下战功惭愧万分。诗人的感情深挚、沉重，为国家奋斗立功的自觉性和使命感给读者以强烈的感染。

“如许伤心家国恨，那堪客里度春风?”“如许”即如此；“堪”，受得了。在这样沉重的心情之下，一位为寻求真理而来日本留学的女子，哪里受得了寄居他国他乡时遇到春天来临呢？不是东京的春天不美丽，相反，东京的一个公园“上野的樱花烂漫的时节，望去确也像绯红的轻云”。许多醉生梦死的清国留学生盘桓在花下，怡然自得地“客里度春风”。更让人恶心的是，这些堂堂男儿怕将来回国丢了“前程”，都不敢剪辫子，头顶盘得高高的，再扣上一顶帽子来掩饰。与这些没有血性、没有骨气的奴才相反，陈天华短发披肩，只身蹈海，以年轻的生命唤起麻木的同胞，孙中山、黄兴等为建立革命组织、发展革命力量奔走于海内外……秋瑾，就是这群革命志士中十分杰出的一位。她的感时忧国与春风美景形成强烈的反差，收到了“感时花溅泪”、忧国“鸟惊心”的艺术效果。

诗如其人。瑾弟秋宗章说：“姊天性伉(kāng，“慷”的异体字)爽，诗词多兴到之作，别有意境，弗加雕琢，恍如天马行空，不受羁勒……”(《六六私乘补遗》)本诗格调雄健遒劲，毫无矫饰，如昆仑雪水一泻千里，但绝不单调、直白。在她拳拳的爱国赤心之中，既有高昂的壮志，也不乏低回的柔情。本诗是诗人的才气与情感凝结而成，诗中那位刚强而多情的女杰直欲破纸而出——秋瑾还活着，在她的诗篇里，在我们后代的心中。

(宗小荣)

癸卯除夕别上海，甲辰元旦宿青浦，越日过淀湖归于家

陈去病*

澒洞鲸波起海东，辽天金鼓战西风。
如何举国猖狂甚，夜夜樗蒲蜡炬红！

作者

* 陈去病（1874－1933），字巢南，一字佩忍，江苏吴江人。1903年到日本，参加了拒俄义勇队。第二年回到上海担任《警钟日报》主笔。后加入同盟会。辛亥革命后加入声讨袁世凯的斗争。工诗。其诗多抒革命情怀，风格质朴苍劲。

鉴赏

清末光绪二十九年（1904），除夕，一位三十岁上下，“有江湖任侠之风”的男子从上海动身，返回家乡江苏吴江县同里镇。第二天，光绪三十年（甲辰年）元旦借宿在上海郊区青浦县。又过了一天经淀湖（即今淀山湖）才返抵家中。这几天的见闻感受，被他写成冠以上述总题的一组诗共八首，这是从其中选出的一首。他便是后来“南社”的发起人之一——陈去病。

本诗是这位为革命奔走的青年知识分子在本世纪初忧国忧民的心声。

1904年2月初，日军对停留在我国海港旅顺口的俄国舰队发动突然袭击。日、俄两帝国为争夺我国领土东三省，竟在我领海领土燃起熊熊战火。诗人动身离沪正是日俄战争开始不久之时。“澒洞鲸波起海东”，“澒（hòng）洞（tóng）”，海浪汹涌翻腾的声势。“鲸波”，白浪滔天如万千巨鲸吞吐掀动所致。这句字面上写恶浪滚滚的海上景象，实

际是比喻日、俄两国在我领海混战。紧承第一句，诗人以"辽天金鼓战西风"明白地点出了这场帝国主义间的丑恶争战。"辽天"，主要是辽东一带，因作者在写诗时远在上海，所以也含有辽远的天边这层意思。"金鼓"，古时作战以金鼓为号令进行指挥，鸣金收兵，擂鼓进击。诗人此刻虽在上海附近，跟远在数千里外的旅顺可谓一在天南，一在地北。但诗人似乎看见了海上的战火，嗅到了刺鼻的硝烟。这里用"金鼓"一词，不仅因为它格调古朴，与全诗十分协调，更重要的是渲染出诗人如闻鼓角，心中深为震惊忧虑的情绪。

哪怕是一个孩子，如果听说此刻有两个帝国主义国家，为了抢夺中国同一片领土，打架打到我们中国领土上来了，见人就杀，见房就烧，那孩子一定会问："政府干什么去了？为什么不带军队把强盗打到海里去呢?"世界上的事就是这样，连十岁孩子都懂的道理，卖国的清朝统治者却"不懂"。为了保住自己的宝座，清政府竟无耻地宣布"局外中立"，把辽河以东的地区划为"交战区"，把辽河以西划为"中立区"，任凭日俄强盗在我国领土上厮杀，眼睁睁地看着战火吞噬无数善良无辜的中国人的生命财产。诗的三、四两句就是对清朝统治者冷血动物般的卖国灵魂的揭露和斥责。"如何举国猖狂甚，夜夜樗蒲蜡炬红!""樗(chū)蒲"，一种古代博戏，这里泛指赌博。为什么全国上下的官儿们仍然恣意纵欲毫无节制，夜夜红烛高烧赌博猜拳，纸醉金迷，通宵达旦地狂欢取乐？两句十四字，却写尽了清朝统治者的麻木、腐败。"举国""夜夜"，把所有的昏官们在所有的时间里耽于淫乐的丑恶行径囊括无遗。而"樗蒲蜡炬"是揭露他们花天酒地、禽兽不如的具体内容。"猖狂"，形容醉生梦死、歇斯底里大发作的疯狂劲儿。而为祖国命运忧心如焚，对清政府腐败卖国行为恨得咬牙切齿的激愤，从"如何……甚"的质问中，强烈地表现出来。

实际上，全诗前两句与后两句，即写国家的危难与窃国者的麻木不仁之间，存在一个大空档，一个大荒谬——这正是本诗的"张力"所在。诗人不仅以"如何……甚"来发问，其实全诗都是一个加了惊叹号的大问号。它发人深省，激人震怒，把有力的揭露、控诉、抨击一股脑儿投向了腐败的清朝统治者。这的确是一首情绪激昂慷慨、风格质朴苍劲的好诗。

（宗小荣）

访安如

陈去病

梨花村里叩重门,握手相看泪满痕。
故国崎岖多碧血,美人幽抑碎芳魂。
茫茫宙合将安适,耿耿心期只尔论。
此去壮图如可展,一鞭晴旭返中原。

鉴赏

这首诗作于光绪三十四年(1908)。“安如”,柳亚子的字。陈去病当时在绍兴府中学任教,暑假赴杭州。因为这年农历年初,秋瑾烈士的遗骨按她的遗愿葬于西湖边,诗人曾参加了秘密追悼会,又组织了秋社,决定每年农历六月初六为秋瑾成仁纪念日,所以诗人此次是为秋瑾遇害一周年来举行祭奠活动的。而此举已被官府所注意,他只得逃往广东汕头。行前曾回上海、吴江等地。柳亚子那时正在故乡吴江县黎里村家中。这首诗很可能是他在黎里村访柳亚子时写的。

“梨花村里叩重门”一句,似一个缓缓摇过的长镜头,带着读者越过重重树影、道道竹篱,叩开柴扉、板门。叩门者怀着复杂而急切的心情,应声而出者一见故人百感交集,“握手相看泪满痕”,两双大手紧紧相握,四目相对,泪雨纵横。诗人与柳亚子都是铮铮硬汉,只因革命受到挫折,许多杰出的革命同志相继惨遭杀戮,他们也被清廷秘密监视。男儿有泪不轻弹,可是心中无比的哀痛和忧愤,见到自己的同志后再也忍不住了。这涕泪滂沱、幽咽难语的情境感人至深。

“故国崎岖多碧血,美人幽抑碎芳魂。”“崎岖”,以山势的险恶比喻国事的危难及革命斗争艰巨。“碧血”,《庄子·外物》篇说:周大夫苌弘死于蜀,“藏其血,三年化而为碧”。成玄英所作的疏说:苌弘忠而遭谤,被放逐到蜀中,愤而自杀。蜀人用石匣藏其血,三年后变成碧玉。“碧血”就成了忠烈之士的代称。这里指刘道一、邹容、徐锡麟及秋瑾等被清朝反动统治者所残害的志士。“美人”,也是古代诗文中对忠直贤德之人的称呼,源自屈原《离骚》的比喻意义。这里特指秋瑾这位巾帼俊杰。"芳魂",指女杰的英魂。这两句集中表达了诗人对革命同志壮烈牺牲的无尽哀思和对敌人的仇恨。秋瑾牺牲后,陈、柳两位志士悼念的诗文很多。柳亚子有《吊鉴湖秋女士诗》四首,极尽哀伤追挽之情;陈去病则有《鉴湖女侠秋瑾传》《西泠新建风雨亭记》,不仅与友人同为秋瑾修了纪念亭,而且以秋瑾就义前仅有的一句"口供","秋风秋雨愁煞人"为亭命名,作记寄寓"秋雨梧桐,定英灵之未远"的心意。

"茫茫宙合将安适,耿耿心期只尔论。""宙合",即宇宙六合,指上下左右前后六个方位,即全部空间。广袤无垠的宇宙,我能去什么地方?那浩茫的心事我只能对你一人倾诉。这两句中时空的广大深远,跟心事的执著沉重,与无处可去、无人可说形成鲜明的比照,表现了痛定思痛,其痛尤烈的内心感受和因为革命形势低落、革命同志散失产生的不安、焦虑、寂寞孤独的心情。

"此去壮图如可展,一鞭晴旭返中原。"这次诗人前往岭南,仍是在为革命奔走。如果在那里可以一展壮志宏图的话,那么跃马扬鞭返回北方之时,定使晴朗的阳光普照中原!这就是英雄本色!这就是革命必然会成功的原因。那"一鞭"犹如闪电惊雷劈开满天阴霾,而革命者前仆后继万死不辞的决心和正义事业必胜的信念,正是这一鞭的力量所在,末两句洋溢着慷慨豪壮之气,为全诗增加了力度和亮色,勾勒出诗人心中的憧憬。

全诗首句入韵,共五个韵脚:"门""痕""魂""论""原"。据《诗韵合璧》,以上均在"上平声十三元"中,遵循了律诗严格的用韵要求,一韵到底。但据《广韵》,则末句的韵字"原"另有所属,是"下平声十三覃"中的。诗人巧妙地利用这一点,打了一个生动活泼的"擦边球",一韵到底又得到换韵的效果。在幽抑低回的前三联之后,以尾联的高昂抒情作结,配合实际上的声韵转换,令人耳目一新,精神大振,显示了诗人对古典诗歌形式的深切理解和驾驭它的娴熟技巧。

(宗小荣)

中元节自黄浦出吴淞泛海

陈去病

舵楼高唱大江东,万里苍茫一览空。
海上波涛回荡极,眼前洲渚有无中。

云磨雨洗天如碧，日炙风翻水泛红。
唯有胥涛若银练，素车白马战秋风。

鉴赏

本诗作于光绪三十四年(1908)，时作者由上海乘船渡海赴汕头。“中元节”，旧以农历七月十五为中元节。“黄浦”，上海黄浦江。“吴淞”，即吴淞口。吴淞江与黄浦江于上海会合后，出吴淞口，汇长江入海。当诗人乘坐的海轮出吴淞由长江口入海时，登上楼舱的甲板，极目海天，壮阔的景便激起昂扬的情，使他写出了这首境界开阔、意气豪迈的诗。

在万里长江东流入海处，正前往广东从事革命活动的诗人，从心里升起一种以天下为己任的使命感和迎接战斗的豪迈感，他情不自禁地高吟宋代大文学家苏东坡的名句“大江东去，浪淘尽千古风流人物”(《念奴娇·赤壁怀古》)。站在高高的船顶甲板上，脚下的江水浪涛，眼前的飘风流云，与苏东坡当年描绘的景色多么吻合啊。而历史长河万古奔腾，无数英雄俱为陈迹，天下兴亡正在我辈。这博大胸襟，才是诗人吟哦古人佳句的意兴所在。海天云水，万里苍茫，目光可直视无碍，直到天与水的尽头。“一览空”的“空”字，不仅是景物的写真，更是情志的奔放。这是诗人用身心拥抱到自己怀里的东西，是他此时所感到的快意与畅朗无比的心境。

“海上波涛回荡极，眼前洲渚有无中。”“回荡极”，极言浪涛的动荡变化，往复无尽。“洲渚(zhǔ)”，水中小片陆地。那大浪相激鼓荡不已，烟波浩渺，一片蒙蒙。沙州小岛看似若有若无。

“云磨雨洗天如碧(作者自注：烈日中忽遇阵雨)，日炙风翻水泛红。”泛舟海上，晴空朗日，忽然布满滚滚乌云，暴雨过后天空一碧万顷。而平时蔚蓝的大海，经烈日烤炙热风熏蒸，竟也泛着金红！这两句里浓缩了六种事物(云、雨、天；日、风、水)、四个动作(磨、洗、炙、翻)和“碧”“红”两种鲜明的颜色，在对仗的精巧组织之下形成一幅活的水粉画，造成视觉与触觉的强烈印象。诗人还艺术地展示了如此夺目的天光水色怎样被大自然“加工”出来的过程，尤其是“云磨雨洗天如碧”一句中的“磨”字，把海上风云变幻、各色云块擦天而过的动感动态描绘得生动传神，并从与前人形容云天总是虚无缥缈的思维定势完全不同的新角度，赋予了云、天一种硬度，一种质感，浪漫而又可信，收到新鲜奇特的艺术效果。而诗人的情操、诗风也几乎从这一个“磨”字里透出了全部消息。

“唯有胥涛若银练，素车白马战秋风。”诗人用春秋时楚国人伍子胥的故事来结束全诗。“银练”，白色的素绢。“胥涛”“素车白马”，全是关于伍子胥的典故。当时伍子胥协助吴王夫差打败越国后，越王勾践卧薪尝胆，矢志报仇，伍子胥屡次劝谏吴王，指出越国是吴的心腹大患，不可不防。吴王不但不听，反信谗言，赐剑让他自杀。相传伍子胥临死时，嘱咐自己的儿子，把他的尸体用鱼皮包裹好，投到钱塘江中，以便早晚乘潮来观看吴王的失败。传说伍子胥的怒气化为怒潮，所以自此以后，江潮就大起来，还有人见他乘素车白马在潮头上。此二句写波涛的状况，同时也借伍子胥的故事慨叹祖国的危亡。伍子胥的冤魂成为复仇的化身，滔天白浪总在与风纠缠撕扯，诗人在这里面看到了伍子胥报仇雪耻的进军，也寄托了自己与旧势力拼死斗争的决心和向往战斗的激情。

（宗小荣）

睹江北流民有感

周 实*

江南塞北路茫茫，一听嗷嗷一断肠。
无限哀鸿飞不尽，月明如水满天霜。

作者

*周实(1885－1911)，原名桂生，一名实丹，字剑灵，号无尽，江苏山阳(今淮安)人。1907年入南京两江师范校学习，第三年参加革命文学团体"南社"。后来又创建"淮南社"。1911年暴发武昌武装起义，他回到故乡，鼓动民众起来响应，不久被害。其诗富有革命激情，风格奔放雄劲，语言自然。

鉴赏

"江北"即苏北。1906年，作者家乡苏北一带发生灾荒，流民遍野。目睹此景，作者深表同情，作《睹江北流民有感》三首，真切地描绘了清朝黑暗统治下苏北人民流离失所、饥寒交迫的惨状。本诗是其中的一首。

《诗经·小雅·鸿雁》云："鸿雁于飞，哀鸣嗷嗷。"以哀鸣的鸿雁来比喻受疾苦饥馑的人民。此后，在古典诗词中常常称灾难流离之民为鸿雁或哀鸿。此诗借用《诗经》的典故，巧妙地将地上的流民与天空中的鸿雁联系在一起，形成了一个广阔的空间，处处写哀鸿，实乃处处写流民。作者先用一个广角镜头："江南塞北路茫茫"，展示了流民背井离乡、四处逃荒的全幅画面，重点落在"路茫茫"三字上。"江南塞北"是如此之大，可这些流民的路到底在哪里呢？一片迷茫。如同天空中的鸿雁一般，不知要飞到何处去。第二句从听觉上写流民的悲惨。"嗷嗷"，鸿雁的哀鸣声，用以比喻流民啼饥号寒的凄凉景象。如果说第一句所描绘的画面是无声的话，那么，第二句中的画面就是有声的了，这种"嗷嗷"的号叫乃是黑暗统治下人民发出的颤音，更增加了一分惨痛之情，以至于让作者听了这种声音后产生“断肠”之感。前二句有“睹”有“感”，睹而后感，已将诗题点明。

后两句仍抓住一个“睹”字做文章，但重点放在天空，以天空写地面，以哀鸿写流民。“无限哀鸿飞不尽”是一个全景扫描。“飞不尽”，喻流民络绎不绝。“无限”“不尽”，两个同义词连用，表面写天空中无数的哀鸿，实则突出了流民的众多，与第一句所描绘的画面互为补充，把成千上万流民四处奔波、走投无路的悲惨境地表现得极为真切。“月明如水满天霜”，写鸿雁飞行时天空的自然景色，也暗喻着现实的凄凉。“月明如水”，写月光泻地如水，这是秋冬季节的特有景色。杜甫诗句有云：“十月山寒重，孤城月水昏。”（《杜工部草堂诗笺》四十《愁坐》）可见“月明如水”颇带凉意。鸿雁，在我国东北、内蒙古东部均有繁殖，于长江流域或以南地区越冬，秋季向南迁徙，成群飞行。“月明如水”的季节，正是鸿雁南飞的时候。作者以此来衬托流民的惨痛。“满天霜”，化用唐代张继《枫桥夜泊》的诗句：“月落乌啼霜满天。”满天霜的描写，并不符合自然景观的实际（霜花在地而不在天），但它完全切合流民及诗人的感受：深夜侵肌砭骨的寒意，使他们感到身外的茫茫夜气中正弥漫着满天霜花。流民本来已无路可走，现在又给他们加上一层寒霜，更令人心颤了。因此，最后一句颇给人以回味的余地。

周实少有壮志，忧国忧民，“忧时甘替群生病”（《寄汪啸叔》），“欲于世界造光明”（《中秋偕同人览园小集赋此志慨》）。在诗歌创作上主张“见人心”，“觇世变”，“因时立言”，即必须反映现实，应有真情实感。这首诗正是如此。作者用纯白描的手法，不假任何雕饰，勾勒了一幅生动感人的画面，给人留下深刻印象。作者的感情也深深地渗透在画面之中。绝句用字非常经济，而这首诗却用了“茫茫”“嗷嗷”两个叠词，加强了声与色的描绘。第二句用“一……一……”的句式，强调了流民的悲号在作者心灵上引起的震动。同样，这种加强了的声色，也足以打动读者的心扉。

（张新科）

拟决绝词

周　实

卷施拔心鹃叫血，听我当筵歌决绝。
信有人间决绝难，一曲歌成鬓飞雪！
鬓飞雪，拼决绝。

我不怨尔颜色劣，尔无怨我肠如铁！
请决绝，如雷之奋如电掣，如机之断如帛裂，
千古万古惩此覆辙！
惩覆辙，长决绝，
海枯石烂乾坤灭，无为瓦全宁玉折。

鉴赏

这是诗人于1910年预作的绝命词，表现了诗人为革命不惜牺牲的坚强决心。

“卷施”是一种草名。《尔雅·释草》说：“卷施草，拔心不死。”可见其强毅。“鹃叫血”，即杜鹃啼血。鹃产于南方，春暮即鸣，至夏尤甚，其声凄厉，昼夜不止。相传它是古蜀帝杜宇的灵魂所化，故称杜鹃。又传说它要一直啼到血出才停。诗一开始就激情饱满，以拔心不死的卷施草和啼血的杜鹃鸟来比喻自己誓死不渝的决心：革命虽遭挫折，自己仍要继续为之奋斗，直到流血牺牲为止。现在，在筵席上要唱一曲决绝歌，来表达自己的这种决心。作者指出，人间的决绝确实不是件容易的事，离歌一曲，会使人鬓发变白。即使如此，为了革命，为了理想，自己也要决绝人间。一个“拼”字，表现了大无畏的革命精神。作者又采用拟人手法，对头发说，我不怨你颜色变白。你也不要怨我铁石心肠，反正我的决心已下，任何力量也改变不了它。真是想象奇特而又真实可信。紧接着，作者用电闪雷鸣、机断帛裂的形象比喻，来表示他准备牺牲之心的坚决；而设想“海枯石烂乾坤灭”这样自然界巨大变动的情况下，他也“无为瓦全宁玉折”，则更进一步显示出他为革命而死的思想的强烈。“乾坤灭”指天塌地裂。“无为瓦全宁玉折”语出《北齐书·元景安传》：“大丈夫宁可玉碎，不能瓦全。”在古人的心目中，山河天地都是永恒的象征，作者从大自然中找到心灵的支撑点，反复强调，以展示内心世界。汉乐府民歌中有一首《上邪》：“上邪！我欲与君相知，长命无绝衰。山无陵，江水为竭，冬雷震震，夏雨雪，天地合，乃敢与君绝。”说自然界出现高山无陵，江水干涸，冬天打雷，夏日下雪，天地合一这五种情况，才敢和情人断绝关系。本诗比这更进一步，即使出现海水干涸、石头变烂、天塌地裂的情况，自己仍要坚持到底。面对着生与死的抉择，他毫不犹豫地选择了死，体现了一个革命者应有的气概。作者的自我形象，正是在这

不屈不挠的斗争誓词中得到了充分的展现。

周实不只是一个诗人。他在《无尽庵诗话》中说:"实逢时多乱,大道未窥,蜉蝣岁月,苦作虫吟。然而朝揽镜,夜枕戈,身弱志壮,窃不愿以诗人二字了此一生也。"他向往着在战斗中建立功勋:"山中昨夜潇潇雨,梦斩楼兰气尚雄。"(《岁除前一日书怀》)"匣中夜夜青锋啸,愿作人豪不羡仙。"(《痛哭》)这首诗正是他这种战斗激情的一个表现,他要吸取过去起义失败的教训,勇敢地去战斗,准备为革命献出一切。他最后的行动证实了他的誓词,被反动派杀害时年仅二十六岁。

本诗激情奔放,回旋着一个主题——决绝。"拼决绝""请决绝""长决绝",感情步步加深,充满着豪情壮志,形式较为自由,以七言为主,间杂有三言、八言,以适应感情的起伏变化,而且语言通俗易懂,是政治性、战斗性很强的一首诗。

(张新科)

民立报出版日少屏索祝爰赋

周　实

昆仑顶上大声呼,共挽狂澜力不孤。
起陆鱼龙鳞爪健,处堂燕雀梦魂苏。
重重草木羞依附,莽莽荆榛待剪除。
千万亿年重九日,自由花发好提壶。

鉴赏

此诗作于1910年。这年的旧历重九,《民立报》在上海创刊。朱少屏当时在该报任职,因报纸创刊,就向周实索取祝辞。周实挥笔而就,写成四首,这是其中的一首。

首联气势雄壮,奠定了全诗的基调。昆仑山,我国最大的山脉,西自帕米尔高原之葱岭发脉,沿新疆、西藏自治区界入内地。作者在此意指站得高。"挽狂澜"语本韩愈《进学解》:"障百川而东之,迴狂澜于既倒。"这两句是希望《民立报》站得高、看得远,为革命大造舆论,使大家团结起来,共同挽救国家命运,这样,革命力量就不会感到孤单了。作者抓住报纸这个舆论工具的特征,以"登高而呼"来期望《民立报》能宣传革命,鼓舞群众。这样的气势，确能给人以力量。

颔联，紧承首联，希望《民立报》在唤起民众方面作出积极贡献。“起陆鱼龙”，自平地而升腾起来的鱼龙，比喻奋起的革命志士。“鳞爪健”，比喻革命者意气昂扬。“处堂燕雀”，《孔丛子·论势》载：“先人有言，燕雀处堂，子母相哺（喂食），煦煦然（暖和的样子）其相乐，自以为安矣。灶突（烟囱）炎上，栋宇将焚，燕雀颜不变，不知祸之及己也。”这里用以比喻那些安于现状、不知国家危亡的人。“梦魂苏”，从梦中苏醒。这两句把前联的内容进一步具体化，希望通过《民立报》的宣传，使革命者能够信念更坚定，精力更旺盛，使那些安于现状的人能够从沉睡中苏醒过来，形成浩浩荡荡的革命大军，去冲毁封建专制的大堤。

颈联，用比喻来说明《民立报》的另一重要任务是铲除恶势力。“羞依附”，耻于像蔓生植物那样依附于别的草木。“荆榛”，丛生的荆棘，比喻社会上的恶势力。《民立报》不应像两边倒的草木那样没有原则，要独树一帜，坚持革命立场。作者在同题另一首诗中也说：“愿替群生标赤帜，耻随凡卉斗红装。”不仅如此，还要靠《民立报》的宣传去团结人民，共同起来，去剪除社会上的恶势力。革命的任务仍是很艰巨的，铲除“莽莽荆榛”需要不懈的斗争。作者对《民立报》的希望是很大的，如果说首联是总写希望的话，那么，中二联则是分写，一是宣传群众，壮大队伍，二是团结起来，共同对敌。这两项任务也是紧密结合的。

尾联，对革命的胜利充满了信心。“重九”为旧历九月九日登高节，也是《民立报》创刊日。“提壶”，鸟名，亦谓饮酒。革命胜利后，虽千年万年，人们也会在这遍开着自由花的国度——资产阶级共和国中，纪念《民立报》的创刊日，沽酒提壶，登高痛饮。尾联高瞻远瞩，气魄宏大，既表现了对《民立报》的殷切希望，也展示了作者对革命的积极态度和必胜的信念。

周实的诗，雄劲奔放，富有革命激情。他在《无尽庵诗话》中说：“慨念国魂不振，奴性难锄，思以淋漓慷慨之音，一振柔软卑下之气。所作诗都鸣钲伐鼓，激烈铿锵，有惊四座、辟万夫之概。”这首诗就体现了这种慷慨之音。它虽是祝辞，却能高标独树，震人心魄。不仅是对《民立报》的期望，也是作者的自勉，更是对广大读者的一种鼓舞。

（张新科）

读史感书

宁调元*

投河未遂申徒狄，伏剑应期温次房。
不管习风与阴雨，头颅尚在任吾狂。

作者

*宁调元(1883－1913)，字仙霞，号太一，湖南醴陵人。1905年赴日留学，在东京加入同盟会。回国后曾参加萍、浏、醴起义，在岳州被捕。三年后出狱，在北京主编《帝国日报》。辛亥革命后，因参加声讨袁世凯的活动再次被捕，不久牺牲。其诗多狱中作。内容主要抒写革命豪情。

鉴赏

宁调元早年即投身革命，1906年被囚于长沙狱，凡三年。出狱后又到北京办《帝国日报》，宣传民主革命思想。1913年因参加反袁斗争在武汉被捕入狱，不久遇害。这首诗是他第一度入狱后写的。题为《读史感书》，是因为诗中提到了两个历史故事，其实通篇重在抒发视死如归的革命豪情。

“申徒狄”，是古代传说中的贤者，因不满现实，将抱石投河而死，崔嘉闻而止之。(见《韩诗外传》卷一)温序字次房，东汉祁人，建武时官至护羌校尉。后为隗嚣别将苟宇所拘，逼他投降，他拒绝说：“分当效死，义不贪生。”遂伏剑死。(事见《后汉书》本传)这两个人都可以说是古代的烈士，诗人通过对他们事迹的吟咏，意在引以自况。申徒狄投河被止而未死，故曰“未遂”，这也切合作者当日下狱的情况。温序伏剑杀身，而作者已做好最坏的打算，故曰“应期”。这两个词语都下得很有分寸。

三、四句便在咏史的基础上进一步述志：“不管习风与阴雨，头颅尚在任吾狂。”“习习谷风，以阴以雨”是《诗经·谷风》的名句，原意系用天气的变化喻人情的反复。这里的“不管习风与阴雨”，意思是不论环境的好坏。而掷地有声的警句是“头颅尚在任吾狂”。正如作者在《丁未正月初十笔记》中说：“君子当视死如归，不摇尾乞怜。”这句意即只要头颅尚在，就仍要我行我素，将革命进行到底。这种顽强乐观的精神，使人联想到《史记》描写的张仪。他早年游说诸侯，被人诬陷而大受笞楚，其妻伤叹道：“嘻，子毋读书游说，安得此辱乎！”然而张仪回答说：“视吾舌尚在不（否）？”其妻道：“舌在也。”仪道：“足矣。”由于这种失败了再干的勇气，他终于成功了。宁调元的“头颅尚在任吾狂”，其言略似之，至于其投身事业的伟大，又远非张仪可望项背。故其豪迈亦超乎其上。“狂”，本来是反动派污蔑革命青年的贬词。而诗人则欣然受之，并赋予此字以全然不同的褒贬色彩。说我反，我就是反！说我狂，我就是狂！对反动派造反，便是革命。革命，就不是温良恭俭让，就得有狂劲。联想鲁迅《狂人日记》的命名，则能加深对这一措词的理解。这首诗在艺术上较粗豪，纯以气概精神取胜，在字句上不必以工拙相计较了。

（周啸天）

感　怀

宁调元

十年前是一重囚，也逐欧风唱自由。
复九世仇盟玉帛，提三尺剑奠金瓯。
丈夫有志当如是，竖子诚难与足谋。
愿播热血高万丈，雨飞不住注神州。

鉴赏

这首诗是作者1906年从日本回国时所作，抒写了自己积极进取的革命抱负。

从19世纪后半期开始，帝国主义列强和封建买办阶级互相勾结，中国沦为半封建半殖民地社会，民族危机日益严重。1894年中日甲午战争中国完全失败后，中华民族与帝国主义的矛盾达到了空前的紧张阶段，亡国之祸，迫在眉睫。中国人民奋起反抗帝国主义的侵略,到义和团运动达到了高潮。与此同时,许多先进的人物努力学习西方资产阶级的政治和文化,企图按照资产阶级国家的模型来改变中国的国家制度和社会制度。此诗的首联就是这种政治形势的一个勾勒。“重囚”,《列子·杨朱篇》说:人生受刑赏名法等的禁锢,“不能自肆于一时,重囚累梏,何以异哉”?此用其意,是说十年前在清王朝统治下,自己的思想行动受到种种禁锢约束,如同被重重禁闭的囚犯。但自己并没有屈服和气馁,而是同其他革命者一样,紧随西方资产阶级革命的潮流,高唱自由和民主。一个“逐”字,形象描绘出当时学习西方的潮流。“自由”与“重囚”对举,表现了作者在重压下向往自由的迫切心情。学习西方,这在当时是有一定进步意义的,但它并不是一条真正的彻底的救中国的道路。中国革命的实践证明,只有在苏联十月革命以后,中国人民才找到一条真正的道路——“走俄国人的路”(毛泽东《论人民民主专政》)。

第二联紧承前两句,表现了作者立志推翻清朝统治的决心。“复九世仇”,《春秋公羊传·庄公四年》载,齐襄公复九代远祖哀公之仇,出兵灭纪国(今山东寿光县南)。又,从清顺治皇帝入关统一中国算起,经康熙、雍正、乾隆、嘉庆、道光、咸丰、同治到光绪,也恰好九代。作者在此的意思是推翻清王朝的统治。“盟玉帛”,指会盟。古代会盟朝聘时用玉帛作为信物。《左传·哀公七年》云:“禹合诸侯于涂山,执玉帛者万国。”这里指建立革命组织。“提三尺剑”,用《史记·高祖本纪》中刘邦的故事。汉高祖刘邦作了皇帝后,曾说:“吾以布衣,提三尺剑取天下。”这里指拿起武器进行斗争。“金瓯”,本酒器,比喻国家领土完整、巩固。《南史·朱异传》:“我国家犹若金瓯,无一伤缺。”这两句是说,大家要积极地联合起来,结成同盟,勇敢地拿起武器推翻帝制,奠定民主国家政权。正是由于重重束缚,生活犹如囚犯一般,所以,诗人下定决心,不惜一切,要争取自由,建立自己理想中的民主国家。字里行间充满着一股豪壮之气,洋溢着积极向上的乐观精神。

第三联连用两个典故,抒发作者远大的抱负。“丈夫有志当如是”,用《史记·高祖本纪》刘邦的故事。刘邦年轻时到咸阳服役,看到秦始皇出游十分威武,叹息道:“嗟乎!大丈夫当如此也。”这里借以比喻自己的远大革命志向。“竖子”,骂人的话,等于说:“这小子。”“竖子诚难与足谋”,事见《史纪·项羽本纪》。刘邦与项羽争夺天下,在鸿门宴上,项羽的谋士范增多次示意项羽杀死刘邦,以除后患,项羽不听。刘邦退席逃走,范增拔剑击碎刘邦托张良转赠的玉斗,骂项羽曰:“唉!

竖子不足与谋,夺项王天下者,必沛公(刘邦)也。”这里是说没有远大抱负的人是不足以同他们共谋大事的。这两句,“丈夫”与“竖子”一正一反,形成鲜明对比。作者深知,要想“复九世仇”,要想“奠金瓯”,就必须要有志气,有抱负,要与志士仁人一起,建立自己的组织,拿起武器去奋斗。作者表示,自己要像一个真正的大丈夫,胸怀大志,去争取理想的实现。

最后一联,作者更明确地表示,愿把自己满腔的热血高喷万丈太空,让它化作革命的飞雨,不断地洒遍祖国大地,浇开神州的自由之花。作者用浪漫主义的想象手法,将自己的革命激情升华到一个更高的层次。正是由于对祖国非常热爱,对专制非常憎恨,对自由非常向往,才有了这种大胆的想象。没有爱,没有恨,没有抱负的人,是不可能有这种激情的。可以说,前三联层层铺垫,给最后的升华打下了基础;同样,正是有了最后的升华,才使前三联有了着落,使全诗的诗情达到了高潮。诗人早年即深受革命思想的影响,立志报效祖国,“不惜头颅利天下,誓捐顶踵拟微尘”(《丙午冬日出亡,作于洞庭舟次》),就在作这首诗的当年,二十三岁的他积极参加了萍、浏、醴起义,在岳州被捕入狱,三年后出狱。辛亥革命后,因参加讨袁活动再次被捕,不久遇害。作者以自己的行动实现了他“愿播热血高万丈”的理想。

全诗慷慨激昂,感情充沛,表现了一个革命者的豪迈气概。作者在抒发感情时,不是一味地空喊,而是以古喻今,借用历史上的事情来表达自己的胸怀,而且用对比的方法,表明理想世界的美好,表现自己的抱负,又以高度浪漫主义手法,表示自己为理想而奋斗而牺牲的决心,读后给人以鼓舞,给人以力量。

(张新科)

武昌狱中书感

宁调元

拒狼进虎亦何忙,奔走十年此下场!
岂独桑田能变海,似怜蓬鬓已添霜。
死如嫉恶当为厉,生不逢时甘作殇。
偶倚明窗一凝睇,水光山色剧凄凉。

鉴 赏

此诗是作者1913年第二次被捕后所作。1906年，作者以饱满的革命热情参加了萍、浏、醴起义，结果在岳州被捕，系长沙狱中三年，但他的革命锐气并未减退，“鬼雄如果能为厉，死到泉台定复仇”(《岳州被逮时口占》)。出狱后，他仍坚持革命，1912年8月同盟会改组为国民党，1913年3月国民党实际主持人宋教仁被袁世凯暗杀，形势非常危急，于是，作者辞去广东三佛(从三水到佛山)铁路总办职务，积极从事反袁活动。袁世凯对他十分嫉恨，终于下令把他逮捕，押在武昌监狱，此诗即作于狱中。

此诗前有长序，表现了作者对时事的深切愤慨和被军阀囚禁狱中的抑郁愤懑，有云：“自共和始创，专制既除，一纪于兹。九州之内，商不安业，农不归耕，在朝无百年长治之谋，在野存旦夕苟延之想……山崩钟应，险象环生……虎去狼来，一蟹不如一蟹，风凄雨苦，后人还哀后人。”愤激之情溢于言表。这也正是作者写此诗时的心情。

作者开笔就一针见血，直刺现实。“拒狼进虎”，指清王朝才被推翻，袁世凯又篡夺革命政权，可谓前门拒狼，后门进虎。“亦何忙”三字，指时势变化之快，实际是对袁世凯篡权的一个讽刺。作者从1903年开始从事革命活动，到此时已有十年。十年来自己是“不管习风与阴雨”(《读史感书》)，满腔热血闹革命，结果，“为雨为霜此愿违”(《秋兴三叠前韵》)，拯民救国的抱负化为泡影，自己也再次锒铛入狱。“此下场”三字极悲凉，既指“拒狼进虎”，革命果实被窃取，也指自己的入狱。一腔热血换来的只是痛心而已。这两句可以说是作者对政治形势的一个勾勒，也是对自己从事革命活动的一个总结。

第二联，“桑田能变海”，用《神仙传》的故事，说是仙人王方平降蔡经家，命使者往请麻姑，后麻姑至，自云：“接待以来，已见东海三为桑田；向到蓬莱水浅，浅于往者会时略半也，岂将复为陵陆乎?”这里谓世事变化之速。“蓬鬓”，谓鬓发乱如蓬草。“蓬鬓已添霜”连上句暗用李白《短歌行》“麻姑垂两鬓，一半已成霜”语意。这两句是说，哪里只是世事变化迅速，人也是如此，现在似乎应该怜惜自己头上已添了白发。可见他平时急切关注的只是世事，只是天下兴亡的大事。当时作者还不到三十岁，却说鬓发斑白，这不仅仅是夸张手法，更在于表明其忧心之深。“似”字下得极有分寸，不是十分肯定，实际上是不关注自己，革命需要时，要将一切献出，还怜惜什么头上的白发！读了第三联后，我们对这个“似”字就会有更深的理解。

第三联，面对急剧变化的政治形势，作者并没有灰心丧气，反而坚定了信念：生为人杰，死为鬼雄，要报仇雪恨。“厉”，恶鬼。《左传·成公十年》载，晋景公冤杀其大夫赵同、赵括，夜梦大厉，披发毁门而入，自称是赵氏的先祖，前来为其子孙报仇。不久晋景公得病，掉入厕坑里淹死。这句表示，自己即使死了，也不罢休，要化为厉鬼，向恶势力报仇。“殇”，此处当国殇解，指为国牺牲的人。自己生不逢时，正值黑云压城，万民涂炭，为了改造时势，即使牺牲、战死，也是心甘情愿的。这两句，“死”“生”对举，表现了一个革命者的生死观。高昂的激情，充沛的精神，使这种生死观放出耀眼的光芒。

最后一联，感情变得极为沉痛。狱中之人，靠着窗口向外凝视，偶见水光山色，也不禁令人有倍增凄凉之感。“凝睇”，就是聚精会神地看。“剧”，很，极。之所以“偶”“一”凝视而不是长久凝视，也许是不忍心看到大好山河的破碎，不忍心看到眼前混乱不堪的现实。再想一想，要用自己的热血来浇开神州自由之花的愿望已化为乌有，自己变成了反动势力的阶下囚，怎能不感到痛心呢？于是，冷眼看世界，一切都变得凄凉了，山光水色也成了他凄凉心情的一个衬托。

从整首诗看，感情起伏不平，第一联低沉，二、三联变得高昂起来，最后一联又低沉下去。虽然前后深沉，但不悲观；又因为有中间两联作骨子，所以主旋律仍是高昂的，使全诗表现出一种豪迈之气，体现了资产阶级民主革命者的坚强决心。狱中之人，乃是一个不屈不挠的革命者。

（张新科）

爱祖国歌

高　旭*

汝亦世界上无价之产物兮,汝岂不足以骄夸!
我愿为祥风兮,恣披拂扫荡而莫我遮。
以激起汝自由之锦潮兮,以吹开汝文明之鲜花!

作者

* 高旭(1877－1925),字天梅,江苏金山(今上海金山区)人。1904年东渡日本留学,次年加入同盟会。回国后任同盟会江苏分会会长。后又与柳亚子、陈去病等发起组织南社。工诗词。其诗意境开阔。后人辑有《天梅遗集》。

鉴赏

高旭是南社发起人之一,较多地接受过西方资产阶级民主主义文化的影响,在反对封建专制政体上表现得相当激烈。在文学思想上,他反对泥古不化,认为诗应该日新月盛,"推陈出新",出现"汉唐后未有之局"(《答胡寄尘书》,载《南社》十四集)。他特别重视诗的政治作用,提倡辞语激烈的"叫嚣"式的鼓动诗。对于"诗界革命"的先导者黄遵宪的创作实践,他评价很高,誉为"三百年来未见此诗"(《黄友圃以〈人境庐诗集〉见贻赋谢》)。高旭初期也是改良派,"诗界革命"的参加者。这首《爱祖国诗》作于光绪二十八年(1902),就是他上述文学思想的一个具体实践。

全诗贯穿着作者强烈的爱国主义思想。当时的祖国,在帝国主义和封建专制的压迫下,灾难深重,"两重奴隶苦复苦"(《海上大风潮起作歌》),但它毕竟是自己的祖国,他那燃烧着的赤子之心不但没有泯灭,反而促使他更加热爱自己的祖国,于是,他纵情歌唱:"汝亦世界上无价之产物",有这样的无价之宝,是多么令人自豪啊！作者按捺不住自己激动的心情，用“汝岂不足以骄夸！”这个反问句来加强语气，突出祖国屹立于世界东方的雄姿。作者表示，自己愿意化为一股强劲的东风，“以激起汝自由之锦潮兮，以吹开汝文明之鲜花”！“锦潮”“鲜花”象征着祖国的未来，象征一个充满生机、充满活力的世界。作者渴望着祖国早日变成一个自由、文明的国家。

诗中也表现了作者的战斗激情。祖国是无价之宝，是值得珍爱的。但是，在双重压迫之下，犹如死水一潭，犹如花朵凋谢，这是多么令人痛心啊！正是由于作者深深地爱着它，所以愿意冲锋陷阵，“扫荡”一切而莫之能御，即使牺牲也在所不辞，字里行间透露着一种豪气。当时的民主革命者大都抱有这样的雄心壮志，如宁调元《感怀四首》：“愿播热血高万丈，雨飞不住注神州。”高旭在《海上大风潮起作歌》中写道：“文明有例购以血，愿戴我头试汝刀。”“作人牛马不如死，漓淋血灌自由苗。”为了创造“文明”“自由”的世界，甘愿奉献自己的鲜血。这种强烈的爱国之心是值得肯定的。

本诗所表现的爱国思想在当时颇有进步意义，但又有较大的局限性。作者为民族危机担忧，希望祖国富强，但理想的道路却是资产阶级共和国，与当时许多革命者一样，这种愿望只是一种美好的幻想而已，不可能真正使祖国走向富强之路，中国革命的实践就已充分证明了这一点。

这首诗采用传统的骚体形式，放纵自由，感情犹如火山爆发，汹涌澎湃，而又真切感人。用第二人称“你”直接与祖国对话，使人感到亲切自然，缩短了“我”与祖国之间的距离，加强了感情的抒发。作者采用极为通俗的语言，便于唤起更多的人热爱自己的祖国。由于作者注重宣传性、鼓动性，因而艺术上显得较为粗糙，但它对于鼓舞人们的斗志，激发人们的爱国热情，起了一定的积极作用。

（张新科）

盼　捷

高　旭

龙蟠虎踞闹英雄，似听登台唱大风。
炸弹光中觅天国，头颅飞舞血流红。

鉴赏

武昌起义胜利后，全国各地纷纷响应。1911年11月，江浙革命军联合攻打南京。12月2日，南京被攻克。此诗作于1912年，描写革命军攻打南京的场面，讴歌革命暴力在创造资产阶级共和国（“天国”）中的作用。

首句先声夺人，展示了革命军攻打南京的紧张情景。作者用“龙蟠虎踞”四个字有两层含义：一是点明地点，二是说明南京地势的险要。“闹英雄”，点明了出场的人物。一个“闹”字，把轰轰烈烈、你争我夺的战斗场面描绘得极有声色。人们好像看到了革命军的洪流正冲荡着这座坚固的石头城，听到了千军万马震天的呼声。

第二句用刘邦《大风歌》事。《史记·高祖本纪》载，汉高祖十二年（前159年），刘邦击淮南王黥布，回军时路过故乡沛县，设宴招待父老乡亲。席上，他唱了一首自己作的《大风歌》，歌辞曰：“大风起兮云飞扬，威加海内兮归故乡，安得猛士兮守四方！”后人曾在刘邦唱《大风歌》的地方筑歌风台，并立石刻歌辞。“登台”之“台”即指歌风台。《大风歌》是刘邦获胜以后唱的，所以，这句是说，似乎听到了英雄们唱着凯歌，胜利归来。这是紧承第一句而来，表现了作者急切盼望的心情，期待着英雄们经过战斗能够大胜而归。“似听”二字把“盼捷”的心情表达得极为真切。

第三句气势雄壮、震人心魄。“天国”，基督教称上帝所居的地方，这里指作者所向往的资产阶级民主共和国。“炸弹光中觅天国”，即通过暴动来寻求自己的理想世界，说明作者看到了武装力量的威力。作者用一个特写镜头，展现了革命军在轰隆的炸弹声中冲锋陷阵的情景。“炸弹”这个新名词用在这里，极通俗又极有声势，给全诗增加了豪气。当然，革命的实践证明，在中国要建立资产阶级共和国是根本行不通的，并不能彻底解决中国革命的方向问题。

最后一句写战斗的残酷。“头颅飞舞”，写革命志士的英勇、壮烈，颇有气势。“血流红”，既写战斗的残酷，又象征着胜利的曙光。“头颅飞舞血流红”，留给人的不是凄惨，而是悲壮、豪壮。这一句也是一个特写镜头，但与第三句有不同之处。如果说第三句是雄壮，那么这句则是悲壮；第三句是以“声”取胜，这句则是以“色”取胜。而且，在作者的心愿中，镜头上鲜红的血必将化为永不凋谢的鲜花插遍祖国大地。

此诗歌颂革命的武装斗争，表现了作者盼望胜利，希冀在炸弹光中创建新世界的心情。大气包举，富有战斗激情。战斗场面既雄壮又悲烈，既有声又有色，既有全场面又有特写场面。全诗由"闹英雄"开始，直到"血流红"，紧张激烈，一切都处于急剧变动之中，给人以动态之美。（张新科）

元　旦

高　旭

新朝甲子旧神州，老子心期算略酬。
摇笔动关天下计，倾樽长抱古人忧。
剧怜肝胆存屠狗，失笑衣冠尽沐猴。
满地江湖容放浪，明朝持钓弄扁舟。

鉴赏

此诗作于1913年元旦。当时，在"中华民国"的招牌下，表面上实现了南北统一，实际上是革命果实已为北洋军阀头子袁世凯所篡夺。同时，同盟会改组为国民党，放弃革命理想，迷恋议会政治，吸收了大批投机政客和封建余孽入党，表现了资产阶级对封建势力斗争的软弱性和妥协性。辛亥革命的胜利，曾使高旭兴奋过一阵子。而现在，政局的风云变幻，使他深感自己理想中"天国"已无法建成，内心极为失望。这首诗就是在这样的情况下写出的。

首联"新朝甲子旧神州"，古代以甲子纪元，所谓"新朝甲子"即指纪元改为民国。这句是说：朝代纪元虽然换成新的，但国家一切照旧，仍是"旧神州"，毫无生气。表示了对当时现实的极大不满。"老子"，即老夫。"心期"，即心愿。尽管仍是"旧神州"，但老夫的心愿算是略微得到酬偿。话里暗示有讽刺的意味。这一联展示了作者由希望到失望到宽慰的复杂的情感历程。经过多年的斗争，终于建立起了"新朝"，希望能够拯国救民，结果大失所望，仍是漆黑一片，幻想破灭了。但又一想，自己的心愿总算得到了一点满足，于是，管他新朝旧朝，一概不再想了。失望中带有批判，宽慰中带有讽刺。

颔联是说，动笔写的都是有关天下大计的文字，而内心却长怀忧虑,只好借酒消忧。表现了资产阶级革命者在当时的苦闷。“樽”,酒器,这里指酒。感情比首联更为深沉。希望落空了,出路无处寻找,怎么办?借酒解忧么?但是,“借酒消愁愁更愁”。酒,只能更增加自己的苦闷、忧愁。平时拿起笔大谈拯救天下,大谈美好理想,但经不起风雨袭击。当现实无情地粉碎了自己的理想时,就只好与酒为友了。这种诗意,正是作者当时彷徨郁闷、悲观失望的真实写照。

颈联是对当时社会现实的具体描绘。“怜”,爱。“肝胆”,指对革命的赤诚之心。“屠狗”,以杀狗卖肉为业的人。《史记·刺客列传》载荆轲至燕,“爱燕之狗屠”,日与之饮于燕市。又《樊哙传》:“舞阳侯樊哙者,沛人也,以屠狗为事,与高祖俱隐。”这里的“屠狗”泛指社会下层人士。是说社会的下层人士仍然对革命忠心耿耿,令人爱怜。“衣冠”,古时士大夫的装束,又用以称缙绅。“沐猴”,猕猴。《史记·项羽本纪》载,当时有人讽刺项羽“沐猴而冠”,意思是说像猴子戴了人的帽子,徒具人形而已。这里用以讽刺当时吞食了革命果实掌握政治权力的人。这类人令人可笑。这两句,“屠狗”与“衣冠”对比,“肝胆”与“沐猴”对比,着重批判了上层人物的丑陋面目;“剧怜”与“失笑”对比,则表明了作者的爱憎态度。

尾联,在批判窃取革命果实的新官僚之后,作者表示要隐退江湖去了。这是伴随失望而来的个人消极思想。“持钓”,东汉时严光曾垂钓隐于浙江富春江畔(事见《后汉书·严光传》)。“弄扁舟”,春秋时范蠡为越王勾践设谋雪耻灭吴后,即乘扁舟逸去(事见《史记·货殖列传》)。又李白《宣州谢朓楼饯别校书叔云》诗曰:“人生在世不称意,明朝散发弄扁舟。”作者目睹现实,精神苦闷,“万千心事乱如麻”(《对菊感赋》),思想矛盾日益激烈,终于想到了隐退,表现出资产阶级革命的软弱性。诗以这样的意义结束,正是前文思想感情发展的必然趋势,希望——失望——苦闷——隐退,这也是许多资产阶级革命者走的一条道路。

此诗具有一定的讽刺性、批判性,但也带有消极的色彩。艺术上,其最大的特点在于以犀利的笔锋,讽刺的手法,对当时的社会进行了大胆的批判。感情复杂而又真挚,表现出作者在当时的处境。

(张新科)

以诗并画留别汤国顿(二首)

苏曼殊*

蹈海鲁连不帝秦,茫茫烟水著浮身。
国民孤愤英雄泪,洒上鲛绡赠故人。

作者

*苏曼殊(1884–1918),原名玄瑛,字子穀,广东香山县(今中山市)人。其母为日本人。生于日本。1889年随父归国。后又赴日留学,并参加了革命活动。1903年回国,不久出家为僧,但仍继续与革命党人往来,并参加了南社。具有多方面文学才能,工诗及小说。其诗清丽含蓄,多写忧伤苦闷之情。后人辑有《苏曼殊全集》。

鉴赏

这是现存苏曼殊诗中最早的作品。发表于1903年10月7日《国民日日报》的附张《黑暗世界》,署名苏非非。1903年4月,沙俄向清政府提出长期控制东北的无理要求,遭到中国人民的强烈反对。曼殊当时正在日本成城学校念书,激于爱国义愤,他参加了留日学生"拒俄义勇队",为救亡奔走呼号。遭到表哥林紫垣不满,断绝了经济供给,迫使他辍学归国。归国后先在苏州逗留了一段时间,又转到上海《国民日日报》社任翻译。这组诗是他临行时赠别汤国顿的。"汤国顿",《国民日日报汇编》作汤觉顿,广东人,康有为的学生。

诗的前两句系追忆作者在日本投身爱国学生运动及归国一段经历和心情。"蹈海鲁连不帝秦",系用《史记》故事。公元前258年,秦兵围邯郸,魏王派辛垣衍劝说赵王尊秦为帝。鲁仲连往见辛垣衍,力陈大义,并言如秦统治天下,"仲连则有蹈东海而死耳,吾不忍为之民也”。诗中用以比喻自己与沙俄等帝国主义列强势不两立的决心。“蹈海”一词双关诗人当时身在岛国的日本，故用来贴切，倍有意味。“茫茫烟水著浮身”，语义上承“蹈海”而来，却又自然地转入写渡海归国一事了。诗人是被迫辍学西归的，心情沉痛悲愤，身在远洋船上，大有前路茫茫，不知归程之感。“茫茫烟水”四字含有这种失意的情绪，绝不仅是写归途所见而已。“其生兮若浮，其死兮若休”原是贾谊《鹏鸟赋》慨叹人生无常的句子，“浮身”二字，便意味个人四海飘零，未得归宿。故前二句为全诗笼罩下一片悲凉的气氛，这是为国难当头的大气候所决定的。

“国民孤愤英雄泪，洒上鲛绡赠故人”。二句紧扣题面而写。据《吴都赋》李注，南海有一种美人鱼叫鲛人，善纺织，曾出水寄寓主人家卖绡。临去，泣珠满盘以赠主人。诗用“鲛绡”一语，不仅借指绘画题诗所用的绢本，而且暗关上句“泪”字。诗中虽然没有说明画的内容，但却巧妙地用“国民孤愤英雄泪，洒上鲛绡赠故人”作了有力暗示。所谓“国民孤愤”即指当时人民群众反帝反丧权辱国的情绪（《韩非子》有《孤愤》篇），“英雄泪”则指革命志士的悲愤。同时这“国民”与“英雄”已含有作者自命的意味，具有极强的廉耻心和责任感。由此可知画的内容是有所寓托的。诗不言绘画，而说成倾洒孤愤之泪；不言以画赠别，而说成以此孤愤之泪洒上鲛绡以赠故人。则大有以风义相期的意味。“嘤其鸣矣，求其友声”（《诗经·伐木》），诗中不仅抒发了对清政府的不满和对时局的忧念，同时也激发着“故人”和读者的爱国心和正义感。正因为有这样一笔，全诗才悲凉而不消沉，显得慷慨激昂，忠义奋发，充分表现了一个热血青年的锐气和雄心。

一般说来，要在两句中同时表现赠画留别和忧念时事这样两个内容，是很不容易的。但诗人却通过形象思维镕铸为一体，即将对国事的忧念借赠画事以明之，又将作画之事以抒愤的形式予以表现。“国民孤愤英雄泪，洒上鲛绡赠故人”，这种一空依傍、从心化出的名句，充分展示了诗人驱遣语言的出色之才。

（周啸天）

海天龙战血玄黄，披发长歌览大荒。
易水潇潇人去也，一天明月白如霜。

鉴赏

诗人有感于帝国主义侵略中华,而清政府腐败无能,致使国势岌岌可危,遂以易水别燕丹的荆轲自况,着重表达了抗击外侮,誓死救国的壮志雄心。前一联总写动乱时局,直抒激烈壮怀。首句"海天龙战血玄黄",出自《易经·乾卦上》:"龙战于野,其血玄黄。""龙",是一种被神化了的大蛇。古人认为,潜龙入海,飞龙上天。由此,诗人化用《易经》成句,自然联类而及"海天"。"龙战",旧称群雄互相争夺为"龙战",此指帝国主义列强侵略中国。"玄黄",黑色和黄色;"血玄黄",指死者凝血成暗红色。全句概括而形象地写出了当时列强入侵,荼毒生灵,尸横遍野,血流满地的社会现实,有力地揭露和控诉了帝国主义侵略中华民族的滔天罪行。次句"披发长歌览大荒",语本苏轼《潮州韩文公庙碑》:"公不少留我涕滂,翩然披发下大荒。""披发",头发散乱,此处形容悲愤已极的样子。"大荒",广野,此指神州大地。全句将旧典翻新,生动逼真地写出了诗人面对祖国的危亡,眼望神州的浮沉,不禁悲愤交集,长歌当哭。寥寥七字,成功地刻画了一位关心国事,忧虑时局,义愤填膺,仰天长啸的爱国知识分子形象,读来如见如闻,感人至深。

后一联描写离别场景,自示心志高洁。从诗意来看,作者此次之行是由苏州河(又名吴淞江)乘船去上海,启程的时间应是一个皓月当空的夜晚。"易水潇潇人去也"一句,是借用历史故事写眼前壮别场面。据《战国策·燕策》载:卫人荆轲被燕太子丹尊为上卿,后甘为太子丹去行刺秦王。将赴秦,太子丹与众宾客身着白衣白帽送别于易水之上。荆轲慷慨而歌曰:"风萧萧兮易水寒,壮士一去兮不复还!"表示了义无反顾、以死报燕的决心。诗人在此用典,虚写了当时秋风凛冽、江水生寒的情景,渲染了爱国志士长歌而别的悲壮气氛,可谓虚中有实。这句诗内涵丰富,启人联想。一个"也"字,感慨深沉,具见别情。末句"一天明月白如霜",在字面上是实写别时夜空景色:月光明亮,洁白如霜。在内蕴上,这句诗却实中有虚,寄意深远。霜色洁白,古人喜欢用它来象征人的品质高洁,如陆机《文赋》:"心懔懔以怀霜,志眇眇而临云。"古人还称高洁的节操为霜操,如《南齐书·沈麟士传》:"元嘉以来,聘召仍叠,玉质逾洁,霜操日严。"诗人在此也受到这种传统审美心理的影响,他以满天如霜的月色为寓托,来表明自己心地高洁,胸怀坦荡,今后一定要坚持反清反帝,决不中途变节。他的后半生虽然日渐消极颓唐，但并未完全忘却国事，其晚节终究是无愧的。就抒情旨趣而言，这句诗与王昌龄《芙蓉楼送辛渐》一诗的尾联“洛阳亲友如相问，一片冰心在玉壶”可谓异曲同工；不过，王诗结得直露，苏诗结得含蓄，似应比王诗略胜一筹。

从上述可以见出，此诗有两个突出的写作特点：一是用典自然，新意迭出；二是以景结情，余味曲包。同时，此诗境界高旷恢宏，格调悲壮豪放，这在苏曼殊凄婉哀艳、清轻绵邈的诗作中是别具风采的，读苏诗者不可不识。

（何尊沛）

本事诗

苏曼殊

春雨楼头尺八箫，何时归看浙江潮？
芒鞋破钵无人识，踏过樱花第几桥？

鉴赏

这首诗为作者于宣统元年(1909)春寓居日本时作，作者时年二十五岁，距他削发为僧已有五年了。诗的原题为《有赠》，发表在宣统元年十二月(1911年1月)出版的《南社丛刊》第一集上；宣统三年十二月出版的《南社》第三集收入此诗时，作者将它和另外九首合在一起，改作本题。所谓“本事诗”，是指所写的诗在内容上有实际的事迹作为根据，并非虚说。那么，此诗是赠给谁的呢？或为谁而写呢？这有多种说法。柳无忌在《苏曼殊及其友人》中写道：“曼殊的《本事诗十章》全为百助而作。”有人做了考证，认为这一说法合乎实际。按：百助即百助眉史，为日本的一名艺伎。这首诗是作者抒发当他听到百助在“春雨楼头”之上，吹弄“尺八箫”时所引发的深沉感慨。而这种感慨，就其内容性质讲，已经远远超出了作者与百助的个人情谊，它既隐含人生孤寂难耐之悲，更有对祖国的无限依恋之情。

起句“春雨楼头尺八箫”中的“春雨”，有双关意义，既是写作者即目所见的楼阁烟雨景色，又恰好扣合了“尺八箫”的音韵“凄惘”的《春雨》其曲之名。作者自注云：“日本尺八箫，状类中土洞箫，闻传自金人,其曲有名《春雨》,殊凄惘。日僧有专吹尺八行乞者。”当然,这一句绝非仅写烟雨楼台的春景,也非仅写百助以八尺箫吹起的《春雨》一曲的乐声,而是景中有情,声中有情,即作者是借此景此声以抒发他此时此刻心中兴起的悲凉情绪。

作者既然愁思难抑,从其潜意识讲,总是会有求得解脱意向的。如何解脱呢?他忽地由百助吹弄的“尺八箫”联想到与之类似的祖国乐手常用的“洞箫”来,并进而由“洞箫”又联想起祖国浙江省令人叹为观止的奔腾汹涌的钱塘江潮水来。原来,作者曾于光绪三十四年(1908)秋在浙江杭州养病,曾亲眼看见钱塘江潮水涌起的壮观情状。句中“何时归看”一语,特别是语中那一“归”字,便深切地表达了作者拟重返杭州以消除因寓居异邦而产生愁怀的强烈愿望。由表入里,以小见大,实际上这一句更是极其深沉地表达了作者对祖国母亲的无限眷恋。作品的爱国主义主题,在这里也就得到了明确的揭示。

也许,当时作者由于难以立即实现回国愿望,于是他郁积于心中的愁思,不仅没有些微消解,反而越来越浓烈了。且看本诗后一联所写的情景吧:他把自己写成一个脚穿“芒鞋”,手托“破钵”而云游于异邦的化缘和尚,可又不为人识,无人理睬,无人怜惜;他只得孤独地踯躅在雨中樱花盛开的道路上,竟至连踏过几座横跨溪流的小桥也不自知。这样的描述,不仅进一步反映了作者的内心愁思难已,而且也从侧面烘托出他对祖国有着更为急切的向往。所以,表面看来,这一联比之前一联,虽然似乎纯为叙事,即着重安排了抒情主人公的一个行动细节而已,然而实际上所抒情怀却越转越深,蕴涵不尽,耐人寻味。

都知道,苏曼殊的抒情绝句,多寄托着深沉的爱国意念,而风格则常呈轻灵自然、茜丽绵邈的特色。而这首小诗,无疑就是一个极好的例证。

(周子瑜)

淀江道中口占

苏曼殊

孤村隐隐起微烟,处处秧歌竞插田。
羸马未知愁远道,桃花红欲上吟鞭。

鉴赏

此诗为作者于宣统元年(1909)春寓居日本时作。“淀江”,日本本州岛内的一条江,源于琵琶湖,注入大阪湾。“口占”,作诗不用笔起草,随口即兴吟成。作者出生才三个月,其母河合若子便丢下他,接着由其姑母河合仙抚育至六岁,其母亲和姑母是日本人。六岁后,他随其嫡母,回到祖国。所以,河合仙实际上是他的养母、义母,她曾给了他母爱的温暖,他对她的恩情终身不忘。宣统元年春,作者又一次来到日本,决定去探望他的养母河合仙。此诗就是作者在去探望他养母的途中吟成的,全诗笼罩着快活的气氛。具有这种情调的作品在作者的诗中实属罕见。

诗一开头省去了一般性事件的交代,仅直写作者将到其养母河合仙所在村庄的情景和心境。第一句写他所见村庄的远景:“孤村隐隐起微烟。”那一村庄,远远看去,正为微烟缭绕,忽隐忽现,其景色宛如一幅水墨山水画那样美。可以想见,作者自踏上省亲道路之时起,早就渴望能看到这一村庄,如今终于瞧见了,心中当是多么舒畅啊!此句之首还著有一“孤”字,颇值得玩味。“孤”,不一定是实指村庄之孤,而是作者心中之孤,是他测想他的养母多年来孤寂地生活在村庄里当是多么难耐啊!紧接上来的第二句,却不是去写他入庄见母的欢快场面,而是让笔墨岔出,忙里偷闲地描绘出了一幅农村春日插秧的近景:“处处秧歌竞插田。”这一幅图画,因声见形,声形兼备,很有特色,似现代电影在银幕上映出的一个特写镜头。那么此句对于本诗所写省亲主题就没有什么作用么?主要是为其养母所生活的环境作了生动的艺术概括,同时也间接地对她与劳动人民能融洽相处及与劳动人民有其相一致的淳朴勤劳等品德作了热烈赞颂。

如果说前一联表达了作者远远瞧见其养母所在村庄而在内心产生了无限欢快之情的话,那么后一联则写他在快马加鞭径直往村庄疾进的过程中的喜形于色。你看他所骑的“羸(léi)马”,亦和他的欢快心境一样,尽管近日经历了长途跋涉,但因目的地即在眼前,现在它也不须“愁远道”而四蹄得得,奔驰奋进。显然,这和屈原《离骚》的“陟陞皇之赫戏兮,忽临睨夫旧乡。仆夫悲余马怀兮,蜷局顾而不行”几句,在写法上是一致的,只是有所变化而已,甚至可说是反其意而用之。再看那道旁正在开放的红光耀眼的桃花,似乎也很想成为作者骑在马背上而手中挥舞着的叭叭作响的“吟鞭”所歌咏的内容哩。这结尾一句,意象极美,蕴涵甚丰,也许还具有多义性;造语亦很特殊,不能以散文的常规语法衡量之。本诗的这后一联,从表面看,写的虽然全是物,即瘦马的奋进,红色桃花的诱人,马鞭在空中的鸣响,等等,但就里层而言,却又无一不是写心写情,即作者将其内心的欢快,都投射到物上了,使上列诸景象无一不染上欢快的色彩。本诗写到此,便戛然而止。至于他母子俩相见将是如何欢快,也就在不言中了。如此不尽于言中的写法,也才更有余味。

唐代著名文学家韩愈在《荆谭唱和诗序》中说:“欢愉之辞难工,而穷苦之言易好也。”就苏曼殊诗作总的情况看,确为“穷苦之言易好”论断的有力证据;然而就他这首诗而言,却又和“欢愉之辞难工”之说相左。那么为什么苏曼殊不管是写愁苦之什抑或是写欢乐之章,都工而且好呢?我以为,其根本原因在于他不论在哪种情况下都是“为情而造文”,而非“为文而造情”。所以,欢快之情只要是从作者内心流出,而不是强作欢颜,那同样也能写出好诗来,本诗即一实证。

(周子瑜)

过蒲田

苏曼殊

柳阴深处马蹄骄,无际银沙逐退潮。
茅店冰旗知市近,满山红叶女郎樵。

鉴赏

在近代诗人中,苏曼殊是以七绝擅长的。他的绝句清新俊逸,饶有诗意,在风调上最近晚唐的杜牧,而在内容上则颇有出新。这首《过蒲田》就以异国情调取胜。而在语言和意境上都有创造性。

“蒲田”是日本本州的地名,在东京都大田内,面临东京湾,今羽田机场所在地。1909年初秋,曼殊因思念义母河合仙而陪她旅行至逗子海湾。此诗即作于探母途中。

“柳阴深处马蹄骄,无际银沙逐退潮。”此二句就展现出一路海滨景色,成行的柳荫遮蔽着行道,直通海滨。上句从苏轼《西江月》“障泥未解玉骢骄”化出,但不说马骄而说

“马蹄骄”，则是只闻得得马蹄之声来至柳荫深处，不必是眼之所见，然已令人感到可喜。下句才是视觉印象：海水正在退潮，白沙上留下潮退的痕迹，仿佛一步步追随着海水远去。海潮的气势比江潮更大。这句写视觉，也使人如闻潮声，与上句写听觉，却使人如见玉骢一样，有通觉效果。“银沙”比“白沙”在词采上华贵，而且能表现出沙白耀眼的光芒。

这两句虽然没有直接写人的行走，但已有人行的感觉。沿着柳荫，他就走近海滨，而蒲田已在眼前了。“茅店冰旗知市近，满山红叶女郎樵”，读者于是看见了帘招、茅屋、满山红叶和拾叶的女郎，市郊景色，清丽如画。这里的异国风味是“冰旗”二字造成的，在古诗中只有“酒旗”没有“冰旗”，这是蒲田一带茅店里挑出的卖冰的标志。在古代中国的城乡没有这玩意儿，写出它就暗示出一种当地风俗，引人入胜。诗中最美的一句是“满山红叶女郎樵”。要是如实写作“满山红叶女郎拾”或“女郎拾叶作柴烧”，诗意画意都完了。这里照亮全诗、做活全诗的，都是那个“樵”字。本来“樵”是打柴，与树枝树干发生关系，而不关拾叶之事。而打柴又往往是男子干的活计，与女郎无关。然而，“樵”的目的在于取得燃料；拾叶的目的完全相同，妇女力能胜任，无须男子去拾，故亦可姑称之“女郎樵”。这是作者造语的奇趣。

“满山红叶女郎樵”，还远远超出它所表现的实际生活内容，而成为一幅具有强烈美感的图画。傍海的一带枫林，红叶与女郎相互掩映，一个是秋意的所在，一个则洋溢着青春的活力。诗句将读者的注意力更多地引向那美的形式，而不是真的内容。“茅店冰旗知市近，满山红叶女郎樵”创造的意境美，一点也不比“停车坐爱枫林晚，霜叶红于二月花”（杜牧）差劲。虽然作者没有写他的停步，可知他已不觉停步；可知那叶是“红于二月花”的，人是美于二月花的。这首诗以成功的范例告诉我们，通过锤炼使诗的语言富于魅力有多么重要。

（周啸天）

东居杂诗

苏曼殊

流萤明灭夜悠悠，素女婵娟不耐秋。
相逢莫问人间事，故国伤心只泪流！

鉴赏

苏曼殊最为人传诵的是他的爱情诗,《东居杂诗》十九首即是在这方面深有影响的一组作品。这组诗作于1913底1914年初在日本养病闲居期间,内容大抵是反映与日本女子国香、阿可、湘痕、真真、棠姬、阿蕉等人的交游生活。这些诗大多写得“潇洒自然”“茜丽清明”“艳而不滥,简而不陋”“予读者以轻清隽永之深切回味”(文幺真《曼殊大师传》)。这里所选是组诗的第二首,其托意之高远,言情之深挚,格调之沉郁,在十九首中可谓卓然特立,足以引人瞩目。

此诗写诗人身处异国他乡,秋夜望月,因思念故国而感伤不已。这就脱出了《东居杂诗》主要叙写“眼中泪,心中事,意中人”的恋情窠臼,表达了他始终关心和热爱祖国的深厚感情。首句“流萤明灭夜悠悠”,是对秋夜进行环境描写:清秋的晚上,萤火虫在夜空中飞来飞去,那晶亮闪烁的萤光忽隐忽现,时明时灭。“流萤”,即指飞行不定的萤火虫,这是夏秋之夜经常出现的小昆虫。“明灭”,包含了两层意思:一则表明萤火虫飞近时人见萤光,飞远时萤光消失;二则表明诗中写的是一个有月儿的秋宵,在月光下萤火难见,在暗影中萤光复现。“夜悠悠”,指夜晚时间久长。俗语云:“志士嗟日短,愁人知夜长。”可见,诗人感到长夜难挨,必然是忧心忡忡,愁思满腹了。正因为诗人愁肠难解,所以才有第二句“素女婵娟不耐秋。”何也?本来,李商隐的《霜月》诗句“青女素娥俱耐冷,月中霜里斗婵娟”,早已为人们传诵不衰,而诗人曼殊却别有会心,偏要反其意而用之。在他的笔下,娇美的素娥与青女(即“素女”)都忍受不住秋夜的寒冷和凄清之苦。素娥、青女,分别是我国古代传说中的月宫之神(又称嫦娥)和霜雪之神。按照逻辑推理,她们两位不食人间烟火的女神应当不怕冷清的,而诗人在此偏说他们“不耐秋”,这是以己度人,移情于物。明眼人一看就明白,真正“不耐秋”的恰恰是诗人自身,诗中不过是借他人酒杯,消自己心中块垒。但诗人为什么会如此“不耐秋”呢?是他身体多病,弱不禁寒吗?非也!应该说主要是源于他有着沉痛的身世之感和故国之思,此诗第三、四句就披露了个中消息。

“相逢莫问人间事,故国伤心只泪流!”这是写诗人主动与“素女”对话,自抒胸中感慨。素娥和青女,根据我国古代神话传说,她们在成为神仙之前,自然都生活在中国国土上,因此诗人把她们视作“故国知己”,这纯然是异国他乡逢故知了。

照此,理应向她们畅谈心曲。然而,诗人却奉劝她们"莫问人间事",以免提起故国之事,让人伤心落泪。缘由何在?自是"伤心人别有怀抱"。原来,中国在辛亥革命后,袁世凯依仗帝国主义做靠山,窃取了革命胜利果实,于1912年登上临时大总统的宝座。他一心为着复辟帝制,大肆进行卖国活动,把中国一步一步推向覆亡的深渊。苏曼殊对此是十分愤慨的,他曾挥笔写下了著名的《讨袁宣言》。然而,面对黑暗的社会现实,他看不清革命的前景和人民的力量,于是产生了悲观失望的思想情绪,以致逐渐变得颓唐起来。同时,他早年就因自己是私生混血儿(其母是与其父私通的日本下女),备受封建家庭的歧视和虐待;后离家外出求学,又寄人篱下,依靠姑母家资助。1903年辍学回国,便一直过着"词客飘蓬"的凄苦生活。苦痛的身世,坎坷的经历,曾使他厌弃人生,一度削发出家。后来虽又还俗,也多次参加革命活动,但国事的蜩螗,辛亥革命的归于失败,终究使他更加颓丧,再度遁迹空门。不过,他又不像一般的僧侣那样脱落世事,断绝尘缘,而总是系心于国家的命运,早年反帝反封建的革命思想并未完全泯灭,所以常常在诗中抒写他的深沉感慨。这就是此处所谓"伤心只泪流"的深刻内涵。

全诗以景寓情,想落天外,将神话传说与现实生活巧妙结合起来,成功地创造了一种"故国不堪回首月明中"的悲凉意境,从而表现了诗人在辛亥革命失败后找不到出路的苦闷心理和忧国伤时的深切感情。同时,此诗不假雕饰,佳趣天成,充分体现了苏曼殊诗歌清丽含蓄、自然和谐的典型风格,颇值得我们一读。

(何尊沛)

汶川纪行

于右任*

往哲辛勤迹未消，流传佳话水迢迢。
曾经玉垒关前望，父子河渠夫妇桥。

作者

*于右任(1879－1964)，字伯循，号骚心，陕西三原人。辛亥革命后为南京临时政府交通部次长，后曾入陕组织民军讨袁。1949年赴台湾。著有《右任诗存》《于右任诗词集》。

鉴赏

《汶川纪行》共七首，此其一，作者自注云："在灌县一日，游伏龙关、二王庙，并观索桥。"灌县今置都江堰市，举世闻名的古代水利工程都江堰在焉。此工程由鱼嘴、飞沙堰、宝瓶口三部分组成。鱼嘴建在江心，把岷江劈为内外二江，外江排洪，内江灌溉；飞沙堰泄洪排沙，调节水量；宝瓶口状若瓶颈，为内江总引水口。这项水利工程相传是公元前256年蜀郡太守李冰父子率众修建，历二千余年，至今造福川西平原，而玉垒山麓的二王庙，就是为纪念李冰父子而修的。

二王庙前的安澜桥亦称索桥，是都江堰一大景观，它为行人提供交通和旅游设施。然而在索桥修建之前，此间仅有官渡可通。相传清顺治年间一位姓何的秀才，从妻子纺绩过程中得到启示，首议架桥。办法是以竹为缆，铺以木板，悬于江上。这项工程为两岸群众带来方便，又由于缺乏安全设施，而出了事故——赶集的人群踏翻索桥，落水身亡——于是何秀才锒铛入狱，成了牺牲品，索桥亦废。秀才娘子悲痛之余，并不服输。她从幼儿的摇篮不易倾覆得到启示，于嘉庆年间重建索桥，增设了两边的扶栏，获得了成功。后人因称之为“夫妻桥”。今日索桥仍仿原样而固之以钢索，就更加安全了。

无论是古代的李冰父子，还是传说中的秀才夫妇，他们的事迹都反映出我们中华民族的传统美德和高尚品质，那就是智慧勤劳、前仆后继、勇于献身的精神。作为追随中山先生从事国民革命数十年的元老，作者歌咏先贤往哲，其意固不止于李冰父子与秀才夫妇，这是诗的兴味所在。

这首诗颇具风调。作者对于先贤往哲的事迹，仅仅提到而已，并没有大唱赞歌。他似乎不经意地写道：“曾经玉垒关前望，父子河渠夫妇桥”，一种肃然起敬之意，一种心驰神往之情，溢于言表。而谓艰难劳苦之业绩为“佳话”及“迹未消”三字轻描淡写，无艰难劳苦之态而有举重若轻之力；“水迢迢”三字兴象超妙，扣佳话之“流传”不绝极切；“父子河渠”与“夫妇桥”的句中自对，更是信手拈来，天衣无缝，越读越有味。

（周啸天）

题张苍水集

柳亚子*

北望中原涕泪多，胡尘惨淡汉山河。
盲风晦雨凄其夜，起读先生正气歌。

作者

* 柳亚子(1887－1958)，原名慰高，字安如，更名人权，字亚庐，再更名弃疾，字亚子，江苏吴江人。1903年加入上海爱国学社，后又加入同盟会，积极参加革命活动。1909年与陈去病、高旭等创建南社。中华人民共和国成立后，当选为全国人大常委会委员。工诗词。其诗富有革命激情，风格悲壮雄健。著有《磨剑室诗集》《磨剑室词集》。

鉴赏

"张苍水"即张煌言，是明末清初著名的抗清英雄，曾以舟山为根据地，与郑成功联合，坚持抗清斗争达十九年，后因兵败，隐居于浙江南田，不久，为清军俘获，英勇就义。苍水诗朴质悲壮，诗集被清政府列为禁书，直到1901年，才由章炳麟整理出版。本诗名《题〈张苍水集〉》，既是对《张苍水集》的读后感，也是对晚清黑暗统治的揭露和对自己斗争的激励。诗作于1904年。

"北望中原涕泪多，胡尘惨淡汉山河。"这二句有实景有虚景，实中含虚，虚中有实。"涕泪多"，眼前实事也。"北望中原"只见"胡尘惨淡汉山河"，想象之词，虚景也，这是当时中国尤其是北方民族危亡形势的概括。1900年7月，英法联军攻陷天津，沙俄制造了骇人听闻的"海兰泡惨案"和"江东六十四屯血案"，杀我同胞一万多，并出动军队十五万，侵入东北三省。同年八月，英法联军攻入北京，西太后出逃。十月，沙俄侵占奉天、锦州，东北沦陷。次年九月，清政府被迫签订了丧权辱国的《辛丑条约》。1904年2月，日俄战争在山东爆发，清政府竟然划定“交战区”，严守中立……北望中（也即想象中）的中原汉家国土，几年来就是这样胡尘惨淡，血肉横飞，铁蹄蹂躏，瓜分豆剖，难免诗人“涕泪多”了。这“胡尘”，不仅指卖国的清王朝的反动统治，也兼指英、法、日、俄等帝国主义列强的侵略势力，他们同是践踏祖国美好河山的罪魁祸首。著一“望”字，拉开了空间距离，整个北方中原及东北广阔原野的凄惨之状，尽收眼底，使意境格外悲壮阔大。

“盲风晦雨凄其夜，起读先生正气歌。”“凄其”，凄凉也。二句情景相生，雄健有力。“盲风”句写眼前景，而帝国主义和中国封建势力相勾结统治下的中国，何尝不是一片血雨腥风、黑暗难明的沉沉长夜！末句一个“起”字，真有雷霆万钧之力。在这黑暗的夜晚，忧国忧民之心熬煎着诗人，他怎能高枕而卧！不禁跃然而起，展读《张苍水集》。顿时，张煌言爱国诗章给了他无穷的力量。张煌言的诗篇，简直就像南宋民族英雄文天祥的《正气歌》一样，那一章一页，均为爱国赤子的鲜血凝成，那凛然不可侵犯的民族气节，充满字里行间。诗到这里，作者振奋，读者也振奋，犹如黑暗中见到一线曙光，诗人有了希望，浑身有了力量。路怎么走？就像文天祥、张煌言那样，愤然而起，为国家民族英勇战斗，英勇献身，这是一个爱国志士面对帝国主义与清王朝残酷统治的唯一选择。

本诗想象丰富，感情真挚悲壮，意境阔大雄豪，采用虚实相生的手法，塑造了一个满怀忧愤而深夜展读爱国诗篇的诗人自我形象，堪称为一首壮丽雄浑的爱国辞章。

（李坤栋）

吊鉴湖秋女士

柳亚子

漫说天飞六月霜，珠沉玉碎不须伤。
已拼侠骨成孤注，赢得英名震万方。
碧血摧残酬祖国，怒潮呜咽怨钱塘。
于祠岳庙中间路，留取荒坟葬女郎。

鉴赏

秋瑾,是辛亥革命时期著名的反清女英雄。早年留学日本,加入同盟会。回国后主持大通学堂,与徐锡麟相约同时在浙江和安徽起义。徐在安庆起义失败后,秋瑾被捕,英勇牺牲。秋瑾牺牲后,柳亚子先生即作诗四首予以吊挽,这里选的是第四首。诗作于1907年。全诗通过对秋瑾自觉为祖国为革命事业献身精神的赞颂,表达了诗人对烈士沉痛的哀悼和景仰之情。

“漫说天飞六月霜,珠沉玉碎不须伤。”首联取反接法,大有天崩地裂,山摇地动之势。名震中外的女革命家秋瑾被反动的清政府残酷杀害了,犹如珍珠沉海,美玉砸碎,这对革命事业是何等巨大的损失!噩耗惊传,无异晴天霹雳,举国同悲,山河为之变色,真如战国时邹衍受诬下狱,“夏五月,天为之下霜”一样,可令人摧肝裂肺,悲痛欲绝了。但诗人偏言“漫说”(不要说),偏用“不须伤”,用以反说,这是无可奈何之辞,自我强解之语。因为人死不可复生,生命是不能挽回的,关键在于是否死得有价值,死得其所。诗人在悲痛之余,冷静地思考秋瑾死的意义,从而诗歌的颔联、颈联便把读者带到对秋瑾一生英雄业绩的评判上。

“已拼侠骨成孤注,赢得英名震万方。”秋瑾烈士一生是光辉灿烂的。已经为民主主义革命做了大量的工作。她敢于冲破封建的包办婚姻,离家赴日留学,“只身东海挟春雷”(秋瑾《黄海舟中日人索句并见日俄战争地图》),并创办《中国女报》,宣传革命,鼓吹妇女解放,就已是反封建的民主斗士了;她目睹清王朝的腐败和民族危亡迫在眉睫,毅然闺装换吴钩,“拼将十万头颅血,须把乾坤力挽回”(出处同上),积极联络人员,购买武器,筹集军饷,与徐锡麟策划武装起义,以推翻清王朝统治为己任,这更是惊天地、泣鬼神的壮举。孤注一掷,起义失败,虽然身首异处,但侠骨飘香,英名远震,“谁信红颜是党魁!”(柳亚子《吊鉴湖秋女士》第二首)简直强压须眉男子,惊世骇俗!作为烈士本人来说,是何等的骄傲和自豪!怎么不是死得其所,死得重如泰山!

“碧血摧残酬祖国,怒潮呜咽怨钱塘。”颈联上句承颔联而来,虽然血洒神州,但这是报效祖国,是烈士平生夙愿,而今得以实现,必当含笑九泉。下句翻进一层,引用春秋典故,说秋瑾英魂不灭,像伍子胥当年一样,虽为国冤屈而死,怨气也将化作钱塘江巨潮,际天而来,呜咽而去,“驱水为涛,以溺死人”,以此表达愤怒之情,显示不屈之威。两联结合,一个惊天地泣鬼神、"生当作人杰，死亦为鬼雄"的女革命家秋瑾的凛凛英雄形象便突兀在天地之间，如见其人，如闻其声。秋瑾真是虽死而未死，其英雄业绩影响至广，感人至深。其激奋人力，有如钱塘江巨浪，千古不灭，待时而兴，千百万民众将被吸引过来，投入到反清爱国的战斗中去。这是进一步地肯定和高度赞扬秋瑾的丰功伟绩，高度评价她牺牲的伟大意义。伍子胥爱国而死，千百年来一直受到人们的景仰，秋瑾爱国而死，也一样万古流芳。正因为如此，再不要说噩耗惊传，天愁地怨了。虽然珠沉玉碎，何须悲伤呢！这也是对首联的说明，前后连贯，理直气壮，实为不刊之论。

"于祠岳庙中间路，留取荒坟葬女郎。"尾联写景作结，用耐人寻味的字句照应题目，赞颂英雄。于谦的祠与岳飞的庙均在杭州西湖畔。秋瑾牺牲后，其女友徐寄尘等冒死为烈士建墓于西湖西泠桥边。与岳坟连拢，这是后人所为，而诗人偏着"留取"二字，似乎朱明时代就知道数百年后中国要出一位为革命牺牲的女革命家，因而在于祠岳庙中间专门留出一片空地，待数百年后好埋葬秋瑾烈士的忠骨，使人们更方便拜谒这三位民族英雄。尾联上句下一"路"字很妙。路是让人走的，怎能做坟呢？何不改为"地""土"，似乎更恰当些呢？其实不然。此路是凭吊岳飞、于谦必经之路，而今葬秋瑾于"路"中，便居于"于祠岳庙中间"，中为主、为尊，使凭吊之人首先拜谒的是秋瑾大墓（荒坟、大土堆也），这既将烈士与岳飞、于谦并列，又似乎有意将秋瑾置于岳飞、于谦之上。岳飞、于谦是忠于封建王朝抵御外侮的民族英雄，而秋瑾是反帝反封建的革命家。诗人是独具慧眼的，我们不能没有领会。

全诗艺术上也有很高造诣。首先是比喻和用典均非常准确自然。"天飞六月霜"，喻烈士牺牲后，天地为之反常，这用的是《太平御览》卷十四所引《淮南子》载战国时邹衍的传说；"珠沉玉碎"，喻烈士的牺牲。"珠沉"用黄庭坚《千秋岁》词，吊秦观云："重感慨，波涛万顷珠沉海。"同为挽歌，同样悲痛。"玉碎"用《北齐书·元景安传》："大丈夫宁可玉碎，不为瓦全。"慷慨激昂，用于秋瑾当之无愧，其他如以"碧血"指代烈士，用《庄子·外物》载苌弘的故事，"怒潮"句用《论衡·书虚篇》伍子胥的故事，"于祠"句中以岳飞、于谦比秋瑾，都非常切事、切人、切地，顺手拈来，恰到好处，毫无勉强拼凑之感。其次是语词的锤炼达到珠联璧合的地步。名词动词的有机配合，声音颜色字的相互为用，使得形象更加鲜明。如"天飞六月霜"，一个"飞"字，"霜"字，那霜风凄紧，山河披白吊忠魂的壮阔画面，便动态地呈现出来，何况是"六月"，熏风火烈的盛夏一下子霜雪满天，极度夸张、反衬的结果，令人异常惊骇，不用此，便不能表达极度哀痛的情愫。“珠沉玉碎”，珠与玉这色彩鲜明、纯洁珍贵之物，一“沉”一“碎”，比喻烈士牺牲之痛是自不待言的。“怒潮呜咽”，不仅带着强烈的感情，而且有声音，可诉诸视听二觉，读之尤为真切。这都是精心铸造词语的结果。

（李坤栋）

孤　愤

柳亚子

孤愤真防决地维，忍抬醒眼看群尸。
美新已见扬雄颂，劝进还传阮籍词。
岂有沐猴能作帝，居然腐鼠亦乘时！
宵来忽作亡秦梦，北伐声中起誓师。

鉴赏

从诗的内容看，似作于1915年。1912年，袁世凯在日本帝国主义的卵翼下，利用革命党和清王朝之间的矛盾，玩弄阴谋诡计，窃取了中华民国临时大总统的职位。1915年，袁世凯贿买其宪法顾问美国政客古德诺发表《共和与君主论》，公开污蔑中国人民知识水平太低，无研究政治之能力，鼓吹在中国实行君主制较共和制为宜。接着，袁世凯的日本顾问有贺长雄写了《共和宪法持久策》一书，胡说中国不适合于共和政体，必须集大权于袁世凯一身，国家才不会分裂。同时，袁世凯又授意杨度等组织“筹安会”，鼓吹复辟帝制。同年九月，在袁世凯的操纵下，“参议院”召开国民大会，十月，导演了一出“国体投票”丑剧，一致“恭戴今大总统袁世凯”为皇帝。就这样，袁世凯沐猴而冠，居然做起皇帝来了。诗人就在这样的背景下，用诗歌的形式对袁世凯及其爪牙如“筹安会”的跳梁小丑们进行了愤怒的谴责和无情的鞭笞，并表示了欲起而灭之的战斗渴望。

首联“孤愤真防决地维，忍抬醒眼看群尸”，诗人开门见山，用夸张的手法，借用远古传说，极写其愤慨之极，点明主题。“孤愤”，本《韩非子》篇名，指法术之士孤特无援，有经世之才而不见容于世的悲愤。这儿指对袁世凯及其爪牙们倒行逆施的复辟行径的愤慨。愤怒之极，有如远古神话中的共工氏怒而触不周山，致使天柱折，地维（古人想象中拴系大地四角的大绳子）断绝一样。何以有这样大的愤慨呢？因为简直不忍心睁眼去看那一群行尸走肉们的丑剧。这里，诗人怒发冲冠、热血沸腾、激情喷发的自我形象极成功地展现出来，这是时刻关心国家大事，无限热爱祖国民族，不忍群魔乱舞蹂躏祖国的革命战士的形象。

“美新已见扬雄颂，劝进还传阮籍词。”“群尸”究竟干了些什么罪恶勾当呢？何以引起诗人这样大的愤慨呢？原来袁世凯在仿效西汉大奸臣王莽的篡权行径，其虚伪赛过三国时的司马昭。“筹安会”的小人们有如扬雄一样的卑鄙，更像阮籍一样的猖狂。“新”是王莽篡权时的国号，“美新”，赞美“新”朝，取悦王莽。当时扬雄上《剧秦美新》文（见《文选》卷四十八），竭尽阿谀逢迎之能事。司马昭挟持魏元帝，被封为相国、晋公，加九锡，假装不受，司空郑冲率群臣劝进，其劝进词为阮籍所作（见《晋书·阮籍传》）。1915年8月，“筹安会”通电各省，鼓吹改行君主制，袁世凯在各地的爪牙纷纷响应，并派代表进京请愿，“筹安会”为代草请愿书。随后，由梁士诒发起，于9月19日在京成立“全国请愿联合会”，要求袁世凯称帝。颔联二句即指此事。联中“已”“还”二字极妙，表明袁世凯及其爪牙们一而再、再而三地导演丑剧。“一之为甚，其可再乎？”其愤慨之情，鄙夷之意，简直无以复加了。“岂有沐猴能作帝，居然腐鼠亦乘时！”写到这里，诗人的愤慨已达高潮，对这伙丧心病狂、倒行逆施的蟊贼不得不严加痛斥，不骂不足以解恨。“沐猴”，用《史记·项羽本纪》故事，项羽灭秦后不都关中，要富贵归故乡，被时人骂为“沐猴而冠”，终不能成事。“腐鼠”，这儿指代得腐鼠以为美味还怕别人夺去的鸱（猫头鹰），以喻袁氏伪朝丑类，用《庄子·秋水篇》的典故。袁世凯是什么东西？无非沐猴而冠而已，却逆潮流而动，居然称帝！袁世凯及其爪牙们有如贪食腐鼠的猫头鹰一类的怪物，玩弄鬼蜮伎俩，居然能乘时得势！这是何等怪人怪事，谁能料到呢！这里，诗人的满腔愤慨，对袁氏伪朝的蔑视痛斥，对历史颠倒的惊讶感愤，都通过“岂有”“居然”两个虚词作了充分表达，语气声口，有如耳闻目睹。

“宵来忽作亡秦梦，北伐声中起誓师。”尾联出人意料，大有山从天外飞来之势，突兀之极，遒劲之极。“宵来”，夜来也。白天忧时感愤，晚上夜不能寐，偶一睡着，梦中也在继续白天的激愤之情。如果说颈联愤慨已达高潮，那么尾联乃其余势也。对袁世凯这伙祸国殃民的蠹虫，怎么办？只有起而灭之！“楚虽三户，亡秦必楚!”袁世凯之倒行逆施,暴虐不仁,无异于秦始皇、秦二世。诗人作为楚人,又是反清反袁的志士仁人,责无旁贷地要挥师北伐。看吧,那千军万马已整装待进,诗人昂首阔步登上点将台,慷慨激昂地展读讨袁檄文,台上台下,金鼓齐鸣,呼声震动,大有排山倒海之势,雷霆万钧之力。诗人是何等兴奋啊!尾联以梦作结,宕开一笔,奇峰突起,看似另辟新境,实为全诗有机组成部分。如说前三联是因,那么尾联则是果,是感情暴发的必然之果,这对深化主题,照应首联,完善诗人自我形象,起到了锦上添花的作用。

此诗的最大成就,在于通过用典、对比和比喻,不仅揭露了袁世凯及其走狗的丑恶面目,而且塑造了一个忧国忧民、愤世嫉俗、决心拯国救民的爱国战士自我形象。这一自我形象,实为大批反袁斗争中的爱国志士及革命党人的缩影。本诗几乎句句用典,贴切自然,并不生涩隐晦,没有掉书袋和堆砌之感。首联言愤怒,颔联言愤怒之因,颈联通过痛斥将愤怒推向高潮,尾联将愤怒借梦化作实际行动,都是通过一系列贴切自然的典故来表达的。由于大量用典,使诗的内涵格外丰富。诗中对比和比喻也很突出。对比中有正比,也有反比。扬雄与阮籍,均为媚上的文人,以比“筹安会”一流谄谀者;沐猴与喜腐鼠的猫头鹰,喻袁世凯及其爪牙,这均为正比。诗中高洁爱国的诗人自我形象与袁世凯一流的卑鄙无耻的反动行径,形成鲜明的反比。通过对比,丑恶者更丑恶,美善者更美善。泾渭分明,判若天渊,具有很强的战斗力。

（李坤栋）

附　　录

一、本附录是为《元明清诗歌鉴赏辞典》的读者编制的书目，但求精要，不图齐全。以免收书过多，使读者目迷五色而不切实用。

二、本书目包括总集、别集、诗话三类。所收书均开列书名、卷数、撰注者及版本，必要时并加简略的说明。

三、凡收诗在一家以上的都入总集。总集中有博收广蓄，收多为贵者，这里酌收若干比较通行习见的，如读者在本书外需要知道更多的作者和诗篇，可找这类总集来翻阅。也有一些总集只是一般的选本，这里酌收若干比较著名的，以供读者阅读本书时比较参考。

四、凡只收一个人的作品的都入别集。有些别集以文集为名，其实诗文兼收，也都列出。有少数别集经后人作了注，则开列有注的本子。

五、诗话只限于讲评元、明、清诗的那些，即使是元、明、清人所撰述的诗话，但并未涉及元、明、清诗的，则一概不收。讲评元、明、清的诗话也很多，这里只酌收其有价值和有影响的。

六、本书目所收总集只限于民国以前，最迟也是民国时人编选的，今人编选的则暂不收。今人编著的别集择优选收，选本不收，今人撰写的诗话也不收。

七、书的版本则是尽量开列新印易得的。无新印本则开列过去通行的铅印本、影印本，无铅印本、影印本才开列清刻本，明刻本难见到，概不列出。

总　集

中州集　十卷　金元好问编　1959 年中华书局排印本　这是金诗总集,辑录作家二五一人,作品二千余首。

元诗选　卷首　一卷　初集　六十八卷　二集　二十六卷　三集　十六卷　清顾嗣立编　1987 年中华书局本　这是元诗最详备的大型选本,每家之前有小传,有诗话。

列朝诗集　乾集　二卷　甲前集　十一卷　甲集　二十二卷　乙集　八卷　丙集　十六卷　丁集　十六卷　闰集　六卷　清钱谦益编　清顺治九年汲古阁刻本　这是明诗的最详备的大型选本,每家之前有小传、诗话。

明诗综　一百卷　清末朱彝尊编　清康熙四十四年刻本,影印四库全书本　这是不满上列钱书而重编的,也有小传、诗话,但常删改原诗,实不如钱书,只缘钱书在清乾隆时遭禁,致仅此朱编通行。

晚晴簃诗汇　二百卷　总目　二卷　目一卷　姓氏韻编　一卷　民国徐世昌编　民国十八年退耕堂刻本　这是清诗的最详备的大型选本,有小传、诗话,但其书实由多人分纂,质量远不如上列元、明三种大型诗选。

河汾诸老诗集　八卷　元房祺编　四部丛刊影印影元钞本 1959 年中华书局上海编辑所本　这是由金入元的八家作品的选本。

二妙集　八卷　元段成己、段克己兄弟诗集　影印四库全书本

国朝文类　七十卷　元苏天爵编　四部丛刊影印元至正二年西湖书院刻本　这是元中叶时编选的元诗文总集,后人也称之为《元文类》,卷二至八是诗选。

皇元风雅　前集　十二卷　后集　十二卷　元傅习、孙存吾编　四部丛刊影印朝鲜影元刻本　这也是元人所选元诗。

元诗别裁集　八卷　清张景星、姚培谦、王永祺编　1975 年上海古籍出版社本　这是元诗的最简略的选本,中华书局影印清乾隆二十九年刻本,虽通行,但质量不高。

皇明文衡　一百卷　明程敏政编　四部丛刊影印明嘉靖六年刻本　这是明中叶编选的,卷四是乐府诗。

天启崇祯两朝遗诗　初集　八卷　续集　二卷　清陈济生编　1958 年中华书局上海编辑所影印清顺治刻本　这是钱谦益《列朝诗集》的续编,在清代曾遭禁毁。

明诗别裁集　十二卷　清沈德潜、周准编　1975 年中华书局影印清乾隆四年刻本　1979 年上海古籍出版社本　这是根据《列朝诗集》《明诗综》选编的,略优于《元诗别裁集》。

明遗民诗　十六卷　清卓耳堪编　1961 年中华书局上海编辑所本　这是明遗民诗的选编,多因人存诗。

箧衍集　十二卷　清陈维崧编　清康熙三十一年蒋国祥刻本　这是清初人诗的一个著名选本。

感旧集十六卷　清王士禛编　清乾隆十七年卢见曾刻本　这是清初人诗的另一个著名选本。

清诗别裁集　三十二卷　清沈德鸿编　1975 年中华书局影印清乾隆二十五年刻本　1979 年上海古籍出版社本　这是清顺治到乾隆初年的诗选,乾隆二十四年初刻本三十六卷,中华书局和上海古籍出版社印的都已是修订本,以后到乾隆二十六年还有由翰林院修订的钦订本。

别 集

元遗山诗集笺注　八卷　元元好问撰　清施国祁笺注　1958 年人民文学出版社本

静修先生文集　二十二卷　元刘因撰　四部丛刊影印元至顺元年宗文堂刻本

湛然居士文集　十四卷　元耶律楚材撰　1986 年中华书局本

陵川集　三十九卷　附录　一卷　元郝经撰　影印四库全书本

鲁斋遗书　八卷　附录　二卷　元许衡撰　影印四库全书本

淮阳集　一卷　附录诗余　一卷　元张弘范撰　影印四库全书本

桐江续集　三十七卷　元方回撰　影印四库全书本

伯牙琴　一卷　元邓牧撰　影印四库全书本

剡源戴先生文集　三十卷　元戴表元撰　四部丛刊影印明万历九年戴洵刻本

松雪斋文集　十卷　外集　一卷　元赵孟頫撰　四部丛刊影印元后至元五年沈伯玉刻本

月屋漫稿　一卷　元黄庚撰　影印四库全书本

石田集　十五卷　元马祖常撰　影印四库全书本

观光稿　一卷　交州稿　一卷　玉堂稿　一卷　附录　一卷　元陈孚撰　影印四库全书本

翠寒集　一卷　啽　呓集　一卷　元宋无撰　民国十五年商务印书馆影印明崇祯十一年汲古阁元人十种诗本　影印四库全书本仅有翠寒集

道园学古录　五十卷　元虞集撰　影印四库全书本

云林集　六卷　附录　一卷　元贡奎撰　影印四库全书本

归田类稿　二十四卷　元张养浩撰　影印四库全书本

金华黄先生文集　四十三卷　元黄溍撰　四部丛刊影印元刻本

翰林杨仲弘诗集　八卷　元杨载撰　四部丛刊影印明嘉靖十五年刻本

范德机诗集　七卷　元范梈撰　四部丛刊影印影元钞本

揭傒斯全集　十四卷　元揭傒斯撰　1985 年上海古籍出版社本

傅与砺诗文集　二十卷　元傅若金撰　影印四库全书本

雁门集　十四卷　元萨都剌撰　1982年上海古籍出版社本

东维子文集　三十卷　附录　一卷　元杨维桢撰　四部丛刊影印清钞本

铁崖先生古乐府　十卷　复古诗集　六卷　元杨维桢撰　四部丛刊影印明成化五年刻本

纯白斋类稿　二十卷　附录　二卷　元胡助撰　影印四库全书本

秋声集　四卷　元黄镇成撰　影印四库全书本

蜕庵集　五卷　元张翥撰　四部丛刊续编影印明洪武十年刻本

金台集　二卷　元迺贤撰　商务印书馆影印元人十种诗本　影印四库全书本　　迺贤已为馆臣擅改为纳新

居竹轩集　十六卷　元成廷珪撰　影印四库全书本

不系舟渔集　九卷　元陈高撰　影印四库全书本

滦宗杂咏　一卷　元杨允孚撰　影印四库全书本

倪云林先生诗集　六卷　附录　一卷　元倪瓒撰　四部丛刊影印明天顺四年刻本

竹斋集　三卷　续集　一卷　附录　一卷　元王冕撰　影印四库全书本

咏物诗　一卷　元谢宗可撰　影印四库全书本

青村遗稿　一卷　元金涓撰　影印四库全书本

小亨集　六卷　元杨宏道撰　影印四库全书本

诚意伯文集　二十卷　明刘基撰　四部丛刊影印明隆庆六年刻本

宋学士銮坡集　十卷　銮坡后集　十卷　翰苑续集　十卷　翰苑别集　十卷　芝园前集　十卷　芝园后集　十卷　芝园续集　十卷　朝京稿　五卷　明宋濂撰　四部丛刊影印明正德九年刻本

张光弼诗集　七卷　明张昱撰　四部丛刊续编影印明钞本

高青丘集　十八卷　遗诗　一卷　凫藻集　五卷　扣舷集　一卷　附录　一卷　明高启撰　清金檀辑注　1985年上海古籍出版社本

眉庵集　十二卷　补遗　一卷　明杨基撰　四部丛刊三编影印明成化二十年刻本

静居集　四卷　明张羽撰　四部丛刊三编影印明弘治四年刻本

北郭集　六卷　明徐贲撰　四部丛刊三编影印明成化二十三年刻本

海叟集　四卷　集外诗　一卷　明袁凯撰　影印四库全书本

鸣盛集　四卷　明林鸿撰　影印四库全书本

虚舟集　五卷　明王偁撰　影印四库全书本

逊志斋集　二十四卷　附录　一卷　明方孝孺撰　四部丛刊影印明嘉靖四十年刻本

文毅集　十六卷　明解缙撰　影印四库全书本

东里文集　九十七卷　别集　四卷　明杨士奇撰　影印四库全书本

于忠肃集　十三卷　明于谦撰　影印四库全书本

怀麓堂集　一百卷　明李东阳撰　影印四库全书本

匏翁家藏集　七十七卷　补遗　一卷　明吴宽撰　四部丛刊影印明正德刻本

石田诗选　十卷　明沈周撰　影印四库全书本

空同集　六十六卷　明李梦阳撰　影印四库全书本

华泉集　十四卷　明边贡撰　影印四库全书本

王文成公全书　三十八卷　明王守仁撰　四部丛刊影印明隆庆刻本

大复集　三十八卷　明何景明撰　影印四库全书本

迪功集　六卷　附谈艺录　一卷　明徐桢卿撰　影印四库全书本

升庵集　八十一卷　明杨慎撰　影印四库全书本

甫田集　三十五卷　附录　一卷　明文徵明撰　影印四库全书本

遵岩集　二十五卷　明王慎中撰　影印四库全书本

皇甫少元集　二十六卷　外集　十卷　明皇甫涍撰　影印四库全书本

皇甫司勋集　六十卷　明皇甫汸撰　影印四库全书本

荆川先生文集　十七卷　外集　三卷　明唐顺之撰　四部丛刊影印明万历元年刻本

震川先生集　三十卷　别集　十卷　附录一卷　明归有光撰　1981 年上海古籍出版社本

张太岳集　四十七卷　明张居正撰　1984 年上海古籍出版社影印明万历四十年刻本

杨忠愍集　二卷　附录　一卷　明杨继盛撰　影印四库全书本

沧溟集　三十卷　附录　一卷　明李攀龙撰　影印四库全书本

弇州山人四部稿　一百七十四卷　续稿　二百七卷　明王世贞撰　影印四库全书本

四溟集　十卷　明谢榛撰　影印四库全书本

梁比部诗集　三卷　明梁有誉撰　清康熙刻本

宗子相集　十五卷　明宗臣撰　影印四库全书本

止止堂集　五卷　明戚继光撰　清光绪十四年山东书局刻本

徐渭徐文长三集　二十九卷　徐文长逸稿　二十四卷　徐文长佚草七卷　四声猿补编　明徐渭撰　1983 年中华书局本

焚书　六卷　增补　二卷　续焚书　五卷　明李贽撰　1975 年中华书局本

汤显祖诗文集　五十卷　附录　一卷　明汤显祖撰　徐朔方重编笺校　1982 年上海古籍出版社本

幔亭诗集　十五卷　明徐熥撰　影印四库全书本

高子遗书　十二卷　附录　一卷　明高攀龙撰　影印四库全书本

袁宏道集笺校　五十五卷　附录　三卷　明袁宏道撰　钱伯城笺校　1981 年上海古籍出版社本

檀园集十二卷　明李流芳撰　影印四库全书本

陈子龙诗集　十八卷　附录　四卷　明陈子龙撰　1983 年上海古籍出版社本

浮山文集前编　十卷　明方以智撰　清康熙刻本

陶庵全集　二十二卷　明黄淳耀撰　影印四库全书本

夏完淳集　十四卷　明夏完淳撰　1959 年中华书局上海编辑所本

张苍水集　四编　附录　一卷　明张煌言撰　1985 年上海古籍出版社本

邝海雪集笺　十二卷　明邝露撰　清邝廷瑶笺　清咸丰元年刻本

林茂之诗选　二卷　清林古度撰　清王士禛选　清康熙四十九年刻本

牧斋初学集　一百十卷　清钱谦益撰　清钱曾笺注　1985 年上海古籍出版社本

牧斋有学集　五十卷　校补　二卷　清钱谦益撰　四部丛刊影印清康熙三年刻本　校补据清金匮山房刻本

舜水文集　二十五卷　清朱之瑜撰　民国二年汤寿潜印舜水遗书本

冯氏小集　三卷　钝吟集　三卷　别集　一卷　余集　一卷　游仙诗一卷　集外诗　一卷　乐府　一卷　文稿　一卷　杂录　十卷　清冯班撰　民国十四年常熟二冯先生集本

阎古古全集　六卷　清阎尔梅撰　民国十一年印本

霜红龛集　四十卷　附录　三卷　年谱　一卷　清傅山撰　清宣统三年刻本

沉吟楼诗选　一卷　清金人瑞撰　1979 年上海古籍出版社影印清钞本

梅村家藏稿　五十八卷　补一卷　年谱　四卷　清吴伟业撰　四部丛刊影印清宣统三年董康刻本　所收诗多于注本

吴梅村诗集笺注　十二卷　诗余　一卷　诗话　一卷　清吴伟业撰　清程穆衡笺　清杨学沆补注　1983年上海古籍出版社影印清乾隆保蕴楼藏本

吴诗集览　二十卷　谈薮　二卷　清吴伟业撰　清靳荣藩注　四部备要书

吴梅村诗集笺注　十八卷　清吴伟业撰　清吴翌凤笺注　民国二十五年世界书局本

黄梨洲诗集　四卷　补遗　一卷　清黄宗羲撰　1959年中华书局本

变雅堂全集　十四卷　清杜濬撰　清道光刻本

巢民诗集　六卷　文集　七卷　清冒襄撰　清康熙刻本

李笠翁一家言全集　十六卷　清李渔撰　清雍正八年刻本

田间诗集　二十八卷　清钱澄之撰　清康熙刻本

嵞山集　十二卷　续集　四卷　再续集　五卷　清方文撰　1979年上海古籍出版社影印清康熙八年刻本

归庄集　十卷　清归庄撰　1984年上海古籍出版社本

顾亭林诗集汇注　六卷　附集外诗存诗谱附录　清顾炎武撰　王蘧常辑注　1983年上海古籍出版社本

安雅堂诗　一卷　未刻稿　五卷　八蜀集　一卷　清宋琬撰　四部备要本

定山堂诗集　四十三卷　诗余　四卷　清龚鼎孳撰　清光绪九年刻本

四忆堂诗集　六卷　遗稿　一卷　清侯方域撰　四部备要本

吴嘉纪诗笺校　十五卷　附录　七卷　清吴嘉纪撰　杨积庆笺校　1980年上海古籍出版社本

学余堂文集　二十八卷　诗集　五十卷　外集　二卷　清施闰章撰　影印四库全书本

王船山诗文集　二十八卷　清王夫之撰　1983年中华书局本

东苑诗钞　一卷　清毛先舒撰　清康熙刻本

溉堂前集　九卷　后集　六卷　续集　六卷　文集　五卷　诗余　二卷　清孙枝蔚撰　1979年上海古籍出版社影印康熙二十三年刻本

一木堂诗稿　十二卷　清黄生撰　清康熙刻本

西河合集　一百七十九卷　清毛奇龄撰　影印四库全书本

魏叔子文集外篇　二十二卷　目录　三卷　诗集　八卷　清魏禧撰　清道光二十五年刻宁都三魏全集本

尧峰文钞　四十卷　清汪琬撰　四部丛刊影印清康熙三十二年刻本

改亭文集　十六卷　诗集　六卷　清计东撰　清乾隆刻本

陈迦陵文集　六卷　俪体文集　十卷　湖海楼诗集　八卷　迦陵词　三十卷　清陈维崧撰　四部丛刊影印清康熙刻本

万山楼诗钞　二卷　清许虬撰　清康熙刻本

姜西溟全集　三十二卷　清姜宸英撰　清光绪刻本

拗堂诗集　八卷　清景星杓撰　清乾隆七年刻本

观树堂诗集合刻　十五卷　清朱樟撰　清乾隆刻本

六莹堂集　九卷　二集　八卷　清梁佩兰撰　清康熙刻本

曝书亭集　八十卷　附笛渔小稿　十卷　清朱彝尊撰　四部丛刊影印清康熙刻本

曝书亭集诗注　二十二卷　年谱　一卷　清杨谦撰　清乾隆刻本

道援堂诗集　十二卷　词　一卷　清屈大均撰　清道光刻本

松桂堂全集　三十七卷　延露词　三卷　南淮集　三卷　清彭孙遹撰　影印四库全书本

秋笳集　八卷　附录　一卷　清吴兆骞撰　丛书集成本

独漉堂诗集　十五卷　文集　十五卷　清陈恭尹撰　清道光五年刻本

瓯香馆集　十二卷　补遗诗　一卷　补遗画跋　一卷　附录　一卷　清恽格撰　丛书集成本

受祺堂诗集　三十四卷　清李国笃撰　清康熙刻本

渔洋山人精华录训纂　十卷　年谱　二卷　清王士禛撰　清惠栋训纂　四部备要本

渔洋山人精华录笺注　十二卷　补注　一卷　续补注　一卷　续录笺注　一卷　清王士禛撰　清金荣笺注　清雍正乾隆刻本

西陂类稿　三十九卷　清宋荦撰　影印四库全书本

古欢堂集　三十六卷　黔书　二卷　长河志籍考　十卷　清田雯撰　影印四库全书本

绀寒亭文集　四卷　诗集　十卷　清赵俞撰　清康熙刻本

南州草堂集　三十卷　首一卷　枫江渔父图题词　一卷　青门集　一卷　续集　四卷　菊庄词甲集　一卷　二集　一卷　清徐釚撰　清康熙刻本

问山文集　八卷　诗集　十卷　紫云词　一卷　清丁炜撰　清咸丰四年刻本

邵青门全集　三十卷　邵氏家录　二卷　清邵长蘅撰　清光绪二十三年刻常州先哲遗书本

蒲松龄集诗集　五卷　续录　一卷　清蒲松龄撰　1962 年中华书局上海编辑所本

莲洋诗钞　十卷　清吴雯撰　影印四库全书本

昆仑山房诗集残稿　一卷　清张笃庆撰　民国刻本

稗畦集　稗畦续集　清洪昇撰　1957 年古典文学出版社本

遂初堂集　四十卷　清潘耒撰　清康熙刻本

孔尚任诗文集　八卷　清孔尚任撰　1962 年中华书局本

南村诗集　二十二卷　文　二卷　清潘高撰　清康熙刻本

敬业堂诗篇　五十卷　续集　六卷　补遗　一卷　附录　一卷　清查慎行撰　1986 年上海古籍出版社本

查浦诗钞　十二卷　清查嗣瑮撰　清康熙六十一年刻本

通志堂集　二十卷　清纳兰性德撰　1979 年上海古籍出版社影印清康熙刻本

楝亭集　十五卷　清曹寅撰　1973 年上海古籍出版社影印清康熙刻本

因园集　十三卷　清赵执信撰　影印四库全书本

归愚诗钞　二十卷　诗余　一卷　归愚文钞　二十卷　诗钞余集　十卷　文钞余集　八卷　浙江省通志图说　一卷　说诗晬语　二卷　归田集　一卷　附设赠　一卷　天音集　四卷　九十寿诗　一卷　黄山游草　一卷　南巡诗　一卷　自订年谱　一卷　清沈德潜撰　清乾隆刻本

晚事诗钞　四卷　清塞尔赫撰　清乾隆十四年刻本

秋江集注　六卷　清黄任撰　清王元麟注　清道光二十三年刻本

野航诗集　二卷　清王丹林撰　清康熙五十二年刻本

长吟阁诗集　十卷　清黄子云撰　清乾隆十八年刻本

沙河逸老小稿　六卷　清马曰琯撰　丛书集成本

樊榭山房集　十卷　续集　十卷　文集　八卷　集外诗　三卷　又一卷　集外词　四卷　又一卷　集外曲　二卷　清厉鹗撰　四部丛刊影印清光绪十年刻本

郑板桥集　六辑　清郑燮撰　1979 年上海古籍出版社本

海珊诗钞　十一卷　补遗　二卷　附明史杂咏　四卷　清严遂成撰　清乾隆刻本

石笥山房文集　六卷　补遗　一卷　诗集　十一卷　诗余　一卷　补遗　二卷　续补遗　二卷　年谱　一卷　清胡天游撰　清咸丰二年刻本

道古堂文集　四十八卷　诗集　二十六卷　集外诗　一卷　集外文一卷　轶事　一卷　清杭世骏撰　清光绪十四年刻本

海峰诗集古体　五卷　今体　六卷　清刘大櫆撰　清康熙刻本

文木山房集　六卷　清吴敬梓撰　1957年古典文学出版社本

吴敬梓集外诗　清吴敬梓撰　范宁编　1958年科学出版社本

援鹑堂诗集　七卷　文集　六卷　清姚范撰　清嘉庆刻本

丁辛老屋集　二十卷　清王又曾撰　清乾隆四十年刻本

萚石斋诗集　五十卷　清钱载撰　清乾隆刻本

小仓山房诗集　三十七卷　诗集补遗　二卷　文集　三十五卷　外集　八卷　清袁枚撰　四部备要本

铜鼓书堂遗稿　三十二卷　清查礼撰　清乾隆五十三年刻本

西庄始存稿　四十卷　附　一卷　清王鸣盛撰　清乾隆三十一年刻本

纪文达公遗集　文　十六卷　诗　十六卷　清纪昀撰　清嘉庆十七年刻本

春融堂集　六十八卷　述庵年谱　二卷　杂记　八卷　清王昶撰　清嘉庆十三年刻本

忠雅堂文集　十二卷　诗集　二十七卷　补遗　二卷　铜絃词　二卷　清蒋士铨撰　清道光二十三年刻本

瓯北诗钞　十八卷　清赵翼撰　清乾隆五十年刻本

潜研堂文集　五十卷　诗集　十卷　诗续集　十卷　清钱大昕撰　四部丛刊影印清嘉庆十一年刻本

懋斋诗钞　一卷　清敦敏撰　1955年文学古籍刊行社本

四松堂集　清敦诚撰　1955年文学古籍刊行社本

理堂文集　十卷　外集　一卷　诗集　四卷　日记　八卷　清韩梦周撰　清道光四年刻本

惜抱轩文集　十六卷　诗集　十卷　清姚鼐撰　四部丛刊影印清嘉庆刻本

复初斋诗集　七十卷　清翁方纲撰　清嘉庆刻本

复初斋集外诗　二十四卷　集外文　四卷　清翁方纲撰　民国七年嘉业堂刻本

竹初文钞　六卷　诗钞　十六卷　鹦鹉媒　二卷　乞食图　二卷　清钱维乔撰　清嘉庆十三年刻本

崔东壁遗书知非集　一卷　清崔述撰　1983年上海古籍出版社本

汪容甫遗诗　五卷　补遗　一卷　附录　一卷　清汪中撰　四部丛刊影印清道光刻本

洪北江诗文集　六十六卷　年谱　一卷　清洪亮吉撰　四部丛刊影印

清嘉庆刻本

有正味斋诗集　十六卷　诗续集　八卷　诗外集　五卷　骈体文集　二十四卷　骈文续集　八卷　词集　八卷　词续集　二卷　词外集　一卷　清吴锡麟撰　清嘉庆刻本

五百四峰堂诗钞　二十五卷　清黎简撰　清嘉庆刻本

两当轩集　二十卷　考异　二卷　附录　八卷　清黄景仁撰　1983 年上海古籍出版社本

孙渊如诗文集　二十一卷　附长商阁集　一卷　清孙星衍撰　四部丛刊影印清嘉庆刻本

存素堂诗初集录存　二十四卷　诗稿　一卷　续　一卷　诗二集　八卷　续　一卷　清法式善撰　清嘉庆十二年刻本

留春草堂诗钞　七卷　清伊秉绶撰　清嘉庆十九年刻本

渊雅堂编年诗稿　二十卷　惕甫未定稿　二十六卷　诗外集　二卷　瑶想词　一卷　读赋卮言　一卷　文外集　四卷　文续稿　一卷　编年诗续稿　一卷　清王芑孙撰　清嘉庆刻本

坚白石斋诗集　十六卷　清李銮宣撰　清嘉庆二十四年刻本

烟霞万古楼诗选　二卷　清王昙撰　丛书集成本

仲瞿诗录　一卷　清王昙撰　清徐渭仁辑　丛书集成本

雕菰集　二十四卷　清委员会焦循撰　丛书集成本

船山诗草　二十卷　补遗　六卷　清张问陶撰　1986 年中华书局本

研经堂一集　十四卷　二集　八卷　三集　五卷　四集　二卷　诗十二卷　续集　十一卷　外集　五卷　清阮元撰　四部丛刊影印清道光刻本

瓶水斋诗集　十七卷　诗别集　二卷　清舒位撰　丛书集成本

灵芬馆诗初集　四卷　诗二集　十卷　诗三集　四卷　词　六卷　江行日记　一卷　樗园消夏录　三卷　录舍石例补　二卷　三国志蒙拾　二卷　杂著　二卷　杂著续编　四卷　杂著三编　八卷　爨余丛话　四卷　诗四集　四卷　诗续集　九卷　诗话　十二卷　诗话续　六卷　爨余集诗词　二卷　清郭麐撰　清嘉庆十二年刻本

碧城仙馆诗　八卷　清陈文述撰　丛书集成本

简学斋诗存　四卷　诗删　四卷　清陈沆撰　清咸丰二年刻本

养一斋集　二十六卷　清潘德舆撰　清道光二十九年刻本

程侍郎遗集　十卷　附录　一卷　清程恩泽撰　丛书集成本

龚自珍全集　十一辑　清龚自珍撰　1975 年上海人民出版社本

听松庐诗钞　十六卷　清张维屏撰　清道光刻本

云左山房诗钞　八卷　诗余　一卷　清林则徐撰　清光绪十二年刻本

魏源集　十卷　清魏源撰　1976 年中华书局本

思伯子堂诗集　三十二卷　清张际亮撰　清同治六年刻本

东洲草堂诗钞　二十七卷　诗余　一卷　清何绍基撰　清同治六年刻本

怡志堂文初编　六卷　诗初编　八卷　清朱琦撰　清同治三年刻本

衣瀌山房诗集　八卷　诗外集　一卷　赋钞　一卷　清林昌彝撰　清同治二年刻本

通甫类稿　四卷　续编　二卷　诗存　四卷　诗存之余　二卷　清鲁一同撰　清咸丰九年刻本

复庄骈体文榷　八卷　二编　八卷　诗问　三十四卷　疏影楼词　五卷　清姚燮撰　清咸丰四年刻本

倚晴楼诗集　十二卷　续集　四卷　诗余　四卷　帝女花传奇　二卷　桃溪雪传奇　二卷　清黄燮清撰　清咸丰至同治间刻本

巢经巢诗钞　九卷　后集　四卷　清郑珍撰　清光绪二十三年刻本

咄咄吟　二卷　附录　一卷　清贝青乔撰　民国三年嘉业堂刻本

秋蟪吟馆诗钞　七卷　清金和撰　民国五年刻本

白华绛跗阁诗初集　十卷　清李慈铭撰　清光绪十六年刻本

人境庐诗草笺注　十三卷　清黄遵宪撰　钱仲联笺注　1981 年上海古籍出版社本

后乐堂文钞　九卷　诗存　一卷　文钞续编　九卷　清陈玉树撰　清光绪二十五至二十七年排印本

畏庐诗存　二卷　清林纾撰　民国排印本

散原精舍诗　二卷　续集　三卷　清陈三立撰　清宣统二年商务印书馆本

南海诗集　四卷　清康有为撰　清宣统三年日本影印本

岭云海日楼诗钞　十三卷　选外集　一卷　清丘逢甲撰　1983 年上海古籍出版社本

饮冰室合集文集　第十六册诗　清梁启超撰　民国二十五年中华书局本

秋瑾集　清秋瑾撰　1960 年中华书局上海编辑所本

诗　话

元诗纪事　四十五卷　清陈衍撰　1987 年上海古籍出版社本　这是仿照宋计有功《唐诗纪事》和清厉鹗《宋诗纪事》撰集的大型著作兼具诗话和诗选性质，和顾嗣立的《元诗选》有同样的价值。

明诗纪事甲签　三十卷　乙签　二十二卷　丙签　十二卷　丁签　十七卷　戊签　二十二卷　己签　二十卷　庚签　三十卷　辛签　三十四卷　清陈田撰　商务印书馆万有文库第二集本　这也是仿照《唐诗纪事》《宋诗纪事》撰集的，和《列朝诗集》《明诗综》有同样的价值。

清诗纪事　初编　八卷　邓之诚撰　1984 年上海古籍出版社本　这部书的名称和元、明两纪事相同，但体例颇有出入，所选诗均着眼于可以证史者，所撰小传亦远较元、明两纪事详备，但只撰写了顺治、康熙两朝。

归田诗话　二卷　明瞿佑撰　1983 年中华书局历代诗话续编本　有论元诗处。

升庵诗话　十四卷　附录　一卷　明杨慎撰　历代诗话续编本　有论元明诗处。

艺苑卮言　八卷　明王世贞撰　历代诗话续编本　有论元明诗处。

艺圃撷余　一卷　明王世懋撰　1981 年中华书局历代诗话本　有论元明诗处。

存余堂诗话　一卷　明朱承爵撰　历代诗话本　有论明诗处。

夷白斋诗话　一卷　明顾元庆撰　历代诗话本　论元明诗。

国雅品　一卷　明顾起纶撰　历代诗话续编本　论明诗。

逸老堂诗话　二卷　明俞弁撰　历代诗话续编本　有论明诗处。

南濠诗话　一卷　明都穆撰　历代诗话续编本　有论元明诗处。

麓堂诗话　一卷　明李东阳撰　历代诗话续编本　有论元明诗处。

四溟诗话　四卷　明谢榛撰　历代诗话续编本　有论元明诗处。

薑斋诗话　二卷　清王夫之撰　1978 年上海古籍出版社清诗话本　有论元明诗处。

诗辩坻　四卷　清王先舒撰　1983 年上海古籍出版社清诗话续编本　有论元明诗处。

春酒堂诗话　一卷　清周容撰　清诗话续编本　有论明诗处。

抱真堂诗话　一卷　清宋征璧撰　清诗话续编本　有论明诗处。

诗筏　一卷　清贺贻孙撰　清诗话续编本　有论明诗处。

载酒园诗话　三卷　清贺裳撰　清诗话续编本　有论明人诗话处。

围炉诗话　六卷　清吴乔撰　清诗话续编本　有论明诗处。

梅村诗话　一卷　清吴伟业撰　清诗话本　论明清之间诗。

带经堂诗话　三十卷　清王士禛撰　清张宗柟辑　1963 年人民文学出版社本　有论元明及清初诗处。

谈龙录　一卷　清赵执信撰　清诗话本　有论清初诗处。

蠖斋诗话　一卷　清施闰章撰　清诗话本　有论元明及清初诗处。

漫堂说诗　一卷　清宋荦撰　清诗话本　有论元明及清初诗处。

古欢堂集杂著　四卷　清田雯撰　清诗话续编本有论元明及清初诗处。

西圃诗说　一卷　清田同之撰　清诗话续编本　有论元明及清初诗处。

兰丛诗话　一卷　清方世举撰　清诗话续编本　有论清初诗处。

岘斋诗谈　八卷　清张谦宜撰　清诗话续编本　有论元明及清初诗处。

龙性堂诗话初集　一卷　编集　一卷　清叶矫然撰　清诗话续编本　有论元明及清初诗处。

莲坡诗话　一卷　清查为仁撰　清诗话本　论清诗。

说诗晬语　二卷　清沈德潜撰　清诗话本　有论元明诗处。

原诗　四卷　清叶燮撰　清诗话本　有论元明清诗处。

剑溪说诗　二卷　又编　一卷　清乔亿撰　清诗话续编本　有论元明清诗处。

随园诗话　十六卷　补遗　十卷　清袁枚撰　1982 年人民文学出版社本　论清诗。

瓯北诗话　十二卷　清赵翼撰　清诗话续编本　卷八至十论元好问、高启、吴伟业、查慎行诗。

石洲诗话　八卷　清翁方纲撰　清诗话续编本　有论元诗处。

雨村诗话　二卷　清李调元撰　清诗话续编本　有论元明诗处。

静居绪言　一卷　清阙名撰　清诗话续编本　有论元诗处。

国朝诗话　二卷　清杨际昌撰　清诗话续编本　论清诗。

拜经楼诗话　四卷　清吴骞撰　清诗话本　有论明清诗处。

秋窗随笔　一卷　清马位撰　清诗话本　有论元明清诗处。

履园谭诗　一卷　清钱泳撰　清诗话本　多论清诗。

贞一斋诗说　一卷　清李重华撰　清诗话本　有论元明清诗处。

老生常谈　一卷　清延君寿撰　清诗话续编本　有论元明清诗处。

山静居诗话　一卷　清方薰撰　清诗话本　论清诗。
三家诗话　一卷　清尚镕撰　清诗话续编本　论袁枚、蒋士铨、赵翼诗。
退庵随笔　一卷　清梁章钜撰　清诗话续编本　有论元明清诗处。
养一斋诗话　十卷　清潘德舆撰　清诗话续编本　有论元明诗处。
竹林问答　一卷　清陈仪撰　清诗话续编本　有论元明清诗处。
白华山人诗说　二卷　清厉志撰　清诗话续编本　有论清诗处。
问花楼诗话　三卷　清陆鎣撰　清诗话续编本　有论元明清诗处。
筱园诗话　四卷　清朱庭珍撰　清诗话续编本　有论元明清诗处。

（黄永年　陆三强）

编目（CIP）数据

明清诗歌鉴赏辞典 /周啸天主编．—北京：商务印书馆国
有限公司，2011.6
（中国古典诗词曲赋鉴赏系列工具书）
ISBN 978-7-80103-702-2

Ⅰ.①元…　Ⅱ.①周…　Ⅲ.①古典诗歌-鉴赏-中国-元代~清代-词典　Ⅳ.①I207.22-61

中国版本图书馆 CIP 数据核字（2010）第 251378 号

YUAN MING QING SHIGE JIANSHANG CIDIAN
元明清诗歌鉴赏辞典

商务印书馆国际有限公司出版发行
（北京市东城区史家胡同甲 24 号　邮编：100010
电 子 信 箱：cpinter@public3.bta.net.cn）

封面设计：付　强
全国新华书店经销
发行热线：（010）65598498　传真：（010）85118347
编辑部电话：（010）65122489
北京中科印刷有限公司印刷
字数：1900 千字
开本：850×1168mm　1/32　　印张：61.5
2012 年 6 月第 1 版第 2 次印刷
定价：98.00 元